Moderna PLUS

HISTÓRIA

CONEXÕES

CADERNO DO ESTUDANTE

Parte III

Organizadora: Editora Moderna
Obra coletiva concebida, desenvolvida e produzida pela Editora Moderna.

Editora Executiva:
Maria Raquel Apolinário

Sumário

Unidade H
Capítulo
26

O imperialismo na Ásia e na África

Seções:
26.1 Industrialização e imperialismo
26.2 A expansão europeia na Ásia
26.3 A expansão europeia na África
26.4 Ideologia e cultura no imperialismo

Antes de estudar o capítulo

» **Veja** neste quadro os temas principais do capítulo e **marque** um X na coluna que, em sua opinião, traduz o seu conhecimento sobre cada tema.

Temas principais do capítulo	Já estudei. Será um aprofundamento.	Nunca estudei. Será totalmente novo.	Não lembro se estudei.
A Segunda Revolução Industrial			
A formação do capitalismo financeiro na Europa			
O imperialismo na África e na Ásia			
A ideologia imperialista			

» **Veja** abaixo alguns termos e conceitos que você encontrará no capítulo. **Marque** um X naqueles que você julga estarem relacionados à imagem.

- [ ] Segunda Revolução Industrial.
- [ ] Capitalismo.
- [ ] Partilha da África.
- [ ] Revolta dos Cipaios.
- [ ] Conferência de Berlim.
- [ ] Darwinismo social.
- [ ] Desenvolvimento científico-tecnológico.

THE GRANGER COLLECTION/OTHER IMAGES

Os pilhadores do mundo, charge de Thomas Nast, 1885, representando a Alemanha, a Grã-Bretanha e a Rússia tomando o que podem da África e da Ásia.

Justifique suas escolhas.

Capítulo 26 Seção 26.1

INDUSTRIALIZAÇÃO E IMPERIALISMO

Termos e conceitos

Segunda Revolução Industrial

Capitalismo

Oligopólio

Imperialismo

1 **Preencha** as lacunas com termos e conceitos do livro-texto.

a) Resultado da fusão do capital bancário com o capital gerado em outros setores da economia. ______________

b) Associação de diversas empresas que passavam a controlar algum ramo da produção. ______________

c) Período de inovações tecnológicas e de intensificação da produção industrial, tendo como base duas novas fontes de energia: a eletricidade e o petróleo. ______________

d) Movimento expansionista das potências industrializadas em busca de colônias destinadas a fornecer matérias-primas e receber a população e os capitais excedentes na Europa. ______________

Guia de estudo

2 **Preencha** o diagrama a seguir com informações sobre a Segunda Revolução Industrial.

Segunda Revolução Industrial

- Época em que ocorreu
- Principais fontes energéticas
- Regiões e países atingidos
- Indústrias desenvolvidas
- Modelos de associação empresarial surgidos
- Principais invenções do período

3 **Associe** cada número a uma frase.

1. Truste.
2. Cartel.
3. *Holding*.

☐ A Organização dos Países Exportadores de Petróleo (Opep), associação que reúne os maiores produtores de petróleo do mundo, atua para controlar o volume da produção de cada país-membro, controlar os preços e exercer pressões no mercado.

☐ Nos Estados Unidos, em 1892, na disputa pelo controle do mercado de material elétrico, as empresas Edson General Electric e Thomson Houston fundiram-se para formar a General Electric company.

☐ A Unilever é um conglomerado de empresas, com unidades espalhadas por todo o mundo, que produz desde alimentos até artigos de higiene.

☐ Uma prática comum nos postos de combustíveis do Brasil é o aumento combinado de preços, com uma diferença mínima entre eles, para deixar o consumidor sem alternativas de abastecimento.

☐ A Companhia Vale do Rio Doce é uma empresa privada de capital aberto em que a maior parte das ações pertence à Valepar S. A., da qual participam Mitsui, Bradesco, BNDES e outras empresas.

Faça a conexão

4 **Leia** a tirinha e **responda** às questões.

Ema vê a mesa, tirinha da Mafalda.

Quino. *Toda Mafalda*. São Paulo: Martins Fontes, 2009. p. 73.

JOAQUÍN SALVADOR LAVADO (QUINO) TODA MAFALDA – MARTINS FONTES, 2009

a) Que expressão do livro Mafalda não compreendeu?

b) De que maneira a mãe de Mafalda explica para a menina o significado da expressão sala de estar?

c) Qual é a crítica feita nessa tirinha?

d) Que relação pode ser estabelecida entre essa tirinha e o conteúdo estudado nessa seção?

A EXPANSÃO EUROPEIA NA ÁSIA

A EXPANSÃO EUROPEIA NA ÁFRICA

Termos e conceitos

Revolta dos Cipaios

Guerra do Ópio

Xogunato

Restauração Meiji

Conferência de Berlim

1 **Assinale** a afirmativa incorreta e **corrija-a**.

- [ ] Após o fim da Revolta dos Cipaios, a Companhia das Índias Orientais foi extinta e o governo britânico passou a controlar diretamente as regiões conquistadas.
- [ ] Como reparação da Guerra do Ópio, a China foi obrigada a abrir cinco de seus portos à Grã-Bretanha, conceder imunidade e privilégios aos comerciantes ingleses e aceitar transferência de Hong Kong ao governo britânico.
- [ ] A autonomia das províncias chinesas, conquistada na primeira metade do século XIX, facilitou a gradual penetração europeia no país.
- [ ] A Índia beneficiou-se dos tratados comerciais com os ingleses, abandonando seu passado de exportador de matérias-primas baratas.

____

____

2 **Sublinhe**, no interior dos parênteses, a opção correta.

O (ópio/café), mercadoria de grande aceitação entre os (chineses/japoneses), era produzido na Índia e na Birmânia e comercializado pela (Companhia das Índias Ocidentais/ Companhia das Índias Orientais). Reconhecendo as consequências prejudiciais do consumo do produto para a saúde da população, autoridades do país promoveram a queima de 20 mil caixas da mercadoria, fato que desencadeou a (Revolta dos Cipaios/Guerra do Ópio). Diante da ofensiva britânica, (o Japão/a China) rendeu-se. Em 1842, foi assinado (o Tratado de Nanquim/a Conferência de Berlim), que estabelecia uma série de reparações à (Holanda/Grã-Bretanha), como a concessão de privilégios comerciais.

3 **Dê** o significado dos seguintes termos.

a) Xogunato. ____

____

____

b) Restauração Meiji. ____

____

____

____

4 **Preencha** o quadro a seguir com informações a respeito da Conferência de Berlim.

Conferência de Berlim	
Data de realização e contexto histórico	
Países participantes	
Medidas tomadas	
Consequências	

5 **Associe** as colunas.

1. Domínio britânico.
2. Domínio francês.
3. Domínio alemão.
4. Domínio belga.

- [ ] Argélia.
- [ ] Madagascar.
- [ ] Nigéria.
- [ ] União Sul-Africana.
- [ ] Serra Leoa.
- [ ] Marrocos.
- [ ] Congo.
- [ ] Camarões.

IDEOLOGIA E CULTURA NO IMPERIALISMO

Termos e conceitos

Darwinismo social

Racismo

Cultura

1 **Sublinhe** as expressões que caracterizam as ideologias raciais do século XIX.

relativismo cultural – diversidade cultural – superioridade da raça branca – ecumenismo – darwinismo social – respeito mútuo entre as culturas – bárbaros e civilizados

2 **Identifique** as afirmativas corretas e **preencha** o quadrado a seguir com a soma de seus valores.

1. A arte africana passou a ser valorizada na Europa em função do interesse de artistas como Picasso, Matisse e Apollinaire.
2. Geógrafos, viajantes, pesquisadores e etnólogos europeus viajaram à África e produziram vários estudos e publicações sobre o continente.
4. As obras dos pesquisadores europeus sobre a África caracterizaram-se pela imparcialidade, pela objetividade e pela ausência de preconceitos.
8. O interesse das nações europeias na partilha da África era exclusivamente econômico, ignorando a diversidade cultural das populações nativas.
16. A ideologia da superioridade racial branca justificou o expansionismo imperialista das principais nações europeias.
32. A missão civilizatória europeia foi um processo positivo, pois possibilitou diálogos e trocas culturais enriquecedoras com os povos dominados.

Soma: ☐ ____________.

Guia de estudo

3 **Preencha** o esquema a seguir sobre as exposições universais.

Exposições universais

- Celebrar as conquistas da ____________ e da ____________.
- Afirmar a superioridade da ____________.
- Levar os cidadãos ____________ e ____________ a se identificarem com os propósitos das ____________.
- Expor elementos da ____________ e da ____________ dos povos classificados como ____________, segundo o princípio do ____________.

Fechando o capítulo 26

Sintetize

Associe os conjuntos que possuem conceitos relacionados entre si.

a)
- Cartel
- *Holding*
- Truste

b)
- Dominação britânica na Índia
- Abertura dos portos chineses
- Revolução Meiji

c)
- Conferência de Berlim
- Imperialismo

d)
- Darwinismo social
- Racismo
- Exposições universais

e)
- Revolta dos Cipaios
- Guerra do Ópio
- Fim do xogunato

f)
- Grande depressão (1873-1896)

g)
- Legitimação do imperialismo
- Missão civilizatória
- Celebração da modernidade

h)
- Oligopólios
- Concentração de capitais
- Capitalismo financeiro

i)
- Partilha da África
- Ocupação da Ásia
- Busca de mercados para aplicação de capitais

j)
- Aumento da produção
- Queda nos preços
- Falências

☐ e ☐
☐ e ☐
☐ e ☐
☐ e ☐
☐ e ☐

Avalie

Marque um X na coluna que melhor traduz o seu aprendizado sobre cada tema. Depois, **compare** este quadro com o que você preencheu no item "Antes de estudar o capítulo".

Temas principais do capítulo	Compreendi bem o tema.	Compreendi, mas tenho algumas dúvidas.	Tenho muitas dúvidas.
A Segunda Revolução Industrial			
A formação do capitalismo financeiro na Europa			
O imperialismo na África e na Ásia			
A ideologia imperialista			

Se você teve dificuldade para compreender algum desses temas, reveja as atividades do *Caderno do estudante* referentes a este capítulo e revise seu livro-texto. Caso seja necessário, peça ajuda ao seu professor ou a um colega.

Unidade H
Capítulo
27

Arte, ciência e tecnologia na *Belle Époque*

Seções:
- 27.1 O impacto das novas tecnologias no cotidiano
- 27.2 O conhecimento no início do século XX
- 27.3 A revolução das vanguardas artísticas

Antes de estudar o capítulo

» **Veja** neste quadro os temas principais do capítulo e **marque** um X na coluna que, em sua opinião, traduz o seu conhecimento sobre cada tema.

Temas principais do capítulo	Já estudei. Será um aprofundamento.	Nunca estudei. Será totalmente novo.	Não lembro se estudei.
A sociedade da *Belle Époque*			
O surgimento dos meios de comunicação de massa			
As inovações tecnológicas da *Belle Époque*			
O conhecimento no início do século XX			
As vanguardas artísticas europeias			

» **Veja** abaixo alguns termos e conceitos que você encontrará no capítulo. **Marque** um X naqueles que você julga estarem relacionados à imagem.

- ☐ Desenvolvimento tecnológico.
- ☐ *Belle Époque*.
- ☐ Psicanálise.
- ☐ Vanguarda artística.
- ☐ Desenvolvimento científico.
- ☐ Cultura de massa.

Banhistas em Asnières, pintura de Georges Pierre Seurat, 1884.

Justifique suas escolhas.

____

____

____

O IMPACTO DAS NOVAS TECNOLOGIAS NO COTIDIANO

O CONHECIMENTO NO INÍCIO DO SÉCULO XX

Termos e conceitos

Desenvolvimento tecnológico

Belle Époque

Cultura de massa

Psicanálise

Antropologia cultural

1 **Sublinhe** as palavras que não fazem parte do grupo e **justifique**.

cinematógrafo – lançadeira volante – metrô – telefone – máquina de fiar *jenny* – rádio – tear hidráulico – fonógrafo – gramofone – locomotiva a vapor – cinema

____

____

____

2 **Numere** as frases para que elas formem um texto contínuo e coerente.

☐ O otimismo da *Belle Époque* ficava evidente nas exposições universais, que exibiam e celebravam as conquistas da ciência e da técnica e ajudavam a exaltar o modo de vida da burguesia ocidental.

☐ No entanto, as conquistas da Segunda Revolução Industrial restringiram-se às áreas mais ricas da Europa e a alguns poucos países espalhados pelo globo.

☐ A revolução tecnológica do período também podia ser notada nos transportes, com a construção das primeiras linhas de metrô e a invenção do automóvel.

☐ Na Europa, o século XIX foi marcado por um grande desenvolvimento tecnológico.

Guia de estudo

3 **Complete** o esquema a seguir com informações sobre o surgimento da cultura de massa.

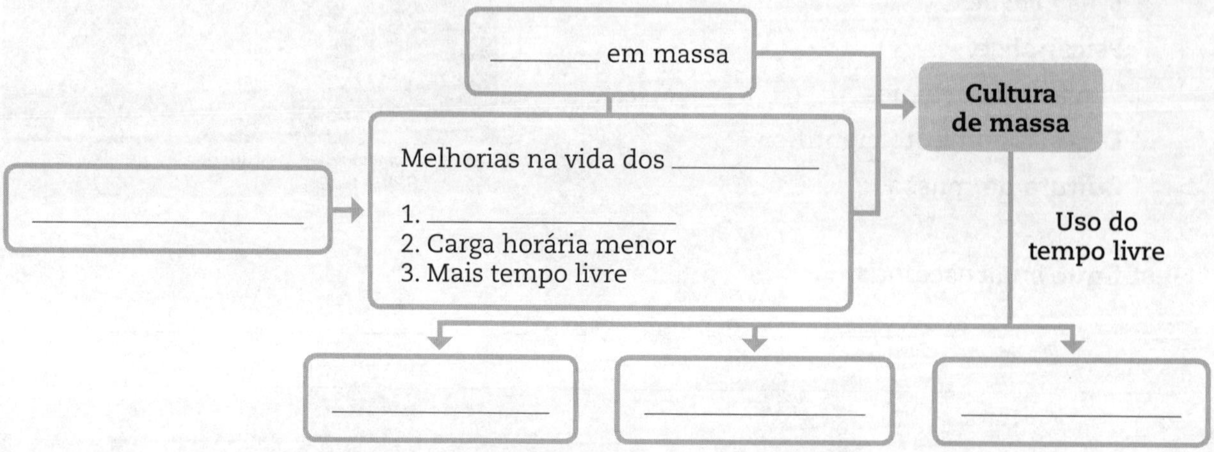

4 **Preencha** o quadro a seguir comparando as características da psicanálise com as da antropologia cultural.

	Psicanálise	Antropologia cultural
Principais representantes		
Objetos de estudo		
Método de trabalho		
Contribuição para a humanidade		

Faça a conexão

5 **Observe** a charge ao lado e **responda** às questões.

COLLECTION KHARBINE – TAPABOR/THE BRIDGEMAN ART LIBRARY/ KEYSTONE – BIBLIOTECA NACIONAL DA FRANÇA, PARIS

A linha de bonde no Louvre, charge de Albert Robida, 1883.

a) Que aspectos típicos da *Belle Époque* estão presentes na charge?

b) Qual é a crítica feita nessa charge?

A REVOLUÇÃO DAS VANGUARDAS ARTÍSTICAS

Termos e conceitos

Vanguarda artística

1 **Escreva V** (verdadeiro) ou **F** (falso).

- ( ) As vanguardas artísticas da *Belle Époque* insurgiram-se contra a institucionalização da arte do século XIX, dominada pelo gosto burguês e pelo confinamento nos museus.
- ( ) Pintores como Vincent van Gogh, Paul Gauguin e Paul Cézanne logo conquistaram o apoio da burguesia, que se identificava com os valores propostos por esses artistas.
- ( ) Os vanguardistas defendiam a ideia de que a arte deveria estar presente no cotidiano das pessoas, diferentemente do que ocorria com a arte tradicional.
- ( ) Artistas e intelectuais do período lutavam contra a tradição, o conformismo e o culto ao passado.
- ( ) Os vanguardistas não se deixaram influenciar pelo novo mundo dominado pela técnica, propondo, assim, uma crítica desvinculada dos novos aspectos da vida moderna.

2 **Explique** como a sociedade europeia da *Belle Époque* interferiu no surgimento da arte de vanguarda.

Guia de estudo

3 **Organize** os termos abaixo no esquema. No círculo central, **escreva** o que as três manifestações artísticas possuíam em comum.

1. Entusiasmo pela ciência e pela técnica.
2. Fundado por André Breton.
3. Ridicularização de obras de arte consagradas.
4. Um de seus principais representantes foi Marcel Duchamp.
5. Sonhos, delírios e instintos marcaram essa produção artística.
6. Iniciou-se com o manifesto assinado por Marinetti.
7. Sigmund Freud influenciou esse tipo de obra.
8. Exaltação da sociedade industrial.
9. Organização de *happenings*.

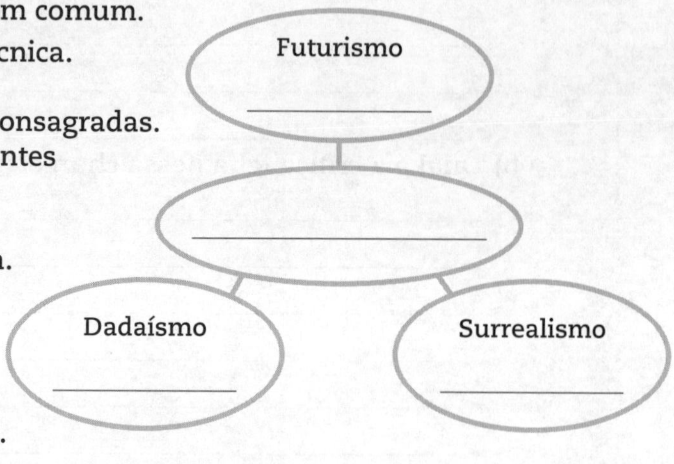

4 **Organize** os termos do quadro a seguir nas respectivas colunas.

resistência ao modernismo – antropologia cultural – psicanálise – arte institucionalizada – criação artística livre – hegemonia do gosto burguês – positivismo – arte fundindo-se com o cotidiano

Belle Époque	
Tradição	Ruptura

Faça a conexão

5 **Leia** a tirinha e **responda** às questões.

JOAQUÍN SALVADOR LAVADO (QUINO) TODA MAFALDA – MARTINS FONTES, 2009

Meu Deus, Manolito..., tirinha da personagem Mafalda. Quino. *Toda Mafalda*. São Paulo: Martins Fontes, 2009. p. 124.

» **Identifique** a manifestação artística à qual o personagem Manolito se refere nessa tira. **Justifique.**

Fechando o capítulo 27

Sintetize

» **Observe** a imagem ao lado, **identifique** as afirmativas corretas e **preencha** o quadrado a seguir com a soma de seus valores.

1. A arte na *Belle Époque* não se desenvolveu por causa da hegemonia das novas tecnologias.
2. O cinematógrafo pode ser considerado um dos símbolos do desenvolvimento urbano europeu da segunda metade do século XIX.
4. Os personagens representados nessa imagem pertencem à nova aristocracia urbana, que imitava os antigos hábitos da burguesia.
8. A alegria e a agitação dos personagens mostrados nesse cartaz representavam o furor e a exaltação das pessoas diante das novas descobertas tecnológicas que encantavam as elites europeias do século XIX.
16. A imagem não tem qualquer relação com a *Belle Époque*, pois o pessimismo daquele período não justificaria a alegria dos personagens.

GIANNI DGLI ORTI/THE ART ARCHIVE/OTHER IMAGES - MUSÉE DE L'AFFICHE, PARIS

Anúncio do cinematógrafo Lumière, pôster de 1896.

Soma: ☐ ________.

Avalie

» **Marque** um X na coluna que melhor traduz o seu aprendizado sobre cada tema. Depois, **compare** este quadro com o que você preencheu no item "Antes de estudar o capítulo".

Temas principais do capítulo	Compreendi bem o tema.	Compreendi, mas tenho algumas dúvidas.	Tenho muitas dúvidas.
A sociedade da *Belle Époque*			
O surgimento dos meios de comunicação de massa			
As inovações tecnológicas da *Belle Époque*			
O conhecimento no início do século XX			
As vanguardas artísticas europeias			

Se você teve dificuldade para compreender algum desses temas, reveja as atividades do *Caderno do estudante* referentes a este capítulo e revise seu livro-texto. Caso seja necessário, peça ajuda ao seu professor ou a um colega.

Unidade H
Capítulo
28

A Primeira Guerra Mundial

Seções:
28.1 A marcha para a guerra
28.2 Eclode o conflito mundial
28.3 A tecnologia da destruição
28.4 O armistício e os resultados da guerra

Antes de estudar o capítulo

» Veja neste quadro os temas principais do capítulo e **marque** um X na coluna que, em sua opinião, traduz o seu conhecimento sobre cada tema.

Temas principais do capítulo	Já estudei. Será um aprofundamento.	Nunca estudei. Será totalmente novo.	Não lembro se estudei.
O imperialismo e o nacionalismo na Primeira Guerra Mundial			
A guerra de trincheiras			
A formação de alianças políticas			
A tecnologia bélica e a corrida armamentista			
A cultura do pós-guerra			

» Veja abaixo alguns termos e conceitos que você encontrará no capítulo. **Marque** um X naqueles que você julga estarem relacionados à imagem.

- [ ] Corrida armamentista.
- [ ] Pan-eslavismo.
- [ ] Tríplice Aliança.
- [ ] Tríplice Entente.
- [ ] Imperialismo.
- [ ] Nacionalismo.

"Seus amigos estão lutando. Por que você não está?", cartaz canadense produzido em 1917, durante a Primeira Guerra Mundial.

Justifique suas escolhas.

Capítulo 28 | Seção 28.1

A MARCHA PARA A GUERRA

Seção 28.2

ECLODE O CONFLITO MUNDIAL

Termos e conceitos

Imperialismo

Nacionalismo

Corrida armamentista

Tríplice Entente

Tríplice Aliança

Guerra de trincheiras

1 **Associe** cada número a uma frase.

1. Guerra de trincheiras.
2. Tríplice Entente.
3. Tríplice Aliança.
4. Nacionalismo.
5. Imperialismo.

☐ Aliança militar formada por Grã-Bretanha, França e Rússia.

☐ Política expansionista das grandes potências industriais em busca de mercados e áreas coloniais.

☐ Tipo de guerra cujos avanços eram muito lentos e que envolvia elevados custos militares e muitas perdas humanas.

☐ Sentimento alimentado pelos governos de cada país e que os levou a fomentar rivalidades externas e propagandas de exaltação da pátria.

☐ Aliança militar envolvendo Alemanha, Áustria-Hungria e Itália.

Guia de estudo

2 **Escreva** [1] para Grã-Bretanha, [2] para Alemanha e [3] para França.

☐ Sua política, nitidamente imperialista, garantiu-lhe vastos domínios coloniais na Ásia e na África.

☐ Ficou com a menor parte da partilha colonial.

☐ Atrasou-se na corrida imperialista em comparação com outras potências europeias.

☐ O amplo domínio imperial lhe possibilitou tornar-se a maior potência industrial do mundo.

☐ Em 1871 perdeu as regiões da Alsácia e da Lorena, muito importantes para a economia do país.

3 **Assinale** a alternativa que corresponde aos acontecimentos de cada círculo.

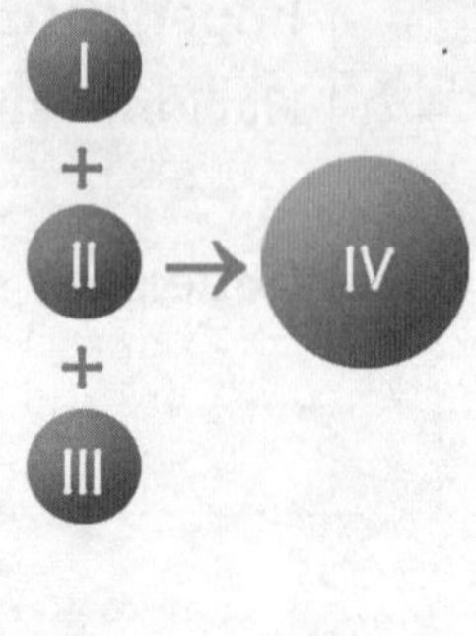

☐ I. Monarquias rivais; II. Disputas coloniais; III. Protecionismo alfandegário; VI. Guerra Franco-Prussiana.

☐ I. Nacionalismo; II. Disputa imperialista; III. Rivalidades étnicas; IV. Primeira Guerra Mundial.

☐ I. Disputas por mercados e capitais; II. Imperialismo; III. Controle das rotas oceânicas; IV. Revolução Russa.

☐ I. Privilégios da aristocracia; II. Burguesia comercial; III. Disputas territoriais na Europa; IV. Primeira Guerra Mundial.

☐ I. Monopólio comercial; II. Influência dos Estados Unidos; III. Nacionalismo; IV. Guerra Franco-Prussiana.

4 **Preencha** o esquema a seguir sobre a Primeira Guerra Mundial.

Primeira Guerra Mundial

Choque entre potências ____________ e acirramento das tensões internacionais.

Formação de alianças

Tríplice Aliança

- ____________
- ____________
- ____________

Tríplice Entente

- ____________
- ____________
- ____________

28 jun. 1914
Atentado em ____________.

Jul. 1914
A ____________ declara guerra à Sérvia. A Alemanha declara guerra à ____________ (aliada da Sérvia) e também à França.

Abr. 1915
A ____________ assina tratado com os países da Tríplice Entente e entra na guerra ao lado deles.

Abr. 1917
Os ____________ declaram guerra à Alemanha e entram no conflito ao lado dos ____________.

Dez. 1917
Os bolcheviques, que tomaram o poder na Rússia em novembro de 1917, ____________.

Nov. 1918
A ____________ assina o armistício. Fim da Primeira Guerra Mundial.

Jan. 1919
As potências vencedoras se reúnem na ____________ para estabelecer as condições de paz.

Jun. 1919
A Alemanha assina o ____________.

Faça a conexão

5 **Observe** a imagem abaixo e **produza** um texto utilizando os termos a seguir.

nacionalismo – Primeira Guerra Mundial – corrida armamentista – tecnologia bélica – populações civis – disputa imperialista

THREE LIONS/HULTON ARCHIVE/GETTY IMAGES

Mulheres alemãs procuram comida em escombros de cidade destruída durante a Primeira Guerra Mundial. Foto de 1918.

A TECNOLOGIA DA DESTRUIÇÃO

O ARMISTÍCIO E OS RESULTADOS DA GUERRA

Termos e conceitos

Armas químicas
Indústria bélica
Tratado de Versalhes
Revanchismo

1 **Analise** as afirmativas a seguir e **assinale** a alternativa correta.

I. A Primeira Guerra Mundial caracterizou-se pelo baixo desenvolvimento tecnológico e pelo uso de técnicas rudimentares de combate, o que aumentou consideravelmente o número de vítimas.

II. Dirigíveis e aviões eram utilizados em ataques surpresa, que alarmavam a população civil e causavam danos aos patrimônios das cidades atingidas.

III. Os operários, muitos deles convocados para participar dos conflitos, foram substituídos por estrangeiros ou por mulheres que trabalhavam para atender às necessidades da população.

IV. Apesar dos conflitos, os ataques não se estenderam às cidades e a população civil foi poupada. Dessa forma as atividades cotidianas não foram afetadas e a economia europeia não sofreu nenhum tipo de sobressalto.

V. Os materiais desenvolvidos pela indústria química foram largamente utilizados no conflito e causaram grande número de vítimas.

a) Somente as afirmativas I, II e V.
b) Somente a afirmativa II.
c) Somente as afirmativas II, III e V.
d) Somente as afirmativas I e IV.
e) Somente a afirmativa V.

2 **Leia** o texto a seguir e **identifique** o sentimento que contribuiu para impelir a França para a Primeira Guerra. **Explique** como esse sentimento se originou.

"VIII. Todo o território francês deveria ser libertado e as partes invadidas restauradas, e o malfeito à França pela Prússia em 1871, na questão da Alsácia-Lorena, que perturbou a paz mundial durante quase cinquenta anos, deveria ser corrigido, a fim de que a paz possa uma vez mais ser garantida no interesse de todos."

Os 14 pontos de Wilson (1919) In: MARQUES, Adhemar Martins; BERUTTI, Flávio; FARIA, Ricardo. *História contemporânea através de textos*. 11. ed. São Paulo: Contexto, 2005. v. 5. p. 113. (Coleção Textos e documentos)

3 **Escolha** o esquema que melhor representa a ordem dos acontecimentos relatados no texto da questão 2.

☐ Como reparação de guerra, a Alemanha teve que devolver os territórios franceses invadidos, inclusive as regiões da Alsácia e da Lorena. → Durante a Primeira Guerra Mundial, partes do território francês foram ocupadas pelos alemães, acirrando o revanchismo francês. → A Prússia tomou territórios franceses, em 1871. → As tensões na região se estenderam por quase cinquenta anos.

☐ A Prússia tomou territórios franceses, em 1871. → As tensões na região se estenderam por quase cinquenta anos. → Durante a Primeira Guerra Mundial, partes do território francês foram ocupadas pelos alemães, acirrando o revanchismo francês. → Como reparação de guerra, a Alemanha teve que devolver os territórios franceses invadidos, inclusive as regiões da Alsácia e da Lorena.

☐ As tensões na região se estenderam por quase cinquenta anos. → Como reparação de guerra, a Alemanha teve que devolver os territórios franceses invadidos, inclusive as regiões da Alsácia e da Lorena. → A Prússia tomou territórios franceses, em 1871. → Durante a Primeira Guerra Mundial, partes do território francês foram ocupadas pelos alemães, acirrando o revanchismo francês.

☐ A Prússia tomou territórios franceses, em 1871. → Durante a Primeira Guerra Mundial, partes do território francês foram ocupadas pelos alemães, acirrando o revanchismo francês. → Como reparação de guerra, a Alemanha teve que devolver os territórios franceses invadidos, inclusive as regiões da Alsácia e da Lorena. → As tensões na região se estenderam por quase cinquenta anos.

☐ Durante a Primeira Guerra Mundial, partes do território francês foram ocupadas pelos alemães, acirrando o revanchismo francês. → A Prússia tomou territórios franceses, em 1871. → As tensões na região se estenderam por quase cinquenta anos. → Como reparação de guerra, a Alemanha teve que devolver os territórios franceses invadidos, inclusive as regiões da Alsácia e da Lorena.

4 **Identifique** as afirmativas corretas sobre a arte no pós-Primeira Guerra e **preencha** o quadrado a seguir com a soma de seus valores.

1. As profundas devastações geradas pelos violentos confrontos militares geraram traumas e desilusões em soldados e em parte da população europeia do pós-guerra.
2. Parte da riqueza acumulada pelos países vencedores foi utilizada para financiar uma nova manifestação artística, marcada pela alegria e pelo otimismo.
4. Movimentos artísticos favoráveis à paz se opunham a formas autoritárias de governo.
8. Houve um profundo engajamento político de diversos artistas, que se dedicavam à produção de obras reflexivas e indagadoras da condição humana daquele período.
16. A grave crise econômica, política e social do pós-guerra mudou a perspectiva artística em relação ao otimismo presente na *Belle Époque*.

Soma: ☐ __________ .

5 **Preencha** o diagrama sobre os desdobramentos do Tratado de Versalhes.

Tratado de Versalhes

Impõe à ________

- Desmilitarização
- ________ ________
- ________ ________
- Entrega dos territórios coloniais

- Humilhação
- ________

____

Novo conflito mundial

Faça a conexão

6 **Observe** a charge ao lado. Em seguida, **responda** às questões.

Charge de 1921 que ironiza o Ato de Emergência de Cotas, aprovado em 1921, que limitava o ingresso de imigrantes europeus nos Estados Unidos a 350 mil pessoas por ano.

THE GRANGER COLLECTION/OTHER IMAGES

a) **Identifique** o fato representado nessa charge.

____

____

____

b) **Identifique** os motivos do movimento representado na charge.

____

____

____

____

____

____

____

____

Fechando o capítulo 28

Sintetize

» Em dupla, **comparem** as duas imagens. **Escrevam** um pequeno texto ressaltando as principais características e os contextos históricos de cada uma delas.

THE BRIDGEMAN ART LIBRARY/GRUPO KEYSTONE – COLEÇÃO PARTICULAR

O mar em Cagnes, pintura de Pierre Auguste Renoir, cerca de 1910.

THE BRIDGEMAN ART LIBRARY/KEYSTONE – IMPERIAL WAR MUSEUM, LONDRES

Oppy Wood, 1917, evening, obra de John Nash, 1918.

Avalie

» **Marque** um X na coluna que melhor traduz o seu aprendizado sobre cada tema. Depois, **compare** este quadro com o que você preencheu no item "Antes de estudar o capítulo".

Temas principais do capítulo	Compreendi bem o tema.	Compreendi, mas tenho algumas dúvidas.	Tenho muitas dúvidas.
O imperialismo e o nacionalismo na Primeira Guerra Mundial			
A guerra de trincheiras			
A formação de alianças políticas			
A tecnologia bélica e a corrida armamentista			
A cultura do pós-guerra			

Se você teve dificuldade para compreender algum desses temas, reveja as atividades do *Caderno do estudante* referentes a este capítulo e revise seu livro-texto. Caso seja necessário, peça ajuda ao seu professor ou a um colega.

Unidade H

Capítulo

29

Revolução e contrarrevolução num mundo instável

Seções:

29.1 A Revolução Mexicana

29.2 A Revolução Russa

29.3 O Estado socialista

Antes de estudar o capítulo

» **Veja** neste quadro os temas principais do capítulo e **marque** um X na coluna que, em sua opinião, traduz o seu conhecimento sobre cada tema.

Temas principais do capítulo	Já estudei. Será um aprofundamento.	Nunca estudei. Será totalmente novo.	Não lembro se estudei.
A Revolução Mexicana			
O fim do czarismo e a Revolução Russa			
A formação do Estado socialista russo			
As divergências políticas na União Soviética			
A consolidação do regime stalinista			

» **Veja abaixo alguns termos e conceitos que você encontrará no capítulo. Marque um X naqueles que você julga estarem relacionados à imagem.**

- [ ] Czarismo.
- [ ] Porfiriato.
- [ ] Revolução Mexicana.
- [ ] Revolução de Outubro.
- [ ] Menchevique.
- [ ] Estado socialista.
- [ ] Caudilho.

Detalhe do afresco *O povo pega em armas*, de David Alfaro Siqueiros, 1957.

Justifique suas escolhas.

A REVOLUÇÃO MEXICANA

Termos e conceitos

Revolução Mexicana

Porfiriato

1 **Preencha** o quadro a seguir sobre o porfiriato.

Porfiriato			
Governante e duração	Grupo privilegiado	Situação do campesinato no início do século XX	Objetivos da resistência ao governo
		•	•
		•	•
		•	•

2 **Escreva V** (verdadeiro) ou **F** (falso) para as afirmativas a seguir sobre a Revolução Mexicana.

☐ Na transição do século XIX para o século XX, o México vivia sob uma ditadura autoritária comandada por Porfírio Diaz, que aprofundou ainda mais a divisão entre ricos e pobres ao beneficiar os grandes latifundiários e aprovar leis que expropriavam as terras dos camponeses.

☐ Inspirados nos ideais da Revolução Russa, operários urbanos mexicanos tomaram o poder e instauraram conselhos municipais, chamados de *tiendas de raya*, onde se discutiam questões relativas à cobrança de impostos e à administração dos recursos.

☐ A Revolução Mexicana selou uma aliança operária e camponesa, dirigida pelo operariado industrial, já que a mais importante reivindicação era a tomada das fábricas pelos trabalhadores, que seriam dirigidas por conselhos de operários.

☐ Francisco Madero, um rico proprietário de terras, tornou-se um dos principais opositores do governo de Diaz. Madero foi acusado de rebelião e teve a prisão decretada. Exilou-se nos Estados Unidos, de onde insuflou a população a reagir.

☐ A defesa da reforma agrária, concretizada com a expropriação dos grandes proprietários e a distribuição de terras aos camponeses, foi a bandeira central da Revolução Mexicana, que teve como principais líderes Pancho Villa e Emiliano Zapata, que expressavam a radicalização da lutas camponesas no México.

Guia de estudo

3 **Complete o esquema com os termos a seguir.**

ditadura – insurreição dos camponeses – interesses opostos – pressão de Pancho Villa e Zapata – exploração dos camponeses – fim da fase revolucionária – Constituição de 1917 – assassinatos de Zapata e Pancho Villa – benefícios aos latifundiários – Estados Unidos – Plano Ayala – *ejidos*

Porfiriato

______________ | ______________ | ______________

Revolução Mexicana

Governo de Madero (1911-1913)

1. Tentativa de conciliar ______________.

2. Zapata lança o ______________.

Golpe de Huerta (1913) — Apoio dos ______________.

Combate à ______________ ______________.

Governo de Carranza (1914-1919)

- ______________ ______________.
- A ______________ legitimou o poder de Carranza.

Obregón

- ______________ ______________.
- Reconhecimento dos ______, processo iniciado com a ______________, e cooptação dos camponeses pelo aparelho do Estado.

______ da fase ______________.

4 **Associe** cada personagem a uma frase.

1. Pancho Villa.
2. Francisco Madero.
3. Porfírio Diaz.
4. Emiliano Zapata.
5. Victoriano Huerta.

☐ Liderava os exércitos camponeses do sul do México.

☐ Ditador do México, foi obrigado a renunciar pela pressão do movimento revolucionário iniciado em 1910.

☐ Líder revolucionário que se tornou presidente do México após a renúncia de Porfírio Diaz.

☐ Depois de comandar o golpe que retirou Francisco Madero do poder, tornou-se presidente do México.

☐ Liderava os exércitos camponeses do norte do México.

Faça a conexão

5 **Leia** a letra da música criada durante a Revolução Mexicana e **responda** às questões.

La Adelita

"[...] E se Adelita quisesse ser minha namorada
se Adelita fosse minha mulher
lhe compraria um vestido de seda
para levá-la para dançar no quartel.

Uma noite em que a escolta regressava
conduzindo entre suas fileiras o sargento
na voz de uma mulher que soluçava
sua súplica se ouviu no acampamento. [...]

Que se Adelita se fosse com outro
a seguiria por terra e por mar
se por mar em um navio de guerra
se por terra em um trem militar.

E caso eu morra em campanha
e meu cadáver o sepultarem
Adelita por Deus te rogo
que com seus olhos me venha chorar."

Cantiga popular. Disponível em http://letras.terra.com.br. Acesso em 20 nov. 2010. (tradução nossa)

a) **Identifique** o tema da letra da música.

____

____

____

b) **Sublinhe** os versos e as expressões que fazem referência à Revolução Mexicana.

____

____

A REVOLUÇÃO RUSSA

O ESTADO SOCIALISTA

Termos e conceitos

1 **Escreva** nas linhas ao lado o conceito correspondente a cada frase.

1. Medidas lançadas pelo governo de Lênin para estimular a produção e combater a grave crise de abastecimento na Rússia soviética.
2. Movimento que derrubou o czarismo na Rússia e implantou uma república liberal.
3. Regime político da Rússia imperial, caracterizado por uma autocracia burocrática e pelo despotismo do imperador.
4. Movimento que derrubou o governo provisório de Kerensky e deu início à construção de um Estado socialista na Rússia.
5. Conselho popular na Rússia pré-revolucionária composto principalmente por operários e soldados.
6. Ala minoritária do Partido Democrata Russo, defendia a construção do socialismo pelas vias institucionais.
7. Inaugurado na Rússia pela revolução bolchevique, tinha como base a propriedade coletiva dos meios de produção e a economia planificada.
8. Ala majoritária do Partido Democrata Russo, defendia a revolução proletária para destruir o capitalismo.
9. Movimento que se realizou em duas fases: a primeira resultou na queda do czarismo e a segunda na destruição do Estado capitalista no país.
10. A vitória dos bolcheviques na Revolução de Outubro de 1917 provocou a reação armada das forças monarquistas, liberal-burguesas e aristocráticas, apoiadas pelas principais potências capitalistas estrangeiras. Depois de três anos de conflito, os bolcheviques (Exército Vermelho) venceram as forças contrarrevolucionárias (Exército Branco).

1. ______
2. ______
3. ______
4. ______
5. ______
6. ______
7. ______
8. ______
9. ______
10. ______

2 **Escreva** [1] se a proposição e a explicação estão corretas; [2] se a proposição está correta, mas a explicação incorreta; e [3] se ambas estão incorretas.

[ ] A Nova Política Econômica foi considerada um passo atrás pelos revolucionários *porque* se baseava na adoção, por um período provisório, de práticas econômicas capitalistas.

[ ] As reformas liberais da Nova Política Econômica expandiram-se também para a política *porque* se acreditava que os trabalhadores deveriam criar suas próprias instâncias de poder sem depender do Estado.

[ ] A Nova Política Econômica é tida como o primeiro passo para a instalação do socialismo na Rússia *porque* ela estabeleceu a abolição da propriedade privada dos meios de produção e o confisco dos bens da Igreja e da aristocracia.

3 **Complete** o esquema abaixo, que sintetiza os principais eventos na Rússia entre o fim do czarismo e a guerra civil.

Atuação do ______________ ______________ e de movimentos populistas – ______________.

Precárias ______________ da maioria da população russa.

Derrota do Império Russo diante do ______________.

____

Formação dos ______________, conselhos populares formados por soldados, operários e camponeses.

Convocação da ______, Parlamento russo.

Queda do ______________.

Governo provisório de ______________.

Revolução de ______________ de 1917

______________ ______________.

Adoção do sufrágio universal.

Revolução de ______________ de 1917

Tomada do poder pelo Partido ______________, liderado por ______________.

Confisco de ______________.

Abolição da ______________.

Saída da Rússia da Primeira Guerra Mundial. Acordo de ______________.

Guerra Civil

O ______________, liderado por Trotski, luta contra o ______________, forças contrarrevolucionárias apoiadas por nações capitalistas.

Fim da guerra civil em 1921, com a vitória dos bolcheviques.

4 **Assinale com um X a coluna à qual corresponde o nome do responsável pelas ideias a seguir.**

	Stalin	Trotski
A revolução deveria limitar-se à União Soviética.		
Estabeleceu a ditadura do proletariado sem o proletariado.		
Foi banido da União Soviética e assassinado no México.		
Acreditava que a revolução deveria expandir-se para outros países.		
Projeto vencedor na União Soviética.		

5 **Complete** o diagrama sobre a guerra civil na Rússia.

A guerra civil na Rússia (1918-1921)

Exército ____________ (bolcheviques e ____________).

×

____________ (monarquistas, grupos burgueses liberais, apoiados por ____________).

1. Vitória dos ____________.
2. Produção ____________ e industrial da Rússia ____________.
3. Adoção do comunismo de ________.

Faça a conexão

6 **Observe** a charge ao lado, que mostra o líder revolucionário russo Vladimir Lênin com uma vassoura, e **responda** às questões.

APIC/GETTY IMAGES

Cartaz produzido pelo cartunista russo Victor Deni, em 1920, representando Lênin varrendo do planeta a monarquia e o clero, bem como capitalistas americanos.

a) Que grupos sociais estão representados na imagem?

____

____

b) **Relacione** a charge ao contexto histórico de sua criação.

____

____

____

____

____

____

Fechando o capítulo 29

Sintetize

» **Observe** estas duas fotografias. Embora haja diferenças entre elas, as fotos registram a mesma situação. Na foto 1, o homem fardado ao lado do palanque é Trotski. Na foto 2, no entanto, a imagem de Trotski foi apagada.

MANSELL/TIME LIFE PICTURES/GETTY IMAGES

THE GRANGER COLLECTION/OTHER IMAGES

Lênin discursa para tropas que partiam para lutar na guerra civil, em maio de 1920. Na foto da esquerda, Trotski aparece em pé, à direita do palanque; na foto da direita, o líder russo desapareceu.

» **Explique** quais foram os motivos que levaram à mudança observada entre as duas fotos.

Avalie

» **Marque** um X na coluna que melhor traduz o seu aprendizado sobre cada tema. Depois, **compare** este quadro com o que você preencheu no item "Antes de estudar o capítulo".

Temas principais do capítulo	Compreendi bem o tema.	Compreendi, mas tenho algumas dúvidas.	Tenho muitas dúvidas.
A Revolução Mexicana			
O fim do czarismo e a Revolução Russa			
A formação do Estado socialista russo			
As divergências políticas na União Soviética			
A consolidação do regime stalinista			

Se você teve dificuldade para compreender algum desses temas, reveja as atividades do *Caderno do estudante* referentes a este capítulo e revise seu livro-texto. Caso seja necessário, peça ajuda ao seu professor ou a um colega.

Unidade H

Capítulo

30

A república das elites: a Primeira República no Brasil

Seções:

Antes de estudar o capítulo

» **Veja** neste quadro os temas principais do capítulo e **marque** um X na coluna que, em sua opinião, traduz o seu conhecimento sobre cada tema.

Temas principais do capítulo	Já estudei. Será um aprofundamento.	Nunca estudei. Será totalmente novo.	Não lembro se estudei.
Política e economia na Primeira República			
A crise da produção cafeeira e o desenvolvimento industrial			
As reformas urbanas da Primeira República			
Cangaço e messianismo			
O tenentismo e o movimento operário no Brasil			

» **Veja** abaixo alguns termos e conceitos que você encontrará no capítulo. **Marque** um X naqueles que você julga estarem relacionados à imagem.

- [ ] Urbanização.
- [ ] Cangaço.
- [ ] Movimento operário.
- [ ] Reforma urbana.
- [ ] Política do café com leite.
- [ ] Tenentismo.
- [ ] Revolta da Vacina.

COLEÇÃO PARTICULAR

Avenida Marquês de Olinda, na cidade de Recife, cartão-postal de c. 1925.

Justifique suas escolhas.

CIDADANIA E EXCLUSÃO SOCIAL NA PRIMEIRA REPÚBLICA

MUDANÇAS SOCIOECONÔMICAS NO BRASIL

Termos e conceitos

República da Espada
República Oligárquica
Política dos governadores
Clientelismo
Política do café com leite
Crise do café
Urbanização
Revolta da Vacina
Reforma urbana

1 **Escreva** E para República da Espada e O para República Oligárquica.

- [ ] Presidência da república ocupada por militares.
- [ ] Predominância política de Minas Gerais, São Paulo e Rio Grande do Sul.
- [ ] Política dos governadores.
- [ ] Promulgação da primeira Constituição republicana.
- [ ] Clientelismo
- [ ] Política do café com leite.
- [ ] Revolta da Armada.
- [ ] Encilhamento.
- [ ] Política de valorização do café.

2 **Preencha** as lacunas do texto a seguir com as palavras do quadro abaixo.

clientelismo – Prudente de Moraes – governo federal – Minas Gerais – Campos Sales – estados – coronéis – votos – República das Oligarquias – latifundiários – São Paulo – política dos governadores – Rio Grande do Sul – deputados e senadores – eleitores

O governo do presidente paulista ______________ inaugurou a chamada ________________ no país. Nesse período, os cargos políticos federais mais importantes estiveram nas mãos de grandes ______________, que representavam as oligarquias dos estados que detinham maior poder econômico no Brasil: __________, __________ e ______________. Para manter esse arranjo de poder, o segundo presidente civil do Brasil, ____________________, criou um mecanismo conhecido como ____________________. A política estabelecia uma aliança entre o __________ e os _________, de forma a permitir a liberdade de ação dos governadores. Em troca, eles ficariam responsáveis por eleger os ______________________ que dariam sustentação política ao governo federal. A política dos governadores fortaleceu o poder dos _______, grandes proprietários de terra que exerciam o poder local e interferiam na política regional por meio do controle dos _____. O fortalecimento do poder desses líderes locais tinha como base o _______, uma relação de troca de favores entre os _______, que ofereciam o voto, e homens ricos da cidade e do campo, que lhes garantiam emprego, alimentos, isenções etc.

3 **Preencha** o diagrama a seguir com informações sobre o Convênio de Taubaté.

Convênio de Taubaté

Estados participantes

1. ________________
2. ________________
3. ________________

Ações do governo

1. ________________
2. ________________

Formas de financiamento

1. ________________
2. ________________

Consequências

1. ________________
2. ________________

4 **Escreva V** (verdadeiro) ou **F** (falso) sobre o processo de industrialização e urbanização no Brasil do início da república.

- [ ] Uma verdadeira infraestrutura industrial surgiu no início do século XX, na Região Nordeste, graças aos lucros gerados pelas plantações de cana-de-açúcar e pela disponibilidade de mão de obra imigrante.
- [ ] A Primeira Guerra Mundial contribuiu para impulsionar o processo de desenvolvimento industrial do Brasil, uma vez que o conflito levou à diminuição da entrada de mercadorias importadas e forçou a indústria nacional a suprir a demanda interna por uma série de produtos.
- [ ] O crescimento populacional e a riqueza proporcionada pelo café impulsionaram uma série de reformas urbanas em São Paulo.
- [ ] No Rio de Janeiro, a população mais pobre, que vivia nas áreas centrais da cidade, não foi afetada pelas remodelações empreendidas na cidade, pois continuou a viver nas mesmas habitações, que foram reformadas pela prefeitura.
- [ ] No início do século XX, os avanços na saúde pública e na biomedicina permitiram diminuir a incidência de algumas doenças que assolavam o país e prejudicavam a economia das grandes cidades.

5 **Complete** o esquema abaixo com os termos do quadro a seguir.

> epidemias – desalojamento das populações pobres – industrialização – Revolta da Vacina – crescimento populacional – superação do passado colonial – vacinação obrigatória contra a varíola

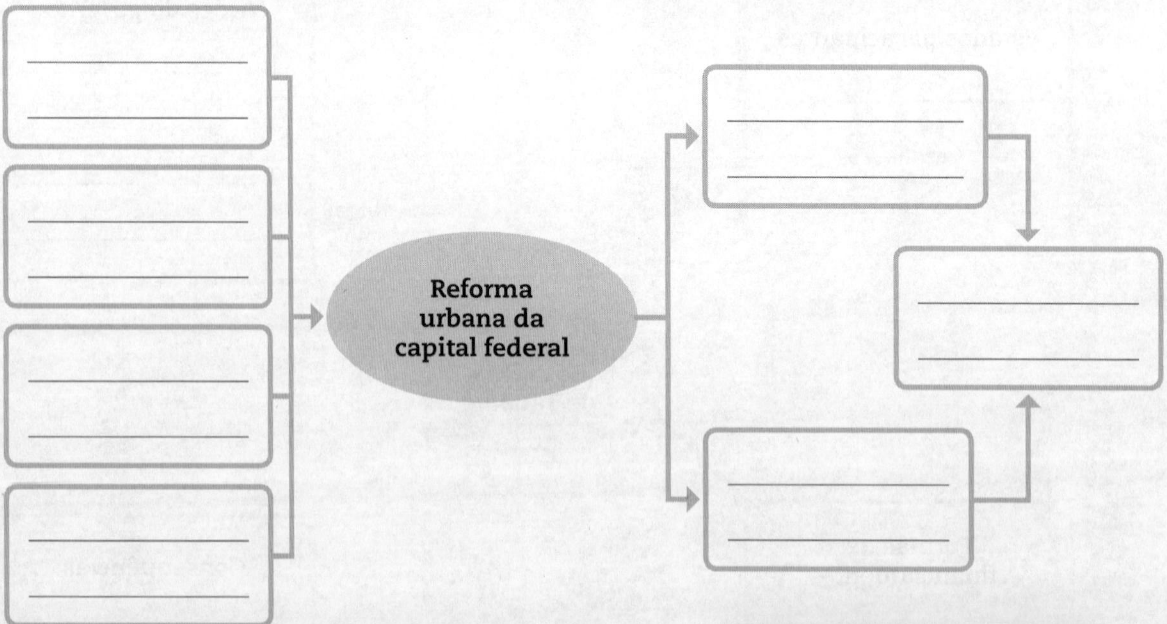

Faça a conexão

6 **Analise** a charge ao lado e **responda** às questões.

Almas gêmeas: o falsário e a política, de J. Carlos. Capa da revista *O Malho*, 1922.

FUNDAÇÃO BIBLIOTECA NACIONAL, RIO DE JANEIRO

a) **Identifique** a prática política satirizada na charge.

b) Como funcionava e quais foram os efeitos dessa prática?

MESSIANISMO E CANGAÇO
MOVIMENTOS URBANOS

Termos e conceitos

Messianismo
Cangaço
Anarquismo
Anarcossindicalismo
Tenentismo

1 **Defina os termos a seguir.**

a) Messianismo. ______

b) Cangaço. ______

c) Anarquismo. ______

d) Anarcossindicalismo. ______

e) Tenentismo. ______

2 **Marque** um X no elemento que não se relaciona com o círculo central do esquema.

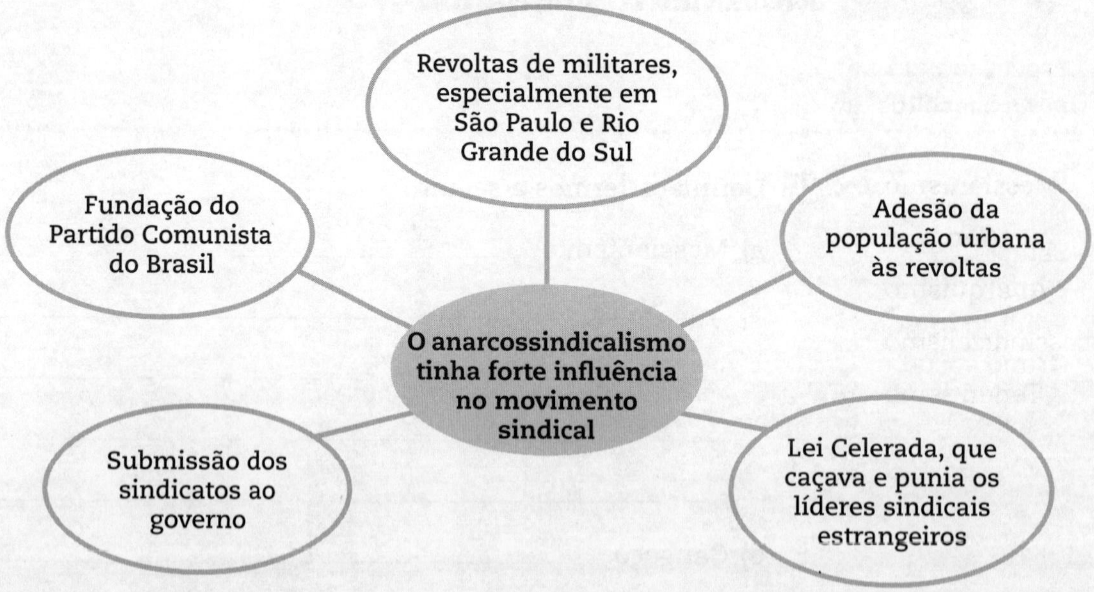

3 **Preencha** o diagrama a seguir com os números que correspondem às características do cangaço e de Canudos. **Escreva** na intersecção o(s) número(s) das características comuns a ambos.

1. Movimento de caráter messiânico.
2. Surgiu na Região Nordeste.
3. Desafiava as autoridades de forma violenta.
4. Na comunidade, o trabalho era coletivo.
5. Foi violentamente eliminado pelo governo central.
6. Ao longo dos anos, construiu-se uma imagem romantizada de seus integrantes.

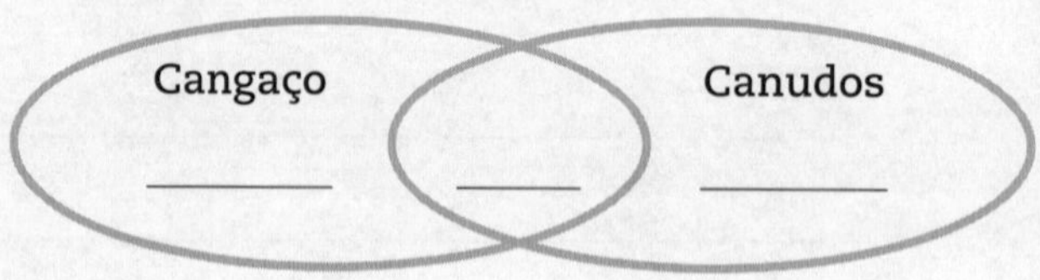

4 **Preencha** o quadro a seguir.

Revolta dos 18 do Forte			
Quando ocorreu e que movimento representava	Causas do movimento	Repressão ao movimento	Consequências

Fechando o capítulo 30

Sintetize

» **Complete** a cruzadinha a seguir.

1. Processo pelo qual as principais cidades do país passaram na virada do século XIX para o século XX.
2. Relação de aliciamento das camadas populares, que acontecia tanto no campo como na cidade.
3. Nome da coluna que se deslocou pelo país rebelando-se contra o governo.
4. Estabelecimentos que se concentraram, sobretudo, na Região Centro-Sul do país e que utilizavam muita mão de obra imigrante.
5. Produto obtido a partir do látex encontrado na Região Norte.
6. Grupo social que detinha o poder econômico do país na Primeira República.
7. Nome dado à crise na economia brasileira originada da especulação na bolsa de valores.
8. Nome da hegemonia política exercida pelos estados de São Paulo e de Minas Gerais.
9. Homens que agiam à margem da lei e do controle dos fazendeiros no sertão nordestino.

					1.	R									
		2.				E									
					3.	P									
		4.				Ú									
					5.	B									
				6.		L									
		7.				I									
8.						C									
				9.		A									

Avalie

» **Marque** um X na coluna que melhor traduz o seu aprendizado sobre cada tema. Depois, **compare** este quadro com o que você preencheu no item “Antes de estudar o capítulo”.

Temas principais do capítulo	Compreendi bem o tema.	Compreendi, mas tenho algumas dúvidas.	Tenho muitas dúvidas.
Política e economia na Primeira República			
A crise da produção cafeeira e o desenvolvimento industrial			
As reformas urbanas da Primeira República			
Cangaço e messianismo			
O tenentismo e o movimento operário no Brasil			

Se você teve dificuldade para compreender algum desses temas, reveja as atividades do *Caderno do estudante* referentes a este capítulo e revise seu livro-texto. Caso seja necessário, peça ajuda ao seu professor ou a um colega.

Unidade I
Capítulo
31

A ascensão do totalitarismo

Seções:

Antes de estudar o capítulo

» **Veja** neste quadro os temas principais do capítulo e **marque** um X na coluna que, em sua opinião, traduz o seu conhecimento sobre cada tema.

Temas principais do capítulo	Já estudei. Será um aprofundamento.	Nunca estudei. Será totalmente novo.	Não lembro se estudei.
O fascismo na Europa			
A crise de 1929 e o descrédito na democracia			
Os regimes totalitários europeus			
Política e economia no regime soviético			
A Guerra Civil Espanhola			

» **Veja** abaixo alguns termos e conceitos que você encontrará no capítulo. **Marque** um X naqueles que você julga estarem relacionados à imagem.

- [ ] Nazismo.
- [ ] Partido Fascista.
- [ ] Crise econômica mundial.
- [ ] Totalitarismo.
- [ ] Fascismo.
- [ ] Depressão.
- [ ] Partido Nazista.
- [ ] Stalinismo.

ALFRED EISENSTAEDT/PIX INC./TIME LIFE PICTURES/GETTY IMAGES

Os ditadores Adolf Hitler e Benito Mussolini em junho de 1934.

Justifique suas escolhas.

____

____

____

____

O SURGIMENTO DO FASCISMO

A CRISE ECONÔMICA MUNDIAL

Termos e conceitos

Totalitarismo
Fascismo
Nazismo
Crise econômica
Depressão

1 **Associe** as colunas.

1. Totalitarismo.
2. Autoritarismo.

- ( ) Regime no qual o centro do poder exerce seu monopólio sobre a sociedade.
- ( ) O partido único, quando existe, tem alcance limitado sobre a sociedade.
- ( ) Regime marcado por uma ideologia mal articulada e fracamente difundida.
- ( ) A população é mobilizada por meio de um partido único e das organizações controladas pelo Estado.
- ( ) Existência de um pluralismo limitado, uma vez que reconhece a legitimidade de algumas instituições, como a Igreja.

Guia de estudo

2 **Escolha** a alternativa que completa o espaço em branco.

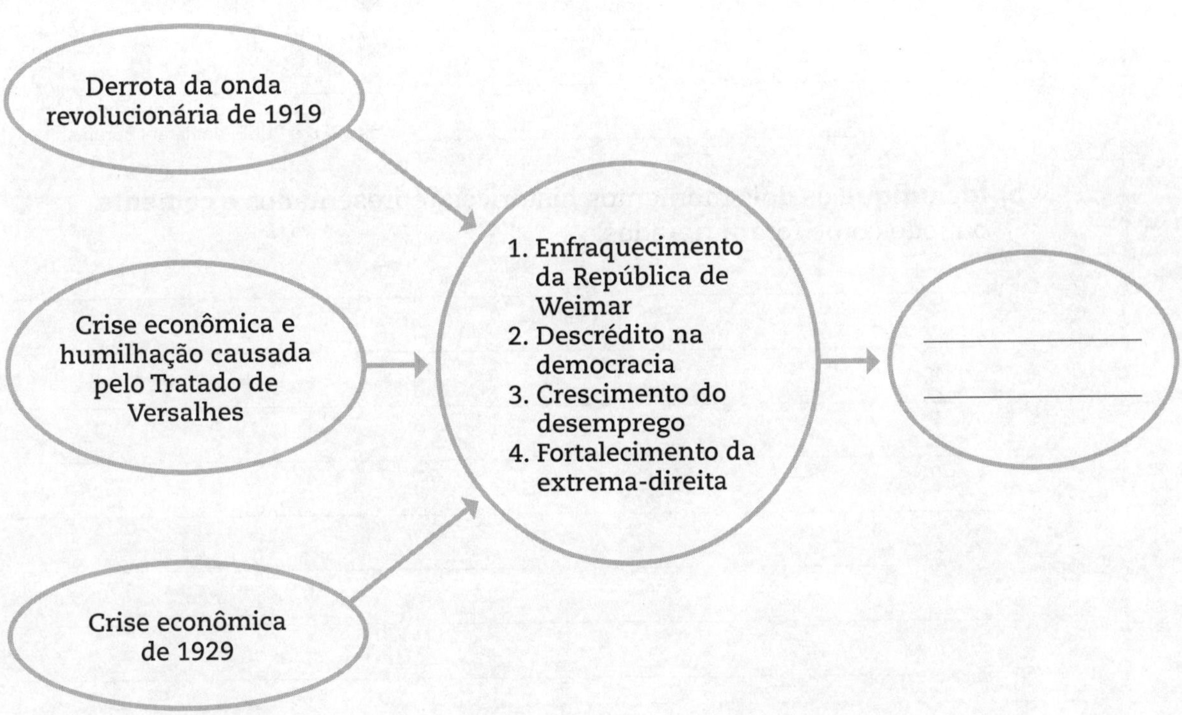

- [ ] Início da Primeira Guerra Mundial.
- [ ] Ascensão do Partido Nazista ao poder.
- [ ] Endurecimento do imperialismo.
- [ ] Reforço das instituições democráticas.
- [ ] Falência dos movimentos ultranacionalistas de extrema-direita.

3 **Organize** cronologicamente os eventos da crise de 1929.

I. Falência do sistema bancário dos Estados Unidos.
II. Colapso do sistema internacional de crédito e de comércio.
III. Queda do preço das ações da Bolsa de Valores de Nova York.
IV. Milhões de pessoas perdem suas casas e empregos e são lançadas à miséria.
V. Corte de investimentos e redução da produção industrial.
VI. Fortalecimento dos movimentos e governos antidemocráticos, em especial na Europa.

[____] → [____] → [____] → [____] → [____] → [____]

Faça a conexão

4 **Observe** a charge ao lado.

a) **Descreva** os dois momentos representados nessa charge.

____
____
____
____
____
____
____
____

Charge sobre as crises financeiras de 1929 e 2008, de Rafael Barajas.

b) **Identifique** os dois momentos históricos representados e **comente** o modo como foram tratados.

____
____
____
____
____
____
____
____

O TOTALITARISMO NAZISTA

O TOTALITARISMO NA UNIÃO SOVIÉTICA

A GUERRA CIVIL ESPANHOLA

Termos e conceitos

Partido Nazista
Führer
Eugenia
Antissemitismo
Stalinismo
Kulaks
Planos quinquenais
Guerra Civil Espanhola

1 **Escreva** o termo relativo a cada definição.

a) ______________. Conjunto de ações e práticas que caracterizaram o governo totalitário de Josef Stalin na União Soviética. Entre elas, pode-se destacar a perseguição e eliminação dos opositores políticos e a substituição do poder dos *soviets* pelo poder do Partido Comunista.

b) ______________. Aversão aos judeus. Na Alemanha nazista manifestou-se como uma série de restrições: os judeus foram privados de seus direitos civis, proibidos de se casarem com os alemães e de exercerem atividades liberais. Muitos tiveram seus bens confiscados e foram enviados para campos de concentração.

c) ______________. Conflito que opôs forças republicanas ao exército comandado por Francisco Franco. Com o apoio de líderes como Mussolini e Hitler, Franco assumiu o poder, em 1939.

d) ______________. Planejamento realizado pelo governo soviético com o objetivo de determinar as prioridades da produção por um período de cinco anos.

e) ______________. Teoria que busca selecionar os melhores indivíduos dentro de uma coletividade. O governo alemão, com o objetivo de eliminar os indivíduos considerados degenerados, como portadores de doenças mentais ou de déficit cognitivo, buscava garantir a superioridade e a pureza da suposta raça ariana.

2 **Leia** as afirmativas a seguir e **assinale** a alternativa correta.

I. Para manter o domínio sobre o Estado alemão, o Partido Nazista perseguiu seus opositores, controlou as instituições estatais e exerceu a violência.

II. Stalin foi o primeiro a assumir o poder na União Soviética, impedindo a ascensão de Lênin e Trotski nos quadros do novo governo soviético.

III. Na década de 1930, a Espanha esteve dividida entre as forças democráticas e republicanas, de um lado, e o grupo de orientação fascista, comandado pelo general Franco, de outro.

IV. A propaganda política foi essencial para o nazismo e para o stalinismo, principalmente por vincular o destino da nação aos interesses de seu líder.

V. Tanto o Estado nazista quanto o stalinista baniram o capitalismo de seus respectivos países, mas adotaram orientações socialistas distintas.

a) As afirmativas I, II e III estão corretas.
b) As afirmativas I, III e IV estão corretas.
c) As afirmativas II, IV e V estão incorretas.
d) As afirmativas II, III e IV estão incorretas.
e) As afirmativas I, III e V estão corretas.

Guia de estudo

3 **Preencha** o quadro a seguir.

Partido nazista			
Contexto histórico em que surgiu	Ideologia	Ascensão ao poder	Relação com as massas

4 **Distribua** os números abaixo no esquema a seguir.

1. Apoio aos exércitos do general Franco na Guerra Civil Espanhola.
2. Apoio aos republicanos na Guerra Civil Espanhola.
3. Exaltação da figura do líder.
4. Disseminação das ideias de eugenia.
5. Coletivização das terras.
6. Isolamento em relação ao resto do mundo.
7. Tentativa de construir um grande império habitado por uma única raça.
8. Censura, repressão e doutrinação em massa da população civil.
9. Divulgação de símbolos e imagens associados ao novo regime.
10. Política declarada de discriminação dos judeus.
11. Extermínio de milhões de pequenos agricultores.

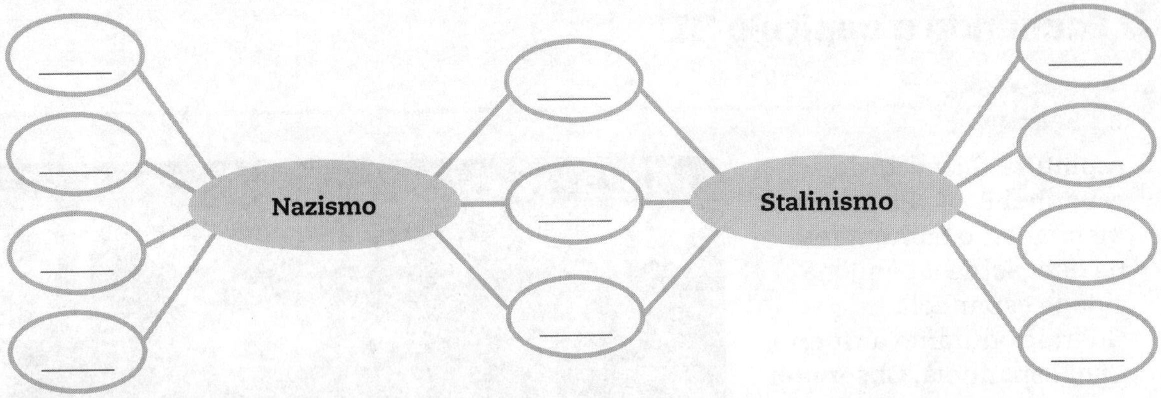

Faça a conexão

5 O texto abaixo é a letra de música de uma banda musical da década de 1980. **Leia** o texto e **responda** às questões.

"Migrante
Você que vem pra cá,
Buscar o que não tem lá,
Maldito migrante, desista
São Paulo não te aguenta.
Você só suga o sangue paulista!
Apenas mais um na concorrência.
Empregos, mulheres, terras,
Tudo isso você vai roubar.
Volte para sua terra, migrante [...]"

Banda WCHC. In: TRAGTENBERG, Maurício. Carecas de subúrbio. Disponível em www.crmariocovas.sp.gov.br. Acesso em 20 nov. 2010.

a) **Identifique** o tema da música e a situação a que se refere.

____

____

b) Como o tema é abordado pelo autor da música?

____

____

____

____

c) **Relacione** a letra da música à ideologia nazista.

____

____

____

____

____

____

____

Fechando o capítulo 31

Sintetize

» A pintura *Guernica*, do espanhol Pablo Picasso, foi inspirada no bombardeio nazista sobre a pequena cidade espanhola de Guernica durante a Guerra Civil Espanhola. **Observe-a** e **responda** às questões.

Guernica, pintura de Pablo Picasso, 1937.

a) Que sensações a pintura desperta em você?

b) **Relacione** a pintura ao conteúdo estudado no capítulo.

Avalie

» **Marque** um X na coluna que melhor traduz o seu aprendizado sobre cada tema. Depois, **compare** este quadro com o que você preencheu no item "Antes de estudar o capítulo".

Temas principais do capítulo	Compreendi bem o tema.	Compreendi, mas tenho algumas dúvidas.	Tenho muitas dúvidas.
O fascismo na Europa			
A crise de 1929 e o descrédito na democracia			
Os regimes totalitários europeus			
Política e economia no regime soviético			
A Guerra Civil Espanhola			

Se você teve dificuldade para compreender algum desses temas, reveja as atividades do *Caderno do estudante* referentes a este capítulo e revise seu livro-texto. Caso seja necessário, peça ajuda ao seu professor ou a um colega.

Unidade I
Capítulo
32

Vargas e o Estado Novo no Brasil

Seções:
32.1 A crise do liberalismo no Brasil
32.2 O movimento constitucionalista
32.3 O Estado Novo
32.4 Cotidiano e cultura
32.5 O fim do Estado Novo

Antes de estudar o capítulo

» **Veja** neste quadro os temas principais do capítulo e **marque** um X na coluna que, em sua opinião, traduz o seu conhecimento sobre cada tema.

Temas principais do capítulo	Já estudei. Será um aprofundamento.	Nunca estudei. Será totalmente novo.	Não lembro se estudei.
A ascensão de Getúlio Vargas ao poder			
A Revolução Constitucionalista de 1932 e a promulgação da Constituição de 1934			
A implantação do Estado Novo			
Cultura, educação, propaganda e censura no Estado Novo			
O Brasil na Segunda Guerra Mundial e o fim do Estado Novo			

» **Veja** abaixo alguns termos e conceitos que você encontrará no capítulo. **Marque** um X naqueles que você julga estarem relacionados à imagem.

- [ ] Aliança Liberal.
- [ ] Revolução de 1930.
- [ ] Intentona Comunista.
- [ ] Ditadura.
- [ ] Estado Novo.
- [ ] Propaganda.
- [ ] Educação.
- [ ] Aliança Nacional Libertadora.

Cartaz de convocação para as comemorações do dia 1º de maio, no Rio de Janeiro, 1937-1945.

FUNDAÇÃO ARQUIVO NACIONAL, RIO DE JANEIRO

Justifique suas escolhas.

____

____

____

____

A CRISE DO LIBERALISMO NO BRASIL

O MOVIMENTO CONSTITUCIONALISTA

Termos e conceitos

Aliança Liberal

Revolução de 1930

Governo Provisório

Revolução Constitucionalista de 1932

Aliança Nacional Libertadora

Ação Integralista Brasileira

Intentona Comunista

1 **Preencha** as lacunas com os termos e conceitos do livro-texto.

a) Período do governo Vargas compreendido entre 1930 e 1934, caracterizado pela suspensão temporária das eleições e pela dissolução do Congresso Nacional. ____________

b) Organização criada em 1932, que professava princípios antissemitas, negava a pluralidade partidária e defendia a implantação de um Estado integral. ____________

c) Nome dado ao movimento que conduziu Getúlio Vargas ao poder, em 1930. ____________

d) Frente que aglutinava os setores liberais e de esquerda e que propunha o fortalecimento da democracia no Brasil. ____________

e) Nome dado pelo governo Vargas à série de levantes armados ocorridos em 1935 no Rio Grande do Sul, Pernambuco e Rio de Janeiro, organizados pela frente de esquerda da ANL. ____________

f) Movimento ocorrido em São Paulo contra a ditadura de Getúlio Vargas e pela volta da legalidade ao país.

____

Guia de estudo

2 **Organize** no esquema a sequência de eventos que levaram Getúlio Vargas ao poder em 1930. Alguns eventos não serão utilizados.

1. Contestação da hegemonia política de Minas Gerais e São Paulo.
2. Assassinato de João Pessoa.
3. Formação da Aliança Liberal.
4. Crise de 1929.
5. Deposição de Washington Luís.
6. Inconformismo com o resultado das eleições.
7. Vitória militar sobre os interventores do governo de Washington Luís.
8. Apoio financeiro da FUP para as operações militares comandadas por Vargas.

____ → ____ → ____ → ____ → ____ → ____

3 **Preencha** o quadro abaixo sobre a Revolução Constitucionalista de 1932.

Revolução Constitucionalista de 1932	
Onde ocorreu	
Motivo	
Integrantes do movimento	
Condições adversas do movimento	
Desfecho do conflito	

4 **Complete** o organograma sobre as características da Constituição de 1934.

Constituição de 1934

- Forma de governo estabelecida: ____________________
- Serviço militar: ____________________
- Ensino: ____________________
- Recursos hídricos e minerais: ____________________
- Organização dos poderes: ____________________
- Voto: ____________________

5 **Escreva ANL** para Aliança Nacional Libertadora e **AIB** para Ação Integralista Brasileira.

☐ Defendia princípios antidemocráticos e antissemitas.

☐ As ideias do movimento tinham afinidades com a ideologia nazifascista.

☐ Agregava setores liberais e de esquerda e propunha reformas profundas no Brasil.

☐ Seus membros utilizavam como saudação a expressão "anauê" e como emblema a letra grega sigma.

☐ Estava alinhada com as frentes que combatiam, na Europa, os regimes nazistas.

☐ Organizou a Intentona Comunista, sendo, posteriormente, alvo de intensa repressão por parte do governo.

Faça a conexão

6 **Observe** a imagem a seguir e **escreva V** (verdadeiro) ou **F** (falso).

MEMORIAL'32 – CENTRO DE ESTUDO JOSÉ CELESTINO BOURROUL, SÃO PAULO

Cartaz de convocação para o movimento paulista de 1932.

☐ O cartaz conclamava a população ao alistamento militar nas tropas paulistas, como se pode observar pela bandeira do estado, para lutar contra as tropas getulistas.

☐ A sigla MMDC, presente nos dizeres do cartaz, é uma alusão ao golpe de 1937, contra o qual o estado de São Paulo se insurgiu.

☐ O cartaz, relativo à Revolução de 1932, foi utilizado para mobilizar a população para lutar contra a Intentona Comunista.

☐ O dever a cumprir refere-se à resistência paulista, que durou apenas três meses e terminou com a vitória das tropas federais.

☐ O movimento a que se refere o cartaz, mesmo derrotado pelas forças getulistas, conseguiu algumas vitórias políticas.

O ESTADO NOVO

COTIDIANO E CULTURA

Termos e conceitos

Estado Novo
Ditadura
Departamento de Imprensa e Propaganda
Consolidação das Leis do Trabalho
Educação
Meios de comunicação

1 **Identifique** o tema unificador das palavras do quadro a seguir e **justifique** qual(is) palavra(s) não faz(em) parte do grupo.

> criação da CLT – Getúlio Vargas – criação da Companhia Siderúrgica Nacional – Revolução Constitucionalista de 1932 – Estado Novo – Departamento de Imprensa e Propaganda

2 **Estabeleça** uma relação entre os meios de comunicação da década de 1940, especialmente o rádio, e o Estado Novo.

3 **Complete** os quadrados abaixo relacionando cada afirmação a uma explicação.

1. A divulgação do Plano Cohen serviu de pretexto para a implantação do Estado Novo no Brasil em 1937.
2. Ajudou a afirmar o projeto político e ideológico do regime Vargas, já que filtrava qualquer conteúdo desfavorável ou contrário ao governante e veiculava imagens positivas do ditador e das ações de seu governo.
3. Ao longo do governo Vargas, procurou-se padronizar o ensino público, em todos os seus níveis, em relação aos conteúdos estudados e enfatizou-se o ensino de história do Brasil e de educação física.
4. Acreditava-se que os comunistas fariam uma revolução no país. No entanto, o plano foi uma farsa elaborada por integralistas e pessoas ligadas a Vargas para que o presidente se mantivesse no poder.
5. A medida procurava disciplinar e incutir o espírito de obediência nos jovens brasileiros, que deveriam ver em Getúlio Vargas um governante que levaria o Brasil à grandeza política e econômica.
6. O DIP elaborava a propaganda governamental, promovia manifestações cívicas e culturais e produzia e divulgava o noticiário oficial. O órgão foi um dos mais importantes do Estado Novo.

a) ☐ porque ☐

b) ☐ porque ☐

c) ☐ porque ☐

4 **Preencha** o esquema a seguir.

Estado Novo

________	Intervencionismo econômico	Trabalhismo	________	Repressão
Ampliação do poder do presidente e restrição da autonomia do Poder Executivo dos estados e municípios.	________	1. Integração de ________ ________ em instâncias políticas do governo. 2. Criação ________ ________. 3. Criação da ________ ________.	Criação do Departamento de Imprensa e Propaganda (DIP), subordinado diretamente à presidência da república.	________

Faça a conexão

5 **Leia** o texto, **observe** a imagem e **assinale** a afirmativa que melhor os associa.

"Numa amostragem [realizada pelo autor do texto] apenas indicativa dos vinte humoristas selecionados, podemos verificar que todos eles vincularam-se ao rádio, pelo menos nos seus primeiros tempos, como animadores, humoristas ou compositores/intérpretes musicais. Apenas sete deles produziram suas criações humorísticas desligadas, de alguma forma, das produções musicais. O restante combinava, de um modo indistinguível, a criação humorística com a criação musical. Ressalte-se, contudo, que a grande maioria, incluindo aqueles cujas produções não se ligaram ao universo musical, já havia passado, no decorrer da década de 20, por alguma experiência na gravação de discos, ou mesmo produzido pequenos textos para gravações fonográficas."

SALIBA, Elias Thomé. *Raízes do riso*: a representação humorística na história brasileira: da *Belle Époque* aos primeiros tempos do rádio. São Paulo: Companhia das Letras, 2002. p. 220.

EDITORA COLOMBO – COLEÇÃO PARTICULAR

Plano de avenidas da cidade de São Paulo mostrando o Viaduto do Chá na época de sua conclusão, cartão-postal de 1938.

- [ ] O humor foi um traço característico das artes no período do Estado Novo, pois simbolizava a alegria do povo brasileiro, tido como cordial, feliz e pacífico, traços acentuados pela diversidade de imigrantes que os grandes centros urbanos começavam a receber.
- [ ] O rádio foi bastante utilizado ao longo da década de 1930 devido ao forte crescimento urbano, que tornava as comunicações mais difíceis. Por isso, ele era usado como forma de superar as longas distâncias dentro da cidade.
- [ ] A imagem e o texto associam-se na medida em que representam o desenvolvimento urbano das décadas de 1920 e 1930. Ao mostrar que a produção humorística da época passava em grande parte pelo rádio, o autor do texto mostra a importância desse meio de comunicação numa época em que, como se observa na imagem, as cidades começavam a se expandir.
- [ ] Não se pode associar o texto e a imagem, pois eles tratam de temas completamente diferentes. O rádio só passou a ter importância muito tempo depois do início do processo de urbanização do país.
- [ ] A associação entre as duas fontes históricas é de nítida dependência. A cidade só conseguiu crescer por causa do uso de tecnologias, como o próprio rádio, que, por exemplo, facilitava a comunicação entre os operários espalhados pelos diversos cantos das grandes cidades, envolvidos nas obras financiadas pelo Estado.

O FIM DO ESTADO NOVO

Termos e conceitos

Força Expedicionária Brasileira
Pracinhas
Queremismo

1 **Defina** os termos a seguir.

a) Força Expedicionária Brasileira. ____________________

____

b) Pracinha. ____________________

____

c) Queremismo. ____________________

____

Guia de estudo

2 **Preencha** as lacunas utilizando as palavras ou expressões do quadro a seguir. Algumas palavras não serão utilizadas e outras podem se repetir.

> Japão – Estado Novo – Companhia Siderúrgica Nacional – Região Sul – Petrobras – regime ditatorial – norte-americanos – indústria bélica – Itália – países totalitários – democracias liberais – França – alemães – aliados – Alemanha – nazifascistas – regimes nazifascistas europeus – Região Nordeste – Consolidação das Leis do Trabalho

Até 1942, o Brasil sustentava uma relação ambígua com os ____________ e com as ____________ e procurava tirar vantagem da rivalidade que opunha os dois blocos. Com a eclosão da guerra, em 1939, o governo brasileiro manteve a neutralidade no conflito e continuou a fazer negócios e a enviar suprimentos para ________ e ____________. Em troca de financiamento para a construção da ____________________, o Brasil aderiu ao bloco dos ________ e permitiu que soldados ____________ se instalassem na ____________. Contrariado, o alto escalão militar da ________ ordenou o torpedeamento de navios mercantes brasileiros, fato que gerou grandes manifestações públicas de repúdio e levou o Brasil a declarar guerra ao país. Tropas da Força Expedicionária Brasileira (FEB) e a Força Aérea Brasileira (FAB) foram enviadas para combater os ________ na ______ e permitir o avanço dos ________. A participação do Brasil na Segunda Guerra Mundial ao lado dos ________ foi um dos fatores que contribuíram para a derrocada do ____________. Enquanto o país lutava contra os ________________, mantinha internamente um ____________, situação que fomentou a crescente oposição de diversos setores da sociedade brasileira.

3 **Organize**, cronologicamente, as frases do quadro no esquema a seguir.

a) Surgimento do queremismo e temor de que o presidente tramasse um novo golpe.

b) Pressão das Forças Armadas, renúncia de Vargas e fim do Estado Novo.

c) Retomada das atividades dos partidos políticos.

d) Desentendimentos entre Getúlio Vargas e os militares da alta cúpula das Forças Armadas.

e) Afastamento de João Alberto, chefe da Polícia do Distrito Federal, e nomeação de Benjamin "Bejo" Vargas.

f) O Manifesto dos Mineiros exige o retorno do Brasil à democracia.

O fim do governo Vargas

____

____

____

____

____

____

Fechando o capítulo 32

Sintetize

» **Descubra** quinze termos ou expressões estudados neste capítulo que estão escondidos no quadro a seguir. Você pode procurá-los de cima para baixo, de baixo para cima, da esquerda para a direita e da direita para a esquerda. Não valem diagonais.

L	W	Q	U	I	L	U	R	Á	D	I	O	R	R	O	S	I	A	G
E	S	X	P	F	A	K	N	E	H	O	C	O	N	A	L	P	W	O
I	A	C	Ç	V	H	L	I	D	I	N	T	O	B	I	A	D	C	V
D	S	O	V	A	N	A	T	A	N	M	E	L	L	E	T	P	K	E
E	D	V	S	D	I	P	E	O	T	O	N	I	E	S	E	R	J	R
S	F	O	Y	C	C	Q	I	C	E	D	T	U	R	T	A	O	M	N
E	G	N	T	B	A	R	N	M	G	S	I	N	D	I	C	A	T	O
G	E	O	M	D	R	T	T	X	T	E	O	C	R	N	R	G	E	P
U	R	D	N	F	P	Y	E	Q	S	S	A	A	E	O	E	O	D	R
R	T	A	B	G	A	Z	R	U	I	T	C	G	T	V	A	V	I	O
A	Y	T	V	W	I	A	V	A	D	I	T	A	D	U	R	A	A	V
N	F	S	Z	R	O	S	E	R	B	O	P	S	O	D	I	A	P	I
Ç	B	E	Q	O	M	A	N	P	O	A	I	O	H	P	T	P	L	S
A	I	W	M	P	L	O	T	Z	I	D	S	V	H	R	R	U	A	Ó
N	Q	T	E	A	T	R	O	D	E	R	E	V	I	S	T	A	N	R
A	Z	Ç	P	I	H	I	R	O	Q	O	T	E	D	A	E	B	O	I
C	V	P	L	S	E	C	I	D	W	M	A	R	A	C	O	L	N	O
I	N	T	E	N	T	O	N	A	C	O	M	U	N	I	S	T	A	T
O	I	T	J	O	E	R	I	J	E	A	P	N	M	N	P	I	H	E
N	O	G	I	N	T	E	G	R	A	L	I	S	M	O	C	P	O	R
A	P	H	N	D	I	M	M	S	S	R	O	A	O	A	A	O	C	A
L	A	R	E	B	I	L	A	Ç	N	A	I	L	A	S	M	N	O	N

Avalie

» **Marque** um X na coluna que melhor traduz o seu aprendizado sobre cada tema. Depois, **compare** este quadro com o que você preencheu no item "Antes de estudar o capítulo".

Temas principais do capítulo	Compreendi bem o tema.	Compreendi, mas tenho algumas dúvidas.	Tenho muitas dúvidas.
A ascensão de Getúlio Vargas ao poder			
A Revolução Constitucionalista de 1932 e a promulgação da Constituição de 1934			
A implantação do Estado Novo			
Cultura, educação, propaganda e censura no Estado Novo			
O Brasil na Segunda Guerra Mundial e o fim do Estado Novo			

Se você teve dificuldade para compreender algum desses temas, reveja as atividades do *Caderno do estudante* referentes a este capítulo e revise seu livro-texto. Caso seja necessário, peça ajuda ao seu professor ou a um colega.

Unidade I

Capítulo

33

A Segunda Guerra Mundial

Seções:
- 33.1 Rumo à guerra total
- 33.2 A guerra no Pacífico
- 33.3 A guerra na União Soviética
- 33.4 A resistência e a contraofensiva dos aliados
- 33.5 Guerra e tecnologia

Antes de estudar o capítulo

» **Veja** neste quadro os temas principais do capítulo e **marque** um X na coluna que, em sua opinião, traduz o seu conhecimento sobre cada tema.

Temas principais do capítulo	Já estudei. Será um aprofundamento.	Nunca estudei. Será totalmente novo.	Não lembro se estudei.
Os antecedentes da Segunda Guerra Mundial			
A eclosão do conflito e a ofensiva nazista			
A ofensiva dos aliados			
Os movimentos civis de resistência			
Tecnologia a serviço da guerra			

» **Veja** abaixo alguns termos e conceitos que você encontrará no capítulo. **Marque** um X naqueles que você julga estarem relacionados à imagem.

- ☐ Tratado de Versalhes.
- ☐ Guerra-relâmpago.
- ☐ Países do Eixo.
- ☐ Países aliados.
- ☐ Batalha de Stalingrado.
- ☐ Dia D.
- ☐ Resistência civil.
- ☐ Destruição em massa.
- ☐ Potencial tecnológico.

BETTMANN/CORBIS/LATINSTOCK

Vista da região central de Londres, na Inglaterra, após bombardeio aéreo alemão, em 1942.

Justifique suas escolhas.

____

____

____

____

RUMO À GUERRA TOTAL

A GUERRA NO PACÍFICO

Termos e conceitos

Tratado de Versalhes

Nazismo

Conferência de Munique

Pacto Nazi-Soviético de Não Agressão

Guerra-relâmpago

Países do Eixo

Países aliados

Economia de guerra

1 **Associe** cada item a uma frase.

1. Tratado de Versalhes.
2. Guerra-relâmpago.
3. Pacto Nazi-Soviético de Não Agressão.
4. Conferência de Munique.

☐ Acordo assinado entre Hitler e Stalin que previa a neutralidade recíproca da Alemanha e da União Soviética diante das ações bélicas de ambas as nações. O documento garantia liberdade de ação para os soviéticos recuperarem os países bálticos perdidos durante a Primeira Guerra Mundial e possibilitava o avanço alemão pela Europa Ocidental.

☐ Documento assinado pela Alemanha após o fim da Primeira Guerra Mundial que previa a devolução de territórios aos franceses, o pagamento de pesadas indenizações aos países aliados e a cessão de seus territórios coloniais.

☐ Encontro organizado por França e Grã-Bretanha com o objetivo de conter a ação expansionista de Hitler. As negociações determinaram a anexação pela Alemanha da região dos Sudetos, área rica em minérios, que correspondia a cerca de 20% do território tcheco.

☐ Estratégia de guerra empregada pela Alemanha que consistia em ataques coordenados entre divisões aéreas e ofensivas terrestres realizadas por veículos blindados.

2 **Cite** três fatores que permitiram o sucesso alemão na primeira fase (1939-1942) da Segunda Guerra Mundial.

3 **Ordene** as frases a seguir para que elas formem um texto contínuo e coerente.

- [ ] Nomeado chanceler da Alemanha, Hitler rompeu o Tratado de Versalhes, reaparelhou o exército, ampliou o efetivo militar, fomentou a indústria bélica alemã e restabeleceu a Força Aérea, medidas que impulsionaram o crescimento econômico do país e reduziram drasticamente o desemprego.
- [ ] Com a vitória do Partido Nazista nas eleições de 1932 e a ascensão de Hitler ao poder iniciou-se um período de ditadura fascista na Alemanha.
- [ ] Além disso, a política anticomunista de Hitler serviria para conter o perigo soviético, que ameaçava, sobretudo, as nações capitalistas europeias.
- [ ] As democracias ocidentais não tomaram medidas para conter o expansionismo alemão. As feridas da Primeira Guerra ainda não haviam cicatrizado e não havia condições militares e financeiras para vencer a Alemanha em meados da década de 1930.
- [ ] Amparado no poderio bélico alemão, o ditador iniciou, então, uma campanha de expansão territorial que incluiu a anexação da Áustria, dos Sudetos, da Moravia e da Boêmia.

4 **Preencha** o esquema com os números correspondentes a cada item e, na intersecção, os números que correspondem a características comuns a dois ou três países.

1. Sua expansão industrial exigia acesso a recursos naturais, inexistentes no próprio território.
2. Colocou em prática uma política de anexações de territórios.
3. Invadiu a China, desencadeando um movimento de resistência de grupos civis.
4. Sua entrada na guerra foi um reforço para o bloco dos aliados.
5. Obteve vitórias importantes nos primeiros anos da guerra.
6. Aliou-se a dois países europeus e formou o Eixo.
7. Invadiu a Polônia, dando início à Segunda Guerra Mundial.
8. Lutou simultaneamente no Pacífico e na Europa.
9. Dominou grande parte da Europa Ocidental até meados de 1943.
10. Entrou na guerra após o ataque à base de Pearl Harbor.

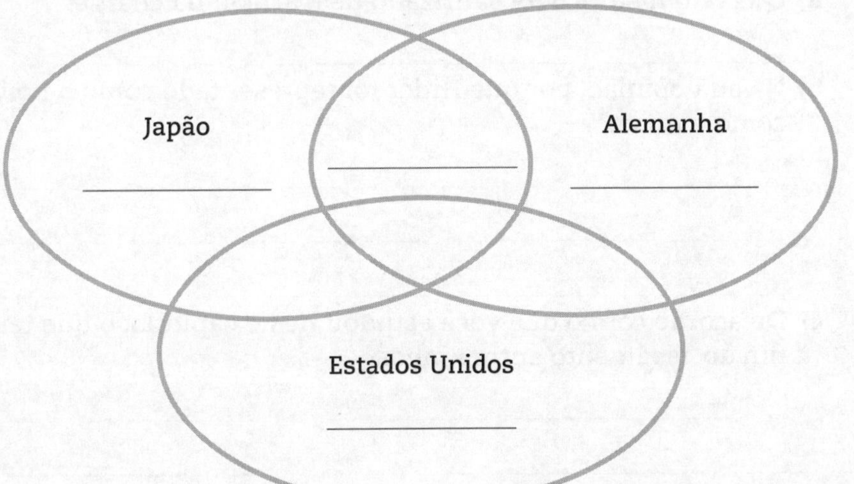

5 **Escreva** um texto sintetizando as informações apresentadas no esquema a seguir.

Estados Unidos

↓

Esforço de guerra

↓

Produção em massa ⟷ Aumento da produção industrial ⟷ Novos postos de trabalho

↓

Aumento da renda *per capita* e do consumo

Faça a conexão

6 **Observe** a charge ao lado e responda às questões.

"Imagine quanto tempo irá durar a lua de mel?", charge ironizando o acordo entre Hitler e Stalin, 1939.

THE GRANGER COLLECTION/OTHER IMAGES

a) Que fato histórico foi satirizado pelo artista na charge?

b) Na sua opinião, por que Hitler foi representado como o noivo e Stalin como a noiva?

c) De acordo com o que você estudou neste capítulo, o que teria colocado fim ao casamento entre ambos?

A GUERRA NA UNIÃO SOVIÉTICA
A RESISTÊNCIA E A CONTRAOFENSIVA DOS ALIADOS
GUERRA E TECNOLOGIA

Termos e conceitos

Espaço vital
Batalha de Stalingrado
Resistência civil
Dia D
Potencial tecnológico
Destruição em massa

1 **Escreva V** (verdadeiro) ou **F** (falso) e **corrija** as afirmativas falsas.

☐ De acordo com o princípio nazista do espaço vital, os povos considerados inferiores deveriam ser eliminados e seus territórios ocupados pela população alemã, que deveria usufruir dos recursos oferecidos por essas terras.

☐ Em 1941, depois das agressões soviéticas ao território alemão, Hitler ordenou a invasão da União Soviética. A Batalha de Stalingrado, ocorrida na cidade de mesmo nome, foi caracterizada pela superioridade numérica e militar da Alemanha, que venceu o conflito com relativa rapidez.

☐ Nos países ocupados pelo Eixo, assim como na Alemanha e na Itália, a população civil organizou diversos movimentos de resistência aos regimes totalitários, como atos de sabotagem, salvamento de reféns e presos políticos e táticas de guerrilha.

☐ O Dia D foi a ofensiva final norte-americana contra o Japão. Os norte-americanos utilizaram *camicases*, pilotos suicidas, para destruir as bases navais dos japoneses e impedir o abastecimento da população civil.

2 **Explique** como as armas desenvolvidas na Primeira Guerra Mundial evoluíram e modificaram as estratégias militares da Segunda Guerra, afetando as populações civis.

Guia de estudo

3 **Complete** o texto-síntese sobre o papel da resistência civil na Segunda Guerra Mundial.

A resistência civil contra os alemães organizou-se em praticamente toda a ____________ pelos nazistas, incluindo a própria ____________. As lutas promovidas pelos *partisans*, como eram conhecidos os membros da resistência, incluíam atos de ____________, salvamento de ____________, levantamento de dinheiro para ____________ de pessoas perseguidas pelo nazismo, ____________ e táticas de ____________. A entrada da ____________ na guerra foi decisiva para o engajamento dos comunistas na resistência, principalmente na França. Na Itália, foram os ____________ que lideraram a libertação das grandes cidades do norte, capturaram e executaram ____________. Na Iugoslávia, a resistência organizou-se na forma de ____________, sob o comando do ____________, e foi fundamental para a derrota do ____________ na região.

Guia de estudo

4 **Complete** o diagrama sobre o processo que resultou no fim da Segunda Guerra Mundial.

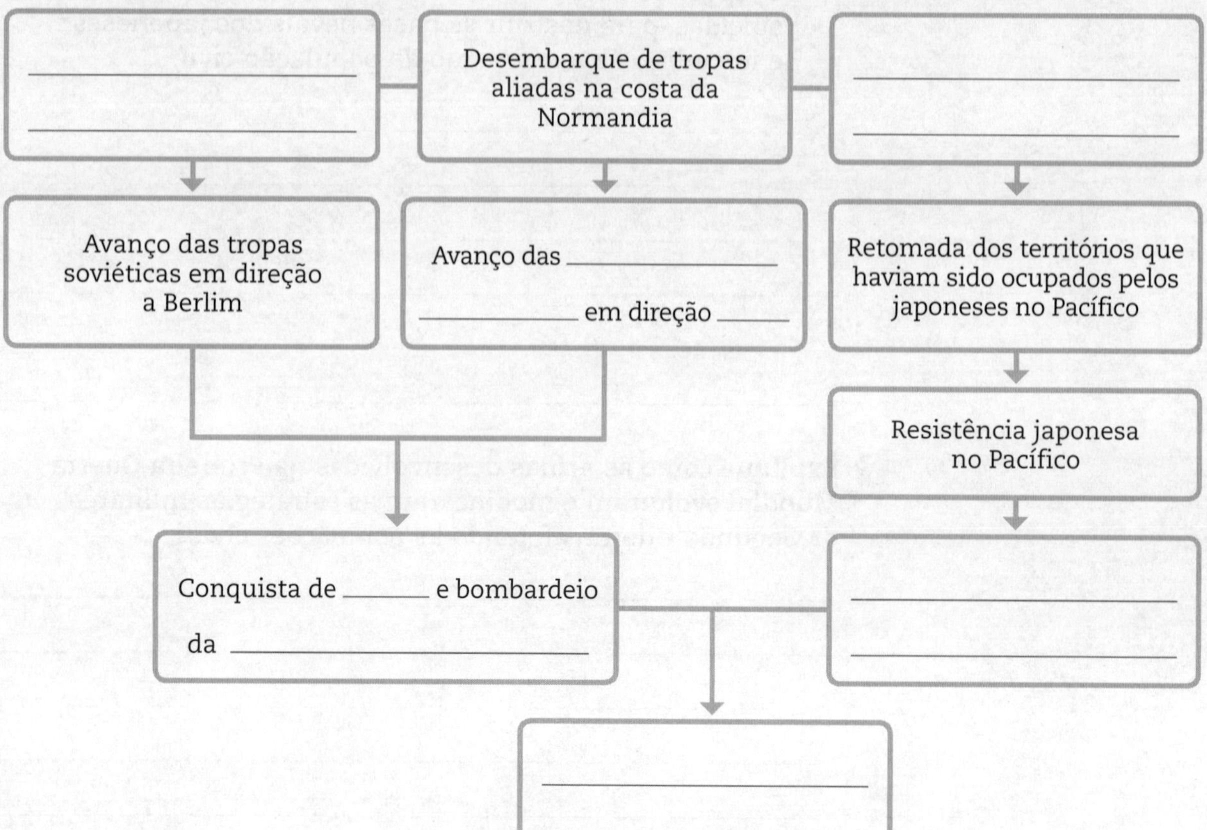

5 **Indique** o esquema que melhor representa a operação de guerra conhecida como Dia D. Em seguida, **assinale** a alternativa que apresenta os nomes correspondentes aos números do esquema.

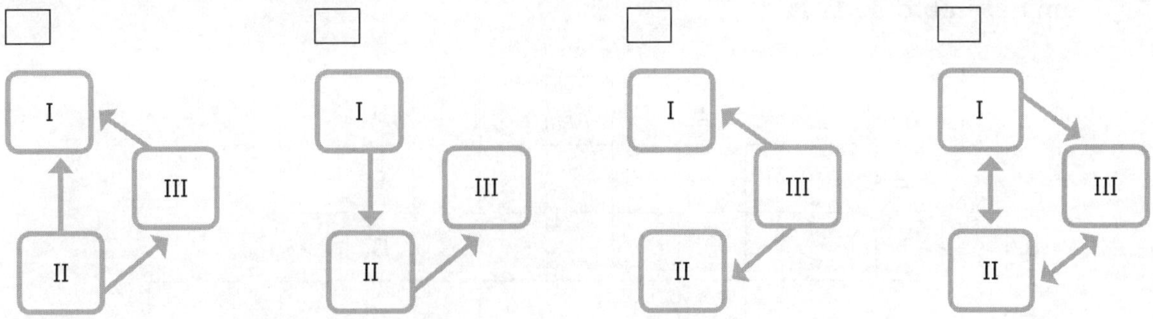

a) I. Aliados; II. Alemanha; III. França.
b) I. França; II. Aliados; III. Alemanha.
c) I. Aliados; II. França; III. Alemanha.
d) I. Alemanha; II. Aliados; III. França.
e) I. França; II. Alemanha; III. Aliados.

Fechando o capítulo 33

Sintetize

» **Preencha** a cruzadinha a seguir que apresenta alguns conceitos, termos e acontecimentos que marcaram a Segunda Guerra Mundial.

1. Ideologia que prega, entre outros, a supremacia da nação e a superioridade da "raça ariana".
2. Tratado assinado ao final da Primeira Guerra Mundial, que impunha pesadas sanções econômicas e militares à Alemanha.
3. Nome da estratégia utilizada pela Alemanha durante a guerra que consistia em tomar rapidamente as regiões.
4. Nome dado ao extermínio de milhões de judeus durante a Segunda Guerra Mundial.
5. Batalha ocorrida na União Soviética, resultando na primeira grande derrota das forças alemãs.
6. Local onde ocorreu o Dia D, operação decisiva dos aliados na frente ocidental, em junho de 1944.
7. Desapareceu, enquanto Estado independente, do mapa europeu durante a Segunda Guerra Mundial.
8. Segunda cidade japonesa atingida pela bomba atômica.
9. Nome da cidade espanhola que foi bombardeada pela *Luftwaffe*, a força aérea alemã, em 1937.
10. Líder do Partido Nacional Socialista, nomeado chanceler da Alemanha em 1933.
11. Primeira cidade japonesa atingida pela bomba atômica.

12. Operação militar de invasão da União Soviética em 1941 e que significou o rompimento do acordo de não agressão entre Hitler e Stalin.

13. Nome da base aérea norte-americana atacada por forças japonesas, em dezembro de 1941.

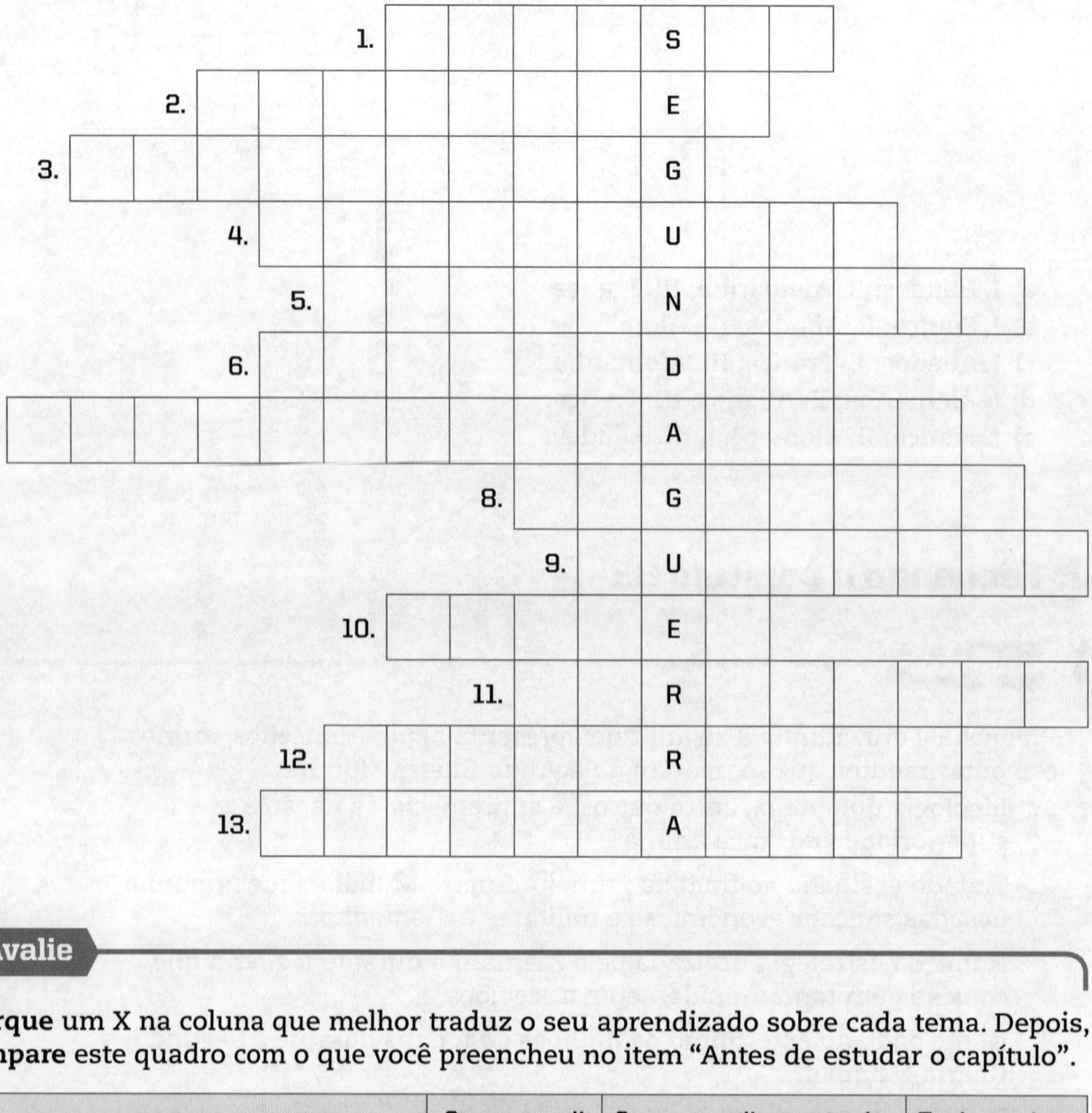

Avalie

» **Marque** um X na coluna que melhor traduz o seu aprendizado sobre cada tema. Depois, **compare** este quadro com o que você preencheu no item "Antes de estudar o capítulo".

Temas principais do capítulo	Compreendi bem o tema.	Compreendi, mas tenho algumas dúvidas.	Tenho muitas dúvidas.
Os antecedentes da Segunda Guerra Mundial			
A eclosão do conflito e a ofensiva nazista			
A ofensiva dos aliados			
Os movimentos civis de resistência			
Tecnologia a serviço da guerra			

Se você teve dificuldade para compreender algum desses temas, reveja as atividades do *Caderno do estudante* referentes a este capítulo e revise seu livro-texto. Caso seja necessário, peça ajuda ao seu professor ou a um colega.

Unidade J
Capítulo
34

Guerra Fria e descolonização

Seções:

Antes de estudar o capítulo

» **Veja** neste quadro os temas principais do capítulo e **marque** um X na coluna que, em sua opinião, traduz o seu conhecimento sobre cada tema.

Temas principais do capítulo	Já estudei. Será um aprofundamento.	Nunca estudei. Será totalmente novo.	Não lembro se estudei.
A Guerra Fria e o mundo bipolar			
A revolução socialista na China			
A criação do Estado de Israel e a formação da Organização para a Libertação da Palestina			
A Guerra do Vietnã			
O regime do *apartheid* na África do Sul			

» **Veja** abaixo alguns termos e conceitos que você encontrará no capítulo. **Marque** um X naqueles que você julga estarem relacionados à imagem.

- [ ] Guerra dos Seis Dias.
- [ ] Guerra Fria.
- [ ] Pan-africanismo.
- [ ] Descolonização.
- [ ] Capitalismo.
- [ ] Socialismo.
- [ ] Revolução Cultural.

Charge soviética ironizando o programa nuclear norte-americano. Escola Russa, século XX.

PETER NEWARK MILITARY PICTURES/THE BRIDGEMAN ART LIBRARY/GRUPO KEYSTONE

Justifique suas escolhas.

___

___

___

A GUERRA FRIA

Termos e conceitos

Guerra Fria
Capitalismo
Socialismo
Organização das Nações Unidas (ONU)
Estado de bem-estar social
Otan
Pacto de Varsóvia

1 **Identifique** as afirmativas corretas e **preencha** o quadrado a seguir com a soma de seus valores.

1. As disputas econômicas, militares, culturais e políticas entre o bloco capitalista e o bloco socialista alimentaram uma corrida armamentista, ideológica e espacial que caracterizou o conflito conhecido como Guerra Fria.
2. O Estado de bem-estar social caracterizou-se pela adoção, nas nações asiáticas, de medidas econômicas restritivas, como o aumento da taxa básica de juros e o estímulo à produção industrial.
4. A Organização do Tratado do Atlântico Norte (Otan), liderada pelos Estados Unidos, tinha como objetivo principal garantir a defesa dos países associados em caso de um ataque soviético.
8. O Pacto de Varsóvia foi a contrapartida soviética à criação da Otan. O comandante da Iugoslávia, Marechal Tito, exerceu o cargo de chefe da organização e foi o principal responsável por abafar as revoltas e manifestações populares que exigiam a abertura política e o fim do regime soviético.
16. A Organização das Nações Unidas (ONU) foi criada em outubro de 1945 com a tarefa de garantir a paz mundial, defender os direitos humanos e garantir a igualdade entre os povos.
32. A ONU tornou-se uma instituição forte e atuante em todo o mundo. Na Guerra Fria conseguiu frear as ambições expansionistas da União Soviética e o belicismo dos Estados Unidos.

Soma: [ ] ________.

2 **Relacione** a construção do Estado de bem-estar social da Europa do pós-guerra à polaridade política e ideológica que marcou a Guerra Fria.

3 **Distribua** as palavras do quadro a seguir no esquema abaixo, alinhando os termos correspondentes.

Pacto de Varsóvia – capitalismo – Otan – Europa Ocidental – Conferência de Bandung – países não alinhados – Sputnik – prisões e assassinatos de dissidentes políticos – Plano Marshall – macartismo – Guerra Fria – CIA – Apollo 11 – socialismo – KGB – Europa Oriental – Conselho para Assistência Econômica Mútua

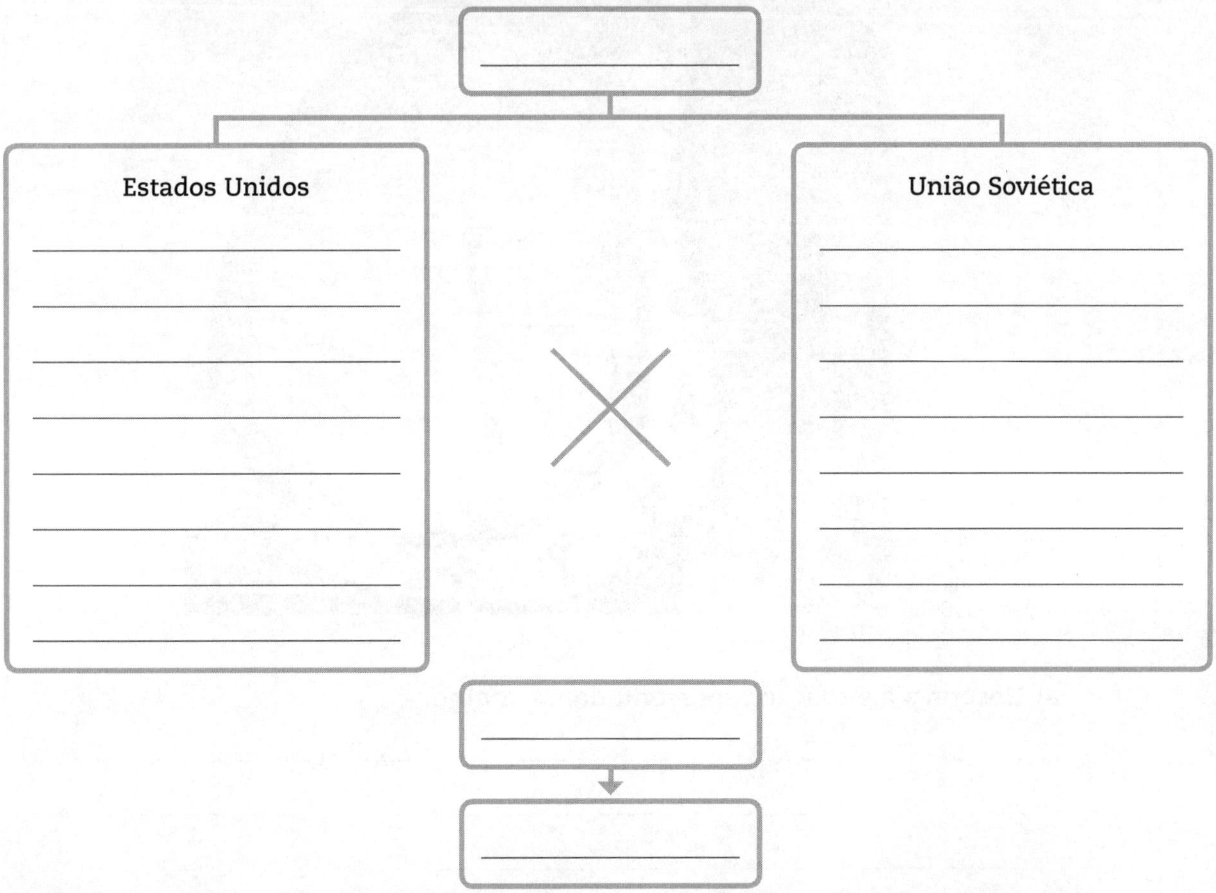

4 **Assinale** a alternativa que preenche a área hachurada do esquema a seguir.

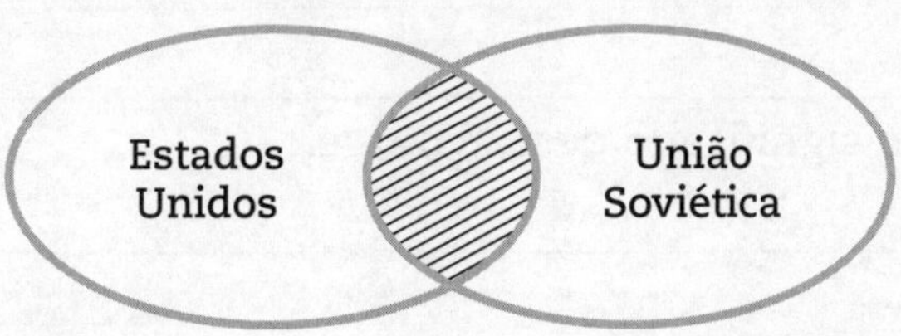

- [ ] Economia de mercado, liberdade de expressão e pacifismo.
- [ ] Espionagem, corrida armamentista e liberdade política.
- [ ] Adesão dos países não alinhados, participação na ONU e ajuda financeira aos países europeus.
- [ ] Propaganda ideológica, participação na Conferência de Ialta e integração às forças da Otan.
- [ ] Espionagem, propaganda ideológica e aumento do arsenal nuclear.

Faça a conexão

5 **Observe** a charge abaixo e **responda** às questões.

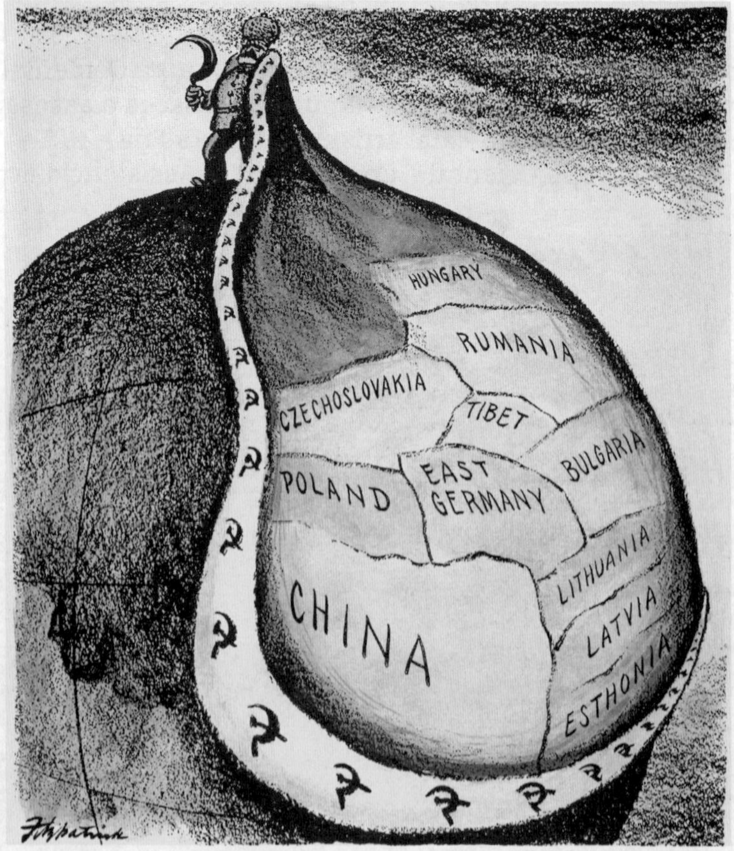

THE GRANGER COLLECTION/OTHER IMAGES

O novo imperialismo, charge norte-americana de D. R. Fitzpatrick, 1951.

a) **Descreva** a situação representada na charge.

b) **Interprete** o significado dessa charge.

OS CONFLITOS "QUENTES" DA GUERRA FRIA

A DESCOLONIZAÇÃO NA ÁSIA E NA ÁFRICA

Termos e conceitos

Revolução Cultural

1 **Elimine** as expressões que não fazem parte do grupo e **justifique** suas escolhas.

Longa Marcha – Chiang Kai-shek – Partido Comunista Chinês – Mao Tsé-tung – Kuomintang – Grande Salto para Frente – Revolução Cultural – Exército Vermelho

2 **Escreva** nas linhas ao lado o termo correspondente a cada frase a seguir.

1. Conflito que marcou a expansão de Israel: em poucos dias, os israelenses conquistaram o Sinai, a Faixa de Gaza, a Cisjordânia, as Colinas de Golã e a parte oriental de Jerusalém.
2. Regime estabelecido ao final da década de 1940 por meio de uma série de leis que previam, entre outras coisas, a proibição de relações sexuais e do casamento entre brancos e não brancos e classificavam a população de acordo com a sua cor.
3. Movimento cultural surgido na segunda metade do século XIX que defendia a ideia de raça como o elemento unificador dos povos africanos.
4. Organização criada em 1964 e liderada por Yasser Arafat, tinha o objetivo de afirmar a soberania palestina sobre Israel.
5. Guerra diplomática travada entre Estados Unidos e União Soviética, no início da década de 1960, motivada pela instalação de bases militares soviéticas em Cuba e norte-americanas na Turquia.

1. ______
2. ______
3. ______
4. ______
5. ______

3 **Escreva**, no centro do diagrama, o país e o grupo político ao qual se referem as características abaixo. Em seguida, **complete** os retângulos.

Longa Marcha

Exército Vermelho

Bases vermelhas

Revolução Cultural Chinesa

Grande Salto para Frente

4 **Preencha** as lacunas do esquema a seguir sobre a Guerra do Vietnã.

Independência da ______ (1954)

Apoio da ______

Vietnã do Norte

Vietnã do Sul

Apoio dos ______

Criação da ______

Criação da ______

Guerra do Vietnã (1960-1975)

5 **Complete** o esquema a seguir.

O conflito entre judeus e palestinos

Em 1948, a ONU estabeleceu a criação ______________ na região da Palestina.

Os países da ____________ contestaram a decisão, já que temiam o destino dos milhares de ______________, a maioria muçulmanos, que viviam na área.

______________ de todas as partes do mundo migraram para o recém--criado ______________.

____

____

Com o objetivo de afirmar a soberania palestina sobre a região, em 1964 os palestinos criaram a ______________________________.

As divergências dentro da ____________ levaram à divisão em diferentes grupos. Alguns, mais radicais, adotaram o ______________ como forma de luta.

O ____________ tornou-se um dos principais compradores de armamento fabricado pelos ____________ e juntou-se ao grupo das nações mais militarizadas do planeta.

Em 1967, Israel ocupou diversos territórios que estavam sob domínio palestino no conflito conhecido como ______________.

6 **Escreva V (verdadeiro) ou F (falso) a respeito das afirmativas a seguir sobre a política discriminatória na África do Sul.**

- [ ] **Em sua origem teve bases ditas religiosas, que afirmavam que negros e brancos eram diferentes, não devendo, portanto, ser igualados.**
- [ ] **Em 1858, na Constituição do Transvaal, a miscigenação racial foi permitida e até mesmo incentivada.**
- [ ] **Durante a década de 1920, as medidas discriminatórias tornaram-se cada vez mais intensas, limitando o acesso a moradia e trabalho das populações negras.**
- [ ] **Nelson Mandela foi uma das lideranças mais destacadas no movimento de resistência ao *apartheid*, nome pelo qual ficou conhecida a política segregacionista na África do Sul.**
- [ ] **Levantes populares levaram ao fim do *apartheid*, enquanto organizações internacionais e governos de outras nações mantinham-se neutros com relação ao que acontecia na África do Sul.**

Fechando o capítulo 34

Sintetize

» **Preencha** o quadro a seguir, que sintetiza alguns dos conflitos ocorridos ao longo da Guerra Fria.

______	A ______ dominou o norte da Coreia e ______ o sul, após a Segunda Guerra Mundial.	Entre 1950 e 1953, Coreia do Norte e Coreia do Sul entraram em guerra com o apoio da União Soviética e dos Estados Unidos, respectivamente.	O país foi dividido em dois: o norte adotou o ______ e o sul alinhou-se ao ______, situação que perdura até os dias de hoje.
Vietnã	Com a independência da ______, o Vietnã dividiu-se em duas partes: o Vietnã do Norte, que adotou o ______, e o Vietnã do Sul, que adotou o ______, com o apoio dos Estados Unidos.	A intervenção direta dos ______ na região e a tentativa de ______ levaram forças do ______ a atacar o ______ por meio de guerrilhas.	______ e ______ puseram fim ao conflito.
______	Em 1962, ocorreu a chamada ______.	O país foi utilizado pela ______ como base de instalação de armamentos nucleares.	O fim do conflito ocorreu de forma ______ por meio de ______ ______.

Avalie

» **Marque** um X na coluna que melhor traduz o seu aprendizado sobre cada tema. Depois, **compare** este quadro com o que você preencheu no item "Antes de estudar o capítulo".

Temas principais do capítulo	Compreendi bem o tema.	Compreendi, mas tenho algumas dúvidas.	Tenho muitas dúvidas.
A Guerra Fria e o mundo bipolar			
A revolução socialista na China			
A criação do Estado de Israel e a formação da Organização para a Libertação da Palestina			
A Guerra do Vietnã			
O regime do *apartheid* na África do Sul			

Se você teve dificuldade para compreender algum desses temas, reveja as atividades do *Caderno do estudante* referentes a este capítulo e revise seu livro-texto. Caso seja necessário, peça ajuda ao seu professor ou a um colega.

Unidade J

Capítulo

35

Os movimentos sociais e a transformação dos comportamentos

Seções:

35.1 A sociedade de consumo e a revolução cultural

35.2 Revolução e protesto nos anos 1960

35.3 Os novos movimentos sociais

Antes de estudar o capítulo

» **Veja** neste quadro os temas principais do capítulo e **marque** um X na coluna que, em sua opinião, traduz o seu conhecimento sobre cada tema.

Temas principais do capítulo	Já estudei. Será um aprofundamento.	Nunca estudei. Será totalmente novo.	Não lembro se estudei.
A sociedade de consumo			
A formação de uma cultura jovem			
Maio de 1968 na França			
A Primavera de Praga e a invasão soviética			
A luta contra o racismo nos Estados Unidos			
O movimento feminista			

» **Veja** abaixo alguns termos e conceitos que você encontrará no capítulo. **Marque** um X naqueles que você julga estarem relacionados à imagem.

- [ ] Maio de 1968.
- [ ] Corporação.
- [ ] Sociedade de consumo.
- [ ] Cultura.
- [ ] Primavera de Praga.
- [ ] Universidade.

Estudantes durante manifestação em Paris, na França, em 1968.

HULTON-DEUTSCH COLLECTION/CORBIS/LATINSTOCK

Justifique suas escolhas.

Capítulo 35 Seção 35.1

A SOCIEDADE DE CONSUMO E A REVOLUÇÃO CULTURAL

Seção 35.2

REVOLUÇÃO E PROTESTO NOS ANOS 1960

Seção 35.3

OS NOVOS MOVIMENTOS SOCIAIS

Termos e conceitos

Sociedade de consumo
Cultura
Maio de 1968
Primavera de Praga
Universidade
Racismo
Feminismo
Nova Esquerda

1 A sociedade de consumo das décadas de 1950 e 1960 caracterizou-se por todos os itens a seguir, exceto:

- [ ] por ações eficazes de *marketing* e propaganda, incitando ao consumo de diversas mercadorias.
- [ ] pela ampliação da consciência crítica dos consumidores.
- [ ] pela difusão do culto a celebridades e atores famosos.
- [ ] pela desconexão entre a realidade e o mundo das imagens, que eram constantemente impostas pela indústria do espetáculo.

2 **Escreva** [1] se a proposição e a explicação estão corretas; [2] se a proposição está correta, mas a explicação incorreta; [3] se a proposição está incorreta, mas a explicação está correta; e [4] se ambas estão incorretas.

- [ ] A Nova Esquerda surgiu com os acontecimentos de Maio de 1968. Ela caracterizava-se pela crítica às opções políticas tradicionais, como o capitalismo e o socialismo autoritário e burocrático adotado na China e na União Soviética.
- [ ] Em outubro de 1967, submetidos ao rígido controle soviético, estudantes tchecos organizaram uma série de manifestações, conhecidas como Primavera de Praga. Eles lutavam contra o capitalismo instalado no país com o apoio dos Estados Unidos, a burocratização do sistema de ensino e exigiam a implantação de um regime socialista no país.
- [ ] O movimento feminista surgiu no início do século XX. Nesse período, muitas mulheres ingressaram nas universidades e no mercado de trabalho. No entanto, elas não tinham acesso a todas as profissões e recebiam salários menores que os dos homens pelo mesmo tipo de trabalho executado.
- [ ] O movimento de Maio de 1968 iniciou-se nas universidades francesas. Após a ocupação da Universidade Sorbonne por forças policiais, o movimento alastrou-se pelas ruas de Paris e congregou trabalhadores de diversos setores, que reivindicavam aumento salarial e exigiam autonomia sindical.
- [ ] O movimento pelos direitos civis nos Estados Unidos, na década de 1950 e 1960, unificou negros e brancos pobres, que lutavam por melhores salários e pela criação de cotas sociais nas universidades. Como a igualdade racial já tinha sido estabelecida com o fim da escravidão, o movimento estava centrado na conquista de direitos sociais.

3 **Complete** o esquema a seguir sobre o Maio de 1968.

Maio de 1968

Onde se iniciou e qual foi a causa imediata	Quem participou	Desenrolar dos acontecimentos	Término

Desdobramentos

4 **Preencha** o quadro a seguir com informações sobre o movimento de defesa dos direitos civis dos negros nos Estados Unidos.

Movimento de defesa dos direitos civis dos negros nos Estados Unidos					
Início	Principal articulador	Reivindicações	Ações	Resultados	Medidas tomadas pelo governo norte-americano

Faça a conexão

5 **Analise** a charge a seguir.

"Não tenho certeza do que seja isso, mas estava à venda, então pensamos que seria melhor termos um antes que se esgotasse.", charge de Fran.

a) **Identifique** a atitude criticada nessa charge, citando alguns efeitos que ela pode trazer para a nossa sociedade.

____

____

____

____

____

____

____

b) **Escreva V** (verdadeiro) ou **F** (falso) sobre a charge.

- [ ] Essa máquina é um utensílio extremamente importante para a família que a adquiriu.
- [ ] A compra dessa máquina simboliza o consumo inconsciente, impulsivo e sem atitude crítica, típicos da sociedade de consumo contemporânea.
- [ ] Na sociedade de consumo, as pessoas podem ser levadas, por meio do uso intenso de propagandas veiculadas nos meios de comunicação de massa, a adquirir produtos totalmente desnecessários.
- [ ] A atitude mostrada pela fala da personagem da charge caracterizou a época da Segunda Revolução Industrial, quando, em razão do barateamento dos produtos, as pessoas passaram a adquirir bens desenfreadamente, especialmente artigos eletrônicos.
- [ ] Diversos movimentos sociais insurgiram-se contra a sociedade de consumo, como o feminismo, a Nova Esquerda e, especialmente, a Primavera de Praga.

Fechando o capítulo 35

Sintetize

» **Associe** os itens listados abaixo com as imagens a seguir.

A Sociedade de consumo.

B Maio de 1968.

C Primavera de Praga.

D Movimento pela igualdade entre os sexos.

☐

AGIP/RUE DES ARCHIVES/OTHER IMAGES

Manifestação de professores, trabalhadores e estudantes em Paris, França, em 1968.

☐

IMAGES.COM/CORBIS/LATINSTOCK

Charge satirizando uma das características da sociedade contemporânea.

☐

REPRODUÇÃO

Símbolo do movimento feminista.

☐

KEYSTONE-FRANCE/GAMMA-KEYSTONE/GETTY IMAGES

Tanque soviético nas ruas de Praga, na Tchecoslováquia, em 1968.

» **Escolha** uma das imagens da página anterior e **escreva** um breve texto sobre o acontecimento ou o tema que ela representa.

Avalie

» **Marque** um X na coluna que melhor traduz o seu aprendizado sobre cada tema. Depois, **compare** este quadro com o que você preencheu no item "Antes de estudar o capítulo".

Temas principais do capítulo	Compreendi bem o tema.	Compreendi, mas tenho algumas dúvidas.	Tenho muitas dúvidas.
A sociedade de consumo			
A formação de uma cultura jovem			
Maio de 1968 na França			
A Primavera de Praga e a invasão soviética			
A luta contra o racismo nos Estados Unidos			
O movimento feminista			

Se você teve dificuldade para compreender algum desses temas, reveja as atividades do *Caderno do estudante* referentes a este capítulo e revise seu livro-texto. Caso seja necessário, peça ajuda ao seu professor ou a um colega.

Unidade J
Capítulo
36

O populismo no Brasil e na América Latina

Seções:
36.1 O Brasil depois do Estado Novo
36.2 Os anos JK
36.3 Os antecedentes do golpe de 1964
36.4 O populismo na Argentina

Antes de estudar o capítulo

Veja neste quadro os temas principais do capítulo e **marque** um X na coluna que, em sua opinião, traduz o seu conhecimento sobre cada tema.

Temas principais do capítulo	Já estudei. Será um aprofundamento.	Nunca estudei. Será totalmente novo.	Não lembro se estudei.
O Brasil depois de 1945 e o governo democrático de Getúlio Vargas			
O governo JK e o Plano de Metas			
A eleição e a renúncia de Jânio Quadros			
O governo João Goulart e o golpe militar de 1964			
O peronismo na Argentina			

Veja abaixo alguns termos e conceitos que você encontrará no capítulo. **Marque** um X naqueles que você julga estarem relacionados à imagem.

- [ ] Varguismo.
- [ ] Nacional-desenvolvimentismo.
- [ ] Reformas de base.
- [ ] Plano de Metas.
- [ ] Populismo.
- [ ] Peronismo.

Anúncio de máquina de lavar roupas publicado na revista *O Cruzeiro*, de maio de 1960.

BIBLIOTECA DO MUSEU DE ARTE DE SÃO PAULO

Justifique suas escolhas.

____

____

____

____

Seção 36.1 **O BRASIL DEPOIS DO ESTADO NOVO**

Seção 36.2 **OS ANOS JK**

Seção 36.3 **OS ANTECEDENTES DO GOLPE DE 1964**

Termos e conceitos

Populismo
Varguismo
Nacional-desenvolvimentismo
Nacionalismo
Plano de Metas
Reformas de base
Reforma agrária
Golpe militar

1 O populismo:

- [ ] é um termo que pode ser usado indistintamente para qualquer governo em qualquer época, contanto que ele adote medidas populares.
- [ ] vem se tornando cada vez mais utilizado, especialmente a partir da década de 1970, quando historiadores começaram a perceber a riqueza de significados distintos que o termo possui.
- [ ] expressa a opinião inequívoca de todos os historiadores de que as camadas populares dependem amplamente de lideranças como as de Vargas, Perón e João Goulart.
- [ ] pode ser definido como a política adotada por diferentes governos da América Latina, baseada no controle das massas, no discurso nacionalista e na condução de reformas sociais que supostamente conciliavam os interesses capitalistas com as reivindicações dos trabalhadores.
- [ ] não deve ser associado a estudos sobre estratégias de poder, como a propaganda, a simbologia política e os vínculos com os grupos de apoio, pois são assuntos desprovidos de aproximações históricas.

2 Cite duas características de cada um dos termos a seguir.

a) Varguismo.

1. ______________________________

2. ______________________________

____

b) Plano de Metas.

1. ______________________________

____

2. ______________________________

____

c) Reformas de base.

1. ______________________________

2. ______________________________

3 **Associe** cada item a um quadro.

1. Dutra.	Em seu governo, o Brasil alinhou-se com os Estados Unidos. Como consequência, o país rompeu relações diplomáticas com a União Soviética e declarou ilegal o Partido Comunista do Brasil (PCB).
2. Vargas.	Comprometeu-se a realizar uma série de reformas, que tinham por objetivo diminuir as desigualdades no país e modernizar a economia nacional. No entanto, elas foram interpretadas como propostas de esquerda pelos setores mais conservadores da sociedade, que logo tramaram a derrubada do presidente.
3. JK.	Ao longo de seu governo, o país vivia um momento de grande crescimento econômico com a industrialização acelerada. A síntese da euforia e do otimismo nacional materializou-se na inauguração da nova capital, Brasília, em 1960.
4. Jânio Quadros.	Aproveitando-se de seu grande prestígio político, venceu as eleições de 1950. Conseguiu contornar alguns problemas econômicos que assolavam o país, mas, com o tempo, tornou-se alvo de críticas tanto da esquerda quanto da direita, o que precipitou o fim do seu governo.
5. João Goulart.	Assinou acordos internacionais que prejudicaram a produção industrial nacional, regulamentou questões cotidianas proibindo o uso de biquínis, em praias, as brigas de galo e o lança-perfume e reaproximou o Brasil dos países do bloco soviético e de Cuba.

4 **Preencha** o esquema a seguir sobre as reformas de base.

Reformas de base

Governo que as propôs

____

____

____

O que eram

____

____

____

Objetivos

____

____

____

Principais pontos

____

____

____

____

____

____

Resultados

____

____

____

____

____

____

5 **Assinale** a alternativa que completa corretamente o esquema.

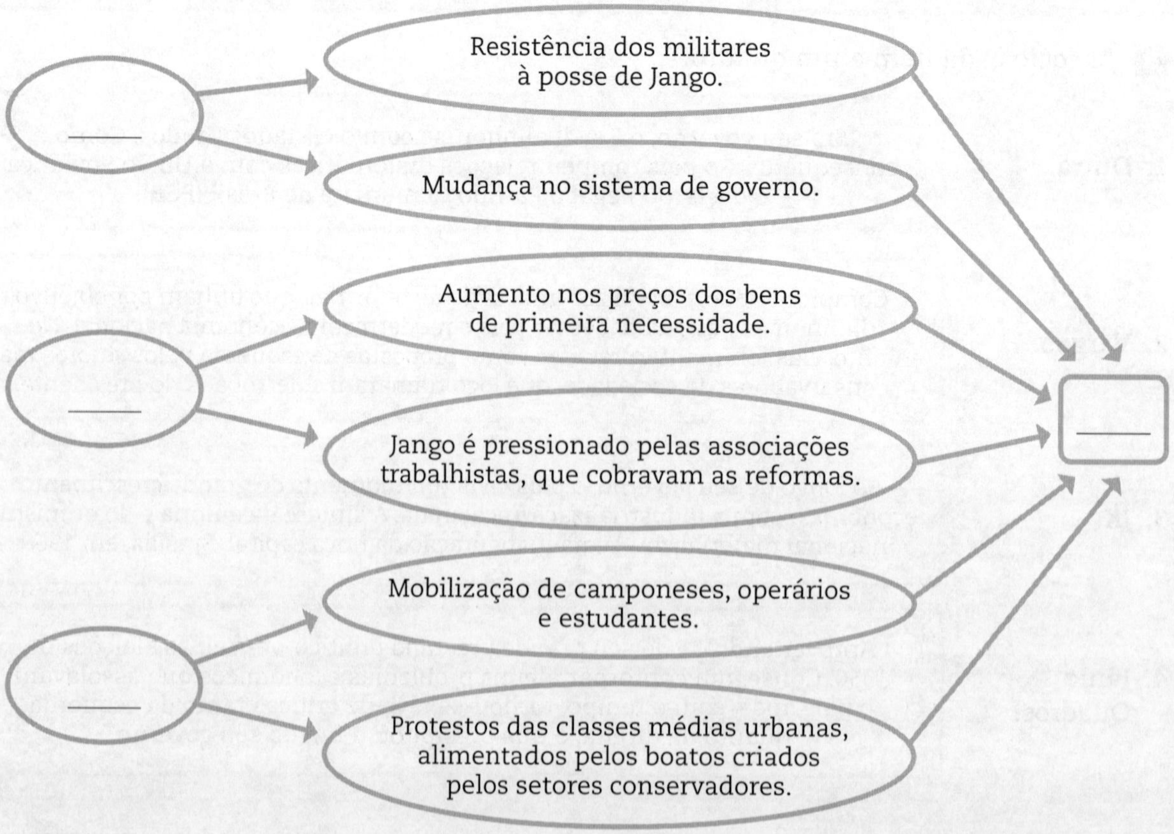

- [ ] I. Instabilidade política; II. Dificuldades econômicas; III. Descontentamento popular; IV. Golpe militar de 1964.
- [ ] I. Apoio dos militares; II. Realização das reformas de base; III. Reforço do sindicalismo; IV. Retorno ao presidencialismo.
- [ ] I. Parlamentarismo; II. Perda do apoio popular; III. Fortalecimento dos militares; IV. Fechamento do Congresso.
- [ ] I. Domínio político da UDN; II. Sindicalismo; III. Apoio popular; IV. Golpe militar.
- [ ] I. Estabilidade política; II. Reformas de base; III. Plebiscito; IV. Volta de Jânio Quadros ao poder.

Faça a conexão

6 **Analise** a imagem a seguir e **leia** o texto.

LUIZ ALFREDO/O CRUZEIRO/EM/D.A PRESS

Carros e populares em rua de Brasília, na inauguração da nova capital do Brasil, 21 de abril de 1960.

"É o construtor de Brasília; o homem do 'Plano de Metas', que foi nome de automóvel e adorava dançar. Enfim, o presidente 'bossa-nova'. É certo que a popularidade de JK era grande nos anos 50, mas cresceria muito, alimentada por sua resistência aos militares, seguida da cassação e do exílio políticos. Mais ainda, cresceria em razão das circunstâncias suspeitas de sua morte, em trágico acidente de automóvel. Juscelino, como Vargas, foi enterrado nos braços do povo, como um símbolo e uma saudade de tempos em que o Brasil acreditava em um futuro glorioso, no qual desenvolvimento econômico e democracia política poderiam e iriam conviver."

GOMES, Angela de Castro. A política brasileira em busca da modernidade: na fronteira entre o público e o privado. In: SCHWARCZ, Lilia Moritz. *História da vida privada no Brasil*: contrastes da intimidade contemporânea. São Paulo: Companhia das Letras, 2000. p. 549-550.

a) Relacione a fotografia ao contexto histórico no qual foi tirada.

b) Que fatores proporcionaram a grande popularidade de JK?

c) Que elementos apontados pelo texto estão presentes na fotografia?

Capítulo 36 | Seção 36.4

O POPULISMO NA ARGENTINA

Termos e conceitos

Populismo
Peronismo

1 **Identifique** e **comente** características semelhantes entre o varguismo e o peronismo.

____

____

____

____

____

Guia de estudo

2 **Preencha** o esquema a seguir sobre os antecedentes do peronismo.

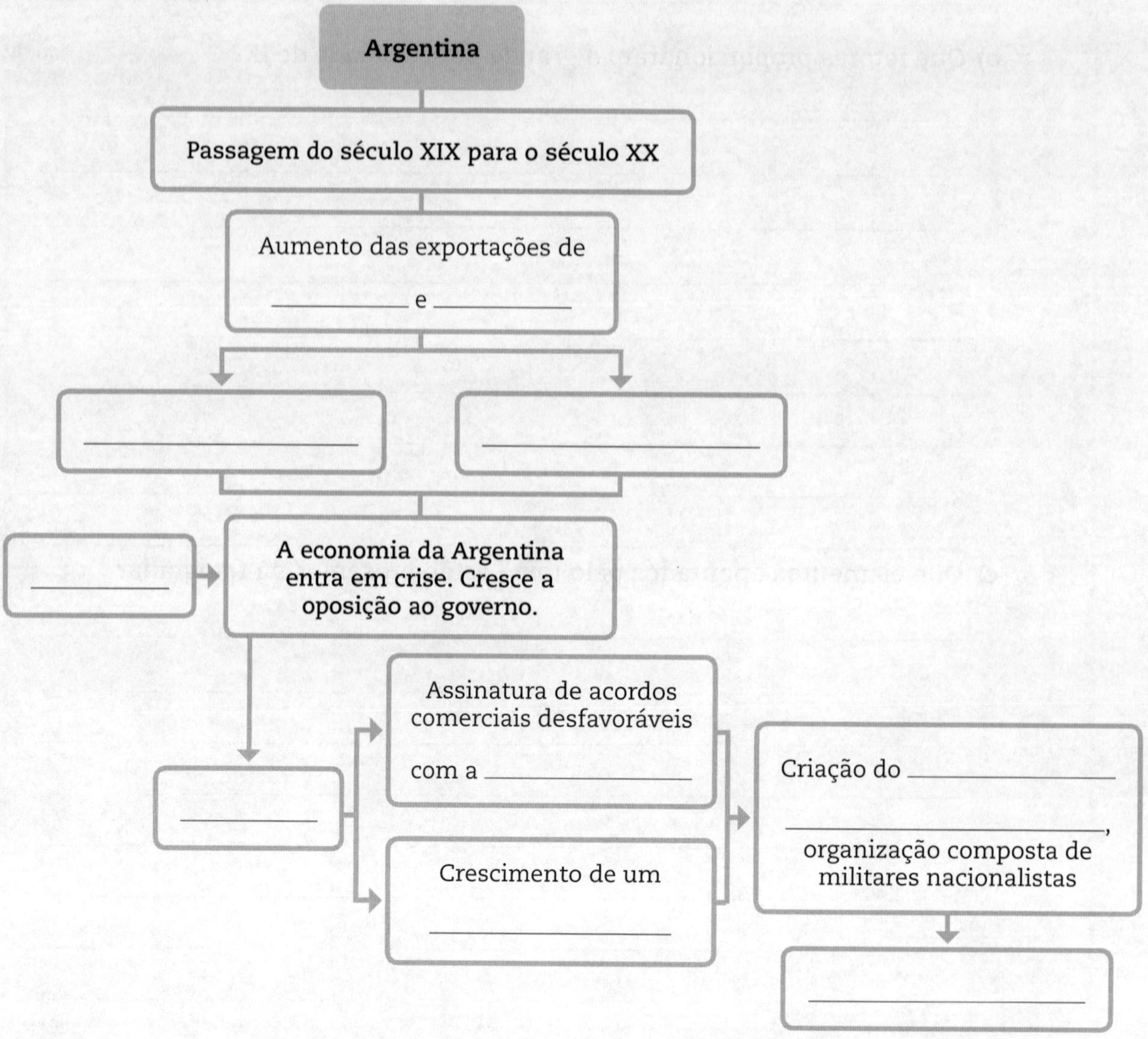

3 **Complete** os quadrados abaixo relacionando cada afirmação a uma explicação.

1. Em 1943, Juan Domingos Perón participou de um golpe militar na Argentina. Nomeado ministro do trabalho pelo novo governo, Péron estabeleceu-se como o principal interlocutor dos setores populares.
2. O cenário do pós Segunda Guerra Mundial permitiu a captação de grandes investimentos, que ampliaram a capacidade produtiva do país e asseguraram melhores condições de vida para parte da população argentina.
3. Em 1951, Perón foi reeleito, mas seu novo governo foi marcado pela instabilidade. Em 1955, um golpe militar forçou o presidente a renunciar e a sair da Argentina.
4. Perón regulou as relações entre trabalhadores e patrões, articulou o surgimento de novos sindicatos vinculados ao Estado e ampliou a legislação trabalhista, ações que fizeram crescer sua popularidade junto ao operariado.
5. Perón venceu as eleições presidenciais de 1946 e conseguiu governar com relativa tranquilidade.
6. A crise econômica que atingia o país, as denúncias de corrupção e a aproximação de Perón com os operários mobilizaram setores como a classe média, que nunca o havia apoiado de fato, e os militares, principais articuladores do golpe.

a) ☐ porque ☐

b) ☐ porque ☐

c) ☐ porque ☐

Fechando o capítulo 36

Sintetize

» **Elabore** uma pequena redação utilizando pelo menos quatro dos termos a seguir.

populismo	eleições presidenciais	propaganda
Guerra Fria	sindicatos	reformas
discurso nacionalista	Juscelino Kubitschek	industrialização
golpe militar	Perón	Jânio Quadros
reformas de base	investimentos estrangeiros	Getúlio Vargas

» **Ordene**, nos quadrados, alguns dos principais acontecimentos estudados neste capítulo.

1. Perón volta do exílio e é eleito presidente da Argentina pela terceira vez.
2. Em 24 de agosto, pressionado pela oposição e sem apoio dos militares, Getúlio Vargas optou pelo suicídio.
3. Getúlio Vargas cria a Petrobras, empresa estatal que tinha o monopólio da exploração e refino do petróleo no Brasil.
4. Em 21 de abril, o presidente Juscelino Kubitschek inaugura Brasília, a nova capital do Brasil.
5. Um golpe militar depõe a presidente Isabelita Perón, iniciando uma das ditaduras mais violentas da América Latina.
6. No dia 25 de agosto, Jânio Quadros renuncia à presidência, decisão que até hoje é motivo de polêmica entre os estudiosos.
7. Em janeiro, o sistema presidencialista é aprovado em um plebiscito nacional, e Jango assume, além da chefia de Estado, a chefia de governo.
8. Um golpe militar depõe o presidente João Goulart e dá início a uma ditadura no Brasil.

1953	1954	1960	1961	1963	1964	1973	1976
____	____	____	____	____	____	____	____

Avalie

» **Marque** um X na coluna que melhor traduz o seu aprendizado sobre cada tema. Depois, **compare** este quadro com o que você preencheu no item "Antes de estudar o capítulo".

Temas principais do capítulo	Compreendi bem o tema.	Compreendi, mas tenho algumas dúvidas.	Tenho muitas dúvidas.
O Brasil depois de 1945 e o governo democrático de Getúlio Vargas			
O governo JK e o Plano de Metas			
A eleição e a renúncia de Jânio Quadros			
O governo João Goulart e o golpe militar de 1964			
O peronismo na Argentina			

Se você teve dificuldade para compreender algum desses temas, reveja as atividades do *Caderno do estudante* referentes a este capítulo e revise seu livro-texto. Caso seja necessário, peça ajuda ao seu professor ou a um colega.

Unidade J
Capítulo
37

Ditaduras militares na América Latina

Seções:
37.1 Militares no poder
37.2 O regime consolidado
37.3 Golpes militares em outros países da América Latina

Antes de estudar o capítulo

» **Veja** neste quadro os temas principais do capítulo e **marque** um X na coluna que, em sua opinião, traduz o seu conhecimento sobre cada tema.

Temas principais do capítulo	Já estudei. Será um aprofundamento.	Nunca estudei. Será totalmente novo.	Não lembro se estudei.
O regime militar no Brasil			
Repressão, censura e protesto no Brasil da ditadura militar			
A distensão do regime militar brasileiro			
A ditadura militar no Chile e na Argentina			

» **Veja** abaixo alguns termos e conceitos que você encontrará no capítulo. **Marque** um X naqueles que você julga estarem relacionados à imagem.

- [ ] Ditadura militar.
- [ ] Milagre econômico.
- [ ] Ufanismo.
- [ ] Plano Condor.
- [ ] Lei da Anistia.
- [ ] Diretas Já.
- [ ] Cinema novo.

Cartaz comemorativo da Semana da Pátria, produzido durante o governo Médici (1969-1974).

Justifique suas escolhas.

____

____

____

____

MILITARES NO PODER

O REGIME CONSOLIDADO

Termos e conceitos

Ditadura militar

Ato institucional

Cinema novo/ tropicalismo

Repressão

"Milagre" econômico

Abertura política

Lei da Anistia

Diretas Já

1 **Identifique** as afirmativas corretas e **preencha** o quadrado a seguir com a soma de seus valores.

1. O cinema novo desenvolveu linguagem e estética próprias, que procuravam mostrar a insatisfação com a situação política do país e a crueza das relações sociais e pessoais.
2. Os Atos Institucionais eram leis emitidas pelo Poder Executivo que não necessitavam da análise e aprovação do Congresso Nacional para serem colocadas em prática.
4. O tropicalismo estimulava, por meio da música, especialmente entre a juventude, o questionamento dos valores e costumes.
8. A luta armada, inspirada nas resistências latino-americanas, como a Revolução Cubana, derrubou, em 1984, o regime militar e proclamou Tancredo Neves presidente da república.
16. No período do governo do general Costa e Silva, os altos índices de crescimento econômico do Brasil foram chamados de "milagre" econômico, beneficiando sobretudo as camadas populares.
32. Durante o regime militar, o governo reprimia violentamente os movimentos contestatórios, com a utilização de órgãos como o Dops e a Oban.
64. Empresários brasileiros e estrangeiros financiaram os grupos armados rebeldes, pois desejavam a volta da democracia, que proporcionaria um ambiente mais propício aos negócios.

Soma: ☐ ________.

2 **Relacione** a Lei da Anistia e a campanha das Diretas Já ao processo de abertura política no Brasil.

3 **Preencha** o esquema a seguir com as principais posições defendidas por cada grupo de militares que atuava no Brasil em 1964.

Defensores do golpe

______ | ______

Legalistas

______

Elemento que os unia: ______.

4 **Complete** o quadro abaixo com algumas das medidas estabelecidas pelos Atos Institucionais do regime militar brasileiro.

AI-1	
AI-2	
AI-3	
AI-5	

5 **Organize** os acontecimentos a seguir no esquema abaixo. Depois, **escreva** nas linhas do esquema os nomes de seus respectivos governos.

1. Instituição da Lei Falcão e do Pacote de Abril.
2. “Milagre” econômico.
3. Volta do pluripartidarismo.
4. Promulgação da Lei da Anistia.
5. Dificuldade de crescimento econômico, inflação alta e aumento dos preços.
6. Criação do movimento Diretas Já.
7. Decretação do Ato Institucional nº 5.
8. Auge das campanhas ufanistas e da repressão política.
9. Decretação da Lei de Segurança Nacional.
10. Construção das chamadas “obras faraônicas”.

GOLPES MILITARES EM OUTROS PAÍSES DA AMÉRICA LATINA

Termos e conceitos

Frente popular
Golpe militar
Ditadura militar
Madres de Mayo

1 **Marque** a alternativa correta sobre a situação política do Chile nos anos 1970.

I. Um golpe militar, perpetrado em 1973, depôs o governo socialista de Salvador Allende.
II. Para a esquerda chilena, a chegada do socialista Salvador Allende ao poder, em 1970, indicava que era possível construir o socialismo no Chile sem a necessidade de revoluções armadas.
III. No Chile, frentes populares, aglutinando principalmente comunistas e socialistas, governaram o país tanto entre 1935 e 1938 quanto com o presidente Salvador Allende, eleito em 1970 com o apoio da Unidade Popular.
IV. O golpe militar instaurou uma ferrenha ditadura militar, que utilizou medidas extremamente violentas contra diversos setores da sociedade, especialmente entre os sindicalistas, artistas e intelectuais.
V. O governo de Pinochet adotou medidas liberais, como privatizações e estímulos ao capital externo, e manteve a sociedade sob rígido autoritarismo.

- [ ] Estão incorretas apenas as afirmativas I, III e V.
- [ ] Estão corretas apenas as afirmativas I, II e IV.
- [ ] Estão corretas as afirmativas I, II, IV e V.
- [ ] Estão corretas as afirmativas II, III, IV e V.
- [ ] Todas as afirmativas estão corretas.

2 **Complete** as lacunas do texto, relativo à política argentina, com os termos e expressões que faltam.

A Argentina sofreu muitos ________________ ao longo de sua história. Até que, na década de 1970, houve a ________________ do país, com o retorno de ________________, eleito presidente pela terceira vez. Com a morte do presidente, em 1974, sua esposa, Isabelita, assumiu o poder. Dois anos depois, porém, em 1976, os __________ deram um __________ e instauraram uma ________________. Entre os grupos de oposição estavam as ________________, que realizavam protestos e denunciavam o desaparecimento de seus filhos. Desgastado internamente, o governo militar procurou recuperar sua força política iniciando uma ofensiva ________________ para recuperar antigas ilhas argentinas, hoje sob domínio britânico. A ________________ resultou na derrota da Argentina e expôs a fragilidade das forças armadas do país.

3 **Preencha** o esquema abaixo com os números aos quais correspondem os acontecimentos a seguir.

1. Participação no Plano Condor, mecanismo de cooperação entre as ditaduras militares do Cone Sul que permitia a perseguição e a punição a adversários políticos.
2. Uma guerra contra a Grã-Bretanha foi declarada com o objetivo de desviar a atenção da população dos problemas internos do país.
3. Divisão política interna e dificuldades econômicas facilitaram o retorno de um governo militar.
4. Ascensão pela via legal e democrática de um governo socialista.
5. Nacionalizações e estatizações provocaram boicotes da burguesia do país e redução de investimentos internacionais.
6. Fundação da associação Madres de Mayo, criada com o objetivo de buscar informações sobre desaparecidos durante a repressão política.
7. O golpe militar provocou o suicídio do presidente.
8. O regime foi incapaz de combater a inflação elevada e a desvalorização da moeda.
9. A intensa repressão política foi responsável por milhares de desaparecimentos e mortes de opositores do regime.
10. Adoção de medidas liberalizantes, como a desnacionalização de empresas e de atividades produtivas.

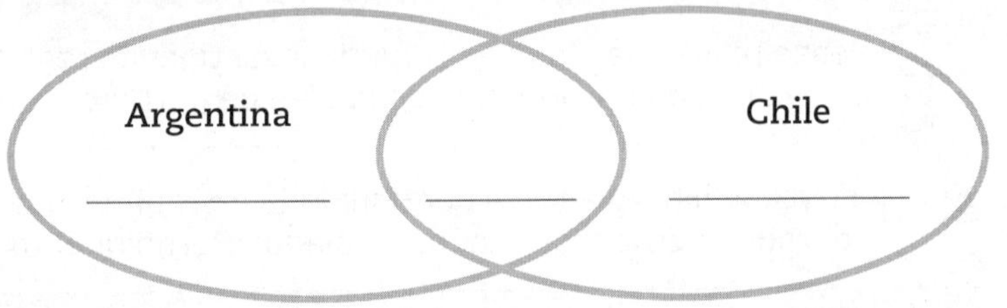

Faça a conexão

4 **Observe** as fotografias a seguir e as **relacione** ao contexto histórico em que foram tiradas.

ARQUIVO/AGÊNCIA O GLOBO

BETTMANN/CORBIS/LATINSTOCK

EDUARDO DIBAIA/AP/IMAGEPLUS

À esquerda, policiais reprimem estudantes em manifestação no Rio de Janeiro, em 1968; no centro, prisioneiros políticos no Estádio Nacional, em Santiago, no Chile, em 1973; à direita, manifestantes detidos pela polícia durante protesto em Buenos Aires, Argentina, em 1982.

Fechando o capítulo 37

Sintetize

Associe as colunas.

1. Argentina 2. Brasil 3. Chile	[ ]	O palácio do governo foi bombardeado durante o golpe militar que derrubou o presidente democraticamente eleito.
	[ ]	Ocorreram milhares de desaparecimentos e assassinatos ao longo do regime.
	[ ]	No decorrer de sete anos de regime, houve forte queda nos investimentos estrangeiros e declínio econômico.
	[ ]	A emenda que estabelecia eleições diretas para presidente foi derrotada e o primeiro presidente civil após a queda do regime militar foi escolhido por via indireta em um colégio eleitoral.
	[ ]	No contexto bipolar da Guerra Fria, alinhou-se com a política dos Estados Unidos, que se concretizou no Plano Condor, por meio do qual pessoas acusadas de subversão eram violentamente reprimidas.
	[ ]	Nesse país, uma longa e profunda investigação resultou em julgamentos e punições de autoridades acusadas de participar da repressão política.
	[ ]	Um plebiscito rejeitou a continuidade do regime, que já sofria pressões por redemocratização tanto no plano interno quanto no externo.
	[ ]	O fim do regime não ocorreu abruptamente. O processo de abertura política foi lento e gradual.

Avalie

Marque um X na coluna que melhor traduz o seu aprendizado sobre cada tema. Depois, compare este quadro com o que você preencheu no item "Antes de estudar o capítulo".

Temas principais do capítulo	Compreendi bem o tema.	Compreendi, mas tenho algumas dúvidas.	Tenho muitas dúvidas.
O regime militar no Brasil			
Repressão, censura e protesto no Brasil da ditadura militar			
A distensão do regime militar brasileiro			
A ditadura militar no Chile e na Argentina			

Se você teve dificuldade para compreender algum desses temas, reveja as atividades do *Caderno do estudante* referentes a este capítulo e revise seu livro-texto. Caso seja necessário, peça ajuda ao seu professor ou a um colega.

Unidade K

Capítulo

38

O colapso do socialismo no Leste Europeu

Seções:

38.1 A crise e o fim do sistema soviético

38.2 A desagregação do bloco socialista

38.3 A Europa Oriental depois do socialismo

Antes de estudar o capítulo

» **Veja** neste quadro os temas principais do capítulo e **marque** um X na coluna que, em sua opinião, traduz o seu conhecimento sobre cada tema.

Temas principais do capítulo	Já estudei. Será um aprofundamento.	Nunca estudei. Será totalmente novo.	Não lembro se estudei.
A crise da União Soviética			
As reformas de Mikhail Gorbachev			
A queda do Muro de Berlim			
O fim da União Soviética e do socialismo no Leste Europeu			
A guerra civil na Iugoslávia e a fragmentação do país			

» **Veja** abaixo alguns termos e conceitos que você encontrará no capítulo. **Marque** um X naqueles que você julga estarem relacionados à imagem.

- [ ] *Perestroika*.
- [ ] Socialismo.
- [ ] Muro de Berlim.
- [ ] *Glasnost*.
- [ ] Bloco soviético.
- [ ] Guerra civil.
- [ ] Nacionalismo.
- [ ] Abertura política.

DIRCK HALSTEAD/TIME LIFE PICTURES/ GETTY IMAGES

O líder soviético Mikhail Gorbachev, em 1987.

Justifique suas escolhas.

A CRISE E O FIM DO SISTEMA SOVIÉTICO

Termos e conceitos

Socialismo

Bloco soviético

Abertura política

1 **Exclua** os termos que não caracterizavam a realidade do bloco soviético nos anos 1980 e **justifique**.

estagnação tecnológica – centralização política – autonomia das nacionalidades – economia dirigida pelo Estado – produção industrial altamente competitiva – tendência à estagnação econômica – abundância de bens de consumo

2 **Assinale** a(s) afirmativa(s) correta(s) sobre o processo de abertura política conduzido por Mikhail Gorbachev na União Soviética.

- [ ] Gorbachev pretendia eliminar o socialismo na União Soviética e instaurar um Estado capitalista, exatamente como o dos Estados Unidos.
- [ ] As medidas da *perestroika* estabeleceram liberdades econômicas na União Soviética, como o direito de abrir pequenos negócios familiares.
- [ ] As medidas propostas por Gorbachev aumentaram ainda mais a censura e a perseguição aos opositores do governo.
- [ ] Com a *glasnost*, os soviéticos puderam expressar publicamente suas críticas ao governo e eleger representantes nas primeiras eleições livres realizadas no país.
- [ ] As reformas políticas e econômicas conduzidas por Gorbachev contribuíram para fortalecer o regime soviético e evitar o fim da Guerra Fria.
- [ ] A abertura política promovida por Gorbachev repercutiu em todo o Leste Europeu, acelerando o colapso do regime soviético nos países daquela região.

Guia de estudo

3 **Complete** o organograma sobre o poder político na União Soviética. Em seguida, **indique** os grupos que concentravam, de fato, o poder político.

A estrutura de poder na União Soviética

- Povo
  - Participação nos ______ ______
  - Eleição para ______ ______
  - Eleição para o ______ ______
- Estado
  - ______ ______
  - ______ ______
- Partido Comunista
  - ______ ______ ______
  - ______ ______ ______

Faça a conexão

4 **Escreva V** (verdadeiro) ou **F** (falso) sobre o conteúdo desta charge.

Capa da revista *Time*, março de 1978.

- [ ] A charge representa a tentativa bem-sucedida de Gorbachev de promover reformas na União Soviética e, assim, preservar o socialismo e a unidade do país.
- [ ] A charge anteviu o fim da União Soviética e do socialismo no Leste Europeu, mas não o fim do socialismo como uma proposta de organização da sociedade, já que muitos partidos e intelectuais ainda o defendem em vários países.
- [ ] A charge anteviu mais um desejo das potências capitalistas de acabar com o socialismo do que uma realidade histórica, pois, após todos os conflitos ocorridos nas décadas de 1980 e 1990, o socialismo ainda sobrevive em alguns países do antigo bloco soviético.
- [ ] Não é possível determinar o que a charge representa, pois o processo de derrubada do socialismo ainda está em curso na União Soviética e, por isso, não é possível afirmar se a charge mostra a queda do socialismo ou sua reconstrução, agora mais modernizada.
- [ ] Com o fim da União Soviética e do socialismo no Leste Europeu, antevisto na charge, profundas tensões políticas e crises econômicas emergiram nos países do antigo bloco soviético, expressando a dificuldade de integração desses países à economia de mercado.

A DESAGREGAÇÃO DO BLOCO SOCIALISTA

A EUROPA ORIENTAL DEPOIS DO SOCIALISMO

Termos e conceitos

Socialismo
Bloco soviético
Queda do Muro de Berlim
Nacionalismo
Etnia
Guerra civil

1 **Explique** por que a queda do Muro de Berlim é considerada um marco do fim da Guerra Fria.

____

____

____

____

____

2 A queda do Muro de Berlim e o fim da União Soviética impulsionaram o processo de mudanças que levou ao fim do socialismo nos países do Leste Europeu. **Cite** três características do modelo de socialismo implantado nesses países, que ruiu no início da década de 1990.

1. ______________________________

____

____

2. ______________________________

____

____

3. ______________________________

____

3 **Identifique,** em cada caso, os conflitos ligados à luta pela independência nacional.

1. ____________. Região de maioria muçulmana que luta pela independência em relação à Rússia. Os rebeldes, de um lado, promovem atentados terroristas; o governo russo, de outro, pratica assassinatos e torturas.

2. ____________. Croatas e muçulmanos declararam independência em relação à Sérvia, iniciando uma guerra que abalou os Bálcãs e provocou a morte de quase 100 mil pessoas.

3. ____________. Muçulmanos de origem albanesa viviam nessa região autônoma, atacada pelas tropas comandadas por Slobodan Milosevic, em 1997. A guerra se encerrou com a intervenção da Otan, em 1999.

4 **Complete** o diagrama sobre os principais acontecimentos que marcaram a queda do socialismo nos países do Leste Europeu.

Países do Leste Europeu

______	______	______	______	______	______

Governo muito ______ ______ ______ e repressor.	1989 ______ tomam as ruas das principais ______ exigindo ______.	País mais ______ ______ ______ do modelo soviético.	1980 Formação do ______, liderado por ______ ______.	Culto à ______. Dificuldades ______ e ______ política.
1989 Movimento liderado por Václav Havel, chamado "______ ______ ______ ______", conduz o país à democracia.	______ de 1989 Pressões ______ provocam a ______ ______ ______ ______.	1989 O próprio ______ ______ promove a ______ política com a convocação de eleições ______ e ______.	Onda de ______ se espalha pelo país. Enfraquecimento do ______. 1990 ______ é eleito ______.	1989 Ceausescu e ______ ______ são julgados e ______ ______. 1990 Realização de ______.

A queda do socialismo

Faça a conexão

5 **Analise** a charge a seguir para **responder** às questões.

PISMESTROVIC/CARTOONARTS INTERNATIONAL/THE NEW YORK TIMES SYNDICATE

Charge do cartunista servo-austríaco Petar Pismestrovic, publicada no periódico *Kleine Zeitung*.

a) **Explique** o significado das três situações representadas na charge: Kosovo na Sérvia, sérvios em Kosovo e Sérvia na Europa.

b) Qual é a situação atual do território representado na charge?

Fechando o capítulo 38

Sintetize

» Os mapas abaixo representam duas épocas distintas. **Date** os mapas e **caracterize** o contexto histórico que cada um deles representa.

A União Soviética (____________)

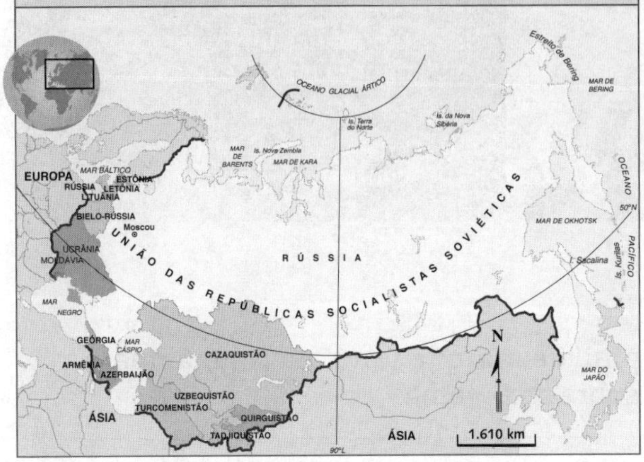

Fonte: *Atlas geográfico*. Rio de Janeiro: FAE, 1986. p. 70.

O Leste Europeu (____________)

Fonte: FERREIRA, Graça M. L. *Atlas geográfico*: espaço mundial. 3. ed. São Paulo: Moderna, 2010. p. 89.

____

____

____

____

____

Avalie

» **Marque** um X na coluna que melhor traduz o seu aprendizado sobre cada tema. Depois, **compare** este quadro com o que você preencheu no item "Antes de estudar o capítulo".

Temas principais do capítulo	Compreendi bem o tema.	Compreendi, mas tenho algumas dúvidas.	Tenho muitas dúvidas.
A crise da União Soviética			
As reformas de Mikhail Gorbachev			
A queda do Muro de Berlim			
O fim da União Soviética e do socialismo no Leste Europeu			
A guerra civil na Iugoslávia e a fragmentação do país			

Se você teve dificuldade para compreender algum desses temas, reveja as atividades do *Caderno do estudante* referentes a este capítulo e revise seu livro-texto. Caso seja necessário, peça ajuda ao seu professor ou a um colega.

Unidade K

Capítulo

39

O Brasil contemporâneo

Seções:

Antes de estudar o capítulo

» **Veja** neste quadro os temas principais do capítulo e **marque** um X na coluna que, em sua opinião, traduz o seu conhecimento sobre cada tema.

Temas principais do capítulo	Já estudei. Será um aprofundamento.	Nunca estudei. Será totalmente novo.	Não lembro se estudei.
A redemocratização do Brasil			
O governo Collor			
O governo Fernando Henrique			
O governo Lula			
O Brasil atual: avanços e desafios			

» **Veja** abaixo alguns termos e conceitos que você encontrará no capítulo. **Marque** um X naqueles que você julga estarem relacionados à imagem.

- [ ] Constituição de 1988.
- [ ] Inflação.
- [ ] Cotas raciais.
- [ ] Eleição direta.
- [ ] Democracia.
- [ ] Corrupção.
- [ ] Plano Real.
- [ ] Nova República.

ANTONIO CRUZ/ABR

Eleitor vota nas eleições gerais de 2010. Município de Águas Lindas de Goiás (GO), 2010.

Justifique suas escolhas.

A NOVA REPÚBLICA

O POVO NAS URNAS: ELEIÇÕES DIRETAS PARA PRESIDENTE

Termos e conceitos

Redemocratização
Nova República
Planos econômicos
Constituição
Eleição direta
Medidas econômicas
Impeachment
Plano Real

1 **Preencha** os quadros ordenando, corretamente, os acontecimentos que marcaram o processo de redemocratização do Brasil.

1. Deputados e senadores são eleitos com a tarefa principal de elaborar uma nova Constituição para o país.
2. O general João Baptista Figueiredo é sucedido na presidência da república por José Sarney, vice de Tancredo Neves, eleito pelo Colégio Eleitoral.
3. A Lei da Anistia permitiu a volta dos presos políticos e a reforma política possibilitou a volta do pluripartidarismo.
4. Na primeira eleição direta para presidente realizada desde 1960, Fernando Collor é eleito, no segundo turno, presidente do Brasil.
5. No dia 5 de outubro, deputados e senadores constituintes do Brasil promulgam a nova Constituição do país, batizada de a "Constituição cidadã".
6. Na eleição direta para governador, a primeira desde o início do regime militar, os partidos da oposição foram vitoriosos nos estados mais ricos da federação.

1979-1980	1982	1985
________	________	________

1986	1988	1989
________	________	________

2 **Associe** cada número a uma frase.

1. Plano Cruzado.
2. Plano Real.

[ ] Criado em 1986, no governo José Sarney.

[ ] Criado em 1994, no governo Itamar Franco.

[ ] Gerou uma crise de abastecimento e a cobrança de ágio sobre alguns produtos essenciais.

[ ] Estabeleceu o congelamento de preços e salários.

[ ] O sucesso do plano no controle da inflação foi essencial para a eleição de Fernando Henrique à presidência da república.

[ ] O plano criou uma nova moeda, em vigor até hoje, e possibilitou o aquecimento do mercado brasileiro.

3 **Preencha** o diagrama que sintetiza dois importantes acontecimentos do governo José Sarney.

O governo José Sarney (________________)

- Plano Cruzado
  - Criou uma nova moeda, o ________________.
  - Congelou ____________ e ____________.
  - Estabeleceu o ________________.
  - → Crise de ____________ e cobrança de ____________.
- Constituição de 1988
  - Promulgada em ________________.
  - Estabeleceu garantias ____________ e ____________ sociais, ____________ e econômicos.
  - Estabeleceu o direito dos ____________ às suas terras tradicionais.

4 **Complete** as lacunas do texto.

Assim que tomou posse na ____________, Fernando Collor apresentou um pacote de medidas para combater a ________ e estabilizar a ________. O ____________, como foi chamado, estabeleceu o ________ dos investimentos e dos depósitos em ________ dos valores acima de 50 mil cruzados novos, medida radical para retirar o dinheiro circulante no país e forçar a queda da ________. O governo Collor também iniciou o programa de ________ das estatais e de abertura da economia ao capital ________. O primeiro presidente eleito pelo voto direto depois de quase trinta anos não concluiu o seu ________. Denúncias de ________ levaram a Câmara dos Deputados a afastar o presidente e a instalar uma ________________ para apurar os fatos. Manifestações populares exigindo o ________ do presidente tomaram conta do país. Em dezembro de 1992, antes que o Senado julgasse o pedido de ________ aprovado pela ________, Collor ________. O vice, ________, que já tinha assumido ________ a presidência, passou a governar ________ o Brasil.

Faça a conexão

5 **Leia alguns artigos selecionados da Constituição de 1988.**

"Capítulo I

Dos direitos individuais e coletivos

Art. 5º Todos são iguais perante a lei, sem distinção de qualquer natureza, garantindo-se aos brasileiros e aos estrangeiros residentes no país a inviolabilidade do direito à vida, à liberdade, à igualdade, à segurança e à propriedade, nos termos seguintes:

I - homens e mulheres são iguais em direitos e obrigações, nos termos desta Constituição; [...]

III - ninguém será submetido a tortura nem a tratamento desumano ou degradante; [...]

VI - é inviolável a liberdade de consciência e de crença, sendo assegurado o livre exercício dos cultos religiosos e garantida, na forma da lei, a proteção aos locais de culto e a suas liturgias; [...]

IX - é livre a expressão da atividade intelectual, artística, científica e de comunicação, independentemente de censura ou licença; [...]

XXII - é garantido o direito de propriedade;

XXIII - a propriedade atenderá a sua função social; [...]

XLII - a prática do racismo constitui crime inafiançável e imprescritível, sujeito à pena de reclusão, nos termos da lei; [...]

Capítulo II

Dos direitos sociais

Art. 6º São direitos sociais a educação, a saúde, a alimentação, o trabalho, a moradia, o lazer, a segurança, a previdência social, a proteção à maternidade e à infância, a assistência aos desamparados, na forma desta Constituição. (Redação dada pela Emenda Constitucional nº 64, de 2010) [...]

IV - salário mínimo, fixado em lei, nacionalmente unificado, capaz de atender a suas necessidades vitais básicas e às de sua família com moradia, alimentação, educação, saúde, lazer, vestuário, higiene, transporte e previdência social, com reajustes periódicos que lhe preservem o poder aquisitivo, sendo vedada sua vinculação para qualquer fim; [...]

XVIII - licença à gestante, sem prejuízo do emprego e do salário, com a duração de cento e vinte dias;

XIX - licença-paternidade, nos termos fixados em lei [...]."

Constituição da República Federativa do Brasil de 1988. Disponível em www.planalto.gov.br. Acesso em 7 dez. 2010.

Capa da obra *Constituição 20 anos*: Estado, democracia e participação popular. Brasília: Câmara dos Deputados; Edições Câmara, 2009.

a) **Com base nesses artigos selecionados da Constituição, explique** por que a lei de 1988 ficou conhecida como "Constituição cidadã".

b) **Compare** o que determina a lei com as condições reais em que vivem os brasileiros. Que artigos têm sido respeitados? Quais ainda faltam ser cumpridos?

DE FHC A LULA

DESAFIOS DO BRASIL CONTEMPORÂNEO

Termos e conceitos

Política econômica
Reeleição
Corrupção
Terras indígenas
Cotas raciais
Globalização

1 **Liste** três características da política econômica do governo Fernando Henrique Cardoso em seu primeiro mandato.

1. ______
2. ______
3. ______

2 **Caracterize** o Bolsa Família, principal programa social do governo Lula, e **apresente** algumas críticas feitas a esse programa.

______

Guia de estudo

3 **Complete** o quadro sobre a situação do Brasil no mundo globalizado de hoje.

O Brasil no mundo globalizado	
Fatores que ajudaram a minimizar os efeitos da crise de 2008	
Desafios a serem enfrentados pelo país	
Potencialidades para o futuro	
Atuação do país no cenário mundial	

4 **Preencha** o diagrama que sintetiza as principais características dos oito anos de governo de FHC e de Lula.

Governo FHC

Primeiro mandato

1. Corte dos ________.
____
2. Privatização das ________ e ________ ao mercado mundial.
3. Elevação dos ________ para conter a ________ ________.

Segundo mandato

1. Manteve a ________ e a ________ ________ controlada.
2. Contração de ________ externos e adoção de novas medidas ________.
3. Escândalos ________ ________.

Governo Lula

Primeiro mandato

1. Criação do ________, um programa de ________ ________ de renda.
2. Manutenção da ________ econômica e ________ da economia.
3. Denúncias de ________: "mensalão".

Segundo mandato

1. Manutenção da ________ econômica e expansão da ________, mesmo em um cenário de ________.
2. Lançamento do ________ ________, prevendo grandes ________ em ________.

Governo FHC

• Aspectos positivos: sucesso no ________ ________; ________ econômica e redução da ________.

• Aspectos negativos: processo ________; queda da atividade ________ e ________.

Governo FHC e Lula

• Aspectos positivos: melhoria dos ________ do país; ________ de escolarização; redução da ________ e ________.

• Aspectos negativos: persistência da ________ e ________ do desemprego causado pelas medidas ________.

Governo Lula

• Aspectos positivos: ________ econômica; ________ do mercado ________; ________ pobreza e ________ nas relações internacionais.

• Aspectos negativos: persistem as ________ ________; aumento da ________ e de outros problemas urbanos; degradação ________ e ________ do ensino público no país.

5 **Assinale** os itens que expressam a afirmação e a valorização das culturas indígenas e afro-brasileira no Brasil.

- [ ] A Constituição de 1988 estabeleceu o direito dos povos indígenas às suas terras tradicionais, cabendo ao Estado a tarefa de demarcá-las e de garantir sua preservação.
- [ ] A Lei Áurea aboliu a escravidão no Brasil, mas não estabeleceu condições para a inserção dos negros como cidadãos na sociedade brasileira.
- [ ] Nos últimos quinhentos anos, a população indígena no Brasil foi expulsa de suas terras e reduzida drasticamente, vítima de doenças trazidas pelo colonizador, da escravidão, do avanço da fronteira agrícola sobre suas terras e da dificuldade de manter seu modo de vida tradicional.
- [ ] O Estado brasileiro, em 2004, instituiu a obrigatoriedade do ensino de "história e cultura afro-brasileira e africana" na educação básica.
- [ ] Instituições públicas de ensino da educação básica e superior adotaram o sistema de cotas raciais para o ingresso de estudantes afro-descendentes.

6 **Leia** as frases a seguir e **escolha** as palavras que completam corretamente as lacunas.

a) A obra *Casa-grande & senzala*, de Gilberto Freyre, é considerada fundamental no processo de valorização da cultura africana no Brasil, __________ a obra exprimir, para muitos estudiosos, uma visão elitista e paternalista a respeito dos negros.

b) __________ avançam as ações afirmativas para a população negra, a escolarização dos negros tende a aumentar no Brasil, passo importante ________ combater a desigualdade racial no país.

c) __________, no século XIX, as teorias raciais sustentavam a inferioridade dos negros e, __________, contribuíam para legitimar a escravidão e o colonialismo, hoje, __________ se derrubam as barreiras raciais, personalidades negras conquistam um espaço cada vez maior nas artes, na ciência e na política.

- [ ] Conforme, à medida que, assim, apesar de, para, enquanto.
- [ ] Apesar de, conforme, para, à medida que, assim, enquanto.
- [ ] Enquanto, na medida em que, para, conforme, à medida que, assim.
- [ ] Assim que, conforme, assim, enquanto, dessa forma, à medida que.
- [ ] Apesar de, conforme, para, enquanto, assim, à medida que.

Faça a conexão

7 **Leia** o texto a seguir, do sociólogo Gilberto Freyre, e **exponha** a visão do autor sobre os efeitos da miscigenação no Brasil.

> "A miscigenação que largamente se praticou aqui corrigiu a distância social que doutro modo se teria conservado enorme entre a casa-grande e a mata tropical; entre a casa-grande e a senzala. O que a monocultura latifundiária e escravocrata realizou no sentido de aristocratização, extremando a sociedade brasileira em senhores e escravos, com uma rala e insignificante lambujem de gente livre sanduichada entre os extremos antagônicos, foi em grande parte contrariado pelos efeitos sociais da miscigenação. A índia e a negra mina a princípio, depois a mulata, a cabrocha, a quadrarona, a oitavona, tornando-se caseiras, concubinas e até esposas legítimas dos senhores brancos, agiram poderosamente no sentido de democratização social no Brasil."

FREYRE, Gilberto. Prefácio à 1ª edição [1933]. *Casa-grande & senzala*: formação da família brasileira sob o regime da economia patriarcal. Introdução à história da sociedade patriarcal no Brasil. 50. ed. São Paulo: Global, 2005. p. 33.

8 **Observe** a charge ao lado para responder às questões.

Charge de Cícero sobre a situação do Brasil diante da crise internacional de 2008.

WWW.CICERO.ART.BR (CÍCERO LOPES)

a) Que acontecimento recente essa charge representa?

b) Ao que tudo indica até o momento, a crise teria conseguido "abrir a porta" e passar?

Fechando o capítulo 39

Sintetize

» Com alguns colegas, **escolham** um dos três grupos de termos e conceitos abaixo e **redija** um texto relacionado ao conteúdo estudado no capítulo.

a) política econômica – inflação – Plano Real – abertura econômica – capitalismo globalizado – Plano Cruzado

b) terras indígenas – cotas raciais – diversidade étnico-cultural – ações afirmativas

c) redemocratização – "Constituição cidadã" – eleições diretas – *impeachment*

Avalie

» **Marque** um X na coluna que melhor traduz o seu aprendizado sobre cada tema. Depois, **compare** este quadro com o que você preencheu no item "Antes de estudar o capítulo".

Temas principais do capítulo	Compreendi bem o tema.	Compreendi, mas tenho algumas dúvidas.	Tenho muitas dúvidas.
A redemocratização do Brasil			
O governo Collor			
O governo Fernando Henrique			
O governo Lula			
O Brasil atual: avanços e desafios			

Se você teve dificuldade para compreender algum desses temas, reveja as atividades do *Caderno do estudante* referentes a este capítulo e revise seu livro-texto. Caso seja necessário, peça ajuda ao seu professor ou a um colega.

Unidade K

Capítulo

40

Perspectivas do mundo globalizado

Seções:

40.1 O novo capitalismo global

40.2 Efeitos sociais do processo de globalização

40.3 A revolução tecnológica e as mudanças nas relações humanas

40.4 Guerra e terrorismo em um mundo instável

40.5 O problema ecológico e a ameaça da catástrofe climática

Antes de estudar o capítulo

» **Veja** neste quadro os temas principais do capítulo e **marque** um X na coluna que, em sua opinião, traduz o seu conhecimento sobre cada tema.

Temas principais do capítulo	Já estudei. Será um aprofundamento.	Nunca estudei. Será totalmente novo.	Não lembro se estudei.
O neoliberalismo e a globalização			
Os efeitos da globalização			
A revolução tecnológica			
Guerra e terrorismo			
O meio ambiente no capitalismo globalizado			

» **Veja** abaixo alguns termos e conceitos que você encontrará no capítulo. **Marque** um X naqueles que você julga estarem relacionados à imagem.

- [ ] Neoliberalismo.
- [ ] Fluxo mundial de capitais.
- [ ] Terceirização.
- [ ] Desindustrialização.
- [ ] Aquecimento global.
- [ ] Globalização.
- [ ] Mundo virtual.
- [ ] Indústria do entretenimento.

ALDO PAVAN/DANITADELIMONT.COM/NEWSCOM

Loja da rede mundial de lanchonetes McDonald's em Ha'il, Arábia Saudita, em 2010.

Justifique suas escolhas.

____

____

____

O NOVO CAPITALISMO GLOBAL

EFEITOS SOCIAIS DO PROCESSO DE GLOBALIZAÇÃO

Termos e conceitos

Globalização
Neoliberalismo
Desindustrialização
Trabalho
Urbanização descontrolada
Indústria do entretenimento

1 **Defina** os termos a seguir.

a) Globalização. ______

b) Neoliberalismo. ______

c) Desindustrialização. ______

2 **Preencha** o texto, que sintetiza as mudanças no mundo do trabalho, utilizando os termos do quadro.

trabalho cooperativo – taylorismo – terceirização – trabalho – flexíveis – globalização – desemprego – benefícios – qualificada – hierarquizadas – movimento sindical – empresas – – reestruturação administrativa

O processo de ______ causou mudanças profundas na organização das ______ e nas relações de ______. No lugar das antigas empresas rigidamente ______, segundo os princípios do ______, as novas empresas adotaram posturas mais ______, que levaram a uma maior interatividade. Outra mudança no mundo do trabalho resultou da ______ das empresas, conhecida como "reengenharia". Ela se caracterizou pelo corte ou redução de ______ trabalhistas, pela adoção da ______, pelo desenvolvimento da cultura do ______ e pelo aumento da demanda por mão de obra ______. A consequência desse processo foi o quase desaparecimento de funções ligadas à indústria tradicional, o aumento do ______ e o enfraquecimento do ______.

Guia de estudo

3 O esquema a seguir resume as etapas e os efeitos do processo de globalização. **Complete-o** adequadamente.

Anos 1970
Revolução das tecnologias de ______ e ______.

Anos 1980
______: desregulamentação e liberalização da ______.

Anos 1990
Fim do ______ e integração desses países ______.

Globalização

Crescente ______ ______ entre os países.

Supressão de ______ para a livre ______ ______ e capitais.

Produção ______ de mercadorias distribuída pelo ______.

Alterações nas relações de ______ ______ ______.

Aumento da ______, tanto entre ______ quanto dentro de um ______.

Aumento do ______ ______ para os países ______.

Corte de ______ ______ à produção ______.

Crescimento do ______.

Aumento da ______.

Urbanização ______.

______ da arte.

4 **Preencha** o diagrama sobre as características do neoliberalismo.

Neoliberalismo

Países e governos pioneiros	Objetivo central	Principais medidas defendidas	Ações práticas

Faça a conexão

5 **Descreva** o conteúdo da charge ao lado, relacionando-a com o processo de globalização.

LUOJIE/CARTOONARTS INTERNATIONAL/THE NEW YORK TIMES SYNDICATE

Charge de Luojie ironizando a situação dos países ricos e dos países pobres no capitalismo globalizado, publicada no jornal *China Daily*, Pequim.

A REVOLUÇÃO TECNOLÓGICA E AS MUDANÇAS NAS RELAÇÕES HUMANAS

GUERRA E TERRORISMO EM UM MUNDO INSTÁVEL

Termos e conceitos

Paradigma tecnológico
Internet
Mundo virtual
Novas guerras
Terrorismo

1 **Associe** cada número a uma frase.

1. Iraque.
2. Afeganistão.
3. 11 de Setembro.

- [ ] Governado por Saddam Hussein, o país foi acusado de apoiar terroristas islâmicos.
- [ ] Primeiro ataque "preventivo" feito pelos Estados Unidos depois da destruição das Torres Gêmeas.
- [ ] Ataque de terroristas islâmicos que desencadeou uma ofensiva militar e ideológica por parte dos Estados Unidos.
- [ ] Ação atribuída à organização terrorista Al-Qaeda.
- [ ] A guerra resultou na derrubada da milícia Talibã do governo.
- [ ] As supostas armas de destruição em massa, usadas para justificar a invasão, nunca foram encontradas.
- [ ] Gerou uma onda conservadora nos Estados Unidos e uma ofensiva ideológica conhecida como guerra contra o terror.
- [ ] Liberdades individuais dos cidadãos norte-americanos foram violadas em decorrência desse acontecimento.
- [ ] Um dos motivos alegados para invadir o país foi a acusação de abrigar o terrorista Osama Bin Laden.
- [ ] Não se provou a ligação entre o governo e grupos terroristas, e o país mergulhou em uma guerra civil envolvendo sunitas e xiitas.

2 Cada uma das frases abaixo possui uma afirmativa e uma justificativa. **Leia-as** e **escolha** a alternativa correta.

I. A internet revolucionou a maneira como as pessoas se comunicam e acessam informações, *porque* automaticamente elas acabam exercendo e aprimorando seu senso crítico.

II. Sociedade e tecnologia possuem, no mundo contemporâneo, uma relação de influência mútua, *porque*, desde os anos 1970, a tecnologia está cada vez mais presente na vida cotidiana das pessoas.

- [ ] A afirmativa e a justificativa da frase I estão incorretas; a afirmativa e a justificativa da frase II estão corretas.
- [ ] As afirmativas das frases I e II estão incorretas; as justificativas das frases I e II estão corretas.
- [ ] As afirmativas e as justificativas das frases I e II estão corretas.
- [ ] As afirmativas e as justificativas das frases I e II estão incorretas.
- [ ] A afirmativa da frase I está correta, mas a justificativa está incorreta; a afirmativa e a justificativa da frase II estão corretas.

3 **Complete** o esquema que sintetiza os avanços tecnológicos ocorridos a partir da década de 1970.

A revolução tecnológica

Início ________

Novos materiais

____
________ e outros materiais que permitiram o ________ das máquinas e dos ________ e novos ________.

Biotecnologia

Estudos sobre os ________ que permitem a alteração dos seres vivos, como a ________ e a produção de organismos ________ ________.

Microeletrônica

Novas formas de controle, manipulação e ________ ________, com a miniaturização dos componentes: memória de ________, processadores, *modems* etc.

4 **Complete** o diagrama sobre o 11 de Setembro e os resultados que gerou.

Rede terrorista ________

Ataque de 11 de Setembro de 2001

Alvos
____
________.

________ lança ________

Guerra contra o terror

Ataques, mesmo ________, a países ________ de financiar o ________.

2001
Invasão do ________
Justificativa: ________ abrigar ________ ________.

2003
Invasão do ________.
Justificativa: acusado de possuir ________ ________ e de financiar o ________.

Medidas
Aumento da ________ em portos e ________, ________ de correspondências, conversas telefônicas e ________.

Críticas recebidas
Violava as ________, o direito à ________ e a garantia de ________ em caso de prisão.

Faça a conexão

5 **Analise** a charge abaixo e **responda** às questões.

Televisor ligado e cérebro desligado, charge de Kopelnitsky.

a) Qual é a crítica feita nessa charge?

b) Você concorda com a visão expressa nessa charge? **Justifique.**

O PROBLEMA ECOLÓGICO E A AMEAÇA DA CATÁSTROFE CLIMÁTICA

Termos e conceitos

Sociedade industrial

Degradação ambiental

Aquecimento global

Desenvolvimento sustentável

1 **Relacione** o surgimento da sociedade industrial com a contínua degradação do meio ambiente.

2 **Defina os seguintes conceitos.**

a) Aquecimento global.

b) Desenvolvimento sustentável.

3 **Escolha** o gráfico que melhor representa a relação entre o avanço da industrialização e a degradação do meio ambiente e **justifique**.

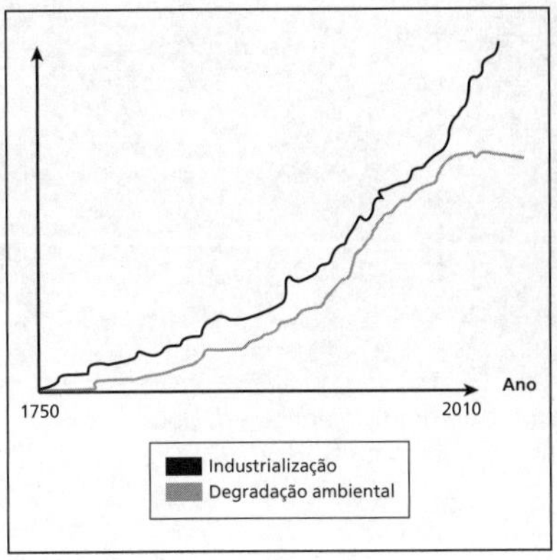

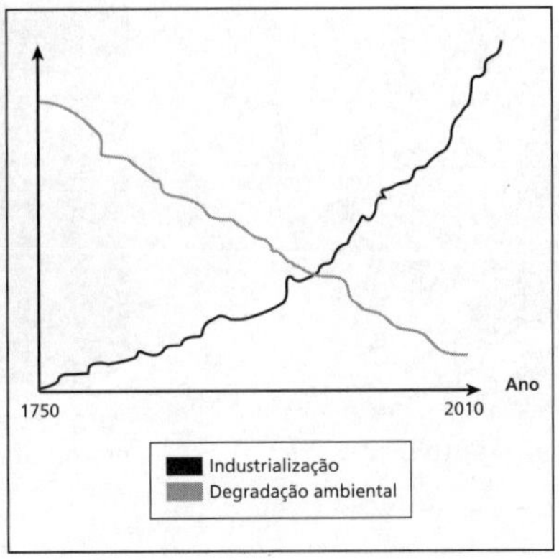

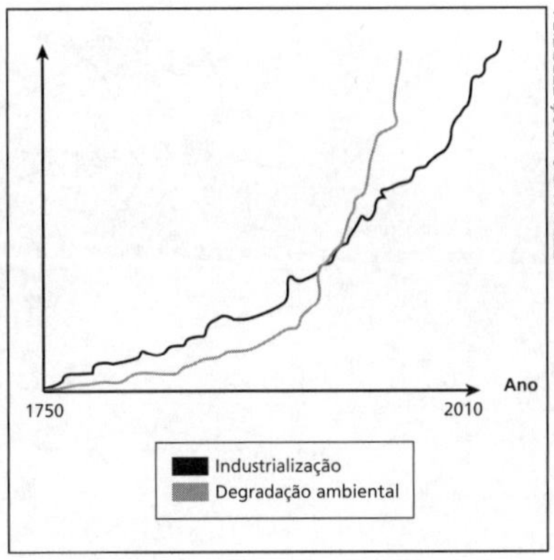

FERNANDO JOSÉ FERREIRA

____

____

____

____

4 **Complete** o diagrama sobre as causas e os efeitos do aquecimento global na visão de grande parte dos especialistas em clima.

Causas

____

____

____

Aquecimento global

Efeitos

____

____

____

Propostas para combater o problema

1. Redução do ______________________.
2. __________ dos gases causadores do ______________.
3. Preservação da ____________ e dos ____________.
4. Fontes energéticas ____________ e ____________.
5. Controle da ____________ e do ____________.

Faça a conexão

5 **Relacione** as duas imagens a seguir.

GUTO DIAS/CARTOONSTOCK

A vingança do peixe, charge de Guto Dias.

MAURICIO SIMONETTI/PULSAR IMAGENS

Parque gerador de energia eólica em Osório, no Rio Grande do Sul, em 2008.

Fechando o capítulo 40

Sintetize

» O processo de globalização vai muito além da integração econômica mundial. As duas imagens a seguir representam outros aspectos do mundo globalizado estudados neste capítulo. **Forme** com os colegas um grupo de trabalho para discutir a relação entre as imagens e o processo de globalização. **Construam**, após o debate, um **diagrama** sintetizando as principais características da globalização.

NARONG SANGNAK/EPA/CORBIS/LATINSTOCK

Criança trabalhando em um lixão em Mianmar, 2010.

PAUL HACKETT/REUTERS/LATINSTOCK

Jovem conversa com amigo pelo *skype* em cibercafé de Londres, na Inglaterra, em 2010.

Avalie

» **Marque** um X na coluna que melhor traduz o seu aprendizado sobre cada tema. Depois, **compare** este quadro com o que você preencheu no item "Antes de estudar o capítulo".

Temas principais do capítulo	Compreendi bem o tema.	Compreendi, mas tenho algumas dúvidas.	Tenho muitas dúvidas.
O neoliberalismo e a globalização			
Os efeitos da globalização			
A revolução tecnológica			
Guerra e terrorismo			
O meio ambiente no capitalismo globalizado			

Se você teve dificuldade para compreender algum desses temas, reveja as atividades do *Caderno do estudante* referentes a este capítulo e revise seu livro-texto. Caso seja necessário, peça ajuda ao seu professor ou a um colega.

Moderna PLUS

HISTÓRIA

CONEXÕES

CADERNO DO ESTUDANTE

Parte II

Organizadora: Editora Moderna
Obra coletiva concebida, desenvolvida
e produzida pela Editora Moderna.

Editora Executiva:
Maria Raquel Apolinário

Sumário

Unidade E
Capítulo
13

O império colonial português

Seções:

Antes de estudar o capítulo

» **Veja** neste quadro os temas principais do capítulo e **marque** um X na coluna que, em sua opinião, traduz o seu conhecimento sobre cada tema.

Temas principais do capítulo	Já estudei. Será um aprofundamento.	Nunca estudei. Será totalmente novo.	Não lembro se estudei.
O império colonial português			
A colonização da América portuguesa			
O engenho colonial			
A administração dos domínios portugueses			
Missões jesuíticas na América			
A União Ibérica			
Invasões holandesas			

» **Veja** abaixo alguns termos e conceitos que você encontrará no capítulo. **Marque** um X naqueles que você julga estarem relacionados à imagem.

- [ ] Companhia de Jesus.
- [ ] Colonização.
- [ ] Engenho.
- [ ] Império marítimo português.
- [ ] América.
- [ ] União Ibérica.

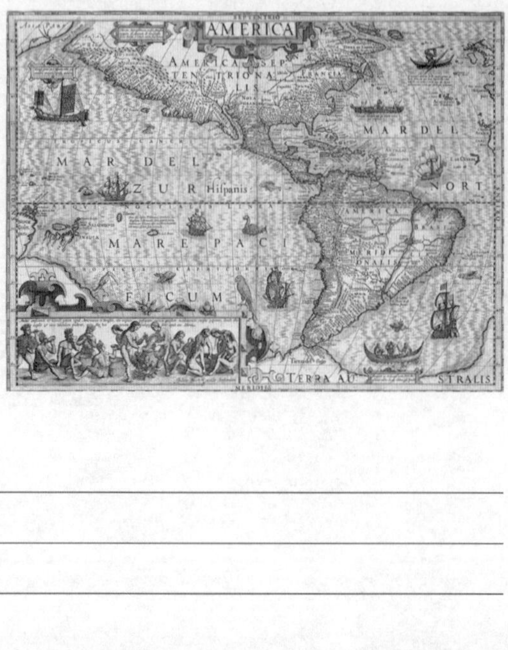

América, mapa de Cornelis Claesz, 1606.

BIBLIOTECA DE CARTOGRAFIA/USP, SÃO PAULO

Justifique suas escolhas.

A CONSTRUÇÃO DO IMPÉRIO MARÍTIMO PORTUGUÊS

Termos e conceitos

Império marítimo português

Colonização

Tratado de Tordesilhas

1 **Associe** as duas colunas.

1. Casa da Mina.
2. Estado da Índia.
3. Fortaleza de São Jorge da Mina.

☐ Praças comerciais de Goa, Málaca e Ormuz.

☐ Responsável por administrar o monopólio português do comércio africano.

☐ Feitoria portuguesa na África.

☐ Conjunto de feitorias e fortalezas construídas na Ásia.

2 **Indique** a divisão estabelecida pelo Tratado de Tordesilhas e quais foram as vantagens dessa divisão para Portugal.

____

____

____

____

____

____

Faça a conexão

3 Leia o poema abaixo e **responda** às questões.

"Ó mar salgado, quanto do teu sal
são lágrimas de Portugal!
Por te cruzarmos, quantas mães choraram,
Quantos filhos em vão rezaram!
Quantas noivas ficaram por casar
Para que fosses nosso, ó mar!

Valeu a pena? Tudo vale a pena
Se a alma não é pequena!
Quem quer passar além do Bojador
Tem que passar além da dor
Deus ao mar o perigo e o abismo deu
Mas nele é que espelhou o céu."

PESSOA, Fernando. *Mensagem*. São Paulo: Difel, 1986. p. 53.

a) **Escreva** qual acontecimento histórico é abordado no poema de Fernando Pessoa.

____

b) Segundo o poema, o que esse acontecimento histórico significou para o povo português?

____

____

____

____

Capítulo 13 | Seção 13.2 | Seção 13.3

O ESTADO DO BRASIL
O BRASIL AÇUCAREIRO

Termos e conceitos

Capitanias hereditárias
Governo geral
Engenho colonial
Trabalho escravo
Companhia de Jesus
Aldeamentos jesuítas

1 Leia o texto e **responda** às questões.

"[El rei d. João III] ordenou que se povoasse esta província, repartindo as terras por pessoas que se lhe ofereceram para as povoarem e conquistarem à custa da sua fazenda, e dando a cada um cinquenta léguas por costa com todo o seu sertão, para que eles fossem não só senhores, mas capitães delas, pelo que se chamam e se distinguem por capitanias."

SALVADOR, Frei Vicente do. *História do Brasil* (1550-1627). São Paulo; Rio de Janeiro: Weiszflog Irmãos, 1819. p. 103.

a) **Identifique** o nome do sistema de divisão administrativa adotado na América portuguesa tratado no texto.

b) O que o texto informa sobre o modo como essa divisão territorial era realizada?

c) **Preencha** as linhas.

1. Objetivo do rei ao dividir as terras.
2. Nome de quem recebia as terras.
3. Com que recursos ele conquistaria a terra.

Guia de estudo

2 **Complete** o diagrama abaixo com as responsabilidades que um capitão donatário tinha sobre sua capitania.

Capitão donatário

3 **Escreva V** (verdadeiro) ou **F** (falso) sobre os objetivos da criação do governo geral.

- [ ] Reduzir os conflitos existentes entre os próprios capitães donatários, que dificultavam a defesa do território e a produção agrícola.
- [ ] Centralizar o sistema político-administrativo da colônia.
- [ ] Julgar os donatários que não estivessem aperfeiçoando suas propriedades.
- [ ] Fornecer assistência para aquelas capitanias com dificuldade de prosperar.
- [ ] Estabelecer relações amistosas com os navegantes e comerciantes estrangeiros que aportavam no Brasil.

4 **Complete** o diagrama sobre a Companhia de Jesus na América portuguesa.

A Companhia de Jesus na América portuguesa

- Criação de ____________
- Objetivo ____________ ____________
  - **Missões ou aldeamentos**
    - Reunia indígenas de várias aldeias
      - Organização da missão: deveria ser ____________
        - Documento que a regulava: ____________
        - O que havia na missão: ____________
        - Atividades econômicas: ____________
        - Objetivos e instrumentos de ensino: ____________

Faça a conexão

5 **Leia o texto, observe a litogravura e responda às questões.**

"[...] A mão de obra empregada na montagem dos engenhos de açúcar no Brasil foi predominantemente indígena. [...] Os primeiros escravos africanos começaram a ser importados em meados do século XVI; seu emprego nos engenhos brasileiros, contudo, ocorria basicamente nas atividades especializadas. Por esse motivo, eram bem mais caros que os indígenas: um escravo africano custava, na segunda metade do século XVI, cerca de três vezes mais que um escravo índio. Após 1560, com a ocorrência de várias epidemias no litoral brasileiro (como sarampo e varíola), os escravos índios passaram a morrer em proporções alarmantes, o que exigia reposição constante da força de trabalho nos engenhos. Na década seguinte, em resposta à pressão dos jesuítas, a Coroa portuguesa promulgou leis que coibiam de forma parcial a escravização de índios. Ao mesmo tempo, os portugueses aprimoravam o funcionamento do tráfico negreiro transatlântico [...]."

MARQUESE, Rafael de Bivar. A dinâmica da escravidão no Brasil. Resistência, tráfico negreiro e alforrias, séculos XVII a XIX. *Novos estudos – Cebrap*, 2006, n. 74, p. 111.

Litografia de Henry Koster representando um engenho, de 1816.

a) **Explique** por que, com base no texto, a mão de obra indígena foi predominante na montagem dos engenhos de açúcar no Brasil até por volta de 1560.

b) Por que o escravo africano era mais caro que o escravo indígena?

c) **Explique** os três fatores que levaram à progressiva substituição da mão de obra escrava indígena pela africana nos engenhos de açúcar.

1.

2.

3.

A UNIÃO IBÉRICA E O BRASIL HOLANDÊS

Termos e conceitos

União Ibérica

Companhia das Índias Orientais

Companhia das Índias Ocidentais

Restauração

1 **Assinale** a afirmativa correta sobre a União Ibérica.

- [ ] Associação econômica que pretendia estender sua influência comercial sobre o Mar Mediterrâneo.
- [ ] Conhecida também como Península Ibérica, região geográfica que compreendia o Reino Português e o Reino Espanhol.
- [ ] Tratado de paz que pretendia colocar um fim nos conflitos entre comerciantes portugueses e espanhóis.
- [ ] Documento que estabelecia a divisão territorial das terras americanas entre o Reino Português e o Reino Espanhol.
- [x] Período de sessenta anos em que Portugal e seus domínios ultramarinos estiveram incorporados ao Reino Espanhol.

Guia de estudo

2 **Complete** o esquema abaixo com as características das invasões holandesas na América portuguesa.

Invasão holandesa na América portuguesa

- **1624-1625**
  - Capitania: da Bahia
  - Objetivo: Tomar o Brasil e começar a produzir açúcar
  - Desfecho: foram expulsos do Brasil
- **Empresa que comandou as invasões**: Companhia das Índias Ocidentais.
- **1630-1654**
  - Capitania: Pernambuco
  - Objetivo: Maior região produtora de açúcar do mundo
  - Desfecho: foram expulsos por coroneis, índios e escravos

3 **Complete** os quadrados abaixo relacionando cada afirmação a uma explicação.

1. A região era o maior centro açucareiro do mundo, negócio altamente lucrativo do qual os holandeses já participavam.
2. O alvo da segunda invasão holandesa, em 1630, foi a capitania de Pernambuco.
3. Em Portugal, o fim do domínio espanhol contribuiu para fortalecer a decisão de reconquistar Pernambuco; na colônia, a Companhia das Índias Ocidentais começou a cobrar os empréstimos feitos aos colonos, que também estranhavam os costumes protestantes dos holandeses.
4. Os holandeses conquistaram uma forte participação no comércio mundial do açúcar e no tráfico transatlântico de escravos, antes controlados por portugueses.
5. No final do século XVII, o império ultramarino português enfrentava sérias dificuldades.
6. Os luso-brasileiros iniciaram o levante contra o domínio holandês no Nordeste após a partida de Maurício de Nassau para a Holanda.

a) [2] porque [1] b) [3] porque [6] c) [5] porque [4]

Faça a conexão

4 Leia o texto abaixo e **responda** às questões.

"Uma pergunta que sempre surge quando se estuda a presença holandesa no Brasil é a seguinte: o destino do país seria diferente se tivesse ficado nas mãos da Holanda e não de Portugal?

Não há uma resposta segura para essa questão, pois ela envolve uma conjectura, uma possibilidade que não se tornou real. Quando se compara o governo de Nassau com a rudeza lusa e a natureza muitas vezes predatória de sua colonização, a resposta parece ser positiva. Mas convém lembrar que Nassau representava apenas uma tendência e a Companhia das Índias Ocidentais outra, mais próxima do estilo do empreendimento colonial português. Vista a questão sob esse ângulo, e quando se constata o que aconteceu nas colônias holandesas da Ásia e das Antilhas, as dúvidas crescem. A colonização dependeu menos da nacionalidade do colonizador e mais do tipo de colonização implantado. [...] Nas mãos de portugueses ou holandeses, com matizes certamente diversos, o Brasil teria mantido a mesma condição de colônia de exploração integrada no sistema colonial."

FAUSTO, Boris. *História do Brasil*. 2. ed. São Paulo: Edusp/FDE, 1995. p. 89.

a) De acordo com o texto, o futuro do Brasil teria sido diferente se a colonização holandesa tivesse permanecido? **Justifique.**

Não. Pois a lei de oferta seria muito grande o que acabaria por deixar o açucar barato.

b) **Interprete** o sentido da seguinte frase: "Não há uma resposta segura para essa questão".

Pois não sabia como os holandeses iam proceder.

Fechando o capítulo 13

Sintetize

» **Ordene** cronologicamente as medidas administrativas que favoreceram a expansão do império marítimo português.

- [ ] Implantação do sistema de capitanias hereditárias na Ilha da Madeira.
- [ ] Assinatura do Tratado de Alcáçovas.
- [ ] Decreto da bula papal *Romanus Pontifex*.
- [ ] Instituição do monopólio do rei de Portugal sobre todo o comércio africano.
- [ ] Fundação da Casa da Mina em Lisboa.
- [ ] Conquista de Goa, Málaca e Omuz.
- [ ] Implantação do sistema de capitanias hereditárias no Brasil.
- [ ] Fundação da Casa da Índia.
- [ ] Instituição do governo geral no Brasil.
- [ ] Assinatura do Tratado de Tordesilhas.
- [ ] A Coroa portuguesa arrendou a exploração das terras brasileiras a um grupo de comerciantes.

Avalie

» **Marque** um X na coluna que melhor traduz o seu aprendizado sobre cada tema. Depois, **compare** este quadro com o que você preencheu no item "Antes de estudar o capítulo".

Temas principais do capítulo	Compreendi bem o tema.	Compreendi, mas tenho algumas dúvidas.	Tenho muitas dúvidas.
O império colonial português			
A colonização da América portuguesa			
O engenho colonial			
A administração dos domínios portugueses			
Missões jesuíticas na América			
A União Ibérica			
Invasões holandesas			

Se você teve dificuldade para compreender algum desses temas, reveja as atividades do *Caderno do estudante* referentes a este capítulo e revise seu livro-texto. Caso seja necessário, peça ajuda ao seu professor ou a um colega.

Unidade E
Capítulo
14

A colonização da América espanhola

Seções:
14.1 A conquista espanhola
14.2 A colonização
14.3 Trabalho e organização econômica da colônia

Antes de estudar o capítulo

» Veja neste quadro os temas principais do capítulo e **marque** um X na coluna que, em sua opinião, traduz o seu conhecimento sobre cada tema.

Temas principais do capítulo	Já estudei. Será um aprofundamento.	Nunca estudei. Será totalmente novo.	Não lembro se estudei.
Os índios e a conquista espanhola			
A administração da América espanhola			
Encomienda/Repartimiento			
Exclusivo metropolitano			
Hacienda			
Divisão social na América espanhola			

» Veja abaixo alguns termos e conceitos que você encontrará no capítulo. **Marque** um X naqueles que você julga estarem relacionados à imagem.

- [ ] *Chapetones.*
- [ ] *Hacienda.*
- [ ] Colônia.
- [ ] Conquista.
- [ ] Metrópole.

Colombo descobrindo a América, gravura de Theodor Galle feita a partir de Jan van der Straet, da obra *Nova Reperta*, c. 1600.

THE BRIDGEMAN ART LIBRARY/GRUPO KEYSTONE – THE STAPLETON COLLECTION

Justifique suas escolhas.

____

____

____

____

A CONQUISTA ESPANHOLA
A COLONIZAÇÃO

Termos e conceitos

Conquista
Códice
Colônia
Exclusivo metropolitano
Metrópole
Conselho das Índias
Chapetones
Criollos
Mestiços

1 **Associe** as colunas.

1. Conquista espanhola.
2. Exclusivo metropolitano.
3. Conselho das Índias.
4. Casa de Contratação.

☐ Responsável por formular leis para as colônias.
☐ Monopólio do comércio colonial.
☐ Responsável por organizar a colonização.
☐ Hernán Cortés.
☐ Formado por pessoas nomeadas pelos vice-reis.
☐ Responsável por criar leis para controlar o comércio colonial.
☐ Francisco Pizarro.

2 **Leia** o texto abaixo e **identifique** as principais consequências da conquista espanhola na América para a população indígena.

"As consequências imediatas da conquista e ocupação das áreas mais densamente povoadas da civilização ameríndia foram desastrosas. O somatório de doenças epidêmicas (varíola, sarampo, febre tifoide), superexploração do trabalho e debilitação física resultante, choque cultural induzido pela remodelação de uma sociedade comunal em termos individualistas e orientados para o lucro, acabou por produzir, no século XVI (e no início do XVII), um dos declínios demográficos mais desastrosos jamais registrados pela história mundial. [...]"

STANLEY, J. S.; STEIN, B. A herança colonial da América Latina. In: PINSKY, Jaime e outros. *História da América através de textos*. São Paulo: Contexto, 2007. p. 47.

Guia de estudo

3 **Complete** o esquema abaixo descrevendo as circunstâncias que foram favoráveis aos conquistadores.

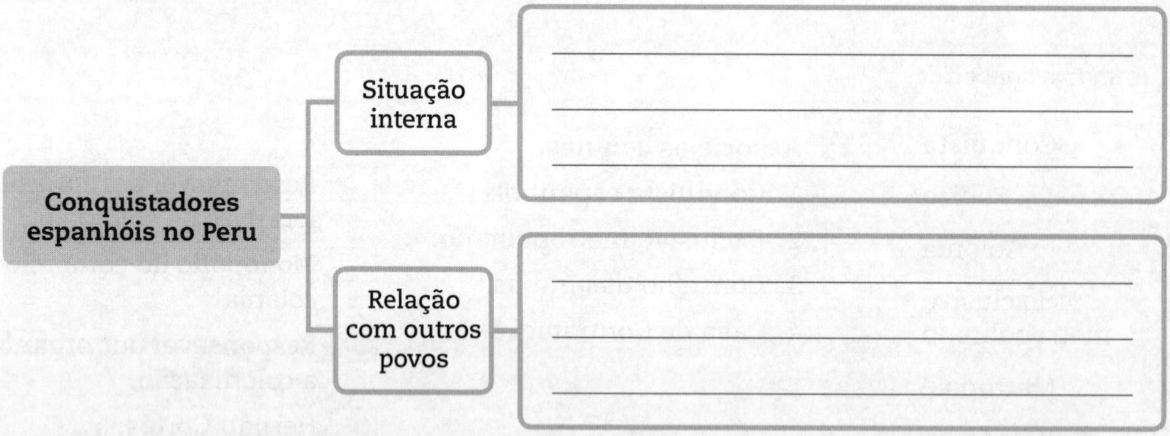

4 **Complete** o diagrama abaixo com os grupos que compunham a organização social das colônias hispano-americanas.

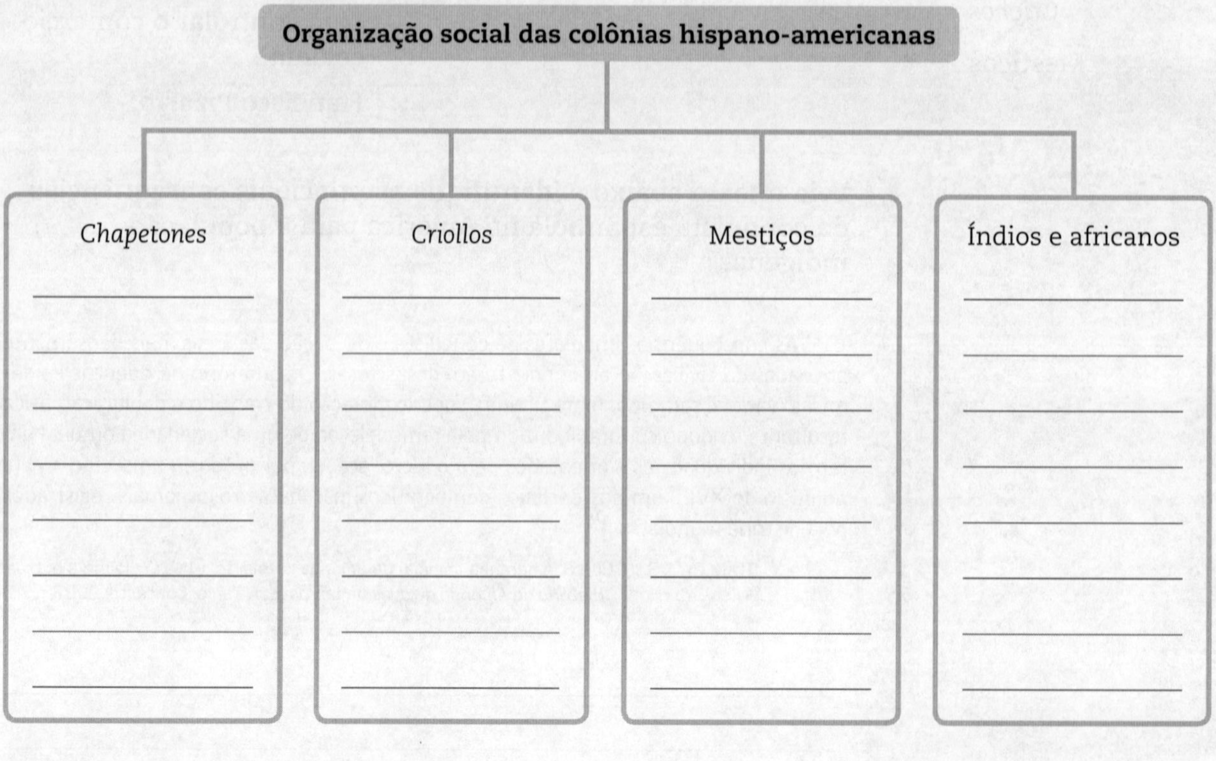

5 **Responda** às questões abaixo.

a) Que organismo a Coroa espanhola criou para controlar a exploração do comércio colonial?

____

____

b) Quais eram as regras do exclusivo metropolitano?

____

____

Capítulo 14 / Seção 14.3

TRABALHO E ORGANIZAÇÃO ECONÔMICA DA COLÔNIA

Termos e conceitos

Hacienda
Encomienda
Repartimiento
Mita

1 **Associe** as colunas.

1. *Repartimiento*.
2. *Encomienda*.
3. *Mita*.

☐ Instituição pela qual os espanhóis podiam explorar a mão de obra indígena e cobrar tributos dos nativos, devendo, porém, promover a sua evangelização.

☐ Tributo pago pelos indígenas na forma de trabalho nas minas e nas obras públicas.

☐ Forma de trabalho compulsório praticada no Império Inca.

2 **Explique** quais foram as mudanças ocorridas na substituição da *encomienda* pelo *repartimiento*.

____
____
____
____

Guia de estudo

3 **Complete** o diagrama da economia na América espanhola.

A economia na América espanhola

______ (principal atividade econômica)

Características
1. Exploração de ______
2. As minas eram propriedade do ______
3. Negócio acessível ______
4. Destino da produção: ______

Agricultura

Características
1. Principais produtos: ______ ______
2. Eram cultivados nas ______
3. Destino da produção: ______

Pecuária

Características
1. ______: Peru, Bolívia e Chile, visando à produção de ______
2. Equinos e bovinos: região do Prata, com uso na alimentação, no transporte e produção de couro.
3. Destino da produção: ______

Fechando o capítulo 14

Sintetize

» **Utilize** os termos do quadro abaixo e os dados do gráfico para **elaborar** um texto-síntese sobre as populações indígenas durante o processo de conquista da América pela Espanha.

colonização – populações indígenas – Espanha – América

O decréscimo da população indígena no México

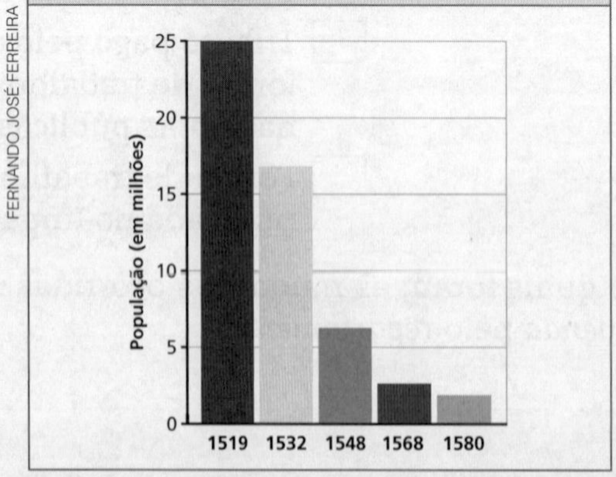

Fonte: BETHEL (Org.). *História da América Latina*: a América Latina colonial. 2. ed. São Paulo: Edusp; Brasília: Fundação Alexandre Gusmão, 1998. v. 1, p. 201.

Avalie

» **Marque** um X na coluna que melhor traduz o seu aprendizado sobre cada tema. Depois, **compare** este quadro com o que você preencheu no item "Antes de estudar o capítulo".

Temas principais do capítulo	Compreendi bem o tema.	Compreendi, mas tenho algumas dúvidas.	Tenho muitas dúvidas.
Os índios e a conquista espanhola			
A administração da América espanhola			
Encomienda/Repartimiento			
Exclusivo metropolitano			
Hacienda			
Divisão social na América espanhola			

Se você teve dificuldade para compreender algum desses temas, reveja as atividades do *Caderno do estudante* referentes a este capítulo e revise seu livro-texto. Caso seja necessário, peça ajuda ao seu professor ou a um colega.

Unidade E

Capítulo

15

O Atlântico negro: o tráfico de escravos e as relações comerciais com a África

Seções:

15.1 A presença portuguesa na África

15.2 O tráfico negreiro

15.3 O trabalho escravo no Brasil

Antes de estudar o capítulo

» **Veja** neste quadro os temas principais do capítulo e **marque** um X na coluna que, em sua opinião, traduz o seu conhecimento sobre cada tema.

Temas principais do capítulo	Já estudei. Será um aprofundamento.	Nunca estudei. Será totalmente novo.	Não lembro se estudei.
A escravidão africana			
O tráfico negreiro			
O trabalho escravo no Brasil			
A resistência contra a escravidão			

» **Veja** abaixo alguns termos e conceitos que você encontrará no capítulo. **Marque** um X naqueles que você julga estarem relacionados à imagem.

- [ ] Senhores de escravos.
- [ ] Escravidão africana.
- [ ] Tráfico de escravos.
- [ ] Resistência dos escravos.
- [ ] Quilombos.

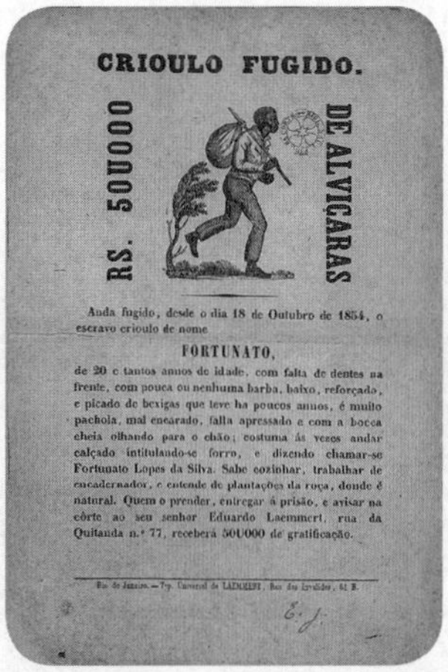

Crioulo fugido, anúncio dos irmãos Laemmert publicado pela *Tipografia Universal*. Rio de Janeiro, 1854.

Justifique suas escolhas.

A PRESENÇA PORTUGUESA NA ÁFRICA

Termos e conceitos

Colonização
Feitoria
Escravidão
Assimilação cultural

1 **Sublinhe** as expressões entre parênteses que completam adequadamente o texto.

Os (portugueses/ingleses) começaram a ocupar o território africano no século XV, à medida que avançavam as expedições destinadas a descobrir um caminho marítimo para (a América/as Índias). Nas áreas onde se instalavam, eles criavam (feitorias/capitanias), que funcionavam ao mesmo tempo como pontos de comércio e abastecimento e como (fortificações/acampamentos) militares. As fortalezas de Arguim, São Jorge da Mina e (Axim/Málaca), por exemplo, prosperaram com as trocas comerciais envolvendo mercadores portugueses, árabes e comerciantes locais. O comércio de cavalos, trigo, armas, ouro, tecidos, objetos de metal e, principalmente, (escravos/cana-de-açúcar) enriqueceu comerciantes e reinos da Europa e da própria África.

Guia de estudo

2 **Preencha** o quadro comparativo sobre a escravidão africana.

	A escravidão africana	
	Escravidão local	Escravidão transatlântica
Como eram obtidos	1. ______ 2. ______ 3. ______	1. ______ ______ 2. ______
Em que atividades trabalhavam	1. ______ 2. ______ 3. ______	1. ______ ______ 2. ______

3 Qual foi a grande mudança em relação à escravidão que os portugueses introduziram na África?

______

______

______

______

O TRÁFICO NEGREIRO

O TRABALHO ESCRAVO NO BRASIL

Termos e conceitos

Tráfico negreiro
Tumbeiro
Escravidão africana
Sociedade escravista
Quilombo

1 **Assinale** a afirmativa que explica a principal motivação do tráfico transatlântico entre a África e o Brasil.

- [ ] Geração de grandes lucros e alta demanda por mão de obra escrava no Brasil.
- [ ] O favorecimento dos ventos e das marés, visto que, inicialmente, o destino do tráfico eram as Índias.
- [ ] O tráfico era uma válvula de escape para a alta concentração populacional do continente africano.
- [ ] Retirar da África os indivíduos que provocavam distúrbios em suas comunidades.

2 **Explique** por que é correto dizer que o Brasil se organizou como uma sociedade escravista.

____

____

____

____

____

____

Guia de estudo

3 **Complete** o diagrama abaixo com as principais características do funcionamento do tráfico negreiro.

A rota do tráfico negreiro

No século XVI, os escravos africanos que chegavam ao Brasil vinham da ____________ e da ____________.

↓

No século XVII, os escravos africanos vinham do ____________ e de ____________.

↓

Nos séculos XVIII e XIX, os escravos africanos vinham principalmente da ____________ e depois do ____________.

Condições naturais da travessia
A travessia era feita através do ____________ e era facilitada pelos ____________ e pelas ____________.
Podia durar de 35 dias, entre ____________ e ____________, a 3 meses, entre ____________ e ____________.

Condições humanas da travessia
A travessia era realizada em navios chamados ____________, e a alimentação e a higiene eram ____________.

→ Desembarcavam principalmente nos portos de ____________, ____________ e ____________.

4 A partir de 1570, nas grandes lavouras de exportação do Nordeste, a mão de obra indígena foi gradualmente substituída pela mão de obra escrava. **Complete** o esquema abaixo com os fatores que provocaram esta mudança.

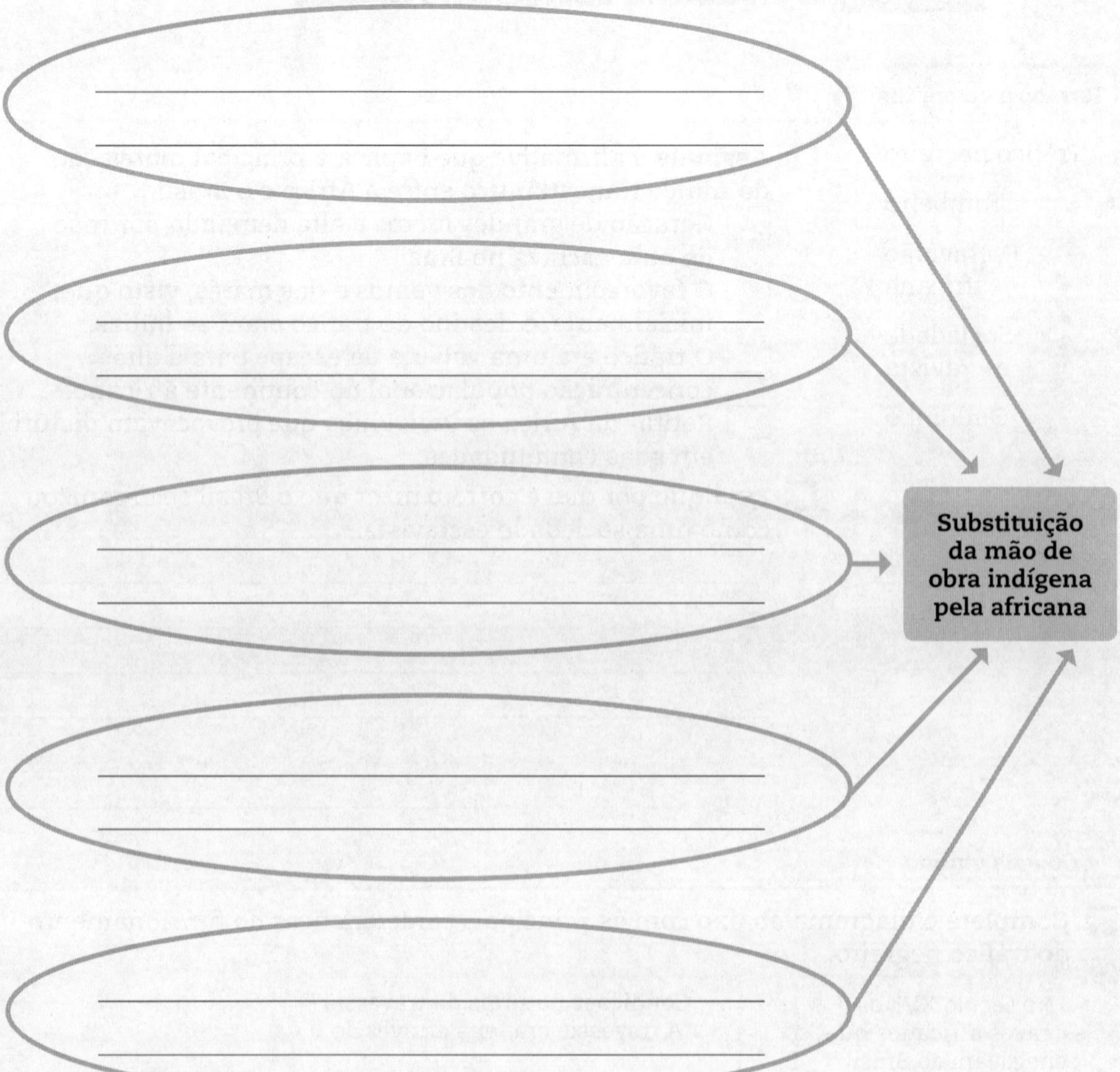

5 **Escreva V** (verdadeiro) ou **F** (falso) sobre a resistência dos escravos contra a escravidão no Brasil.

- [ ] Muitos escravos fugiam do cativeiro e formavam quilombos em várias partes da colônia.
- [ ] Como na Roma antiga, no Brasil também houve várias revoltas armadas que ameaçaram a preservação da escravidão.
- [ ] Todos os escravos resistiram de alguma forma ao trabalho forçado, expressando o desejo de liberdade.
- [ ] O Quilombo dos Palmares, construído entre Alagoas e Pernambuco, foi destruído por bandeirantes paulistas depois de várias campanhas fracassadas para liquidá-lo.
- [ ] Muitos escravos, em vez de fugir para obter a liberdade, preferiam trabalhar para comprar a alforria.
- [ ] A maior parte dos quilombos formou-se na Amazônia e no sul da colônia.

Faça a conexão

6 Leia o texto abaixo e **responda** às questões.

"Na [...] [Vila de Sabará], Arcângelo tem amante, uma preta forra, de nome Maria Ribeiro, sua ex-escrava, que lhe deu e cuida de três filhos mulatos e três filhas mulatas. Ela será sua inventariante e o trata de 'meu senhor'. Dos seus escravos (6) sabemos o nome de um: é João, negro angola de 29 anos, avaliado em 200$000 (duzentos mil reis) e que tem 'princípios de ferreiro' e é, provavelmente, seu auxiliar/aprendiz de utilidade vital em sua ocupação [...]."

Inventário *post mortem* do ferreiro Arcângelo Ribeiro de Queiroz, que morreu em 1800. In: LIBBY, Douglas Cole; FURTADO, Júnia Ferreira (Orgs.). *Trabalho livre, trabalho escravo*: Brasil e Europa, séculos XVIII e XIX. São Paulo: Annablume, 2006. p. 71.

a) Que fonte histórica é utilizada?

b) Quais são os sujeitos tratados no texto?

c) Que informações sobre o ferreiro Arcângelo são fornecidas pelo inventário?

d) Que informações o documento fornece sobre a sociedade em que Arcângelo e os outros personagens viveram?

Fechando o capítulo 15

Sintetize

» **Resuma** alguns conteúdos aprendidos neste capítulo **preenchendo** o esquema a seguir.

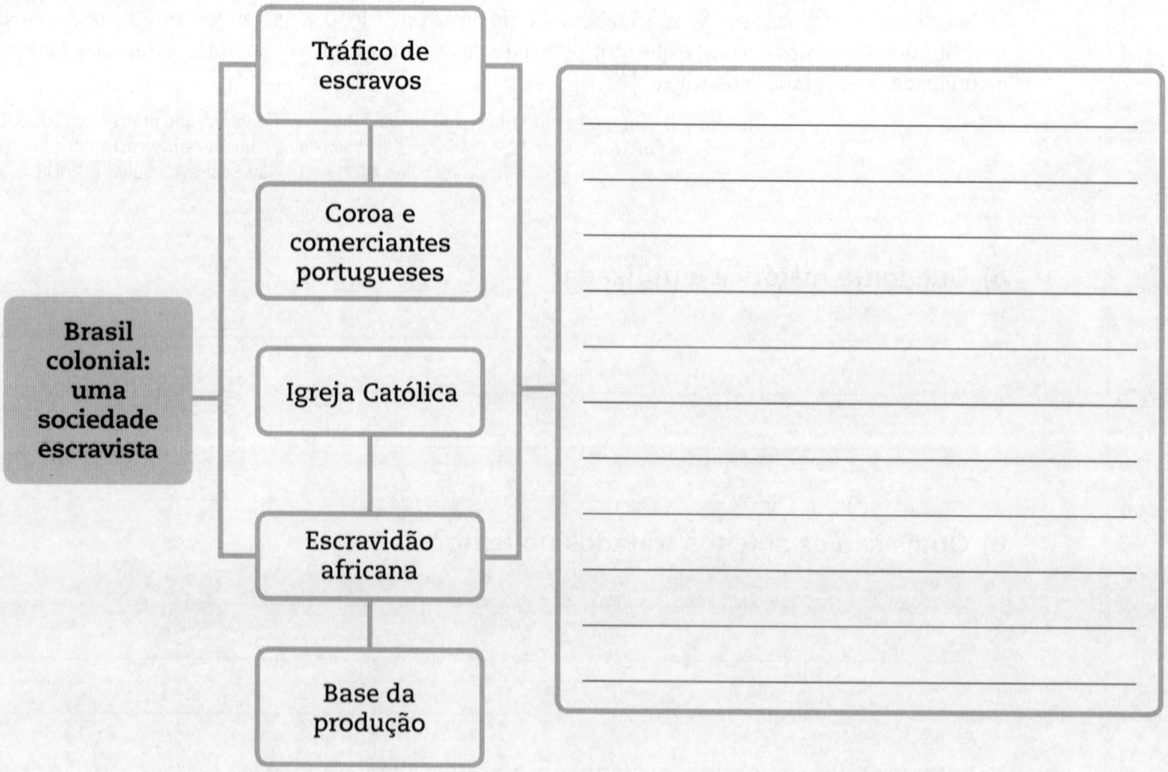

Avalie

» **Marque** um X na coluna que melhor traduz o seu aprendizado sobre cada tema. Depois, **compare** este quadro com o que você preencheu no item "Antes de estudar o capítulo".

Temas principais do capítulo	Compreendi bem o tema.	Compreendi, mas tenho algumas dúvidas.	Tenho muitas dúvidas.
A escravidão africana			
O tráfico negreiro			
O trabalho escravo no Brasil			
A resistência contra a escravidão			

Se você teve dificuldade para compreender algum desses temas, reveja as atividades do *Caderno do estudante* referentes a este capítulo e revise seu livro-texto. Caso seja necessário, peça ajuda ao seu professor ou a um colega.

Unidade E

Capítulo

16

A mineração na América portuguesa

Seções:

16.1 A descoberta do ouro no Brasil

16.2 Sociedade e economia das Minas Gerais

16.3 A religiosidade e a cultura do barroco

Antes de estudar o capítulo

» **Veja** neste quadro os temas principais do capítulo e **marque** um X na coluna que, em sua opinião, traduz o seu conhecimento sobre cada tema.

Temas principais do capítulo	Já estudei. Será um aprofundamento.	Nunca estudei. Será totalmente novo.	Não lembro se estudei.
A crise econômica portuguesa do século XVII			
Os bandeirantes e a descoberta de ouro na colônia			
A exploração de ouro e diamantes em Minas Gerais			
Os impostos sobre a mineração			
As irmandades leigas			
O barroco mineiro			

» **Veja abaixo alguns termos e conceitos que você encontrará no capítulo. Marque um X naqueles que você julga estarem relacionados à imagem.**

- ☐ Casas de fundição.
- ☐ Trabalho escravo.
- ☐ Guerra dos Emboabas.
- ☐ Pedras preciosas.
- ☐ Quinto.
- ☐ Ouro de aluvião.
- ☐ Balança comercial.

Extração de diamante, pintura de Carlos Julião, segunda metade do século XVIII.

Justifique suas escolhas.

______

______

______

A DESCOBERTA DO OURO NO BRASIL

Termos e conceitos

1 **Escreva**, nas linhas ao lado, o termo correspondente a cada frase a seguir.

1. ______________ 1. Colonos paulistas que penetravam no interior do continente em busca de índios para escravizar e de metais e pedras preciosas.
2. ______________ 2. Conflito causado pela disputa entre colonos paulistas e de outras partes da colônia e de Portugal pelo controle da região das minas.
3. ______________ 3. Resultava de um longo processo natural de desgaste das rochas.
4. ______________ 4. Constituía a base que possibilitou a exploração aurífera na colônia.

Guia de estudo

2 **Complete** o diagrama sobre a crise do Império Português no século XVII e as medidas tomadas para superá-la.

Crise do Império Português no século XVII

Portugal perdeu para a ______________ ______________ o controle das principais rotas de ______________ ______________ do ______________.	O ______________ das principais ______________ ______________ na Ásia foi ______________ ______________ também para a ______________ ______________.	As guerras de ______________ de Pernambuco e a ______________ do ______________ internacional provocaram a ______________ dos ______________ obtidos com o ______________.	As ______________ ______________ não cobriam as importações de tecidos e de outros produtos manufaturados, resultando em uma ______________ continuamente deficitária.

Medidas tomadas pelo Império Português

______________ da ______________ comercial realizada sobre as ______________.	Acontecimento que contribuiu para a recuperação do Império Português Descoberta de grandes ______________ de ______________ na ______________ portuguesa.	A economia ______________ dá seus primeiros passos rumo à ______________.

3 **Ordene** as frases a seguir para que elas formem um texto contínuo e coerente.

- [ ] As expedições de maior destaque partiam da vila de São Paulo e penetravam no interior do continente em busca de índios para trabalhar como escravos nas lavouras paulistas de cana, trigo e algodão.
- [ ] A exploração do ouro e a formação de núcleos urbanos na região das minas promoveriam importantes mudanças na economia, na política e na composição social da América portuguesa.
- [ ] A notícia da descoberta das minas de ouro espalhou-se rapidamente, atraindo para a região pessoas de toda parte da colônia e de Portugal.
- [ ] No século XVI, muitas expedições particulares e oficiais percorriam o interior do continente em busca de índios para escravizar e de metais preciosos, principalmente após a descoberta de ouro e prata nas colônias espanholas.
- [ ] As primeiras descobertas de jazidas de ouro, feitas provavelmente por exploradores paulistas, ocorreram no final do século XVII na região onde hoje se localiza a cidade mineira de Sabará.
- [ ] O fluxo migratório para a região das minas foi tão intenso que, em menos de oitenta anos, a população da colônia saltou de 240 mil para 1,5 milhão de pessoas.

4 **Complete** o diagrama sobre os impactos provocados pela descoberta das minas de ouro.

Descoberta das minas de ouro

- Movimento ____________ em direção à região das ____________.
- Crescimento da ____________ colonial, que saltou de ____________, em 1690, para 1,5 milhão, em ______.
- Crescimento ____________, provocado pela ____________ de vilas e ____________.
- Organização administrativa da região das ____________ para garantir a cobrança de ____________ para a ____________.

⇒

- Integração ____________ entre as várias partes da colônia, promovida principalmente pelo comércio dos ____________.
- Deslocamento do ____________ da colônia do Nordeste para o Centro-Sul.
- Transferência da ____________ da colônia de ____________ para o Rio de Janeiro.
- Desenvolvimento da arte ____________ mineira.

SOCIEDADE E ECONOMIA DAS MINAS GERAIS
A RELIGIOSIDADE E A CULTURA DO BARROCO

Termos e conceitos

Quinto
Casas de fundição
Capitação
Irmandades leigas
Tratado de Methuen
Arte
Religião
Barroco mineiro

1 **Complete** o texto com as palavras que faltam.

A descoberta do ouro em Minas Gerais garantiu um breve respiro à debilitada ________________ portuguesa. Por isso, a Coroa tratou de reforçar o controle da região para garantir a cobrança dos ________________ e combater a ________________ do ouro. A preocupação da Coroa em garantir uma fiscalização eficiente a levou também a controlar a entrada de ordens ________________ nas vilas mineiras, cujos interesses muitas vezes conflitavam com os do governo. Na ausência dessas ordens, formaram-se associações ________________, chamadas de ordens terceiras ou ________________ leigas. Essas associações ocuparam um papel de destaque na vida religiosa, ________________ e social das cidades mineiras.

Guia de estudo

2 **Complete** o diagrama abaixo.

Controle da exploração aurífera pela Coroa portuguesa

As minas pertenciam à ____________, que cobrava ____________ pela concessão da exploração.

Nome: ____________.
Instituído em: ____________.
De todo o ____________ pelo minerador, ________ era destinado à Coroa.

Nome: ____________.
Imposto cobrado sobre todos os ____________ do minerador.

Nome: ________________.
Instituído em: ____________.
Responsável pelo ____________ do quinto, onde o ____________ era contado, ____________ e ____________.

3 **Interprete** o esquema a seguir e **explique** o que foi o Tratado de Methuen.

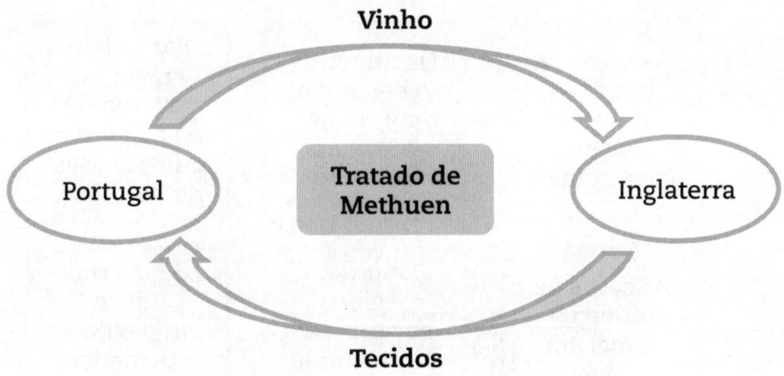

____

____

____

____

____

____

Faça a conexão

4 **Leia o texto a seguir.**

"Por ordem do governador, que era então d. Pedro de Almeida, conde de Assumar, começaram a ser erguidas as casas de fundição em Vila Rica, Sabará, S. João d'el-Rei e Vila do Príncipe. Foi estabelecido o prazo de um ano para a conclusão das obras, e durante esse período continuaria vigorando o sistema de fintas – como as taxas eram chamadas.

Em reação à criação das casas de fundição e ao estabelecimento da cobrança do 'quinto' rigoroso, os mineiros se amotinaram. Alegavam que o trabalho de extração do ouro era árduo e a aquisição de escravos muito dispendiosa. Diante da revolta, o conde de Assumar viu-se obrigado, em outubro de 1720, a suspender a execução da ordem régia. Ainda não foi dessa vez que as casas de fundição começaram a funcionar."

SILVA, Maria Beatriz N. da. Sem ouro para o rei. *Revista de História da Biblioteca Nacional*, 1º jan. 2007. Disponível em www.revistadehistoria.com.br. Acesso em 9 nov. 2010.

a) Escreva V (verdadeiro) ou F (falso) sobre o acontecimento narrado no texto.

- [ ] **As casas de fundição de Sabará e de outras vilas mineiras começaram a ser erguidas por ordens do governador, seguindo determinação régia.**
- [ ] **No primeiro ano de funcionamento das casas de fundição foram cobradas as fintas.**
- [ ] **As casas de fundição funcionaram durante um ano, até que uma revolta de mineiros obrigou o governo a suspendê-las.**
- [ ] **A criação das casas de fundição desencadeou uma rebelião de mineiros, que se queixavam dos altos custos da exploração do ouro.**
- [ ] **O levante dos mineiros obrigou o governo da capitania a adiar a data prevista para o início das atividades das casas de fundição.**

b) Escolha o esquema que melhor representa os acontecimentos relatados no texto.

☐ As casas de fundição começam a ser construídas. → Os mineiros rebelam-se contra as casas de fundição. → Por ordem régia, o governador da capitania cria as casas de fundição. → O governo adia o início das atividades das casas de fundição.

☐ As casas de fundição começam a ser construídas. → Por ordem régia, o governador da capitania cria as casas de fundição. → O governo adia o início das atividades das casas de fundição. → Os mineiros rebelam-se contra as casas de fundição.

☐ Por ordem régia, o governador da capitania cria as casas de fundição. → As casas de fundição começam a ser construídas. → Os mineiros rebelam-se contra as casas de fundição. → O governo adia o início das atividades das casas de fundição.

c) Com base no estudo dos conteúdos da seção 16.2 do seu livro-texto, **identifique** a revolta citada no texto e **escreva** o desfecho que ela teve.

____

____

5 O testemunho a seguir relata uma festividade religiosa que ocorreu em Vila Rica em 1733. **Leia** o texto e **responda** às questões.

"[...] Precedia uma dança de turcos e cristãos, em número de trinta e duas figuras, militarmente vestidos, uns e outros, em igualdade divididos a um imperador e alferes; a estes conduziam dois carros de excelente pintura e dentro acompanhavam músicos de suaves vozes e vários instrumentos. Seguiam-se outras danças de romeiros ricamente vestidos, que continuamente ofereciam à vista a gravidade do gesto, a variedade da ordem em diferentes mudanças da arte. Depois desta se dilatava outra vistosa dança, composta de músicos, em cujas figuras era o ornato todo telas e preciosas sedas de ouro e prata; pertenciam-lhe dois carros de madeira de singular pintura; um menor, que levava patente aos olhos uma serpente [...]."

MACHADO, Simão Ferreira. Triunfo eucarístico. In: DEL PRIORE, Mary. *Festas e utopias no Brasil colonial*. São Paulo: Brasiliense, 1994. p. 46.

a) Destaque elementos da festividade descrita no texto que façam remissão ao barroco mineiro.

____

____

b) Dê exemplos de festas da sociedade brasileira atual que tenham características semelhantes às festas do barroco mineiro do século XVIII.

____

____

____

Fechando o capítulo 16

Sintetize

» **Elabore** um pequeno texto contendo os termos e conceitos que, em sua opinião, sintetizam o conteúdo de uma das seções estudadas neste capítulo.

Avalie

» **Marque** um X na coluna que melhor traduz o seu aprendizado sobre cada tema. Depois, **compare** este quadro com o que você preencheu no item "Antes de estudar o capítulo".

Temas principais do capítulo	Compreendi bem o tema.	Compreendi, mas tenho algumas dúvidas.	Tenho muitas dúvidas.
A crise econômica portuguesa do século XVII			
Os bandeirantes e a descoberta de ouro na colônia			
A exploração do ouro e diamantes em Minas Gerais			
Os impostos sobre a mineração			
As irmandades leigas			
O barroco mineiro			

Se você teve dificuldade para compreender algum desses temas, reveja as atividades do *Caderno do estudante* referentes a este capítulo e revise seu livro-texto. Caso seja necessário, peça ajuda ao seu professor ou a um colega.

Unidade E

Capítulo

17

As treze colônias e a formação dos Estados Unidos

Seções:

Antes de estudar o capítulo

» **Veja** neste quadro os temas principais do capítulo e **marque** um X na coluna que, em sua opinião, traduz o seu conhecimento sobre cada tema.

Temas principais do capítulo	Já estudei. Será um aprofundamento.	Nunca estudei. Será totalmente novo.	Não lembro se estudei.
A formação das treze colônias			
A independência das treze colônias			
A marcha para oeste			
A Guerra Civil Americana			
O avanço norte-americano na América Latina			

» **Veja** abaixo alguns termos e conceitos que você encontrará no capítulo. **Marque** um X naqueles que você julga estarem relacionados à imagem.

- ☐ Declaração de Independência.
- ☐ Guerra de Secessão.
- ☐ Republicanismo.
- ☐ Destino Manifesto.
- ☐ *Homestead Act*.
- ☐ Treze colônias.
- ☐ Conquista do oeste.

As Montanhas Rochosas, litogravura de Frances Flora Bond Palmer, 1854.

Justifique suas escolhas.

____

____

____

____

INGLESES NA AMÉRICA

Termos e conceitos

Colonização
Pais peregrinos
Puritanos
Treze colônias
Comércio triangular
Plantation

1 **Associe** as colunas.

1. Pais peregrinos.
2. Puritanos.
3. Treze colônias.
4. Comércio triangular.
5. *Plantation*.

( ) Calvinistas perseguidos na Inglaterra devido a diferenças religiosas.
( ) Atividade que ligava as colônias do norte e do centro da América inglesa, ilhas do Caribe e continente africano.
( ) Núcleos coloniais fundados por ingleses na América do Norte.
( ) Grande propriedade rural monocultora e escravista.
( ) Fundaram Plymouth, em 1620.

Guia de estudo

2 **Complete** o diagrama sobre as treze colônias inglesas da América do Norte.

As treze colônias

Colônias do norte e do centro	Colônias do sul
Economia	**Economia**
Unidade de produção: ______	Unidade de produção: ______
Mão de obra: ______	Mão de obra: ______
Atividades: ______	Atividades: ______
Principais produtos: ______	Principais produtos: ______
Comércio: ______	Comércio: ______
Sociedade	**Sociedade**
Estrutura social: ______	Estrutura social: ______
Características: ______	Características: ______

A INDEPENDÊNCIA DAS TREZE COLÔNIAS
EXPANSÃO E GUERRA

Termos e conceitos

Metrópole
Leis Intoleráveis
Declaração de Independência
Constituição
Destino Manifesto
Conquista do oeste
Homestead Act

1 **Defina os seguintes termos.**

a) Leis Intoleráveis. ______

b) Declaração de Independência. ______

c) Destino Manifesto. ______

d) *Homestead Act*. ______

2 **Redija um texto relacionando os termos do quadro.**

Homestead Act – Destino Manifesto – conquista do oeste

3 **Complete** o diagrama sobre as medidas mercantilistas adotadas pela Coroa inglesa.

Medidas de controle das treze colônias

- Lei do Melaço (1733)
  ____
  ____
- Lei da Receita (1764)
  ____
  ____
- Lei do Selo (1765)
  ____
  ____
- Lei Townshend (1767)
  ____
  ____
- Lei do Chá (1773)
  ____
  ____

4 **Sublinhe** as palavras entre parênteses que completam adequadamente o texto.

As medidas de reforço do (sistema colonial/federalismo) adotadas pela Coroa inglesa, como a Lei do Selo, provocaram reações por parte dos (colonos/indígenas).
O episódio mais conhecido de reação colonial, anterior à independência, foi a (Guerra de Secessão/Festa do Chá de Boston), em 1773, em protesto contra a (Lei do Chá/Lei do Selo). A metrópole respondeu decretando (a Declaração de Direitos/as Leis Intoleráveis), que ampliavam o controle militar sobre as colônias.
A tensão entre as colônias e a metrópole crescia a cada dia, anunciando uma ruptura próxima. A reunião dos (britânicos/colonos) no Primeiro e no Segundo Congresso Continental da Filadélfia (1774 e 1776) definiu os passos da (emancipação/revolução).
Em julho de 1776, os colonos aprovaram a (Declaração dos Direitos do Homem e do Cidadão/Declaração de Independência), documento que formalizava a ruptura com a metrópole inglesa.

A GUERRA CIVIL
O AVANÇO NORTE-AMERICANO NA AMÉRICA LATINA

Termos e conceitos

Abolição da escravidão
Federalismo
Ianques
Confederados
Guerra de Secessão
Doutrina Monroe
Emenda Platt
Big Stick

1 **Associe** as colunas.

1. Ianques.
2. Confederados.
3. Federalismo.
4. Doutrina Monroe.

( ) Assegurava autonomia aos estados.
( ) Como eram conhecidos os estados do norte na guerra civil.
( ) Para muitos autores, foi o primeiro passo da política expansionista norte-americana na América Latina.
( ) Congregava os estados do sul, o lado perdedor da guerra civil.

2 **Sublinhe** as palavras entre parênteses que completam adequadamente o texto.

a) Três meses antes da capitulação do sul, (a guerra/a escravidão) foi proibida nos Estados Unidos por meio da 13ª emenda à Constituição.

b) O objetivo original do governo dos Estados Unidos ao anunciar a (Doutrina Monroe/Constituição) era promover a aliança entre os países do continente americano e a autonomia frente aos interesses europeus.

c) A política intervencionista implementada pelo presidente norte-americano Theodore Roosevelt na América Latina ficou conhecida como (Doutrina Monroe/*Big Stick*).

d) A (15ª emenda da Constituição/Emenda Platt) autorizou os Estados Unidos a agir militarmente em Cuba para proteger e garantir a estabilidade política da ilha.

Guia de estudo

3 **Escreva N** para os estados do norte e **S** para os estados do sul.

( ) Pretendiam abastecer o oeste norte-americano com seus produtos industrializados.
( ) Viam as vastas terras disponíveis no oeste como uma oportunidade de expandir sua produção agropecuária.
( ) Desejavam implantar uma política econômica que protegesse a produção industrial e assegurasse a manutenção e a ampliação do mercado interno.
( ) Defendiam tributos altos sobre a importação de manufaturas e produtos industrializados.
( ) Dependiam das manufaturas e dos produtos industrializados europeus para garantir o abastecimento interno.
( ) Defendiam a manutenção da escravidão, argumentando que o escravismo impedia o surgimento de conflitos entre patrões e empregados.
( ) Defendiam a abolição da escravidão e impediam escravos em suas áreas.

4 **Preencha** o diagrama com acontecimentos nos Estados Unidos após a guerra civil.

Os Estados Unidos após a guerra civil

A situação dos negros

Legislação afirmativa
- 1865-1866. Garantia ____________ ____________ o direito de propriedade e ____________ ____________ Justiça.
- 1866. ____________ ____________ a cidadania ____________ ____________ as pessoas ____________ ____________ ou ____________ ____________.

Realidade adversa
- Vetava aos negros o exercício de ____________ ____________ ____________ postos de trabalho.
- ____________ ____________ estados ____________ ____________ ____________.
- O grupo racista ____________ ____________ promovia atos terroristas contra ____________ ____________.

A expansão territorial
- 1889. ____________ reuniram os países do continente para defender seu papel de ____________ ____________.
- 1898. ____________ intervieram na guerra de independência ____________ contra ____________.
- 1901. Os Estados Unidos aprovaram a ____________, que autorizava o país a intervir ____________.
- 1901-1903. No governo de ____________, implementou-se a política do ____________, que combinava ____________ com intervenções ____________.

Faça a conexão

5 **Leia o texto abaixo e relacione a Doutrina Bush, o Destino Manifesto, a Doutrina Monroe e a política do *Big Stick*.**

"A Doutrina Bush é o conjunto de princípios e métodos adotados pelo presidente George W. Bush para proteger os EUA depois dos atentados de 11 de setembro, consolidar a hegemonia americana no mundo e perpetuá-la indefinidamente.

Ela parte do pressuposto de que os EUA, única superpotência global, têm o papel de proteger o mundo civilizado de terroristas que vivem nas sombras, se superpõem aos Estados e planejam ataques 'iminentes' com armas de destruição em massa. [...]

Foi assim com a Doutrina Truman, que formou o pilar da Guerra Fria em 1947 e acabou derrotando a União Soviética quatro décadas depois, e com a Doutrina Monroe, de 1823, que garantiu aos EUA a ascendência sobre a América Latina e afastou a influência europeia sobre a região. [...]"

AITH, Márcio. A nova doutrina americana. *Folha de S.Paulo*, 29 out. 2002.

Fechando o capítulo 17

Sintetize

Complete o diagrama abaixo.

Estados Unidos: colonização e guerra civil

Colônias do centro e do norte

Economia

____

Unidade de produção

____

____

Comércio

____

Colônias do sul

Economia

____

Unidade de produção

____

____

Comércio

____

Questões em conflito

1. ____________________
2. ____________________

↓

Guerra de Secessão

↓

Vitória dos ____________________.

Avalie

Marque um X na coluna que melhor traduz o seu aprendizado sobre cada tema. Depois, **compare** este quadro com o que você preencheu no item “Antes de estudar o capítulo”.

Temas principais do capítulo	Compreendi bem o tema.	Compreendi, mas tenho algumas dúvidas.	Tenho muitas dúvidas.
A formação das treze colônias			
A independência das treze colônias			
A marcha para o oeste			
A Guerra Civil Americana			
O avanço norte-americano na América Latina			

Se você teve dificuldade para compreender algum desses temas, reveja as atividades do *Caderno do estudante* referentes a este capítulo e revise seu livro-texto. Caso seja necessário, peça ajuda ao seu professor ou a um colega.

Unidade F
Capítulo
18

O iluminismo

Seções:
18.1 O movimento iluminista
18.2 O despotismo esclarecido

Antes de estudar o capítulo

» **Veja** neste quadro os temas principais do capítulo e **marque** um X na coluna que, em sua opinião, traduz o seu conhecimento sobre cada tema.

Temas principais do capítulo	Já estudei. Será um aprofundamento.	Nunca estudei. Será totalmente novo.	Não lembro se estudei.
O movimento iluminista			
A valorização da ciência e da razão			
O papel da educação			
Os iluministas diante da república e da monarquia			
A crítica ao Antigo Regime			
O despotismo esclarecido			

» **Veja** abaixo alguns termos e conceitos que você encontrará no capítulo. **Marque** um X naqueles que você julga estarem relacionados à imagem.

- [ ] Educação.
- [ ] Iluminismo.
- [ ] Revolução Francesa.
- [ ] Antigo Regime.
- [ ] República.
- [ ] Despotismo esclarecido.

Frontispício da obra *Elementos da filosofia de Newton*, de Voltaire, 1738.

Justifique suas escolhas.

O MOVIMENTO ILUMINISTA

Termos e conceitos

Iluminismo
Educação
Esfera pública
República

1 **Escreva V** (verdadeiro) ou **F** (falso) sobre o iluminismo.

☐ O movimento iluminista nasceu na França, no século XVIII, tendo como fundamento a valorização da ciência e da razão.

☐ O nome *iluminismo* remetia à ideia de luz e esclarecimento, que só o pensamento racional seria capaz de garantir, em oposição à escuridão dos dogmas religiosos e da ignorância.

☐ Os iluministas criticam a propriedade privada, considerada a origem de todas as desigualdades sociais.

☐ Os iluministas combatiam o Antigo Regime e defendiam a república como a única forma de governo legítima e capaz de assegurar os direitos fundamentais do homem.

☐ A educação, vista como essencial para os iluministas, tinha como tarefa formar cidadãos instruídos, autônomos e libertos das trevas da ignorância.

Guia de estudo

2 **Preencha** o esquema seguinte com as características do processo de formação da esfera pública.

Formação da esfera pública

- ____________ de livros e outros ____________.
- Formação do hábito de ____________ em salões aristocráticos, ____________, cafés, ____________ públicas.

→ Esfera pública: Espaço para o ____________ e a troca de ____________ e ____________, contribuindo para o surgimento da ____________ ao ____________ e à ____________.

3 **Complete** a ficha sobre a obra *Enciclopédia*.

Enciclopédia
Organizadores: ____________
Data de publicação: ____________
Características físicas: ____________
Objetivo da publicação: ____________
Público leitor da obra: ____________

4 **Associe** cada pensador às suas respectivas ideias ou obras.

1. Jean-Jacques Rousseau.
2. Diderot e Jean D' Alembert.
3. Immanuel Kant.
4. Montesquieu.
5. Marquês de Sade.

( ) Somente a república poderia cumprir o ideal iluminista de progresso e liberdade.

( ) O papel da educação era formar cidadãos bons e virtuosos, livres dos vícios da civilização.

( ) A propriedade privada era a origem de todas as guerras, misérias e horrores praticados pela civilização humana.

( ) A *Enciclopédia* reunia conhecimentos produzidos por vários autores, em diferentes áreas, desde as ciências e os ofícios às belas artes.

( ) Defendia a separação de poderes e um regime político em que o povo fosse o soberano, pois a humanidade é capaz de se autogovernar.

( ) Criticava, em seus romances, a moral vigente no Antigo Regime.

( ) A monarquia constitucional, em que o poder do soberano é limitado por um parlamento e uma justiça independentes, era a forma de governo mais apropriada para garantir a liberdade do indivíduo.

5 **Complete** o diagrama abaixo com as características da educação no Antigo Regime e as propostas dos iluministas para a educação.

Educação

Antigo Regime

O ensino estava sob a responsabilidade ______________ e era restrito ______________ ______________. As famílias mais ricas ______________ ______________ para educar ______________, pois não havia ______________ ______________ de ensino.

Educação iluminista

______________ gratuita, obrigatória e laica – portanto, ______________ da influência ______________. A ______________ e as ciências eram ______________ que deveriam ser incluídas ______________, pois eram importantes no ______________ aos dogmas religiosos e na ______________ racionais para os ______________ e os acontecimentos sociais.

O DESPOTISMO ESCLARECIDO

Termos e conceitos

Antigo Regime

Despotismo esclarecido

1 **Defina os termos a seguir.**

a) Antigo Regime.

____

____

____

b) Despotismo esclarecido.

____

____

____

Guia de estudo

2 **Preencha o diagrama abaixo.**

Despotismo esclarecido

Prússia	Portugal	Áustria	Império Russo
Monarca ________ Reformas: política de ________ religiosa e de liberdade de ________, fim da prática da ________ e criação de um ________ baseado na ________ dos ________.	Monarca ________ Ministro ________ Reformas: racionalização da ________, aperfeiçoamento da ________, ________ às manufaturas, renovação do ________ e fomento à ________.	Monarca ________ Reformas: enfraquecimento do poder da ________, liberdade ________, reforma ________ e ________ e criação de um ________ reconhecendo a ________ de todos.	Monarca ________ Reformas: realização de ________ que visavam ________ e ________ a Rússia, eliminando os resquícios ________.

Faça a conexão

3 **Voltaire viveu os últimos vinte anos de vida em uma propriedade em Ferney, território francês na fronteira com a Suíça. Lá o filósofo teve uma intensa atividade política e intelectual, em que se destacou a sua atuação na defesa da família Calas. Sobre o assunto, leia o texto a seguir e responda à questão.**

"No dia 13 de outubro de 1761, o senhor Calas e sua mulher encontram um de seus filhos enforcado numa barra de madeira, num dos cômodos de sua casa. Chega a polícia, reúne-se uma multidão do lado de fora. Na confusão, alguém diz: 'Marco Antônio foi enforcado por seus pais huguenotes porque se converteu ao catolicismo!' [...] O processo é levado ao Parlamento de Toulouse. O jovem morto começa a ser considerado pelo povo como um novo mártir da religião; as irmandades religiosas desfilam pelas ruas pedindo reparação; os padres, em seus púlpitos, pedem um castigo exemplar para os supostos assassinos. Uma paixão fanática domina a cidade. [...] Os bens dos Calas são confiscados.

Algum tempo depois, a notícia chega a Ferney. De início, Voltaire não sabe que partido tomar. Pede a D'Alembert que lhe consiga mais informações sobre o processo. O caso lhe parece importante, pois, se Calas é culpado, matou o filho por fanatismo; se Calas é inocente, o tribunal agiu por motivos religiosos. [...]

Voltaire inicia então uma grande campanha, que nós chamaríamos hoje de publicitária, a respeito do processo. Manda vir a Ferney os membros da família e interroga-os longamente. Mobiliza os grandes reinos, escreve cartas às autoridades. [...] Finalmente, a situação criada por Voltaire é tal que o Parlamento de Paris cassa a decisão do Parlamento de Toulouse. No ano seguinte, o caso é novamente julgado, e a família, considerada inocente, é reabilitada. [...]

O caso Calas é um dos momentos mais brilhantes na luta de Voltaire contra a 'infâmia'. Conta-se que, ao receber em Ferney a notícia da reabilitação, Voltaire abraçou o mensageiro e, emocionado, disse aos presentes: 'É a filosofia sozinha que obteve a vitória!'."

NASCIMENTO, Maria das Graças S. *Voltaire*: a razão militante. São Paulo: Moderna, 1993. p. 15-17. (Coleção Logos)

De que forma Voltaire defendeu a família Calas?

Fechando o capítulo 18

Sintetize

» Com base no texto a seguir, do filósofo francês Montesquieu, **elabore** um texto-síntese sobre as principais ideias do iluminismo.

"O rei da França é o mais poderoso príncipe da Europa. [...] é um grande mago, que manda até na inteligência dos seus vassalos, fazendo-os pensar como ele quer. [...] há outro mago mais forte que ele, que manda em seu espírito tanto quanto ele nos demais. Esse mago chama-se papa. Ora ele faz acreditar que três são apenas um [...] e mil coisas do gênero."

MONTESQUIEU, Charles Louis de Secondat, baron de la Brède et de. *Cartas persas*. [1701]. São Paulo: Pauliceia, 1991. p. 49.

Avalie

» **Marque** um X na coluna que melhor traduz o seu aprendizado sobre cada tema. Depois, **compare** este quadro com o que você preencheu no item "Antes de estudar o capítulo".

Temas principais do capítulo	Compreendi bem o tema.	Compreendi, mas tenho algumas dúvidas.	Tenho muitas dúvidas.
O movimento iluminista			
A valorização da ciência e da razão			
O papel da educação			
Os iluministas diante da república e da monarquia			
A crítica ao Antigo Regime			
O despotismo esclarecido			

Se você teve dificuldade para compreender algum desses temas, reveja as atividades do *Caderno do estudante* referentes a este capítulo e revise seu livro-texto. Caso seja necessário, peça ajuda ao seu professor ou a um colega.

Unidade F
Capítulo
19

Das Revoluções Inglesas à Revolução Industrial

Antes de estudar o capítulo

» **Veja** neste quadro os temas principais do capítulo e **marque** um X na coluna que, em sua opinião, traduz o seu conhecimento sobre cada tema.

Temas principais do capítulo	Já estudei. Será um aprofundamento.	Nunca estudei. Será totalmente novo.	Não lembro se estudei.
Os cercamentos			
As Revoluções Inglesas do século XVII			
A Revolução Industrial			
Efeitos sociais e ambientais da industrialização			
A organização dos trabalhadores			
O liberalismo econômico			

» **Veja** abaixo alguns termos e conceitos que você encontrará no capítulo. **Marque** um X naqueles que você julga estarem relacionados à imagem.

- [ ] Indústria moderna.
- [ ] Sistema doméstico.
- [ ] Maquinofatura.
- [ ] Cercamentos.
- [ ] Trabalho.

Gravura representando uma oficina que utiliza máquinas a vapor, de E. Bourdelin, século XIX.

GIANNI DAGLI ORTI/CORBIS/ LATINSTOCK-COLEÇÃO PARTICULAR

Justifique suas escolhas.

A INGLATERRA NO SÉCULO XVI

A CRISE DO ABSOLUTISMO INGLÊS

Termos e conceitos

Indústria moderna
Império comercial
Gentry
Cercamentos
Monarquia absolutista
Revolução Puritana
Revolução Gloriosa
Atos de Navegação

1 **Sublinhe** as expressões entre parênteses que completam adequadamente as frases.

a) Grandes proprietários expulsaram camponeses das terras comunais, cercaram-nas e as utilizaram como pasto para a criação de ovelhas, processo conhecido como (cercamentos/Revolução Gloriosa).

b) A Inglaterra foi o primeiro país do mundo a desenvolver as condições necessárias para o desenvolvimento da (monarquia absolutista/indústria moderna).

c) A vitória da marinha inglesa sobre a marinha espanhola foi um dos principais sinais da transformação da Inglaterra em um (império industrial/império comercial).

d) Henrique VIII, ao romper com a Igreja de Roma, confiscou as terras eclesiásticas e as vendeu para os proprietários rurais ingleses, classe conhecida como (*gentry*/burguesia), que a partir de então puderam ampliar sua influência social.

e) Os reis da dinastia Stuart tentaram retomar o (absolutismo monárquico/cercamentos), mas enfrentaram a resistência de um (operariado/Parlamento) forte e atuante.

f) Os Atos de Navegação, aprovados pelo Parlamento, estabeleceram o (monopólio inglês/liberalismo holandês) do comércio e da navegação, permitindo que a (Inglaterra/Holanda) se transformasse na soberana dos mares.

g) A (Revolução Gloriosa/Revolução Puritana) foi uma reação da burguesia (calvinista/católica) inglesa às medidas absolutistas do rei Carlos I.

h) Na Revolução Puritana também se expressaram os interesses das camadas populares, como os (dos *levellers*/da *gentry*), que exigiam o fim dos cercamentos das terras, a abolição da (prisão por dívidas/escravidão), o sufrágio universal e o fim do (clero/dízimo).

2 **Complete** o diagrama sobre o processo de cercamentos na Inglaterra e suas consequências.

Os cercamentos (séculos XVI e XVII)

As ______________ eram cercadas pelos grandes proprietários (__________) e utilizadas para a criação de __________.

- Empobrecimento da ______________ ______________ e formação de uma população ______________ ______________.
- ______________ ______________ ______________ de vilas inglesas e ______________ ______________ para dar lugar às pastagens.
- Organização de uma ______________ voltada para o ______________ e ______________ em bases ______________.
- ______________ urbanas e rurais. ______________ dos camponeses para as ______________, onde muitos se transformam em ______________.

3 **Preencha** os quadrados associando corretamente as frases abaixo, que dizem respeito às leis contra a vadiagem na Inglaterra.

1. Uma lei promulgada em 1530 concedia licença para mendigar.
2. A pena era o açoite público e a prisão.
3. Eram considerados criminosos irrecuperáveis e enforcados em praça pública.
4. Quem denunciasse podia escravizar, açoitar e acorrentar essa pessoa.
5. Depois de saírem das *workhouses*, se fossem surpreendidos novamente mendigando, eram enforcados.
6. Para isso, era necessário ser idoso ou incapacitado.
7. Homens sadios que mendigavam eram considerados criminosos.
8. Pelas leis de 1547 e 1572, uma pessoa podia ser acusada de não querer trabalhar.
9. A lei era ainda mais severa com os acusados pela segunda vez de mendicância.
10. Pelas novas leis, os desocupados considerados irrecuperáveis eram encaminhados para casas de trabalho forçado, onde permaneciam de seis meses a dois anos.

a) ☐ e ☐ **b)** ☐ e ☐ **c)** ☐ e ☐ **d)** ☐ e ☐ **e)** ☐ e ☐

4 **Preencha** o diagrama abaixo.

Políticas mercantilistas adotadas durante o reinado de Jaime I

- Imposição ______________________ ______________________.
- Venda de ______________________ ______________________.
- Estímulo à ______________________ ______________________.
- Criação de novos ______________________ ______________________.
- Venda de ______________________ ______________________.
- Política de ______________________ com a ______________________.

5 **Numere**, em ordem cronológica, os acontecimentos que deram origem à Revolução Puritana na Inglaterra.

☐ O Parlamento, em vez de atender ao pedido do rei, impôs uma série de restrições ao poder real, entre elas o direito de dissolver o Parlamento.

☐ A nobreza e a alta burguesia, beneficiadas pela concessão de monopólios, permaneceram fiéis à monarquia.

☐ Carlos I assumiu o trono na Inglaterra e deu continuidade à política absolutista do pai.

☐ Uma onda de repressão espalhou-se pelo país, com censura à liberdade de expressão, julgamentos arbitrários e torturas.

☐ Carlos I convocou novamente o Parlamento com o objetivo de obter recursos para reprimir uma revolta.

☐ A *gentry*, a burguesia comercial, os trabalhadores e os camponeses preferiram desobedecer às determinações do rei, recusando-se a pagar impostos não aprovados pelo Parlamento.

☐ Carlos I dissolveu o Parlamento por se recusar a aprovar os recursos solicitados pelo rei.

6 **Preencha** o esquema abaixo com os projetos de grupos políticos distintos durante a Revolução Puritana.

Revolução Puritana

Alta burguesia e proprietários rurais (*gentry*)	*Levellers* (niveladores) e *diggers* (escavadores)
Reivindicações	Reivindicações
______________________	______________________
______________________	______________________
______________________.	______________________.

7 **Responda** às questões abaixo.

a) **Caracterize** a política econômica de Oliver Cromwell.

____

____

b) **Explique** a principal consequência da Revolução Gloriosa.

____

____

A REVOLUÇÃO INDUSTRIAL

Termos e conceitos

Revolução Industrial
Sistema doméstico
Sistema manufatureiro
Maquinofatura
Liberalismo econômico

1 **Associe** as colunas.

1. Sistema doméstico.
2. Sistema manufatureiro.
3. Maquinofatura.
4. Revolução Industrial.

☐ Conjunto de transformações econômicas, tecnológicas e sociais ocorridas na Inglaterra do final do século XVIII com implicações tanto no modo de produzir mercadorias quanto nas relações de trabalho.

☐ Mecanização da produção, resultando na redução do tempo de trabalho necessário para a fabricação de mercadorias e, consequentemente, no aumento vertiginoso da produtividade.

☐ Os trabalhadores eram donos de suas próprias ferramentas de trabalho ou as alugavam de terceiros.

☐ A produção de mercadorias era realizada em grandes oficinas, e os artesãos já não eram donos dos instrumentos de trabalho.

Guia de estudo

2 **Preencha** o diagrama com as inovações tecnológicas que marcaram a Revolução Industrial.

Inovações tecnológicas da Revolução Industrial

______	______	______	______
Aumentou a produtividade e a qualidade dos fios produzidos e dispensou a força humana.	Possuía 18 fusos, que permitiam tecer diversos fios ao mesmo tempo.	Usada na tecelagem de fios de lã e de algodão. Dobrou a produtividade do trabalho de um tecelão.	Invenção revolucionária que permitiu aproveitar a energia do carvão para mover as máquinas.

O COTIDIANO DAS CIDADES E DOS TRABALHADORES

Termos e conceitos

Meio ambiente
Trabalho
Ludismo
Organização dos trabalhadores

1 **Identifique** os erros nas afirmativas a seguir e **corrija-os**.

a) No início da Revolução Industrial não havia uma legislação de proteção ao trabalho. Não havia, por exemplo, férias, descanso remunerado, licença maternidade e limite de trabalho diário. A extrema exploração dos trabalhadores levou ao surgimento das primeiras reações contra o sistema de fábrica. O ludismo, pioneiro nessas lutas, pregava a organização dos trabalhadores em um partido político para tomar o poder e construir um Estado socialista.

___

___

___

b) O desenvolvimento industrial causou fortes impactos no ambiente. O aumento do volume e do ritmo da produção gerava uma grande demanda por recursos naturais, principalmente petróleo, a fonte energética que movia as máquinas. O crescimento das cidades também pressionava pelo aumento da oferta de combustíveis domésticos. O uso crescente do gás natural, principalmente no aquecimento das casas, resultou no esgotamento das reservas de combustíveis fósseis inglesas.

___

___

___

___

Guia de estudo

2 **Complete** o diagrama abaixo com as principais conquistas dos trabalhadores ingleses.

Conquistas dos trabalhadores ingleses

1825	1833	1834	1847
___	___	___	___
___	___	___	___
___	___	___	___
___	___	___	___
___	___	___	___

3 **Complete** o esquema abaixo com as funções do Estado para Adam Smith.

Estado liberal

Política externa

- ____
____

Política interna

- ____
- ____

4 **Assinale** a afirmativa incorreta sobre o liberalismo econômico.

☐ Na teoria liberal, os indivíduos são mais importantes que a sociedade, e devem ser livres para perseguir seus interesses privados.

☐ O sucesso econômico do indivíduo também beneficia a sociedade ao gerar emprego e enriquecer a nação.

☐ O mercado deve ser regulado pela lei básica da oferta e da procura e não por medidas restritivas definidas pelo Estado.

☐ Adam Smith, o mais importante teórico do liberalismo econômico, defendia que tanto os empresários quanto os trabalhadores procuravam lucrar com aquilo que tinham a oferecer, e isso era benéfico para a sociedade.

☐ O liberalismo econômico e o mercantilismo coincidiam na defesa dos monopólios e de tarifas protecionistas para proteger a produção nacional.

Faça a conexão

5 **Leia** o texto abaixo e **explique** como o tempo foi utilizado tanto como meio de exploração quanto de resistência pelos trabalhadores.

"[...] A primeira geração de trabalhadores nas fábricas aprendeu com seus mestres a importância do tempo; a segunda geração formou os seus comitês em prol de menos tempo de trabalho no movimento pela jornada de dez horas; a terceira geração fez greves pelas horas extras ou pelo pagamento de um percentual adicional (1,5%) pelas horas trabalhadas fora do expediente. Eles tinham aceito as categorias de seus empregadores e aprendido a revidar os golpes dentro desses preceitos. Haviam aprendido muito bem a sua lição, a de que tempo é dinheiro."

THOMPSON, E. P. *Costumes em comum*. São Paulo: Companhia das Letras, 2008. p. 294.

____
____
____
____
____
____
____
____

Fechando o capítulo 19

Sintetize

Preencha o diagrama que sintetiza as condições que permitiram a industrialização inglesa.

Condições que permitiram a industrialização inglesa

Acontecimentos

Políticos

1. Fixação de ______ ao ______ monárquico.
2. Revolução ______ e ______.
3. Fortalecimento do ______.

Econômicos/sociais

1. ______.
2. Leis contra a ______.

Comerciais

1. Modernização da ______.
2. ______: estabeleceu o ______ do comércio e da navegação.
3. Estímulo à ______.

Resultados

1. Consolidação do ______ na Inglaterra, com o papel de proteger a ______ e proibir a ______.

1. ______ para os centros urbanos.
2. Disponibilidade de ______ para o ______.
3. A ______ permitiu o acúmulo de ______.

1. Formação do ______.
2. Acúmulo de ______ para ______ as pesquisas e instalar ______.

Avalie

Marque um X na coluna que melhor traduz o seu aprendizado sobre cada tema. Depois, **compare** este quadro com o que você preencheu no item "Antes de estudar o capítulo".

Temas principais do capítulo	Compreendi bem o tema.	Compreendi, mas tenho algumas dúvidas.	Tenho muitas dúvidas.
Os cercamentos			
As Revoluções Inglesas do século XVII			
A Revolução Industrial			
Efeitos sociais e ambientais da industrialização			
A organização dos trabalhadores			
O liberalismo econômico			

Se você teve dificuldade para compreender algum desses temas, reveja as atividades do *Caderno do estudante* referentes a este capítulo e revise seu livro-texto. Caso seja necessário, peça ajuda ao seu professor ou a um colega.

Unidade F

Capítulo

20

A Revolução Francesa e o Império Napoleônico

Seções:

20.1 A guerra revolucionária e a queda da monarquia

20.2 A república revolucionária

20.3 O cotidiano durante a revolução

20.4 Ascensão e queda do Império Napoleônico

Antes de estudar o capítulo

» **Veja** neste quadro os temas principais do capítulo e **marque** um X na coluna que, em sua opinião, traduz o seu conhecimento sobre cada tema.

Temas principais do capítulo	Já estudei. Será um aprofundamento.	Nunca estudei. Será totalmente novo.	Não lembro se estudei.
A sociedade no Antigo Regime			
As fases e as tendências políticas durante a Revolução Francesa			
As mudanças no cotidiano francês			
O Império Napoleônico			
A queda de Napoleão Bonaparte			

» **Veja** abaixo alguns termos e conceitos que você encontrará no capítulo. **Marque** um X naqueles que você julga estarem relacionados à imagem.

- [ ] Terror.
- [ ] Antigo Regime.
- [ ] Queda da Bastilha.
- [ ] *Sans-culottes*.
- [ ] Girondinos.
- [ ] Diretório.

The radical's arms, sátira sobre a Revolução Francesa de George Cruikshank, 1819.

Justifique suas escolhas.

____

____

____

____

A GUERRA REVOLUCIONÁRIA E A QUEDA DA MONARQUIA

A REPÚBLICA REVOLUCIONÁRIA

Termos e conceitos

Antigo Regime
Monarquia absolutista
Mercantilismo
Revolução Francesa
Estados Gerais
Sufrágio universal masculino
Girondinos/jacobinos
Terror
Diretório

1 Compunham a estrutura política e econômica do Antigo Regime:

- [ ] república e liberalismo econômico.
- [ ] monarquia constitucional e economia escravista.
- [ ] monarquia absolutista e mercantilismo.
- [ ] parlamentarismo e neoliberalismo econômico.
- [ ] feudalismo e economia de subsistência.

2 Marque um X na coluna correspondente a cada item.

	Jacobinos	Girondinos
Associados aos *sans-culottes*.		
Dominavam inicialmente a Convenção.		
Representavam os profissionais liberais, funcionários e pequenos comerciantes.		
Representantes dos grandes comerciantes e banqueiros.		
Defendiam o exílio do rei.		
Eram favoráveis à execução do rei.		
Queriam o retorno da estabilidade do país, defendendo posições moderadas.		
Instauraram um governo ditatorial e suspenderam as liberdades civis.		

3 **Escreva**, nas linhas ao lado, o termo correspondente a cada frase.

1. Órgão político da França, constituído das três ordens, que aconselhava o rei em algumas decisões.
2. Período mais radical da Revolução Francesa, dominado pelos jacobinos, em que muitos cidadãos suspeitos de traição foram mortos na guilhotina.
3. Documento que aboliu os privilégios feudais e serviu de base para as constituições liberais de vários países.

1. ______________
2. ______________
3. ______________
____

4 **Complete** o diagrama da sociedade do Antigo Regime.

Sociedade do Antigo Regime

____________ estado. Formado por: ____________.	____________ estado. Formado por: ____________.	____________ estado. Formado por: ____________.

Privilégios (primeiro e segundo estados) — **Restrições e obrigações** (terceiro estado)

Econômicos	Políticos	Restrições
____________	____________	____________
____________	____________	____________
____________	____________	Obrigações
____________	____________	____________
____________	____________	____________

5 **Ordene** cronologicamente os acontecimentos que desembocaram na queda da monarquia na França.

1. A Assembleia Constituinte anunciou a Declaração dos Direitos do Homem e do Cidadão.
2. A república foi proclamada na França e, meses depois, o rei foi executado.
3. O envolvimento da França na Guerra dos Sete Anos e na guerra de independência das treze colônias inglesas gerou várias despesas para o tesouro francês.
4. A família real, descoberta quando tentava fugir da França, foi detida e obrigada a retornar a Paris.
5. O rei Luís XVI foi obrigado a convocar os Estados Gerais para discutir o sistema de tributos na França.
6. A população de Paris, enfurecida, tomou a Bastilha, prisão que era um símbolo do Antigo Regime.
7. O rei foi obrigado a aceitar a Constituição. Era o fim do absolutismo na França.
8. Dificuldades climáticas comprometeram a safra agrícola e provocaram uma grave crise de alimentos.

1756-1763 1775-1783	1787-1789	1788	1789	1791	1792-1793
______	______	______	______	______	______

6 **Complete** o diagrama do período da Convenção Nacional na França revolucionária.

A Convenção Nacional (set. 1792-out. 1795) — Eleita pelo sufrágio universal masculino.

Direção girondina (set. 1792-maio 1793)

- Disputa de poder entre os girondinos (________________) e os ________ (profissionais liberais e camadas ________________).
- Por pressão dos ________, o rei foi ____________.

Direção jacobina (maio 1793-jul. 1794)

- Período conhecido como ________________.
- Criação do ________________.
- Decreto da ________________.
- Milhares de pessoas foram mortas na ________ acusadas de ________ pelo ________________.

Direção girondina (jul. 1794-out. 1795)

- Iniciada com o golpe do ________________.
- ________ foram guilhotinados e seus ________ fechados.
- As lutas entre ________________ e as ________ políticas continuaram.

Faça a conexão

7 **Leia** o trecho de um discurso realizado pelo revolucionário jacobino Saint-Just durante a Revolução Francesa e **responda** às questões.

> "Brevemente as nações esclarecidas colocarão em julgamento aqueles que têm até aqui governado os seus destinos. Os reis fugirão para os desertos, para a companhia dos animais selvagens que a eles se assemelham; e a natureza recuperará os seus direitos."

Saint-Just. Sur la constitution de la France, 24 abr. 1793. In: HOBSBAWM, Eric. *A era das revoluções*. 1789-1848. 18. ed. São Paulo: Paz e Terra, 2004. p. 83.

a) Em que fase da Revolução Francesa Saint-Just realizou esse discurso?

____

____

b) Saint-Just estava de acordo com as diretrizes do governo revolucionário? **Explique** e **copie** o trecho que justifica sua resposta.

____

____

____

O COTIDIANO DURANTE A REVOLUÇÃO

ASCENSÃO E QUEDA DO IMPÉRIO NAPOLEÔNICO

Termos e conceitos

Cotidiano

Constituição Civil do Clero

Tribunais da família

Calendário revolucionário

Sistema Métrico Decimal

Código Civil Napoleônico

Estado nacional moderno

Bloqueio Continental

1 **Exemplifique** algumas mudanças promovidas pela Revolução Francesa no cotidiano.

a) Linguagem. ______

b) Vestuário. ______

c) Casamento. ______

d) Família. ______

e) Igreja. ______

2 **Assinale** a(s) afirmativa(s) **incorreta(s)** sobre o Código Civil Napoleônico.

- [ ] Foi favorável à burguesia, pois garantiu as liberdades individuais, a ordem pública e a proteção à propriedade.
- [ ] Estava inserido no contexto de estruturação do Estado francês após o período revolucionário.
- [ ] Foi um retrocesso em relação à Revolução Francesa, pois recuperou antigas práticas feudais, restaurou o poder da aristocracia e compensou-a pelos danos infligidos durante a fase revolucionária.
- [ ] Devolveu ao clero as propriedades confiscadas e pagou-lhe pesadas indenizações.
- [ ] Foi criado no período do Consulado, antes do golpe de Napoleão, que se autoproclamou imperador.

3 **Complete** o diagrama com as características do Estado nacional moderno.

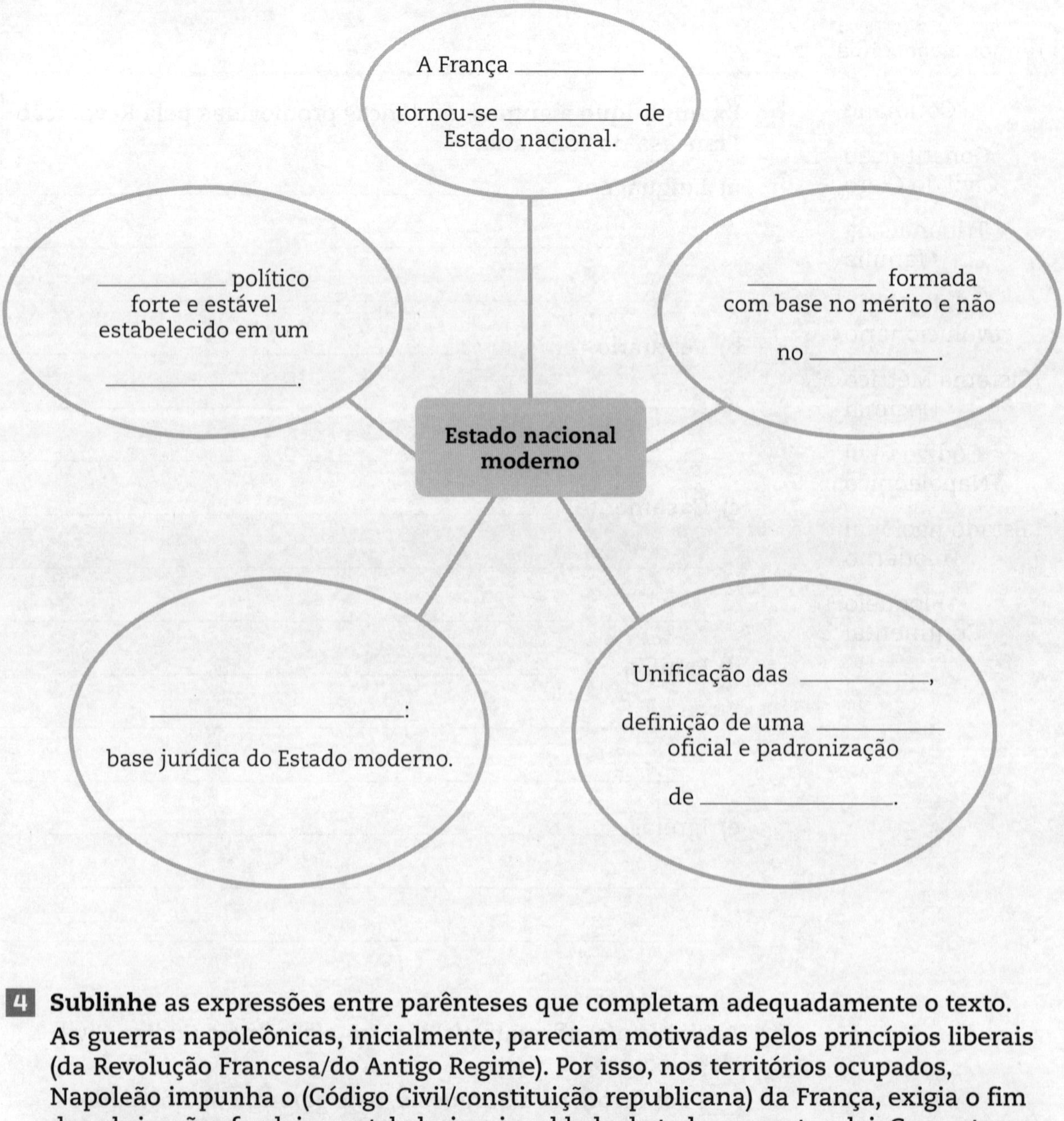

4 **Sublinhe** as expressões entre parênteses que completam adequadamente o texto.
As guerras napoleônicas, inicialmente, pareciam motivadas pelos princípios liberais (da Revolução Francesa/do Antigo Regime). Por isso, nos territórios ocupados, Napoleão impunha o (Código Civil/constituição republicana) da França, exigia o fim das obrigações feudais e estabelecia a igualdade de todos perante a lei. Com o tempo, porém, ficou claro que as conquistas de Napoleão eram movidas essencialmente pelo (expansionismo militar e territorial/projeto de restaurar o absolutismo). A maior barreira para o expansionismo francês era a (Holanda/Inglaterra), a maior potência marítima e comercial da época. Com o objetivo de minar a economia do adversário, Napoleão decretou, em 1806, o (Bloqueio Continental/Ato de Navegação), que proibia o comércio de países do continente com a (Inglaterra/Holanda). A dificuldade de fazer cumprir o decreto levou Napoleão a invadir a (Inglaterra/Rússia), em 1812, campanha que devastou (o exército francês/a marinha inglesa) e enfraqueceu o poder de Napoleão. Derrotado na (Rússia/Inglaterra), cercado de inimigos e com a França ocupada por uma (frota inglesa/coligação estrangeira), Napoleão Bonaparte foi (levado ao suicídio/obrigado a abdicar) em 1814.

Faça a conexão

5 **Observe** Napoleão Bonaparte representado em uma pintura de Jacques-Louis David.

Napoleão cruzando os Alpes, pintura de Jacques-Louis David, c. 1800.

a) **Descreva** a pintura.

b) **Analise** a maneira como Napoleão foi representado.

c) **Discuta** com seus colegas se a imagem é fiel à realidade e qual teria sido a finalidade do artista ao produzir a obra.

Fechando o capítulo 20

Sintetize

» A Revolução Francesa e o governo de Napoleão Bonaparte são dois dos acontecimentos mais decisivos da história do Ocidente. **Organize** cronologicamente os eventos mais relevantes que marcaram a França revolucionária e o governo napoleônico.

campanha da Rússia – convocação dos Estados Gerais – Napoleão coroado imperador – proclamação da Assembleia Nacional Constituinte – Diretório – abdicação de Napoleão – guerras napoleônicas – queda da Bastilha – Batalha de Waterloo – proclamação da república na França – início da Convenção Nacional – Golpe do 18 Brumário – Consulado – execução do rei Luís XVI – Declaração dos Direitos do Homem e do Cidadão – Bloqueio Continental – Terror – Código Civil Napoleônico – golpe do 9 Termidor

Avalie

» **Marque** um X na coluna que melhor traduz o seu aprendizado sobre cada tema. Depois, **compare** este quadro com o que você preencheu no item "Antes de estudar o capítulo".

Temas principais do capítulo	Compreendi bem o tema.	Compreendi, mas tenho algumas dúvidas.	Tenho muitas dúvidas.
A sociedade no Antigo Regime			
As fases e as tendências políticas durante a Revolução Francesa			
As mudanças no cotidiano francês			
O Império Napoleônico			
A queda de Napoleão Bonaparte			

Se você teve dificuldade para compreender algum desses temas, reveja as atividades do *Caderno do estudante* referentes a este capítulo e revise seu livro-texto. Caso seja necessário, peça ajuda ao professor ou a um colega.

Unidade F
Capítulo
21

A independência das colônias espanholas

Seções:
21.1 Antes da independência
21.2 A luta na América Central e no México
21.3 A independência do Haiti e de Cuba
21.4 A independência na América do Sul
21.5 Uma América, muitas Américas

Antes de estudar o capítulo

» **Veja** neste quadro os temas principais do capítulo e **marque** um X na coluna que, em sua opinião, traduz o seu conhecimento sobre cada tema.

Temas principais do capítulo	Já estudei. Será um aprofundamento.	Nunca estudei. Será totalmente novo.	Não lembro se estudei.
O processo de independência das colônias hispano-americanas			
Fatores que conduziram à emancipação colonial			
A situação das ex-colônias espanholas após a independência			
A rebelião escrava no Haiti			
As diferentes tendências políticas			

» **Veja** abaixo alguns termos e conceitos que você encontrará no capítulo. **Marque** um X naqueles que você julga estarem relacionados à imagem.

- [ ] *Criollos*.
- [ ] Localismo.
- [ ] Unitarismo.
- [ ] Emancipação.
- [ ] Rebelião escrava.
- [ ] Iluminismo.

Entrega da bandeira invencível de Numancia ao batalhão, pintura de Arturo Michelena, 1883.

GIANNI DAGLI ORTI/THE ART ARCHIVE/OTHER IMAGES - MUSEO BOLIVARIANO, CARACAS

Justifique suas escolhas.

____

____

____

ANTES DA INDEPENDÊNCIA

A LUTA NA AMÉRICA CENTRAL E NO MÉXICO

Termos e conceitos

Iluminismo
Criollos
Emancipação/ autonomia

1 **Assinale** a afirmativa **incorreta** sobre o papel dos *criollos* na independência das colônias espanholas.

☐ Anos antes da independência, os *criollos* foram prejudicados pela criação do regime de intendências, responsável por aumentar os tributos e criar novos monopólios metropolitanos.

☐ As lutas na Europa contra Napoleão estimularam os *criollos* a resistir ao controle francês.

☐ Nas colônias espanholas, os *criollos* formavam a elite econômica constituída de pessoas nascidas na América.

☐ Apesar de os *criollos* liderarem as lutas pela independência por todo o continente, o controle dos novos governos ficou nas mãos dos índios e dos ex-escravos.

☐ Os *criollos* lideraram o movimento pela autonomia política e comercial em relação à Espanha.

2 **Explique** a influência da filosofia iluminista no movimento de independência das colônias espanholas na América.

____

____

____

____

____

____

Guia de estudo

3 **Ordene** cronologicamente os acontecimentos a seguir.

1. José María Morelos elabora o primeiro projeto constitucional para o México.
2. O padre Miguel Hidalgo proclama a independência no episódio do Grito de Dolores.
3. Reagindo à dominação francesa, algumas regiões da Espanha formam as juntas de governo.
4. Itúrbide é coroado imperador do México.
5. A América Central divide-se em inúmeros países.
6. Países reunidos no Congresso de Viena tentam, por meio da Santa Aliança, restabelecer o domínio das metrópoles sobre as colônias.
7. A Espanha introduz na América o regime de intendências, prejudicando os interesses *criollos*.

1782	1808	1810	1813	1815	1821	1838
____	____	____	____	____	____	____

A INDEPENDÊNCIA DO HAITI E DE CUBA

A INDEPENDÊNCIA NA AMÉRICA DO SUL

UMA AMÉRICA, MUITAS AMÉRICAS

Termos e conceitos

Rebelião escrava
Autonomista/anexionista
Emancipação/autonomia
Criollos
Localismo/caudilhismo
Unitarismo

1 **Exponha** as diferenças entre autonomistas e anexionistas e o contexto histórico em que essas duas posições políticas se confrontaram.

2 **Escreva C** para o caudilhismo ou **U** para o unitarismo, dois projetos políticos diferentes na América hispânica independente.

- [ ] Defendiam a formação de Estados fortes e centralizados.
- [ ] Tinham seus próprios projetos, que se chocavam com Estados centralizados.
- [ ] Responsáveis pelo atraso na unificação do Estado nacional argentino.
- [ ] Acreditavam que, sem a existência de governos centralizados, a Espanha poderia tentar recolonizar o continente.
- [ ] Obtiveram sucesso no Vice-Reino de Nova Granada, onde a tendência à fragmentação levou ao surgimento de diversos Estados.
- [ ] Seus integrantes pertenciam à elite *criolla* e defendiam ideias liberais e a submissão do campo à cidade.

3 **Anote** o valor da soma das afirmativas **corretas** sobre a rebelião escrava do Haiti.

1. O uso de mão de obra escrava africana foi necessário na ilha, devido ao crescimento das lavouras de cana-de-açúcar, algodão e café.
2. Com a situação social tornando-se cada vez mais tensa, principalmente após a Revolução Francesa, em 1791 uma rebelião escrava eclodiu no Haiti.
4. O governo revolucionário francês de Robespierre conseguiu frear o movimento e controlar os rebeldes.
8. Em 1802, as tropas francesas aprisionaram e deportaram para a França o líder da rebelião, Louverture, fato que esfriou os ânimos dos rebeldes.
16. Dessalines, que conduziu o Haiti à sua independência definitiva, foi proclamado imperador e governante perpétuo do país.
32. O Haiti não conseguiu recompor suas plantações, e a recuperação econômica foi lenta e insuficiente para eliminar a miséria.

Soma: [ ] ____________________.

4 **Compare** as emancipações das regiões da América do Sul.

	Grã-Colômbia	Vice-Reino do Rio da Prata	Bolívia e Vice--Reino do Peru
Líderes			
Reação imediata da Espanha			
Ano da independência			

Fechando o capítulo 21

Sintetize

» **Preencha** a cruzadinha com os principais termos e conceitos estudados neste capítulo.

1. Nas lutas pela independência, defendiam a formação de governos fortes e centralizados.
2. Pensamento liberal que influenciou as lutas pela independência na América.
3. Foram eles os principais agentes da luta pela independência do Haiti.
4. Pertencia à elite econômica e intelectual nas colônias hispânicas da América.
5. Líderes armados locais que atuaram no processo de independência das colônias hispânicas.
6. Defendiam uma Cuba soberana, independente de qualquer domínio estrangeiro.
7. Defendiam que a independência de Cuba deveria ser conquistada por meio de uma aliança com os Estados Unidos, aos quais a ilha deveria depois se incorporar.
8. Formadas na Espanha após a ocupação francesa, ajudaram a impulsionar o processo de independência na América hispânica.

1.					A												
2.					M												
3.					E												
4.					R												
					I	N	D	E	P	E	N	D	Ê	N	C	I	A
5.					C												
6.					A												
7.					N												
8.					A												

Avalie

» **Marque** um X na coluna que melhor traduz o seu aprendizado sobre cada tema. Depois, **compare** este quadro com o que você preencheu no item "Antes de estudar o capítulo".

Temas principais do capítulo	Compreendi bem o tema.	Compreendi, mas tenho algumas dúvidas.	Tenho muitas dúvidas.
O processo de independência das colônias hispano-americanas			
Fatores que conduziram à emancipação colonial			
A situação das ex-colônias espanholas após a independência			
A rebelião escrava no Haiti			
As diferentes tendências políticas			

Se você teve dificuldade para compreender algum desses temas, reveja as atividades do *Caderno do estudante* referentes a este capítulo e revise seu livro-texto. Caso seja necessário, peça ajuda ao seu professor ou a um colega.

Unidade F
Capítulo
22

A independência do Brasil e o Primeiro Reinado

Seções:

Antes de estudar o capítulo

» **Veja neste quadro os temas principais do capítulo e marque um X na coluna que, em sua opinião, traduz o seu conhecimento sobre cada tema.**

Temas principais do capítulo	Já estudei. Será um aprofundamento.	Nunca estudei. Será totalmente novo.	Não lembro se estudei.
O reformismo ilustrado português			
As Conjurações Mineira e Baiana			
A vinda da família real portuguesa e a abertura dos portos			
A Revolução Liberal do Porto			
A independência do Brasil e o Primeiro Reinado			

» **Veja abaixo alguns termos e conceitos que você encontrará no capítulo. Marque um X naqueles que você julga estarem relacionados à imagem.**

- ☐ Estado nacional.
- ☐ Abertura dos portos.
- ☐ Bloqueio Continental.
- ☐ Símbolos nacionais.
- ☐ Constituição.
- ☐ Primeiro Reinado.

Bandeira imperial do Brasil, gravura de Jean-Baptiste Debret em *Viagem pitoresca e histórica ao Brasil*, 1834-1839.

Justifique suas escolhas.

A CRISE DO SISTEMA COLONIAL

A CHEGADA DA CORTE E A ABERTURA DOS PORTOS

Termos e conceitos

Reformismo ilustrado

Crise do sistema colonial

Conjuração Mineira

Conjuração Baiana

Bloqueio Continental

Abertura dos portos

1 **Complete** as seguintes informações sobre o reformismo ilustrado português.

a) O que foi. ______

b) Quando aconteceu. ______

c) Dois exemplos de reformas. ______

2 **Relacione** o Bloqueio Continental com a vinda da corte para o Brasil e a abertura dos portos.

______

3 **Compare** a Conjuração Mineira com a Conjuração Baiana.

	Conjuração Mineira	Conjuração Baiana
Ano		
Razões		
Camada social dos envolvidos		
Objetivos		
Resultados		

4 **Complete** o diagrama sobre a crise do sistema colonial português na América.

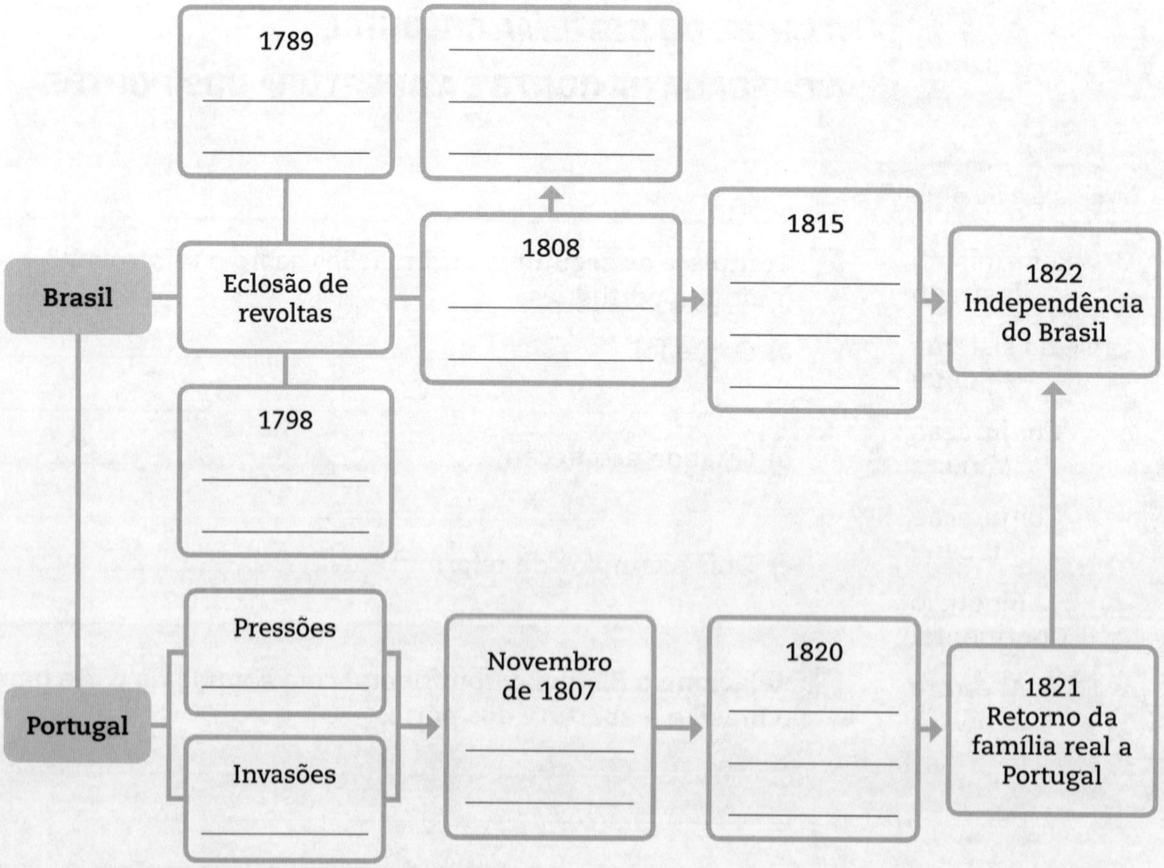

Faça a conexão

5 **Releia** o item “A construção de um herói”, na página 397 do seu livro-texto, **observe** a imagem e **responda** às questões.

Martírio de Tiradentes, pintura de Francisco Aurélio de Figueiredo e Melo, 1893.

a) A representação de Tiradentes nesta pintura está de acordo com a imagem que o regime republicano construiu da sua figura? **Justifique.**

____

b) De acordo com o texto, por que Tiradentes foi representado desse modo?

____

A PROCLAMAÇÃO DA INDEPENDÊNCIA E O PRIMEIRO REINADO

O FIM DO PRIMEIRO REINADO

Termos e conceitos

Revolução de 1817

Revolução do Porto

Cortes

Constituição

Abdicação

1 **Escreva 1** para a Revolução de 1817, **2** para a Revolução do Porto e **3** para a Confederação do Equador.

☐ As dificuldades econômicas e o descontentamento de diversos setores sociais, em virtude dos impostos altos e do recrutamento militar, provocaram esse movimento.

☐ Foi uma resposta ao fechamento da assembleia por d. Pedro I, em 1823, e à promulgação da Constituição de 1824.

☐ Levou à formação de uma assembleia nacional legislativa e constituinte em Portugal, visando criar uma nova Constituição, que devia ser respeitada pelos portugueses em todo o mundo.

☐ Pretendia retirar a soberania do monarca e transferi-la para a assembleia, as Cortes, além de submeter o rei a uma Constituição.

☐ Os rebeldes proclamaram uma república na capitania e pretendiam romper com a monarquia portuguesa e o governo do Rio de Janeiro.

☐ O movimento foi violentamente reprimido pelo governo, e Frei Caneca, um dos principais líderes, foi executado.

2 **Anote** o valor da soma das afirmativas **corretas** referentes às Cortes de Lisboa.

1. Tiveram um duplo caráter. Por um lado, foram liberais, pois limitaram o poder do monarca; por outro lado, foram conservadoras, porque pretendiam restaurar o exclusivo comercial português no Brasil.
2. Não causaram grande impacto para o Brasil, já que suas decisões limitaram-se a reorganizar as instituições administrativas de Portugal.
4. Exigiram o retorno de d. João VI e da família real para Portugal, exigência que acabou sendo acatada.
8. As medidas adotadas por elas desagradaram os comerciantes portugueses residentes no Brasil, levando-os a apoiar d. Pedro de Alcântara e a fomentar projetos de separação.
16. Em resposta às imposições das Cortes para que voltasse a Portugal, d. Pedro declarou o "Fico", estruturou um governo e anunciou a convocação da assembleia legislativa e constituinte.
32. Os deputados das Cortes foram amplamente favoráveis à separação entre Portugal e Brasil, pois perceberam a inviabilidade de manter o sistema colonial.

Soma: ☐ ______________

Guia de estudo

3 **Preencha** o esquema sobre a formação do Estado nacional brasileiro.

Formação do Estado brasileiro

- Antecedentes
  ____
- Fronteiras nacionais
  ____
- Criação de símbolos e estruturas
  ____
- Regime de governo
  ____

Primeira Constituição (1824)

- Escravidão
  ____
- Voto
  ____
- Como foi feita
  ____
- Separação dos poderes
  ____

4 **Complete** o diagrama dos principais acontecimentos que levaram à abdicação de d. Pedro I.

A crescente impopularidade do imperador

1823	1824	1825-1828	1831
• Temendo uma excessiva limitação do seu poder, d. Pedro I dissolve a ______________ e prende vários ______________.	• O imperador outorga a ______________ • Rebeldes da ______________ são duramente reprimidos pelo ______________.	• O envolvimento do Império na ______________ trouxe ______________ para o Estado brasileiro.	• ______________ pelas medidas tomadas desde ______________ e por uma forte crise ______________, d. Pedro I ______________.

Faça a conexão

5 **Pesquise** no texto da Constituição brasileira atual, promulgada em 1988, como são realizadas as eleições no país (quais são os cidadãos aptos a votar e a se candidatar), como a lei define a separação de poderes, qual o sistema e a forma de governo estabelecidos e se há alguma religião definida como oficial no Brasil. Em seguida, compare a Constituição de 1988 com a de 1824 quanto a esses aspectos e perceba as mudanças ocorridas.

Fechando o capítulo 22

Sintetize

» **Redija** um pequeno texto escolhendo cinco dos termos abaixo selecionados.

Estado nacional – Cortes de Lisboa – independência – crise do sistema colonial – Conjuração Mineira – Conjuração Baiana – Confederação do Equador – abertura dos portos – vinda da família real – símbolos nacionais – Constituição de 1824 – abdicação

Avalie

» **Marque** um X na coluna que melhor traduz o seu aprendizado sobre cada tema. Depois, **compare** este quadro com o que você preencheu no item "Antes de estudar o capítulo".

Temas principais do capítulo	Compreendi bem o tema.	Compreendi, mas tenho algumas dúvidas.	Tenho muitas dúvidas.
O reformismo ilustrado português			
As Conjurações Mineira e Baiana			
A vinda da família real portuguesa e a abertura dos portos			
A Revolução Liberal do Porto			
A independência do Brasil e o Primeiro Reinado			

Se você teve dificuldade para compreender algum desses temas, reveja as atividades do *Caderno de estudante* referentes a este capítulo e revise seu livro-texto. Caso seja necessário, peça ajuda ao seu professor ou a um colega.

Unidade G

Capítulo

23

Ciência, nação e revolução no século XIX

Seções:

Antes de estudar o capítulo

» **Veja** neste quadro os temas principais do capítulo e **marque** um X na coluna que, em sua opinião, traduz o seu conhecimento sobre cada tema.

Temas principais do capítulo	Já estudei. Será um aprofundamento.	Nunca estudei. Será totalmente novo.	Não lembro se estudei.
As revoluções liberais na Europa			
O liberalismo e o nacionalismo			
O Congresso de Viena e a Restauração			
O desenvolvimento científico e tecnológico			
Criacionismo e evolucionismo			
As pseudociências do século XIX			

» **Veja** abaixo alguns termos e conceitos que você encontrará no capítulo. **Marque** um X naqueles que você julga estarem relacionados à imagem.

- ☐ Liberalismo.
- ☐ Restauração.
- ☐ Revoluções de 1848.
- ☐ Desenvolvimento tecnológico.
- ☐ Nacionalismo.
- ☐ Seleção natural.

Gravura do século XIX representando a luta de parisienses em fevereiro de 1848.

Justifique suas escolhas.

AS REVOLUÇÕES LIBERAIS NA EUROPA
O NACIONALISMO

Termos e conceitos

Revoluções de 1848
Restauração
Liberalismo
Ideologia
Nacionalismo
Separatismo
Unificação
Nação

1 **Assinale** a afirmativa **correta** sobre o liberalismo.

I. Foi uma ideologia que norteou os movimentos revolucionários da Europa na primeira metade do século XIX.

II. Doutrina política conservadora, orientada a recuperar o poder exercido pelas monarquias absolutistas.

III. Não se constituiu numa ideologia propriamente, tendo sido mais um conjunto de ideias sem muita coesão e às vezes contraditórias.

IV. O movimento romântico, centrado na valorização da emoção e da força criadora do artista, representou a maior expressão da influência das ideias liberais nas artes e na literatura.

V. Defendia as liberdades individuais lutando pela limitação do poder estatal ao mesmo tempo que se opunha ao absolutismo e ao mercantilismo.

- [ ] Estão corretas as afirmativas I, II e III.
- [ ] Estão corretas as afirmativas I, IV e V.
- [ ] Estão corretas as afirmativas II, III e IV.
- [ ] Estão corretas as afirmativas I e IV.
- [ ] Estão corretas as afirmativas III, IV e V.

2 **Complete** a ficha sobre o nacionalismo na Europa do século XIX.

a) Definição. ______________________________

____

____

b) Bases ideológicas do nacionalismo. ______________________________

____

____

____

____

____

c) Exemplos de lutas nacionalistas. ______________________________

____

____

Guia de estudo

3 **Complete** o diagrama sobre o processo de unificação da Itália e da Alemanha.

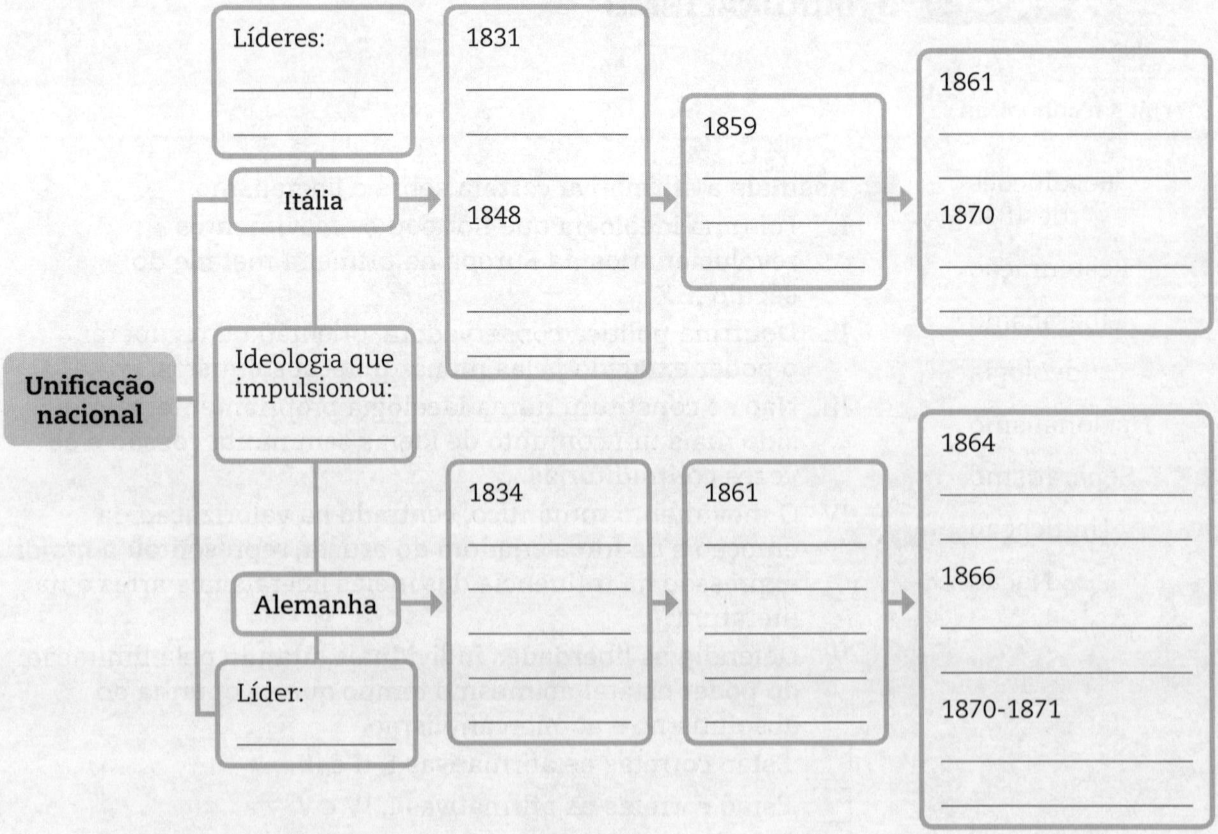

4 **Leia a notícia a seguir e responda à questão.**

"Os nacionalistas flamengos venceram as eleições parlamentares de domingo [13/6/10] na Bélgica. Sua meta é dividir o país e criar um Estado autônomo. Muitos dos flandrinos estão descontentes devido à transferência de verbas estatais para as regiões mais pobres da francófona Valônia. [...]

Nunca tantos flamengos elegeram os partidos que desejam uma Flandres independente, ou, no mínimo, almejam a uma maior autonomia. Ao mesmo tempo, os valões optaram em grande número pelos socialistas. Eles claramente desejam o contrário: o Estado integrado e a solidariedade nacional belga. As trincheiras se aprofundam na Bélgica. [...]"

HASSELBACH, Christoph. Vitória de separatistas flamengos será início do fim para Bélgica?, 14 jun. 2010. In: Deutsche Welle. Disponível em www.dw-world.de. Acesso em 2 dez. 2010.

Estabeleça diferenças e semelhanças entre o movimento dos húngaros e dos tchecos contra o domínio austríaco nas revoluções de 1848 e o movimento dos flamengos pela separação de Flandres atualmente.

A CIÊNCIA NO SÉCULO XIX
ORGANIZAR CIENTIFICAMENTE A SOCIEDADE

Termos e conceitos

Ciência
Tecnologia
Seleção natural
Evolucionismo
Secularização
Progresso social
Cientificismo
Positivismo
Darwinismo social

1 **Escreva V** (verdadeiro) ou **F** (falso) e **corrija** as afirmativas falsas.

- [ ] A seleção natural é o mecanismo que garante a sobrevivência e a reprodução das espécies mais adaptadas ao ambiente.
- [ ] Segundo Darwin e Wallace, as condições ambientais produzem as mudanças que diferenciam as espécies e tornam umas mais adaptadas à sobrevivência que outras.
- [ ] As pesquisas de Darwin o levaram a concluir que o ser humano moderno descende do macaco.
- [ ] De acordo com o criacionismo, todos os seres vivos foram criados por um ser superior e evoluíram até adquirir as características atuais.
- [ ] As descobertas de Darwin basearam-se em estudos de vários pesquisadores e em suas próprias pesquisas, especialmente com base nos materiais coletados em sua viagem pela América do Sul.

____
____
____
____
____
____
____
____

2 **Escreva** ao lado os termos que correspondem a cada frase.

1. Aumento da influência da ciência e diminuição da importância da religião e das crenças tradicionais no pensamento e no comportamento humanos. 1. ____________
2. Convicção na capacidade que a ciência teria em explicar, e também controlar, todos os fenômenos observáveis. 2. ____________
3. Sistema de conhecimentos baseado na ideia de que a sociedade industrial seria a solução para os problemas sociais mais graves, como a probreza. 3. ____________
4. Doutrina que procurava aplicar as teorias biológicas desenvolvidas por Charles Darwin e Alfred Wallace ao estudo das sociedades humanas. 4. ____________

Guia de estudo

3 **Complete** o diagrama sobre as teorias científicas e as pseudociências surgidas no século XIX.

O século do progresso

- **Teoria da evolução** (Charles Darwin e ______________)
  - Pelo mecanismo da ______________, as ______________ mais adaptadas ao ______________ tendem a ______________ e a gerar descendentes.
- **Positivismo** (Auguste Comte)
  - As sociedades passam por diferentes ______________ até atingir o ______________, o do progresso ______________, em que o homem conquistou o domínio ______________.
- **Pseudociência**
  - **Fisiognomonia** (Cesare Lombroso)
    Defendia que o ______________ era inato ao indivíduo, por isso era possível ______________ o criminoso por meio da análise de suas ______________.
  - **Darwinismo social** (Herbert Spencer)
    Apropriando-se da teoria da ______________, Spencer afirmava que, na luta pela sobrevivência, só os ______________ mais adaptados ______________.
  - **Eugenia** (Francis Galton)
    Defesa de políticas de estímulo à ______________ de indivíduos mais adaptados, desestimulando a ______________ dos fracos e portadores de ______________.

Faça a conexão

4 **Observe** a charge e **responda** às questões.

Charge de Rodval Matias, 2010.

a) A qual teoria do século XIX a charge acima se refere?

____

b) **Interprete** a mensagem dessa charge.

____

____

____

____

____

Fechando o capítulo 23

Sintetize

» **Complete** a cruzadinha abaixo e **veja** a palavra que se formou. Em seguida, **elabore** um pequeno texto relacionando essa palavra com o que você estudou no capítulo.

1. Baseia-se na *Bíblia* para explicar a origem da vida.
2. Teoria que explica a sobrevivência e a extinção das espécies com base no mecanismo da seleção natural.
3. Espalhando-se em ondas sucessivas pela Europa, fizeram do século XIX o mais convulsionado de toda a história.
4. Sentimento de pertencer a uma comunidade por vínculos culturais e históricos, os quais justificam a formação de um Estado soberano.
5. Processo de redução da influência da religião na sociedade, na qual a ciência adquire cada vez mais importância.
6. Ideologia que defende a garantia das liberdades individuais e a redução do papel do Estado na sociedade.
7. Unificou-se no século XIX, sob a liderança da Prússia, após guerras travadas com a Áustria e a França.

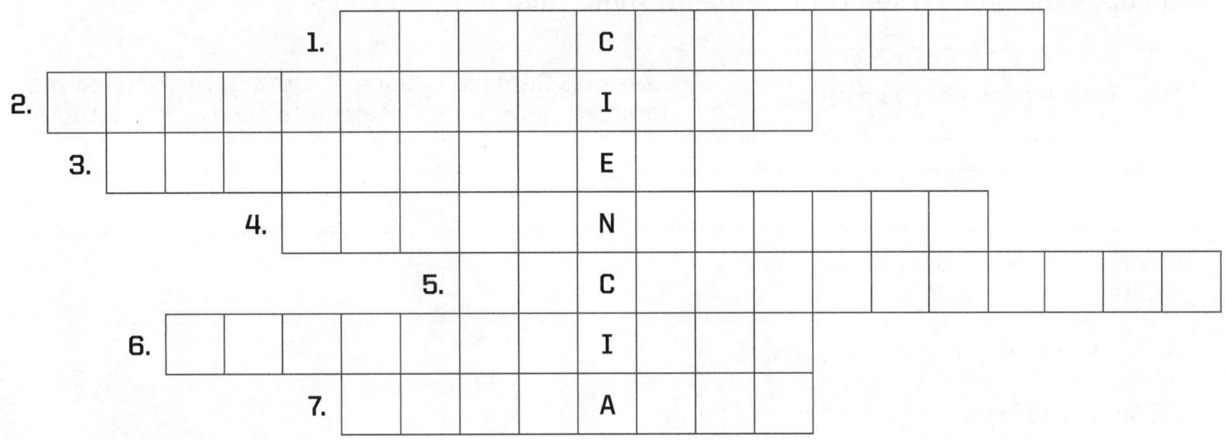

Avalie

» **Marque** um X na coluna que melhor traduz o seu aprendizado sobre cada tema. Depois, **compare** este quadro com o que você preencheu no item "Antes de estudar o capítulo".

Temas principais do capítulo	Compreendi bem o tema.	Compreendi, mas tenho algumas dúvidas.	Tenho muitas dúvidas.
As revoluções liberais na Europa			
O liberalismo e o nacionalismo			
O Congresso de Viena e a Restauração			
O desenvolvimento científico e tecnológico			
Criacionismo e evolucionismo			
As pseudociências do século XIX			

Se você teve dificuldade para compreender algum desses temas, reveja as atividades do *Caderno do estudante* referentes a este capítulo e revise seu livro-texto. Caso seja necessário, peça ajuda a seu professor ou a um colega.

Unidade G
Capítulo
24

O movimento operário e as ideias socialistas

Seções:
24.1 A luta pela cidadania
24.2 Socialismo e anarquismo
24.3 A mobilização da classe operária

Antes de estudar o capítulo

» **Veja** neste quadro os temas principais do capítulo e **marque** um X na coluna que, em sua opinião, traduz o seu conhecimento sobre cada tema.

Temas principais do capítulo	Já estudei. Será um aprofundamento.	Nunca estudei. Será totalmente novo.	Não lembro se estudei.
As mobilizações operárias e a luta por direitos			
O liberalismo e o desenvolvimento do capitalismo no século XIX			
As propostas socialistas e anarquistas			
A Comuna de Paris			

» **Veja** abaixo alguns termos e conceitos que você encontrará no capítulo. **Marque** um X naqueles que você julga estarem relacionados à imagem.

- [ ] Proletariado.
- [ ] Marxismo.
- [ ] Mobilização feminina.
- [ ] Críticas ao capitalismo.
- [ ] Organização dos trabalhadores.
- [ ] Sufrágio universal.

SELVA/LEEMAGE/OTHER IMAGES - BIBLIOTECA NACIONAL DA FRANÇA, PARIS

A greve dos mineiros no Paço de Calais, retirado do *Le Petit Journal*, 1906.

Justifique suas escolhas.

A LUTA PELA CIDADANIA

SOCIALISMO E ANARQUISMO

Termos e conceitos

Capitalismo
Sufrágio universal
Proletariado
Mobilização feminina
Socialismo
Anarquismo
Marxismo
Comunismo

1 **Escreva** três ideias centrais do anarquismo e três do marxismo.

a) Anarquismo.

1. ______________________________

____

2. ______________________________

____

3. ______________________________

____

b) Marxismo.

1. ______________________________

____

2. ______________________________

____

3. ______________________________

____

____

2 **Assinale** a afirmativa incorreta sobre o capitalismo na Europa do século XIX.

- [ ] A vitória dos revolucionários da Comuna de Paris significou um golpe duro no capitalismo, pois resultou na tomada do poder pelos operários e na construção do primeiro Estado socialista da história.
- [ ] As legislações liberais aprovadas pelos governos europeus protegeram a propriedade privada e garantiram liberdade econômica à burguesia.
- [ ] A organização da agricultura em bases capitalistas provocou uma migração em massa de camponeses para as cidades, que vão servir de mão de obra para as indústrias em expansão.
- [ ] As leis que proibiam a organização sindical dos trabalhadores e o voto censitário ajudaram a burguesia a monopolizar o poder e a impulsionar o desenvolvimento do capitalismo.
- [ ] A ausência de uma legislação de proteção ao trabalho favorecia a exploração dos trabalhadores e o aumento dos lucros dos capitalistas.

Guia de estudo

3 **Complete** o diagrama que sintetiza as principais mudanças que marcaram o desenvolvimento do capitalismo na Europa do século XIX.

A expansão do capitalismo

- Liberdade ________ ________
- Limitação da atuação do ________
- Revoluções ________, que ________ os entraves ________
- Proteção à ________ ________

Mudanças no campo

- ________
- Produção voltada para o mercado

Migração ________ → ________ de mão de obra ________ indústrias.

4 **Preencha** o esquema com as ideias destas três correntes políticas.

Críticas ao liberalismo e ao capitalismo

- Socialismo utópico
- Marxismo
- Anarquismo

A MOBILIZAÇÃO DA CLASSE OPERÁRIA

Termos e conceitos

Associação internacional

Proletariado

Comuna de Paris

1 As duas frases abaixo possuem uma afirmativa e uma justificativa. **Leia** as frases e **assinale** a afirmativa **correta**.

I. Na segunda metade do século XIX, correntes do movimento operário começaram a se mobilizar para criar um organismo internacional da classe trabalhadora *porque*, da mesma forma como o capitalismo havia superado as fronteiras nacionais, a organização dos trabalhadores também deveria ter uma base mundial.

II. Em 1872, a Associação Internacional dos Trabalhadores, conhecida como Primeira Internacional, entrou em crise *porque*, apesar de comunistas e anarquistas possuírem táticas e objetivos comuns, perderam seus principais financiadores: a alta burguesia e os banqueiros europeus.

- [ ] A frase I está inteiramente correta. A frase II está inteiramente errada.
- [ ] A afirmativa da frase I está errada, mas a justificativa está correta. A afirmativa da frase II está errada, mas a justificativa está correta.
- [ ] A frase I está inteiramente errada. A afirmativa da frase II está correta, mas a justificativa está errada.
- [ ] A frase I está inteiramente correta. A afirmativa da frase II está correta, mas a justificativa está errada.
- [ ] A frase I está inteiramente errada. A frase II está inteiramente correta.

Guia de estudo

2 **Complete** o diagrama sobre a Comuna de Paris.

Comuna de Paris

Causas

____

____

____

Como e quando começou

____

____

____

____

Medidas tomadas

1. ______________________

____

2. ______________________

____

3. ______________________

____

Resultados

____

____

____

____

Correntes atuantes

1. ______________________
2. ______________________
3. ______________________

Fechando o capítulo 24

Sintetize

» **Encontre** dez palavras e expressões relativas ao conteúdo estudado no capítulo. Vale de cima para baixo, de baixo para cima, da esquerda para a direita e da direita para a esquerda. Não valem diagonais.

A	N	I	N	I	M	E	F	O	Ã	Ç	A	Z	I	L	I	B	O	M
A	N	I	N	I	M	E	F	O	T	Ç	A	Z	I	L	I	O	F	O
F	F	A	É	V	X	Z	A	O	D	B	Y	T	R	W	Q	H	A	Y
B	S	U	F	R	Á	G	I	O	U	N	I	V	E	R	S	A	L	P
C	Á	V	F	O	P	R	K	F	D	A	A	Q	G	A	Ç	J	A	O
O	T	N	A	L	I	E	N	A	Ç	Ã	O	B	J	F	O	X	N	M
M	I	M	A	E	K	E	G	H	S	V	I	V	E	K	I	E	S	S
U	W	L	B	T	C	A	P	I	T	A	L	I	S	M	O	A	T	I
N	P	R	O	L	E	T	A	R	I	A	D	O	V	L	U	U	É	X
A	J	X	C	U	X	W	Á	J	R	X	U	W	B	E	Y	I	R	R
A	M	S	I	U	Q	R	O	M	S	I	U	Q	R	A	N	A	I	A
C	M	Z	D	L	Z	S	Ê	R	T	I	T	O	N	W	T	Y	O	M
V	A	I	L	A	V	S	I	A	M	P	Y	P	G	R	S	U	W	O

Avalie

» **Marque** um X na coluna que melhor traduz o seu aprendizado sobre cada tema. Depois, **compare** este quadro com o que você preencheu no item "Antes de estudar o capítulo".

Temas principais do capítulo	Compreendi bem o tema.	Compreendi, mas tenho algumas dúvidas.	Tenho muitas dúvidas.
As mobilizações operárias e a luta por direitos			
O liberalismo e o desenvolvimento do capitalismo no século XIX			
As propostas socialistas e anarquistas			
A Comuna de Paris			

Se você teve dificuldade para compreender algum desses temas, reveja as atividades do *Caderno do estudante* referentes a este capítulo e revise seu livro-texto. Caso seja necessário, peça ajuda a seu professor ou a um colega.

Unidade G

Capítulo

25

Um império nos trópicos: a monarquia brasileira

Seções:
25.1 Da Regência ao Segundo Reinado
25.2 A economia no governo de d. Pedro II
25.3 Cultura e cotidiano no Segundo Reinado
25.4 O fim do Segundo Reinado

Antes de estudar o capítulo

» Veja neste quadro os temas principais do capítulo e **marque** um X na coluna que, em sua opinião, traduz o seu conhecimento sobre cada tema.

Temas principais do capítulo	Já estudei. Será um aprofundamento.	Nunca estudei. Será totalmente novo.	Não lembro se estudei.
As revoltas e as tendências políticas do período regencial e do Segundo Reinado			
As transformações sociais e econômicas no Brasil da segunda metade do século XIX			
A identidade nacional brasileira			
O movimento abolicionista			
A Guerra do Paraguai			
O movimento republicano e a queda da monarquia			

» Veja abaixo alguns termos e conceitos que você encontrará no capítulo. **Marque** um X naqueles que você julga estarem relacionados à imagem.

- [ ] República.
- [ ] Imigração.
- [ ] Regência.
- [ ] Trabalho livre.
- [ ] Expansão cafeeira.

Imigrantes japoneses em trem com destino à Hospedaria dos Imigrantes, localizada na cidade de São Paulo, década de 1930.

Justifique suas escolhas.

DA REGÊNCIA AO SEGUNDO REINADO

A ECONOMIA NO GOVERNO DE D. PEDRO II

Termos e conceitos

Regência
Ato Adicional de 1834
Revoltas regenciais
Império
Conservador
Liberal
Parlamentarismo às avessas
Trabalho livre
Tráfico negreiro
Lei de Terras
Imigração
Colônias de parceria

1 **Escreva 1** para Ato Adicional de 1834 e **2** para parlamentarismo às avessas.

☐ Experiência política brasileira, que se diferenciava do modelo original inglês por submeter os deputados às decisões do imperador.

☐ Terminou com a Regência Trina e estabeleceu a Regência Una, eleita pelo voto censitário e com mandato de quatro anos.

☐ Foi o mecanismo encontrado pelo imperador d. Pedro II para conciliar os interesses de liberais e conservadores, manter a unidade territorial e a escravidão.

☐ Concedeu maior autonomia para as províncias.

☐ Alterou a carta constitucional de 1834, atenuando seu caráter centralizador.

☐ A criação das Assembleias Legislativas Provinciais tinha como objetivo central conter as revoltas liberais que se espalhavam pelas províncias.

2 **Assinale** as afirmativas **corretas** em cada caso.

a) A Lei de Terras de 1850:

☐ foi um avanço com relação às reivindicações dos grupos favoráveis à reforma agrária, já que ela forçou a divisão de grandes propriedades rurais entre os escravos alforriados e os imigrantes europeus.

☐ regulamentou o acesso à propriedade rural no Brasil, proibindo quaisquer outras formas de obtenção da terra que não fosse a compra.

☐ sua implantação resultou num enorme obstáculo ao acesso à terra por parte das populações mais pobres.

b) A imigração europeia:

☐ substituiu imediatamente o trabalho escravo nas fazendas de todo o país.

☐ foi bastante intensa na província de São Paulo, onde se formaram as colônias de parceria, sistema altamente eficiente, utilizado até mesmo na república.

☐ cresceu com o fim do tráfico negreiro e substituiu, progressivamente, o uso dos escravos nas lavouras de café de São Paulo.

3 **Complete** o quadro das revoltas regenciais.

Revoltas	Local	Época	Grupos revoltosos	Razões	Ação do governo
Cabanagem					
Revolta dos Malês					
Balaiada					
Revolução Farroupilha					
Revolução Praieira					

4 **Numere** cronologicamente os acontecimentos relacionados à expansão cafeeira no Brasil.

- [ ] A exemplo de outras lavouras de exportação, como a de cana-de-açúcar, o café, no oeste paulista, era cultivado em grande propriedades e com o emprego de escravos africanos. A região, porém, foi pioneira na modernização da mão de obra.
- [ ] A produção cafeeira em São Paulo foi impulsionada pela construção da primeira estrada de ferro paulista, a Santos-Jundiaí.
- [ ] Por iniciativa do senador Nicolau de Campos Vergueiro, realizou-se em sua fazenda de café em Limeira, interior paulista, a primeira experiência com o trabalho imigrante nos cafezais do Brasil.
- [ ] Na segunda metade do século XIX, os cafezais começaram a avançar para o oeste paulista, região que se transformou na mais rica e dinâmica do país.
- [ ] A ferrovia permitiu reduzir em vários dias o tempo de viagem das fazendas até o porto de Santos, contribuindo, assim, para baratear a produção, além de promover a ampliação da fronteira agrícola e estimular a formação de cidades.
- [ ] A produção de café em larga escala começou no Rio de Janeiro e de lá se espalhou pelo Vale do Paraíba fluminense e paulista.

5 **Preencha** o diagrama sobre a expansão cafeeira no Brasil.

A expansão cafeeira

- Importância econômica
  ____
  ____
- Organização da produção
  ____
  ____
- Principais regiões produtoras
  ____
  ____

Foi impulsionada pela expansão das ____________.

→ Impacto do desenvolvimento das ferrovias na província de São Paulo
  ____
  ____

6 **Complete** o diagrama com as expressões do quadro.

necessidade de aumentar seu mercado consumidor – tráfico interno – pressões inglesas – Bill Aberdeen – aumento do preço do escravo — Lei Eusébio de Queiroz

Abolição do tráfico negreiro

____

- O açúcar nas Antilhas britânicas perdeu competitividade
- Ideal humanista de setores da elite inglesa
- ____________

↓

____

↓

____

↓

- ____________
- ____________

CULTURA E COTIDIANO NO SEGUNDO REINADO

O FIM DO SEGUNDO REINADO

Termos e conceitos

Identidade nacional

Romantismo

Teorias raciais

Império

Movimento abolicionista

República

Guerra do Paraguai

1 **Assinale** as afirmativas que se referem às medidas tomadas pelo Império Brasileiro para alimentar o sentimento de identidade nacional no país.

- [ ] Realização de reformas na arquitetura da corte, introdução do bonde a tração animal e da iluminação a gás.
- [ ] Criação do Instituto Histórico e Geográfico Brasileiro (IHGB), em 1838.
- [ ] Realização de um concurso para premiar a melhor história produzida sobre a nação.
- [ ] Valorização do modo de vida da corte, com hábitos de se vestir, comer e se divertir inspirados no comportamento das pessoas das grandes capitais europeias.
- [ ] Apoio às investigações científicas sobre os recursos naturais do país e à arte romântica, que exaltava a natureza, a história e os indígenas.

2 **Escreva** três características do romantismo brasileiro.

1. ____

____

2. ____

____

3. ____

____

Guia de estudo

3 **Complete** o diagrama que sintetiza o processo de abolição da escravatura no Brasil.

Abolição da escravidão no Brasil

1850	1871	1885	Década de 1880	1888
Lei ________	Lei ________	Lei ________	________	Lei ________
________	________	________	________	________
________	________	________	________	________
________	________	________	________	________
________	________	________	________	________

4 **Complete** o diagrama que sintetiza as causas e os principais resultados da Guerra do Paraguai.

Disputas entre __________ __________ envolvendo questões de __________ e o direito de __________ no Rio Paraguai.

__________ do Brasil na política interna do __________, apoiando o grupo __________ do apoiado pelo Paraguai.

O __________ rompeu relações diplomáticas com o Brasil e __________ a província do __________.

Causas

Guerra do Paraguai

Resultados

Brasil

1. A __________ de cerca de 120 mil soldados, grande parte deles vítima da fome e de __________.
2. Aumento da __________ e do __________ com banqueiros __________, os mais __________ pelo conflito.
3. Fortalecimento do __________ na política brasileira.

Paraguai

1. A __________ foi reduzida a um quinto, a maior parte constituída de __________, crianças, mulheres e inválidos.
2. __________, perda de terras para o bloco __________ e endividamento externo.

5 **Identifique as causas que levaram à crise da monarquia e à proclamação da república no Brasil.**

Crise da monarquia no Brasil

____
____
____
____
____

____
____
____
____
____

____
____
____
____
____

____
____
____
____
____

Faça a conexão

6 **Leia** o texto e **responda** às questões.

"Assisti à entrevista coletiva em que Dunga (terça, 11/5[/2010]), cada vez mais parecido com seu homônimo, o anão teimoso de Branca de Neve, anunciou quem foi escolhido para defender nossa 'pátria de chuteiras' na Copa do Mundo na África do Sul. Senti falta, nesta coletiva em particular, de ver o Dunga vestindo a camisa da seleção brasileira. E pintou uma saudade do Felipão que, em situação similar, alguns anos atrás, batia no peito dizendo ser guerreiro e tendo atrás de si nada menos que a bandeira nacional.

Agora a bandeira nacional foi trocada por poluição visual da pior espécie – a sopa de logomarcas dos patrocinadores da CBF."

ARAÚJO, Washington. Pátria de chuteiras: a seleção de Dunga, 12 maio 2010. *Observatório da Imprensa*. Disponível em www.observatoriodaimprensa.com.br. Acesso em 16 nov. 2010.

a) O que significa a expressão "pátria de chuteiras"?

____

____

____

____

b) Você concorda com a opinião do Dunga? A seleção de futebol seria nossa pátria de chuteiras? **Debata** esse tema com seus colegas.

____

____

____

____

Fechando o capítulo 25

Sintetize

» **Observe** a imagem e **responda** às questões.

Moema, pintura de Victor Meirelles de Lima, c. 1865.

a) **Identifique** o movimento artístico a que pertence essa pintura. **Justifique.**

b) **Explique** o contexto histórico em que essa obra foi produzida.

Avalie

» **Marque** um X na coluna que melhor traduz o seu aprendizado sobre cada tema. Depois, **compare** este quadro com o que você preencheu no item "Antes de estudar o capítulo".

Temas principais do capítulo	Compreendi bem o tema.	Compreendi, mas tenho algumas dúvidas.	Tenho muitas dúvidas.
As revoltas e as tendências políticas do período regencial e do Segundo Reinado			
As transformações sociais e econômicas no Brasil da segunda metade do século XIX			
A identidade nacional brasileira			
O movimento abolicionista			
A Guerra do Paraguai			
O movimento republicano e a queda da monarquia			

Se você teve dificuldade para compreender algum desses temas, reveja as atividades do *Caderno do estudante* referentes a este capítulo e revise seu livro-texto. Caso seja necessário, peça ajuda a seu professor ou a um colega.

Moderna PLUS

HISTÓRIA
CONEXÕES

CADERNO DO ESTUDANTE
Parte I

Organizadora: Editora Moderna
Obra coletiva concebida, desenvolvida
e produzida pela Editora Moderna.
Editora Executiva:
Maria Raquel Apolinário

Coordenação editorial: Maria Raquel Apolinário
Elaboração de originais: Paulo Ferraz de C. Oliveira, Maria Raquel Apolinário
Edição de texto: Eduardo Augusto Guimarães
Coordenação de *design* e projetos visuais: Sandra Botelho de Carvalho Homma
Projeto gráfico: Everson de Paula, Marta Cerqueira Leite, Mariza Porto
Capas: Everson de Paula
Fotos: caixa do aluno e exemplar do professor: cópia da escultura *Apolo Belvedere*, original grego esculpido em mármore por Leochares (Leocarés), século IV a.C. © Randy Faris/Corbis/Latinstock; ruínas de templo na acrópole de Atenas, Grécia © De Agostini/Contributor/Getty Images
Parte I: *Ninfa com a concha*, escultura em mármore, séc. IV a.C. © Hervé Lewandowski/RMN/Other Images;
Parte II: coroa de dom Pedro II © Claus Meyer/Tyba – Museu Imperial/IPHAN/MinC;
Parte III: *Perfil do tempo*, escultura em bronze de Salvador Dalí, 1931 © Michael Nicholson/Corbis/Latinstock – Fundação Gala-Salvador Dalí.
Coordenação de produção gráfica: André Monteiro, Maria de Lourdes Rodrigues
Coordenação de arte: Wilson Gazzoni Agostinho
Edição de arte: Enriqueta Monica Meyer
Ilustrações: Cecília Iwashita, Gilmar
Editoração eletrônica: Grapho editoração
Coordenação de revisão: Elaine Cristina del Nero
Revisão: Ana Paula Luccisano, Denise de Almeida
Coordenação de pesquisa iconográfica: Ana Lucia Soares
Pesquisa iconográfica: Ana Claudia Fernandes, Carol Böck, Elaine Bueno, Etoile Shaw, Felipe Campos, Fernanda Siwiec, Leonardo de Sousa Klein, Odete Ernestina Pereira
Coordenação de *bureau*: Américo Jesus
Tratamento de imagens: Arleth Rodrigues, Bureau São Paulo, Fabio N. Precendo, Rubens M. Rodrigues
Pré-impressão: Helio P. de Souza Filho, Marcio Hideyuki Kamoto, Alexandre Petreca, Everton L. de Oliveira
Coordenação de produção industrial: Wilson Aparecido Troque

Dados Internacionais de Catalogação na Publicação (CIP)
(Câmara Brasileira do Livro, SP, Brasil)

Alves, Alexandre
Conexões com a História: volume único / Alexandre Alves, Letícia Fagundes de Oliveira. — São Paulo: Moderna, 2010.

1. História (Ensino médio) I. Oliveira, Letícia Fagundes de. II. Título.

10-07444 CDD-907

Índices para catálogo sistemático:
1. História : Ensino médio 907

ISBN 978-85-16-06773-1 (LA)
ISBN 978-85-16-06774-8 (LP)

EDITORA MODERNA LTDA.
Rua Padre Adelino, 758 - Belenzinho
São Paulo - SP - Brasil - CEP 03303-904
Vendas e Atendimento: Tel. (0_ _11) 2602-5510
Fax (0_ _11) 2790-1501
www.moderna.com.br
2015
Impresso na China

1 3 5 7 9 10 8 6 4 2

Apresentação

Caro estudante

Este material foi produzido para auxiliá-lo em seus estudos. A proposta do *Caderno do estudante* é orientá-lo a fazer um fichamento do livro-texto com base na seleção, no resumo e na organização dos principais conteúdos e conceitos. Para isso, este *Caderno* está organizado em capítulos correspondentes aos do livro-texto.

No início de cada capítulo há uma ficha para você registrar o seu conhecimento prévio a respeito dos temas estudados e atividades relacionadas aos termos e conceitos centrais do capítulo.

Em seguida, há atividades correspondentes às Seções do livro-texto. Essas atividades exercitam a compreensão dos termos e conceitos destacados no livro-texto e a aplicação desse aprendizado na leitura de novos recursos textuais e iconográficos.

Especialmente nas atividades da seção Guia de estudo deste *Caderno* há um programa de trabalho com organizadores gráficos, uma ferramenta de aprendizagem que estimula a memória visual e a compreensão dos conteúdos.

No final de cada capítulo você vai realizar uma proposta de síntese e avaliar o seu aprendizado dos temas principais do capítulo.

O seu *Caderno do estudante* pode ser usado para rever o conteúdo estudado em aula e também como material de estudo e revisão para as avaliações.

Bons estudos!

Organização do *Caderno*

A. Antes de estudar o capítulo

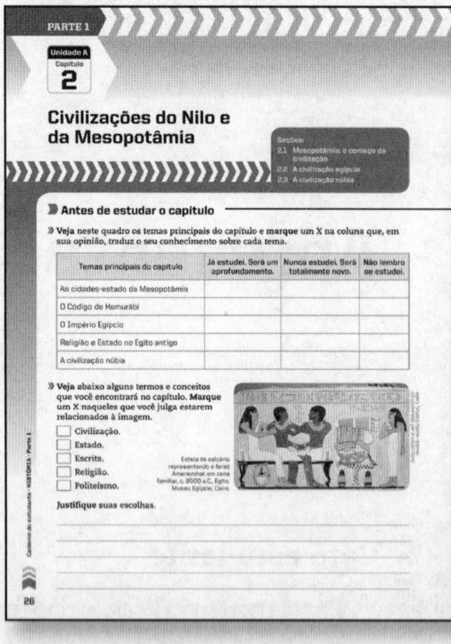
PARTE 1

Unidade A

Capítulo

2

Civilizações do Nilo e da Mesopotâmia

Antes de estudar o capítulo

» Veja neste quadro os temas principais do capítulo e marque um X na coluna que, em sua opinião, traduz o seu conhecimento sobre cada tema.

Temas principais do capítulo	Já estudei. Será um aprofundamento.	Nunca estudei. Será totalmente novo.	Não lembro se estudei.
As cidades-estado da Mesopotâmia			
O Código de Hamurábi			
O Império Egípcio			
Religião e Estado no Egito antigo			
A civilização núbia			

» Veja abaixo alguns termos e conceitos que você encontrará no capítulo. Marque um X naqueles que você julga estarem relacionados à imagem.

- [ ] Civilização.
- [ ] Estado.
- [ ] Escrita.
- [ ] Religião.
- [ ] Politeísmo.

Justifique suas escolhas.

26

Na primeira página de cada capítulo, você vai avaliar o seu conhecimento prévio sobre os principais temas que serão abordados e apontar as dificuldades que pensa encontrar ao estudar o livro-texto. Explorando uma imagem ou um pequeno texto, você poderá avaliar o que sabe sobre os termos e os conceitos que serão estudados no capítulo.

B. Após estudar cada Seção do capítulo

Após o estudo de cada Seção do livro-texto, você vai fazer, com a ajuda do *Caderno do estudante*, um **fichamento** dos conteúdos abordados e **aplicar** o aprendizado desses conteúdos na compreensão de novas leituras textuais e visuais.

O fichamento dos conteúdos e a aplicação do aprendizado serão feitos em **quatro** momentos.

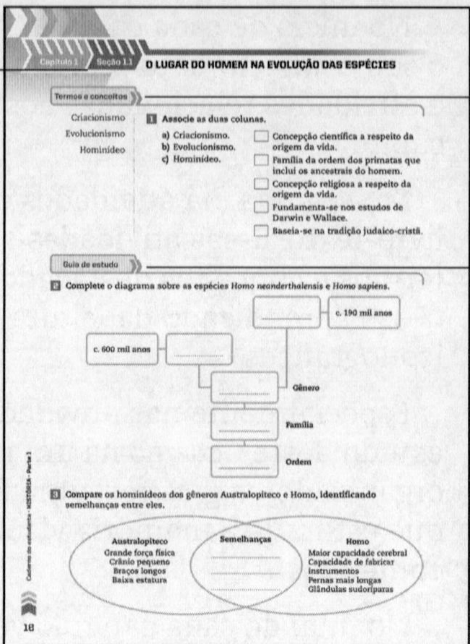
Capítulo 1 Seção 1.1 O LUGAR DO HOMEM NA EVOLUÇÃO DAS ESPÉCIES

Termos e conceitos

Criacionismo

Evolucionismo

Hominídeo

1 Associe as duas colunas.

a) Criacionismo.

b) Evolucionismo.

c) Hominídeo.

- [ ] Concepção científica a respeito da origem da vida.
- [ ] Família da ordem dos primatas que inclui os ancestrais do homem.
- [ ] Concepção religiosa a respeito da origem da vida.
- [ ] Fundamenta-se nos estudos de Darwin e Wallace.
- [ ] Baseia-se na tradição judaico-cristã.

Guia de estudo

2 Complete o diagrama sobre as espécies *Homo neanderthalensis* e *Homo sapiens*.

c. 190 mil anos

c. 600 mil anos

Gênero

Família

Ordem

3 Compare os hominídeos dos gêneros Australopiteco e Homo, identificando semelhanças entre eles.

Australopiteco: Grande força física; Crânio pequeno; Braços longos; Baixa estatura

Semelhanças

Homo: Maior capacidade cerebral; Capacidade de fabricar instrumentos; Pernas mais longas; Glândulas sudoríparas

18

Termos e conceitos

Você vai **identificar** e **compreender** os termos e os conceitos mais importantes de cada Seção.

Guia de estudo

As atividades desta seção permitem **retomar** e **sintetizar** os conteúdos centrais do livro-texto. Com o suporte dos **organizadores gráficos**, você vai compreender os conhecimentos históricos e organizá-los em estruturas coerentes para cada tipo de relação estabelecida entre eles: subordinação, causa e efeito, comparação, sequência etc.

Faça a conexão
As atividades deste tipo possibilitam fazer **conexões** entre os conteúdos estudados na Seção e novos textos e recursos visuais, além de propor diálogos com outros conhecimentos.

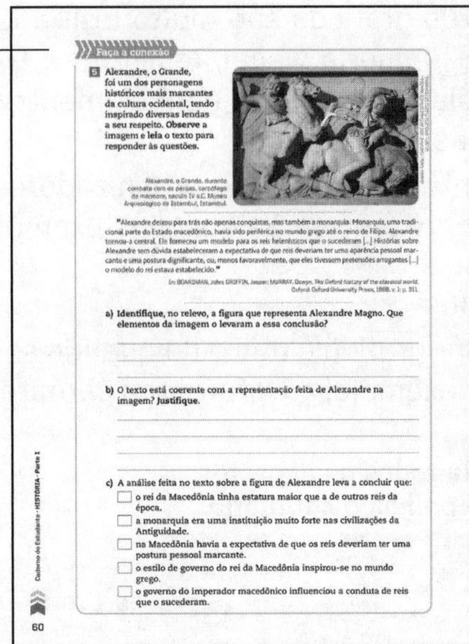

Faça a conexão

5 **Alexandre, o Grande, foi um dos personagens históricos mais marcantes da cultura ocidental, tendo inspirado diversas lendas a seu respeito. Observe a imagem e leia o texto para responder às questões.**

Alexandre, o Grande, durante combate com os persas, sarcófago de mármore, século IV a.C. Museu Arqueológico de Istambul, Istambul.

"Alexandre deixou para trás não apenas conquistas, mas também a monarquia. Monarquia, uma tradicional parte do Estado macedônico, havia sido periférica no mundo grego até o reino de Filipe. Alexandre tornou-a central. Ele forneceu um modelo para os reis helenísticos que o sucederam [...] Histórias sobre Alexandre sem dúvida estabeleceram a expectativa de que reis deveriam ter uma aparência pessoal marcante e uma postura dignificante, ou, menos favoravelmente, que eles tivessem pretensões arrogantes [...] o modelo do rei estava estabelecido."

In: BOARDMAN, John; GRIFFIN, Jasper; MURRAY, Oswyn. *The Oxford history of the classical world.* Oxford: Oxford University Press, 1988. v. 1. p. 311.

a) Identifique, no relevo, a figura que representa Alexandre Magno. Que elementos da imagem o levaram a essa conclusão?

b) O texto está coerente com a representação feita de Alexandre na imagem? Justifique.

c) A análise feita no texto sobre a figura de Alexandre leva a concluir que:
- [ ] o rei da Macedônia tinha estatura maior que a de outros reis da época.
- [ ] a monarquia era uma instituição muito forte nas civilizações da Antiguidade.
- [ ] na Macedônia havia a expectativa de que os reis deveriam ter uma postura pessoal marcante.
- [ ] o estilo de governo do rei da Macedônia inspirou-se no mundo grego.
- [ ] o governo do imperador macedônico influenciou a conduta de reis que o sucederam.

Caderno do Estudante · HISTÓRIA · Parte 1

60

C. Após estudar o capítulo

ıtetize
ıi você vai realizar ıidades para **sintetizar** onteúdo central udado no capítulo.

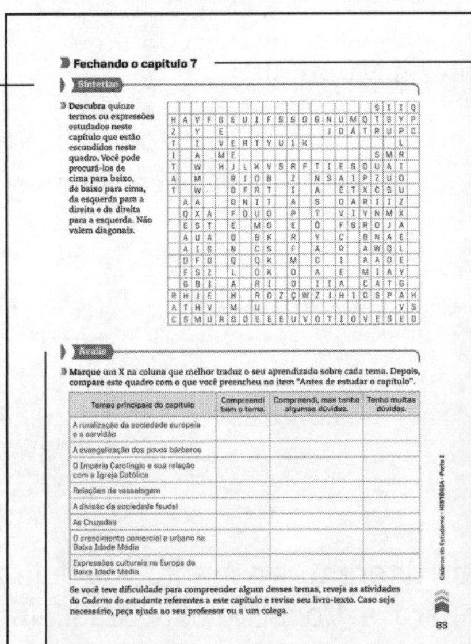

Fechando o capítulo 7

Sintetize

Descubra quinze termos ou expressões estudados neste capítulo que estão escondidos neste quadro. Você pode procurá-los de cima para baixo, de baixo para cima, da esquerda para a direita e da direita para a esquerda. Não valem diagonais.

Avalie

Marque um X na coluna que melhor traduz o seu aprendizado sobre cada tema. Depois, compare este quadro com o que você preencheu no item "Antes de estudar o capítulo".

Temas principais do capítulo	Compreendi bem o tema.	Compreendi, mas tenho algumas dúvidas.	Tenho muitas dúvidas.
A ruralização da sociedade europeia e a servidão			
A evangelização dos povos bárbaros			
O Império Carolíngio e sua relação com a Igreja Católica			
Relações de vassalagem			
A divisão da sociedade feudal			
As Cruzadas			
O crescimento comercial e urbano na Baixa Idade Média			
Expressões culturais na Europa da Baixa Idade Média			

Se você teve dificuldade para compreender algum desses temas, reveja as atividades do *Caderno do estudante* referentes a este capítulo e revise seu livro-texto. Caso seja necessário, peça ajuda ao seu professor ou a um colega.

Caderno do Estudante · HISTÓRIA · Parte 1

83

A seção **Fechando o capítulo** tem um momento de síntese e outro de autoavaliação.

Avalie
Neste quadro, você vai **avaliar** o seu aprendizado e **identificar** os conteúdos que precisam ser revisados.

A função dos organizadores gráficos

Os organizadores gráficos são muito utilizados nas atividades do *Caderno do estudante*. Eles estimulam a memória visual, facilitam a fixação dos conceitos e permitem que você compreenda as relações entre os conhecimentos históricos e reconheça a melhor estrutura para representá-las.

Existem diferentes **formatos** de organizadores gráficos para cada tipo de conteúdo ou de informação que representam. Veja alguns exemplos a seguir.

1. Rede de tópicos

Este organizador gráfico é utilizado quando existe uma ideia central que une outras ideias diferentes. Por exemplo, as diferentes características dos regimes totalitários.

2. Classificação

Esse formato de organizador gráfico é utilizado para demonstrar que algo pertence a determinada categoria. O exemplo abaixo informa a categoria de países a que pertenciam quatro capitais europeias na Primeira Guerra Mundial.

3. Comparação

O organizador gráfico nesse formato compara diferentes aspectos de dois ou mais conceitos ou acontecimentos. Neste caso, ele compara a Constituição Brasileira de 1824 com a Constituição de 1988.

	Constituição de 1824	Constituição de 1988
Forma de governo instituída	Monarquia	República
Chefe de Estado	Imperador	Presidente
Modelo de voto	Censitário	Secreto e obrigatório para todos os brasileiros entre 18 e 70 anos
Religião oficial	Católica	Não há

4. Semelhanças e diferenças

Esse tipo de organizador representa diferenças e semelhanças entre dois ou mais elementos. As características semelhantes ficam na intersecção entre os dois círculos; as diferentes ficam nos espaços correspondentes a cada um dos círculos. No exemplo, as diferenças e as semelhanças entre o marxismo e o anarquismo.

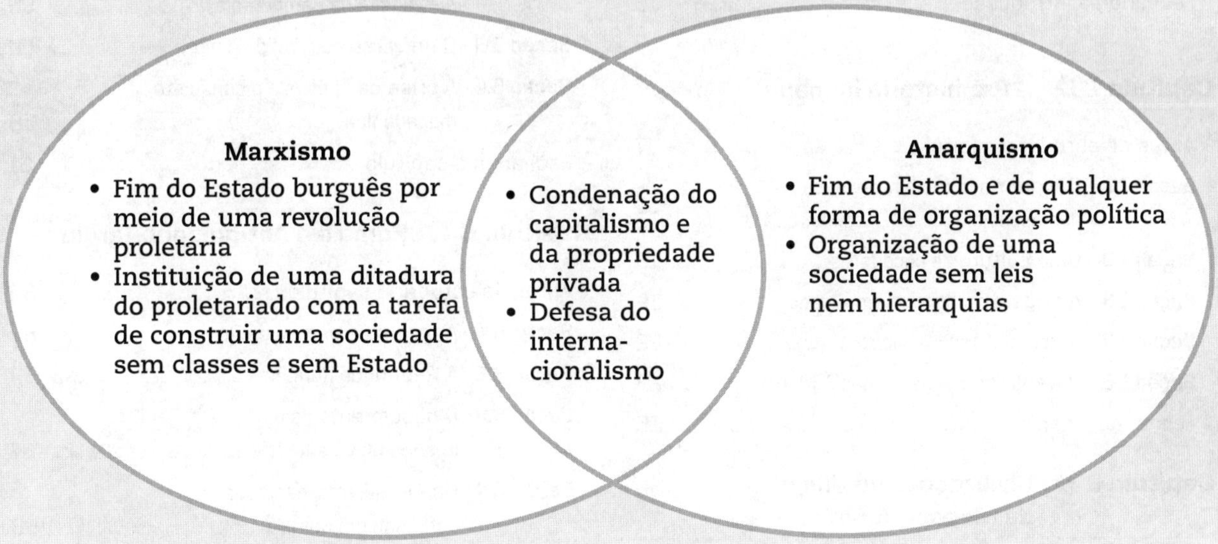

5. Processo

O organizador gráfico de processo traz uma sequência de caixas ligadas por setas. As setas indicam que um fato sucede a outro. Neste caso, são as etapas da Revolução Francesa.

6. Relação de causa e efeito

Esse modelo de organizador gráfico mostra uma relação de causa e efeito. Neste exemplo, temos as causas que levaram à queda da monarquia no Brasil.

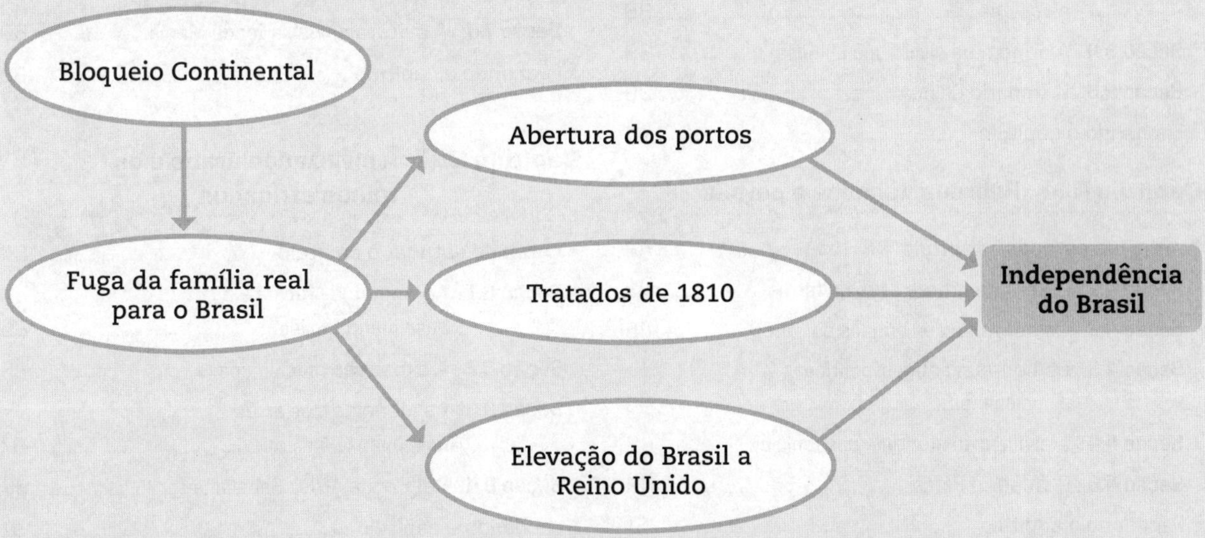

Sumário

Introdução

A produção do conhecimento histórico

Seções:
I.1 A história e o historiador
I.2 Tempo, memória e história

Antes de estudar a Introdução

» **Veja** neste quadro os temas principais da Introdução e **marque** um X na coluna que, em sua opinião, traduz o seu conhecimento sobre cada tema.

Temas principais do capítulo	Já estudei. Será um aprofundamento.	Nunca estudei. Será totalmente novo.	Não lembro se estudei.
O sentido do estudo da história			X
A evolução da ciência histórica no tempo		X	
A produção do conhecimento histórico		X	
Percepção e organização social do tempo	X		

» **Veja** abaixo alguns termos e conceitos que você encontrará na Introdução. **Marque** um X naqueles que você julga estarem relacionados à imagem.

- [X] Fonte histórica.
- [X] Sujeito histórico.
- [X] Patrimônio histórico.
- [ ] Os tempos da história.
- [ ] Diversidade de culturas.
- [X] Memória.

ERNST HAAS/GETTY IMAGES

Mulher mostra fotografia de um soldado, provavelmente filho ou marido, a um prisioneiro de guerra que retorna a Viena. Áustria, 1947. Na Europa do pós-guerra, os familiares de soldados que lutavam no conflito viam nos combatentes que retornavam um meio de obter informações sobre seus parentes.

Justifique suas escolhas.

Ele mostra uma foto de como foi a época e é antiga e por isso é um patrimônio.

A HISTÓRIA E O HISTORIADOR

Termos e conceitos

História
Fonte histórica
Sujeito histórico

1 **Leia este trecho de uma carta escrita por ocasião da chegada dos portugueses ao Brasil, em 1500, e identifique os sujeitos da história e a fonte histórica.**

"[...] um deles [dos indígenas] fixou o olhar no colar do capitão [Pedro Álvares Cabral] e começou a acenar com as mãos para a terra e depois novamente para o colar, como se quisesse nos dizer que lá na terra havia ouro. Depois, fixou o olhar num castiçal de prata e, do mesmo modo, acenava para a terra e novamente para o castiçal, como se quisesse dizer que lá também havia prata."

CAMINHA, Pero Vaz de. *A carta de Pero Vaz de Caminha*. 2. ed. Reprodução fac-similar do manuscrito com leitura justalinear de Antônio Geraldo da Cunha e outros. São Paulo: Humanitas, 2001. p. 37.

a) Sujeitos da história: Índios e Pedro Álvares Cabral

b) Fonte histórica: Carta de Pero Vaz.

2 **Como o escrivão Pero Vaz de Caminha interpretou o comportamento dos indígenas? O historiador, ao estudar o episódio, faria a mesma interpretação? Justifique.**

Sim. Sim por causa que era para informalo o que tinha lá.

Guia de estudo

3 **Caracterize a história como ciência, preenchendo o diagrama abaixo.**

História

- Definição: Explicar e relembrar fatos acontecidos.
- Propósito: ensinar e informar sobre assuntos antigos.
- Fontes históricas: fotos, cartas, documentos
- Sujeitos da história: Escravos, reis.

4 **Compare** a maneira como a história era produzida e ensinada nas escolas nos dois momentos mostrados neste quadro.

	Séculos XIX e XX	Séculos XX e XXI
Temas centrais pesquisados	Tipo Iluminismo.	1º e 2º guerra mundial.
Fontes históricas utilizadas	documentos.	fotos, documentos.
Sujeitos históricos	Reis, generais, papas e outros "heróis"	soldados e civis

5 **Complete** a classificação abaixo de acordo com as novas abordagens incorporadas pelo estudo da história no século XX.

Novas abordagens da história

História oral

- Sujeito: soldados e civis
- Objeto de estudo: As 1º e 2º guerra
- Fontes: pessoas idosas

História das mentalidades

- Sujeito: soldados e civis
- Objeto de estudo: pessoas desaparecidas
- Fontes: pessoas idosas

TEMPO, MEMÓRIA E HISTÓRIA

Termos e conceitos

Tempo
Memória
Período histórico

1 **Leia** o texto abaixo referente ao conceito de memória e **responda** às questões.

"A memória é essencialmente seletiva. [...] Só guardamos o que tem significado. Se eu perguntar a todos aqui o que aconteceu no dia 3 de setembro de 2002, a não ser que seja o aniversário de alguém ou um dia especialmente marcado por um evento significativo, ninguém será capaz de lembrar. Mas se eu perguntar o que aconteceu no dia 11 de setembro de 2001, é bem possível que grande parte das pessoas se lembre das torres gêmeas, um evento que se tornou profundamente significativo na memória coletiva de nossa sociedade. Ter significado para uma sociedade ou para um indivíduo é também bastante relativo [...]. Pois só percebemos e damos significado àquilo que estamos pré-preparados para dar. Por isso, memória é tradição. É nosso esforço de manutenção. Nossa identidade baseia-se, em grande parte, no conjunto de memórias filtradas ao longo de nossa existência. Assim, memória é permanência e não transformação."

WORCMAN, Karen. Transformação, memória e história. Museu da Pessoa. Disponível em www.museudapessoa.net. Acesso em 26 jul. 2010.

a) **Defina** a palavra memória.

Guarda lembranças.

b) Por que, segundo a autora, a memória é essencialmente seletiva?

Por causa que ela só lembra de assuntos importantes.

c) **Cite** dois acontecimentos que fazem parte da memória coletiva dos brasileiros e dois que fazem parte da sua memória individual.

Ditadura, Copa de 2014.

2 **Observe** a imagem e **explique** por que o acontecimento que a foto representa pode assinalar o início de um novo período.

SEAN ADAIR/REUTERS/LATINSTOCK

Colisão de avião na torre sul do World Trade Center (Torres Gêmeas) durante ataque terrorista. Nova York, Estados Unidos, 11 de setembro de 2001.

Por causa após a procura dos terroristas.

Guia de estudo

3 **Explique** a relação que o historiador estabelece com o passado a partir do presente, **completando** o diagrama.

Presente: Os fatos do presente cont

História

Passado: são influênciadas pelos do passado.

4 **Preencha** o esquema abaixo, **descrevendo** a origem e os usos do calendário.

Origem: Não possuia modo de contar o tempo.

Calendário
Divisão do tempo em períodos que se repetem de forma cíclica a partir de um marco comum

Usos: para se contar hora e dias.

Faça a conexão

5 **Leia trechos de uma letra de música e um poema para responder às questões.**

Sinal fechado

"Olá como vai?
Eu vou indo e você, tudo bem?
Tudo bem eu vou indo correndo
Pegar meu lugar no futuro, e você?
Tudo bem, eu vou indo em busca
De um sono tranquilo, quem sabe...
Quanto tempo... Pois é
Quanto tempo
Me perdoe a pressa
É a alma dos nossos negócios
Oh, não tem de quê
Eu também só ando a cem
Quando é que você telefona?
Precisamos nos ver por aí
Pra semana prometo talvez nos vejamos
Quem sabe?
Quanto tempo... Pois é
Quanto tempo.
[...]
Por favor, telefone, eu preciso
Beber alguma coisa, rapidamente
Pra semana
O sinal...
Eu espero você
Vai abrir...
Por favor, não esqueça,
Adeus..."

VIOLA, Paulinho da. *Sinal fechado*, 1969.

Cidadezinha qualquer

"Casas entre bananeiras
Mulheres entre laranjeiras
Pomar amor cantar.
Um homem vai devagar.
Um cachorro vai devagar.
Um burro vai devagar.
Devagar... as janelas olham.
Eta vida besta, meu Deus."

ANDRADE, Carlos Drummond de. *Alguma poesia*. 7. ed. Rio de Janeiro: Record, 2005. p. 71.

a) Como a passagem do tempo é vivenciada nas duas situações? Destaque elementos da canção e do poema que confirmem sua resposta.

Os dias de hoje são mais corridos, e antes eram mais pacatos

b) Quais recursos estilísticos e gramaticais os poetas utilizam em cada caso para acentuar essa percepção distinta da passagem do tempo?

quase sem nenhuma acentuação.

c) Que tipos de ambiente a letra da canção e o poema caracterizam?

1º trânsito, 2º lugar pacato

Fechando a Introdução

Sintetize

» **Elabore** um texto-síntese sobre a importância da história, utilizando os termos do quadro abaixo.

tempo – passado – historiador – fontes históricas – história

A história é repleta de assuntos incríveis, que são considerados fontes históricas, que o historiador descobre o que aconteceu no passado em determinado tempo.

Avalie

» **Marque** um X na coluna que melhor traduz o seu aprendizado sobre cada tema. Depois, **compare** este quadro com o que você preencheu no item "Antes de estudar a Introdução".

Temas principais do capítulo	Compreendi bem o tema.	Compreendi, mas tenho algumas dúvidas.	Tenho muitas dúvidas.
O sentido do estudo da história		X	
A evolução da ciência histórica no tempo	X		
A produção do conhecimento histórico			X
Percepção e organização social do tempo	X		

Se você teve dificuldade para compreender algum desses temas, reveja as atividades do *Caderno do estudante* referentes à Introdução e revise seu livro-texto. Caso seja necessário, peça ajuda ao seu professor ou a um colega.

Unidade A
Capítulo
1

A Pré-história humana

Seções:
- 1.1 O lugar do homem na evolução das espécies
- 1.2 Uma cultura de caçadores
- 1.3 A origem do homem americano
- 1.4 A Pré-história brasileira
- 1.5 O Neolítico e a Revolução Agrícola

Antes de estudar o capítulo

» **Veja** neste quadro os temas principais do capítulo e **marque** um X na coluna que, em sua opinião, traduz o seu conhecimento sobre cada tema.

Temas principais do capítulo	Já estudei. Será um aprofundamento.	Nunca estudei. Será totalmente novo.	Não lembro se estudei.
Origem e evolução da espécie humana	X		
A vida humana no Paleolítico			X
Origem do homem americano	X		
Culturas pré-históricas no Brasil		X	
A Revolução Agrícola e as mudanças na vida humana	X		

» **Veja** abaixo alguns termos e conceitos que você encontrará no capítulo. **Marque** um X naqueles que você julga estarem relacionados à imagem.

- [X] Pré-história.
- [ ] *Homo sapiens*.
- [X] Sítio arqueológico.
- [ ] Arte rupestre.
- [X] Idade dos Metais.
- [X] Cultura ceramista.
- [X] Sambaqui.

DANIEL CONZI/TEMPO EDITORIAL

Sambaqui Garopaba do Sul, no município de Jaguaruna, Santa Catarina. Os sambaquis são depósitos de moluscos, ossos e conchas, produzidos pela ação humana há milhares de anos e conservados pela fossilização.

Justifique suas escolhas.

Por causa que são seres que viveram a bilhões de anos.

O LUGAR DO HOMEM NA EVOLUÇÃO DAS ESPÉCIES

Termos e conceitos

Criacionismo
Evolucionismo
Hominídeo

1 **Associe** as duas colunas.

a) Criacionismo.
b) Evolucionismo.
c) Hominídeo.

[c] Concepção científica a respeito da origem da vida.
[a] Família da ordem dos primatas que inclui os ancestrais do homem.
[c] Concepção religiosa a respeito da origem da vida.
[b] Fundamenta-se nos estudos de Darwin e Wallace.
[c] Baseia-se na tradição judaico-cristã.

Guia de estudo

2 **Complete** o diagrama sobre as espécies *Homo neanderthalensis* e *Homo sapiens*.

c. 180 mil anos — c. 190 mil anos

c. 600 mil anos — c 500 mil anos

Varido — Gênero

homem e mulher — Família

tamanho — Ordem

3 **Compare** os hominídeos dos gêneros Australopiteco e Homo, **identificando** semelhanças entre eles.

Australopiteco	Semelhanças	Homo
Grande força física Crânio pequeno Braços longos Baixa estatura	divisão por sexo.	Maior capacidade cerebral Capacidade de fabricar instrumentos Pernas mais longas Glândulas sudoríparas

UMA CULTURA DE CAÇADORES
A ORIGEM DO HOMEM AMERICANO

Termos e conceitos

Pré-história
Paleolítico
Gênero Homo
Arte rupestre
Teoria Clovis
Sítio arqueológico

1 **Assinale** a alternativa correta em cada caso.

a) O período da história humana que se convencionou chamar de Pré-história:

- [ ] tem como marco inicial a descoberta do fogo e como marco final a invenção da escrita.
- [ ] tem como marco inicial o surgimento dos primeiros hominídeos que adotaram a postura ereta e como marco final a Idade dos Metais.
- [ ] é o período mais longo da história da humanidade.

b) Vistos do presente, os primeiros artefatos fabricados pelo homem parecem rudimentares. Mas eles representam uma verdadeira revolução, porque:

- [ ] inauguram a chamada Idade da Pedra, mais especificamente, o Neolítico.
- [ ] constituem o divisor de águas entre o mundo da natureza e o mundo da cultura.
- [ ] permitiram aos representantes do gênero Homo derrotarem seus rivais do gênero Australopiteco.

c) Entre a fabricação dos primeiros instrumentos de pedra e a criação das primeiras pinturas rupestres decorreram quase 2,5 milhões de anos. O surgimento dessa forma de expressão artística atesta que os homens pré-históricos:

- [ ] tinham ultrapassado a fase de mera luta pela sobrevivência.
- [ ] passaram a dedicar-se menos à conquista de alimento.
- [ ] perderam o interesse pela linguagem escrita.

d) **Leia** as seguintes definições do termo "teoria" segundo o *Novo dicionário Aurélio* e **identifique** aquela que melhor se encaixa no contexto da origem do homem no continente americano.

- [ ] Conjunto de princípios fundamentais duma arte ou duma ciência.
- [ ] Noções gerais; generalidades.
- [ ] Suposição, hipótese.
- [ ] Utopia, quimera.

FERREIRA, Aurélio Buarque de Holanda. *Novo dicionário Aurélio da língua portuguesa*. 2. ed. Rio de Janeiro: Nova Fronteira, 1986. p. 1664.

2 **Preencha** o quadro com as principais características das espécies do gênero Homo indicadas.

	Homo habilis	*Homo erectus*	*Homo neanderthalensis*	*Homo sapiens*
Quando surgiu				
Conquistas tecnológicas				
Moradias				
Manifestações artísticas e espirituais				

3 **Complete** o quadro comparativo das teorias sobre a origem do homem no continente americano e **explique** por que elas foram e continuam sendo reformuladas com o passar do tempo.

Início do século XX	Meados do século XX	Início do século XXI
• O homem chegou à América procedente ____________ depois de atravessar o ____________.	• O homem chegou à América procedente da ____________ depois de atravessar o ____________.	• O homem chegou à América através de ____________ ondas migratórias procedentes da ____________ e da ____________.

____

____

____

____

4 O diagrama a seguir representa as etapas do trabalho do arqueólogo. **Complete-o** com as duas setas que faltam e **preencha** as lacunas, resumindo o processo descrito.

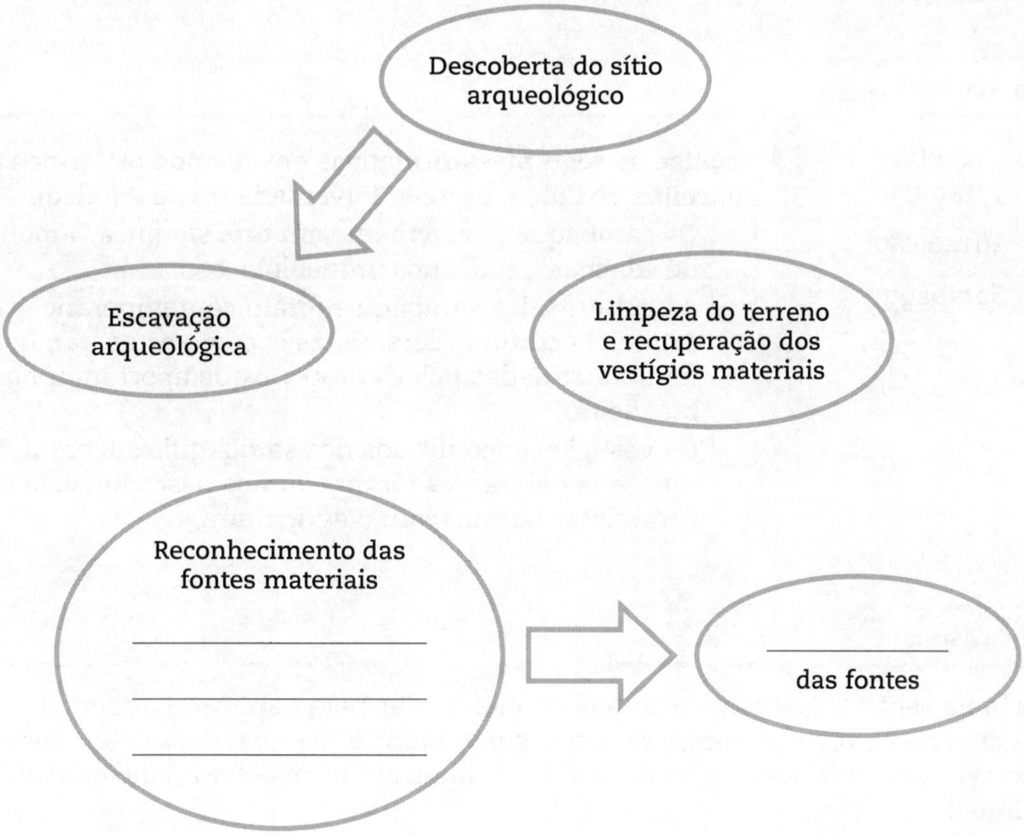

Faça a conexão

5 **Leia** este depoimento da arqueóloga Niède Guidon sobre as pesquisas que ela realiza no Parque Nacional Serra da Capivara, no estado do Piauí, e **sublinhe** os elementos que não deixam dúvida sobre a autoria humana dos vestígios arqueológicos encontrados. Em seguida, **aponte** o problema que, segundo ela, ameaça atualmente a continuidade das pesquisas.

"Esta região [...] tinha uma grande quantidade de sítios, com pinturas, gravuras e nas escavações encontramos sempre sepulturas. [...] São sítios preciosos para a arqueologia brasileira. Infelizmente eles estão numa zona de calcário, e durante uns vinte anos esse calcário foi explorado ilegalmente para fazer cal."

GUIDON, Niède. Parque Nacional Serra da Capivara: sítios rupestres e problemática. Disponível em www.fundham.org.br. Acesso em 28 jun. 2010.

A PRÉ-HISTÓRIA BRASILEIRA

Termos e conceitos

Cultura ceramista

Tradição

Sambaqui

1 **Analise** as seguintes afirmativas envolvendo os termos e conceitos ao lado e **escreva V** (verdadeiro) ou **F** (falso).

☐ Os sambaquis, palavra que em tupi significa "amontoado de conchas", são sítios arqueológicos.

☐ As culturas dos sambaquis foram contemporâneas das primeiras culturas ceramistas e, como estas, também foram dizimadas pelos europeus que aportaram na costa brasileira.

☐ Os vestígios encontrados nos sambaquis sugerem que seus habitantes foram exímios pescadores. Já os ceramistas dominavam a agricultura.

Guia de estudo

2 **Releia** na seção 1.3 as diferentes teorias elaboradas para explicar a origem do homem americano e as **compare**. Em seguida **identifique** qual dessas teorias tende a ser refutada pela descoberta de "Luzia", o mais antigo fóssil humano encontrado no Brasil.

	Teoria Clóvis O homem chegou à América procedente da Ásia cerca de 12 mil anos atrás.
	Teoria proposta por Walter Neves O homem chegou à América após sucessivas levas migratórias procedentes da Ásia, da Oceania e de ilhas do Pacífico.
	Teoria proposta por Niède Guidon O homem chegou ao Brasil e à América do Sul há mais de 50 mil anos procedente de ilhas do Pacífico.

3 **Complete** o diagrama, **sintetizando** os tipos, as características específicas e os usos das peças de cerâmica do Brasil pré-histórico.

O NEOLÍTICO E A REVOLUÇÃO AGRÍCOLA

Termos e conceitos

Neolítico

Revolução Agrícola

Especialização do trabalho

Idade dos Metais

Estado

1 **Escreva** [1] para os acontecimentos relacionados ao Paleolítico e [2] para os do Neolítico.

[ ] Foi menos extenso do que o anterior, mas as transformações econômicas, sociais e culturais foram muito mais profundas.

[ ] Um dos mais importantes acontecimentos do período foi a descoberta da agricultura.

[ ] O período, o mais extenso da história humana, foi marcado pela fabricação dos primeiros artefatos e pela descoberta do fogo.

[ ] Nesse período teve início a divisão do trabalho, e formaram-se os primeiros Estados.

[ ] Há indícios de que houve, neste período, a convivência do *Homo neanderthalensis* com o *Homo sapiens*.

2 **Defina** os termos a seguir.

a) Revolução Agrícola.

____

____

____

____

____

____

____

____

b) Especialização do trabalho.

____

____

____

____

____

____

____

____

Guia de estudo

3 **Complete** o diagrama de causa e efeito abaixo, **sintetizando** os principais aspectos da Revolução Agrícola.

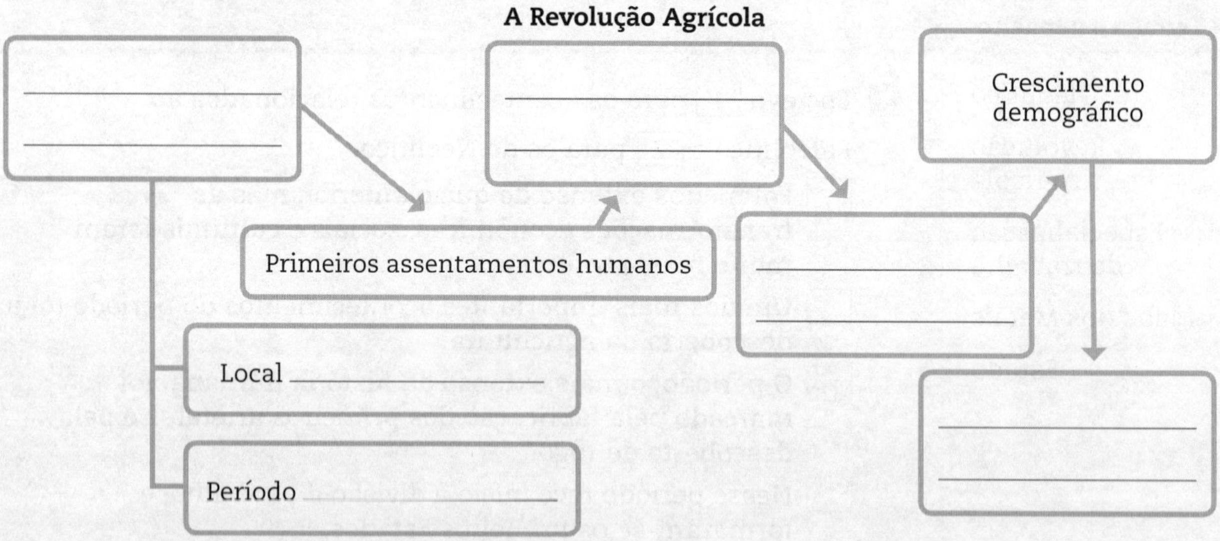

Faça a conexão

4 **Leia abaixo a descrição de duas cenas do filme 2001–*Uma odisseia no espaço*, do diretor Stanley Kubrick (Estados Unidos, 1968), e relacione-as entre si.**

Primeira cena

Com o auxílio de um osso, um hominídeo golpeia um conjunto de ossos que se encontra à sua frente, fazendo-os se chocarem entre si. No auge de seu movimento, o hominídeo solta um urro e lança seu "instrumento" para o alto.

EVERETT COLLECTION/KEYSTOCK

Segunda cena

O osso dá lugar a uma nave espacial futurista. No seu interior, uma equipe de astronautas e um computador de bordo de última geração. A partir daí, se estabelece o dilema: os homens dominam a máquina ou é ela que está fadada a dominá-los?

EVERETT COLLECTION/KEYSTOCK

Cenas do filme *2001 – Uma odisseia no espaço* (Estados Unidos, 1968), do diretor Stanley Kubrick.

Fechando o capítulo 1

Sintetize

» **Resuma** os conceitos aprendidos no capítulo, **preenchendo** o esquema a seguir.

Pré-história

- Período ____________
  - Continente de origem ____________
  - Duração aproximada ____________
  - Modo de vida dos seres humanos ____________
- Período ____________
  - Local de origem ____________
  - Início ____________
  - Modo de vida dos seres humanos ____________

» **Resuma** o que você entendeu sobre os sambaquis, destacando: o que são eles, que tipos de objetos foram encontrados no local, como viviam seus moradores e a principal dúvida que intriga os estudiosos.

____

____

____

____

____

Avalie

» **Marque** um X na coluna que melhor traduz o seu aprendizado sobre cada tema. Depois, **compare** este quadro com o que você preencheu no item "Antes de estudar o capítulo".

Temas principais do capítulo	Compreendi bem o tema.	Compreendi, mas tenho algumas dúvidas.	Tenho muitas dúvidas.
Origem e evolução da espécie humana			
A vida humana no Paleolítico			
Origem do homem americano			
Culturas pré-históricas no Brasil			
A Revolução Agrícola e as mudanças na vida humana			

Se você teve dificuldade para compreender algum desses temas, reveja as atividades do *Caderno do estudante* referentes a este capítulo e revise seu livro-texto. Caso seja necessário, peça ajuda ao seu professor ou a um colega.

Unidade A
Capítulo
2

Civilizações do Nilo e da Mesopotâmia

Seções:

Antes de estudar o capítulo

» **Veja** neste quadro os temas principais do capítulo e **marque** um X na coluna que, em sua opinião, traduz o seu conhecimento sobre cada tema.

Temas principais do capítulo	Já estudei. Será um aprofundamento.	Nunca estudei. Será totalmente novo.	Não lembro se estudei.
As cidades-estado da Mesopotâmia			
O Código de Hamurábi			
O Império Egípcio			
Religião e Estado no Egito antigo			
A civilização núbia			

» **Veja** abaixo alguns termos e conceitos que você encontrará no capítulo. **Marque** um X naqueles que você julga estarem relacionados à imagem.

- [ ] Civilização.
- [ ] Estado.
- [ ] Escrita.
- [ ] Religião.
- [ ] Politeísmo.

Estela de calcário representando o faraó Amenemhat em cena familiar, c. 2000 a.C., Egito. Museu Egípcio, Cairo.

Justifique suas escolhas.

____

____

____

____

____

MESOPOTÂMIA: O COMEÇO DA CIVILIZAÇÃO

Termos e conceitos

Civilização
Escrita
Cidade-estado
Império

1 **Preencha** as lacunas com termos e conceitos do livro-texto.

a) Registro das atividades econômicas e políticas. ____________

b) Unidade política autônoma que possui suas próprias leis, moeda e divindades. ____________

c) Conjunto de Estados ou reinos subordinados a um governante. ____________

d) Cidades ou agrupamentos humanos que compartilham uma mesma cultura e mantêm relações entre si. ____________

Guia de estudo

2 **Identifique** algumas características da civilização mesopotâmica, **completando** o diagrama abaixo.

Mesopotâmia

- Localização ____________
  - País atual situado no território ____________ ____________
- Rios principais ____________
- Principais atividades econômicas ____________ ____________
- Organização política
  - Em tempo de paz ____________
  - Em tempo de guerra ____________
- Principais obras arquitetônicas ____________ ____________
- Escrita ____________

3 **Identifique** as diferentes funções que os zigurates desempenhavam na vida dos povos da Mesopotâmia.

Zigurate

Função econômica	Função política	Função religiosa	Função científica
____	____	____	____
____	____	____	____
____	____	____	____

Faça a conexão

4 **Leia** este trecho do Código de Hamurábi, escrito na Mesopotâmia entre 1792 e 1750 a.C., e **compare-o** com o seguinte trecho extraído da Declaração Universal dos Direitos Humanos, de 1948. **Identifique**, em seguida, seus pontos de contato.

Código de Hamurábi

"[A lei foi escrita] para fazer surgir justiça na terra, para eliminar o mau e o perverso, para que o forte não oprima o fraco, para, como o sol, [...] iluminar o país."

BOUZON, Emanuel. *O Código de Hamurábi*. Petrópolis: Vozes, 1986. p. 39-40.

Declaração Universal dos Direitos Humanos

"Artigo I

Todos os seres humanos nascem livres e iguais em dignidade e direitos. São dotados de razão e consciência e devem agir em relação uns aos outros com espírito de fraternidade."

Declaração Universal dos Direitos Humanos, 1948.
Disponível em www.onu-brasil.org.br. Acesso em 20 set. 2010.

A CIVILIZAÇÃO EGÍPCIA

Termos e conceitos

Faraó
Estado
Politeísmo
Religião

1 **Elimine** as expressões que não fazem parte do grupo e **justifique** sua escolha.

mumificação dos mortos	crença em um Deus único
politeísmo	crença na vida após a morte
pesagem das almas	antropomorfismo e zoomorfismo
religião	mito do dilúvio

____

____

____

____

2 Qual era o papel do faraó no Egito antigo?

____

____

____

Guia de estudo

3 **Redija** uma frase **relacionando** a antiga civilização egípcia à existência do Rio Nilo.

____

____

____

4 **Ordene** o processo de centralização política que, entre cerca de 7000 e 3150 a.C., resultou na formação do Império Egípcio.

1. Reunião dos nomos em dois reinos: o do Alto Egito e o do Baixo Egito.
2. Formação de comunidades tribais lideradas por um nomarca.
3. Os nomarcas se transformam em funcionários da administração pública no Egito unificado.
4. Unificação dos reinos do Alto e do Baixo Egito por Menés, o primeiro faraó.
5. Reunião de aldeias agrícolas em torno da construção de diques e canais de irrigação.

____ → ____ → ____ → ____ → ____

5 **Diferencie** as camadas sociais que compunham a sociedade egípcia, assinalando um X nas atividades econômicas nas quais cada uma delas estava diretamente envolvida.

Atividades econômicas	Camadas sociais				
	Escravos	Camponeses	Artesãos/ mercadores	Escribas	Nobreza palaciana
Cultivo da terra					
Trabalho com metais, couro e pedras					
Comércio					
Trabalho nas minas e pedreira					
Construção de grandes obras					
Serviços domésticos					
Contabilidade					
Cobrança de tributos					
Administração do Império					

6 **Complete** a pirâmide sobre a sociedade egípcia.

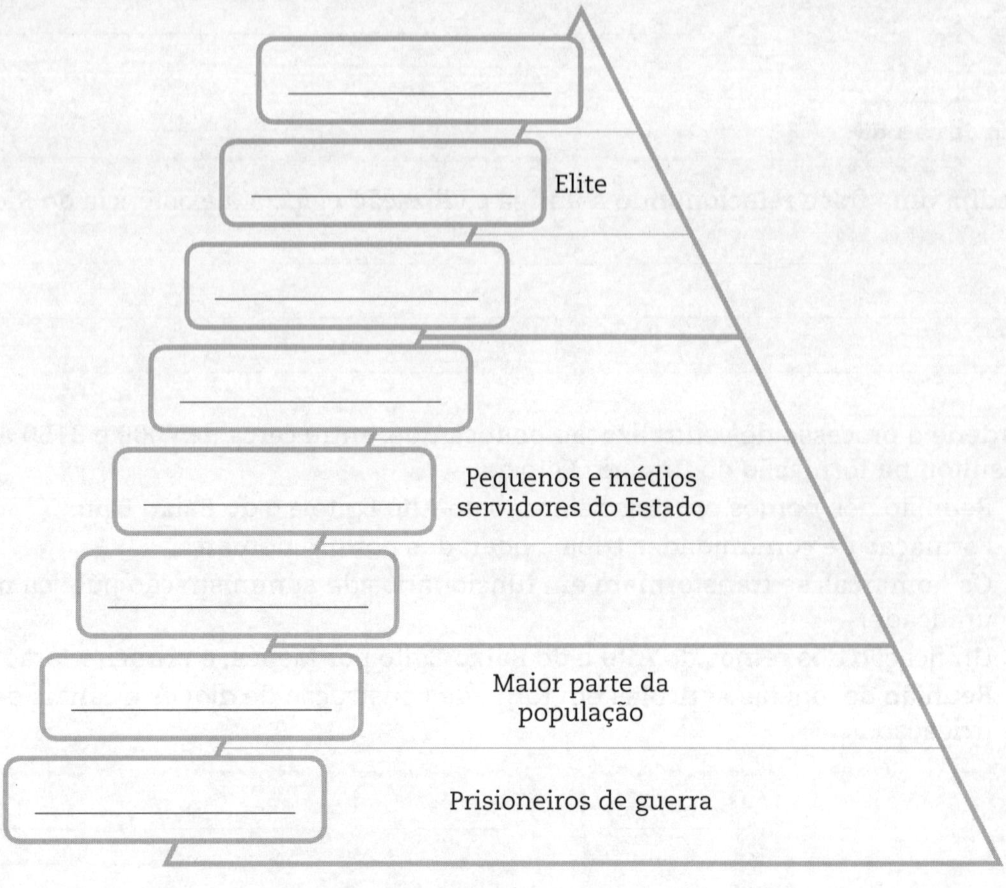

A CIVILIZAÇÃO NÚBIA

Termos e conceitos

Civilização

Escrita

Candace

1 **Analise** as seguintes afirmativas e **escreva V** (verdadeiro) ou **F** (falso).

- [ ] Durante muitos anos os estudiosos ignoraram a civilização núbia por considerarem-na atrasada em relação às civilizações do Egito e da Mesopotâmia.
- [ ] A civilização núbia foi redescoberta graças à decifração da escrita meroíta.
- [ ] A civilização núbia incorporou muitos elementos da cultura egípcia, como a escrita hieroglífica.
- [ ] A existência das candaces, mães ou esposas reais, atesta o prestígio social das mulheres núbias comparativamente às outras civilizações do Crescente Fértil.

Guia de estudo

2 **Complete** o quadro com as principais características da civilização núbia no período meroíta.

O Reino de Kush no período meroíta				
Capital	Escrita	Religião	Atividades econômicas	Figura feminina importante

Faça a conexão

3 **Leia** o texto abaixo e o **relacione** ao interesse tardio dos pesquisadores pela civilização núbia.

"Em linhas gerais, é difícil para qualquer indivíduo se despojar dos preconceitos arraigados em sua cultura e tentar compreender a cultura do outro em seus próprios termos."

SILVA, Kalina V.; SILVA, Maciel Henrique. *Dicionário de conceitos históricos*. São Paulo: Contexto, 2008. p. 127-128.

Fechando o capítulo 2

Sintetize

» **Identifique** algumas características comuns às civilizações mesopotâmica, egípcia e núbia.

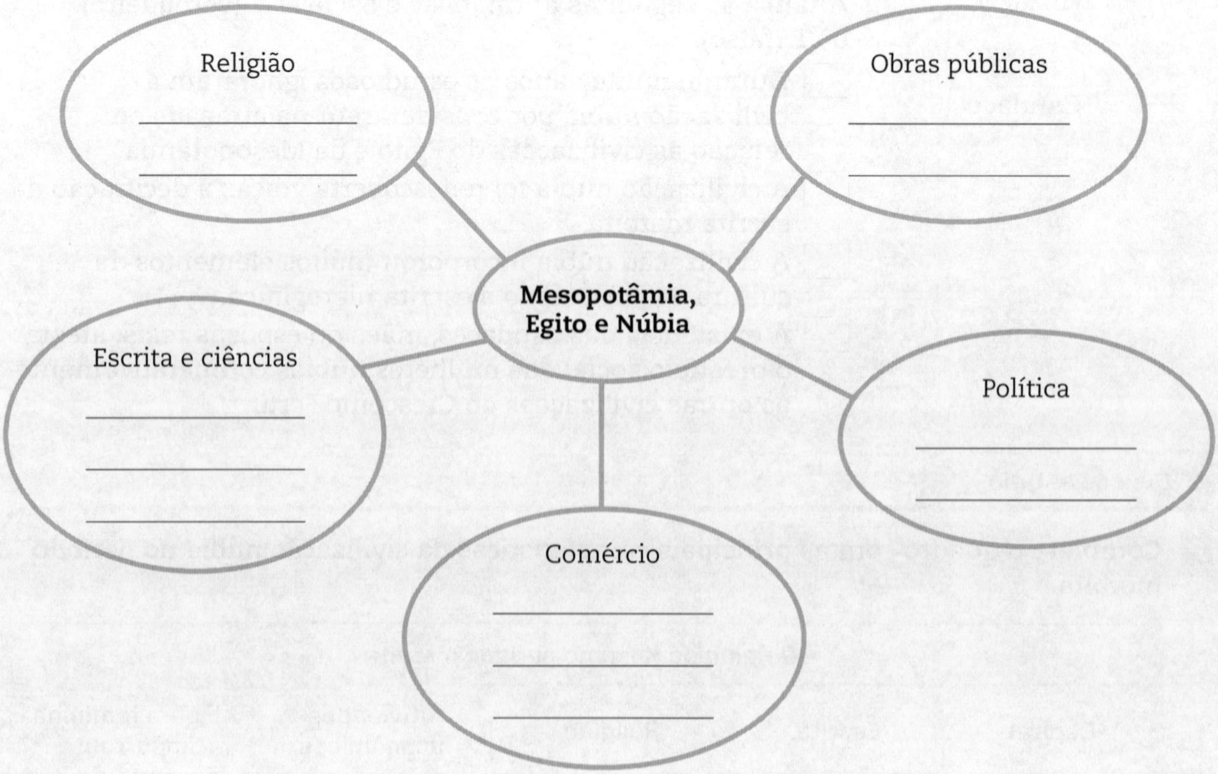

Avalie

» **Marque** um X na coluna que melhor traduz o seu aprendizado sobre cada tema. Depois, **compare** este quadro com o que você preencheu no item "Antes de estudar o capítulo".

Temas principais do capítulo	Compreendi bem o tema.	Compreendi, mas tenho algumas dúvidas.	Tenho muitas dúvidas.
As cidades-Estado da Mesopotâmia			
O Código de Hamurábi			
O Império Egípcio			
Religião e Estado no Egito antigo			
A civilização núbia			

Se você teve dificuldade para compreender algum desses temas, reveja as atividades do *Caderno do estudante* referentes a este capítulo e revise seu livro-texto. Caso seja necessário, peça ajuda ao seu professor ou a um colega.

Unidade A
Capítulo
3

Índia e China

Seções:
3.1 A civilização do Vale do Indo
3.2 A civilização clássica indiana
3.3 Reações contra o sistema de castas
3.4 A origem da civilização chinesa
3.5 O Império Chinês

Antes de estudar o capítulo

» **Veja** neste quadro os temas principais do capítulo e **marquer** um X na coluna que, em sua opinião, traduz o seu conhecimento sobre cada tema.

Temas principais do capítulo	Já estudei. Será um aprofundamento.	Nunca estudei. Será totalmente novo.	Não lembro se estudei.
A civilização harapense			
O sistema de castas na Índia			
Religiões orientais: budismo, jainismo, taoismo e confucionismo			
As primeiras dinastias chinesas			

» **Veja** abaixo alguns termos e conceitos que você encontrará no capítulo. **Marque** um X naqueles que você julga estarem relacionados à imagem.

- [ ] Civilização harapense.
- [ ] Dinastia.
- [ ] Bramanismo.
- [ ] Hinduísmo.
- [ ] Budismo.
- [ ] Sistema de castas.
- [ ] Rigidez social.
- [ ] Carma.

Estátua em bronze de Buda, de Ono Goroyemon, 1252. Kamakura, Japão. Foto de 1998.

SUZANNE HELD/AKG-IMAGES/LATINSTOCK

Justifique suas escolhas.

A CIVILIZAÇÃO DO VALE DO INDO

Termos e conceitos

Civilização
Planejamento urbano

1 **Escreva V** (verdadeiro) ou **F** (falso) a respeito da civilização harapense.

- [ ] As construções das cidades harapenses revelavam planejamento e organização.
- [ ] A civilização harapense formou-se na região do Vale do Rio Ganges.
- [ ] O comércio harapense era bastante desenvolvido, havendo trocas comerciais com regiões distantes, como a Mesopotâmia, o Golfo Pérsico e a Ásia Central.
- [ ] A escrita harapense já foi completamente decifrada e compreendida.
- [ ] A exemplo das civilizações egípcia e mesopotâmica, a agricultura irrigada foi fundamental na formação da civilização harapense.

2 **Cite**, para cada item, três características que indiquem o elevado grau de planejamento urbano da civilização harapense.

a) Construções: ______________________________

____

b) Ruas: ______________________________

____

c) Residências: ______________________________

____

Guia de estudo

3 **Complete**, com base no mapa do **doc. 1** do seu livro (p. 64), o quadro da localização geográfica da civilização harapense.

A civilização harapense	
Continente	
Áreas vizinhas	
Rio principal	
Cidades principais	
País situado atualmente na área	

4 **Preencha** o diagrama com as principais características da civilização harapense.

A civilização harapense

Urbanização

____
____
____
____

Principal rio e sua importância

____
____
____
____

Base econômica

____
____
____
____

Teorias sobre seu declínio

____
____
____
____

Faça a conexão

5 Que outras civilizações antigas já estudadas este ano também dependiam dos rios da região para a sua sobrevivência? **Cite** o nome dos respectivos rios e **explique** a importância deles para essas civilizações.

____
____
____
____
____
____
____
____
____
____
____
____
____
____

Capítulo 3 Seção 3.2 Seção 3.3

A CIVILIZAÇÃO CLÁSSICA INDIANA

REAÇÕES CONTRA O SISTEMA DE CASTAS

Termos e conceitos

Bramanismo
Sistema de castas
Ioga
Budismo
Jainismo

1 **Escreva** [1] para budismo, [2] para bramanismo e [3] para jainismo. Algumas afirmações podem estar relacionadas a mais de uma religião.

- [ ] Negação do destino individual como sendo determinado pelo nascimento.
- [ ] Prega a divisão da sociedade em castas e a ideia da reencarnação.
- [ ] Provavelmente influenciou o líder Mahatma Gandhi em seu movimento de resistência pacífica contra a dominação inglesa.
- [ ] O sofrimento humano nasce do desejo; abandonar o desejo é o caminho para acabar com o sofrimento.
- [ ] Como o cristianismo, é uma religião universal.
- [ ] Foi introduzida pelos árias na Índia.
- [ ] Cada casta tem um darma, ou seja, um dever moral na sociedade.
- [ ] Apesar de rejeitar o sistema de castas, não chegou a propor sua extinção.

2 **Assinale** a(s) alternativa(s) **correta(s)** sobre o bramanismo e **justifique**.

- [ ] Como o judaísmo, é uma religião revelada e monoteísta.
- [ ] Já era praticado pelas populações locais do Vale do Indo.
- [ ] Seus rituais podiam ser praticados por qualquer pessoa.
- [ ] A crença na reencarnação era uma das bases dessa religião.
- [ ] O bramanismo estabelecia a divisão da sociedade em castas.

____

____

____

3 **Elimine** a expressão que não faz parte do conjunto e **explique** a sua resposta.

Sistema hereditário
Hierarquia entre as castas
Casamentos entre castas
O carma define a condição social do reencarnado
Deveres restritos a cada casta

Guia de estudo

4 **Combine** os termos corretamente.

a) Dalits.
b) Carma.
c) Sudras.
d) Brâmanes.
e) Darma.
f) Vaixás.
g) Xátrias.
h) Hinduísmo.

☐ Nobres guerreiros.
☐ Camponeses, artesãos e comerciantes.
☐ Ideia segundo a qual o conjunto de atos praticados em vida anterior determina a nova vida do reencarnado.
☐ Servos.
☐ Crença no ciclo de reencarnações.
☐ Párias, considerados impuros.
☐ Sacerdotes responsáveis por rituais religiosos.
☐ Dever moral de cada casta.

5 **Complete** o diagrama, **destacando** os princípios fundamentais das três religiões e o ponto de contato entre elas.

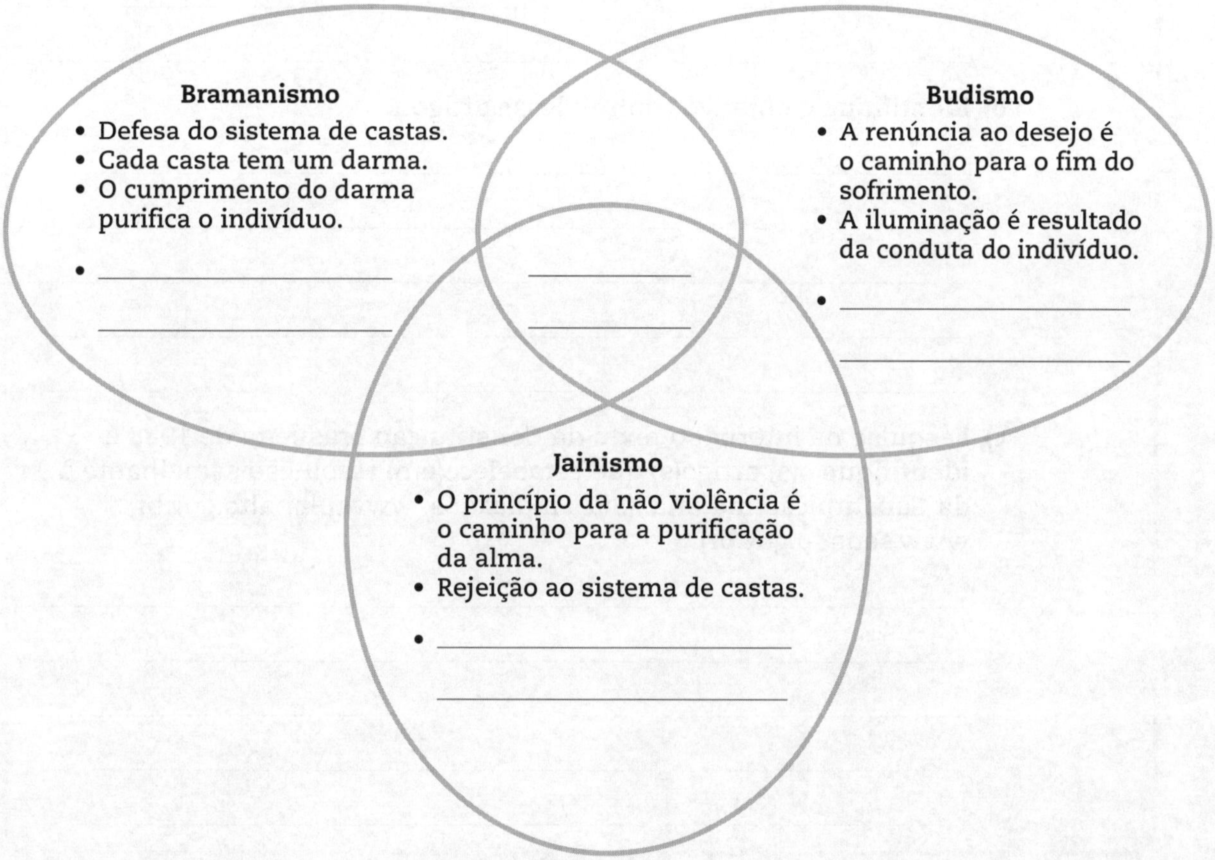

Faça a conexão

6 O texto abaixo é um trecho da Constituição indiana de 1950. **Leia**-o e **responda** às questões.

"Direito à igualdade [...]

1. O Estado não poderá discriminar qualquer cidadão com base em religião, raça, casta, sexo, local de nascimento ou qualquer deles.
2. Nenhum cidadão poderá, com base na religião, raça, casta, sexo, local de nascimento ou qualquer deles, ser considerado inapto, obrigado, restringido ou condicionado com respeito a:
   a) acesso a lojas, restaurantes públicos, hotéis e lugares de entretenimento público; [...]
4. Nada neste artigo [...] impedirá o Estado de tomar qualquer iniciativa para a promoção e para o desenvolvimento social e educacional dos cidadãos das classes mais atrasadas ou das castas e tribos marginalizadas."

A Constituição da Índia. Parte III – Direitos fundamentais – Art. 15. Disponível em http://india.gov.in. Acesso em 20 set. 2010. (tradução nossa)

a) **Resuma** a proibição estabelecida neste artigo constitucional.

b) **Identifique** o objetivo central desse artigo.

c) **Pesquise** na internet o texto da Constituição brasileira de 1988 e **identifique** o(s) artigo(s) que estabelece(em) resolução semelhante à da Constituição indiana. (*Sites* indicados: www.planalto.gov.br; www.senado.gov.br)

A ORIGEM DA CIVILIZAÇÃO CHINESA

O IMPÉRIO CHINÊS

Termos e conceitos

Dinastia
Centralização política
Confucionismo
Taoismo

1 **Marque um X na coluna correta.**

	Dinastia Chou	Dinastia Ch'in
Aumento populacional, inovações técnicas e aperfeiçoamento da produção agrícola.		
Os nobres recebiam as terras doadas pelo governo.		
Prestação de serviços pelos nobres ao governo.		
Burocracia centralizada composta por funcionários leais e educados.		
Início da construção da Muralha da China.		
Florescimento das atividades intelectuais.		
Período de grande expansão e unificação territorial.		
Desenvolvimento das cidades, ampliação da escrita e surgimento de uma elite letrada.		

2 **Escreva [1] para exemplos de centralização política e [2] para exemplos opostos.**

[ ] O rei Che Huang Ti assumiu o poder na China criando um Estado imperial.

[ ] Na Europa feudal, cada senhor feudal tinha autoridade em seus domínios para criar uma moeda e leis próprias.

[ ] As cidades da Mesopotâmia organizavam-se em cidades-Estado, cada uma delas com autonomia para definir sua forma de governo.

[ ] A dinastia Han assumiu o poder no final do século III a.C. e consolidou a unidade imperial da China.

3 **Identifique** as principais funções dos camponeses na dinastia Chou.

Camponeses		
___	___	___

4 **Observe** o organograma abaixo para **responder** às questões.

Muralha da China

1. Defesa contra ataques de povos nômades vindos do norte.

2. Os que trabalhavam na construção da obra eram recompensados com terras e benefícios.

3. Foi construída de uma só vez e exigiu o esforço de milhões de trabalhadores. Sua extensão é menor do que sempre se imaginou.

4. Patrimônio e um dos locais turísticos mais visitados na China.

a) Qual dos itens não contém afirmações corretas sobre a Muralha da China? **Justifique.**

b) Por que a centralização política da China foi essencial para a construção da Grande Muralha?

Faça a conexão

5 A principal função da Muralha da China era a proteção do Império contra invasões vindas de fora. **Pesquise** e **identifique** outras construções que teriam a mesma função nos dias de hoje.

____

____

____

____

____

____

Fechando o capítulo 3

Sintetize

» **Elabore** uma pequena redação utilizando pelo menos quatro dos termos a seguir.

importância dos rios	carma	Índia
dinastias imperiais	China	agricultura
poder centralizado	cidades	sistema de castas
rigidez social	reencarnação	Muralha da China

Avalie

» **Marque** um X na coluna que melhor traduz o seu aprendizado sobre cada tema. Depois, **compare** este quadro com o que você preencheu no item "Antes de estudar o capítulo".

Temas principais do capítulo	Compreendi bem o tema.	Compreendi, mas tenho algumas dúvidas.	Tenho muitas dúvidas.
A civilização harapense			
O sistema de castas na Índia			
Religiões orientais: budismo, jainismo, taoismo e confucionismo			
As primeiras dinastias chinesas			

Se você teve dificuldade para compreender algum desses temas, reveja as atividades do *Caderno do estudante* referentes a este capítulo e revise seu livro-texto. Caso seja necessário, peça ajuda ao seu professor ou a um colega.

Unidade A
Capítulo
4

Hebreus, fenícios e persas

Seções:

Antes de estudar o capítulo

» **Veja** neste quadro os temas principais do capítulo e **marque** um X na coluna que, em sua opinião, traduz o seu conhecimento sobre cada tema.

Temas principais do capítulo	Já estudei. Será um aprofundamento.	Nunca estudei. Será totalmente novo.	Não lembro se estudei.
O declínio dos reinos da era do bronze			
O monoteísmo ético dos hebreus			
O surgimento da monarquia hebraica			
A conquista do mar pelos fenícios			
O expansionismo persa			

» **Veja** abaixo alguns termos e conceitos que você encontrará no capítulo. **Marque** um X naqueles que você julga estarem relacionados à imagem.

- [ ] Era do bronze.
- [ ] Monarquia.
- [ ] Monoteísmo.
- [ ] Politeísmo.
- [ ] Êxodo.
- [ ] Comércio marítimo.
- [ ] Política expansionista.
- [ ] Diáspora.

GIANNI DAGLI ORTI/THE ART ARCHIVE/OTHER IMAGES - BIBLIOTECA DA UNIVERSIDADE DE ISTAMBUL

Moisés atravessando o Mar Vermelho, detalhe de *Bíblia* do século XVI. Biblioteca da Universidade de Istambul, Istambul.

Justifique suas escolhas.

DA ERA DO BRONZE À ERA DO FERRO

Termos e conceitos

Era do bronze

Era do ferro

1 **Associe** as colunas.

1. Era do bronze.
2. Era do ferro.

[ ] As armas desse período eram feitas da mistura de cobre com estanho.

[ ] O egípcio e o babilônico foram dois grandes reinos desse período.

[ ] Os exércitos desse período eram muito mais letais e armados.

[ ] As invasões estrangeiras explicam o rápido declínio dos reinos dessa era.

[ ] A matéria-prima desse período podia ser encontrada em abundância.

[ ] O maior império desse período foi o persa.

Guia de estudo

2 O domínio da metalurgia do ferro alterou drasticamente as relações entre os povos do Oriente Médio a partir do final do segundo milênio antes de Cristo. Sobre esse processo, **preencha** os espaços em branco.

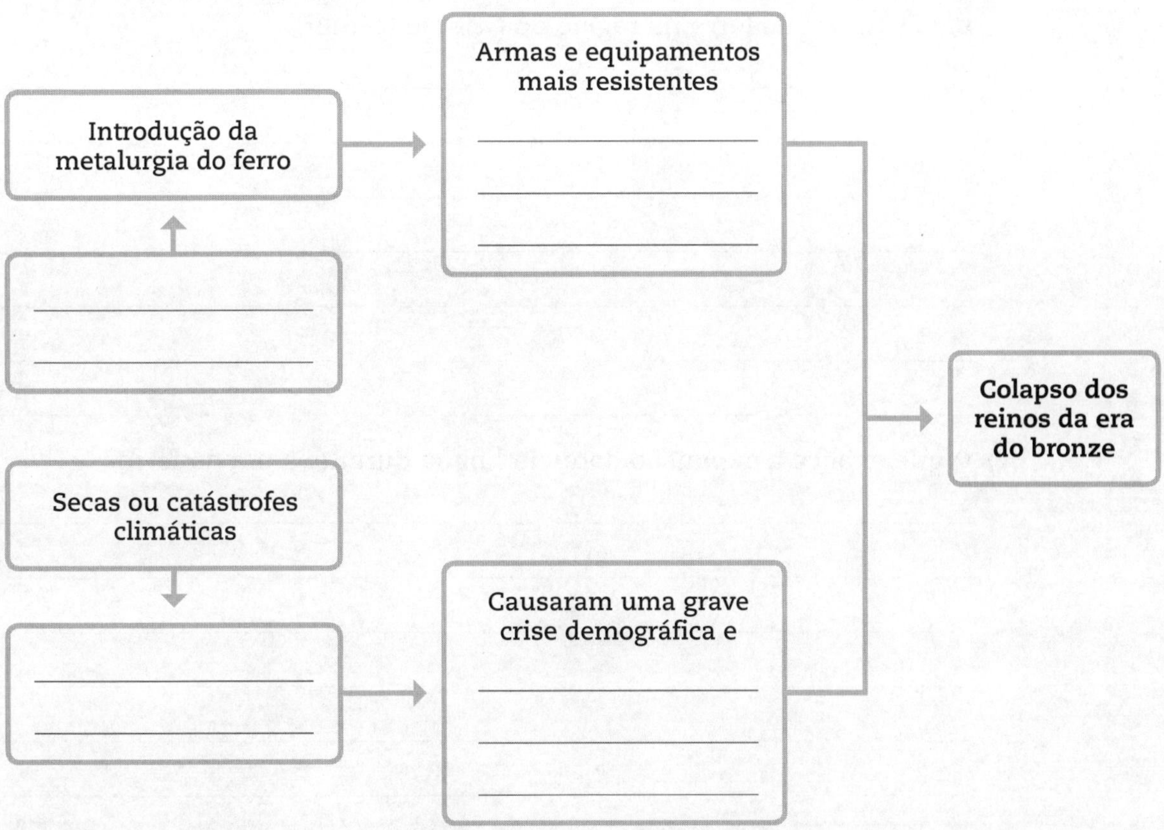

Faça a conexão

3 Atualmente, o idioma inglês está presente em quase todas as regiões do planeta, e milhões de pessoas, em vários países, o falam fluentemente. Pensando nesse fato, **observe** a imagem a seguir e **responda**.

ISSEI KATO/REUTERS/LATINSTOCK

Anúncio publicitário em loja de produtos eletrônicos. Tóquio, Japão, 2008.

a) Por que o inglês, em sua opinião, foi a língua escolhida nessa situação?

b) Se pudéssemos fazer uma comparação, qual seria o equivalente do inglês na era do ferro na região do Oriente Médio?

c) O que explica a expansão daquela língua durante a era do ferro?

OS HEBREUS: DAS ORIGENS AO ÊXODO

OS HEBREUS ANTIGOS: POLÍTICA E SOCIEDADE

Termos e conceitos

Bíblia
Monoteísmo
Tora
Êxodo
Monarquia
Diáspora

1 **Escreva** [D] para acontecimentos relacionados à diáspora e [E] para aqueles relacionados ao êxodo.

[ ] Moisés recebe de Deus os Dez Mandamentos.
[ ] Os hebreus partem do cativeiro no Egito em direção a Canaã.
[ ] Os assírios destroem o Reino de Israel, e os habitantes se dispersam pela região.
[ ] Os habitantes do Reino de Judá passam a ser chamados de judeus.
[ ] A viagem à Terra Prometida teria durado quarenta anos.
[ ] Os romanos sufocam uma revolta na Judeia, e os moradores iniciam uma nova dispersão.
[ ] Após o retorno a Canaã, iniciou-se o período dos juízes.

2 **Escreva** a palavra que completa cada item.

a) Crença em diversos deuses:

____

b) Crença em um único deus:

____

c) Libertação dos hebreus da escravidão no Egito e retorno à Palestina:

____

d) Conjunto formado pelos primeiros cinco livros da *Bíblia:*

____

e) Principal fonte de conhecimento para a história dos hebreus:

____

f) Dispersão dos judeus por vários territórios causada por dominações estrangeiras:

____

g) Entre os hebreus, ela foi fundada com o rei Saul:

____

3 **Escreva** [1] para as frases que são exemplos de monoteísmo, [2] para as que são exemplos de politeísmo e [3] para as que caracterizam a *Bíblia* judaica.

[ ] Constitui a base da tradição judaica.

- [ ] O islamismo prega a crença em um único Deus, Alá.
- [ ] "Não adorarás nenhum outro deus, porque o Senhor, que se chama o zeloso, é um Deus zeloso." (Gênesis, *Bíblia sagrada.*)
- [ ] Os egípcios adoravam muitos deuses, incluindo o próprio faraó, considerado um deus.
- [ ] Conjunto de narrativas sobre a origem do mundo, a criação do homem e a aliança entre Deus e o povo hebreu.
- [ ] "Os deuses criaram de barro os seres vivos. Sem perceber, privilegiaram os animais, em detrimento dos homens. [...] Com sua pele apenas, os homens não podiam suportar o frio, e seus braços não eram suficientemente robustos para combater os animais selvagens." (POUZADOUX, Claude. *Contos e lendas da mitologia grega*. São Paulo: Companhia das Letras, 2001. p. 35.)

Guia de estudo

4 A sociedade hebraica passou por intensas mudanças depois de ter abandonado o nomadismo. **Complete** o diagrama que resume essas mudanças.

Fixação dos hebreus em Canaã

Organização política	Formação social urbana
______	______
______	______
______	______

Atividades econômicas	Organização social	Exploração da terra
______	______	______
______	______	______
______	______	______
______	______	______

5 **Preencha** o diagrama que ordena o processo que resultou no fim da unidade política dos hebreus.

Morte de ______ c. 924 a.C.	→	As tribos do norte ______ das do sul.	→	As tribos do norte foram conquistadas pelos ______ (primeira ______) em c. 722 a.C.	→	Os babilônios ______ ______ (segunda ______) em c. 586 a.C.	→	Sucessão de ______ ______ até ______ romana em c. 63 a.C.

6 **Complete** os quadrados abaixo **relacionando** cada afirmação a uma explicação.

1. Os juízes, que possuíam funções militares e religiosas, governaram as doze tribos dos hebreus.
2. As tribos precisavam resistir às invasões dos filisteus.
3. As tribos no norte formaram o Reino de Israel e as do sul o Reino de Judá.
4. Não havia um governo central que unificasse todas essas tribos.
5. A monarquia hebraica foi formada.
6. Após a morte de Salomão, as tribos hebraicas não conseguiram manter a unidade política.

a) ☐ porque ☐. b) ☐ porque ☐. c) ☐ porque ☐.

Faça a conexão

7 O texto a seguir foi transcrito do Antigo Testamento da *Bíblia*. **Leia-o** para **responder** às questões.

"Darei a ti e a teus descendentes depois de ti a terra em que moras como peregrino, toda a terra de Canaã, em possessão perpétua, e serei o teu Deus."

Gênesis 17:8. *Bíblia sagrada*. Disponível em www.virtualbooks.com.br. Acesso em 13 ago. 2010.

a) A qual evento da história dos hebreus esse trecho se relaciona?

____

b) Qual foi a exigência imposta por Yahveh?

____

c) Quais os desdobramentos históricos da ocupação de Canaã pelos hebreus, considerada por eles a Terra Prometida por Yahveh?

____

A CIVILIZAÇÃO MARÍTIMA DOS FENÍCIOS

Termos e conceitos

Império marítimo
Cidade-Estado
Alfabeto

1 **Assinale** a alternativa que **não** contribuiu para a construção do império marítimo fenício.

- [ ] Posição geográfica estratégica.
- [ ] Abundância de madeiras para construção de navios.
- [ ] Fome e pestes ameaçavam os fenícios.
- [ ] Conhecimento de técnicas de navegação.
- [ ] Ameaças do Império Assírio.

2 **Complete** as lacunas.

Se você vivesse na Fenícia entre o final do segundo milênio e o começo do primeiro milênio antes de Cristo, você habitaria uma das ______________ da região, como Biblos, Tiro ou Beritus, a atual Beirute. Ao contrário da China do mesmo período, onde havia um poder político ______________, as cidades fenícias tinham ______________, não havendo unidade política entre elas. Contudo, vivendo na Fenícia, você compartilharia alguns elementos com outros habitantes da região, tais como a ______________, o ______________ e os ______________, caracterizando uma unidade cultural.

Guia de estudo

3 **Complete** o diagrama que resume as principais características da civilização fenícia.

Fenícios

Organização política
____
____

Principal atividade econômica
____
____

Pontos de unidade entre as cidades fenícias
____
____

Objetivos da expansão marítima
____
____

Principal colônia
____
____

O IMPÉRIO PERSA

Termos e conceitos

Império
Satrapia
Zoroastrismo

1 **Elimine** os termos que não se relacionam com o antigo Império Persa.

Satrapias – Organização em cidades-Estado – Administração a cargo da elite persa – Autonomia cultural nas províncias – Alianças militares com os gregos – Complexo sistema de estradas – Moeda única

2 **Compare** as religiões dos persas com a dos hebreus.

	Persas	Hebreus
Nome da religião		
Deus supremo		
Personagem fundador		
Livro sagrado		

Guia de estudo

3 **Complete** a cruzadinha abaixo e veja a palavra que se formou. Em seguida, **elabore** um pequeno texto **relacionando** essa palavra com o que você estudou sobre os persas.

1. Civilização que derrotou os persas pela primeira vez.
2. Personagem responsável pela conquista do Império Persa.
3. Nome das províncias dominadas pelos persas.
4. O deus supremo segundo o zoroastrismo.
5. Importante batalha perdida pelos persas.
6. A capital do Império Persa.
7. Rei persa que conquistou a Babilônia.
8. Meio pelo qual os persas obtinham muitos recursos.
9. Império que dominou os persas.
10. Rei que levou o Império Persa ao auge.
11. Religião persa.
12. Inimigos dos persas no início da formação do Império.
13. Nome da moeda única do Império Persa.

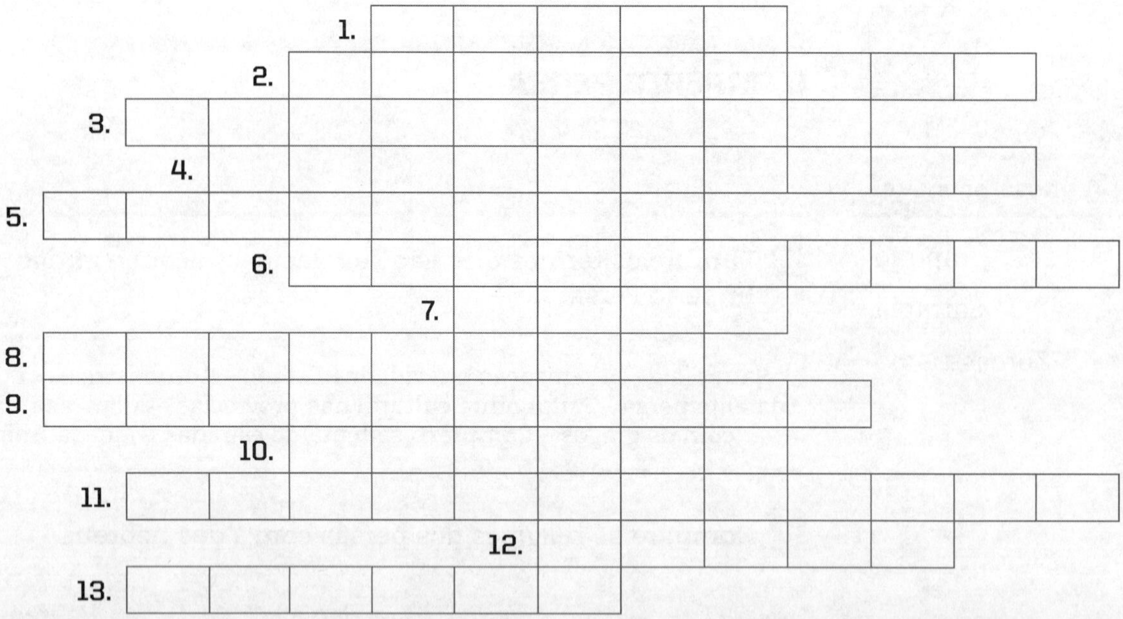

Faça a conexão

» Muitas vezes, as imagens que um povo cria de outro nos informam mais sobre quem as produziu do que sobre quem foi representado. **Observe**, abaixo, duas imagens do rei persa Xerxes e **responda** às perguntas.

EVERETT COLLECTION/KEYSTOCK

O ator Rodrigo Santoro, no papel de Xerxes I, em cena do filme *300*, dirigido por Zack Snyder (Estados Unidos, 2006).

WERNER FORMAR ARCHIVE/IMAGEPLUS - MUSEU ARQUEOLÓGICO DE TEERÃ

Relevo representando Xerxes I em pé, c. 510-330 a.C. Museu Arqueológico de Teerã, Teerã.

Compare o modo como o rei Xerxes foi representado nas duas imagens e **indique** as diferenças entre elas.

Fechando o capítulo 4

Sintetize

» **Complete** o quadro abaixo.

Povos	Religião	Principal atividade econômica	Forma de governo
Hebreus			
Fenícios			
Persas			

Avalie

» **Marque** um X na coluna que melhor traduz o seu aprendizado sobre cada tema. Depois, **compare** este quadro com o que você preencheu no item "Antes de estudar o capítulo".

Temas principais do capítulo	Compreendi bem o tema.	Compreendi, mas tenho algumas dúvidas.	Tenho muitas dúvidas.
O declínio dos reinos da era do bronze			
O monoteísmo ético dos hebreus			
O surgimento da monarquia hebraica			
A conquista do mar pelos fenícios			
O expansionismo persa			

Se você teve dificuldade para compreender algum desses temas, reveja as atividades do *Caderno do estudante* referentes a este capítulo e revise seu livro-texto. Caso seja necessário, peça ajuda ao seu professor ou a um colega.

Unidade B
Capítulo
5

A civilização grega

Seções:
5.1 Grécia: da origem ao período homérico
5.2 A formação da pólis grega e a invenção da democracia
5.3 O universo cultural da pólis
5.4 A crise das póleis e a conquista macedônica

Antes de estudar o capítulo

» **Veja** neste quadro os temas principais do capítulo e **marque** um X na coluna que, em sua opinião, traduz o seu conhecimento sobre cada tema.

Temas principais do capítulo	Já estudei. Será um aprofundamento.	Nunca estudei. Será totalmente novo.	Não lembro se estudei.
O papel da guerra na Grécia homérica			
Características da democracia ateniense			
A sociedade oligárquica espartana			
A função da tragédia e da comédia gregas			
As guerras e o declínio das cidades gregas			
O Império Macedônico e a cultura helenística			

» **Veja** abaixo alguns termos e conceitos que você encontrará no capítulo. **Marque** um X naqueles que você julga estarem relacionados à imagem.

- [ ] Virtude guerreira.
- [ ] Cultura helenística.
- [ ] Democracia.
- [ ] Mito grego.
- [ ] Oligarquia.
- [ ] Escravidão por dívidas.
- [ ] Epopeia.
- [ ] Pólis.

Ânfora grega de cerâmica retratando um dos episódios de os doze trabalhos de Hércules, de Diosphos, c. 500-490 a.C. Museu do Louvre, Paris.

HERVÉ LEWANDOWSKI/RMN/OTHER IMAGES - MUSEU DO LOUVRE, PARIS

Justifique suas escolhas.

GRÉCIA: DA ORIGEM AO PERÍODO HOMÉRICO

Termos e conceitos

Civilização
Cultura material
Período homérico

1 O poder político nas sociedades minoica e micênica era centralizado porque:

- [ ] estava organizado em cidades-Estado.
- [ ] tinha como centro o comércio marítimo.
- [ ] um soberano governava auxiliado por um conselho de funcionários escolhidos pelos cidadãos.
- [ ] os reis, cada um em seu palácio, comandavam a vida social, política e econômica da comunidade.

2 **Identifique** o exemplo que melhor representa a exaltação da figura guerreira entre os antigos gregos. **Justifique**.

- [ ] O herói grego Hércules matou os filhos em um acesso de loucura e, para se redimir desse crime, foi obrigado a realizar doze perigosos trabalhos.
- [ ] O herói grego Aquiles preferiu lutar em Troia, ter uma vida curta e uma glória eterna a permanecer na Grécia e ter uma vida longa e tranquila.
- [ ] Odisseu teve a ideia de construir um cavalo de madeira e de oferecê-lo de presente aos troianos, fato que permitiu aos gregos entrar em Troia e destruir a cidade.

3 **Liste** três características da comunidade gentílica.

Guia de estudo

4 **Complete** o organograma que caracteriza a civilização micênica.

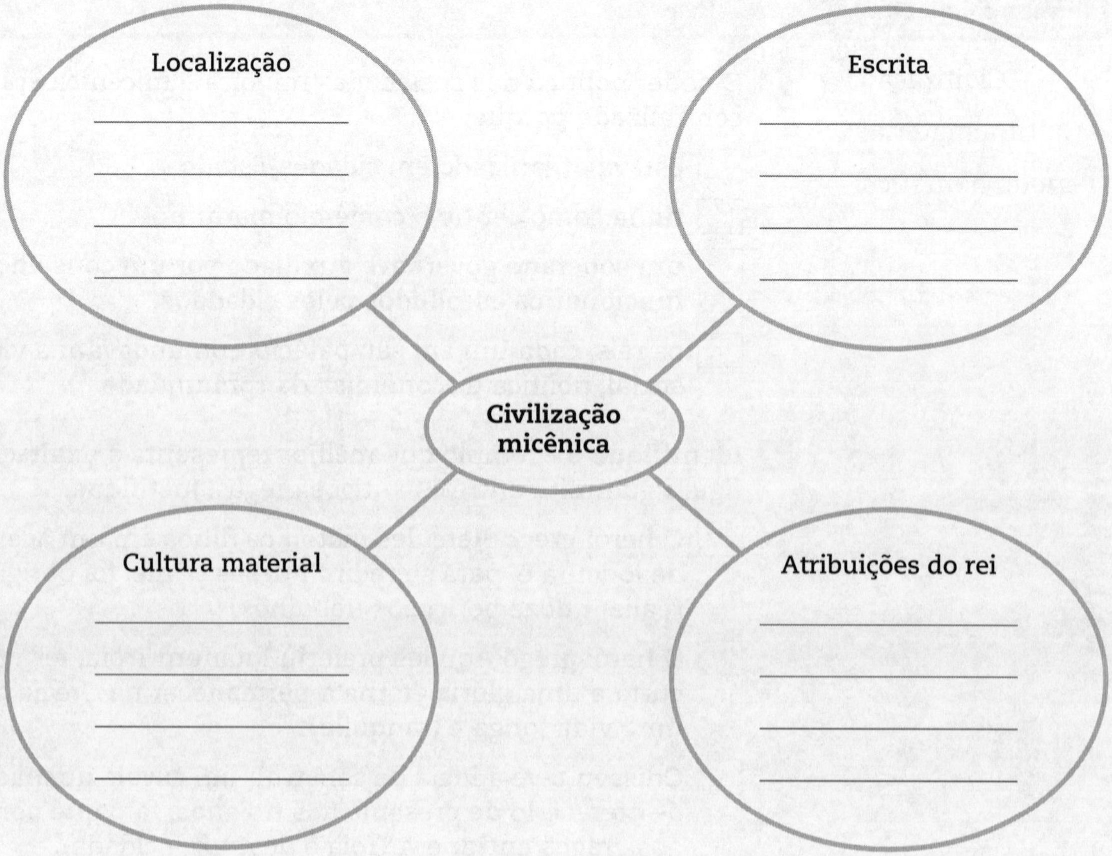

5 **Analise** as seguintes afirmativas sobre os poemas homéricos.

I. Os poemas *Ilíada* e *Odisseia*, comprovadamente, foram escritos pelo grego Homero.

II. Os poemas foram preservados principalmente pelo trabalho dos *aedos* e dos *rapsodos*.

III. A glorificação do herói guerreiro é uma das principais características dos poemas homéricos.

IV. As epopeias homéricas serviram como um guia de conduta e sabedoria para os jovens gregos.

Estão **corretas**:

- ☐ somente as afirmativas I, II e III.
- ☐ apenas a afirmativa IV.
- ☐ as afirmativas II, III e IV.
- ☐ apenas as afirmativas II e IV.
- ☐ todas as afirmativas estão corretas.

Faça a conexão

» Leia o texto para **responder** às questões.

"Nos mitos tanto hesiódicos quanto homéricos encontram-se personagens de extrema bravura, honestidade, sabedoria e um elevado senso de justiça. Esses heróis, como Aquiles, Ulisses e Heitor, tornaram-se modelos para os gregos, e esses tinham o dever de buscarem ser semelhantes aos seus heróis. O homem grego aprende desde pequeno a respeitar os deuses e a crer em seus mitos. Essas histórias, ainda que para nós fantásticas, buscavam a formação de um cidadão ético, justo e sábio.

Esse modo de educação pretendia educar a criança para viver em sociedade, era um educar para a boa convivência entre todos os cidadãos."

WIEZEL, Augusto; MURARI, Juliana; CAPORALINI, José Beluci. *A importância pedagógica dos poetas Hesíodo e Homero na educação dos jovens na Grécia antiga*. VI Encontro Internacional de Produção Científica Cesumar, out. 2009. Disponível em www.cesumar.br. Acesso em 8 jun. 2010.

a) Segundo o texto, que papel os poemas míticos desempenhavam na educação dos jovens gregos?

b) A visão expressa neste texto contradiz o que você estudou no capítulo? Justifique.

c) Quais obras cumpririam, na sociedade atual, o papel dos poemas míticos da Grécia antiga?

Capítulo 5 | Seção 5.2 | **A FORMAÇÃO DA PÓLIS GREGA E A INVENÇÃO DA DEMOCRACIA**

Seção 5.3 | **O UNIVERSO CULTURAL DA PÓLIS**

Termos e conceitos

Pólis
Cidadão
Escravo
Democracia
Oligarquia
Filosofia
Educação
Tragédia
Comédia

1 **Escreva** [1] para a democracia ateniense e [2] para a oligarquia espartana.

[ ] Todos os cidadãos participavam da *Eclésia* (Assembleia).

[ ] Podia haver tanto cidadãos pobres e incultos quanto escravos ricos e instruídos.

[ ] Caracterizava-se como uma sociedade aristocrática e agrária.

[ ] A camada social dominante era proprietária de terras e destinava-se à atividade militar.

[ ] A capacidade de argumentação era fundamental nessa sociedade.

[ ] A política era conduzida por dois reis e pelos cidadãos mais influentes daquela sociedade.

2 **Explique** por que as cidades gregas são normalmente conhecidas como cidades-Estado.

____

____

____

Guia de estudo

3 **Resuma** o processo de expansão colonial grega **completando** o esquema.

Causas

Redução ______________.

Crescimento da escravidão ______________.

Aumento da ______________ de terras.

→ **Expansão colonial grega** →

Resultados

Ocupação das terras ao longo do ________ e do ________.

Relações comerciais entre as ________ e as ________.

Enriquecimento da ______________.

4 **Identifique** as camadas sociais descritas e as **organize** no quadro.

1. Por serem estrangeiros, não tinham direito de participar da vida política nem de possuir terras.
2. Não tinham direitos políticos, trabalhavam como agricultores, comerciantes e artesãos e deviam pagar tributos.
3. Somente os proprietários de terra podiam participar da vida política, possuir terras e ocupar cargos públicos.
4. Os escravos e seus filhos não podiam participar da atividade política.
5. Não tinham direitos políticos, sociais e econômicos e eram obrigados a trabalhar nas terras do Estado e da camada social dominante.
6. Homens livres, adultos e filhos de atenienses, podendo participar da vida política.

Camadas sociais	
Atenas	Esparta

5 **Liste** os principais representantes gregos das áreas discriminadas no quadro abaixo.

Filosofia	Teatro	Matemática

Faça a conexão

6 **Compare** o que você aprendeu sobre a democracia ateniense com os regimes democráticos dos dias atuais, **estabelecendo** diferenças e semelhanças entre a democracia das duas épocas.

A CRISE DAS PÓLEIS E A CONQUISTA MACEDÔNICA

Termos e conceitos

Império

Cultura helenística

1 Sobre as Guerras Médicas, **identifique** as afirmativas corretas e **preencha** o quadrado a seguir com a soma de seus valores.

01. Foram guerras travadas entre gregos e fenícios.

02. Sob o comando do rei persa Dario I, os persas enfrentaram os gregos na Batalha de Maratona.

04. Na Batalha de Maratona, os persas venceram os gregos e submeteram as póleis ao seu domínio, controlando todo o Mediterrâneo.

08. A Confederação de Delos foi a união das cidades gregas contra os invasores persas.

16. O principal objetivo da Confederação de Delos era armar um poderoso exército que marcharia por terra até os domínios persas.

32. A frota marítima grega foi organizada com os tributos cobrados das cidades que formavam a Liga de Delos.

64. A vitória grega nas guerras contra os persas fortaleceu a unidade das cidades gregas e contribuiu para diluir as diferenças que havia entre elas.

Estão corretas: ____________. Soma: ☐

2 **Complete** o texto que resume a política cultural de Alexandre nas terras do Império Macedônico.

Nas terras do Império Macedônico, Alexandre promoveu o ________________ da cultura grega com as culturas do ________________. Incentivou ________________ interétnicos entre seus soldados, ele próprio ________________ com uma princesa persa, criou centros de estudos da cultura ________________, transformou o grego na ________________ do Império e recrutou ________________ não gregos para compor o seu exército. A ________________ da cultura grega com a cultura do Oriente, promovida por Alexandre, recebe o nome de ________________.

3 **Organize** os termos abaixo de acordo com a sucessão de acontecimentos.

Guerra do Peloponeso – domínio tebano – hegemonia espartana – Guerras Médicas – esplendor ateniense – conquista macedônica

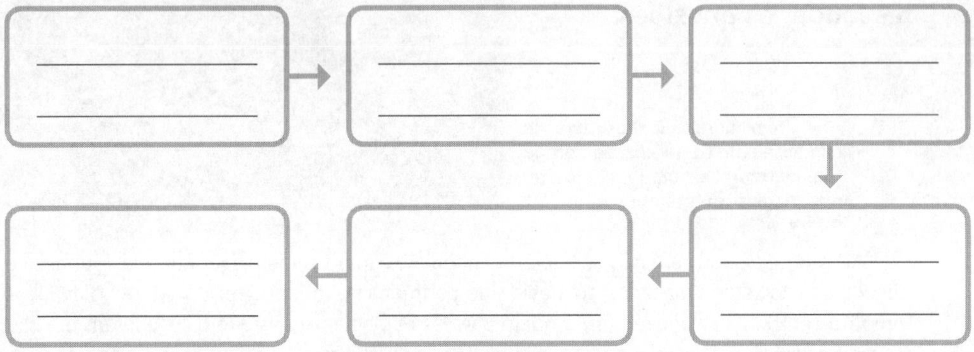

4 **Preencha** o organograma com três causas que explicam a conquista das cidades gregas pelos macedônios.

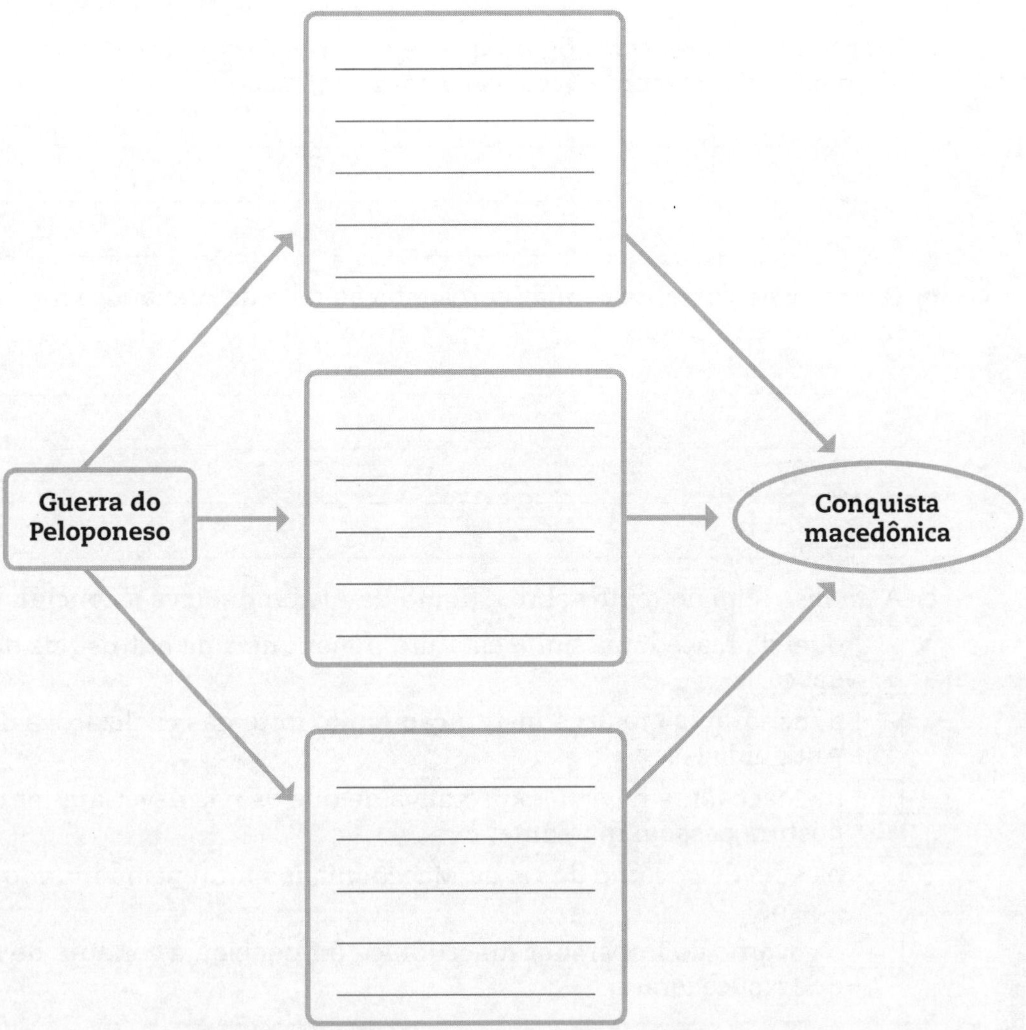

Faça a conexão

5 Alexandre, o Grande, foi um dos personagens históricos mais marcantes da cultura ocidental, tendo inspirado diversas lendas a seu respeito. **Observe** a imagem e **leia** o texto para responder às questões.

GIANNI DAGLI ORTI/THE ART ARCHIVE/OTHER IMAGES – MUSEU ARQUEOLÓGICO DE ISTAMBUL

Alexandre, o Grande, durante combate com os persas, sarcófago de mármore, século IV a.C. Museu Arqueológico de Istambul, Istambul.

"Alexandre deixou para trás não apenas conquistas, mas também a monarquia. Monarquia, uma tradicional parte do Estado macedônico, havia sido periférica no mundo grego até o reino de Filipe. Alexandre tornou-a central. Ele forneceu um modelo para os reis helenísticos que o sucederam [...] Histórias sobre Alexandre sem dúvida estabeleceram a expectativa de que reis deveriam ter uma aparência pessoal marcante e uma postura dignificante, ou, menos favoravelmente, que eles tivessem pretensões arrogantes [...] o modelo do rei estava estabelecido."

In: BOARDMAN, John; GRIFFIN, Jasper; MURRAY, Oswyn. *The Oxford history of the classical world*. Oxford: Oxford University Press, 1988. v. 1: p. 311.

a) **Identifique**, no relevo, a figura que representa Alexandre Magno. Que elementos da imagem o levaram a essa conclusão?

b) O texto está coerente com a representação feita de Alexandre na imagem? **Justifique**.

c) A análise feita no texto sobre a figura de Alexandre leva a concluir que:

- [ ] o rei da Macedônia tinha estatura maior que a de outros reis da época.
- [ ] a monarquia era uma instituição muito forte nas civilizações da Antiguidade.
- [ ] na Macedônia havia a expectativa de que os reis deveriam ter uma postura pessoal marcante.
- [ ] o estilo de governo do rei da Macedônia inspirou-se no mundo grego.
- [ ] o governo do imperador macedônico influenciou a conduta de reis que o sucederam.

Fechando o capítulo 5

Sintetize

» **Elabore** um texto-síntese sobre o declínio das cidades gregas **utilizando** as palavras e expressões do quadro.

Atenas	Esparta	Guerras Médicas	Guerra do Peloponeso
Império Macedônico	cultura helenística	Liga de Delos	

Avalie

» **Marque** um X na coluna que melhor traduz o seu aprendizado sobre cada tema. Depois, **compare** este quadro com o que você preencheu no item "Antes de estudar o capítulo".

Temas principais do capítulo	Compreendi bem o tema.	Compreendi, mas tenho algumas dúvidas.	Tenho muitas dúvidas.
O papel da guerra na Grécia homérica			
Características da democracia ateniense			
A sociedade oligárquica espartana			
A função da tragédia e da comédia gregas			
As guerras e o declínio das cidades gregas			
O Império Macedônico e a cultura helenística			

Se você teve dificuldade para compreender algum desses temas, reveja as atividades do *Caderno do estudante* referentes a este capítulo e revise seu livro-texto. Caso seja necessário, peça ajuda ao seu professor ou a um colega.

Unidade B
Capítulo
6

Roma e a Antiguidade tardia

Seções:
6.1 A polêmica origem de Roma
6.2 A República Romana
6.3 O nascimento de um império universal
6.4 Homens livres, escravos e o cotidiano em Roma
6.5 O declínio do Império Romano

Antes de estudar o capítulo

» **Veja** neste quadro os temas principais do capítulo e **marque** um X na coluna que, em sua opinião, traduz o seu conhecimento sobre cada tema.

Temas principais do capítulo	Já estudei. Será um aprofundamento.	Nunca estudei. Será totalmente novo.	Não lembro se estudei.
A origem de Roma			
Conflitos sociais e expansão militar na República Romana			
Cultura e cotidiano na Roma antiga			
Escravos e cidadãos no Império Romano			
O cristianismo e os novos valores			
O declínio do Império Romano			

» **Veja** abaixo alguns termos e conceitos que você encontrará no capítulo. **Marque** um X naqueles que você julga estarem relacionados à imagem.

- [ ] Fonte histórica.
- [ ] Gladiadores.
- [ ] Crise de Roma.
- [ ] Reforma agrária.
- [ ] Cristianismo.
- [ ] Império Romano.
- [ ] República.
- [ ] Invasões bárbaras.

PETER GREENHALGH/ALAMY/OTHER IMAGES
Coliseu em fotografia de 2008. Roma, Itália.

Justifique suas escolhas.

____

____

____

____

A POLÊMICA ORIGEM DE ROMA

A REPÚBLICA ROMANA

Termos e conceitos

Mito
Fonte histórica
Monarquia
República
Patrícios
Plebeus
Reforma agrária
Cidadania

1 **Relacione** cada frase a uma das duas camadas sociais romanas.

1. Camponeses livres, artesãos urbanos e pequenos comerciantes.
2. Proprietários de terras.
3. Responsáveis pelo fim da monarquia.
4. Queriam o fim da escravidão por dívidas.
5. As guerras de conquista os endividaram.
6. Recebiam as terras conquistadas.
7. Crença numa ancestralidade comum.
8. Pretendiam o acesso às terras conquistadas.

a) Patrícios: ☐ ☐ ☐ ☐

b) Plebeus: ☐ ☐ ☐ ☐

2 **Escreva** M se o termo ou expressão abaixo remete a uma explicação mítica sobre a origem de Roma ou C se remete a uma explicação científica sobre esse mesmo acontecimento.

☐ *Eneida*, de Virgílio.
☐ Cabanas no Monte Palatino.
☐ Presença de uma vila de pastores no século VIII a.C.
☐ Crianças abandonadas no Rio Tibre.
☐ Vestígios arqueológicos.
☐ Os gêmeos Rômulo e Remo.
☐ Ano de 753 a.C.
☐ Reunião de vilas e povoados.

Guia de estudo

3 **Complete** o diagrama da sociedade romana na época da monarquia.

A sociedade romana durante a monarquia

______________	______________
• Proprietários de terras	• Camponeses livres • Artesãos urbanos • ______________

4 **Escreva** M para as características da Monarquia Romana e R para as da República Romana. Em seguida, **escreva** duas outras características, uma para cada caso.

☐ Boa parte dos governantes tinha origem etrusca.
☐ Os principais órgãos de poder eram os comícios curiais e o Senado.
☐ Os cidadãos participavam da política por meio das assembleias.
☐ Os concílios da plebe votavam as leis relativas aos plebeus.

5 **Ordene** cronologicamente os acontecimentos que resultaram na conquista de direitos políticos e sociais por parte dos plebeus em Roma.

1. Os plebeus ganham acesso a todos os cargos públicos em Roma.
2. É instituída a Lei das Doze Tábuas, primeiro código de leis escritas em Roma.
3. Plebeus são obrigados a abandonar suas terras para lutar nas guerras de conquista.
4. As decisões tomadas pelos tribunos da plebe passam a ter força de lei.
5. Os plebeus exigem o fim da escravidão por dívidas, o direito às terras conquistadas e o casamento legal com os patrícios.
6. É instituído o Tribunato da Plebe.
7. Os plebeus têm direito às terras conquistadas. A escravidão por dívidas é abolida.

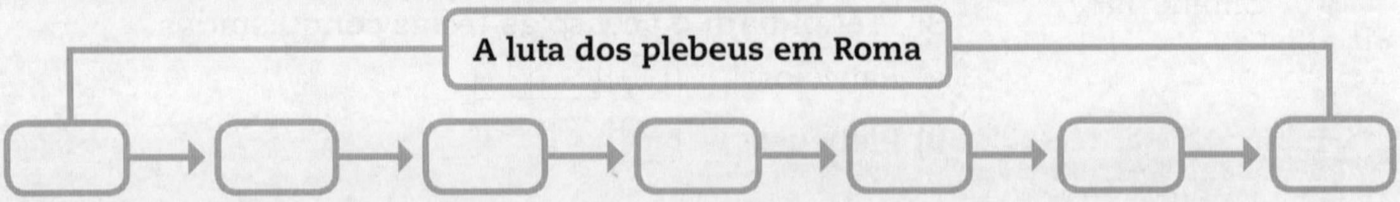

6 **Complete** o diagrama das condições que possibilitaram e estimularam a expansão militar romana durante a República.

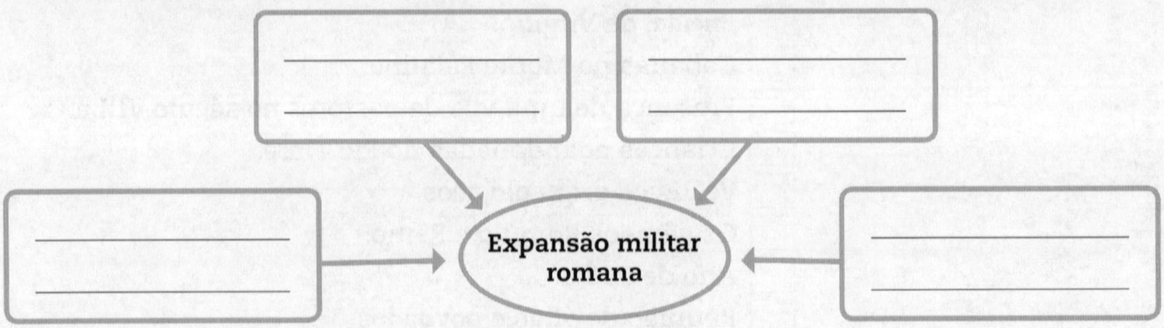

7 Utilizando as palavras do quadro, **preencha** o diagrama dos novos grupos sociais surgidos na Roma republicana.

cavaleiros da "ordem equestre" – latifundiários – *nobilitas* – plebeus ricos – ordem senatorial

Faça a conexão

8 **Os mitos são histórias criadas por um povo para explicar a origem do homem e da vida, os atributos, vícios e sofrimentos humanos e muitas outras coisas. Leia agora o trecho da uma narrativa mítica escrita pelo romano Virgílio em sua obra *Eneida*.**

"[Eneias e os seus seguidores que haviam fugido de Troia] Aportaram à Ilha de Delos, que havia sido uma ilha flutuante até que Júpiter a prendeu com fortíssimas correntes ao fundo do mar. Apolo e Diana haviam ali nascido e a ilha era consagrada a Apolo, cujo oráculo Eneias consultou, recebendo uma resposta ambígua, como de costume: 'Procura tua mãe; ali a raça de Eneias viverá e reduzirá todas as outras nações ao seu jugo.' Os troianos ouviram com alegria estas palavras e imediatamente puseram-se a perguntar uns aos outros: 'Onde será a terra a que o oráculo se referiu?' Anquises lembrou-se de que, segundo uma tradição, seus antepassados tinham vindo de Creta, e para ali os troianos resolveram seguir. Chegaram a Creta e começaram a construir a cidade, mas a doença os flagelou e as plantações que haviam feito nada produziram. Nessa situação sombria, Eneias foi advertido, num sonho, a deixar o país e procurar uma região ocidental, chamada Hespéria, de onde havia emigrado Dárdano, o verdadeiro fundador de Troia. Assim, eles se dirigiram a Hespéria, agora chamada de Itália, e somente ali chegaram depois de muitas aventuras e de decorrido um lapso de tempo suficiente a um navegador moderno para dar várias vezes a volta ao mundo."

In: BULFINCH, Thomas. *O livro de ouro da mitologia*: a idade da fábula. Histórias de deuses e heróis. 5. ed. Rio de Janeiro: Ediouro, 1999. p. 308.

Eneias. Herói da mitologia greco-romana, filho do príncipe troiano Anquises com a deusa Afrodite (Vênus para os romanos).

Apolo. Deus da beleza, da perfeição e da harmonia, além de protetor do oráculo de Delos.

Diana. Artemis para os gregos, Diana era a deusa da lua e da caça e irmã gêmea de Apolo.

Anquises. Príncipe troiano, pai de Eneias.

a) **O que o oráculo de Delos disse a Eneias?**

____

____

b) **Após deixar a Ilha de Delos, Eneias e seus seguidores foram para Creta, mas lá não permaneceram muito tempo. Por quê? Para onde eles se dirigiram depois?**

____

____

____

c) **Qual relação esse trecho da *Eneida* estabelece entre Eneias, o passado mítico grego e a cidade de Roma?**

____

____

____

____

____

9 O exército romano era uma poderosa força militar, que contava com uma avançada tecnologia de materiais, além de ótimos conhecimentos táticos. A formação chamada de *testudo*, representada na imagem a seguir, mostra isso claramente. Vendo a imagem, podemos ter uma ideia da dificuldade em penetrar as defesas romanas. **Leia** o texto e **compare-o** à imagem para responder às questões a seguir.

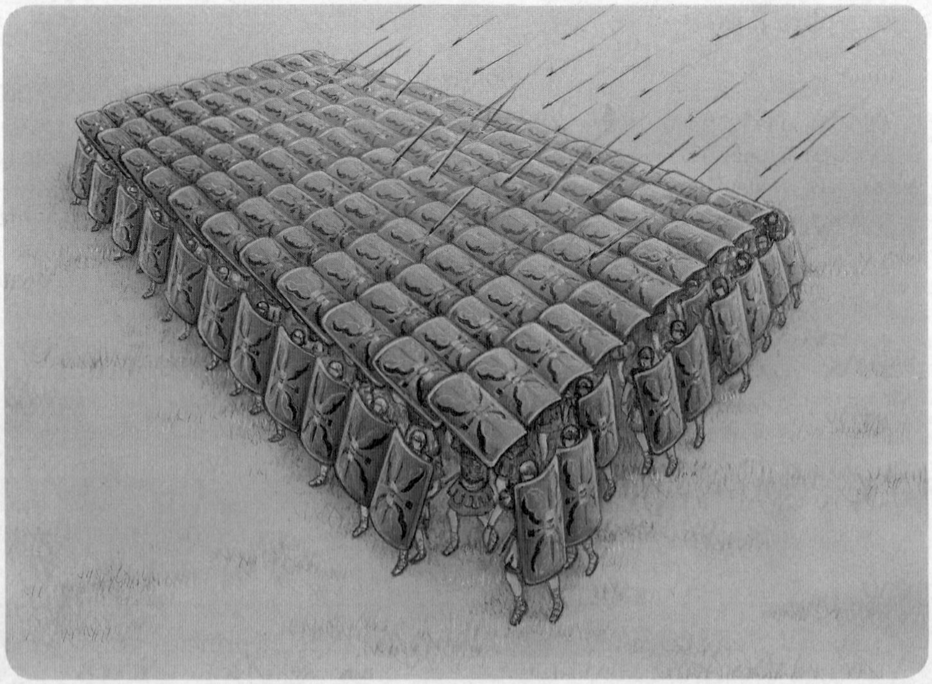

Ilustração de organização militar de uma legião romana, conhecida pelo nome de *testudo*.

A disposição tática das tropas

"Nenhuma parte do treinamento é mais essencial para a ação militar do que a permanência dos soldados em suas fileiras com enorme exatidão, sem que se abra ou se feche demais. Tropas muito próximas nunca conseguirão lutar como deveriam, e só atrapalhariam umas às outras. Se a disposição delas está muito aberta e frouxa, elas oferecem ao inimigo uma oportunidade de penetrarem. Sempre que isso acontece, e elas são atacadas pela retaguarda, desordem e confusão geral são inevitáveis."

Publius Flavius Vegetius Renatus. *De Re Militari* [c. 383-450]. Disponível em www.roman-colosseum.info. Acesso em 23 jul. 2010. (tradução nossa)

a) Qual característica tática das tropas romanas o autor destaca no texto?

b) Essa característica também pode ser observada na imagem? **Justifique.**

c) O posicionamento tático do soldados no *testudo* tinha uma finalidade mais defensiva ou ofensiva? **Justifique.**

O NASCIMENTO DE UM IMPÉRIO UNIVERSAL

Termos e conceitos

Guerra civil
Império
Paz Romana
Povos bárbaros

1 **Defina** o termo relativo a cada explicação.

a) ______________. Nome que se dá ao período de lutas entre duas facções opostas em Roma: de um lado, os *populares*, do outro, os *oligarcas*.

b) ______________. Eles pressionavam as fronteiras do Império Romano, criando dificuldades para o governo garantir a segurança interna.

c) ______________. Cultura que se formou pela síntese da cultura helênica com valores culturais latinos.

d) ______________. Período de grande estabilidade e de prosperidade no Império, iniciado com o governo de Otávio Augusto.

2 **Marque** um X nas afirmações corretas sobre a cultura greco-romana.

- [ ] Floresceu durante o Império, a partir do governo de Otávio Augusto.
- [ ] A chamada Paz Romana contribuiu para seu desenvolvimento.
- [ ] Limitou-se aos aspectos filosóficos e religiosos, sem influência nas outras áreas do conhecimento, como a arte, a arquitetura e a língua.
- [ ] Resultava da síntese de valores latinos com valores guerreiros espartanos, que foram incorporados às táticas militares romanas.
- [ ] Os novos valores greco-romanos expandiram-se por todo o Império, não se limitando apenas a Roma.

Guia de estudo

3 **Posicione** os termos do quadro em ordem cronológica. Depois, **escreva** um pequeno texto relacionando-os.

Império – Júlio César – guerra civil – ditadura – Augusto – guerra civil

[ ] → [ ] → [ ] → [ ] → [ ] → [ ]

____

____

____

____

HOMENS LIVRES, ESCRAVOS E O COTIDIANO EM ROMA

Termos e conceitos

Cidadania
Estoicismo
Escravidão
Colononato
Sociedade patriarcal

1 **Sublinhe** os grupos que tinham direito à cidadania no Império Romano até o Édito de Caracala. Em seguida, **anote** duas vantagens conferidas aos cidadãos.

Mulheres – escravos – aliados nas províncias – escravos alforriados – senadores – estrangeiros – cavaleiros

• ______

2 **Defina** os termos abaixo.

a) Sociedade patriarcal.

______

b) Colonato.

______

c) Estoicismo.

______

3 **Analise** as seguintes afirmativas sobre a sociedade romana.

I. A cidade era considerada o local do homem civilizado, onde havia os maiores monumentos e obras públicas, que se transformaram em uma das marcas da cultura romana.

II. Os escravos podiam viver melhor do que muitos homens livres, podendo ser tratados de forma similar a um cidadão.

III. No colonato, o proprietário dividia suas terras e as entregava aos colonos, que deveriam pagar uma taxa em moeda pelo direito de exploração do terreno.

IV. Na sociedade patriarcal, a família romana era chamada de família extensa porque era comum que os pais tivessem muitos filhos, para que estes pudessem sustentá-los quando atingissem uma idade avançada.

V. Os estoicos defendiam um tratamento mais humano para os escravos.

Estão **corretas** as afirmativas:

☐ I e III. ☐ II e IV. ☐ III, IV e V.
☐ I e V. ☐ II, III e IV.

Guia de estudo

4 **Complete** o esquema com as características da escravidão em Roma.

A escravidão em Roma

Fontes de escravos

____
____
____
____

Como os escravos eram vistos na sociedade

____
____
____
____

Condição jurídica dos escravos

____
____
____
____

Condição social dos escravos

____
____
____
____

Faça a conexão

5 **A escravidão em Roma possuía aspectos muito peculiares, muito diferentes da visão que tendemos a ter, influenciados pela escravidão que houve no Brasil. Leia o texto abaixo, extraído da obra *Satyricon*, de Petrônio, escrita no século I e responda às questões.**

"[...] Trimalcião tem tantas propriedades que um voo de corvo não cobre num dia, e dinheiro que os juros só fazem multiplicar, mais dinheiro em seus cofres que qualquer pessoa que eu conheça. Você nunca viu tanto ouro. E escravos, nossa!, nossa!, nunca, pelos deuses!, imagino que só um décimo deles todos jamais viram [sic] seu senhor. [...]

Tudo lhe nasce em casa: lã, cera, pimenta e, se você quiser, até leite de pato. Em suma, se a lã que sua casa produzia estava de baixa qualidade, ele comprava carneiros de raça em Tarento para melhorar a lã. Para ter mel de primeira, mandou buscar abelhas na Grécia e as cruzou com os seus enxames domésticos. Um dia desses, mandou buscar na Índia sementes de cogumelos. [...]

Quanto a esses escravos libertos que o cercam, seus antigos companheiros de servidão, não tenha pena deles. Vivem como príncipes. Está vendo aquele que ocupa o último dos últimos lugares nesta sala? Possui oitenta milhões de sestércios. Saiu do nada. Carregava lenha para viver. [...] Esse aí, por exemplo, ainda traz as marcas das bofetadas do seu senhor, mas não tem do que se queixar. Ainda há pouco mandou afixar sobre sua porta a inscrição:

CAIO. POMPEU. DIÓGENES.
ESTÁ. ALUGANDO. SEU. CUBÍCULO.
ACABA. DE. COMPRAR.
UMA. CASA."

PETRÔNIO. *Satyricon*. São Paulo: Brasiliense, 1985. p. 53-54.

a) Qual é a condição socioeconômica de Trimalcião?

b) **Copie**, do texto, a passagem que informa a origem social de Trimalcião.

c) O que a situação desses escravos e a mudança na condição social de Trimalcião revelam sobre a escravidão em Roma?

d) Como o texto descreve a condição dos escravos libertos?

O DECLÍNIO DO IMPÉRIO ROMANO

Termos e conceitos

Crise

Cristianismo

Império Bizantino

1 **Complete** os espaços com os termos adequados.

_______________. Eram adquiridos nas regiões conquistadas pelo Império Romano e eram a base da economia da Península Itálica.

_______________. Trabalhadores livres presos à terra que começaram a substituir os escravos nas propriedades romanas.

_______________. Nasceu em uma província do Império Romano e foi perseguido pelas autoridades até ser adotado como crença oficial do Império.

2 **Sublinhe** os termos que resumem a situação vivida por Roma no século III.

> guerras civis – estabilidade política e social – conflitos entre patrícios e plebeus – invasões germânicas – esvaziamento das cidades – expansão comercial – aumento dos impostos – crescimento da escravidão – processo inflacionário

Guia de estudo

3 **Indique** o gráfico que melhor representa a relação entre o cristianismo e o Império Romano no período que vai do século I ao IV.

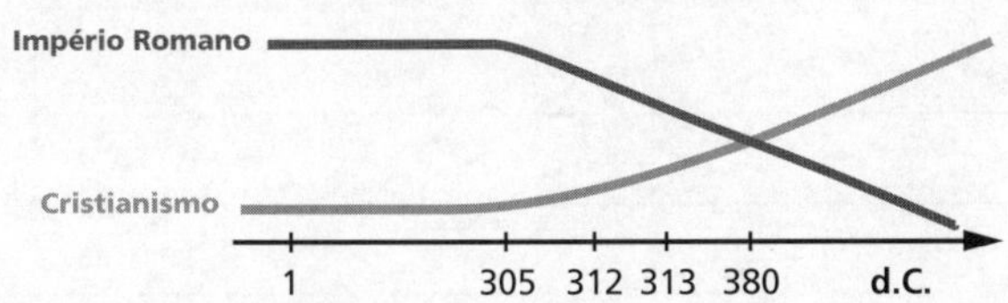

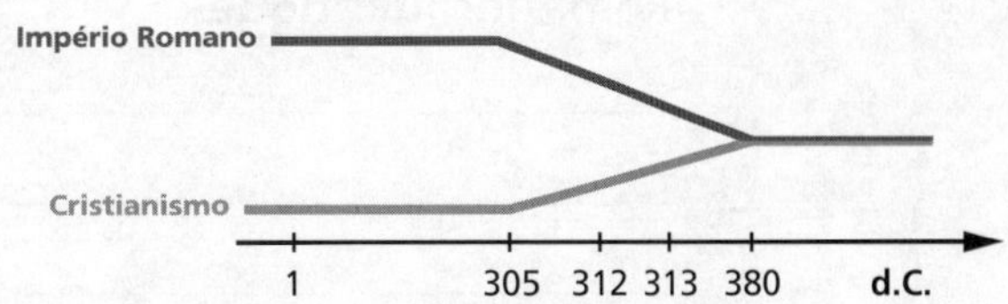

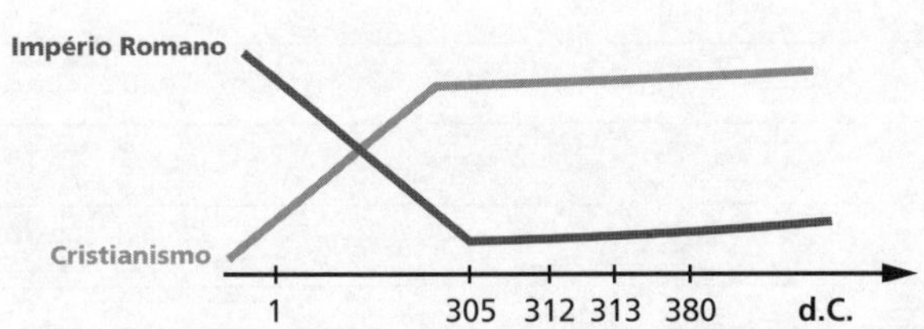

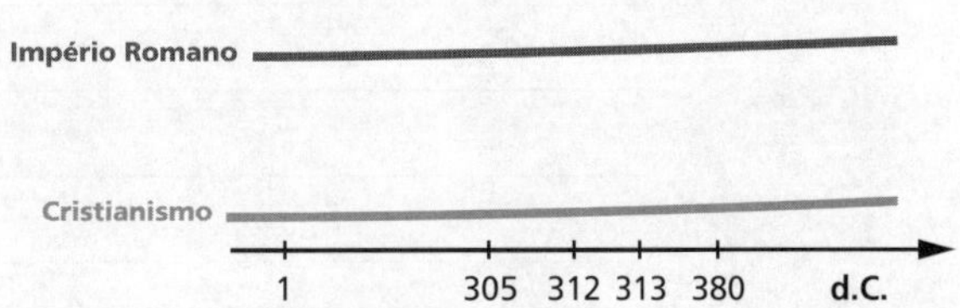

4 **Complete** o diagrama que representa o processo que resultou na queda do Império Romano do Ocidente.

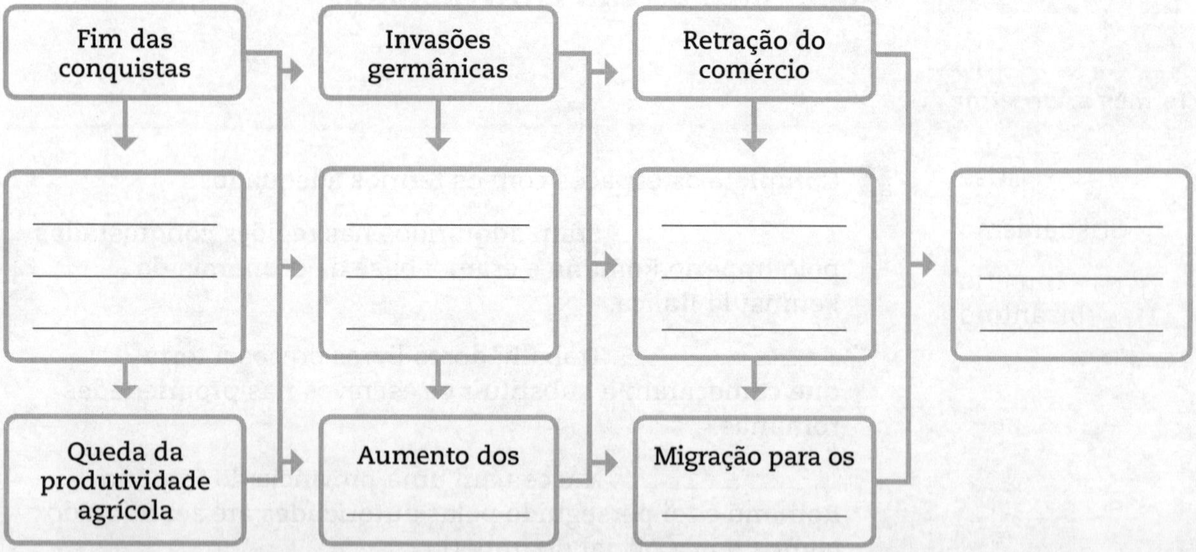

Faça a conexão

5 **Observe** a charge a seguir e **responda** às questões.

Charge de Gilmar, 2010.

a) Que situação histórica foi representada nessa charge?

____

b) A situação representada na charge foi comum durante todo o Império Romano? **Justifique**.

____

____

____

c) Como a situação mostrada nessa charge seria vista nos dias atuais?

____

____

____

____

Fechando o capítulo 6

Sintetize

» **Escolha** o gráfico que melhor sintetiza o período estudado neste capítulo. Em seguida, **cite** três características essenciais para cada um dos momentos representados no gráfico escolhido.

1.

3.

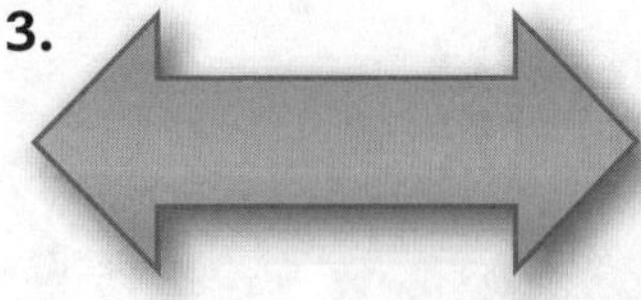

2.

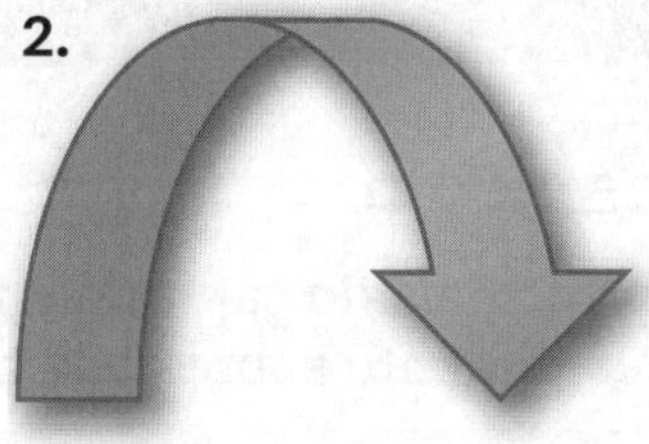

a) Início: ____________________

b) Meio: ____________________

c) Fim: ____________________

Avalie

» **Marque** um X na coluna que melhor traduz o seu aprendizado sobre cada tema. Depois, **compare** este quadro com o que você preencheu no item “Antes de estudar o capítulo”.

Temas principais do capítulo	Compreendi bem o tema.	Compreendi, mas tenho algumas dúvidas.	Tenho muitas dúvidas.
A origem de Roma			
Conflitos sociais e expansão militar na República Romana			
Cultura e cotidiano na Roma antiga			
Escravos e cidadãos no Império Romano			
O cristianismo e os novos valores			
O declínio do Império Romano			

Se você teve dificuldade para compreender algum desses temas, reveja as atividades do *Caderno do estudante* referentes a este capítulo e revise seu livro-texto. Caso seja necessário, peça ajuda ao seu professor ou a um colega.

Unidade C
Capítulo
7

A formação da Europa feudal

Seções:
- 7.1 A Europa da Alta Idade Média: transformações sociais e econômicas
- 7.2 A Igreja e a evangelização dos povos bárbaros
- 7.3 O reino cristão dos francos
- 7.4 Sociedade e economia na ordem feudal
- 7.5 Transformações do feudalismo
- 7.6 A cultura na Baixa Idade Média

Antes de estudar o capítulo

» **Veja** neste quadro os temas principais do capítulo e **marque** um X na coluna que, em sua opinião, traduz o seu conhecimento sobre cada tema.

Temas principais do capítulo	Já estudei. Será um aprofundamento.	Nunca estudei. Será totalmente novo.	Não lembro se estudei.
A ruralização da sociedade europeia e a servidão			
A evangelização dos povos bárbaros			
O Império Carolíngio e sua relação com a Igreja Católica			
Relações de vassalagem			
A divisão da sociedade feudal			
As Cruzadas			
O crescimento comercial e urbano na Baixa Idade Média			
Expressões culturais na Europa da Baixa Idade Média			

» **Veja** abaixo alguns termos e conceitos que você encontrará no capítulo. **Marque** um X naqueles que você julga estarem relacionados à imagem.

- [ ] Servidão.
- [ ] Burguesia.
- [ ] Evangelização.
- [ ] Feudalismo.
- [ ] Trabalho assalariado.
- [ ] Economia rural.
- [ ] Cruzadas.
- [ ] Aumento populacional.
- [ ] Urbanização.
- [ ] Senhorio.

Camponês arando campo. Manuscrito do século XIII.

GIANNI DAGLI ORTI/THE ART ARCHIVE/OTHER IMAGES - BIBLIOTECA DO ESCORIAL, SAN LORENZO DE EL ESCORIAL

Justifique suas escolhas.

A EUROPA DA ALTA IDADE MÉDIA: TRANSFORMAÇÕES SOCIAIS E ECONÔMICAS

Termos e conceitos

Idade Média

Alta Idade Média

Invasões bárbaras

Ruralização

1 **Assinale** as afirmativas que dizem respeito à Europa do início da Idade Média.

- [ ] As propriedades rurais passaram a produzir basicamente para a subsistência.
- [ ] As guerras de conquista possibilitaram obter grandes contingentes de escravos para o trabalho nas propriedades agrícolas.
- [ ] O crescente deslocamento da população urbana para os campos provocou o esvaziamento das cidades e a formação de uma sociedade fortemente rural.
- [ ] Regras e direitos estabelecidos pelo Estado foram substituídos por laços de fidelidade entre os membros da nobreza.
- [ ] A Europa medieval manteve algumas características da Roma imperial como um ativo comércio e a força do poder estatal.

2 **Elimine** a expressão que não faz parte do grupo e **justifique** a sua resposta.

bárbaros – paganismo – poder político centralizado – germânicos – educação guerreira – família patriarcal

____

____

____

____

Guia de estudo

3 Considerando a Europa do início da Idade Média, **escreva** [1] para servos e [2] para escravos.

- [ ] Eles tenderam a ficar cada vez mais escassos, embora não tenham desaparecido por completo.
- [ ] Camponeses presos à terra e obrigados a prestar serviços ao senhor.
- [ ] Eles se transformaram na mão de obra predominante no campo durante a Idade Média.
- [ ] No início da Idade Média, com a retração do comércio e da vida urbana, tornou-se cada vez mais dispendioso para os proprietários manter essa mão de obra.

Capítulo 7 | Seção 7.2

A IGREJA E A EVANGELIZAÇÃO DOS POVOS BÁRBAROS

Seção 7.3

O REINO CRISTÃO DOS FRANCOS

Termos e conceitos

Cristianismo
Movimento monástico
Reinos bárbaros
Igreja Católica
Império
Renascimento Carolíngio

Leia o texto a seguir para **responder** às questões 1 e 2.

"Ao aproximar-se o terceiro ano que se seguiu ao ano mil, via-se em quase toda a terra, principalmente na Itália e na Gália, a reconstrução de igrejas; ainda que a maior parte, muito bem construída, não tivesse nenhuma necessidade, uma verdadeira emulação impelia cada comunidade cristã a ter a sua mais suntuosa que a de seus vizinhos. [...] O próprio mundo se agitava, renunciando sua velhice e cobrindo-se em toda parte de um *branco manto de igrejas*. Então, quase todas as igrejas das sedes episcopais, dos mosteiros consagrados a diversos santos, e mesmo as pequenas capelas das aldeias, foram reconstruídas mais belas pelos fiéis."

Glaber Raul [século XI]. In: JACQUES, Le Goff. *A civilização do Ocidente medieval*. Bauru, SP: Edusc, 2005. p. 57.

Emulação. Disputa, competição.

1 O que podemos concluir, com base nesse relato, a respeito da Igreja Católica na Europa do ano mil?

____

____

____

2 **Anote** o nome do estabelecimento criado pela Igreja Católica na Idade Média que cumpriu um papel social e evangelizador muito importante no período.

____

3 **Assinale** a afirmativa **correta** sobre a Igreja Católica e sua relação com os reinos bárbaros no início da Idade Média.

- [ ] A Igreja desempenhou uma influência muito pequena, pois, devido ao caos gerado pelas invasões bárbaras, as populações não tinham tempo para se dedicar à religião.
- [ ] A aliança da Igreja com os reis foi fundamental na conversão dos povos germânicos ao cristianismo. Dois exemplos dessa aliança foram a conversão do rei franco Clóvis e a coroação de Carlos Magno pelo papa.
- [ ] A Igreja tentou assimilar as práticas pagãs, o que facilitou sua disseminação entre as populações bárbaras e camponesas.
- [ ] Os mosteiros, por estarem isolados e afastados uns dos outros, mais atrapalharam do que ajudaram no processo de evangelização.
- [ ] A Igreja, pela força que tinham os clérigos, impôs rapidamente os valores cristãos aos povos bárbaros, que abandonaram completamente os costumes pagãos.

4 O movimento monástico foi muito importante nas primeiras épocas do cristianismo. **Defina**, brevemente, os termos presentes em cada espaço abaixo.

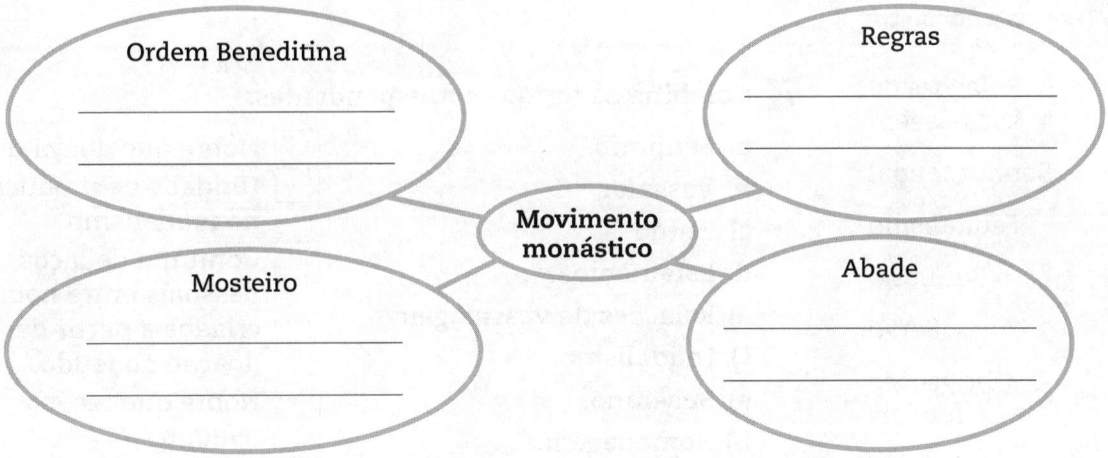

5 **Escolha** a seta que melhor representa o poder do Império Carolíngio ao longo do tempo.

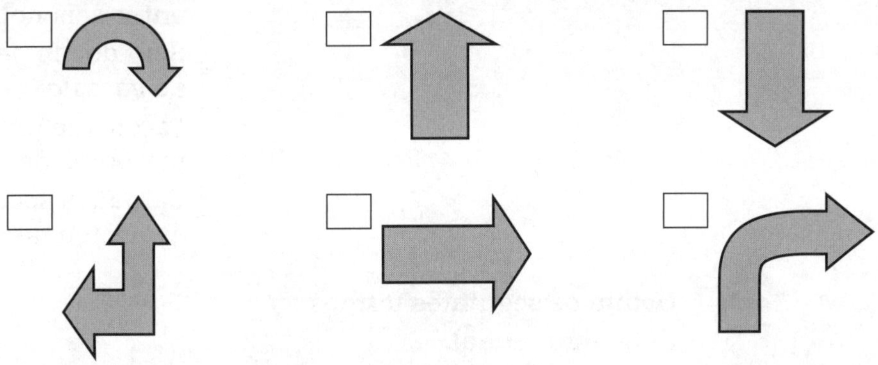

6 **Sublinhe**, no quadro, os acontecimentos que marcaram o Renascimento Carolíngio.

> Incentivo ao estudo do latim – criação de escolas nos monastérios – leitura de textos árabes – tradução de textos clássicos para a língua francesa – cópia de manuscritos clássicos e da *Bíblia* – incentivo à pesquisa científica

7 **Assinale** a alternativa que representa o esquema a seguir.

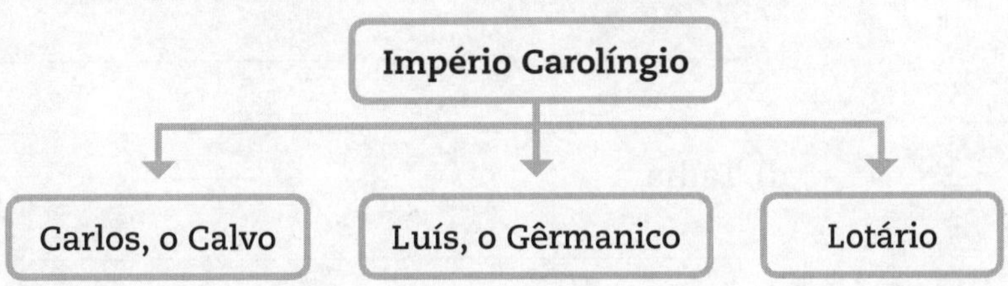

- [ ] O Édito de Milão, que unificou três reinos formando o Império Carolíngio.
- [ ] O Tratado de Verdun, que definiu três reis para o comando do Império Carolíngio.
- [ ] O Tratado de Verdun, que dividiu os domínios do Império Carolíngio entre os filhos de Carlos Magno.
- [ ] O Édito de Milão, que subtraiu três domínios do Império Carolíngio, reduzindo a extensão do Império.

SOCIEDADE E ECONOMIA NA ORDEM FEUDAL

Termos e conceitos

Relações de vassalagem
Senhor feudal
Feudalismo
Senhorio
Servo
Obrigações feudais
Ordem/ Estamento

1 **Combine** os termos correspondentes.

a) Senhorio.
b) Vassalo.
c) Feudo.
d) Estamentos.
e) Relações de vassalagem.
f) Feudalismo.
g) Suserano.
h) Homenagem.

☐ Nobre que doava o feudo.
☐ Unidade de produção no feudalismo.
☐ Conjunto de laços pessoais entre nobres criados a partir da doação do feudo.
☐ Nobre que recebia o feudo.
☐ Ritual que estabelecia a relação de vassalagem entre dois nobres.
☐ Bem doado pelo suserano ao vassalo.
☐ Laços que uniam os membros da nobreza.
☐ Camadas sociais da época feudal.

2 **Defina** os seguintes termos.

a) Senhor feudal.

b) Servo.

c) Corveia.

d) Talha.

e) Banalidades.

3 As três imagens a seguir representam as três principais camadas sociais na Europa feudal. **Identifique** essas camadas e a função de cada uma delas na sociedade de acordo com a visão da Igreja Católica.

WHITE IMAGES/SCALA, FLORENÇA/ IMAGEPLUS - MUSEU CONDE, CHANTILLY

ALBUM/AKG-IMAGES/LATINSTOCK - BIBLIOTECA DO GRANDE SEMINÁRIO DE ESTRASBURGO

THE ART ARCHIVE/AFP - BODLEIAN LIBRARY, OXFORD

À esquerda, ilustração de *O livro da caça*, século XIV; ao centro, iluminura de 1154; à direita, ilustração de saltério do século XV.

A sociedade feudal

1. ______________________

2. ______________________

3. ______________________

Faça a conexão

4 O historiador Jacques Le Goff sintetiza nesse texto as características centrais da economia feudal.

"A economia do Ocidente medieval tem por finalidade a subsistência dos homens. [...] A subsistência varia segundo as camadas sociais. À massa basta a subsistência no sentido estrito da palavra, isto é, o suficiente para subsistir fisicamente: primeiro a alimentação, depois a vestimenta e a casa. Neste sentido, a economia medieval era essencialmente agrária, baseada na terra que fornecia o necessário para viver."

LE GOFF, Jacques. *A civilização do Ocidente medieval*. Bauru: Edusc, 2005. p. 218.

a) **Identifique** as duas características básicas da economia feudal destacadas no texto.

____

b) Quais diferenças você identifica entre a economia feudal e a economia brasileira atual?

____

TRANSFORMAÇÕES DO FEUDALISMO
A CULTURA NA BAIXA IDADE MÉDIA

Termos e conceitos

Cruzadas
Inquisição
Corporações de ofício
Burguês
Baixa Idade Média
Renascimento Cultural
Escolástica

1 Entre os objetivos das Cruzadas, **não** podemos incluir:

- [ ] a obtenção de novas terras para os nobres.
- [ ] a conversão pacífica dos muçulmanos.
- [ ] a imitação do sofrimento de Cristo.
- [ ] a reunificação da cristandade nas terras bizantinas.
- [ ] a expulsão dos muçulmanos da "Terra Santa".

2 **Sublinhe**, no interior dos parênteses, a opção **correta**.

As Cruzadas foram expedições militares e religiosas organizadas (pela Igreja / pelos nobres) na Baixa Idade Média. As disputas travadas entre cristãos e (muçulmanos / judeus) duraram aproximadamente trezentos anos. Ao todo, foram promovidas (cinco / oito) Cruzadas, as quais se direcionaram à (Palestina / Israel) e outras regiões. Quando as lutas terminaram, ficou claro que os objetivos das Cruzadas (foram / não foram) atingidos. Na Europa, as Cruzadas contribuíram para a (reorganização / desorganização) da produção agrícola, a (expansão / retração) da cristandade, o (fortalecimento / fim) do domínio muçulmano no Mar Mediterrâneo, a (revitalização / esvaziamento) das cidades e o (aumento / fim definitivo) das trocas comerciais e culturais entre o Ocidente e o Oriente.

3 A escolástica foi:

- [ ] um sistema filosófico que buscava aliar fé e razão, tentando, assim, confirmar a religião por meio de explicações racionais.
- [ ] uma crença pagã de origem greco-romana.
- [ ] um tipo de literatura amorosa ficcional que era ensinado nas escolas.
- [ ] uma forma de se difundir a cultura popular em praças públicas por meio dos jograis, uma vez que, sendo quase toda a população analfabeta, apresentações musicais eram utilizadas para difundir as obras dos escritores do período.
- [ ] um conjunto de invenções de vários povos que, sintetizadas pelas universidades europeias, conformaram um novo saber científico-tecnológico.

4 **Identifique** os seguintes termos, com base em sua definição.

a) ______________. Instituída em 1233, pelo papa Gregório IX, para julgar e punir acusados de heresia, sua influência estendeu-se para além das fronteiras europeias.

b) ______________. Habitantes das cidades que enriqueceram com as atividades urbanas na Baixa Idade Média.

c) ______________. Localizadas em importantes entroncamentos de rotas comerciais, nesses locais comercializavam-se produtos oriundos de diversas regiões da Europa.

d) ______________. Período iniciado no século XI e marcado pelo crescimento comercial e urbano e pela disseminação do uso da moeda.

e) ______________. Associações de artesãos, constituídas para protegê-los da concorrência, encarregadas de fiscalizar o funcionamento de cada ofício na cidade.

Guia de estudo

5 **Complete** o diagrama das mudanças que marcaram a Europa na Baixa Idade Média.

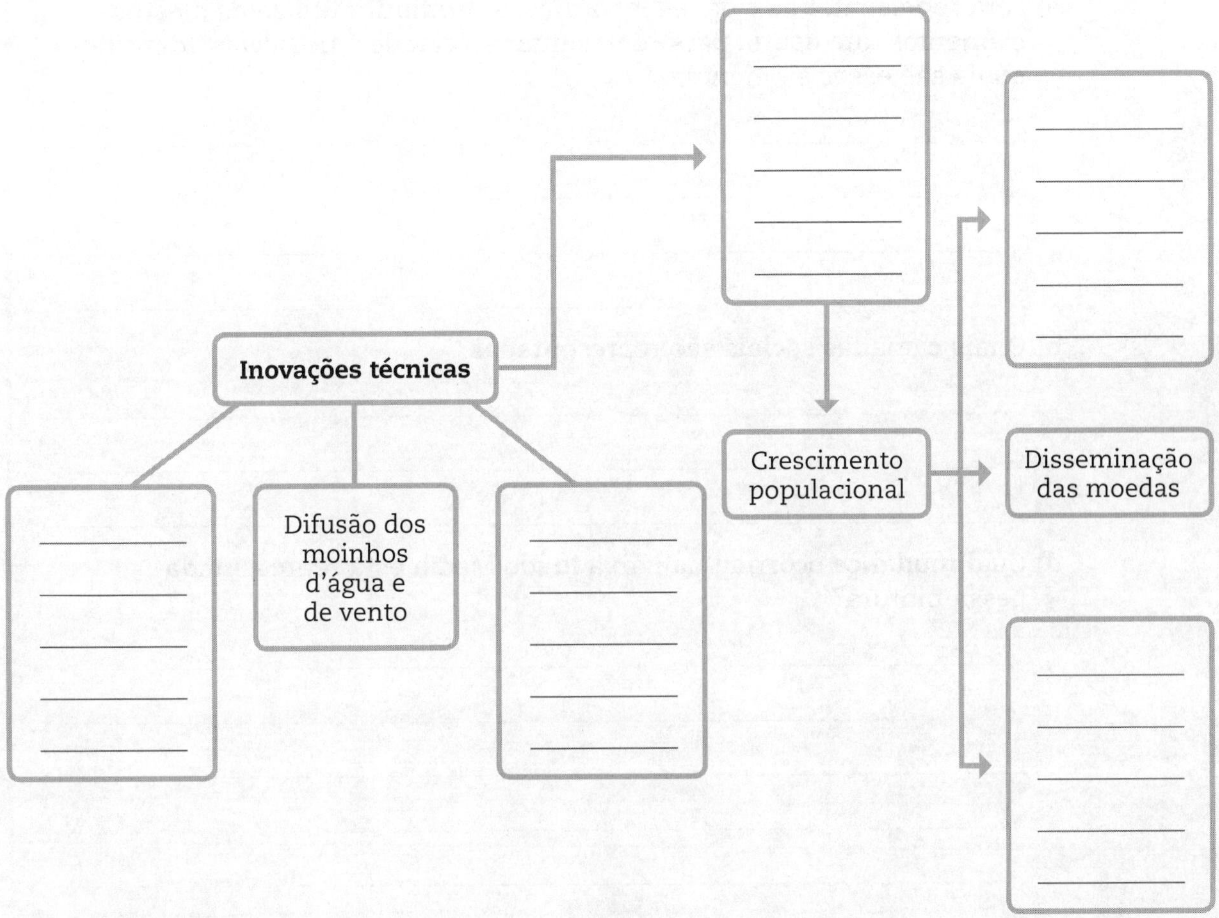

Faça a conexão

6 A imagem ao lado é uma iluminura medieval. Representa o momento de uma lenda sobre a origem dos francos: a fundação das primeiras quatro cidades da história. **Analise** a iluminura e **responda** às seguintes questões.

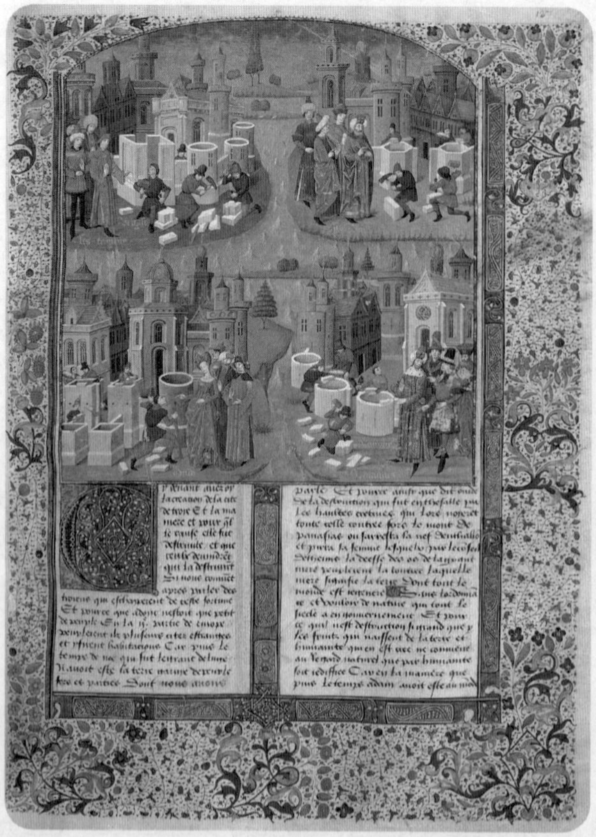

GIRAUDON/THE BRIDGEMAN ART LIBRARY/GRUPO KEYSTONE - MUSEU CONDE, CHANTILLY

Construção das quatro cidades primordiais da história da humanidade, manuscrito francês de Jean de Courcy, século XV.

a) Para representar as cidades lendárias, a iluminura utiliza os mesmos elementos que usaria para representar as cidades medievais. **Identifique** quais são esses elementos.

____

____

____

____

b) Quais camadas sociais são representadas?

____

____

____

d) Qual mudança ocorrida na Baixa Idade Média está representada nessa pintura?

____

____

____

____

____

Fechando o capítulo 7

Sintetize

» **Descubra** quinze termos ou expressões estudados neste capítulo que estão escondidos neste quadro. Você pode procurá-los de cima para baixo, de baixo para cima, da esquerda para a direita e da direita para a esquerda. Não valem diagonais.

																	S	I	I	Q
H	A	V	F	G	E	U	I	F	S	S	O	G	N	U	M	Q	T	S	Y	P
Z		Y		E									J	O	Á	T	R	U	P	C
T		I		V	E	R	T	Y	U	I	K								L	
I		A		M	E												S	M	R	
T		W		H	J	L	K	V	S	R	F	T	I	E	S	D	U	A	I	
A		M			R	I	O	B		Z		N	S	A	I	P	Z	U	O	
T		W			D	F	R	T		I		A		Ê	T	X	C	S	U	
	A	A			O	N	I	T		A		S		O	A	R	I	I	Z	
	Q	X	A		F	D	U	O		P		T		V	I	Y	N	M	X	
	E	S	T		E		M	O		E		Ó		F	S	R	O	J	A	
	A	U	A		D		B	K		R		Y		C		B	N	A	E	
	A	I	S		N		C	S		F		A		R		A	W	Q	L	
	D	F	D		Q		Q	K		M		C		I		A	A	O	E	
	F	S	Z		L		D	K		O		A		E		M	I	A	Y	
	G	B	I		A		R	I		D		I	I	A		C	A	T	G	
R	H	J	E		H		R	O	Z	Ç	W	Z	J	H	I	O	S	P	A	H
A	T	H	V		M		U												V	S
C	S	M	U	R	O	D	E	E	E	U	V	O	T	I	O	V	E	S	E	D

Avalie

» **Marque** um X na coluna que melhor traduz o seu aprendizado sobre cada tema. Depois, **compare** este quadro com o que você preencheu no item "Antes de estudar o capítulo".

Temas principais do capítulo	Compreendi bem o tema.	Compreendi, mas tenho algumas dúvidas.	Tenho muitas dúvidas.
A ruralização da sociedade europeia e a servidão			
A evangelização dos povos bárbaros			
O Império Carolíngio e sua relação com a Igreja Católica			
Relações de vassalagem			
A divisão da sociedade feudal			
As Cruzadas			
O crescimento comercial e urbano na Baixa Idade Média			
Expressões culturais na Europa da Baixa Idade Média			

Se você teve dificuldade para compreender algum desses temas, reveja as atividades do *Caderno do estudante* referentes a este capítulo e revise seu livro-texto. Caso seja necessário, peça ajuda ao seu professor ou a um colega.

Unidade C

Capítulo

8

A civilização árabe e os reinos africanos

Seções:

Antes de estudar o capítulo

» **Veja** neste quadro os temas principais do capítulo e **marque** um X na coluna que, em sua opinião, traduz o seu conhecimento sobre cada tema.

Temas principais do capítulo	Já estudei. Será um aprofundamento.	Nunca estudei. Será totalmente novo.	Não lembro se estudei.
A África antes de Maomé			
O islamismo e seus preceitos básicos			
Economia e cidades do mundo muçulmano			
Artes e ciências no Império Muçulmano			
Os impérios africanos do Sahel			
A islamização dos reinos do Sahel			
O comércio caravaneiro na África			

» **Veja** abaixo alguns termos e conceitos que você encontrará no capítulo. **Marque** um X naqueles que você julga estarem relacionados à imagem.

- [ ] Beduínos.
- [ ] Maomé.
- [ ] Islamismo.
- [ ] Ramadã.
- [ ] Peregrinação.
- [ ] Califado.
- [ ] *Alcorão*.
- [ ] Arte islâmica.
- [ ] Meca.

GUSTAVO ROTH/FOLHAPRESS

Muçulmanos rezam durante comemoração religiosa. São Bernardo do Campo, São Paulo, 2002.

Justifique suas escolhas.

Capítulo 8 Seção 8.1

A PENÍNSULA ARÁBICA E O NASCIMENTO DO ISLÃ

Seção 8.2

A EXPANSÃO MUÇULMANA

Termos e conceitos

Árabe
Islamismo
Islã
Corão / Alcorão
Califa
Califado

1 **Assinale** as afirmativas **corretas**.

- [ ] Todo árabe é muçulmano.
- [ ] Todo muçulmano é árabe.
- [ ] O islamismo nasceu na Arábia e difundiu-se depois por todo o mundo.
- [ ] O *Alcorão* está para o islã assim como a *Bíblia* está para os judeus e os cristãos.
- [ ] O islamismo serviu de base para os fundamentos do judaísmo e do cristianismo.

2 **Enumere** os cinco pilares do islamismo.

1. ______________________
2. ______________________
3. ______________________
4. ______________________
5. ______________________

Guia de estudo

3 Os dois textos a seguir trazem uma afirmação e uma explicação. **Assinale** a alternativa correta e **justifique**.

1. As três grandes crenças monoteístas do mundo, o judaísmo, o cristianismo e o islamismo, são religiões reveladas **porque** foram fundadas na mesma época e pelo mesmo homem, Abraão.

2. As religiões hebraica, islâmica e cristã são monoteístas e reveladas **porque** se fundamentam na revelação de um deus único, registrado nos livros sagrados.

- [ ] A primeira afirmação é falsa, mas a justificativa é verdadeira; a segunda afirmação é verdadeira, mas a justificativa é falsa.
- [ ] A primeira afirmação é falsa, e a justificativa, também; a segunda afirmação é verdadeira, e a justificativa, também.
- [ ] A duas afirmações são falsas; a primeira justificativa é verdadeira, mas a segunda é falsa.
- [ ] As duas afirmações e as duas justificativas são verdadeiras.
- [ ] A primeira afirmação é verdadeira, mas sua explicação é falsa; a segunda afirmava é verdadeira, e a justificativa, também.

4 **Complete** o esquema com as diferenças e as semelhanças entre o judaísmo e o islamismo.

Judaísmo

- Baseia-se no ____________.
- ____________ é o fundador.
- A criação do mundo é o marco inicial do calendário.
- ____________ é a cidade sagrada.

Judaísmo e Islamismo

- Crença em ____________.
- É uma religião revelada.

Islamismo

- Baseia-se no *Alcorão* e na *Suna*.
- ____________ é fundador.
- ____________ é o marco inicial do calendário.
- ____________ é a cidade mais sagrada.

5 **Preencha** corretamente os espaços com os termos abaixo.

Alcorão – *Suna* – Ramadã – Caaba – Hégira – Charia – Califas – Meca

a) Cidade sagrada para os muçulmanos e local de peregrinação.

b) Santuário das principais divindades árabes pré-islâmicas e centro de peregrinação para os muçulmanos.

c) Livro sagrado do islamismo.

d) Acontecimento que marca o início do calendário muçulmano.

e) Livro que contém leis islâmicas e realizações de Maomé.

f) Mês sagrado do calendário islâmico.

g) Código de leis do islã.

h) Sucessores de Maomé e líderes políticos do islã.

AS CIÊNCIAS E AS ARTES NO MUNDO ISLÂMICO

Termos e conceitos

Cultura
Arte
Mesquita

1 **Cite** dois exemplos de descobertas feitas pelos árabes nas seguintes áreas.

a) Matemática: ______

b) Química: ______

c) Medicina: ______

2 Sobre as ciências e as artes islâmicas, **assinale** a alternativa **incorreta.**

- [ ] A língua árabe, comum em todo o território islâmico, facilitou a difusão e o desenvolvimento das artes e da ciência.
- [ ] A Escola de Bagdá tornou-se referência nos ensinos de medicina e de astronomia.
- [ ] Os califas evitaram promover o desenvolvimento dessas áreas, porque temiam que seu poder pudesse ser questionado por uma população cada vez mais culta e instruída.
- [ ] As mesquitas são as construções mais representativas da arquitetura islâmica.
- [ ] O romance foi o gênero mais difundido da literatura muçulmana.

Faça a conexão

3 O texto abaixo, de 713, é o documento de capitulação imposto pelos árabes a Teodomiro, senhor da cidade de Orihuela, na Espanha, após a conquista muçulmana.

"Em nome de Deus clemente e misericordioso. Escritura (outorgada) por Abde Alaziz ibne Muça ibne Noçáir e Teodomiro ibne Gobdux.

Que este se avenha ou se submeta a capitular, aceitando o patronato e a clientela de Alá e a clientela do seu profeta (com que Alá seja fausto e propício) com a condição: de que não se imporá domínio sobre ele nem sobre nenhum dos seus; que não poderá ser colhido nem despojado do seu senhorio; que não poderão ser mortos, nem cativos, nem apartados uns dos outros, nem de seus filhos nem de suas mulheres, nem violentados em sua religião, nem queimadas suas igrejas; que não será despojado do seu senhorio enquanto for fiel e sincero e cumpra o que temos estipulado com ele; que a sua capitulação se estende a sete cidades, que são: Orihuela, Baltana, Alicante, Mula, Villena, Ello e Lorca; [...] que ele e os seus pagarão cada ano um dinar, e quatro moios de trigo, e quatro de cevada, e quatro cântaros de conserva de frutas, e quatro de vinagre, e dois de mel, e dois de azeite. Mas o servo só pagará metade.[...]

Escreveu-se a quatro de rágebe do ano de 94 da hégira."

Capitulação de Teodomiro, senhor de Orihuela [713]. In: COELHO, António Borges. *Portugal na Espanha árabe*. Lisboa: Caminho, 1989.

Fausto. Feliz, venturoso.
Quatro de Rágebe. Data do calendário muçulmano que corresponde ao dia 6 de agosto no calendário cristão.

a) **Identifique** o contexto histórico em que o documento foi elaborado.

b) Transcreva a frase que indica, já no século VIII, a importância da escrita na cultura islâmica.

c) Que tipo de atitude o documento exige que os cristãos subjugados recebam dos muçulmanos?

d) **Escreva V** (verdadeiro) ou **F** (falso) a respeito do documento.

- [ ] Os árabes pareciam tratar os cristãos de forma respeitosa.
- [ ] Os árabes obrigavam os povos conquistados a se converter ao islamismo.
- [ ] Todos os povos conquistados pelos árabes recebiam o mesmo tratamento.
- [ ] Os habitantes da Península Ibérica deviam pagar tributos aos árabes.
- [ ] A expansão árabe combinou ações de conquista militar com o projeto religioso de difusão do islã.

REINOS DA ÁFRICA SAHELIANA

Termos e conceitos

Sahel

Comércio transaariano

Mansa

1 **Liste** quatro características, geográficas e culturais, da região conhecida como Sahel.

1. ______________________________

2. ______________________________

3. ______________________________

4. ______________________________

2 **Assinale** a afirmativa **incorreta** sobre a islamização do Sahel.

- [ ] Ela dinamizou as redes comerciais já existentes.
- [ ] Foi essencial para a centralização da autoridade e do poder no Reino de Gana.
- [ ] Permitiu uma maior abertura cultural e econômica ao mundo exterior.
- [ ] Não atingiu o Império do Mali, pois o cristianismo era muito forte na região.
- [ ] Com a islamização do Reino de Gana, a *charia* foi instituída e criou-se um sentimento de pertencimento à cultura e à língua árabes e de unidade em torno do islã.

3 **Identifique** o tema que unifica as expressões do quadro e **elimine** aquela que não se encaixa no grupo.

Camelos – seda e porcelana – Deserto do Saara – Djenné e Timbuctu – berberes – caravanas – sal e ouro – Sahel

____

____

____

____

____

____

____

____

Guia de estudo

4 Imagine dois comerciantes. Um deles vivia ao norte do Deserto do Saara, e o outro, na região do Sahel. **Liste**, nos espaços a seguir, o que cada um poderia vender ao outro.

Norte da África		Região do Sahel
1. ______	→	1. ______
2. ______		2. ______
3. ______	←	3. ______
4. ______		4. ______
5. ______		5. ______

5 **Escreva** [G] para Reino de Gana e [M] para Império do Mali.

- [ ] Foi a primeira grande civilização do Sahel, também conhecida como Terra do Ouro.
- [ ] Berberes, árabes e judeus convergiam para Timbuctu, a principal cidade, transformando-a num importante centro político e cultural.
- [ ] O comércio de ouro e sal era bastante próspero na região.
- [ ] O islã chegou de forma pacífica, divulgado por mercadores e letrados e estabelecido pela conversão das principais autoridades.
- [ ] Os governantes eram chamados de *mansas*; alguns deles ficaram conhecidos por causa de suas peregrinações a Meca e a Medina.

Faça a conexão

6 O documento a seguir é um relato sobre a conversão do rei do Mali escrito em 1068. Sobre ele, **responda** às questões.

"Atrás deste país (Yarasma) existe outro reino, chamado Malal [futuro Mali], cujo rei é conhecido pelo nome de al-Muslimani. Foi assim chamado por ocasião de uma crise de fome que durava há anos. As pessoas tinham oferecido tantas vacas em sacrifício para obter a chuva que quase tinham destruído a espécie entre eles. O rei tinha então um hóspede muçulmano, que conhecia o *Alcorão* e se empenhava em seguir a *Suna*. Participou-lhe as suas preocupações. 'Se aceitares acreditar no Deus muito elevado, disse-lhe o muçulmano, na sua unicidade, na missão profética de Muhammad e se observares as prescrições da lei islâmica, estou certo que obterás a libertação das tuas desgraças e que a misericórdia divina descerá sobre todos os teus súditos a ponto de tornar ciumentos os teus inimigos.' O muçulmano continuou a exortar o rei, que, finalmente, deu uma adesão sincera ao islão. Leu então no *Alcorão* algumas passagens fáceis de compreender e ensinou-lhe as obrigações e as tradições que nenhum crente pode desconhecer. [...] O muçulmano começou a rezar e o rei, que estava à sua direita, imitava todos os seus gestos. Rezaram assim uma boa parte da noite. O muçulmano fazia invocações e o rei respondia amém! E eis que quando o dia começava a despontar, uma chuva forte se abateu sobre todo o país.

O rei mandou imediatamente destruir os 'feitiços' (dakakir) e expulsar os feiticeiros do seu reino. A sua conversão foi sincera; a sua família e a sua corte também se converteram. Mas os seus súditos, que se mantiveram politeístas, deram-lhe cognome, a partir desta época, de Al-Musulmani (o Muçulmano)."

A conversão do rei de Malal. Citado em El-Bekri. Livre des itinéraires et des royaumes [1068]. In: M'BOKOLO, Elikia. *África negra*: história e civilizações. Lisboa: Vulgata, 2003. T.I. p. 135.

a) Como foi feita a conversão do rei?

______

______

______

b) O que aconteceu logo depois da conversão?

____

c) Que medida o rei tomou assim que se converteu ao islã?

____

d) Quais informações sobre a conversão dos povos de Sahel aparecem no livro-texto e nesse documento?

____

____

____

____

Fechando o capítulo 8

Sintetize

Escolha um dos temas deste quadro e **faça** uma pequena redação sobre ele.

Comércio caravaneiro na África – As ciências no mundo islâmico – A islamização da região do Sahel

Avalie

Marque um X na coluna que melhor traduz o seu aprendizado sobre cada tema. Depois, **compare** este quadro com o que você preencheu no item "Antes de estudar o capítulo".

Temas principais do capítulo	Compreendi bem o tema.	Compreendi, mas tenho algumas dúvidas.	Tenho muitas dúvidas.
A África antes de Maomé			
O islamismo e seus preceitos básicos			
Economia e cidades do mundo muçulmano			
Artes e ciências no Império Muçulmano			
Os impérios africanos do Sahel			
A islamização dos reinos do Sahel			
O comércio caravaneiro na África			

Se você teve dificuldade para compreender algum desses temas, reveja as atividades do *Caderno do estudante* referentes a este capítulo e revise seu livro-texto. Caso seja necessário, peça ajuda ao seu professor ou a um colega.

Unidade C
Capítulo
9

O outono da Idade Média

Seções:
9.1 A crise econômica e demográfica
9.2 A crise do feudalismo: revoltas urbanas e camponesas
9.3 As conquistas otomanas e a queda de Constantinopla

Antes de estudar o capítulo

» **Veja** neste quadro os temas principais do capítulo e **marque** um X na coluna que, em sua opinião, traduz o seu conhecimento sobre cada tema.

Temas principais do capítulo	Já estudei. Será um aprofundamento.	Nunca estudei. Será totalmente novo.	Não lembro se estudei.
A devastação causada pela peste negra na Europa			
Revoltas urbanas e camponesas do século XIV			
A fome e a queda demográfica			
A tomada de Constantinopla pelos turcos			

» **Veja** abaixo alguns termos e conceitos que você encontrará no capítulo. **Marque** um X naqueles que você julga estarem relacionados à imagem.

- [ ] Epidemia.
- [ ] Império Bizantino.
- [ ] Camponeses.
- [ ] Burguesia.
- [ ] Queda de Constantinopla.
- [ ] Otomanos.
- [ ] Entroncamento de rotas.
- [ ] Contestação social.
- [ ] Guerra dos Cem Anos.

JIM ZUCKERMAN/ALAMY/OTHER IMAGES

Catedral de Santa Sofia. Istambul, Turquia, 2006.

Justifique suas escolhas.

A CRISE ECONÔMICA E DEMOGRÁFICA

Termos e conceitos

Epidemia / pandemia

Peste negra

Declínio demográfico

1 **Complete** a ficha sobre a epidemia de peste negra na Europa do século XIV.

a) Causa da doença.

____

b) Como é transmitida.

____

c) Tipos de peste.

____

d) Principais sintomas.

____

e) Como a doença chegou à Europa.

____

f) Resultados da epidemia.

____

2 **Liste** três acontecimentos que explicam o declínio demográfico ocorrido na Europa no século XIV.

1. _______________
2. _______________
3. _______________

____

Guia de estudo

3 **Preencha** o diagrama que resume as motivações e os resultados da Guerra dos Cem Anos.

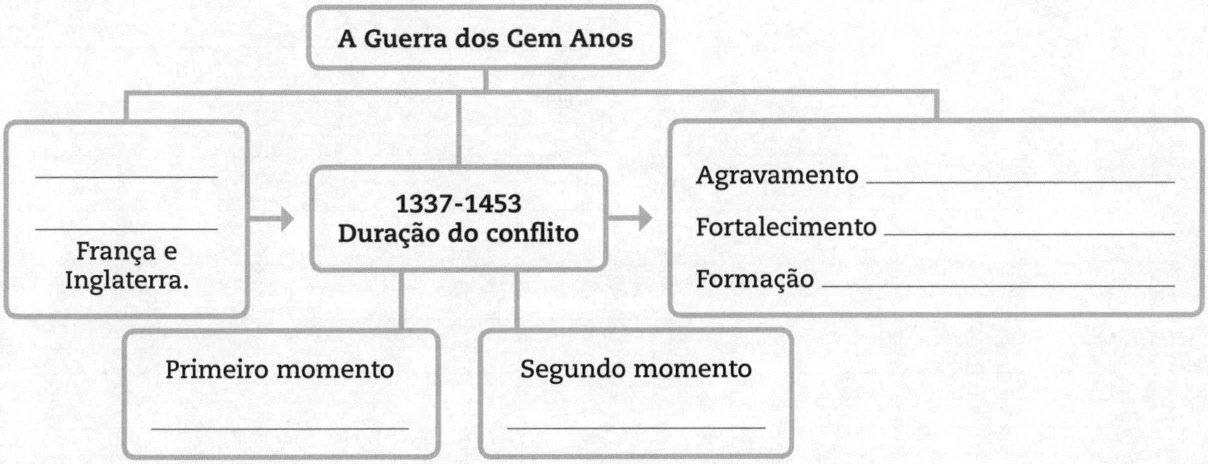

Faça a conexão

» A charge é um tipo de desenho que trata com humor de acontecimentos e personagens da atualidade. **Identifique** o fato satirizado nesta charge e **avalie** se o desenho poderia ser usado para representar a epidemia de peste negra no século XIV.

Charge de Simon satirizando um tipo de gripe dos dias atuais.

A CRISE DO FEUDALISMO: REVOLTAS URBANAS E CAMPONESAS

AS CONQUISTAS OTOMANAS E A QUEDA DE CONSTANTINOPLA

Termos e conceitos

Crise

Revoltas camponesas

Burguesia

Império Otomano

Queda de Constantinopla

1 **Destaque** os termos relativos às revoltas camponesas do século XIV na Europa Ocidental.

contestação do caráter divino dos reis – exploração da mão de obra servil – repressão violenta – invasões bárbaras tardias – disputas pelo poder político – salários pagos em moedas – questionamento da ordem social – *Jacqueries* – reivindicações políticas – crescimento da escravidão

2 O século XIV foi uma época de muita agitação social, revoltas e crise na Europa Ocidental. Sobre esse período **escreva** B para burguesia, C para camponeses e N para nobreza.

- [ ] Alguns indivíduos desse grupo social enriqueceram ao adquirir terras abandonadas durante a crise generalizada do século XIV na Europa Ocidental.
- [ ] Fortaleceu-se em virtude do enfraquecimento de outro importante grupo social, comprando suas terras e promovendo casamentos entre eles.
- [ ] Seus privilégios e a função que tinham na sociedade passaram a ser contestados.
- [ ] Conseguiram conter as revoltas camponesas contando, para isso, com sua superioridade militar e com o auxílio de membros do mesmo grupo social.
- [ ] O interesse em converter o poder econômico já alcançado em poder político e prestígio social fomentou as revoltas urbanas.
- [ ] Foram violentamente reprimidos, não conseguindo promover a ruptura social almejada.

Guia de estudo

3 **Analise** as seguintes afirmativas sobre o quadro de revoltas sociais na Europa do século XIV.

I. As *Jacqueries* contestavam os privilégios e a própria existência da nobreza rural.

II. Os nobres não conseguiram conter as revoltas camponesas e foram obrigados a fugir. Os camponeses se apossaram das terras e, com o tempo, os mais ricos obtiveram títulos nobiliárquicos.

III. A burguesia já havia conquistado o poder econômico. Pretendia, com as revoltas urbanas, alcançar também o poder político.

IV. As revoltas fracassaram, tanto nos campos, quanto nas cidades, e a ordem social permaneceu a mesma, com a aristocracia mantendo seus privilégios e poderes.

V. Desde o começo, as *Jacqueries* foram controladas pela burguesia citadina.

São corretas:

- [ ] as afirmativas I e III.
- [ ] as afirmativas I, IV e V.
- [ ] apenas a afirmativa I.
- [ ] as afirmativas III e IV.
- [ ] as afirmativas I, III e IV.

4 **Sublinhe** apenas uma das expressões entre parênteses.

Os turcos, nos dias de hoje, são majoritariamente (cristãos / muçulmanos), mas não são (otomanos / árabes). A expansão territorial turca iniciou-se no século XIII, comandada por Otoman I, o que (explica / contradiz) o nome Império Otomano, que se formou com as conquistas realizadas. As regiões conquistadas tinham de pagar tributos ao (mansa / sultão), e muitos habitantes, para se livrar do pagamento das taxas, convertiam-se ao (zoroastrismo / islã). O feito mais importante da expansão turca foi a tomada de (Constantinopla / Jerusalém), capital do Império (Bizantino / Persa), em 1453, acontecimento que marca o início da Idade (Média / Moderna).

Guia de estudo

Faça a conexão

5 Não se sabe ao certo o que aconteceu com o último imperador de Constantinopla quando as tropas otomanas tomaram a cidade. Por isso, surgiram muitas lendas em torno desse fato, como notamos neste relato apócrifo.

"Lamentai, cristãos do Oriente e do Ocidente, derramai vosso pranto sobre essa grande destruição. No dia 29 de maio de 1453, os filhos de Hagar tomaram a cidade de Constantinopla [...] E quando Constantino Drageses ouviu a notícia, empunhou sua lança, segurou sua espada, montou sua égua de patas brancas e atacou os turcos, os hereges cães. Matou dez paxás e sessenta janízaros, mas sua espada e sua lança se partiram e ele ficou sozinho, sem nenhuma ajuda. [...] Um turco o atingiu na cabeça e o pobre Constantino caiu de sua égua; ficou lá, estirado no chão, no pó e no sangue. Cortaram sua cabeça, prenderam-na na ponta de uma lança e enterraram seu corpo sob um loureiro."

In: CROWLEY, Roger. *1453*. A guerra santa por Constantinopla e o confronto entre o islã e o Ocidente. São Paulo: Rosari, 2009. p. 234.

Hagar. Segundo a *Bíblia*, é a serva egípcia que se deitou com Abraão para dar-lhe o primeiro filho, Ismael, considerado ancestral dos árabes.
Paxá. Governador das províncias do Império Otomano.
Janízaro. Soldado de elite do exército turco.

a) Como o imperador Constantino XI foi retratado nesse relato?

b) De que forma o autor do relato se referiu aos soldados otomanos?

____

____

____

____

____

c) Qual seria a intenção do relato ao retratar o imperador dessa forma?

____

____

____

____

____

Fechando o capítulo 9

Sintetize

» **Elaborem**, em pequenos grupos, um texto contendo os termos e conceitos que, na opinião de vocês, sintetizam o conteúdo de uma das seções estudadas neste capítulo. Em seguida, alguém do grupo deverá fazer a leitura em voz alta para o resto da sala. Ao final das apresentações, **comparem** os textos, **identificando** as diferenças e semelhanças encontradas entre eles.

Avalie

» **Marque** um X na coluna que melhor traduz o seu aprendizado sobre cada tema. Depois, **compare** este quadro com o que você preencheu no item "Antes de estudar o capítulo".

Temas principais do capítulo	Compreendi bem o tema.	Compreendi, mas tenho algumas dúvidas.	Tenho muitas dúvidas.
A devastação causada pela peste negra na Europa			
Revoltas urbanas e camponesas do século XIV			
A fome e a queda demográfica			
A tomada de Constantinopla pelos turcos			

Se você teve dificuldade para compreender algum desses temas, reveja as atividades do *Caderno do estudante* referentes a este capítulo e revise seu livro-texto. Caso seja necessário, peça ajuda ao seu professor ou a um colega.

Unidade D
Capítulo
10

A civilização do Renascimento

Seções:
10.1 O humanismo e o Renascimento Cultural
10.2 A expansão marítima europeia
10.3 Reformas religiosas

Antes de estudar o capítulo

» **Veja** neste quadro os temas principais do capítulo e **marque** um X na coluna que, em sua opinião, traduz o seu conhecimento sobre cada tema.

Temas principais do capítulo	Já estudei. Será um aprofundamento.	Nunca estudei. Será totalmente novo.	Não lembro se estudei.
O Renascimento e a valorização do homem			
A arte renascentista			
A Revolução Científica			
As grandes navegações e a chegada à América			
A Reforma Protestante			
A Reforma Católica			

» **Veja** abaixo alguns termos e conceitos que você encontrará no capítulo. **Marque** um X naqueles que você julga estarem relacionados à imagem.

- [ ] Valorização do homem.
- [ ] Arte renascentista.
- [ ] Valorização da cultura clássica.
- [ ] Cidades italianas.
- [ ] Expansão marítima.
- [ ] Revolução Científica.
- [ ] Reforma Protestante.
- [ ] Contrarreforma.

NATIONAL GALLERY, LONDON

Madona e o menino entronados com santos, pintura de Rafael Sanzio, 1505.

Justifique suas escolhas.

O HUMANISMO E O RENASCIMENTO CULTURAL

Termos e conceitos

Renascimento
Humanismo
Cortesão
Mecenato
Revolução Científica

1 **Defina** os termos abaixo.

a) Antropocentrismo. ____________________

____

b) Mecenas. ____________________

____

c) Cortesão. ____________________

____

2 **Escreva V** (verdadeiro) ou **F** (falso) sobre o humanismo.

- [ ] O movimento surgiu na Itália e lá permaneceu, sem conseguir expandir-se para outras regiões da Europa.
- [ ] Considerava o homem o centro de todas as coisas.
- [ ] Foi, de certa forma, impulsionado pela conquista de Constantinopla pelos turcos.
- [ ] Revigorou os estudos da cultura clássica.
- [ ] Expressava uma visão positiva do homem e do futuro.
- [ ] Por admirarem a cultura clássica pagã, os humanistas combatiam o cristianismo e a ação da Igreja Católica.

Guia de estudo

3 **Sublinhe** três elementos que, juntos, contribuíram para o nascimento e a expansão do movimento renascentista.

Igreja Católica – desenvolvimento das cidades – expansão do comércio – Reforma Protestante – sociedade estamental – peste negra – ascensão social da burguesia

4 **Escolha** o diagrama que melhor representa a relação dos acontecimentos abaixo com o Renascimento. Em seguida, **justifique** sua resposta.

1. O contato das cidades italianas com outras culturas ajudou a criar uma mentalidade mais aberta a mudanças e que valorizava as conquistas da humanidade.
2. Rompeu com diversos valores sociais da cultura feudal, criando, em oposição, padrões de distinção social pautados no mérito individual e não mais no nascimento e na ancestralidade.
3. Valorizou-se o desenvolvimento da individualidade humana, baseada no equilíbrio das qualidades pessoais e no máximo conhecimento que o ser humano poderia adquirir sobre todos os assuntos possíveis.

4. Desenvolvimento da técnica da perspectiva, num processo que envolveu a valorização do homem e a investigação das leis da natureza.
5. Independência da ciência em relação à fé. O conhecimento científico começava a fundamentar-se na observação atenta dos fenômenos naturais, utilizando, para isso, a linguagem matemática.

☐ 

☐ 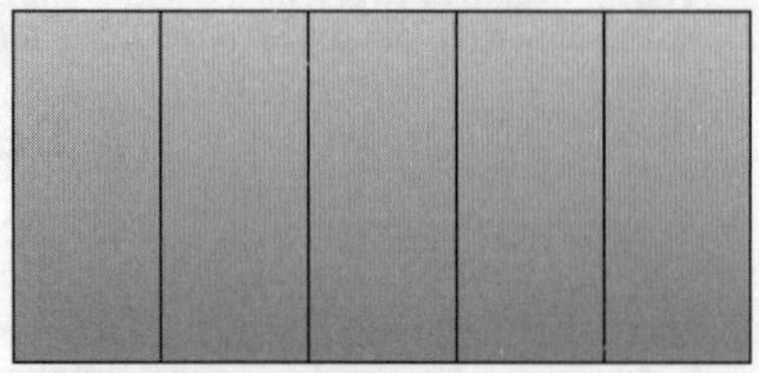

☐ 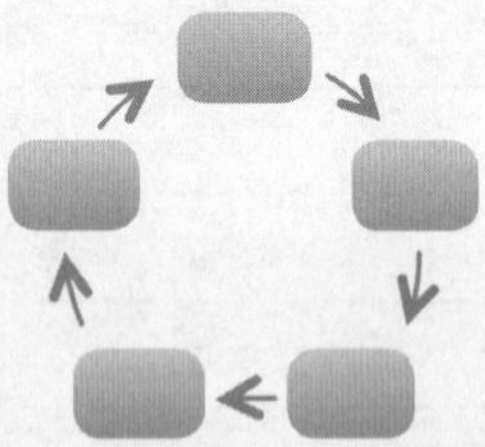

☐ 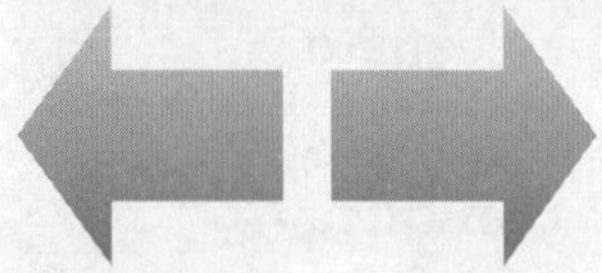

☐ 

5 **Complete** o quadro dos principais nomes da Revolução Científica dos séculos XVI e XVII.

Cientista	Realizações
Copérnico	
Galileu Galilei	
Johannes Kepler	
Giordano Bruno	

Faça a conexão

6 O retrato foi uma das representações artísticas mais importantes nas cidades italianas do Renascimento. **Observe** os retratos abaixo para responder às questões.

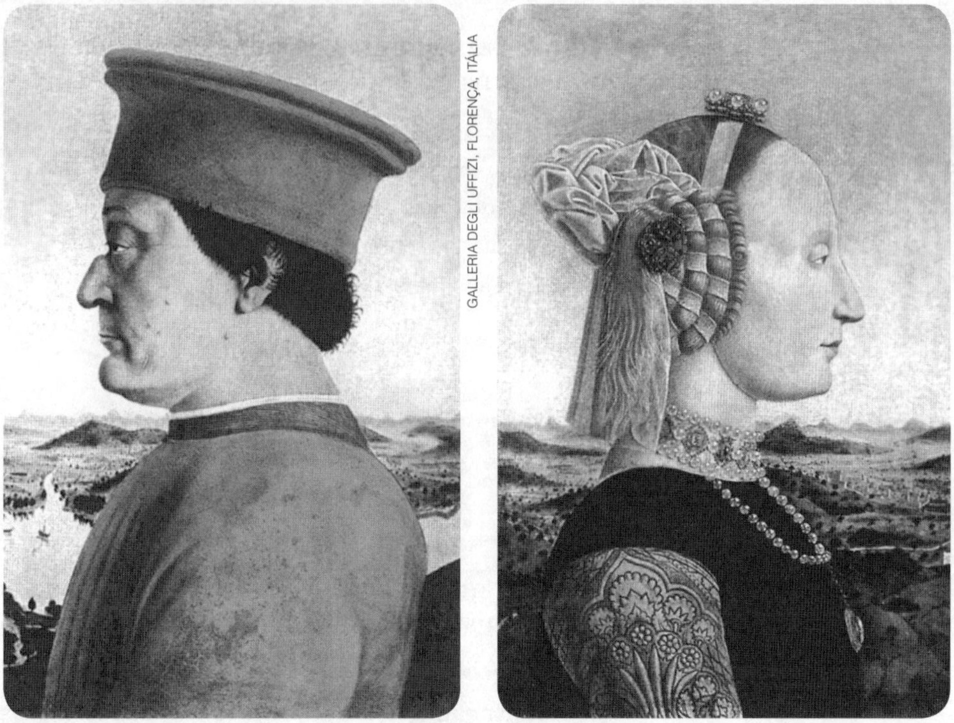

GALLERIA DEGLI UFFIZI, FLORENÇA, ITÁLIA

GALLERIA DEGLI UFFIZI, FLORENÇA, ITÁLIA

Detalhe da obra *Retrato de Federico de Montefeltro e de sua esposa Battista Sforza*, díptico de Piero della Francesca, 1472.

a) A que camada social pertenciam as pessoas retratadas nessa pintura?

____

____

____

b) Qual era a finalidade desses retratos?

____

____

____

c) Qual relação existia entre os retratos e as mudanças sociais que ocorriam nas cidades italianas daquela época?

____

____

____

____

____

A EXPANSÃO MARÍTIMA EUROPEIA

Termos e conceitos

Expansão marítima

Índias

1 Os versos abaixo foram retirados do poema Os *lusíadas*, do português Luís de Camões.

"As armas e os barões assinalados,
Que da ocidental praia Lusitana,
Por mares nunca de antes navegados,
Passaram ainda além da Taprobana [...]."

CAMÕES, Luís de. *Os lusíadas*. Belo Horizonte: Itatiaia, 1990. p. 29.

a) **Identifique** o assunto tratado nesse trecho.

____

____

b) **Sublinhe**, no quadro a seguir, os fatores que possibilitaram o evento histórico representado no trecho do poema.

> unificação territorial precoce – busca de novos mercados consumidores – Estado centralizado e forte – projeto de expansão da fé cristã – necessidade de matérias-primas para as indústrias – aperfeiçoamento das caravelas e dos instrumentos de navegação – Busca de novas rotas comerciais – imperialismo – obtenção de escravos – necessidade de ouro para a cunhagem de moedas

2 **Elabore** três frases relacionadas à região que se conhecia como "Índias".

1. ______________________________

____

____

2. ______________________________

____

____

____

3. ______________________________

____

____

____

Guia de estudo

3 **Preencha** o diagrama que representa os fatores que tornaram possível a expansão marítima europeia.

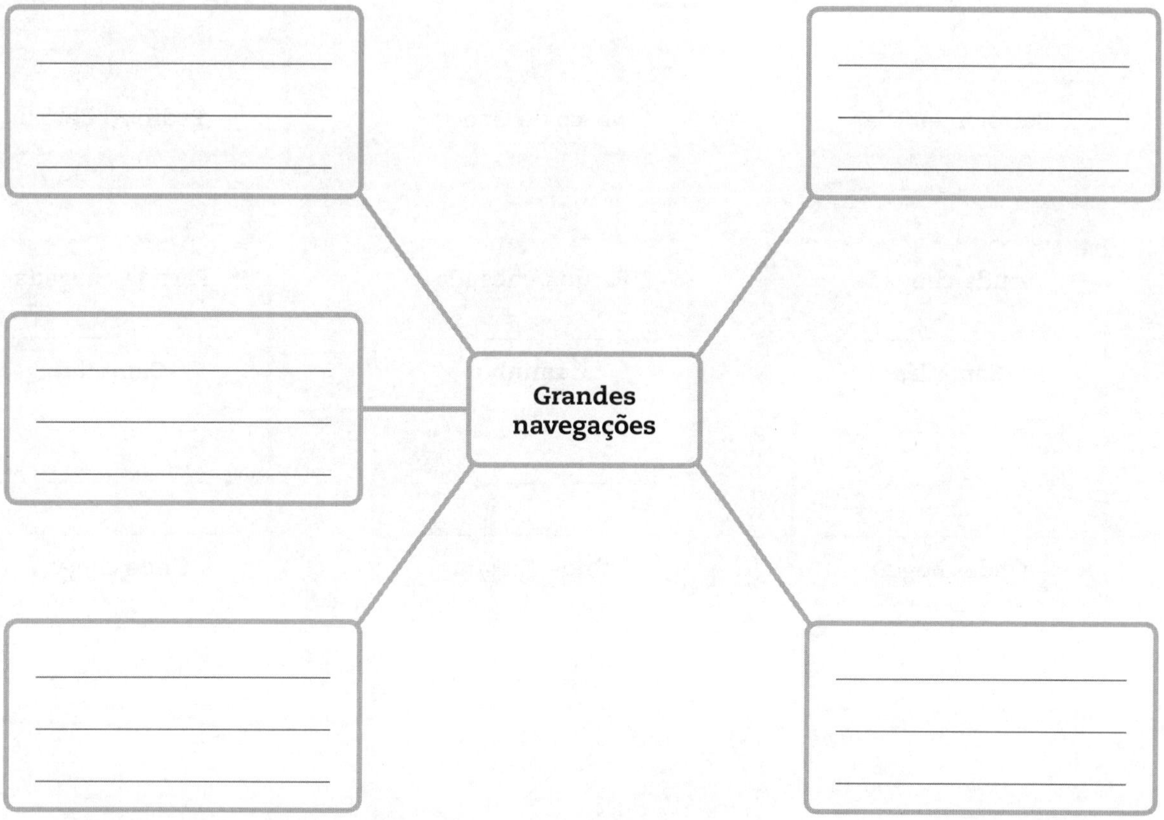

4 **Relacione** cada afirmação com uma explicação.

1. Os portugueses buscavam um novo caminho para chegar às Índias.
2. Os portugueses tinham autorização para converter os povos conquistados.
3. Colombo desejava converter os nativos e expandir a fé católica.
4. Acreditava que a Terra era redonda.
5. Portugal foi pioneiro nas grandes viagens marítimas.
6. Os venezianos e os otomanos tinham o monopólio do comércio das especiarias por terra e pelo Mar Mediterrâneo.
7. Era um homem de mentalidade tipicamente medieval e cruzadista.
8. Entre outras coisas, tinha um Estado forte e centralizado.
9. A Igreja Católica abençoou a conquista.
10. Colombo navegou pelo Ocidente para atingir o Oriente.

a) _____ porque _____.

b) _____ porque _____.

c) _____ porque _____.

d) _____ porque _____.

e) _____ porque _____.

5 **Complete** o diagrama das grandes viagens marítimas.

Viagens portuguesas

Bartolomeu Dias	Vasco da Gama	Pedro A. Cabral
Partida/chegada	Partida/chegada	Partida/chegada
__________	__________	__________
Caminho	Caminho	Caminho
__________	__________	__________
__________	__________	__________
__________	__________	__________
Onde chegou	Onde chegou	Onde chegou
__________	__________	__________
__________	__________	__________

Viagens espanholas

Cristóvão Colombo	Américo Vespúcio	Fernão de Magalhães
Partida/chegada	Partida/chegada	Partida/chegada
__________	__________	__________
Caminho	Caminho	Caminho
__________	__________	__________
__________	__________	__________
__________	__________	__________
Onde chegou	Onde chegou	Onde chegou
__________	__________	__________
__________	__________	__________

REFORMAS RELIGIOSAS

Termos e conceitos

Reforma Protestante

Predestinação absoluta

Contrarreforma

1 **Escreva** R para Reforma Protestante e C para Contrarreforma.

- [ ] Condenação da venda de indulgências.
- [ ] Só a fé leva à salvação.
- [ ] Reafirmação da infalibilidade do papa.
- [ ] Qualquer fiel pode interpretar a palavra de Deus.
- [ ] Restabelecimento dos Tribunais do Santo Ofício.
- [ ] Ideia da predestinação absoluta.

2 **Resuma** o princípio calvinista da predestinação absoluta.

____

____

____

____

____

____

Guia de estudo

3 **Complete** o diagrama que resume os instrumentos da Contrarreforma para combater o protestantismo e disciplinar moralmente os quadros da Igreja.

Reforma Católica

Objetivos
____
____
____
____
____

____
____
Ordem religiosa criada para combater os protestantes, converter os pagãos e formar uma elite católica letrada.

____
____
Restabelecimento de um tribunal destinado a investigar e punir os suspeitos de heresia.

____
____
Lista de livros heréticos e proibidos pela Igreja.

____
____
Reafirmação dos dogmas católicos e da autoridade do papa.

Fechando o capítulo 10

Sintetize

» A tirinha ao lado representa o *viking* Hagar e trata de uma das crenças difundidas ao longo da Idade Média. **Leia** a história e **assinale** a alternativa **incorreta**.

Tirinha do Hagar, 2010.

- [ ] Hagar acredita que o mundo é quadrado, o que está plenamente de acordo com as crenças da Idade Média sobre a forma que o planeta possuiria.
- [ ] O Renascimento promoveu alterações profundas na maneira como os homens viam seu próprio mundo, e a crença de Hagar não poderia ser respaldada pelos avanços científicos da Renascença.
- [ ] Galileu, Kepler, Copérnico e Giordano Bruno contribuíram para a refutação de diversas ideias da Idade Média por meio de suas invenções e teorias acerca do universo e da natureza, o que acabou rendendo a alguns deles a perseguição e eventuais condenações pela Igreja.
- [ ] A ideia expressa por Hagar está perfeitamente em sintonia com o pensamento científico dos séculos XVI e XVII, pois a ciência ainda era submissa e influenciada pela Igreja, que não admitia avanços no conhecimento científico-tecnológico que se opusessem aos seus dogmas.
- [ ] Por acreditarem no formato quadrado da Terra, os portugueses e espanhóis passaram muito tempo limitados às navegações costeiras, apesar de, no século XV, possuírem tecnologia naval avançada e instrumentos de navegação precisos.

Avalie

» **Marque** um X na coluna que melhor traduz o seu aprendizado sobre cada tema. Depois, **compare** este quadro com o que você preencheu no item "Antes de estudar o capítulo".

Temas principais do capítulo	Compreendi bem o tema.	Compreendi, mas tenho algumas dúvidas.	Tenho muitas dúvidas.
O Renascimento e a valorização do homem			
A arte renascentista			
A Revolução Científica			
As grandes navegações e a chegada à América			
A Reforma Protestante			
A Reforma Católica			

Se você teve dificuldade para compreender algum desses temas, reveja as atividades do *Caderno de estudante* referentes a este capítulo e revise seu livro-texto. Caso seja necessário, peça ajuda ao seu professor ou a um colega.

Unidade D
Capítulo
11

Sociedade e cultura dos nativos americanos

Seções:
11.1 Os povos da Mesoamérica
11.2 Toltecas, mexicas e astecas
11.3 Povos dos Andes
11.4 Terras do Brasil

Antes de estudar o capítulo

» **Veja** neste quadro os temas principais do capítulo e **marque** um X na coluna que, em sua opinião, traduz o seu conhecimento sobre cada tema.

Temas principais do capítulo	Já estudei. Será um aprofundamento.	Nunca estudei. Será totalmente novo.	Não lembro se estudei.
Cidades-Estado maias			
O declínio da civilização maia			
A formação do Império Asteca			
A economia e a sociedade astecas			
A formação do Império Inca			
O *ayllu* e a economia inca			
Os índios tupinambás no Brasil			
A guerra e a antropofagia entre os tupinambás			

» **Veja** abaixo alguns termos e conceitos que você encontrará no capítulo. **Marque** um X naqueles que você julga estarem relacionados à imagem.

- [ ] Cidades-Estado.
- [ ] Civilização maia.
- [ ] Cidade fortificada.
- [ ] Conhecimento matemático.
- [ ] Fonte histórica.
- [ ] Faraó.
- [ ] Trabalho servil.
- [ ] Ruína arqueológica.
- [ ] Templo religioso.
- [ ] Cultura da Mesoamérica.

MICHAEL DIETRICH/ IMAGEBROKER/ALAMY/ OTHER IMAGES

Pirâmide da antiga cidade maia de Tikal. Guatemala, 2008.

Justifique suas escolhas.

OS POVOS DA MESOAMÉRICA
TOLTECAS, MEXICAS E ASTECAS

Termos e conceitos

Mesoamérica

Ruínas arqueológicas

Império

Códice

1 **Relacione** as duas colunas.

1. Mesoamérica.
2. Andes.

☐ Império Inca.
☐ Império Asteca.
☐ Civilização maia.
☐ Povo quéchua.
☐ Povo olmeca.
☐ Cultura chavín.

2 **Escreva V** (verdadeiro) ou **F** (falso) sobre os códices.

☐ Escritos e desenhos feitos por escribas indígenas.
☐ Nenhum códice foi elaborado após a conquista espanhola.
☐ Os códices eram feitos em madeira, papel ou pele de animais.
☐ Os códices fornecem muitas informações sobre o cotidiano dos povos pré-colombianos.

Guia de estudo

3 **Complete** as linhas do tempo identificando o nome da civilização mesoamericana correspondente a cada período.

______ 1500 a.C.-300.a.C.

______ 1000 a.C.-900 d.C.

______ Séculos XII-XVI

4 **Complete** o diagrama com as características da agricultura asteca.

Agricultura asteca

Produtos
______
______

Tecnologia hidráulica
______
______

______
Terras de uso coletivo e particular

______
Canteiros flutuantes

Faça a conexão

5 A imagem a seguir baseia-se num manuscrito do século XVI e mostra uma tecnologia criada pelos astecas para melhorar a produtividade agrícola.

GIANNI DAGLI ORTI/CORBIS/LATINSTOCK – MUSEO DE LA CIUDAD DEL MEXICO

Ilustração representando astecas construindo uma chinampa.

a) **Descreva** a imagem.

____

____

____

____

b) Qual tecnologia desenvolvida pelos astecas foi representada nessa imagem? Por que era importante desenvolver esse conhecimento?

____

____

____

____

____

c) Que outros povos já estudados nos capítulos anteriores desenvolveram tecnologia semelhante?

____

____

____

____

____

Capítulo 11 Seção 11.3 **POVOS DOS ANDES**

Seção 11.4 **TERRAS DO BRASIL**

Termos e conceitos

Sapa Inca
Ayllu
Mita
Tupinambás
Antropofagia

1 **Defina** os termos a seguir.

a) Inca. ______________________________

b) *Ayllu*. ______________________________

c) *Mita*. ______________________________

2 **Escreva** [1] para astecas, [2] para incas e [3] para tupinambás.

[ ] A guerra era uma das características centrais da sua cultura.

[ ] A antropofagia tinha a importância simbólica de vingar a morte dos antepassados.

[ ] A construção de um sistema eficiente de estradas e correios garantia o abastecimento do Império.

[ ] Cada comunidade era dirigida por um chefe, chamado *kuraka*.

[ ] Construíram as chinampas, nas quais cultivavam produtos mais necessitados de água abundante.

[ ] Eram excelentes caçadores, remadores e construtores de barcos.

Guia de estudo

3 **Complete** a ficha dos povos tupinambás.

Tupinambás	
Onde viviam	
Produtos que cultivavam	
Outras atividades	
Religião	
Aspecto central da sua cultura	

4 **Identifique** a palavra que não faz parte do grupo e **justifique.**

incas	*ayllu*	*mita*
kuraka	camponeses	chinampas

Faça a conexão

5 **Os indígenas são considerados os donos naturais da terra, como mostra o texto a seguir.**

"A Constituição de 1988 consagrou o princípio de que os índios são os primeiros e naturais senhores da terra. Esta é a fonte primária de seu direito, que é anterior a qualquer outro. Consequentemente, o direito dos índios a uma terra determinada independe de reconhecimento formal.

A definição de terras tradicionalmente ocupadas pelos índios encontra-se no parágrafo primeiro do artigo 231 da Constituição Federal: são aquelas 'por eles habitadas em caráter permanente, as utilizadas para suas atividades produtivas, as imprescindíveis à preservação dos recursos ambientais necessários a seu bem-estar e as necessárias a sua reprodução física e cultural, segundo seu usos, costumes e tradições'.

No artigo 20 está estabelecido que essas terras são bens da União, sendo reconhecidos aos índios a posse permanente e o usufruto exclusivo das riquezas do solo, dos rios e dos lagos nelas existentes."

O que são Terras Indígenas. Instituto Socioambiental.
Disponível em www.sociambiental.org. Acesso em 31 ago. 2010.

a) Por que a Constituição de 1988 significou um grande avanço na luta pelos direitos indígenas?

b) Em sua opinião, a determinação da lei tem sido suficiente para assegurar o direito dos indígenas a suas terras tradicionais?

Fechando o capítulo 11

Sintetize

» **Complete** o quadro-síntese dos povos pré-colombianos estudados.

Povos pré-colombianos

Maias	Astecas	Incas	Tupinambás
Organização política __________ __________	Organização política __________ __________	Organização política __________ __________	Organização política __________ __________
Economia __________ __________	Economia __________ __________	Economia __________ __________	Economia __________ __________
Sociedade __________ __________	Sociedade __________ __________	Sociedade __________ __________	Sociedade __________ __________
Aspecto da cultura __________ __________ __________	Aspecto da cultura __________ __________ __________	Aspecto da cultura __________ __________ __________	Aspecto da cultura __________ __________ __________

Avalie

» **Marque** um X na coluna que melhor traduz o seu aprendizado sobre cada tema. Depois, **compare** este quadro com o que você preencheu no item "Antes de estudar o capítulo".

Temas principais do capítulo	Compreendi bem o tema.	Compreendi, mas tenho algumas dúvidas.	Tenho muitas dúvidas.
Cidades-Estado maias			
O declínio da civilização maia			
A formação do Império Asteca			
A economia e a sociedade astecas			
A formação do Império Inca			
O *ayllu* e a economia inca			
Os índios tupinambás no Brasil			
A guerra e a antropofagia entre os tupinambás			

Se você teve dificuldade para compreender algum desses temas, reveja as atividades do *Caderno de estudante* referentes a este capítulo e revise seu livro-texto. Caso seja necessário, peça ajuda ao seu professor ou a um colega.

Unidade D

Capítulo

12

O absolutismo e a formação do Estado moderno

Seções:

12.1 O nascimento do Estado moderno

12.2 O absolutismo e a sociedade de corte

12.3 O mercantilismo

Antes de estudar o capítulo

» **Veja** neste quadro os temas principais do capítulo e **marque** um X na coluna que, em sua opinião, traduz o seu conhecimento sobre cada tema.

Temas principais do capítulo	Já estudei. Será um aprofundamento.	Nunca estudei. Será totalmente novo.	Não lembro se estudei.
A concentração do poder político no final da Idade Média			
Características do Estado centralizado			
Teóricos do poder absoluto dos reis			
Características da sociedade de corte			
Objetivos e medidas mercantilistas			

» **Veja** abaixo alguns termos e conceitos que você encontrará no capítulo. **Marque** um X naqueles que você julga estarem relacionados à imagem.

- [ ] Fortalecimento do rei.
- [ ] Sociedade feudal.
- [ ] Monarquia absoluta.
- [ ] Sociedade burguesa.
- [ ] Antigo Regime.
- [ ] Poder descentralizado.
- [ ] Sociedade de corte.

EMMEPI EUROPE/ALAMY/OTHER IMAGES

Palácio de Versalhes. França, 2009.

Justifique suas escolhas.

____

____

____

____

O NASCIMENTO DO ESTADO MODERNO

Termos e conceitos

Estado nacional
Burocracia estatal
Estado moderno

1 **Liste** três características do Estado nacional moderno.

1. ______
2. ______
3. ______

2 **Assinale** a afirmativa **incorreta** sobre a burocracia estatal.

- [ ] Foi dominada pela nobreza que, diante da ascensão do poder do monarca, resolveu aproximar-se dele com o objetivo de manter seus privilégios.
- [ ] Era responsável por administrar a justiça, coletar impostos e construir obras públicas.
- [ ] Possibilitou o aumento das rendas do Estado por meio da venda de cargos burocráticos à burguesia mercantil.
- [ ] Conferiu isenção de impostos, regalias e privilégios aos ocupantes de seus cargos.
- [ ] Foi um dos elementos característicos do Estado moderno, tendo sido um importante instrumento de fortalecimento do poder monárquico.

Guia de estudo

3 **Escolha** a alternativa que ordena corretamente o diagrama abaixo e **justifique** sua resposta.

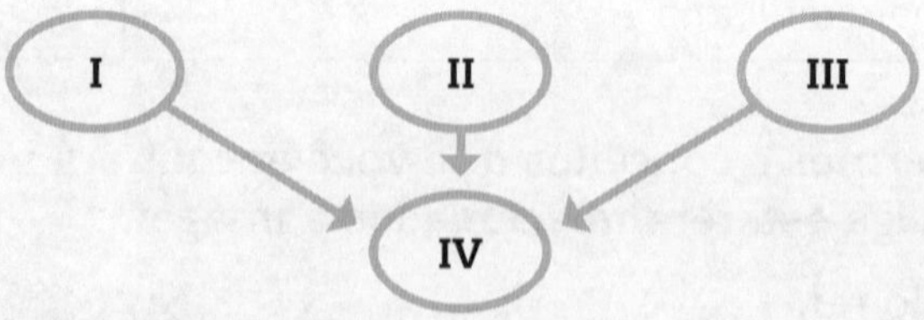

- [ ] I - burocratização; II - exército permanente; III - economia monetária; IV - fortalecimento dos senhores feudais.
- [ ] I - submissão da Igreja; II - dominação da burguesia; III - extermínio da nobreza; IV - Estado moderno.
- [ ] I - apoio da Igreja; II - união matrimonial; III - isenção de impostos; IV - aumento do poder político burguês.
- [ ] I – impostos em moeda; II – dependência da nobreza em relação ao rei; III – contratação de soldados com o dinheiro dos impostos; IV – centralização do poder monárquico.
- [ ] I - circulação da moeda; II - exércitos de mercenários; III - empobrecimento da nobreza; IV - Estado nacional.

______
______
______

O ABSOLUTISMO E A SOCIEDADE DE CORTE

O MERCANTILISMO

Termos e conceitos

Absolutismo

Teoria do direito divino dos reis

Sociedade de corte

Antigo Regime

Capitalismo

Mercantilismo

1 **Defina** os termos a seguir.

a) Teoria do direito divino dos reis.

____

____

b) Absolutismo.

____

____

c) Antigo Regime.

____

____

2 **Escreva** [1] para a Europa do Antigo Regime e [2] para a Europa feudal.

- [ ] O poder estava distribuído em inúmeros senhorios espalhados pela Europa.
- [ ] O poder político centralizado foi substituído por laços de dependência entre os nobres.
- [ ] O poder do monarca passou a ser soberano em seu território.
- [ ] As guerras eram travadas por nobres treinados para os combates.
- [ ] Burgueses enriquecidos passaram a compor a nobreza togada, que se incorporou à burocracia estatal.
- [ ] A sociedade de corte foi uma forma também de manter os privilégios tradicionais da nobreza e de mantê-la dependente da monarquia.

Guia de estudo

3 **Associe** cada filósofo com suas respectivas ideias.

1. Nicolau Maquiavel.
2. Jean Bodin.
3. Jacques Bossuet.
4. Thomas Hobbes.

- [ ] O poder absoluto era necessário para coibir a violência humana e garantir a sociedade unida.
- [ ] Teoria do direito divino dos reis. O poder real emanava de Deus.
- [ ] O rei é a fonte de todo o poder e autoridade. Seu poder estava acima das leis morais e religiosas.
- [ ] A Igreja deveria subordinar-se ao monarca, pois o soberano era o representante de Deus na Terra.

4 **Complete** o diagrama das medidas mercantilistas.

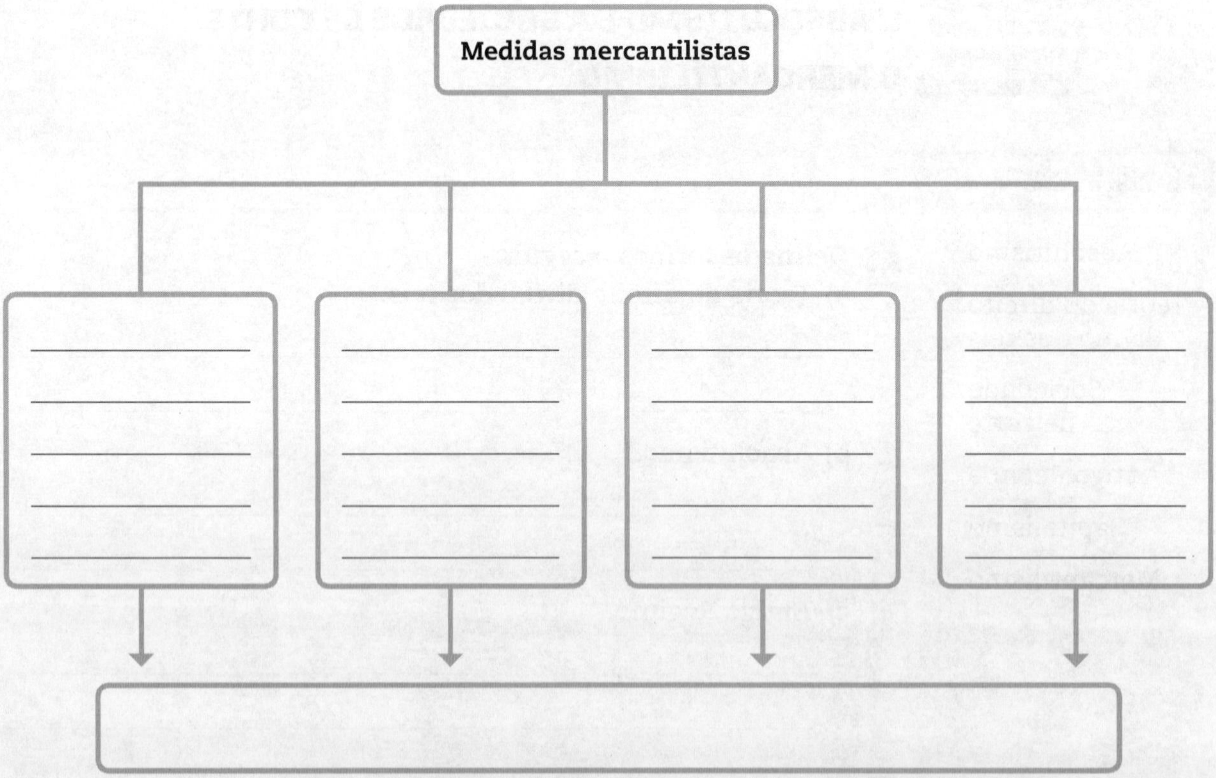

5 **Ordene** os acontecimentos que marcaram, no século XVI, a Revolução dos Preços na Europa e os efeitos sociais dela decorrentes.

revitalização do comércio – estímulo à economia – exploração das jazidas minerais americanas – leis contra a vadiagem e a mendicância – revoltas urbanas – aumento dos preços – necessidade de metais preciosos para cunhar moedas

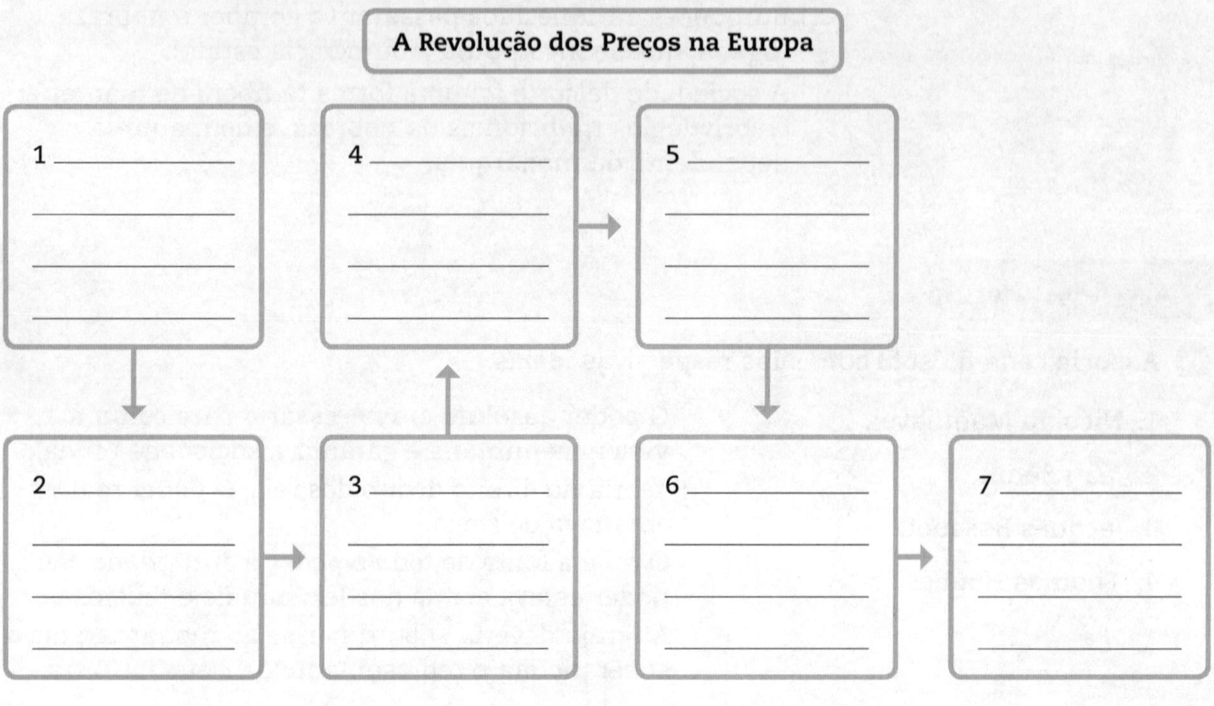

Faça a conexão

6 A sociedade da corte francesa disseminou novos hábitos sociais, entre eles os costumes à mesa. As duas imagens a seguir, uma do século XV e outra do XVI, mostram como se portavam os convivas de grupos sociais mais elevados. **Observe**-as para **responder** às questões.

Família italiana reunida à mesa para uma refeição em conjunto. Itália, século XV.

O banquete da paz de Luís XIV, de Nicolas Arnoult, século XVI. Na imagem, a aristocracia francesa é servida à mesa, num espetáculo de ornamentação e fruição.

a) Como a mesa, os convivas e o ambiente foram representados na primeira imagem?

b) Na segunda imagem, como esses mesmos elementos foram representados?

c) Como você explica essa mudança?

Fechando o capítulo 12

Sintetize

» **O pensamento de Nicolau Maquiavel é bastante representativo do período de formação dos Estados modernos. Leia o pequeno trecho selecionado e responda às questões seguintes.**

"Dentre todos os príncipes, é justamente ao príncipe moderno que se torna impossível evitar a fama de cruel; isto porque os novos Estados estão repletos de perigos. [...]

Todavia, ele não deve crer nem agir precipitadamente, nem ser inseguro de si, mas proceder de maneira moderada, com sabedoria e humanidade, cuidadoso de que a confiança demasiada não o torne imprudente e que o excesso de desconfiança não o torne insuportável.

Isso faz surgir uma discussão no sentido de saber se é melhor ser amado do que temido ou o inverso. Respondo que seria necessário ser um e outro; mas, como ambos dificilmente se unem, é muito mais seguro fazer-se temer do que amar, caso só possa haver um dos dois. [...] Todavia, o príncipe deve se fazer temer de tal maneira que, caso não seja querido, pelo menos não atraia o ódio, uma vez que lhe é possível conseguir ambas as coisas, isto é, ser temido e não ser odiado [...]."

Nicolau Maquiavel. In: VERGEZ, André; HUISMAN, Denis. *História dos filósofos ilustrada pelos textos*. 2. ed. Rio de Janeiro: Freitas Bastos, 1972. p. 124-125.

a) Qual conselho Maquiavel dá ao príncipe moderno?

b) Maquiavel chega a qual conclusão?

c) **Explique** a relação de Maquiavel com o período abordado neste capítulo.

Avalie

» **Marque** um X na coluna que melhor traduz o seu aprendizado sobre cada tema. Depois, **compare** este quadro com o que você preencheu no item "Antes de estudar o capítulo".

Temas principais do capítulo	Compreendi bem o tema.	Compreendi, mas tenho algumas dúvidas.	Tenho muitas dúvidas.
A concentração do poder político no final da Idade Média			
Características do Estado centralizado			
Teóricos do poder absoluto dos reis			
Características da sociedade de corte			
Objetivos e medidas mercantilistas			

Se você teve dificuldade para compreender algum desses temas, reveja as atividades do *Caderno de estudante* referentes a este capítulo e revise seu livro-texto. Caso seja necessário, peça ajuda ao seu professor ou a um colega.

Moderna PLUS

HISTÓRIA

SUPLEMENTO DE REVISÃO

Organizadora: Editora Moderna
Obra coletiva concebida, desenvolvida e produzida pela Editora Moderna.

Editora Executiva:
Maria Raquel Apolinário

Coordenação editorial: Maria Raquel Apolinário
Edição de texto: Wanderley Loconte, Nubia Andrade e Silva, Eduardo Augusto Guimarães, Pamela Shizue Goya, Danilo Chaves Nakamura, Cíntia Medina, Gabriele C. B. Santos
Coordenação de *design* e projetos visuais: Sandra Botelho de Carvalho Homma
Projeto gráfico e capa: Everson de Paula, Marta Cerqueira Leite
Foto: Representação de armadura de combate medieval.
© Photo Scala, Florence/Imageplus – Museu Stilbert
Coordenação de produção gráfica: André Monteiro, Maria de Lourdes Rodrigues
Coordenação de arte: Wilson Gazzoni Agostinho
Edição de arte: Renata Susana Rechberger, Daniel H. Aoki
Editoração eletrônica: Grapho Editoração
Ilustrações: Cecília Iwashita, Osnei Furtado da Rocha
Cartografia: Alessandro Passos da Costa, Anderson de Andrade Pimentel, Fernando José Ferreira
Coordenação de revisão: Elaine Cristina del Nero
Revisão: Alexandra C. da Fonseca, Ana Maria de C. Tavares, Ivana A. Costa, Luís M. Boa Nova
Coordenação de pesquisa iconográfica: Ana Lucia Soares
Pesquisa iconográfica: Ana Claudia Fernandes, Etoile Shaw, Felipe Campos, Leonardo de Sousa Klein, Odete Ernestina Pereira
As imagens identificadas com a sigla CID foram fornecidas pelo Centro de Informação e Documentação da Editora Moderna.
Coordenação de *bureau*: Américo Jesus
Pré-impressão: Alexandre Petreca, Everton L. de Oliveira Silva, Helio P. de Souza Filho, Marcio H. Kamoto
Tratamento de imagens: Arleth Rodrigues, Bureau São Paulo, Fabio N. Precendo, Pix Art, Rubens M. Rodrigues
Coordenação de produção industrial: Wilson Aparecido Troque

ISBN 978-85-16-06773-1 (LA)
ISBN 978-85-16-06774-8 (LP)

EDITORA MODERNA LTDA.
Rua Padre Adelino, 758 - Belenzinho
São Paulo - SP - Brasil - CEP 03303-904
Vendas e Atendimento: Tel. (0_ _11) 2602-5510
Fax (0_ _11) 2790-1501
www.moderna.com.br
2015
Impresso na China

1 3 5 7 9 10 8 6 4 2

Apresentação

Ao final do terceiro ano do ensino médio faz-se necessária uma revisão dos três anos de curso. O *Suplemento de revisão* foi organizado para esse momento.

Ele acompanha o terceiro livro da obra **Moderna Plus História – Conexões** e está organizado em 29 temas que sintetizam os principais conceitos dos três anos de curso. O texto destaca as palavras-chave do tema, organizando as informações essenciais. Imagens, gráficos, tabelas e esquemas auxiliam na compreensão e fixação dos conceitos revisados.

Para cada tema, o material traz páginas com questões de vestibulares e de exames nacionais selecionados de diversos estados brasileiros.

Ao longo do *Suplemento de revisão*, há remissões para o portal **Moderna Plus**, que contém recursos digitais como mapas animados, animações multimídia, vídeos, trechos de filmes e textos para complementar o aprendizado.

O *Suplemento de revisão* é um importante auxílio no estudo e na preparação para os exames de ingresso nas universidades.

Bons estudos!

ORGANIZAÇÃO DO *SUPLEMENTO*

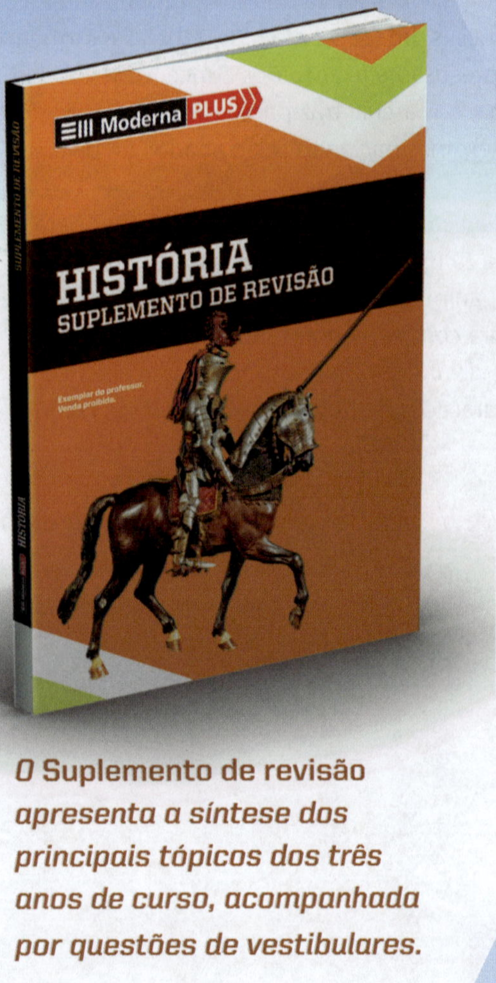

O Suplemento de revisão apresenta a síntese dos principais tópicos dos três anos de curso, acompanhada por questões de vestibulares.

Temas
Seleção de 29 temas que sintetizam os conceitos principais dos três anos de curso.

Guerra Fria, descolonização e movimentos sociais

Duas potências emergiram após o fim da Segunda Guerra Mundial: Estados Unidos e União Soviética. Em busca de áreas de influência, os dois países iniciaram uma corrida armamentista, ideológica e territorial, conhecida como Guerra Fria.

A Guerra Fria e a criação da ONU

- Em termos gerais, a consequência mais importante do final da Segunda Guerra Mundial foi o fim da hegemonia europeia sobre o mundo. Estados Unidos e União Soviética passaram a disputar a supremacia econômica, militar, política e cultural. Em torno dessas novas superpotências foram criados dois blocos de poder e de atuação internacional, que dividiram o mundo em capitalista e socialista. De 1945 a 1991, a polarização e a tensão entre esses dois blocos e suas implicações em todo o mundo caracterizaram a chamada Guerra Fria.
- O desenvolvimento do capitalismo no Ocidente, nesse período, aconteceu em confronto com a expansão do socialismo. Assim, a grande novidade do século XX desde a Revolução Russa de 1917 foi que o socialismo provocou transformações dentro do capitalismo, mas pagando um preço alto: anos de instabilidade e crise constante que colocavam o mundo diante da expectativa de uma nova guerra, maior que as anteriores.
- Quando a Segunda Guerra Mundial terminou, em agosto de 1945, o saldo foi devastador: cerca de 55 milhões de mortos, mais de 35 milhões de feridos e 3 milhões de desaparecidos. Para a maioria das nações vencedoras, era preciso criar um mecanismo de controle internacional que evitasse não só uma Terceira Guerra Mundial, mas principalmente o início de um conflito novo e potencialmente pior: o conflito nuclear.
- Foi com essas preocupações que, em 24 de outubro de 1945, foi criada a Organização das Nações Unidas (ONU). Reunindo representantes da maioria dos países do mundo, a ONU nascia com a obrigação de manter a paz mundial, garantir a defesa dos direitos humanos e a igualdade entre os diferentes povos. Embora a ONU tenha nascido com esses objetivos, quem ditava o ritmo dos acontecimentos durante a Guerra Fria eram os blocos formados e dominados por Estados Unidos e União Soviética.

O mundo dividido em dois

- Em fevereiro de 1945, antes mesmo do fim do conflito mundial, Winston Churchill (Grã-Bretanha), Stalin (União Soviética) e Franklin D. Roosevelt (Estados Unidos) se reuniram na **Conferência de Ialta**, que delimitou as zonas de influência das três nações. A União Soviética impôs seu controle sobre os países do Leste Europeu, formando a chamada "cortina de ferro", e os Estados Unidos assumiram a hegemonia política e econômica da maior parte do mundo capitalista, como a Europa Ocidental, a América Latina e o Japão
- Em 1949, a Alemanha foi dividida em dois países: a **República Democrática da Alemanha**, com capital em Berlim e situada na zona de influência soviética, e a **República Federal da Alemanha**, com capital em Bonn, sob a influência dos países capitalistas. Mais tarde, a cidade de Berlim também foi dividida: Berlim Oriental (socialista) e Berlim Ocidental (capitalista).

A Europa após a Segunda Guerra Mundial

Países capitalistas
Países socialistas
"Cortina de ferro"

Fonte: CHALIA[...] Gérard; RAGEA[...] Jean-Pierre. *At[...] stratégique*. Pa[...] Complexe, 198[...] p. 40 e 97.

A reconstrução da Europa

- Com o objetivo de frear a expansão do socialismo na [...]ropa e ajudar na reconstrução dos países destruídos [...] guerra, os Estados Unidos criaram o **Plano Marshall** [...] programa de ajuda econômica. Para garantir a defesa [...] países alinhados, foi criada a **Organização do Tratad[...] Atlântico Norte** (Otan). Em contrapartida, a União Sov[...]ca criou o **Conselho para Assistência Econômica M[...]** (Comecon), investiu e transferiu tecnologia para o L[...] Europeu, Sudeste Asiático, África e Caribe, e criou o **Pa[...] de Varsóvia**, que reunia forças armadas socialistas.

Socialismo *versus* capitalismo

- A disputa entre capitalismo e socialismo não oco[...] apenas no plano ideológico. Ela estendeu-se para vá[...] setores, como produção cultural e desenvolviment[...] tecnologia. Com a corrida espacial, os soviéticos coloca[...] o primeiro homem na órbita da Terra (1961), enquant[...] norte-americanos levaram o homem à Lua (1969). Um[...] consequências mais marcantes foi a **corrida arman[...]tista**, muito forte nas décadas de 1950, 1960 e 197[...] dois blocos político-militares equipararam-se com ar[...] nucleares, que tinham alto poder de destruição.

124 Suplemento de revisão HISTÓRIA

Síntese do conteúdo
Texto organizado, com esquemas, tabelas, gráficos e imagens, destacando as palavras-chave.

Um pequeno texto informa resumidamente o tema a ser tratado na(s) dupla(s) de páginas.

Conteúdo digital Moderna Plus
Remissão para o portal *Moderna Plus*, que contém recursos digitais como mapas animados, animações multimídia, vídeos, trechos de filmes e textos complementares.

No Vestibular
Para cada tema foram selecionadas questões de vestibulares de todo o país, com o objetivo de auxiliar na compreensão e fixação dos conteúdos revisados.

onflitos da Guerra Fria

Na China, os soviéticos ajudaram o Partido Comunista Chinês, liderado por Mao Tsé-tung, a tomar o poder e fazer mudanças profundas no país. Em 1º de outubro de 1949, foi proclamada a República Popular da China, sob um regime socialista. Diante dos acontecimentos, os Estados Unidos procuraram isolar a China, negando-se a reconhecer o novo regime.

Na Coreia, com o fim da Segunda Guerra Mundial, o norte da península foi ocupado militarmente pela União Soviética, enquanto os Estados Unidos ocuparam o sul. Em 1950, o norte tentou dominar o sul, desencadeando um conflito armado, que ficou conhecido como **Guerra da Coreia** (1950-1953). O conflito terminou com um acordo e a região passou a ser definitivamente dividida em duas partes: a Coreia do Norte (socialista) e a Coreia do Sul (capitalista), ocupada militarmente pelos Estados Unidos. Essa divisão se mantém ainda hoje.

A **Guerra do Vietnã** foi outro conflito travado durante a Guerra Fria. Em 1954, o Vietnã foi dividido: o norte tornou-se comunista, liderado por Ho Chi Minh, e o sul, ocupado pelos nacionalistas. Com o golpe de Estado no Vietnã do Sul (1956), instalou-se um regime ditatorial. Esse golpe foi apoiado pelos Estados Unidos, que temiam o total controle do Vietnã pelos comunistas. Em reação, os comunistas formaram o Vietcongue, que promoveu uma guerra de guerrilhas contra o governo do sul. Os Estados Unidos participaram ativamente do conflito, mas a grande resistência dos vietcongues, assim como a pressão da opinião pública e de setores organizados da sociedade civil norte-americana, contribuiu para a derrota do país.

No Oriente Médio, outra tensão ocorreu em virtude da criação do **Estado de Israel** na região da Palestina (de maioria muçulmana). Os árabes controlavam as principais áreas produtoras de petróleo da região e, além disso, o movimento sionista atuava para reagrupar os judeus e construir um Estado nacional. Pensando em impedir a unidade dos árabes e o seu consequente controle sobre o petróleo, os Estados Unidos a criação de Israel (1948) pela ONU.

Os impasses entre árabes e israelenses provocaram diversos conflitos. A incapacidade de conduzir uma guerra vitoriosa contra Israel contribuiu para o surgimento de grupos radicais islâmicos que adotavam o terrorismo como estratégia de luta contra o Estado judaico. Este, por sua vez, ao longo da Guerra Fria, tornou-se fortemente militarizado.

Durante a Guerra Fria, Estados Unidos e União Soviética também quase entraram em conflito direto na **Crise dos Mísseis** (1962). Os norte-americanos haviam instalado mísseis nucleares na Turquia e invadido a Baía dos Porcos, em Cuba. Em represália, os soviéticos instalaram mísseis em território cubano. Soviéticos e norte-americanos travaram uma guerra diplomática exigindo a retirada dos mísseis da Turquia e de Cuba. Durante treze dias o mundo viveu o medo de uma possível guerra nuclear. Nos Estados Unidos, diante do pânico, as famílias chegaram a construir abrigos dentro de casa. A tensão terminou com um acordo e a retirada dos mísseis, tanto em Cuba quanto na Turquia.

Conteúdo digital Moderna PLUS http://www.modernaplus.com.br
Mapa animado: Expansão em Israel
Vídeo: A Guerra da Coreia
A Guerra do Vietnã
Crise dos mísseis
Filme: *Dr. Fantástico*. Diretor: Stanley Kubrick. EUA, 1963
Nascido para matar. Diretor: Stanley Kubrick. EUA, 1981
O dia seguinte. Diretor: Nicholas Meyer. EUA, 1983

Casas incendiadas por soldados norte-americanos durante o Massacre de My Lai, Vietnã, em 1968. O término do massacre foi possível graças à intervenção de Hugh Thompson Jr., piloto de helicóptero das Forças Armadas dos Estados Unidos.

erritórios ocupados por Israel/novas guerras após 1967

Fonte: *Calendario Atlante de Agostini*. Novara: Istituto Geografico de Agostini, 2009. p. 24.

GUERRA FRIA, DESCOLONIZAÇÃO E MOVIMENTOS SOCIAIS 125

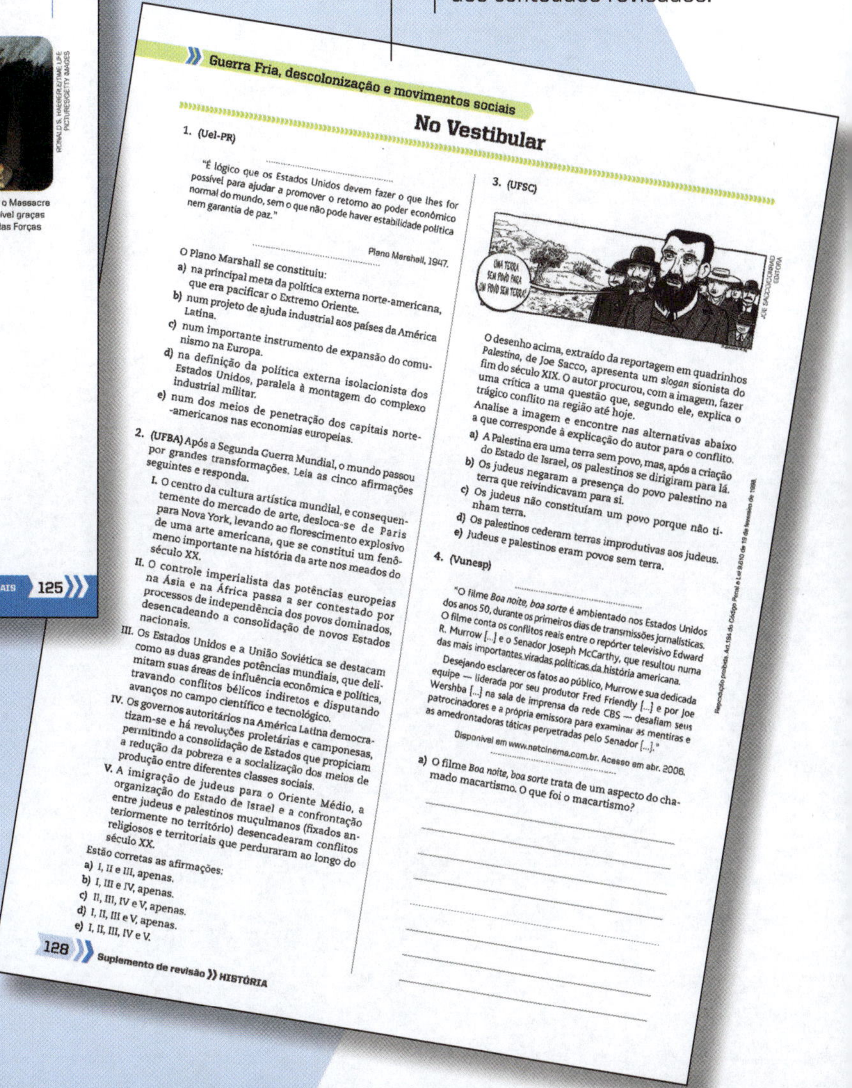

Guerra Fria, descolonização e movimentos sociais

No Vestibular

1. (Uel-PR)

"É lógico que os Estados Unidos devem fazer o que lhes for possível para ajudar a promover o retorno ao poder econômico normal do mundo, sem o que não pode haver estabilidade política nem garantia de paz."

Plano Marshall, 1947.

O Plano Marshall se constituiu:
a) na principal meta da política externa norte-americana, que era pacificar o Extremo Oriente.
b) num projeto de ajuda industrial aos países da América Latina.
c) num importante instrumento de expansão do comunismo na Europa.
d) na definição da política externa isolacionista dos Estados Unidos, paralela à montagem do complexo industrial militar.
e) num dos meios de penetração dos capitais norte-americanos nas economias europeias.

2. (UFBA) Após a Segunda Guerra Mundial, o mundo passou por grandes transformações. Leia as cinco afirmações seguintes e responda.

I. O centro da cultura artística mundial, e consequentemente do mercado de arte, desloca-se de Paris para Nova York, levando ao florescimento explosivo de uma arte americana, que se constituiu um fenômeno importante na história da arte nos meados do século XX.
II. O controle imperialista das potências europeias na Ásia e na África passa a ser contestado por processos de independência dos povos dominados, desencadeando a consolidação de novos Estados nacionais.
III. Os Estados Unidos e a União Soviética se destacam como as duas grandes potências mundiais, que delimitam suas áreas de influência econômica e política, travando conflitos bélicos indiretos e disputando avanços no campo científico e tecnológico.
IV. Os governos autoritários na América Latina democratizam-se e há revoluções proletárias e camponesas, permitindo a consolidação de Estados que propiciam a redução da pobreza e a socialização dos meios de produção entre diferentes classes sociais.
V. A imigração de judeus para o Oriente Médio, a organização do Estado de Israel e a confrontação entre judeus e palestinos muçulmanos (fixados anteriormente no território) desencadearam conflitos religiosos e territoriais que perduraram ao longo do século XX.

Estão corretas as afirmações:
a) I, II e III, apenas.
b) I, III e IV, apenas.
c) II, III, IV e V, apenas.
d) I, II, III e V, apenas.
e) I, II, III, IV e V.

3. (UFSC)

O desenho acima, extraído da reportagem em quadrinhos *Palestina*, de Joe Sacco, apresenta um *slogan* sionista do fim do século XIX. O autor procurou, com a imagem, fazer uma crítica a uma questão que, segundo ele, explica o trágico conflito na região até hoje.
Analise a imagem e encontre nas alternativas abaixo a que corresponde à explicação do autor para o conflito.
a) A Palestina era uma terra sem povo, mas, após a criação do Estado de Israel, os palestinos se dirigiram para lá.
b) Os judeus negaram a presença do povo palestino na terra que reivindicavam para si.
c) Os judeus não constituíam um povo porque não tinham terra.
d) Os palestinos cederam terras improdutivas aos judeus.
e) Judeus e palestinos eram povos sem terra.

4. (Vunesp)

"O filme *Boa noite, boa sorte* é ambientado nos Estados Unidos dos anos 50, durante os primeiros dias de transmissões jornalísticas. O filme conta os conflitos reais entre o repórter televisivo Edward R. Murrow [...] e o Senador Joseph McCarthy, que resultou numa das mais importantes viradas políticas da história americana.
Desejando esclarecer os fatos ao público, Murrow e sua dedicada equipe — liderada por seu produtor Fred Friendly [...] e por Joe Wershba [...] na sala de imprensa da rede CBS — desafiam seus patrocinadores e a própria emissora para examinar as mentiras e as amedrontadoras táticas perpetradas pelo Senador [...]."

Disponível em www.netcinema.com.br. Acesso em abr. 2006.

a) O filme *Boa noite, boa sorte* trata de um aspecto do chamado macartismo. O que foi o macartismo?

128 Suplemento de revisão HISTÓRIA

SUMÁRIO

Introdução aos estudos históricos e as origens do ser humano

História é a disciplina que estuda a vida dos homens em sociedade ao longo do tempo. Para investigar o passado, o historiador deve analisar, questionar e interpretar os vestígios deixados por uma população em determinada época e local.

A história e o historiador

- A palavra história vem do grego antigo *historie*, que significa "investigação". Essa expressão foi consagrada no século V d.C. pelo viajante grego Heródoto, que escreveu uma história sobre as guerras entre gregos e persas. Para Heródoto, o objetivo da história é produzir um discurso ou relato verdadeiro dos fatos, separando-o dos mitos, fábulas e lendas.
- Até o século XIX, a história era considerada um gênero literário, no qual importava mais a elegância da escrita do que a objetividade do conhecimento. Isso mudou quando a história passou a ser considerada uma ciência e tornou-se uma disciplina acadêmica, ensinada em escolas e universidades, surgindo a preocupação em preservar o patrimônio documental e material do passado.
- No século XX, o conhecimento histórico se modificou. Novas áreas de pesquisa, novos métodos e abordagens surgiram, modificando as relações entre presente, passado e futuro e transformando o modo como o conhecimento histórico era produzido. Como parte desse movimento de mudança, novos campos de estudo se desenvolveram, como a história da infância, da loucura, das roupas, das mulheres etc., e novos vestígios foram tratados como fontes históricas.

As fontes da história

- O objeto da história são as realizações humanas, que o historiador procura interpretar utilizando as informações contidas nas **fontes históricas**, ou seja, todos os vestígios deixados pelas gerações passadas. Esses vestígios podem ser registros escritos, monumentos, fotografias, pinturas, instrumentos de trabalho, joias, vestimentas, entre muitos outros objetos feitos pelo trabalho humano, que servem de base para a construção do conhecimento histórico.
- Até o século XIX, só se considerava fonte histórica os documentos escritos; a partir do século XX, a concepção de fonte histórica se ampliou: vestígios arqueológicos, imagens, mitos, lendas, relatos orais, literatura, cinema, publicidade, enfim, todas as produções humanas passaram a ser consideradas fontes para o conhecimento do passado.
- Chamamos de **sujeitos históricos** as pessoas ou instituições responsáveis pelas transformações na sociedade. Durante muito tempo somente os grandes personagens (reis, generais e outros) eram considerados sujeitos históricos; atualmente todos aqueles envolvidos no processo histórico recebem essa denominação.

Os períodos da história

- Para facilitar a compreensão dos acontecimentos históricos, o historiador organiza e divide o tempo em períodos, que destacam acontecimentos considerados fundamentais para a sociedade em que ele vive. Tradicionalmente, a história europeia ocidental está dividida em quatro períodos: Idade Antiga, Idade Medieval, Idade Moderna e Idade Contemporânea.
- A divisão da história em quatro grandes períodos é uma convenção, assim como a duração e a escolha dos acontecimentos que marcam o início e o fim de cada período. Por exemplo, a eleição da Revolução Francesa como marco inicial da Idade Contemporânea pode ser entendida como o reconhecimento de um patrimônio histórico comum a um determinado grupo, no caso os europeus ocidentais.

A periodização clássica da história

Esta linha do tempo não foi organizada em escala temporal.

Aparecimento da escrita – 3100 a.C. | Queda do Império Romano – 476 | Tomada de Constantinopla – 1453 | Revolução Francesa – 1789

Idade Antiga

BRIDGEMAN ART LIBRARY/GRUPO KEYSTONE – MUSEU ARQUEOLÓGICO NACIONAL, TARANTO

Pintura em ânfora representando o nascimento de Dioniso. Grécia, século V-IV a.C.

Idade Média

KHARBINE – TAPABOR/COLEÇÃO JEAN VIGNE/THE ART ARCHIVE/OTHER IMAGES – ARQUIVO NACIONAL DA FRANÇA, PARIS

Vassalo presta homenagem a seu senhor, selo do século XII.

Idade Moderna

BIBLIOTECA DA ACADEMIA DE CIÊNCIAS DE LISBOA

Esquadra de Pedro Álvares Cabral, gravura extraída do *Livro das Armadas*, século XVI.

Idade Contemporânea

CHAO SOI CHEONG/AP PHOTO/IMAGEPLUS

Torres Gêmeas do World Trade Center após serem atingidas por aviões terroristas. Nova York, EUA, 2001.

O criacionismo

- Conhecer a própria origem sempre foi uma das grandes inquietações dos homens. Por esse motivo, muitos povos inventaram histórias explicando a sua criação. Os mitos e as lendas sobre a origem do homem, que têm como ponto comum a crença de que a humanidade foi criada por um ser superior, fazem parte de uma corrente de pensamento chamada **criacionismo**, predominante até o século XIX.

O evolucionismo

- A partir do século XVII, com o desenvolvimento das ciências e a contestação das explicações religiosas sobre o funcionamento do mundo, muitos estudiosos passaram a questionar se haveria também uma explicação racional para a origem humana.
- No século XIX, o naturalista inglês Charles Darwin, com base em estudos das ideias de Charles Lyell e com o auxílio do pesquisador inglês Alfred Russell Wallace, elaborou uma teoria da evolução das espécies por seleção natural, exposta em seu livro *A origem das espécies*.
- A tese de Darwin era que a sobrevivência de uma espécie ocorria por um processo de seleção natural, no qual as espécies mais adaptadas às condições existentes em seu *habitat* seriam as mais bem-sucedidas, tendo maiores chances de sobreviver e procriar, enquanto as menos adaptadas acabariam por desaparecer.

A evolução humana

- Em 1871, Darwin deu continuidade a seus estudos com a publicação do livro *A origem do homem e a seleção sexual*, em que defendia que o homem havia evoluído como os outros seres e que o ser humano e os macacos tinham uma origem comum, tese que causou grande polêmica.
- O ser humano faz parte da ordem dos primatas. Dentro da ordem dos primatas pertencemos à família dos hominídeos. Essa família compreende os ancestrais humanos e alguns macacos grandes, como os gorilas. Até o momento, o primeiro ancestral humano conhecido dessa família é o *Sahelanthropus tchadensis*, descoberto em 2002 no Chade, na África Central, com cerca de 6,5 milhões de anos.
- Os primeiros representantes do gênero Homo, ao qual pertencemos, surgiram há 2,5 milhões de anos. Tinham o andar ereto e utilizavam pedras, paus e ossos como instrumentos de trabalho, caça e defesa. O *Homo sapiens*, espécie da qual fazemos parte, surgiu por volta de 190 mil anos.

A evolução da espécie humana

Representação atual da evolução dos hominídeos. Sem escala, cores-fantasia.

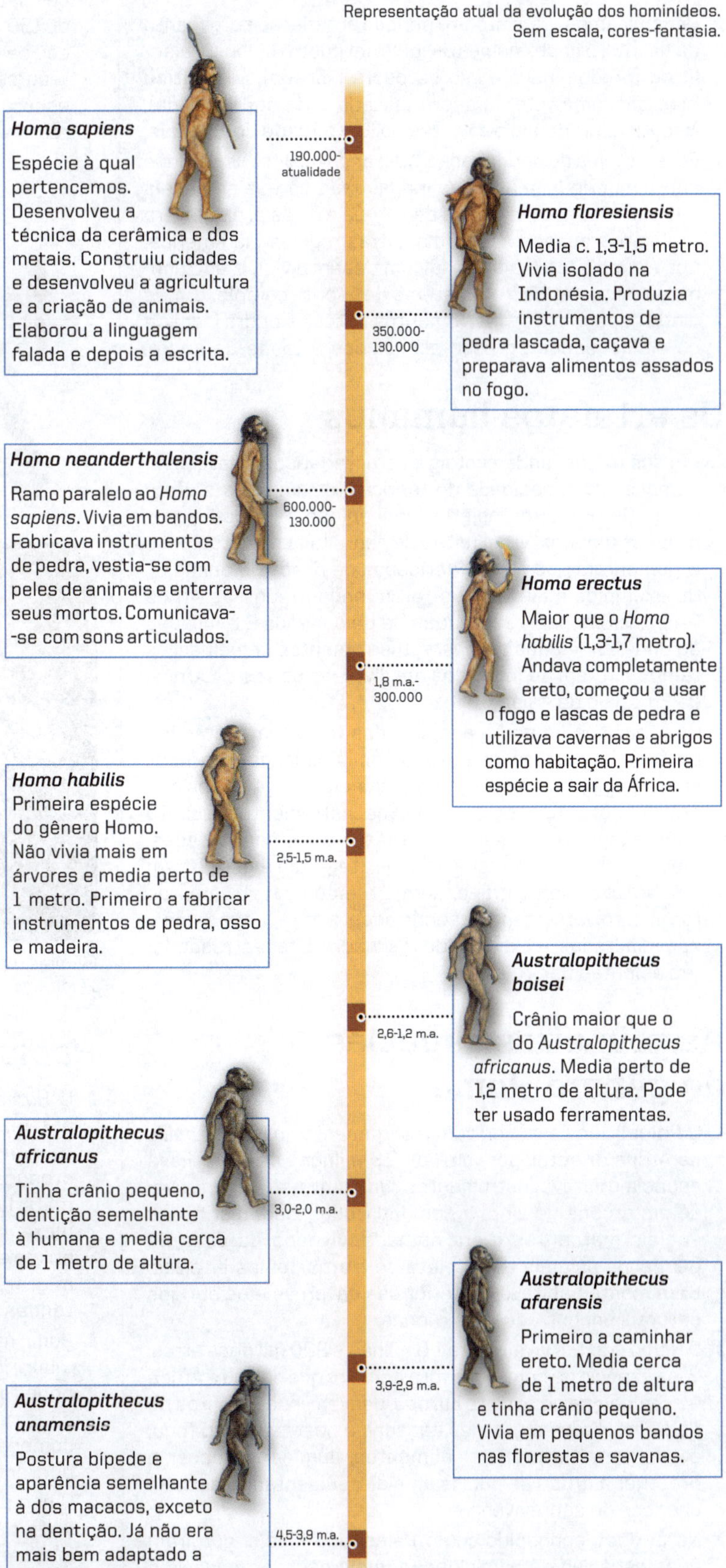

Homo sapiens
Espécie à qual pertencemos. Desenvolveu a técnica da cerâmica e dos metais. Construiu cidades e desenvolveu a agricultura e a criação de animais. Elaborou a linguagem falada e depois a escrita.

Homo floresiensis
Media c. 1,3-1,5 metro. Vivia isolado na Indonésia. Produzia instrumentos de pedra lascada, caçava e preparava alimentos assados no fogo.

Homo neanderthalensis
Ramo paralelo ao *Homo sapiens*. Vivia em bandos. Fabricava instrumentos de pedra, vestia-se com peles de animais e enterrava seus mortos. Comunicava-se com sons articulados.

Homo erectus
Maior que o *Homo habilis* (1,3-1,7 metro). Andava completamente ereto, começou a usar o fogo e lascas de pedra e utilizava cavernas e abrigos como habitação. Primeira espécie a sair da África.

Homo habilis
Primeira espécie do gênero Homo. Não vivia mais em árvores e media perto de 1 metro. Primeiro a fabricar instrumentos de pedra, osso e madeira.

Australopithecus boisei
Crânio maior que o do *Australopithecus africanus*. Media perto de 1,2 metro de altura. Pode ter usado ferramentas.

Australopithecus africanus
Tinha crânio pequeno, dentição semelhante à humana e media cerca de 1 metro de altura.

Australopithecus afarensis
Primeiro a caminhar ereto. Media cerca de 1 metro de altura e tinha crânio pequeno. Vivia em pequenos bandos nas florestas e savanas.

Australopithecus anamensis
Postura bípede e aparência semelhante à dos macacos, exceto na dentição. Já não era mais bem adaptado a viver nas árvores.

Fonte: FACCHINI, Fiorenzo. *L'Uomo*: origine ed evoluzione. Milano: Jaca Book, 1993. p. 8-9; BAILEY, Jill; SEDDON, Tony. *Prehistoric world*. Oxford: Oxford University Press, 1994. p. 150-151. (Coleção Young Oxford Books)

A periodização da Pré-história

- Denominamos Pré-história o período anterior ao surgimento da escrita, e costumamos dividi-lo em quatro blocos: **Paleolítico** (predominava o uso da pedra lascada), **Mesolítico** (uso concomitante da pedra lascada e da pedra polida), **Neolítico** (predomínio da pedra polida) e **Idade dos Metais**.
- Esse sistema de periodização, apesar de facilitar os estudos sobre o período, mostra-se inadequado porque se baseia nas culturas pré-históricas da Europa e da Ásia, o que gera problemas quando aplicado a outras regiões. Na América, por exemplo, os maias já haviam desenvolvido a astronomia, a matemática e um sistema de escrita complexo, mas ainda dependiam de instrumentos feitos de pedra lascada ou polida, sendo por isso associados à Idade da Pedra.

Os artefatos humanos

- Um dos traços fundamentais e característicos da evolução humana é a capacidade de fabricar ferramentas e utensílios. Os primeiros objetos conhecidos, fabricados por grupos humanos, eram feitos de pedra (alguns estudiosos argumentam que foram fabricados de ossos de animais). Os exemplos mais antigos foram encontrados na África Oriental. São pedras lascadas de pelo menos 2,5 milhões de anos, chamadas *choppers*. Instrumentos semelhantes também foram encontrados em diversas partes da África, da Europa e da Ásia.
- Os utensílios de pedra encontrados fornecem pistas importantes sobre a vida desses hominídeos, por exemplo, sobre o tipo de alimentação que tinham e os recursos que podiam obter usando esses novos instrumentos. Quanto mais aumentavam seus recursos e suas capacidades, maiores eram as chances de se protegerem e garantirem a sobrevivência do grupo. Com o tempo os instrumentos foram se diversificando e sendo adaptados a funções mais especializadas, a exemplo de machados bifaces, raspadores e pontas de projéteis.

As primeiras espécies do gênero Homo

- O **Paleolítico** se iniciou com o surgimento do *Homo habilis* na África Oriental, por volta de 2,5 milhões de anos. Essa espécie utilizava instrumentos rudimentares, organizava-se em grupos de vinte a cem indivíduos, sem distinções sociais marcantes e era nômade, vivendo da caça de pequenos animais e da coleta de frutos, folhas e raízes. Geralmente habitava o interior das cavernas e os abrigos naturais encontrados nas rochas.
- O *Homo erectus* viveu entre 1,8 milhão e 300 mil anos atrás. Essa espécie de hominídeo foi a primeira que deixou a África e espalhou-se pela Ásia e Europa. Usavam instrumentos de pedra, realizavam grandes caçadas e controlaram o fogo, o que permitiu preparar alimentos, iluminar, aquecer e proteger o grupo de outros animais, aumentando as suas chances de sobrevivência.
- No período conhecido como Paleolítico Médio, surgiram duas espécies de hominídeo: o *Homo neanderthalensis* e o *Homo sapiens*. O *Homo neanderthalensis* fabricava machados, facas, dardos e arpões utilizando materiais como madeira, chifres e ossos. Construía abrigos com ossos, peles e ramos de árvores, usava o fogo, preparava armadilhas e esfolava animais.
- Durante pelo menos cem mil anos o *Homo neanderthalensis* coexistiu com o *Homo sapiens*, mas desapareceu por volta de 130 mil anos atrás. Alguns especialistas defendem que o seu desaparecimento deu-se por causa da competição por recursos com o *Homo sapiens*; outros especulam que essa espécie pode não ter se adaptado à mudança climática resultante do fim da era glacial.

CORTESIA THE GAULT SCHOOL OF ARCHAEOLOGICAL RESEARCH, AUSTIN

Artefatos da "cultura Clóvis" encontrados no estado do Novo México, Estados Unidos.

COREL/STOCK PHOTOS

Pinturas rupestres na caverna de Lascaux, França, de aproximadamente 17 mil anos atrás. Note a representação dos animais.

Homo sapiens

- O *Homo sapiens* migrou da África Oriental em direção à Ásia, à Europa, à Oceania e à América. Dotado de inteligência muito maior, desenvolveu novas técnicas de produção de variados instrumentos, utilizando diferentes materiais, e constituiu uma organização social mais complexa, marcada pela cooperação necessária para caçar animais maiores, distribuir os alimentos e organizar as migrações dos grupos. Também construiu cabanas e tendas e produziu arte rupestre.
- Como não temos documentos escritos das populações pré-históricas, a arte rupestre é um registro valioso, que nos pode fornecer pistas do modo de vida e das crenças dos nossos antepassados. As pinturas e as gravuras rupestres começaram a ser produzidas por volta de 35 mil anos em diferentes lugares do mundo.
- O uso de metais na fabricação de armas e utensílios, por volta de 5500 a.C., levou ao fim da Idade da Pedra e ao início da **Idade dos Metais**. O primeiro metal a ser utilizado foi o cobre; depois, fundido com o estanho, deu origem ao bronze. O uso do ferro só ocorreu por volta de 1500 a.C.

Conteúdo digital Moderna PLUS http://www.modernaplus.com.br
Animação: Pré-história

A Revolução Agrícola

- Acredita-se que no território que corresponde hoje à Turquia e na região do Crescente Fértil (veja mapa abaixo), entre 14 mil e 10 mil anos atrás, houve as primeiras tentativas de domesticação de plantas e da prática do cultivo, provavelmente baseadas na observação de plantas selvagens e seus ciclos de vida. Foi o início da agricultura, descoberta que ficou conhecida como Revolução Agrícola.
- Paralelamente ocorreu a domesticação de animais. É possível que o aquecimento global e a restrição das áreas de água potável tenham levado as manadas de animais a se concentrar à beira de lagos e rios, da mesma maneira que os grupos humanos, favorecendo o contato e o controle desses animais e, por fim, a domesticação.
- O domínio de técnicas agrícolas, como a invenção do arado e a construção de canais de irrigação, possibilitou um maior aproveitamento das terras. O aumento da capacidade de produção exigiu que as comunidades criassem meios de armazenagem dos produtos. Com a criação desse excedente foi possível ampliar a oferta de alimentos sem a necessidade de migrações em busca de novos recursos.

Conteúdo digital Moderna PLUS http://www.modernaplus.com.br
Mapa animado: Origem da agricultura e da pecuária

O surgimento do Estado

- Com a agricultura e o sedentarismo houve uma grande diversificação de tarefas, e as sociedades tornaram-se mais complexas. O desenvolvimento do artesanato levou à criação de um sistema de trocas, que originou o comércio.
- A tarefa de administrar os excedentes, construir diques e canais de irrigação para ampliar e manter as plantações nas épocas de seca e garantir a defesa dos assentamentos passou a exigir a figura de um líder com poder suficiente para controlar, gerir e organizar a vida e as relações nesses assentamentos. Surgia o poder político centralizado, ou seja, o Estado.

O Crescente Fértil

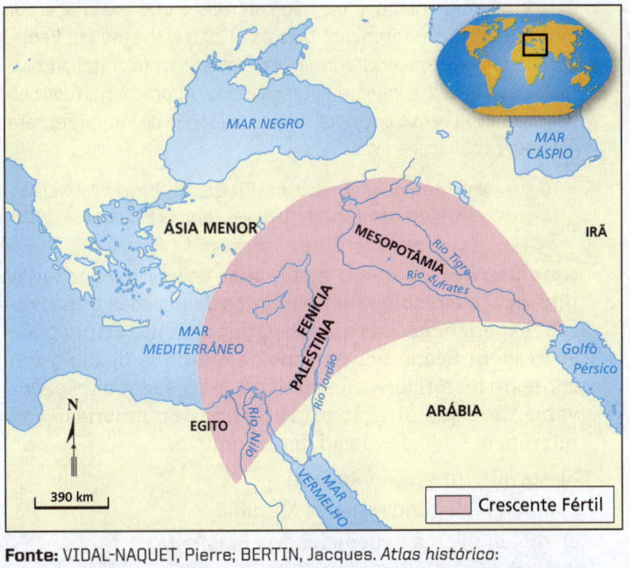

Fonte: VIDAL-NAQUET, Pierre; BERTIN, Jacques. *Atlas histórico:* da Pré-história aos nossos dias. Lisboa: Círculo de Leitores, 1990. p. 25.

O homem americano

- Uma explicação formulada na década de 1930 afirma que o homem chegou à América entre 15 e 12 mil anos, vindo da Ásia através do Estreito de Bering (no atual estado norte-americano do Alasca), que se encontrava congelado naquela época. A ocupação espalhou-se pelas Américas do Norte e Central, até atingir a América do Sul por volta de 11 mil anos.
- A partir da década de 1970, contudo, novas descobertas arqueológicas em outras regiões da América, como Monte Verde (Chile), Aguazuque e Tequendama (Colômbia), Taima-taima (Venezuela) e Lagoa Santa (Minas Gerais, Brasil), indicavam ocupações anteriores à cultura de Clóvis, que chegavam até 14.500 anos atrás. Os artefatos em pedra encontrados indicavam que essas ocupações seriam mais antigas que a de Clóvis.
- O antropólogo e arqueólogo brasileiro Walter Neves elaborou uma terceira teoria. Defende que houve não apenas uma, mas diversas ondas migratórias para a América, ocorridas em datas diferentes e compostas de grupos oriundos tanto da Ásia (que entraram na América através do Estreito de Bering) quanto da Oceania.
- Essa linha de interpretação é bem aceita entre os pesquisadores. No entanto, já se reconhece que existem sítios pré-históricos mais antigos na América, como o Santa Elina, em Mato Grosso (25 mil anos), Pensilvânia, nos Estados Unidos (17 mil anos), e Old Crow, no norte do Canadá (25 mil anos).

Pré-história brasileira

- No período Pleistoceno, o clima era mais frio e seco. Nessa época, os grupos humanos eram nômades e mais ou menos coesos, sendo formados por um número reduzido de membros. Viviam em cavernas e abrigos sob rochas no topo de colinas ou próximo a rios. Produziam ferramentas em pedra para abater os animais e retirar sua pele. As pesquisas arqueológicas mostram que esses grupos, além da carne, consumiam frutos, raízes e tubérculos.
- Por volta de 12 mil anos, novas mudanças climáticas aqueceram a Terra, derretendo a camada de gelo e provocando transformações na paisagem natural, com a formação de amplas florestas, a diminuição das reservas superficiais de água doce e o surgimento de desertos. Em consequência, ocorreu a extinção de animais de grande porte, como o mamute e a preguiça gigante.

As culturas ceramistas

- Por volta de 5 mil anos, diversos grupos humanos que habitavam as terras do Brasil atual passaram a cultivar alimentos, especialmente mandioca e milho. A cerâmica tornou-se importante para esses homens porque permitiu a preservação dos alimentos e a criação de novas técnicas de preparação de alimentos, sem ter de colocá-los diretamente sobre o fogo.
- Além disso, a cerâmica passou a ser usada por alguns povos em rituais funerários. Os povos tupi-guaranis eram agricultores e ceramistas e há 2 mil anos se espalharam por boa parte do território brasileiro, ocupando terras vizinhas como as do Paraguai atual. A população tupi-guarani se difundiu de tal maneira que no século XVI chegava a um milhão de indivíduos, sendo até hoje uma das populações indígenas mais significativas no país.

No Vestibular

1. **(UCS-RS)** A Pedra da Rosetta, descoberta por uma expedição napoleônica ao Egito no final do século XVIII, é uma importantíssima fonte histórica para os estudiosos da Antiguidade.

Analise, quanto à sua veracidade (V) ou falsidade (F), as proposições abaixo, relacionadas ao conceito de fonte histórica.

(F) Toda fonte histórica é necessariamente escrita, as demais são consideradas pré-históricas.

(F) O historiador deve priorizar as fontes com notória imparcialidade. Nos tempos atuais, esse é o caso dos jornais e das revistas.

(V) Nenhuma fonte histórica deve ser encarada como portadora de verdades incontestáveis. Na qualidade de produção humana, ela deve ser analisada criticamente e comparada com outras fontes.

Assinale a alternativa que preenche corretamente os parênteses, de cima para baixo.

a) V – V – V.
b) F – F – V.
c) F – V – V.
d) V – F – F.
e) F – V – F.

2. **(Enem-MEC)**

"Quem construiu a Tebas de sete portas?
Nos livros estão nomes de reis.
Arrastaram eles os blocos de pedra?
E a Babilônia várias vezes destruída. Quem a reconstruiu tantas vezes?

Em que casas da Lima Dourada moravam os construtores?
Para onde foram os pedreiros, na noite em que a Muralha da China ficou pronta?

A grande Roma está cheia de arcos do triunfo. Quem os ergueu?
Sobre quem triunfaram os Césares?

BRECHT, B. Perguntas de um trabalhador que lê. Disponível em http://recantodasletras.uol.com.br. Acesso em 28 abr. 2010.

Partindo das reflexões de um trabalhador que lê um livro de História, o autor censura as memórias construídas sobre determinados monumentos e acontecimentos históricos. A crítica refere-se ao fato de que:

a) os agentes históricos de uma determinada sociedade deveriam ser aqueles que realizaram feitos heroicos ou grandiosos e, por isso, ficaram na memória.
b) a História deveria se preocupar em memorizar os nomes de reis ou dos governantes das civilizações que se desenvolveram ao longo do tempo.
c) os grandes monumentos históricos foram construídos por trabalhadores, mas sua memória está vinculada aos governantes da sociedade que os construíram.
d) os trabalhadores consideram que a História é uma ciência de difícil compreensão, pois trata de sociedades antigas e distantes no tempo.
e) as civilizações citadas no texto, embora muito importantes, permanecem sem ter sido alvos de pesquisa histórica.

3. **(Uece)** Por muito tempo, os historiadores acreditavam que deveriam e poderiam reproduzir os fatos "tal como haviam ocorrido". Dentre as características do conhecimento histórico que assim produziam, podemos assinalar corretamente.

a) Ao privilegiarem a realidade dos fatos, os historiadores esperavam produzir um conhecimento científico, que analisasse os processos e seus significados.
b) Era uma história linear, cronológica, de nomes, fatos e datas, que pretendia uma verdade absoluta, expressão da neutralidade do historiador.
c) Como se percebeu ser impossível chegar à verdadeira face do que "realmente aconteceu", todo o conhecimento histórico ficou marcado pelo relativismo total.
d) Os fatos privilegiados seriam aqueles poucos que eram amplamente documentados, como as festas populares e a cultura das pessoas comuns.

4. **(Enem-MEC)** As ruínas do povoado de Canudos, no sertão norte da Bahia, além de significativas para a identidade cultural dessa região, são úteis às investigações sobre a Guerra de Canudos e o modo de vida dos antigos revoltosos. Essas ruínas foram reconhecidas como patrimônio cultural material pelo Iphan (Instituto do Patrimônio Histórico e Artístico Nacional) porque reúnem um conjunto de:

a) objetos arqueológicos e paisagísticos.
b) acervos museológicos e bibliográficos.
c) núcleos urbanos e etnográficos.
d) práticas e representações de uma sociedade.
e) expressões e técnicas de uma sociedade extinta.

5. **(UERJ)**

"Eu era garotão ainda quando a Força Expedicionária Brasileira chegou à Itália. Passaram na minha cidade, porque foram de Salermo para Siena. Fazia parte do batalhão um cidadão italiano, que veio para cá pequenino e depois se naturalizou. O pai deste soldado tinha deixado uma filha pequena na Itália com um irmão que não conseguia ter filho nenhum. Então o rapaz sabia que tinha uma irmã em Paola, que ele não conhecia e que era criada por um tio. Pediu consentimento para os oficiais e chegou em Paola, chegou lá para conhecer a irmã. Não sabia nem falar italiano, só falava português. Ninguém entendia nada. Aí procuraram o meu pai, que falava bem o português e meu pai serviu de intérprete para ele poder conhecer a irmã."

Depoimento de Vicenzo Figlino. In: GOMES, A.C. (Org.). *Histórias de família entre a Itália e o Brasil*. Niterói: Muiraquitã, 1999.

Uma das formas que o historiador utiliza para estudar uma época é recolher depoimentos de pessoas que viveram experiências no passado. O depoimento acima pode estar identificado por um tipo de memória ligado a um contexto histórico. A alternativa que apresenta, respectivamente, a qualificação para este tipo de memória e uma referência relacionada ao depoimento é:

a) social - imigração italiana.
b) oficial - Segunda Guerra Mundial.
c) oficial - Força Expedicionária Brasileira.
d) social - construção da cidadania italiana.

6. **(Fuvest-SP)** Em 2009, comemoram-se os 150 anos da publicação da obra *A origem das espécies*, de Charles Darwin. Pode-se afirmar que a história da biologia evolutiva iniciou-se com Darwin, porque ele:

a) foi o primeiro cientista a propor um sistema de classificação para os seres vivos, que serviu de base para sua teoria evolutiva da sobrevivência dos mais aptos.

b) provou, experimentalmente, que o ser humano descende dos macacos, num processo de seleção que privilegia os mais bem adaptados.

c) propôs um mecanismo para explicar a evolução das espécies, em que a variabilidade entre os indivíduos, relacionada à adaptação ao ambiente, influi nas chances de eles deixarem descendentes.

d) demonstrou que mudanças no DNA, ou seja, mutações, são fonte da variabilidade genética para a evolução das espécies por meio da seleção natural.

e) foi o primeiro cientista a propor que as espécies não se extinguem, mas se transformam ao longo do tempo.

7. **(UFPE)** "Já se afirmou ser a história uma continuação da história natural, havendo uma analogia entre a evolução orgânica e o progresso da cultura". Sobre a Pré-história, qual das alternativas a seguir é incorreta?

a) Várias ciências auxiliam o estudo, como a antropologia, a arqueologia e a química.

b) A Pré-história pode ser dividida em Paleolítico e Neolítico, no que se refere ao processo técnico de trabalhar a pedra.

c) Sobre o Paleolítico, podemos afirmar que foi o período de grande desenvolvimento artístico, cujo exemplo são as pinturas antropomorfas e zoomorfas realizadas nas cavernas.

d) O Neolítico apresentou um desenvolvimento artístico diferente do Paleolítico, através dos traços geométricos do desenho e da pintura.

e) Os primeiros seres semelhantes ao homem foram os Australopitecus e o Homem de Java, que eram bem mais adaptados que o Homem de Neanderthal.

8. **(Ufscar-SP)**

"[...] Pré-história do Brasil compreende a existência de uma crescente variedade linguística, cultural e étnica, que acompanhou o crescimento demográfico das primeiras levas constituídas por poucas pessoas [...] que chegaram à região até alcançar muitos milhões de habitantes na época da chegada da frota de Cabral. [...] não houve apenas um processo histórico, mas numerosos, distintos entre si, com múltiplas continuidades e descontinuidades, tantas quanto as etnias que se formaram constituindo ao longo dos últimos 30, 40, 50, 60 ou 70 mil longos anos de ocupação humana das Américas."

FUNARI, Pedro Paulo; NOELI, Francisco Silva. *Pré-história do Brasil*. São Paulo: Contexto, 2002.

Considerando o texto, é correto afirmar que:

a) as populações indígenas brasileiras são de origem histórica diversa e, da perspectiva linguística, étnica e cultural, se constituíram como sociedades distintas.

b) uma única leva imigratória humana chegou à América há 70 mil anos e dela descendem as populações indígenas brasileiras atuais.

c) a concepção dos autores em relação à Pré-história do Brasil sustenta-se na ideia da construção de uma experiência evolutiva e linear.

d) os autores descrevem o processo histórico das populações indígenas brasileiras como uma trajetória fundada na ideia de crescente progresso cultural.

e) na época de Cabral, as populações indígenas brasileiras eram numerosas e estavam em um estágio evolutivo igual ao da Pré-história europeia.

9. **(UFSC)** Entre as transformações havidas na passagem da Pré-história para o período propriamente histórico, destaca-se a formação de cidades em regiões de:

a) solo fertilizado pelas cheias dos rios, permitindo produção de alimentos e crescimento populacional.

b) difícil acesso, cuja disposição do relevo levantava barreiras naturais às invasões de povos que viviam do saque de riquezas.

c) entroncamento de rotas comerciais oriundas de países e continentes distintos, local de confluência de produtos exóticos.

d) riquezas minerais e de abundância de madeira, condições necessárias para a edificação dos primeiros núcleos urbanos.

e) terra firme, distanciada de rios e de cursos d'água, com grau de salubridade compatível com a concentração populacional.

10. **(UFPE)** Na Pré-história encontramos fases do desenvolvimento humano. Qual a alternativa que apresenta características das atividades do homem na fase neolítica?

a) Os homens praticavam uma economia coletora de alimentos.

b) Os homens fabricavam seus instrumentos para obtenção de alimentos e abrigo.

c) Os homens aprenderam a controlar o fogo.

d) Os homens conheciam uma economia comercial e já praticavam os juros.

e) Os homens cultivavam plantas e domesticavam animais, tornando-se produtores de alimentos.

11. **(Enem-MEC)** Segundo a explicação mais difundida sobre o povoamento da América, grupos asiáticos teriam chegado a esse continente pelo Estreito de Bering, há 18 mil anos. A partir dessa região, localizada no extremo noroeste do continente americano, esses grupos e seus descendentes teriam migrado, pouco a pouco, para outras áreas, chegando até a porção sul do continente. Entretanto, por meio de estudos arqueológicos realizados no Parque Nacional da Serra da Capivara (Piauí), foram descobertos vestígios da presença humana que teriam até 50 mil anos de idade. Validadas, as provas materiais encontradas pelos arqueólogos no Piauí:

a) comprovam que grupos de origem africana cruzaram o oceano Atlântico ate o Piauí há 18 mil anos.

b) confirmam que o homem surgiu primeiramente na América do Norte e, depois, povoou os outros continentes.

c) contestam a teoria de que o homem americano surgiu primeiro na América do Sul e, depois, cruzou o Estreito de Bering.

d) confirmam que grupos de origem asiática cruzaram o Estreito de Bering há 18 mil anos.

e) contestam a teoria de que o povoamento da América teria iniciado há 18 mil anos.

Civilizações fluviais I

A presença de grandes rios foi decisiva para o surgimento das primeiras civilizações, como a egípcia e a mesopotâmica, que compartilharam características comuns: economia baseada na agricultura, poder político centralizado, forte influência religiosa e produção dependente do trabalho servil.

Terra entre rios

- Como vivemos numa cultura ocidental, é comum encontrarmos nos jornais, na televisão e no cinema a ideia de civilização associada ao modo de vida da Europa e dos Estados Unidos. Expressando uma visão eurocêntrica, esses povos são apresentados como protagonistas da história e promotores das grandes conquistas da ciência, como se possuíssem uma aptidão natural para a civilização.
- Essa noção de civilização, baseada no preconceito, não considera a identidade, os valores e a história de cada povo. Parte do pressuposto de que a cultura europeia é um modelo a ser seguido, e tudo o que foge desse modelo é atrasado e inferior. Como veremos, diferentes povos construíram grandes civilizações, que apresentavam características políticas e culturais próprias e com diferentes níveis de urbanização, e tinham sua população exercendo diferentes ofícios.
- Mesopotâmia é uma palavra de origem grega que significa "entre rios" e se refere à região compreendida entre os rios Tigre e Eufrates, na área do Crescente Fértil. As primeiras sociedades dotadas de escrita e de uma estrutura social complexa surgiram nessa região, conhecida como o "berço da civilização".
- Na Mesopotâmia desenvolveram-se diversas civilizações, mas nenhuma delas teve o controle da região por muito tempo. Essas civilizações organizaram-se a partir de cidades-Estado, núcleos urbanos que subordinavam um território e eram centro de decisões políticas.

Povos da Mesopotâmia

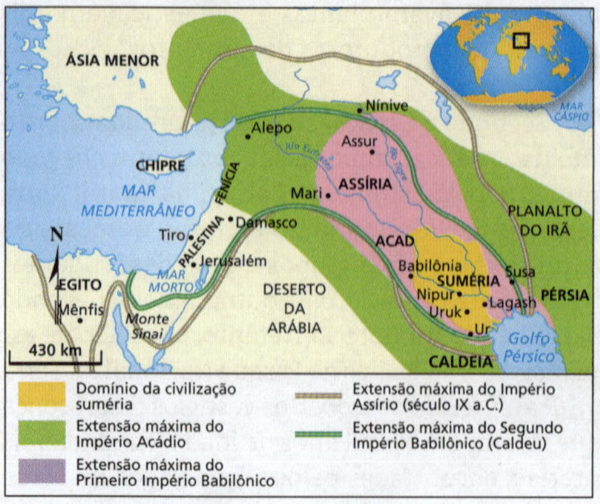

Fonte: VIDAL-NAQUET, Pierre; BERTIN, Jacques. *Atlas histórico*: da Pré-história aos nossos dias. Lisboa: Círculo de Leitores, 1990. p. 29.

Economia e leis

- O Vale da Mesopotâmia era árido e pouco fértil, levando os povos dessa região a dependerem da agricultura irrigada. Assim, as cheias dos rios Tigre e Eufrates tinham de ser bem aproveitadas, pois eram fundamentais para o sucesso da atividade agrícola. Sistemas locais de irrigação eram desenvolvidos e controlados por comunidades camponesas locais desde aproximadamente 4000 a.C.
- Os templos desempenhavam papel central na economia mesopotâmica. Planejavam a produção agrícola, estocavam os produtos, promoviam o comércio e realizavam empréstimos. O templo era um complexo agrário-artesanal em que conviviam diferentes camadas sociais. Ao lado dos templos, existia o palácio como estrutura política e econômica.
- As terras dos templos e dos palácios eram arrendadas aos camponeses, que, em troca de serviços prestados, recebiam rações e cereais para o seu sustento. Produziam-se cevada, trigo, gergelim, palmeiras, verduras e frutas. Os camponeses também criavam animais, com destaque para porcos, bois, aves, cabras, ovelhas e cavalos. Os animais forneciam carne, leite e lã, além de serem usados para puxar o arado. Alguns lotes de terra eram administrados diretamente pelos templos e palácios, utilizando trabalhadores escravos.
- O artesanato mesopotâmico revelava um elevado nível técnico para a época. Fabricavam-se barcos, confeccionavam-se objetos de cerâmica, joias e tecidos. As tumbas da elite suméria estavam repletas de objetos de cobre, bronze, ouro e prata, trabalhados com técnicas variadas e ricamente ornamentadas. Também praticavam-se o comércio local e a longa distância, utilizando metais e cevada como moeda. Operações comerciais, como o empréstimo a juros, o penhor e a caução, eram comuns entre comerciantes que agiam como intermediários dos templos e palácios.
- Os códigos de leis são os principais documentos que nos ajudam a entender o funcionamento da sociedade mesopotâmica. Como o rei não era considerado divino, mas apenas alguém investido de poder pelos deuses, as leis também valiam para ele. Por isso a necessidade de registrá-las. No Egito, ao contrário, não se tem notícia da existência de textos jurídicos. O faraó era considerado um deus encarnado e toda justiça emanava unicamente de sua vontade e de seu arbítrio.
- O Código de Hamurábi é o mais conhecido dos documentos jurídicos mesopotâmicos. Preservado numa estela de pedra negra, foi elaborado por ordem do rei Hamurábi, que governou o Primeiro Império Babilônico, entre 1792 e 1750 a.C. Sob seu reinado, os domínios se estendiam da Assíria, no norte da Mesopotâmia, até a Caldeia, no sul. Contudo, o termo "código" é enganoso: criado no início do século XX, transmite a ideia de uma coleção completa de todo o direito então vigente. A intenção dos autores, porém, não foi essa, pois várias esferas da vida social não foram incluídas no código. Embora a estela contenha sentenças de Hamurábi, grande parte foi acrescentada por escribas tomando como base tradições legais anteriores.
- A famosa expressão "lei de talião", com seu lema "olho por olho, dente por dente", é originada do Código de Hamurábi. O princípio buscava estabelecer uma proporção justa entre o crime cometido à vítima e a punição imposta ao criminoso. A pena aplicada ao criminoso deveria corresponder ao dano causado a alguém. Assim, a lei tratava apenas do ato cometido. É provável que essa fosse a base de todos os antigos códigos de direito, anteriores aos direitos grego e romano. As leis modernas são diferentes, pois abordam as intenções e as circunstâncias em que o crime foi cometido.

Organização social

- A sociedade babilônica estava dividida em quatro camadas sociais básicas: os proprietários de terras e funcionários da burocracia palaciana; os camponeses, que viviam sob a dependência do palácio; os trabalhadores sem família, que cultivavam as terras dos templos, e os escravos – em geral, mulheres –, que provinham do exterior e eram obtidos por meio da guerra, da pirataria ou do comércio.
- Os escravos, contudo, não eram a maioria da população. Havia uma massa de camponeses livres, cujo trabalho era apropriado na forma de tributos pagos ao Estado ou aos templos. Os escravos eram utilizados nas obras de irrigação, armazenamento e distribuição de excedentes agrícolas. Havia também escravos urbanos e domésticos, que pertenciam a particulares.

A organização social na Mesopotâmia

Awilu. Proprietários de terras e funcionários da burocracia palaciana.

Mushkenu. Camponeses e trabalhadores não escravos que viviam sob a dependência do palácio.

Gurush. Trabalhadores sem família que cultivavam os lotes dos templos.

Wardu. Escravos.

Fonte: KRAMER, Samuel Noah. *Mesopotâmia*: berço da civilização. Rio de Janeiro: José Olympio, 1983. p. 43. (Coleção Life)

Conteúdo digital Moderna PLUS http://www.modernaplus.com.br
Mapas animados: Primeiras cidades
Primeiras migrações
Povos da Mesopotâmia: domínios e expansão

Escrita

- Os mesopotâmicos desenvolveram uma das primeiras escritas da história, o sistema cuneiforme, cujos registros datam do IV milênio a.C. A invenção foi obra dos sumérios, que habitavam o sul da Mesopotâmia. Os sinais gravados na argila úmida tinham a forma de pregos de cabeça larga, ou cunhas, o que explica o nome cuneiforme.
- Apenas uma parcela muito pequena da população sabia ler e escrever. Nesse pequeno grupo, destacavam-se os **escribas**, funcionários especializados na escrita cuneiforme. Os escribas registravam transações comerciais dos templos e dos palácios, redigiam contratos, controlavam o fluxo de entradas e saídas de produtos agrícolas dos templos, faziam a crônica dos reis e das batalhas e serviam de diplomatas nas relações com outros povos.

Religiosidade

- Para os babilônios, os conhecimentos sobre a ciência e a técnica não estavam separados das crenças religiosas. Diferentemente do homem moderno, que parte da observação e das medidas racionais da natureza, os babilônios viam o mundo de uma forma mística e mágica. Os deuses mesopotâmicos eram antropomórficos, considerados imortais e dotados de poder sobre o Universo.
- Tudo o que existia na Terra, inclusive a vida humana, estava sujeito à força cósmica dos planetas. Para orientar a vida humana e garantir a sobrevivência, era necessário conhecer essas forças e suas leis. A astronomia e a astrologia, portanto, eram conhecimentos fundamentais para a sociedade mesopotâmica.
- O cosmos também mantinha uma relação de semelhança com a Terra. O mapa do mundo na geografia babilônica reproduzia o mapa das regiões celestes e do paraíso, de modo que todos os povos e as regiões conhecidos formavam um mundo circular cercado por água de todos os lados.
- Os zigurates, grandes templos mesopotâmicos, também mantinham uma ligação com o céu. O zigurate era uma representação em escala reduzida do cosmos e era construído de tal modo que cada segmento do templo representava as principais divisões do universo: o mundo subterrâneo, a terra e o firmamento. O zigurate simbolizava a união entre o céu e a terra e acreditava-se que a alma dos mortos ascendia ao céu subindo um a um os degraus do templo.

MICHAEL S. YAMASHITA/ CORBIS/LATINSTOCK

Zigurate construído em c. 2100 a.C. Os zigurates são edificações em forma de pirâmide, com a presença de rampas e degraus. Iraque, foto de 1999.

A civilização egípcia

- Com o fim da era glacial e a ampliação dos desertos no norte da África, diversos povos fixaram-se às margens do Rio Nilo. Entre os anos 7 mil e 4 mil a.C., a necessidade de obras como canais e diques levou as aldeias a se unificarem, formando os **nomos**, que eram liderados pelos **nomarcas**. Essas comunidades, por sua vez, se uniram formando os reinos do Alto Egito (região do vale) e do Baixo Egito (região do delta); em 3150 a.C., Menés, soberano do Alto Egito, unificou os dois reinos e tornou-se o primeiro faraó do Egito.
- A história política do Egito antigo é dividida em quatro períodos: **Período Arcaico** (3150-2686 a.C.), **Antigo Império** (2686-2181 a.C.), **Médio Império** (2040-1782 a.C.) e **Novo Império** (1570-1069 a.C.).

Sociedade e religião

- No Egito faraônico, havia quatro camadas sociais: a nobreza, os funcionários do Estado, os camponeses (felás) e artesãos, e os escravos, geralmente prisioneiros de guerra, devedores ou criminosos.
- Os egípcios eram profundamente religiosos e algumas das suas divindades eram representadas por figuras **antropozoomórficas**, que mesclam aparência humana com animais. Eles tinham o hábito de mumificar os mortos porque acreditavam que a alma passaria por um julgamento e voltaria para um corpo.
- A divindade mais importante era Rá, mais tarde chamado Amon-Rá, o deus-sol. O faraó, visto como um deus encarnado, era o filho de Rá. Por volta de 1370 a.C., o faraó Amenófis IV tentou implantar o culto a um deus principal, Aton (disco solar), que lhe garantiria maior controle sobre os sacerdotes; com a morte do governante, porém, o movimento esvaziou-se.

A economia

- A economia egípcia baseava-se na agricultura. Os principais produtos eram cevada, trigo, linho, verduras e vinhas. As terras eram cultivadas majoritariamente pelos camponeses, que em troca cediam parte da produção ao Estado, dono das terras.
- A pesca, a caça e a criação de animais, como bois, cabras e aves, também eram praticadas pelos egípcios. A coleta realizada no Vale do Nilo, a agricultura e a exploração das minas de ouro, cobre e pedras preciosas forneciam matérias-primas para a atividade artesanal.
- Os egípcios exportavam vinho, cereais, óleos vegetais, papiro e móveis e importavam pedras preciosas, marfim, perfumes e madeiras. Nas aldeias produziam-se utensílios mais rústicos para uso diário. Já nas oficinas dos templos e palácios produziam-se produtos de luxo para o consumo da elite. Com o papiro, por exemplo, fabricava-se papel, cordas, cestas e esteiras.

O Egito antigo

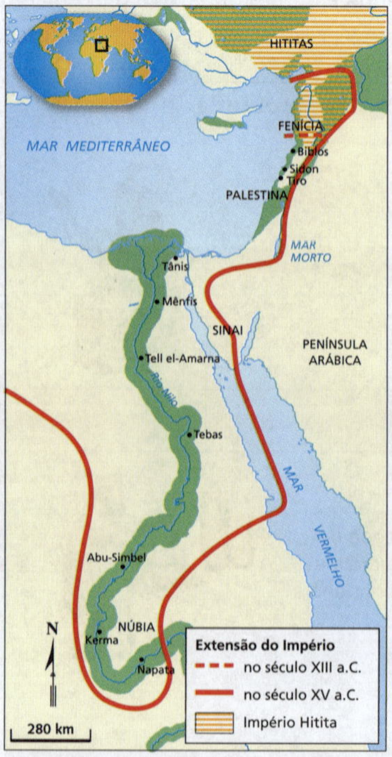

Fonte: VIDAL-NAQUET, Pierre; BERTIN, Jacques. *Atlas histórico:* da Pré-história aos nossos dias. Lisboa: Círculo de Leitores, 1990. p. 41.

Conteúdo digital Moderna PLUS http://www.modernaplus.com.br
Filme: *Egito*

A sociedade egípcia

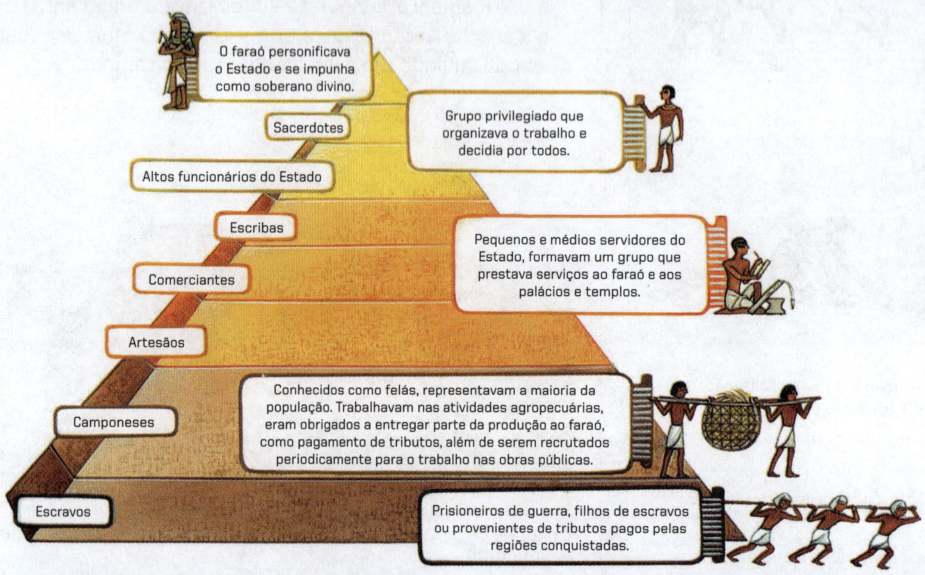

Fonte: CASSON, Lionel (Org.). *O antigo Egito*. Rio de Janeiro: José Olympio, 1983. (Coleção Biblioteca de História Universal Life)

A civilização núbia

- Na região da Núbia (atual Sudão) formou-se a civilização núbia. Os primeiros indícios da ocupação da área por povos caçadores, agricultores e pescadores datam de cerca de 8000 a.C.
- O chamado "corredor núbio" constituiu um elo importante no contato entre a África subsaariana e as zonas mediterrâneas, controladas pelo Egito. Por esse motivo, a Núbia ocupou uma posição estratégica no mundo antigo, tanto nas trocas comerciais quanto nos contatos culturais entre povos distintos.

A região da Núbia

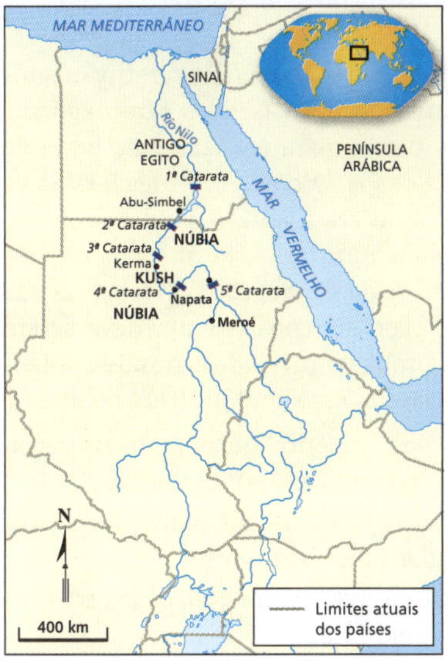

Fonte: KI-ZERBO, J. (Org.) *História geral da África.* São Paulo: Ática/Unesco, 1982. v. 2. p. 226.

O Reino de Kush

- Acredita-se que na cidade de Kerma estabeleceu-se a primeira capital do Reino de Kush. O domínio do Egito sobre toda a Núbia iniciou-se por volta de 1570 a.C. e durou cerca de quinhentos anos. Nesse período, Kerma foi transformada numa província do Império; seus habitantes tornaram-se reserva de mão de obra para os empreendimentos egípcios; e seus guerreiros, soldados do exército faraônico que foi dominado pelos egípcios.
- No século VIII a.C., porém, o Egito entrou em crise e partes do seu território passaram para o controle de Kush, assim permanecendo por 450 anos.

O período meroíta

- No século V a.C., pressionados por expedições egípcias, os reis núbios foram forçados a se dirigir ainda mais para o sul, transferindo sua capital para a cidade de Meroé. Napata foi conservada como um centro religioso para onde os reis eram deslocados nos momentos de coroação ou de sepultamento.
- A instalação da corte em Meroé inaugurou um novo período, conhecido como **meroíta**, e significou uma reorientação cultural e política do antigo reino. Menos preocupados com as fronteiras egípcias e mais voltados para as raízes núbias, os reis kushitas restabeleceram a língua e a escrita meroítas, que passaram a ser oficiais no reino.
- Em termos religiosos, o deus egípcio Amon foi substituído por um deus de corpo humano e cabeça de leão, conhecido como Apedemeque, cultuado como a principal divindade núbia.

Comércio e artesanato

- A atividade econômica que mais se destacou em Meroé foi o comércio. A cidade notabilizou-se como entreposto de rotas caravaneiras que ligavam o Mar Vermelho, o Alto Nilo e o Chade, exportando produtos de luxo como incenso, ouro, pena de avestruz, pele de leopardo e marfim.
- Meroé também foi um empório de produtos artesanais. A cerâmica núbia apresentava traços e técnicas próprios. Vasos com bases arredondadas são expressões dessa arte. A moldagem era feita à mão, supostamente por artesãs, e em rodas de oleiros, técnica geralmente associada a homens.

As candaces

- A escolha do rei kushita era feita pelos chefes militares, altos funcionários e patriarcas. A tradição política dos reinos da Núbia também se destaca pelo poder atribuído às mulheres, mães ou esposas reais. Revelando as tradições matrilineares núbias, já durante o período egípcio elas ocupavam um lugar de projeção nos centros religiosos dedicados ao deus Amon, exercendo a função de sacerdotisas. Na época de Meroé, adicionaram aos seus nomes o título de candaces, e algumas delas, poderosas e aguerridas, perpetuaram seus feitos por meio de afrescos e portais de tumbas.

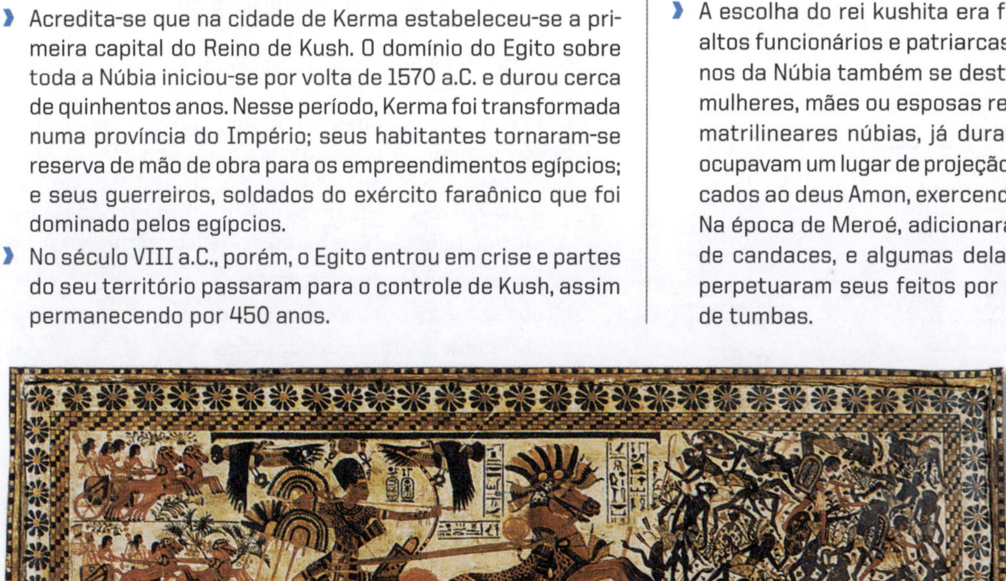

ROGER WOOD/CORBIS/LATINSTOCK - MUSEU EGÍPCIO, CAIRO

Cena de batalha entre núbios e egípcios. Túmulo do faraó Tutancâmon, século XIV a.C. Tebas, Egito.

No Vestibular

1. **(Mackenzie-SP)** Na Antiguidade, a civilização egípcia baseou a sua organização socioeconômica de acordo com:
   a) o modo de produção escravista, no qual um governo despótico controlava a construção de obras hidráulicas, utilizando somente o trabalho escravo.
   b) o modo de produção servil, resultante da imensa influência religiosa do faraó, o supremo sacerdote, que deveria ser adorado e servido por todos os seus súditos.
   c) o modo de produção asiático, baseado no Estado despótico onde predominava a servidão coletiva, na qual o indivíduo trabalhava a terra como membro da comunidade e servia, dessa maneira, ao Estado.
   d) o sistema de servidão coletiva, sendo os membros da comunidade submetidos aos trabalhos ligados à construção de sistemas hidráulicos, para a distribuição comunitária da produção agrícola resultante.
   e) o modo de produção escravista, sendo os povos capturados em guerra transformados em escravos do faraó, proprietário das terras e cultuado como deus em todo o Egito.

2. **(Fuvest-SP)** No antigo Egito e na Mesopotâmia, assim como nos demais lugares onde foi inventada, a escrita esteve vinculada ao poder estatal. Este, por sua vez, dependeu de certo tipo de economia para surgir e se desenvolver. Considerando as afirmações acima, explique as relações entre:
   a) escrita e Estado.

   Escrita permitiu o controle do estado sobre a economia

   b) Estado e economia.

   As terras e a produção eram de domínio do estado.

3. **(Uece)** O Crescente Fértil, expressão que identifica uma área da civilização antiga, refere-se às seguintes civilizações:
   a) China, Índia e Japão.
   b) Grécia, Roma e Egito.
   c) Mesopotâmia, Palestina e Egito.
   d) Fenícia, Cartago e Roma.
   e) China, Egito e Palestina.

4. **(FGV-SP)** Um império teocrático, baseado na agricultura, na arregimentação de camponeses para grandes obras e profundamente dependentes das águas de um grande rio. Esta frase se refere aos:
   a) fenícios e à importância do Tigre.
   b) hititas e à importância do Eufrates.
   c) sumérios e à importância do Jordão.
   d) cretenses e à importância do Egeu.
   e) egípcios e à importância do Nilo.

5. **(Vunesp)** Uma equipe de pesquisadores retirou temporariamente a múmia do mais famoso faraó egípcio, Tutancâmon, de sua tumba para realizar uma série de tomografias em seus ossos. O objetivo é desvendar os mistérios e histórias que envolvem suas vida e morte — assassinato ou causa natural —, já há mais de três milênios (*O Estado de S.Paulo*, 05 jan. 2005). O fascínio que esse soberano egípcio exerce em nosso tempo deve-se, em parte, ao fato de sua tumba ter revelado a grande opulência em que viviam os faraós. Essa opulência era resultado:
   a) do expansionismo do Império Egípcio, que subjugou os povos do Mediterrâneo, como os cretenses.
   b) do domínio egípcio sobre as rotas das caravanas através do Saara, conduzidas pelos beduínos.
   c) do regime de servidão coletiva, no qual os excedentes eram apropriados pelo Estado.
   d) da crença no monoteísmo, que fazia com que os egípcios se preocupassem com a acumulação de bens.
   e) da influência mesopotâmica que levou o Egito a adotar um modelo democrático de governo.

6. **(Vunesp)** O Novo Império Egípcio (entre os séculos XVI e XII a.C.) foi marcado por uma transformação que deu novo rumo, temporário, à vida religiosa da população. O faraó Amenófis IV impôs o culto a um único Deus, Aton, simbolizado pelo disco visível do Sol. Tebas deixou de ser a capital e os bens dos templos de Amon foram confiscados. A reforma religiosa teve caráter político porque visava a:
   a) limitar o poder dos sacerdotes.
   b) abalar a estrutura social vigente.
   c) aumentar a autonomia dos nomos.
   d) debilitar a influência dos escribas.
   e) dividir o poder da casta militar.

7. **(Fuvest-SP)** O modo de produção asiático pode ser caracterizado exceto por:
   a) poder político centralizado, teocrático e sociedade estamental.
   b) economia agropastoril, sujeita às condições geoclimáticas, incluindo o chamado Crescente Fértil.
   c) organização fortemente marcada pela religiosidade que, por vezes, contribuiu até mesmo para a centralização política.
   d) domínio da religião monoteísta na constituição do Império Persa.

e) traços de originalidade fenícia, pela descentralização política das cidades-Estados e economia voltada para o comércio marítimo.

8. **(FGV-SP)** Com relação às civilizações egípcias e mesopotâmicas, é **incorreto** afirmar.

a) O torno para a fabricação de cerâmica usado no Egito foi, durante séculos, mais lento e ineficiente do que aquele empregado na Mesopotâmia.

b) As técnicas de produção utilizadas pelo Egito faraônico e pela Mesopotâmia se fixaram, em sua maioria, durante o surto de inovações tecnológicas que se estendeu de 3200 a 2700 a.C.

c) Comparando-se o Egito à Mesopotâmia, pode-se constatar certo atraso do primeiro em relação à segunda, onde certas inovações tecnológicas foram introduzidas anteriormente.

d) As atividades agrícolas eram supérfluas na economia egípcia antiga, dada a pouca fertilidade do solo, e de extrema importância na Mesopotâmia, onde se cultivam cereais como o trigo e a cevada.

e) O instrumento baseado no princípio do contrapeso, para a elevação de recipientes com água, que foi introduzido no Egito no século XIV a.C., apareceu em um sineto mesopotâmico cerca de seis séculos antes.

9. **(UFSC)** Sobre o Egito antigo, é correto afirmar que:

(01) a construção das pirâmides atendia às necessidades da vida após a morte dos faraós. Esse tipo de construção foi característica da arquitetura funerária durante todo o período do Egito antigo e só foi possível graças à enorme mão de obra escrava existente desde o Antigo Reino.

(02) o rio Nilo foi de suma importância em vários aspectos da vida dos antigos egípcios. Não só a agricultura foi possível devido ao seu ciclo de cheias, como também a noção de tempo cíclico, base do pensamento egípcio, levou à crença na vida após a morte.

(04) os egípcios antigos acreditavam em vários deuses que se relacionavam entre si e formavam seu sistema mitológico.

(08) a despeito da influência islâmica, o Egito atual mantém as mesmas crenças religiosas do Egito antigo.

Soma: ______.

10. **(Vunesp)**

O palácio real constitui naturalmente, na vida da cidade mesopotâmica, um mundo à parte. Todo um grupo social o habita e dele depende, ligado ao soberano por laços que não são somente os de parente a chefe de família, ou de servidor a senhor. Este grupo social é numeroso, de composição muito variada, abrangendo trabalhadores de todas as profissões, domésticos, escribas, artesãos, homens de negócios, agricultores, pastores, guardiões dos armazéns etc., colocados sob a direção de um intendente. É que a existência de um domínio real, dotado de bens múltiplos e dispersos, faz do palácio uma espécie de vasta empresa econômica, cujos benefícios contribuem para fundamentar solidamente a força material do soberano.

Aymard; Auboyer. *O Oriente e a Grécia antiga*: as civilizações imperiais.

a) Como se organizava a vida social e política na Mesopotâmia?

b) Um dos grandes legados da Mesopotâmia foi a criação do Código de Hamurábi. Quais os principais aspectos desse Código?

11. **(Ufes)** Cada sociedade pode apresentar, de acordo com a sua cultura, formas distintas de contagem do tempo. Entre os antigos egípcios, por exemplo, o calendário seguia de perto o ritmo da vida agrária, de acordo com:

a) a consagração do primogênito do faraó como corregente do Egito, o que coincidia com o jubileu das primícias, quando os frutos da terra eram dedicados ao futuro soberano.

b) o mecanismo de cheia do Nilo, por intermédio do qual os egípcios dividiam o tempo em três estações distintas: inundação, "saída" (reaparecimento da terra cultivável) e colheita.

c) a alternância da estação chuvosa e da estação seca no Vale do Nilo, o que delimitava os períodos de plantio e de colheita nas zonas subsaarianas.

d) o ciclo de reprodução da uva e das leguminosas, espécies cultivadas nas bacias naturais formadas pelo Nilo por ocasião da cheia anual.

e) a sucessão das estações solares, que favorecia o cultivo do trigo, da cevada e do linho nas bacias do Nilo irrigadas por um eficiente sistema de contrapeso (shaduf).

Civilizações fluviais II e o Oriente Médio

A Índia e a China são duas das civilizações mais antigas e ricas em tradições culturais que conhecemos. Já no Oriente Médio, entre os séculos XII e X a.C., uma série de transformações técnicas, políticas e sociais pôs fim aos grandes impérios que existiam na região e permitiu o nascimento de novas formas de Estado.

A civilização harapense

- Por volta de 2800 a.C., em torno do Vale do Rio Indo, na região noroeste do subcontinente indiano, atual Paquistão, floresceu a chamada civilização harapense. Tratava-se de uma civilização urbana, cuja vida se baseava num sistema de agricultura irrigada, que aproveitava as cheias do Rio Indo de modo semelhante aos egípcios e mesopotâmicos da mesma época.
- Os harapenses produziam, também, um refinado artesanato em ouro, prata, bronze, marfim e pedras semipreciosas. Além disso, produtos tipicamente indianos, como tintas para os olhos, pérola, madeira e ornamentos de marfim, eram comercializados com mercados distantes no Golfo Pérsico, Ásia Central e Mesopotâmia.

O declínio da civilização harapense e o período védico

- Entre 1900 e 1300 a.C. a civilização harapense já apresentava sinais de declínio. Nesse período, cidades importantes, como Harapa, aparecem já desabitadas, sem conservação de suas muralhas e redes de esgoto. Há duas explicações principais para esse declínio:
  - A invasão de um povo estrangeiro indo-europeu, os arianos ou árias, que teria destruído com violência as cidades harapenses e submetido a população nativa.
  - Fatores endógenos, como mudanças climáticas, secas prolongadas, crise econômica e política. Embora a chegada dos árias tenha coincidido com o declínio da cultura harapense, eles não teriam sido responsáveis por esse fato.
- Os árias, ou arianos, eram povos nômades e voltados para o pastoreio. Vindos provavelmente da Rússia Meridional, penetraram no subcontinente indiano pela região noroeste, considerada a porta de entrada da Índia, a partir de 1500 a.C. Os árias instalaram-se no Vale do Indo no decorrer de sucessivas ondas migratórias.
- A população nativa era superior à dos árias em número. A tecnologia militar dos invasores, contudo, baseada no uso do arco, de armas de bronze e de carros de combate com duas rodas, permitiu uma conquista sem grandes dificuldades. Com o tempo, os árias foram se sedentarizando e pequenos reinos começaram a surgir no Vale do Rio Ganges e aos pés da Cordilheira do Himalaia.
- Os invasores trouxeram consigo uma religião politeísta com muitos rituais, o **bramanismo**, e os **hinos védicos**, que constituem a base da cultura indiana atual.

Vale do Rio Indo

Fonte: VIDAL-NAQUET, Pierre; BERTIN, Jacques. *Atlas histórico*: da Pré-história aos nossos dias. Lisboa: Círculo de Leitores, 1987. p. 35.

O sistema de castas

- Por volta do século VI a.C., a religião védica passou por mudanças, ocorrendo um endurecimento dos princípios morais e uma demarcação dos papéis de cada grupo social, formalizando a divisão da sociedade em **castas**. Os indivíduos pertenciam à mesma casta do pai, e nela permaneciam pela vida inteira. A casta definia inúmeros aspectos da vida: profissão, casamento, alimentação etc. A constituição de 1950 aboliu as castas, mas a tradição ainda existe, e pessoas das castas inferiores, chamadas de *dalits*, sofrem discriminações.

A sociedade de castas na Índia

Purusha

- **Brâmanes.** "Homens do sagrado", sacerdotes responsáveis pelos rituais.
- **Xátrias.** Nobres guerreiros, que se encarregavam da administração e da política e viviam das rendas da propriedade territorial.
- **Vaixás.** Camponeses, artesãos e comerciantes.
- **Sudras.** Servos, camada social oriunda provavelmente da população nativa subjugada pelos árias, acrescida de condenados por dívidas e prisioneiros de guerra.

***Dalits* (intocáveis).** Não pertencem a nenhuma casta. Eles são os párias, os "fora das castas", pessoas totalmente excluídas de direitos e consideradas impuras.

Fonte: GANERI, Anita. *Explorando a Índia*. São Paulo: Ática, 1997.

As primeiras culturas agrícolas na China

- Na China formou-se uma das mais antigas civilizações da história, contemporânea das civilizações egípcia e mesopotâmica. Como outros povos orientais do período, os chineses se estabeleceram em torno de rios: o Rio Hoang-Ho, também conhecido como Rio Amarelo, e o Rio Yang-Tsé, ou Rio Azul, às margens dos quais se desenvolveu a agricultura irrigada.
- Segundo as escavações arqueológicas realizadas na região, as comunidades agrícolas mais antigas da China datam de aproximadamente 7500 a.C. Conforme os indícios encontrados, essas comunidades criavam animais, como porcos e cães, praticavam uma agricultura primitiva, cultivando principalmente o painço e o arroz, e fabricavam cerâmica em fornos. Há indícios de cultivo de arroz no delta dos rios Amarelo e Azul desde 9000 a.C. Na cultura Liangzhu, às margens do Rio Azul, desenvolveram-se, por volta de 3000 a.C., técnicas de escultura em jade, característica da civilização clássica chinesa.

A dinastia Chang

- Quando a China ingressou na Era do Bronze, surgiu a primeira dinastia comprovada por meio de vestígios históricos: a dinastia Chang (1760-1122 a.C.). Foi nesse período que surgiu a civilização chinesa tal como a conhecemos, com o aparecimento da escrita e de estruturas políticas e sociais definidas.
- Do ponto de vista político e social, a dinastia Chang se caracterizou pela presença de uma forte aristocracia guerreira, sustentada pelas comunidades camponesas, e pela instituição de uma monarquia baseada no culto dos ancestrais, a quem os reis consultavam em casos de guerra ou assuntos agrícolas.

A dinastia Chou

- Entre os séculos XI e X a.C., a dinastia Chang foi conquistada pelos Chou, que criaram o governo mais duradouro da história daquele povo. O território chinês se expandiu continuamente até o século VIII a.C., graças a um sistema de delegação do poder. O soberano doava terras aos nobres, tornando-os seus dependentes. Houve um grande desenvolvimento das atividades mercantis e do artesanato.

A civilização chinesa antiga

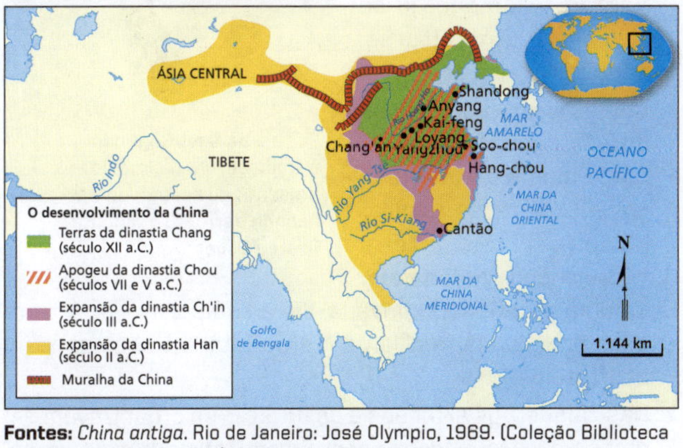

Fontes: *China antiga*. Rio de Janeiro: José Olympio, 1969. (Coleção Biblioteca de História Universal Life); DUBY, Georges. *Atlas historique mondial*. Paris: Larousse, 2003. p. 185.

- As terras desses nobres eram cultivadas por camponeses, que eram a maioria da população e trabalhavam em troca de uma pequena parte da colheita. Também atuavam na construção de obras públicas e prestavam serviço militar.
- O poder dos Chou começou a desmoronar no século VIII a.C., dando início a um período de guerras, crise e instabilidade. A nação foi dividida entre diversos reinos rivais, que passaram a disputar o controle do país. Coube à dinastia Ch'in assumir progressivamente o controle do território até unificá-lo no século III a.C sob o comando do imperador Che Huang Ti.

A China imperial

- A dinastia Ch'in se apoiava numa burocracia centralizada formada por funcionários leais e educados. A burocracia era responsável por controlar os trabalhos agrícolas, a estocagem e a distribuição de cereais, por gerir a mão de obra para as grandes construções e por aplicar recompensas ou punições, garantindo a obediência ao novo poder.
- Uma das grandes obras dos Ch'in foi o início da construção da Muralha da China, destinada a defender o Império dos ataques de povos nômades vindos do norte, como os manchus. Em troca de ajuda na defesa do território, o governo imperial concedia terras e benefícios aos povos fronteiriços.
- A Muralha da China, ao contrário do que se acredita, não é uma construção única, mas a soma de diversas muralhas construídas, destruídas e reconstruídas ao longo do tempo. Pesquisas recentes, feitas a partir de imagens de satélites, descobriram que a muralha ocupa uma extensão bem maior do que se acreditava, totalizando mais de 8 mil quilômetros de extensão, envolvendo diferentes regiões da China.
- A Grande Muralha se estende desde a fronteira norte de Beijing (Pequim) até o Deserto de Gobi, sendo considerada a construção humana mais extensa do mundo. Declarada Patrimônio Mundial pela Unesco em 1987, a Grande Muralha é uma das principais atrações turísticas e um dos principais objetos de pesquisas arqueológicas da China.
- Após a morte do Imperador Che Huang Ti, a China caiu novamente em guerra civil, até que os Han, por volta de 206 a.C., fundaram uma nova dinastia e consolidaram a unidade política imperial.

A atividade intelectual

- O desenvolvimento das cidades, a difusão da escrita e o aparecimento de uma elite de funcionários letrados durante os últimos séculos da dinastia Chou favoreceram o surgimento de um pensamento politico e moral na China.
- Segundo **Confúcio** (551-479 a.C.), a harmonia social poderia ser alcançada por meio de uma reforma moral e política da sociedade, efetuada por líderes. Assim, o primeiro dever de todo ser humano seria se aperfeiçoar moralmente na interação com outras pessoas.
- **Lao-Tsé**, que viveu provavelmente no século VI a.C., costuma ser considerado o fundador do taoísmo, um pensamento que buscou restaurar a harmonia entre o homem e a natureza por meio de práticas meditativas e místicas.

Os hebreus

- Os hebreus são originários de tribos de pastores nômades que vagavam entre a Caldeia, a terra de Canaã e o Egito. Por volta do fim do segundo milênio a.C., essas tribos se fixaram na região de Canaã, às margens do Rio Jordão.
- No final do II milênio a.C., chefiados pelo **patriarca** Abrãao, essas tribos seguiram para Canaã (Palestina atual) e fixaram-se às margens do Rio Jordão. Por essa época, familiarizaram-se com o culto a Yahveh, deus único absoluto e universal.
- Segundo a Bíblia, no século XIII a.C., fugindo da fome e da seca, uma parte dos hebreus migrou para o Egito, onde foram escravizados. Liderados por Moisés, por volta de 1250 a.C. os hebreus fugiram do cativeiro egípcio (**Êxodo**) e voltaram para Canaã. Segundo a tradição, nessa volta Moisés recebeu de Yahveh os **Dez Mandamentos**. Com o código, Yahveh exigia de seus seguidores um comportamento ético. Essa concepção da divindade era radicalmente distinta de todos os panteões e mitos da Antiguidade.

Três religiões e um mesmo deus

- Por ter introduzido a ideia de um deus único, absoluto e universal, Abraão é considerado o pai fundador das três grandes religiões monoteístas da humanidade, que juntas se tornaram a expressão do monoteísmo: o judaísmo, o cristianismo e o islamismo. Elas podem ser consideradas "religiões abraâmicas", por atribuírem o mesmo significado à história de Abraão e por partilharem certos elementos básicos e comuns, como a crença em um deus único, a presença de um livro sagrado, que teria sido revelado pela divindidade e crença numa lei moral e universal, emanada de Deus e codificada nos respectivos livros sagrados.

A Palestina e seus vizinhos

Fonte: LACOSTE, Yves. *Géopolitique*: la longue histoire d'aujourd'hui. Paris: Larousse, 2006. p. 293.

A monarquia hebraica

- Ao retornar para Canaã, os hebreus travaram intensas lutas com os cananeus e os filisteus, povos que ocupavam essa região. Vitoriosos, os hebreus permaneceram divididos em tribos. Em épocas de grandes conflitos surgiam líderes, os "juízes", que assumiam um papel militar e religioso, porém sem conseguir unificar as tribos.
- No final do século XI, as tribos tiveram de se organizar sob a liderança de um **rei** para resistir às invasões dos filisteus. Com o primeiro rei, Saul, houve uma divisão entre as tribos de Israel (ao norte) e as de Judá (ao sul). O jovem rei Davi, que governou entre 1000 a 962 a.C. unificou as tribos rivais, derrotou os filisteus e conquistou Jerusalém, que se transformou em capital do reino.
- Após a morte de Davi, seu filho Salomão levou a monarquia ao máximo esplendor, incentivando o comércio, adotando o luxo e o refinamento das realezas orientais, fortificando as cidades, reorganizando o exército e construindo o Templo de Jerusalém.
- Após a morte de Salomão, por volta de 924 a.C., as dez tribos do norte separaram-se formando o Reino de Israel, capital Samaria; as tribos restantes formaram o Reino de Judá, capital Jerusalém, e seus habitantes ficaram conhecidos como judeus.
- Por volta de 722 a.C., as tribos do norte foram conquistadas pelos assírios e seus moradores se dispersaram. Foi a primeira **diáspora** dos hebreus. Em 586 a.C. os babilônios conquistaram a região; depois disso, houve uma sucessão de domínios estrangeiros: persa, a partir do século V a.C., macedônico, no século IV a.C., e por fim romano, depois de 63 a.C.

Sociedade e economia dos hebreus

- A passagem da vida nômade à vida sedentária e o início da monarquia implicaram várias mudanças sociais e econômicas. À medida que se sedentarizavam, os hebreus deixavam de ser povos pastores nômades e se tornavam agricultores, comerciantes e artesãos.

PHOTODISC/GETTY IMAGES

Estrela de Davi. Segundo a tradição, era o símbolo presente no escudo de Davi quando derrotou o gigante filisteu Golias.

- Começavam a aparecer as divisões sociais, pois naquele momento instituiu-se a exploração familiar da terra. Porém, a terra não era considerada ainda uma propriedade privada. Vista como sagrada, a terra pertencia ao clã familiar, e o proprietário tinha apenas o usufruto dela.
- Nas cidades, os artesãos e os artistas se organizavam em corporações formadas de acordo com o ofício de cada um: padeiros, fiadores, tecelões, droguistas, alfaiates, oleiros etc.

Os fenícios

- A Fenícia situava-se numa faixa de terra correspondente à costa do atual Líbano, abrangendo também uma parte da Síria e da Palestina. Apesar de possuir terras aráveis e montanhas repletas de cedros (madeira nobre, muito utilizada para a construção de navios), desde cedo os fenícios voltaram-se para o comércio marítimo. Sua posição geográfica, situada no cruzamento das rotas comerciais do Oriente e do Ocidente, era estratégica e os incentivava a explorar os mares.
- Essa civilização organizava-se em cidades-Estado autônomas, como Tiro, Biblos e Sidon, que emergiram por volta de 1200 a.C. Como não havia centralização política, sua unidade cultural era dada pelo uso da mesma língua, do mesmo alfabeto e pela mesma religião.
- Entre os séculos IX e VIII a.C., os fenícios se expandiram pelo Mar Mediterrâneo e fundaram colônias por toda a região, sendo Cartago, no norte da África, a mais famosa delas. Essa expansão fenícia não tinha por objetivo conquistar novas terras, mas estabelecer uma rede de entrepostos e portos para viabilizar o comércio a longa distância.
- Um dos principais pontos dessa rede de comércio encontrava-se no sul da Península Ibérica, na atual região da Andaluzia, onde os fenícios fundaram diversas colônias: Gadir (Cádiz), Ebusus (Ibiza), Málaga, Abdera (Almira), entre outras.
- Os fenícios exportavam cerâmica, sal e vasos de bronze, entre outros produtos, em troca de ouro, prata, estanho e outros metais.
- Os fenícios eram politeístas e cultuavam diversos deuses. Os principais eram Baal, que representava o sol e o poder gerador da natureza, e Astarte, deusa da lua e da fecundidade. Cada cidade também tinha os seus deuses tutelares e o rei era o sacerdote responsável pelo culto ao deus da cidade.
- Ameaçadas desde o século VIII a.C. pela expansão assíria, as cidades fenícias perderam sua independência a partir do século VI a.C., sendo dominadas sucessivamente pelos persas, macedônios e romanos.

Fenícia e suas colônias

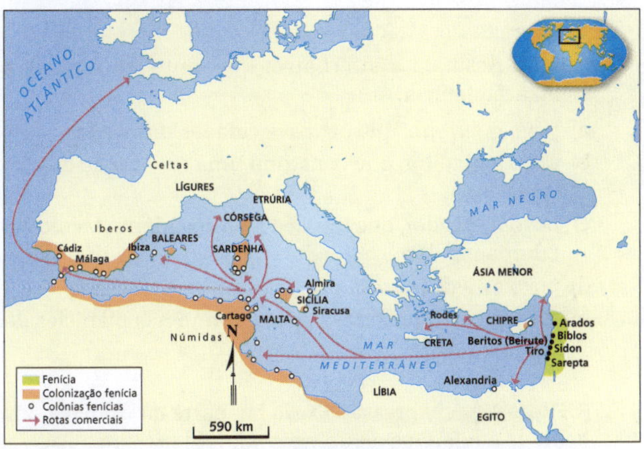

Fonte: HILGEMANN, Werner.; KINDER, Hermann. *Atlas historique: de l'apparition de l'homme sur la terre à l'ère atomique*. Paris: Perrin, 1992. p. 34.

Conteúdo digital Moderna PLUS http://www.modernaplus.com.br
Mapa animado: Rotas comerciais fenícias

Os persas

- Por volta do século VII a.C. havia na região do Planalto do Irã dois reinos independentes: os medos e os persas. No século VI a.C., o rei persa Ciro, o Grande, conquistou o Reino da Média, originando o Império Persa.
- Com suas campanhas militares, Ciro estendeu os limites do Império, conquistando novas regiões. O auge do Império Persa se deu sob o reinado de Dario I, que assumiu o trono em 522 a.C.
- Os domínios persas foram divididos em províncias chamadas **satrapias**, administradas pelos sátrapas, que governavam com relativa autonomia, mas deviam recolher tributos para o rei, além de comandar tropas e aplicar as leis reais.
- As províncias gozavam de grande autonomia cultural, podendo manter sua língua, sua religião e suas tradições. Em compensação, eram obrigadas a pagar pesados impostos, tanto em espécie quanto em moeda.
- Os principais cargos na hierarquia administrativa eram reservados à elite persa e o comando do exército era exercido pelos membros da família real e da nobreza.
- Dario I ordenou a criação de um sistema de estradas ligando as mais distantes satrapias ao centro do Império. Essas estradas incluíam postos de reabastecimento e tropa de cavalos. Outra medida foi introduzir o dárico como moeda única, proibindo os sátrapas de cunharem suas próprias moedas. Toda essa organização contribuiu para conservar o poder centralizado, situação reforçada pela crença, difundida pelo zoroastrismo, de que o imperador recebia o direito de governar das mãos de Ahura Mazda, o deus supremo.
- O zoroastrismo caracteriza-se pela dualidade entre o bem e o mal. Os preceitos da religião estão sintetizados no livro sagrado *Avesta*. Acredita-se que o zoroastrismo foi uma das primeiras religiões da história a exigir de seus fiéis uma conduta moral.
- Em 490 a.C., o imperador Dario tentou invadir a Grécia, mas sofreu sucessivas derrotas. Enfraquecido, o Império não resistiu ao avanço dos exércitos macedônicos comandados por Alexandre Magno.

Conteúdo digital Moderna PLUS http://www.modernaplus.com.br
Mapa animado: Expansão do Império Persa

WOJTEK BUSS/AGE FOTOSTOCK/ GRUPO KEYSTONE

Ruínas do Palácio Tachara, em Persépolis, construído no século V a.C. por ordem do rei Dario I. Irã, foto de 2006.

No Vestibular

1. **(UEL-PR)** "...essencialmente mercadores, exportavam pescado, vinhos, ouro e prata, armas, praticavam a pirataria, e desenvolviam um intenso comércio de escravos no Mediterrâneo..."

O texto refere-se a características que identificam, na Antiguidade Oriental, os:

a) fenícios.
b) hebreus.
c) caldeus.
d) egípcios.
e) persas.

2. **(Vunesp)** Na região onde atualmente se encontra o Líbano, instalou-se, no III milênio a.C., um povo semita, que passou a ocupar a estreita faixa de terra, com cerca de 200 quilômetros de comprimento, apertada entre o mar e as montanhas. Várias razões os levaram ao comércio marítimo, merecendo destaque sua proximidade geográfica com o Egito; a costa, que oferecia lugares para bons portos; e os cedros, principal riqueza, usados na construção de navios.

O texto contido nesse parágrafo refere-se ao povo:

a) fenício.
b) hebreu.
c) sumério.
d) hitita.
e) assírio.

3. **(UFC-CE)** Os hebreus desenvolveram sua civilização no primeiro milênio antes de Cristo. A respeito dela podemos afirmar, corretamente, que:

a) a importância da história da civilização hebraica se expressa, especialmente, através da formação de um Estado centralizado.
b) a civilização hebraica apresenta traços específicos que decorrem do seu distanciamento frente às demais culturas do Oriente Próximo.
c) a importância do estudo dos hebreus se justifica pelo monoteísmo ético, ponto de partida para o cristianismo e o islamismo.
d) os antigos hebreus têm como livro sagrado o Novo Testamento, que compreende vários outros livros, dentre os quais está o Gênesis, que trata da Criação.
e) a antecedência da civilização hebraica sumeriana explica a presença de mitos semelhantes nas duas culturas.

4. **(UFRS-adaptado)** Relacione cada item a uma frase.

(1) Fenícios.
(2) Hebreus.
(3) Babilônicos.
(4) Egípcios.
(5) Persas.

( ) Os sinais de sua escrita sagrada são conhecidos como hieróglifos.
( ) Buscavam e levavam mercadorias por toda a bacia do Mediterrâneo.
( ) Seu império era controlado pelo sistema de satrapias.
( ) Os invasores de seu território provocaram a diáspora.
( ) Hamurábi unificou o Império, desde a Assíria até a Caldeia.

A sequência numérica correta, de cima para baixo, é:

a) 1 – 2 – 5 – 4 – 3.
b) 1 – 4 – 3 – 2 – 5.
c) 4 – 1 – 5 – 2 – 3.
d) 4 – 2 – 5 – 1 – 3.
e) 5 – 1 – 3 – 4 – 2.

5. **(UFCE)** Tratando-se da religião persa, a doutrina de Zoroastro (ou Zaratustra) concebe uma divisão dualista do Universo.

a) Exponha, de forma resumida, essa "divisão dualista do Universo".

b) Mostre a aproximação entre a religião persa e o cristianismo.

6. **(UFAM)** Assinale a alternativa que sintetiza melhor a civilização fenícia:

a) povo guerreiro, que ocupava cidades unificadas.
b) povo agricultor, que construiu uma civilização da Mesopotâmia.
c) povo mercador, que ligava a Ásia ao Oriente Médio e à Europa insular.
d) povo artesão, que se destacou pela metalurgia.
e) povo pastor, que criava gado caprino nas planícies da Ásia Central.

7. **(UFRGS-RS)** A expressão ***Êxodo*** faz parte da tradição dos hebreus e refere-se a qual episódio?

a) Revolta contra a dominação romana.
b) Escolha de Saul como primeiro monarca.
c) Surgimento dos Dez Mandamentos.
d) Fuga do cativeiro no Egito.
e) Construção do Templo de Jerusalém.

8. (PUC-SP) A atuação do Estado na vida econômica dos povos da Antiguidade Oriental, principalmente em relação à agricultura, foi bastante acentuada, sendo justificada por eles como:

a) forma de garantir a produção, mas sem excedentes.
b) necessidade de abastecimento dos exércitos.
c) controlar a produção em tempos de guerras.
d) garantia de distribuição igualitária.
e) responsabilidade dos governantes de zelarem pelo bem comum.

9. (UCS-RS) Na Antiguidade, podemos observar características específicas de cada povo. Assinale a alternativa cuja sequência relaciona corretamente os povos desse período com sua principal característica religiosa.

(1) Egípcios.
(2) Mesopotâmicos.
(3) Fenícios.
(4) Cretenses.
(5) Hebreus.

(1) Acreditavam na imortalidade da alma, a qual se separa do corpo após a morte, mas vinha procurá-lo no seu túmulo, depois de passar pelo julgamento de Osíris.
(5) Os profetas desempenharam um papel importante na preservação da pureza da religião, frente à influência dos deuses estrangeiros.
(4) Adoravam a Grande Mãe, deusa da terra e da fertilidade, representada por uma pomba e uma serpente.
(3) Preservavam rituais sangrentos, até com sacrifícios humanos, durante muito tempo.
(2) Acreditavam na magia, na adivinhação e na astrologia, meios que usavam para descobrir a vontade dos deuses.

a) 4 – 5 – 1 – 3 – 2.
b) 1 – 2 – 4 – 3 – 5.
c) 2 – 5 – 4 – 3 – 1.
d) 2 – 5 – 3 – 4 – 1.
e) 1 – 5 – 4 – 3 – 2.

10. (Fuvest-SP) Qual foi a principal atividade econômica desenvolvida pelos fenícios e cretenses na Antiguidade? Indique duas justificativas.

artesanato.

____

____

____

11. (PUC-SP) Um império teocrático, baseado na agricultura, na arregimentação de camponeses para grandes obras e profundamente dependentes das águas de um grande rio. Esta frase se refere aos:

a) fenícios e a importância do Tigre.
b) hititas e a importância do Eufrates.
c) sumérios e a importância do Jordão.
d) cretenses e a importância do Egeu.
e) egípcios e a importância do Nilo.

12. (UFBA) Sobre as civilizações da Antiguidade Oriental, é correto afirmar.

F (01) Entre os egípcios, embora a prática de mumificar cadáveres tivesse contribuído para o estudo do corpo humano, o respeito que essa civilização tinha pelos mortos proibia a dissecação de cadáveres unicamente para estudos.
F (02) Entre os hebreus, os escribas constituíam-se num grupo social que, aprendendo a ler e a escrever, desempenhou importantes funções religiosas, na conversão de fiéis ao monoteísmo.
V (04) Os persas acreditavam que o bem e o mal viviam em incessante luta até o dia do juízo final, quando todos os homens seriam julgados por suas ações.
V (08) A invenção do alfabeto pela civilização fenícia esteve ligada à necessidade que seus mercadores tinham de firmar contratos comerciais com povos distantes.
V (16) Hamurábi foi um rei babilônico que se tornou famoso por mandar elaborar o primeiro código jurídico com leis escritas.

Soma: _______________________.

13. (Fei-SP) "Olhos e ouvidos do rei" é uma expressão que faz referência aos informantes do Imperador de qual civilização oriental?

a) Egípcia.
b) Mesopotâmica.
c) Persa.
d) Hebraica.
e) Hindu.

14. (UFAC) Quantos aos hebreus, é correta a afirmação que:

a) foram o primeiro povo a elaborar uma religião monoteísta.
b) sua religião sempre foi politeísta.
c) durante toda a sua história tiveram uma religião monoteísta.
d) foram um dos únicos povos da chamada Antiguidade Oriental que, durante a maior parte de sua história, tiveram uma religião monoteísta.
e) adotaram facilmente a religião politeísta dos romanos.

15. (Fatec-SP) Dario I, célebre imperador da Pérsia, tem seu nome ligado à:

a) conquista do Reino da Média e à fundação do Império Persa.
b) elaboração da religião dualista persa, cujos fundamentos se encontram no livro sagrado Zend Avesta.
c) conquista do Antigo Egito, em 525 a.C., na famosa batalha de Pelusa.
d) derrota dos persas frente às cidades-Estado gregas na terceira das Guerras Médicas.
e) organização político-administrativa do Império Persa, com a criação das satrapias, das estradas reais e do dárico.

16. (UMC-SP) Dentre as importantes contribuições deixadas pelos fenícios, para a civilização ocidental, destacamos:

a) o desenvolvimento do alfabeto fonético e técnicas de navegação.
b) a construção de gigantescas obras hidráulicas para a prática da agricultura.
c) a criação de um governo democrático.
d) a prática do monoteísmo e ideais filosóficos.
e) a criação do primeiro sistema jurídico.

O esplendor da Grécia antiga

Os gregos constituíram uma das mais brilhantes civilizações da Antiguidade. Foi entre eles que surgiram a democracia, a filosofia, o pensamento crítico e o conceito de história.

Os primeiros gregos

- Por volta de 2200 a.C., floresceu, na Ilha de Creta, a **civilização cretense** ou **minoica**. O comércio marítimo era a principal atividade econômica da região. Por volta do século XVI a.C., o território cretense começou a ser ocupado pelos micênicos, um povo indo-europeu originário do nordeste da Península Balcânica. Havia diversos palácios, ao redor dos quais surgiram os espaços urbanos. As decisões políticas eram tomadas pelos reis e as comunidades rurais estavam submetidas à sua administração.
- Por volta de 1200 a.C., o mundo micênico entrou em crise. Os historiadores atribuíram esse declínio às invasões dos dórios, conhecidos pela tradição guerreira. Mas novas pesquisas indicam que o fim da civilização micênica também foi consequência de dificuldades econômicas e ocorrências naturais, como terremotos.
- Com a decadência da civilização micênica inaugurou-se uma nova fase da história grega, conhecida como **período homérico**, que se estendeu do século XII ao século VIII a.C. O nome dado ao período é uma referência ao poeta Homero, autor de *Ilíada* e *Odisseia*, obras épicas que relatam importantes episódios daquela época.

As comunidades gentílicas

- Durante o período homérico, os gregos organizavam-se em *gene*. Cada *genos* era uma comunidade constituída de clãs familiares, que se identificavam entre si por meio de um ancestral comum. A unidade social de produção era o *oikos*, que reunia as atividades do pastoreio, da agricultura e do artesanato.
- Por volta do século VIII a.C., novas técnicas agrícolas e a ampliação das áreas de cultivo possibilitaram o aumento da produção e uma melhoria nas condições de vida da população grega, ocasionando o seu crescimento demográfico. A constante divisão de terras entre os membros do *genos* teve como consequência a redução do tamanho das propriedades.
- A disputa por terras levou à concentração das propriedades nas mãos de uma minoria aristocrática que precisava de mão de obra para o trabalho nos campos. Em geral, eles a obtinham escravizando camponeses que não conseguiam quitar suas dívidas. As mudanças na comunidade gentílica geraram uma crise social que opunha, de um lado, a aristocracia e, de outro, artesãos e camponeses. A crise contribuiu para o surgimento de uma nova estrutura social política: a pólis grega.

A formação da pólis grega

- A palavra pólis é de origem grega e significa cidade-Estado. As cidades gregas eram independentes entre si, cada qual com seu governo, seu exército, seu território, suas leis e seu modelo econômico; em comum tinham a língua, os costumes e a religião politeísta.
- O surgimento da pólis não resolveu os problemas sociais enfrentados pelos gregos, pois as propriedades rurais continuaram sendo reduzidas e a escassez de terras resultou em falta de alimentos e endividamento dos pequenos proprietários. Para superar essa crise, muitos gregos migraram para terras do Mar Negro e do Mar Mediterrâneo, dando início ao processo de **colonização**.
- De modo geral, enquanto a pólis fornecia serviços e manufaturas às colônias, estas forneciam cereais e matérias-primas. Os gregos estabeleceram relações diversas com as populações nativas das colônias: em alguns casos fizeram acordos amigáveis; em outros, escravizaram as populações conquistadas.

Conteúdo digital Moderna PLUS http://www.modernaplus.com.br
Mapa animado: Migrações indo-europeias e povoamento da Hélade

Atenas: a pólis democrática

- No século VI a.C., o legislador Sólon fez uma reforma jurídica em Atenas que aboliu a escravidão por dívidas, dividiu a sociedade com base na riqueza e criou um conselho encarregado de elaborar as leis. Essas mudanças não agradaram a elite, que perdia privilégios, nem as camadas populares, que desejavam maior poder de decisão.
- Nesse contexto, em 546 a.C., o general Pisístrato tomou o poder na cidade e instalou a **tirania**. Pisístrato confiscou terras da aristocracia e as distribuiu entre os pequenos proprietários, concedeu empréstimos aos mais pobres e impulsionou o comércio marítimo financiando a construção naval.
- Nas produções artística e cultural, Pisístrato incentivou grandes obras arquitetônicas, promoveu festivais de teatro e, segundo o que se acredita, ordenou a compilação da *Ilíada* e da *Odisseia*, importantes fontes históricas para se conhecer o período homérico.
- Em 509 a.C., o aristocrata Clístenes assumiu o poder em Atenas e, atuando contra os interesses do seu próprio grupo, aboliu a divisão da sociedade em quatro classes, conforme a renda agrícola de cada um, e estabeleceu uma divisão de acordo com o local de residência.
- A reforma política de Clístenes foi de grande importância para a instituição da **democracia** em Atenas. Ele também definiu as instâncias de participação e decisão política em Atenas, em que a Eclésia ou Assembleia surgia como a autoridade suprema do Estado. Um sistema de sorteio permitia o rodízio dos cidadãos na Assembleia. A reforma ampliou a participação política dos cidadãos, assegurando que estes pudessem, por meio do voto direto, debater e decidir sobre as questões importantes de interesse para a pólis.
- A sociedade ateniense estava dividida em três grupos fundamentais:

As divisões sociais em Atenas

Cidadãos. Categoria formada pelos homens adultos e livres, filhos de mães e pais atenienses. Calcula-se que, no século V a.C., havia cerca de 30 mil cidadãos em Atenas. Do mais pobre ferreiro ao mais rico proprietário de terras, todos os cidadãos podiam participar das atividades políticas.

Metecos. Eram os estrangeiros, que não tinham o direito de participar da vida política nem de possuir terras. Dedicavam-se a atividades como o comércio e o artesanato.

Escravos. Constituídos de prisioneiros de guerra ou filhos de escravos. Não possuíam direito à participação política e trabalhavam no artesanato, nas tarefas domésticas, nas minas e na agricultura.

Fonte: MACDONALD, Fiona. *Como seria minha vida na Grécia antiga?* São Paulo: Scipione, 1996. (Coleção Como seria sua vida?)

Esparta: a pólis oligárquica

› Situada na fértil planície da Lacônia, Esparta era uma sociedade aristocrática de base agrária. A necessidade de defender as terras contribuiu para estimular o militarismo entre os espartanos.

› O regime político de Esparta era a **oligarquia**. A cidade tinha dois reis originários de famílias notáveis, e seus cargos eram muito mais simbólicos do que efetivos. A **Gerúsia**, conselho de anciãos, cuidava da política externa, importante em um Estado militarista.

› O conjunto dos cidadãos podia votar na Ápela, assembleia formada pelos cidadãos com mais de 30 anos. A Ápela designava todos os anos cinco magistrados, os éforos, que eram os guardiões da tradição e das leis que regiam a vida na cidade. Os éforos de fato governavam a cidade de Esparta.

› A sociedade espartana, assim como a ateniense, estava dividida em três grupos:

- **Esparciatas.** Também chamados de *homoioi* (iguais), eram homens de mais de 30 anos, proprietários de pelo menos um lote de terra. Somente eles podiam ter participação política, terras, escravos e ocupar cargos públicos. Dedicavam sua vida à política e ao treinamento para a guerra.
- **Periecos.** Homens livres que habitavam os arredores de Esparta. Trabalhavam como agricultores, artesãos ou comerciantes. Sem direitos políticos, eram recrutados para o exército em épocas de conflito e deveriam pagar tributos.
- **Hilotas.** População servil, a mais numerosa da sociedade espartana. Não tinham direitos políticos, sociais e econômicos, sendo obrigados a trabalhar em propriedades do Estado e dos cidadãos espartanos.

› Em Esparta não se manifestou a tendência à livre discussão e à livre expressão do pensamento, que eram essenciais para a democracia ateniense. A sociedade era mais fechada e coesa, regida por normas de conduta rígidas e inquestionáveis.

Para muitos autores, o conservadorismo de Esparta explicaria por que seus cidadãos não desenvolveram as atividades artísticas e literárias (teatro, filosofia, arquitetura, retórica etc.), tal como ocorreu na Atenas clássica.

A cultura grega

› O surgimento da pólis foi caracterizado pela redução da influência mítica na vida política e pela elaboração da **filosofia** como pensamento racional para explicar o homem e o cosmos. No entanto, apesar do avanço do pensamento racional, a tradição mítico-religiosa nunca foi abandonada na Grécia antiga.

› Na Grécia antiga o **teatro** era um espetáculo muito popular, realizado originalmente durante festivais em honra a Dioniso, deus do vinho. Não se sabe ao certo se mulheres e crianças compareciam às apresentações, mas os lugares eram demarcados conforme o prestígio e a posição do espectador na sociedade. Os atores apresentavam-se utilizando máscaras, assim conseguiam transmitir ao público a mensagem que estava sendo encenada. No teatro grego, as mulheres não podiam atuar e os dois gêneros teatrais mais celebrados nos festivais eram a tragédia e a comédia.

› Os **Jogos Olímpicos** eram um festival religioso grego que ocorria a cada quatro anos na cidade de Olímpia, onde se localizava o Templo de Zeus, o mais importante deus da mitologia grega. Realizado pela primeira vez em 776 a.C., era considerado um evento religioso pan-helênico. Durante sete dias, atletas de todas as cidades gregas, em sua maioria jovens de famílias aristocráticas, reuniam-se para o festival olímpico, manifestando a identidade cultural que unia as póleis gregas.

A crise das póleis

› No século V a.C., para deter a expansão persa que ameaçava suas colônias na Ásia Menor, os gregos formaram a **Confederação** ou **Liga de Delos**, uma aliança político-militar de cidades-Estado. Cada cidade contribuía com tropas e recursos materiais. O conflito com o Império Persa durou quatorze anos e ficou conhecido como **Guerras Médicas**.

› A vitória grega deveu-se principalmente à marinha ateniense, o que deu força política àquela cidade. Graças a isso, Atenas pôde tirar proveito dos tesouros da Confederação. Esse fato e a expansão comercial ateniense começaram a ser vistos como uma ameaça por algumas cidades gregas. Para frear o crescente poderio ateniense, Esparta e outras cidades oligárquicas formaram a **Liga do Peloponeso**.

› A tensão entre os dois blocos resultou na **Guerra do Peloponeso** (431 a 404 a.C.), que enfraqueceu as cidades gregas e permitiu a conquista delas pelo rei Felipe, da Macedônia. Com a morte desse governante, em 336 a.C., a política das conquistas teve continuidade com o seu filho Alexandre Magno, que em doze anos dominou um vasto território e disseminou a cultura grega pelo Oriente. A fusão das tradições culturais do Oriente com as do Ocidente resultou em um padrão denominado **helenismo**.

Conteúdo digital Moderna PLUS http://www.modernaplus.com.br
Mapa animado: A expansão de Alexandre e o mundo helenístico
Filme: *A era de Alexandre*

No Vestibular

1. (UFPI) As afirmativas a seguir estão relacionadas com os povos gregos na Antiguidade.

I. Os atenienses criaram a democracia como forma de governo. Dessa prática política, estavam excluídos de participação as mulheres, os estrangeiros e os escravos.

II. Os atenienses construíram no século V a.C. um vasto império que controlava a Grécia, o Egito, a Palestina e a Babilônia.

III. A cidade de Esparta tinha uma estrutura social rígida e dividia-se em: espartanos, classe privilegiada; os periecos, que se dedicavam ao comércio; e os hilotas, pessoas que assumiam a função de servos.

IV. Os atenienses, durante as Guerras Médicas, venceram os espartanos e, em seguida, fizeram a unificação de todas as cidades-Estado gregas.

Estão corretas as afirmativas da alternativa:

a) I e III.
b) I, III e IV.
c) III e IV.
d) II e III.
e) I e II.

2. (Fatec-SP)

"A cidade-Estado era um objeto mais digno de devoção do que os deuses do Olimpo, feitos à imagem de bárbaros humanos. A personalidade humana, quando emancipada, sofre se não encontra um objeto mais ou menos digno de sua devoção, fora de si mesma."

Arnold J Toynbee. *Helenismo, história de uma civilização.*

Na Antiguidade, as cidades-Estados representavam:

a) uma forma de garantir territorialmente a participação ampla da população na vida política grega.
b) um recurso de expansão das colônias gregas.
c) uma forma de assegurar a independência política das cidades gregas entre si.
d) uma característica da civilização helenística no sistema político grego.
e) uma instituição política helenística no sistema político grego.

3. (Vunesp)

[...] a ciência do amo consiste no emprego que ele faz dos seus escravos; ele é senhor, não tanto porque possui escravos, mas porque deles se serve. Esta ciência do amo nada tem, aliás, de muito grande ou elevada; ela se reduz a saber mandar o que o escravo deve saber fazer. Também todos a que ela podem se furtar deixam os seus cuidados a um mordomo, e vão-se entregar à política ou à filosofia.

Aristóteles. *Política II.*

a) De acordo com o texto, qual a relação que existe entre escravidão e política na cidade grega?

b) Além da escravidão, indique e explique um outro aspecto que diferencie a democracia grega da contemporânea.

4. (UFPA) O nome perieco, em grego [perioikos], significava morador "em torno da casa" e servia para designar uma classe com várias obrigações de Estado, entre elas a do serviço militar. Com base nestas obrigações estatais dos periecos em Esparta antiga, é correto afirmar que estes homens socialmente eram reconhecidos como:

a) cidadãos espartanos que cumpriam o dever cívico desde o nascimento, servindo como guerreiros e sustentando a ordem dentro e fora da militarizada cidade-Estado de Esparta.
b) homens livres, mas com direitos limitados, estando politicamente submetidos aos esparciatas, os cidadãos espartanos, os quais definiam o lugar dos periecos na guerra.
c) trabalhadores servos, presos à terra e sem direitos políticos, estando sob a autoridade direta dos hilotas, os cidadãos espartanos, que os levavam para a guerra como escravos.
d) escravos de uma categoria superior a dos hilotas. Os periecos recebiam alforria com mais facilidade e não podiam ser maltratados por seus senhores, pois serviam na guerra.

5. (Fuvest-SP)

"A história da Antiguidade Clássica é a história das cidades, porém, de cidades baseadas na propriedade da terra e na agricultura."

K. Marx. *Formações econômicas pré-capitalistas.*

Em decorrência da frase de Marx, é correto afirmar que:

a) os comerciantes eram o setor urbano com maior poder na Antiguidade, mas dependiam da produção agrícola.
b) o comércio e as manufaturas eram atividades desconhecidas nas cidades em torno do Mediterrâneo.
c) as populações das cidades greco-romanas dependiam da agricultura para a acumulação de riqueza monetária.
d) a sociedade urbana greco-romana se caracterizava pela ausência de diferenças sociais.
e) os privilégios dos cidadãos das cidades gregas e romanas se originavam da condição de proprietários rurais.

6. **(Fuvest-SP)** No ano passado [2008], aconteceu em Pequim mais uma Olimpíada. No mundo, peças teatrais estão sendo continuamente encenadas. Como se sabe, Olimpíadas e teatro (ocidental) foram uma criação da Grécia antiga. Discorra sobre:

a) o significado dos Jogos Olímpicos para os antigos gregos.

culto a zeus.

b) as características do teatro na Grécia antiga.

Só os homens podiam incenar

7. **(PUC-Campinas/SP)** A decadência da Grécia, que teve início a partir do século IV a.C., é explicada, entre outros fatores, pela:

a) ausência de unidade política e pelas lutas entre as cidades-Estado.

b) invasão dos cretenses na cidade de Troia e pela destruição da civilização micênica.

c) evolução da pólis que colaborou para o desenvolvimento do ideal da democracia na região do Peloponeso.

d) organização social das cidades-Estados de Atenas e Esparta, estruturada no trabalho escravo dos indivíduos oriundos da Messênia.

e) postura isolacionista desenvolvida pelas cidades-Estados sem condições de participar do comércio marítimo e logicamente, sem oportunidades de desenvolvimento econômico.

8. **(Fuvest-SP)**

"Alexandre desembarca lá onde foi fundada a atual cidade de Alexandria. Pareceu-lhe que o lugar era muito bonito para fundar uma cidade e que ela iria prosperar. A vontade de colocar mãos à obra fez com que ele próprio traçasse o plano da cidade, o local da Ágora, dos santuários da deusa egípcia Ísis, dos deuses gregos e do muro externo.

Flávio Arriano. *Anabasis Alexandri* (séc. I d.C.).

Desse trecho de Arriano, sobre a fundação de Alexandria, é possível depreender:

a) o significado do helenismo, caracterizado pela fusão da cultura grega com a egípcia e as do Oriente Médio.

b) a incorporação do processo de urbanização egípcio, para efetivar o domínio de Alexandre na região.

c) a implantação dos princípios fundamentais da democracia ateniense e do helenismo no Egito.

d) a permanência da racionalidade urbana egípcia na organização de cidades no Império helênico.

e) o impacto da arquitetura e da religião dos egípcios, na Grécia, após as conquistas de Alexandre.

9. **(Unicamp-SP)**

A relutância dos aliados da Liga de Delos em pagar tributos aumentou quando Atenas decidiu dedicar o enorme excedente acumulado por quase trinta anos para reconstruir os templos e monumentos da Acrópole ateniense, destruídos pelos persas em 480 e 479 a.C.

Adaptado de Peter Jones (Org.). *O mundo de Atenas*: uma introdução à cultura clássica ateniense. São Paulo: Martins Fontes, 1997. p. 241.

a) O que foi a Liga de Delos e quais seus objetivos iniciais?

Colônia, pagar impostos

b) Quais os mecanismos que asseguravam a hegemonia ateniense sobre seus aliados neste período?

Ganhar os jogos olímpicos.

c) Qual a importância da Acrópole na Atenas clássica?

O entendimento.

Roma e a Antiguidade Tardia

As maiores heranças deixadas pelos romanos ao mundo moderno são a língua latina (que deu origem a línguas como o português, o espanhol, o francês e o italiano, os códigos de direito, instituições políticas e a Igreja Católica.

As origens de Roma

- Pesquisas arqueológicas indicam que Roma surgiu da união de aldeias de pastores e agricultores, que se juntaram para defender as terras férteis da planície do Lácio. Era um local privilegiado por diversas razões: estava próximo ao mar, mas distante o suficiente para manter a cidade a salvo de ataques de piratas; estava às margens do Rio Tibre e era um ponto estratégico no qual se cruzavam diversas estradas que se dirigiam ao norte e ao sul da Itália.

Roma e a Itália antiga

Fonte: HADAS, Moses. *Roma imperial.* Rio de Janeiro: Time-Life Livros/José Olympio, 1971. p. 37.

A Monarquia Romana

- A primeira forma de governo em Roma foi a **Monarquia** (séc. VIII ao VI a.C.). Naquele tempo, a sociedade era constituída pelos **patrícios** (aristocracia latina, donos das melhores terras), **plebeus** (pequenos proprietários, artesãos, mercadores e imigrantes vindos de outras regiões da Itália) e um pequeno número de **escravos**.
- Na política, o principal órgão era o Senado, assembleia composta de patrícios idosos que escolhia e fiscalizava o rei. De 616 a 509 a.C., Roma foi governada por reis etruscos, que estiveram frequentemente em confronto com os patrícios. Os etruscos eram provavelmente um povo de origem oriental. Habitavam a região da Toscana, ao norte, tinham uma civilização refinada, eram grandes comerciantes e navegadores e já se organizavam em cidades.

A República Romana

- Em 509 a.C., o último rei etrusco, Tarquínio, o Soberbo, foi expulso por um grupo de aristocratas. Iniciava-se a República Romana, período em que o Senado concentrou mais poder político.
- A participação política dos cidadãos na Roma republicana ocorria principalmente por meio de assembleias (*comitia*), nas quais se destacavam três modalidades, segundo o modo de divisão dos cidadãos.
  - **Assembleia por centúrias:** votava declarações de guerra ou tratados de paz e também elegia as magistraturas mais elevadas (cônsules, pretores e tribunos militares). A assembleia dividia-se em cinco classes censitárias, de acordo com a renda do cidadão.
  - **Assembleia por tribos:** os cidadãos eram classificados e distribuídos em tribos de acordo com sua origem ou local de residência. Cabia a essa assembleia eleger as magistraturas inferiores.
  - **Concílio da plebe:** votava as leis relativas à plebe, os plebiscitos, e elegia os tribunos e os edis.
- Nos primeiros tempos da República, Roma foi palco de intensos conflitos entre os patrícios e os plebeus. Os plebeus reivindicavam ocupar cargos no Estado, votar no Senado e realizar suas próprias assembleias. Exigiam o fim da escravidão por dívidas, o acesso às terras conquistadas e o direito ao casamento legal com patrícios. Várias leis foram aprovadas, garantindo os direitos dos plebeus.

As conquistas sociais e políticas dos plebeus	
494 a.C.	Instituição do Tribunato da Plebe, magistrado plebeu que atuava em defesa dos direitos e interesses da plebe no Senado.
450 a.C.	Lei das Doze Tábuas, primeiro código de direito escrito em Roma.
445 a.C.	Direito ao casamento misto (entre patrícios e plebeus).
366 a.C.	Os plebeus adquirem o direito a receber as terras conquistadas.
326 a.C.	Abolição da escravidão por dívidas.
300 a.C.	Os plebeus ganham acesso a todos os cargos públicos, tanto políticos quanto religiosos.
287 a.C.	Os plebiscitos, decisões tomadas pelo Tribunato da Plebe, passam a ter força de lei.

Conteúdo digital Moderna PLUS http://www.modernaplus.com.br
Filme/série: *Roma*

A expansão romana

- A fundação de colônias na Península Itálica iniciou o processo de expansão militar romana. Restava o domínio do Mar Mediterrâneo, disputado por Roma e a cidade de Cartago, fundada pelos fenícios no norte da África. A rivalidade entre romanos e cartagineses levou às chamadas **Guerras Púnicas**. Ao terminar a última guerra, em 146 a.C., os romanos dominavam toda a Península Itálica, a Grécia, a Macedônia e a própria Cartago, que se transformou em província romana.
- Essa situação transformou Roma em grande centro comercial, para onde afluíam muitas riquezas. O problema é que a distribuição das riquezas não era equilibrada, beneficiando principalmente os patrícios e uma plebe mais abastada. Além disso, o aumento populacional nas áreas urbanas intensificou a miséria das camadas populares.

A ordem social em Roma

 Senadores	Provinham das famílias mais ricas e influentes e constituíam, ao lado dos cavaleiros, a aristocracia romana.
 Cavaleiros	Ricos proprietários e comerciantes. Podiam ser governadores de província e comandantes de legião.
 Plebeus	Todos os cidadãos nascidos livres, exceto os senadores e os cavaleiros.
 Latinos	Cidadãos nascidos livres fora de Roma, mas na Península Itálica.
 Estrangeiros	Habitantes livres de regiões do Império fora da Itália.
 Libertos	Ex-escravos, geralmente desprezados pelas classes superiores, mas que podiam ser cidadãos.
 Escravos	Propriedades de seus donos, não possuíam quaisquer direitos.

Fonte: GANERI, Anita. *Como seria sua vida na Roma antiga?* São Paulo: Scipione, 1996. p. 22-23. (Coleção Como seria sua vida?)

A crise romana e o fim da República

- Os tribunos da plebe Tibério e Caio Graco propuseram reformas políticas para estancar a crise, opondo-se aos interesses dos patrícios. Tibério e Caio foram assassinados e como resultado a sociedade romana polarizou-se em duas facções políticas: de um lado, os **populares**, que defendiam a ampliação dos direitos da plebe, e, de outro, os **oligarcas**, interessados em manter os privilégios das famílias patrícias. As duas facções entraram em confronto aberto, provocando uma guerra civil.
- Para conter essas lutas, comandantes militares assumiram o governo e implantaram **ditaduras**. Mário, Sila e Júlio César foram ditadores bastante populares. César foi assassinado por Brutus, que liderava uma conspiração oligárquica contra ele. O episódio marcou o início de um novo período de agitação social e a ascensão de Otávio, sobrinho e filho adotivo de César, ao poder.

O Império Romano

- Com Otávio Augusto iniciou-se o período do **Império** (séc. I a.C. ao séc. V d.C.), regime político no qual o imperador era comandante supremo das forças armadas e tribuno da plebe, o que lhe permitia vetar as decisões do Senado. Além disso, o imperador recebia o título de grande pontífice, o que lhe dava o controle da vida religiosa e o autorizava a proibir a prática de cultos novos.
- Para consolidar-se no poder, Otávio Augusto valorizou o exército, criou uma forte burocracia e aprimorou a política do "pão e circo", que consistia em alimentos e diversão gratuitos para o povo. Administrando com eficiência as províncias, Otávio criou as condições para que Roma tivesse um período de paz e prosperidade, conhecido como **paz romana**, que durou de 27 a.C. a 193 d.C.

O Império Romano em sua máxima expansão (século II)

Fonte: DUBY, Georges. *Atlas historique mondial*. Paris: Larousse, 2003. p. 27.

O Império Bizantino

- A partir do século III, o Império Romano entrou em crise graças a vários fatores, tais como o fim das guerras de conquista (que ocasionou a escassez de escravos), rebeliões militares e invasões de povos germânicos pela fronteira leste.
- Numa tentativa de conter a crise, no ano 284 d.C. o imperador Diocleciano dividiu o Império em quatro regiões, cada uma com a sua capital. Em 395, Teodósio dividiu o Império em duas partes, Ocidental (capital Milão) e Oriental (capital Constantinopla); enquanto na porção Ocidental a crise agravou-se, o Oriente prosperou e existiu por mais de mil anos.
- No Império Romano do Oriente, também denominado **Império Bizantino**, destacou-se o governo de Justiniano I, que ampliou os domínios do Império. Justiniano aproveitou toda a tradição jurídica romana e ordenou a criação de um código de leis que ficou conhecido como **Código de Justiniano**.

Conteúdo digital Moderna PLUS http://www.modernaplus.com.br
Mapa animado: A queda do Império Romano Ocidental

No Vestibular

1. (UEPG-PR) O escravismo antigo foi uma invenção do mundo greco-romano que forneceu a base última tanto das suas realizações como do seu eclipse. Sobre esse sistema, assinale o que for correto.

(01) Nas duas grandes épocas clássicas da Antiguidade, a Grécia dos séculos V e IV a.C. e Roma do século II a.C. ao II d.C., a escravatura foi massiva.

(02) A liberdade e a escravatura helênicas eram indivisíveis: cada uma delas era condição estrutural da outra.

(04) As cidades-Estado gregas tornaram a escravatura pela primeira vez absoluta na forma e dominante na extensão, transformando-a de recurso subsidiário em modo de produção sistemático.

(08) Instituição solidamente enraizada nas sociedades antigas, não foi proposta sua abolição: mesmo nas grandes rebeliões de escravos, os revoltosos em geral almejavam a liberdade individual e não a supressão do sistema.

(16) A manumissão, concessão de liberdade ao escravo, foi uma prática generalizada na Roma escravista.

Soma: ___

2. (Vunesp)

"A atividade dos Gracos foi objeto de debates apaixonados e formulavam-se sobre ela os juízos mais diversos [...]. Os políticos romanos dividiam-se nitidamente em dois grupos ou partidos, pelos quais os Gracos eram considerados heróis ou criminosos."

M. Rostovtzeff. *História de Roma.*

O autor refere-se aos irmãos Tibério e Caio Graco, tribunos da Assembleia da Plebe de Roma no século II a.C.

a) Como estava constituída a sociedade romana na época de atuação dos irmãos Tibério e Caio Graco?

b) Dê uma razão pela qual os irmãos Graco eram "objeto de debates apaixonados".

3. (Unicamp-SP)

"Augusto conquistou os soldados com presentes, o povo com pão barato, e todos os homens com os frutos da paz. Assim tornou-se progressivamente mais poderoso, congregando em si as funções do Senado, dos magistrados e das leis."

Tácito. *Anais 1.2.* Moses Hadas. *The Complete Works of Tacitus.* New York: Random House, 1942. p. 3.

a) Identifique o período da história de Roma tratado nesse texto.

b) A partir dos elementos indicados no texto, caracterize o Estado romano durante esse período.

4. (Fuvest-SP)

"Em verdade é maravilhoso refletir sobre a grandeza que Atenas alcançou no espaço de cem anos depois de se livrar da tirania... Mas acima de tudo é ainda mais maravilhoso observar a grandeza a que Roma chegou depois de se livrar de seus reis."

Maquiavel. *Discursos sobre a primeira década de Tito Lívio.*

Nessa afirmação, o autor:

a) critica a liberdade política e a participação dos cidadãos no governo.

b) celebra a democracia ateniense e a República Romana.

c) condena a aristocracia ateniense e romana.

d) expressa uma concepção populista sobre a Antiguidade clássica.

e) defende a pólis grega e o Império Romano.

5. (Vunesp)

"Meu caro Plínio, você agiu como devia tê-lo feito, examinando as causas daqueles que lhe foram delatados como cristãos. Não se pode ter uma regra geral e fixa a este respeito. Não devem ser perseguidos, mas se forem denunciados e perseverarem, devem ser punidos."

Carta do Imperador Trajano a Plínio, 112 d.C.

Baseando-se no texto, responda.

a) Cite um tipo de punição dada aos cristãos nessa época.

b) Por que os cristãos eram perseguidos?

6. (UFAC) Com relação à Grécia e Roma antigas, podemos afirmar que:

a) ao contrário dos gregos, que se lançaram ao mar e se transformaram num povo de navegadores e comerciantes, os romanos foram, no início de sua história, um povo de camponeses e pastores extremamente vinculados à terra;

b) ao contrário dos gregos, que se tornaram agricultores, os romanos foram, no início de sua história, fortes navegadores e comerciantes;

c) ao contrário dos gregos, os romanos viviam em cidades-Estado;

d) Grécia e Roma, no início de suas histórias, eram formadas por camponeses e pastores extremamente vinculados à terra.

e) n.d.a.

7. (Fatec-SP) O Império Romano expandiu-se pelo Mar Mediterrâneo durante o período republicano; isso gerou, no decorrer do século II d.C., várias repercussões, entre as quais podemos destacar:

a) surgimento da classe média de pequenos proprietários rurais e desaparecimento dos latifundiários.

b) aumento da população rural na Itália e consequente declínio da população urbana.

c) crescimento do número de escravos e grande fluxo de riquezas.

d) criação de grande número de pequenas propriedades e fortalecimento do sistema assalariado.

e) difusão do Cristianismo e proscrição das manifestações culturais de outras regiões.

8. (Fuvest-SP) Quem foram os cartagineses e qual sua importância na trajetória histórica romana?

Eles desenvolveram a navegação e o comércio e a cobrança de impostos

9. (Fuvest-SP) Quando, a partir do final do último século a.C., Roma conquistou o Egito, e áreas da Mesopotâmia, encontrou nesses territórios uma forte presença de elementos gregos. Isto foi devido:

a) ao recrutamento de soldados gregos pelos monarcas persas e egípcios.

b) à colonização grega, semelhante à realizada na Sicília e Magna Grécia.

c) à expansão comercial egípcia no Mediterrâneo Oriental.

d) à dominação persa na Grécia durante o reinado de Dario.

e) ao helenismo, resultante das conquistas de Alexandre, o Grande.

10. (Fatec-SP) As civilizações da antiguidade clássica – Grécia e Roma – desenvolveram uma estrutura socioeconômica alicerçada no escravismo. Sobre essa temática, pode-se afirmar que:

I. a escravidão foi indispensável para a manutenção do ideal democrático em Atenas, uma vez que os cidadãos ficavam desincumbidos dos trabalhos manuais e das tarefas ligadas à sobrevivência.

II. a escravidão foi abolida em Atenas quando Péricles estabeleceu o direito político a todos os cidadãos, reconhecendo, dessa forma, a igualdade jurídica e social da população da Grécia.

III. os escravos romanos, por terem pequenas propriedades e direitos políticos, conviveram pacificamente com os cidadãos romanos, como forma de evitar conflitos e a perda de direitos.

IV. os escravos romanos, que se multiplicavam com o expansionismo de Roma, estavam submetidos à autoridade de seu senhor, e sua condição obedecia mais ao direito privado do que ao direito público.

É correto apenas o que se apresenta em:

a) I e II.

b) I e IV.

c) II e III.

d) II e IV.

e) III e IV.

A formação da Europa feudal

Com o fim do Império Romano do Ocidente, o mundo antigo se fragmentou, dando origem à civilização medieval. Nesse cenário, destacou-se a Igreja Católica, grande herdeira das tradições romanas e ordenadora da vida social dos europeus.

A ruralização na Europa

- Com o declínio do Império Romano do Ocidente houve, na Europa, a fragmentação político-territorial, a lenta retração do escravismo e do comércio, o decréscimo da população urbana e a produção voltada basicamente para a subsistência nas propriedades rurais.
- Nesse novo contexto, a escravidão não desapareceu subitamente: antigos escravos passaram a conviver com camponeses, tornando-se muito difícil distinguir um do outro. Foi da fusão natural desses dois segmentos que surgiu a figura do **servo**, que se caracterizava por estar preso à terra e pelo dever de prestar serviços ao senhor.
- Assim, os antigos escravos passaram a trabalhar em pequenos terrenos conhecidos como **mansos**, situados às margens das grandes propriedades, os domínios senhoriais. Em troca do uso da terra, eles tinham a obrigação de trabalhar ao menos três dias por semana nas terras do senhor e também deviam a ele uma parte da colheita.
- Os povos invasores não possuíam Estado; então, os territórios invadidos eram administrados por uma mescla de tradições romanas e germânicas. Os reis concederam territórios para a sua nobreza guerreira (senhores feudais), que administravam esses domínios com autonomia.

A ação da Igreja Católica

- A partir do século III, as comunidades cristãs disseminaram-se pelos domínios do Império Romano, e os cristãos já se estruturavam numa Igreja, com uma hierarquia formada por bispos, padres e diáconos.
- Em um mundo sem unidade política, administrativa, econômica ou cultural, como a Europa Ocidental do início da Idade Média, o cristianismo era a única força de união. Padres e bispos da Igreja, únicos personagens que dominavam a escrita numa sociedade de analfabetos, formavam os quadros administrativos a serviço dos reis germânicos. A Igreja também era a única instituição em condições de limitar a violência endêmica que marcava a sociedade, impondo normas e punições.
- Com o objetivo de obter conversões, missões cristãs de monges pregadores percorriam os reinos bárbaros, alargando as fronteiras da cristandade. O primeiro rei bárbaro a converter-se à fé cristã foi Clóvis, rei dos francos, em 498. Esse acontecimento teve implicações profundas, pois, durante a Idade Média, a conversão a alguma fé religiosa não dependia exclusivamente de convicções íntimas e pessoais do convertido.

O Reino Franco

- O Reino Franco configurou-se como o mais poderoso da Europa Ocidental da Alta Idade Média (séculos V ao X) e o primeiro reino bárbaro a governar com o apoio da Igreja Católica. Ele formou-se e expandiu-se sob o governo de duas dinastias: a **merovíngia** (séculos V-VIII) e a **carolíngia** (séculos VIII-IX).
- A ascensão dos carolíngios foi apoiada pela Igreja, que desejava estabelecer uma aliança com o reino dos francos para expulsar os bárbaros da cidade de Roma. A aproximação da Igreja com os francos já havia se iniciado com Carlos Martel, que comandou a luta para expulsar os árabes muçulmanos da Gália.
- A aliança estratégica entre os francos e a Igreja se consolidou no reinado de Carlos Magno, neto de Carlos Martel. Carlos Magno assumiu o reino em 768 e, em pouco tempo, construiu um enorme império, expandindo os domínios francos, que passaram a ser governados por um único soberano.
- A unificação promovida por Carlos Magno trouxe segurança, aumentou a população, revitalizou o comércio e incentivou a cultura e a educação. A administração do Império foi organizada com inspiração na Igreja e tornou-se muito eficiente. Após a morte de Carlos Magno, em 814, a Coroa foi transferida para seu filho, Luís, o Piedoso; os sucessores entraram em disputa pelos domínios do Império, enfraquecendo sua unidade e provocando a sua fragmentação.

Conteúdo digital Moderna PLUS http://www.modernaplus.com.br
Mapa animado: A Europa merovíngia e carolíngia

O império de Carlos Magno

Fonte: DUBY, Georges. *Atlas historique mondial*. Paris: Larousse, 2003. p. 36.

Sociedade e economia na ordem feudal

- Com o fim do Império Carolíngio, a figura de uma autoridade centralizada foi enfraquecida. O rei tornou-se incapaz de controlar os nobres, como ocorria com Carlos Magno. Com a fragilidade do poder real, e visando estabelecer laços de fidelidade mútua, nobres aproximaram-se uns dos outros, fortalecendo as relações de poder locais e regionais. Os laços de fidelidade que uniam a aristocracia são conhecidos como **relações de vassalagem** e tinham origem em um antigo costume germânico. Esse conjunto de laços pessoais entre nobres, criados a partir da doação de um benefício, é o que chamamos **feudalismo**.
- Fortemente influenciado pela Igreja, o feudalismo baseava-se na reciprocidade: senhores feudais tinham obrigações (proteção militar e judiciária) com os servos, que retribuíam com trabalho, tributos, fidelidade e homenagens. Esse compromisso também existia entre os reis (suseranos) e os nobres (vassalos).
- No feudalismo, a propriedade ou domínio rural recebia o nome de **senhorio** e estava dividido em três partes:
  - **Manso senhorial.** Constituído pelas áreas cultiváveis, o castelo, celeiros, estábulos, moinhos e oficinas artesanais. Toda a produção do manso senhorial pertencia ao senhor.
  - **Manso servil.** Constituído pelo conjunto das terras exploradas pelos servos e que garantiam a sua sobrevivência.
  - **Manso comum.** Terras de uso tanto dos servos quanto dos senhores. Faziam parte do manso comum os pastos, os bosques e os terrenos baldios. Das terras comunais se retiravam madeira, frutos e mel e se praticava a caça.
- As obrigações servis variavam de um feudo para outro, e as mais comuns eram a **talha** (parte da produção entregue ao nobre), a **corveia** (trabalho obrigatório e gratuito no feudo), e a **banalidade** (pagamento pelo uso de equipamento).
- A sociedade feudal estava rigidamente dividida em **estamentos** ou **ordens**.

A divisão da sociedade feudal

Nobreza	Grandes proprietários de terra. Dedicavam-se à atividade militar e administrativa.
Clero	Membros da Igreja Católica. Dedicavam-se ao ofício religioso. Apresentava uma subdivisão: o alto clero (papa, bispo, abade) e baixo clero (padre, vigário).
Camponeses	Formavam a maioria da população. Os servos, camponeses presos à terra e sujeitos a várias obrigações, formavam o grupo mais numeroso. Havia também camponeses livres, mas em número reduzido.

Transformações do feudalismo

- Unificados pelo islamismo, os árabes expandiram-se e dominaram territórios na Ásia, na África e na Europa. Nessa expansão, controlaram rotas comerciais e lugares considerados sagrados pelos cristãos. Em 1095, o papa Urbano II organizou a primeira **Cruzada**, expedição militar para combater os muçulmanos.
- As Cruzadas não foram totalmente bem-sucedidas em seus objetivos religiosos, pois não conseguiram manter seus reinos latinos no Oriente. Jerusalém, por exemplo, foi retomada pelos muçulmanos em 1244. No entanto, o movimento cruzadista acabou por impulsionar mudanças, que contribuíram para a crise da sociedade feudal.
- Assim, houve a desorganização da produção agrícola em vários territórios da Europa, uma vez que muitos servos e senhores deixaram os campos para combater nas Cruzadas; a expansão da cristandade pela Europa Oriental e início do processo de reconquista cristã da Península Ibérica; o fim do domínio árabe no Mar Mediterrâneo e restabelecimento das rotas comerciais entre a Europa e a Ásia; e a revitalização das cidades em razão do impulso promovido pelas atividades comerciais.

Conteúdo digital Moderna PLUS http://www.modernaplus.com.br
Mapas animados: As Cruzadas
A reconquista cristã
Rotas comerciais medievais
Filmes: *Cruzada*
Marco Polo

A expansão das cidades medievais

- Nas cidades se encontravam diferentes ofícios, como de artesãos e comerciantes. Para se proteger da concorrência, os artesãos se organizavam nas chamadas **guildas** ou **corporações de ofício** que regulamentavam a quantidade de horas trabalhadas, o valor do salário, a qualidade da mercadoria e sua circulação, além de controlar a contratação de mão de obra.
- Inicialmente, as comunidades urbanas integravam os domínios do senhor feudal ou da Igreja Católica. Com o tempo, os **burgueses**, habitantes das cidades, passaram a comprar ou a exigir coletivamente o documento que lhes concedia direitos e privilégios e os emancipava do poder feudal ou clerical. Com a **carta de foral**, estabeleceram-se as normas de relacionamento da comunidade entre si e entre ela e aquele que lhe outorgava o documento.

O renascimento do século XII

- Na Baixa Idade Média, período que se estende do século XI ao XV pessoas de diferentes tipos e lugares transitavam no espaço urbano, propiciando a circulação de mercadorias e ideias e a mudança de comportamentos. Por esse motivo, a cidade foi, frequentemente, considerada o ambiente privilegiado das trocas e manifestações culturais.
- O desenvolvimento das cidades intensificou a demanda por uma população instruída e reforçou a necessidade de formar os funcionários da administração pública e de preparar melhor os clérigos para combater as heresias. Surgiram, assim, as **universidades**, algumas ainda no século XI.
- A maior parte da população medieval era analfabeta, situação comum até mesmo entre os nobres. Por esse motivo, o contato com a literatura era feito predominantemente por meio da oralidade. Novas formas literárias, escritas em línguas vernáculas, surgiram no século XII. Os **romances de cavalaria** narravam os amores e as aventuras dos cavaleiros. As cantigas de amor, mais requintadas, eram declamadas nos ambientes das cortes, sempre reverenciando a figura da mulher.

No Vestibular

1. (PUC-RS)

"A própria vocação do nobre lhe proibia qualquer atividade econômica direta. Ele pertencia de corpo e alma à sua função própria: a do guerreiro. [...] um corpo ágil e musculoso não é o bastante para fazer o cavaleiro ideal. É preciso ainda acrescentar a coragem. E é também porque proporciona a esta virtude a ocasião de se manifestar que a guerra põe tanta alegria no coração dos homens, para os quais a audácia e o desprezo da morte são, de algum modo, valores profissionais."

BLOCH, Marc. *A sociedade feudal*. Lisboa: Edições 70, 1987.

O autor nos fala da condição social dos nobres medievais e dos valores ligados às suas ações guerreiras. É possível dizer que a atuação guerreira desses cavaleiros representa, respectivamente, para a sociedade e para eles próprios:

a) a garantia de segurança, um contexto em que as classes e os estados nacionais se encontram em conflito, e a perspectiva de conquistas de terras e riquezas.
b) o cumprimento das obrigações senhoriais ligadas à produção e à proibição da transmissão hereditária das conquistas realizadas.
c) a permissão real para realização de atividades comerciais, e a eliminação do tédio de um cotidiano de cultura rudimentar e alheio a assuntos administrativos.
d) o respeito às relações de vassalagem travadas entre senhores e servos, e a diversão sob a forma de torneios e jogos em épocas de paz.
e) a participação nas guerras santas e na defesa do catolicismo, e a possibilidade de pilhagem de homens e coisas, de massacres e mutilações de inimigos.

2. (Mackenzie-SP)

"Nos primeiros tempos [...], o cavaleiro era o combatente a cavalo, que servia a alguém em troca de favores. [...] Por volta do século XII [...], tornar-se cavaleiro significava, antes de tudo, ascender a uma condição social privilegiada, que estava rigorosamente separada da massa desarmada, a quem o acesso à ordem da cavalaria estava barrado".

Paulo Miceli.

A sociedade estratificada, sem mobilidade, descrita no fragmento de texto, é denominada:

a) oligárquica.
b) iconoclástica.
c) escravista.
d) teutônica.
e) estamental.

3. (UEPB) Das alternativas a seguir, assinale a que melhor caracteriza a sociedade feudal.

a) Não havia presença de trabalhadores livres e o pouco número de escravos limitava-se aos trabalhos domésticos.
b) As relações entre suseranos e vassalos eram contratuais. Não existia entre eles noções de fidelidade e obediência.
c) Os servos eram trabalhadores que exerciam as funções relativas à produção. Trabalhavam a terra e eram vinculados a ela.
d) Os monarcas que eram os maiores suseranos concentravam em suas mãos o poder de origem divina, sendo responsáveis pela justiça e pela administração.
e) Era forte a mobilidade social, devido às noções de fidelidade e obediência na relação senhores e servos.

4. (UFPA) Leia com atenção o texto.

"Aquele que jura fidelidade ao senhor [feudal] deve ter sempre presente na memória estas seis palavras: incólume, seguro, honesto, útil, fácil e possível [...]".

PEDRERO, Maria Guadalupe. *História da Idade Média*. São Paulo: Editora Unesp, 2000. p. 94.

A respeito desse contexto dos direitos e deveres feudais, pode-se afirmar.

a) A sociedade feudal estabelecia uma subordinação de vassalagem ao senhor que decorria uma sociedade na qual rei era meramente simbólico.
b) O trabalhador rural conseguia impor ao senhor feudal uma série de condições como forma de garantir a sua fidelidade senhorial.
c) Os servos representavam no domínio feudal uma expressiva força de trabalho remunerada a serviço da realeza merovíngia.
d) Nos domínios feudais, aquele que jurasse fidelidade ao senhor recebia em troca proteção militar e a titularidade da terra.
e) A fragmentação do poder político na sociedade medieval foi decorrente da expressiva população rural, que preferia render homenagem ao burguês em vez de ao rei.

5. (Unifesp)

"... doentes atingidos por estranhos males, todos inchados, todos cobertos de úlceras, lamentáveis de ver, desesperançados da medicina, ele [o Rei] cura-os pendurando em seus pescoços uma peça de ouro, com preces santas, e diz-se que transmitirá essa graça curativa aos reis seus sucessores.

SHAKESPEARE, William. *Macbeth*.

Esta passagem da peça *Macbeth* é reveladora:

a) da capacidade artística do autor de transcender a realidade de seu tempo.
b) da crença anglo-francesa, de origem medieval, no poder de cura dos reis.
c) do direito divino dos reis, que se manifestava em seus dons sobrenaturais.
d) da mentalidade renascentista, voltada ao misticismo e ao maravilhoso.
e) do poder do absolutismo, que obrigou a Igreja a aceitar o caráter sagrado dos reis.

6. (Uece) Após o século V d.C., o Império Romano do Ocidente ruiu e em seu lugar novos reinos começaram a se formar. Nesse contexto:

a) os recém-chegados germânicos honram a vida pública como ideal de vida.
b) a vida privada torna-se um fator predominante.
c) o culto da urbanidade se dilui num proveito da vida pública.
d) o campo entra em eclipse diante da cidade, onde as pessoas encontram a alegria de viver.
e) o modelo político imperial foi mantido e consolidado.

7. (FGV-SP)

"Fato econômico e fato demográfico, a ruralização é, ao mesmo tempo, e em primeiro lugar, um fato social que modela a face da sociedade medieval."

LE GOFF, J. *A civilização do Ocidente medieval.* Lisboa: Estampa, 1983. v. 1. p. 49.

A respeito da ruralização mencionada por Le Goff, é correto afirmar.

a) Processou-se em proporções semelhantes tanto na Europa Ocidental quanto no Império Bizantino.
b) Foi marcada pelo declínio mercantil, pelo definhamento das cidades e pelo êxodo urbano.
c) Foi causada pela expansão das rotas mercantis do Mediterrâneo em direção ao interior do continente europeu.
d) Caracterizou-se pelo crescimento do comércio na região da Alemanha e do norte da Europa.
e) Teve início com as Cruzadas e com as conquistas de territórios islâmicos por parte das forças cristãs.

8. (UFSCar-SP)

"A razão de ser dos carneiros é fornecer leite e lã; a dos bois é lavrar a terra; e a dos cães é defender os carneiros e os bois dos ataques dos lobos. Se cada uma destas espécies de animais cumprir a sua missão, Deus protegê-la-á. Deste modo, fez ordens, que instituiu em vista das diversas missões a realizar neste mundo. Instituiu uns — os clérigos e os monges — para que rezassem pelos outros e, cheios de doçura, como as ovelhas, sobre eles derramassem o leite da pregação e com a lã dos bons exemplos lhes inspirassem um ardente amor a Deus. Instituiu os camponeses para que eles — como fazem os bois, com o seu trabalho — assegurassem a sua própria subsistência e a dos outros. A outros, por fim — os guerreiros —, instituiu-os para que mostrassem a força na medida do necessário e para que defendessem dos inimigos, semelhantes a lobos, os que oram e os que cultivam a terra.

Eadmer de Canterbury, século XI.

a) Identifique o contexto histórico no qual as ideias defendidas pelo autor desse documento se inserem.

"ser dos carneiros e fornecer leite e lã" e etc...

b) Justifique a relação do documento com o contexto histórico especificado.

A ironia para represen- tar a vida do povo

9. (UnB-DF) A respeito de alguns aspectos políticos da civilização do Ocidente medieval, marque V (verdadeiro) ou F (falso) nos itens abaixo.

( ) Apesar de fascinados pela ideia imperial romana, estranha a seus costumes, os bárbaros somente reuniram condições para concretizá-la no século VIII, por meio do Reino Franco e da figura de Carlos Magno.
( ) O fato de os francos terem sido os primeiros germânicos a se converterem ao cristianismo, ponto de partida para os laços estreitos que estabeleceram com a Igreja nos anos setecentos, favoreceu o projeto unificador carolíngio.
( ) A máxima do cristianismo, que insistia em dar a Deus o que é de Deus e a César o que é de César, manteve-se na Idade Média, pois nem monarcas nem papas confundiam as esferas do temporal e do espiritual.
( ) Uma das causas da emergência política dos poderes particularistas (feudos) e nacionalistas (monarquias) deveu-se aos choques constantes, que passaram a ocorrer a partir do século VIII, entre os poderes universalistas da Igreja e os do Império.

10. (UFPA) O tempo medieval é chamado pelo historiador Georges Duby de "o tempo das heresias vencidas, ou antes, das heresias sufocadas". Considerando então a heresia num período histórico bem delimitado, responda.

a) O que era ser herético no tempo medieval?

b) Qual o instrumento de repressão mais frequentemente utilizado pela Igreja contra os heréticos?

11. (UFPE) Sobre a cultura na Idade Média, identifique as proposições verdadeiras e as falsas.

( ) Dois grandes estilos dominavam a arquitetura: o românico e o gótico.
( ) A Igreja Católica exerceu uma grande influência na música. O papa Gregório Magno reuniu hinos destinados às cerimônias religiosas, conhecidos como "Canto Chão".
( ) A poesia medieval enaltecia a justiça e o amor, virtudes e valores do cavaleiro medieval.
( ) Dominada por temas religiosos, a pintura medieval abandonou paisagens naturais e reproduziu homens com caras de santos e santas como se fossem deuses.
( ) A literatura medieval encontrou seu ponto alto no Romantismo e no Realismo.

A civilização árabe e os reinos africanos

Os árabes são originários da Península Arábica, região da Ásia dominada pelos desertos. A maioria desses povos vivia em tribos, que lutavam entre si pelo controle dos oásis e das rotas comerciais. Os árabes são criadores do islamismo, doutrina que com a expansão árabe espalhou-se pelo Sahel, na África.

Maomé e o nascimento do islã

- A cidade de Meca destacava-se na Península Arábica por servir como posto de abastecimento de água para as caravanas de mercadores e por situar-se no entroncamento de rotas comerciais que atingiam a Mesopotâmia, a Síria e o Egito. No século V, Meca era dominada pelos coraixitas, uma tribo de ricos mercadores.
- Maomé teria nascido na cidade de Meca, por volta de 570. Segundo a tradição, Maomé viu um anjo que o convenceu a se tornar mensageiro de Deus. A partir disso, ele recebeu os princípios do **islamismo**, revelações que foram compiladas e se transformaram no ***Alcorão***, o livro sagrado dos muçulmanos. Segundo essa religião, Alá é o único Deus.
- O islamismo logo conquistou seguidores em Meca, o que provocou atritos com os coraixitas, que não aceitavam as críticas feitas às crenças árabes tradicionais. Em 622, Maomé deixou Meca e fixou-se em Yathrib, também chamada de Medina. Essa mudança ficou conhecida como **hégira**. Sete anos depois, Meca foi ocupada, tornando-se um lugar de peregrinação religiosa. Lá, Maomé governou com o apoio de delegados, forças militares e um tesouro público, constituído de doações e impostos.

A expansão muçulmana

- Após a morte de Maomé, em 632, os sucessores eram chamados de **califas**, que significa "o seguidor do profeta". O califa era o representante político do grupo. Nesse contexto, surgiram as duas principais correntes do islã: os **xiitas** e os **sunitas**.
- Na segunda metade do século VII, o cargo de califa passou a ser hereditário e concentrado nas mãos dos membros das famílias dos **omíadas**. A capital do Império Árabe foi transferida para Damasco, na Síria, e, em meados do século VIII, com o califado **abássida**, passou a ser Bagdá, no Iraque. No século XIII, o Império Árabe já estava dividido em Irã e Iraque, cujo centro de poder era Bagdá; Egito, Síria e Arábia Ocidental, centralizada no Cairo; e Magrebe e Península Ibérica.

As atividades econômicas e a vida nas cidades

- As principais atividades econômicas no mundo muçulmano eram a agricultura, a criação de animais e o comércio. Nas cidades, o comércio e a produção artesanal eram as atividades mais importantes. No centro delas, chamado medina, localizava-se a mesquita principal, o tribunal do cádi (espécie de juiz), as escolas e as lojas. Longe do centro, encontravam-se as casas mais pobres, armazéns, depósitos, oficinas, grandes mercados e cemitérios.

A expansão do Império Islâmico

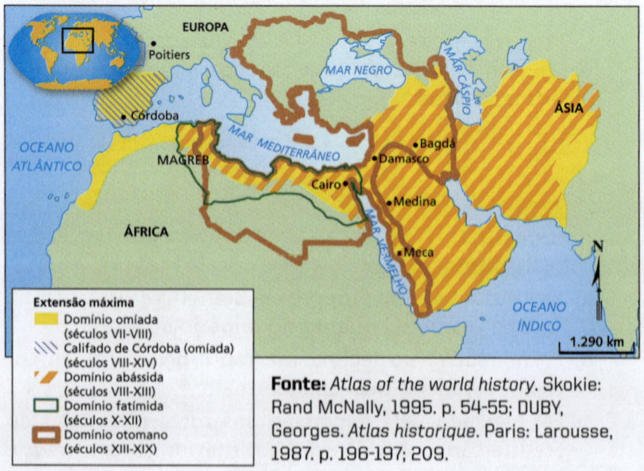

Fonte: *Atlas of the world history*. Skokie: Rand McNally, 1995. p. 54-55; DUBY, Georges. *Atlas historique*. Paris: Larousse, 1987. p. 196-197; 209.

Conteúdo digital Moderna PLUS http://www.modernaplus.com.br
Mapa animado: Omíadas e abássidas

As ciências e as artes no mundo islâmico

- A poesia e o romance, quase sempre reproduzidos oralmente, eram as principais expressões literárias da civilização islâmica. O ensino das letras foi muito incentivado pelos muçulmanos durante a Idade Média, com os califas patrocinando a criação de escolas e bibliotecas. Isso aconteceu porque o islamismo prevê que todos os seguidores leiam o Alcorão.
- Na matemática, os árabes aperfeiçoaram e difundiram os algarismos hindus, desenvolveram a álgebra e a trigonometria. Na química, descreveram o processo de destilação do álcool, descobriram o nitrato de prata, o carbonato de sódio, o salitre e novas fórmulas para o preparo do vidro e do esmalte.
- Na medicina, identificaram a natureza contagiosa da tuberculose, desenvolveram antídotos contra envenenamentos, diagnosticaram o câncer de estômago e perceberam a importância da higiene na prevenção de inúmeras doenças. No século VIII, foi criada a Escola de Bagdá, referência no ensino da medicina e da astronomia.
- Na filosofia revelaram-se nomes como Ibn Sina Avicena e Ibn Ruchd Averróis, estudiosos das obras de Aristóteles e das relações entre o pensamento filosófico e a religião islâmica. Há ainda o historiador Abd al-Rahman Ibn Khaldun, que traduzia em seus livros as características da sociedade muçulmana.

Reinos e impérios do Sahel

- A islamização dos reinos africanos deu-se de duas maneiras: enquanto nas províncias do Egito e do Magrebe, no norte, ocorreu com a expansão religiosa de cunho militar, as regiões ao sul do Deserto do Saara foram islamizadas de forma lenta e associadas ao **comércio transaariano** (atividades mercantis que ligavam o norte e o sul do continente).
- O primeiro reino saheliano de destaque foi **Gana**, que controlava o poder das minas de ouro e dos entroncamentos do comércio caravaneiro. A cultura islâmica no Reino caracterizou-se pela conversão de ministros e assessores do *gana* (o dirigente maior) e pelo uso da escrita árabe por parte da burocracia e da administração. Assim, a religião islâmica e sua cultura significaram mais um elemento capaz de adicionar poder, fortalecer e centralizar a autoridade do *gana*. Com o islã, instituiu-se um código de leis comum a todos, a *charia*, e uma mesma cultura e língua, a árabe.
- O **Império do Mali** floresceu entre os séculos XIII e XVI, e era governado por *mansas*. Mansa Musa foi um dos dirigentes de destaque, que governou o Mali entre 1312 e 1337. No seu governo houve, além de uma maior islamização da sociedade, a expansão do Império, a reorganização das províncias governadas por emires e, por fim, a conquista das importantes cidades de Ualata, Timbuctu, Takedda e Gao.

Reinos e impérios do Sahel (séculos X-XVI)

Fonte: SILVA, Alberto da Costa e. *A enxada e a lança*: a África antes dos portugueses. 2. ed. Rio de Janeiro: Nova Fronteira, 1996. p. 297.

- Além de serem pontos de encontro para os que viajavam de canoa pelos rios ou de camelo pelo deserto, a importância das cidades sahelianas se devia ao fato de constituírem metrópoles políticas e centros culturais. Timbuctu era especialmente notável por ser um dos mais importantes centros intelectuais do Sahel. Na cidade, destacavam-se as escolas corânicas e a universidade de Sankore, que reunia comunidades de letrados e sábios e as mais significativas obras do conhecimento desenvolvido pelo mundo árabe da época.

Djenné e Timbuctu

- Entre as cidades sahelianas, destacaram-se as de Djenné e Timbuctu, que se desenvolveram na região do médio Níger, próximas ao delta interior formado pelo curso do rio e numa região de solo fértil em razão do regime de cheias e vazantes. As duas cidades tiveram suas histórias interligadas pelos constantes e muito antigos contatos mercantis.
- Djenné, a mais antiga das cidades, originou-se por volta do século III a.C. Seus moradores praticavam a agricultura, a criação de bois e, desde cedo, o comércio. A importância comercial de Djenné cresceu principalmente com a islamização, no século XIII. A cidade converteu-se em poderosa praça mercantil do comércio de ouro em direção aos mercados do norte.
- Timbuctu, a cidade-irmã de Djenné, teve um papel relevante nas trocas mercantis, congregando populações de mercadores berberes, árabes e judeus vindos da África do Norte, do Oriente Médio e do Saara. A fundação de Timbuctu é atribuída a grupos de tuaregues que ali se estabeleceram no início do século XII. Seus moradores aprenderam com seus parceiros e vizinhos de Djenné a arte de construir casas, mesquitas e edifícios públicos.

O comércio africano

- O comércio era uma atividade muito próspera no centro-norte da África durante a Idade Média. Por meio dele, ligavam-se as estepes e as savanas do Sahel aos portos do norte, atravessando o Deserto do Saara. Isso só foi possível com o uso de camelos.
- Os portos caravaneiros do Sahel, como Djenné e Timbuctu, se transformaram em centros de riqueza e poder. Ali se cobravam taxas de passagem, os mercadores realizavam paradas para carregar e descarregar os animais, reabastecer as caravanas com água e alimentos e fazer reparos nos cabrestos e nas selas. Também eram centros de produção de artigos de couro e metal e de troca de mercadorias.

Produtos do comércio transaariano

Sentido norte-sul		Sentido sul-norte	
Sal	Produto essencial para as populações das áreas tropicais; vinha das salinas do Deserto do Saara.	Ouro	Usado como moeda no mundo islâmico e na Europa medieval.
Tâmaras, passas e raízes	Alimentos apreciados pelas comunidades islâmicas.	Noz-de-cola	Estimulante que se tornou um dos principais ingredientes dos atuais refrigerantes à base de cola.
Cabeças de gado, principalmente cavalos	Quase inexistentes nas florestas tropicais, infestadas pelas moscas do sono, conhecidas como tsé-tsé.	Escravos	Abasteciam, sobretudo, o mundo muçulmano e a Europa.
Tecidos e adornos feitos de metais	Vinham do Egito, da Síria e da Europa.	Sorgo, milho africano e milhete	———

No Vestibular

1. **(Vunesp)**

"Quando Maomé fixou residência em Yathrib, teve início uma fase decisiva na vida do profeta, em seu empenho de fazer triunfar a nova religião. A cidade de Yathrib, que doravante seria chamada de Madina al-nabi (Medina, a cidade do profeta), tornou-se a sede ativa de uma comunidade da qual Maomé era o chefe espiritual e temporal."

Robert Martran. *Expansão muçulmana.*

Essa mudança para Medina, que assinala o início da era muçulmana, ficou conhecida como:

a) xiismo.
b) sunismo.
c) islamismo.
d) hégira.
e) copta.

2. **(UFRN)** A religião islâmica foi originalmente pregada por Maomé entre os árabes da Península Arábica e hoje está presente em várias partes do mundo.

a) Caracterize o islamismo, indicando quatro preceitos originalmente pregados por essa religião.

____

____

____

b) Explique o processo da expansão árabe, na Idade Média, apresentando suas razões.

____

____

____

____

3. **(Vunesp)** Assinale a alternativa correta sobre a civilização muçulmana durante o período medieval.

a) Os constantes ataques de invasores árabes, provenientes das áreas do Saara, criaram instabilidade na Europa e contribuíram decisivamente para a queda do Império Romano.
b) A civilização muçulmana não desempenhou papel significativo no período, em função da inexistência de um líder capaz de reunir, sob um mesmo estado, sunitas e xiitas.
c) Os pensadores árabes desempenharam papel fundamental na renovação do pensamento da Europa Ocidental, uma vez que foram responsáveis pela difusão, via Espanha muçulmana, do legado greco-romano.
d) O distanciamento entre muçulmanos e cristãos aprofundou-se com a pregação de Maomé, que postulou a superioridade da religião islâmica e negou-se a aceitar os tratados de paz propostos pelo papa.
e) A partir do século VIII, a civilização muçulmana passou a ser regida pelo Alcorão, cujas recomendações aplicavam-se à vida cotidiana, contribuindo para o declínio do Império Otomano.

4. **(Fuvest-SP)** Os movimentos fundamentalistas, que tudo querem subordinar à lei islâmica (*charia*), são hoje muito ativos em vários países da África, do Oriente Médio e da Ásia. Eles tiveram sua origem histórica:

a) no desenvolvimento do islamismo, durante a Antiguidade, na Península Arábica.
b) na expansão da civilização árabe, durante a Idade Média, tanto a Ocidente quanto a Oriente.
c) na derrocada do socialismo, depois do fim da União Soviética, no início dos anos noventa.
d) no estabelecimento do Império Turco-Otomano, com base em Istambul, durante a Idade Moderna.
e) na ocupação do mundo árabe pelos europeus, entre a segunda metade do século XIX e a primeira do XX.

5. **(Vunesp)**

"As caravanas do Sudão ou do Níger trazem regularmente a Marrocos, a Túnis, sobretudo aos Montes da Barca ou ao Cairo, milhares de escravos negros arrancados aos países da África tropical [...] os mercadores mouros organizam terríveis razias, que despovoaram regiões inteiras do interior. Este tráfico muçulmano dos negros de África, prosseguindo durante séculos e em certos casos até os mais recentes, desempenhou sem dúvida um papel primordial no despovoamento antigo da África."

Jacques Heers. *O trabalho na Idade Média.*

O texto descreve um episódio da história dos muçulmanos na Idade Média, quando:

a) Maomé começou a pregar a guerra santa no Cairo como condição para a expansão da religião de Alá, que garantia aos guerreiros uma vida celestial de pura espiritualidade.
b) atuaram no tráfico de escravos negros, dominaram a África do Norte, atravessaram o estreito de Gibraltar e invadiram a Península Ibérica.
c) a expansão árabe foi propiciada pelos lucros do comércio de escravos, que visava abastecer com mão de obra negra as regiões da Península Ibérica.
d) os reinos árabes floresceram no sul do continente africano, nas regiões de florestas tropicais, berço do monoteísmo islâmico.
e) os árabes ultrapassaram os Pirineus e mantiveram o domínio sobre o Reino Franco, até o final da Idade Média Ocidental.

6. **(FGV-SP)**

"Inspiramos-te, assim como inspiramos Noé e os profetas que o sucederam; assim, também inspiramos Abraão, Ismael, Isaac, Jacó e as tribos, Jesus, Jonas, Aarão, Salomão, e concedemos os Salmos a Davi. E enviamos alguns mensageiros, que te mencionamos, e outros, que não te mencionamos; e Alá falou a Moisés diretamente... Ó adeptos do Livro, não exagereis em vossa religião e não digais de Alá senão a verdade. O Messias, Jesus, filho de Maria, foi tão somente um mensageiro de Alá e o seu verbo, que Ele enviou a Maria, e um Espírito d'Ele."

Alcorão, 4:163-164 e 171. O significado dos versículos do Alcorão Sagrado com comentários, p. 137-138.

A respeito do Islã é correto afirmar.

a) A religião muçulmana, apesar das influências do judaísmo e do cristianismo, significou uma ruptura com a tradição monoteísta ao estabelecer Alá como divindade superior a um conjunto de gênios e divindades secundárias.

b) A religião muçulmana surgiu no século VII, a partir das pregações de Maomé realizadas na Palestina, entre as tribos judaicas que haviam renegado o Livro Sagrado.

c) A pregação de Maomé, registrada no Alcorão, ajudou a reverter a tendência à fragmentação política e cultural dos povos árabes, fornecendo as bases religiosas para a expansão islâmica, a partir do século VII.

d) A pregação de Maomé foi registrada no *Alcorão*, primeiro livro sagrado escrito em hebraico e traduzido para o árabe, grego e latim, o que facilitou sua divulgação na Península Arábica, Palestina, Mesopotâmia e Ásia Menor.

e) A transferência da capital do Império Islâmico para Damasco, durante a dinastia Omíada, e para Bagdá, com a dinastia Abássida, provocou uma revalorização da cultura tribal árabe e a retomada dos valores panteístas dos primeiros califas.

7. (Enem-MEC)

"Os cruzados avançavam em silêncio, encontrando por todas as partes ossadas humanas, trapos e bandeiras. No meio desse quadro sinistro, não puderam ver, sem estremecer de dor, o acampamento onde Gauthier havia deixado as mulheres e crianças. Lá, os cristãos tinham sido surpreendidos pelos muçulmanos, mesmo no momento em que os sacerdotes celebravam o sacrifício da missa. As mulheres, as crianças, os velhos, todos os que a fraqueza ou a doença conservava sob as tendas, perseguidos até os altares, tinham sido levados para a escravidão ou imolados por um inimigo cruel. A multidão dos cristãos, massacrada naquele lugar, tinha ficado sem sepultura."

MICHAUD, J. F. *História das cruzadas*. São Paulo: Editora das Américas, 1956.

"Foi, de fato, na sexta-feira 22 do tempo de Chaaban, do ano de 492 da hégira, que os franj se apossaram da Cidade Santa, após um sítio de 40 dias. Os exilados ainda tremem cada vez que falam nisso, seu olhar se esfria como se eles ainda tivessem diante dos olhos aqueles guerreiros louros, protegidos de armaduras, que espelham pelas ruas o sabre cortante, desembainhado, degolando homens, mulheres e crianças, pilhando as casas, saqueando as mesquitas."

MAALOUF, Amin. *As Cruzadas vistas pelos árabes*. 2. ed. São Paulo: Brasiliense, 1989.

• **franj.** cruzados.

Avalie as seguintes afirmações a respeito dos textos acima, que tratam das Cruzadas.

I. Os textos referem-se ao mesmo assunto — as Cruzadas, ocorridas no período medieval —, mas apresentam visões distintas sobre a realidade dos conflitos religiosos desse período histórico.

II. Ambos os textos narram partes de conflitos ocorridos entre cristãos e muçulmanos durante a Idade Média e revelam como a violência contra mulheres e crianças era prática comum entre adversários.

III. Ambos narram conflitos ocorridos durante as Cruzadas medievais e revelam como as disputas dessa época, apesar de ter havido alguns confrontos militares, foram resolvidas com base na ideia do respeito e da tolerância cultural e religiosa.

É correto apenas o que se afirma em:

a) I.
b) II.
c) III.
d) I e II.
e) II e III.

8. (Mackenzie-SP) Sobre o mundo árabe, assinale a alternativa incorreta.

a) Até o final do século VI, a população árabe vivia dividida em tribos constituídas pelos beduínos e pelas tribos urbanas, que desenvolveram grandes centros comerciais. Entre esses centros, destacava-se Meca, para onde as pessoas se dirigiam a fim de praticar comércio e visitar o santuário da Caaba, que abrigava as imagens dos deuses das diversas tribos árabes.

b) Maomé, após tornar-se governador da cidade de Yathrib, converteu-se em chefe guerreiro, conquistou a cidade de Meca e estabeleceu a unificação política e religiosa da Arábia, unindo os árabes em torno do ideal comum de realizar a *jihad*, guerra santa, que consistia na luta pela conversão de todos os infiéis.

c) A unidade do Império foi destruída sob o reinado da dinastia abássida que, em 752, substituiu a dinastia omíada, possibilitando a partir do desmembramento do Império Islâmico o advento de califados independentes como Bagdá na Pérsia, Cairo no Egito e Córdoba na Espanha.

d) A ruína do Império Islâmico foi acompanhada pela desagregação da unidade religiosa, quando ganharam força seitas islâmicas divergentes: os sunitas, partidários de um chefe eleito pelos crentes e os xiitas, que defendiam o ideal absolutista de Estado, admitindo o Corão como a única fonte de ensinamento religioso.

e) A hegemonia do Império Islâmico entrou em decadência a partir da conversão dos turcos otomanos ao cristianismo, consolidando o domínio dos *seldjucidas* na região de Constantinopla, garantindo a peregrinação dos cristãos à Terra Santa.

9. (UEPG-PR) Identifique as afirmativas corretas sobre o mundo islâmico.

(01) A guerra santa (*jihad*), válida para a difusão da religião, quase se transformou em uma das mais importantes obrigações do islamismo.

(02) A expansão islâmica foi dificultada pela presença de Estados adversários fortes como Bizâncio, Pérsia e, posteriormente, o Estado Visigótico.

(04) Maomé, em suas viagens pelo Oriente, tomou contato com o judaísmo e cristianismo, religiões originárias da Palestina, que exerceram profunda influência em suas pregações.

(08) A civilização islâmica, essencialmente urbana, apresenta uma unidade imposta pela religião, embora combine contribuições culturais de árabes, povos conquistados e da civilização grega.

(16) O *Corão*, livro sagrado do islamismo, define as normas sociais a que deve se sujeitar o muçulmano; entre outras, proíbe: o consumo de bebidas alcoólicas e carne de porco, jogos de azar, roubos, homicídios, a escravidão e a poligamia.

Soma: ______________________.

O outono da Idade Média

Na Europa, o período que se estende de 1300 a 1450 caracterizou-se como uma época de crise generalizada: peste, guerras, fome e revoltas. Na Europa Oriental, o Império Otomano, uma nova potência militar, passou a dominar a parte oriental do Mediterrâneo, lançando um novo desafio à Europa Ocidental.

A crise econômica e demográfica

- Na Europa Ocidental, a partir do ano mil, as melhorias nas técnicas agrícolas aumentaram a produção, fato que possibilitou o aumento da população. Porém, entre o século XIV e a primeira metade do século XV, mudanças climáticas prejudicaram as colheitas e ajudaram a precipitar uma grave crise econômica e social. Somado a isso, havia a incapacidade de manter o equilíbrio entre a expansão da produção agrícola e o crescimento populacional. Isso gerou escassez de alimentos e fez com que os preços subissem abruptamente, causando uma grande fome no norte da Europa.
- Agravando a situação, ocorreu uma epidemia de **peste negra**, doença causada por uma bactéria encontrada em pulgas que parasitam roedores.
- O desconhecimento das formas de contágio da peste negra contribuiu para aumentar o clima de insegurança e a crença em superstições, que relacionavam a peste com o castigo divino ou a presença de não cristãos nas cidades atingidas. Junto com a fome, a peste contribuiu para aumentar a mortandade europeia.

Elevação do preço do trigo na Europa Ocidental (séculos XII a XIV)

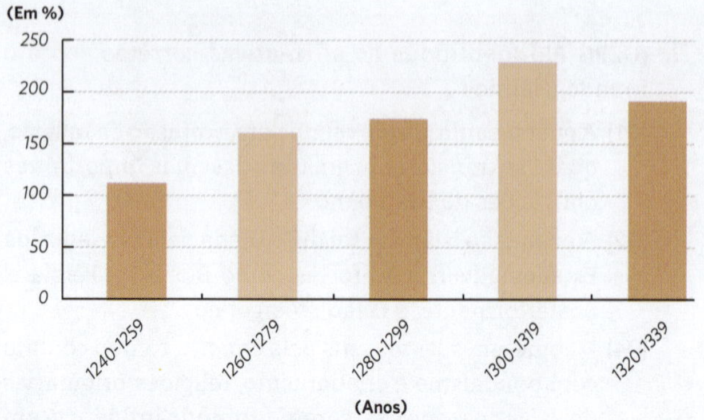

Fonte: LE GOFF, Jacques. *A civilização do Ocidente medieval*. São Paulo: Edusc, 2005. p. 245-246.

A Guerra dos Cem Anos

- Nesse contexto turbulento, ocorreu a **Guerra dos Cem Anos** (1337-1453) entre França e Inglaterra, que agravou ainda mais a crise econômica na Europa Ocidental. O conflito foi deflagrado em razão das rivalidades políticas e econômicas entre os dois reinos, em especial as pretensões inglesas ao trono francês. De início, os ingleses levaram vantagem. Entretanto, liderados por Joana d'Arc, os franceses reagiram, expulsando os ingleses definitivamente de seu território.
- A Guerra dos Cem Anos significou uma ruptura, pois contribuiu para fomentar o sentimento nacional nascente nessa época, levou à formação de exércitos profissionais no lugar dos cavaleiros medievais e impulsionou novas técnicas de guerra.

Revoltas urbanas e camponesas

- Na Europa Ocidental do século XIV, a fome, a peste e a guerra despovoaram os campos e provocaram a escassez de mão de obra. Por esse motivo, os senhores feudais intensificaram a exploração dos servos, precipitando diversas **revoltas camponesas**.
- No ano de 1358, na França, as revoltas camponesas ficaram conhecidas como *Jacqueries*. Esse movimento nasceu espontaneamente e evoluiu para uma contestação generalizada dos privilégios da nobreza rural. Na Inglaterra e na Itália, também aconteceram conflitos que opuseram nobres e camponeses. Essas revoltas foram duramente reprimidas.
- Nas cidades, a burguesia enriquecida pela vitalidade do comércio e dos negócios urbanos pôde afirmar-se tanto adquirindo parte das terras perdidas pela nobreza como firmando casamentos convenientes com membros dessa camada social. Com o declínio da aristocracia feudal e a ascensão da burguesia urbana, o eixo dinâmico da sociedade europeia passou dos campos para as cidades.
- Essas agitações também tomaram conta das cidades. Houve uma espécie de aliança entre a burguesia e os camponeses contra a nobreza e o clero. As revoltas urbanas estavam relacionadas ao controle da administração das cidades, pois a burguesia, em ascensão, passou a questionar a ordem social e a pôr em xeque a função social da nobreza.

Os jacques são massacrados em Meaux, iluminura das Crônicas de Froissart, 1358.

As conquistas otomanas

› Os turcos ou turcomanos são povos de religião muçulmana que não são árabes. Inicialmente, eles viviam como nômades nas planícies da Eurásia e, por volta do século X, muitos grupos turcos se converteram ao islã. O processo de ocupação da Anatólia pelas tribos turcomanas pode ser mais bem compreendido se pensarmos que o islã proibia o ataque e a pilhagem contra muçulmanos.

› Dessa forma, regiões como a Síria e a Mesopotâmia não interessavam aos turcos, enquanto a Anatólia bizantina (cristã) lhes parecia o lugar ideal. A expansão dos turcos foi favorecida pela emergência, no final do século XIII, de um Estado militar, forte e bem estruturado, no leste da Anatólia. Liderados pelo guerreiro Otoman I (de quem o nome **Império Otomano** teria se originado), o exército turco conquistou toda a Ásia Menor e atingiu o Estreito de Dardanelos, que garantia o controle da passagem da Ásia para a Europa.

› As novas regiões conquistadas transformaram-se em províncias do Império Otomano, e a população passou a pagar tributos ao sultão, monarca absoluto que governava com a ajuda de um vizir e um conselho que se reunia cerca de quatro vezes por semana. A administração do Império se orientava de acordo com o *Corão*. No entanto, havia certa liberdade religiosa. Os judeus e os cristãos tinham direito à hospitalidade e à proteção, desde que concordassem em pagar as taxas que os distinguiam dos muçulmanos. Para se livrar do pagamento dessas taxas, parte da comunidade cristã acabou se convertendo ao islã.

Expansão do Império Otomano (1301-1520)

Fonte: DUBY, Georges. *Atlas historique mondial*. Paris: Larousse, 2003. p. 178.

A queda de Constantinopla

› Sede do Império Romano do Oriente desde o século IV, Constantinopla era uma cidade moderna e cosmopolita situada no Estreito de Bósforo, numa posição estratégica entre a Ásia e a Europa, ligando o Mar Negro ao Mediterrâneo. O comércio, a principal atividade econômica, atraía mercadores do Oriente e do Ocidente, os quais iam e vinham para negociar suas mercadorias. Em virtude desse intenso comércio, as moedas bizantinas foram umas das primeiras a serem consideradas universais, uma vez que eram reconhecidas e aceitas na maior parte dos mercados europeus e asiáticos.

› A cidade de Constantinopla era estruturada como uma verdadeira fortaleza, contando com uma linha de 22 quilômetros de muralhas e 96 torres fortificadas. A estratégia dos turcos para derrubar essa fortaleza, aparentemente indestrutível, foi cercar e sufocar a cidade por terra e por mar, não permitindo que ela fosse abastecida. É importante lembrar que o Império Bizantino já estava enfraquecido na época da invasão dos otomanos. Estes já haviam ocupado outras cidades ao redor de Constantinopla com o objetivo de isolá-la dos reinos cristãos do Ocidente.

› Constantino XI, o último basileu (rei) do Império Bizantino, foi morto durante as batalhas, assim como grande parte da população. A queda de Constantinopla significou a perda por parte da cristandade de um local estratégico, que fazia a ligação entre o Oriente e o Ocidente e assegurava o acesso dos comerciantes europeus aos cobiçados mercados da Índia e da China.

› A partir da dominação turca, as rotas comerciais entre o Mar Mediterrâneo e o Mar Negro foram dificultadas ou mesmo bloqueadas. Para os mercadores europeus, tornou-se necessário buscar rotas alternativas para alcançar o Oriente. Navegaram pelo Oceano Atlântico, impulsionando novas descobertas, desenvolvimentos tecnológicos e econômicos, que marcariam o nascimento da Idade Moderna.

THE BRIDGEMAN ART LIBRARY/GRUPO KEYSTONE – MUSÉE DES AUGUSTINS, TOULOUSE

Entrada dos turcos de Maomé II em Constantinopla, pintura de Benjamin Constant, 1876.

No Vestibular

1. (Vunesp)

"A fim de satisfazer as necessidades do castelo, os comerciantes começaram a afluir à frente da sua porta, perto da ponte: mercadores, comerciantes de artigos caros e, depois, donos de cabaré e hoteleiros que alimentavam e hospedavam todos aqueles que negociavam com o príncipe [...]. Foram construídas assim casas e instalaram-se albergues onde eram alojados os que não eram hóspedes do castelo [...]. As habitações multiplicaram-se de tal sorte que foi logo criada uma grande cidade."

Jean Long, cronista do século XIV.

De acordo com o texto, o nascimento de algumas cidades da Europa resultou da:

a) transformação do negociante sedentário em comerciante ambulante.
b) oposição dos senhores feudais à instituição do mercado no seu castelo.
c) atração exercida pelos pregadores religiosos sobre a população camponesa.
d) insegurança provocada pelas lutas entre nobres feudais sobre a atividade mercantil.
e) fixação crescente de uma população ligada às atividades mercantis.

2. (UFSCar-SP) O crescimento populacional na Europa Ocidental, a partir do século XI, implicou dificuldades sociais, devido à:

a) mentalidade teocêntrica típica da Idade Média, que condenava o trabalho produtivo.
b) descentralização política feudal, que impedia a livre circulação da mão de obra.
c) população exígua das cidades medievais, comprimidas no interior de muralhas.
d) regulamentação das corporações de ofício, que proibia a formação de artesãos.
e) baixa produtividade da economia medieval e a sua limitada possibilidade de expansão.

3. (Fuvest-SP) A prosperidade das cidades medievais (séculos XII a XIV), com seus mercadores e artesãos, suas universidades e catedrais, foi possível graças:

a) à diminuição do poder político dos senhores feudais sobre as comunidades camponesas que passaram a ser protegidas pela Igreja.
b) à união que se estabeleceu entre o feudalismo, que dominava a vida rural, e o capitalismo, que dominava a vida urbana.
c) à subordinação econômica, com relação aos camponeses, e política, com relação aos senhores feudais.
d) ao aumento da produção agrícola feudal, decorrente tanto da incorporação de novas terras quanto de novas técnicas.
e) à existência de um poder centralizado que obrigava o campo a abastecer prioritariamente os setores urbanos.

4. (Vunesp)

"A fome é um dos castigos do pecado original. O homem fora criado para viver sem trabalhar se assim o quisesse. Mas, depois da queda, não podia resgatar-se senão pelo trabalho [...]. Deus impôs-lhe, assim, a fome para que ele trabalhasse sob o império dessa necessidade e pudesse, por esse meio, voltar às coisas eternas."

Trecho do *Elucidarium*. Citado no livro *A civilização do Ocidente medieval*.

a) Como o texto, escrito durante a Idade Média, justifica a fome?

b) Como era organizado o trabalho na propriedade feudal?

5. (Fuvest-SP) A peste, a fome e a guerra constituíram os elementos mais visíveis e terríveis do que se conhece como a crise do século XIV. Como consequência dessa crise, ocorrida na Baixa Idade Média:

a) o movimento de reforma do cristianismo foi interrompido por mais de um século, antes de reaparecer com Lutero e iniciar a modernidade.
b) o campesinato, que estava em vias de conquistar a liberdade, voltou novamente a cair, por mais de um século, na servidão feudal.
c) o processo de centralização e concentração do poder político intensificou-se até se tornar absoluto, no início da modernidade.
d) o feudalismo entrou em colapso no campo, mas manteve sua dominação sobre a economia urbana até o fim do Antigo Regime.
e) entre as classes sociais, a nobreza foi a menos prejudicada pela crise, ao contrário do que ocorreu com a burguesia.

6. **(Fuvest-SP)** "O ar da cidade torna um homem livre". Analise o significado desse adágio popular, no quadro do desenvolvimento das cidades europeias, a partir da Baixa Idade Média.

7. **(Fuvest-SP)** Sobre a Guerra dos Cem Anos (séculos XIV e XV), indique:

a) as principais monarquias envolvidas e o palco do conflito.

b) sua importância histórica.

8. **(FGV-SP)** A Guerra dos Cem Anos (1337-1453), entre a Inglaterra e a França, determinou importantes consequências para o desenvolvimento posterior desses países. Assinale a alternativa que não corresponde a esse contexto:

a) reforçou os exércitos nacionais em detrimento das milícias particulares;

b) contribuiu para a formação de um sentimento nacional, ilustrado pela figura de Joana d'Arc;

c) a vitória inglesa determinou o fim dos direitos feudais sobre os camponeses na França;

d) favoreceu a constituição dos Estados nacionais francês e inglês;

e) as violentas revoltas camponesas tanto na França como na Inglaterra.

9. **(Vunesp)**

"Neste tempo revoltaram-se os camponeses em Beauvoisin. Entre eles estava um homem muito sabedor e bem-falante, de bela figura e forma, chamado Guilherme Carlos. Os camponeses fizeram-no seu chefe e estes lhes dizia que se mantivessem unidos. E quando os camponeses se viram em grande número, perseguiram e mataram os homens nobres. Inclusive muitas mulheres e crianças nobres, pelo que Guilherme Carlos lhes disse muitas vezes que se excediam demasiadamente; mas nem por isso deixaram de o fazer."

Texto adaptado de Crônica dos quatro primeiros Valois (1327-1392). In: *Antologia de textos históricos medievais*.

O documento oferece subsídios sobre a *Jacquerie*, revolta camponesa ocorrida em 1358 na França, abalada pela Guerra dos Cem Anos, entremeada de crises e epidemias que se propagavam. Com base no texto:

a) justifique o caráter antifeudal da *Jacquerie*.

b) cite três grandes calamidades do século XIV.

10. **(Unicamp-SP)**

Em 1348 a peste negra invadiu a França e, dali para a frente, nada mais seria como antes. Uma terrível mortalidade atingiu o reino. A escassez de mão de obra desorganizou as relações sociais e de trabalho. Os trabalhadores que restaram aumentaram suas exigências. Um rogo foi dirigido a Deus, e também aos homens incumbidos de preservar Sua ordem na Terra. Mas foi preciso entender que nem a Igreja nem o rei podiam fazer coisa alguma. Não era isso uma prova de que nada valiam? De que o pecado dos governantes recaía sobre a população? Quando o historiador começa a encontrar tantas maldições contra os príncipes, novas formas de devoção e tantos feiticeiros sendo perseguidos, é porque de repente começou a se estender o império da dúvida e do desvio.

Adaptado de Georges Duby, *A Idade Média na França (987-1460)*: de Hugo Capeto a Joana d'Arc. Rio de Janeiro: Jorge Zahar, 1992. p. 256-258.

a) A partir do texto, identifique de que maneira a peste negra repercutiu na sociedade da Europa medieval em seus aspectos econômico e religioso.

b) Indique características da organização social da Europa medieval que refletiam a ordem de Deus na Terra.

O Renascimento e a formação do Estado Moderno

O Renascimento foi um movimento artístico, científico e cultural que se desenvolveu entre os séculos XIV e XVI na Europa Ocidental. A base desse movimento foi o humanismo, movimento intelectual que expressava as mudanças políticas, econômicas e sociais da Europa do final da Idade Média.

O humanismo e o Renascimento Cultural

- O termo Renascimento refere-se ao movimento artístico, científico e cultural que se desenvolveu entre os séculos XIV e XVI na Europa Ocidental. Nele, a tradição e os estudos clássicos (da Grécia e de Roma) foram revalorizados e se tornaram predominantes. O Renascimento não significou o retorno de uma arte ou um pensamento que havia desaparecido com o surgimento da sociedade medieval. Durante a Idade Média, livros de pensadores clássicos foram preservados e continuaram a ser lidos, principalmente nos mosteiros.
- O Renascimento começou a ser gestado nos séculos XII e XIII, quando houve um fortalecimento das atividades comerciais e o crescimento das cidades, principalmente na região de Flandres, na atual Bélgica, e na Itália. Esses fatores geraram uma mudança nos valores e nas práticas do mundo medieval.
- A partir do século XII, o modo de vida orientado fortemente pela religião e seu conservadorismo foi sendo substituído pela lógica do comércio, pela ética burguesa (acumulação de riquezas no lucro) e pela busca por inovação.
- Os artistas, cientistas e intelectuais identificados com o Renascimento eram otimistas em relação ao futuro da humanidade e consideravam que tudo (natureza, relações sociais, poder etc.) poderia ser explicado racionalmente. O homem foi, então, valorizado por ser dotado de razão.
- O uso do latim, a impressão de livros e a circulação dos humanistas por várias cidades de diferentes países possibilitaram a difusão do Renascimento por grande parte da Europa. Com ele, surgiu o ideal do homem universal, completo, multifacetado, cujo objetivo era desenvolver harmonicamente todas as características da sua personalidade. O homem universal deveria ter cultura e erudição, conhecer a língua e a literatura da antiguidade, as artes e as ciências, mas também deveria ser hábil no mundo prático, contribuindo com a vida de sua cidade.

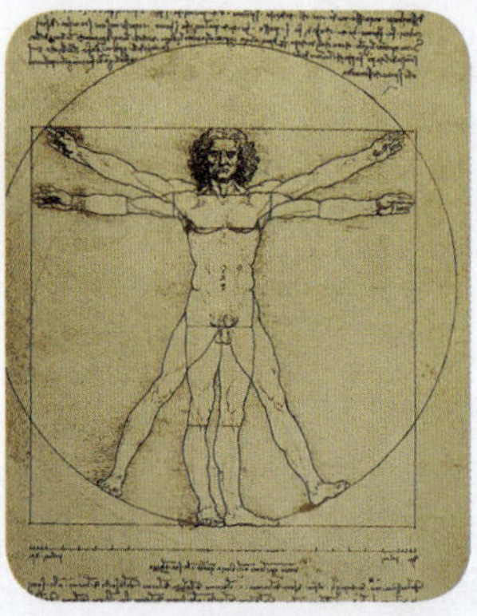

REPRODUÇÃO – GALLERIE DELL' ACCADEMIA, VENEZA

A obra *O homem vitruviano*, 1492, do italiano Leonardo da Vinci, é a que melhor traduz a visão antropocêntrica do humanismo renascentista.

A arte renascentista e o mecenato

- As artes plásticas representaram o campo privilegiado do Renascimento, pois trouxeram inovações, invenções e aperfeiçoamentos técnicos. O desenvolvimento da arte deveu-se muito aos **mecenas**, burgueses ricos que tinham conquistado poder político e econômico e que buscavam projeção social por meio da arte, difundindo o modo de vida e os valores burgueses. O mecenato também foi utilizado pela Igreja Católica, cujo principal exemplo foi a relação entre o papa Júlio II e Michelangelo.

ERICH LESSING/ALBUM/LATINSTOCK

Profeta Daniel, detalhe do afresco do teto da Capela Sistina pintado por Michelangelo, 1508-1512.

A Revolução Científica

- Entre os séculos XVI e XVII, uma série de descobertas, experiências científicas e reflexões filosóficas mudaram radicalmente a compreensão que o homem tinha do mundo. A **Revolução Científica** caracterizou-se por colocar a ciência e a razão como valores dominantes no lugar da religião e da fé.
- Com essa nova concepção, o geocentrismo (a Terra no centro do universo), defendido pela Igreja, foi contraposto pelo heliocentrismo (o Sol no centro do universo), sustentado pelo cientista polonês Nicolau Copérnico. O italiano Galileu Galilei e o alemão Johannes Kepler são alguns dos grandes nomes da ciência desse período.
- A ciência, vista como investigação racional das leis da natureza, ganhou autonomia e deixou de se subordinar à religião. Por suas ideias contradizerem os dogmas da religião, muitos cientistas e intelectuais foram perseguidos pela Igreja Católica.

As grandes navegações

- Uma viagem transoceânica era um grande empreendimento, que exigia tecnologia, recursos financeiros e estabilidade política no país empreendedor. A tecnologia veio com o Renascimento; o dinheiro, com a burguesia e a reativação do comércio; e a estabilidade, com o fortalecimento do Estado e a centralização política.
- As grandes navegações assinalaram o início da formação de um mercado mundial que tinha a Europa como centro. A descoberta de novas terras e povos, considerados estranhos e exóticos pelos europeus, excitou a imaginação dos conquistadores com mitos, lendas e medos, fazendo com que o Novo Mundo fosse percebido ora como um paraíso terrestre, ora como um inferno pagão.

A expansão marítima portuguesa

- Com a tecnologia naval desenvolvida no período, os portugueses começaram a explorar a África, estabelecendo uma série de entrepostos no litoral do continente. Com a expansão marítimo-comercial, os portugueses não apenas ampliaram os seus domínios, como também inauguraram as grandes viagens atlânticas e a exploração do Novo Mundo.
- Entre as principais razões para o pioneirismo português estão a legitimação da conquista pela Igreja Católica, o desejo de se apoderar do ouro da Guiné, a procura do reino do Preste João, imaginado pelos europeus como o soberano de um poderoso reino cristão nas Índias, e a busca de especiarias orientais.
- Outros fatores que contribuíram foram a superioridade dos navios portugueses, a habilidade em explorar as rivalidades internas nas áreas ocupadas e a capacidade de negociação dos portugueses, que conseguiram cooptar uma parte da elite das regiões conquistadas.

Conteúdo digital Moderna PLUS http://www.modernaplus.com.br
Mapa animado: Expansionismo luso-espanhol

Grandes viagens marítimas portuguesas (séculos XV e XVI)

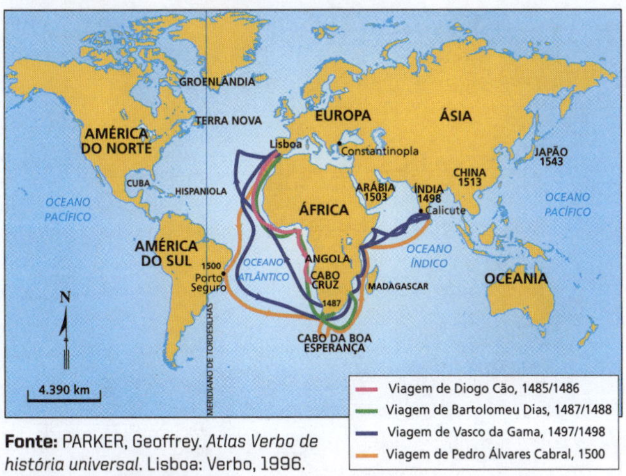

Fonte: PARKER, Geoffrey. *Atlas Verbo de história universal*. Lisboa: Verbo, 1996. p. 73; HALE, John R. *Idade das explorações*. Rio de Janeiro: José Olympio, 1970. p. 37.

A Reforma Protestante

- Ao longo da Baixa Idade Média, surgiram movimentos que criticavam os privilégios do clero e a riqueza da Igreja, e contestavam a autoridade do papa. Esses movimentos desejavam retornar à vida simples e espiritualizada dos primeiros cristãos.
- Na região da atual Alemanha, o monge agostiniano Martinho Lutero criticou, entre outros aspectos, a venda de **indulgências** (perdão). Chamado pelo papa para retratar-se, Lutero reafirmou suas ideias apresentando 95 teses que foram expostas ao público e enfatizavam três princípios fundamentais: a justificação pela fé, o sacerdócio universal e a autoridade da palavra revelada. Em represália, Lutero foi excomungado.
- A **Reforma Protestante** expandiu-se para diferentes nações, onde adquiriu características particulares. Na Suíça, por exemplo, o teólogo Calvino acrescentou novos princípios ao movimento defendendo a predestinação absoluta. Além disso, para os calvinistas, a prosperidade resultante do trabalho era sinal da graça de Deus. A nova ética protestante estimulou o sistema capitalista que começava a se desenvolver, o que explica o apoio de banqueiros, ricos comerciantes e artesãos à Reforma.

A Europa após a Reforma

Fonte: *Atlas da história do mundo*. São Paulo: Times/Folha de S.Paulo, 1995. p. 178-179.

Conteúdo digital Moderna PLUS http://www.modernaplus.com.br
Mapa animado: A Europa durante as reformas religiosas
Filme: *Lutero*
Filme/série: *The Tudors*

A Reforma Católica

- Abalada pelas críticas dos reformadores, a Igreja Católica reagiu através da **Contrarreforma** ou **Reforma Católica**. Seu objetivo foi reafirmar os dogmas do catolicismo, coibir os abusos do clero católico e reforçar a disciplina dos religiosos. Assim, foram tomadas algumas medidas como a criação de novas ordens religiosas (Companhia de Jesus) e do "Índice de Livros Proibidos", que impedia a difusão de ideias heréticas.
- A Contrarreforma foi concluída no **Concílio de Trento** (entre 1545 e 1563), que restabeleceu os tribunais do Santo Ofício, ou **Inquisição**, com a finalidade de investigar os suspeitos de heresia.

O nascimento do Estado moderno

- Entre os séculos XII e XVII, o Estado monárquico centralizado se impôs em quase toda a Europa. Na França, por exemplo, os governantes fortaleceram-se durante a Guerra dos Cem Anos, e na Inglaterra, a centralização do Estado ocorreu no final da Guerra das Duas Rosas, em 1485.
- O fortalecimento dos tronos levou à unificação dos feudos e à formação dos **Estados nacionais**, que juntaram povos com a mesma origem e padronizaram pesos, medidas, moedas e leis. Nesse novo modelo de governo, o rei tinha maior autonomia e contava com um exército profissional e numerosos funcionários para o exercício do poder.
- A monarquia nacional pressupunha três princípios: a **soberania**, pois o poder real tornou-se soberano em seu território e era visto como uma concessão divina; a **secularização**, fazendo com que o exercício do governo se tornasse progressivamente independente da religião; e a **racionalização administrativa**, que realizou várias mudanças para garantir a eficiência da ação governamental.
- A centralização do poder exigiu grande disponibilidade de recursos, que eram obtidos por meio de uma rigorosa cobrança de impostos em moeda. A concessão de monopólios na área comercial também se constituiu em fonte de tributos: o governo permitia que particulares explorassem uma determinada atividade e cobrava impostos sobre a produção e a circulação de mercadorias.
- A maior parte dos impostos arrecadados era utilizada pelos Estados para financiar a guerra, considerada uma forma privilegiada de conquistar novos territórios e tida como função natural do governante. Os momentos de paz eram exceções na Europa desse período.

Teóricos do poder absoluto

- A concentração de poderes teve teóricos importantes. **Nicolau Maquiavel** (1469-1527), em sua obra *O príncipe* (1513), ensina que o soberano deveria preocupar-se com estratégias de conquista e conservação do poder. **Jean Bodin** (1529-1596), em *Da república* (1576), defendia a subordinação da Igreja ao poder soberano do monarca. **Jacques Bossuet** (1627-1704) elaborou a **teoria do direito divino dos reis**, segundo a qual o poder real era uma concessão divina, o que significava obediência incondicional dos súditos.
- **Thomas Hobbes** (1588-1679), por sua vez, na obra *Leviatã* (1651), descartou a ideia de que os monarcas eram representantes de Deus na Terra. Segundo ele, a função do governante e do Estado era garantir a paz, o cumprimento das leis e a coesão do território, evitando que os homens se destruíssem uns aos outros.

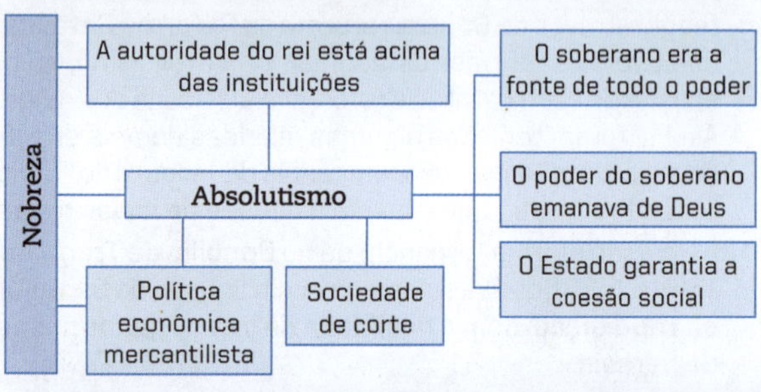

O Império Habsburgo

- Nos séculos XVI e XVII, as monarquias nacionais ou absolutistas atingiram o auge na Europa Ocidental. Porém, foi nesse período que surgiram conflitos religiosos entre católicos e protestantes, que geraram uma onda de violência e intolerância em vários países.
- Um dos maiores protagonistas desses conflitos foi o império governado pela dinastia dos Habsburgos, que era a maior potência da Europa na época. De origem austríaca, por meio de alianças, casamentos e tratados diplomáticos, essa dinastia conseguiu controlar a Espanha, os Países Baixos, diversas partes da Itália, grande parte dos territórios alemães, a Áustria, a Boêmia e parte da França.
- O sonho de expansão territorial, contudo, se chocava com três obstáculos: a difusão da Reforma Protestante; a oposição da França; e o avanço do Império Otomano. Incapaz de controlar sozinho um império tão vasto, Carlos V renunciou em 1556 e dividiu o Império Habsburgo entre seu irmão, Ferdinando I, e seu filho, Filipe II.
- Soberano do Império Espanhol, em 1580 Filipe II anexou o Reino de Portugal, incluindo o Brasil e todas as possessões portuguesas na África e na Ásia. Estimulado pela Contrarreforma, Filipe II planejou reconquistar os territórios e fiéis perdidos para os protestantes, dando origem à **Guerra dos Trinta Anos** (1618-1648).
- O conflito terminou com o Tratado da Westfália (1648), que definiu a independência entre poder político e religioso; o direito de os súditos terem sua própria crença religiosa e a soberania de cada Estado nacional sobre seu próprio território. Acabava-se, portanto, o sonho imperial dos Habsburgos.
- Portugal e Espanha foram pioneiros no absolutismo, mas logo outros países, como Inglaterra, França e Holanda, também adotaram essa forma de governo, lançaram-se nas grandes navegações e constituíram impérios coloniais ultramarinos.

A Europa no século XVI

Fonte: DUBY, Georges. *Atlas historique mondial.* Paris: Larousse, 2003. p. 76-77.

A sociedade da corte

- A centralização do poder provocou o surgimento de uma sociedade de corte. Formada pelos nobres e burocratas mais próximos do rei, a corte foi a instituição central das monarquias durante o **Antigo Regime**.
- Com a centralização do poder, a maioria dos nobres feudais converteu-se em funcionários a serviço do monarca. Os cargos na corte do monarca eram reservados exclusivamente à nobreza, que dessa forma ganhava uma nova função na sociedade e, ao mesmo tempo, mantinha-se dependente da monarquia.
- As cortes também eram centros difusores de modelos de comportamento, de hábitos e estilos de vida. Foi nas cortes que se desenvolveu o comportamento "civilizado", que caracteriza o homem moderno, tais como boas maneiras e contenção da agressividade.

A marquesa de Montesson, a marquesa de Crest e a condessa de Damas tomando chá, pintura de Louis Carrogis Carmontelle, século XVIII.

O mercantilismo

- Os Estados absolutistas procuravam aumentar seu poder adotando medidas políticas e econômicas cuja finalidade básica era aumentar ao máximo a riqueza do país. O conjunto das medidas adotadas pelos Estados nacionais europeus entre os séculos XVI e XVIII ficou conhecido como política mercantilista ou **mercantilismo**.
- Para administrar e fiscalizar as atividades econômicas, o Estado contava com uma contabilidade precisa das riquezas do país e com um conjunto de funcionários a seu serviço.
- As práticas mercantilistas adotadas no continente europeu durante o Antigo Regime variavam conforme o Estado. É possível, no entanto, reconhecer as medidas mais comuns que orientaram as atividades políticas e econômicas daquele período.
  - **Metalismo.** Os governos procuravam adquirir a maior quantidade possível de metais preciosos e proibir que eles saíssem do país. Essa medida baseava-se no princípio de que o ouro e a prata eram a principal fonte de riqueza. Portanto, quanto mais um país acumulasse metais, mais rico e poderoso ele seria.
  - **Balança comercial favorável.** Exportar mais do que importar. As importações deviam se limitar apenas às matérias-primas, enquanto as exportações se voltariam para os bens manufaturados. Todas as oportunidades para trocar as manufaturas produzidas no país por ouro e prata também deviam ser aproveitadas, a fim de incrementar os estoques desses metais.
  - **Protecionismo alfandegário.** Cobrança de pesados impostos sobre produtos estrangeiros, o que os tornava mais caros. Assim, mesmo que a qualidade desses produtos fosse superior à qualidade das mercadorias produzidas no interior do próprio país, os consumidores eram desestimulados a adquiri-los.
  - **Exclusivo comercial metropolitano.** Criar monopólios comerciais era outro modo de aumentar as exportações e diminuir as importações. O maior exemplo disso foram domínios coloniais europeus. Utilizando-se de mão de obra indígena ou africana, as colônias produziam e forneciam matérias-primas baratas às metrópoles europeias, ficando obrigadas a consumir seus produtos manufaturados.
- O Estado absolutista controlava e regulamentava toda a atividade econômica, reservando-se o direito de conceder monopólios comerciais, punir o tráfico ilegal de metais preciosos e mercadorias etc. Os governos mercantilistas também procuravam fazer com que todos os terrenos disponíveis no país fossem utilizados para a agricultura, a mineração ou a manufatura, apesar de isso ser muito difícil de realizar na prática.
- As políticas intervencionistas do mercantilismo pretendiam assegurar a riqueza e o poder estatais, garantindo uma fonte de financiamento para guerras, expedições marítimas e explorações comerciais. Na Inglaterra, por exemplo, o mercantilismo criou parte das condições necessárias para a Revolução Industrial.
- Quando os espanhóis descobriram ouro e prata na América (séculos XVI e XVII), a Europa recebeu grande quantidade desses metais, utilizados para confeccionar moedas. Com grande volume de dinheiro em circulação, ocorreu um surto inflacionário.
- O aumento dos preços beneficiou manufatureiros, negociantes, armadores e banqueiros das grandes cidades. Para a camada popular urbana, contudo, a inflação dos preços teve efeitos terríveis. Calcula-se que, no decorrer do século XVI, os preços tenham subido entre 150% e 400%, conforme o país e a região. O preço do trigo se multiplicava, enquanto os salários reais baixavam continuamente. Esse processo inflacionário ficou conhecido como **Revolução dos Preços**.

Porta de Palma de Maiorca, detalhe dos *Retábulos de Saint Georges*, século XVI. Note a movimentação de pessoas e navios no porto.

No Vestibular

1. **(FGV-SP)** Acerca do Renascimento.
   I. As características do homem no Renascimento são: racionalismo, individualismo, naturalismo e antropocentrismo, em oposição aos valores medievais baseados no teocentrismo.
   II. O Renascimento não foi um processo homogêneo. Seu desenvolvimento foi muito desigual e as manifestações mais expressivas se deram nos campos das artes e das ciências, sendo que no campo artístico, a literatura e as artes plásticas ocupavam lugar de destaque.
   III. A arte renascentista tornou-se predominantemente religiosa, retratando a vida de santos, de clérigos e o cotidiano cristão da época.
   IV. A Itália foi o centro do Renascimento porque era o centro do pré-capitalismo e do desenvolvimento comercial e urbano, que gerava os excedentes de capital mercantil para o investimento em obras de arte.
   V. A ascensão do clero foi fundamental para que se desenvolvesse nos Estados italianos um poderoso mecenato, plenamente identificado com as concepções terrenas dominantes entre os eclesiásticos.

   É correto apenas o afirmado em:
   a) I, II, III.
   b) I, II, IV.
   c) I, II, V.
   d) I, III, V.
   e) II, IV, V.

2. **(Vunesp)**

   "[...] tenho sido, durante muitos anos, um aderente à teoria de Copérnico. Isto me explica a causa de muitos fenômenos que são ininteligíveis por meio de teorias geralmente aceitas. Eu tenho coligido muitos argumentos para refutar estas últimas, mas eu não me arriscaria a levá-los à publicação. Há muito tempo que estou convencido de que a lua é um corpo como a Terra. Descobri também uma multidão de estrelas fixas, a princípio invisíveis, ultrapassando mais de dez vezes as que se podem ver a olho nu, formando a via láctea."

   Carta de Galileu a Kepler, 1597.

   Galileu não se arriscava a publicar essas ideias por temer:
   a) a oposição que sofreria por parte de seus alunos e colegas da Universidade de Pisa, onde lecionava.
   b) ser considerado um plagiador das ideias heliocêntricas defendidas por Copérnico e por alguns sábios florentinos.
   c) que seus pressupostos geocêntricos contribuíssem para aumentar as hostilidades contra a Igreja Católica.
   d) que seus superiores o expulsassem da Ordem dos Franciscanos, à qual pertencia desde a adolescência.
   e) ser acusado de heresia e ter de enfrentar o poderoso Tribunal do Santo Ofício, mantido pela Igreja.

3. **(Cesgranrio-RJ)** A Europa Ocidental, nos séculos XV e XVI, sofreu diversas transformações políticas, econômicas e sociais. Sobre essas transformações podemos afirmar que:
   I. o humanismo e o Renascimento foram movimentos intelectuais e artísticos que privilegiaram a observação da natureza.
   II. a Reforma Luterana, identificando-se com os segmentos camponeses alemães, difundiu-se em virtude da centralização do Estado alemão.
   III. a Reforma Calvinista aproximava-se da moral burguesa, pois encorajava o trabalho e o lucro.
   IV. a reação da Igreja Católica, denominada Contrarreforma, através do Concílio de Trento (1545), tentou barrar o avanço protestante, alterando os dogmas da fé católica.

   As afirmativas corretas são:
   a) apenas I e II.
   b) apenas I e III.
   c) apenas I e IV.
   d) apenas II e III.
   e) apenas II e IV.

4. **(UFPE)** Na(s) questão(ões) a seguir escreva nos parênteses a letra V se a afirmativa for verdadeira ou F se for falsa.

   Com relação à Reforma Protestante pode-se afirmar:
   ( ) a doutrina calvinista, exaltando o trabalho e desprezando o lazer e o luxo, foi a grande alavanca na direção do capitalismo;
   ( ) tanto frei Martinho Lutero como o monge dominicano Tetzel defendiam as indulgências papais como forma de perdão dos pecados na Terra e no céu;
   ( ) o parlamento inglês apoiou Henrique VIII no rompimento com a Igreja de Roma e aprovou, em 1534, o Ato de Supremacia que mantinha a Igreja da Inglaterra sob a autoridade do rei, surgindo a Igreja Nacional Anglicana independente de Roma;
   ( ) com o objetivo de evitar a expansão da Reforma, a Igreja Católica reagiu com o movimento da Contrarreforma;
   ( ) o movimento reformista na Alemanha funcionou como um fator de unidade nacional, provocando a unidade dos estados do sul com os estados do norte.

5. **(Unicamp-SP)**

   "Embora a origem da Reforma de Lutero se deva a uma experiência pessoal, ela refletiu, na verdade, o estado de espírito comum a muitos seguidores da Igreja Romana. De fato, a iniciativa da livre interpretação da *Bíblia* deve ser compreendida como mais uma das muitas manifestações típicas do individualismo do homem renascentista."

   PERIS, Carmem; VERGÉS, Glória. *El Renacimiento*. Barcelona: Parramón Ediciones, s/d. p. 32.

   a) Quais foram as relações culturais da Reforma Protestante com o Renascimento?

b) Por que a livre interpretação da *Bíblia* era criticada pelo alto clero medieval?

6. (UFES) A Contrarreforma ou Reforma Católica foi uma reação organizada da Igreja para fazer frente aos movimentos reformistas protestantes. A Inquisição foi um dos instrumentos principais dessa reação. Analise a Inquisição no contexto da Contrarreforma, com ênfase nos aspectos:

a) religioso.

b) científico-cultural.

7. (Fatec-SP)

"O comércio sai da crise do século XIV fortalecido. O mesmo ocorre com a atividade manufatureira, sobretudo aquela ligada à produção bélica, à construção naval e à produção de roupas e tecidos, nas quais tanto a Itália quanto a Flandres se colocaram à frente das demais. As minas de metais nobres e comuns da Europa Central também são enormemente ativadas. Por tudo isso muitos historiadores costumam tratar o século XV como um período de revolução comercial."

Nicolau Sevcenko. *O Renascimento*.

A revolução comercial ocorreu graças:

a) às repercussões econômicas das viagens ultramarinas de descobrimento.
b) ao crescimento populacional europeu, que tornava imperativa a descoberta de novas terras onde a população excedente pudesse ser instalada.
c) a uma mistura de idealismo religioso e espírito de aventura, em tudo semelhante àquela que levou à formação das Cruzadas.
d) aos Atos de Navegação lançados por Oliver Cromwell.
e) à autossuficiência econômica lusitana e à produção de excedentes para exportação.

8. (Mackenzie-SP) A política econômica do capitalismo comercial, denominada mercantilismo, ficou conhecida pelo estímulo:

a) à exportação, em detrimento das importações, sob forte intervenção estatal na economia e exclusividade de comércio entre metrópole e colônia.
b) ao individualismo econômico baseado no governo da natureza, e tendo a agricultura como principal produtora de riqueza.
c) à plena liberdade de concorrência, regulamentando a produção com base na lei da oferta e da procura e nas atividades exclusivas de comércio entre metrópole e colônia.
d) à reorganização da sociedade com base nas importações, desregulamentação da economia e liberdade de comércio entre metrópole e colônia.
e) à balança comercial favorável através da produção agrícola e relações comerciais independentes entre colônia e metrópole.

9. (Unicamp-SP) No período histórico que se estende entre os séculos XVI e XVIII, com o fim do feudalismo e a consolidação dos Estados nacionais, a doutrina econômica dominante foi o mercantilismo, que possuía como uma de suas características o metalismo.

a) Cite e explique duas outras características da doutrina mercantilista.

b) Em que consistia o metalismo?

10. (Fuvest-SP) "Após ter conseguido retirar da nobreza o poder político que ela detinha enquanto ordem, os soberanos a atraíram para a corte e lhe atribuíram funções políticas e diplomáticas." Essa frase, extraída da obra de Max Weber, *Política como vocação*, refere-se ao processo que, no Ocidente:

a) destruiu a dominação social da nobreza, na passagem da Idade Moderna para a Contemporânea.
b) estabeleceu a dominação social da nobreza, na passagem da Antiguidade para a Idade Média.
c) fez da nobreza uma ordem privilegiada, na passagem da Alta Idade Média para a Baixa Idade Média.
d) conservou os privilégios políticos da nobreza, na passagem do Antigo Regime para a Restauração.
e) permitiu ao Estado dominar politicamente a nobreza, na passagem da Idade Média para a Moderna.

11. (Mackenzie-SP) Considere as afirmativas abaixo.

I. O absolutismo caracterizou-se como um tipo de regime político que, durante a transição do feudalismo para o capitalismo, preocupava-se com o desenvolvimento econômico, principalmente comercial.
II. A nobreza feudal opôs-se ao regime absolutista, por considerá-lo prejudicial aos seus interesses. Ficou, por isso, restrita à posse das terras e dos títulos nobiliárquicos.
III. Os monarcas absolutistas apoiavam seu poder supremo em direitos consagrados por meio de uma Constituição reconhecida pelo papa.

Assinale:

a) se somente I estiver correta.
b) se somente III estiver correta.
c) se somente I e II estiverem corretas.
d) se somente II e III estiverem corretas.
e) se todas estiverem corretas.

Sociedade e cultura dos nativos americanos

A América já era habitada muito antes da chegada dos europeus. Havia povos que ocupavam grandes cidades, e outros que viviam isolados nas florestas, dispunham de autonomia e desconheciam a experiência do poder centralizado.

Os povos da Mesoamérica

- As primeiras sociedades pré-colombianas a apresentar uma organização socioeconômica e política complexa foram a dos **olmecas** e a dos **maias**. Os dois povos viveram na Mesoamérica, terras que iam do planalto central do México até o território da atual Honduras.
- A maioria dos olmecas vivia em pequenas aldeias, mas refugiavam-se em cidades fortificadas em caso de ameaça externa. O mais notável registro deixado por essa civilização é a pirâmide de San Lorenzo, no atual México. Os motivos do declínio da sociedade olmeca são desconhecidos. Para alguns estudiosos, foi provocado por fatores ambientais; para outros, os olmecas teriam entrado em conflito com outros grupos (possivelmente os maias) e sofrido perdas humanas e territoriais significativas.
- Os maias nunca formaram um império; as diversas cidades-Estado criadas por eles mantiveram autonomia administrativa e tinham o direito de formular suas leis e definir o modelo de organização política. Suas principais cidades-Estado foram Chichén Itzá, Palenque e Tikal. A maior parte do povo maia vivia nas áreas rurais e se dedicava à agricultura, mas as cidades tinham grande importância política e religiosa: nelas encontravam-se os nobres, os funcionários de Estado, os sacerdotes e os locais de culto.
- O setor mais importante da economia maia era a agricultura, cuja produção destinava-se à subsistência, ao comércio e ao pagamento de tributos. Cultivavam milho, cacau, batata, feijão, pimenta, abóbora, abacate, tabaco e algodão. Os maias tinham um sistema de escrita, bons conhecimentos de astronomia e criaram um sistema numérico. Seus complexos calendários auxiliavam a agricultura e tinham significado religioso.

Povos da Mesoamérica

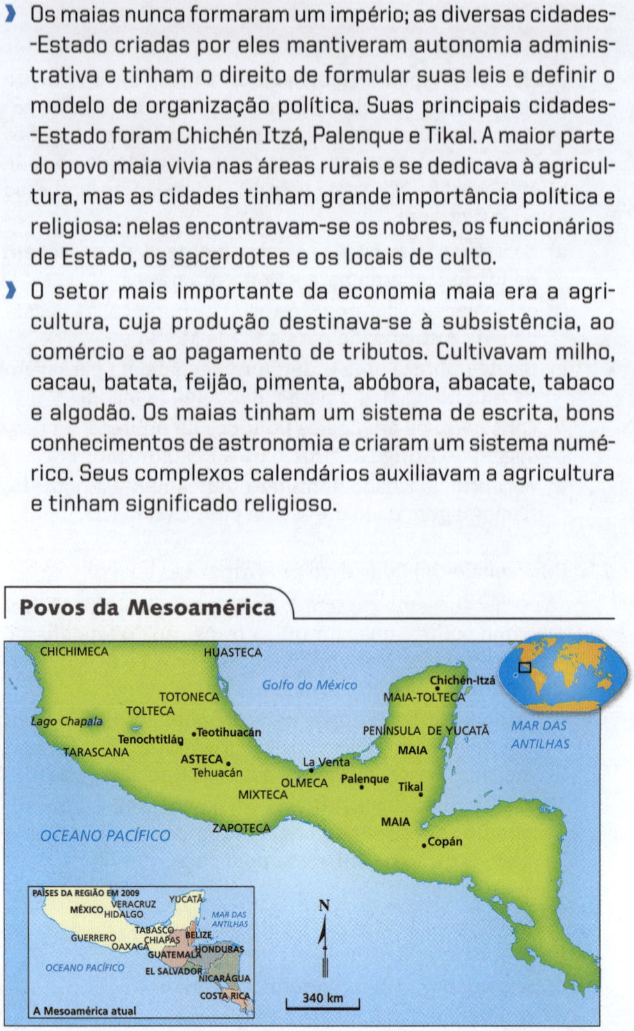

Fonte: DUBY, Georges. *Atlas historique mondial*. Paris: Larousse, 2003. p. 236.

- Estudos indicam que a civilização maia entrou em declínio devido aos longos períodos de seca, ao gradativo esgotamento do solo e às guerras contra inimigos externos.

Conteúdo digital Moderna PLUS http://www.modernaplus.com.br
Animação: Maias

A civilização asteca

- Vindos do norte, os toltecas fixaram-se no planalto central do México. Sua principal cidade era Tula, e esse povo foi forçado a dispersar-se com a chegada dos mexicas, a mais antiga denominação dos astecas. Guerreiros e expansionistas, os mexicas dominaram os toltecas e outros povos e fundaram a cidade de Tenochtitlán. Uma série de guerras expandiu o controle desse povo sobre o atual México e levou ao surgimento do **Império Asteca**.
- Grande parte do conhecimento produzido sobre os astecas baseia-se nos **códices**, desenhos e escritos feitos por escribas nativos que narravam eventos da sua história e descreviam aspectos da vida cotidiana.
- A agricultura asteca produzia tomate, algodão, batata-doce, cenoura, abóboras e morangas, girassol e vários tipos de pimenta e pimentões. Além de ingerido como fruta, o cacau era utilizado no preparo de bebidas, e sua semente, utilizada como moeda. O milho e o algodão eram cultivados até nas encostas das montanhas, aproveitando o solo mais seco.
- A construção de obras de engenharia hidráulica, essenciais para a agricultura do Egito antigo e da Mesopotâmia, também caracterizou a produção agrícola asteca. Canais de irrigação transportavam água da chuva e dos rios para as áreas de vales, facilitando o plantio. Os mexicas também criaram os **chinampas**, espécie de canteiros construídos nas margens rasas de lagos utilizados pelas famílias para o cultivo de flores, legumes e tubérculos comestíveis.
- Os astecas criaram um calendário solar que lhes permitia planejar as épocas de cultivo e colheita. O calendário deles dividia o ano em dezoito meses e o mês em vinte dias. Incluía, ainda, outros cinco dias, destinados a práticas religiosas, totalizando 365 dias. A cada quatro anos, eles acresciam um dia ao calendário, de forma semelhante ao que ocorre com o ano bissexto de nosso calendário. Os astecas utilizavam os metais na fabricação de joias, ornamentos, máscaras, plumagens e na decoração de construções. A cerâmica permitia a produção de potes, estátuas e esculturas. Para produzir tecidos, eles utilizavam fibras de cacto, algodão e pelagem de animais, principalmente coelhos.

Conteúdo digital Moderna PLUS http://www.modernaplus.com.br
Animação: Astecas

Povos dos Andes

- No século XV, o povo quéchua, conhecido como inca (nome de seus governantes), provavelmente chegou ao Vale de Cuzco (no sul do atual Peru) entre os séculos XII e XIII. No século XV, esse povo se impôs militarmente na região, formando o **Império Inca**.
- O chefe supremo (Sapa Inca), que vivia em Cuzco, capital do Império, contava com muitos funcionários, tinha poder vitalício e hereditário e era considerado descendente do Sol, principal divindade da religião dos quéchuas.
- A base da economia inca era a agricultura, sendo o milho, a batata, o feijão, o algodão e a pimenta os principais produtos. Também criavam animais, como lhamas e alpacas, que forneciam leite, lã e carne e serviam como transporte.
- O Império estava dividido em províncias, onde as comunidades agrícolas (*ayllu*) eram chefiadas pelos *kurakas*. A maioria da população era composta de camponeses, que produziam para a subsistência e para os governantes. Além do cultivo das terras, cabia ainda aos camponeses a obrigação da ***mita***, que era um imposto pago com trabalho.
- O transporte e a circulação de mercadorias e informações eram decisivos para a economia, o abastecimento e o controle interno do Império. As estradas facilitavam o controle de áreas afastadas de Cuzco e permitiam a circulação de um sistema de correio que facilitou a integração do Império e a manutenção da hegemonia inca.
- A civilização inca é muito conhecida por suas monumentais edificações, que revelaram o domínio da engenharia. A cidade de Machu Picchu, importante centro religioso, por exemplo, foi toda construída com pedras encaixadas, no topo de uma montanha.

Conteúdo digital Moderna PLUS http://www.modernaplus.com.br
Animação: Incas

Povos dos Andes

Fonte: DUBY, Georges. *Atlas historique mondial*. Paris: Larousse, 2003. p. 238.

Terras do Brasil

- Os índios do Brasil não construíram cidades, não viviam em sociedades rigidamente estratificadas e hierarquizadas nem dispunham de poder centralizado. Eram politeístas e animistas, e muitos grupos dominavam a cerâmica e técnicas de tecelagem.
- A principal característica dessa população era a diversidade de seus habitantes, que viviam em comunidades isoladas, tinham línguas distintas e níveis de domínio tecnológico bastante diversos.
- O nomadismo era predominante entre esses povos, mas havia grupos sedentários que cultivavam batata-doce, mandioca, raízes e algumas frutas, como o caju. Madeira, fibras vegetais, pedras e ossos eram utilizados na fabricação de utensílios domésticos, moradias, objetos de adorno, armas e ferramentas de trabalho.

Povos indígenas do Brasil

Fonte: *Atlas histórico escolar*. Rio de Janeiro: FAE, 1991. p. 12.

Os tupinambás

- Os **tupinambás** eram chamados de tupi. Eles cultivavam, entre outros alimentos, batata-doce, abacaxi, amendoim, caju, abóboras, milho e principalmente a mandioca, que constituía a base da sua alimentação. Em geral, as mulheres preparavam as terras para o plantio, e os homens realizavam a semeadura. A pesca, a caça e a coleta de frutos e raízes complementavam a dieta. Os tupinambás também faziam objetos de cerâmica e eram grandes navegadores.
- Após a chegada dos portugueses à região da atual Bahia, diversos povos indígenas fugiram do litoral para o interior ou para o norte do Brasil. Acredita-se que tenha sido dessa forma que eles atingiram as proximidades do Rio Amazonas e as áreas hoje pertencentes aos estados do Maranhão e do Pará.
- Estima-se que, no final do século XV, havia cerca de 3 milhões de nativos nas terras do Brasil. Segundo dados da Fundação Nacional do Índio (Funai), atualmente existem cerca de 460 mil índios. A redução da população indígena brasileira decorre, principalmente, dos conflitos pela terra.

No Vestibular

1. **(UFSCar-SP)** A mandioca, a batata-doce, a araruta, o milho, o feijão, o amaranto e o amendoim são utilizados como alimentos atualmente, porque foram:

a) cultivados como fontes alimentares das primeiras civilizações agrícolas que se fixaram nos vales dos rios Nilo e Eufrates, há 5 mil anos.

b) cultivados inicialmente na África por volta de 3 mil anos atrás e difundidos nos séculos XV e XVI pelos europeus.

c) alimentos básicos das primeiras comunidades agrícolas que se tornaram sedentárias há 7 mil anos no Oriente Próximo.

d) domesticados por populações que desenvolveram a agricultura na América, há pelo menos 6 mil anos.

e) modificados geneticamente por comunidades agrícolas da Europa mediterrânea nos últimos 2 mil anos.

2. **(Ufac)** Sobre os povos nativos da América, que ocupavam as planícies centrais do atual território dos Estados Unidos, é correto afirmar que:

a) constituíram uma notável civilização baseada na agricultura de regadio.

b) especializaram-se na metalurgia, com a qual produziam armas, adornos e equipamentos.

c) eram nômades, vivendo basicamente da caça e de pequenas roças de milho.

d) formavam uma grande família linguística, fator que assegurava-lhes uma paz interna.

e) sua escrita ideográfica revela uma forma centralizada de poder.

3. **(UFSCar-SP)**

"[...] as casas se erguiam separadas umas das outras, comunicando-se somente por pequenas pontes elevadiças e por canoas [...]. O burburinho e o ruído do mercado [...] podiam ser ouvidos até quase uma légua de distância [...]. Os artigos consistiam em ouro, prata, joias, plumas, mantas, chocolate, peles curtidas ou não, sandálias e outras manufaturas de raízes e fibras de juta, grande número de escravos homens e mulheres, muitos dos quais estavam atados pelo pescoço, com gargalheiras, a longos paus [...]. Vegetais, frutas, comida preparada, sal, pão, mel e massas doces, feitas de várias maneiras, eram também lá vendidas [...]. Os mercadores que negociavam em ouro possuíam o metal em grão, tal como vinha das minas, em tubos transparentes, de forma que ele podia ser calculado, e o ouro valia tantas mantas, ou tantos *xiquipils* de cacau, de acordo com o tamanho dos tubos. Toda a praça estava cercada por *piazzas* sob as quais grandes quantidades de grãos eram estocadas e onde estavam, também, as lojas para as diferentes espécies de bens."

Este texto foi escrito pelo cronista espanhol Bernal Diaz Del Castilho em 1519, sobre a cidade asteca de Tenochtitlán.

A partir dele, é correto afirmar que, na época, os astecas:

a) estavam organizados a partir de uma economia doméstica, coletora e caçadora.

b) tinham uma economia comercial e de acumulação de metais preciosos (ouro) pelo Estado.

c) tinham uma economia monetária que estimulava o desenvolvimento urbano e comercial.

d) estavam organizados em duas classes sociais: os grandes proprietários de terra e os escravos.

e) desenvolviam trabalhos no campo e nas cidades, associando agricultura, artesanato e comércio.

4. **(Vunesp)**

"Não vejo nada de bárbaro ou selvagem no que *dizem daqueles povos* [da América]; *e, na verdade, cada qual considera bárbaro o que não se pratica em sua terra.*"

Michel de Montaigne. *Ensaios*, 1580-1588.

O trecho apresentado permite concluir que:

a) a opinião do autor expressa a interpretação elaborada pelo Concílio de Trento, responsável pela Contrarreforma.

b) pensadores europeus deram-se conta da relatividade dos valores, hábitos e costumes vigentes em diferentes sociedades.

c) a expansão marítima propiciou fecundo contato entre povos e culturas, com benefícios iguais para todos os envolvidos.

d) o conhecimento de outras regiões do globo colaborou para reafirmar a versão bíblica da criação.

e) os primeiros europeus que chegaram à América, sob influência do iluminismo, respeitaram a diversidade cultural.

5. **(UFSCar-SP)** Observe as imagens, que pertencem ao manuscrito de um cronista inca, Guaman Poma de Ayala (1526-1614).

Desenhos extraídos do manuscrito *Nueva corónica y buen gobierno*, de Guaman Poma, 1615, representando atividades agrícolas dos incas.

Leia as afirmações seguintes a respeito dos incas.

I. Praticavam a agricultura da batata.

II. Utilizavam arado de tração animal.

III. Homens e mulheres trabalhavam nas atividades agrícolas.

IV. Tinham calendário agrícola, respeitando épocas de plantar e colher.

V. Tinham uma escrita própria, desenvolvida desde o século XIV.

Estão corretas as afirmações:

a) I, II e III, apenas.
b) I, III e IV, apenas.
c) II, IV e V, apenas.
d) I, III, IV e V, apenas.
e) I, II, III, IV e V.

6. (UFPA) Ao chegarem ao Novo Mundo e se defrontarem com as civilizações asteca e inca, os europeus encontraram igualmente formas de produzir e organizar a exploração da terra de maneiras distintas das praticadas no Velho Mundo. A esse respeito, pode-se afirmar que:

a) astecas e incas organizaram formas de cultivo adaptadas aos ambientes em que haviam se desenvolvido tais civilizações, como a agricultura dos lagos e dos terraços nas montanhas, respectivamente.
b) a exploração agrícola era somente uma atividade marginal na sociedade e na economia asteca e inca, que se fundamentava principalmente no comércio de metais preciosos que encantaram os europeus.
c) o clima da floresta tropical, onde se desenvolveram as civilizações asteca e inca, só possibilitava a agricultura das várzeas dos rios, desconhecida aos europeus.
d) somente com a chegada dos europeus e de tecnologias europeias de cultivo, como o uso do arado de tração animal, é que os indígenas da América descobriram a agricultura.
e) o incipiente desenvolvimento da agricultura entre os astecas e os incas foi responsável pela vertiginosa queda dessa atividade diante da invasão europeia a suas terras.

7. (PUC-SP) Sobre as civilizações indígenas americanas no momento da conquista europeia, podemos afirmar:

a) somente os maias e tupis foram escravizados e tiveram sua cultura destruída no processo de conquista e colonização da América.
b) cheienes, cheroquis, iroqueses e dakotas ocupavam várias regiões na América do Norte, foram exterminados pela colonização francesa, e sua marcha expansionista de norte a sul e de leste a oeste teve como resultado a dominação das terras do atual Estados Unidos.
c) tupis, jês, nuaruaques e caraíbas ocupavam praticamente toda a região do atual território brasileiro, foram caçados para serem transformados em escravos pelos senhores espanhóis e holandeses, cujo objetivo seria vendê-los como produtores de especiarias para o Oriente.
d) maias, astecas e incas, que viviam na América Central, vale do México e região andina, foram dominados pelos espanhóis no século XVI e perderam autonomia e controle sobre sua sofisticada organização sociocultural e política, permanecendo submetidos através do sistema de encomiendas, mitas ou quatequil que os reduzia a escravidão permanente ou temporária.
e) os indígenas brasileiros tupis e jês foram exterminados no processo da conquista portuguesa, sendo apenas possível seu conhecimento pela arqueologia.

8. (Uepa)

"Cocar
Era senhor soberano da nação
Antes da primeira expedição,
Antes da primeira missa,
Apenas paz e preguiça
Índio era rei no Brasil,
Antes daquele confuso abril.
Filosofia, somente existir
Sabedoria, o presente aproveitar
E, do passado, guardar o conhecer
Futuro, nada a se preocupar."

ALCÂNTARA, Adilson; LÍDIA, Maria. In: *Fragmentos*.

Os versos da música acima retratam o universo indígena pré-colonial, sobre o qual pode-se afirmar abaixo.

a) Os costumes nativos constituíam uma unidade cultural, marcada pela igualdade de práticas produtivas, rituais religiosos e uso da linguagem tupi-guarani, por isso eram guiados por um chefe soberano que comandava todas as aldeias do espaço Pindorama.
b) A filosofia de liberdade indígena, baseada na troca de experiências entre gerações e no trabalho voltado à sobrevivência, não permitiu a formação de uma organização socioespacial no Brasil, o que justificou o domínio português sobre esses povos, eliminando sua influência cultural no país.
c) As primeiras expedições que chegaram em abril marcam os 500 anos de história da aculturação desses povos, em virtude de sua opção pelo desenvolvimento tecnológico europeu, fazendo-lhes entregar as riquezas naturais do país e a soberania desta nação.
d) O povo tupi era majoritário nesse espaço, ocupando-o do litoral aos sertões, contudo seus conhecimentos e costumes foram anulados com a colonização que restringiu a Amazônia sua influência sobre a formação cultural dessa nação.
e) A organização espacial do Brasil, antes da colonização, era marcada pela diversidade de seus povos, que a estruturavam conforme seus costumes e necessidades produtivas, sendo transformada a partir daquele confuso abril, que ignorou seu passado para construir o futuro de interesse do colonizador.

9. (UFPA) Pero Vaz de Caminha registra em seu relato que os indígenas:

"Não comem senão deste inhame, de que aqui há muito, e dessas sementes e frutos que a terra e as árvores de si deitam [...]"

Carta de Pero Vaz de Caminha. Rio de Janeiro: Agir, 1965. p. 102.

Apesar de as observações da carta de Caminha sugerirem que os indígenas aparentemente não desenvolviam trabalhos agrícolas, é correto afirmar que o(a):

a) conhecimento de práticas agrícolas pelos indígenas foi fundamental para a sobrevivência dos europeus no Novo Mundo, visto que os colonizadores só consumiam em sua alimentação o inhame.
b) cultura da mandioca, que se espalhava em áreas ao longo do litoral brasileiro e envolvia homens e mulheres indígenas, que distribuíam as tarefas, cabendo às mulheres a preparação da mandioca como alimento.
c) pão consumido pelos europeus era feito da farinha de inhame, principal alimento dos colonizadores, sobretudo em época de intensas chuvas, que impediam a atividade da pesca nos rios.
d) conhecimento de plantas comestíveis, como o inhame, propiciou um contato amistoso entre os colonizadores europeus e os índios tupinambá que viviam na área central do Brasil.
e) inhame, assim como as sementes e frutos comestíveis, ao lado da mandioca, tornou-se o principal alimento dos senhores, que obrigavam os seus escravos a manterem roças para o plantio da raiz.

A colonização da América portuguesa

Portugal construiu um vasto império marítimo conquistando territórios na África, na Ásia e na América.

A construção do império marítimo português

› A colonização ultramarina portuguesa iniciou-se em meados do século XV, após a conquista de Ceuta (norte da África) e com a colonização dos arquipélagos dos Açores e da Madeira. As ilhas produziam trigo e açúcar e serviam de base para explorar o litoral africano nas viagens rumo às Índias.

› Desde 1454, todas as ações de descoberta, conquista e colonização efetuadas pelos portugueses eram reconhecidas pelo papa como legítimas, o que incluía a escravização de árabes e africanos. Esse reconhecimento fortalecia as conquistas, pois interesses políticos, econômicos e religiosos se entrelaçavam no Estado português. Coube também à Igreja validar o **Tratado de Tordesilhas** (1494), que garantia aos portugueses o controle das rotas de navegação marítima do Atlântico Sul.

› Em duas décadas, os portugueses fundaram **feitorias** (entrepostos comerciais) na Ásia e na África, para onde levaram a religião cristã e os costumes que modificaram o modo de vida das populações nativas. Os portugueses também assimilaram costumes e tradições locais.

O Estado do Brasil

› Em 1503, d. Manuel arrendou as terras brasileiras a um grupo de comerciantes que obteve o monopólio da exploração do pau-brasil, extraído em regime de **escambo** com os índios. Entretanto, o litoral brasileiro também foi igualmente frequentado por franceses e espanhóis com o objetivo de contrabandear pau-brasil.

› Diante dessa situação, d. João III decidiu implantar nessas regiões o sistema de **capitanias hereditárias**. Por meio desse sistema, o rei concedia terras a um fidalgo (capitão donatário), que tinha a tarefa de defendê-la, povoá-la, desenvolver a agropecuária, aplicar leis, facilitar a catequese e cobrar impostos. Em troca, os capitães ficavam com uma porcentagem dos tributos. Durante a década de 1530, foram criadas catorze capitanias.

› O sistema de capitanias hereditárias fracassou devido à falta de investimentos e aos ataques indígenas contra os estrangeiros. Somente as capitanias de São Vicente e Pernambuco prosperaram com a produção de açúcar.

A criação do governo geral

› O fracasso da maioria das capitanias não foi o único motivo para a adoção de um sistema centralizado. O crescimento das incursões estrangeiras no Brasil, o aumento das guerras contra as populações indígenas, o sucesso da conquista espanhola do Peru e a descoberta, em seus territórios, em 1545, de vastos depósitos de prata, como as minas

Capitanias hereditárias

Fonte: *Atlas histórico escolar*. Rio de Janeiro: FAE, 1991. p. 16.

de Potosí (na atual Bolívia), impulsionaram a centralização administrativa.

› Em 1548, foi criado o governo geral, sediado na Bahia de Todos-os-Santos, que, para tanto, foi convertida em capitania da Coroa, ou seja, uma espécie de capitania especial, sem um capitão donatário. O governo geral do Estado do Brasil deveria centralizar e coordenar um sem-número de ações antes atribuídas a cada um dos capitães donatários. Estes, por sua vez, não desapareceram de cena, mas passaram a integrar um aparato político, administrativo e judicial muito mais complexo.

› A ação coordenada entre governador geral e capitães donatários se mostraria fundamental em alguns momentos cruciais desse período. Exemplo do êxito dessa atuação ocorreu durante as incursões francesas. Em 1555, uma expedição militar francesa chefiada por Nicolau Durand de Villegaignon instalou-se na Baía da Guanabara (na atual cidade do Rio de Janeiro), fundando a **França Antártica**.

› Os franceses aliaram-se às populações nativas e começaram a comercializar gêneros da terra com a Europa. Após alguns anos de combates, os franceses foram definitivamente expulsos pelos portugueses, que fundaram, em 1565, São Sebastião do Rio de Janeiro. Posteriormente, entre 1612 e 1615, os franceses criaram uma colônia no Maranhão, chamada **França Equinocial**.

Conteúdo digital Moderna PLUS http://www.modernaplus.com.br
Filme: *Hans Staden*. Direção: Luiz Alberto Pereira. Brasil, 1999

A ação dos jesuítas na colônia

- A ordem religiosa Companhia de Jesus foi fundada em 1534, na Europa, no contexto das lutas religiosas entre católicos e protestantes. Como a Igreja Católica tinha perdido muitos seguidores, uma saída para ampliar sua base de fiéis era catequizar os nativos da América e de outras áreas do vasto império ultramarino ibérico, considerados, na visão cristã, povos sem religião.
- Os jesuítas tiveram papel fundamental na empresa colonial portuguesa. Por meio da criação de colégios, esses padres participaram ativamente da vida espiritual, econômica e política da América portuguesa.
- As missões ou aldeamentos jesuítas estenderam-se por vários pontos dos domínios portugueses e espanhóis na América. Cada missão se organizava como uma verdadeira cidade, pois, como determinavam as Constituições, ela deveria ser autossuficiente.
- As ocupações e o ensino tinham finalidade tanto pedagógica quanto religiosa. Como também ocorria nos colégios, em muitas missões os padres usavam a dança, a música e o teatro como formas de diálogo e conversão.

Expedições de apresamento

- A expansão das missões pela América portuguesa atraiu a cobiça de colonos paulistas, os **bandeirantes**, que viam as missões como fonte fornecedora de mão de obra escrava para o trabalho nas plantações paulistas. Assim, no século XVII, os nativos, aculturados nas missões e habituados à disciplina jesuítica, passaram a ser capturados por expedições de apresamento. O paulista que mais se destacou nessas expedições foi Antônio Raposo Tavares, que comandou, entre 1628 e 1651, vários ataques às missões de Guairá, Itatim e Tapes, no sul, que abrigavam índios guaranis.

As missões jesuítas

Fonte: *Atlas histórico escolar*. Rio de Janeiro: FAE, 1991. p. 57

O Brasil açucareiro

- O Nordeste do Brasil reunia condições naturais para produzir o açúcar, mercadoria de grande aceitação no mercado internacional: clima adequado, solo de massapé e abundância de recursos hídricos. Esse fato estimulou a vinda de muitos colonos portugueses para a América e o aumento dos **engenhos coloniais**, unidades produtoras de açúcar.
- Nos engenhos, prevalecia a mão de obra de africanos escravizados. A maioria dos escravos era direcionada para as lavouras canavieiras; outros eram empregados em serviços urbanos e atividades domésticas. Os engenhos também comportavam trabalhadores assalariados, como carpinteiros, mestres de purgar, caixeiros, feitores, entre outros.

REPRODUÇÃO - MUSEU BOIJMANS VAN BEUNINGEN, ROTERDÃ

Engenho, pintura de Frans Post, c. 1840.

O tráfico negreiro

- Estima-se que entre 1450 e 1500, cerca de 150 mil **escravos africanos** foram capturados ou comprados pelos portugueses. Os lucros com o tráfico foram tão altos que permitiram, ao governo lusitano, fazer grandes investimentos na expansão marítima portuguesa e montar o seu império. Embora as motivações econômicas fossem a principal explicação para a presença portuguesa na África, a partir do século XV a religião também era uma justificativa.
- Os primeiros escravos negros chegaram ao Brasil provavelmente em 1549, com o governador-geral Tomé de Souza. Mas foi a partir de 1570 que o tráfico intensificou-se. A fundação da feitoria de São Paulo de Luanda, na atual Angola, facilitou a obtenção de cativos. Os escravos eram trazidos para o Brasil em navios denominados **negreiros** ou **tumbeiros**, em precárias condições de higiene, alimentação e segurança.
- Os principais portos de chegada eram Salvador e Recife. Ao chegar ao Brasil, os escravos eram encaminhados aos mercados públicos, para serem comercializados. No século XVIII, quando se tornou a capital da colônia, o Rio de Janeiro tornou-se o mais importante porto, recebendo escravos que iam para a região mineradora.

Conteúdo digital Moderna PLUS http://www.modernaplus.com.br
Mapa animado: O comércio do continente africano

A União Ibérica

› Em 1578, com a morte do rei d. Sebastião, tornou-se concreta a possibilidade de união de Portugal à Espanha. O trono de Portugal passou para o cardeal d. Henrique, que era idoso e não tinha herdeiros. Felipe II, rei da Espanha e sobrinho legítimo de d. Henrique, invadiu Portugal em 1580 e incorporou os domínios portugueses aos espanhóis. Iniciava-se o período da **União Ibérica**.

O Brasil holandês

› Quando se iniciou a União Ibérica, a Espanha já enfrentava a guerra de independência das Províncias Unidas dos Países Baixos, mais conhecidas em língua portuguesa sob o nome de Holanda (a mais importante de suas sete províncias). Protestantes em sua maioria, os holandeses levantaram-se contra a Espanha por razões religiosas e econômicas. Na tentativa de atingir a economia da Holanda, Felipe II proibiu a participação dos holandeses nos negócios do açúcar.

› Para assegurar os lucros obtidos com a comercialização do produto, a Holanda decidiu ocupar as áreas produtoras da mercadoria no Brasil. Com esse propósito, formou-se a **Companhia das Índias Ocidentais** (WIC), destinada à conquista do Atlântico. Em 1624, os holandeses fracassaram ao tentar ocupar a Bahia. Porém, em 1635, conseguiram firmar seu domínio sobre a capitania de Pernambuco.

› O conde Maurício de Nassau foi enviado pela WIC para administrar os domínios holandeses no Nordeste (1637-1644). Para aproximar-se da população local, ele facilitou empréstimos, promoveu a tolerância religiosa, fez reformas urbanas, estimulou a integração entre holandeses e brasileiros, e articulou missões artísticas e científicas.

› Em 1644, divergências com a WIC resultaram no retorno de Nassau à Holanda. Nesse contexto, Portugal libertou-se da Espanha e o rei d. João IV assinou uma trégua com a Holanda. À WIC, ele propôs uma indenização para que deixasse Pernambuco. Diante da recusa holandesa, foram elaborados planos para reconquistar o território. Vitórias militares luso-brasileiras em Monte Tabocas e Guararapes resultaram na rendição holandesa em 1648.

Domínios holandeses no Brasil

Fonte: *Atlas histórico escolar*. Rio de Janeiro: FAE, 1991. p. 30

Um império em declínio

› No século XVII, Portugal havia perdido para a Holanda o controle de rotas de comércio do Oceano Índico e grande parte das possessões coloniais que possuía na Ásia. Além disso, expulsos do Brasil, os holandeses fixaram-se nas Antilhas, onde passaram a produzir açúcar e traficar escravos. Essa concorrência afetou duramente a economia da colônia portuguesa na América. Para dinamizar a sua economia, Portugal incentivou a busca de minérios preciosos na colônia. Essa procura foi estimulada pelo fato de os espanhóis já terem encontrado ouro e prata no México e no Peru.

A mineração no Brasil

› Algumas expedições exploratórias, chamadas **bandeiras**, eram promovidas por particulares que viviam no povoado de São Paulo. Essas expedições capturavam indígenas para vendê-los como escravos e resgatavam negros escravizados que haviam fugido das fazendas. Eventualmente, as bandeiras também descobriam metais e pedras preciosas.

› As primeiras jazidas de ouro foram localizadas em Minas Gerais, no final do século XVII. Depois, muitas outras foram encontradas e, em dez anos, a região tornou-se populosa e dinâmica, produtora de uma riqueza que ajudou na recuperação econômica de Portugal. Mais tarde, os bandeirantes encontraram jazidas de ouro em Mato Grosso (1718) e em Goiás (1722).

› A mineração utilizou predominantemente a mão de obra de escravos africanos. Os minerais eram extraídos de forma muito rudimentar, com o auxílio da bateia, instrumento que ajudava os mineiros a separar o cascalho e a areia das pepitas de ouro.

› A instabilidade social no início da mineração resultou em diversos conflitos armados, como a **Guerra dos Emboabas** (1708-1709). Esse conflito resultou de tentativas de controle, por parte dos colonos, das lavras descobertas e do aparato administrativo local, envolvendo portugueses paulistas e portugueses de outras regiões (emboabas).

A região das Minas

Fonte: *Atlas histórico escolar*. Rio de Janeiro: FAE, 1991. p. 32.

Sociedade e economia das Minas Gerais

- Com a descoberta das jazidas de ouro, diversas pessoas do Brasil e de outros países tentaram se estabelecer na região das minas. Com o aumento populacional, muitas vilas começaram a ser fundadas, porém, sem planejamento.
- Esses povoados eram abastecidos por **tropeiros**, ou seja, mercadores que transportavam alimentos, ferramentas, roupas, remédios e outros bens de consumo em tropas de mula. Os tropeiros adquiriam animais no Sul e mercadorias nos portos do Sudeste para comercializá-las no Centro-Oeste. Essa atividade contribuiu para a **integração territorial** dessas três regiões.
- Para manter a lucratividade, a Coroa portuguesa arrecadava diversos impostos sobre a produção de ouro, como o **quinto** e a **capitação**. A dependência cada vez maior de Portugal em relação ao ouro extraído no Brasil levou a metrópole a enrijecer o controle sobre a colônia. Assim, surgiram as **casas de fundição**, onde o ouro era fundido, selado e tributado para evitar o contrabando, e transferiu-se a capital da cidade de Salvador para o Rio de Janeiro, cujo porto servia para escoamento das riquezas.
- O controle intensificou-se tanto que até mesmo ordens religiosas foram proibidas, o que fortaleceu o papel das irmandades religiosas na região mineradora.
- Apesar dessas medidas, a economia portuguesa era muito frágil. Por força do **Tratado de Methuen** (1703), firmado entre Portugal e Inglaterra, grande parte do ouro brasileiro foi para os cofres ingleses para compensar o desequilíbrio na balança comercial entre aqueles dois países.
- O custo de vida elevado, os impostos excessivos e a opressão da metrópole sobre a colônia ocasionaram algumas revoltas, que foram duramente reprimidas. Uma delas eclodiu em Vila Rica, em 1720: a **Revolta de Filipe dos Santos**.

A descoberta de diamantes

- Mais ao norte das regiões de exploração de ouro descobriram-se importantes jazidas de diamantes. As primeiras notícias remontam a 1714, no Arraial do Tijuco, onde, inclusive, já havia ouro, mas as descobertas significativas daquela pedra começaram apenas em 1727. Diante do alto valor que os diamantes tinham no mercado internacional, Portugal decidiu, em 1729, criar o Distrito Diamantino. Delimitou a região em torno do distrito, suspendeu a mineração no seu interior, cancelou todas as doações de terras feitas anteriormente, proibiu o ingresso de ordens religiosas regulares e de aventureiros e criou o monopólio real sobre a extração de diamantes. O Distrito Diamantino urbanizou-se, e a complexidade da economia e da sociedade aprofundou-se e tornou-se visível. Durante 73 anos, a Coroa lucrou com os diamantes extraídos da região.

O declínio da produção aurífera

- O auge da exploração aurífera das Minas Gerais ocorreu na década de 1730. Daí em diante, a extração foi decaindo. Mesmo assim, no final do século XVIII, o montante de ouro encontrado em Minas Gerais não era desprezível. Se considerarmos a quantidade de ouro extraída não só em Minas Gerais, mas também em Goiás e Mato Grosso, a queda geral dos rendimentos da Coroa portuguesa com a mineração do Brasil só começou a ocorrer em meados da década de 1750, quando também a exploração das jazidas do Centro-Oeste começou a decair.

Cálculo aproximado da produção de ouro em Minas Gerais, Goiás e Mato Grosso no século XVIII (kg)

Anos	Minas Gerais	Goiás	Mato Grosso
1730-1734	7.500	1.000	500
1735-1739	10.637	2.000	1.500
1740-1744	10.047	3.000	1.100
1745-1749	9.712	4.000	1.100
1750-1754	8.780	5.880	1.100
1755-1759	8.016	3.500	1.100
1760-1764	7.399	2.500	600
1765-1769	6.659	2.500	600
1770-1774	6.179	2.000	600
1775-1779	5.518	2.000	600
1780-1784	4.884	1.000	400
1785-1789	3.511	1.000	400

Fonte: PINTO, Virgilio Noya. *O ouro brasileiro e o comércio anglo-português: uma contribuição aos estudos da economia atlântica no século XVIII*. São Paulo: Nacional, 1979. In: SOUZA, Laura de Mello e. *Desclassificados do ouro*: a pobreza mineira no século XVIII. Rio de Janeiro: Graal, 1982. p. 48.

O barroco mineiro

- A riqueza mineral e a vida urbana incentivaram a cultura nas Minas Gerais. Com a influência da Contrarreforma, surgiu, naquela região, o **barroco**, estilo artístico e literário de forte teor católico e de muito detalhismo. Dentre os artistas da região mineradora, destacaram-se Manuel da Costa Athaíde e Antonio Francisco Lisboa, conhecido como Aleijadinho.
- Na literatura, despontaram Basílio da Gama, autor de um grande poema épico, *O Uruguay* (1769), frei Santa Rita Durão, autor do poema *Caramuru* (1781), e Tomás Antônio Gonzaga, autor de *Marília de Dirceu* (1792) e, provavelmente, das *Cartas chilenas*, um longo poema satírico que criticava as autoridades metropolitanas de Minas Gerais.

WERNER HUDHART/KINO - IGREJA DE SÃO FRANCISCO DE ASSIS, OURO PRETO

Nossa Senhora da Conceição, pintura de Manuel da Costa Athaíde no teto da Igreja de São Francisco de Assis, em Ouro Preto (MG). Foto de 2003.

No Vestibular

1. (Unicamp-SP)

"O termo 'feitor' foi utilizado em Portugal e no Brasil colônia para designar diversas ocupações. Na época da expansão marítima portuguesa, as feitorias espalhadas pela costa africana e, depois, pelas Índias e pelo Brasil tinham feitores na direção dos entrepostos com função mercantil, militar, diplomática. No Brasil, porém, o sistema de feitorias teve menor significado do que nas outras conquistas, ficando o termo 'feitor' muito associado à administração de empresas agrícolas."

VAINFAS, Ronaldo (Org.). *Dicionário do Brasil colonial*. Rio de Janeiro: Objetiva, 2000. p. 222. (adaptado)

a) Indique características do sistema de feitorias empreendido por Portugal.

b) Qual a produção agrícola predominante no Brasil entre os séculos XVI e XVII? Quais as funções desempenhadas pelo feitor nessas empresas agrícolas?

2. (Uepa) Analisando-se o mapa abaixo, pode-se afirmar que:

Os diferentes territórios que já tiveram o nome de Brasil

Fonte: DIAMANTINO, Pereira. *Geografia*: ciências e espaço. São Paulo: Atual, 1993. v. 2. p. 147.

a) a primeira forma de divisão do território brasileiro foram as sesmarias, nas quais o cultivo era o elemento básico para se garantir a posse da terra, o que resultou na grande produtividade e ocupação territorial no início da colonização do país, dando origem às capitanias hereditárias.

b) as capitanias hereditárias foram implementadas pela corte portuguesa, como forma alternativa de transferir para a iniciativa privada a árdua tarefa de colonizar o Brasil, o que permitiu o cumprimento do uso social da terra, que é fixar o homem no campo e garantir o alimento da população.

c) as províncias, nome dado às unidades territoriais na época do Império, originaram-se a partir do domínio produtivo das terras espanholas e do desmembramento das antigas capitanias hereditárias, garantindo ao país a configuração de suas atuais fronteiras internacionais.

d) a maioria dos estados brasileiros originou-se a partir das antigas províncias, o que proporcionou uma pacífica formação do território, garantindo ao país a integridade das fronteiras nacionais e um maior aproveitamento de sua base produtiva.

e) a atual configuração das fronteiras dos estados brasileiros resulta de um processo histórico, marcado por anexações e fragmentações territoriais que consolidaram o poder político das elites locais e regionais, muitas das quais concentram as terras mais produtivas do país.

3. (PUC-SP) A utilização de escravos negros africanos teve papel bastante importante na colonização das Américas porque:

a) diminuiu a produtividade na agricultura, dada a baixa capacidade de trabalho dos africanos, implicando declínio da lavoura açucareira, como se pode notar no Nordeste brasileiro e no Caribe.

b) facilitou a busca de metais nobres, principal objetivo dos colonizadores, em virtude da falta de habilidade dos africanos na procura e localização de minas e no manejo dos instrumentos de mineração.

c) ofereceu mercado para os produtos primários das colônias, como se pode notar no crescimento intenso do consumo no sul dos Estados Unidos, onde se utilizava mão de obra escrava.

d) garantiu acumulação de capital nas metrópoles, em virtude dos ganhos obtidos no tráfico, que envolvia desde a aquisição de negros na África até sua venda para o trabalho escravo na América.

e) impediu a escravização do índio e assegurou a persistência de grandes comunidades indígenas, como se pode notar nas regiões dos antigos impérios Inca, Maia e Asteca, que se mantiveram intocadas pelo espanhol.

4. (Vunesp)

"No Brasil, costumam dizer que para os escravos são necessários três PPP, a saber, pau, pão e pano. E, posto que comecem mal, principiando pelo castigo que é o pau, contudo, prouvera a Deus que tão abundante fosse o comer e o vestir como muitas vezes é o castigo."

ANTONIL, André João. *Cultura e opulência do Brasil por suas drogas e minas*, 1711.

a) Qual é a crítica ao sistema escravista feita pelo autor do trecho apresentado?

b) Indique dois motivos que explicam a introdução da escravidão negra na porção americana do Império Português.

5. **(Fuvest-SP)** A exploração dos metais preciosos encontrados na América portuguesa, no final do século XVII, trouxe importantes consequências tanto para a colônia quanto para a metrópole. Entre elas:

a) o intervencionismo regulador metropolitano na região das minas, o desaparecimento da produção açucareira do Nordeste e a instalação do Tribunal da Inquisição na capitania.

b) a solução temporária de problemas financeiros em Portugal, alguma articulação entre áreas distantes da colônia e o deslocamento de seu eixo administrativo para o Centro-Sul.

c) a separação e autonomia da capitania das Minas Gerais, a concessão do monopólio da extração dos metais aos paulistas e a proliferação da profissão de ourives.

d) a proibição do ingresso de ordens religiosas em Minas Gerais, o enriquecimento generalizado da população e o êxito no controle do contrabando.

e) o incentivo da Coroa à produção das artes, o afrouxamento do sistema de arrecadação de impostos e a importação dos produtos para a subsistência diretamente da metrópole.

6. **(UEMT)** No Brasil colonial, além da produção açucareira escravista, o historiador Caio Prado Júnior (em *Formação do Brasil contemporâneo*) enumera outras atividades econômicas importantes como a mineração do século XVIII, que era também uma atividade voltada para o comércio externo.

a) Caracterize a mineração no século XVIII em termos de região geográfica, organização do trabalho e desenvolvimento urbano.

b) Cite e caracterize duas outras atividades econômicas do Brasil colonial que não eram voltadas para o comércio externo.

A colonização da América espanhola e da América do Norte

No final do século XV, a chegada dos europeus alterou profundamente a vida dos habitantes do continente americano. As pequenas comunidades e os grandes impérios pré-colombianos não conseguiram impedir o avanço dos conquistadores.

A conquista

- Em 12 de outubro de 1492, as embarcações de Colombo tocaram a ilha de Guanahani, que os espanhóis rebatizaram de São Salvador. Pelos diários de Colombo, sabemos que a ilha era habitada e os contatos com os nativos foram amistosos. No mesmo mês, os europeus prosseguiram viagem até a ilha de Cuba e, em dezembro, aportaram na Ilha Hispaniola (hoje dividida entre República Dominicana e Haiti), onde fundaram sua primeira colônia. Entre 1493 e 1494, Porto Rico e Jamaica também foram conquistados.
- Os caraíbas e os taínos (de origem arahuaca), inimigos entre si, eram os principais grupos indígenas que habitavam as ilhas do Caribe. Ambos resistiram à ocupação. As guerras, as doenças trazidas pelos europeus e o regime de trabalhos forçados, porém, praticamente os dizimaram.
- Na busca de ouro e prata, os espanhóis seguiram para oeste do Caribe e atingiram o continente pela primeira vez, em 1517, numa expedição liderada por Francisco Córdoba. Os europeus tentaram entrar na Península de Yucatán (no atual México), mas foram rechaçados pelos nativos.
- A notícia das terras, no entanto, animou o governador espanhol de Cuba, que estimulou novas expedições de reconhecimento da costa do México e organizou, sob o comando de Hernán Cortés, uma ação militar de conquista do continente.
- Em 1519, partindo de Cuba, Cortés deu início à conquista do continente americano. Com soldados, armas de fogo, cavalos e aliando-se a povos dominados pelos **astecas**, os espanhóis conquistaram aquela civilização.
- Na metade de 1520, comandados por Pizarro e Almagro, os conquistadores partiram em direção à América do Sul, na expectativa de encontrar metais preciosos na região do Rio Virú (atual Peru). Nessa região, encontraram com a **civilização inca**, que foi dominada em 1532.
- As conquistas do México e do Peru caracterizaram-se pela crueldade dos conquistadores e grande mortandade de nativos. Apesar disso, foram consideradas um instrumento de conversão dos nativos ao cristianismo.

Conteúdo digital Moderna PLUS http://www.modernaplus.com.br
Mapa animado: Os núcleos da ocupação espanhola

Controle e administração das colônias

- Concluída a conquista militar, a Coroa viu a necessidade de regular a exploração das colônias. Com sede na Espanha, a **Casa de Contratação** (1503) foi criada para organizar a colonização e regulamentar o comércio. Para isso, estabeleceu-se o exclusivo metropolitano para o comércio comercial, segundo o qual as colônias só podiam comercializar com suas respectivas metrópoles.
- Para ordenar a administração, a Coroa criou o **Conselho das Índias** (1524), responsável pela legislação colonial e pelo controle dos funcionários reais, e os vice-reinos da Nova Espanha (1535), do Peru (1544), da Nova Granada (1717) e do Rio da Prata (1776).
- Além disso, houve um aumento na quantidade de funcionários administrativos para aprimorar a fiscalização da riqueza extraída. No entanto, isso não foi suficiente para coibir o poder das elites locais, que mantiveram o controle nas vilas e municípios, onde a administração ficava a cargo dos **cabildos**, espécie de Câmara Municipal.

A divisão administrativa da América espanhola (século XVIII)

Fonte: DUBY, Georges. *Atlas historique*. Paris: Larousse, 1987. p. 282.

A sociedade colonial espanhola

- Na sociedade colonial espanhola, além de índios e escravos africanos, havia os ***chapetones*** (colonos brancos nascidos na Espanha que participavam do comércio exterior, tinham terras e minas e ocupavam os principais cargos da administração colonial), os ***criollos*** (descendentes de europeus nascidos na América; tinham riqueza, mas pouco prestígio e poder) e os **mestiços** (filhos de espanhóis com nativas; eram homens livres, mas em geral pobres).

Trabalho e economia

- A mineração foi a atividade econômica mais importante na América espanhola. As minas eram consideradas propriedades do rei, que concedia o direito de exploração em troca do **quinto** (20% da riqueza extraída).
- A mineração estimulou o surgimento de cidades e a abertura de estradas, que serviam para o abastecimento dos núcleos urbanos e escoamento da produção mineral e agrícola para os portos marítimos.
- As terras indígenas também foram gradativamente expropriadas por espanhóis ou *criollos*, que criaram a ***hacienda***, grande propriedade rural que passou a abastecer a colônia e exportar sua produção.
- A mão de obra mais utilizada pelos espanhóis foi a indígena, empregada nas minas, na agricultura e nas obras públicas. Ela foi organizada através da *encomienda* (os colonos empregavam o trabalho indígena em suas terras e, em troca, asseguravam a alimentação e a catequese aos índios) e do *repartimiento* (líderes nativos indicavam membros da comunidade para prestarem serviços, ocasionando a desagregação da aldeia).

Ingleses na América

- A colonização inglesa da América do Norte foi promovida por iniciativas particulares e autônomas. Os primeiros colonos que chegaram, no século XVII, eram protestantes puritanos que fugiam de perseguições religiosas na Inglaterra. Eles também escapavam do desemprego, da violência, das cidades superpovoadas e de outros problemas. Conhecidos como "pais peregrinos", eles idealizaram construir uma sociedade mais justa e fraterna no Novo Mundo.
- Porém, muitos que se interessavam por sair da Inglaterra nem sempre tinham condições de pagar a viagem pelo Oceano Atlântico. A própria Coroa inglesa não tinha os recursos necessários para promover a travessia oceânica. Dessa forma, em 1606, o rei Jaime I autorizou que dois grupos de mercadores de Londres e de Plymouth constituíssem companhias de comércio para explorar o tráfego em direção à América e organizar sua colonização.
- A ocupação regular do continente foi marcada pela chegada do Mayflower. A partir disso, vários núcleos de ocupação começaram a ser fundados no litoral atlântico, até se formarem, em meados do século XVIII, as **treze colônias** da América inglesa.

As colônias do norte e do centro

- As colônias do norte e do centro eram mais urbanizadas, tinham pequenas propriedades rurais policultoras (grãos e frutas), voltadas à subsistência, e uma indústria artesanal. Além disso, praticavam a pecuária de pequeno porte, a caça, a pesca e a extração de madeira. Geralmente, empregavam a mão de obra familiar.
- A mais importante relação comercial estabelecida entre as colônias do norte e do centro com outros países foi o **comércio triangular**. Por meio dele, os comerciantes do norte adquiriam açúcar, melaço e rum em colônias caribenhas e os trocavam por escravos na África. Esses escravos trazidos para a América eram vendidos para as colônias do Caribe ou do sul da América inglesa.

As treze colônias inglesas na América

Fonte: *Atlas histórico escolar*. 8. ed. Rio de Janeiro: FAE, 1986. p. 62.

Nova York foi originalmente colonizada por holandeses, que a nomearam Nova Amsterdã. Em 1664, a Ilha de Manhattan, centro da ocupação holandesa, passou para o domínio inglês.

As colônias do sul

- No sul, a economia era essencialmente agrária e exportadora. O clima temperado favoreceu as grandes plantações (trigo, tabaco e algodão), geralmente monocultoras, para abastecer o mercado externo, principalmente a Inglaterra, de onde importavam manufaturas. Nessas terras, utilizava-se predominantemente o trabalho escravo africano, conseguido com o comércio triangular. Dessa forma, prevalecia o sistema de ***plantation***.

O comércio triangular

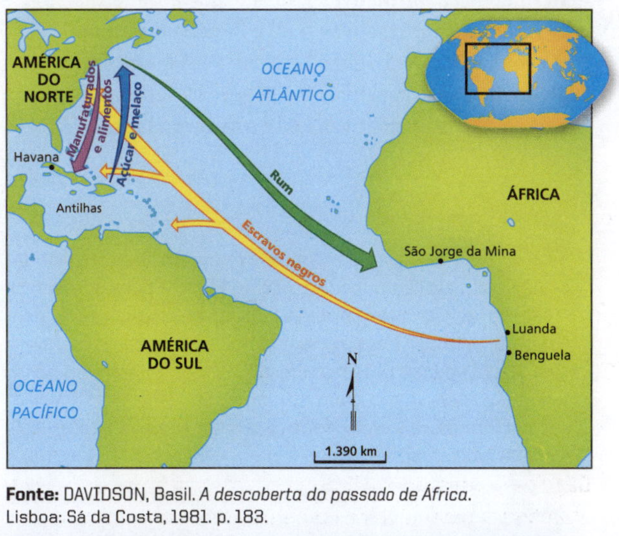

Fonte: DAVIDSON, Basil. *A descoberta do passado de África*. Lisboa: Sá da Costa, 1981. p. 183.

No Vestibular

1. (UEL-PR)

"[...] Os índios, arrancados à força das comunidades de todo o Peru, passam o domingo nos currais, dançando ao redor de tambores e bebendo a *chicha* até rodar pelo chão. Ao amanhecer da segunda-feira são arrastados morro adentro e mascando coca perseguem, a golpes de picareta, as veias de prata, serpentes alviverdes que aparecem e fogem pelas tripas deste ventre imenso, nenhuma luz, ar nenhum. Ali trabalham os índios a semana inteira, prisioneiros, respirando pó que mata os pulmões e mascando a coca que engana a fome e disfarça o esgotamento, sem saber quando anoitece nem quando amanhece, até que no fim do sábado soa o toque de oração e saída. Avançam então, abrindo caminho com velas acesas, e emergem domingo ao amanhecer, que são assim fundas as covas e os infinitos túneis e galerias. [...]"

GALEANO, Eduardo. *Memória do Fogo (I)*. Rio de Janeiro: Nova Fronteira, 1986. p. 254-255.

Com base no texto e nos conhecimentos sobre o tema da mineração na América colonial hispânica, considere as seguintes afirmativas.

I. Ao longo dos primeiros duzentos anos de dominação colonial, os espanhóis desenvolveram um setor mineiro que permitiu a manutenção da economia metropolitana e a posição espanhola em meio às demais nações da Europa Ocidental.

II. Os metais americanos inundaram a Espanha e favoreceram o desenvolvimento da produção, permitindo a independência espanhola em artigos manufaturados, que eram repassados ao Novo Mundo.

III. A escravidão africana foi introduzida como meio de fazer render ao máximo as minas de Potosí (Alto Peru, atual Bolívia), posto que os índios recrutados nessa região, através da *mita*, eram poucos e não se adaptaram ao trabalho.

IV. As condições de trabalho dos índios nas minas de Potosí eram insanas, o que acarretava doenças como a pneumonia.

Assinale a alternativa correta.

a) Apenas as afirmativas I, II e III são verdadeiras.
b) Apenas as afirmativas II, III e IV são verdadeiras.
c) Apenas as afirmativas I e II são verdadeiras.
d) Apenas as afirmativas II e III são verdadeiras.
e) Apenas as afirmativas I e IV são verdadeiras.

2. (Fuvest-SP)

"O ouro e a prata que os reis incas tiveram em grande quantidade não eram avaliados [por eles] como tesouro porque, como se sabe, não vendiam nem compravam coisa alguma por prata nem por ouro, nem por eles pagavam os soldados, nem os gastavam com alguma necessidade que lhes aparecesse; tinham-nos como supérfluos, porque não eram de comer. Somente os estimavam por sua formosura e esplendor e para ornamento [das casas reais e ofícios religiosos]."

VEGA, Garcilaso de la. *Comentários reais*, 1609.

Com base no texto, aponte:

a) as principais diferenças entre o conjunto das ideias expostas no texto e a visão dos conquistadores espanhóis sobre a importância dos metais preciosos na colonização.

b) os princípios básicos do mercantilismo.

3. (Fuvest-SP) Comparando as colônias da América portuguesa e da América espanhola, pode-se afirmar que:

a) as funções dos *encomenderos* foram idênticas às dos colonos que receberam sesmarias no Brasil.
b) a mão de obra escrava africana foi a base de sustentação das atividades mineradoras, em ambas as colônias.
c) a atuação da Espanha, diferente da de Portugal, foi contrária às diretrizes mercantilistas para suas colônias.
d) as manufaturas têxteis foram proibidas por ambas as Coroas, e perseguidas as tentativas de sua implantação.
e) as atividades agrárias e mineradoras se constituíram na base das exportações das colônias das duas Américas.

4. (Unicamp-SP)

"Depois da conquista da América pelos espanhóis, ocorreu uma explosão populacional de gado, porcos, carneiros e cabras, os quais causaram grandes danos às plantações de milho indígenas, que não eram protegidas. As medidas tomadas pela população indígena eram, muitas vezes, ineficazes. Os conquistadores preferiam o gado. Bois e carneiros eram protegidos pela lei, pelos costumes e pelo sentimento espanhóis. As leis que protegiam a pecuária na Península Ibérica foram exportadas para o México e permitiam que o gado pastasse em propriedade alheia. Os animais destruidores eram, afinal, propriedade dos vitoriosos; a agricultura, dos derrotados."

MAXWELL, Kenneth. Morte e sobrevivência. *Folha de S.Paulo*, 11 ago. 2002, Mais!. p. 8.

a) Segundo o texto, por que a agricultura indígena foi prejudicada após a conquista da América?

b) Indique dois outros efeitos da conquista da América sobre as populações indígenas.

5. (Uepe)
"... estabeleceram-se ali pequenos proprietários que produziam, a princípio, para a sua subsistência e depois, pouco a pouco, para as plantações escravistas do sul do país e para a área das Antilhas. A produção não foi a típica da *plantation* mas bastante diversificada – madeiras, cereais, manufaturados – e, o que é mais importante, os lucros tenderam a se concentrar na colônia...".

O texto identifica a colonização:

a) holandesa, na América Latina.
b) inglesa, na América do Norte.
c) espanhola, na América Central.
d) portuguesa, na América do Sul.
e) francesa, na América Anglo-Saxônica.

6. (UEMT) A colonização portuguesa do Brasil e a colonização inglesa do norte e do centro da América do Norte, assim como os seus respectivos movimentos de independência política, distinguiram-se em inúmeros aspectos. Que designação é utilizada para um e outro processo colonizador, o português e o inglês?

7. (UFRGS-RS) A conquista colonial inglesa resultou no estabelecimento de três áreas com características diversas na América do Norte. Com relação às chamadas "colônias do sul" é **correto** afirmar.

a) Baseava-se, sobretudo, na economia familiar e desenvolveu uma ampla rede de relações comerciais com as colônias do norte e com o Caribe.
b) Baseava-se numa forma de servidão temporária que submetia os colonos pobres a um conjunto de obrigações em relação aos grandes proprietários de terras.
c) Baseava-se numa economia escravista voltada principalmente para o mercado externo de produtos, como o tabaco e o algodão.
d) Consolidou-se como o primeiro grande polo industrial da América com a transferência de diversos produtores de tecidos vindos da região de Manchester.
e) Caracterizou-se pelo emprego de mão de obra assalariada e pela presença da grande propriedade agrícola monocultora.

8. (Vunesp) Na Idade Moderna, o processo de colonização europeia das regiões do continente americano não foi uniforme. Pode-se distingui-las em áreas de:

a) colônia de povoamento, ocupada por contingentes de escravos africanos, e de colônia de exploração indígena.
b) colônia de exploração, baseada na escravidão e na grande propriedade agrícola, e de colônia de povoamento.
c) produção e de exportação de mercadorias manufaturadas e de importação de matérias-primas europeias.
d) domínios políticos, com a submissão da população local, e de domínios econômicos, sendo garantida a liberdade indígena.
e) exploração econômica de recursos naturais e de catequese das populações nativas por missionários cristãos.

O iluminismo e a formação dos Estados Unidos

Com o Renascimento e os avanços da ciência, a fé perdeu espaço para a razão. A independência dos Estados Unidos é um exemplo dos movimentos que se inspiraram nesses ideais.

O movimento iluminista

- Surgido na França, o iluminismo difundiu-se pela Europa ao longo do século XVIII e caracterizou-se por responsabilizar a fé, a Igreja e a tradição pela ignorância, pelo atraso material e pela sobrevivência das velhas estruturas feudais. Nesse contexto, os filósofos iluministas acreditavam que somente por meio do conhecimento racional e do avanço da ciência e da técnica o homem poderia se livrar da ignorância e dos obstáculos do Antigo Regime que impediam sua emancipação do dogmatismo religioso e da opressão política. Essas ideias eram divulgadas pelos jornais, livros e debates públicos.
- Um dos fatores que contribuíram para difundir as ideias iluministas foi o aumento da circulação de livros e outros escritos. Entre 1700 e 1789, centenas de periódicos foram criados somente na França. Só nos últimos seis meses de 1789, o ano da Revolução, foram fundados 250 novos jornais, um dado surpreendente considerando que a maioria da população francesa não era alfabetizada.
- O hábito da leitura pública também é um dos fatores que explicam a difusão do iluminismo. Nos salões aristocráticos, nos clubes sociais, nos cafés, nas oficinas e até mesmo na praça pública era comum a leitura em voz alta de livros populares ou jornais para que todos pudessem ouvir e dela se beneficiar.
- O debate de ideias, que se difundiu em alguns centros urbanos da Europa do século XVIII, não se orientava pelos dogmas religiosos da Igreja Católica nem pelos interesses políticos desse ou daquele governante. Essa nova experiência resultou no surgimento de uma **esfera pública** de discussão, na qual os cidadãos podiam se encontrar para manifestar suas opiniões a respeito de determinados assuntos que lhes diziam respeito, sem a necessidade de submeter seu ponto de vista à aprovação da religião ou da política vigente.
- A criação desses espaços de discussão e a divulgação das ideias iluministas encontraram resistência. O Estado e a Igreja mantinham vigilância e censura sobre o comportamento e os escritos em circulação. Para tentar evitá-las, organizavam-se comunidades clandestinas de livreiros, que imprimiam livros em segredo ou os contrabandeavam do exterior. Por esse meio, circulavam desde obras que criticavam a moral vigente, como os romances do marquês de Sade (1740-1814), até obras de filósofos iluministas, como Voltaire (1694-1778) e Jean-Jacques Rousseau (1712-1778).

Propostas iluministas

- Os iluministas acreditavam que a educação era um poderoso instrumento de transformação dos indivíduos e da sociedade. Eles partiam do princípio de que o homem era, ao nascer, uma "tábula rasa" e que o seu comportamento era definido pela vida em sociedade. Por isso o processo educacional era de grande importância. O filósofo francês Jean-Jacques Rousseau foi um dos mais notáveis defensores desse princípio.
- No Antigo Regime, o ensino era restrito e estava sob a responsabilidade da Igreja Católica. Não havia um sistema público nem universal de ensino. Contrapondo-se a isso, alguns iluministas defendiam uma educação gratuita, obrigatória e livre da influência religiosa. Acreditavam, também, na necessidade de incluir história e as ciências no currículo escolar, disciplinas que eram consideradas importantes no combate aos dogmas da religião.
- Em relação ao modelo político, alguns pensadores iluministas eram favoráveis à monarquia constitucional (Voltaire e Montesquieu, por exemplo), enquanto outros defendiam a república (Kant). Tinham em comum a rejeição ao absolutismo, e ensinavam que cabia ao governante promover o bem-comum na sociedade. Se isso não ocorresse, cabia ao povo o direito de rebelar-se. Essas ideias estiveram presentes em inúmeros movimentos, como na independência dos Estados Unidos e na Revolução Francesa.

Retrato de Jean-Jacques Rousseau, pintura de Maurice Quentin de La Tour, século XVIII.

O despotismo esclarecido

- Alguns governantes absolutistas apropriaram-se dos princípios iluministas, que eram transformados em reformas jurídicas e sociais, para racionalizar as instituições estatais e, ao mesmo tempo, preservar a monarquia absolutista. Essa prática centralizadora ficou conhecida como **despotismo esclarecido**.
- Isso aconteceu na Áustria (José II), na Prússia (Frederico II), na Rússia (Catarina II) e em Portugal (marquês de Pombal). As reformas, porém, não democratizaram esses países, ou seja, não deram maior liberdade nem participação política ao povo.
- Em Portugal, por exemplo, o ministro marquês de Pombal renovou o ensino, aprimorou o comércio exterior e modernizou a administração. No Brasil, que era colônia portuguesa, essas modificações refletiram-se mais no ensino (que passou a ser laico), nas relações entre governo e Igreja (os jesuítas foram expulsos do país) e nas Companhias de Comércio, que regulamentaram as exportações e importações.

A independência dos Estados Unidos

- No início da colonização, a metrópole inglesa não visava explorar riquezas nas suas colônias americanas. Os colonos deviam fidelidade ao rei, porém, tinham relativa autonomia jurídica e administrativa e pagavam tributos moderados. Essa situação mudou a partir da década de 1760, quando a Inglaterra interessou-se em fazer das colônias potenciais mercados consumidores de seus produtos industrializados e fontes de matérias-primas.
- Nesse contexto, a Inglaterra travou a **Guerra dos Sete Anos** (1756 a 1763) contra a França, e mesmo vitoriosa entrou em crise financeira devido aos gastos militares. Para recompor suas finanças, os ingleses impuseram tributações aos colonos, como a Lei do Melaço (1733), a Lei do Selo (1765), a Lei do Chá (1773), entre outras.
- Inspirados pelas ideias liberais do iluminismo, os colonos rejeitaram essas leis por considerá-las abusivas. Contando com o apoio da França, os colonos lutaram pela independência. No dia 4 de julho de 1776, a luta foi consumada pela **Declaração de Independência**.
- Os ingleses reconheceram a independência em 1783, com a assinatura do Tratado de Paris. Em 1787 foi promulgada uma Constituição, que é válida até hoje. O *Bill of Rights*, aprovado em 1789, é um conjunto de emendas que, entre outras coisas, estabelece que todos os norte-americanos têm direito à liberdade de imprensa, expressão e crença.

Expansão e guerra

- Alcançada a independência, os norte-americanos expandiram-se rumo ao sul e ao oeste. Novos territórios foram incorporados após guerras, compras e acordos diplomáticos.
- Em relação ao oeste, os Estados Unidos investiram na sua conquista ao descobrir ouro na região. Com o ***Homestead Act*** (1862), estabelecia-se a concessão de terras a preços muito baixos a todos que quisessem se estabelecer na região.
- Consolidou-se, assim, a formação de um país com litoral no Atlântico e no Pacífico, como pretendia o **Destino Manifesto**. Esse vasto território foi integrado por meio de ferrovias e canais fluviais, que ligavam os rios mais importantes.
- Apesar da conquista, o expansionismo para o oeste provocou choques com civilizações indígenas, que foram exterminadas ou obrigadas a viverem confinadas em reservas federais, ou seja, áreas concedidas pelo governo dos Estados Unidos.

Conteúdo digital Moderna PLUS http://www.modernaplus.com.br
Mapa animado: A formação dos Estados Unidos

Expansão territorial norte-americana (século XIX)

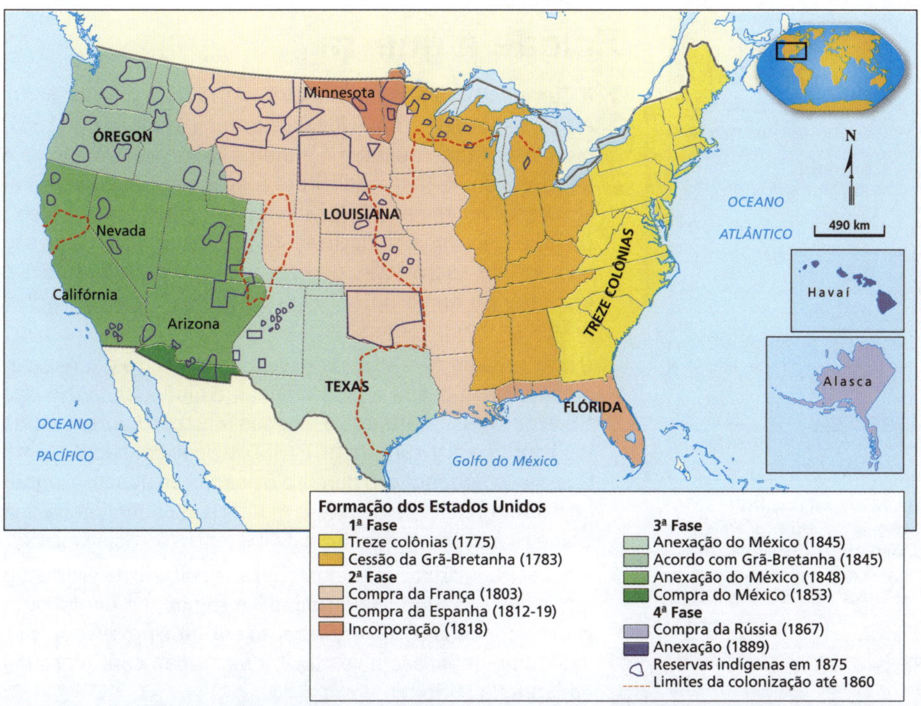

Fonte: VIDAL-NAQUET, Pierre; BERTIN, Jacques. *Atlas histórico*: da Pré-história aos nossos dias. Lisboa: Círculo de Leitores, 1990. p. 233.

Diferenças entre o sul e o norte

- A expansão para o oeste pareceu atenuar, durante algum tempo, a tensão entre o sul e o norte do país, mas, na verdade, apenas acirrou as diferenças e a disposição para o conflito. Tanto nortistas quanto sulistas que avançavam para o Pacífico buscavam reproduzir os modelos de suas sociedades de origem e articular a economia da nova região de acordo com seus interesses.
- Havia muitas divergências entre os estados do norte e do sul. Uma delas derivava da diferente vocação econômica das duas partes. O norte, industrialista, desejava implementar uma política econômica que protegesse a produção industrial e assegurasse a manutenção e a ampliação do mercado interno. Para tanto, defendia tributação alta para a importação de manufaturados e industrializados. Pretendia, assim, ampliar o consumo de seus produtos dentro dos Estados Unidos.
- O sul, agrário, até o princípio do século XIX, dos manufaturados e industrializados vindos da Europa, que garantiam o abastecimento da região e mantinham o preço mais baixo em virtude da concorrência com os produtos gerados nos estados do norte.
- Os fazendeiros sulistas sentiam-se prejudicados pela política econômica e insistiam que parte dos recursos governamentais utilizados na modernização do oeste fosse aplicada no sul para promover a industrialização, o que aumentaria a oferta de empregos para a população branca pobre da região. O maior ponto de discórdia entre o norte e o sul consistia na escravidão.
- Já durante a elaboração da Constituição, alguns nortistas defenderam a abolição da escravidão. O tema, no entanto, ficou fora do texto constitucional porque era impossível obter qualquer consenso em torno dele. Durante a expansão territorial, a divergência se agravou. Os estados do norte impediram a escravidão nas áreas lideradas por eles, como as terras situadas a noroeste da faixa atlântica.

	1860		1870	
Estados	Brancos	Negros e mulatos escravos	Brancos	Negros e mulatos escravos
Alabama	526.271	435.080	521.384	–
Carolina do Sul	291.300	402.406	289.667	–
Louisiana	357.456	331.726	362.065	–
Michigan	736.142	–	1.167.282	–
Mississípi	353.899	436.631	382.896	–
Nova York	3.831.590	–	4.330.210	–
Ohio	2.302.808	–	2.601.946	–
Pensilvânia	2.849.259	–	3.456.609	–

Fonte: Censos populacionais de 1860 e 1870. WALKER, Francis A. *The Statistics of the Population of United States, Embracing the Tables of Race, Nationality, Sex, Selected Ages and Occupations*. Washington: Government Printing Office, 1872. U. S. Census Bureau. Disponível em http://www.census.gov. Acesso em 6 nov. 2009.

Conteúdo digital Moderna PLUS http://www.modernaplus.com.br
Filme: *O nascimento de uma nação*. Diretor: D. W. Griffith. EUA, 1915

THE GRANGER COLLECTION/OTHER IMAGES – COLEÇÃO PARTICULAR

Nossas peculiares instituições domésticas, gravura de 1840. Nessa charge, o sul dos Estados Unidos foi representado como uma sociedade de vício, violência e crueldade.

Federalismo e escravidão

- No sul, a defesa do escravismo persistia, e alguns políticos afirmavam que, enquanto houvesse escravos, os brancos não consumiriam seus esforços em conflitos sociais e poderiam dedicar-se integralmente à produção e à manutenção de instituições políticas democráticas. De acordo com essa visão, a existência de escravos impedia o surgimento de conflitos entre patrões e empregados.
- O federalismo permitia, pela ampla autonomia que oferecia aos estados, a manutenção de posturas muito diferentes e dava a eles o direito de definir a legalidade ou não da utilização da mão de obra escrava. A disposição federalista incluía ainda um esforço para manter o equilíbrio, no Congresso, entre representantes de estados escravistas e de estados abolicionistas.
- Nas eleições de 1860, o candidato abolicionista Abraham Lincoln foi eleito presidente ao obter 40% dos votos. A reação sulista à vitória de um abolicionista foi imediata. Parte dos políticos da região passou a defender a saída da federação e a constituição de outro país.

Eclode a guerra

- A Carolina do Sul foi o primeiro estado a deixar a União, em dezembro de 1860. Nos dois primeiros meses de 1861, quatro estados sulistas (Alabama, Geórgia, Louisiana e Mississípi) e o Texas aderiram à secessão e anunciaram a criação de um novo país. Sob a presidência de Jefferson Davis e com uma Constituição que assegurava a continuidade da escravidão, os Estados Confederados do Sul ganharam o apoio de Carolina do Norte, Virgínia, Flórida, Arkansas e Tennessee.
- O norte reagiu para impedir a divisão e iniciou a guerra, que se anunciava desde a proclamação da independência das treze colônias. A luta entre ianques (norte) e confederados (sul) durou quatro anos (1861-1865) e ficou conhecida como **Guerra de Secessão**. O conflito transcorreu quase integralmente em território sulista e mostrou, pelo menos na sua primeira metade, o equilíbrio militar entre os dois lados.
- A maior capacidade militar nortista, resultado da produção de armas e da industrialização da região, só começou a prevalecer após 1863. A guerra, no entanto, prosseguiu por mais dois anos, até a rendição das tropas confederadas em abril de 1865.

Recursos dos dois lados na guerra civil

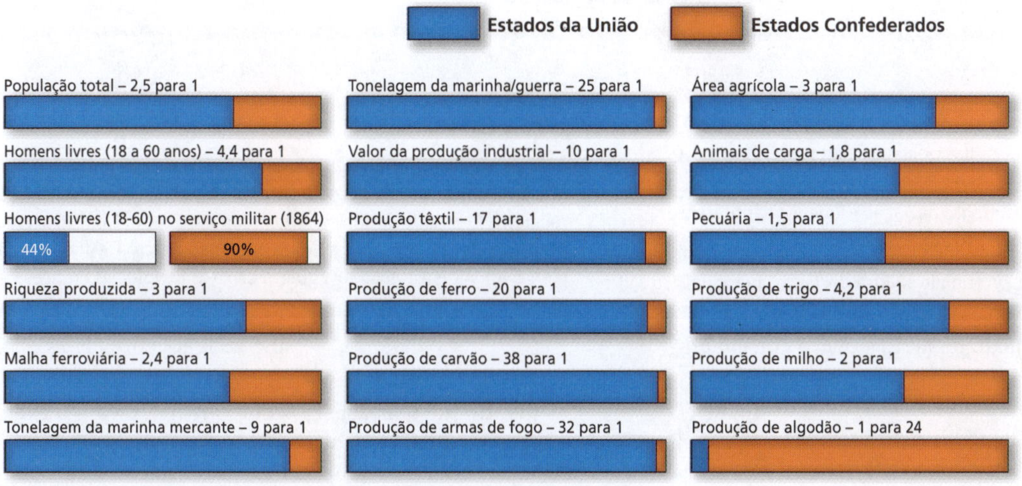

Fonte: *Atlas da história do mundo*. São Paulo: Times/Folha de S.Paulo, 1995. p. 219.

A abolição da escravidão nos Estados Unidos

- Três meses antes da capitulação do sul, a escravidão foi proibida nos Estados Unidos por meio da 13ª emenda à Constituição. Na verdade, Lincoln já havia decretado o fim do trabalho escravo dois anos antes, ainda durante a guerra civil. A formalização constitucional, porém, só ocorreu na iminência do fim da guerra. Cerca de quatro milhões de escravos foram então libertados em todos os estados da União.
- Os ex-escravos tiveram dificuldades sérias para encontrar seu lugar na sociedade do pós-guerra. O respeito à lei e o reconhecimento da igualdade, no entanto, não ocorriam. Os negros tinham direitos limitados em várias partes do país. Na Louisiana, por exemplo, a introdução do sufrágio para os homens negros, em 1866, provocou conflitos abertos, que se estenderam a outros estados do sul e resultaram em mais de duzentos mortos e feridos.
- A situação se repetia no caso do direito à propriedade e ao trabalho. Códigos legais editados em 1865 e 1866 garantiam o direito de propriedade aos negros e lhes permitiam recorrer à justiça em casos de litígio, assegurando os mesmos direitos e possibilidades dos cidadãos brancos. Ao mesmo tempo, vetavam aos negros o exercício de cargos públicos, proibiam o porte de armas e limitavan. o acesso a postos de trabalho ocupados por brancos.
- Em diversos estados, principalmente do sul, leis específicas proibiam que negros frequentassem os mesmos restaurantes e bares que os brancos, que andassem pelas mesmas calçadas ou utilizassem os mesmos meios de transporte público.

A fronteira avança para o sul

- Após a vitória na Guerra de Secessão, o predomínio político dos estados do norte permitiu-lhes definir as bases da política econômica norte-americana. O esforço de incrementar a indústria passou a ser um dos principais objetivos do governo. A produção voltou a crescer após os primeiros anos da reconstrução e, com ela, a necessidade de obter novos mercados consumidores.
- Em 1823, o presidente dos Estados Unidos James Monroe afirmou que os países americanos deveriam proteger-se da influência europeia. Essa declaração ficou conhecida como **Doutrina Monroe**, que estava sintetizada na frase "A América para os americanos". Afirmava-se, portanto, a necessidade de uma aliança entre os países da América e a autonomia dos países americanos. Dessa forma, os Estados Unidos assumiram uma política expansionista na América Latina, vista como um potencial mercado consumidor.

Estados Unidos na América Latina

- Um exemplo dessa expansão foi a intervenção dos Estados Unidos no processo de independência de Cuba, em 1898. Com essa ajuda, Cuba tornou-se oficialmente autônoma, mas as tropas norte-americanas continuaram no país. Com a **Emenda Platt**, os Estados Unidos foram autorizados a atuar militarmente na ilha, com a justificativa de serem protetores e garantidores da estabilidade interna.
- No governo de Roosevelt (1901-1909), a ação intervencionista tornou-se regular. Foi implantada a política do **Big Stick**, que combinava o uso da força militar norte-americana e de ações diplomáticas nos países latino-americanos. Foi dessa forma que os Estados Unidos controlaram países do Caribe e da América Central, entre o final do século XIX até meados do século XX.

THE BRIDGEMAN ART LIBRARY/GRUPO KEYSTONE – COLEÇÃO PARTICULAR

O policial do mundo, charge representando o presidente norte-americano Theodore Roosevelt como um policial gigante sobre dois continentes.

No Vestibular

1. (PUC-PR)

"A autoridade do príncipe é limitada pelas leis da natureza e do Estado [...] O príncipe não pode, portanto, dispor de seu poder e de seus súditos sem o consentimento da nação e independentemente da escolha estabelecida no contrato de submissão [...]"

DIDEROT. Autoridade política. In: *Enciclopédia*, 1751.

Tendo por base esse texto da *Enciclopédia*, é correto afirmar que o autor:

a) pressupunha, como os demais iluministas, que os direitos de cidadania política eram iguais para todos os grupos sociais e étnicos.
b) propunha o princípio político que estabelecia leis para legitimar o poder republicano e democrático.
c) apoiava uma política para o Estado, submetida aos princípios da escolha dos dirigentes da nação, por meio do voto universal.
d) acreditava, como os demais filósofos do iluminismo, na revolução armada como único meio para a deposição de monarcas absolutistas.
e) defendia, como a maioria dos filósofos iluministas, os princípios do liberalismo político que se contrapunham aos regimes absolutistas.

2. (UFSE) As ideias iluministas atingiram até mesmo alguns monarcas absolutos, que trataram de empreender reformas inspiradas pelas luzes. Dentre os soberanos apontados abaixo, qual **não** pode ser considerado um déspota esclarecido?

a) Catarina, a Grande, da Rússia.
b) José II, da Áustria.
c) Frederico II, da Prússia.
d) Gustavo Adolfo, da Suécia.
e) Carlos III, da Espanha.

3. (Ufam)

"Assim como nos governos absolutos o rei é a lei, nos países livres, a lei deve ser o rei; e não existirá outro."

Thomas Paine.

"Considero o povo que constitui a sociedade ou nação a fonte de toda autoridade [...] sendo livre para conduzir seus interesses comuns através de quaisquer órgãos que julgue adequados [...]."

Thomas Jefferson.

A independência das treze colônias inglesas da América significou:

a) o primeiro grande indicador histórico da ruína do Antigo Regime.
b) o fim da era das revoluções.
c) a superação do capitalismo monopolista.
d) a consolidação econômica da política mercantilista.
e) o desdobramento natural da Doutrina Monroe e do Destino Manifesto.

4. (UEMT)

"Dois acontecimentos que fizeram época marcam o inicio e o fim do absolutismo clássico. Seu ponto de partida foi a guerra civil religiosa. O Estado moderno ergue-se desses conflitos religiosos mediante lutas penosas, e só alcançou sua forma e fisionomia plenas ao superá-los. Outra guerra civil – a Revolução Francesa – preparou seu fim brusco."

KOSELLECK, Reinhart. *Crítica e crise.*

a) Identifique dois aspectos que caracterizavam o exercício da autoridade pelo Estado absolutista.

b) Em 1651, em meio às guerras religiosas que assolavam a Europa, o filósofo inglês Thomas Hobbes defendia a necessidade de um Estado forte como forma de controlar os sentimentos antissociais do homem. Pouco mais de um século depois, o filósofo J. J. Rousseau, em sua obra *Contrato Social* (1762), apresentou uma outra visão sobre o mesmo problema. Comente uma característica da concepção de Estado presente em Rousseau.

5. (UEL-PR) Examinando as mudanças que marcaram a passagem do século XVII para o XVIII, o historiador francês Paul Hazard disse que os novos filósofos tentaram substituir uma civilização baseada na "ideia de dever" por uma civilização baseada na "ideia de direito".

Com base nessa afirmação, e utilizando seus conhecimentos de história, explique o que o autor quer dizer com:

a) "ideia de dever":

b) civilização baseada na "ideia de direito".

6. **(Enem-MEC)** O texto a seguir, de John Locke (1632-1704), revela algumas características de uma determinada corrente de pensamento.

"Se o homem no estado de natureza é tão livre, conforme dissemos, se é senhor absoluto da sua própria pessoa e posses, igual ao maior e a ninguém sujeito, por que abrirá ele mão dessa liberdade, por que abandonará o seu império e sujeitar-se-á ao domínio e controle de qualquer outro poder?

Ao que é óbvio responder que, embora no estado de natureza tenha tal direito, a utilização do mesmo é muito incerta e está constantemente exposto à invasão de terceiros porque, sendo todos senhores tanto quanto ele, todo homem igual a ele e, na maior parte, pouco observadores da equidade e da justiça, o proveito da propriedade que possui nesse estado é muito inseguro e muito arriscado. Essas circunstâncias obrigam-no a abandonar uma condição que, embora livre, está cheia de temores e perigos constantes; e não é sem razão que procura de boa vontade juntar-se em sociedade com outros que estão já unidos, ou pretendem unir-se, para a mútua conservação da vida, da liberdade e dos bens a que chamo de propriedade."

Os pensadores. São Paulo: Nova Cultural, 1991.

Do ponto de vista político, podemos considerar o texto uma tentativa de justificar:

a) a existência do governo como um poder oriundo da natureza.
b) a origem do governo como uma propriedade do rei.
c) o absolutismo monárquico como uma imposição da natureza humana.
d) a origem do governo como uma proteção à vida, aos bens e aos direitos.
e) o poder dos governantes, colocando a liberdade individual acima da propriedade.

7. **(Mackenzie-SP)** Após o final da Guerra dos Sete Anos, leis britânicas, decretadas pelo rei Jorge III, progressivamente aumentaram as divergências entre colonos americanos e a Coroa inglesa, provocando a guerra de independência das treze colônias. Dentre os objetivos dessas leis, consideradas intoleráveis pelos colonos, destaca-se:

a) arrecadar fundos para pagar indenizações à França, devido à derrota inglesa na Guerra dos Sete Anos.
b) aumentar a receita real, impedir o contrabando e o comércio intercolonial triangular e recuperar as finanças da Companhia das Índias Ocidentais.
c) aumentar o consumo de chá e açúcar nas colônias americanas e dinamizar as exportações de manufaturas produzidas na colônia.
d) recuperar a Companhia das Índias Orientais, fechar o porto de Boston à ação dos traficantes de escravos e aumentar as importações da colônia.
e) abolir a escravidão negra nas colônias e ajudar os puritanos no processo de anexação das terras no oeste.

8. **(UFPI)** Sobre a independência dos Estados Unidos, podemos afirmar que:

a) envolveu um conflito armado entre Inglaterra e França, a Guerra dos Sete Anos (1756-1763), e chegou ao fim com a conquista do oeste, na metade do século XIX.
b) contou com mobilizações e ações armadas contra a cobrança de taxas e impostos, como a Festa do Chá de Boston (1773), e completou-se com a presidência de Abraham Lincoln.
c) iniciou-se sob influência da Revolução Francesa (1789) e das independências nas Américas portuguesa e espanhola, lideradas, respectivamente, por d. Pedro I e Simón Bolívar.
d) resultou da união das colônias inglesas nos Congressos da Filadélfia (1774 e 1775) e da influência das ideias de Maquiavel e de Hobbes, defensores do Estado republicano forte.
e) sofreu influência do pensamento iluminista francês e a Declaração de Independência (1776), redigida por Thomas Jefferson, antecedeu a obtenção da autonomia, conquistada por via militar.

Das Revoluções Inglesas à Revolução Industrial

Até o século XVIII, o mundo vivia sob a dinâmica do capitalismo comercial, do absolutismo, da política mercantilista e de todo um conjunto de ideias que lhes davam sustentação. Porém, nas últimas décadas daquele século, transformações em diversos segmentos das atividades humanas, em especial na Inglaterra, promoveram o desenvolvimento da Revolução Industrial.

A crise do absolutismo inglês

- Nos reinados de Henrique VIII (1491-1547) e de sua filha Elizabeth I (1533-1603), a autoridade monárquica foi reforçada, com o objetivo de aumentar a riqueza e o poder da Inglaterra. Os navios ingleses foram modernizados e equipados com armas de fogo de longo alcance. Outra medida tomada foi a política de concessão de monopólios comerciais, fundando-se, por exemplo, a Companhia das Índias Orientais.
- Quando morreu a rainha Elizabeth I, em 1603, o poder passou para as mãos de Jaime I, rei da Escócia, que instituiu práticas absolutistas. Em 1610, o rei fechou o Parlamento inglês, formado pela nobreza fundiária e pelos grandes negociantes, e passou a governar como soberano absoluto.
- Seu sucessor, Carlos I, deu continuidade à política absolutista por meio da repressão, prendendo opositores e censurando publicações, e da criação de novos impostos. Essas medidas contribuíram para acirrar os ânimos dos puritanos, como eram chamados os calvinistas na Inglaterra, contra a monarquia, resultando na **Revolução Puritana** (1642-1649), que opôs defensores do Parlamento contra forças fiéis ao rei.
- Chefiados por Oliver Cromwell, os parlamentaristas formaram um Exército de Novo Tipo, composto por nobres, burgueses, comerciantes e pequenos proprietários de terra. A Revolução Puritana também contou com a participação de grupos políticos e religiosos radicais (*levellers* e *diggers*), formados pelas classes populares. Com apoio da população, o exército expulsou do Parlamento todos os elementos favoráveis à política dos Stuart e prendeu o rei, que depois foi executado após uma tentativa de fuga.

A República Puritana

- A Inglaterra, assim, tornou-se uma república (*Commonwealth*). Para fortalecer a economia, Cromwell criou os **Atos de Navegação** (1651), decretando que na Inglaterra somente poderiam entrar mercadorias transportadas por navios ingleses ou dos países produtores, garantindo a cobrança de tributos. Essa proposta contrariou os interesses da Holanda, que dependia muito do comércio marítimo.
- Após a morte de Cromwell (1658), o Parlamento restaurou a monarquia. Porém, o rei Carlos II tinha seu poder limitado pela legislação aprovada durante a revolução. A tendência dos sucessores era reforçar o poder monárquico em direção ao absolutismo; por isso, o Parlamento depôs Jaime II.
- Apesar de ter ficado conhecida como **Revolução Gloriosa**, não se tratou de outra revolução, mas da consolidação do Estado burguês surgido na Revolução Puritana. Assumiram o trono Maria Stuart e Guilherme de Orange, que foi obrigado a jurar a **Declaração de Direitos**, que limitou o poder dos reis e o proibia de governar sem o Parlamento.

Mudanças na produção

- Até o século XVIII, as mercadorias eram produzidas de duas formas distintas: pelo **sistema doméstico**, no qual os trabalhadores eram donos de seus próprios equipamentos de trabalho, e todas as etapas de produção eram feitas em suas casas com a ajuda da família, e pelo **sistema manufatureiro**, que consistia em grandes oficinas com trabalhadores assalariados, cada um responsável por uma etapa da produção. Tanto na produção doméstica quanto nas oficinas, empregavam-se máquinas rudimentares.
- Na segunda metade do século XVIII, a produção aumentou vertiginosamente com a utilização de equipamentos mais sofisticados e o advento das máquinas ou **maquinofatura**. Nas fábricas, as máquinas funcionavam de forma integrada, garantindo rapidez e eficiência na produção de uma grande variedade de mercadorias. Os ofícios e as habilidades dos trabalhadores tornaram-se dispensáveis. Essa maneira inovadora de produzir ficou conhecida como **Revolução Industrial**.
- A Inglaterra foi o primeiro país do mundo a reunir as condições necessárias para a Revolução Industrial: tinha recursos financeiros obtidos com o comércio marítimo, jazidas de ferro e de carvão, uma burguesia que diversificava investimentos e um amplo mercado consumidor. Além disso, havia promovido o **cercamento dos campos** (áreas agrícolas transformadas em pastagens), liberando mão de obra para o trabalho nas fábricas.

AKG IMAGES/ALBUM/LATINSTOCK - COLEÇÃO PARTICULAR

Teares impulsionados por eixos de transmissão em uma fábrica inglesa de tecidos, gravura de 1840.

A revolução das máquinas

- Ao longo do século XVIII, diversas invenções e inovações tecnológicas dinamizaram a produção, em particular no setor têxtil. Veja algumas delas.
  - **Lançadeira volante:** inventada por John Kay, em 1733, permitiu dobrar a produtividade do trabalho de um tecelão.
  - **Máquina de fiar *jenny*:** inventada por James Hargreaves, em 1764, tecia diversos fios ao mesmo tempo.
  - **Tear hidráulico:** patenteado por Richard Arkwright, em 1768, era movido por um moinho de água.

A máquina a vapor

- Em 1769, James Watt aperfeiçoou a máquina a vapor, criada por Thomas Newcomen. O vapor gerado pela queima de carvão permitiu uma aceleração sem precedentes da atividade industrial. Enquanto dependiam da força da água, as fábricas tinham de ser instaladas obrigatoriamente perto dos cursos dos rios. Com a introdução da máquina a vapor, as fábricas passaram a se concentrar em cidades próximas a locais onde havia disponibilidade de carvão.
- A máquina de Watt foi usada para diversas funções, como mover locomotivas e navios e acionar os enormes foles e martelos utilizados na metalurgia. Até a invenção dos motores de combustão interna e das usinas elétricas no começo do século XX, os motores a vapor dominaram a indústria e os transportes.

As primeiras ferrovias

- O aumento vertiginoso da produção de mercadorias criou novas necessidades, como meios de transporte mais rápidos e eficientes para levar os produtos a seus locais de destino. Nesse contexto, surgiram as primeiras ferrovias, um sistema de transporte feito sobre trilhos.
- Desde o século XVI, existiam carros, geralmente puxados por cavalos, que deslizavam sobre trilhos de madeira e eram utilizados para transportar carvão das minas. Mas esses trilhos não suportavam muita carga e se deterioravam facilmente. Foi somente a partir da década de 1790, com as inovações do processo de fundição de ferro, que trilhos mais resistentes puderam ser fabricados.
- O inventor inglês Richard Trevithick desenvolveu uma das primeiras locomotivas de que se tem notícia. A locomotiva de Trevithick fez sua primeira viagem em 1804, mas não se mostrou uma máquina funcional. Ela era muito pesada para os trilhos de madeira e para os trilhos de ferro fundido. George Stephenson construiu o primeiro modelo funcional de locomotiva, em 1814. Mas apenas em 1825 foi criado o trecho de ferrovia que serviria ao transporte regular de público e cargas, como carvão, ferro ou tecidos.

O liberalismo econômico

- A Revolução Industrial também trouxe mudanças no pensamento econômico. Foi nesse contexto que surgiram as ideias do **liberalismo econômico**. Segundo a teoria liberal, o indivíduo deveria ser livre para atender a seus interesses privados. Essa ação seria útil à sociedade, pois sua atividade geraria renda e criaria empregos, contribuindo, assim, para a riqueza da nação.
- Adam Smith foi o mais importante teórico do liberalismo. Em *A riqueza das nações*, Smith valorizou a livre iniciativa produtiva. Para ele, a produção e a comercialização deveriam ser regidas pela **lei da oferta e procura**, ou seja, o desejo de lucro levaria o empresário a produzir de acordo com as necessidades dos consumidores, regulando a oferta pela procura.
- Além disso, Smith defendeu a redução do papel do Estado na economia (*laissez-faire*). Dessa forma, ao Estado cabiam somente as tarefas de proteger o país contra invasões estrangeiras, de administrar a justiça e de realizar grandes obras públicas.

O cotidiano dos trabalhadores

- No início da Revolução Industrial, não existia legislação trabalhista, nem direitos sociais: a jornada de trabalho estendia-se por 12 a 18 horas diárias, os salários eram miseráveis, não havia férias e aposentadoria, e faltavam higiene e segurança nas fábricas. Além disso, era comum o trabalho de crianças e mulheres.
- As péssimas condições de vida e de trabalho da classe operária geraram algumas reações, como o **ludismo**. O movimento foi realizado por artesãos qualificados, cujas habilidades estavam sendo substituídas pelas máquinas. Sentindo-se prejudicados pelos novos equipamentos, esses trabalhadores invadiram fábricas e destruíram as máquinas. Agindo em defesa dos interesses da burguesia industrial, o governo inglês reprimiu duramente esse movimento, que teve fim somente em 1816.
- A organização de trabalhadores (*Trade Unions*) já existia na Inglaterra pelo menos desde 1720. Com a Revolução Industrial, esse processo se acelerou e se radicalizou. Os trabalhadores começaram a se ver como classe social. Formaram-se grêmios e associações de socorro mútuo, que originaram sindicatos e partidos trabalhistas. Em 1847, após numerosas greves, conseguiu-se na Inglaterra a redução da jornada diária de trabalho para dez horas.

Conteúdo digital Moderna PLUS http://www.modernaplus.com.br
Diretor: Stijn Coninx. Bélgica, 1993
Filme: *Daens:* um grito de justiça.

PRINT COLLECTOR/DIOMEDIA - COLEÇÃO PARTICULAR

Os quebradores de máquinas (*machine-wreckers*) atacam a maquinaria de uma fábrica têxtil, gravura de Morgan, século XIX.

No Vestibular

1. (FGV-SP)

"[...] nenhuma mercadoria produzida ou fabricada na África, Ásia e América será importada na Inglaterra, Irlanda ou País de Gales, Ilhas Jersey e Guernesey, e cidade de Berwick sobre o Tweed, outros navios senão nos que pertencem a súditos ingleses, irlandeses ou galeses e que são comandados por capitães ingleses e tripulados por uma equipagem com três quartos de ingleses [...] nenhuma mercadoria produzida ou fabricada no estrangeiro e que deve ser importada na Inglaterra, Irlanda, País de Gales, Ilhas Jersey e Guernesey deverá ser embarcada noutros portos que não sejam aqueles do país de origem [...]."

DEYON, Pierre. English historical documents. In: *O mercantilismo.*

Esses são fragmentos do Ato de Navegação, que traz como decorrência para a Inglaterra:

a) a perda de vastos territórios coloniais para a Holanda e Portugal, pois a marinha inglesa de guerra ficou inferiorizada.
b) o apoio, de forma decisiva, na formação dos Estados Gerais da República das Províncias Unidas, hoje Holanda.
c) o acirramento das rivalidades econômicas com os holandeses e o fortalecimento do comércio exterior inglês.
d) o reforço do absolutismo da dinastia Tudor e a eclosão da Revolução Puritana, liderada pelos *levellers*.
e) a garantia da presença do capital inglês na exploração do ouro e das pedras preciosas em Minas Gerais.

2. (Mackenzie-SP)

"Art. 2 - O pretendido direito de dispensar as leis ou de execução das leis pela autoridade real, como foi usurpado e exercido ultimamente, é contrário às leis.

Art. 3 - O imposto em dinheiro para uso da Coroa, sob pretexto de prerrogativas reais sem que haja concordância por parte do Parlamento, é contrário às leis."

Os trechos anteriores foram retirados da Declaração de Direitos, elaborada em 1689, após a Revolução Gloriosa, que implantou:

a) uma monarquia absolutista.
b) uma república parlamentarista.
c) uma monarquia parlamentarista.
d) uma república federativa.
e) um principado vitalício.

3. (Unicamp-SP) A Revolução Gloriosa selou um compromisso entre a burguesia e a nobreza proprietária de terras, fortaleceu o Parlamento, e criou condições favoráveis ao desenvolvimento econômico inglês e à instauração do capitalismo industrial na Inglaterra.

a) Explique os interesses dos seguintes sujeitos sociais na Revolução Inglesa: monarquia, nobreza e burguesia.

b) De que maneira a Revolução Inglesa contribuiu para fazer da Inglaterra a maior potência econômica da época?

4. (Vunesp)

"[...] o período entre 1640 e 1660 viu a destruição de um tipo de Estado e a introdução de uma nova estrutura política dentro da qual o capitalismo podia desenvolver-se livremente."

HILL, Christopher. *A revolução inglesa de 1640.*

O autor do texto está se referindo:

a) à força da marinha inglesa, maior potência naval da Época Moderna.
b) ao controle pela Coroa inglesa de extensas áreas coloniais.
c) ao fim da monarquia absolutista, com a crescente supremacia política do parlamento.
d) ao desenvolvimento da indústria têxtil, especialmente dos produtos de lã.
e) às disputas entre burguesia comercial e agrária, que caracterizaram o período.

5. (Unifesp)

"Nas outras monarquias da Europa, procura-se ganhar a benevolência do rei; na Inglaterra, o rei procura ganhar a benevolência [da Câmara] dos Comuns."

DELEYRE, Alexandre. *Tableau de l'Europe*, 1774.

Essa diferença entre a monarquia inglesa e as do continente deve-se:

a) ao rei Jorge III, que, acometido por um longo período de loucura, tornou-se dependente do Parlamento para governar.

b) ao fato da casa de Hannover, por sua origem alemã, gozar de pouca legitimidade para impor aos ingleses o despotismo esclarecido.

c) ao início da rebelião das colônias inglesas da América do Norte contra o monarca, que o obrigou a fazer concessões.

d) à peculiaridade da evolução política inglesa a qual, graças à Magna Carta, não passou pela fase da monarquia absolutista.

e) às revoluções políticas de 1640 (Puritana) e 1688 (Gloriosa), que retiraram do rei o poder de se sobrepor ao Parlamento.

6. **(Fuvest-SP)**

"[...] cabanas ou pequenas moradias espalhadas em grande número, nas quais residem os trabalhadores empregados, cujas mulheres e filhos estão sempre ocupados, cardando, fiando etc., de forma que, não havendo desempregados, todos podem ganhar seu pão, desde o mais novo ao mais velho."

DEFOE, Daniel. *Viagem por toda a ilha da Grã-Bretanha*, 1724.

Essa passagem descreve o sistema de trabalho:

a) manufatureiro, no qual um empregador reúne num único local dezenas de trabalhadores.

b) da corporação de ofício, no qual os trabalhadores têm o controle dos meios de produção.

c) fabril, no qual o empresário explora o trabalho do exército industrial de reserva.

d) em domicílio, no qual todos os membros de uma família trabalham em casa e por tarefa.

e) de cogestão, no qual todos os trabalhadores dirigem a produção.

7. **(UFMG)** "A Revolução Industrial foi também uma revolução de ideias." Todas as seguintes afirmações confirmam o teor dessa citação, **exceto**:

a) estimulou a associação entre iguais na defesa de interesses comuns.

b) permitiu o início de uma nova atitude para com os problemas da sociedade humana.

c) estabeleceu um avanço na compreensão do domínio da natureza.

d) garantiu seus benefícios ao conjunto dos cidadãos ingleses.

e) levou à formação da classe operária.

8. **(UFBA)**

"[...] A fábrica, na Europa, e o engenho de açúcar, nas colônias, não foram resultados imediatos de um desenvolvimento crucial das bases técnicas de produção, mas, ao contrário, representaram formas peculiares de organização social do trabalho para a obtenção, sob garantia absoluta, do lucro capitalista [...]."

DECCA, Edgar de. *O nascimento das fábricas*.

A partir da análise do texto e dos conhecimentos sobre o tema nele tratado, pode-se afirmar.

(01) As duas formas de organização do trabalho, citadas no texto, tiveram como característica comum a concentração de trabalhadores em um determinado espaço.

(02) O proletariado industrial, ao contrário dos escravos dos engenhos, detinha a propriedade dos meios de produção.

(04) A produção em larga escala, obtida nas duas unidades de produção referidas, atendia a propósitos mercantis.

(08) O escravo não era remunerado, sendo também coisificado, como uma mercadoria, enquanto o trabalhador, no sistema fabril, vendia sua força de trabalho.

(16) O operariado procurou se organizar, formando, inclusive, associações e sindicatos, visando reagir à exploração da burguesia industrial, porém os escravos não ofereceram qualquer forma de resistência.

(32) O tráfico de escravos foi um fator de acumulação primitiva de capital, que se constituiu uma das pré-condições do pioneirismo inglês na Revolução Industrial.

(64) O capital industrial britânico pressionou o Império Brasileiro no sentido de manter o tráfico negreiro.

Soma: ______________________

9. **(Ufes)** A Revolução Industrial na Inglaterra foi propiciada não apenas por transformações técnicas, mas também por transformações sociais, tais como a desencadeada pelo "Movimento das Cercas" (os "*enclosures*" ou cercamento dos campos).

Explique o que foi o "Movimento das Cercas" e seus efeitos para a Revolução Industrial.

____

____

____

____

____

____

10. **(Enem-MEC)** Considere o papel da técnica no desenvolvimento da constituição de sociedades e três invenções tecnológicas que marcaram esse processo: invenção do arco e flecha nas civilizações primitivas, locomotiva nas civilizações do século XIX e televisão nas civilizações modernas. A respeito dessas invenções são feitas as seguintes afirmações.

I. A primeira ampliou a capacidade de ação dos braços, provocando mudanças na forma de organização social e na utilização de fontes de alimentação.

II. A segunda tornou mais eficiente o sistema de transporte, ampliando possibilidades de locomoção e provocando mudanças na visão de espaço e de tempo.

III. A terceira possibilitou um novo tipo de lazer que, envolvendo apenas participação passiva do ser humano, não provocou mudanças na sua forma de conceber o mundo.

Está correto o que se afirma em:

a) I, apenas.

b) I e II, apenas.

c) I e III, apenas.

d) II e III, apenas.

e) I, II e III.

Da Revolução Francesa à independência das colônias espanholas

Na França, a burguesia ascendeu politicamente ao apoiar o governo de Napoleão Bonaparte e suas guerras de expansão. Aproveitando que a ocupação francesa havia enfraquecido a Espanha, os ingleses incentivaram a independência das colônias espanholas na América para transformá-las em mercados consumidores e fontes de matérias-primas.

A crise do Antigo Regime

- A França pré-revolucionária era governada por uma monarquia absolutista, que concentrava poderes, dava privilégios ao clero e à nobreza, era pesadamente tributária e dispunha de uma numerosa burocracia e forças militares profissionais e bem equipadas.
- A sociedade francesa dividia-se em **três ordens** ou **estados**: o clero (primeiro estado), a nobreza (segundo estado), e a burguesia e os trabalhadores urbanos e rurais (terceiro estado), que representavam mais de 85% da população e estavam sobrecarregados de impostos.
- Durante o século XVIII a França enfrentava uma crise financeira causada pelos gastos militares na Guerra dos Sete Anos e no apoio aos colonos ingleses na luta pela independência. Além disso, o campo sofria prejuízos com a alternância entre chuvas excessivas e repetidas secas.
- Para tentar sair da grave crise financeira e política, em 1788 o rei convocou os **Estados Gerais** (assembleia com representantes de todos os estamentos) para propor um novo sistema de taxação. Entretanto, a decisão era tomada a partir do voto por Estado, e não por cabeça, como exigia o terceiro estado.
- Como o primeiro e o segundo estados rejeitavam essa proposta, os deputados do terceiro estado declararam-se em assembleia nacional permanente e, em julho de 1789, em **Assembleia Nacional Constituinte**, com o objetivo de aprovar uma Constituição que limitasse o poder real.

A revolução

- Em 14 de julho de 1789 teve início uma revolta popular com a tomada da Bastilha, uma prisão política francesa. Seguiram-se revoltas rurais e urbanas exigindo o tabelamento dos preços, a regularização do abastecimento, o fim das taxas feudais e a distribuição gratuita do trigo. Camponeses invadiram e incendiaram os castelos da nobreza em resposta a boatos de que hordas de bandidos teriam sido contratadas pela nobreza para saquear propriedades campesinas.
- Em 4 de agosto, a Assembleia Constituinte decretou a abolição dos privilégios feudais. Em 26 de agosto proclamou a **Declaração dos Direitos do Homem e do Cidadão**, que reconheceu os direitos naturais dos indivíduos e serviu de base para a reforma jurídica do Estado. Com essas decisões, a sociedade de estamentos foi abolida.
- Muitas famílias aristocráticas opuseram-se às mudanças e buscaram organizar a contrarrevolução, com o apoio da Prússia e da Áustria, para restabelecer o poder absoluto do rei e restaurar os direitos feudais. Em junho de 1791 a família real tentou fugir para o exterior, mas foi detida. Esse fato fez crescer a rejeição ao rei, e alguns grupos passaram a defender a proclamação de uma república.
- Por conveniência política, a monarquia foi mantida e promulgou-se a Constituição. Luís XVI tornou-se representante da nação e seus poderes foram limitados pela lei e por uma assembleia eleita, demolindo as bases do absolutismo. Porém, as pressões externas e internas desencadearam uma luta armada e, em 1792, o movimento revolucionário radicalizou-se.

A sociedade francesa no Antigo Regime

Fonte: SOBOUL, Albert. *A Revolução Francesa*. 3. ed. São Paulo; Rio de Janeiro: Difel, 1979. p. 12-22.

A república revolucionária

- Em 1792, o rei foi destituído, a república proclamada e elegeu-se, com base no sufrágio universal masculino, a **Convenção Nacional** com o objetivo de elaborar uma nova Constituição.
- Durante a Revolução Francesa, as forças políticas mais importantes eram os **jacobinos**, radicais que representavam os interesses dos mais humildes, estavam associados aos *sans-culottes* (operários, artesãos, desempregados e pessoas em geral) e queriam a execução do rei como forma de sacramentar o fim da monarquia opressora; e os **girondinos**, moderados que defendiam os interesses de banqueiros e grandes comerciantes e que pregavam o exílio do monarca.
- Por suas posições moderadas, os girondinos perderam para os jacobinos a influência na Convenção. Para combater as ameaças externas e internas, os jacobinos expulsaram os girondinos da Convenção e aprisionaram seus principais líderes, o que desagradou algumas províncias.
- Para reprimir a desordem, os jacobinos instalaram um governo ditatorial, suspenderam as liberdades civis e criaram o **Comitê de Salvação Pública**, que perseguia indivíduos suspeitos de serem contrarrevolucionários. Essa fase ficou conhecida como **Terror**.
- Os abusos cometidos pelos jacobinos liderados por Robespierre fizeram o governo perder apoio. Por meio de um golpe articulado pelos girondinos, criou-se o **Diretório**, que pôs fim ao poder dos jacobinos. Apesar dessa mudança, a França continuou marcada pela instabilidade social. Cada vez mais o Diretório passou a depender do exército para manter-se no poder.
- O general Napoleão Bonaparte, herói da revolução e identificado com os girondinos, aproveitou a situação e ajudou a organizar um golpe de Estado (**18 Brumário**). Em 1799, Napoleão extinguiu o Diretório e encerrou o processo revolucionário, impondo, assim, o **Consulado**, um governo de cunho ditatorial liderado por três cônsules, mas de fato conduzido por Napoleão.

Ascensão e queda do Império Napoleônico

- Durante o período do Consulado, Bonaparte instituiu o **Código Civil Napoleônico**, garantindo as liberdades individuais, a ordem pública e a proteção à propriedade, antigas reivindicações da burguesia.
- Em 1804, proclamado imperador, Napoleão Bonaparte estabeleceu um Estado forte e estável, capaz de garantir a lei e a ordem num território unificado e delimitado. O Estado napoleônico também consolidou a racionalização administrativa iniciada durante a Revolução Francesa. No Antigo Regime, não havia uniformidade jurídica nem unidade de pesos e medidas. Foi preciso unificar códigos de leis, padrões de pesos e medidas, cargos administrativos e militares.
- Napoleão formou um poderoso exército e travou guerras expansionistas para conquistar mercados e fontes de matérias-primas. Nos países invadidos, Napoleão impôs o Código Civil francês, exigiu a abolição da servidão, a tolerância religiosa e a igualdade jurídica de todos os indivíduos.
- Na Europa Ocidental, somente a Inglaterra resistiu. Com o objetivo de arruinar a economia inglesa, Bonaparte decretou o **Bloqueio Continental** (1806), que proibiu os países continentais europeus de comercializarem com a Inglaterra. Os países que não acatassem esse decreto seriam invadidos, caso da Rússia.
- Em 1812, os franceses invadiram a Rússia e sofreram uma grande derrota. Ao mesmo tempo, Áustria, Prússia, Rússia e Inglaterra formaram uma aliança que derrotou Bonaparte definitivamente (1815). O fim do Império Napoleônico não significou a volta do absolutismo na França, pois os valores revolucionários já estavam enraizados em vários países europeus.

O Império Napoleônico

Fonte: DUBY, Georges. *Atlas historique mondial*. Paris: Larousse, 2003. p. 84-85.

O domínio francês na Espanha e a independência das colônias espanholas

- Quando ocupou a Espanha, Bonaparte encontrou resistência de governadores provinciais que se recusaram a acatar suas determinações. Situação parecida ocorreu nas colônias, que passaram a ter certa autonomia.
- Após a derrota de Napoleão Bonaparte, o **Congresso de Viena** tentou restaurar o absolutismo em diversos países europeus e fortalecer o controle dessas nações sobre áreas coloniais, por meio da Santa Aliança.
- Os *criollos* rejeitaram essa imposição e assumiram a liderança de milícias formadas por mestiços e indígenas na luta pelo rompimento definitivo com a metrópole.
- Conquistadas as independências, os *criollos* tomaram o poder, enquanto índios e negros permaneceram marginalizados e a rígida divisão social dos tempos coloniais foi mantida. A escravidão foi abolida imediatamente apenas em alguns lugares, mas não foi realizada qualquer política de integração de ex-escravos.

A América Central e o México

- Na América Central, as independências resultaram de uma longa negociação entre as elites locais e a Coroa espanhola para obter a autonomia por via pacífica. Em 1812, chegou-se a um acordo por meio do qual essa região continuaria a pertencer à Espanha, mas receberia permissão para se organizar politicamente de maneira autônoma e realizar algumas transações comerciais com outros países, fora do regime do monopólio.
- No México, o padre Miguel Hidalgo liderou milícias populares contra tropas espanholas entre 1810 e 1811, mas foi derrotado. Hidalgo acabou sendo fuzilado. Dessa forma, José María Morelos, ex-aluno de Hidalgo, assumiu a liderança. Responsável pela elaboração do primeiro projeto constitucional do México independente, Morelos foi capturado e fuzilado em 1815.
- Para os dois líderes, a independência deveria trazer mudanças sociais amplas que incluíam a extinção dos tributos e das dívidas indígenas, a abolição da escravidão e o acesso mais amplo às terras, com a divisão das grandes propriedades rurais.
- A libertação veio em 1821, quando o militar Itúrbide negociou com a Espanha a autonomia do México e foi coroado imperador desse país. O monarca mexicano ofereceu apoio à independência da América Central, que assim se separou da Espanha. Derrubado pelos republicanos em 1823, Itúrbide foi executado e a monarquia extinta no México. A América Central retomou sua autonomia e dividiu-se em vários países.

A rebelião escrava no Haiti

- O Haiti foi colonizado pela França a partir da segunda metade do século XVII. Na ilha, os franceses introduziram o cultivo de cana-de-açúcar, algodão e café, utilizando a mão de obra escrava.
- No Haiti, estima-se que havia vinte vezes mais escravos do que homens livres; agravando esse quadro, uma parte da elite branca – influenciada pela Revolução Francesa – passou a defender a independência.
- Em 1791, uma rebelião escrava liderada por Toussaint-Louverture determinou a independência e o fim da escravidão. No entanto, forças napoleônicas restabeleceram a dominação francesa em 1802. Como não conseguiram sustentá-la, ocorreu novamente uma revolta de negros que consolidou a independência em 1804.

Abolição definitiva da escravidão em alguns países da América espanhola

Fonte: BETHELL, Leslie. *História da América Latina*: da independência a 1870. São Paulo: Edusp, 2009. v. 3. p. 266.

A independência de Cuba

- No início do século XIX, Cuba era uma próspera colônia produtora de café, açúcar, tabaco e gado. Com o término da Guerra de Secessão nos Estados Unidos, fazendeiros do sul daquele país transferiram suas plantações para Cuba, onde podiam utilizar mão de obra escrava.
- Esse fato aproximou a elite cubana ainda mais dos norte-americanos, num momento em que as exportações para a metrópole diminuíam e a Coroa espanhola tentava impor restrições à relativa liberdade comercial de Cuba. A mobilização mais sistemática pela autonomia começou, então, a percorrer a ilha. As opiniões sobre a independência de Cuba dividiram-se entre os autonomistas e os anexionistas.
- Os **autonomistas** defendiam que Cuba deveria agir de forma livre no mercado internacional e na condução de suas ações políticas internas. Os **anexionistas**, por outro lado, acreditavam que uma aliança com os Estados Unidos seria mais eficaz para derrotar os espanhóis. Além disso, eram a favor de anexar a ilha aos vizinhos norte-americanos.
- Cuba tornou-se independente somente em 1898, com a ajuda dos Estados Unidos, o que reforçou a posição dos anexionistas. A recompensa por esse apoio foi a interferência crescente dos norte-americanos em assuntos internos de Cuba.

A independência na América do Sul

- A emancipação da América do Sul foi difícil e contou com a participação de líderes militares que lutaram juntos contra a Espanha, mas combateram entre si para definir a futura organização do poder na região. Entre eles estava o mais famoso dos generais da independência hispano-americana: Simón Bolívar.
- Bolívar, filho de proprietários de terras, nascido em Caracas, recebeu uma formação educacional cuidadosa, consolidada com várias viagens à Europa, onde fervilhavam os ideais iluministas e revolucionários. O objetivo dessas viagens era completar a educação do jovem herdeiro da elite *criolla* de Caracas.
- Em 1807, Bolívar começou a participar das mobilizações emancipacionistas. Apoiou um movimento que, em 1810, depôs o representante espanhol em Caracas e instalou uma junta livre de governo. Ele também tomou parte na proclamação oficial da independência venezuelana, em 1811, e na elaboração da primeira Constituição do país.
- A Espanha reagiu rapidamente e, no ano seguinte, retomou o controle da Venezuela. As principais lideranças emancipacionistas foram presas, mortas ou exiladas. As idas e voltas no combate contra os espanhóis ainda prosseguiram por diversos anos. A vitória definitiva da Venezuela só veio em 1819.

O Vice-Reino do Rio da Prata

- O Vice-Reino do Rio da Prata era composto pelos atuais Bolívia, Paraguai, Argentina e Uruguai. Um dos principais líderes militares e políticos da independência na região do Prata foi José de San Martín.

O desmembramento dos Vice-Reinos do Rio da Prata e do Peru

Fonte: BETHELL, Leslie. *História da América Latina*: da independência a 1870. São Paulo: Edusp, 2009. v. 3. p. 545.

- Diferentemente do que aconteceu no norte da América do Sul, a resistência espanhola no Prata foi pequena, e a consolidação da independência mais rápida. O Paraguai consolidou sua independência ainda em 1811. A Argentina completou sua autonomia em 1816, mas as lutas internas prosseguiram por quase meio século. A Banda Oriental, que corresponde ao atual Uruguai, continuou pressionada entre projetos expansionistas ingleses, portugueses, brasileiros e argentinos, e somente em 1828 tornou-se independente.
- A Bolívia (ou Alto Peru) pertencia ao Vice-Reino do Rio da Prata, e o Peru compunha o Vice-Reino do Peru. As independências de Peru (1811) e Bolívia (1825) contaram com a participação das tropas de Bolívar e San Martín.

Conteúdo digital Moderna PLUS http://www.modernaplus.com.br
Mapa animado: As independências na América Latina
Vídeo: Discurso de Eduardo Galeano

Uma América, muitas Américas

- A conquista das independências trouxe a necessidade de organizar um novo Estado nacional. Em algumas regiões da América hispânica (por exemplo, o Chile), os ajustes foram rápidos, e o novo Estado surgiu com facilidade, submetendo os interesses localistas. Em outras regiões, o território foi dividido e surgiram os **caudilhos** (chefes armados que atuaram na América hispânica no período posterior à independência, defendendo os interesses da região contra a centralização do poder), com planos e projetos próprios que recusavam a organização dos Estados unificados.
- Os **unitários**, por sua vez, eram originários da elite *criolla*. Eles defendiam o predomínio da cidade sobre o campo e a submissão da produção rural à lógica de organização econômica estabelecida pelos comerciantes e banqueiros urbanos. Baseavam-se, sobretudo, no pensamento liberal.
- Simón Bolívar formulou os projetos mais famosos de unidade para a América; porém, nenhum deles foi consolidado. O principal ideal bolivariano foi constituir a liga sul-americana, que associaria os atuais países: Equador, Panamá, Venezuela e Colômbia. O sistema político seria ditatorial e o centro de poder ficaria em Caracas. Outro projeto sugeria incorporar Peru, Bolívia e os países centro-americanos à liga sul-americana.
- Lideranças políticas e militares das regiões incluídas nas propostas bolivarianas de unidade viram nas ideias de Bolívar a ânsia de poder pessoal e a defesa dos interesses de Caracas.

CASA MUSEO QUINTA DE BOLÍVAR, BOGOTÁ

Simón Bolívar, libertador e pai da nação, pintura de Pedro José Figueroa, 1819. Nessa pintura, elaborada para celebrar a independência da Nova Granada, a república foi representada como uma índia.

No Vestibular

1. **(Ufac)** Observe atentamente a charge abaixo. Ela representa as três ordens que constituíam a sociedade francesa antes da revolução.

Charge do século XVIII representando as três ordens da sociedade francesa.

a) Identifique-as.

b) Qual ordem é representada carregando as demais? E por quê?

2. **(Unirio-RJ)**

"Robespierre – Que se passa por aqui?

III Cidadão – Que pode se passar? Passa-se que aquelas poucas gotas de sangue de agosto e setembro não deram para as bochechas do povo ficarem coradas. A guilhotina anda muito devagar. Precisamos de um bom aguaceiro!

I Cidadão – Nossas mulheres e filhos bradam por pão; queremos cevá-los com carne da aristocracia. Vamos! Mata os que não têm casaco esburacado!

Todos – Mata! Mata!"

BÜCHNER, Georg. *A morte de Danton. Quadros dramáticos da época do Terror na França.*

O drama, escrito entre 1834/35, retrata o momento da Revolução Francesa em que os jacobinos estão no poder, tentando varrer da França os "traidores" da Revolução. Sobre o período retratado, podemos afirmar que:

a) permitiu o atendimento das demandas populares e preservou os privilégios do clero e da nobreza.
b) garantiu a permanência da alta burguesia (gironda) e da nobreza em aliança pela defesa da revolução.
c) preservou os direitos feudais e garantiu os privilégios da nobreza francesa conciliados com os avanços burgueses.
d) conservou uma Constituição de feição liberal e defendeu o voto censitário garantindo participação política da burguesia.
e) foi o momento mais radical do processo revolucionário e teve ampla participação popular.

3. **(Fuvest-SP)** A Declaração dos Direitos do Homem e do Cidadão, votada pela Assembleia Nacional Constituinte francesa, em 26 de agosto de 1789, visava:

a) romper com a Declaração de Independência dos Estados Unidos, por esta não ter negado a escravidão.
b) recuperar os ideais cristãos de liberdade e igualdade, surgidos na época medieval e esquecidos na moderna.
c) estimular todos os povos a se revoltarem contra seus governos, para acabar com a desigualdade social.
d) assinalar os princípios que, inspirados no iluminismo, iriam fundar a nova Constituição francesa.
e) pôr em prática o princípio: a todos, segundo suas necessidades, a cada um, de acordo com sua capacidade.

4. **(UMC-SP)** A Revolução Francesa eliminou privilégios do Antigo Regime, difundindo os princípios da liberdade, da igualdade e da fraternidade. Napoleão Bonaparte adotou medidas que violaram esses princípios.

Assinale a alternativa que contém uma dessas medidas.

a) A ratificação da reforma agrária realizada pela revolução.
b) O congelamento de preços, por meio da decretação da Lei do Máximo.
c) A proibição, no Código Civil Napoleônico, de greves operárias.
d) A manutenção do Consulado.
e) O Tratado de Tilsit.

5. **(PUC-SP)** As Revoluções Inglesas do século XVII e a Revolução Francesa são, muitas vezes, comparadas. Sobre tal comparação, pode-se dizer que:

a) é pertinente, pois são exemplos de processos que resultaram em derrota do absolutismo monárquico; no entanto, há muitas diferenças entre elas, como a importante presença de questões religiosas no caso inglês e o expansionismo militar francês após o fim da revolução.

b) é equivocada, pois, na Inglaterra, houve vitória do projeto republicano e, na França, da proposta monárquica; no entanto, foram ambas iniciadas pela ação militar das tropas napoleônicas que invadiram a Inglaterra, rompendo o tradicional domínio britânico dos mares.

c) é pertinente, pois são exemplos de revolução social proletária de inspiração marxista; no entanto, os projetos populares radicais foram derrotados na Inglaterra (os "niveladores", por exemplo) e vitoriosos na França (os "*sans-culottes*").

d) é equivocada, pois, na Inglaterra, as revoluções tiveram caráter exclusivamente religioso, e, na França, representaram a vitória definitiva da proposta republicana anticlerical; no entanto, ambas foram movimentos antiabsolutistas.

e) é pertinente, pois são exemplos de revoluções burguesas; no entanto, na Inglaterra, as lutas foram realizadas e controladas exclusivamente pela burguesia, e, na França, contaram com grande participação de camponeses e de operários.

6. (Unisinos-RS)

"Eu considero o estado atual da América como quando arruinado o Império Romano. Cada desmembramento formou um sistema político, conforme os seus interesses e situação. Nós, que apenas conservamos os vestígios do que em outro tempo fomos, e que por outra parte, não somos índios, nem europeus, e sim uma meia espécie entre os legítimos proprietários do país e os usurpadores espanhóis."

Adaptado de Simón Bolívar. Carta da Jamaica de 1815. In: *Escritos políticos*. Campinas: Unicamp, p. 61.

a) Quem foi Bolívar e qual sua importância nos processos de independência das colônias hispano-americanas? A qual processo político Bolívar se refere?

b) De que maneira Bolívar se refere aos *criollos* no texto? Qual o papel político dos *criollos* nas independências das colônias espanholas?

7. (UMC-SP) Na América Latina, as primeiras décadas do século XIX caracterizaram-se pela emancipação política da maior parte das colônias ibéricas.

a) Que fatores explicam a coincidência do surgimento de movimentos de emancipação em todo o subcontinente?

b) Como se explica o contraste entre a América espanhola, que se fragmentou em diversos países, e a América portuguesa, cuja unidade foi mantida após a independência?

A independência do Brasil e o Primeiro Reinado

A vinda da corte portuguesa para a colônia iniciou o processo que desencadeou a independência política do Brasil, conduzida por uma elite que se beneficiou com o novo modelo político implantado.

A crise do sistema colonial

- Ao longo do século XVIII, o ouro extraído das minas do Brasil proporcionou uma relativa recuperação da economia portuguesa. Para racionalizar o controle da metrópole sobre a colônia, fortalecer a economia portuguesa e diminuir a influência da Inglaterra na economia do Império Português, o rei d. José I e seu ministro Sebastião José de Carvalho e Melo, mais conhecido como marquês de Pombal, adotaram uma série de reformas e práticas políticas que ficaram conhecidas como **reformismo ilustrado** ou **despotismo esclarecido**.
- Muitas ações de Pombal não foram suficientes para fortalecer a economia portuguesa e, no início do século XIX, a crise do sistema colonial provocou importantes mudanças que criaram as condições para a independência do Brasil.
- Em Minas Gerais, quando as jazidas de ouro e pedras preciosas já estavam próximas do esgotamento, a metrópole, para assegurar a arrecadação do quinto, impôs a cobrança da **derrama**, que obrigava toda a população a pagar os impostos atrasados. Inspirados no preceito iluminista de que o povo tinha o direito de rebelar-se contra o governante que abusava do poder, os intelectuais de Vila Rica articularam uma revolta. O plano era separar-se do domínio português, organizar o território como uma república, industrializá-lo e criar centros de estudos. Entre os líderes estava o alferes Tiradentes.
- A **Conjuração Mineira** (1789) foi delatada por três conspiradores em troca do perdão das dívidas. A derrama foi suspensa e os conspiradores presos. Dentre eles, apenas Tiradentes acabou condenado à morte por traição.
- Na Bahia, os impostos excessivos, a escravidão e o custo de vida elevado provocaram uma rebelião popular, a Revolta dos Alfaiates ou **Conjuração Baiana** (1798), que também teve inspiração iluminista e cogitava a emancipação. Denunciado, o movimento foi reprimido e seus líderes executados.
- Embora defendessem o rompimento com Portugal, os dois movimentos tinham uma grande diferença: enquanto os baianos queriam o fim da escravidão, entre os mineiros havia divergências sobre isso.

A chegada da corte ao Brasil

- O Bloqueio Continental impedia que muitos países do continente europeu comercializassem com a Grã-Bretanha. No entanto, Portugal não poderia aderir ao bloqueio por ter assinado uma série de acordos comerciais com os ingleses.
- Diante da ameaça da invasão napoleônica, a corte portuguesa se transferiu ao Brasil em 1808, com o apoio da Inglaterra, instalando-se na cidade do Rio de Janeiro. Em contrapartida, os ingleses exigiram que o príncipe regente d. João decretasse a **abertura dos portos** do Brasil às nações aliadas, quebrando o monopólio português sobre o comércio brasileiro e garantindo facilidades alfandegárias para os produtos ingleses. Esse fato contribuiu para a formação de uma expressiva classe de comerciantes no Brasil.
- Com a derrota de Napoleão Bonaparte, cogitou-se a volta da corte. Entretanto, alguns ministros de d. João argumentaram que o Brasil já havia se tornado mais importante do que Portugal, e que a independência das colônias espanholas na América ameaçava a permanência da monarquia de Bragança. Diante disso, o Brasil foi elevado à condição de **Reino Unido de Portugal e Algarves** (1815) e a corte permaneceu no Rio de Janeiro.

FUNDAÇÃO BIBLIOTECA NACIONAL/DRD/DIV. DE ICONOGRAFIA, RJ.

Convento de Nossa Senhora da Piedade, em Salvador (BA), onde foram executados os líderes da Conjuração Baiana, em 8 de novembro de 1799. Estampa colorizada da gravura de Johann Moritz Rugendas, c. 1835.

Instabilidade política

- Naquela época, a capitania de Pernambuco encontrava-se em crise econômica, pois a exportação de açúcar perdera importância e a população estava sobrecarregada de impostos que financiavam os gastos da corte.
- Essa situação agravou-se por causa de uma seca que afetou a produção agrícola e o abastecimento. O resultado foi a **Revolução de 1817**, que destituiu o governo de Pernambuco e pretendeu implantar uma república no Nordeste. O movimento foi duramente reprimido, com os seus líderes executados publicamente.
- Em 1820, um grupo de comerciantes, advogados, médicos e profissionais liberais proclamou, na cidade do Porto, em Portugal, a formação de uma assembleia nacional legislativa e constituinte para elaborar uma Constituição, que valeria para todos os portugueses de todas as partes do mundo, o que incluía o Brasil. Esse acontecimento ficou conhecido como **Revolução do Porto**.
- Esse grupo exigia a volta da corte portuguesa, a implantação de uma monarquia constitucional e a recolonização do Brasil. Isso significava que o Brasil voltaria a ser um monopólio comercial português, condição que desagradava à burguesia mercantil e agrária, que perderia liberdade de comércio, e aos ingleses, que deixariam de ter facilidades econômicas no país.

A independência e a formação do Estado nacional brasileiro

- Em abril de 1821, d. João VI regressou para Portugal, deixando aqui seu filho, o príncipe d. Pedro, com quem a burguesia mercantil e agrária contava para assegurar seus interesses. Nesse contexto, deputados brasileiros nas Cortes de Lisboa (Assembleia Constituinte) passaram a defender a ideia da separação entre Brasil e Portugal. Essa possibilidade ganhou força quando d. Pedro recusou-se a voltar para Portugal (**Dia do Fico**, 1822).
- Em seguida, o príncipe montou um governo próprio para o Brasil, com ministros, entre os quais se destacava José Bonifácio de Andrada e Silva. Diante de mais uma pressão das Cortes, o regente proclamou a independência em 7 de setembro de 1822 e passou a governar o Brasil.
- A independência rompeu com o domínio português, mas manteve a estrutura colonial: escravidão negra e economia agroexportadora e importadora de manufaturados. O fim do controle português sobre o Brasil não foi aceito com unanimidade; no Maranhão, no Pará, na Bahia, no Piauí e na Província Cisplatina ocorreram resistências, somente vencidas pela luta armada.
- A separação definitiva entre Portugal e Brasil possibilitou o surgimento de um Estado, de uma nação e de uma identidade nacional brasileiros, que até então não existiam. Foi necessário elaborar não só um governo próprio, mas também um aparato administrativo, um sistema tributário, um sistema eleitoral, um exército, códigos legais, um senado e uma câmara dos deputados, um sistema escolar etc. Também foi necessário criar símbolos nacionais que permitissem às pessoas identificarem-se como brasileiras, como um hino nacional e uma bandeira.

O Primeiro Reinado

- O Brasil independente organizou-se como uma **monarquia constitucional**, enquanto os outros países livres da América do Sul constituíram-se em repúblicas. A primeira versão da Constituição (1823) previa a limitação do poder imperial e do acesso de portugueses aos cargos públicos. Ela foi rejeitada, os deputados foram presos e uma nova versão, mais conservadora, foi outorgada em 1824.
- A **Constituição de 1824** determinava a subordinação da Igreja ao Estado, a existência de quatro poderes (Executivo, Legislativo, Judiciário e Moderador, este último de uso exclusivo do imperador) e o voto censitário, definindo o modelo político como uma monarquia centralizadora.
- O centralismo político gerou insatisfações entre aqueles que haviam apoiado a independência. Essa situação resultou na **Confederação do Equador** (1824), que se iniciou em Pernambuco e atingiu outras províncias do Nordeste. A intenção dos rebeldes era separar-se do Brasil e criar uma república liberal. A rebelião foi sufocada e seus líderes foram presos e executados.
- Vencida a rebelião no Nordeste, o Império deparou-se com o desequilíbrio na balança comercial, as denúncias de corrupção no governo, a inflação, que prejudicava o comércio, a forte oposição ao modelo centralista e o desgaste político com a perda da Província Cisplatina, que, com apoio inglês, separou-se do Brasil (1828) para dar origem ao Uruguai.
- Sem contar com o apoio da elite brasileira, d. Pedro I renunciou ao trono em 1831 e retornou para Portugal, deixando no Brasil seu filho ainda criança, que seria coroado d. Pedro II somente em 1840. Iniciava-se, assim, o período regencial no Brasil.

A Confederação do Equador

Fonte: *Brasil 500 anos*: Atlas histórico. São Paulo: Três, 1998.

No Vestibular

1. (Unicamp-SP)

"O conceito de independência surge mais nítido nas Minas Gerais: a situação colonial pesa para esses homens proprietários; o problema é mais colonial que social. Já na Bahia de 1798, a inquietação é orientada por elementos da baixa esfera e a revolução é pensada contra a opulência; o problema é mais social que colonial."

MOTTA, Carlos Guilherme. *A ideia de revolução no Brasil.*

Comparando os movimentos da Inconfidência Mineira e da Conjuração Baiana, responda.

a) O que aqueles dois movimentos tinham em comum?

b) Em quais aspectos se diferenciavam?

2. (UFF-RJ) Nas primeiras décadas do século XIX, ocorreu uma verdadeira redescoberta do Brasil, como identificou Mary Pratt, graças à ação de inúmeros viajantes europeus, bem como às missões artísticas e científicas que percorreram o território, colhendo diversas informações sobre o que aqui existia. Foram registrados os diversos grupos humanos encontrados, legando-nos um retrato de diversos tipos sociais. Rica e fundamental foi a descrição que fizeram da natureza, revelando ao mundo diferenciadas flora e fauna. Entretanto, até o início dos oitocentos, os estrangeiros foram proibidos de percorrer as terras brasileiras, e eram quase sempre vistos como espiões e agentes de outros países. O grande afluxo de artistas e cientistas estrangeiros ao Brasil está ligado:

a) à política joanina, no sentido de modernizar o Rio de Janeiro, inclusive com o projeto de criar uma escola de ciências, artes e ofícios;
b) à pressão exercida pela Inglaterra, para que o governo de d. João permitisse a entrada de cientistas e artistas no Brasil;
c) à transferência da capital do Império Português de Salvador para o Rio de Janeiro, modificando o eixo econômico da colônia;
d) à reafirmação do pacto colonial, em função das proposições liberais da Revolução do Porto;
e) à política de vários países europeus, que buscavam ampliar o conhecimento geral sobre o mundo, na esteira do humanismo platônico.

3. (Fatec-SP)

"Após o tratado, pelo regime de virtual privilégio do comércio britânico, ficou sendo o seguinte o estado legal das relações mercantis no Brasil: livres, as mercadorias estrangeiras que já tivessem pago direitos em Portugal, e bem assim produtos da maior parte das colônias portuguesas, sujeitas à taxa de 24% "*ad valorem*" as mercadorias estrangeiras diretamente transportadas em navios estrangeiros; sujeitas à taxa de 16% as mercadorias portuguesas, e também as estrangeiras importadas sob pavilhão português; sujeitas à taxa de 15% as mercadorias britânicas importadas sob pavilhão britânico, ou português"

LIMA, Oliveira. *D. João VI no Brasil.*

O acontecimento histórico abordado no texto está diretamente relacionado com:

a) a abertura dos portos brasileiros às nações amigas, em 1808.
b) o repúdio à manutenção do pacto colonial.
c) o Tratado de Comércio e Navegação de 1810, celebrado entre Inglaterra e Portugal.
d) o processo de emancipação política do Brasil, iniciado em 1810.
e) a independência da economia portuguesa em relação aos interesses capitalistas britânicos.

4. (Fuvest-SP)

"Eis que uma revolução, proclamando um governo absolutamente independente da sujeição à corte do Rio de Janeiro, rebentou em Pernambuco, em março de 1817. É um assunto para o nosso ânimo tão pouco simpático que, se nos fora permitido [colocar] sobre ele um véu, o deixaríamos fora do quadro que nos propusemos tratar."

VARNHAGEM, F. A. *História geral do Brasil*, 1854.

O texto trata da Revolução Pernambucana de 1817. Com relação a esse acontecimento é possível afirmar que os insurgentes:

a) pretendiam a separação de Pernambuco do restante do reino, impondo a expulsão dos portugueses desse território.
b) contaram com a ativa participação de homens negros, pondo em risco a manutenção da escravidão na região.
c) dominaram Pernambuco e o norte da colônia, decretando o fim dos privilégios da Companhia do Grão-Pará e Maranhão.
d) propuseram a independência e a república, congregando proprietários, comerciantes e pessoas das camadas populares.
e) implantaram um governo de terror, ameaçando o direito dos pequenos proprietários à livre exploração da terra.

5. (Vunesp) Leia a declaração.

"Como é para o bem do povo e felicidade geral da nação, estou pronto; diga ao povo que fico."

D. Pedro, príncipe regente, 9 de janeiro de 1822.

a) Qual o significado da decisão tomada pelo príncipe regente?

b) Explique o que foi a Revolução do Porto, iniciada em 1820, e aponte suas consequências para a porção americana do Império Português.

6. **(Enem-MEC)**

Constituição de 1824:

"Art. 98. O Poder Moderador é a chave de toda a organização política, e é delegado privativamente ao imperador [...] para que incessantemente vele sobre a manutenção da Independência, equilíbrio, e harmonia dos demais poderes políticos [...] dissolvendo a Câmara dos Deputados nos casos em que o exigir a salvação do Estado."

Frei Caneca:

"O Poder Moderador da nova invenção maquiavélica é a chave mestra da opressão da nação brasileira e o garrote mais forte da liberdade dos povos. Por ele, o imperador pode dissolver a Câmara dos Deputados, que é a representante do povo, ficando sempre no gozo de seus direitos o Senado, que é o representante dos apaziguados do imperador."

Voto sobre o juramento do projeto de Constituição.

Para Frei Caneca, o Poder Moderador definido pela Constituição outorgada pelo imperador em 1824 era:

a) adequado ao funcionamento de uma monarquia constitucional, pois os senadores eram escolhidos pelo imperador.
b) eficaz e responsável pela liberdade dos povos, porque garantia a representação da sociedade nas duas esferas do Poder Legislativo.
c) arbitrário, porque permitia ao imperador dissolver a Câmara dos Deputados, o poder representativo da sociedade.
d) neutro e fraco, especialmente nos momentos de crise, pois era incapaz de controlar os deputados representantes da nação.
e) capaz de responder às exigências políticas da nação, pois supria as deficiências da representação política.

7. **(Ufes)**

"Confederação do Equador: Manifesto Revolucionário."

"Brasileiros do Norte! Pedro de Alcântara, filho de d. João VI, rei de Portugal, a quem vós, após uma estúpida condescendência com os brasileiros do Sul, aclamastes vosso imperador, quer descaradamente escravizar-vos. Que desaforado atrevimento de um europeu no Brasil. Acaso pensará esse estrangeiro ingrato e sem costumes que tem algum direito à Coroa, por descender da casa de Bragança na Europa, de quem já somos independentes de fato e de direito? Não há delírio igual [...]."

BRANDÃO, Ulysses de Carvalho. *A Confederação do Equador.*

O texto dos Confederados de 1824 revela um momento de insatisfação política contra a:

a) extinção do Poder Legislativo pela Constituição de 1824 e sua substituição pelo Poder Moderador.
b) mudança do sistema eleitoral na Constituição de 1824, que vedava aos brasileiros o direito de se candidatar ao Parlamento, o que só era possível aos portugueses.
c) atitude absolutista de d. Pedro I, ao dissolver a Constituinte de 1823 e outorgar uma Constituição que conferia amplos poderes ao imperador.
d) liberação do sistema de mão de obra nas disposições constitucionais, por pressão do grupo português, que já não detinha o controle das grandes fazendas e da produção de açúcar.
e) restrição às vantagens do comércio do açúcar pelo reforço do monopólio português e aumento dos tributos contidos na Carta Constitucional.

8. **(UFRN)** A Constituição Brasileira de 1824 colocou o imperador à testa de dois poderes. Um deles lhe era "delegado privativamente" e o designava "chefe supremo da nação" para velar sobre "o equilíbrio e harmonia dos demais poderes políticos"; o outro poder o designava simplesmente "chefe" e era delegado aos Ministros de Estado. Estes poderes eram respectivamente:

a) Executivo e Judiciário.
b) Executivo e Moderador.
c) Moderador e Executivo.
d) Moderador e Judiciário.
e) Executivo e Legislativo.

9. **(Fuvest-SP)** Explique o processo político que resultou na abdicação de d. Pedro I em 1831.

Ciência, nação e revolução no século XIX

O século XIX, na Europa, marcou a transição das sociedades agrárias, tradicionalistas, hierarquizadas e religiosas do Antigo Regime para as sociedades urbanas e industriais, que se afirmaram no século XX em quase todo o mundo.

As revoluções liberais na Europa

- Após o **Congresso de Viena** (1815), a sociedade europeia ficou dividida em ultrarrealistas, favoráveis ao reestabelecimento integral do Antigo Regime, e os liberais e nacionalistas, adeptos do prosseguimento das transformações sociais iniciadas com a Revolução Francesa.
- Durante a primeira metade do século XIX, uma série de revoltas minou a estabilidade das monarquias: em 1820, houve manifestações na Itália, Espanha e Portugal; em 1821, a Grécia libertou-se do Império Otomano; e em 1830, os franceses ergueram barricadas contra o governo autoritário de Carlos X e forçaram sua renúncia.
- De caráter liberal, democrático e nacionalista, elas foram iniciadas pela burguesia e nobreza que reivindicavam governos constitucionais, e por trabalhadores e camponeses que se rebelavam contra os excessos e a difusão das práticas capitalistas.
- Os anos de 1845 e 1846 foram de péssimas colheitas, desencadeando uma crise agrícola em todo o continente. Essa crise provocou um forte aumento do custo de vida, atirou à miséria grandes setores da população rural e reduziu drasticamente a sua capacidade de consumo de produtos manufaturados. A crise se agravou, atingindo a indústria e as finanças.
- Em 1848, teve início, na França, resultado da crise econômica, uma nova onda revolucionária, com a deposição do rei Luís Felipe e a proclamação da república. Da França, o movimento republicano logo se alastrou pela Itália, Alemanha, Suíça, Áustria, Polônia, Espanha e Portugal. **As Revoluções de 1848** exigiam não só mudanças políticas, como o sufrágio universal, mas também reformas sociais, como a reforma agrária. Temendo o risco de subversão social, porém, a burguesia voltou-se contra o povo. Só na França, 3 mil pessoas foram mortas e 12 mil encarceradas.

Conteúdo digital Moderna PLUS http://www.modernaplus.com.br
Mapa animado: Revoluções de 1848

A ideologia liberal

- O **liberalismo** foi uma das ideologias que nortearam a onda revolucionária de toda a primeira metade do século XIX. A ideologia liberal foi definida como a luta pela limitação do poder estatal e por determinadas formas de liberdade, como a de locomoção, a de imprensa e a de expressão, e pela oposição a qualquer forma de absolutismo.
- O liberalismo, entretanto, não era apenas uma ideologia política, mas a expressão de um profundo desejo de liberdade e o sintoma de uma grande mudança nos hábitos e no pensamento das pessoas. As ideias liberais influenciaram profundamente a arte e a literatura (romantismo, realismo e impressionismo).

O nacionalismo

- Chamamos de nacionalismo o sentimento de pertencer a uma nação. Entre os franceses, esse sentimento estabeleceu-se com a Revolução Francesa; em outros países da Europa, com as guerras napoleônicas, que incitaram os habitantes de territórios ocupados a expulsar o invasor.
- Entre 1820 e 1830, os diversos movimentos nacionalistas seguiam duas orientações: nos grandes impérios, tendiam a ser **separatistas**; nos territórios marcados pela divisão política, a língua e costumes comuns estimularam a **unificação**.
- Liderados por Mazzini, Garibaldi e Cavour, os italianos lutaram contra a dominação da Áustria para unificarem a Itália sob um governo republicano (1870). Já os alemães constituíram um país a partir da unificação comercial (*Zollverein*) dos seus reinos e de guerras contra a Áustria e a França, em um processo liderado por Bismarck (1871).

A Itália na primeira metade do século XIX

Fonte: DUBY, Georges. *Atlas historique mondial.* Paris: Larousse, 2003. p. 134.

A ciência no século XIX

- O século XIX foi marcado por diversas inovações tecnológicas, como o uso do vapor em barcos e trens, a invenção do telégrafo e do telefone, a produção do aço, entre outros.
- As investigações científicas realizadas no século XIX estavam fundamentadas em princípios estabelecidos pelo **renascimento científico** e o **iluminismo**. Segundo eles, a ciência era a única forma verdadeira para compreender o mundo, inclusive a própria existência da humanidade.
- Com o aprimoramento da imprensa e as inovações na área da comunicação, os novos conhecimentos foram divulgados com maior rapidez e alcance, diminuindo a influência da religião sobre a sociedade.

Eletromagnetismo e termodinâmica

- O eletromagnetismo é um ramo da física que estuda as propriedades dos campos eletromagnéticos. Os cientistas descobriram que os fenômenos elétricos e magnéticos interagiam entre si de tal forma que deviam ser entendidos como um sistema físico unificado.
- Além disso, provou-se experimentalmente que a eletricidade era sempre a mesma, independentemente da fonte que a produzia. Assim, a eletricidade dos relâmpagos, a de certos animais, como a arraia elétrica, e aquela gerada artificialmente por meio dos eletromagnetismos ou da termoeletricidade possuíam a mesma natureza.
- A termodinâmica é uma área da física que estuda os fenômenos relacionados ao calor e à energia térmica. Desenvolveu-se no século XIX graças aos estudos de cientistas como Sadi Carnot, James Joule e James Maxwell. Ao contrário, porém, do eletromagnetismo, não se tratava de um conhecimento científico que depois seria aplicado à indústria.
- Primeiro surgiram as invenções técnicas, depois as explicações da termodinâmica para essas invenções. Foi com o estudo e a experiência com os motores a vapor que os cientistas conseguiram definir a dinâmica dos fenômenos térmicos.
- No início do século XIX, Carnot realizou experiências com motores a vapor. Com seus estudos, conseguiu provar que o calor nada mais era do que uma força motriz, ou seja, uma força que mudou de forma. Mais tarde, o físico alemão Rudolf Clausius retomou o trabalho de Carnot e afirmou que o calor não podia ser destruído, mas podia ser transformado em outra forma de energia.

Evolucionismo e seleção natural

- Outra disciplina científica que se destacou no século XIX foi a biologia, alimentada pela observação e análise de amostras de seres vivos trazidas de lugares distantes por naturalistas e viajantes. Charles Darwin e Alfred Russel Wallace foram dois importantes naturalistas, que se tornaram amigos e correspondentes.
- Observando as diferenças anatômicas entre milhares de espécies, Darwin e Wallace perceberam que todos os organismos que vivem ou viveram na Terra descendiam de um ancestral comum, surgido há 3 bilhões de anos. As espécies mais bem adaptadas ao ambiente tendiam a sobreviver e a transmitir suas características aos descendentes, enquanto as espécies menos adaptadas tendiam a ser extintas. Esse processo foi chamado de **seleção natural**. Os dois cientistas concluíram também que eram as condições ambientais que geravam as mudanças responsáveis por diferenciar as espécies e torná-las mais ou menos adaptadas ao ambiente.

Um orangotango venerável, caricatura de Charles Darwin como um macaco, publicada em 1871 na revista satírica *The Hornet*, após a divulgação da teoria da evolução das espécies.

- Essa afirmação chocou o pensamento da época, ainda centrado no **criacionismo**, no conceito de que a Terra e tudo que existia nela era fruto de uma criação divina. Com as descobertas de Darwin, o homem perdia seu papel de protagonista no universo e sua condição especial, de ter sido criado à imagem e semelhança do criador, para tornar-se apenas uma espécie entre outras, engajada na luta pela sobrevivência.
- Apesar da reação dos setores conservadores da sociedade britânica da época, as descobertas de Darwin foram reconhecidas pelos cientistas e tiveram repercussão mundial. Na Europa, suas ideias fizeram sucesso entre as classes médias liberais das grandes cidades, entusiasmadas com as novidades do mundo científico.

Organizar cientificamente a sociedade

- O desenvolvimento científico e tecnológico do século XIX também foi acompanhado pela crença no progresso social. Intelectuais e reformadores acreditavam ser possível conduzir a sociedade a um patamar superior de desenvolvimento por meio do aperfeiçoamento das ciências e das técnicas.
- Dessa forma, estudiosos buscaram, na teoria da evolução das espécies, conceitos que pudessem auxiliá-los a compreender a relação entre a história da sociedade e a evolução da espécie humana. Criaram, portanto, ideologias políticas com base em apropriações inadequadas de conceitos científicos, gerando as chamadas **pseudociências**.
- O **positivismo**, fundado pelo francês Auguste Comte, apresenta a ideia de que o espírito humano teria passado por três estágios de desenvolvimento histórico: o teológico (explicação da natureza pelo sobrenatural), o metafísico (início de uma investigação racional dos fenômenos da natureza e da sociedade) e, por fim, o positivo (descoberta das leis universais que regiam os fenômenos naturais).
- O **darwinismo social**, por sua vez, defendia que as sociedades humanas passavam por estágios de evolução sucessivos e lineares, do mesmo modo que as espécies da natureza. O sociólogo Herbert Spencer foi o principal representante dessa doutrina.
- Unindo as teorias do darwinismo social e a teoria da degenerescência, o cientista inglês Francis Galton, primo de Darwin, propôs uma nova ciência que ele chamou de **eugenia**. O objetivo seria orientar as políticas públicas para impedir a reprodução de indivíduos considerados "degenerados" ou menos aptos, ou seja, portadores de defeitos genéticos hereditários (eugenia negativa), e favorecer a reprodução de indivíduos considerados mais aptos, ou seja, portadores de bons genes (eugenia positiva).

A luta pela cidadania

- As legislações liberais instituídas em muitos países europeus asseguravam liberdade econômica à burguesia e restringiam a intervenção do Estado na economia. Isso removeu os entraves que comprometiam o desenvolvimento do capitalismo industrial.
- Nesse contexto, a agricultura foi mecanizada e liberou mão de obra para as fábricas. A grande oferta de braços para as máquinas permitiu aos empresários achatarem salários e explorarem ainda mais os operários sob condições brutais de disciplina. A situação tornava-se mais difícil porque as associações de trabalhadores eram proibidas e somente as pessoas de posse participavam da política por meio do voto censitário.
- A pobreza, o desemprego e a degradação das condições de vida dos trabalhadores levaram cerca de 55 milhões de pessoas a deixar a Europa entre a segunda metade do século XIX e o início do século XX.
- Uma parte dos que não emigraram envolveram-se na luta pela ampliação do direito de voto e outras mudanças políticas. O **movimento cartista**, na Inglaterra, por exemplo, reivindicou salários para as pessoas pobres que ocupassem cargos no Parlamento.
- As mulheres lutaram para conquistar os mesmos direitos políticos que os homens, igualdade de acesso a profissões e ocupações, proteção contra a violência doméstica e redução da jornada de trabalho.

Origens do socialismo

- Organizar a sociedade com base na distribuição igualitária da riqueza e no uso social da propriedade é uma aspiração muito antiga. Na Idade Média já existiam comunidades igualitárias, nas quais não havia propriedade privada nem autoridade centralizada.
- Na primeira metade do século XIX surgiu a doutrina do **socialismo utópico**, cujos seguidores concordavam com uma ideia geral: melhorar as condições de vida e trabalho da classe operária. Alguns empresários imaginaram fazer isso reduzindo a sua margem de lucro.
- O britânico Robert Owen, empresário têxtil, proibiu o trabalho infantil em suas fábricas, reduziu a jornada de trabalho e ofereceu condições de vida dignas aos operários. Foi boicotado pelos fornecedores que discordavam das suas ideias e acabou falindo.
- O francês Charles Fourier idealizou um modelo de comunidade denominada **falanstérios**, onde as pessoas trabalhariam para o bem comum e dividiriam o resultado do trabalho. Foram construídas dezenas de falanstérios na França, nos Estados Unidos e no Brasil. Mas logo as comunidades se desfizeram devido a desavenças internas, dificuldades econômicas e hostilidade dos governos. O fracasso dos utópicos estimulou o surgimento do socialismo científico.
- O **socialismo científico** difundiu-se a partir da obra dos alemães Karl Marx e Friedrich Engels. Analisando a sociedade inglesa da Revolução Industrial, eles constataram que a economia era a base de tudo, isto é, para transformar o político e o social era preciso modificar o econômico. Esse raciocínio deu origem ao "materialismo histórico".
- Para Marx e Engels, a mudança necessária era transferir o controle dos meios de produção para a classe trabalhadora. No entanto, isso encontraria forte resistência por parte da burguesia. Dessa forma, para modificar a economia seria necessário promover uma revolução proletária. Ao destruir a sociedade burguesa, os trabalhadores assumiriam a tarefa de instituir um Estado socialista, baseado na propriedade coletiva dos meios de produção e liderado pela classe operária.
- A duração do Estado socialista seria provisória. Seu papel seria abolir todos os instrumentos que perpetuavam a dominação de uma classe sobre a outra (direito, religião, polícia, exército etc.), preparando a sociedade para o comunismo.
- As ideias fundamentais de Marx estão contidas na obra *O capital* (1848) e constituíram a mais importante teoria orientadora do movimento operário nos séculos XIX e XX.

Clube patriótico de mulheres durante a Revolução Francesa, pintura de Pierre-Etiene Le Seur, 1793.

O anarquismo

- Com o avanço da industrialização, o movimento operário cresceu em número e força. Surgiram, assim, alternativas para mobilizar o movimento operário, como o **anarquismo**, doutrina que ganhou muitos adeptos ao longo do século XIX.
- Para os anarquistas, o Estado deveria ser substituído por formas livres de associação entre os indivíduos, que poderiam desenvolver todas as suas potencialidades e se associar de diversas maneiras para atingir objetivos comuns.
- O propósito dos anarquistas não era causar a desordem e o caos, mas instituir uma ordem social formada por uma federação de comunas independentes, nas quais todas as decisões seriam tomadas diretamente pelos cidadãos.
- Os anarquistas se opunham ao nacionalismo, pois consideravam que todos os seres humanos eram cidadãos do mundo, e consideravam o Estado-nação uma forma de poder artificial e opressiva, criada para beneficiar uma minoria.

A mobilização da classe operária

- A repressão às revoluções de 1848 em toda a Europa levou o movimento operário a reformular suas estratégias de luta. Percebendo que a industrialização se expandia, que o capital não se restringia ao seu país de origem e que a exploração capitalista era internacional, concluíram que a organização dos trabalhadores também deveria ser internacional.
- Reunindo movimentos de várias tendências e de diversos países da Europa, a **Associação Internacional dos Trabalhadores** foi fundada em um congresso em Londres, em 1864. Conhecida como **Primeira Internacional**, defendia a democracia e melhores condições de vida e trabalho para o proletariado.
- Em 1872, a Associação Internacional entrou em crise por causa das discordâncias entre comunistas (Marx e Engels) e anarquistas (Mikhail Bakunin). Os dois grupos divergiram sobre as táticas a serem adotadas pelo movimento operário em busca da sua emancipação.
- Os comunistas e outras correntes socialistas não recusavam a participação em parlamentos nacionais e lutavam pela organização de partidos e sindicatos capazes de defender os interesses dos trabalhadores. Os anarquistas, entretanto, achavam que a participação no Estado burguês e a constituição de partidos iriam burocratizar o movimento. Propunham a criação de cooperativas de trabalho e a ação direta das massas como únicos meios eficazes para os trabalhadores atingirem seus objetivos. As greves eram os principais métodos de luta defendidos pelos anarquistas.
- Diante do impasse, os anarquistas acabaram se retirando da Associação, o que a enfraqueceu e resultou na sua dissolução, em 1876.

A Comuna de Paris

- Entre 1870 e 1871, sob a liderança de Bismarck, a Alemanha travou uma guerra contra a França, a chamada Guerra Franco-Prussiana. O conflito levou à unificação alemã e, com a derrota da França, à queda do império de Napoleão III na França. A instabilidade política francesa facilitou a proclamação da chamada Comuna de Paris.
- No começo de 1871, o exército alemão sitiou a cidade de Paris, causando várias privações ao povo parisiense. O governo francês não demonstrou nenhuma preocupação com essa situação. Indignada, a população rebelou-se contra o governo em 28 de março, tomando o prédio da prefeitura de Paris e proclamando-a uma comuna livre e independente.
- Mantendo todos os serviços básicos em funcionamento, os trabalhadores mostraram que eram capazes de se organizar com autonomia, governando-se a si mesmos sem a necessidade de um poder central. Testava-se a viabilidade de uma sociedade sem Estado, baseada exclusivamente no autogoverno da população.
- A Comuna tomou várias medidas para desmantelar o aparelho repressivo do Estado e garantir o controle da cidade pelo povo rebelado:
  - **Exército.** Assim como na Revolução Francesa de 1789, o exército profissional foi substituído pelos cidadãos em armas.
  - **Cargos públicos.** Tornaram-se eletivos. Os ocupantes podiam ser demitidos a qualquer momento por decisão da Comuna.
  - **Religião.** Foi decretada a separação total entre a Igreja Católica e o Estado, e as propriedades e riquezas pertencentes à Igreja foram confiscadas.
  - **Forma de governo.** O Conselho Comunal incorporou as funções legislativa e executiva.
- A Comuna de Paris reuniu várias correntes políticas: revolucionários de 1848, anarquistas, marxistas e socialistas de diferentes tendências. As prolongadas discussões impediam que se definisse uma ação unificada para o movimento.

A semana sangrenta

- A Comuna de Paris, no entanto, durou apenas dois meses. Após a queda de Napoleão III, havia se formado um governo provisório paralelo à Comuna, liderado pelo ministro Adolphe Thiers. O governante recusou-se a negociar com os revolucionários e ordenou a repressão do movimento.
- Com o apoio da Prússia, Thiers mandou o exército tomar a cidade de Paris, iniciando a guerra civil. A Comuna mobilizou a Guarda Nacional, e a população parisiense armou barricadas na tentativa de preservar a Comuna. As tropas do governo, entretanto, mais preparadas e em número muito maior, ocuparam Paris.
- Durante a chamada "semana sangrenta", entre 21 e 28 de maio de 1871, as tropas do governo massacraram impiedosamente milhares de pessoas, incluindo crianças e mulheres. Não se sabe ao certo quantos foram assassinados pelas forças comandadas por Thiers. O governo provisório admitia o número de 17 mil pessoas, mas outras cifras falam de 35 mil ou até 50 mil mortos.

PHOTOS 12/ALAMY/OTHER IMAGES

Barricadas levantadas pelos revolucionários na Rua Charonne, durante a Comuna de Paris, 1871.

No Vestibular

1. (FGV-SP) Considere os seguintes itens:

I. "[...] nasceu de um movimento espontâneo de massas e não de um plano ou de um programa previamente elaborado por um partido operário [...]."

II. "[...] revelou a tendência da classe operária para ultrapassar o estágio puramente econômico da sua luta [...] combinando simultânea e constantemente reivindicações econômicas e reivindicações políticas [...]."

III. "[...] refletiu a tendência da classe operária para destruir o aparelho de Estado burguês, para substituir a democracia burguesa por uma forma superior de democracia [...]."

IV. "[...] conduziu a classe operária, pela primeira vez, à conquista do poder político, ainda que na área de uma única cidade [...]."

Os itens I, II, III e IV referem-se:

a) à Comuna de Paris, que resumiu todas as tendências que estavam na origem e na primeira expansão do movimento operário moderno.

b) ao ludismo, que representou uma forma de resistência clara à disciplinação do trabalho imposto pelo sistema fabril.

c) ao cartismo, que resultou da conscientização da classe operária que passou a exigir melhores condições de trabalho.

d) às *Trade Unions*, que se caracterizaram pelo assistencialismo paternalista.

e) aos sindicatos profissionais de Londres, que surgiram com o objetivo de garantir uma transformação social ampla.

2. (UFMG)

"[...] A história de todas as sociedades existentes até hoje é a história da luta de classes [...]."

MARX, Karl; ENGELS, Friedrich. *O Manifesto Comunista.*

A partir dessa ideia central do pensamento marxista, pode-se afirmar que:

a) na sociedade capitalista, as classes fundamentais se diferenciam mais claramente e a consciência de classe se desenvolve de maneira mais completa.

b) na sociedade feudal, as classes ficam mais definidas devido à extrema exploração dos senhores sobre os seus servos e sua impossibilidade de deter a posse das terras.

c) nas sociedades antigas, as classes são definidas de acordo com os costumes comunais, ficando a liderança dos grupos para aqueles que detiverem poderes sagrados.

d) no mundo moderno, as classes alcançam um maior grau de diferenciação e conseguem definir seus papéis sociais buscando uma maior integração entre si.

e) nas sociedades industrializadas as oportunidades são idênticas para todos os segmentos, fato que dilui as tensões sociais.

3. (Fuvest-SP) O século XIX foi o tempo dos "ismos": colonialismo, socialismo, nacionalismo.

a) Relacione esse fato com a Revolução Industrial.

b) Dê um exemplo de conflito estimulado pelo nacionalismo.

4. (Ufscar-SP) Analise os três textos seguintes.

"Eu vi o ferro incandescente sair da fornalha; eu o vi como se tecer em barras e fitas, com uma velocidade e facilidade que pareciam maravilhosas."

Engenheiro James Nasmyth, 1830.

"[...] como parecia estranho viajar naquilo, sem nenhuma causa visível do avanço a não ser a máquina mágica, com sua flutuante exalação branca e marcha ritmada, invariável, entre aquelas paredes rochosas [...]. Senti como se nenhum conto de fadas fosse tão maravilhoso quanto a metade do que via."

Atriz Fanny Kemble, 1829.

"Pobreza, pobreza, pobreza, em perspectivas quase infindáveis; e carência e desgraça cambaleando de braços dados por essas ruas miseráveis. Ali, cerca de quinze pés abaixo da calçada, agachada numa imundice indescritível, com a cabeça inclinada, estava a figura do que fora uma mulher. Seus braços azuis cingiam no colo lívido duas coisas mirradas como crianças, que se inclinavam em direção a ela, uma de cada lado. A princípio eu não sabia se estavam vivas ou mortas."

Herman Melville, 1839.

O contexto histórico dos textos apresentados refere-se:

a) ao conflito entre capital e trabalho, na cidade e no campo, provocado por migrações e pobreza nas pequenas cidades inglesas, onde estavam os antigos centros manufatureiros.

b) ao grande desenvolvimento industrial norte-americano e à pobreza vivida por operários na cidade de Nova York.
c) à segunda etapa da Revolução Industrial, realizada pela expansão da indústria do aço, e ao empobrecimento da população como consequência das revoltas operárias.
d) à expansão do imperialismo inglês na África e à miséria desencadeada pela imposição às populações locais de um modo de vida urbano e segregacionista.
e) às contradições geradas pela Revolução Industrial inglesa, que promoveu desenvolvimento tecnológico e, ao mesmo tempo, gerou desemprego e pobreza.

5. **(Fuvest-SP)** Das três seguintes formulações — primeiro, a de Copérnico, a terra não é o centro do mundo; depois, a de Darwin, não nascemos de Deus mas viemos do macaco; e, por último, a de Freud, não somos senhores de nossa própria consciência — pode-se dizer que:
a) contribuem para tornar o homem cada vez mais confiante e orgulhoso de sua infalibilidade e perfeição.
b) constituem os fundamentos da modernidade e desfecham golpes profundos na pretensão do homem de ser o centro do universo.
c) fortalecem a posição científica dos que criticam esses pressupostos, tendo em vista sua falta de fundamentação empírica.
d) perdem cada vez mais credibilidade com o avanço científico proporcionado pela astronomia, biologia e psicologia.
e) harmonizam-se com as concepções dos que defendem a tese criacionista, ou que propõem um desenho inteligente sobre a criação do universo.

6. **(Vunesp)**

"A Exposição Internacional de Eletricidade foi aberta ao público no Palácio da Indústria em Paris, em agosto de 1819 [...]. A maior parte dos aparelhos expostos resultou de descobertas moderníssimas [...]. O bonde que transporta os visitantes; as máquinas eletromagnéticas e o dínamo-elétrico em funcionamento; os focos luminosos brilhando; os telefones que nos permitem ouvir à distância representações de ópera — tudo isto é tão novo que nem sequer seu nome era conhecido cinco anos atrás."

Revista *A natureza*, 1881.

As inovações mencionadas:
a) resultaram dos investimentos em tecnologia e da criação dos cursos técnicos nas universidades europeias e norte-americanas.
b) foram consequências da Segunda Revolução Industrial, que explorou novas fontes de energia e desenvolveu novos processos produtivos.
c) ficaram restritas às camadas privilegiadas da sociedade, sem alterar o cotidiano da maioria dos habitantes da Europa.
d) possibilitaram a autossuficiência dos países capitalistas adiantados e trouxeram dificuldades para os exportadores de produtos primários.
e) determinaram a expansão dos regimes democráticos e iniciaram a difusão dos conhecimentos científicos em diferentes sociedades.

7. **(UEM-PR)**

"Paralelamente às propostas do socialismo utópico, que procuravam conciliar numa sociedade ideal os princípios liberais e as necessidades emergentes do operariado, surgiu o socialismo científico. Mediante a análise dos mecanismos econômicos e sociais do capitalismo, seus ideólogos propunham compreender a realidade e transformá-la."

VICENTINO, C. *História geral.*

A respeito do socialismo científico, assinale a alternativa **incorreta**.
a) Karl Marx (1818-1883) e Friedrich Engels (1820-1895) foram os formuladores da tese do socialismo científico.
b) O texto *Manifesto Comunista* escrito por Marx e Engels foi o lançamento formal de uma nova proposta de sociedade que pretendia substituir a sociedade capitalista.
c) O socialismo científico previa que, após a tomada do poder pela classe operária, seria instalada a ditadura do proletariado e decretada a socialização dos meios de produção.
d) A mais-valia é um conceito utilizado por Karl Marx para designar o valor da riqueza produzida pelo operário além daquilo que o capitalista lhe pagava na forma de salário.
e) O socialismo científico previa que a transformação da propriedade privada em propriedade coletiva ocorreria por meio pacífico, em função do desenvolvimento da ciência.

8. **(Mackenzie-SP)**

"Bakunin temia que os marxistas, após terem derrotado o capitalismo e tomado o poder, se tornassem os novos exploradores. Uma vez no poder, eles se converteriam em uma minoria privilegiada de ex-trabalhadores que, com o poder nas mãos, passariam a representar a si mesmos e a defender seus pretensos direitos de governar o povo. Para Bakunin, o Estado deveria ser destruído pelos trabalhadores imediatamente após a revolução."

CAMPOS, F. de; MIRANDA, R. G. *Oficina da história.*

O fragmento de texto acima faz referência às ideias:
a) socialistas.
b) social-democratas.
c) anarquistas.
d) cartistas.
e) socialistas utópicas.

9. **(UFMG – adaptada)** Explique os propósitos do movimento cartista.

A Monarquia Brasileira

A segunda metade do século XIX foi um período de profundas mudanças econômicas e sociais no Brasil, transformações que colocaram em evidência as contradições de uma sociedade dividida entre o modelo liberal e a estrutura escravista herdada do período colonial.

Da Regência ao Segundo Reinado

- Em 1831, d. Pedro I abdicou do trono brasileiro em favor de seu filho, Pedro de Alcântara, de apenas 5 anos de idade. Conforme previa a Constituição de 1824, uma Regência deveria governar o país até a maioridade do príncipe herdeiro. O Brasil teve três Regências:
  - **Regência Trina Permanente:** José da Costa Carvalho, João Bráulio Muniz e o general Francisco de Lima e Silva (1831 a 1835).
  - **Regência Una:** padre Diogo Antônio Feijó (1835 a 1837).
  - **Regência Una:** Pedro de Araújo Lima (1837 a 1840).
- Durante o período regencial (1831-1840) não havia consenso entre as elites sobre o papel do Estado. Essa elite dividia-se em três forças.
- Os **liberais exaltados**, compostos por proprietários rurais, camadas médias urbanas, militares e padres, defendiam as liberdades individuais, a descentralização administrativa e, em casos extremos, a república.
- Os **liberais moderados**, formados por proprietários rurais, especialmente cafeicultores e comerciantes brasileiros das províncias do Rio de Janeiro, de São Paulo e de Minas Gerais. Eles eram favoráveis ao fortalecimento da monarquia constitucional (centralismo) e à manutenção do trabalho escravo.
- Havia também os **restauradores**, comerciantes portugueses e membros da administração pública que defendiam a volta de d. Pedro I ao poder, e que perderam força após a morte do monarca, em 1834.
- A instabilidade política dos primeiros meses após a abdicação levou à formação da Guarda Nacional (1831) para garantir a segurança diante de ameaças internas e externas. Foi elaborado o Código do Processo Criminal (1832), que concedeu maiores poderes aos juízes regionais e o Ato Adicional (1834), que deu às províncias maior autonomia com a criação das Assembleias Provinciais e aumentou o poder das elites locais. O Ato Adicional, considerado vitória política dos exaltados, também criou a Regência Una, eleita pelo voto censitário.

As rebeliões regenciais

- Ao longo do período regencial, eclodiram revoltas em todo o país em decorrência de disputas políticas entre diferentes grupos locais ou insatisfação com a pobreza, a escravidão e as duras condições de vida.
- No Pará, ocorreu a **Cabanagem** (1835-1840), uma rebelião popular em meio às disputas entre as elites, as quais estavam interessadas na redução dos impostos. Foi proclamada a independência do Pará e instituído um governo não muito diferente do que já havia. Após a dura repressão que matou mais de 30 mil pessoas, as tropas legalistas retomaram o controle das principais cidades, como Belém.
- Na Bahia, houve a **Revolta dos Malês** (1835), movimento de escravos e libertos muçulmanos, em reação à escravidão, à crise econômica e à conversão forçada ao catolicismo. A revolta foi rapidamente sufocada. Os escravos nagôs Pedro, Gonçalo e Joaquim e o liberto carregador de cal Jorge da Cruz Barbosa, que eram os principais líderes do movimento, foram mortos, e os demais revoltosos, punidos com açoitamentos, prisões e degredos.
- A **Balaiada** (1838-1841) ocorreu no Maranhão e envolveu uma disputa entre grupos da elite local e, paralelamente, uma revolta das populações sertanejas que viviam em absoluta miséria na região. Nesse ambiente conturbado, escravos fugidos formaram diversos quilombos, desestabilizando a rígida estrutura social vigente. O então coronel Luis Alves de Lima e Silva foi nomeado presidente da província e conseguiu, em pouco tempo, pôr fim à rebelião.
- A **Revolução Farroupilha** (1835-1845) teve início no Rio Grande do Sul e estendeu-se até Santa Catarina. Liderada por estancieiros, foi uma luta contra a política tributária (impostos sobre o charque) e em defesa de maior autonomia para as províncias. A pacificação só foi obtida em 1842, novamente pela intervenção de Luis Alves de Lima e Silva, já intitulado Barão de Caxias. O movimento republicano e separatista arrefeceu. Houve anistia total e parte dos revoltosos acabou incorporada às fileiras do exército brasileiro.

Revoltas do período regencial

Fonte: *IstoÉ Brasil 500 anos*: Atlas histórico. São Paulo: Três, 1998. p. 57.

O Segundo Reinado

- Na crença de que um Estado centralizado com a presença de um imperador contribuiria para estabilizar o país, em 1840 os exaltados patrocinaram o **golpe da maioridade**, antecipando a ascensão de d. Pedro II ao trono. Eles pretendiam manipular o jovem governante, manter a estrutura oligárquica e impedir o avanço dos movimentos revolucionários que tomavam conta de diversas províncias. Os moderados logo rebateram essa manobra política e, por volta de 1850, exaltados e moderados já se aglutinavam no gabinete da conciliação.
- Uma reforma política criou o cargo de presidente do Conselho de Ministros (1847), instituindo uma espécie de parlamentarismo no Brasil. Por meio dele, o imperador sobrepunha-se aos parlamentares, tendo poder, inclusive, para dissolver a Câmara. Por isso o parlamentarismo brasileiro ficou conhecido como **parlamentarismo às avessas**.
- Em 1848, ocorreu em Pernambuco a **Revolução Praieira**. Inspirados pelos eventos revolucionários na Europa, o movimento popular se rebelou contra as difíceis condições econômicas e sociais da região. A revolta dirigiu-se contra os comerciantes portugueses de Recife. As principais reivindicações dos rebeldes eram o voto universal masculino, a nacionalização do comércio, a liberdade de imprensa e o sistema federativo. A revolta partiu de Olinda e foi até o Recife, onde foi contida pelas tropas do Império.

A economia no governo de d. Pedro II

- No Segundo Reinado (1840 a 1889), a principal riqueza brasileira era o **café**, proveniente da Baixada Fluminense, do Vale do Paraíba e do oeste paulista. Cultivado inicialmente por escravos e, a partir de 1850, pelo trabalho livre de imigrantes europeus, o café chegou a representar mais de 70% do valor das exportações do país.
- Em meados do século XIX, a Inglaterra, principal potência industrial do mundo, passou a pressionar os países que empregavam mão de obra escrava africana para que interrompessem o tráfico e abolissem a escravidão. O país tinha o interesse de manter mão de obra na África, de onde extraía matérias-primas, e ampliar os mercados consumidores dos produtos que fabricava.
- Em 1845, o Parlamento britânico aprovou o Bill Aberdeen, lei que concedia à marinha britânica o direito de aprisionar navios negreiros, mesmo em águas brasileiras. Apenas em 1850 o governo brasileiro sancionou a **Lei Eusébio de Queiroz**, que proibia o tráfico negreiro. Com isso, os grandes cafeicultores passaram a recorrer a mão de obra imigrante, especialmente a europeia.
- Nesse contexto, ideias raciais originárias da Europa ganharam força e propagou-se que era preciso "branquear" o Brasil para garantir o desenvolvimento do país.
- A **Lei de Terras** (1850) contribuiu para acentuar a separação entre as classes ao determinar que o único acesso à propriedade rural fosse por meio da compra, impedindo os pobres de serem proprietários.
- A extinção do trabalho escravo avançou com a **Lei do Ventre Livre** (1871) e a **Lei do Sexagenário** (1885), e concretizou-se com a **Lei Áurea** (1888). O fim da escravidão era esperado no panorama mundial, mas escravistas do Vale do Paraíba reclamaram indenizações.

Conteúdo digital Moderna PLUS http://www.modernaplus.com.br
Mapa animado: Sua majestade, o café

Preço médio dos escravos (15-29 anos) – oeste paulista

Período	Preço em mil-réis
1843-1847	550$000
1848-1852	649$000
1853-1857	1:177$500
1858-1862	1:840$000
1863-1867	1:817$000
1868-1872	1:792$500
1873-1877	2:076$862

Fonte: MARTINS, José de Souza. *O cativeiro da terra.* São Paulo: LECH, 1981. p. 27.

Cultura e sociedade

- Para escoar a produção cafeeira foram modernizados os portos e construídas ferrovias. A riqueza produzida pelo café ajudou a refinar cidades do Sudeste, que foram urbanizadas e adquiriram ares europeus, com teatros, confeitarias e lojas sofisticadas.
- Durante esse período, também foram criadas as faculdades de Direito de São Paulo e de Olinda, responsáveis pela formação de grande parte dos políticos, juristas e administradores do Estado, e o Instituto Histórico e Geográfico Brasileiro (IHGB) em 1838.
- Ao mesmo tempo, artistas e intelectuais procuraram construir uma "identidade nacional" por meio do romantismo, que, na literatura, na música, na pintura, no teatro e em outras formas de expressão, buscou criar representações do que era genuinamente brasileiro.

A crise da monarquia

- Uma antiga disputa pelo controle da navegação na Bacia do Prata e a intervenção brasileira no Uruguai foram as causas essenciais da **Guerra do Paraguai** (1864 a 1870), que opôs o Paraguai e a Tríplice Aliança (Brasil, Argentina e Uruguai).
- A vitória da Tríplice Aliança deixou o Paraguai destruído: população masculina adulta praticamente dizimada, perda de territórios, dívidas com os vencedores e intervenção brasileira em seus assuntos internos. No Brasil, os militares recuperaram prestígio e passaram a reivindicar melhorias profissionais e participação política. Além disso, a presença de muitos soldados negros em suas fileiras levou o exército a defender o fim da escravidão.
- A pressão dos militares, o desejo dos cafeicultores do oeste paulista de modernização do país, a exigência de indenizações pelos antigos proprietários de escravos e conflitos com a Igreja (que não aceitava a ligação entre a Coroa e a maçonaria) provocaram o desgaste da monarquia. Organizados em clubes republicanos e partidos políticos provinciais, os militares, os grandes fazendeiros e a classe média urbana estimularam o golpe que destituiu o monarca e implantou a república no país, em 15 de novembro de 1889.

Conteúdo digital Moderna PLUS http://www.modernaplus.com.br
Mapa animado: A Guerra do Paraguai

No Vestibular

1. (UEL-PR)

"[...] explodiu na província do Grão-Pará o movimento armado mais popular do Brasil [...]. Foi uma das rebeliões brasileiras em que as camadas inferiores ocuparam o poder [...]."

Ao texto pode-se associar:

a) a Regência e a Cabanagem.
b) o Primeiro Reinado e a Praieira.
c) o Segundo Reinado e a Farroupilha.
d) o Período Joanino e a Sabinada.
e) a abdicação e a Noite das Garrafadas.

2. (PUC-RJ)

"Nas revoltas subsequentes à abdicação, o que aparecia era o desencadeamento das paixões, dos instintos grosseiros da escória da população; era a luta da barbaridade contra os princípios regulares, as conveniências e necessidades da civilização. Em 1842 pelo contrário o que se via à frente do movimento a braços com o soldado mercenário era a flor da sociedade brasileira, tudo que as províncias contavam de mais honroso e eminente em ilustração, em moralidade e riqueza; espetáculo que se renova hoje em Pernambuco."

Timandro (Francisco de Sales Torres Homem). *O libelo do povo*.

Para justificar as revoltas da boa sociedade imperial – as revoltas liberais de Minas Gerais e São Paulo, em 1842, e a Praieira, em 1848 –, o Timandro estigmatizava em seu panfleto os movimentos da "escória da população" – a plebe e os escravos negros –, desde a abdicação. Tais movimentos aparecem listados nas opções abaixo, com exceção de uma. Assinale-a.

a) Sabinada.
b) Farroupilha.
c) Cabanagem.
d) Malês.
e) Balaiada.

3. (UFSE) Conjuração dos Alfaiates, no Brasil colônia, Cabanos e Balaiada, no Período Regencial, e Canudos, no início da República, foram movimentos que se particularizaram na história do Brasil devido:

a) à expressiva participação popular.
b) ao conteúdo monarquista de suas propostas.
c) ao caráter pacífico de suas reivindicações.
d) ao apoio que tiveram das classes dominantes.
e) à aceitação de seus projetos pelo governo central.

4. (Fuvest-SP) Analise os versos das quadrinhas populares cantadas no Rio de Janeiro, em 1840.

Canção 1	Canção 2
Suba ao trono o jovem Pedro Exulte toda a nação; Os heróis, os pais da pátria Aprovaram com união.	Por subir Pedrinho ao trono, Não fique o povo contente; Não pode ser coisa boa Servindo com a mesma gente

Compare as quadrinhas populares e responda.

a) Por que d. Pedro II tornou-se imperador antes dos dezoito anos, como previa a Constituição?

b) Quais as diferentes posições políticas expressas nas duas canções populares?

5. (Uerj)

"O sete de abril de 1831, mais do que o sete de setembro de 1822, representou a verdadeira independência nacional, o início do governo do país por si mesmo, a Coroa agora representada apenas pela figura quase simbólica de uma criança de cinco anos. O governo do país por si mesmo, levado a efeito pelas Regências, revelou-se difícil e conturbado. Rebeliões e revoltas pipocaram por todo o país, algumas lideradas por grupos de elite, outras pela população tanto urbana como rural, outras ainda por escravos. [...] A partir de 1837, no entanto, o regresso conservador ganhou força, até que o golpe da maioridade de 1840 colocou d. Pedro II no trono, inaugurando o Segundo Reinado. Estava estruturado o Império do Brasil com base na unidade nacional, na centralização política e na preservação do trabalho escravo."

CARVALHO, J. Murilo et al. Documentação política, 1808-1840. *Brasiliana da Biblioteca Nacional*. Rio de Janeiro: Fundação Biblioteca Nacional/Nova Fronteira, 2001.

Indique um exemplo de revolta popular ocorrida no período regencial e explique por que a antecipação da maioridade de d. Pedro II foi uma solução para a crise.

6. (UEL-PR)

"[...] essa foi a época em que, numa palavra, a antiga colônia segregada e vegetando na mediocridade do isolamento se moderniza e se esforça por sincronizar sua atividade com o mundo capitalista contemporâneo."

No Brasil, a época a que o texto se refere pode estar associada com:

a) café, imigração e urbanização.
b) algodão, manufatura e exportação.
c) ouro, escravidão e ruralização.
d) tabaco, meação e industrialização.
e) açúcar, parceria e abolição.

7. (Mackenzie-SP)

"A princesa imperial regente, em nome de sua majestade o imperador, o senhor d. Pedro II, faz saber a todos os súditos do Império que a Assembleia Geral decretou e Ela sancionou a lei seguinte:

Art. 1º: É declarada extinta desde a data desta lei a escravidão no Brasil."

Coleção de leis. *Das leis do império do Brasil*, Imprensa Nacional.

Com relação à lei anterior, é correto afirmar que:

a) atendeu aos interesses dos fazendeiros de café do Vale do Paraíba e senhores de engenho do Nordeste.
b) a Lei Áurea solapou o poder econômico e político de setores da elite agrária que se vinculavam ao Império.
c) o mercado de trabalho absorveu esta mão de obra nas indústrias em expansão, carentes de trabalhadores.
d) se desvinculou das Leis do Ventre Livre e do Sexagenário, atrelando-se aos interesses da oligarquia monocultora.
e) aproximou da monarquia importantes líderes como Benjamin Constant, José Bonifácio e Aristides da Silveira Lobo.

8. (Uerj)

"[...] A imprensa de todo o Império revela que o espírito público vai-se esclarecendo, e que os brasileiros em sua maioria já se vão convencendo que da monarquia não podem esperar a salvação do país.

Venha, pois, a república e quanto antes. Venha a república sem revolução armada, sem derramamento de sangue de irmãos, venha ela do triunfo das ideias democráticas da grande maioria do país, e da profunda convicção de que a monarquia é incapaz de salvar o país."

Adaptado do jornal *A República*, Club Republicano de São Paulo, dez. 1870, nº 3, ano I.

As décadas de 1870 e 1880 assistiram a um afastamento do Estado imperial em relação às suas bases de sustentação e foram marcadas pelo crescimento do ideal republicano. Contudo, a república esperada não tinha o mesmo significado para todos os republicanos.

a) Cite um dos segmentos sociais que serviram de sustentação à monarquia brasileira e explique o motivo do afastamento desse segmento em relação à sorte do Império.

b) O café promovera a urbanização do Sudeste, onde se formou uma classe média urbana. Qual a postura desse segmento diante do movimento republicano?

O imperialismo na Ásia e na África

Com a expansão da Revolução Industrial pela Europa, os países industrializados passaram a buscar matérias-primas e mercados consumidores na Ásia e na África, onde constituíram grandes áreas coloniais entre os séculos XIX e XX.

Concentração de capitais

- Na segunda metade do século XIX, sucessivas inovações tecnológicas atingiram os campos e as cidades. Ocorreram avanços nos transportes (trens e barcos a vapor) e nas comunicações (telégrafo e telefone) graças ao uso de fontes energéticas como a eletricidade e o petróleo.
- Na agricultura, a utilização de máquinas e fertilizantes químicos proporcionaram o aumento da produção de alimentos. Esse fato, somado a medidas sanitárias e a descoberta de novos medicamentos, proporcionou um notável crescimento demográfico.
- O alto custo das novas máquinas e equipamentos exigia um grande aporte de capital, geralmente vindo de instituições financeiras ou de poderosos grupos de acionistas. Surgiu, assim, o **capitalismo financeiro**.
- As crescentes inovações tecnológicas do período e a necessidade de cada vez mais recursos para ampliar a produção e conquistar novos mercados levaram empresas a associarem-se, formando **oligopólios**, que controlavam determinados ramos da produção.
- Esses grandes grupos empresariais organizaram-se em **trustes**, empresas que se fundiram numa única organização, e ***holdings***, que tinham o controle das subsidiárias. Dessa forma, ocorreu a concentração de capitais em setores estratégicos da economia, tais como ferrovias e indústria metalúrgica.
- Com os avanços tecnológicos e as fusões empresariais, entre 1870 e 1890 ocorreu uma crise de superprodução, que levou alguns países a adotarem medidas protecionistas e a buscarem matérias-primas e mercados consumidores na América Latina, na Ásia e na África.
- O aumento da população europeia também exigiu novas terras que pudessem absorver a mão de obra excedente, gerando um grande movimento migratório. Entre 1815 e 1915, cerca de 35 milhões de pessoas deixaram a Europa para tentar uma nova vida em outros continentes, principalmente na América.

A grande emigração europeia (1800-1930) em milhões

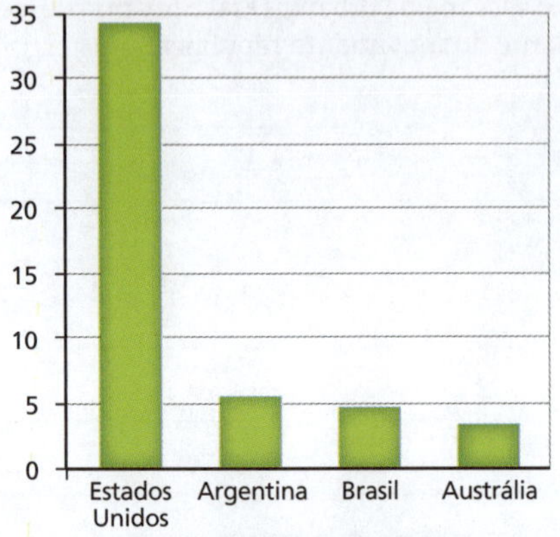

Imperialismo e dominação

- O processo de expansão das potências industrializadas em busca de áreas de exploração econômica, impulsionado pelo capital financeiro e oligopólios, foi denominado **imperialismo** ou **neocolonialismo**. Em consequência, ocorreu a partilha quase completa da África e a ocupação de vastos territórios da Ásia ou sua subordinação à influência europeia.
- A dominação imperialista apresentou características específicas em cada região.
  - **Áreas de domínio econômico:** países independentes, porém explorados economicamente e que tomavam medidas que beneficiavam os países imperialistas. Exemplo: América Latina.
  - **Áreas de protetorado:** domínios coloniais tratados como aliados. Exemplo: Índia, submetida pela Inglaterra.
  - **Áreas de colonização direta:** áreas dominadas militar, política e economicamente, com dirigentes europeus. Exemplo: Argélia, controlada pela França.
  - **Áreas de influência:** territórios em que os dirigentes locais eram obrigados a garantir vantagens econômicas e jurídicas à potência estrangeira. Exemplo: China, subordinada aos ingleses.
- Nessas áreas, os europeus fomentaram a produção de gêneros agrícolas e a extração de recursos de origem animal, mineral e vegetal.

Ideologia e cultura no imperialismo

- A conquista e a dominação da África e da Ásia pelas potências europeias exigiam justificativas ideológicas que ocultassem os interesses econômicos imediatos. Herbert Spencer foi um dos criadores do **darwinismo social.** Apropriando-se de conceitos da teoria da evolução do inglês Charles Darwin, essa corrente de pensamento defendia a ideia de que as sociedades se modificam e evoluem, passando de um estágio inferior (selvagem) para um estágio superior (civilizado). Também resultante da mentalidade evolucionista, difundiu-se a ideologia de **superioridade racial**, que classificava os brancos como naturalmente dominantes.
- Com o objetivo de reafirmar essa suposta superioridade europeia e celebrar as novidades tecnológicas, os governos da Europa e dos Estados Unidos organizaram feiras, mostras etnográficas e grandes exposições universais. As maiores delas foram realizadas em Paris, Londres e Chicago e mostravam as novas conquistas da ciência e da indústria, além de informações sobre a fauna, a flora e os povos africanos e asiáticos, apresentados como exóticos e selvagens.

Domínios na Ásia: Índia

- No século XVIII, os ingleses já dominavam diversos principados indianos por meio da Companhia das Índias Orientais. Em meados do século XIX, esse domínio aumentou, com os britânicos determinando a produção agrícola e artesanal e impondo altos tributos à população.
- As mudanças econômicas enriqueceram alguns poucos comerciantes locais, mas resultaram na miséria da maior parte da população indiana, causando a **Revolta dos Cipaios** (1857-1858), duramente reprimida pelos colonizadores. Depois disso, outros territórios asiáticos foram incorporados ao Império Britânico: Birmânia (1866) e Malásia (1874).

China

- País populoso e rico em recursos naturais, a China era cobiçada por diversas potências imperialistas. A China tinha como vassalos vários de seus vizinhos, o que também atraía os interesses dos países imperialistas. As potências europeias, no entanto, encontravam dificuldades para estabelecer seus empreendimentos na China, pois o governo exercia um poder centralizado, que colocava empecilhos à penetração estrangeira. Na primeira metade do século XIX, contudo, a crescente autonomia das províncias favoreceu a penetração dos países europeus, que já comercializavam com a China.
- O ópio, mercadoria de grande aceitação entre os chineses, era comercializado pelos ingleses. Porém, os efeitos nocivos dessa droga levaram o governo chinês a proibir o seu comércio, fato que desencadeou a **Guerra do Ópio** (1839-1842), vencida pelos britânicos. O triunfo militar assegurou aos vencedores a abertura de portos chineses à Grã-Bretanha e o controle sobre Hong Kong. No final do século XIX, a China encontrava-se dividida em áreas de influência da Grã-Bretanha, França, Alemanha, Rússia, Estados Unidos e Japão.

A dominação imperialista na Ásia (início do século XX)

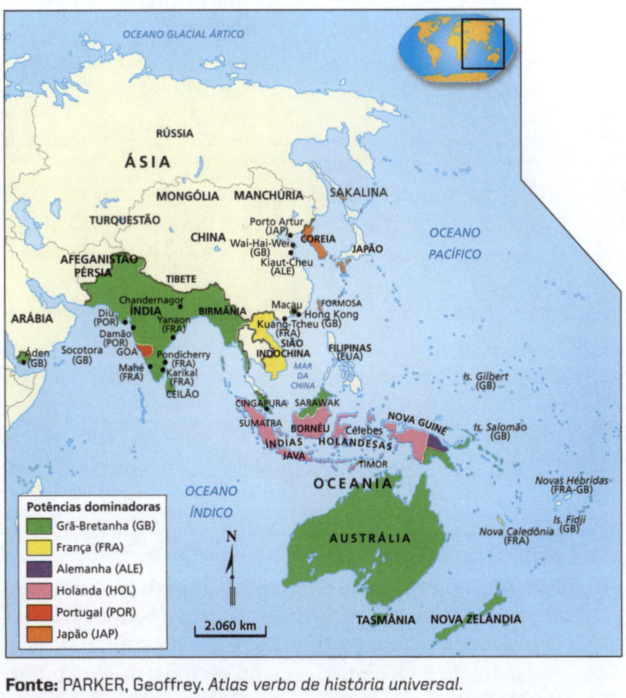

Fonte: PARKER, Geoffrey. *Atlas verbo de história universal*. Lisboa: Verbo, 1997. p. 113.

Japão

- Desde o século XV, o Japão e o Sudeste Asiático travavam contatos com o Ocidente. A partir do século XVII, no entanto, os xoguns do clã Tokugawa aboliram o comércio do Japão com a Europa e expulsaram os estrangeiros.
- Em 1853, os norte-americanos forçaram a abertura dos portos japoneses ao comércio com os Estados Unidos. Porém, a partir de 1868, o Japão iniciou a era ou **Restauração Meiji**, que procurava diminuir a influência estrangeira. Uma série de medidas estimulou o desenvolvimento industrial e agrícola, os transportes e as comunicações, transformando o Japão numa potência asiática. As reformas na economia foram acompanhadas por mudanças na sociedade japonesa. O sistema feudal foi abolido e os antigos senhores feudais investiram na industrialização do país.

A expansão europeia na África

- A partir de 1870, intensificou-se a dominação europeia sobre a África. Em 1876, os belgas apossaram-se da bacia do Congo, a França controlou a Tunísia, o Marrocos, parte do Congo e o Egito, que pouco tempo depois passou para o controle britânico. Já os ingleses dominaram a África do Sul, de onde expulsaram colonos holandeses (bôeres).
- As tensões pela disputa de territórios na África levaram à **Conferência de Berlim** (1884-1885), que teve a participação da França, Bélgica, Grã-Bretanha, Alemanha, Itália, Portugal, Espanha, Rússia, Estados Unidos, Dinamarca, Suécia, Noruega, Países Baixos, Áustria-Hungria e Turquia. Representantes desses países celebraram a **Partilha da África**, regulamentando a colonização e a conquista dos poucos territórios livres no continente africano.
- Essa conferência definiu fronteiras nos países africanos, dividindo-os sem considerar as tradições, os grupos familiares e as estruturas econômicas de cada região, desorganizando, assim, o modo de vida de diversas nações.

A partilha da África

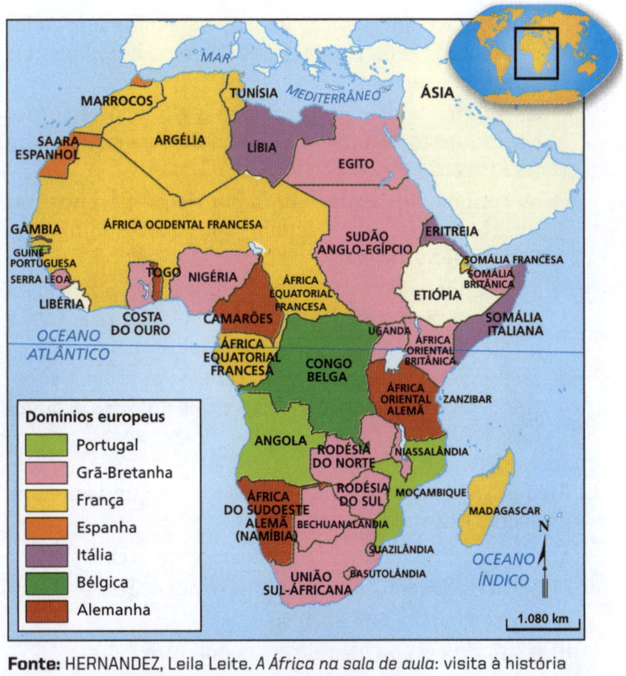

Fonte: HERNANDEZ, Leila Leite. *A África na sala de aula*: visita à história contemporânea. São Paulo: Selo Negro, 2005. p. 68.

No Vestibular

1. (Fuvest-SP)

"Quando os brancos chegaram, nós tínhamos as terras e eles a *Bíblia*; depois eles nos ensinaram a rezar; quando abrimos os olhos, nós tínhamos a *Bíblia* e eles as terras".

Essa frase – atribuída a Jomo Kenyatta, fundador da República do Quênia – remete à partilha da África, no quadro do imperialismo europeu. Comente e interprete o trecho.

2. (UEL-PR)

"Longe de serem uns monstros de espada, eles querem, majoritariamente, ser os portadores de um grande destino. Por mais que tenham passado populações inteiras pelo fio da espada – como Gallieni em seus primeiros tempos – ou as tenham queimado vivas – como Bugeaud na Argélia –, a seus olhos tais atos são apenas os meios necessários para a realização do projeto colonial [na África], essa missão civilizadora que substitui a evangelização tão cara aos conquistadores do século XVI."

FERRO, Marc. *História das colonizações*: das conquistas às independências - séculos XIII a XX.

No texto acima, que trata da partilha e da conquista da África, no século XIX, o autor defende que:

a) os conquistadores fincavam suas bandeiras sem violar os direitos humanos da igualdade e da liberdade dos povos africanos.

b) os conquistadores desprezavam a glória, o heroísmo e as riquezas decorrentes da grande obra civilizadora na África.

c) os conquistadores tinham a convicção de encarnar a razão e a ciência e serem capazes de subjugar as sociedades africanas.

d) os conquistadores conseguiram que triunfasse a ideia de um projeto colonial tirânico e violento, pois foram incapazes de cooptar lideranças políticas nativas.

e) assim como Portugal, outros Estados europeus substituíram, na África, os canhões pelas missões evangelizadoras jesuíticas.

3. (UFS-SE) A expansão do imperialismo na segunda metade do século XIX relaciona-se com:

a) o desenvolvimento do capitalismo comercial.

b) o fortalecimento do capitalismo financeiro.

c) a ascensão do mercantilismo.

d) a supremacia do liberalismo econômico.

e) a decadência dos grandes conglomerados econômicos.

4. (Cesgranrio-RJ) A industrialização acelerada de diversos países, ao longo do século XIX, alterou o equilíbrio e a dinâmica das relações internacionais. Com a Segunda Revolução Industrial emergiu o imperialismo, cuja característica marcante foi o(a):

a) substituição das intervenções militares pelo uso da diplomacia internacional.

b) busca de novos mercados consumidores para as manufaturas e os capitais excedentes dos países industrializados.

c) manutenção da autonomia administrativa e dos governos nativos nas áreas conquistadas.

d) procura de especiarias, ouro e produtos tropicais inexistentes na Europa.

e) transferência de tecnologia, estimulada por uma política não intervencionista.

5. (Vunesp) A ocupação de regiões da África e da Ásia, levada a efeito por potências europeias no decorrer do século XIX, não se fez pacificamente, a despeito da supremacia bélica dos conquistadores.

a) Cite dois conflitos nas áreas dominadas, decorrentes do processo mencionado.

b) Aponte e comente um motivo que justifique o interesse das potências europeias nessas áreas.

6. (UCS-RS) O processo de dominação imperialista europeu sobre os continentes africano e asiático é conhecido, respectivamente, como Partilha da África e Partilha da Ásia. A respeito do neocolonialismo do século XIX, é <u>incorreto</u> afirmar que:

a) a missão civilizadora das grandes potências difundiu a superioridade europeia com base em ideias racistas e preconceituosas como, por exemplo, as características biológicas da raça branca.
b) os grupos interessados na expansão europeia buscavam a reserva de mercado para a produção industrial. Essa expansão era movida por questões estratégicas em termos de poderio militar e segurança nacional.
c) a política colonizadora fundamentou-se na "diplomacia do canhão", ou seja, foi conseguida pela força, embora camuflada de ideais humanitários, filantrópicos e culturais.
d) tinha a necessidade de garantia de fornecimento de novas fontes de matérias-primas (ferro, cobre, petróleo, manganês, trigo, algodão e outros) e de conquista de novos mercados consumidores para a crescente produção industrial.
e) o progresso técnico-científico espalhado pelo mundo através da política colonizadora proporcionou a substituição da economia tradicional pela indústria manufatureira, promovendo equilíbrio entre produção e consumo e estabilizando a vida monetária de muitos países.

7. (Fatec-SP)

Ata Geral da Conferência de Berlim – 26 de fevereiro de 1885:

"Capítulo 1 – Declaração referente à liberdade de comércio na bacia do Congo... Artigo 6º – Todas as potências que exercem direitos de soberania ou uma influência nos referidos territórios comprometem-se a velar pela conservação dos aborígenes e pela melhoria de suas condições morais e materiais de existência e a cooperar na supressão de escravatura e principalmente no tráfico de negros; elas protegerão e favorecerão, sem distinção de nacionalidade ou de culto, todas as instituições e empresas religiosas, científicas ou de caridade, criadas e organizadas para esses fins ou que tendam a instruir os indígenas e a lhes fazer compreender e apreciar as vantagens da civilização."

Pela leitura do texto acima, podemos deduzir que ele:
a) demonstra que os interesses capitalistas voltados para investimentos financeiros eram a tônica do tratado.
b) caracteriza a atração exercida pela abundância de recursos minerais, notadamente na região sul-saariana.
c) explicita as intenções de natureza religiosa do imperialismo, através da proteção à ação dos missionários.
d) revela a própria ideologia do colonialismo europeu ao se referir às vantagens da civilização.
e) reflete a preocupação das potências capitalistas em manter a escravidão negra.

8. (Vunesp)

I. "Em 1914, 85% das terras do planeta eram áreas coloniais. O dado é impressionante e nos revela de que maneira a Europa tornou-se 'senhora do mundo'. Tal número é reflexo de um novo movimento imperialista ocorrido principalmente a partir dos anos 1870. [...] Importa destacar que naquele momento [década de 1870] formulou-se um emaranhado de explicações culturais, humanitárias e filosóficas para explicar a necessidade do imperialismo."

MARQUES, Adhemar e outros. *História contemporânea através de textos.*

II. "Ainda em 1939, a Grã-Bretanha tinha comércio 'internações' comparável ao dos Estados Unidos, e uma força industrial tão desenvolvida quanto a da Alemanha. [...] a Guerra Fria e os conflitos do Oriente Médio continuavam a onerar o orçamento, ao passo que a Alemanha e o Japão, e até a Itália, concorrentes industriais, podiam se reconstruir sem ter que suportar esses fardos. [...] Na África do Norte [francesa], por exemplo, a ajuda financeira metropolitana direta quadruplicou, de 1948 a 1951, e, no mesmo período, 15% dos investimentos franceses foram para as colônias, proporção que alcançou 20% em 1955."

FERRO, Marc. *História das colonizações*: das conquistas às independências - séculos XIII a XX.

a) Como as nações europeias justificavam a ocupação e a neocolonização da África a partir do século XIX?

b) No fragmento II, identifique o problema vivido pela França e pela Grã-Bretanha em relação aos seus espaços neocoloniais na África.

9. (FGV-SP) Sobre o imperialismo no século XIX, é correto afirmar.
a) Caracterizou-se pela valorização da diplomacia e do reconhecimento da autodeterminação dos povos em lugar de intervenções militares e da manutenção das áreas coloniais.
b) Caracterizou-se pelo incremento das atividades mercantis e pelo fluxo de matérias-primas dos países desenvolvidos para as regiões em processo de desenvolvimento.
c) Caracterizou-se pela emergência de potências asiáticas detentoras de alta tecnologia, abundante mão de obra e enormes reservas de matérias-primas.
d) Caracterizou-se pela conquista e subordinação de territórios destinados ao papel de fornecedores de matérias-primas e consumidores de produtos dos países industrializados.
e) Caracterizou-se pelo desenvolvimento do capitalismo monopolista comercial e pela articulação de diversas regiões do planeta por meio do fortalecimento do mercado internacional.

Belle Époque e a Primeira Guerra Mundial

A ampliação das publicações literárias, dos jornais e do público leitor, a diminuição do tempo de deslocamento entre as cidades, em virtude da ampliação da rede ferroviária, os novos avanços técnicos, tudo isso colaborou para o clima de entusiasmo e de otimismo que caracterizou os anos da *Belle Époque*.

Arte, ciência e tecnologia na *Belle Époque*

- De tempos em tempos, a humanidade vive períodos de euforia, que parecem anunciar uma nova era. Nesses tempos, acredita-se que todos os problemas econômicos, sociais e políticos serão resolvidos, e que a humanidade está predestinada a progredir sempre e em todos os sentidos.
- Um desses períodos foi a virada do século XIX para o XX. Conhecido como *Belle Époque*, foi vivenciado tanto na Europa quanto na América e caracterizou-se pela intensificação da vida urbana, por novas tendências artísticas e literárias e por avanços nas ciências, transportes e comunicações.

STF/AFP

STF/AFP

A Torre Eiffel fotografada em quatro momentos durante a sua construção, entre 1888 e 1889. Ela foi construída no Campo de Marte, próximo ao Rio Sena, na cidade de Paris. Inteiramente feita de aço, com 317 metros de altura, a Torre Eiffel era considerada, naquela época, a estrutura artificial mais alta do mundo.

Tecnologia e cotidiano

- Ao longo do século XIX, a industrialização expandiu-se da Inglaterra para o restante da Europa e para os Estados Unidos, e entre 1870 e 1914 ocorreu um surto industrial conhecido como **Segunda Revolução Industrial**.
- Na Europa Ocidental, a expansão da indústria e as novas tecnologias provocaram enormes transformações: grande parte da população foi alfabetizada, a religião perdeu influência social e cultural, e a ciência e a tecnologia integraram-se progressivamente ao cotidiano das pessoas.
- As grandes novidades apareceram nos transportes (metrôs, bondes elétricos e automóveis), nas comunicações (telégrafo, telefone e rádio), na siderurgia (aço) e na engenharia (estruturas metálicas). Deve-se destacar, também, o surgimento da fotografia e do cinema.
- Com o rádio, o cinema, o gramofone (equipamento que reproduzia os sons gravados em discos) e as impressoras de jornais, livros e revistas mais eficientes, a produção cultural passou a atingir um público maior, dando origem à **cultura de massa**.
- Nesse contexto, as lutas dos trabalhadores por melhores salários e regulamentação das jornadas diárias já apresentavam resultados, dando a eles tempo livre para o contato com as inovações. O problema era ter recursos financeiros para isso.
- Os benefícios gerados pela Segunda Revolução Industrial não atingiram todos os habitantes da Europa, e muito menos todos os países dos demais continentes. A fome e os surtos epidêmicos continuaram sendo grandes problemas nas áreas menos desenvolvidas do continente europeu, como a Rússia, e do mundo. O desenvolvimento científico e tecnológico era apenas um sonho para os habitantes dos países ainda não inseridos plenamente no capitalismo industrial.

BIBLIOTECA NACIONAL DA FRANÇA, PARIS

Gravura do *L'illustré du petit journal*, de 1933, trazendo como manchete "A primeira viatura automóvel em Paris", que trata da aparição do primeiro veículo de Serpollet na ruas de Paris, em abril de 1891.

Conhecimento e arte

› No final do século XIX, as ciências humanas sofreram duas mudanças importantes: separaram-se das ciências naturais, adquirindo autonomia, e fragmentaram-se em diversos ramos: história, economia, sociologia, antropologia, psicologia etc.

› Defendendo a ideia de que as ciências humanas deveriam contribuir para que se compreendesse melhor o homem, o pensador alemão Wilhelm Dilthey propôs a necessidade de criação de métodos investigativos próprios. Foi nesse contexto que apareceu a **fenomenologia**, de Edmund Husserl, que propôs a ligação entre a filosofia e outras áreas do conhecimento; a **psicanálise**, de Sigmund Freud, que mostrou ser o entendimento do inconsciente uma forma de compreensão de problemas comportamentais; a **antropologia cultural**, de Marcel Mauss e Franz Boas, que procurou compreender como os grupos humanos se relacionam com a natureza e com os seus semelhantes por intermédio de complexos sistemas simbólicos; a **teoria da relatividade**, de Albert Einstein, que revolucionou a compreensão da natureza ao comprovar que tempo e espaço são dimensões inseparáveis.

› Desde o Renascimento, as artes plásticas (pintura, escultura) refletiam a mentalidade da burguesia e não eram apresentadas ao grande público. Porém, no início do século XX, surgiram novas tendências: o **dadaísmo**, que usava o humor para ridicularizar as tradições; o **surrealismo**, que incorporou manifestações do inconsciente (sonhos, delírios) ao dadaísmo; e o **futurismo**, defensor do novo (cidades, máquinas, aviões etc.) na disputa contra o que era considerado arcaico (vida rural, tração animal etc.).

Conteúdo digital Moderna PLUS http://www.modernaplus.com.br
Vídeo: Semana de 1922

A marcha para a guerra

› A Primeira Guerra Mundial teve início com um conflito separatista localizado na região dos Bálcãs, na Europa Central e, em pouco tempo, se difundiu envolvendo potências rivais e tomando proporções inesperadas. Os acontecimentos que antecederam esse conflito são cruciais para entender como a Europa mergulhou numa guerra tão devastadora.

› A competição acirrada entre as potências imperialistas por mercados e capitais foi uma das razões para o fim da relativa paz e estabilidade do período da *Belle Époque*. Grã-Bretanha, Alemanha e França eram as protagonistas da disputa imperialista que contribuiu para a eclosão do conflito mundial.

› Em meados do século XIX, a disputa imperialista entre as nações europeias se manifestou também na forma de uma **corrida armamentista**. O desenvolvimento da indústria de guerra significou a produção de armamentos mais eficientes e potencialmente mais destrutivos, além de um crescente investimento do Estado nesse setor, conforme se aproximava o início do conflito.

› Por fim, devemos mencionar que a indústria bélica era financiada pelos Estados imperialistas, uma vez que eram eles os maiores consumidores dessa produção. Nos anos próximos à deflagração do conflito, a acumulação de armas atingiu proporções preocupantes, de tal maneira que não havia mais como estocar, fato que tornou iminente a guerra.

› A região dos Bálcãs, na Europa Central, era uma zona de instabilidade e de conflitos desde que o poder do Império Otomano começou a declinar, a partir de 1870. Com o esfacelamento do Império, os grupos étnicos que viviam na região (sérvios, búlgaros e romenos, principalmente) começaram a se organizar para formar novos Estados. A Sérvia, com população de origem eslava, tornou-se independente do Império Otomano em 1878 e logo investiu em uma campanha nacionalista pela constituição da Grande Sérvia, reunindo croatas, bósnios e eslovenos.

› O nacionalismo sérvio apoiava-se no **pan-eslavismo** da Rússia, movimento que pregava a união da grande "família eslava" da Europa Oriental sob a proteção do Estado russo. O nacionalismo sérvio chocava-se, no entanto, com a política expansionista do Império Austro-Húngaro, que desde 1908 havia anexado a Bósnia e a Herzegovina. Constituído por diferentes minorias étnicas, o Império Austro-Húngaro via com preocupação o crescente nacionalismo sérvio nos Bálcãs, que significava uma ameaça concreta à unidade territorial do Império.

› Essa disputa levou à formação de dois blocos político-militares: a **Tríplice Entente**, constituída por Inglaterra, França e Rússia, e a **Tríplice Aliança**, que tinha Alemanha, Itália e Áustria-Hungria.

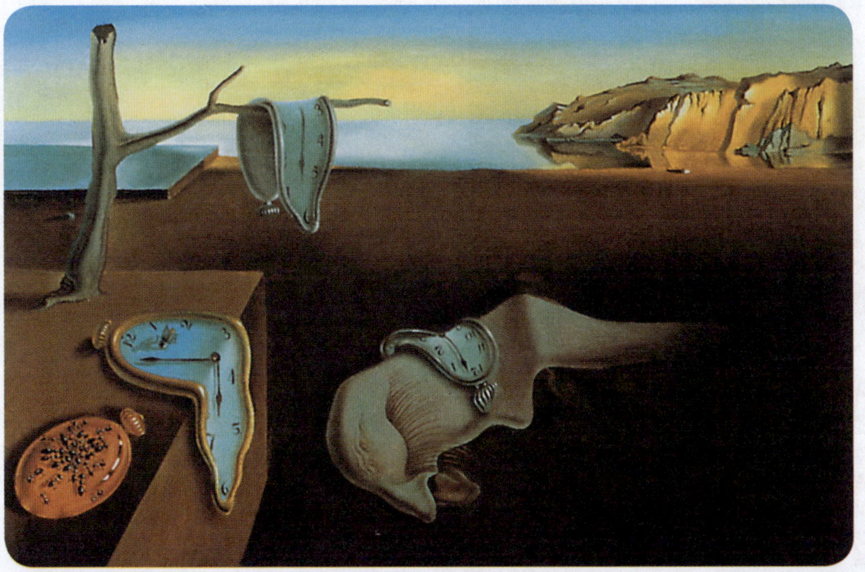

A persistência da memória, obra do pintor surrealista Salvador Dalí.

O conflito mundial

› O estopim do conflito foi um ataque terrorista na cidade de Sarajevo, capital da Bósnia, em junho de 1914. Nesse dia, o arquiduque Francisco Ferdinando – herdeiro do Império Austro-Húngaro – e sua esposa foram mortos a tiros por um grupo nacionalista da Sérvia. A motivação do atentado era local e visava deflagrar uma revolução contra o Império Austro-Húngaro, mas acabou gerando consequências bem maiores.

› As negociações para impedir a expansão do conflito, no entanto, foram inúteis e rapidamente as declarações de guerra se espalharam como um rastilho de pólvora. A Alemanha declarou guerra à Rússia e também à França, buscando a vantagem estratégica do ataque sobre a defesa. Rapidamente, a Alemanha partiu em ataque à França ocupando, durante o percurso, o território da Bélgica, um país neutro. O avanço alemão na Europa Ocidental e a invasão da Bélgica precipitaram a entrada da Grã-Bretanha no conflito. Estava armado o palco principal da Primeira Guerra Mundial.

› A ideologia nacionalista alimentou e difundiu o sentimento patriótico e o orgulho em defender a nação, motivando o engajamento voluntário da população. No início da guerra, grande parte dos Estados europeus mantinha exércitos de conscritos, ou seja, de cidadãos civis alistados, no qual o lema central era "cada homem, um soldado".

› A primeira fase da guerra caracterizou-se por uma grande movimentação de tropas e combates que deixaram milhares de mortos, revelando um equilíbrio entre as forças. Por essa razão, os comandantes decidiram proteger os seus exércitos utilizando trincheiras, tática conhecida como **guerra de trincheiras**. Esta foi a fase mais dramática da guerra: soldados entrincheirados sofriam com o sol, a chuva, a neve, o fogo da artilharia inimiga e os ataques aéreos. Além disso, bombas com gases venenosos eram lançadas dentro das trincheiras, obrigando-os a abandonar sua proteção.

› Do outro lado da Europa, na Frente Oriental, as batalhas aconteciam de forma mais dinâmica, pois os exércitos eram mais reduzidos e os espaços mais amplos. Os russos tomaram a dianteira nas ofensivas e atacaram a Alemanha, mas acabaram derrotados. Em 1916, houve uma nova ofensiva russa contra os austríacos, que também foi contra-atacada pelo poderoso exército alemão, resultando em mais de 1 milhão de baixas no exército russo.

› Em 1917 ocorreram fatos determinantes para o rumo da guerra: a Rússia retirou-se do conflito em virtude da Revolução Russa, e os Estados Unidos entraram na guerra ao lado dos países aliados.

› Até então, os Estados Unidos declaravam-se neutros no conflito, mas vendiam armas e equipamentos para ingleses e franceses; por essa razão, submarinos alemães afundaram navios cargueiros norte-americanos, criando o motivo para aquele país declarar-lhe guerra.

› Principalmente a partir de 1918, a adesão norte-americana significou o reforço de tropas e suprimentos e uma motivação para os soldados, condições decisivas para a vitória dos aliados. Em outubro e novembro, a rendição da Bulgária, do Império Otomano e do Império Austro-Húngaro deixou a Alemanha isolada. No mesmo período, o general alemão Ludendorff solicitou um armistício. No mês seguinte, na Alemanha, uma mobilização popular derrubou o Império e proclamou a República. No dia 11, a jovem República Alemã assinou o armistício final. Terminava oficialmente a Primeira Guerra Mundial, que arrasou plantações, destruiu indústrias, causou grandes prejuízos econômicos, tanto aos países vencedores quanto aos vencidos, e conseguiu envolver nações de vários continentes.

Conteúdo digital Moderna PLUS http://www.modernaplus.com.br
Mapa animado: A Primeira Grande Guerra
Vídeo: Partida

Alianças e frentes de combate na Primeira Guerra Mundial

Fonte: CHALIAND, Gérard. *Atlas strategique*. Paris: Complexe, 1988. p. 34; *Atlas histórico*. Encyclopaedia Britannica do Brasil. Barcelona: Marin, 1997. p. 178.

A Itália, em 1915, rompeu com a Tríplice Aliança e entrou na guerra ao lado dos países aliados, em troca de ganhos territoriais.

A tecnologia da destruição

› A Primeira Guerra Mundial chamou a atenção por aplicar avanços tecnológicos da época a serviço da destruição. Por isso, a guerra não era travada apenas nos campos de batalha, na linha de frente, mas também nos bastidores, na disputa industrial entre as nações pela fabricação de armas mais potentes e revolucionárias. Pela primeira vez na história, a maior parte dos recursos produzidos pela sociedade, sobretudo as inovações da ciência, estava voltada para o esforço de guerra. Esse é um dos aspectos centrais que distingue esse conflito dos anteriores. A Primeira Guerra Mundial foi também uma guerra de tecnologia.

› Nos mares, a guerra era travada na disputa pelo desenvolvimento da tecnologia naval dos couraçados e dos submarinos. Os alemães ambicionavam diversas rotas comerciais dominadas pelos britânicos. No decorrer da guerra, a tecnologia do submarino foi decisiva para as batalhas travadas no Atlântico Norte. A estratégia alemã era tentar sufocar a Grã-Bretanha impedindo a chegada de suprimentos por mar. A estratégia quase funcionou, mas acabou obrigando os Estados Unidos a entrarem na guerra, acontecimento que acabou sendo decisivo para a vitória dos aliados.

› No contexto da corrida armamentista, a Alemanha saiu em vantagem, pois contava com um parque industrial mais moderno e eficiente. Os alemães foram os primeiros a desenvolver uma racionalidade administrativa aplicada à guerra, o que significou organizar uma gestão de materiais bélicos com a participação da população civil, principalmente engenheiros e administradores.

› A política industrial alemã logo foi adotada pelas demais potências beligerantes que, seguindo o mesmo receituário, transformaram a indústria numa máquina de guerra. O resultado foi um grande avanço industrial nesses países e a geração de vultosos lucros para um restrito grupo de empresários.

› Um dos aspectos mais terríveis dessa guerra foi o poder destruidor das armas químicas, resultado das descobertas científicas, que foram utilizadas pelos dois lados nos campos de batalha. As primeiras experiências com esse tipo de arma aconteceram em 1915, quando os alemães lançaram gás de cloro contra um regimento franco-argelino. Os ingleses deram o troco contra os alemães. Os franceses também utilizaram os gases de sangue, à base de cianeto de hidrogênio, também conhecido como ácido prússico.

A Europa após a Primeira Guerra Mundial

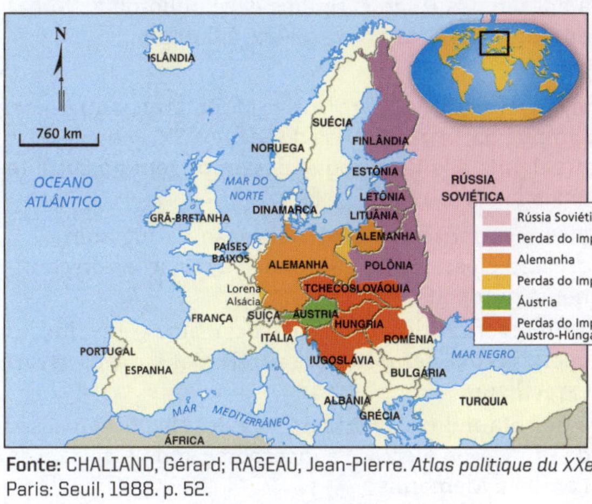

Fonte: CHALIAND, Gérard; RAGEAU, Jean-Pierre. *Atlas politique du XXe siècle*. Paris: Seuil, 1988. p. 52.

A paz e os resultados do conflito

› Na **Conferência de Paris** (1919), que teve a participação de 32 países (incluindo o Brasil), o então presidente dos Estados Unidos, Woodrow Wilson, propôs uma "paz sem vitória, sem anexações e indenizações", em que vencedores e vencidos trabalhariam juntos na construção de uma nova Europa. Suas ideias foram sistematizadas nos "14 pontos", um conjunto de princípios para restabelecer o equilíbrio entre as nações.

› Porém, após meses de negociações, os resultados foram outros: o **Tratado de Versalhes** puniu severamente a Alemanha, impondo-lhe indenizações, perdas territoriais e proibição de organizar um exército. Os impérios austro-húngaro e turco-otomano foram desmembrados, dando origem a inúmeros pequenos países.

› O grande vencedor desse conflito foi os Estados Unidos, que assumiu a condição de maior potência econômica mundial. Enquanto isso, na Europa, a produção agrícola e industrial caiu vertiginosamente, faltava mão de obra, e as contas governamentais estavam deficitárias, em razão principalmente do pagamento das indenizações de guerra, no caso dos países perdedores.

› A Europa mergulhou em uma crise política que se manifestou de dois modos antagônicos. De um lado, muitos veteranos de guerra e parte da população passaram a defender regimes autoritários, que alimentavam o ódio, o ultranacionalismo e o militarismo. Não por acaso, os dois grandes líderes dessas ideologias, Hitler e Mussolini, eram ex-soldados e aproveitavam as feridas da guerra para propagar suas ideias e alimentar o **revanchismo**. De outro lado, intelectuais, artistas, setores da classe trabalhadora e muitos ex-combatentes se engajaram na luta pela paz organizando movimentos e produzindo livros, filmes, pinturas e discursos.

Conteúdo digital Moderna PLUS http://www.modernaplus.com.br
Vídeo: Fim da guerra

IMPERIAL WAR MUSEUM, LONDRES

Operárias trabalham em fábrica britânica de munições, em 1917. A mobilização das mulheres durante a guerra foi muito importante para atender às demandas da indústria bélica e da agricultura. Essa participação ampliou o prestígio social das mulheres e contribuiu para a conquista de direitos civis, como o direito ao voto, que na Grã-Bretanha ocorreu em 1918 e, nos Estados Unidos, em 1920.

No Vestibular

1. (Fuvest-SP)

"As lâmpadas estão se apagando na Europa inteira. Não as veremos brilhar outra vez em nossa existência."

Sobre essa frase, proferida por Edward Grey, secretário das relações exteriores da Grã-Bretanha, em agosto de 1914, pode-se afirmar que exprime:

a) a percepção de que a guerra, que estava começando naquele momento e que iria envolver toda a Europa, marcava o fim de uma cultura, de uma época, conhecida como a *Belle Époque*.
b) a desilusão de quem sabe que a guerra, que começava naquele momento, entre a Grã-Bretanha e a Alemanha, iria sepultar toda uma política de esforços diplomáticos visando a evitar o conflito.
c) a compreensão de quem, por ser muito velho, consegue perceber que também aquela guerra, embora longa e sangrenta, iria terminar um dia, permitindo que a Europa voltasse a brilhar.
d) a ilusão de que, apesar de tudo, a guerra que estava começando iria, por causa de seu caráter mortal e generalizado, ser o último grande conflito armado a envolver todos os países da Europa.
e) a convicção de que à guerra que acabava de começar, e que iria envolver todo o continente europeu, haveria de suceder uma outra, a Segunda Guerra Mundial, antes de a paz definitiva ser alcançada.

2. (Unifesp)

"Estamos no promontório dos séculos! De que serve olhar para trás... Queremos glorificar a guerra – a única cura para o mundo – o militarismo, o patriotismo, o gesto destruidor dos anarquistas... e o desprezo pelas mulheres. Queremos demolir os museus, as bibliotecas, combater a moralidade, o feminismo e toda a covardia oportunista e utilitária".

Essa citação, extraída do Manifesto Futurista de 1909, expressa uma estética que contribuiu ideologicamente para a:

a) negação da ideia de progresso e, posteriormente, para a reação conservadora.
b) Guerra Civil Espanhola e, posteriormente, para o movimento vanguardista.
c) Revolução Russa de 1917 e, posteriormente, para a Segunda Guerra Mundial.
d) Primeira Guerra Mundial e, posteriormente, para o fascismo.
e) afirmação do surrealismo e, posteriormente, para a polarização dos anos vinte.

3. (Fuvest-SP) A história contemporânea, no programa de história da Fuvest, contém um item que diz: "A Europa em competição (1871-1914): imperialismo, neocolonialismo e *Belle Époque*". Indique:

a) em que consistia essa competição e por que era imperialista.

b) o significado da expressão *Belle Époque*.

4. (UFG-GO) A respeito do envolvimento dos Estados Unidos na Primeira Grande Guerra é **incorreto** afirmar que:

a) foi influenciado pela intenção germânica de atrair o México, prometendo-lhe ajuda na reconquista de territórios perdidos para os Estados Unidos.
b) os Estados Unidos financiaram diretamente a indústria bélica franco-inglesa e enviaram um grande contingente de soldados ao *front*.
c) uma possível derrota da França e Inglaterra colocaria em risco os investimentos norte-americanos na Europa.
d) contrariando o Congresso, o presidente dos Estados Unidos rompeu a neutralidade, declarando guerra à aliança anglo-francesa.
e) a adesão dos Estados Unidos desequilibrou as forças em luta, dando um novo alento à Entente.

5. (Ufal) As raízes da Primeira Guerra Mundial encontram-se, em grande parte, na história do século XIX. Pode-se citar como alguns dos fatores que deram origem ao conflito desencadeado em 1914:

a) a concentração da industrialização na Inglaterra e o escasso crescimento econômico das nações do continente europeu.
b) a emergência de ideologias socialistas e revoluções operárias que desajustaram as relações entre os países capitalistas.
c) a derrota militar da França pela Prússia, no processo de unificação alemã, e a incorporação da Alsácia e da Lorena à Alemanha.

d) o confronto secular entre a França e a Inglaterra e a crise da economia inglesa provocada pelo Bloqueio Continental.
e) a política do "equilíbrio europeu", praticada pelo Congresso de Viena, e o fortalecimento militar da Rússia na Península Balcânica.

6. (UFPA) Foi durante a Primeira Guerra Mundial que floresceu e se divulgou com maior intensidade a música negra nos Estados Unidos: o *jazz* e o *blues*. Houve uma verdadeira busca de ritmos e sons diferentes, emocionantes, como os africanos e latino-americanos.

A busca de novos estilos e tendências artísticas, nos Estados Unidos e na Europa, após o fim da Primeira Guerra, refletia:
a) a euforia pela conquista da vitória pelos participantes da Tríplice Aliança, após a entrada dos Estados Unidos no conflito, em 1917. Isso contagiou o mundo ocidental de otimismo.
b) a busca de um novo sentido para a vida, uma forma inovadora de compreender o mundo do pós-guerra, de uma Europa destruída materialmente, dependente economicamente dos Estados Unidos e arrasada pelo elevado índice de mortos.
c) o apoio financeiro e material norte-americano, fundamental para a vitória da Entente e seus aliados, que, sob a forma de agradecimento, passaram a não mais rejeitar a arte produzida nos Estados Unidos.
d) graças ao seu poder criador e à eterna busca do homem pela novidade, ele foi capaz de superar os prejuízos resultantes da guerra e, por meio de um novo ritmo, recuperar o antigo prestígio econômico europeu.
e) uma atitude condescendente por parte da Europa, berço cultural da humanidade, em reconhecimento ao grande número de baixas sofridas pelo exército norte-americano durante a guerra.

7. (UFRGS-RS) A Primeira Guerra Mundial singularizou-se por uma certa conjugação de fatores até então inéditos nos conflitos entre povos.
( ) A esperança de suprimir as causas dos litígios levou à fundação da Sociedade das Nações, onde as relações internacionais seriam regulamentadas visando à paz.
( ) A conferência de paz iniciada em Paris, em janeiro de 1919, realizou-se com a presença dos derrotados e elaborou um documento final, chamado Tratado de Versalhes, que previa a destinação de recursos para a reconstrução dos países vencidos.
( ) A Alemanha, país fortemente envolvido no conflito, considerava-se prejudicada na partilha colonial da Ásia e da África.
( ) Com a derrota alemã em 1918, surge na Alemanha a República de Weimar.
( ) Em 1917, quando a Rússia estava por se retirar da guerra, os EUA entraram com novas forças.

A sequência correta, de cima para baixo, é:
a) F – V – F – F – V.
b) V –F – V – F – F.
c) F – V – V – V – F.
d) V – F – V – V – V.
e) F – V – F – V – F.

8. (UFBA)

"Todos partiam alegremente para as trincheiras, imaginando que aquela seria uma guerra curta e vitoriosa. Um passeio. Soavam os hinos patrióticos, um coro unânime, exprimindo a força do sentimento nacional. A disposição era a de dar a vida pela pátria".

REIS FILHO, Daniel A. *A Revolução Russa*.

Sobre a Primeira Guerra Mundial, a que o texto se refere, e outras crises que ocorreram no século XX, pode-se afirmar:
(01) muitos dos fatores que contribuíram para deflagrar a guerra de 1914 tiveram sua origem no século XIX, a exemplo do imperialismo e da corrida armamentista.
(02) o pangermanismo e o pan-eslavismo expressavam sentimentos nacionais exacerbados e, através de propagandas de caráter ideológico, desenvolviam uma política voltada para o militarismo.
(04) o Tratado de Versalhes, que pôs fim à Primeira Guerra, representou o triunfo dos "14 pontos" propostos pelo presidente Wilson, garantia, portanto, de uma paz duradoura.
(08) os insucessos do comunismo de guerra, imposto na Rússia, após a Revolução de 1917, provocaram a adoção da Nova Política Econômica, que teve resultados positivos.
(16) a eclosão de movimentos de esquerda na Europa, após a Revolução de 1917, contribuiu para o apoio dado pelas classes proprietárias às manifestações de caráter fascista.
(32) a crise de 1929 evidenciou o fracasso do planejamento econômico do governo norte-americano que, exercendo excessivo controle sobre a produção, provocou uma retração econômica no País.
(64) a "política de apaziguamento" sustentada pelas potências ocidentais, no período que antecedeu a Segunda Guerra Mundial, contribuiu, decisivamente, para o expansionismo nazifascista.

Soma: ______.

9. (UFPel-RS) Artigos do Tratado de Versalhes (século XX):

"Art. 45 – Alemanha cede à França a propriedade absoluta [...], com direito total de exploração, das minas de carvão situadas na bacia do rio Sarre.

Art. 119 – A Alemanha renuncia, em favor das potências aliadas, a todos os direitos sobre as colônias ultramarinas.

Art. 171 – Estão proibidas na Alemanha a fabricação e a importação de carros blindados, tanques, ou qualquer outro instrumento que sirva a objetivos de guerra.

Art. 232 – A Alemanha se compromete a reparar todos os danos causados à população civil das potências aliadas e a seus bens."

MARQUES, Adhemar Martins e outros. *História contemporânea*: textos e documentos. São Paulo: Contexto, 1999.

De acordo com o texto e com seus conhecimentos, é correto afirmar que o Tratado de Versalhes:
a) encerrou a Segunda Guerra Mundial, fazendo com que a Alemanha perdesse as colônias ultramarinas para os países dos aliados.
b) extinguiu a Liga das Nações, propondo a criação da Organização das Nações Unidas (ONU), em 1945, com o objetivo de preservar a paz mundial.
c) estimulou a competição econômica e colonial entre os países europeus, culminando na Primeira Guerra Mundial.
d) permitiu que as potências aliadas dividissem a Alemanha, no fim da Segunda Guerra Mundial, em quatro zonas de ocupação: francesa, britânica, americana e soviética.
e) impôs duras sanções à Alemanha, no fim da Primeira Guerra Mundial, fazendo ressurgir o nacionalismo e reorganizando as forças políticas do país.

Revolução e contrarrevolução num mundo instável

No início do século XX, a Revolução Mexicana (1910) e a Revolução Russa (1917) causaram grande impacto mundial ao mobilizar as massas populares e desencadear mudanças significativas em seus países.

A Revolução Mexicana

- O México conquistou sua independência em 1821. Ao longo de todo o século XIX até o início do século XX, porém, o país era marcado pela dependência em relação ao capital externo, pelas disputas com os Estados Unidos por fronteiras e terras, pela pobreza do campesinato e pela política interna dominada por ditadores militares e caudilhos.
- Na virada do século XIX para o século XX, a sociedade mexicana apresentava dois segmentos bastante numerosos: uma grande massa de camponeses de origem indígena, que vivia em condições miseráveis, e trabalhadores urbanos que recebiam baixos salários e cumpriam exaustivas jornadas.
- Esse quadro se agravou durante a ditadura de Porfírio Diaz (1876-1911), que expropriou terras dos camponeses pobres para entregá-las aos latifundiários. Greves, passeatas e outras formas de protesto contra o governo foram duramente reprimidas.
- Nas eleições presidenciais realizadas em 1909, o político liberal Francisco Madero foi derrotado e passou a estimular uma revolta popular que eclodiu no ano de 1910. Os líderes Emiliano Zapata e Francisco Pancho Villa articularam camponeses e setores urbanos na luta por direitos civis e justiça social e apoiaram a ascensão de Madero à presidência.
- Político moderado, Francisco Madero não promoveu as reformas pretendidas pelos revolucionários; por isso, em 1911, Zapata lançou o **Plano de Ayala**, um manifesto revolucionário que criticava o governo de Madero e anunciava o projeto de coletivização das terras, transformando-as em bem de uso comum dos camponeses mexicanos.

SIQUEIROS, DAVID ALFARO/LICENCIADO POR AUTVIS, BRASIL, 2010 – MUSEU NACIONAL DE HISTÓRIA/ CASTELO CHAPULTEPEC, CIDADE DO MÉXICO

D. Porfírio e suas cortesãs, afresco de David Alfaro Siqueiros, 1957-1965. Porfírio Diaz foi representado no centro, com o pé sobre a constituição, cercado por capitalistas e cortesãs.

THE STAPLITON COLLECTION/THE BRIDGEMAN ART LIBRARY/GRUPO KEYSTONE - COLEÇÃO PARTICULAR

Zapata e seu exército em 1910. Zapata é o quarto a cavalo da esquerda para a direita, de casaco preto. A figura de Zapata e sua luta pela reforma agrária no México serviram de inspiração para o movimento zapatista, iniciado na década de 1990 no estado de Chiapas, no México.

- Em 1913, apoiado pelo sobrinho de Porfírio Diaz, Félix Diaz, e pelo embaixador norte-americano no México, Henry Lane Wilson, Victoriano Huerta deu um golpe e tirou Madero do poder. Huerta assumiu o governo e passou a combater a insurreição dos camponeses, prometendo um governo de terror.
- Disputando o controle do petróleo mexicano com os europeus, o governo norte-americano se desentendeu com Huerta. Em 21 de abril de 1914, os Estados Unidos invadiram o território mexicano. O abastecimento de armas ao governo federal foi interrompido, precipitando a derrota de Huerta, que foi deposto em 15 de julho de 1914. Venustiano Carranza assumiu o poder.
- Com o assassinato de Carranza, Obregón elegeu-se presidente. Os conflitos entre o Estado e os revolucionários se encerraram apenas com a morte de Zapata e Pancho Villa. Os zapatistas, então, resolveram se reconciliar com o governo de Obregón. Para garantir apoio popular, o governo criou os *ejidos*, propriedades rurais de uso coletivo, abrindo o acesso dos mais pobres à terra.

Conteúdo digital Moderna PLUS http://www.modernaplus.com.br
Vídeo: EZLN
Filme: *Viva Zapata*. Diretor: Elia Kazan. EUA, 1952

A Revolução de 1905

- A Rússia era um império de imensas proporções, que abrigava em seu território povos de diferentes etnias, muitas delas inimigas entre si. Na sua parte ocidental, o Império Russo era industrializado, e suas cidades concentravam uma numerosa classe operária, que vivia em condições miseráveis; na porção oriental, os nobres controlavam a maior parte das melhores terras, enquanto os camponeses passavam privações.
- Em 1905, a Rússia foi derrotada na Guerra Russo-Japonesa por outro império, o Japão. Foi a gota d'água para que a insatisfação popular com os rumos do país e com a corrupção da corte imperial fosse às ruas. As principais cidades foram tomadas por greves, manifestações violentas e motins no exército.
- A opressão política e as péssimas condições de vida e de trabalho dos operários e camponeses estimularam, além das manifestações, o surgimento de forças políticas oposicionistas, como o Partido Social-Democrata (1903), que se dividiu em **mencheviques** (minoria moderada) e **bolcheviques** (maioria radical).

A Revolução de Fevereiro

- Enquanto as tendências políticas se confrontavam, eclodiu a Primeira Guerra Mundial. Sem equipamentos e treinamento adequados, a Rússia sofreu pesadas baixas no conflito e teve sua economia duramente atingida.
- Em fevereiro de 1917, eclodiram manifestações contra o regime do czar, e os mencheviques, liderados por Alexandre Kerensky, depuseram o governante e anunciaram uma série de reformas políticas. Contudo, organizado em *soviets*, conselhos populares compostos principalmente por soldados e operários, o povo exigia a retirada da Rússia da guerra, a redução da carestia e a reforma agrária.

A Revolução de Outubro

- Enfraquecido, o governo social-democrata via a radicalização contra ele vir de duas frentes. De um lado, os bolcheviques cresciam e se fortaleciam; de outro, os contrarrevolucionários monarquistas queriam derrubar o governo e restaurar o czarismo.
- Em Petrogrado, os bolcheviques tomaram pontos estratégicos e partiram para atacar o Palácio de Inverno. No dia 25 de outubro, o palácio foi bombardeado e Kerensky fugiu. Uma grande parte das tropas militares, assim como os marinheiros da frota do Báltico, juntaram-se aos "guardas vermelhos", uma milícia revolucionária formada por operários e organizada a partir das fábricas. Com o apoio dessas forças e aclamado pelo povo nas ruas, Vladimir Lênin foi escolhido para presidir o governo bolchevique da Rússia.
- Lênin firmou um acordo de paz com a Alemanha (armistício de **Brest-Litovsk**) e promoveu a estatização dos meios de produção: terras, rebanhos, ferrovias, portos, minas e outras fontes de riquezas passaram para o controle do Estado soviético, que representava os trabalhadores.
- A burguesia e a nobreza russas, apoiadas por países capitalistas, reagiram formando o Exército Branco para combater a revolução socialista; em defesa dela, organizou-se o **Exército Vermelho**, comandado por Leon Trotski, que foi vitorioso e incorporou territórios à Rússia, formando a União Soviética.

O Estado socialista

- As perdas humanas e materiais na Primeira Guerra e na guerra civil abalaram a economia russa. Para recuperá-la, Lênin elaborou a Nova Política Econômica (NEP), que mesclava princípios do capitalismo e do socialismo, mas mantinha setores estratégicos, como comunicação, transportes e sistema financeiro, sob controle do Estado.
- Com a morte de Lênin, em 1924, o poder dentro do Partido Comunista foi disputado entre duas tendências internas representadas por Joseph Stalin, que defendia a consolidação revolucionária na União Soviética, e Leon Trotski, que considerava fundamental expandir o socialismo para os países abalados por crises. Manobras políticas garantiram a vitória de Joseph Stalin, que implantou uma ditadura e perseguiu seus opositores, inclusive Trotski, que foi morto em seu exílio, no México, em 1940.

Conteúdo digital Moderna PLUS http://www.modernaplus.com.br
Filme: *O encouraçado Potemkin*. Direção: Bronenosets Potymkin. Rússia, 1925
Vídeo: Stalin

A União Soviética em 1950

Fonte: Atlas geográfico escolar. Rio de Janeiro: IBGE, 2006, p. 43.

No Vestibular

1. (Unicamp-SP)

"A ditadura de Porfírio Diaz (1876-1911) produziu no México uma situação de superficial bem-estar econômico, mas de profundo mal-estar social. [...] Fizeram-no chefe de uma ditadura militar burocrática destinada a sufocar e reprimir as reivindicações revolucionárias. [...] Amparavam-na os capitalistas estrangeiros, tratados então com especial favor".

MARIÁTEGUI, José Carlos. *A Revolução Mexicana*. São Paulo: Ática. (Coleção Grandes Cientistas Sociais)

a) Quais as características do desenvolvimento econômico mexicano durante esse período?

b) Explique a situação socioeconômica da população indígena e camponesa durante a ditadura de Porfírio.

c) Que grupos sociais e políticos se opuseram à ditadura de Porfírio Diaz e desencadearam o processo da Revolução Mexicana?

2. (Fuvest-SP) A Revolução Mexicana de 1910, do ponto de vista social, caracterizou-se:

a) pela intensa participação camponesa.
b) pela aliança entre operários e camponeses.
c) pela liderança de grupos socialistas.
d) pelo apoio da Igreja aos sublevados.
e) pela forte presença de combatentes estrangeiros.

3. (Fuvest-SP)

O sangue dos mártires da revolução fertilizando a terra, mural de Diego Rivera, 1927.

Neste mural, o pintor mexicano representou a morte de Emiliano Zapata.

Observando a pintura, é correto afirmar que Rivera:

a) foi uma rara exceção na América Latina do século XX, pois artistas e escritores se recusaram a relacionar arte com problemas sociais e políticos.
b) retratou, no mural, um tema específico, sem semelhanças com a situação dos camponeses de outros países da América Latina.
c) quis demonstrar, no mural, que, apesar da derrota armada dos camponeses na Revolução Mexicana, ainda permaneciam esperanças de mudanças sociais.
d) representou, no mural, o girassol e o milharal como símbolos religiosos cristãos, próprios das lutas camponesas da América Latina.
e) transformou-se numa figura única na história da arte da América Latina, ao abandonar a pintura de cavalete e fazer a opção pelo mural.

4. (UFMG)

"Durante a Revolução de 1917, quase todas as nacionalidades da Rússia enxergaram na queda do czarismo e, depois, na do governo provisório a oportunidade para recuperarem sua liberdade."

FERRO, Marc. *História das colonizações*: das conquistas às independências - séculos XIII a XX.

Todas as alternativas apresentam afirmações corretas sobre a questão das nacionalidades na URSS, exceto uma. Assinale-a.

a) A tese da revolução mundial promoveu uma revisão pelos bolcheviques do princípio da autodeterminação dos povos.
b) Lênin, enquanto líder expressivo da Revolução Russa, sempre se manifestou contra o princípio da autodeterminação dos povos.
c) O direito à autodeterminação dos povos, embora proclamando pelos revolucionários de 17, nunca foi efetivamente praticado.
d) O fracasso na resolução do problema das nacionalidades pelos governos comunistas ficou evidente no momento da fragmentação da antiga URSS.

5. **(Mackenzie-SP)**

"Hoje ainda é moda [...] falar da Revolução Bolchevique como de uma 'aventura'. Muito bem, se for uma aventura, trata-se de uma das mais maravilhosas em que já se empenhou a humanidade, aquela que abriu às massas laboriosas o campo da história [...]."

REED, John. *Os dez dias que abalaram o mundo.*

Assinale os acontecimentos que levaram o jornalista John Reed a entusiasmar-se com a revolução.
a) A implantação do primeiro Estado socialista, representativo das aspirações operárias e camponesas, alterando, na Rússia, as relações sociais capitalistas de produção.
b) A construção do Estado comunista através da organização de uma sociedade de classes.
c) O apaziguamento das agitações operárias através do fortalecimento dos partidos políticos na Rússia czarista.
d) A implementação de um projeto socialista desvinculado do elemento democrático e das aspirações internacionalistas, reafirmando os ideais nacionalistas dos *soviets*.
e) A substituição do Estado por uma sociedade de homens livremente associados, sem leis codificadas.

6. **(Unirio-RJ)**

"O socialismo é a abolição das classes... Para abolir as classes devemos abolir as diferenças entre o operário e o camponês, devemos transformá-los todos em operários."

Lênin, 1918.

A Revolução Russa caracterizou-se como um importante movimento social, que marcou historicamente o século XX, em virtude das transformações estruturais que empreendeu. Sobre o processo de construção do socialismo na Rússia, assinale a afirmativa correta.
a) As anexações territoriais conquistadas pelo exército russo na Polônia e na Ucrânia, durante a Primeira Guerra Mundial (1914-1918), fortaleceram política e economicamente a monarquia czarista.
b) A revolta armada ocorrida na Guarda Vermelha possibilitou o lançamento do Manifesto de Outubro, com o qual foi deposto o czar Nicolau II e instalada a República da Duma (1917), chefiada pelo líder comunista Trotski.
c) A vitória dos extremistas revolucionários mencheviques, liderados por Alexandre Kerensky, foi acompanhada da criação da República Soviética Socialista Russa (1918).
d) No governo de Lênin, instituiu-se a Nova Política Econômica (1921), NEP, que se caracterizou por estimular a produção em pequenas manufaturas e o comércio privado.
e) A industrialização da Rússia socialista foi alcançada no início do governo de Stalin (1924), com a extinção dos planos quinquenais e a liberação de investimentos estrangeiros nas indústrias russas.

7. **(Vunesp)** Imediatamente após a sua ascensão ao poder, Lênin disse:

"Este governo declara solenemente sua disposição de concluir imediatamente a paz [...] igualmente justa para todas as nações e nacionalidades, sem exceção."

Em março de 1918 foi assinado o armistício de Brest-Litovsk, e os soviéticos saíram da Primeira Guerra.
a) Justifique por que a assinatura do armistício de Brest-Litovsk foi um ato coerente com a política externa do governo bolchevista.

b) Por que a Alemanha tinha interesse em concluir a paz com os soviéticos?

8. **(Unicamp-SP)** Em 1924, após a morte de Lênin, dois dos mais destacados dirigentes do Partido Bolchevique se opuseram: para Trotski, tratava-se de defender a revolução permanente; para Stalin, tratava-se de defender o socialismo em um só país. Stalin venceu essa disputa e, a partir de então, a figura de Trotski foi sendo progressivamente retirada dos documentos soviéticos.

A partir da leitura do texto:
a) transcreva o trecho que explica a divergência entre Trotski e Stalin.

b) explique por que o stalinismo precisou varrer a imagem de Trotski da história soviética.

A Primeira República no Brasil

A proclamação da república no Brasil encerrou um longo período da história do país e despertou o anseio da população por liberdade e democracia. Com o desenvolvimento das cidades e da indústria, muitos acreditavam que o Brasil estava próximo de superar o passado colonial.

A consolidação do novo regime

› Em 15 de novembro de 1889, um grupo de civis e militares adeptos da causa republicana depôs d. Pedro II e declarou o fim do regime monárquico no Brasil. A proclamação da república, no entanto, não significou o fim das divergências entre os diversos grupos políticos que existiam no país.

› Havia desacordos entre civis e militares e no interior desses grupos, por sua vez, também havia dissidências. No caso dos militares, exército e marinha discordavam a respeito de uma série de questões, mas em comum defendiam a instauração de uma república forte, centrada no Poder Executivo. Foi essa vertente que prevaleceu nos primeiros anos da república, período conhecido como **República da Espada** e governado por militares (Deodoro da Fonseca, 1889-1891, e Floriano Peixoto, 1891-1894).

› Promulgada em 1891, a primeira Constituição republicana consagrou o sistema federativo; aboliu o voto censitário, mas excluía-se a participação de mulheres, e analfabetos não tinham direitos políticos; estabeleceu-se a tripartição do poder (Executivo, Legislativo e Judiciário), a separação entre Igreja e Estado e outras alterações político-administrativas.

› Na economia, o ministro Rui Barbosa adotou uma política de incentivo à industrialização. Créditos foram concedidos com o objetivo de facilitar a abertura de empresas. Para isso, o governo autorizou a emissão de papel-moeda, o que gerou grande inflação. Muitas empresas financiadas jamais foram abertas. Essa especulação ficou conhecida como **encilhamento**.

A República Oligárquica

› A partir de 1894, com a eleição do paulista Prudente de Morais, iniciou-se um período em que o país foi governado por presidentes civis, à exceção do marechal Hermes da Fonseca (1910-1914). Esses presidentes representavam as oligarquias dos estados que detinham o poder econômico do país: Minas Gerais, São Paulo e Rio Grande do Sul.

› Os três estados exerciam importante papel no cenário político nacional. Geralmente se destaca, contudo, a aliança política dos estados de São Paulo e de Minas Gerais, respectivamente, grandes produtores de café e de leite, conhecida como **política do café com leite**. Os dois estados detinham os dois maiores colégios eleitorais do país, e, no período entre 1894 e 1930, as oligarquias de Minas Gerais e de São Paulo conseguiram eleger nove dos doze presidentes que governaram o país.

› Nessa nova fase, o grupo político mais forte era o Partido Republicano Paulista (PRP), e as eleições caracterizavam-se por fraudes e coerção sobre os eleitores. Conhecidos como **coronéis**, os grandes fazendeiros de São Paulo e Minas Gerais conquistavam o voto para os seus candidatos em troca de favores, prática conhecida como clientelismo.

Mudanças socioeconômicas

› Durante a Primeira República, o Brasil concentrava cerca de 75% da produção mundial de café. Nesse mesmo período, contudo, o preço da mercadoria começou a cair no mercado internacional. A solução encontrada pelos grandes produtores para resolver a **crise do café** foi produzir uma valorização artificial do grão, comprando e estocando o excedente da produção. Dessa forma, garantia-se o preço alto, lançando mão do estoque acumulado quando fosse necessário.

› São Paulo, Rio de Janeiro e Minas Gerais oficializaram, em 1906, um programa de valorização do produto por meio da assinatura do **Convênio de Taubaté**. Ficou estabelecido que o governo federal desestimularia a expansão de novos cafezais e compraria o excedente da produção de café, contando com empréstimos internacionais e com um novo imposto cobrado sobre cada saca de café exportado.

› Além da riqueza proporcionada pelo café, no norte do país desenvolveu-se a produção de látex, que abastecia sobretudo os Estados Unidos. Nas mais importantes capitais formou-se um pequeno parque industrial de bens de consumo.

› Os negócios com o exterior exigiram portos modernos, ferrovias e infraestrutura urbana; por isso, a cidade do Rio de Janeiro, capital do país, passou por uma grande reforma: avenidas foram alargadas, cortiços foram demolidos, ruas foram iluminadas e outras transformações.

› Nesse contexto, epidemias de algumas doenças foram combatidas por meio de uma intensa campanha sanitária liderada pelo médico Oswaldo Cruz. Porém, a falta de informações sobre os benefícios da vacinação provocou a **Revolta da Vacina** (1904), movimento que expressou a insatisfação da população com as invasões domiciliares e reagiu violentamente às medidas de visita e à demolição das residências ocorridas com o processo de reforma urbana.

FUNDAÇÃO BIBLIOTECA NACIONAL, RIO DE JANEIRO

As próximas eleições... "de Cabresto", charge de Storni para a *Revista Careta*, 1927. Como o voto não era secreto, os eleitores estavam sujeitos à influência dos coronéis. Esse voto manipulado pelo grande fazendeiro ficou conhecido como "voto de cabresto", enquanto a região influenciada pelo coronel era o "curral eleitoral".

Messianismo e cangaço

› O declínio na exportação de açúcar empobreceu a Região Nordeste, sobretudo o sertão. A situação miserável e o descaso das autoridades civis, militares e eclesiásticas contribuíram para o surgimento de movimentos que expressavam o estado de penúria em que vivia parte da população nordestina e manifestavam sua religiosidade de forma independente das instituições.

› Foi nesse contexto que, às margens do Rio Vaza-Barris, no interior da Bahia, em uma fazenda abandonada, o beato Antônio Conselheiro fundou o Arraial de Canudos. A vida no Arraial de Canudos era dedicada ao trabalho e às práticas religiosas. Todos os que ingressavam na comunidade deviam entregar uma parte de seus bens a Conselheiro para a formação de um fundo comunitário que servia a todos. Os moradores dividiam-se para realizar tarefas da coletividade, e uma rígida moral cristã servia como guia para o comportamento dos habitantes.

› Um incidente entre conselheiristas e um comerciante foi o pretexto para a organização de uma campanha militar contra o povoado, que apesar da resistência foi destruído em 1897. Essa tragédia, conhecida como **Guerra de Canudos**, foi retratada por Euclides da Cunha no livro *Os sertões*.

› No mesmo período, ganharam força bandos de homens armados conhecidos como **cangaceiros**, que circulavam pelo sertão atacando fazendas, povoados e praticando todo tipo de crimes. Geralmente contratados por fazendeiros para proteger sua propriedade ou punir desafetos, no século XX os bandos tornaram-se independentes. O mais famoso deles era chefiado por Virgulino Ferreira da Silva, o "Lampião", e somente foi dissolvido na década de 1930, com a morte de seu líder.

O movimento operário

› Os lucros gerados pela economia cafeeira propiciaram investimentos em infraestrutura industrial. Não por acaso, essas indústrias se localizavam na região centro-sul do país, principalmente em torno das cidades de São Paulo e Rio de Janeiro. Nesses locais, já existia um bom sistema de serviços, mão de obra imigrante farta e barata, sistema eficiente de meios de transporte e fornecimento de energia adequado.

ARQUIVO DO ESTADO DE SÃO PAULO, SÃO PAULO

Maria Teresa Carini (Teresina) fala aos operários em um comício no bairro do Brás, na cidade de São Paulo, durante a greve de 1917.

› As fábricas produziam bens de consumo (alimentos, roupas, ferramentas etc.) e admitiam muitos imigrantes como funcionários. Esses imigrantes trouxeram consigo ideias socialistas, comunistas e anarquistas, que estimularam os operários a lutar por melhores condições de vida e trabalho. Em 1917, uma greve contra a carestia e as perseguições políticas paralisou mais de 300 mil trabalhadores.

Conteúdo digital Moderna PLUS http://www.modernaplus.com.br
Filme: *Anarquistas, graças a Deus*. Direção: Walter Avancini. Brasil, 1984
Libertários. Direção: Lauro Escorel Filho. Brasil, 1976

O movimento tenentista

› Desde o fim do século XIX, setores do exército insurgiam-se contra a corrupção do governo, as fraudes eleitorais e o predomínio político das oligarquias. O movimento militar mais influente da República Oligárquica foi o **tenentismo**, constituído por jovens oficiais que representavam os anseios das camadas médias urbanas por maior participação política e pela moralização do governo. Eles defendiam a modernização econômica do país e a existência de um Estado forte e centralizado.

› Ocorreram revoltas tenentistas no Rio de Janeiro (1922) e em São Paulo (1924). Embora a insurreição paulista tenha sido mais bem planejada, pretendendo explicitamente depor o presidente Artur Bernardes, ambos os movimentos foram duramente reprimidos. A repressão, no entanto, não foi suficiente para sufocar os anseios tenentistas.

› Enquanto ocorria a revolta dos tenentes paulistas, um levante iniciou-se nas guarnições militares do Rio Grande do Sul. Sob a liderança do tenente João Alberto e do capitão Luís Carlos Prestes, cerca de 1.500 homens marcharam em direção ao Paraná para se reunir com a coluna paulista. As duas colunas decidiram fundir-se e percorrer o Brasil para propagar a rebelião e arregimentar a população contra o governo.

› Entre abril de 1925 e o início de 1927, quando a marcha terminou, a Coluna Prestes, como ficou conhecida, tinha percorrido cerca de 24 mil km e atravessado catorze estados brasileiros. Sem ter conseguido a adesão esperada, os rebelados decidiram, por fim, exilar-se na Bolívia, onde foram obrigados a depor suas armas, e a coluna se desfez.

ARQUIVO EDGARD LEUENROTH/ UNICAMP, CAMPINAS

O alto comando da Coluna Prestes em Porto Nacional, Goiás, em 1925. Foi no exílio, na Bolívia, que Luís Carlos Prestes, um dos líderes da coluna, se tornou comunista. Mais tarde, o ex-tenente foi enviado a Moscou para completar sua formação política.

No Vestibular

1. **(PUC-SP)**

"[O movimento] não se rendeu [...] resistiu até o esmagamento completo. Expugnado palmo a palmo, na precisão integral do termo, caiu no dia 5 ao entardecer, quando caíram seus últimos defensores, que todos morreram. Eram quatro apenas: um velho, dois homens feitos e uma criança, à frente dos quais rugiam raivosamente cinco mil soldados."

A chacina empreendida pelo exército em 1897, no interior do Nordeste, e com a qual o leitor de *Os sertões*, de Euclides da Cunha, entra em contato, tem uma de suas explicações:

a) na necessidade, por parte do governo, de afirmar a irreversibilidade do projeto republicano.

b) no fato de que o movimento seria uma extensão do cangaço na região, provocando a reação dos latifundiários.

c) no objetivo do Estado republicano em conter quaisquer manifestações socialistas que inculcassem ideologias revolucionárias nos camponeses.

d) na tentativa do exército de impedir que os tenentes desertores continuassem sua pregação pelo interior do país.

e) na pressão exercida, pelo Vaticano, sobre as forças armadas, com o objetivo de barrar o crescimento de igrejas alternativas.

2. **(UFPR)** O messianismo desenvolveu-se em áreas rurais e pobres que reagiam à miséria. Seus componentes básicos eram a religiosidade do sertanejo, o sentimento de revolta contra a omissão do governo, o repúdio à opressão e às injustiças da república dos coronéis.

Assinale os movimentos rebeldes com essas características.

a) Revolta da Chibata e do Quebra Quilos

b) Canudos e Contestado

c) Revolta da Vacina e do Forte de Copacabana

d) Coluna Prestes e Revolução de 1924

e) Revolução Federalista e Revolta Armada

3. **(Unicamp-SP)**

"A Guerra de Canudos, na qual, calcula-se, morreram 15 mil pessoas, faz 100 anos. No dia 5 de outubro de 1897, depois de quatro expedições militares, um ano de lutas intermitentes e uma resistência feroz por parte de seus defensores, o arraial erigido pelo Conselheiro nos ermos do Nordeste da Bahia foi finalmente tomado pelo Exército. Quase nada sobrava daquele santuário-cidadela [...]"

TOLEDO, Roberto Pompeu. O legado do Conselheiro. *Veja*, 3 set. 1997.

a) Qual era o regime político brasileiro na época da Guerra de Canudos?

b) Cite os principais adversários de Antônio Conselheiro.

c) Quais eram as características político-religiosas do movimento de Canudos?

4. **(Fuvest-SP)**

"Diante do meu charuto muito doutor de lei ficou menor que anão de circo de cavalinho".

Ponciano de Azeredo Furtado, personagem criado por José Candido de Carvalho, em *O coronel e o lobisomem*.

Tomando como referência o texto, identifique o fenômeno nele retratado e explique suas raízes e permanências.

5. **(Mackenzie-SP)** A década de vinte iniciou-se marcada por tendências desagregadoras, que ocasionaram sucessivas crises. Não são identificadas como dificuldades do período:

a) a Semana de Arte Moderna e a discussão dos artistas sobre a cultura e os problemas da sociedade brasileira na época.

b) os pobres rurais, submetidos ao jugo dos coronéis, organizam movimentos contestatórios, sobretudo no sertão nordestino.

c) os levantes tenentistas, que viam no exército o agente purificador do regime.

d) o movimento operário que, apesar de violentamente reprimido, obteve, liderado pelos anarquistas, conquistas e organizou sindicatos e partidos.
e) a questão social analisada em profundidade pelos governos da época, que a desvincularam dos crimes políticos, resolvendo a relação capital e trabalho.

6. **(UFG-GO)** Leia o trecho do romance de Aluízio Azevedo, escrito em 1890.

> O zunzum chegava ao seu apogeu. A fábrica de massas italianas ali da vizinhança começou a trabalhar, engrossando o barulho com seu arfar monótono de máquina a vapor. Rompiam das gargantas os fados portugueses e as modinhas brasileiras.
>
> AZEVEDO, Aluízio. *O Cortiço*. São Paulo: Companhia Editora Nacional, 2004. p. 43. [Adaptado]

O autor consagrou uma visão da cidade do Rio de Janeiro, no momento em que se iniciava o governo republicano. Na Primeira República, o cortiço, como experiência urbana, indicava:
a) o afastamento das moradias populares do centro da cidade, projeto das oligarquias republicanas.
b) a difusão de valores presentes no mundo da fábrica, como disciplina e solidariedade.
c) a ausência de privacidade, aproximando de forma intensa e conflituosa imigrantes e nacionais.
d) a valorização das práticas sociais e culturais fundadas no associativismo.
e) o abrandamento das tensões raciais entre aqueles que partilhavam o espaço de moradia.

7. **(Vunesp)**

> "As grandes noites do Teatro Amazonas chegavam ao fim. [...] Manaus despediu-se definitivamente do antigo esplendor no carnaval de 1915. No mesmo ano, o preço da borracha caiu verticalmente. Em 1916 já não houve carnaval. [...]. [Manaus e Belém] começaram a entrar num marasmo típico dos centros urbanos que viveram um luxo artificial."
>
> SOUZA, Márcio. *A* Belle Époque *amazônica chega ao fim.*

Considerando o texto, responda.
a) Por que "o preço da borracha caiu verticalmente" a partir de 1915?

______

______

______

______

b) Por que a crise da economia da borracha produziu estagnação econômica na Região Amazônica, enquanto no sul do país a crise da economia cafeeira não levou a semelhante marasmo econômico? Apresente uma razão desta diferença.

______

______

______

______

______

______

______

______

______

8. **(Mackenzie-SP)** Leia com atenção os seguintes versos:

> "Há muitos anos nas águas da Guanabara
> O dragão do mar reapareceu
> [...]
> Salve o navegante negro
> Que tem por monumento
> As pedras pisadas do cais."
>
> Aldir Blanco e João Bosco

Os versos fazem referência a importante revolta ocorrida em 1910, liderada por João Cândido, o Almirante Negro. Trata-se da:
a) Revolta de Canudos.
b) Revolta de Juazeiro.
c) Revolta do Contestado.
d) Revolta da Chibata.
e) Revolta da Vacina.

9. **(UFBA)** No dia 15 de novembro de 1889, a monarquia chegava ao fim no Brasil, iniciando-se o período conhecido como República Velha, que se prolongou até 1930.

Assinale as proposições corretamente relacionadas à crise da monarquia e à República Velha.
(01) A participação expressiva, no governo imperial, dos cafeicultores do oeste paulista, em detrimento de figuras representativas dos setores tradicionais da economia, concorreu para a queda da monarquia.
(02) A Guerra do Paraguai contribuiu para desenvolver a consciência política e social do exército, que passou a contestar a monarquia e a escravidão.
(04) A inexistência de liberdade de expressão, no Império, impediu a divulgação de ideias republicanas na imprensa brasileira.
(08) A atuação das camadas populares na proclamação da república conferiu um cunho revolucionário a esse movimento.
(16) As divergências entre cafeicultores e militares, adeptos que eram de projetos políticos diferentes, ficaram evidentes após a proclamação da república.
(32) A política dos governadores teve como objetivo acabar com a oposição existente entre o governo central e as oligarquias estaduais e seus representantes no Congresso Nacional.
(64) A criação da Comissão de Verificação de Poderes visava extinguir as fraudes eleitorais, comuns na República Velha.

Soma: ______

A ascensão do totalitarismo e a Segunda Guerra Mundial

No início do século XX, a crise econômica e o temor de uma revolução socialista deram origem a movimentos totalitários, que mobilizaram as massas em defesa dos grandes interesses nacionais.

O surgimento do fascismo

- Um ano depois da Revolução Russa, em novembro de 1918, estourou uma revolta na Alemanha. O Império Alemão foi derrubado e o Partido Social-Democrata Alemão proclamou a república. O novo regime, no entanto, estava longe de garantir a estabilidade no país. A corrente marxista conhecida como Liga Espartaquista difundiu a formação de conselhos operários por diversas cidades. Os conselhos operários, por meio do regime de autogestão dos trabalhadores fabris, organizavam a produção de uma indústria ou de um território.
- Durante a chamada Semana Sangrenta, de 6 a 12 de janeiro de 1919, os principais líderes do movimento espartaquista foram assassinados em Berlim, e os socialistas foram vencidos nas diversas cidades em que o poder havia sido tomado pelos conselhos operários. O socialismo, assim, ficou restrito à Rússia, e diversos países europeus adotaram regimes políticos marcados pelo autoritarismo ou pelo **totalitarismo**. O primeiro desses regimes foi o fascismo.
- Fundado na Itália em 1919 por Benito Mussolini, um ex-dirigente socialista, o movimento fascista cresceu no clima de instabilidade política do pós-guerra. Os fascistas organizavam-se em esquadrões paramilitares e promoviam violentas manifestações nas ruas, atacando as organizações de esquerda e destruindo sindicatos.
- Reagindo à convocação de uma greve geral em 1922, feita pelas organizações operárias, os fascistas promoveram a famosa Marcha sobre Roma. O rei da Itália, Emanuel III, tinha possibilidades de deter a manifestação, mesmo porque os fascistas estavam mal-armados e mal preparados. O rei, porém, não apenas permitiu a manifestação como convidou Mussolini a compor um novo governo.

A formação do nazismo

- Em virtude da crise econômica e do sentimento de humilhação causado pela derrota na Primeira Guerra Mundial, a República de Weimar, instituída em 1919 na Alemanha, ficou desacreditada. Surgiram diversos movimentos ultranacionalistas de extrema direita, como o Partido dos Trabalhadores Alemães, um grupo paramilitar que mais tarde foi rebatizado para Partido Nacional-Socialista dos Trabalhadores Alemães, também conhecido como Partido Nazista.
- O Partido Nazista era liderado por Adolf Hitler, soldado austríaco que havia participado da Primeira Guerra Mundial. Ao fracassarem numa tentativa de golpe, os líderes nazistas, entre eles Hitler, foram presos pela polícia. Entre 1923 e 1924, enquanto esteve preso, Hitler ditou suas ideias e concepções políticas a Rudolf Hess. O resultado foi a publicação do livro *Mein Kampf* (*Minha luta*) em 1925. O livro tornou-se a base do **nazismo**.

A crise e a saída democrática

- Terminada a Primeira Guerra Mundial, a Europa encontrava-se destruída pelo conflito, enquanto as indústrias dos Estados Unidos produziam intensamente, e os bancos do país financiavam a reconstrução do Velho Mundo.
- Com a melhoria das condições econômicas na Europa, muitos países do continente deixaram de importar produtos e capitais dos Estados Unidos, o que gerou uma crise de superprodução no país. O momento decisivo da crise foi a quebra da Bolsa de Nova York, em 1929.
- Os efeitos da crise foram devastadores: desemprego em massa, inflação, desapropriações e falências ocorreram em diversos países. Na Alemanha, por exemplo, país que era altamente dependente dos investimentos norte-americanos, um em cada quatro chefes de família perdeu o emprego.
- Para superar essa crise, os Estados Unidos puseram em prática o *New Deal*, plano elaborado pelo presidente Franklin Roosevelt. Essa proposta preservava a democracia e os direitos políticos, mas fazia o Estado interferir na economia limitando a produção, concedendo créditos e criando empregos por meio de obras públicas.
- O desemprego em massa, a pobreza e a falta de perspectivas de mudança criaram um ambiente de inquietação social, que foi habilmente explorado por líderes de movimentos antidemocráticos. Entre 1929 e 1939, governos de extrema direita foram adotados em 25 países, alguns dos quais inspirados no modelo fascista italiano ou no nazismo alemão. A doutrina que defendiam era ultranacionalista, anticomunista, antissemita e antiliberal.
- O fascismo, até então restrito à Itália, tornou-se um modelo político e ideológico para outros movimentos de extrema direita. Esses grupos apresentavam o Estado fascista corporativo como a solução para os problemas causados pela crise econômica. O nazismo de Adolf Hitler e o antissemitismo também se difundiram por outros países ao longo das décadas de 1920 e 1930 como a Romênia e a Hungria. Os movimentos dos dois países colaboraram estreitamente com a Alemanha nazista durante a Segunda Guerra Mundial.

Conteúdo digital Moderna PLUS http://www.modernaplus.com.br
Mapa animado: Depressão nos Estados Unidos
Vídeo: Desemprego
Filme: *As vinhas da ira*. Diretor: John Ford. EUA, 1940

A ascensão do totalitarismo na Europa

- Apoiados por grandes empresas, os fascistas e os nazistas instituíram regimes que calaram as oposições, estabeleceram a ditadura de um partido único e resolveram a questão do desemprego com obras públicas, desenvolvimento da indústria bélica e a criação de poderosas forças armadas. Para alcançar tais resultados, apoiaram-se num forte esquema de propaganda.

HUGO JAEGER/TIMEPIX/TIME LIFE PICTURES/GETTY IMAGES

Adolf Hitler durante as comemorações do Dia do Trabalho no estádio olímpico de Berlim. Alemanha, 1º de maio de 1939.

- Uma das ideias defendidas pelos líderes desses Estados totalitários era a pretensa superioridade racial do seu povo. Embora tenha sido muito marcante na Itália, essa ideologia atingiu o ponto máximo na Alemanha, onde se deu uma grande perseguição a judeus, negros e ciganos. Os judeus, por exemplo, foram forçados a costurar nas roupas uma Estrela de Davi amarela e a viver apartados em guetos, até ser encaminhados para campos de trabalhos forçados e extermínio.

A construção do regime soviético

- Em 1922 foi criada a União das Repúblicas Socialistas Soviéticas. No mesmo ano, Lênin sofreu um derrame cerebral e foi obrigado a ausentar-se indefinidamente do governo. Após sua morte, em 1924, Stalin habilmente manipulou a situação para permanecer como secretário-geral do Partido Comunista Soviético e isolar Trotski, herdeiro político de Lênin.
- No decorrer da década de 1920, os partidos adversários dos bolcheviques foram suprimidos, e os sindicatos e todas as outras instituições ou órgãos criados pela Revolução Russa foram absorvidos pelo Partido Comunista. Os opositores eram perseguidos, eliminados, obrigados a emigrar ou enviados a campos de trabalho forçado. Enfim, o poder dos sovietes foi substituído pelo do partido, que cada vez mais assumiu a direção do Estado na União Soviética, colocando o país sob um regime totalitário, o **stalinismo**.
- Abandonando os ideais humanistas e socialistas que haviam alimentado a Revolução Russa, o Estado soviético tornava-se arbitrário, violento e totalitário. A eliminação da elite dirigente do país causou sérios problemas econômicos e técnicos para o próprio regime.
- Stalin investiu pesadamente na alfabetização em massa, alcançando resultados impressionantes em poucos anos. Mesmo possuindo acesso à educação, contudo, as pessoas eram apenas engrenagens de um sistema, crescendo totalmente isoladas do mundo e doutrinadas, desde crianças, para se sacrificarem pelo Estado e pelo líder.
- A propriedade privada da terra foi substituída pelas fazendas cooperativas (*sovkhozes*) e pelas fazendas estatais (*kolkhozes*). Cerca de 25 milhões de pequenas propriedades foram estatizadas por decreto. Em resposta, os pequenos proprietários de terras, os *kulaks*, mantiveram forte oposição aos planos de Stalin, boicotando o processo de coletivização da terra. Stalin decretou guerra contra eles. Entre 1930 e 1931, milhões de camponeses foram assassinados, presos ou deportados para campos de trabalho forçado. A produtividade agrícola caiu pela metade e, cerca de 10 milhões de pessoas morreram na grande fome de 1932-1933.
- A industrialização na União Soviética apoiou-se, em larga medida, na transferência de 30 milhões de camponeses para as cidades a fim de trabalharem nas fábricas. Sendo um país imenso e rico em matérias-primas, priorizou-se a indústria de base em vez da indústria de consumo. Produziam-se carvão, ferro, aço, petróleo, eletricidade etc.
- A produção soviética era orientada pelos planos quinquenais, planejamentos econômicos elaborados pelo governo, que determinavam as prioridades da produção por um período de cinco anos. Com os **planos quinquenais**, a produção industrial soviética mais que triplicou entre 1929 e 1940.
- Ao mesmo tempo, a população era mantida nos níveis mais baixos de consumo. Faltava-lhes praticamente tudo o que era necessário no cotidiano, desde produtos de higiene a roupas e calçados. Somente a burocracia estatal e os funcionários do partido gozavam de benefícios, como boa alimentação e boas acomodações, distribuídos àqueles que cumpriam metas e eram fiéis aos planos de Stalin.

PATRICK TORETTE/THE BRIDGEMAN ART LIBRARY INTERNATIONAL/GRUPO KEYSTONE MUSÉE DE L'ARMÉE, BRUXELAS

"Para o nosso querido Stalin, a Nação", litografia russa de 1949. Um traço característico dos regimes totalitários é o culto à imagem do líder, como se pode observar neste cartaz, que mostra um desenho de Stalin.

A Guerra Civil Espanhola

- No começo do século XX, a Espanha era uma monarquia. Porém, na década de 1930, em meio à crise econômica mundial, os republicanos – que se identificavam com ideias socialistas – chegaram ao poder por meio do voto e propuseram reformas que contrariavam os interesses das elites conservadoras. Assim, em julho de 1936, um grupo de generais, entre eles Francisco Franco, tentou depor o governo republicano. A tentativa de golpe não foi bem-sucedida, e o território espanhol rachou-se em dois: uma parte controlada pelo governo republicano legítimo e a outra invadida pelo exército de Franco.
- Divididos em **republicanos** (que tinham o apoio da União Soviética e de milícias de voluntários estrangeiros – as Brigadas Internacionais) e **monarquistas** (apoiados pela Itália e Alemanha), os espanhóis lutaram entre si, e o conflito deixou mais de 700 mil mortos. A vitória foi dos monarquistas, que implantaram uma ditadura comandada pelo General Francisco Franco, governante do país até 1975.
- Ao opor simpatizantes do socialismo (republicanos) a forças ligadas ao fascismo (monarquistas), e testar armas, equipamentos e tropas alemãs e italianas, a **Guerra Civil Espanhola** (1936 a 1939) foi o prelúdio de um novo conflito: a Segunda Guerra Mundial.

Conteúdo digital Moderna PLUS http://www.modernaplus.com.br
Vídeo: Guerra Civil Espanhola
Filme: *Terra e liberdade*. Diretor: Ken Loach. Itália/Espanha/Inglaterra, 1995

A Segunda Guerra Mundial

- Dois acontecimentos marcaram profundamente a sociedade e a economia alemãs no período do entreguerras. Em primeiro lugar, o **Tratado de Versalhes.** Assinado no fim da Primeira Guerra Mundial (1919), o documento significou uma humilhação para o povo alemão, que o considerava "injusto e inaceitável", estimulando o sentimento de revanchismo. Em segundo lugar, a Grande Depressão de 1929 e seus efeitos na economia alemã. A crise econômica aprofundou a insatisfação da população alemã, abrindo espaço para a formação de um governo totalitário na Alemanha.
- Em 1933, Hitler, líder do Partido Nacional Socialista, foi nomeado chanceler da Alemanha, o mais alto cargo executivo do Estado alemão. A partir de 1935, Hitler deu início à política de expansão e de militarização do Estado alemão, contrariando as determinações impostas pelo Tratado de Versalhes. No ano seguinte, Hitler ocupou a região da Renânia, na fronteira com a França e a Bélgica.
- Hitler e Mussolini tinham interesses comuns, como anexar territórios e proteger-se do socialismo. Em 1936, os dois países firmaram o Pacto de Aço, um compromisso político-militar de ajuda mútua. Graças a essa retaguarda, a Itália invadiu a Etiópia (África) e os alemães ocuparam a Renânia, a Áustria e a Tchecoslováquia. Em 1939, a Alemanha firmou o **Pacto de Não Agressão** com a União Soviética e, no mesmo ano, dominou a Polônia.
- Procurando evitar a guerra, os governos da França e da Inglaterra enviaram um ultimato à Alemanha, exigindo a retirada imediata das tropas alemãs do território polonês. A tentativa foi inútil. No dia 3 de setembro, os dois países declararam guerra à Alemanha. Tinha início, oficialmente, a Segunda Guerra Mundial.
- Entre 1939 e 1941, a Alemanha expandiu-se rapidamente pela Europa, utilizando a estratégia de ataque conhecida como *blitzkrieg* ou **guerra relâmpago**. O objetivo final da ofensiva ocidental era a ocupação da França, que tinha não só importância militar, mas também simbólica. A operação de conquista da França, concluída em junho de 1940 com a ocupação de Paris, foi altamente festejada pelo Terceiro *Reich*.
- Vencida, a França foi dividida em duas partes: o setor mais industrializado, ao norte, incluindo Paris, a capital, ficou sob controle dos alemães; ao sul, ficava a zona livre, com sede na cidade de Vichy. Nessa área, o governo foi assumido pelo marechal Henry Pétain, que ficou conhecido por sua colaboração com os nazistas. Em Londres, o general Charles de Gaulle estabeleceu a França Livre, de onde passou a combater a invasão nazista.
- Com exceção da Grã-Bretanha e de alguns poucos países do continente, a Europa Ocidental estava sob domínio alemão. Não se podia dizer o mesmo da Europa Oriental. Assim, em 1941, a Alemanha conquistou, sucessivamente, a Bulgária, a Iugoslávia e a Grécia. O próximo passo de Hitler, o mais ambicioso, era a conquista da União Soviética.

BETTMANN/CORBIS/LATINSTOCK

Soldados alemães marcham em avenida após invasão da Polônia, em 1939. A Polônia, cobiçada tanto por alemães quanto por soviéticos, foi um dos países mais atingidos pela destruição causada pela guerra.

Conteúdo digital Moderna PLUS http://www.modernaplus.com.br
Mapa animado: Avanços ítalo-germânicos antes da Segunda Guerra Mundial
Campanhas na Europa
Vídeos: Amém (2ª GM)
Hitler
Mussolini

A guerra no Pacífico

- A guerra no Pacífico teve como protagonistas Estados Unidos e Japão e resultou principalmente da ofensiva japonesa sobre a Ásia. A política expansionista japonesa teve início em 1931, quando o Japão ocupou a região da Manchúria, no norte da China. A expansão militar do Japão prosseguiu com a invasão de Xangai, Nanquim e o sudoeste da China.
- Os norte-americanos, diante da ameaça japonesa no Oriente, começaram a reforçar o seu arsenal naval, tanto no Pacífico quanto no Atlântico Norte. Além disso, impuseram um embargo comercial ao Japão. O Japão, então, juntou-se aos italianos e alemães, constituindo os países do Eixo, e decidiu atacar, preventivamente, os Estados Unidos, na tentativa de neutralizar a única potência que poderia ameaçar sua influência na região.
- Em dezembro de 1941, os japoneses atacaram a base aérea americana de Pearl Harbor, provocando a entrada dos Estados Unidos na guerra, o que significou um grande reforço para os aliados e um marco na internacionalização do conflito, pois atrás deles vieram outros países, como Brasil e México.
- O esforço de guerra teve um grande impacto na economia norte-americana, marcando o fim da grande depressão e a retomada da expansão econômica do país. O modelo de produção em massa, já adotado na indústria automobilística, foi estendido para a indústria bélica, que passou a produzir com o máximo do seu potencial e criou milhões de postos de trabalho.
- A guerra também alterou o cotidiano, trazendo mudanças sociais significativas para as mulheres e para os negros norte-americanos. As mulheres ocuparam a maioria dos postos de trabalho na indústria bélica, atendendo, em massa, à convocação do trabalho feminino feita pelo governo.
- A população civil também era convocada a cumprir o seu "dever patriótico", estimulada pelas campanhas publicitárias feitas no rádio e no cinema, as formas mais populares de entretenimento durante a guerra. Aliás, a grande expansão econômica dos Estados Unidos no período contribuiu para incrementar a produção cinematográfica.

› Do outro lado do Oceano Pacífico, as dificuldades eram bem maiores. A economia de guerra japonesa era essencialmente uma "economia da escassez". No início de 1942, cada cidadão recebia uma cota de arroz de apenas 330 gramas por dia. À medida que a guerra avançava e o território japonês era constantemente assolado pelos bombardeios norte-americanos, a falta de alimentos no país agravava-se ainda mais.

A guerra no Pacífico

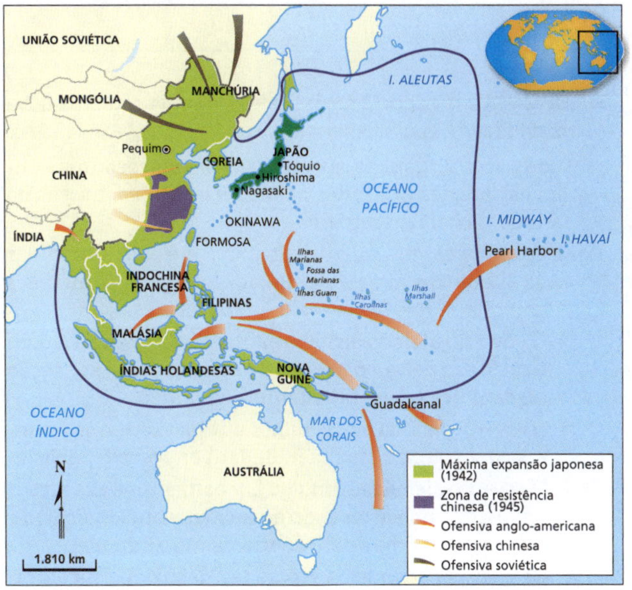

Conteúdo digital Moderna PLUS http://www.modernaplus.com.br
Mapa animado: A expansão japonesa. Os alinhamentos europeus
Vídeo: Ataque a Pearl Harbor

O fim do conflito

› O funcionamento da máquina de guerra alemã (carros blindados, aviões, tanques etc.) dependia muito de petróleo; por isso, Hitler ignorou o acordo feito com Stalin e invadiu a União Soviética para controlar os recursos naturais daquele país. O plano da Alemanha era "colocar a URSS de joelhos" no máximo em quatro meses. Uma série de dificuldades, no entanto, retardava a meta nazista.

› No final de 1941, chegando às portas de Moscou, o inverno tornou-se cada vez mais rigoroso e a vantagem passou a ser dos russos. Nenhuma luta simbolizou mais e melhor a força de resistência russa do que a Batalha de Stalingrado, em 1942. No início de 1943, os oficiais alemães que comandavam a operação em Stalingrado, sem saída, assinaram a rendição. A derrota alemã marcou o início do recuo nazista da União Soviética e o avanço da ofensiva aliada.

› Quase simultaneamente, forças anglo-americanas expulsaram os alemães do Norte da África, obrigando-os a voltar para a Europa. Em 1943, enfrentando uma série de problemas internos, a Itália se rendeu.

› Em junho de 1944, com o propósito de libertar a França e a região noroeste da Europa, os aliados desembarcaram soldados na Normandia (França), na operação conhecida como **Dia D**. Com a manobra, os aliados conseguiram retomar gradualmente os países da Europa Ocidental que estavam sob domínio do Eixo. Enquanto isso, os soviéticos avançavam em direção a Berlim. Encurralados na Alemanha, os germânicos se renderam, em 1945.

› No Pacífico, o Japão continuava resistindo. Os Estados Unidos, para afirmar a soberania bélica de seu país e pôr fim ao conflito, lançaram duas bombas atômicas sobre as cidades de Hiroshima e Nagasaki, que mataram imediatamente cerca de 200 mil pessoas. Esse ataque teve um claro significado político: mostrou aos soviéticos a força militar da maior potência capitalista.

A resistência e os resultados do conflito

› No auge do conflito, a Segunda Guerra envolvia diretamente cerca de 30 países. Incentivos econômicos e pressões diplomáticas levaram Getúlio Vargas, presidente do Brasil no período, a apoiar os aliados. Em retaliação, a marinha alemã afundou navios mercantes brasileiros, fato que causou grande comoção pública e levou o governo brasileiro a declarar guerra à Alemanha. A Força Expedicionária Brasileira (FEB) e a Força Aérea Brasileira (FAB) combateram na Itália, onde ajudaram a derrotar os alemães.

› Além de exércitos regulares, como o do Brasil, os aliados contaram com o precioso apoio de grupos guerrilheiros, os *partizans*, que atuaram na França, na Itália, na Península Balcânica e na União Soviética.

› A Segunda Guerra Mundial deixou um saldo de mais de 50 milhões de mortos e cerca de 100 milhões de mutilados, doentes e desamparados; além disso, causou grande destruição material na Europa, norte da África, Oriente Médio e Ásia. O enfraquecimento das metrópoles europeias estimulou a independência de suas colônias na Ásia e na África. Além disso, duas potências emergiram vencedoras do conflito: Estados Unidos e União Soviética, que protagonizaram a **Guerra Fria**, conflito geopolítico e ideológico que marcou o restante do século XX.

Perdas humanas na Segunda Guerra Mundial

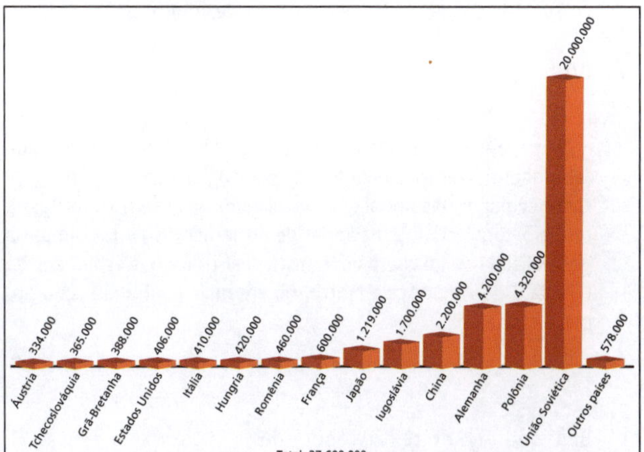

Fonte: *História do século XX*: 1942-1956. São Paulo: Abril Cultural, 1968. v. 5. p. 2. 232-2. 233.

Diferentemente do que aconteceu na Primeira Guerra, grande parte dessas vítimas era formada de civis, mortos principalmente nos campos de extermínio nazistas e em razão dos bombardeios aéreos, largamente utilizados pelos dois lados do conflito.

Conteúdo digital Moderna PLUS http://www.modernaplus.com.br
Vídeos: Batalha de Stalingrado
As tropas japonesas
Hiroshima

No Vestibular

1. (UFRN)

"No afã de provar que tudo é possível, os regimes totalitários descobriram, sem o saber, que existem crimes que os homens não podem punir nem perdoar. Ao tornar-se possível, o impossível passou a ser o mal absoluto, impunível e imperdoável, que já não podia ser compreendido nem explicado pelos motivos malignos do egoísmo, da ganância e da cobiça [...]."

Hannah Arendt.

De acordo com o texto, os regimes totalitários que emergiram entre as décadas de 20 e 30 do século XX tinham algumas características comuns. Portanto, é correto afirmar que:

a) eram regimes ditatoriais, presentes tanto em sociedades capitalistas quanto em regimes socialistas, empenhados em destruir qualquer segmento social que pudesse ameaçar sua liderança.

b) eram regimes que utilizavam a violência, apoiados em uma ideologia política por meio da qual buscavam alcançar uma sociedade racionalista, humanista e igualitária.

c) em todos os países onde ocorreu o totalitarismo, houve a sistemática divulgação da verdade, mesmo com a censura aos meios de comunicação e a pregação de um nacionalismo exaltado.

d) a ideologia totalitária forja, por meio da educação e do controle dos meios de comunicação, "verdades absolutas" como o desejo de expansão dos pensamentos revolucionários de esquerda.

e) as características desses regimes totalitários são a adoção de uma ideologia oficial, do pluripartidarismo, de veículos de coerção das massas, que seriam manobradas pelos partidos e pela violência policial.

2. (Vunesp)

"[...] a ajuda prestada a Franco pela Alemanha e pela Itália (abrangendo tanto mercadorias estratégicas como armas) foi mais regular e substancial que a concedida ao governo pela Rússia ou pelo comércio internacional de armamentos [...] A simpatia generalizada que a causa governista desfrutava nas esquerdas da Europa e da América do Norte, no entanto, contrabalançou em parte essa ajuda."

Hugh Thomas, *A Guerra Civil Espanhola* - 1936-1939.

Baseando-se no texto, responda.

a) Quais regimes políticos estavam instalados na Alemanha e na Itália no momento da Guerra Civil?

____

____

b) Explique como a situação política internacional favorecia os militares liderados por Franco, em prejuízo do governo constitucional de Madri.

____

____

____

____

____

3. (UFMG) A experiência nazista alemã inaugurou uma nova modalidade na política: as grandes manifestações de massa. Todas as alternativas apresentam afirmações que contêm estratégias utilizadas na mobilização das massas no período nazista, exceto uma.

a) O Führer estimulou o uso do uniforme para dissimular as diferenças sociais e projetar a imagem dos alemães como uma nação coesa.

b) O governo alemão atribuía enorme importância à política de rua pela capacidade de ela transmitir sensação de conforto e encorajamento à multidão.

c) O governo nazista musicou, filmou e teatralizou os assuntos políticos para atrair a multidão aos eventos públicos.

d) O governo alemão estimulou linchamentos e execuções em praça pública visando ao incitamento ideológico e à difusão do ódio racial contra os muçulmanos.

e) Os nazistas organizaram paradas, desfiles e concentrações de rua como grandes espetáculos, com a intenção de emocionar e contagiar a multidão.

4. (Vunesp)

I. A União Europeia desistiu ontem dos planos de banir a insígnia nazista e outros símbolos que possam incitar ao ódio, mas concordou em reiniciar discussões sobre como harmonizar as leis antirracismo na Europa.

Folha de S. Paulo, 25 fev. 2005.

II. Itália multa atleta e clube por gesto nazista: Paolo di Canio e a Lazio pagarão aproximadamente R$ 37 mil cada um à Liga Italiana de Futebol. O jogador comemorou um de seus dois gols na vitória sobre a Roma (3 a 1), em janeiro, com o braço estendido, típica saudação utilizada pelos nazistas.

Folha de S. Paulo, 11 mar. 2005.

Os dois textos revelam que o ideário nazifascista, apesar da derrota sofrida em 1945, continua presente na sociedade europeia. São características desse ideário:

a) parlamentarismo; anticomunismo; racionalismo.

b) nacionalismo; militarismo; totalitarismo.

c) imperialismo; elitismo; internacionalismo.

d) expansionismo; antibolchevismo; pluripartidarismo.

e) neocolonialismo; centralismo; igualitarismo.

5. (UFPE) Após a Primeira Guerra Mundial, a febre de negócios baseada na especulação provocou a crise de 1929. Identifique, nas alternativas a seguir, os principais fatos que a produziram.

a) Aparecimento de ideologias como o fascismo e o nazismo.
b) Superprodução de mercadorias e saturação dos mercados consumidores.
c) Retraimento do crédito e proibição das exportações.
d) Equilíbrio entre a agricultura e o comércio.
e) Má colheita e demanda ilimitada da indústria.

6. (Fatec-SP) A ocupação da Polônia marca o início da Segunda Guerra Mundial. Alternativa de manter a paz a qualquer custo, como foi feito em Munique, se revelou impossível. Hitler não se dava por satisfeito com a reconquista do "espaço vital", queria mais e mais. Sobre a Segunda Guerra, é correto afirmar.

a) A Itália, aliada da Alemanha desde a assinatura do Pacto de Aço, declarou guerra à Inglaterra e à França em junho de 1940. Em setembro do mesmo ano, a Itália atacou o Egito e a Turquia.
b) Em 1941, tropas alemãs invadiram o território soviético e dominaram definitivamente Leningrado e Moscou.
c) A partir dos sucessos na frente ocidental, da invasão e conquista da Bélgica, Holanda e França e do recuo inglês para o outro lado do canal, Hitler voltou sua atenção para a Polônia.
d) O sucesso definitivo alemão deveu-se à sua tática militar, conhecida como "guerra relâmpago"; essa consistia no uso de forças motorizadas, tanques e aviação, conjugados e combinados entre si, em uma ação defensiva.
e) A partir da declaração de guerra, feita por Inglaterra e França contra a Alemanha, outros países foram entrando no conflito, de ambos os lados. A cada novo beligerante, a relação de forças se alterava, e a guerra entrava em uma nova fase. Inicialmente uma guerra europeia, estendeu-se paulatinamente à Ásia e à África.

7. (UFRGS-RS) A respeito do período anterior ao início da Segunda Guerra Mundial (1939-1945), é correto afirmar que:

a) o fracasso do pacto de não agressão, entre a URSS e a Alemanha precipitou a ofensiva germânica, que invadiu a Polônia, dando início à guerra.
b) a política de apaziguamento, adotada pela Inglaterra e pela URSS, foi uma calculada manobra a fim de protelar o começo do conflito e aumentar o arsenal bélico daqueles países.
c) com a intervenção militar da Itália e da Alemanha na Guerra Civil Espanhola, apoiando Franco, as nações europeias romperam relações diplomáticas com esses países.
d) o *Anschluss*, ocorrido em 1938, sob a alegação de necessidade de formação de uma única nação ariana, acarretou a expulsão da Alemanha da Liga das Nações.
e) diante da política expansionista alemã, Inglaterra e França acreditavam que a política de apaziguamento seria a única saída para impedir o avanço do socialismo.

8. (Unicamp-SP) A charge abaixo (extraída de PEDRO, Antonio. *A Segunda Guerra Mundial*. São Paulo/Campinas: Atual, Editora da Unicamp, 1986, p. 14.) retrata de forma crítica a assinatura, em 23 de agosto de 1939, de um pacto de não agressão.

BELMONTE

DOIS BONS CAMARADAS

a) Identifique os personagens do desenho e os países que respectivamente representam.

____

____

b) Relacione esse pacto à deflagração da Segunda Guerra Mundial.

____

____

____

____

____

9. (UFPR) Referindo-se ao conflito que começou com a guerra da Inglaterra e França contra a Alemanha em 1939, Winston Churchill afirmava em discurso no Parlamento, em 21 de agosto de 1941: "Esta guerra, de fato, é uma continuação da anterior." Pode-se afirmar que esta perspectiva de análise é acertada, uma vez que:

(01) os países vencedores da Primeira Guerra Mundial tiveram um comportamento revanchista em relação à Alemanha, principalmente a França, que sempre temeu a recuperação política e econômica daquele país, seu tradicional inimigo.
(02) as indenizações exigidas pelos vencedores da Primeira Guerra Mundial foram tão pesadas que, somadas às outras cláusulas do Tratado de Versalhes, criaram na Alemanha um clima de ressentimento que alimentou a ascensão nazista.
(04) a situação interna da Alemanha, cuja recuperação após 1919 repousava em bases frágeis, deteriorou-se acentuadamente diante das consequências do "crack" da Bolsa de Nova York em 1929.
(08) o enfraquecimento pela derrota não impediu que a Alemanha, durante o período 1919-1939, reativasse sua influência sobre a Europa Central.
(16) derrotada na Primeira Grande Guerra e face à instabilidade política durante a década de 1920, a Itália adotou o fascismo após a crise econômica de 1929.

Dê, como resposta, a soma das afirmações corretas.

Soma: ______________________________.

Vargas e o Estado Novo no Brasil

Nos anos 1920, a oscilação do preço do café no mercado internacional abalou as vendas do produto e colocou em xeque a influência política dos cafeicultores do sudeste do Brasil. Nesse contexto, outros setores, como empresários, comerciantes e agricultores não vinculados ao café, passaram a exigir maior participação política.

A crise do liberalismo no Brasil

- A década de 1920 foi especialmente crítica para o Brasil, pois a economia do país sofreu com as oscilações dos preços do café no mercado internacional, a retração do comércio exterior e a queda do valor desse produto.
- Em consequência, o controle da política pelos cafeicultores foi bastante contestado. A classe média e o operariado urbano, que se ampliavam em virtude da industrialização e da urbanização em curso no país, organizavam-se e exigiam maior representação política, assim como alguns setores do exército. Nos estados do Rio Grande do Sul, Minas Gerais e Paraíba era grande a insatisfação das elites agrárias com a gestão do governo central.
- A campanha para a sucessão presidencial foi bastante turbulenta. Para concorrer com o Partido Republicano, os opositores formaram a **Aliança Liberal**, que reunia forças tão diversas quanto às das oligarquias agrárias (Rio Grande do Sul e Paraíba), o Partido Democrático e o Partido Comunista Brasileiro.

O movimento constitucionalista

- Em março de 1930, os candidatos da situação, Júlio Prestes e o vice Vital Soares, venceram as eleições, mas denúncias de fraudes e o assassinato do chefe político da Paraíba, João Pessoa, serviram de pretexto para um movimento armado, a **Revolução de 1930**, que levou o gaúcho Getúlio Vargas ao poder.

CPDOC/FGV, RIO DE JANEIRO

Cartaz da Revolução Constitucionalista de 1932.

- Assumindo o governo em caráter provisório, Vargas tomou medidas emergenciais e centralizadoras: implantou medidas de apoio aos cafeicultores, fechou o Legislativo, controlou os sindicatos, substituiu os governadores dos estados por interventores e passou a governar o país por meio de decretos.
- Discordando do centralismo político de Vargas, os paulistas do Partido Republicano e do Partido Democrático passaram a exigir uma nova Constituição. A pressão política transformou-se em luta armada contra o governo federal: a **Revolução Constitucionalista de 1932**. Apesar da vitória militar do governo central, os paulistas sentiram-se moralmente vitoriosos, já que uma nova Constituição foi elaborada para o país.
- A Constituição de 1934 estendeu os direitos políticos às mulheres, atribuiu ao Estado compromissos com o ensino primário, regulamentou o uso de recursos hídricos e minerais, entre outras iniciativas.

Agitação política nos anos 1930

- A primeira metade da década de 1930 foi marcada por um clima de grande agitação e mobilização. No período, surgiram dois grupos políticos importantes.
  - **Ação Integralista Brasileira** (AIB): liderada pelo ex-tenente Plínio Salgado, era uma agremiação que possuía quase 1 milhão de filiados. Professava princípios antiliberais e antissemitas.
  - **Aliança Nacional Libertadora** (ANL): liderada por Luís Carlos Prestes, do Partido Comunista, era composta por setores liberais e de esquerda e propunha o fortalecimento da democracia e mudanças radicais no Brasil.
- A ANL passou a organizar levantes armados de combate ao conservadorismo governamental e ao integralismo no Rio Grande do Norte, em Pernambuco e no Rio de Janeiro. A **Intentona Comunista**, nome dado pelo governo ao movimento da ANL, foi desarticulada e derrotada rapidamente no mesmo ano de 1935. Seguiu-se intensa perseguição política e repressão a todos os membros da ANL, acusados de comunistas, golpistas, subversivos e inimigos do regime, apesar de seu variado posicionamento ideológico.
- Nesse clima repressivo, em 1937, denunciou-se a existência do **Plano Cohen**, supostamente elaborado por comunistas que tramavam um golpe de Estado. O plano foi usado pelo governo para aterrorizar a população e justificar a permanência de Getúlio Vargas na presidência, inaugurando o período ditatorial conhecido como **Estado Novo**.

Conteúdo digital Moderna PLUS http://www.modernaplus.com.br
Filmes: 32 - *A Guerra Civil*. Diretor: Eduardo Escorel. Brasil, 1993
35 - *Assalto ao poder*. Diretor: Eduardo Escorel. Brasil, 2002
O Velho. Diretor: Toni Venturi. Brasil, 1997

O Estado Novo

- Em 1937, foi redigida pelo jurista Francisco Campos uma nova Constituição, publicada no *Diário Oficial da União*. Ela legitimou a permanência de Vargas no poder, suspendeu as eleições, previstas para o ano seguinte, e colocou na ilegalidade as associações e os partidos políticos.
- No mesmo dia da divulgação da nova Constituição, à noite, em transmissão radiofônica, Vargas anunciou a implantação do Estado Novo, nome que recebeu a ditadura que se iniciava no país. De acordo com alguns estudiosos, desde a Lei de Segurança Nacional de 1935, reforçada em 1938 e 1942, arquitetava-se um modelo de governo inspirado em regimes fortes, conservadores e autoritários.
- O Estado Novo vigorou de 1937 a 1945. Algumas características foram determinantes durante esse período.
  - **Centralização política.** O poder do presidente da república foi ampliado, enquanto a autonomia do Poder Executivo dos estados e municípios foi restringida. O governo central nomeou interventores para os estados, que deviam governar de acordo com as orientações do presidente.
  - **Intervenção econômica.** O Estado criou instrumentos de intervenção na economia nacional, por exemplo, fundando empresas estatais.
  - **Corporativismo.** Inspirado no fascismo italiano, esse sistema previa a participação de representantes de classe (empresários e trabalhadores), nomeados pelas respectivas associações, para participar da vida política nacional.
- A criação desses mecanismos resultou no fortalecimento do governo federal, em especial do presidente, que se colocava acima dos interesses de classe e das instituições de representação política.

CPDOC/FGV, RIO DE JANEIRO

Cartão-postal editado pelo DIP exaltando as realizações do governo Vargas, c. 1937.

Cotidiano e cultura

- Ao longo da Era Vargas, Rio de Janeiro e São Paulo tornaram-se grandes metrópoles e núcleos irradiadores de novos padrões de comportamento, usos, costumes, hábitos e formas de lazer. O futebol, o cinema e o teatro nas suas diversas modalidades, particularmente o teatro de revista, tornaram-se divertimentos coletivos bastante populares nas grandes cidades. Já o rádio ocupava um lugar especial tanto no cotidiano das pessoas do campo quanto no das cidades.

A criação do DIP

- Em 1939, Vargas ordenou a criação do Departamento de Imprensa e Propaganda (DIP), um importante órgão institucional de censura e propaganda. Diretamente subordinado à presidência da república, ele era responsável pela formação de uma ampla opinião pública a favor do regime.
- Suas principais atribuições eram controlar e exercer a propaganda do regime estabelecido, promover manifestações cívicas e culturais, exercer a censura sobre a imprensa e os meios de comunicação em geral, promover exposições demonstrativas das atividades do governo e produzir e divulgar o noticiário oficial.
- O DIP ajudou a afirmar o projeto político-ideológico de Vargas: filtrava e censurava qualquer produto, ideário, posição ou notícia desfavorável ao governo, veiculando uma imagem sempre positiva do ditador e de suas realizações.

O fim do Estado Novo

- Embora simpatizante do nazifascismo, o Estado Novo não rompeu com as democracias liberais e procurou tirar vantagem da rivalidade entre a Alemanha e os Estados Unidos, os quais consideravam o Brasil um parceiro estratégico na América Latina. Por isso, os norte-americanos colocaram em prática uma política de aproximação cultural e econômica, que resultou no financiamento para a construção da Companhia Siderúrgica Nacional e no apoio brasileiro aos países democráticos durante a Segunda Guerra Mundial.
- A entrada do Brasil na Segunda Guerra Mundial provocou uma contradição. O país lutava contra o totalitarismo nazista, ao mesmo tempo que vivia, no plano político interno, uma ditadura. Essa situação permitiu que, principalmente a partir de 1943, as oposições passassem a se proclamar abertamente contra o regime político então vigente.
- A crise do regime varguista aprofundou-se em 1944, em virtude das pressões da sociedade civil e dos desentendimentos entre Vargas e os militares da alta cúpula das Forças Armadas, que pouco a pouco retiravam seu apoio ao regime. O fator imediato para o fim do governo ditatorial de Vargas foi o afastamento de João Alberto da chefia da polícia do Distrito Federal e a nomeação de Benjamin "Bejo" Vargas, irmão do presidente, para o cargo, o que desagradou profundamente os militares. Como Vargas não abriu mão de sua indicação, as Forças Armadas mobilizadas forçaram a renúncia de Vargas em troca de garantias pessoais para ele e sua família. Na noite de 29 de outubro de 1945, findava o Estado Novo.

Conteúdo digital Moderna PLUS http://www.modernaplus.com.br
Vídeo: Getúlio Vargas

No Vestibular

1. **(Fuvest-SP)**

"o que avulta entre os fatores da Revolução de 1930 é o sentimento regionalista, na luta pelo equilíbrio das forças entre os estados federados. Minas Gerais, aliando-se ao Rio Grande do Sul, combatia a hegemonia paulista, que a candidatura do sr. Júlio Prestes asseguraria por mais quatro anos".

SOBRINHO, Barbosa Lima. *A verdade sobre a revolução de outubro - 1930*.

a) Explique a questão do regionalismo político no período que antecedeu 1930.

b) Apresente a situação política de São Paulo na federação, depois da tomada do poder, por Getúlio Vargas, em 1930.

2. **(UFPB)** A Era Vargas foi responsável por mudanças significativas na área socioeconômica, dentre elas:

a) a legislação do trabalho, embora com conotações paternalistas e atendendo também às necessidades do capital.

b) a defesa intransigente do capital estrangeiro e a ausência de direitos para o trabalhador.

c) o retorno à política que via a questão social como caso de polícia.

d) a extensão dos direitos trabalhistas à zona rural, fruto da bem-sucedida negociação do governo com as oligarquias.

e) a criação de imposto sindical, fator de crescimento e independência dos sindicatos frente ao governo.

3. **(UFPI)** A respeito da Revolução de 1930, podemos afirmar que:

a) o movimento tenentista dominou o poder, impondo seu ideário, sobretudo após a Revolução Paulista de 1932.

b) a Revolução representou uma drástica transformação nas estruturas econômicas e políticas, alterando, profundamente, as condições sociais brasileiras, sobretudo nas áreas rurais.

c) com a extensão da legislação trabalhista ao campo e com a consolidação da reforma agrária, a vida dos segmentos rurais melhorou consideravelmente.

d) o Estado não era a expressão direta da hegemonia de grupos ou classes sociais, mas se converteu num poderoso instrumento de acumulação de capitais e de intervenção na economia.

e) Vargas, após 1930, formou um grupo homogêneo no poder, constituído unicamente da burguesia industrial, e isolou-se, sobretudo, das classes urbanas.

4. **(Ufes)**

"Deixa Lisboa o contingente da FEB

O público apinhou o cais e as elevações da capital portuguesa para despedir-se dos soldados brasileiros – dois 'pracinhas' ficaram em terra – marcada para o dia 17 a chegada ao Rio."

O Globo, 5 set. 1945

Em plena Segunda Guerra Mundial e durante o governo autoritário do Estado Novo no Brasil, o presidente Vargas assinou decreto que levou o Brasil a entrar nesse conflito, de cujo término neste ano de 1995 se comemora o cinquentenário. A participação do Brasil foi por meio da FEB, composta por soldados brasileiros.

Explique como tal participação e, posteriormente, o fim da Guerra, com a vitória dos aliados, contribuíram para o término do Estado Novo no Brasil.

5. **(Vunesp)**

"Em 1939, o Estado Novo constitui um verdadeiro ministério, diretamente subordinado ao presidente da República [...]. [Tal órgão] [...] exerceu funções bastante extensas, incluindo cinema, rádio, teatro, imprensa, literatura e política, além de proibir a entrada no país de 'publicações nocivas aos interesses brasileiros'; agiu junto à imprensa estrangeira no sentido de se evitar que fossem divulgadas 'informações nocivas ao crédito e à cultura do país'; dirigiu a transmissão diária do programa radiofônico 'Hora do Brasil' [...]."

FAUSTO, Boris. *História do Brasil*.

Trata-se do:

a) Departamento de Imprensa e Propaganda (DIP).
b) Instituto Nacional de Comunicação Social (INCS).
c) Conselho Nacional de Educação e Cultura (CNEC).
d) Departamento Administrativo do Serviço Público (DASP).
e) Conselho Federal de Administração e Cultura (CFAC).

6. **(Unicamp-SP)**

O ato mais importante do estado Novo foi a construção de uma usina siderúrgica em Volta Redonda, no estado do Rio de Janeiro. Em fevereiro de 1938, Vargas declarou que a indústria do aço era uma necessidade urgente. Embora o Estado Novo levasse quase dois anos e meio para decidir-se por uma fórmula apropriada à indústria siderúrgica, o projeto parecia bem concebido.

Adaptado de Warren Dean. *A industrialização de São Paulo*.

a) Qual o contexto internacional que propiciou a construção da indústria siderúrgica no Brasil?

b) Qual foi a política internacional adotada pelo governo Vargas para a criação da usina de Volta Redonda?

c) Qual seria a crítica do modelo econômico neoliberal à política econômica de Vargas?

7. **(UEMS)** Leia atentamente o poema abaixo.

"Quando se sente bater
No peito a heroica pancada
Deixa-se a folha dobrada
Enquanto se vai morrer

Tobias Barreto

A "Guerra Paulista" de 1932 buscava, na poesia, os símbolos para sua revolta. Sobre esse movimento, podemos afirmar que:

a) contou com apoio maciço do proletariado urbano e rural.
b) não teve identificação com as classes médias e suas aspirações sociais.
c) os paulistas temiam o adiamento das eleições, a implantação da ditadura e buscavam recuperar a hegemonia política perdida em 1930.
d) o movimento conseguiu o apoio de todos os estados, obrigando Vargas a depor armas.
e) embora vitoriosos, os paulistas não obtiveram sua reivindicação política, a Constituição.

8. **(Unifesp)** Sobre o processo de industrialização no Brasil, no século passado, é correto afirmar que:

a) sofreu, na década passada, um salto de qualidade, perdendo seu caráter dependente e tecnologicamente atrasado.
b) consolidou-se somente quando o Estado, depois de 1930, tomou a iniciativa de assegurar sua implementação.
c) conheceu sua fase de maior crescimento a partir do momento em que o país aderiu à globalização e ao neoliberalismo.
d) passou por suas duas maiores fases de estagnação durante as duas guerras mundiais.
e) vivenciou durante o milagre econômico dos anos 1969-1973 várias greves operárias generalizadas.

Guerra Fria, descolonização e movimentos sociais

Duas potências emergiram após o fim da Segunda Guerra Mundial: Estados Unidos e União Soviética. Em busca de áreas de influência, os dois países iniciaram uma corrida armamentista, ideológica e territorial, conhecida como Guerra Fria.

A Guerra Fria e a criação da ONU

- Em termos gerais, a consequência mais importante do final da Segunda Guerra Mundial foi o fim da hegemonia europeia sobre o mundo. Estados Unidos e União Soviética passaram a disputar a supremacia econômica, militar, política e cultural. Em torno dessas novas superpotências foram criados dois blocos de poder e de atuação internacional, que dividiram o mundo em capitalista e socialista. De 1945 a 1991, a polarização e a tensão entre esses dois blocos e suas implicações em todo o mundo caracterizaram a chamada Guerra Fria.
- O desenvolvimento do capitalismo no Ocidente, nesse período, aconteceu em confronto com a expansão do socialismo. Assim, a grande novidade do século XX desde a Revolução Russa de 1917 foi que o socialismo provocou transformações dentro do capitalismo, mas pagando um preço alto: anos de instabilidade e crise constante que colocavam o mundo diante da expectativa de uma nova guerra, maior que as anteriores.
- Quando a Segunda Guerra Mundial terminou, em agosto de 1945, o saldo foi devastador: cerca de 55 milhões de mortos, mais de 35 milhões de feridos e 3 milhões de desaparecidos. Para a maioria das nações vencedoras, era preciso criar um mecanismo de controle internacional que evitasse não só uma Terceira Guerra Mundial, mas principalmente o início de um conflito novo e potencialmente pior: o conflito nuclear.
- Foi com essas preocupações que, em 24 de outubro de 1945, foi criada a Organização das Nações Unidas (ONU). Reunindo representantes da maioria dos países do mundo, a ONU nascia com a obrigação de manter a paz mundial, garantir a defesa dos direitos humanos e a igualdade entre os diferentes povos. Embora a ONU tenha nascido com esses objetivos, quem ditava o ritmo dos acontecimentos durante a Guerra Fria eram os blocos formados e dominados por Estados Unidos e União Soviética.

O mundo dividido em dois

- Em fevereiro de 1945, antes mesmo do fim do conflito mundial, Winston Churchill (Grã-Bretanha), Stalin (União Soviética) e Franklin D. Roosevelt (Estados Unidos) se reuniram na **Conferência de Ialta**, que delimitou as zonas de influência das três nações. A União Soviética impôs seu controle sobre os países do Leste Europeu, formando a chamada "cortina de ferro", e os Estados Unidos assumiram a hegemonia política e econômica da maior parte do mundo capitalista, como a Europa Ocidental, a América Latina e o Japão
- Em 1949, a Alemanha foi dividida em dois países: a **República Democrática da Alemanha**, com capital em Berlim e situada na zona de influência soviética, e a **República Federal da Alemanha**, com capital em Bonn, sob a influência dos países capitalistas. Mais tarde, a cidade de Berlim também foi dividida: Berlim Oriental (socialista) e Berlim Ocidental (capitalista).

A Europa após a Segunda Guerra Mundial

Fonte: CHALIAND, Gérard; RAGEAU, Jean-Pierre. *Atlas stratégique*. Paris: Complexe, 1988. p. 40 e 97.

A reconstrução da Europa

- Com o objetivo de frear a expansão do socialismo na Europa e ajudar na reconstrução dos países destruídos pela guerra, os Estados Unidos criaram o **Plano Marshall**, um programa de ajuda econômica. Para garantir a defesa dos países alinhados, foi criada a **Organização do Tratado do Atlântico Norte** (Otan). Em contrapartida, a União Soviética criou o **Conselho para Assistência Econômica Mútua** (Comecon), investiu e transferiu tecnologia para o Leste Europeu, Sudeste Asiático, África e Caribe, e criou o **Pacto de Varsóvia**, que reunia forças armadas socialistas.

Socialismo *versus* capitalismo

- A disputa entre capitalismo e socialismo não ocorreu apenas no plano ideológico. Ela estendeu-se para vários setores, como produção cultural e desenvolvimento de tecnologia. Com a corrida espacial, os soviéticos colocaram o primeiro homem na órbita da Terra (1961), enquanto os norte-americanos levaram o homem à Lua (1969). Uma das consequências mais marcantes foi a **corrida armamentista**, muito forte nas décadas de 1950, 1960 e 1970. Os dois blocos político-militares equipararam-se com armas nucleares, que tinham alto poder de destruição.

Conflitos da Guerra Fria

- Na China, os soviéticos ajudaram o Partido Comunista Chinês, liderado por Mao Tsé-tung, a tomar o poder e fazer mudanças profundas no país. Em 1º de outubro de 1949, foi proclamada a República Popular da China, sob um regime socialista. Diante dos acontecimentos, os Estados Unidos procuraram isolar a China, negando-se a reconhecer o novo regime.
- Na Coreia, com o fim da Segunda Guerra Mundial, o norte da península foi ocupado militarmente pela União Soviética, enquanto os Estados Unidos ocuparam o sul. Em 1950, o norte tentou dominar o sul, desencadeando um conflito armado, que ficou conhecido como **Guerra da Coreia** (1950-1953). O conflito terminou com um acordo e a região passou a ser definitivamente dividida em duas partes: a Coreia do Norte (socialista) e a Coreia do Sul (capitalista), ocupada militarmente pelos Estados Unidos. Essa divisão se mantém ainda hoje.
- A **Guerra do Vietnã** foi outro conflito travado durante a Guerra Fria. Em 1954, o Vietnã foi dividido: o norte tornou-se comunista, liderado por Ho Chi Minh, e o sul, ocupado pelos nacionalistas. Com o golpe de Estado no Vietnã do Sul (1956), instalou-se um regime ditatorial. Esse golpe foi apoiado pelos Estados Unidos, que temiam o total controle do Vietnã pelos comunistas. Em reação, os comunistas formaram o Vietcongue, que promoveu uma guerra de guerrilhas contra o governo do sul. Os Estados Unidos participaram ativamente do conflito, mas a grande resistência dos vietcongues, assim como a pressão da opinião pública e de setores organizados da sociedade civil norte-americana, contribuiu para a derrota do país.
- No Oriente Médio, outra tensão ocorreu em virtude da criação do **Estado de Israel** na região da Palestina (de maioria muçulmana). Os árabes controlavam as principais áreas produtoras de petróleo da região e, além disso, o movimento sionista atuava para reagrupar os judeus e construir um Estado nacional. Pensando em impedir a unidade dos árabes e o seu consequente controle sobre o petróleo, os Estados Unidos a criação de Israel (1948) pela ONU.
- Os impasses entre árabes e israelenses provocaram diversos conflitos. A incapacidade de conduzir uma guerra vitoriosa contra Israel contribuiu para o surgimento de grupos radicais islâmicos que adotavam o terrorismo como estratégia de luta contra o Estado judaico. Este, por sua vez, ao longo da Guerra Fria, tornou-se fortemente militarizado.
- Durante a Guerra Fria, Estados Unidos e União Soviética também quase entraram em conflito direto na **Crise dos Mísseis** (1962). Os norte-americanos haviam instalado mísseis nucleares na Turquia e invadido a Baía dos Porcos, em Cuba. Em represália, os soviéticos instalaram mísseis em território cubano. Soviéticos e norte-americanos travaram uma guerra diplomática exigindo a retirada dos mísseis da Turquia e de Cuba. Durante treze dias o mundo viveu o medo de uma possível guerra nuclear. Nos Estados Unidos, diante do pânico, as famílias chegaram a construir abrigos dentro de casa. A tensão terminou com um acordo e a retirada dos mísseis, tanto em Cuba quanto na Turquia.

Conteúdo digital Moderna PLUS http://www.modernaplus.com.br
Mapa animado: Expansão em Israel
Vídeo: A Guerra da Coreia
A Guerra do Vietnã
Crise dos mísseis
Filme: *Dr. Fantástico*. Diretor: Stanley Kubrick. EUA, 1963
Nascido para matar. Diretor: Stanley Kubrick. EUA, 1991
O dia seguinte. Diretor: Nicholas Meyer. EUA, 1983

RONALD S. HAEBERLE/TIME LIFE PICTURES/GETTY IMAGES

Casas incendiadas por soldados norte-americanos durante o Massacre de My Lai, Vietnã, em 1968. O término do massacre foi possível graças à intervenção de Hugh Thompson Jr., piloto de helicóptero das Forças Armadas dos Estados Unidos.

Territórios ocupados por Israel/novas guerras após 1967

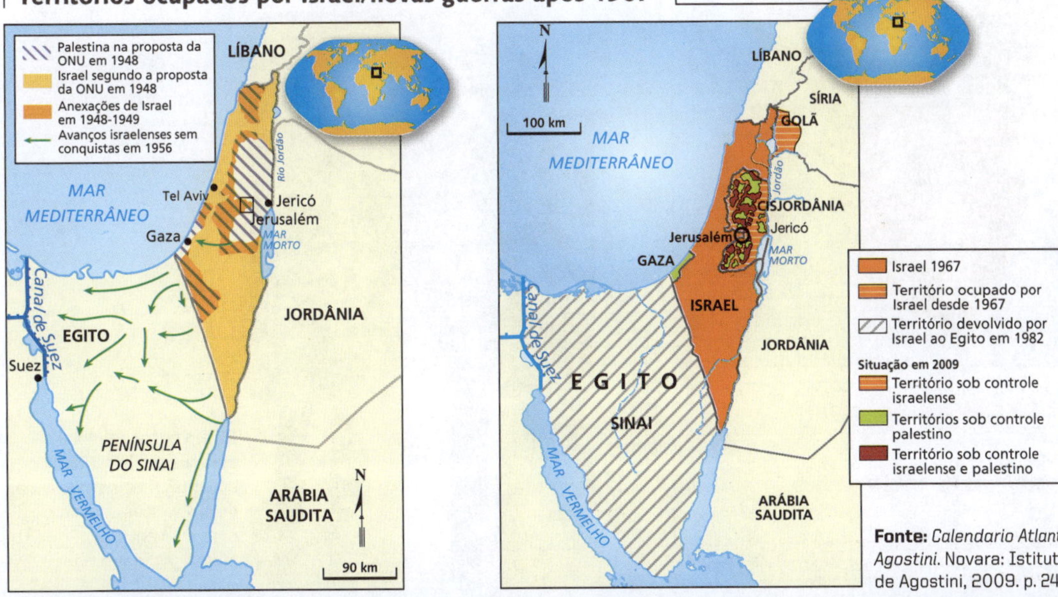

Fonte: *Calendario Atlante de Agostini*. Novara: Istituto Geografico de Agostini, 2009. p. 24.

A descolonização na Ásia e na África

› O enfraquecimento das metrópoles europeias, abaladas pela Segunda Guerra, tornou propício o processo de descolonização na Ásia e na África e o surgimento de movimentos de independência.

› Na Índia, os hindus, liderados por Mahatma Gandhi, resistiram contra a dominação inglesa por meio da desobediência civil, ou seja, eles não entraram em confronto direto e violento com os colonizadores. A Segunda Guerra abalou ainda mais o domínio colonial inglês, já enfraquecido econômica e militarmente ao final da Primeira Guerra Mundial. Em 15 de agosto de 1947, a Grã-Bretanha reconheceu a independência da Índia.

› Na África, os movimentos contrários ao colonialismo, que se tornaram mais intensos durante a primeira metade do século XX, seguiram diferentes caminhos para alcançar a independência. Algumas colônias tornaram-se livres com a realização de acordos com os colonizadores. Outras encontraram maior resistência por parte da metrópole, o que as fez trilhar o caminho da luta armada.

› As independências, entretanto, não foram acompanhadas por reformas sociais e econômicas. Muitos países que se libertaram continuaram tendo graves problemas, como dependência econômica e tecnológica, infraestrutura precária, analfabetismo, deficiências sanitárias, escassez de mão de obra qualificada e corrupção administrativa, entre outros. Na África do Sul, por exemplo, manteve-se a discriminação oficial dos negros (*apartheid*) até a década de 1990.

A descolonização da África (1936-1990)

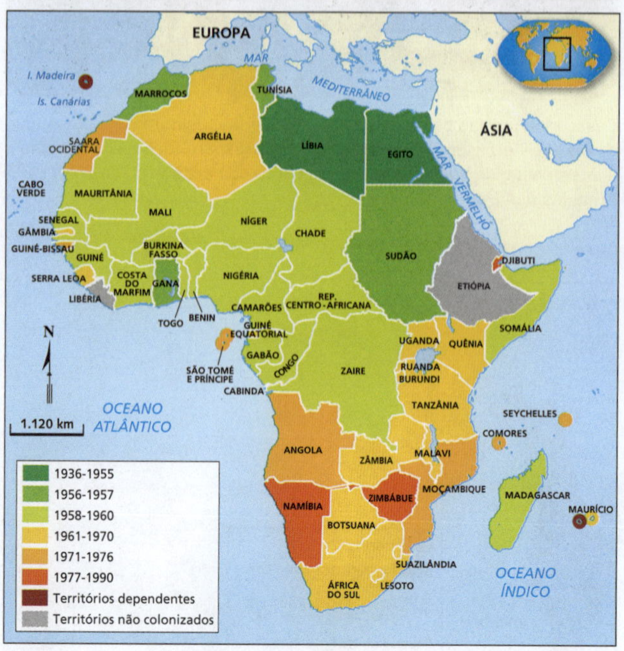

Fonte: DUBY, Georges. *Atlas historique mondial*. Paris: Larousse, 2003. p. 219.

Conteúdo digital Moderna PLUS http://www.modernaplus.com.br
Mapa animado: A descolonização afro-asiática
Vídeo: Apartheid
Independência do Congo
Organização das tropas no Congo
Filme: *A batalha de Argel*. Diretor: Gillo Pontecorvo. Argélia/Itália, 1965
O senhor das armas. Diretor: Andrew Niccol. EUA, 2005

As transformações na sociedade

› No período do pós-guerra, entre as décadas de 1950 e 1960, a acumulação de capital e a modernização tecnológica propiciaram um aumento sem precedentes da produção de mercadorias e serviços, exigindo a ampliação do mercado consumidor. Para isso, os meios de comunicação de massa criaram propagandas que interferiam no desejo dos indivíduos, com campanhas publicitárias que transformaram o consumo em sinônimo de felicidade.

› Reduzidos ao papel de consumidores, os indivíduos tendem a se tornar passivos. Em nome do mundo fantasioso difundido pela mídia e pela indústria do espetáculo, renunciam à consciência crítica e à cidadania. A desconexão entre a realidade e o mundo das imagens, que afeta particularmente as novas gerações, pode ser considerada um dos maiores problemas do mundo contemporâneo.

› Até a década de 1950, era comum as pessoas estudarem apenas os primeiros anos da educação básica. Nos países desenvolvidos, essa situação mudou no decorrer da década de 1960, quando houve um aumento expressivo das taxas de escolarização em quase toda a Europa, América do Norte e nos países do bloco soviético. Os jovens passaram a ter mais acesso ao ensino secundário e universitário, o que contribuiu para ampliar a distância entre o seu pensamento e os valores de gerações anteriores. Essa diferença apareceu no vestuário, na música, na opinião política, na vida pessoal e até nas relações com a natureza.

› Os novos valores levaram a um choque de gerações. Esse choque de gerações foi muito forte em países envolvidos em guerras. Na Alemanha, por exemplo, os jovens responsabilizavam os mais velhos pela tragédia provocada pelo nazismo; nos Estados Unidos, culpavam o governo pela morte de compatriotas no Vietnã.

› Em busca da própria identidade, os jovens também expressavam sua revolta e seus anseios adotando um ideal político. O marxismo forneceu a linguagem comum a esses grupos de jovens em luta contra a opressão, a injustiça social, o imperialismo e a vida opressiva da classe trabalhadora.

EVENING STANDARD/GETTY IMAGES

Jovem casal caminha pela rua em Londres, em 1967. A comercialização de um vestuário voltado para a juventude permitiu marcar a singularidade dessa fase da vida.

Revolta e protesto nos anos 1960

- No ano de 1968, uma onda de protestos estudantis agitou diversos países, tanto no bloco capitalista quanto no comunista. Na Espanha, na Itália e na França, o movimento foi radical, pois veio acompanhado por uma onda de greves operárias.
- Nos países capitalistas desenvolvidos, os estudantes criticavam a sociedade de consumo baseada na repressão do desejo; nos países em desenvolvimento, a revolta era contra a exploração econômica e a opressão dos regimes autoritários; e nos países socialistas, a democracia e a liberdade de expressão eram os objetivos mais importantes.
- O feminismo contemporâneo também nasceu na década de 1960, contestando a ordem dominante que limitava o desenvolvimento da mulher, condenando-a a posições inferiores no mercado de trabalho ou ao papel tradicional de esposa e mãe.

O Maio de 1968

- Na França, muitos estudantes franceses afiliaram-se a pequenos agrupamentos de esquerda, que realizavam atividades políticas alternativas. Na década de 1960, esses grupos defenderam causas utópicas, como a abolição do trabalho assalariado e a transformação da sociedade numa república de conselhos.
- A partir de março de 1967, os estudantes começaram a ocupar os *campi* universitários, uma resposta contra um sistema de ensino autoritário e repressivo. Em maio de 1968, o movimento se alastrou para fora da universidade, atingindo, por exemplo, os sindicatos. Diversas manifestações, barricadas e greves espalharam-se por várias cidades francesas.
- O Maio de 1968 foi duramente reprimido. No entanto, ele marcou época, servindo de orientação para as mobilizações das décadas de 1970 e 1980. Esses movimentos ficaram conhecidos nos Estados Unidos como *New Left* ("Nova Esquerda") e não criticavam somente o capitalismo, mas também o socialismo autoritário e burocrático de regimes como os da China e da União Soviética.

CARLO BAVAGNOLI/TIME LIFE PICTURES/GETTY IMAGES

Protesto de estudantes e trabalhadores no famoso Maio de 1968. Paris, França, 1968.

A Primavera de Praga

- Em 1967, na Tchecoslováquia, uma revolta estudantil contra a burocracia stalinista foi violentamente reprimida pelas forças do regime. Meses depois, algo inesperado aconteceu: o Comitê Central do Partido Comunista elegeu um novo primeiro-secretário, Alexander Dubcek, que planejava realizar as reformas esperadas pela sociedade, como o fim da censura, maior liberdade de imprensa e a expulsão da linha-dura stalinista dos quadros do Partido Comunista. Os novos quadros partidários queriam democratizar o regime comunista. O controle sobre a imprensa e a liberdade de opinião foi reduzido, e mais autonomia foi concedida a cada região.
- A elite comunista ainda mantinha as rédeas do poder em suas mãos, apesar das boas intenções de Dubcek. Temendo que a situação saísse de controle e que a revolta se espalhasse pelos demais países sob o regime soviético, a União Soviética interveio. A linha-dura do Partido Comunista da Tchecoslováquia, receando perder seus privilégios, conspirava em segredo contra o governo Dubcek, negociando com os soviéticos a deposição do governo.

A luta contra o racismo nos Estados Unidos

- Entre as décadas de 1950 e 1960, os Estados Unidos tiveram um crescimento econômico extraordinário, impulsionado pela inovação tecnológica e pela sociedade de consumo. Porém, negros, indígenas e latino-americanos viviam em péssimas condições, além de ser discriminados.
- Em meados da década de 1950, iniciou-se um movimento contra a discriminação racial e em defesa dos direitos civis para os negros. O seu líder era o pastor Martin Luther King, que usou a rede formada pelos templos como via de comunicação e apoio à sua campanha de desobediência civil.
- Na década de 1960, o movimento cresceu com a adesão dos estudantes e de cidades do norte do país. Em 1963, 200 mil pessoas caminharam na célebre **Marcha sobre Washington**, em apoio ao movimento. Entre 1964 e 1967, uma série de atos legislativos garantiu na lei o fim da discriminação no trabalho, nos serviços públicos e nas eleições.

FILE/AP PHOTO/IMAGEPLUS

Martin Luther King acena para a multidão em Washington, Estados Unidos, 1963.

Conteúdo digital Moderna PLUS http://www.modernaplus.com.br
Vídeo: Crash

No Vestibular

1. (Uel-PR)

"É lógico que os Estados Unidos devem fazer o que lhes for possível para ajudar a promover o retorno ao poder econômico normal do mundo, sem o que não pode haver estabilidade política nem garantia de paz."

Plano Marshall, 1947.

O Plano Marshall se constituiu:

a) na principal meta da política externa norte-americana, que era pacificar o Extremo Oriente.

b) num projeto de ajuda industrial aos países da América Latina.

c) num importante instrumento de expansão do comunismo na Europa.

d) na definição da política externa isolacionista dos Estados Unidos, paralela à montagem do complexo industrial militar.

e) num dos meios de penetração dos capitais norte-americanos nas economias europeias.

2. (UFBA) Após a Segunda Guerra Mundial, o mundo passou por grandes transformações. Leia as cinco afirmações seguintes e responda.

I. O centro da cultura artística mundial, e consequentemente do mercado de arte, desloca-se de Paris para Nova York, levando ao florescimento explosivo de uma arte americana, que se constitui um fenômeno importante na história da arte nos meados do século XX.

II. O controle imperialista das potências europeias na Ásia e na África passa a ser contestado por processos de independência dos povos dominados, desencadeando a consolidação de novos Estados nacionais.

III. Os Estados Unidos e a União Soviética se destacam como as duas grandes potências mundiais, que delimitam suas áreas de influência econômica e política, travando conflitos bélicos indiretos e disputando avanços no campo científico e tecnológico.

IV. Os governos autoritários na América Latina democratizam-se e há revoluções proletárias e camponesas, permitindo a consolidação de Estados que propiciam a redução da pobreza e a socialização dos meios de produção entre diferentes classes sociais.

V. A imigração de judeus para o Oriente Médio, a organização do Estado de Israel e a confrontação entre judeus e palestinos muçulmanos (fixados anteriormente no território) desencadearam conflitos religiosos e territoriais que perduraram ao longo do século XX.

Estão corretas as afirmações:

a) I, II e III, apenas.

b) I, III e IV, apenas.

c) II, III, IV e V, apenas.

d) I, II, III e V, apenas.

e) I, II, III, IV e V.

3. (UFSC)

JOE SACCO/CONRAD EDITORA

O desenho acima, extraído da reportagem em quadrinhos *Palestina*, de Joe Sacco, apresenta um *slogan* sionista do fim do século XIX. O autor procurou, com a imagem, fazer uma crítica a uma questão que, segundo ele, explica o trágico conflito na região até hoje.

Analise a imagem e encontre nas alternativas abaixo a que corresponde à explicação do autor para o conflito.

a) A Palestina era uma terra sem povo, mas, após a criação do Estado de Israel, os palestinos se dirigiram para lá.

b) Os judeus negaram a presença do povo palestino na terra que reivindicavam para si.

c) Os judeus não constituíam um povo porque não tinham terra.

d) Os palestinos cederam terras improdutivas aos judeus.

e) Judeus e palestinos eram povos sem terra.

4. (Vunesp)

"O filme *Boa noite, boa sorte* é ambientado nos Estados Unidos dos anos 50, durante os primeiros dias de transmissões jornalísticas. O filme conta os conflitos reais entre o repórter televisivo Edward R. Murrow [...] e o Senador Joseph McCarthy, que resultou numa das mais importantes viradas políticas da história americana.

Desejando esclarecer os fatos ao público, Murrow e sua dedicada equipe — liderada por seu produtor Fred Friendly [...] e por Joe Wershba [...] na sala de imprensa da rede CBS — desafiam seus patrocinadores e a própria emissora para examinar as mentiras e as amedrontadoras táticas perpetradas pelo Senador [...]."

Disponível em www.netcinema.com.br. Acesso em abr. 2006.

a) O filme *Boa noite, boa sorte* trata de um aspecto do chamado macartismo. O que foi o macartismo?

b) Os anos 1950 foram marcados pela experiência da Guerra Fria. Apresente as origens desse evento.

5. (UFPE) Entre 1955 e 1973, um grupo de líderes internacionais tentou criar as bases daquilo que ficou conhecido como "movimento dos não alinhados". A esse respeito é **correto** afirmar:

a) o movimento procurava estabelecer uma política diplomática independente dos Estados Unidos e da União Soviética, as duas superpotências da época.
b) tratava-se de um movimento de países do Terceiro Mundo, que reunia apenas líderes que não estivessem comprometidos com os interesses da União Soviética.
c) tratava-se de um movimento que tentava elaborar uma alternativa política à social-democracia europeia e ao comunismo da China e dos países do Leste Europeu.
d) os princípios do movimento, definidos na Conferência de Bandung, em 1955, indicavam o alinhamento dos países do Terceiro Mundo com as chamadas potências desenvolvidas.
e) a Conferência de Belgrado, em 1961, condenou a instauração do regime comunista em Cuba, liderado por Fidel Castro.

6. (Ufam) Entre junho de 1950 e julho de 1953, transcorreu a chamada Guerra da Coreia, sobre a qual é correto afirmar:

a) o conflito foi provocado pelos interesses expansionistas do governo sul-coreano, que procurava estabelecer sua hegemonia político-militar na região.
b) o conflito foi provocado pela negativa japonesa em aceitar a desmilitarização imposta após a Segunda Guerra Mundial.
c) a ameaça de uma revolução socialista levou o governo da Coreia do Sul a solicitar ajuda norte-americana, o que provocou a reação do governo da Coreia do Norte.
d) tratou-se de uma guerra civil que resultou na divisão da Coreia em dois Estados independentes.
e) o conflito teve início com a tentativa de unificação da Coreia sob iniciativa do regime comunista da Coreia do Norte, com apoio da China.

7. (UFSCar-SP)

"Hoje, a independência nacional, a formação nacional nas regiões subdesenvolvidas assumem aspectos totalmente novos. Nessas regiões, excetuadas algumas realizações espetaculares, os diversos países apresentam a mesma ausência de infraestrutura. As massas lutam contra a mesma miséria, debatem-se com os mesmos gestos e desenham com seus estômagos encolhidos o que se pode chamar de geografia da fome. Mundo subdesenvolvido, mundo de miséria e desumano. Mundo também sem médicos, sem engenheiros, sem administradores. Diante desse mundo, as nações europeias espojam-se na opulência mais ostensiva."

FANON, Frantz. *Os condenados da terra.*

a) Relacione a argumentação do autor com o processo de independência de países africanos no século XX.

b) Cite dois exemplos de países africanos que se envolveram em guerras civis durante ou após seu processo de independência.

8. (Fei-SP)

"A humanidade só será feliz no dia em que o último burocrata for enforcado nas tripas do último capitalista."

"É proibido proibir."

Grafites na Universidade de Sorbonne.

As frases anteriores tornaram-se símbolos de um movimento social ocorrido na segunda metade do século XX. Esse movimento foi:

a) o movimento estudantil, que teve como ponto máximo o "Maio de 68" na França.
b) a Revolução Cubana liderada por Fidel Castro.
c) as lutas dos alemães na década de 1980 pela reunificação de seu país.
d) a Revolução Cultural Chinesa.
e) a Revolução dos Cravos em Portugal, que levou ao fim do regime autoritário neste país.

Populismo e ditaduras no Brasil e na América Latina

Com a redemocratização do Brasil e de outros países latino-americanos, iniciou-se nessas nações um novo período histórico, chamado por alguns especialistas de "populista". Porém, a instabilidade política, a crise econômica e o temor de convulsões sociais levaram os militares ao poder.

De Dutra a Vargas

- A eleição presidencial de 1945 foi vencida pelo general Eurico Gaspar Dutra. Seu governo caracterizou-se pela aproximação ideológica, política, cultural e econômica com os Estados Unidos. Em consequência, o Partido Comunista do Brasil (PCB) foi considerado ilegal em 1947, líderes sindicais foram presos e o governo rompeu relações diplomáticas com a União Soviética.
- Na economia, o Brasil passou a importar grandes quantidades de bens de consumo fabricados pelos norte-americanos. A partir de 1947, o governo passou a estabelecer certo controle à entrada de produtos estrangeiros, restringindo o ingresso de bens de consumo rápido e estimulando a compra de maquinaria para o avanço industrial brasileiro.
- Getúlio Vargas retornou à presidência, pela via democrática, nas eleições de 1950. Ao contrário de Dutra, Vargas fazia a defesa do nacional-desenvolvimentismo, limitando a interferência estrangeira na economia. Exemplo disso foi a criação da Petrobras (1953), empresa estatal que tinha o monopólio da exploração e do refino de petróleo em território nacional.
- Vargas enfrentava reações à direita e à esquerda e tinha dificuldade de conduzir seu governo. O presidente suicidou-se em 1954 e em sua carta-testamento acusava seus opositores de pretenderem destruir as conquistas dos trabalhadores, alcançadas em seus períodos de governo, e de agirem contrariamente aos interesses nacionais.
- João Café Filho, vice-presidente, assumiu o governo brasileiro até as novas eleições, que levaram o mineiro Juscelino Kubitschek à presidência da república.

CPDOC/FGV, RIO DE JANEIRO

Caricatura de Getúlio Vargas em material de propaganda da campanha presidencial de 1950.

Os anos JK

- A base do governo de Juscelino Kubitschek era o **Plano de Metas**, que organizou os investimentos governamentais em cinco eixos: energia, transporte, alimentação, indústria e educação. Com ele, JK esperava acelerar a modernização do Brasil ao ritmo de "50 anos em 5". Para isso, o governo abriu a economia do país a empresas e investidores estrangeiros.
- O foco principal de JK estava na indústria de bens duráveis, que atenderia às necessidades e aos desejos da classe média urbana, ansiosa pelo consumo. O conjunto de medidas foi capaz de atrair empresas estrangeiras, e o país passou a contar rapidamente com subsidiárias de multinacionais do setor farmacêutico, eletroeletrônico e petroquímico.
- Na prática, as novas bases da política econômica neutralizavam parcialmente as críticas da oposição, mantendo traços do populismo que caracterizara os anos anteriores.
- O crescimento acelerado e as obras públicas alavancaram a economia do país, mas deixaram como herança uma grande dívida externa, a forte interferência estrangeira na economia e a corrupção administrativa.
- Dois setores sociais se beneficiaram efetivamente com o crescimento: os empresários vinculados às empresas e ao capital estrangeiro e a classe média urbana, que se expandiu numericamente e aumentou seu poder de consumo. A inflação em alta, porém, corroía parte desse avanço e penalizava as camadas populares, que não podiam usufruir plenamente os benefícios do desenvolvimento. Além disso, tais benefícios também não foram distribuídos equitativamente em termos regionais, concentrando-se na Região Sudeste.

Conteúdo digital Moderna PLUS http://www.modernaplus.com.br
Vídeo: JK, a construção de Brasília
Filme: *Os anos JK*. Diretor: Silvio Tendler. Brasil, 1980

Evolução dos preços de produtos básicos (1956-1959)

Produto (quilograma)	Preço em 1956	Preço em 1959
Arroz	Cr$ 13,00	Cr$ 35,00
Batata	Cr$ 8,00	Cr$ 25,00
Carne	Cr$ 40,00	Cr$ 100,00
Charque	Cr$ 42,00	Cr$ 110,00
Feijão	Cr$ 10,00	Cr$ 80,00
Manteiga	Cr$ 74,00	Cr$ 190,00

Fonte: VIEIRA, Evaldo. *Estado e miséria social no Brasil*: de Getúlio a Geisel. São Paulo: Cortez, 1987. p. 94; LUCA, Tania Regina de. *Indústria e trabalho no Brasil*. São Paulo: Contexto, 2001. p. 70-71.

O governo Jânio Quadros

- Juscelino foi sucedido por Jânio Quadros, político carismático que fizera carreira política em São Paulo. Preocupado em preservar a imagem de moralizador que construíra em suas campanhas, Jânio expedia bilhetinhos com determinações e ordens para seus ministros e assessores. Regulamentou questões cotidianas, como a programação de cinemas e casas noturnas, proibiu brigas de galo, uso de biquíni em praia, corridas de cavalos nos dias úteis e lança-perfume.
- O presidente se reaproximou do Fundo Monetário Internacional (FMI) e assinou acordos desfavoráveis aos interesses dos grupos industriais nacionais. Na política externa, restabeleceu relações diplomáticas com países do Leste Europeu, criticou o governo norte-americano de John Kennedy e condecorou Ernesto Che Guevara.
- Sem apoio no Congresso, Jânio não conseguiu colocar em prática seus planos de governo. Poucos dias antes de completar sete meses de governo, em 25 de agosto de 1961, Jânio renunciou à presidência, no que parece ter sido uma tentativa de criar uma situação que lhe permitisse ampliar seus poderes presidenciais.

GEORGE TOROK/O CRUZEIRO/EM/D. A. PRESS

O candidato a presidente da república Jânio Quadros levanta a vassoura, símbolo de sua campanha. Santos, São Paulo, 1960.

João Goulart e o golpe de 1964

- O vice-presidente João Goulart era visto com desconfiança por setores da elite econômica e das Forças Armadas, que somente concordaram com a sua posse mediante a implantação do parlamentarismo, sistema que diminui o poder presidencial.
- Entretanto, políticos e militares defensores da Constituição exigiram um acordo: seria feito um plebiscito e o povo decidiria entre a manutenção do modelo parlamentarista ou a volta do presidencialismo. Em 1963, com a vitória do presidencialismo, João Goulart planejou colocar em prática as **reformas de base**, que previam a reforma agrária, o controle sobre os lucros das empresas estrangeiras, a ampliação do direito de voto aos analfabetos, entre outras mudanças.
- Movimentos de camponeses e de operários se articulavam para aumentar a pressão sobre o governo e cobrar de Jango fidelidade às promessas de reforma. Em Pernambuco e na Paraíba, as Ligas Camponesas reivindicavam ampla reforma agrária e organizavam trabalhadores rurais contra os grandes proprietários de terras. Estudantes se mobilizavam e também insistiam numa radicalização das iniciativas sociais do governo.
- As propostas de João Goulart ameaçavam grandes interesses internos e externos. Políticos da oposição denunciavam o "esquerdismo" do presidente e conspiravam para sua derrubada, os militares se mobilizavam e desenvolviam a hipótese golpista, e a classe média urbana saía às ruas para protestar. Assim, em 1964, Goulart foi deposto por um golpe militar, que teve o apoio explícito dos Estados Unidos.
- Considerando que João Goulart pretendia fazer alterações de caráter social e econômico, e que muitos enxergavam nisso uma manobra socialista, o golpe de 1964 defendeu o capitalismo e constituiu-se em mais um desdobramento da Guerra Fria. Começava, então, o regime militar brasileiro.

Conteúdo digital Moderna PLUS http://www.modernaplus.com.br
Vídeo: Visita de João Goulart à China

O populismo na Argentina

- O populismo foi muito expressivo em diversos países da América Latina. Na Argentina, por exemplo, Juan Domingo Perón venceu as eleições de 1946. Ele conquistou o apoio popular por meio da expansão e do aprimoramento das leis trabalhistas, que lhe valeram uma importante base de apoio político entre os sindicatos.
- Inúmeras formas de assistência social difundiram a imagem de Perón e de sua esposa, Eva Duarte, como pais e protetores dos pobres, chegando a se reeleger em 1951. Os investimentos estrangeiros, no entanto, diminuíam, e as reservas financeiras do país baixavam. A inflação crescia, e alguns setores começavam a demonstrar seu descontentamento com a perspectiva de uma nova crise. Por fim, Perón entrou em conflito com setores da elite e da Igreja e acabou deposto em 1955 por um golpe militar.
- Muito querido pelo povo, que idolatrava sua mulher Eva Perón, ele voltou ao poder em 1973. Com a morte do líder populista em 1974, a Argentina desestabilizou-se, o que criou as condições para que um golpe militar implantasse uma das mais cruéis ditaduras do continente.

AP PHOTO/IMAGEPLUS

Juan Domingo Perón e sua mulher, Eva Perón, acenam para a população. Argentina, 1950.

Brasil: militares no poder

- Alguns setores das Forças Armadas repudiavam a ideia de abandonar os quartéis e suas funções específicas para ocupar o espaço da política. Eram os chamados "legalistas". Já os defensores do golpe podiam ser identificados em dois grandes grupos: o chamado "grupo da Sorbonne", que analisava as possibilidades de ampliação do poder militar no Brasil, sem que isso implicasse necessariamente o comando do governo, e a chamada "linha-dura", pouco disposta à teorização e ao debate político, mas muito influente dentro dos quartéis.
- Nos últimos meses do governo Goulart, os legalistas aderiram ao golpe, em primeiro lugar, em função do que consideravam quebra de hierarquia pelo presidente da república. Contudo, o principal traço que unificava os comandos militares e que os levou ao golpe foi o anticomunismo. Embora Jango não fosse adepto de uma ideologia de esquerda radical, sua política de aproximação com os movimentos sociais podia ser facilmente vista como uma política comunista no contexto da Guerra Fria.
- Uma das características dos governos militares foi a expedição de **Atos Institucionais** (AI) que se sobrepunham à Constituição. O AI-1, por exemplo, cassou os direitos políticos de João Goulart e outras lideranças. Para manter uma fachada de democracia, o AI-2 criou o bipartidarismo, ou seja, existiam apenas dois partidos: a **Aliança Renovadora Nacional** (Arena), partido do governo, e o **Movimento Democrático Brasileiro** (MDB), uma oposição moderada.
- Em 1968, o presidente Arthur da Costa e Silva decretou o **AI-5**, que determinava a suspensão de todos os direitos civis e constitucionais, autorizando a prisão de qualquer brasileiro, a proibição de manifestações de natureza política e a suspensão de direitos políticos de todos os suspeitos de agir contra o governo.
- Diante disso, alguns setores da esquerda optaram pela luta armada, formando guerrilhas urbanas e rurais. As guerrilhas foram duramente reprimidas pelos órgãos repressivos da ditadura, como o Departamento de Ordem Política e Social (Dops) e a Operação Bandeirantes (Oban).
- Houve também, no aspecto cultural, uma resistência ao regime militar: músicas, peças de teatro, livros, revistas e jornais alternativos criticaram a censura e a perseguição aos opositores.

FUNDAÇÃO BIBLIOTECA NACIONAL, RIO DE JANEIRO

Charge de Fortuna publicada no *Correio da Manhã*, em 1966.

O regime consolidado

- Emílio Médici governou o Brasil de 1969 a 1974. Seu período foi marcado, sobretudo, pelo acelerado crescimento econômico do país, conhecido como "milagre" econômico, pela realização de grandes obras, as "obras faraônicas", e pelo recrudescimento da repressão política, com a ação quase autônoma do aparato repressivo.
- O crescimento econômico, aliado às baixas taxas de inflação e serviços públicos de qualidade em saúde e educação, proporcionou melhorias nas condições de vida e trabalho dos brasileiros, criando uma euforia nacional. Contribuiu muito para isso a vitória brasileira no Campeonato Mundial de Futebol, realizado no México (1970).
- Porém, a elevação do preço do petróleo e o aumento dos juros da dívida externa causaram inflação e carestia. Atingida pela crise econômica e pela repressão política, a classe média começou a opor-se ao governo.
- O general Ernesto Geisel tornou-se o quarto presidente do regime militar. A situação econômica do país não era mais tão tranquila quanto no governo Médici. A insatisfação cresceu entre a classe média e as camadas populares e a oposição legal ganhou força. O MDB elegeu diversos deputados e senadores, aumentando sua força no Congresso Nacional. A ditadura iniciava um lento processo de distensão.
- O general João Baptista de Oliveira Figueiredo sucedeu Ernesto Geisel em 1979 e foi o último presidente militar do Brasil. Seu governo caracterizou-se pelo processo de **abertura política**, que foi definida como "lenta, gradual e progressiva".
- A **Lei da Anistia**, de 1979, tornou possível a volta dos exilados políticos e a libertação de acusados de crime político. Outro avanço foi o retorno do sistema pluripartidário. As eleições presidenciais, no entanto, continuavam a ser realizadas por via indireta. Cresceu, assim, uma ampla mobilização popular que defendia a aprovação das eleições diretas com a campanha das **Diretas Já**.
- A proposta não foi aprovada na Câmara dos Deputados, que manteve os pleitos indiretos. O Colégio Eleitoral elegeu o civil Tancredo Neves para a presidência, encerrando a sequência de governos militares. No entanto, devido a problemas de saúde, Tancredo não pôde tomar posse. Em seu lugar assumiu o vice-presidente, José Sarney (1985-1989).

DANIEL AUGUSTO JR/PULSAR IMAGENS

Comício das Diretas Já em Belo Horizonte, Minas Gerais, em fevereiro de 1984.

A ditadura chilena

- Nos anos 1940 e 1950, predominaram no Chile governos de partidos conservadores. No entanto, a Democracia Cristã e a esquerda mantinham-se atuantes de forma que, em 1970, Salvador Allende, candidato de uma coligação de partidos progressistas, ganhou as eleições presidenciais no Chile e tomou posse afirmando que faria uma transição pacífica rumo ao socialismo, incluindo a estatização e nacionalização de empresas.
- Muitos países acompanhavam com atenção o desenrolar dos acontecimentos no Chile. A sociedade chilena, que não votara majoritariamente em Allende, dividia-se diante das nacionalizações e estatizações de bancos, empresas estrangeiras e, sobretudo, da exploração de minérios, base da economia do país. A alta burguesia chilena e os militares começaram a se mobilizar contra o avanço das camadas populares e da participação mais intensa de operários e camponeses no controle da produção.
- As pressões estrangeiras sobre o governo de Allende, principalmente do governo norte-americano, aumentaram. Países com governos militares, incluindo o Brasil, auxiliavam silenciosamente a preparação do golpe.
- Boicotes e a diminuição acentuada de investimentos provocaram a queda da produção industrial e o desabastecimento. Nas ruas, aumentaram os protestos da classe média, que acusava o governo pelas dificuldades enfrentadas pelo país. Empresas estrangeiras que atuavam no Chile ajudavam a desestabilizar o governo. Com o apoio dos Estados Unidos e da burguesia chilena, em 1973, um golpe militar destituiu Allende.
- O presidente ficou cercado e sob bombardeio no palácio presidencial de La Moneda, tentou resistir à ação armada e convocou a população a defender a legalidade. Os golpistas, porém, já controlavam o país. Sem alternativa, Allende cometeu suicídio. O general Augusto Pinochet assumiu o poder e seu governo perseguiu cruelmente seus adversários, sendo responsável por centenas de mortos e desaparecidos, assim como milhares de torturados.
- Privatizando empresas e abrindo a economia aos investidores estrangeiros, a ditadura alavancou a economia, criando condições para o desenvolvimento do país. A ditadura de Pinochet estendeu-se até 1989, quando reformas políticas permitiram a vitória do liberal Patrício Alwin.

AFP

Tropas do exército chileno posicionadas diante do Palácio de La Moneda, em Santiago, bombardeado durante o golpe militar liderado pelo general Augusto Pinochet. Chile, setembro de 1973.

A ditadura argentina

- A Argentina também conheceu um duro período ditatorial. Com a morte de Perón, que havia retornado do exílio e assumido a presidência do país pela via democrática, sua terceira esposa, Isabel Perón, passou a governar o país. Mas a crise mundial e os problemas internos (inflação, desemprego, movimento sindical etc.) proporcionaram condições para que um golpe militar implantasse uma ditadura no país (1976 a 1983).
- Os golpistas denunciavam a falta de projeto político, alertavam para a falta de autoridade e para o risco do comunismo. Apresentavam-se como representantes do conjunto da sociedade argentina, acima das divisões de classe e sem interesses ideológicos ou financeiros.
- No entanto, nesse período, não houve o desenvolvimento de um projeto nacional e uma efetiva reorganização do país. Os investimentos estrangeiros abandonaram os setores produtivos, e a Argentina iniciou um processo de declínio econômico acelerado, principal causa do enfraquecimento da ditadura e da volta dos civis ao poder.
- A feroz repressão contra supostos adversários e organizações estudantis e de trabalhadores marcou o regime e resultou em milhares de mortos e desaparecidos. Apesar da violência contra os opositores, surgiram resistências armadas e pacíficas, como a das Mães de Maio (Madres de Mayo).
- Estudos indicam que ao longo da vigência de seus governos ditatoriais, os países do Cone Sul atuaram conjuntamente por meio da **Operação Condor**, estabelecendo mecanismos de colaboração entre os seus respectivos órgãos de segurança, com trocas de experiências, estratégias de ação e informações.
- No Brasil e no Chile, os crimes cometidos pelos governos militares foram anistiados ou esquecidos. A Argentina, ao contrário, realizou uma longa e profunda investigação, que resultou em diversos julgamentos e punições.

DANIEL GARCIA/AFP

Membros do movimento Mães de Maio posam com fotografias de seus filhos, desaparecidos durante a ditadura militar argentina (1976-1983). Buenos Aires, Argentina, 2008.

Conteúdo digital Moderna PLUS http://www.modernaplus.com.br
Mapa animado: Ditaduras militares na América Latina

No Vestibular

1. (UFPA)

"A política e a ideologia populistas são, até o presente, uma realidade atuante na formação social brasileira. O que ocorre é que o período de 1930-1964 é o único período da história do Brasil no qual a política populista afirma-se como elemento específico definidor da política de desenvolvimento do Estado brasileiro."

ALÍPIO JR, João. *O golpe de 1964*: a burocracia contra o populismo.

A partir da leitura do texto, responda.

a) O que foi o populismo no Brasil?

b) Por que a era Vargas é considerada o período áureo do populismo no Brasil?

c) Por que o governo de João Goulart caracteriza a crise do populismo brasileiro?

2. (Ufu-MG) Com o *slogan* "50 anos em 5", adotou estratégias e políticas que tinham como objetivo central expandir a economia brasileira baseada no trinômio estradas, energia e transportes.

São elementos básicos do programa administrativo do governo de:

a) Juscelino Kubitschek.
b) Jânio Quadros.
c) João Goulart.
d) Castelo Branco.
e) Getúlio Vargas.

3. (Vunesp) Durante o governo de Juscelino Kubitschek (1956-1961), o país viveu uma decisiva experiência de planejamento econômico governamental, o Plano de Metas.

a) Quais setores econômicos foram destacados pelo Plano como prioritários para o desenvolvimento do país?

b) Como se explica a expansão industrial brasileira no período referido?

4. **(UFSCar-SP)** Esta charge, que faz referência ao presidente Jânio Quadros, foi publicada no jornal *Última Hora*, no Rio de Janeiro, no ano de 1961.

EGBERTO - ARQUIVO PÚBLICO DO ESTADO DE SÃO PAULO, SÃO PAULO

a) Qual o contexto histórico a que a charge se refere?

b) Qual a crítica feita pelo autor na charge?

5. **(Ufam)** A renúncia de Jânio Quadros, em 1961, abriu um período de grande instabilidade política: havia aqueles que se opunham à posse do vice-presidente, João Goulart, e os que defendiam o cumprimento estrito da Constituição, que estipulava a posse do vice em caso de renúncia ou morte do presidente.

a) Qual a saída política encontrada pelo Congresso Nacional para resolver o impasse?

b) Caracterize o governo Goulart, do ponto de vista político.

6. **(Vunesp)**

"O golpe militar de 1º de abril de 1964 causou uma enorme perplexidade na esquerda e nos nacionalistas, que, de uma maneira geral, acreditavam na irreversibilidade histórica das reformas propostas pelo governo João Goulart."

NAPOLITANO, Marcos. *Seguindo a canção*: engajamento político e indústria cultural na MPB.

Acerca dessas reformas, é correto afirmar que:

a) a prioridade do PSD e da UDN era a aprovação de um projeto de reforma agrária que defendesse as pequenas e médias propriedades.
b) a mais importante reforma — a fiscal — não recebeu o apoio do PTB e do PCB, que a consideravam conservadora e anti-imperialista.
c) se constituíam nas chamadas reformas de base, que supunham várias reformas, como a agrária, a bancária, a urbana e a fiscal, entre outras.
d) a aprovação pela Câmara dos Deputados da reforma agrária sem indenização aos proprietários fez eclodir o golpe de Estado em 1964.
e) houve sérias críticas do governo dos EUA e do FMI em relação à reforma fiscal aprovada pelo Senado, com o apoio decisivo do PSP e do PDC.

7. **(UMC-SP)** O final da ditadura militar no Brasil (1964/1985) foi marcado por um movimento popular e político-partidário que aglutinou diversas forças políticas durante o seu processo. Foi um movimento que levou milhares de pessoas às ruas conclamando a redemocratização do Brasil. Assinale entre as alternativas abaixo o nome desse movimento.

a) Movimento dos "Cara Pintada".
b) Movimento pelas Diretas Já.
c) Greves do ABC paulista.
d) Guerra de Canudos.
e) Revolta da Armada.

O colapso do socialismo no Leste Europeu

No final da década de 1980, o bloco socialista, liderado pela União Soviética, entrou em crise. Em pouco tempo, os regimes socialistas existentes na Europa Oriental ruíram, processo que deu fim à Guerra Fria e iniciou uma nova ordem mundial.

A crise soviética

- Na década de 1970, as economias do bloco soviético tendiam à estagnação econômica em razão de vários fatores, tais como estrutura centralizada das empresas estatais, que comprometeu a inovação tecnológica, e a interferência do Estado na quantidade e qualidade da produção, bem como na fixação de preços e salários.
- Para satisfazer suas necessidades, os países do bloco soviético importavam alimentos e bens de consumo do Ocidente. As dificuldades econômicas agravaram-se quando os soviéticos invadiram o Afeganistão em 1979, sob o pretexto de defender o governo socialista ameaçado por uma guerra civil entre facções rivais. Para sustentar essa guerra e continuar fazendo oposição aos Estados Unidos, o governo da URSS ampliou investimentos na área militar, esgotando os recursos.

Taxa de crescimento da economia soviética

	1966-1970	1971-1975	1976	1977	1978	1979
Renda nacional	7,2	5,1	5,0	3,5	4,0	2,0
Produção industrial	8,5	7,4	4,8	5,7	4,8	3,4
Bens de consumo	8,3	6,5	3,0	5,0	4,0	3,3
Investimentos	7,5	6,9	2,0	3,4	5,2	1,0
Renda real *per capita*	5,9	4,4	3,7	3,5	3,0	3,0

Fonte: Anuário estatístico da URSS. In: BERSTEIN, Serge; MILZA, Pierre (Dir.). *História do século XX*: de 1973 aos dias atuais. São Paulo: Nacional, 2007. v. 3. p. 318.

Reformas e início de mudanças

- Em 1985, Mikhail Gorbachev assumiu o cargo de secretário-geral do Partido Comunista, propondo reformas para corrigir as distorções econômicas e eliminar a corrupção no país, mas sem abandonar o socialismo.
- A ***perestroika*** ("reestruturação") propunha uma reorganização da economia, que deveria ampliar os investimentos do país para outros setores. Incluía, ainda, uma proposta de maior autonomia para as empresas estatais e estímulo à abertura de pequenos negócios familiares, como lojas e restaurantes. A ***glasnost*** ("transparência") estabelecia algumas liberdades políticas, assim como alguns direitos individuais.
- Em 1989, ocorreram as primeiras eleições livres, em que políticos independentes da linha do Partido puderam se candidatar. As reformas promoviam a **abertura política** da União Soviética. Gorbachev também procurou pôr fim à corrida armamentista, que consumia muitos recursos econômicos, e retirou as tropas do Afeganistão (1989).

A desagregação da União Soviética

- O fim do controle autoritário e centralizado do Partido Comunista não foi substituído por outros mecanismos coercitivos. Em consequência, ocorreu um enfraquecimento do Estado soviético e do controle sobre as repúblicas que compunham a União Soviética.
- Entre 1989 e 1990, Estônia, Letônia e Lituânia declararam independência. Em seguida, as demais repúblicas também reivindicaram sua soberania. Dessa forma, Gorbachev propôs o Tratado da União: cada república teria o direito de optar, por meio de um plebiscito, se desejava ou não conservar sua adesão à União Soviética.
- Na Hungria e na Tchecoslováquia, os ideais socialistas eram fortes desde a década de 1920. Em outros países do Leste Europeu, porém, o regime foi imposto após a Segunda Guerra Mundial, quando os soviéticos expulsaram os nazistas da região e impuseram governos alinhados com os seus interesses. Por isso, esses governos não contavam com o apoio popular.
- Os líderes conservadores do Partido Comunista responsabilizavam Gorbachev pela desestabilização da União Soviética. Numa tentativa desesperada de evitar o fim da União Soviética e restaurar seu poder, eles arquitetaram um golpe de Estado para afastar Gorbachev.
- A resistência foi comandada por Boris Yeltsin, que aproveitou sua popularidade para criar a **Comunidade dos Estados Independentes** (CEI), que garantiu a soberania dos países, mas manteve laços políticos e econômicos. No final de 1991, a União Soviética já não existia mais.

A União Soviética

Fonte: CHALIAND, Gérard; RAGEAU, Jean-Pierre. *Atlas strategique*. Paris: Complexe, 1988. p. 91.

Polônia

- Entre 1976 e 1979, uma série de greves trabalhistas contra o aumento de preços estourou por toda a Polônia. Grupos estudantis, jornais e editoras clandestinas uniram-se a uma associação constituída por intelectuais dissidentes para defender os trabalhadores. Uma nova tentativa do governo de aumentar os preços no início de 1980 levou a uma nova onda de greves e à formação do *Solidariedade*, o primeiro sindicato livre no mundo socialista desde a formação do bloco soviético, liderado pelo operário Lech Walesa.
- Para combater o Solidariedade, o Partido Comunista entregou o poder ao general Jaruzelski. Entre 1986 e 1988, conforme a situação econômica da Polônia se deteriorava, uma nova onda de greves e protestos varreu o país. O general Jaruzelski, por fim, cedeu e, em 1988, decidiu libertar os líderes presos. O Solidariedade tornou-se o primeiro sindicato oficialmente livre a ser reconhecido pelo regime socialista soviético.
- Em 1990, Lech Walesa foi eleito presidente e imediatamente começou a implementar as reformas econômicas visando fazer a transição da economia planificada para a economia de mercado na Polônia.

LEHTIKUVA/AFP

Trabalhadores comemoram o reconhecimento oficial do sindicato independente Solidariedade carregando o líder Lech Walesa nos ombros. Gdansk, Polônia, 1980.

Alemanha Oriental

- Em outubro de 1989, muitas agitações tomaram conta da República Democrática Alemã. Em cidades como Berlim Oriental, Leipzig e Dresden, milhares de pessoas realizaram vigílias pela abertura das fronteiras. Sem alternativa, os dirigentes do Partido cederam e, em 9 de novembro, decidiram pela abertura do Muro de Berlim.
- Com isso, o Partido Comunista da Alemanha Oriental mudou seu nome para Partido do Socialismo Democrático e expulsou os velhos líderes comprometidos com a repressão na República Democrática Alemã. Em maio de 1990, a Alemanha Ocidental (capitalista) e a Oriental (socialista) unificaram-se e constituíram um país democrático. Essa unificação, porém, não eliminou problemas internos, como o desnível de salários e de qualificação da mão de obra.

Conteúdo digital Moderna PLUS http://www.modernaplus.com.br
Vídeo: A queda do Muro de Berlim
Filme: *Adeus, Lenin!* Diretor: Wolfgang Becker. Alemanha, 2003

Tchecoslováquia e Romênia

- Greves e outras manifestações pacíficas pressionaram o governo da Tchecoslováquia a abrir o regime político. O Partido Comunista afastou-se do poder e, em 1989, Václav Havel foi eleito presidente nas eleições livres, instalando a democracia no país. Depois disso, o país dividiu-se em Eslováquia e República Tcheca.
- Esse processo que, entre novembro e dezembro de 1989, conduziu a Tchecoslováquia da ditadura de partido único à democracia ficou conhecido como "Revolução de Veludo", por ter sido rápido e pacífico.
- Na Romênia, o povo romeno protestou contra a ditadura de Nicolau Ceaucescu, após sua reeleição em 1989. O ditador, então, ordenou que o exército avançasse contra a população que protestava. Essa atitude levou o próprio exército a voltar-se contra ele, passando a obedecer às ordens da Frente de Salvação Nacional, formada por dissidentes e outros membros do Partido Comunista que se opunham a Ceausescu.
- Em dezembro, a Frente de Salvação Nacional decidiu executar o ditador e sua esposa por traição à pátria. Nas eleições livres de maio de 1990, Ion Iliescu foi eleito presidente.

A Europa Oriental depois do socialismo

- O processo acelerado de transição para a economia de mercado desencadeou uma catástrofe social. As reformas políticas de Boris Yeltsin, direcionadas à privatização com a venda de empresas estratégicas por preços irrisórios, geraram desemprego em massa. Portanto, com a retirada do subsídio estatal no sistema de preços, houve uma hiperinflação, e o padrão de vida da maioria da população russa caiu fortemente.
- A falta de verbas do Estado comprometeu os serviços públicos, como educação e saúde, todos os servidores públicos dessas áreas ficaram sem salários, e as escolas e hospitais, sem equipamentos. Além dessa carência, a população estava sujeita ao racionamento de energia elétrica.
- A população dos países do antigo bloco soviético sofria com problemas econômicos inexistentes nos países capitalistas, como a escassez crônica de bens de consumo. Além disso, o desemprego alto, o aumento de preços e os baixos salários levaram ao acentuado declínio do padrão de vida da população. Essa crise social e econômica conduziu ao ressurgimento do **nacionalismo** e de tensões entre etnias de diversos países da região.
- A Iugoslávia, por exemplo, era formada por diversas etnias. Na década de 1980, uma forte crise econômica estimulou movimentos nacionalistas que fragmentaram o país em seis territórios: Sérvia, Bósnia-Herzegovina, Croácia, Eslovênia, Macedônia e Montenegro. A separação entre sérvios e bósnios se deu através de uma guerra genocida, que exigiu a intervenção militar da Otan.
- A Chechênia declarou a sua independência em 1991. Em decorrência da recusa da Rússia em aceitá-la como país independente, o governo russo promoveu o bombardeio e a invasão na cidade de Grosny, capital da Chechênia, em dezembro de 1994. Os chechenos passaram a resistir por meio da organização de grupos guerrilheiros.

No Vestibular

1. **(Fatec-SP)** Sobre o fim da União Soviética afirma-se.

   I. Em 1985, o líder Mikhail Gorbachev assumiu o cargo de secretário-geral do Partido Comunista e atingiu o poder máximo na União Soviética. Ele fazia parte de uma nova geração de líderes comunistas que defendiam uma profunda reforma política e econômica para tirar a União Soviética da estagnação.

   II. Gorbachev foi pressionado pela liderança tradicional do Partido Comunista (a chamada "linha dura") devido às experiências liberalizantes, e pelos liberais, por acharem as reformas lentas demais. No primeiro grupo encontrava-se Valentin Pavlov, primeiro ministro desde janeiro de 1991, e no segundo grupo encontrava-se Boris Yeltsin, presidente da República Russa, fervoroso defensor da rápida introdução da economia de mercado.

   III. No dia 25 de dezembro de 1991, a bandeira vermelha com a foice e o martelo foi substituída pela velha bandeira czarista branca, azul e vermelha. Gorbachev renunciou, e a União das Repúblicas Socialistas Soviéticas desapareceu, dando lugar à Comunidade dos Estados Independentes (CEI).

   Das afirmações feitas:

   a) todas são incorretas.
   b) todas são corretas.
   c) apenas I é a correta
   d) apenas a I e a II são corretas.
   e) apenas a I e a III são corretas.

2. **(FGV-SP)** Mikhail Gorbachev, após assumir o poder em março de 1985, tornando-se secretário-geral do Partido Comunista da União Soviética, desencadeou uma série de mudanças para que a URSS ingressasse "no novo milênio de maneira digna, própria a uma grande e próspera potência". Nesse processo, os termos *perestroika* e *glasnost* ganharam destaque, constituindo a pedra de toque dessas mudanças. *Perestroika* e *glasnost* significam, respectivamente:

   a) reestruturação e abertura.
   b) revolução e anistia.
   c) imperialismo e abertura.
   d) reestruturação e pluripartidarismo.
   e) privatização e fechamento.

3. **(Fuvest-SP)**

   "[...] a morte da URSS foi a maior catástrofe geopolítica do século. No que se refere aos russos, ela se tornou uma verdadeira tragédia."

   Vladimir Putin, presidente da Rússia, abril de 2005.

   "Para mim, o maior evento do século XX foi o colapso da URSS, que completou o processo de emancipação das nações."

   Adam Rotfeld, chanceler da Polônia, abril de 2005.

   As duas declarações:

   a) coincidem, a partir de pontos de vista opostos, sobre a importância do desaparecimento da União Soviética.
   b) revelam que a Polônia, ao contrário da Rússia e dos demais ex-países do Pacto de Varsóvia, beneficiou-se com o fim da União Soviética.
   c) mostram ainda ser cedo para afirmar que o desaparecimento da União Soviética não foi historicamente importante.
   d) consideram que o fim da União Soviética, embora tenha sido uma tragédia, beneficiou russos e poloneses.
   e) indicam já ser possível afirmar, em caráter definitivo, que o fim da União Soviética foi o acontecimento mais importante da história.

4. **(UFPB)** No século passado, por volta dos anos 70, o arsenal de armas nucleares à disposição dos militares da URSS e dos Estados Unidos era mais que suficiente para desintegrar várias vezes toda a humanidade, caso fosse usado em uma guerra. Nessas circunstâncias, o fantasma do holocausto nuclear esteve presente no cotidiano de bilhões de habitantes do planeta, até o fim da União Soviética, no começo dos anos 90. Contribuiu para afastar esse pesadelo catastrófico:

   a) a Crise dos Mísseis soviéticos em Cuba.
   b) a criação do Pacto de Varsóvia.
   c) a vitória dos Estados Unidos na Guerra do Golfo.
   d) os acordos assinados por Ronald Reagan e Mikhail Gorbachev.
   e) a decisão de H. Truman de só usar a energia nuclear para fins pacíficos.

5. **(Vunesp)** Sobre a queda do Muro de Berlim, no dia 10 de novembro de 1989, é correto afirmar que:

   a) o fato acirrou as tensões entre Oriente e Ocidente, manifestas na permanência da divisão da Alemanha.
   b) resultou de uma longa disputa diplomática, que culminou com a entrada da Alemanha no Pacto de Varsóvia.
   c) expressou os esforços da ONU que, por meio de acordos bilaterais, colaborou para reunificar a cidade, dividida pelos aliados.
   d) constituiu-se num dos marcos do final da Guerra Fria, política que dominou as relações internacionais após a Segunda Guerra Mundial.
   e) marcou a vitória dos princípios liberais e democráticos contra o absolutismo prussiano e conservador.

6. **(Fuvest-SP)**

   "Há oitenta anos, a Rússia era forte por causa do dinamismo revolucionário do comunismo, incluindo o poder de atração da sua ideologia. Há quarenta anos, a Rússia Soviética era forte por causa do poderio do Exército Vermelho. Hoje, a Rússia de Putin é forte por causa do gás e do petróleo."

   Timothy Garton Ash, historiador inglês, janeiro de 2007.

   Do texto, depreende-se que a Rússia:

   a) manteve inalterada sua posição de grande potência em todo o período mencionado.
   b) recuperou, na atualidade, o seu papel de país líder da Europa.

c) conheceu períodos de altos e baixos em função das conjunturas externas.
d) passou de força política a força militar e, desta, a força econômica.
e) conservou, sempre, a sua preeminência graças ao incomparável poderio militar.

7. (UFPI) Os fatores que passam a favorecer a coexistência pacífica entre as potências, além da queda do Muro de Berlim, no passado foram, exceto:
a) o fim da Guerra da Coreia, demonstrando o equilíbrio de forças entre as superpotências.
b) a recuperação econômica da Europa Ocidental, que leva os países europeus a reagirem à posição secundária com relação aos Estados Unidos.
c) o rompimento da unidade socialista com o conflito URSS-China, fato que retira dos soviéticos a liderança do movimento comunista.
d) o movimento de descolonização, projetando o terceiro mundo e reforçando o movimento neutralista.
e) a ascensão de Stalin na Rússia bem como o movimento ultradireitista do após guerra, liderado pelo senador americano Robert McCarthy.

8. (Uece)

"A imagem das longas filas e dos cupons de racionamento para comprar os escassos produtos colocados à disposição do público é coisa do passado. O capitalismo encheu as prateleiras russas de alimento, bebidas, roupas e até bugigangas eletrônicas [...]."

Revista IstoÉ, n. 1397, julho 1996.

A partir de uma leitura crítica do texto anterior e dos conhecimentos sobre a história da Rússia, na atualidade, **não** é correto afirmar:
a) os principais beneficiários das reformas de Yeltsin são os "novos russos"; poucos têm dinheiro para entrar no reduzido clube da sociedade de consumo.
b) as reformas em curso na Rússia têm provocado redução na produção industrial, desemprego e achatamento salarial.
c) o desemprego e o subemprego continuam crescendo e a população ficou mais pobre; são numerosos os mendigos que passaram a fazer parte da paisagem urbana.
d) as reformas praticadas na Rússia têm diminuído as diferenças sociais e melhorado as condições de vida da maioria da população com a expansão do consumo de bens importados.
e) o enfraquecimento do poder central permitiu a emergência do crime organizado, representado principalmente pela máfia Russa.

9. (Mackenzie-SP – adaptada) Questões políticas, ideológicas, religiosas e étnicas transformaram a Iugoslávia num barril de pólvora. Os Bálcãs foram palco dos mais violentos conflitos europeus após a Segunda Guerra Mundial, onde cerca de 250 mil pessoas morreram, vitimadas pelas guerras dos últimos dez anos. Assinale a alternativa que apresenta o nome dos três principais conflitos que ocorreram na região na última década e comente a sua resposta.
a) Guerra dos Seis Dias, Guerra do Yom Kippur e Guerra da Intifada.
b) Guerra da Croácia, Guerra da Bósnia e Guerra do Kosovo.
c) Guerra da Eslovênia, Guerra da Chechênia e Guerra do Azerbaijão.
d) Guerra do Golfo, Guerra do Afeganistão e Guerra Irã-Iraque.
e) Guerra da Crimeia, Guerra da Macedônia e Guerra da Eslováquia.

10. (Uerj)

Tropas russas avançam na Chechênia

"Tropas terrestres da Rússia começaram ontem a avançar sobre a Chechênia e ocuparam cinco pequenas cidades do norte da república separatista. [...] Além da ofensiva militar, a Rússia ataca a Chechênia no terreno político. O primeiro-ministro russo, Vladimir Putin, anunciou que não reconhecia mais a legitimidade do presidente checheno."

Jornal *O Globo*, 2 out. 1999.

Os conflitos de caráter nacionalista que hoje se verificam na antiga URSS estão relacionados ao desmantelamento do antigo mundo comunista soviético. Um dos fatores que contribuiu para acelerar a crise da URSS foi:
a) falta de apoio do Ocidente às mudanças de Mikhail Gorbachev.
b) implementação da indústria de bens de consumo por Boris Yeltsin.
c) tentativa do golpe militar conservador de 1991 contra Boris Yeltsin.
d) o processo de reformas políticas e econômicas de Mikhail Gorbachev.

11. (UFMT) Julgue os itens e escreva nos parênteses (V) se for verdadeiro ou (F) se for falso.

Na década de 90 deste século [XX], a vitória de movimentos nacionalistas pode ser representada pela independência:
( ) da Estônia, que esteve anexada à URSS desde a Segunda Guerra Mundial.
( ) do Iraque, que pertencia à Arábia Saudita.
( ) da Eslovênia, que foi uma das repúblicas que formou a Iugoslávia.
( ) da Índia, que pertencia ao Império Britânico.

Assinale a alternativa que preenche corretamente os parênteses, de cima para baixo.
a) V–F–F–F.
b) V–F–V–F.
c) F–V–F–F.
d) V–F–F–V.

O Brasil contemporâneo

Do final da ditadura militar até a atualidade, diversas mudanças têm ocorrido no Brasil, como a estabilização da economia e a redução da miséria. No entanto, muitos problemas da sociedade brasileira ainda precisam ser superados.

O governo Sarney

- O governo militar preparava o retorno à democracia de modo "lento, gradual e progressivo", com a realização de eleições indiretas para presidente. Tancredo Neves foi eleito no Colégio Eleitoral para ocupar o cargo, mas faleceu antes mesmo de ser empossado, em abril de 1985. O vice-presidente José Sarney assumiu o poder e apresentou um vasto plano de reformas, que envolvia desde mudanças na estrutura agrária até o combate à inflação. Tantas transformações sugeriram que o país viveria numa **Nova República**.
- Em junho de 1985, Sarney anunciou o **Plano Nacional de Reforma Agrária**, que propunha a distribuição de cerca de 130 milhões de hectares de terra a aproximadamente 1,5 milhão de famílias. Porém, o plano teve pouco alcance e os conflitos pela terra cresceram.
- Com o objetivo de combater a inflação, lançou-se, em 1986, o **Plano Cruzado**, que congelou preços e salários. Com isso, produtores e intermediários, diante de lucros menores, deixaram de abastecer a população, e muitos produtos ficaram escassos ou desapareceram dos estabelecimentos comerciais.
- Em julho, o Plano Cruzado já parecia destinado ao fracasso, e o governo lançou um pacote com a intenção de reprimir o consumo e incrementar investimentos e produção, buscando acordos com produtores. Depois das eleições, em novembro de 1986, e dos ótimos resultados eleitorais do PMDB, partido do presidente, o Plano Cruzado chegou ao fim.

Plano Cruzado

- Reforma monetária: substituição do **cruzeiro** pelo **cruzado**, com corte de três zeros.
- Congelamento de preços: por prazo indeterminado.
- Congelamento de aluguéis e hipotecas: válido por um ano.
- Controle salarial: reajuste dos salários pelo valor médio dos últimos seis meses mais abono de 8%, prevendo-se a partir daí o seu congelamento.
- Reajustes salariais: automáticos sempre que a inflação atingisse 20%, recebendo esse dispositivo o nome de gatilho salarial.
- Salário mínimo: aumento de 15%.
- Estabelecimento do seguro-desemprego.

Fonte: Portal do Ministério da Fazenda 200 anos. Disponível em http://200anos.fazenda.gov.br. Acesso em 15 set. 2010.

A Constituição de 1988

- Foi também durante o governo Sarney que se promulgou a mais nova Constituição brasileira (1988), a "Constituição Cidadã", que assegurou inúmeros direitos à sociedade e propôs iniciativas inclusivas. A promulgação da Constituição em 1988 completou o processo de redemocratização no país e representou o fortalecimento das instituições democráticas brasileiras.

As eleições diretas para presidente

EDER CHIODETTO/FOLHA IMAGEM/FOLHAPRESS

Jovens com os rostos pintados de verde e amarelo, durante manifestação pelo *impeachment* do presidente Fernando Collor. São Paulo, 1992.

- Como previa a Constituição, ocorreram eleições diretas para presidente em 1989. A força do *marketing* político e o apoio de órgãos formadores da opinião pública garantiram, sobre o candidato Luiz Inácio Lula da Silva, a vitória de Fernando Collor, que assumiu o governo (1990) com o compromisso de acabar com a inflação.
- Fernando Collor criou um novo pacote de medidas econômicas. Entre elas, estavam a abertura às importações para estimular a concorrência, a privatização de empresas estatais e o confisco da poupança e dos depósitos para a retirada de dinheiro de circulação para, assim, conter a inflação.
- A entrada de bens de consumo com preços mais baixos provocou o colapso de milhares de indústrias; a privatização foi muito criticada por desvalorizar o patrimônio; e o confisco da poupança rendeu problemas sociais e uma enxurrada de processos contra o governo.
- No período compreendido entre 1991 e 1992, os desmandos, os escândalos envolvendo despesas públicas suntuosas e desnecessárias e as denúncias de corrupção administrativa não pararam de crescer. Tudo isso levou ao pedido de *impeachment* (impedimento) do presidente. Para não perder os direitos políticos, Collor renunciou em 1992.
- O vice Itamar Franco assumiu o poder e trouxe o senador Fernando Henrique Cardoso para o Ministério da Fazenda, cujo objetivo era controlar a inflação e criar condições para um desenvolvimento equilibrado e contínuo. FHC, como passaria a ser chamado, preparou o caminho para um novo plano econômico, o **Plano Real**. Em julho de 1994, foi lançado o novo padrão monetário brasileiro: o real.

O governo FHC

› A estabilização da economia viabilizou a candidatura de FHC à presidência da república nas eleições de 1994.

› Internamente, a política do novo governo se direcionou ao combate dos contínuos déficits fiscais e buscou equilíbrio entre as despesas e as receitas nacionais. Para isso, iniciou um processo de cortes de despesas governamentais e de aumento dos recursos públicos, promoveu a privatização de setores econômicos básicos e conseguiu apoio para implantar a reforma da previdência.

› Externamente, FHC retomou o processo de abertura do Brasil para a economia internacional com a finalidade de situar o país, favoravelmente, no capitalismo globalizado.

› Para garantir o equilíbrio das contas públicas e honrar o pagamento dos juros da dívida externa, coibiu-se o aumento do consumo elevando as taxas de juros. Essa ação levou ao aumento significativo das dívidas interna e externa. Assim, embora a moeda continuasse estável e mantivesse seu poder de compra, a euforia econômica inicial da gestão FHC deu lugar à recessão.

› O sucesso do Plano Real e a relativa estabilidade econômica do país foram essenciais para a reeleição do presidente. No decorrer de todo o seu segundo mandato, FHC buscou manter a estabilidade econômica e controlar a inflação.

O governo Lula

› Em decorrência das crises, dos escândalos políticos financeiros e da recessão, FHC não conseguiu fazer o sucessor no governo nas eleições de 2002, abrindo caminho para a vitória de Luiz Inácio Lula da Silva, do Partido dos Trabalhadores (PT).

› Em seu primeiro mandato, Lula investiu fortemente em programas sociais, como o **Programa Fome Zero**, que teve poucos resultados, e o **Bolsa Família**, que obteve sucesso parcial por ter conseguido transferir renda para a população mais pobre.

› Apesar das graves denúncias de corrupção em seu governo, a popularidade de Lula não foi abalada. Derrotando Geraldo Alckmin, Lula foi reeleito em 2006.

ED FERREIRA/AGÊNCIA ESTADO

O presidente eleito, Luiz Inácio Lula da Silva, na tribuna com seu antecessor, Fernando Henrique. Brasília, 1º de janeiro de 2003.

› No seu segundo mandato, o **Plano de Aceleração do Crescimento** (PAC) foi a principal medida para o desenvolvimento econômico do país. Ele tinha como finalidade garantir um aumento anual de, pelo menos, 5% do PIB, entre 2007 e 2010. Em 2008, o Brasil pagou a sua dívida ao FMI, tornando-se credor e local seguro de investimentos.

› Nas eleições de 2010, a alta popularidade de Lula decidiu a vitória de Dilma Rousseff, que derrotou o candidato José Serra e se tornou a primeira mulher eleita presidente na história do Brasil.

Desafios do Brasil contemporâneo

› O Brasil contemporâneo possui muitos problemas a serem resolvidos, como a demarcação das terras indígenas e a revisão do Estatuto do Índio. A questão da posse dessas terras tem desencadeado um confronto entre povos indígenas e não índios, grandes empresários e proprietários, agricultores, mineradores, pecuaristas, madeireiras etc., que desrespeitam as demarcações e ocupam os territórios, muitas vezes de modo violento.

› Outro desafio diz respeito à reparação das injustiças históricas cometidas contra a população negra no país e à valorização da cultura africana e afro-brasileira. Alguns exemplos são a adoção do sistema de cotas raciais para o ingresso de estudantes afrodescendentes em instituições públicas de ensino e a instituição do "Ensino de história e cultura afro-brasileira e africana" na educação básica.

› Em contrapartida, a estrutura econômica demonstrou solidez diante da última grande crise mundial (2008-2009), que afetou potências como os Estados Unidos e o Japão. Grande parte dessa resistência deveu-se à condição estável da economia brasileira e da moeda nacional nos últimos quinze anos. O Brasil encerrou 2010 com credibilidade. Segundo estudos internacionais, o Brasil tem previsão de crescimento. Com outros países, também exportadores de produtos básicos, como Canadá e Austrália, o país deverá enriquecer.

MICHEL EULER/POOL/REUTERS/LATINSTOCK

O presidente Luiz Inácio Lula da Silva e outros chefes de Estado em sessão de fotos durante a Cúpula do G20 realizada em Seul, na Coreia do Sul, em 2010.

› Além disso, a descoberta do pré-sal, um parque industrial diversificado e em crescimento e uma política externa consistente e equilibrada, que tem conquistado para o país o respeito e reconhecimento dos países da comunidade internacional, são elementos que caracterizam o Brasil contemporâneo como um líder político e econômico na América do Sul, ocupando um lugar de destaque entre as potências globais.

Conteúdo digital Moderna PLUS http://www.modernaplus.com.br
Filmes: *Entreatos*. Diretor: João Moreira Salles. Brasil, 2004
Lula, o presidente. Diretor: Produzido pela equipe de jornalismo da TV Bandeirantes. Brasil, 2002

No Vestibular

1. **(PUC-SP)** Após duas décadas de governos militares e da intensa campanha popular pelas diretas em 1984, as eleições presidenciais de 1985 foram:
   a) diretas, vencidas por José Sarney, candidato do PDS (Partido Democrático Social), que apoiava o regime militar.
   b) diretas, vencidas pelos partidos de esquerda que nasceram após a anistia política de 1979: PT (Partido dos Trabalhadores) e PDT (Partido Democrático Trabalhista).
   c) indiretas, vencidas pelo general João Figueiredo, da Arena (Aliança Renovadora Nacional), que se tornou o último presidente militar do Brasil.
   d) indiretas, vencidas pela Aliança Democrática, que reunia o PMDB (Partido do Movimento Democrático Brasileiro), de oposição, e setores dissidentes do PDS.
   e) diretas, vencidas pelo PFL (Partido da Frente Liberal), que apoiara o regime militar e que, após a redemocratização, passou para a oposição.

2. **(FGV-SP)** Em janeiro de 1985, Tancredo Neves foi eleito presidente da república pelo PMDB. A respeito da chamada transição democrática, é correto afirmar.
   a) O governo de Tancredo Neves foi marcado por uma grande instabilidade política que levou à renúncia do presidente e à posse de seu vice, José Sarney.
   b) Tancredo Neves foi eleito presidente de forma indireta pelo Colégio Eleitoral, tendo como vice José Sarney, ex-presidente do PDS, partido que apoiava o regime militar.
   c) Em torno de Tancredo Neves formou-se a Aliança Democrática, que reunia o PMDB e dissidentes do PDS, entre os quais José Sarney e Paulo Salim Maluf.
   d) A candidatura de Tancredo Neves contou com o apoio oficial de todos os partidos de oposição, isolando completamente os colaboradores do regime militar.
   e) Apesar de vitorioso nas eleições indiretas, Tancredo Neves foi impedido de assumir o governo pelas Forças Armadas, que fecharam questão em torno do nome de José Sarney.

3. **(Uespi)** Ao assumir a presidência da república (1985), José Sarney encontrou o quadro econômico brasileiro com altos índices inflacionários. Na tentativa de combater esses índices, adotou vários planos econômicos, entre os quais:
   a) o plano de bloqueio das contas poupanças por dezoito meses para os valores acima de 50 mil cruzados.
   b) o Plano Real, criado pelo então ministro Fernando Henrique Cardoso, pelo qual se convertia a unidade monetária brasileira de cruzeiro para real.
   c) o Plano Cruzado, lançado por Dílson Funaro, que transformava a unidade monetária brasileira de cruzeiro para cruzado e depois para cruzado novo.
   d) o Plano de Privatização, que extinguiu vários órgãos governamentais como o Instituto do Açúcar e do Álcool (IAA) e o Departamento Nacional de Obras contra a Seca.
   e) o Bolsa Família, que instituía o pagamento pelo governo de um salário mínimo para cada família pobre.

4. **(FGV-SP)** As recorrentes crises econômicas que atingiram o Brasil nos últimos 30 anos foram respondidas de formas diversas, como por meio do Plano Cruzado (1986) e do Plano Collor (1990), que decretaram as seguintes medidas, respectivamente:
   a) estabelecimento de uma meta inflacionária de 10% ao ano e congelamento dos tributos e das tarifas públicas; a moeda volta a se chamar cruzeiro e todos os investimentos de curto e médio prazos foram bloqueados por 2 anos.
   b) congelamento dos preços por 2 meses, aumento das tarifas públicas e a criação do gatilho salarial; criação do cruzado novo, congelamento dos gêneros de primeira necessidade e bloqueio de todos os depósitos em caderneta de poupança.
   c) congelamento geral de preços e a criação de um gatilho salarial a ser ativado quando a inflação atingisse 20%; congelamento de preços e salários pela média dos últimos 12 meses e o aumento da remuneração da caderneta de poupança.
   d) congelamento dos preços por um ano, além de um abono salarial de 8% para todas as categorias profissionais; retenção, por 18 meses, de todos os valores acima de 50 mil cruzados novos nas contas correntes e nas cadernetas de poupança.
   e) aumento tributário para automóveis, bebidas e cigarros e congelamento do preço de alimentos e tarifas públicas; extinção dos investimentos financeiros de curto prazo e adoção de dois índices inflacionários: um para o setor público, outro para o privado.

5. **(Fuvest-SP)** A campanha eleitoral de Fernando Collor de Mello baseou-se, essencialmente, no tema da moralização administrativa e política. Que outro candidato à presidência da república explorou, com preferência, a mesma temática?
   a) Eurico Gaspar Dutra.
   b) Fernando Henrique Cardoso.
   c) Tancredo Neves.
   d) Jânio Quadros.

6. **(UFF-RJ)** Desde o início dos anos 90, o Brasil vem experimentando os efeitos das políticas adotadas pelos governos Collor, Itamar Franco e Fernando Henrique Cardoso. As principais características deste modelo político, considerado por muitos como neoliberal, são:
   a) o pleno emprego e o desenvolvimento econômico, com base nos investimentos estatais e nas parcerias com o setor financeiro.
   b) o controle da inflação e da dívida pública, a partir da redução dos impostos, da negociação da dívida externa e da elevação salarial.
   c) a redução da interferência do Estado na economia (Estado mínimo), a abertura ao capital externo e às privatizações, além da redução de gastos do Estado, através de reformas constitucionais.
   d) os investimentos exclusivos na política de bem-estar social, expressos nos assentamentos dos sem-terra e na Ação da Cidadania Contra a Fome, privilegiando a redistribuição de renda e a permanência do homem no campo.
   e) a valorização das organizações dos trabalhadores, visando construir parcerias na luta contra o desemprego.

7. (PUC-MG) A emenda constitucional que garantiu a reeleição presidencial no Brasil (1997) foi resultado:

a) da vontade popular, referendada em plebiscito.
b) de um conchavo entre governo e Congresso, apoiado pelas elites.
c) da união dos partidos de "esquerda", certos da vitória nas urnas.
d) da pressão dos movimentos sociais para consolidar a democracia.
e) de um esforço suprapartidário, visando ao bem comum.

8. (UFF-RJ) Em julho de 1998 foi privatizado o conjunto de empresas estatais brasileiras do sistema Telebrás, dando prosseguimento ao programa neoliberal do governo Fernando Henrique Cardoso. Assinale a opção que melhor define "privatização":

a) aplicação de instrumento legal pelo Estado brasileiro no favorecimento de empresas estrangeiras em leilões das bolsas de valores.
b) apropriação do Estado pelo capital privado, nacional ou estrangeiro.
c) processo de incorporação de novas empresas privadas ao Estado – o mesmo que Estado mínimo.
d) processo de organização de vendas das empresas estatais através de leilões nas bolsas de valores.
e) transferência do patrimônio público para o controle privado de setores empresariais, nacionais ou estrangeiros.

9. (UFRJ)

"A violência da inflação e a quase destruição do sistema de preços já ameaçavam o funcionamento da economia [...]. Para sustentar de forma duradoura a estabilidade de preços, impõe-se uma reforma monetária austera, capaz de devolver ao Estado o controle sobre a moeda. [...] não deve se traduzir apenas na mudança de denominação do padrão de referência de preços e contratos, mas deve atingir profundamente as formas de acesso à liquidez e os processos de criação do poder de compra. [...] As medidas [...] buscam, sobretudo, preservar os direitos adquiridos pelos cidadãos."

Discurso do presidente Fernando Collor de Mello, apresentando o plano de estabilização na reunião ministerial de 16 de março de 1990.

Em 16 de março de 1990, dia seguinte a sua posse, Fernando Collor de Mello anunciou um plano econômico com diversas medidas. A impopularidade desse plano e a de outras medidas adotadas, somadas ao desgaste político agravado no ano de 1992, acabariam levando ao fim de seu governo, por decisão do Congresso Nacional.

Explique duas consequências econômicas do Plano Collor.

10. (Uem-PR)

"O governo Fernando Collor (1990-1992): o novo presidente, que tomou posse em 15 de março de 1990, prometia derrubar a inflação 'com um tiro só', acabar com a corrupção, modernizar e inserir o Brasil no mundo globalizado."

BARBEIRO, H. *História*. São Paulo: Scipione, 2004. p. 465.

A respeito da gestão do presidente Fernando Collor de Mello, assinale a alternativa **incorreta**.

a) O pacote econômico apresentado pelo governo Fernando Collor de Mello ficou conhecido como milagre econômico.
b) Fernando Collor de Mello foi o primeiro presidente eleito pelo voto popular depois de mais de duas décadas sem o voto direto na escolha presidencial.
c) Dentre as medidas econômicas tomadas pelo governo Fernando Collor estava o congelamento de preços e de salários.
d) Durante o governo do presidente Fernando Collor, houve privatização de empresas estatais e retomada de negociações com o Fundo Monetário Internacional (FMI).
e) O governo do presidente Fernando Collor foi marcado por denúncias de corrupção que resultaram em seu afastamento da presidência da república e na cassação de seus direitos políticos por oito anos.

11. (Uergs-RS) Relacione corretamente as colunas abaixo, associando os presidentes que governaram o Brasil aos acontecimentos históricos que marcaram seus mandatos.

1. José Sarney.
2. Fernando Collor de Mello.
3. Itamar Franco.
4. Fernando Henrique Cardoso.
5. Luiz Inácio Lula da Silva.

( ) comando da missão de paz da ONU no Haiti.
( ) fim do monopólio da Petrobras.
( ) promulgação da atual Constituição brasileira.
( ) lançamento do Plano Real.
( ) bloqueio de depósitos em contas-correntes e cadernetas de poupança.

A ordem correta do preenchimento dos parênteses, de cima para baixo, é:

a) 5 – 4 – 2 – 1 – 3.
b) 4 – 3 – 1 – 5 – 2.
c) 4 – 5 – 3 – 1 – 2.
d) 3 – 2 – 1 – 4 – 5.
e) 5 – 4 – 1 – 3 – 2.

12. (UCS-RS) Analise, quanto à sua veracidade (V) ou falsidade (F), as afirmativas abaixo, sobre o período da história brasileira conhecido como "Nova República".

( ) Representou o retorno dos civis ao poder, com a eleição de Tancredo Neves, em 1985. Porém, com sua morte antes da posse, quem assumiu foi seu vice, José Sarney, um antigo membro da Arena, partido que apoiava o governo militar. Ao assumir, Sarney comprometeu-se a convocar uma Assembleia Constituinte e a implementar as reformas necessárias à retomada do crescimento econômico.

( ) José Sarney e todos os presidentes civis que o sucederam tiveram como principal tarefa debelar a inflação. Planos econômicos foram concebidos e implantados sem sucesso até a criação do Plano Real, durante o governo de Itamar Franco. O responsável pelo plano era o então Ministro da Fazenda, Fernando Henrique Cardoso, que, posteriormente, se elegeu para presidência da república, por duas vezes consecutivas.

( ) No cenário internacional, os regimes socialistas desmoronavam, pondo em xeque as esquerdas em todo o mundo: o Muro de Berlim caiu em 1989 e a União das Repúblicas Socialistas Soviéticas (URSS) foi dissolvida em 1991. Desde o início dos anos 80, a Grã-Bretanha e os Estados Unidos lideravam um processo de desregulamentação da economia, conhecido como neoliberalismo, adotado por vários países, entre eles o Brasil.

Assinale a alternativa que preenche corretamente os parênteses, de cima para baixo.

a) V – V – V.
b) V – V – F.
c) F – V – F.
d) F – V – V.
e) V – F – F.

13. (UFSC-adaptada) Assinale a(s) proposição(ões) verdadeira(s) referente(s) a acontecimentos históricos relevantes ocorridos no Brasil nos primeiros anos do século XXI.

(01) No Brasil um cidadão nordestino e metalúrgico foi eleito pelo Partido dos Trabalhadores, aliado a outros partidos, para ocupar o cargo de presidente da república.

(02) Com a eleição de um presidente filiado ao Partido dos Trabalhadores, as mulheres passaram a ter seus salários equiparados aos dos homens quando no exercício da mesma profissão. E os estudantes negros passaram a ter direito a cotas nas universidades públicas.

(04) Os trabalhadores, empresários e o Movimento dos Trabalhadores Sem Terra demonstraram publicamente seu apoio ao presidente Luiz Inácio Lula da Silva evitando críticas, greves e invasões de propriedades rurais após sua posse.

(08) Mesmo pertencendo aos quadros do Partido dos Trabalhadores, Luiz Inácio Lula da Silva, já no exercício da presidência, não conseguiu impedir que as lideranças do Movimento dos Trabalhadores Sem Terra, descontentes com o ritmo da reforma agrária, promovessem invasões de propriedades rurais.

(16) Os servidores públicos descontentes com a proposta de reforma da Previdência, encaminhada ao Congresso Nacional pelo presidente Luiz Inácio Lula da Silva, manifestaram publicamente o seu descontentamento.

Soma: ______________________

14. (Vunesp) Observe a charge e leia o texto.

ANGELI

Charge de Angeli publicada no jornal *Folha de S.Paulo*, 2003.

"[...] enquanto o Estado pretende acabar com o 'analfabetismo digital' [...] muitos brasileiros ainda permanecem à parte da produção e da compreensão da palavra escrita, a qual soa mais como um privilégio de poucos do que como um direito de todo cidadão. Portanto, o analfabetismo é o maior desafio a ser enfrentado pelo Estado para a consolidação de uma sociedade da informação no Brasil, uma vez que os estoques de informação na internet encontram-se, em sua maioria, sob a forma de texto escrito, inacessíveis para cerca de 20 milhões de brasileiros que não sabem ler e escrever."

FERREIRA, Rubens da S. A sociedade da informação no Brasil: um ensaio sobre os desafios do Estado. *Ciência da Informação*, vol. 32, n. 1, 2003.

a) Aponte dois entraves à eliminação da exclusão digital e implantação de uma sociedade da informação no Brasil.

____

____

____

____

b) Há diferença entre informação e conhecimento? Justifique sua resposta.

____

____

____

____

____

15. (Uel-PR) A escravidão marcou profundamente as relações inter-raciais no tecido social do Brasil e dos Estados Unidos. Sobre as relações inter-raciais na atualidade, é correto afirmar.

a) No Brasil, os negros sofrem segregação e restrições legais formalizadas na limitação da escolha de moradias e do acesso a locais públicos.

b) Nos Estados Unidos, existe uma harmoniosa convivência entre negros e brancos nos diversos espaços públicos.

c) Os conceitos e categorias elaborados para analisar e descrever as relações sociais entre negros e brancos devem ser os mesmos para os dois países.

d) No Brasil a tese da "democracia racial" está consolidada, sendo que o preconceito e a discriminação racial restringem-se ao passado colonial.

e) As diferenças entre negros e brancos, que estruturam a sociedade brasileira, são alimentadas pelas desigualdades de classes e pelos preconceitos raciais.

16. (UFPE) Apesar dos planos econômicos e das reivindicações, a economia brasileira continua colaborando com a riqueza de poucos e a miséria de muitos, o que nos leva a concluir que:

a) vive hoje no Brasil uma grande parte da população em estado de exclusão social e, entre eles, estão também os miseráveis;

b) a forma de distribuição da renda e da riqueza é perversa e muitos dos problemas poderiam ser contornados com uma política agrária e social mais justa;

c) resolvida a questão da miséria do Nordeste, o problema brasileiro estaria resolvido, pois só no Nordeste existe miséria;

d) o descaso com o meio ambiente, em parte por culpa do governo e dos setores industriais, vem provocando péssimas condições de vida para o povo brasileiro;

e) apesar da proibição das leis brasileiras e das constantes denúncias da imprensa acerca do trabalho infanto-juvenil, muitos brasileiros ingressam no trabalho antes dos 14 anos.

17. (Favic-BA)

"Balanço Social do IBGE mostra avanços em várias áreas, exceto na distribuição de renda. A concentração de renda é um daqueles problemas que misturam razões históricas, ligadas à herança escravocrata, geográficas, provocadas pela seca, por exemplo, e étnicas."

MENDONÇA. *Veja*, p. 47-48.

A leitura do texto, associada aos conhecimentos sobre a concentração de renda no Brasil, permite afirmar.

a) Uma razão histórica para a concentração de renda foi a implantação do modelo de desenvolvimento empreendido pelos governos militares, que contribuiu para o crescimento da dívida externa e para o aumento da inflação.

b) A modernização e a globalização da economia adotadas pelo governo brasileiro concorreram para alterar a situação atual, desfazendo o grande desnível social que existia anteriormente.

c) O programa de desapropriação de terras improdutivas, realizado por órgãos governamentais, tem concorrido para melhorar a distribuição de renda daqueles que trabalham no campo.

d) O fator tecnológico tem concorrido para modificar a má distribuição de renda, uma vez que contribui para absorção de grande contingente de mão de obra, diminuindo a pobreza.

e) O enfraquecimento do setor agrário exportador foi prejudicado pela opção econômica do atual governo brasileiro, em favor de um mercado financeiro internacional.

18. (UFPE) As mudanças decorrentes da globalização nas últimas duas décadas foram significativas para definir as relações políticas entre as nações. Essas mudanças contribuíram para alterar a economia brasileira que:

a) só então se tornou uma economia moderna e industrializada, competindo com as grandes potências da atualidade;

b) teve a ajuda dos Estados Unidos para atualizar seu parque industrial e rompeu sua dependência dos países europeus;

c) conseguiu aumentar suas exportações, garantindo seu desenvolvimento industrial, sem os empréstimos do FMI;

d) adotou uma política econômica intervencionista, procurando atender às necessidades sociais das regiões mais pobres;

e) cresceu e se modernizou, embora persistam a dependência de empréstimos internacionais e as dificuldades para resolver suas desigualdades sociais.

19. (Fuvest-SP)

"A crise política que o Brasil vem enfrentando desde junho deste ano não teria ocorrido nos tempos da ditadura militar. Só a democracia permite o debate público."

De um observador, em setembro de 2005.

Essa frase remete às diferenças nas relações entre Estado e sociedade no período da ditadura militar e na democracia presente.

Discorra sobre algumas dessas diferenças no que se refere:

a) ao Poder Legislativo e aos partidos políticos.

b) à imprensa

Perspectivas do mundo globalizado

A globalização caracteriza-se pelo intenso desenvolvimento tecnológico e pela integração econômica entre os países. No entanto, ela também gera ou impulsiona aspectos negativos, como a exclusão social, o terrorismo e a devastação ambiental.

A era da incerteza

- Nas últimas décadas, profundas mudanças ocorreram nas formas de organização e gestão da economia. Impulsionadas pelo processo de transformação e inovação tecnológica, essas transformações ficaram conhecidas como globalização. Acompanhada por modificações políticas, sociais e culturais, a globalização se caracteriza cada vez mais pela difusão do modelo capitalista, que não mede as consequências sociais e ambientais de suas atividades. Dessa forma, cria-se um mundo repleto de insegurança, incerteza e ceticismo em relação ao futuro.

O novo capitalismo global

- A globalização pode ser entendida como o aumento acelerado da integração econômica entre os países, resultado da eliminação das barreiras ao livre fluxo de mercadorias e capitais. O termo "global" passou a ser aplicado a partir da década de 1980 em faculdades norte-americanas para qualificar as grandes corporações transnacionais, que aproveitaram as novas tecnologias de comunicação e informação para expandir seus negócios pelo globo.
- Para alguns especialistas, esse processo teria se iniciado com as grandes navegações no século XVI. Mas o fato é que somente após a Segunda Guerra Mundial houve condições concretas para intensificar os fluxos comerciais pelo globo. Isso foi possível com o aperfeiçoamento dos sistemas de transporte e de comunicação, com o domínio da economia por grandes empresas transnacionais e com o estabelecimento de instituições econômicas internacionais.
- Essa integração foi acelerada nos últimos vinte anos graças aos seguintes fatores: utilização intensiva das novas tecnologias de comunicação e informação; políticas econômicas que deram maior liberdade à produção e ao comércio; e desmantelamento do bloco soviético, cujos países se integraram ao mercado mundial.

Comércio mundial de mercadorias (2009)

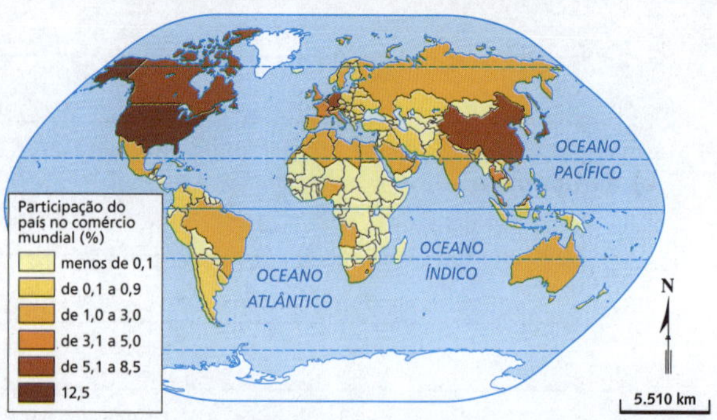

Fonte: Banco Mundial, 2009.

A política econômica neoliberal

- Esse processo foi acompanhado pelo **neoliberalismo**, doutrina que defende a redução da intervenção do Estado na economia e a valorização da iniciativa privada.
- Com base nessa proposta, empresas e serviços que se achavam subordinados aos governos passaram para o controle de empresários, e as leis trabalhistas foram flexibilizadas, diminuindo os encargos dos empregadores. Arrecadando menos impostos, os governos cortaram gastos com serviços públicos, afetando as políticas sociais.
- A aplicação de políticas neoliberais iniciou-se com os governos de Margareth Thatcher, na Grã-Bretanha, e de Ronald Reagan, nos Estados Unidos, a partir de 1980. O objetivo era combater os efeitos da crise econômica que afetara os países capitalistas desenvolvidos nos anos 1970.
- Durante a década de 1970, a fim de cortar custos, as grandes empresas norte-americanas e europeias tomaram uma medida com resultados marcantes: transferiram suas fábricas para os países em desenvolvimento. Nas décadas seguintes, com o neoliberalismo e a globalização, essas empresas multiplicaram-se.
- Com a mão de obra mais barata e poucos direitos trabalhistas garantidos por lei, esses países se tornaram atrativos para os capitais internacionais. A construção de fábricas nos países mais pobres ocasionou, nos países desenvolvidos, um processo de **desindustrialização**.

A organização das empresas e do trabalho

- Até os anos 1980, a organização e a gestão do trabalho mais comum era o **taylorismo**, ou seja, as decisões importantes concentravam-se na direção, os setores intermediários encarregavam-se de transmitir as ordens, e aos subalternos cabia executar o que fora decidido.
- As novas tecnologias de comunicação permitiram que as empresas se organizassem em redes flexíveis e interativas de trabalho. Dessa forma, a organização do trabalho foi alterada: reduziram-se os níveis hierárquicos e tornaram-se mais ágeis o processo de planejamento, a tomada de decisões e a produção.
- Assim, a fabricação de um carro, por exemplo, pode ser feita envolvendo profissionais de diferentes lugares: o *design* podia ser planejado na Alemanha, o motor produzido na França, os componentes eletrônicos fabricados no Japão, o chassi e a lataria em Taiwan; por fim, todos os componentes poderiam ser transportados e reunidos numa montadora no Brasil, resultando no produto final que é o carro pronto.

Conteúdo digital Moderna PLUS http://www.modernaplus.com.br
Mapa animado: Comércio internacional

Efeitos da globalização

› As mudanças nas relações de trabalho ocorridas entre as décadas de 1980 e 1990 foram significativas: muitas atividades passaram a ser terceirizadas, garantias deixaram de existir, funções desapareceram e novos campos de trabalho surgiram.

› Entre as mais importantes consequências dessa remodelação encontramos o enfraquecimento dos sindicatos, a ampliação das jornadas de trabalho, as demissões em massa, o achatamento de salários e a cultura do trabalho cooperativo, que atribuiu a todos os envolvidos idêntica responsabilidade em relação à eficiência da produção e a qualidade do produto final.

› Com o encolhimento das ações do Estado, as políticas de garantias de direitos sociais deram lugar às práticas repressivas, aumentando as tensões sociais. Num panorama de muita competitividade, a busca pelo emprego estimulou grandes migrações, provocando um crescimento populacional urbano desmedido e problemas nas fronteiras das nações mais ricas.

› Essa desestruturação social levou muitas pessoas para o mundo do crime, principalmente o tráfico de drogas. Os países da ex-União Soviética, por exemplo, tornaram-se quase reféns da máfia russa.

› Os efeitos do capitalismo global também afetam a produção cultural, que se subordina cada vez mais às exigências do mercado. Dessa forma, a arte transformou-se em mera mercadoria e entretenimento, o que afeta principalmente os jovens, cuja identidade ainda não está totalmente formada.

A revolução tecnológica e as mudanças nas relações humanas

› O novo paradigma tecnológico surgiu a partir dos anos 1970 e tornou possível a globalização econômica nos países desenvolvidos. Ele baseia-se no desenvolvimento das tecnologias de informação e comunicação. Com isso, a tecnologia passou a penetrar todas as esferas da atividade humana.

› Uma das inovações tecnológicas que mais atuaram para transformar as relações humanas foi a internet. Por meio dela, as pessoas passaram a ter fácil acesso à informação. Entretanto, o mundo virtual da internet tende a reduzir o intercâmbio social entre as pessoas, substituindo formas diretas de relacionamento, amizade e colaboração pela comunicação a distância.

Conflitos regionais e terrorismo

› O tradicional monopólio da força armada pelo Estado tem sido ameaçado por grupos separatistas, organizações terroristas, bandos armados e pelo crime organizado. A guerra na Iugoslávia, os conflitos étnicos na África e as tensões religiosas na Ásia, por exemplo, refletem essa realidade e provocam massacres e expulsão em massa da população civil.

› Os ataques às torres do World Trade Center (2001) traumatizaram os norte-americanos. Alegando ser preciso capturar os responsáveis, os Estados Unidos invadiram o Afeganistão (2001) e o Iraque (2003), onde se depararam com a dura resistência de grupos armados que atuam como guerrilheiros.

› Essa caçada – e as invasões que se seguiram, inclusive contrariando determinações da Organização das Nações Unidas (ONU) – teria sido o pretexto para assegurar o controle de áreas produtoras de petróleo. Porém, a morte de milhares de soldados e os gastos militares abalaram a opinião pública nos Estados Unidos, levando o presidente Barack Obama a ordenar a retirada das tropas do Iraque em 2010.

Conflitos armados no mundo

Fonte: FERREIRA, Graça Maria Lemos. *Atlas geográfico*: espaço mundial. 3. ed. São Paulo: Moderna, 2010. p. 59.

Conteúdo digital Moderna PLUS http://www.modernaplus.com.br
Vídeo: Bombardeio em Bagdá (1991 ou 2003)
Razões para a guerra
World Trade Center
Filme: *Fahrenheit 11 de setembro*. Diretor: Michael Moore. EUA, 2004

A questão ambiental

› A industrialização, que teve início na Inglaterra do século XVIII e progressivamente se estendeu para outros países, criou um modelo de desenvolvimento baseado na produção em massa de bens de consumo. Essa prática esgotou fontes de recursos e produziu resíduos que a natureza não é capaz de absorver.

› Uma das consequências negativas mais sérias desse sistema produtivo, na opinião de alguns especialistas, é o **aquecimento global**, resultante da emissão de gases pesados que retêm o calor na atmosfera. A elevação da temperatura média modificou substancialmente o clima, alterando a frequência e a intensidade de fenômenos naturais, como ciclones, tempestades e estiagens.

› Há pesquisadores que afirmam ser o aquecimento global um fenômeno natural, pois periodicamente a Terra passaria por um processo de aquecimento/resfriamento; porém, o Painel Intergovernamental sobre Mudanças Climáticas (IPCC), órgão da ONU, confirmou que as mudanças climáticas estão sendo acentuadas pela ação humana.

› A busca de soluções para o problema do aquecimento global fez surgir o conceito de **desenvolvimento sustentável**, que prevê o uso menos predatório dos recursos naturais. No esteio desse propósito, criou-se a **indústria verde**, que se caracteriza pelo emprego de matérias-primas recicláveis.

No Vestibular

1. (Vunesp)

"Um carro esporte Mazda é desenhado na Califórnia, financiado por Tóquio, o protótipo é criado em Worthing (Inglaterra) e a montagem é feita nos Estados Unidos e México, usando componentes eletrônicos inventados em Nova Jérsei, fabricados no Japão [...]. As roupas japonesas, consumidas no mercado americano, são fabricadas em Hong Kong, Taiwan, Coreia do Sul e Cingapura [...]. Os objetos transformaram-se em compostos resultantes da combinação de pedaços dispersos aleatoriamente pelo planeta."

ORTIZ, Renato. *Cultura e mundialização.*

A situação descrita no texto pode ser explicada:

a) pela competição em âmbito mundial, que fez com que as grandes empresas descentralizassem a produção, visando ao aumento da produtividade e da lucratividade.
b) pela melhor distribuição de renda entre os habitantes do planeta, o que deu origem a novos consumidores, mais exigentes quanto à qualidade dos produtos.
c) pelo multiculturalismo, uma vez que as empresas vendem os seus produtos em diferentes países, o que as obriga a levar em conta gostos e hábitos diversos.
d) pelo crescimento da preocupação com os recursos naturais do planeta, o que incentivou a busca de novas fontes de matérias-primas e locais de produção.
e) pela ação coordenada de governos de países ricos e de países em desenvolvimento, que visa estabelecer uma divisão econômica mais equilibrada em âmbito internacional.

2. (Mackenzie-SP)

"Poucos se dão conta do 'novo' autoritarismo porque são preservados os marcos da democracia formal: o povo – o grande desenganado – ainda vota, e os meios de comunicação constroem o discurso único, dogmático, monopólio da informação abundante, desintegrada e desintegradora, uma visão cada vez mais despolitizada e desistoricizada [...] que se sobrepõem ao mundo real. A opinião pública é a opinião dos que controlam os grandes meios de comunicação, verdadeiros partidos, ou partido único, portador do discurso ideológico homogeneizado: o fim do Estado, o fim da história, a privatização e a desnacionalização como imperativos, donde o fim do debate e do contraditório."

AMARAL, Roberto. *Civilização e barbárie.*

O texto aborda alguns dos vários efeitos:

a) da ideologia nazista.
b) da anarquia.
c) do fundamentalismo.
d) do fascismo.
e) da globalização.

3. (UFBA)

"Há algumas décadas, [o consumidor] usava produtos nacionais. Hoje não, compra exatamente produtos de um país estrangeiro. O que ele consome em número cada vez maior é o produto sem pátria, sem carteira de identidade, sem sotaque identificável. A indústria de computadores Compaq, tida como americana, usa patentes de outros países no composto tecnológico de seus aparelhos e os componentes físicos utilizados são fabricados na China, em Taiwan, Cingapura, Coreia, Japão, Vietnã – alguns até mesmo nos Estados Unidos. Quando se examina a anatomia de um artigo como o tênis Nike, entende-se mais facilmente em que medida o modo de produção está mudando. A Nike é uma empresa americana que, em teoria, produz calçados. Só que todos os 9.000 funcionários da Nike que trabalham nos Estados Unidos não costuram solas nem colam palmilhas. Eles trabalham em projetos, planejamento de *marketing* e funções de gerenciamento. A produção física dos sapatos é feita por 75.000 funcionários, alocados em outras empresas fora dos Estados Unidos. Na China comunista, inclusive."

Revista *Veja.*

Custo da hora de trabalho em diferentes países para trabalhadores na indústria manufatureira, em dólares (1997)

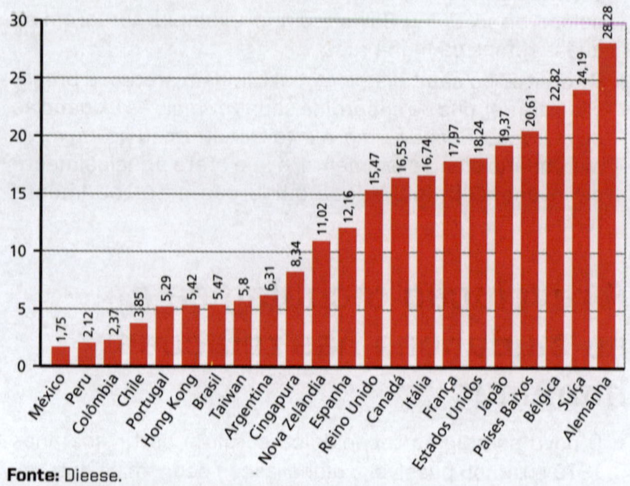

Fonte: Dieese.

A partir da leitura do texto e da análise do gráfico, pode-se concluir que:

(01) o modo de produção dos artigos referidos no texto é equivalente ao que ocorria nas origens do sistema fabril.
(02) a produção do artigo "sem pátria" pode ser justificada pela atratividade que o baixo custo da força de trabalho das áreas periféricas exerce sobre as grandes empresas.
(04) o custo da hora de trabalho expresso no gráfico explica, em parte, o conflito Norte-Sul que caracteriza o mundo atual.
(08) as atividades que exigem maior especialização são transferidas pelas transnacionais para as áreas periféricas.
(16) as informações contidas no texto relacionam-se à economia capitalista globalizada.
(32) a ação das transnacionais só não ultrapassa fronteiras ideológicas, limitando-se a atuar em países de orientação liberal.

Soma: ______________________.

4. (UFPR)

"[...] a ampliação do comércio foi acompanhada de um retardamento drástico do progresso econômico real. Entre 1960 e 1980, a renda *per capita* média mundial subiu ainda em 83%. Nas duas décadas seguintes, a taxa de aumento desceu exatamente para 33%. Esse freio no crescimento atingiu os países em desenvolvimento de modo particularmente duro. Na América Latina, onde a renda *per capita* cresceu 75% de 1960 a 1980, os vinte anos seguintes trouxeram nada mais que 6%."

GREFE, Christiane. *Attac*: o que querem os críticos da globalização.

O texto apresenta um quadro da situação econômica mundial contemporânea. Entre os fatores capazes de explicar os dados referentes aos últimos vinte anos, destacam-se:

a) o afluxo e a súbita retirada do capital financeiro, que determinam o ritmo do crescimento econômico de países em desenvolvimento.
b) a retração das trocas econômicas e a falta de dinheiro líquido e de capital nos mercados dos países capitalistas centrais.
c) a nacionalização de empresas estrangeiras e a ampliação da legislação trabalhista nos países em desenvolvimento.
d) a emergência de regimes anticapitalistas na América Latina e a suspensão do pagamento de suas dívidas para com os credores.
e) a intervenção estatal na esfera econômica e a redução internacional dos conflitos, o que provocou a queda na produção de armamentos.

5. (UFC-CE)

"Ocorre que o capitalismo visto em perspectiva histórica de longa duração logo se revela como modo de produção e processo civilizatório [...]. Neste sentido desenvolveu-se o mercantilismo, o colonialismo e o imperialismo e o globalismo [...]. Cabe reconhecer, pois, que a globalização, a globalidade ou o globalismo compreende um novo surto de expansão das forças produtivas e relações de produção capitalistas."

IANNI, Otávio. *A globalização e o retorno da questão nacional.*

A fase de expansão do capitalismo, chamada de globalização, caracteriza-se por:

a) concretizar o ideal internacionalista, que nasceu no século XIX, no seio do movimento operário, no contexto de expansão do capitalismo.
b) cristalizar o ideal do Fórum Mundial Anti-Davos junto com os postulados do movimento pacifista, surgido na década de 70, após a Guerra do Vietnã.
c) implementar políticas de estatização de empresas privadas, empréstimos internacionais com juros baixos para os países emergentes.
d) internacionalizar a economia, com o surgimento de organismos específicos, como a Organização Planetária do Comércio, tendo como marco geral a teoria neomercantilista.
e) usar um discurso em favor do mercado e contra o planejamento econômico governamental, junto ao surgimento de organizações multinacionais e estruturas mundiais de poder.

6. (Enem-MEC)

"[...] O recurso ao terror por parte de quem já detém o poder dentro do Estado não pode ser arrolado entre as formas de terrorismo político, porque este se qualifica, ao contrário, como o instrumento ao qual recorrem determinados grupos para derrubar um governo acusado de manter-se por meio do terror."

"Em outros casos 'os terroristas' combatem contra um Estado de que não fazem parte e não contra um governo (o que faz com que sua ação seja conotada como uma forma de guerra), mesmo quando por sua vez não representam um outro Estado. Sua ação aparece então como irregular, no sentido de que não podem organizar um exército e não conhecem limites territoriais, já que não provêm de um Estado".

BOBBIO, MATTEUCCI e PASQUINO (Orgs.). *Dicionário de política.*

De acordo com as duas afirmações, é possível comparar e distinguir os seguintes eventos históricos.

I. Os movimentos guerrilheiros e de libertação nacional realizados em alguns países da África e do Sudeste Asiático entre as décadas de 1950 e 1970 são exemplos do primeiro caso.
II. Os ataques ocorridos na década de 1990, como às embaixadas de Israel, em Buenos Aires, dos Estados Unidos, no Quênia e Tanzânia, e ao World Trade Center em 2001, são exemplos do segundo caso.
III. Os movimentos de libertação nacional dos anos 50 a 70 na África e Sudeste Asiático e o terrorismo dos anos 90 e 2001 foram ações contra um inimigo invasor e opressor e são exemplos do primeiro caso.

É correto o que se afirma apenas em:

a) I.
b) II.
c) I e II.
d) I e III.
e) II e III.

7. (UFBA)

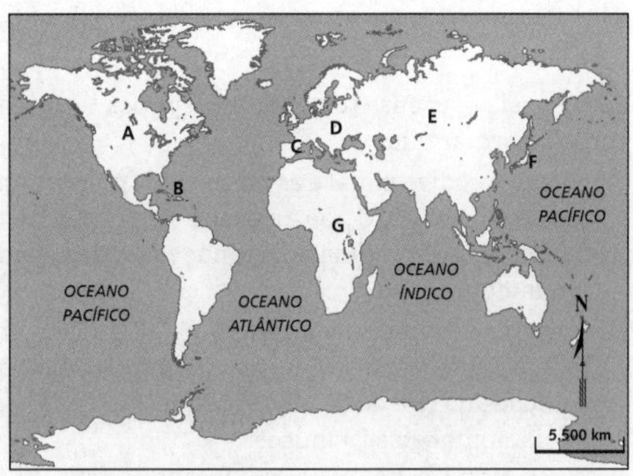

Fonte: FERREIRA, Graça Maria Lemos. *Atlas geográfico*: espaço mundial. São Paulo: Moderna, 2010. p. 10-11.

A análise do mapa e os conhecimentos sobre o mundo após a Segunda Guerra Mundial permitem concluir.

(01) A bipolaridade Leste-Oeste tinha um dos pontos de divergência na economia planificada defendida por E e na economia de mercado de A.
(02) A política armamentista praticada em F, no início da Guerra Fria, fez desse país um grande aliado de A.
(04) C e D, na Guerra Fria, foram, respectivamente, zonas de influência de A e de E.

(08) Rivalidades ocorridas em G foram utilizadas por A e E para expandir suas influências, possibilitando, também, a aquisição de mercados para o complexo industrial bélico desses países.

(16) E investiu grandes recursos em B, além de fazer outras concessões devido à posição estratégica de B em relação a A.

(32) A economia, em E, atingiu alto nível de modernização tecnológica nas três últimas décadas do século XX, com exceção dos setores aeroespacial e militar.

(64) O crescimento econômico de alguns países, nos anos 70 e 80 do século XX, como aconteceu em F, contribuiu para a construção da nova ordem, considerada multipolar.

Soma: ______________________.

8. **(Fuvest-SP)** A partir dos anos setenta do século XX, muitos ativistas políticos, sobretudo jovens, abandonaram os partidos tradicionais de esquerda e se engajaram em movimentos:

a) partidários, que defendem a construção de Estados étnicos autônomos.
b) sociais, que lutam pelos interesses das classes médias e da globalização.
c) feministas, visando à obtenção do direito ao voto, sem distinção de sexo.
d) internacionalistas, que retomam a antiga bandeira socialista de união de todos os explorados.
e) de mobilização mais especializada, notadamente os de defesa do meio ambiente.

9. **(Mackenzie-SP)**

"As explosões de bombas na Embaixada dos Estados Unidos, em Nairobi e Dar es-Salaan, em 8 de agosto de 1998 e os atentados de 11 de setembro de 2001, ao World Trade Center e ao Pentágono, aterrorizaram e desviaram a atenção do mundo ocidental para os grupos radicais islâmicos fundamentalistas e para o islã."

Noam Chomsky.

Sobre o islã e as suas relações com grupos terroristas, é correto afirmar que:

a) no islã, o código moral e as normas de comportamento são definidos pelo Corão e a guerra santa contra o mundo ocidental é pregada por grande parte dos islâmicos fundamentalistas.
b) segundo a tradição islâmica, a palavra islã significa "pregação religiosa politeísta e idolatria anual às divindades na cidade de Meca", prática defendida pelos fundamentalistas islâmicos.
c) os conflitos entre os norte-americanos e os fundamentalistas têm suas raízes na pretensão da ONU de organizar, no islã, um Estado centralizado, nos moldes do Estado de Israel.
d) todos os integrantes do fundamentalismo islâmico condenaram as ações terroristas contra os Estados Unidos e os conflitos podem ser atribuídos às políticas de Osama Bin Laden e George W. Bush.
e) os fundamentalistas não aceitam a defesa, por parte de alguns líderes do islã e dos americanos, do direito de livre escolha religiosa e da conversão dos não islâmicos à religião muçulmana.

10. **(Ufu-MG)** Considerando a relação entre o desenvolvimento tecnológico e o trabalho nas sociedades capitalistas contemporâneas, assinale a alternativa **incorreta**.

a) O discurso empresarial atribui aos trabalhadores desempregados grande parte da responsabilidade pelo desemprego que vivenciam, pois eles não estariam se qualificando adequadamente.
b) A introdução da informática e de robôs na indústria exige dos trabalhadores que permanecem empregados múltiplas habilidades para que operem vários equipamentos, sob pena de eles não atenderem às exigências da lucratividade desejada pelas empresas.
c) A diminuição de postos de trabalho na atividade industrial não expressa uma tendência histórica do capitalismo de substituição do trabalho vivo (trabalhadores) pelo trabalho morto (máquinas e equipamentos).
d) O desemprego estrutural e massivo que atinge, atualmente, cerca de 1,3 bilhão de trabalhadores(as) determina uma diminuição no número de greves.
e) A mão de obra sem qualificação avançada, rejeitada nas indústrias, acaba sendo absorvida no campo, revitalizando o campesinato.

11. **(Enem-MEC)** Considere o papel da técnica no desenvolvimento da constituição de sociedades e três invenções tecnológicas que marcaram esse processo: invenção do arco e flecha nas civilizações primitivas, locomotiva nas civilizações do século XIX e televisão nas civilizações modernas.

A respeito dessas invenções são feitas as seguintes afirmações.

I. A primeira ampliou a capacidade de ação dos braços, provocando mudanças na forma de organização social e na utilização de fontes de alimentação.
II. A segunda tornou mais eficiente o sistema de transporte, ampliando possibilidades de locomoção e provocando mudanças na visão de espaço e de tempo.
III. A terceira possibilitou um novo tipo de lazer que, envolvendo apenas participação passiva do ser humano, não provocou mudanças na sua forma de conceber o mundo.

Está correto o que se afirma em:

a) I, apenas.
b) I e II, apenas.
c) I e III, apenas.
d) II e III, apenas.
e) I, II e III.

12. **(Enem-MEC)**

2010 KING FEATURES SYNDICATE/IPRESS

Tira do Hagar, de Chris Browne, 1990.

De acordo com a história em quadrinhos protagonizada por Hagar e seu filho Hamlet, pode-se afirmar que a postura de Hagar:

a) valoriza a existência da diversidade social e de culturas e as várias representações e explicações desse universo.
b) desvaloriza a existência da diversidade social e as várias culturas e determina uma única explicação para esse universo.
c) valoriza a possibilidade de explicar as sociedades e as culturas a partir de várias visões de mundo.

d) valoriza a pluralidade cultural e social ao aproximar a visão de mundo de navegantes e não navegantes.

e) desvaloriza a pluralidade cultural e social ao considerar o mundo habitado apenas pelos navegantes.

13. **(UFPB)** Leia o texto.

"O FSM é um espaço de debate democrático de ideias, aprofundamento da reflexão, formulação de propostas, troca de experiências e articulação de movimentos sociais, redes, ONGs e outras organizações da sociedade civil que se opõem ao neoliberalismo e ao domínio do mundo pelo capital e por qualquer forma de imperialismo. Após o primeiro encontro mundial, realizado em 2001, se configurou como um processo mundial permanente de busca e construção de alternativas às políticas neoliberais [...]. O Fórum Social Mundial se caracteriza também pela pluralidade e pela diversidade, tendo um caráter não confessional, não governamental e não partidário. Ele se propõe a facilitar a articulação, de forma descentralizada e em rede, de entidades e movimentos engajados em ações concretas, do nível local ao internacional, pela construção de um outro mundo, mas não pretende ser uma instância representativa da sociedade civil mundial. O Fórum Social Mundial não é uma entidade nem uma organização."

O que é o Fórum Social Mundial? Disponível em http://www.forumsocialmundial.org.br/. Acesso em 16 nov. 2005.

Considerando o texto e o processo de globalização a que se refere, identifique a(s) proposição(ões) verdadeira(s).

(01) O chamado G-8 é um dos mais importantes fóruns da atualidade globalizada e reúne os sete países mais industrializados e a Rússia. O grupo realiza reuniões anuais para acordar intervenções articuladas das potências desenvolvidas, em plano mundial. Os seus mais importantes organismos para essas intervenções são: a Organização para Alimentação e Agricultura (FAO) e a Organização Mundial de Saúde (OMS).

(02) O Banco Mundial (BM) e o Fundo Monetário Internacional (FMI) constituem-se nas mais importantes instituições financeiras globais. O BM e o FMI possuem gerenciamento democrático, sob a direção da Organização das Nações Unidas para a Educação, a Ciência e a Cultura (Unesco), e tornaram-se os maiores aliados do Fórum Social Mundial no plano global.

(04) A Organização para Cooperação e Desenvolvimento Econômico (OCDE) e a Organização Mundial do Comércio (OMC) tornaram-se fóruns privilegiados nas disputas internacionais, devido à predominância do capital financeiro na globalização. Tais disputas, hoje, giram, de modo acentuado, em torno das questões de subsídio, *dumping* e políticas de circulação de capital.

(08) O G-20 é um grupo de países que, a exemplo do G-8, procura atuar em conjunto no plano internacional. Hoje, além dos 20 países iniciais, outros integram o grupo, que tem obtido vitórias significativas contra as barreiras comerciais, legais e financeiras dos países ricos, a partir de casos concretos junto à OMC e à OCDE. Mas, em outros assuntos, não há consenso interno no grupo.

(16) A atual crise da Organização das Nações Unidas (ONU), agravada com a desmoralização do seu Conselho de Segurança na eclosão da Guerra do Iraque, resulta da imposição de políticas neoliberais, pelos países ricos, sobre a comunidade internacional. Assim, a atuação da ONU e de seus órgãos responsáveis por ações contra a desigualdade social e econômica (a FAO, a Unesco e a OMS) ficou bastante enfraquecida.

A soma dos valores atribuídos à(s) proposição(ões) verdadeira(s) é igual a:

Soma: ________________.

14. **(Fuvest-SP)** Neste início de século XXI, o Japão ainda possui a economia mais avançada da Ásia e, embora produza energia nuclear, não dispõe nem de armas atômicas, nem de forças armadas consideráveis, ao passo que a Índia e a China, com economias mais atrasadas, possuem armas nucleares e grandes exércitos. Indique os processos e/ou acontecimentos históricos cruciais que, nas décadas de 40 e 50 do século passado, estiveram na origem do:

a) poder econômico, mas não militar, do Japão.

b) poder militar, maior do que o econômico, da Índia e da China.

15. **(Enem-MEC)** No dia 7 de outubro de 2001, Estados Unidos e Grã-Bretanha declararam guerra ao regime Talibã, no Afeganistão.

Leia trechos das declarações do presidente dos Estados Unidos, George W. Bush, e de Osama Bin Laden, líder muçulmano, nessa ocasião:

George Bush:
"Um comandante-chefe envia os filhos e filhas dos Estados Unidos à batalha em território estrangeiro somente depois de tomar o maior cuidado e depois de rezar muito. Pedimos-lhes que estejam preparados para o sacrifício das próprias vidas. A partir de 11 de setembro, uma geração inteira de jovens americanos teve uma nova percepção do valor da liberdade, do seu preço, do seu dever e do seu sacrifício. Que Deus continue a abençoar os Estados Unidos."

Osama Bin Laden:

"Deus abençoou um grupo de vanguarda de muçulmanos, a linha de frente do islã, para destruir os Estados Unidos. Um milhão de crianças foram mortas no Iraque, e para eles isso não é uma questão clara. Mas quando pouco mais de dez foram mortos em Nairóbi e Dar-es-Salaam, o Afeganistão e o Iraque foram bombardeados e a hipocrisia ficou atrás da cabeça dos infiéis internacionais. Digo a eles que esses acontecimentos dividiram o mundo em dois campos, o campo dos fiéis e o campo dos infiéis. Que Deus nos proteja deles."

O Estado de S. Paulo, 8 dez. 2001. (Adaptado)

Pode-se afirmar que:

a) a justificativa das ações militares encontra sentido apenas nos argumentos de George W. Bush.

b) a justificativa das ações militares encontra sentido apenas nos argumentos de Osama Bin Laden.

c) ambos apoiam-se num discurso de fundo religioso para justificar o sacrifício e reivindicar a justiça.

d) ambos tentam associar a noção de justiça a valores de ordem política, dissociando-a de princípios religiosos.

e) ambos tentam separar a noção de justiça das justificativas de ordem religiosa, fundamentando-a numa estratégia militar.

16. **(Vunesp)** Observe a figura.

"Cenas do século XXI.

Habitação – No próximo milênio a humanidade habitará em cidades espaciais. Mas alguns problemas continuarão os mesmos dos séculos XX, XIX, XVIII ..."

LAILSON

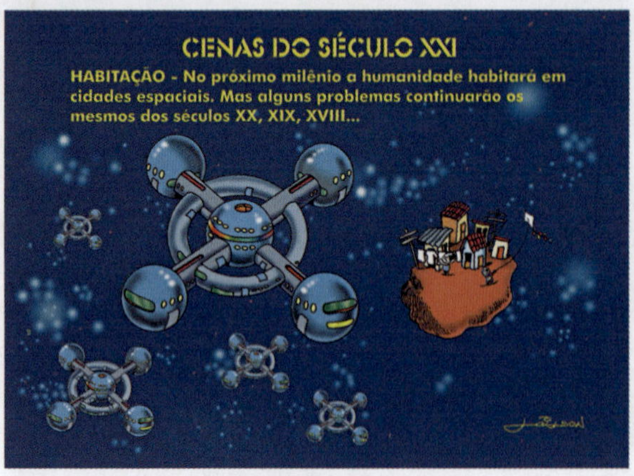

Cenas do século XXI, charge de Lailson. *Diário de Pernambuco*, 27 dez. 2000.

a) Apresente duas razões capazes de explicar a contradição expressa pela imagem.

b) Cite dois fenômenos naturais ocorridos recentemente que, embora previsíveis, não encontraram na ciência e na tecnologia meios para evitar sofrimentos humanos e prejuízos socioeconômicos.

17. **(Enem-MEC)** Segundo Samuel Huntington (autor do livro *O choque das civilizações e a recomposição da ordem mundial*), o mundo está dividido em nove "civilizações", conforme o mapa abaixo. Na opinião do autor, o ideal seria que cada civilização principal tivesse pelo menos um assento no Conselho de Segurança das Nações Unidas.

O mundo das civilizações pós-1990

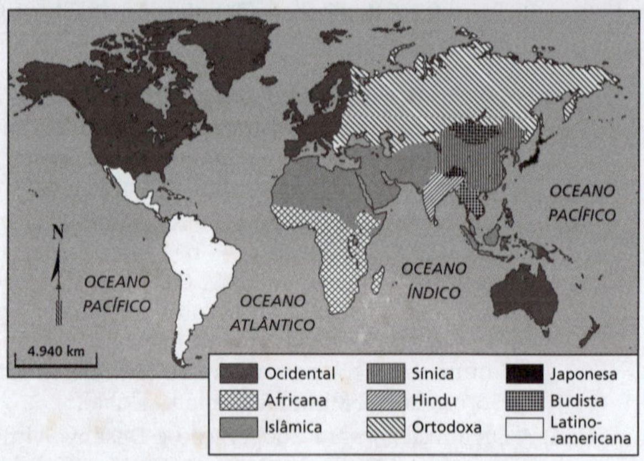

Fonte: FERREIRA, Graça Maria Lemos. *Atlas geográfico*: espaço mundial. São Paulo: Moderna, 2010. p. 60.

Sabendo-se que apenas Estados Unidos, China, Rússia, França e Inglaterra são membros permanentes do Conselho de Segurança e analisando o mapa acima, pode-se concluir que:

a) atualmente apenas três civilizações possuem membros permanentes no Conselho de Segurança.

b) o poder no Conselho de Segurança está concentrado em torno de apenas dois terços das civilizações citadas pelo autor.

c) o poder no Conselho de Segurança está desequilibrado, porque seus membros pertencem apenas à civilização ocidental.

d) existe uma concentração de poder, já que apenas um continente está representado no Conselho de Segurança.

e) o poder está diluído entre as civilizações, de forma que apenas a África não possui representante no Conselho de Segurança.

PARTE II
Da colonização da América ao século XIX

Unidade E

A construção do mundo moderno, *258*

Unidade F

Uma era de revoluções e transformações, *336*

Unidade G

Sociedade e cultura no século XIX, *416*

PARTE II

UNIDADE

E

A construção do mundo moderno

» Capítulos

O passado e o presente da cana-de-açúcar

A produção de cana-de-açúcar foi e é uma importante atividade econômica no Brasil. Durante o período colonial, ela foi continuamente estimulada pela Coroa portuguesa, que elegeu o açúcar o principal produto de exportação do Brasil. Seu papel de destaque na produção agrícola do Brasil e sua importância nas exportações continuam nos dias de hoje.

A cana-de-açúcar no Brasil (século XVII e início do XXI)

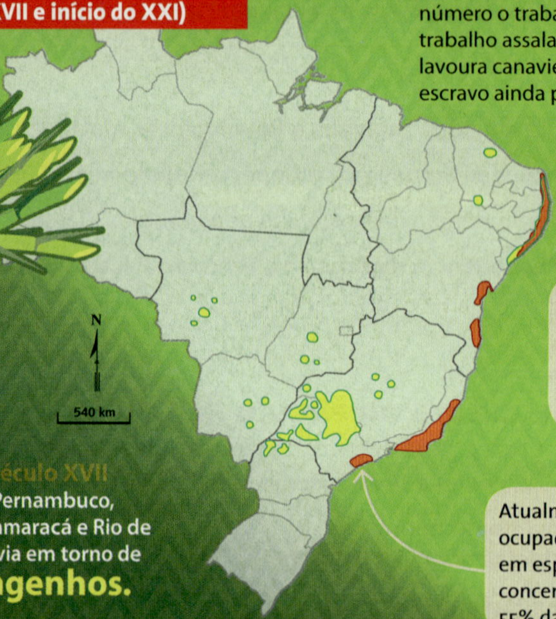

Do século XVI ao XIX, a cana-de-açúcar foi cultivada principalmente pela mão de obra escrava, havendo em menor número o trabalhador livre. Hoje, o trabalho assalariado predomina na lavoura canavieira; contudo, o trabalho escravo ainda persiste.

Nos primeiros séculos da colonização, o Nordeste brasileiro era o principal produtor de cana-de-açúcar.

Atualmente, essa posição é ocupada pela Região Sudeste, em especial São Paulo, que concentra aproximadamente 55% da produção nacional.

Final do século XVII
Na Bahia, Pernambuco, Paraíba, Itamaracá e Rio de Janeiro havia em torno de **600 engenhos.**

Em 2009, **400 usinas** no Brasil produziam aproximadamente 612 milhões de toneladas de cana.

Área de cultivo no século XVII

Área de cultivo em 2009

Fontes: FERLINI, Vera. *A civilização do açúcar* (séculos XVI a XVIII). São Paulo: Brasiliense, 1998. p. 23; Instituto Brasileiro de Geografia e Estatística (IBGE). Disponível em www.ibge.gov.br. Acesso em 22 mar. 2010.

A cana-de-açúcar no Brasil

As imagens da linha do tempo estão identificadas ao longo dos capítulos desta unidade.

1560
Pernambuco e Bahia são as principais áreas de produção de cana-de-açúcar.

1570
A produção açucareira cresce com o aumento da estrutura dos engenhos.

1610
Inovações tecnológicas na estrutura das moendas possibilitam o aumento da produção.

QUESTÕES

1. Compare a produção de cana-de-açúcar brasileira no período colonial com a dos dias de hoje, destacando semelhanças e diferenças.

2. Aponte a importância da produção de açúcar no Brasil atualmente, no cenário nacional e internacional.

DO BRASIL PARA O MUNDO

Século XVI
Início da lavoura canavieira nas terras luso-brasileiras.

Século XVII
O açúcar é o principal produto exportado pelo Brasil.

Século XVIII
Com a expulsão dos holandeses e o crescimento da produção antilhana, caem as exportações brasileiras do nordeste açucareiro.

Século XVIII
O governo da capitania de São Paulo iniciou a criação de uma infraestrutura para a produção e a exportação de açúcar.

Até 1850
O principal produto agrícola exportado pela província de São Paulo é o açúcar.

Século XX
Queda da produção europeia do açúcar de beterraba e maior procura pelo açúcar da cana.

1975
Criação do Programa Nacional do Álcool (Proálcool).

Década de 1990
Desenvolvimento do automóvel bicombustível e aumento da demanda interna pelo etanol.

2010
O Brasil investe na produção do açúcar para atender à procura mundial.

Crescimento acelerado
A produção açucareira nacional cresce anualmente para atender ao mercado interno e externo; entre os anos de 1996 e 2006 esse aumento foi de quase 48%.

Do total cultivado

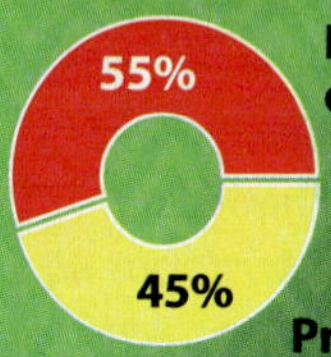

A área sucroalcooleira no Brasil (2009-2010)
Em mil hectares

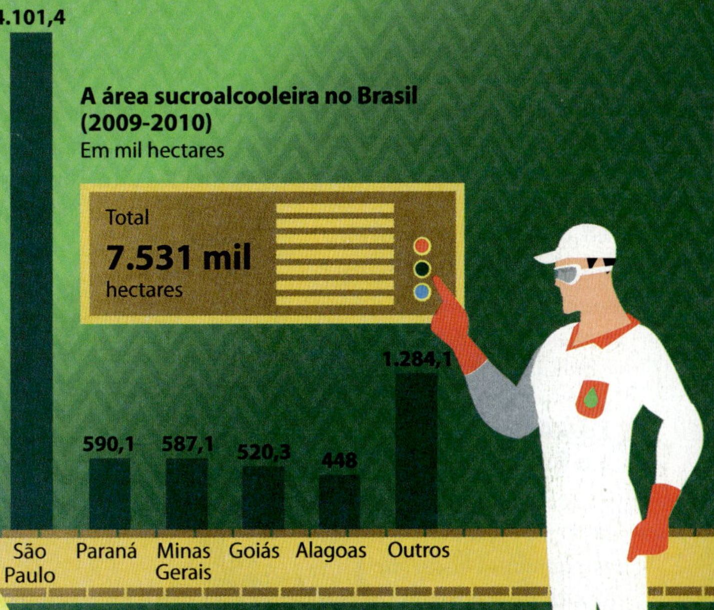

Fontes: ANTONIL, André João. *Cultura e opulência do Brasil por suas drogas e minas* [1711]. São Paulo: Edusp, 2007. (Documenta Uspiana); LUNA, Francisco Vidal; SCHWARTZ, Stuart. *Segredos internos*: engenhos e escravos na sociedade colonial (1550-1835). São Paulo: Companhia das Letras, 2005; Instituto Brasileiro de Geografia e Estatística. Disponível em www.ibge.gov.br. Acesso em 22 mar. 2010.

1620
Rio de Janeiro e Maranhão também se destacam na produção açucareira.

1630
Os holandeses invadem Pernambuco, principal centro açucareiro da colônia.

1654
Os holandeses, expulsos de Pernambuco, impulsionam a produção de açúcar nas Antilhas.

1710
Aumento da produção açucareira antilhana e perda do monopólio mundial luso-brasileiro.

Capítulo

13 O império colonial português

13.1 A construção do império marítimo português

Portugal construiu um vasto império marítimo conquistando territórios na África, na Ásia e na América.

13.2 O Estado do Brasil

As constantes invasões da costa brasileira e a possibilidade de obter lucros levaram a Coroa portuguesa a iniciar a colonização de suas terras americanas.

13.3 O Brasil açucareiro

A produção de açúcar exigia grandes investimentos e um complexo sistema de produção e divisão do trabalho.

13.4 A União Ibérica e o Brasil holandês

A incorporação de Portugal ao Reino Espanhol repercutiu nos domínios lusos, que se tornaram alvo das invasões holandesas.

Quando o Brasil ainda não era o Brasil

Hoje, quando falamos em Brasil, logo pensamos em algumas características peculiares que geralmente distinguem o nosso país de outros, tanto relacionadas a aspectos geográficos quanto culturais. No entanto, nem sempre foi assim. Antes da chegada dos portugueses, não havia nenhuma noção de brasilidade entre os nativos da terra, que não a pensavam como uma unidade nem tampouco compartilhavam uns com os outros qualquer sentido de pertencimento a uma única comunidade.

Entre os portugueses, que começaram a chegar ao continente a partir de 1500, também não havia nenhuma ideia de que uma parte do continente da América do Sul, mais de três séculos depois, formaria um país chamado Brasil, com habitantes que se identificariam como brasileiros e estariam reunidos sob a soberania de um Estado nacional.

Até o século XIX, não havia, portanto, uma história do Brasil propriamente dita. Havia, simplesmente, um Império Português, formado por uma metrópole – Portugal – e muitos territórios coloniais, espalhados pela América, Ásia e África. Até aquele século, tudo o que se passou no Brasil era considerado parte da história de Portugal.

Neste capítulo, estudaremos as linhas gerais de formação desse império, destacando como, quando e por que o Brasil começou a fazer parte dele. Entenderemos também que não havia, até então, um único Brasil na América, mas muitos e diferentes "brasis", correspondentes a regiões que pouco ou nada se comunicavam entre si, e que não constituíam uma unidade política, econômica, social e cultural própria.

Torre de Belém, em Lisboa, à beira do Rio Tejo, Portugal. Foto de 2007. A Torre de Belém era o último ponto terrestre que as embarcações portuguesas tocavam antes de seguirem para o mar aberto, sendo, portanto, um forte símbolo das grandes navegações.

A construção do império marítimo português

Objetivo

- Compreender o contexto de construção do império ultramarino português.

Termos e conceitos

- Império marítimo português
- Colonização
- Tratado de Tordesilhas

Conteúdo digital Moderna PLUS http://www.modernaplus.com.br
Mapa animado: Viagens marítimas dos séculos XV e XVI

Impérios territoriais e marítimos

Antes do século XV, existiram diferentes formas de expansão imperial: os impérios Assírio, Persa e Romano na Antiguidade; o Império Han, dos chineses; os diversos califados islâmicos; o Império Mongol na Ásia; os impérios de Mali e Songai na África. No alvorecer da Idade Moderna, diversos povos sofreram os efeitos da expansão imperial dos russos e otomanos na Eurásia e, em um Novo Mundo ainda não conhecido pelos habitantes do Velho Mundo, dos astecas e incas.

Um ponto comum unificou todas essas formas de imperialismo: a submissão de povos, com seus respectivos territórios, que foram colocados sob o domínio e a tributação de um poder conquistador. Ao contrário dos movimentos expansionistas anteriores, que buscavam se apossar de massas territoriais contínuas, o **império marítimo português** conquistou, em primeiro lugar, o Oceano Atlântico. Esse pioneirismo impeliu outros países europeus a seguirem o exemplo lusitano. Em pouco tempo, os impérios europeus modernos se destacariam de seus predecessores por serem, antes de tudo, impérios marítimos.

A **colonização** ultramarina portuguesa iniciou-se em meados do século XV, quando, após a conquista de Ceuta, no extremo norte da África, teve início a colonização regular dos arquipélagos dos Açores e da Madeira, até então desabitados.

Para possibilitar simultaneamente seu povoamento e aproveitamento econômico, foram escolhidos produtos agrícolas que deveriam ser cultivados nessas ilhas: nos Açores, o trigo, artigo fundamental para a subsistência e que Portugal tinha de importar do norte da Europa; e na Madeira, a cana-de-açúcar, que algum tempo depois começaria a ser cultivada no Brasil e propiciaria muito lucro aos portugueses.

A instituição do monopólio do rei de Portugal sobre todo o comércio africano, em 1481, converteu a busca de ouro no principal objetivo dos empreendimentos marítimos. Para tanto, fundaram-se, em Lisboa, a Casa da Mina (responsável pela administração do monopólio régio), e, na África, a fortaleza de São Jorge da Mina (localizada na atual cidade de Elmina, em Gana), plataforma para todas as operações comerciais e marítimas africanas abaixo da linha do Equador **[doc. 1]**.

DOC. 1 Fortaleza de São Jorge da Mina, em Elmina. Atual Gana, foto de 2006. A fortaleza foi construída pelos portugueses em 1482. As feições arquitetônicas da construção seguem o padrão português do século XVI.

O controle do comércio marítimo português

De São Jorge da Mina, os portugueses lançaram-se à colonização de mais um arquipélago, São Tomé e Príncipe, e estabeleceram relações com o rei do Congo. Cada vez mais os portugueses penetrariam no continente africano, embora sua presença sempre tenha sido mais forte nas regiões costeiras e nas ilhas, situação que se repetiria em outros momentos da expansão portuguesa.

Em fins do século XV, Portugal, movido pela busca de riquezas e de lucros comerciais, já tinha adquirido experiência considerável na exploração econômica do ultramar. A chave para tanto residia no controle do comércio marítimo no Oceano Atlântico e nos ganhos obtidos com a instalação de feitorias fortificadas ao longo da costa da África.

O reconhecimento político da expansão portuguesa

As autoridades portuguesas buscaram legitimar perante os demais poderes católicos europeus, e por intermédio do papa, a conquista de novas terras. A bula papal *Romanus Pontifex* (1454) definiu que todas as ações de descoberta, de conquista e de colonização do espaço atlântico e africano até então efetuadas pelos portugueses eram reconhecidas pelo papa como legítimas, o que incluía a escravização de árabes e africanos. O documento voltava-se, sobretudo, aos rivais de Portugal na Europa, proibidos pelo papa de questionarem o monopólio lusitano sobre as terras descobertas.

Naquele tempo, era muito importante obter o aval da poderosa Igreja romana nas decisões que envolviam temas da política internacional. No caso de Portugal e Espanha, isso era ainda mais necessário porque, desde as Cruzadas, interesses econômicos, políticos e religiosos caminhavam de mãos dadas. O poder da Igreja Católica foi reduzido com a Reforma Protestante, a partir de 1517, mas jamais sairia de cena. Até hoje o papa é uma autoridade respeitada, embora as posições de Roma já não tenham tamanha relevância. Atualmente, instituições internacionais laicas, como a Organização das Nações Unidas (ONU) e a Organização Mundial do Comércio (OMC), arbitram conflitos entre Estados.

A bula *Romanus Pontifex* não resolveu inteiramente as tensões entre espanhóis e portugueses. Em 1479, Portugal e Castela assinaram o **Tratado de Alcáçovas**, que encerrava as pretensões espanholas sobre Portugal. Em troca da aceitação portuguesa de Isabel como rainha de Castela, os castelhanos reconheciam a soberania de Portugal sobre os Açores, a Madeira e sobre todos os territórios ao sul das Canárias, ilhas que antes ficavam reservadas aos castelhanos. Esse tratado criou as condições para que Isabel de Castela encampasse o plano de Cristóvão Colombo para atingir as Índias navegando para o Ocidente, já que a rota africana tornara-se um monopólio legal de Portugal.

Sabemos, hoje, que a viagem de Colombo alterou por completo as feições da expansão europeia e deu à Espanha uma enorme massa territorial em um continente ainda desconhecido. Mas, em 1492, ninguém podia avaliar com exatidão as dimensões daquele feito. Tanto é assim que, em 1494, quando foi assinado o **Tratado de Tordesilhas**, Portugal preocupou-se basicamente em garantir a segurança de suas rotas marítimas no Atlântico Sul.

Disso resultaram os esforços diplomáticos bem-sucedidos para estender a linha ocidental do tratado de divisão do globo terrestre para 370 léguas a oeste do arquipélago de Cabo Verde **[doc. 2]**. Com essa medida, as rotas de navegação que permitiriam, poucos anos depois, o contorno da África ficavam sob inteiro controle português.

DOC. 2 **Domínios portugueses e espanhóis (século XV)**

Fonte: *Atlas histórico escolar*. Rio de Janeiro: FAE, 1991. p. 112-113.

O Estado da Índia

Ao unirem guerra e comércio, os portugueses, com seus navios fortemente armados, conseguiram em duas décadas conquistar os pontos de entroncamento do comércio a longa distância no Oceano Índico, onde se encontravam mercadores de diferentes procedências. A construção e a consolidação do chamado Estado da Índia ocorreram quando passaram às mãos portuguesas as praças de Goa (1510), Málaca (1511) e Ormuz (1515).

Casa da Índia

O Estado da Índia era um arquipélago de fortalezas e feitorias montadas nas margens dos grandes estados asiáticos, que exercia seu poder no mar, não na terra **[doc. 3]**. Por meio do monopólio da Casa da Índia sobre a rota do Cabo e do regime de porto único centrado em Lisboa, o rei de Portugal assumiu as vestes de "rei-mercador", obtendo recursos que, em 1518 e 1519, chegaram a ultrapassar as receitas derivadas da tributação em Portugal. O impacto das atividades comerciais portuguesas na economia europeia foi considerável **[doc. 4]**.

Os portugueses levaram à Ásia (posteriormente também à África e à América) a religião cristã, com suas crenças, cultos, imagens e visões de mundo, além de formas de vestimenta, alimentação e comportamento que serviram para alterar os costumes e modos de vida das populações nativas. Em muitos casos, o contato com os portugueses desestabilizou as relações entre os nativos, causou alta mortalidade nas populações locais em razão da contaminação bacteriológica e desestruturou tradições longamente estabelecidas. Os portugueses também assimilaram costumes e tradições locais, mas esse processo foi muito menos doloroso do que o sofrido pelas populações das áreas conquistadas.

DOC. 3 **O Estado da Índia**

Fonte: VIDAL-NAQUET, Pierre; BERTIN, Jacques. *Atlas histórico*: da Pré-história aos nossos dias. Lisboa: Círculo de Leitores, 1990. p. 151.

- **Casa da Índia.** Criada entre 1500 e 1503, a Casa da Índia era uma instituição político-comercial responsável por administrar os negócios de Portugal com o Oriente. Sob sua responsabilidade estavam os assuntos relativos à importação e exportação de gêneros e produtos, bem como de embarque, desembarque, distribuição e tributação desses artigos.

QUESTÃO

Analisando a tabela, responda **[doc. 4]**.

a) Qual das colônias teve a maior contribuição para as receitas do Estado português entre o início do século XVI e a segunda década do século XVII?

b) Quais foram as razões para a grande arrecadação dessa colônia?

c) Qual foi a prática mercantilista que mais contribuiu para o constante aumento da receita do Estado português no período observado?

DOC. 4 **Evolução das receitas do Estado português (em réis)**

País	1506	1588	1619
Reino	78.8000$000	677.283$174	1.125.498$291
Norte da África	–	1.000$000	1.200$000
Madeira	10.800$00	24.240$000	26.621$000
Açores	1.000$000	30.000$000	30.000$000
Cabo Verde/Guiné	5.600$000	16.400$000	14.000$000
Mina	48.000$000	40.000$000	40.000$000
São Tomé	–	7.780$000	14.000$000
Angola	–	11.000$000	26.000$000
Brasil	2.000$000	13.200$000	54.400$000
Índia	54.000$000	288.942$300	412.500$000
Total	200.200$000	1.109.845$474	1.744.219$291

Fonte: BAIÃO, António; CIDADE, Hernâni; MÚRIAS, Manuel (Dir.). *História da expansão portuguesa no mundo*. Lisboa: Ática, 1937. p. 400. v. 1.

Seção 13.2

O Estado do Brasil

Objetivos

- Caracterizar o sistema de capitanias hereditárias e o governo geral.
- Entender o aumento do trafico transatlântico de escravos africanos.

Termos e conceitos

- Capitanias hereditárias
- Governo geral

O início da exploração do território

Os portugueses já tinham iniciado a ocupação de ilhas do Atlântico havia mais de sessenta anos quando a expedição comandada por Pedro Álvares Cabral aportou no sul da Bahia, em abril de 1500. Mesmo considerando que a nova terra poderia render benefícios ao Reino Português, nem de longe ela despertou o entusiasmo causado pelo lucrativo comércio das Índias.

As primeiras tentativas de exploração da costa brasileira seguiram o modelo de sistema de feitorias adotado no litoral africano. Em 1503, o rei d. Manuel arrendou as terras brasileiras a um grupo de comerciantes liderado por Fernão de Noronha, que obteve o monopólio comercial da exploração das riquezas do território. Nesses anos iniciais, a principal riqueza de valor comercial para os europeus era o pau-brasil, que era explorado em regime de escambo com os índios **[doc. 1]**. As toras, das quais se obtinha um corante vermelho, eram repassadas às feitorias portuguesas sediadas em Flandres, região da atual Bélgica.

Nos primeiros anos após a conquista portuguesa, a costa brasileira foi igualmente frequentada por mercadores e marinheiros franceses, com o mesmo objetivo de obter matéria-prima para as manufaturas têxteis do norte da Europa. Diante das ameaças desses mercadores, mas também entusiasmado pelas descobertas de ouro e prata nas colônias espanholas na América, d. João III adotou diversas medidas para garantir a posse do território.

- **Escambo.** Troca de mercadorias ou serviços sem fazer uso de moeda.

As capitanias hereditárias

Conteúdo digital Moderna PLUS http://www.modernaplus.com.br
Filme: *Hans Staden*. Direção: Luiz Alberto Pereira. Brasil, 1999

A saída encontrada pelo rei português para manter o controle do território foi implementar o sistema de **capitanias hereditárias** ou **donatarias**, testado a partir de 1433 nas ilhas africanas do Atlântico: inicialmente na Ilha da Madeira, depois em Açores, em seguida Cabo Verde e São Tomé. No Brasil, esse sistema começou a ser implementado na década de 1530.

Pelo sistema de capitanias, o rei doava uma faixa de terra a um súdito, que recebia o título de **capitão donatário**. Com seu falecimento, a terra era transferida ao herdeiro. A terra doada, em tese, era propriedade do rei, pois todos os territórios do Império Português eram considerados domínios da Coroa. Sendo assim, o capitão donatário tinha a posse da terra e dispunha de amplos poderes políticos e judiciais sobre ela. Em contrapartida, o donatário deveria garantir a defesa militar da capitania contra invasões estrangeiras; estabelecer boas relações com populações indígenas, inclusive comerciais e missionárias, quando necessário; organizar e desenvolver a produção local de gêneros economicamente rentáveis; montar um aparato administrativo e jurídico; e, finalmente, estimular o povoamento da capitania e sua comunicação com as vizinhas. Em suma, sua tarefa era assegurar a fidelidade de seus moradores ao rei, garantir a capitania como parte do Império Português e sua exploração econômica por meio dos monopólios e da tributação.

DOC. 1 *Brasil*, obra do cartógrafo italiano Giovanni Battista Ramusio, 1557, em que se veem índios extraindo o pau-brasil. Museu Paulista/USP, São Paulo (sob guarda).

Atribuições do donatário

A tarefa do capitão donatário não era fácil. Em primeiro lugar, ele deveria dispor de capitais suficientes para investir na terra, pois o grosso desses investimentos tinha que partir dos cofres privados, e não reais. Ele deveria, portanto, ter posses; caso contrário, não teria condições de instalar engenhos, construir fortificações e outras tarefas do projeto de colonização. Em segundo lugar, suas atribuições pressupunham uma capacidade administrativa complexa, pois, se os colonos e os povos indígenas não colaborassem, a capitania jamais poderia prosperar. Em terceiro lugar, as terras portuguesas na América eram quase desconhecidas quanto a recursos naturais, topografia, distâncias e limites, populações nativas.

O sistema na América portuguesa

As capitanias hereditárias começaram a ser criadas no Brasil com a expedição de Martim Afonso de Souza (1530-1532). Entre 1534 e 1536, foram criadas catorze capitanias em quinze quinhões de terra, doados a doze capitães donatários, divisão que logo sofreria vários ajustes. Cada quinhão deveria abranger uma faixa litorânea de trinta léguas de norte a sul, bem como cem léguas em direção ao interior, de leste a oeste **[doc. 2]**. No entanto, era muito difícil delimitar tais faixas e definir onde terminava uma capitania e começava outra, bem como os limites sertanejos de cada uma.

DOC. 2 **Capitanias hereditárias**

Fonte: *Atlas histórico escolar*. Rio de Janeiro: FAE, 1991. p. 16.

Em pouco tempo, o sistema de capitanias mostrou-se claramente insuficiente para fomentar a colonização do território e garanti-lo como parte do Império Português. Com exceção das capitanias de São Vicente e de Pernambuco, nenhuma outra prosperou, e alguns capitães donatários não chegaram sequer a conhecer suas terras, preferindo permanecer em Portugal. O caso mais grave foi o da capitania da Bahia de Todos-os-Santos, onde foi especialmente difícil para a Coroa portuguesa impor sua estrutura de colonização. A Bahia era considerada estratégica em relação às demais por sua posição geográfica, seu porto privilegiado e facilidade de comunicação com a Europa e a África. Por esses motivos, no final da década de 1540, a Coroa decidiu combinar o sistema vigente com uma administração centralizada. Apesar das mudanças, o sistema de capitanias manteve-se até o século XVIII, quando foi extinto.

A criação do governo geral

O fracasso da maioria das capitanias não foi o único motivo para a adoção de um sistema centralizado. O acirramento da competição mundial, com o consequente crescimento das incursões estrangeiras no Brasil, o aumento das guerras contra as populações indígenas, o sucesso da conquista espanhola do Peru e a descoberta, em seus territórios, em 1545, de vastos depósitos de prata, como as minas de Potosí (na atual Bolívia), impulsionaram a centralização administrativa. Assim, em 1548, foi criado o **governo geral**, sediado na Bahia de Todos-os-Santos, que, para tanto, foi convertida em capitania da Coroa, ou seja, uma espécie de capitania especial, sem um capitão donatário.

Não só a capitania da Bahia era considerada estratégica pelos portugueses, mas especialmente seu porto, localizado na cidade de Salvador, fundada para ser a capital da colônia. Até hoje a cidade guarda uma série de características que nos possibilitam vislumbrar sua importância na metade do século XVI: uma topografia em acrópole, ou seja, uma edificação em plano mais alto, que permite ampla e profunda visão do mar e da terra em várias direções; um porto de águas profundas, que permite o ancoradouro de embarcações de vários tamanhos; uma baía – entre Salvador e Itaparica – segura, a partir da qual se pode chegar a um grande número de regiões; a existência de rios e terras férteis, condições favoráveis ao cultivo da cana e à produção do açúcar. A escolha parecia a mais adequada, e Salvador desfrutou da condição de capital do Brasil até 1763, quando o Rio de Janeiro passou a ser o novo centro político da colônia.

A chegada de Tomé de Souza

O governo geral do Estado do Brasil deveria centralizar e coordenar um sem-número de ações antes atribuídas a cada um dos capitães donatários. Estes, por sua vez, não desapareceram de cena, mas passaram a integrar um aparato político, administrativo e judicial muito mais complexo.

Tomé de Souza, o primeiro governador, com vasta experiência ultramarina, adquirida nos anos em que serviu ao Estado da Índia, chegou ao Brasil em 1549 **[doc. 3]**. Com ele vieram os primeiros missionários jesuítas, chefiados pelo padre Manuel da Nóbrega.

Durante o governo de Tomé de Souza, foi criado o primeiro bispado do Brasil (1551), e, na mesma época, começaram a chegar regularmente escravos africanos para trabalhar na produção de açúcar, que crescia cada vez mais. Com o governo geral, a colonização portuguesa na América começava a prosperar.

Parcerias produtivas

A ação coordenada entre governador geral e capitães donatários se mostraria fundamental em alguns momentos cruciais desse período. Exemplo do êxito dessa atuação ocorreu durante as incursões francesas. Em 1555, uma expedição militar francesa chefiada por Nicolau Durand de Villegaignon instalou-se na Baía da Guanabara (na atual cidade do Rio de Janeiro), fundando a **França Antártica**. Os franceses aliaram-se às populações nativas e começaram a comercializar gêneros da terra com a Europa. Após alguns anos de combates, os franceses foram definitivamente expulsos pelos portugueses, que fundaram, em 1565, São Sebastião do Rio de Janeiro **[doc. 4]**. Posteriormente, entre 1612 e 1615, os franceses criaram uma colônia no Maranhão, chamada **França Equinocial**.

DOC. 3 **Nomeação de Tomé de Souza como governador geral**

"[...] ordenei ora de mandar fazer uma fortaleza e povoação grande e forte na Bahia de Todos-os-Santos por ser para isso o mais conveniente lugar que há nas ditas terras do Brasil, para dali se dar favor e ajuda às outras povoações e se ministrar justiça e prover nas coisas que cumprem a meu serviço e aos negócios de minha fazenda, e a bem das partes e pela muita confiança que tenho em Tomé de Souza, fidalgo de minha casa, que nas coisas de que o encarregar me saberá bem servir e o fará com o cuidado e diligência que se dele espera, e como o até aqui tem feito nas coisas do meu serviço de que foi encarregado, hei por bem e me apraz de lhe fazer mercê dos cargos de capitão da povoação e terras da dita Bahia de Todos-os-Santos e de governador-geral da dita capitania e das outras capitanias e terras da costa do dito Brasil por tempo de três anos e com quatrocentos mil reais de ordenado em cada um ano, pagos à custa de minha fazenda [...]."

D. JOÃO III. Carta de nomeação de Tomé de Souza (7 jan. 1549). In: INÁCIO, Inês da Conceição; LUCA, Tania Regina de. *Documentos do Brasil colonial*. São Paulo: Ática, 1993. p. 53.

DOC. 4 Gravura colorizada de Theodore de Bry, da obra *America Tertia Pars...*, 1592. Serviço Histórico da Marinha, Vincennes. A gravura representa o combate naval entre portugueses e franceses na Baía de Guanabara.

Na maioria das vezes, porém, apesar das viagens de inspeção feitas periodicamente pelos governadores gerais às capitanias, os donatários mantiveram relativa autonomia diante do líder do Estado do Brasil na Bahia, subordinando-se diretamente aos poderes centrais em Lisboa. No século XVI, havia, portanto, duas diferenças importantes entre o Estado da Índia (Oriente) e o Estado do Brasil (Ocidente): os recursos propiciados pelo primeiro ainda eram muito maiores, fato que só mudaria no século XVII; e os agentes que administravam os empreendimentos coloniais no Oceano Índico gozavam de maior autonomia em relação aos seus pares no Oceano Atlântico.

QUESTÃO

- Sobre o [doc. 3], responda.
  a) Por que a Coroa portuguesa decidiu criar o governo geral em sua colônia na América?
  b) Qual era a função do governador geral?
  c) Qual foi a principal dificuldade encontrada pelo primeiro governador geral para que ele pudesse exercer plenamente seus poderes?

O Brasil açucareiro

❯ Objetivos

- Conhecer o funcionamento de um engenho de açúcar na América portuguesa.
- Distinguir as diversas etapas produtivas de um engenho de açúcar.
- Relacionar as reformas religiosas do século XVI à ação missionária dos jesuítas na América portuguesa.

❯ Termos e conceitos

- Engenho colonial
- Trabalho escravo
- Companhia de Jesus
- Aldeamentos jesuítas

O trabalho nos engenhos

No século XVI, as principais regiões canavieiras do Brasil eram Pernambuco e Bahia; no século XVII, houve a ascensão do Rio de Janeiro e do Maranhão. Só no século XVIII é que São Vicente, que ensaiara uma produção significativa nos primeiros tempos das capitanias hereditárias, conheceria o desenvolvimento do açúcar, mas sem jamais concorrer com as outras partes da América portuguesa.

O impulso da produção açucareira do Brasil, a partir da década de 1570, correspondeu a um grande aumento das unidades de produção dessa valiosa mercadoria: os **engenhos coloniais** [doc. 1].

A palavra engenho tem dois significados: o local específico no qual a cana era moída, cujo caldo era utilizado na produção do açúcar; e, no sentido mais abrangente, toda a propriedade açucareira, que comportava não apenas a moenda, mas também os fornos, as casas de purgar o açúcar, galpões de estoque, as senzalas (moradias dos escravos), a casa-grande (moradia do senhor e de sua família), capela, pastos, roças e canavial.

O engenho que utilizava moinhos cuja força motriz era hidráulica era chamado de **real**, enquanto o que era movido por animais era chamado de **trapiche**.

A manufatura do açúcar era trabalho de grande complexidade, envolvendo várias tarefas específicas: o plantio e o corte da cana, seu transporte até a moenda, a trituração da cana, o aquecimento do caldo até a solidificação, a purga do açúcar, seu encaixotamento e distribuição.

Além do **trabalho escravo**, os engenhos comportavam uma diversidade de trabalhadores assalariados, livres e semilivres. Havia carpinteiros, barqueiros, mestres de purgar, caixeiros, feitores, médicos, capelães, lavradores, entre outros. Era tão ampla a divisão de tarefas que é comum afirmar-se que o engenho ensaiou, em terras americanas, um sistema de produção e de trabalho parecido com o das fábricas modernas: muitos trabalhadores especializados desempenhando tarefas específicas, concentrados em um espaço único e controlados por empregados do "patrão" (o senhor de engenho).

- **Lavrador.** Proprietário de lavoura de cana, mas que não possuía engenho. Havia os lavradores de cana obrigada, que só podiam moer a cana em um engenho determinado, e os lavradores de cana livre, que podiam moê-la em qualquer engenho.

DOC. 1 *Engenho*, pintura de Frans Post, c. 1640. Museu Boijmans Van Beuningen, Roterdã. Nesta imagem, o artista representou três elementos característicos do engenho: a casa-grande, a capela e o engenho propriamente dito.

A ação dos jesuítas na colônia

A ordem religiosa **Companhia de Jesus** foi fundada em 1534, na Europa, no contexto das lutas religiosas entre católicos e protestantes. Como a Igreja Católica tinha perdido muitos seguidores, uma saída para ampliar sua base de fiéis era catequizar os nativos da América e de outras áreas do vasto império ultramarino ibérico, considerados, na visão cristã, povos sem religião.

Os jesuítas tiveram papel fundamental na empresa colonial portuguesa. Por meio da criação de colégios, esses padres participaram ativamente da vida espiritual, econômica e política da América portuguesa. Tomando como modelo o Real Colégio das Artes de Coimbra, os jesuítas fundaram vários colégios na colônia, os primeiros nas capitanias de São Vicente (1554), na Bahia (1556) e no Rio de Janeiro (1568).

As **missões** ou **aldeamentos jesuítas** estenderam-se por vários pontos dos domínios portugueses e espanhóis na América **[doc. 2]**. Cada missão se organizava como uma verdadeira cidade, pois, como determinavam as Constituições, ela deveria ser autossuficiente. A missão possuía habitações, igreja, colégio, mercado e cemitério. Nela também havia lavouras, criação de gado, oficinas e outras áreas de trabalho. As ocupações e o ensino tinham finalidade tanto pedagógica quanto religiosa. Como também ocorria nos colégios, em muitas missões os padres usavam a dança, a música e o teatro como formas de diálogo e conversão.

Duas tentativas foram feitas em duas épocas diferentes para reunir os índios nos aldeamentos, primeiro pela "palavra" e pela "cura", depois pelo "medo" e pela "submissão".

DOC. 2 **As missões jesuítas**

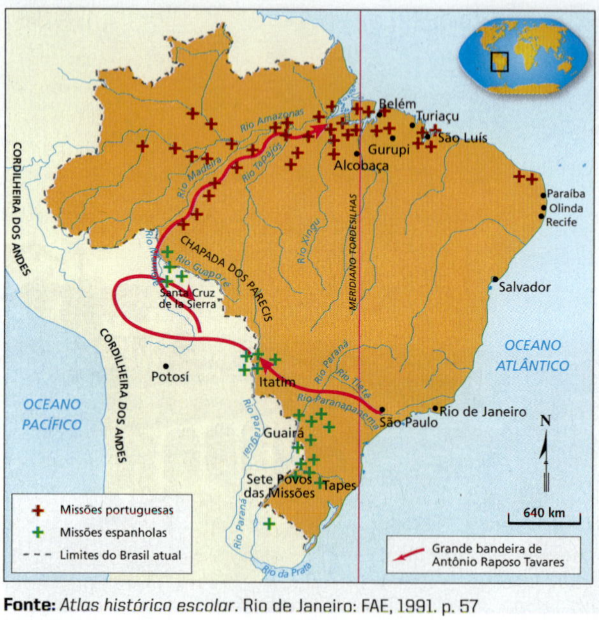

Fonte: *Atlas histórico escolar*. Rio de Janeiro: FAE, 1991. p. 57

Da cura ao uso da força

A primeira tentativa de criação das missões, a partir de 1550, usou como estratégia obter o respeito dos índios substituindo a cura promovida pelos pajés pela intervenção médica. Assim, os padres poderiam desempenhar o duplo papel de médicos do "corpo" e também da "alma". Alguns historiadores dizem que este teria sido o único meio eficaz de comunicação entre jesuítas e índios neste primeiro momento.

Como parte dessa primeira política de evangelização, várias atividades foram desenvolvidas para catequizar os índios. Para ensinar a eles os rituais católicos, a missa, por exemplo, sofria muitas alterações. Em vez da cerimônia tradicional, crianças encenavam passagens do Evangelho para tentar assimilar um pouco da doutrina católica. Essa primeira fase foi considerada um fracasso e acabou por ser revista.

A segunda tentativa baseou-se no medo. Convencido da dificuldade de converter os índios pela palavra, o padre Manuel da Nóbrega passou a defender que, sem o uso da força, eles não se organizariam em missões. O documento que revela essa mudança de rumo era o **Plano Civilizador**, de 1558, no qual o jesuíta descrevia com detalhes como essa tarefa se realizaria.

Expedições de apresamento

A expansão das missões pela América portuguesa atraiu a cobiça de colonos paulistas, os **bandeirantes**, que viam as missões como fonte fornecedora de mão de obra escrava para o trabalho nas plantações paulistas. Assim, no século XVII, os nativos, aculturados nas missões e habituados à disciplina jesuítica, passaram a ser capturados por expedições de apresamento. O paulista que mais se destacou nessas expedições foi Antônio Raposo Tavares, que comandou, entre 1628 e 1651, vários ataques às missões de Guairá, Itatim e Tapes, no sul, que abrigavam índios guaranis **[reveja o doc. 2]**.

- **Constituições.** Conjunto de normas reguladoras da Companhia de Jesus, elaboradas por Inácio de Loyola entre 1539 e 1554, em que se enfatizavam a abnegação dos sacerdotes, a disciplina e a obediência à hierarquia da Igreja.

QUESTÕES

1. Observe a imagem **[doc. 1]**.

a) Descreva a imagem e identifique o tipo de engenho que ela representa.

b) Considerando que a pintura foi produzida por um holandês, imagine e comente o impacto que a natureza tropical poderia causar nos europeus.

2. Com base no texto desta seção, descreva as etapas da fabricação do açúcar em um engenho colonial.

3. Explique por que, em geral, as expedições bandeirantes coincidiam com as áreas de maior concentração de missões jesuítas **[doc. 2]**.

Seção 13.4

A União Ibérica e o Brasil holandês

Objetivos

- Reconhecer os desdobramentos da União Ibérica para o império colonial português.
- Compreender as particularidades da colonização holandesa na América portuguesa.

Termos e conceitos

- União Ibérica
- Companhia das Índias Orientais
- Companhia das Índias Ocidentais
- Restauração

Filipe II: rei de Espanha e Portugal

A morte do jovem rei português d. Sebastião, em 1578, solteiro e sem herdeiros para a casa de Avis, tornou concreta a possibilidade de união de Portugal à Espanha, que desde 1516 estava sob o comando da casa dos Habsburgo. O cardeal d. Henrique, tio de d. Sebastião, assumiu o trono (1578--1580), mas a idade avançada e a condição clerical do novo rei fizeram com que a sucessão dinástica continuasse sendo a questão política central para o Reino Português.

Dois grupos antagônicos formaram-se. O primeiro, constituído de pessoas próximas ao cardeal d. Henrique, contava com o apoio de diversas regiões de Portugal. O segundo grupo, por sua vez, defendia a solução castelhana, isto é, a unificação das duas coroas sob o comando de Filipe II da Espanha (ele próprio sobrinho legítimo de d. Henrique). Esse grupo era composto pelas grandes famílias aristocráticas de Portugal, pela alta hierarquia eclesiástica (inclusive a Companhia de Jesus) e pelos grandes mercadores, interessados no alargamento de seus negócios com as colônias da Espanha **[doc. 1]**.

As articulações econômicas com as colônias espanholas propiciadas pelo tráfico transatlântico de escravos foram, assim, um fator importante para a união das coroas ibéricas. Filipe II invadiu Portugal em 1580, encontrando pouca resistência interna do grupo rival. Assim, pouco tempo depois de ver-se reforçado economicamente com o sucesso do empreendimento açucareiro no Brasil, o Império Português teve de enfrentar uma dura crise política, que culminou com a incorporação de todos os seus territórios ao Império Espanhol, governado pela dinastia dos Habsburgo. Tinha início o período conhecido como **União Ibérica**.

DOC. 1 **O Império de Filipe II**

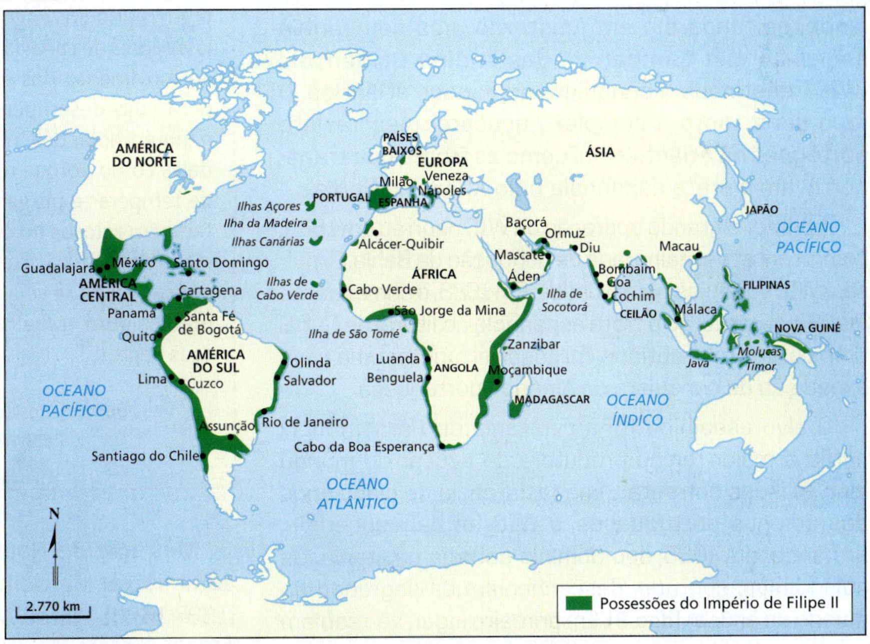

Fonte: VIDAL-NAQUET, Pierre; BERTIN, Jacques. *Atlas histórico*: da Pré-história aos nossos dias. Lisboa: Círculo de Leitores, 1990. p. 167.

O domínio marítimo do Reino Português no século XVI era incontestável, só rivalizando com a marinha espanhola. Com a união das duas coroas, em 1580, as possessões ibéricas estenderam-se por todo o globo terrestre.

A guerra global contra os holandeses

Quando se iniciou a União Ibérica, a Espanha já enfrentava a guerra de independência das Províncias Unidas dos Países Baixos, mais conhecidas em língua portuguesa sob o nome de Holanda (a mais importante de suas sete províncias). Protestantes em sua maioria, os holandeses levantaram-se contra a Espanha por razões religiosas e econômicas.

Em 1585, o porto de Antuérpia foi atacado e destruído pelas tropas espanholas. As casas comerciais lá estabelecidas deslocaram-se, então, para Amsterdã, na Holanda, controlada pelos rebeldes protestantes, que estava a salvo dos ataques espanhóis.

Consolidadas as posições na Europa, os holandeses voltaram-se, no início do século XVII, para as fontes ultramarinas do vasto império dos Habsburgo. A estratégia para conquistar as riquezas ultramarinas ibéricas consistiu na fundação de Companhias de Comércio, com funções econômicas, militares e políticas. A **Companhia das Índias Orientais** (VOC), a mais importante delas, foi fundada em 1602 como uma empresa comercial cujas ações eram negociadas na Bolsa de Amsterdã. A empresa logo rendeu altos dividendos a seus investidores ao se apossarem das rotas do cravo-da-índia e de noz-moscada das Molucas, da canela do Ceilão e da pimenta do Malabar. Em 1660, todos os nós do comércio no Oceano Índico haviam caído nas mãos da poderosa VOC.

A conquista de Pernambuco

Diante do sucesso comercial e militar da Companhia das Índias Orientais (VOC), em 1621 os holandeses fundaram em Amsterdã uma companhia semelhante, a **Companhia das Índias Ocidentais** (WIC), destinada à conquista do espaço atlântico. O foco seria tanto o complexo açucareiro-escravista português no Atlântico Sul como as frotas que transportavam a prata espanhola pelo Atlântico Norte.

A primeira grande operação da WIC ocorreu em 1624, com a tentativa malograda de ocupação da Bahia. Expulsa, a WIC voltou-se para o Caribe. Em 1628, o comandante Piet Heyn capturou a frota espanhola no litoral de Cuba. Com os recursos obtidos, foi possível montar uma nova expedição de conquista da América portuguesa.

O alvo escolhido foi a capitania de Pernambuco, então a maior região produtora de açúcar do mundo **[doc. 2]**. Após enfrentar uma resistência de cinco anos dos colonos portugueses, a WIC foi bem-sucedida, firmando, em 1635, seu domínio sobre a capitania. Os holandeses, contudo, desconheciam os segredos do mundo do açúcar **[doc. 3]**. Em primeiro lugar, não sabiam como produzi-lo ou como administrar os engenhos confiscados dos colonos portugueses; em segundo lugar, a WIC ainda não tinha controle das zonas que exportavam escravos africanos para a América, vitais para o sucesso econômico das atividades agroexportadoras.

DOC. 2 **Domínios holandeses no Brasil**

Fonte: *Atlas histórico escolar*. Rio de Janeiro: FAE, 1991. p. 30

DOC. 3 **Os segredos do açúcar**

Em 1639, Adriaen van der Dussen, um alto funcionário da WIC, avaliou os engenhos de Pernambuco.

"[Os portugueses] que se submeteram à nossa obediência são os principais fatores da cultura da terra; alguns permanecem na antiga posse dos engenhos, outros compram muito dos engenhos confiscados. Ainda outros são lavradores de canaviais ou servem nos ofícios necessários ao movimento dos engenhos, entre os quais os ofícios para cujo desempenho não se apresentou até agora nenhum holandês, não só porque não têm experiência deles como porque não os compreendem, como seja os de temperar e purgar o açúcar. [...] Os portugueses são também zelosos no cultivo dos seus canaviais e graças a eles a agricultura do país progrediu, se bem que, a não ser poucas vezes, se veja algum deles fazer por suas próprias mãos algum trabalho; sabem, porém, fazer trabalhar seus negros."

DUSSEN, Adriaen van der. *Relatório sobre as capitanias conquistadas no Brasil pelos holandeses* [1639]. Rio de Janeiro: IAA, 1947. p. 85-86.

Maurício de Nassau foi enviado pela WIC para administrar os domínios holandeses no Nordeste (1637-1644). Voltou-se para a conquista de regiões da África controladas pelos portugueses que enviavam cativos para a América. Seu governo foi marcado pela tentativa de controlar o complexo açucareiro-escravista montado pelos portugueses mais de um século antes.

A produção artística

Uma vez estabelecido o governo holandês em Pernambuco, a tarefa de dominar uma nova paisagem geográfica, econômica, social e cultural persistiu. Uma das formas de "domesticar" esse panorama, de melhor conhecê-lo para melhor explorá-lo, foi a contratação de artistas holandeses encarregados de representá-lo em pinturas e mapas.

Os artistas Frans Post e Albert Eckhout chegaram juntos ao Brasil, em 1637, e logo iniciaram seus trabalhos, que resultaram na representação de paisagens e em retratos de nativos esplêndidos. Nessas obras é visível a admiração dos artistas por uma fauna e uma flora que até então desconheciam, e que foram representadas em traços muito fortes. Também fazem parte dessas imagens canaviais, engenhos, escravos africanos e indígenas, ou seja, os gêneros lucrativos e a mão de obra **[docs. 4 e 5]**.

DOC. 4 *Mulher africana*, pintura de Albert Eckhout, 1641. Museu Nacional, Copenhague.

A "liberdade" religiosa

Durante sua permanência no Brasil, os holandeses empregaram no trato com as religiões a mesma lógica aplicada no terreno das artes. Majoritariamente protestantes, mas zelosos com os interesses econômicos e políticos, os holandeses perceberam desde cedo que a flexibilização das normas católicas para o culto renderia bons frutos ao seu governo. Judeus, cristãos-novos (judeus cristianizados) e católicos desfrutaram de um ambiente de considerável liberdade durante o governo de Nassau.

No entanto, a tolerância religiosa não se deveu a razões humanitárias. Os holandeses eram colonizadores e, assim como os portugueses, queriam fundamentalmente lucrar com seus empreendimentos. Para obter ganhos maiores, sabiam que deviam contar com a adesão dos portugueses da terra e com os empréstimos dos judeus. Assim, seja por meio de artistas, seja pelas relações estabelecidas com adeptos de diferentes crenças, os holandeses foram aprendendo a impor seu domínio sobre uma parte do Brasil.

DOC. 5 *Paisagem brasileira com tatu*, pintura de Frans Post, 1649. Antiga Pinacoteca, Munique. A natureza tropical exercia enorme fascínio nos artistas europeus que vieram para a colônia; por isso, em suas obras, a paisagem natural tinha mais destaque do que os elementos humanos.

A dupla restauração da década de 1640

Divergências com a Companhia das Índias Ocidentais resultaram, em 1644, no retorno de Nassau à Holanda. Com a mudança, as dificuldades econômicas enfrentadas pelos colonos portugueses que haviam contraído vultosos empréstimos com a WIC, somadas ao descontentamento com o domínio protestante (que afrontava muitos dos hábitos arraigados entre os católicos), estimularam a articulação do levante luso-brasileiro contra o domínio holandês.

O fator político mais importante, no entanto, residia em Portugal. Em 1640, as grandes casas aristocráticas revoltaram-se contra a Espanha, aclamando d. João IV como novo rei de Portugal. Terminava o domínio espanhol e inaugurava-se, assim, a dinastia dos Bragança.

A questão colonial foi decisiva para o movimento insurrecional: era corrente em Portugal a percepção de que a Espanha privilegiou a defesa de suas possessões no México e no Peru e deixou as possessões portuguesas no Índico e no Atlântico desprotegidas diante dos ataques holandeses.

Logo que assumiu a coroa de Portugal, d. João VI, além de assinar uma trégua com a Holanda, já que agora tinham um inimigo comum (a Espanha), propôs à Companhia das Índias Ocidentais a compra de Pernambuco. Diante da recusa holandesa em aceitar a oferta, a partir de 1643 foram elaborados planos para reconquistar Pernambuco e Angola com forças portuguesas mobilizadas exclusivamente na América, para não ferir a trégua com a Holanda.

O levante luso-brasileiro começou em 1645 sem os resultados imediatos esperados: apesar das vitórias dos rebeldes no interior, a WIC continuou com o domínio do litoral pernambucano.

Em 1648, duas vitórias contra os holandeses viraram o jogo no Atlântico Sul: a **Batalha de Guararapes**, em Pernambuco, e a captura de Luanda, em Angola. As duas ações foram financiadas quase inteiramente com recursos obtidos localmente na América portuguesa. No caso específico da **restauração** do domínio português em Angola, o papel decisivo foi desempenhado pelos traficantes de escravos sediados na América.

Os resultados da expulsão dos holandeses do Brasil

As guerras imperiais travadas contra as companhias holandesas na América e na África tiveram vários resultados para o império ultramarino português, entre os quais destacamos quatro:

- **A forte concorrência do açúcar das Antilhas**. Os colonos franceses e ingleses que se estabeleceram nas Antilhas no início do século XVII passaram a produzir açúcar em larga escala, com técnicas aprendidas em Pernambuco. Com isso, quebrou-se o monopólio que o Brasil exercia no mercado mundial do açúcar desde o final do século XVI.
- **Quebra do monopólio português no comércio transatlântico de escravos**. Antes excluídos do comércio de escravos, os holandeses usaram São Jorge da Mina – que os portugueses não conseguiram reconquistar – como porta de entrada no tráfico transatlântico de escravos.
- **O Atlântico Sul tornou-se a base do Império Português**. Os custos da restauração do Império Português no Brasil e em Angola foram financiados quase inteiramente com recursos obtidos da exploração do comércio de escravos. Mesmo com a concorrência do açúcar antilhano, o Atlântico Sul tornou-se o novo sustentáculo do império ultramarino português.
- **Crescimento da influência inglesa**. Diante da crescente rivalidade anglo-holandesa, d. João IV encontrou na Inglaterra o suporte diplomático que lhe permitiu garantir a independência política em relação à Espanha e a restauração de seu império ultramarino. Em contrapartida, Portugal passou inteiramente para a alçada do poder inglês, dependência que se acentuaria na passagem do século XVII para o XVIII.

O cenário criado pelas guerras imperiais também reservavam um novo papel para a colônia portuguesa na América. O enfraquecimento de Portugal e do seu comércio com o Oriente, em razão das guerras, alçou o Brasil como a principal fonte de riquezas do Império Português.

QUESTÕES

1. Observe o mapa para responder às questões [doc. 1].
   a) É possível perceber, pelo mapa, quais áreas dos territórios coloniais eram mais ocupadas por espanhóis e portugueses?
   b) Qual foi a atividade econômica que mais se beneficiou com a constituição da União Ibérica? Anote as principais regiões envolvidas nessa atividade.
2. Identifique a maior dificuldade enfrentada pelos holandeses na administração dos engenhos pernambucanos [doc. 3].
3. De que forma os negros foram representados no doc. 4? Considere vestimenta, postura, ações e ambiente.
4. Aponte os elementos do quadro que revelam o impacto que a paisagem natural causou nos artistas holandeses e dê uma explicação para o fato [doc. 5].

CONTROVÉRSIAS O regime de terras no Brasil colonial: feudalismo ou capitalismo?

Durante muito tempo, os estudiosos do passado colonial do Brasil travaram intensos debates a respeito de instituições políticas, regimes de trabalho e outros temas relacionados à vida na colônia. As capitanias hereditárias foram um dos assuntos que geraram polêmica entre os estudiosos. Enquanto alguns compreendiam suas características como feudais, outros viam as capitanias como meio de enriquecer, de obter lucro, ou seja, inseridas num contexto capitalista. Hoje, predomina a visão de que se tratou de um sistema imperfeito, jamais plenamente consolidado, e que combinava, ao mesmo tempo, formas tradicionais de relação dos homens com a terra, advindas de Portugal medieval, com novas formas de desenvolvimento da economia mundial, e que a partir do século XVI acabariam por englobar também o Brasil.

Desenho de Luís Teixeira representando a divisão da América portuguesa em capitanias hereditárias, 1574. Biblioteca da Ajuda, Lisboa

Texto 1

"Sob o ponto de vista econômico, [...] não me parece razoável a assemelhação desse sistema ao feudalismo [...]. Por mais que estudemos os elementos históricos, não podemos concluir que o regime das donatarias apresente pronunciada semelhança com o da economia medieval. Em primeiro lugar todos procuravam a nova terra em busca da fortuna; todos visavam a melhorar sua situação econômica. O fito do lucro era a causa primordial da vinda para o Brasil. [...] Os donatários não eram mais do que exploradores em grande escala. As concessões dadas pelo rei a esses homens eram o meio de os estimular, facilitando o empreendimento. [...]

Assim como hoje se concede a certas empresas a isenção de impostos, [...] o rei de Portugal concedeu uma série de favores àqueles que com seus capitais e seus serviços podiam incrementar a colonização das terras recém-descobertas [...].

Na verdade, Portugal, em 1500, já não vivia sob o regime feudal. D. Manuel, com sua política de navegação, com seu regime de monopólios internacionais, com suas manobras econômicas de desbancamento do comércio de especiarias em Veneza, é um autêntico capitalista. Os seus 'vassalos' não ficam atrás."

SIMONSEN, Roberto. *História econômica do Brasil*: 1500/1822. 8. ed. São Paulo: Nacional, 1978. p. 81-82.

Texto 2

"O regime das capitanias foi em princípio caracteristicamente feudal. Não gozavam os donatários de nenhum direito sobre a terra, vedando-lhes mesmo expressamente os forais a posse de mais de dez léguas (alguns dezesseis) de terra. E mesmo estas dez léguas deviam ser separadas em várias porções. Cabia-lhes contudo um direito eminente, quase soberano, sobre todo o território da capitania, e que se expressava por vários tributos [...].

Este ensaio de feudalismo não vingou. Decaiu com o sistema de colonização que o engendrara, e com ele desapareceu sem deixar traço algum de relevo na formação histórica do Brasil. [...]"

PRADO JÚNIOR, Caio. *Evolução política do Brasil*: colônia e império. 20. ed. São Paulo: Brasiliense, 1993. p. 13-14.

- **Légua.** Unidade de medida que equivale a aproximadamente 6.600 metros.

QUESTÕES

1. Qual visão cada autor defende sobre o sistema de capitanias?
2. Que argumentos cada autor utiliza para defender seu ponto de vista?
3. O que a maioria dos historiadores pensa atualmente sobre as capitanias hereditárias?

Retomar conteúdos

1 Escreva um breve relatório sobre as capitanias hereditárias, seguindo o roteiro.
a) O que eram.
b) Onde foram empregadas pela primeira vez.
c) Por que os portugueses resolveram utilizá-las no Brasil.
d) Por que a maioria das capitanias fracassou.
e) A relação entre as capitanias e o governo geral.

2 Explique por que a forte ação missionária da Companhia de Jesus na América portuguesa relacionava-se com as reformas religiosas ocorridas na Europa no século XVI.

3 Em 1729, o governador da capitania do Rio de Janeiro, Luís Vahia Monteiro, escreveu: "São os escravos as propriedades mais sólidas do Brasil e mede-se a riqueza de um homem pela quantidade maior ou menor de escravos que possui [...], pois muitas são as terras, mas só pode cuidar delas quem tem escravos".
a) Por que, de acordo com Monteiro, a quantidade de escravos era o fator que indicava a riqueza no Brasil e não a posse da terra?
b) Explique por que a propriedade de escravos era um elemento de distinção social e relacione esse fato com a formação de uma elite escravocrata no Brasil.
c) Qual é a importância da terra no Brasil atual como símbolo de riqueza e *status* social?

4 Portugal e Holanda eram parceiros comerciais no ramo açucareiro. No século XVII, contudo, os holandeses atacaram possessões do império ultramarino português, inclusive o Brasil. Exponha o contexto que levou os holandeses a adotarem essas medidas.

Ler textos e imagens

5 Em 1640, o padre Antônio Vieira proferiu um sermão em que interpelava Deus sobre os motivos de a Holanda ter conquistado possessões ultramarinas portuguesas.

"Parece-vos bem, Senhor, parece-vos bem isto? [...] Parece-vos bem que sejam eles [os holandeses] os prosperados e assistidos de vossa providência, e nós os deixados de vossa mão; nós os esquecidos de vossa memória [...]? Pois se há tanta diferença entre nós, ainda que maus, e aqueles pérfidos, por que os ajudais a eles e nos desfavoreceis a nós? [...]

Prouvera a vossa divina majestade, que nunca saíramos de Portugal, nem fiáramos nossas vidas às ondas e aos ventos, nem conhecêramos, ou puséramos os pés em terras estranhas! Ganhá-las para as não lograr, desgraça foi e não ventura: possuí-las para as perder, castigo foi de vossa ira, Senhor, e não mercê, nem favor de vossa liberalidade. Se determináveis dar estas mesmas terras aos piratas de Holanda, por que lhas não destes enquanto eram agrestes e incultas, senão agora? Tantos serviços vos tem feito esta gente pervertida e apóstata, que nos mandastes primeiro cá por seus aposentadores, para lhe lavrarmos as terras, para lhe edificarmos as cidades, e depois de cultivadas e enriquecidas lhas entregares? Assim se hão de lograr os hereges, e inimigos da fé dos trabalhos portugueses e dos suores católicos? [...]."

VIEIRA, Antônio. Sermão pelo bom sucesso das armas de Portugal contra as de Holanda [1640]. In: VIEIRA, Antônio; PÉCORA, Alcir (Org.). *Sermões*. São Paulo: Hedra, 2000. p. 450 e 452.

a) Como Vieira se refere aos holandeses? Transcreva em seu caderno algumas palavras do texto que justifiquem sua resposta.
b) Que visão o padre expressa sobre os católicos e os protestantes?
c) Qual a postura de Vieira quando se dirige a Deus? Que argumentos o padre utiliza para convencer Deus de seus propósitos?
d) Razões religiosas, políticas e econômicas moveram Vieira a escrever esse sermão. Quais eram essas razões?

6 O esquema representa o ciclo agrícola de um ano em um engenho na Bahia.

Ciclo agrícola no engenho Sergipe (1650-1651)

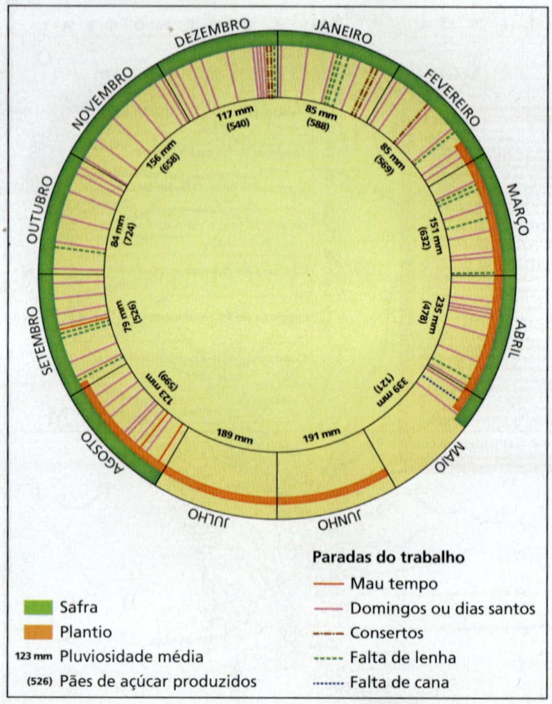

Fonte: SCHWARTZ, Stuart B. O Brasil colonial, c. 1580-1750: as grandes lavouras e as periferias. In: BETHELL, Leslie (Org.). *História da América Latina*: a América Latina colonial. São Paulo: Edusp; Brasília: Fundação Alexandre Gusmão, 1999. p. 352. v. II.

a) Em que meses ocorria o plantio da cana-de-açúcar? E a safra?
b) Analise a quantidade de pães de açúcar produzidos durante o ano. O que podemos afirmar sobre a regularidade da produção nesse engenho?
c) Relacione as características da produção do açúcar com a alta mortalidade de escravos nos engenhos.
d) Para um engenho apresentar uma boa produtividade, era necessário conjugar uma série de fatores. Observe o esquema e cite alguns deles.

Capítulo

14 A colonização da América espanhola

› **14.1 A conquista espanhola**

Em poucos anos, a conquista espanhola causou o desaparecimento das últimas civilizações nativas da América.

› **14.2 A colonização**

A Coroa espanhola organizou a administração colonial para garantir a transferência de riquezas para a metrópole.

› **14.3 Trabalho e organização econômica da colônia**

Os povos indígenas foram submetidos a diversas formas de trabalho forçado, principalmente a mita *e a* encomienda.

O encontro

A chegada dos europeus à América, no final do século XV, alterou profundamente a vida no continente. Nem as pequenas comunidades nem os grandes impérios pré-colombianos conseguiram impedir o avanço dos conquistadores. É difícil compreender, hoje, a surpresa que representou o encontro entre povos e culturas tão distintos.

Para os conquistadores, a América estava sendo "descoberta". Os europeus também chamaram os habitantes das terras que encontraram de "índios". A associação vinha da pequena semelhança fisionômica dos nativos americanos com os habitantes do sul asiático e, sobretudo, da relação que os conquistadores faziam entre sua viagem às novas terras e as expedições marítimas que buscavam o caminho das Índias.

Os nativos, porém, não eram "índios" nem achavam que suas terras estavam sendo "descobertas". Os habitantes da América se surpreenderam com os homens que chegavam do mar e ocasionalmente ficaram tanto fascinados quanto temerosos diante deles.

Os conflitos entre europeus e nativos não impediram a ocorrência de trocas culturais entre eles. Produtos tradicionais, como alimentos, foram assimilados e transformados pela cultura do outro. Alguns dos bens gerados com esse contato estão presentes ainda hoje em nossa sociedade. O chocolate, por exemplo, tem origem americana, mas seu consumo na forma de doce foi definido pelos europeus.

Neste capítulo estudaremos a conquista e a colonização europeia das Américas. Identificaremos o que persistiu das culturas pré-colombianas na América dominada pela Europa e os motivos que justificaram, nos séculos posteriores, tanto o fascínio quanto o temor que os nativos sentiram ao ver os homens que chegavam do mar.

Ruínas de Tenochtitlán, a antiga capital asteca. Ao fundo, a Catedral Metropolitana da Cidade do México. Cidade do México, México, 2009.

Seção 14.1

A conquista espanhola

Objetivos

- Compreender o estranhamento inicial resultante do encontro entre europeus e nativos americanos.
- Conhecer os eventos que marcaram a conquista espanhola do continente americano e seus desdobramentos.

Termos e conceitos

- Conquista
- Códice

Estranhamento e espanto

É muito comum encontrarmos referências ao estranhamento que nativos e espanhóis sentiram uns diante dos outros. Para os espanhóis, a natureza da América era espantosa, com sua fauna e flora desconhecidas, com a luminosidade intensa das terras próximas à linha do Equador **[docs. 1 e 2]**. Para os nativos, as roupas excessivas e alguns hábitos dos recém-chegados eram incompreensíveis. A própria vinda pelo mar provocava assombro.

Durante algum tempo, historiadores atribuíram as reações de espanhóis e de nativos a esse espanto recíproco. Viram na surpresa dos espanhóis a origem da violência e da ganância que os faziam explorar o mais rapidamente possível as novas terras. Enxergaram no espanto dos índios a sua dificuldade de resistir prontamente aos invasores e sua disposição para a negociação e, em alguns casos, para a submissão. Para esses autores, muitos nativos encararam a **conquista** de forma mágica e tomaram os espanhóis por deuses que cumpriam a antiga profecia de que Quetzacóatl, a serpente emplumada, retornaria pelo mar.

As primeiras conquistas espanholas

Em 12 de outubro de 1492, as naves de Colombo tocaram a ilha de Guanahani, que os espanhóis rebatizaram de São Salvador. Pelos diários de Colombo, sabemos que a ilha era habitada e os contatos com os nativos foram amistosos. No mesmo mês, os europeus prosseguiram viagem até a ilha de Cuba e, em dezembro, aportaram na Ilha Hispaniola (hoje dividida entre República Dominicana e Haiti), onde fundaram sua primeira colônia. Entre 1493 e 1494, Porto Rico e Jamaica também foram conquistados.

- **Guanahani.** Nome pelo qual os nativos chamavam a ilha onde os europeus atracaram pela primeira vez na América. Ela faz parte das atuais Bahamas, a nordeste de Cuba. Há dúvidas, porém, sobre qual das ilhas da região seria Guanahani e se os nativos que a habitavam eram lucaios ou taínos.

DOC. 1 *O desembarque de Cristóvão Colombo na América*, gravura de Theodore de Bry, 1594.

DOC. 2 **O encontro entre espanhóis e indígenas**

"[...] por uma calçada larga e nivelada, em meio aos burgos e às cidades construídas sobre a água, os espanhóis dirigiram-se para Iztapalapa. As multidões acorriam em sua passagem para contemplar aqueles que se chamavam de teules, os 'seres divinos e demoníacos', 'pois nunca tinham visto cavalos nem homens como nós'.

O assombro era dividido pelos invasores, que foram buscar nos romances de cavalaria as palavras para traduzir a emoção que sentiam: 'Dizíamos que aquilo parecia com as coisas encantadas que conta o livro de Amadis por causa das grandes torres, dos santuários e dos edifícios, todos construídos de pedra, que estavam sobre as águas; alguns soldados até se perguntavam se o que estavam vendo era sonho. [...] Eu não cansava de admirar a diversidade das árvores e dos aromas que cada uma exalava, as calçadas cobertas de rosas, de flores, de árvores frutíferas e de roseiras da região assim como uma lagoa de água doce'."

BERNAND, Carmen; GRUZINSKI, Serge. *História do Novo Mundo*: da descoberta à conquista, uma experiência europeia, 1492-1550. São Paulo: Edusp, 1997. p. 342-343.

Os habitantes do Caribe

Os caraíbas e os taínos (de origem arahuaca), inimigos entre si, eram os principais grupos indígenas que habitavam as ilhas do Caribe. Ambos resistiram à ocupação. As guerras, as doenças trazidas pelos europeus e o regime de trabalhos forçados, porém, praticamente os dizimaram.

Ainda que seja difícil calcular a quantidade de habitantes das ilhas no momento da conquista, estima-se que os espanhóis tenham encontrado cerca de 60 mil taínos em Porto Rico, que foram exterminados em poucos anos. Na Hispaniola, viveriam aproximadamente 250 mil taínos em 1492, população que teria caído para perto de 60 mil em 1508 e para 15 mil em 1520.

DOC. 3 Malinche atuando como intérprete entre Cortés e Motecuhzoma, ilustração de 1892.

Os espanhóis chegam ao México

Na busca de ouro e prata, os espanhóis seguiram para oeste do Caribe e atingiram o continente pela primeira vez, em 1517, numa expedição liderada por Francisco Córdoba. Os europeus tentaram entrar na Península de Yucatán (no atual México), mas foram rechaçados pelos nativos. A notícia das terras, no entanto, animou o governador espanhol de Cuba, que estimulou novas expedições de reconhecimento da costa do México e organizou, sob o comando de Hernán Cortés, uma ação militar de conquista do continente.

Cortés partiu de Cuba em 1519 e desembarcou no litoral do Golfo do México, a oeste de Yucatán. A expedição contava com cerca de quinhentos soldados e levava cavalos e canhões. Os soldados fizeram também alianças com povos que viviam sob dominação mexica e receberam auxílio militar e informações desses grupos.

O conquistador espanhol contou também com a ajuda de Malintzin (ou Malinche). De origem provavelmente mexica, Malintzin, ainda criança, havia sido entregue como escrava aos tabascos, grupo de origem maia, após uma derrota militar de seu povo. Viveu mais de dez anos com seus novos senhores e aprendeu a língua maia. Quando os espanhóis chegaram, Malintzin foi oferecida pelos tabascos como presente a Cortés, juntamente com outras mulheres e riquezas. Ela tornou-se amante de Cortés, teve um filho com ele e atuou como intérprete de maia e nahuátl e como informante dos europeus, que a chamavam de Dona Marina **[doc. 3]**.

Após os rápidos primeiros contatos no litoral, os espanhóis avançaram até a capital asteca, Tenochtitlán, e lá estabeleceram relações a princípio amistosas com os governantes mexicas. O imperador Motecuhzoma, que havia sido informado da chegada dos estrangeiros, enviou mensageiros para tentar dissuadi-los de avançar, mas, diante do inevitável contato, recebeu-os bem.

O confronto e a derrota dos astecas

As boas relações, no entanto, duraram pouco tempo. O temor mexica diante da capacidade militar dos espanhóis provavelmente levou o imperador asteca a evitar o confronto armado. Cortés, por seu lado, aproveitou o acolhimento imperial para se inteirar da situação interna do Império Asteca e conhecer melhor as disputas e a resistência de povos submetidos à dominação mexica.

A luta começou de fato em 20 de maio de 1520. Soldados espanhóis invadiram o Templo Maior, em Tenochtitlán, durante uma cerimônia religiosa e massacraram as pessoas que lá estavam. As versões dos cronistas divergem quanto aos motivos do ataque (veja a seção Controvérsias), mas ele certamente representou a fase mais violenta da conquista. Após a matança, os astecas reagiram, atacando os espanhóis. A vitória espanhola foi relativamente rápida: além de contarem com o apoio de povos inimigos dos mexicas, sua supremacia militar foi garantida pelas armas de fogo e pelos cavalos. Algumas doenças trazidas da Europa, como a varíola, também abalaram o Império Asteca, provocando muitas mortes.

Motecuhzoma morreu cerca de um mês após a matança do Templo Maior. Em agosto de 1521, os espanhóis invadiram a cidade e capturaram Cuauhtémoc, o último imperador asteca, que se tornou prisioneiro de Cortés até 1525, quando foi executado.

Conteúdo digital Moderna PLUS
http://www.modernaplus.com.br
Mapa animado: Os núcleos da ocupação espanhola

- **Mexica.** Designação mais antiga pela qual os astecas eram conhecidos.
- **Nahuátl.** Conjunto de línguas faladas no México Central pelos mexicas e difundidas na Península de Yucatán durante o período de domínio asteca. O nahuátl continua a ser falado em algumas partes do México e da América Central e é uma das dezenas de línguas nacionais do México.

Os espanhóis partem em direção ao Peru

Na metade da década de 1520, os espanhóis partiram em direção à América do Sul. Vários relatos que chegaram até os espanhóis afirmavam que o ouro era farto na região do Rio Virú. A primeira expedição a explorar a área foi liderada por Francisco Pizarro e Diego Almagro, em 1524. A expectativa de obter riquezas movia os conquistadores, que viam a América sobretudo como um lugar de enriquecimento rápido e de ausência de regras.

Conflitos internos

A chegada dos espanhóis ao Peru foi precedida pela varíola. A doença avançou pela América mais rápido do que as tropas espanholas. O governante inca Huayna Capac e seu principal herdeiro foram vítimas da doença e morreram na metade da década de 1520.

Os irmãos Atahualpa e Huascar lutavam pelo poder e haviam dividido as terras do Império **[doc. 4]**. É provável que, no momento da chegada dos espanhóis, as forças de Atahualpa já prevalecessem sobre as do irmão. Conflitos recentes, no entanto, haviam abalado o Império, e alguns focos de rebeldia persistiam nos territórios.

A circunstância era, por isso, duplamente favorável aos conquistadores. De um lado, eles encontravam o Império rachado e consumido pelas disputas internas, o que dificultava sua capacidade de resistir. De outro, a disputa entre os herdeiros de Capac permitia que povos recentemente subjugados pelos incas aproveitassem a situação e tentassem retomar sua autonomia.

O encontro entre incas e espanhóis

Atahualpa recebeu a notícia da chegada dos espanhóis em Cajamarca. Ele repetiu a estratégia inicial de Motecuhzoma: tentou evitar o confronto e negociar com os invasores. O encontro entre a nobreza incaica e Pizarro ocorreu em 16 de novembro de 1532. O primeiro contato de Atahualpa não foi com o próprio Pizarro, mas com o frade dominicano Vicente Valverde, que se aproximou do inca e lhe entregou uma *Bíblia*. Segundo cronistas presentes em Cajamarca, Atahualpa olhou o livro e o atirou no chão. O gesto do inca foi interpretado pelos europeus como uma ofensa e uma blasfêmia. Diante disso, Pizarro teria dado ordem para que seus homens atacassem os soldados de Atahualpa.

- **Blasfêmia.** Insulto a uma divindade, a uma religião ou a algo considerado sagrado.

DOC. 4 **A luta que enfraqueceu os incas**

"Se o Império Inca não estivesse atravessando naquele momento mais uma das crises cíclicas que se desencadeavam com a morte de cada soberano, os espanhóis não teriam certamente se assenhoreado dele com tanta facilidade. Essa constatação foi feita pelo próprio secretário de Francisco Pizarro [...] bem como por seu primo e pajem [...]. 'Se esta terra não estivesse destroçada pelas guerras de Atahualpa e de Huascar, não teríamos podido pôr o pé aqui para conquistá-la' [...]."

FAVRE, Henry. *A civilização inca*. Rio de Janeiro: Jorge Zahar, 1987. p. 95.

Representação dos irmãos incas Huascar (à esquerda, Museu do Homem, Paris) e Atahualpa (à direita, Thomas Gilcrase Instituto de História Americana e Arte, Tulsa), século XVI.

Diferentes interpretações

O episódio foi narrado e interpretado de forma diferente nos relatos de quem assistiu à cena. O conquistador Francisco de Jerez escreveu que Atahualpa jogou o livro por orgulho, uma vez que não sabia ler. Pedro Cieza de Leon ofereceu outra explicação. Ele acusou o frade Valverde de não ter conseguido esclarecer a Atahualpa o significado do livro. O inca, sem saber que se tratava de livro sagrado, atirara-o. Uma terceira versão do ocorrido, mas pelo lado dos incas, apareceu num testemunho, de 1570, do sobrinho de Atahualpa **[doc. 5]**. Segundo ele, o tio oferecera bebida aos estrangeiros numa taça de ouro, mas estes a derramaram no chão. Sentindo-se insultado, Atahualpa teria revidado, lançando a *Bíblia* ao chão.

Independentemente do que de fato ocorreu, há dois elementos comuns às três versões. Em primeiro lugar, fica claro o desprezo de um chefe pelo outro, expresso nos gestos, uma vez que, apesar da presença de intérpretes, é improvável que eles conseguissem se comunicar plenamente. Além disso, os espanhóis já estavam preparados para o ataque. As negociações e conversas que o antecederam não eliminaram a atitude belicosa dos homens de Pizarro, que, apesar de numericamente inferiores às tropas desarmadas do inca, puderam dominá-las com facilidade: mataram cerca de um terço dos soldados de Atahualpa e o aprisionaram **[doc. 6]**.

"O objetivo da captura de Atahualpa, como a de Montezuma (Motecuhzoma), era de transferir a autoridade suprema para as mãos espanholas com um único golpe decisivo. Depois, assim como no México, a intenção era usar a estrutura administrativa existente para canalizar para os espanhóis os lucros do domínio."

ELLIOTT, J. H. A conquista espanhola e a colonização da América. In: BETHELL, Leslie (Org.). *História da América Latina*: a América Latina colonial. São Paulo: Edusp, 1998. v. 1. p. 172.

DOC. 5 **Testemunhos na América**

A princípio, o testemunho é um depoimento sobre alguma experiência ou ocorrência presenciada por uma pessoa. Quando empregamos o termo na história da conquista, no entanto, pretendemos destacar os relatos de representantes dos povos que já viviam na América, presenciaram a chegada dos europeus e deixaram sua visão. Esses registros chegaram até nós, na maioria das vezes, por meio dos **códices**, conjunto de desenhos e escritos que forma uma espécie de livro. Alguns antropólogos também caracterizaram os grandes impérios pré-colombianos e as sociedades que derivaram deles após a conquista e a colonização como povos-testemunho.

DOC. 6 Captura de Atahualpa pelos espanhóis, gravura do século XVIII.

Os espanhóis derrotam os incas

Iniciava-se aí a conquista espanhola do Peru. Atahualpa entregou ouro aos conquistadores para obter sua liberdade, mas não foi solto. O avanço espanhol prosseguiu para o sul até a tomada de Cuzco, no mesmo ano.

O apoio dos grupos nativos antes submetidos à força pelos incas permitiu que Pizarro mantivesse o controle da cidade enquanto aguardava a chegada dos reforços militares que Almagro fora buscar. As alianças locais foram decisivas para o triunfo espanhol sobre os incas.

Pizarro, no entanto, passou a disputar as riquezas e o poder no Peru com Almagro. A mando de Pizarro, Almagro foi executado em 1538, e Pizarro foi morto pelo filho e por seguidores de Almagro em 1541. A violência de todas as partes marcava o início do Peru colonial.

QUESTÕES

1. De que forma os espanhóis e os indígenas foram representados na imagem [doc. 1]? Por quê?
2. De acordo com o texto, qual era o sentimento de astecas e espanhóis ao se conhecerem? Que elementos impressionaram os europeus? E os astecas [doc. 2]?
3. Quem era Malinche? Qual sua importância no processo de conquista do México pelos espanhóis?

CONTROVÉRSIAS Heróis, bandidos ou aventureiros?

A ação dos conquistadores espanhóis na América já foi interpretada de inúmeras maneiras. Os relatos dos primeiros cronistas, ainda no século XVI, destacavam a bravura e o heroísmo dos espanhóis que atravessaram o mar e ocuparam a América.

Para muitos historiadores, no entanto, os responsáveis pela conquista e pela colonização da América eram bandidos que buscavam fortuna fácil e não hesitavam em matar comunidades inteiras e destruir cidades e templos.

Outros afirmam que é importante compreender a ocorrência no seu tempo e destacar o caráter aventureiro da empreitada, que contou com alguns aspectos positivos e outros terríveis.

Os textos a seguir mostram as diferentes visões sobre a conquista da América.

Texto 1

"A conquista do México e a conversão dos povos da Nova Espanha podem e devem ser incluídas entre as histórias do mundo, não só por terem sido bem-sucedidas mas porque foram tão grandiosas [...]. Longa vida, pois, ao seu nome e memória [de Cortés], que conquistou tão vasta terra, converteu tamanha multidão de homens, derrubou tantos ídolos e pôs fim a tantos sacrifícios e ao consumo de carne humana!"

GÓMARA, Francisco López de. *Historia de la conquista de México* [1552]. In: RESTALL, Matthew. *Sete mitos da conquista espanhola*. Rio de Janeiro: Civilização Brasileira, 2006. p. 25.

Texto 2

"A dúvida a respeito da identidade dos homens de Castela subsistiu até o momento em que, já hóspedes dos astecas em Tenochtitlán, perpetraram a matança do Templo Maior. O povo em geral acreditava que os estrangeiros eram deuses. Mas, quando viram seu modo de comportar-se, sua cobiça e sua fúria, forçados por esta realidade, mudaram sua maneira de pensar: os estrangeiros não eram deuses, mas *popolocas*, ou bárbaros, que tinham vindo destruir sua cidade e seu antigo modo de vida."

LEÓN-PORTILLA, Miguel. *A conquista da América Latina vista pelos índios*: relatos astecas, maias e incas. Petrópolis: Vozes, 1987. p. 17.

Texto 3

"Como agentes livres à caça de oportunidades (tanto as proporcionadas pelas redes de patrocínio compostas por seus conterrâneos quanto as decorrentes da concorrência com outros espanhóis), os conquistadores raramente se prendiam a alguma região. Assim como não eram designados para a conquista pelo rei, como seus soldados, tampouco eram por ele encarregados de povoar as terras conquistadas, como seus colonos. Monarca e invasores falavam muito em povoamento, porém mais como meio de extração de riquezas que como um fim em si mesmo."

RESTALL, Matthew. *Sete mitos da conquista espanhola*. Rio de Janeiro: Civilização Brasileira, 2006. p. 89.

O espanhol Hernán Cortés na Batalha de Otumba, ocorrida em 1520, confronto decisivo para a vitória dos espanhóis sobre os astecas, sem data. Museu do Exército, Madri.

QUESTÕES

1. De que forma cada um dos textos representa o papel e a ação dos conquistadores? Destaque as principais diferenças entre os três textos.
2. Se você tivesse que escrever sobre esse tema, como apresentaria os conquistadores espanhóis? Você se alinharia a qual forma de pensamento? Justifique.

A colonização

Objetivos

- Compreender as características centrais da colonização espanhola na América.
- Identificar as diferenças entre as várias práticas colonizadoras na America hispânica, apontando semelhanças e diferenças com o que ocorreu no restante do continente.

Termos e conceitos

- Colônia
- Exclusivo metropolitano
- Metrópole
- Conselho das Índias
- *Chapetones*
- *Criollos*
- Mestiços

Controle e administração das colônias

Passados os primeiros tempos da conquista, a Coroa percebeu a necessidade de regular a exploração das **colônias** e impedir que as riquezas escapassem de suas mãos. A **Casa de Contratação** foi criada em 1503 para organizar a colonização das áreas recém-incorporadas ou das que viessem a ser conquistadas. A instituição tinha, entre outras funções, a de criar regras para o comércio colonial.

Um dos mecanismos implantados para assegurar o controle metropolitano era o chamado **exclusivo metropolitano para o comércio colonial**, muitas vezes chamado de **monopólio**. Segundo suas regras, as colônias só podiam comercializar com suas respectivas **metrópoles**. Ou seja, tudo o que fosse obtido nas áreas coloniais devia ser encaminhado ou vendido à metrópole, e os colonos só podiam comprar produtos diretamente da mesma metrópole.

A metrópole também intermediava relações comerciais da colônia com outros países: adquiria matéria-prima a baixo custo na colônia e a revendia a altos preços na Europa; além disso, revendia aos colonos, com preços acrescidos, manufaturas obtidas na Europa.

As primeiras medidas de reorganização administrativa foram a criação do **Conselho das Índias**, em 1524, e dos vice-reinos da Nova Espanha (México), em 1535, e do Peru, em 1544. O Conselho era formado por pessoas nomeadas pelo rei e devia se responsabilizar pela formulação da legislação relativa às colônias e pelo controle dos funcionários reais lá sediados. Os vice-reis eram nobres indicados pelo rei para serem seus representantes diretos e principais autoridades na colônia, responsáveis pela administração formal e por funções judiciais.

O esforço controlador da Coroa, porém, se chocava com a falta de clareza nas funções administrativas, com as pressões das elites locais para preservar seus interesses e com a corrupção. A Coroa, consciente desses problemas, adotou outras medidas administrativas, sempre com a intenção de ampliar a vigilância sobre a burocracia colonial. Uma dessas iniciativas levou à criação de outros dois vice-reinos: Nova Granada (1717) e Rio da Prata (1776) **[doc. 1]**.

A ampliação da presença de funcionários reais na colônia, no entanto, não foi suficiente para coibir o poder das elites locais. Elas mantiveram o controle e o poder nas vilas e municípios, onde a administração ficava a cargo dos cabildos, que escolhiam o alcaide maior, principal responsável pela administração local.

"No século XVIII, as oligarquias locais estavam muito bem estabelecidas em toda a América [...]. A fraqueza do governo real e sua necessidade de renda davam a esses grupos condições de desenvolver formas eficientes de resistência ao distante governo imperial. Compravam-se os cargos, faziam-se barganhas informais. A burocracia tradicional refletia essas condições, [...] constituindo-se de fato não em agentes da centralização imperial, mas em intermediários entre a Coroa espanhola e os súditos americanos [...]."

LYNCH, John. As origens da independência da América espanhola. In: BETHELL, Leslie (Org.). *História da América Latina*: da independência até 1870. São Paulo: Edusp, 1998. v. 3. p. 24-25.

DOC. 1 A divisão administrativa na América espanhola (século XVIII)

Fonte: DUBY, Georges. *Atlas historique*. Paris: Larousse, 1987. p. 282.

- **Cabildo.** Conselho local na América hispânica colonial.

Organização social

Na sociedade colonial hispano-americana, a posição social era determinada principalmente pela etnia, o que significava que a mobilidade social era quase nula. A etnia também determinava a possibilidade ou não de acesso a determinados postos e funções.

Os grupos que compunham essa sociedade eram os seguintes, do topo à base da estrutura:

- ***Chapetones***. Colonos brancos nascidos na Espanha, os únicos que podiam participar do comércio externo. Além disso, tinham terras e minas. Também era seu privilégio ocupar os cargos principais da administração colonial.
- ***Criollos***. Descendentes de europeus nascidos na América. Embora lhes fosse permitido possuir terras ou minas, não podiam atuar no comércio internacional nem ocupar postos administrativos centrais. No século XVII, houve casos de *criollos* que exerceram funções exclusivas de *chapetones*, como corregedores ou ouvidores.
- **Mestiços**. Filhos de espanhóis com nativas, eram homens livres, mas em geral pobres. Não tinham acesso a postos administrativos. No meio rural, exerciam funções como a de capataz ou auxiliares na administração das fazendas. Nas cidades, atuavam como artesãos ou no comércio local **[doc. 2]**.
- **Índios**. Representavam a maioria da mão de obra na agricultura e nas minas. Também eram empregados em serviços domésticos nas grandes propriedades rurais e urbanas ou na construção de obras públicas.
- **Africanos e seus descendentes**. Escravos, eram quase sempre utilizados na produção agrícola.

De modo geral, a hierarquização social tinha como critério a pureza de sangue. A própria Coroa procurava incentivar os funcionários reais a se casarem antes na Espanha ou a levarem suas esposas para a América. O grande fluxo de homens solteiros para as colônias, no entanto, resultou em contínuos relacionamentos de espanhóis com mulheres nativas e no surgimento de uma camada social de mestiços, dificultando a classificação pelo critério étnico.

- **Corregedor.** Responsável por fiscalizar a atuação das principais autoridades, verificar a lisura administrativa, ou seja, a integridade institucional, e administrar as aldeias indígenas.
- **Ouvidor.** Membro das Audiências, a instância judicial mais elevada na colônia.

QUESTÕES

1. Por que a Coroa espanhola criou os vice-reinos da Nova Espanha e do Peru no século XVI? Por que outros foram criados no século XVIII [doc. 1]?

2. Observe a imagem [doc. 2].

a) Quais grupos da organização social hispano-americana foram representados?

b) Quais aspectos desses grupos e da hierarquia social aparecem na imagem?

DOC. 2 **O domínio da república dos espanhóis**

"O desenvolvimento distinto da *república de los indios*, que contribuía para as necessidades da *república de los españoles* sem fazer parte dela, implicava o desenvolvimento da própria América espanhola na forma de dois mundos, o indígena e o europeu, vinculados um ao outro em inúmeros pontos, mas preservando suas identidades separadas. Entre esses dois mundos, sem pertencer completamente a um nem ao outro, estavam os *mestizos*, que cresceram rapidamente em número e adquiriram no curso do século XVII algumas das características de casta. Mas, inevitavelmente, nessa sociedade tripartite agora em processo de constituição, era a *república de los españoles* que dominava."

ELLIOTT, J. H. A Espanha e a América nos séculos XVI e XVII. In: BETHELL, Leslie (Org.). *História da América Latina*: América Latina colonial. São Paulo: Edusp, 1998. v. 1, p. 310.

Pintura de Miguel Cabrera, 1763, representando uma família na América hispânica. Museu da América, Madri.

Trabalho e organização econômica da colônia

Objetivos

- Identificar os regimes de trabalho estabelecidos pelos colonizadores espanhóis na América.
- Reconhecer a importância da resistência indígena para a permanência de tradições culturais dos povos nativos.

Termos e conceitos

- *Hacienda*
- *Encomienda*
- *Repartimiento*
- *Mita*

Mineração

A mineração foi, desde o princípio, a atividade econômica mais importante e rentável na América hispânica. Inicialmente, o ouro dos astecas e dos incas atraía a atenção dos exploradores. Após a metade do século XV, porém, ele se tornou mais escasso, e a prata passou a ser o principal objetivo dos mineradores **[doc. 1]**.

Todas as minas eram propriedade do rei, que concedia o direito de exploração, em caráter perpétuo e em troca do pagamento do quinto. Os concessionários eram, no início, de várias origens sociais, mas, à medida que a prata encontrada na superfície foi se escasseando, foram exigidos maiores investimentos para sua extração. Assim, a mineração se tornou um negócio acessível apenas aos mais ricos, que tinham condições de arcar com os custos da exploração. Mesmo eles, porém, acabavam recorrendo a empréstimos de pessoas quase sempre vinculadas às poderosas companhias sevilhanas de comércio. Em resumo: a mesma companhia que obtinha lucros ao levar para a Europa a prata extraída na América aumentava sua riqueza ao emprestar dinheiro aos empresários da mineração.

A mineração também impulsionou a instalação e a expansão de núcleos urbanos em suas proximidades e a abertura de novas estradas. Os caminhos tinham a dupla função de garantir o abastecimento da zona mineradora e o transporte dos metais extraídos para o litoral.

DOC. 1 **Entrada de ouro e prata na Espanha (1503-1660)**

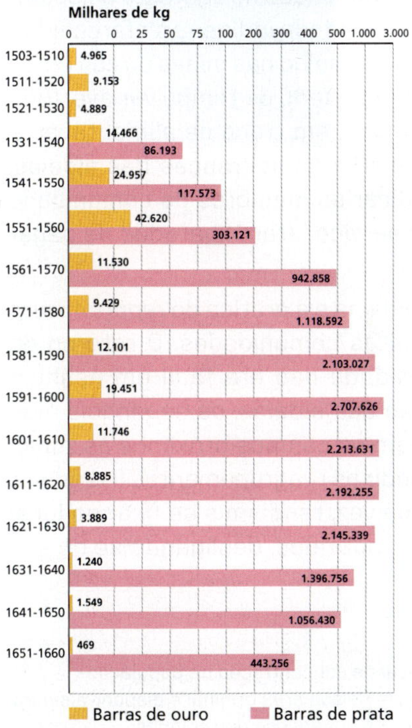

Fonte: VILAR, Pierre. *Ouro e moeda na história*: 1450-1920. Rio de Janeiro: Paz e Terra, 1980. p. 237-238.

Agricultura

A produção agrícola conheceu dois momentos bem distintos na ocupação da América hispânica. Do início da colonização até o século XVII, a política espanhola atribuiu às comunidades indígenas a função de abastecer as colônias de alimentos. Quando necessário, as comunidades eram deslocadas para a vizinhança das zonas mineradoras ou das principais cidades – era um modo de forçar os índios a participar da nova economia e, assim, adequar seu trabalho e produção à lógica dos interesses da metrópole e de seus representantes.

A partir do século XVII, porém, a produção de alimentos nas comunidades indígenas já não era suficiente para abastecer as cidades e as zonas mineradoras. As comunidades indígenas encolhiam cada vez mais em decorrência do envio de braços para o trabalho das minas e da alta mortandade da população, provocada pela dureza do trabalho na mineração e pela dificuldade de se adaptar aos novos regimes de produção.

Os principais cultivos presentes na América antes da chegada dos conquistadores persistiram, como o do milho, do algodão, do cacau, do tabaco e de variados tipos de batata. Os espanhóis trouxeram a cana-de-açúcar, originária do sudeste asiático e que foi aclimatada com sucesso nas Ilhas do Caribe. Nas ***haciendas***, a cana e vários gêneros de origem americana passaram a ser produzidos em escala comercial e exportados para a Espanha desde o século XVI, de onde eram revendidos para outros países europeus.

A pecuária

A criação de animais ocorreu em várias regiões da América hispânica e com funções diversas. Nas regiões de terras altas do Peru, da Bolívia e do Chile, as lãs extraídas de animais locais (alpaca e lhama) eram utilizadas para confeccionar tecidos. Essa prática não se restringiu à época colonial. Encontramos atualmente esse tipo de vestuário em toda a região andina, muitas vezes com a representação da imagem do próprio animal. É um dos traços mais conhecidos de persistência de práticas artesanais tradicionais dos povos da região.

A pecuária de equinos e bovinos, introduzida pelos espanhóis em diversas partes da América, destinava-se à alimentação, à tração e ao transporte. O couro dos bovinos também era utilizado para fabricar roupas e acessórios consumidos internamente ou exportados. A região do Rio da Prata foi a principal área de criação de gado da América hispânica.

Trabalho indígena

A mão de obra mais utilizada na América hispânica foi a indígena, empregada nas minas, na agricultura e na construção de obras públicas **[doc. 2]**. A ***encomienda*** e o ***repartimiento*** foram os principais regimes de trabalho forçado dos indígenas. Eles não foram aplicados de forma igual em toda a América hispânica, mas tiveram grande peso na afirmação do domínio metropolitano e na gradual redução das populações indígenas, cuja mortandade se ampliava.

DOC. 2 Gravura de Theodore de Bry representando o trabalho indígena nas minas de Potosí, no Vice-Reinado do Peru, século XVI.

A *encomienda*

A *encomienda* prevaleceu na primeira metade no século XVI, centrada nos locais em que as populações nativas já estavam previamente assentadas. Por essa instituição, o colono recebia da Coroa autorização para explorar uma ou mais comunidades indígenas.

Os *encomenderos* tinham direito de empregar o trabalho dos índios em suas terras e de exigir o pagamento regular de tributos em espécie. Os colonos não podiam utilizar as terras da comunidade indígena ou incorporá-las às suas. Em troca do trabalho e dos impostos que recolhiam, eles deviam assegurar a alimentação e promover a catequização dos índios.

Na segunda metade do século XVI, o sistema encolheu e começou a desaparecer, pois a Coroa preferiu assumir diretamente o controle sobre as populações indígenas. A intenção real era deslocar os índios e abrigá-los em *corregimientos* próximos às minas e cidades para ampliar a oferta de mão de obra na mineração e produzir alimentos.

O *repartimiento*

O deslocamento da população indígena alterou o regime de trabalho forçado da *encomienda* para o *repartimiento*, que era um tributo a ser pago sob a forma de trabalho. Esse regime reproduzia práticas de trabalho forçado existentes no período pré-colombiano. Ele equivalia à ***mita***, presente no Império Inca, e ao *cuatequil*, utilizado pelos astecas. Os sistemas foram adequados ao contexto colonial e obrigavam cada comunidade indígena a oferecer homens adultos para o trabalho nas minas ou nas obras públicas durante um período de tempo variável (que podia chegar a meses), em troca de alimentação e de um pequeno salário. As lideranças das aldeias, incumbidas de indicar os membros da comunidade que prestariam o serviço, eram liberadas de pagar o tributo.

O traslado de aldeias e a prática do *repartimiento* desagregaram muitas comunidades. O retorno do indígena à comunidade não era fácil em nenhum dos casos. No caso das aldeias, os espanhóis muitas vezes destruíam os campos próximos às zonas originais para impedir os reagrupamentos indígenas. Os *mitayos*, por sua vez, tendiam a se fixar no local para onde foram conduzidos, desligando-se de sua origem.

- ***Corregimiento.*** Local de concentração de populações indígenas deslocadas de sua área original e disponíveis para trabalhos forçados sob supervisão dos colonos.
- ***Mitayo.*** Homem adulto escolhido numa comunidade indígena para prestar serviços no regime de *repartimiento*.

Escravidão

A escravização de índios era incomum na América hispânica. O trabalho forçado indígena na forma de *encomienda* e *repartimiento* foi mais importante e mais comum do que a escravidão. Apesar disso, houve emprego de escravos africanos em algumas áreas colonizadas pela Espanha. Comparativamente à importância do trabalho de escravos africanos no Brasil ou no sul dos Estados Unidos, pode-se dizer que a escravidão negra na América hispânica foi restrita.

A maior presença de população escrava de origem africana, porém, se deu no norte da América do Sul, onde a escravidão se expandiu no final do século XVII, e nas ilhas do Caribe (principalmente Porto Rico, Cuba e São Domingos), onde a oferta de mão de obra nativa era menor do que em outras partes da América hispânica. Na Venezuela e na Colômbia, os africanos trabalhavam principalmente nas lavouras do cacau e do tabaco. O açúcar, junto do café, era o principal beneficiário da escravidão negra no Caribe.

Resistência e continuidade das culturas nativas

Durante muito tempo, historiadores afirmaram que as sociedades indígenas, dizimadas pela conquista e pela colonização espanholas, haviam desaparecido. Hoje, porém, é difícil aceitar a ideia de que os europeus silenciaram os povos nativos.

Inúmeras culturas nativas, no entanto, persistiram e se mantiveram, de uma forma ou de outra, vivas até hoje **[doc. 3]**. Em alguns casos, a memória de atos de resistência é o mecanismo que as une e as faz se sentirem vinculadas a seus antepassados. O líder indígena Tupac Amaru, por exemplo, é sempre lembrado no Peru.

José Gabriel Condorcanqui, seu nome verdadeiro, era um cacique da região de Tinta e, como tal, tinha a função de designar os membros de sua aldeia que deviam cumprir o *repartimiento*. Inicialmente, tentou negociar o fim do tributo com os espanhóis e buscou saídas jurídicas, mas não teve sucesso. Inspirado na história do lendário líder inca Tupac Amaru, Condorcanqui mudou seu nome para Tupac Amaru II e liderou, em 1780, quase 40 mil indígenas sublevados. Derrotado, Tupac Amaru foi condenado à morte e executado.

Ainda que parte da historiografia tenha afirmado, durante décadas, que sua rebelião buscava obter a independência, hoje sabemos que Tupac Amaru tinha o propósito único de impedir a exploração dos índios no trabalho e, assim, assegurar a sobrevivência de seus aldeões e das tradições culturais do grupo. Por

DOC. 3 Índios aymarás se apresentam no Festival Internacional Aymará de Música e Dança, na Bolívia, 2009. A participação dos indígenas nas festas tradicionais da comunidade é um meio de preservar sua cultura.

isso, sua resistência está hoje no centro da memória histórica dos índios peruanos.

Além de lembranças, os grupos nativos deixaram inúmeras marcas culturais: obras arquitetônicas, esculturas, peças de artesanato, mitos transmitidos oralmente de geração a geração antes de serem transcritos para o papel.

E, obviamente, muitos descendentes dos povos nativos entraram em contato com o colonizador. Embora a população de origem indígena não se compare, numericamente, com a que testemunhou a conquista, há inúmeras etnias que resistem e, em alguns países atuais, os povos indígenas representam a maioria dos habitantes. Movimentos de afirmação de valores indígenas ou de defesa de direitos dos índios ganharam espaço a partir da década de 1960 e, em alguns casos, conseguiram eleger representantes políticos para cargos no Legislativo e no Executivo. Exemplo dessa afirmação indígena foi a vitória de Evo Morales, indígena do povo aymará, nas eleições presidenciais da Bolívia de 2005. Apesar de tudo o que os índios atravessaram sob o domínio dos espanhóis e dos governos que se sucederam após a independência, a cultura e a identidade indígenas têm sido reafirmadas como forma de resistência contra a injustiça social e a discriminação.

QUESTÕES

1. A segunda metade do século XVI e a primeira do século XVII representaram o auge da entrada de prata na Espanha. Relacione esse fato com a atividade mineradora na América espanhola **[doc. 1]**.
2. Explique as principais características da exploração agrícola na América hispânica no período colonial com relação ao uso da mão de obra, principais produtos e locais de produção.

ATIVIDADES

Retomar conteúdos

1 O que explica a vitória dos espanhóis sobre os astecas e os incas, mesmo sendo estes mais numerosos?

2 Uma das bases da dominação espanhola na América foi o exclusivo metropolitano.

a) Explique o significado da expressão sublinhada.

b) Analise os obstáculos e os problemas enfrentados por esse mecanismo de dominação colonial.

3 Escreva um pequeno texto comparando a colonização da América portuguesa com a colonização do México e do Peru pelos espanhóis. Leve em consideração os seguintes itens:

a) Características dos povos encontrados.

b) Processo de conquista.

c) Principal riqueza explorada.

d) Mão de obra predominante.

4 Com base na resposta da questão anterior, é possível afirmar que as colonizações portuguesa e espanhola apresentavam características distintas, mas tinham um mesmo objetivo final? Justifique.

Ler textos e imagens

5 Leia os textos a seguir e responda às questões.

Texto 1

"Segundo os relatos indígenas anteriores à conquista, Quetzacóatl é uma personagem simultaneamente histórica (um chefe de Estado) e legendária (uma divindade). Em um dado momento, é obrigado a deixar seu reino e partir para o leste (o Atlântico); desaparece, mas segundo algumas versões do mito promete (ou ameaça) voltar um dia para recuperar o que é seu."

TODOROV, Tzvetan. *A conquista da América*: a questão do outro. São Paulo: Martins Fontes, 2003. p. 170.

Texto 2

"Quando Motecuhzoma terminou de dar colares a cada um, disse-lhe Cortés:

— Porventura és tu? És tu mesmo que vens? É verdade que és Motecuhzoma?

Disse-lhe Motecuhzoma:

— Sim, eu sou.

Imediatamente se põe em pé, a fim de recebê-lo, se achega a ele e se inclina, tanto quanto pode dobra a cabeça; assim discursa, lhe diz:

— Senhor nosso, tu te fatigaste, tu te cansaste, já à terra chegaste. Alcançaste a tua cidade: México. Aqui vieste para sentar-te em teu [...] trono [...].

E tu vieste entre nuvens, entre névoas. Isto foi o que nos deixaram dito os reis, os que regeram, os que governaram a cidade: Que haverias de instalar-te em teu assento, [...] que haveria de vir aqui...

Pois agora realizou-se: com grande fadiga, com afã vieste.

Chega à terra: vem e descansa; toma posse de tuas casas reais, dá refrigério ao teu corpo.

Chegai à vossa terra, senhores nossos! [...]

E quando [Cortés] percebeu o sentido do discurso de Motecuhzoma, imediatamente lhe respondeu através de Malintzin. Disse-lhe em língua estranha, disse-lhe em língua selvagem:

— Tenha confiança, Motecuhzoma, e nada tema. Nós muito o amamos. Bem contente hoje está o nosso coração [...]. Já faz muito tempo que desejávamos vê-lo."

Códice Florentino [século XVI]. In: LEÓN-PORTILLA, Miguel. *A conquista da América vista pelos índios*. Petrópolis: Vozes, 1987. p. 30.

a) Qual relação de diferença e de semelhança existe entre o texto 1 e o texto 2?

b) Como Cortés, no texto 2, conseguiu se comunicar com Motecuhzoma?

c) Quem é Malintzin, personagem citada no texto 2? Qual papel ela cumpriu no processo de conquista do México?

d) Como Cortés se aproveitou do mito de Quetzalcóatl?

6 Observe as duas imagens.

1

2

À esquerda, Huascar Inca em pergaminho conhecido como Códice Murúa, século XVI. À direita, *Encomendero*, ilustração do manuscrito *Nueva crónica y buen gobierno*, de Felipe Guamán Poma de Ayala, 1615. Biblioteca Real da Dinamarca, Copenhague.

a) As imagens sugerem uma ruptura ou uma continuidade na história da América hispânica? Explique.

b) A imagem 1 mostra Huascar, um dos últimos imperadores incas, sendo carregado numa liteira. Na imagem 2, vemos um *encomendero* numa liteira. Quais os possíveis significados da incorporação de uma tradição inca pelos *encomenderos*?

c) O que as imagens indicam sobre a organização social do Império Inca e da América espanhola?

Capítulo

15

O Atlântico negro: o tráfico de escravos e as relações comerciais com a África

15.1 A presença portuguesa na África

Os portugueses se estabeleceram no continente africano e tranformaram a prática local da escravidão em comércio internacional.

15.2 O tráfico negreiro

Em condições desumanas, africanos escravizados cruzavam o oceano para serem comercializados na América.

15.3 O trabalho escravo no Brasil

A escravidão africana garantiu o abastecimento de mão de obra no Brasil e foi uma fonte de grandes lucros para os comerciantes e a Coroa portuguesa.

Um Brasil africano

O Brasil de hoje é inegavelmente um país de semblante africano. Em seus modos de falar, de comer, de pensar e de agir, o brasileiro carrega, mesmo que muitas vezes inconscientemente, marcas de uma época em que os continentes americano e africano superaram a barreira física do Oceano Atlântico e estabeleceram contatos permanentes e duradouros.

É preciso, contudo, ter em mente que esses contatos foram produzidos por um sistema que, se fez a fortuna de alguns, foi a desgraça de uma imensa maioria de outros: a escravidão.

Vimos no capítulo 13, ao estudar o cultivo de cana-de-açúcar e a consolidação dos portugueses no Novo Mundo, como o tráfico atlântico de escravos foi instituído e os lucros gerados por esse negócio. Agora, veremos em detalhes como a África e o Brasil começaram a cruzar seus caminhos, e alguns dos resultados mais importantes desse encontro para a história do nosso país.

Ao lado, vendedora e seu tabuleiro com acarajé, cocada, peixe frito, bolinho de estudante, vatapá e outros pratos. Salvador, Bahia, 2009. Acima, vendedora de *akará* na cidade de Maiduguri, Nigéria, 2009. Alimento parecido com o acarajé, o *akará* é vendido na costa ocidental africana. Dessa região, vieram muitos africanos escravizados para o Brasil.

A presença portuguesa na África

Objetivos

- Perceber as características do processo de ocupação da costa africana pelos portugueses.
- Diferenciar a escravidão praticada na África antes dos portugueses da escravidão transatlântica.

Termos e conceitos

- Colonização
- Feitoria
- Escravidão
- Assimilação cultural

Comércio e colonização

Os portugueses começaram a se estabelecer no continente africano, de maneira estável, a partir de 1415. Esse ano marcou a conquista da cidade islâmica de Ceuta e também o início de um processo de expansão territorial diretamente ligado às navegações em oceano aberto **[doc. 1]**. É importante salientar que a presença portuguesa na África não se fez de modo linear e constante; pelo contrário, esse foi um movimento cheio de reveses, desafios e dificuldades a serem enfrentados.

Após conquistar Ceuta, os portugueses iniciariam, em 1434, a **colonização** da ilha da Madeira e, em 1439, das ilhas dos Açores. A iniciativa mais importante, porém, foi a colonização das ilhas de Cabo Verde (1456-1460) e de São Tomé e Príncipe (1470), pois seria nestas ilhas que culturas tradicionais de subsistência seriam logo substituídas pelo plantio de cana e pela fabricação e distribuição comercial do açúcar.

As feitorias

No século XV, os portugueses começaram a ocupar também as terras continentais africanas, criando estabelecimentos costeiros pontuais que funcionavam como bases de apoio à descoberta de um caminho marítimo para as Índias. Logo, porém, eles se transformaram em **feitorias**, que eram ao mesmo tempo fortificações militares e entrepostos comerciais.

Assim que os portugueses escolhiam um local para as suas instalações, ele era imediatamente fortificado. Ali residia o feitor, que era um funcionário da Coroa ou alguém autorizado pelo reino a desempenhar suas funções. Ele deveria estabelecer relações amistosas com povos e chefes locais para conseguir deles proteção, trabalho e produtos de valor comercial. Deveria ainda organizar e proteger o estoque dos artigos obtidos por meio da troca e gerenciar seu embarque nos navios que os levariam à Europa. Os portugueses estabeleceram contatos e relações comerciais crescentes com as populações locais **[doc. 2]**. A África foi deixando de ser apenas "o meio do caminho" para se transformar em um objetivo em si mesma.

- ***N'gola.*** Termo frequentemente utilizado por africanos e europeus entre os séculos XV e XVIII para referir-se, genericamente, aos chefes locais da região de Angola. Costumava anteceder um nome próprio, que assim distinguia um *N'gola* de outro.

DOC. 1 *Conquista de Ceuta (os portugueses investem contra a cidade)*, litografia de José Bastos, c. 1900. Biblioteca Nacional de Portugal, Lisboa.

DOC. 2 **A chegada dos portugueses a Angola**

O texto a seguir é um relato sobre a chegada dos portugueses à África, recolhido oralmente na tribo Pende, que vivia na costa de Angola no século XVI.

"Um dia os homens brancos chegaram em navios com asas, que brilhavam como facas ao Sol. Travaram duras batalhas com o *N'gola* e cuspiram fogo nele. Conquistaram as suas salinas e o *N'gola* fugiu para o interior, para o Rio Lucala. Alguns dos seus súditos mais corajosos ficaram perto do mar e quando os homens brancos vieram trocaram ovos e galinhas por tecidos e contas. Os homens brancos voltaram outra vez. Trouxeram-nos milho e mandioca, facas e enxadas, amendoim e tabaco. Daí em diante até aos nossos dias, os brancos só nos trouxeram guerras e misérias."

In: BOXER, Charles. *O império marítimo português, 1415-1825*. São Paulo: Companhia das Letras, 2002. p. 116.

As primeiras feitorias

A primeira feitoria portuguesa na África foi criada na Ilha de Arguim, no litoral da atual Mauritânia, em 1445. O objetivo era desviar para lá o comércio feito a partir da região ocidental do Sudão em direção aos portos do Mediterrâneo, cruzando o Saara em caravanas de camelos. Em troca de cavalos, tecidos, trigo, ostras e objetos variados de cobre, latão e vidro, os portugueses obtinham marfim, ouro em pó e escravos, e também macacos e papagaios, que podiam ser vendidos a bons preços na Europa.

A feitoria de Arguim prosperou, e o continente africano tornou-se cada vez mais atrativo para os investimentos de mercadores. Eles passaram a financiar e organizar expedições mais para o sul do continente, licenciadas pela Coroa, e que alavancaram a expansão marítima e territorial portuguesa. Em 1482, foi construída a fortaleza de São Jorge da Mina, na Guiné, que logo superaria em atividades comerciais a feitoria de Arguim. Em 1503 foi construída a fortaleza de Axim, um pouco menor.

A prática da escravidão na África

A **escravidão** e o comércio de escravos já eram práticas comuns na África antes da chegada dos portugueses no século XV.

Nas sociedades africanas, muitos escravos eram utilizados como criados domésticos, concubinas (no caso das mulheres) e soldados. Isso ocorria tanto em regiões rurais como em centros urbanos. As principais formas de redução de africanos ao cativeiro eram a guerra e o sequestro. Não só adultos eram escravizados, mas também mulheres, crianças e idosos. Também havia a escravização familiar, em que uma pessoa era vendida como escrava por um pai ou uma mãe para pagar uma dívida, por exemplo, ou para amenizar uma situação de extrema pobreza.

A escravidão transatlântica

Os portugueses transformaram uma prática local em comércio internacional. Primeiro, eles tentaram obter escravos realizando expedições militares pelas regiões mais afastadas da costa africana para saquear e destruir comunidades e escravizar seus moradores. Os portugueses atingiam aldeias e famílias indefesas, muitas vezes completamente desarmadas.

Apesar da violência dessas expedições, os portugueses eram louvados por cronistas europeus da época, que viam suas ações como "cavalheirescas" e verdadeiramente "heroicas", comparáveis à destruição dos "infiéis" mouros durante as Cruzadas. Os ataques que promoviam eram plenamente justificados aos olhos dos cristãos europeus, dentre os quais estavam os portugueses, por terem como alvo povos não cristãos, que eles consideravam inferiores e selvagens.

DOC. 3 Africanos aprisionados para serem vendidos como escravos, litografia de 1875. O tráfico de escravos, além de ser violento por si só, ao privar os indivíduos de sua liberdade, era realizado por meio de métodos igualmente violentos, como se observa nessa imagem.

O apresamento direto de escravos era, porém, uma tarefa cara e perigosa, sobretudo porque os portugueses conheciam pouco o interior da África **[doc. 3]**. Era mais vantajoso utilizar costumes e práticas já arraigados no continente, estabelecer alianças com chefes locais e aproveitar a escravidão e o comércio de escravos para desenvolver a colonização de ilhas como Cabo Verde e São Tomé e Príncipe.

Sudaneses e bantos

É muito difícil agrupar a grande diversidade de povos africanos que habitavam o continente na época em que este começou a ser explorado comercialmente pelos portugueses. Mesmo assim, é costume identificar dois ramos étnicos:

- os **sudaneses**, que eram maioria na África Ocidental, no Sudão egípcio e na costa norte do Golfo da Guiné;
- os **bantos**, predominantes na África equatorial e tropical, em parte do Golfo da Guiné, no Congo, em Angola e em Moçambique.

A classificação em bantos e sudaneses é muito geral, mas é difícil torná-la mais precisa porque ainda conhecemos pouco desses povos. Além disso, os africanos que chegavam ao Brasil tinham origens muito diferentes, ou então eram classificados de acordo com critérios de interesse puramente comercial (estatura, condição de saúde, gênero etc.), e não necessariamente cultural. Mesmo assim, costuma-se atribuir aos povos sudaneses uma organização social mais complexa que a dos bantos, bem como o conhecimento de técnicas mais sofisticadas de agricultura, criação de animais (inclusive para serem usados como carga e tração), tecelagem e metalurgia.

O tráfico para o Brasil

Hoje, muitos historiadores, antropólogos e linguistas empenham-se em caracterizar os povos africanos da época da escravidão e do tráfico de acordo com suas etnias. Se seguirmos a divisão tradicional entre sudaneses e bantos, podemos dizer que a maioria dos africanos escravizados trazidos ao Brasil compunha-se, entre os sudaneses, de iorubas, jejes, tapas e hauçás; e entre os bantos, de angolas, bengalas, monjolos e moçambiques.

Os números são incertos, mas é bem provável que, entre 1450 e 1500, cerca de 150 mil africanos escravizados foram capturados ou comprados pelos portugueses. Esse é um número muito alto para as dimensões do comércio da época. Os lucros africanos contribuíram para que os governos de d. João II (1481-1495) e de d. Manuel I (1495-1521) tivessem condições de fazer grandes investimentos na expansão marítima portuguesa e, consequentemente, na montagem de seu Império.

Colonização e assimilação

O comércio português na costa ocidental da África só prosperou porque, além dos investimentos de outros governos europeus, contou com o amparo decisivo de chefes locais africanos. O interesse português na obtenção de escravos levou os chefes que já praticavam o comércio dessa "mercadoria" a fazê-lo em escala muito maior; e aqueles que não o faziam a ingressar no negócio.

Muitos portugueses subiam rios, penetravam na mata e cruzavam vastas regiões interioranas para acompanhar a captura de nativos por seus aliados africanos. Era comum, nessas ocasiões, os portugueses acabarem se instalando nessas regiões e **assimilando culturalmente**, parcial ou totalmente, os hábitos nativos: abandonavam as roupas, aprendiam dialetos locais, praticavam cultos fetichistas etc. Eram conhecidos como tangomãos ou lançados.

A cristianização do Reino do Congo

Embora as motivações econômicas de Portugal fossem a principal explicação para sua presença na África a partir do século XV, havia outra também importante: a religião. O espírito das Cruzadas de séculos anteriores não havia desaparecido quando os portugueses começaram a chegar ao continente africano, e eles acreditavam ser agentes designados por Deus para cristianizar o mundo.

Nessa direção, houve, por parte dos portugueses, uma tentativa importante de cristianizar o reino banto do Congo. No final do século XV, esse reino tinha seu centro na região setentrional da atual Angola, e sua cidade principal era Banza Congo (depois chamada de São Salvador pelos portugueses). Os povos desse reino eram congoleses e ambundus, que trabalhavam com metais, têxteis e com esculturas e usavam enxadas e machados. Cultivavam banana, dendê, sorgo, milhete, inhame e cola; caçavam, pescavam e domesticavam animais como porcos, cabras, cães e galinhas; e extraíam noz-de-cola.

Para o Reino do Congo, os portugueses enviaram missionários, frades, artífices diversos (pedreiros, serventes, ferreiros, trabalhadores agrícolas) e mulheres para "educar" as congolesas e os ambundus nos hábitos domésticos europeus. Um dos reis do Congo, Nzinga Nvemba, batizado d. Afonso I depois da sua conversão ao cristianismo, tentou converter seus súditos à nova crença, mas não teve muito êxito.

DOC. 4 **Os domínios portugueses na África (século XVI)**

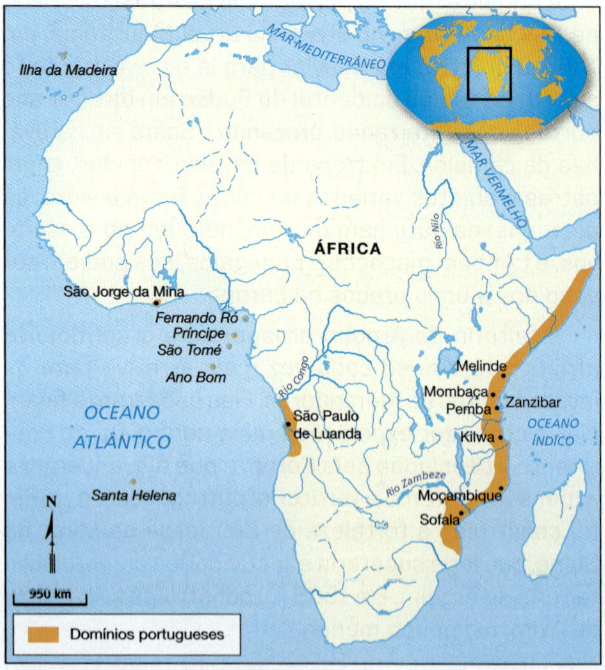

Fonte: PARKER, Geoffrey. *Atlas Verbo de história universal*. Lisboa: Verbo, 1996. p. 74-75.

Assim como fizeram em sua colônia americana, os portugueses fixaram-se ao longo da costa africana.

- **Culto fetichista.** Culto a objetos que se supõe representarem entidades espirituais ou poderes mágicos.

QUESTÕES

1. Como o autor do relato descreve a chegada dos portugueses a Angola e o contato com os africanos? Para ele, quais teriam sido as consequências desse evento **[doc. 2]**?
2. Relacione a imagem às práticas portuguesas no comércio de escravos na África **[doc. 3]**.

Seção 15.2

O tráfico negreiro

Objetivos

- Caracterizar o tráfico negreiro.
- Relacionar o comércio de escravos africanos com o regime dos ventos no Oceano Atlântico.

Termos e conceitos

- Tráfico negreiro
- Tumbeiro

O comércio transatlântico de escravos

Os primeiros africanos escravizados provavelmente chegaram ao Brasil com a instalação, em 1549, do primeiro governador geral. Mas foi a partir da década de 1570 que o ingresso de africanos escravizados começou a crescer, até consolidar a escravidão como regime de trabalho preponderante na colônia. Um marco muito importante nesse processo foi a fundação, na África, de São Paulo de Luanda (atual cidade de Luanda, capital de Angola) pelos portugueses, em 1575, que logo se tornou o maior entreposto fornecedor de escravos do continente.

O **tráfico negreiro** era realizado por navios chamados **tumbeiros**. Nessas embarcações, a alimentação era escassa e de péssima qualidade; as condições sanitárias eram precárias, levando à propagação de doenças. Os escravos eram transportados em porões abarrotados: em média, 300 escravos eram levados por viagem. No século XVIII, essa cifra cresceu para 350, chegando a 400 no início do século XIX **[doc. 1]**.

As viagens podiam durar de 35 dias (entre Angola e Rio de Janeiro) a três meses (de Moçambique ao Rio de Janeiro) e eram muito incertas, pois os naufrágios dos navios, geralmente velhos e sem manutenção apropriada, ocorriam com frequência. Quando a travessia era bem-sucedida, e o navio chegava ao seu destino, a mortalidade entre os cativos podia chegar a um terço de sua "carga" total.

Conteúdo digital Moderna PLUS http://www.modernaplus.com.br
Mapa animado:
O comércio do continente africano

Da África para o Brasil

No século XVI, a maioria dos escravos africanos trazidos ao Brasil era proveniente da Guiné (Bissau e Cacheu) e da Costa da Mina. A partir do século XVII, esses entrepostos tenderam a se deslocar para o sul, com a preeminência de Congo e Angola (e dos portos de Luanda, Benguela e Cabinda), mas sem que os antigos entrepostos desaparecessem ou cessassem suas atividades. De Moçambique, no litoral oriental do continente, os escravos começaram a ser levados ao Brasil, com regularidade, apenas no século XVIII. Nesse século e no XIX, voltaram a predominar os escravos originários da Costa da Mina (até c. 1770) e depois do Benin. No Brasil, os principais portos de chegada dos africanos eram Salvador e Recife, mas no século XVII o Rio de Janeiro começou a se destacar, tornando-se logo o principal.

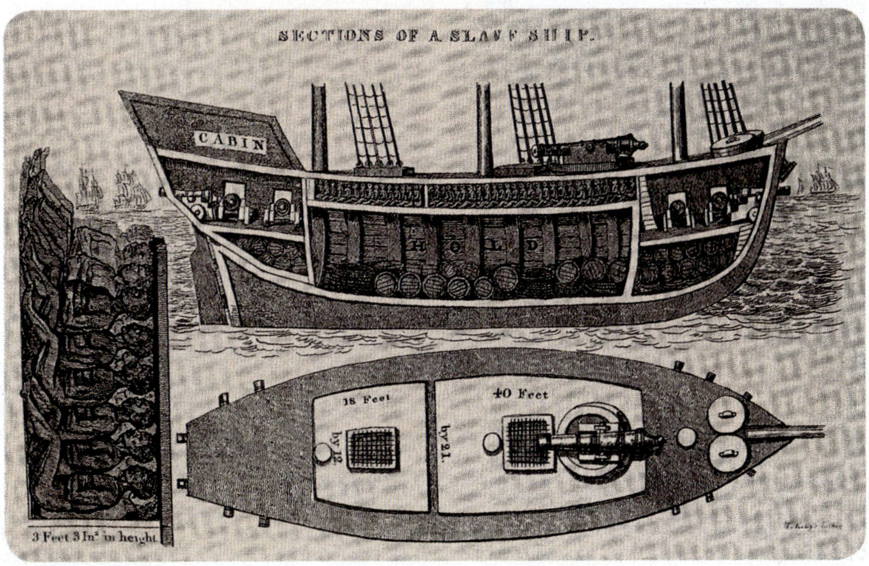

DOC. 1 *Seções de um navio negreiro*, litografia de 1830. Para elevarem os lucros no comércio negreiro, os traficantes carregavam ao máximo seus navios. A imagem dá uma ideia de como deveriam ser as condições de acomodação dos cativos na longa travessia do Atlântico.

As condições do tráfico negreiro

Assim que chegavam aos portos do Brasil, os africanos escravizados eram levados a uma alfândega, onde se fazia o controle sobre a carga do navio. Em seguida, eram encaminhados aos mercados públicos, para serem comercializados. Seguiam para seu destino em lavouras, engenhos, pastos ou centros urbanos, onde poderiam desempenhar várias atividades.

Segundo estimativas do historiador Paul Lovejoy, entre 1500 e 1800 o continente africano exportou mais de 10 milhões de escravos para várias regiões do mundo, incluindo os da rota do Mar Vermelho (cerca de 400 mil), do Saara (cerca de 2 milhões) e do Atlântico, os mais numerosos (cerca de 7,7 milhões).

Enquanto a escravidão vigorou no Brasil até sua abolição, em 1888, estima-se que mais de 4 milhões de africanos tenham sido trazidos para cá na condição de escravos, e muitos milhares de descendentes nasceram aqui já como cativos. Aos poucos, o Brasil se transformou no principal destino mundial de escravos africanos.

Além dos interesses mercantis nele envolvidos, o tráfico transatlântico de escravos africanos viu-se beneficiado por uma circunstância da natureza: os ventos e as marés favoráveis à navegação entre os litorais do Brasil e da África Ocidental. Em uma época em que as navegações eram feitas em embarcações à vela, muito mais frágeis do que as de hoje, e sem barcos a vapor ou motor, o peso dos fatores naturais era muito grande.

DOC. 2 **Os ventos e as rotas de navegação entre Brasil e África**

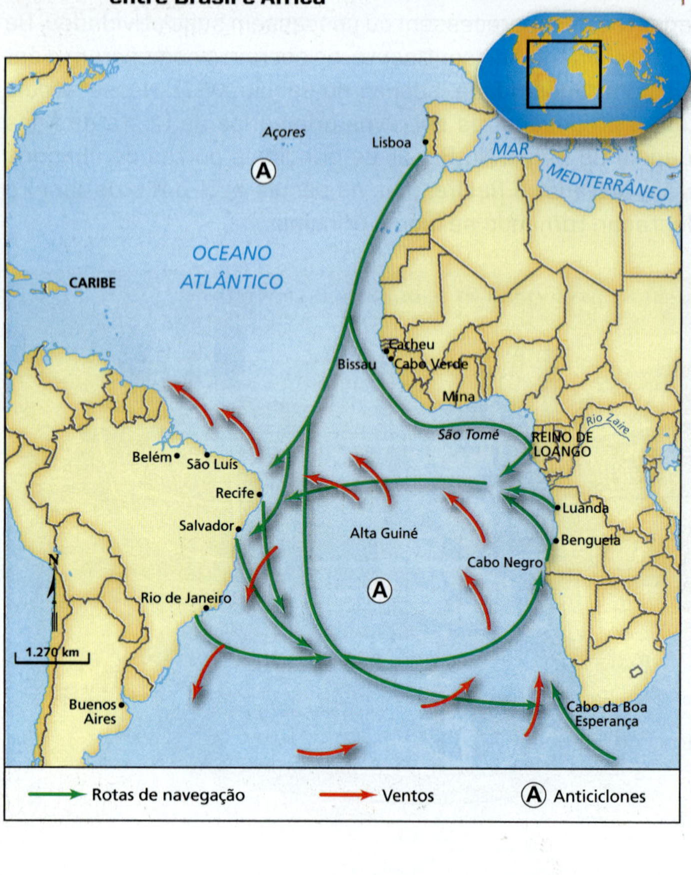

Os regimes singulares dos ventos e das correntezas do Oceano Atlântico, conhecidos como anticiclones, auxiliaram os deslocamentos marítimos entre a África e a América do Sul.

Fonte: ALENCASTRO, Luiz Felipe de. *O trato dos viventes*: formação do Brasil no Atlântico Sul. São Paulo: Companhia das Letras, 2000. p. 62.

A travessia do Atlântico entre Luanda, Benguela e São Tomé, de um lado, e Recife, Salvador e Rio de Janeiro, do outro, era impelida por ventos muito favoráveis. Na contramão, entre o Brasil e a África, a navegação conhecia boas condições mais ao sul, formando uma espécie de engrenagem natural, um grande círculo de ventos no sentido anti-horário, que tornava os contatos dos principais portos negreiros do Brasil com a África subsaariana mais fáceis que os contatos dessas regiões com Portugal e o restante da Europa **[doc. 2]**.

"Constatando a regularidade atmosférica e marítima da navegação leste-oeste, o padre Antônio Vieira interpreta o fenômeno como um presságio divino no seu 'Sermão XXVII': a 'transmigração', o transporte contínuo de angolanos nos mares do Atlântico Sul, permitia, por especial misericórdia de Nossa Senhora do Rosário, que eles fossem levados à América portuguesa para se salvarem do paganismo africano.

'Algum grande mistério se encerra logo nesta transmigração, e mais se notarmos ser tão singularmente favorecida e assistida de Deus, que não havendo em todo o oceano navegação sem perigo e contrariedade de ventos, só a que tira de suas pátrias a estas gentes [os africanos] e as traz ao exercício do cativeiro, é sempre com vento à popa, e sem mudar vela.'"

VIEIRA, Antônio. Sermão XXVII (século XVII). In: ALENCASTRO, Luiz Felipe de. *O trato dos viventes*: formação do Brasil no Atlântico Sul. São Paulo: Companhia das Letras, 2000. p. 63.

QUESTÕES

1. Que elementos da imagem indicam as condições a que estavam submetidos os africanos escravizados nos tumbeiros [doc. 1]?

2. Observe o mapa [doc. 2]. O que seria mais rápido: o transporte da Europa para a América ou a viagem no sentido oposto, da América para o continente europeu? Por quê?

CONTROVÉRSIAS Comércio triangular ou bilateral?

Tornou-se comum chamar de "triangular" o comércio transatlântico de escravos que envolvia Portugal, Brasil e África. No entanto, estudos mais recentes têm questionado o caráter triangular desse comércio, já que o peso de cada uma dessas partes não era exatamente igual. Afinal de contas, a maior parte desse comércio envolvia diretamente apenas Brasil e África, e o grosso dos lucros que ele gerava ficava nesses dois lugares.

Esse fato contraria a imagem tradicional das relações entre Portugal e Brasil: de um lado a metrópole que explorava sua colônia sem praticamente nada oferecer em troca; de outro, a colônia que só produzia para a metrópole sem nada reter para ela. É fato, por exemplo, que mercadores da Bahia e do Rio de Janeiro negociavam com agentes africanos, de modo que seus barcos, negócios e lucros iam de uma parte a outra sem passar necessariamente pela metrópole.

A dinâmica do tráfico negreiro mostra como a economia colonial era muito mais complexa do que se acreditava até algum tempo atrás: havia acúmulo significativo de riquezas na própria colônia. No entanto, isso não faz desaparecer o sentido básico dessa colonização: a exploração em benefício da metrópole.

Texto 1

"O trato negreiro entre a América e a África portuguesa extravasa os parâmetros habitualmente definidos para enquadrar o comércio colonial. A bipolaridade das relações entre os mercados brasileiros e africanos possui uma dinâmica própria que verga a política portuguesa no Atlântico. Afiguram-se duas séries de consequências. Em primeiro lugar, as carreiras marítimas reforçam certas aristocracias negreiras africanas e ampliam a oferta de escravos nos portos de trato. Em segundo lugar, esses fluxos estimulam o intercâmbio com a África, contribuindo para fixar capitais e equipamentos de navegação nesse setor e, por fim, para diminuir os custos de transporte no Atlântico Sul."

ALENCASTRO, Luiz Felipe de. *O trato dos viventes*: formação do Brasil no Atlântico Sul. São Paulo: Companhia das Letras, 2000. p. 116.

Texto 2

"Nas condições históricas em que se processa a colonização da América, a implantação de formas compulsórias de trabalho [servidão ou escravidão] decorria fundamentalmente da necessária adequação da empresa colonizadora aos mecanismos do antigo sistema colonial, tendente a promover a primitiva acumulação capitalista na economia europeia; do contrário, dada a abundância de um fator de produção (a terra), o resultado seria a constituição no ultramar de núcleos europeus de povoamento, desenvolvendo uma economia de subsistência voltada para o seu próprio consumo, sem vinculação econômica efetiva com os centros dinâmicos metropolitanos."

NOVAIS, Fernando A. *Portugal e Brasil na crise do antigo sistema colonial (1777-1808)*. São Paulo: Hucitec, 1979. p. 102.

Mar di Aethiopia Vulgo Oceanus Aethiopicus, gravura em metal de Jan Jansson, 1650. Museu Paulista/USP, São Paulo. Mesmo não contando com instrumentos precisos de medições geográficas, os cartógrafos do século XVII conseguiram reproduzir com bastante fidelidade a costa dos continentes conhecidos na época.

QUESTÕES

1. Qual texto está mais alinhado com a visão de um comércio transatlântico triangular? Qual está mais próximo da concepção de comércio bilateral? Justifique, exemplificando com argumentos presentes nos textos.
2. Em que ponto os textos parecem estar de acordo? Por que essa convergência de ideias é só inicial?

O tráfico transatlântico

Entre os séculos XVI e XIX, o tráfico de escravos da África para a América ligou os dois continentes e tornou-se um dos negócios mais lucrativos do período. Homens como Francisco Félix, nascido em Salvador, fizeram fama e fortuna. O "Chachá", como era conhecido, viveu entre 1754 e 1849 e é considerado um dos maiores traficantes do século XIX.

Destino dos escravos

Entre os séculos XVI e XIX, quase 10 milhões de escravos desembarcaram na América. Os principais destinos eram:

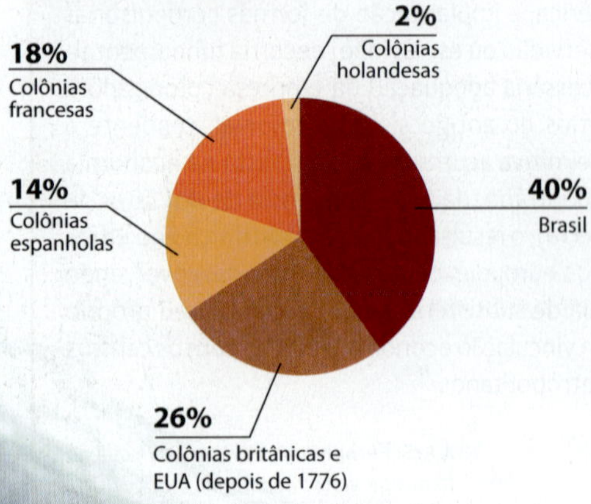

Fonte: ALENCASTRO, Luiz Felipe de. *O trato dos viventes:* formação do Brasil no Atlântico Sul. São Paulo: Companhia das Letras, 2000. p. 43.

Desembarque de africanos na América

O Brasil assumiu a liderança na compra de escravos no século XIX, quando o tráfico foi proibido.

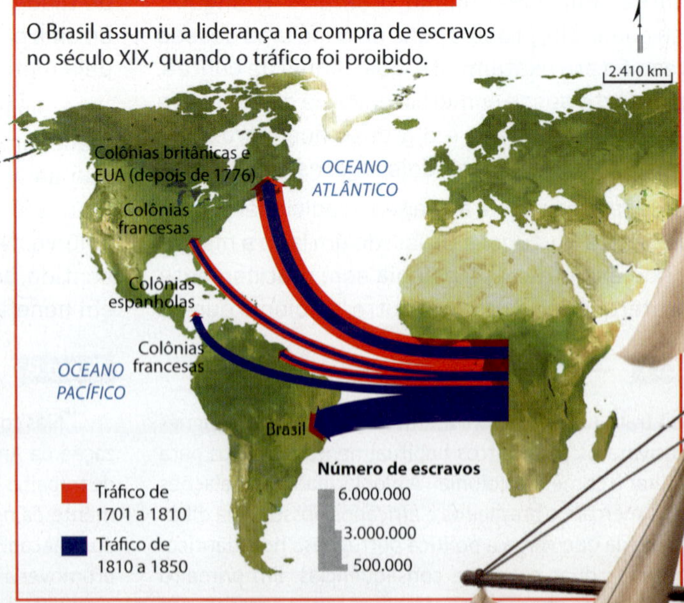

Fonte: ALENCASTRO, Luiz Felipe de. *O trato dos viventes:* formação do Brasil no Atlântico Sul. São Paulo: Companhia das Letras, 2000. p. 43.

O impulso do tráfico transatlântico

O comércio de escravos foi motivado, principalmente, por dois fatores: a possibilidade de grandes lucros e a constante procura pela mão de obra escrava no Brasil. Com a exploração brutal dos escravos, muitos deles morriam prematuramente, o que impossibilitava o crescimento natural da população escrava.

O desembarque

Ao chegarem ao Brasil, os escravos eram levados para mercados onde seriam vendidos. Lá eles eram separados conforme o gênero, a condição física e a etnia. Na imagem, *Desembarque de escravos no Rio de Janeiro*, litografia de Rugendas, 1822-1825.

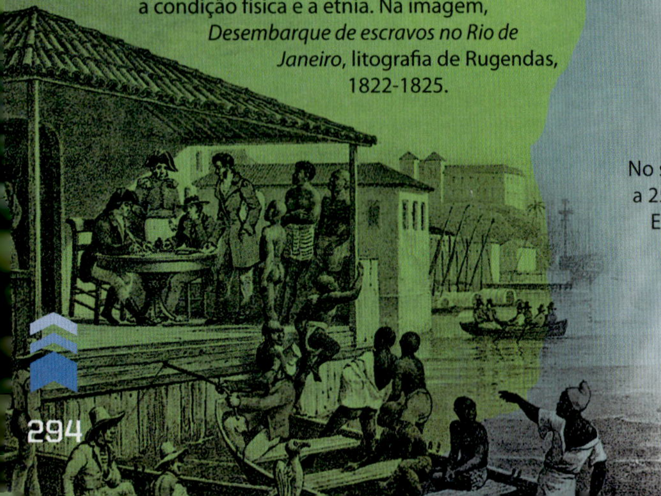

Navios da morte

No século XVI, estima-se que em média 15% a 25% dos escravos transportados morriam. Esse número diminuiu ao longo dos anos, chegando no início do século XIX a 10%.

Fontes: ALENCASTRO, Luiz Felipe de. *O trato dos viventes:* formação do Brasil no Atlântico Sul. São Paulo: Companhia das Letras, 2000; CONRAD, Robert Edgar. *Tumbeiros:* o tráfico de escravos para o Brasil. São Paulo: Brasiliense, 1985; FLORENTINO, Manolo. *Em costas negras.* São Paulo: Companhia das Letras, 1997; SCHWARTZ, Stuart. *Segredos internos:* engenhos e escravos na sociedade colonial, 1550-1835. São Paulo: Companhia das Letras, 1988.

Para avaliar a saúde e as condições físicas dos escravos, eles eram inspecionados pelos futuros compradores. *Inspection and sale of a negro*, gravura de Whitney Jocelyn Annin, c. 1850. Biblioteca do Congresso, Washington.

Representação atual de como poderia ter sido o navio negreiro em uma viagem para o Brasil no século XIX.

A prática do aprisionamento
A escravidão na África era muito anterior à chegada dos europeus, mas eles transformaram uma prática regional em um negócio transatlântico, multiplicando-a dezenas de vezes.

Dentro da legalidade
No Brasil, a escravidão e o tráfico negreiro eram instituições legalmente reconhecidas. Politicamente, havia uma legislação específica para essas práticas. No campo religioso, a Igreja Católica tinha mecanismos para explicar a existência do trabalho escravo. Havia até mesmo uma irmandade religiosa exclusiva de comerciantes de escravos.

Negócio para poucos
Os traficantes eram pessoas ricas o bastante para investir o valor de uma boa fazenda em cada viagem, pagando navio, bens para escambo e manutenção, tripulação, impostos e seguros. Ingleses, portugueses e luso-brasileiros dominavam o tráfico.

O destino dos africanos
O Rio de Janeiro foi o principal porto de desembarque de africanos nos séculos XVIII e XIX, fornecendo escravos para São Paulo, Goiás, Minas Gerais e regiões vizinhas. Até 1830, as embarcações também se dirigiam aos portos de Belém, Fortaleza, Bahia, Recife, Santos, Santa Catarina e Rio Grande do Sul.

O navio negreiro
Alguns navios negreiros tinham capacidade para transportar até 600 escravos. Em linhas gerais, a estrutura do navio dividia-se em porão, destinado ao armazenamento de água e víveres; falsa coberta, na qual eram transportados os escravos; e coberta, ocupada pela tripulação.

QUESTÕES

1. Elabore um quadro esquemático com as principais etapas do tráfico negreiro, considerando os continentes africano, americano e europeu.

2. Com base nos aspectos econômicos, políticos e religiosos, explique por que a escravidão e o tráfico negreiro se mantiveram no Brasil por mais de três séculos.

Seção 15.3

O trabalho escravo no Brasil

Objetivos

- Explicar as razões do predomínio da escravidão africana sobre a escravidão indígena.
- Identificar as condições de uma sociedade escravista.
- Reconhecer movimentos de resistência à escravidão.
- Relacionar o mercado de escravos africanos à disputa mercantil entre as repúblicas e os reinos europeus.

Termos e conceitos

- Escravidão africana
- Sociedade escravista
- Quilombo

Os "negros da terra" e os negros da "Guiné"

Quando os portugueses começaram a ocupar o Brasil, no início do século XVI, utilizaram a mão de obra nativa para explorar artigos que tinham valor comercial na Europa. Nada leva a crer que os portugueses tenham usado escravos africanos antes de 1549, quando foi criado o governo geral. Até por volta de 1570, quando a produção açucareira deslanchou na América portuguesa, o número de africanos era relativamente pequeno, e o grosso do trabalho braçal ainda era realizado pelos indígenas, fossem escravos ou livres.

Durante muito tempo, uma visão equivocada, distorcida e preconceituosa alimentou a tese de que os "negros da terra", os índios, haviam sido preteridos pelos "negros da Guiné", os africanos, porque os índios seriam, por natureza, fracos, preguiçosos, brutos e pouco afeitos ao trabalho braçal pesado. Além disso, por estarem em sua própria terra, os indígenas, uma vez escravizados, tenderiam a fugir, enquanto os africanos, distantes da sua terra, aceitariam melhor a escravidão. Claro que nada disso explica, de modo convincente, a substituição, a partir de 1570, dos "negros da terra" pelos "negros da Guiné".

Explicações para o predomínio da escravidão africana

Para entender as razões dessa mudança, vários fatores devem ser levados em conta: os conflitos entre portugueses e indígenas quando o "escambo" praticado no começo do século XVI se tornou desinteressante para os nativos; a alta mortalidade que as doenças trazidas pelos europeus causaram na população indígena; o interesse dos portugueses em estabelecer boas relações com os indígenas para tê-los como elemento de segurança na nova terra e potenciais aliados na luta contra invasores europeus; e, finalmente, a lei de proteção aos povos indígenas, promulgada pela Coroa portuguesa em 1570, que somente admitia a escravização de nativos canibais e/ou de povos que ameaçassem a segurança dos portugueses do Brasil.

Mas há um fator ainda mais importante: a introdução da **escravidão africana** no Brasil não apenas garantia o abastecimento de trabalhadores para explorar a terra, mas também impulsionava o tráfico negreiro, que era uma fonte de grandes lucros para os comerciantes e para a Coroa.

A lucratividade do comércio de escravos africanos explicaria as posições "em defesa" dos povos indígenas durante o período colonial. Quando havia africanos suficientes para o trabalho no Brasil, Coroa e missionários podiam "defender" a existência de alma entre os indígenas, passíveis de serem salvos pela conversão ao cristianismo e devendo ser protegidos da escravidão. Mas quando havia escassez de africanos, por exemplo, durante a guerra de conquista holandesa de Pernambuco, então as posições mudavam, as leis de proteção aos índios eram flexibilizadas, e os "negros da terra" eram vendidos a preços bem razoáveis **[doc. 1]**.

DOC. 1 *Vista do Portão do Conde Maurício em Pernambuco, com o mercado de escravos.* Gravura de Augustus Earle, 1824.

Uma sociedade de escravos

No Brasil, os escravos africanos estavam presentes nos engenhos e canaviais, nas minas, fazendas de gado e outras propriedades. Nas áreas rurais e nos centros urbanos realizavam tarefas domésticas e ofícios mais ou menos especializados, como de carpinteiro, sapateiro etc. Havia também os escravos de aluguel e de ganho. No primeiro caso, eram alugados por seu senhor para outras pessoas; no segundo, os escravos podiam exercer outros ofícios, desde que ao final do dia entregassem certa quantia do ganho ao seu senhor.

Por ter sido, durante vários séculos, ligado ao continente africano por meio do tráfico negreiro, praticado em larga escala, o desenvolvimento histórico do Brasil não poderia ser diferente. Pode-se avaliar que o principal resultado do comércio de escravos e da escravidão foi a formação no Brasil, nos tempos coloniais, de uma **sociedade escravista**.

O que define uma sociedade escravista?

O que define uma sociedade escravista é, em primeiro lugar, a existência da própria escravidão, que é um tipo de trabalho baseado em um dispositivo jurídico que permite a redução de um homem à condição de propriedade (privada) de outro homem. É necessário, também, que existam escravos em uma escala tão grande que as características básicas dessa sociedade, como a hierarquia social, não possam ser dissociadas da escravidão.

Em uma sociedade escravista como a do Brasil colonial, quase ninguém pensava na possibilidade de um mundo sem escravos. Antonio Vieira, por exemplo, em seus sermões públicos, comparava os sofrimentos que os negros padeciam nos engenhos aos martírios de Cristo e afirmava que, ao serem escravizados pelos portugueses, eles tinham a possibilidade de finalmente abandonarem seu paganismo e viverem em uma terra "verdadeiramente" cristã: o Brasil.

Padres agradeciam a Deus a existência da escravidão; produtores de açúcar ou café compravam escravos como se comprassem bois ou carroças; gente de baixa condição alugava o serviço de escravos para não praticar tarefas mecânicas consideradas degradantes; escravos queriam ter seus próprios escravos, e, claro, brancos, negros, mulatos, índios, homens livres, escravos e ex-escravos fundiam suas culturas, seu sangue e produziam uma paisagem social complexa, diversificada, até hoje bastante indefinível **[doc. 2]**. Tudo isso com origem na exploração colonial portuguesa e na sua lógica articulada de expansão do comércio e da fé cristã.

DOC. 2 *Extração de bicho-de-pé, cena no Brasil*, pintura de Augustus Earle, c. 1820. Biblioteca Nacional da Austrália, Canberra. Mesmo pessoas sem condição econômica privilegiada podiam ter seus próprios escravos.

A resistência contra a escravidão

As formas mais comuns de resistência iam desde a negociação informal com os senhores, a adoção de recursos jurídicos contra excessos por ele cometidos ou a preservação silenciosa de sua cultura até o uso de meios mais drásticos como suicídios, assassinatos, revoltas organizadas, fugas e a formação de **quilombos**, mais conhecidos na época como mocambos. Essas comunidades independentes de ex-escravos fugidos incomodavam muito as autoridades. A maior delas, o **Quilombo de Palmares**, localizada nas serras entre os atuais estados de Pernambuco e Alagoas, foi liquidada por uma expedição militar comandada pelo paulista Domingos Jorge Velho, em 1695, após quase um século de existência e de tentativas fracassadas de destruí-la **[docs. 3 e 4, p. 298]**.

Também havia escravos que conseguiam comprar sua própria liberdade (alforria) negociando com o senhor. O escravo podia comprar sua alforria oferecendo um montante em dinheiro, entregando outro escravo para ficar em seu lugar ou obtendo-a gratuitamente, se previsto em testamento, quando morresse o senhor. A alforria existia em toda parte, variando de intensidade conforme o lugar e a época. Em geral, as alforrias não ocorriam por razões humanitárias, mas sim para amenizar as tensões do sistema escravista. Em vez de querer fugir, o escravo se empenharia em trabalhar para obter sua liberdade.

DOC. 3 **O temor despertado por Palmares**

O texto a seguir é o trecho de uma carta do governador de Pernambuco, Fernão de Souza Coutinho, ao rei de Portugal sobre o Quilombo de Palmares.

"Há alguns anos que, dos negros de Angola fugidos ao rigor do cativeiro e fábricas dos engenhos desta capitania, se formaram povoações numerosas pela terra dentro entre os Palmares e matos, cujas asperezas e faltas de caminhos os têm mais fortificados por natureza do que pudera ser por arte e, crescendo cada dia em número, se adiantam tanto no atrevimento que com contínuos roubos e assaltos fazem despejar muita parte dos moradores desta capitania mais vizinhos aos seus mocambos, cujo exemplo e conservação vai convidando cada dia aos mais que fogem, por se livrar [do] rigoroso cativeiro que padecem, e se verem com a liberdade lograda no fértil das terras e segurança de suas habitações, podendo-se temer que com estas conveniências cresçam em poder de maneira que, sendo tanto maior o número, pretendam atrever-se a tão poucos como são os moradores desta capitania a respeito dos seus cativos; para evitar este dano, determino passar a Porto Calvo na entrada deste verão, lugar mais proporcionado para se fazer esta guerra e dali [...] mandar abrir caminhos para os ditos Palmares, por onde possam ser investidos e arrasadas as suas povoações, continuamente, até de todo se extinguirem e ficar livre esta capitania deste dano que tanto a ameaça; e posta que não são poucas as dificuldades que para este fim se me oferecem, pelas asperezas das terras, falta de caminhos e de carruagem, e para os mantimentos que em todo este Estado se não podem conduzir senão às costas de negros por falta de estradas para carros, nem para mais que um homem atrás do outro. Contudo, espero que a boa diligência seja poderosa para vencer todos estes inconvenientes [...] mas porque se não poderá obrar coisa alguma sem grande despesa da fazenda de vossa alteza, é necessário que vossa alteza seja servido havê-lo assim [...] e mandar-me ordem para isso, sem embargo de que procurarei que os poucos contribuam com tudo o que lhe for possível, como fiz para o socorro de Angola e, creia Vossa Alteza, não está menos perigoso este Estado com o atrevimento destes negros, do que esteve com os holandeses, porque os moradores nas suas mesmas casas e engenhos têm os inimigos, que os podem conquistar se se resolverem; a seguir têm pernicioso exemplo, admoestados dos mesmos rebeldes que os comunicam, tendo já tendas de ferreiros e outras oficinas com que poderão fazer armas, pois usam de algumas de fogo que de cá levam; e este sertão é tão fértil de metais e salitre, que tudo lhes oferece para sua defesa, se lhes não faltar a indústria que também se pode temer dos muitos que fogem — já práticos em todas as mecânicas. E porque de semelhantes perigos desprezados se vêm ordinariamente a ocasionar danos irreparáveis, me pareceu opor-me aos que daqui podem resultar.

Quererá Deus ajudar-me para que consiga deixar esta capitania livre desta perturbação, que será para mim o maior prêmio de todos os serviços que a vossa alteza desejo fazer [...]."

Fernão de Souza Coutinho [1671].
In: INÁCIO, Inês da Conceição; LUCA, Tania Regina de. *Documentos do Brasil colonial*. São Paulo: Ática, 1993. p. 77-78.

DOC. 4 **Quilombos no Brasil (século XVII ao XIX)**

A maioria dos quilombos localizava-se em regiões bastante afastadas dos principais centros populacionais da colônia.

Fonte: *Brasil 500 anos*: atlas histórico. São Paulo: Três, 1998. p. 21.

Uma mão de obra valiosa: o escravo africano

Matar um escravo era considerado contraproducente, pois no regime escravista português o trabalhador cativo custava caro. Além de ter sua força de trabalho quase que completamente expropriada pelo senhor, o escravo vivia pouco, dadas as terríveis condições de existência, iniciadas desde sua captura na África, passando pela travessia atlântica nos tumbeiros, chegando enfim às lavouras, engenhos, minas e cidades. Segundo cálculos do historiador Stuart Schwartz, o trabalho de um escravo compensava seu preço de aquisição após um período de 13 a 16 meses de trabalho.

Dificilmente um escravo viveria além dos 30 anos de idade. Essa estimativa de vida hoje pode nos parecer aterrorizante. De fato, ela é. A Noruega, por exemplo, o país com o melhor Índice de Desenvolvimento Humano (IDH) do mundo em 2007, tinha uma expectativa de vida de 83 anos para as mulheres e 78 anos para os homens. No Brasil, essa expectativa podia chegar a 76 e 68, respectivamente. Já populações da África subsaariana, que seiscentos anos atrás conheceram de perto as mazelas da escravidão, apresentam dados de qualidade de vida que lembram os tempos da escravidão. Em Angola, em 2007, a expectativa de vida dos homens era de 36 anos e a das mulheres 38 anos.

Sendo o escravo uma mercadoria cara, a disputa pelos mercados fornecedores dessa mão de obra era ferrenha, e envolveu, em diferentes épocas, portugueses, espanhóis, holandeses, franceses e ingleses, além de mercadores italianos e judeus. As guerras entre os países envolvidos eram frequentes, cada um procurando derrotar os adversários oferecendo produtos mais atraentes como moeda de troca. Mercadores portugueses e do Brasil, por exemplo, adquiriam escravos na África oferecendo produtos como tabaco e cachaça.

Essa competição se acirrou com a constituição, no final do século XVI, das Províncias Unidas dos Países Baixos (conhecidas como Holanda), e que no início do século seguinte ingressou com muita força na competição internacional. A luta dos holandeses contra o Império Espanhol – especialmente contra os territórios portugueses, que desde 1580 faziam parte dos domínios espanhóis – redesenhou o cenário da colonização europeia em todo o mundo **[doc. 5]**. Foi aí que o Império Português declinou da Ásia e buscou, em compensação, se fortalecer na América e na África.

QUESTÕES

1. Releia o texto **[doc. 3]** e responda.

a) Quais perigos, segundo a carta, o Quilombo de Palmares representava para a capitania?

b) Qual solicitação foi feita pelo autor ao rei de Portugal?

c) O que se pode observar no texto em relação aos sistemas de comunicação e transporte da colônia?

2. Que visão as imagens expressam a respeito dos escravos e da sociedade colonial **[docs. 1 e 2]**?

DOC. 5 *Ataque da armada holandesa a navios portugueses no porto de Goa*, pintura de Hendrick van d'Anthonissen, 1643. Museu Nacional, Amsterdã. Portugueses e holandeses travaram várias batalhas pelo controle dos mercados fornecedores de matérias-primas de alto valor comercial.

ANALISAR UM DOCUMENTO HISTÓRICO

O pensamento religioso e uma sociedade escravista

Nas sociedades que praticaram, lucraram e sofreram com a escravidão realizada pelos europeus na África e nas Américas a partir do século XV, é inegável que essa forma de trabalho marcou profundamente todos os aspectos da vida social. Pinturas da época registram o comércio humano de africanos ligando o Brasil e a África; textos descritivos dessas regiões sempre mencionam a presença de escravos ou de gente envolvida na sua exploração; relatórios governamentais falam do perigo de estourarem rebeliões escravas; enquanto sermões de padres católicos buscam justificar a prática da escravidão. Enfim, nos artefatos culturais produzidos por essas sociedades, a escravidão está em toda parte.

1

Levante de escravos num navio negreiro, óleo sobre madeira de 1756. Museu de Etnologia do Porto. Ex-voto do capitão de navio negreiro Francisco de Sousa Pereira, que agradece a Nossa Senhora do Rosário do Castelo o milagre realizado.

2

Placas de agradecimento (ex-votos) na Igreja de Nossa Senhora Desatadora de Nós. Município de Armação dos Búzios, estado do Rio de Janeiro, em 2009. Os ex-votos foram confeccionados em agradecimento por diversas graças supostamente alcançadas.

Para compreender o documento

Ex-voto suscepto significa, em latim, o voto realizado. É uma manifestação artístico-religiosa de forte base popular, presente em todas as épocas e culturas.

1. O ex-voto é colocado em uma igreja ou capela, geralmente em forma de quadro, pintura, placa ou escultura.
2. Ele é oferecido a um santo ou divindade como pagamento por uma graça supostamente alcançada.
3. Está associado à graça que o devoto teria conseguido do santo ou divindade.
4. É comum uma pessoa que teve, por exemplo, uma doença na mão oferecer como ex-voto um molde em gesso de sua mão.
5. Uma pessoa que teve um parente curado de doença grave costuma oferecer uma foto dessa pessoa.

QUESTÕES

1. Descreva cada uma das imagens.
2. O que teria acontecido para que cada um desses objetos tenha sido oferecido como um ex-voto? Por quais supostos milagres as pessoas estavam agradecendo?
3. Considerando que um ex-voto foi feito no século XXI e outro no século XVIII, seria possível, hoje em dia, alguém fazer um ex-voto como aquele da imagem 1? Por quê?

Retomar conteúdos

1 A escravidão já existia na África antes da chegada dos portugueses. A entrada dos lusitanos nessa prática, contudo, alterou seu funcionamento e seu significado. Tomando o quadro abaixo como modelo, compare a escravidão antes e depois da chegada dos portugueses à África.

	Antes da chegada dos portugueses	Depois da chegada dos portugueses
Formas como os africanos eram reduzidos à condição de escravos		
Atividades realizadas pelos escravos		
Significado da escravidão		

2 Explique por que, para os portugueses, os fatores econômicos e religiosos estavam intimamente ligados no processo de exploração da África.

3 Compare a *mita*, regime de trabalho estabelecido pelos espanhóis no Vice-Reinado do Peru, com a escravidão africana introduzida pelos portugueses no Brasil, estabelecendo semelhanças e diferenças.

Ler textos e imagens

4 O pintor francês Jean-Baptiste Debret permaneceu no Brasil de 1816 a 1831. Em seu vasto trabalho há representações de paisagens, da família real portuguesa e principalmente do cotidiano marcado pela presença dos escravos. Veja detalhe da imagem *Cabeças de negros de diferentes nações* e depois leia um comentário do próprio Debret sobre ela.

Detalhe de *Cabeças de negros de diferentes nações*, de Jean-Baptiste Debret, século XIX.

"[...] Os escravos negros do Rio de Janeiro importam tatuagens variadas, que distinguem as diferentes nações. [...]

O número 1 é um negro *monjolo*, reconhecível pelas incisões verticais das faces. O número 2 é um negro *mina*, de tez bronzeada, bastante clara; sua tatuagem constitui-se de uma série de pequenos pontos formados pelo inchaço das cicatrizes [...]. Número 3, belo *moçambique do sertão*; é um negro de elite, empregado nos armazéns da alfândega; é reconhecível não somente por causa do lábio superior e das orelhas furadas, mas ainda pela espécie de meia-lua na testa, marca feita com ferro quente nos negros vendidos na costa de Moçambique. Número 4, outro *moçambique*, de menor estatura e tez mais clara, sobre a qual se destacam em preto-azulado as cicatrizes da tatuagem; a cor da pele indica que ele é do litoral. Número 5, belo negro *banguela*, cujo penteado de detalhes requintados apresenta três matrizes: o mais claro correspondendo às partes raspadas a navalha, o seguinte às partes cortadas rente com tesoura e o mais escuro à parte de cabelos cortados a uma polegada do couro cabeludo."

DEBRET, Jean-Baptiste. *Viagem pitoresca e histórica ao Brasil*. Belo Horizonte: Itatiaia; São Paulo: Edusp, 1989. p. 146-147. t. II.

a) Como Debret classificou os escravos? Ele compartilhava da visão dos senhores de escravos no Brasil? Justifique.

b) A obra de Debret é marcada pela forma realista de representar o mundo, porém não pode ser vista como um retrato fiel da realidade. Com base na imagem e no texto, explique como o cientificismo e o racismo do século XIX fundamentaram a obra do francês.

5 Leia o texto a seguir para responder às questões.

"Quando são permutados, sofrem o sinal privativo do sertanejo que os leva na escravidão, para serem conhecidos, e achados, em caso de fuga. [...] Chegando ao porto marítimo, onde hão de ser embarcados, aí tornam a ser marcados no peito direito com as armas do rei, e da nação, de quem ficam sendo vassalos, e vão viver sujeitos na escravidão; cujo sinal a fogo lhes é posto com um instrumento de prata no ato de pagar os direitos, e a esta marca lhe chamam carimbo.

Sofrem também mais outra marca, ou carimbo, que a fogo também lhes manda pôr o privativo senhor deles, debaixo de cujo nome e negociação eles são transportados para o Brasil; a qual lhes é posta ou no peito esquerdo ou no braço, para também serem conhecidos no caso de fuga [...]."

MENDES, Luiz Antonio de Oliveira. *Memória a respeito dos escravos e tráfico da escravatura entre a Costa d'África e o Brasil – apresentada à Real Academia de Ciência de Lisboa* (1793). Porto: Publicações Escorpião, 1977. p. 28-29.

a) Qual a função do carimbo em cada etapa do processo de transformação do africano em escravo?

b) Qual o significado do carimbo para o escravo?

Capítulo

16 A mineração na América portuguesa

16.1 A descoberta do ouro no Brasil

A descoberta de ouro em Minas Gerais proporcionou um novo fôlego para a debilitada economia portuguesa.

16.2 Sociedade e economia das Minas Gerais

A exploração do ouro na colônia possibilitou o desenvolvimento urbano, o crescimento de outras atividades e uma maior integração entre as capitanias.

16.3 A religiosidade e a cultura do barroco

As igrejas barrocas de Minas Gerais revelam a ligação entre arte, religião e sociedade na América portuguesa.

A riqueza de Ouro Preto

Costuma-se dizer que o brasileiro é um povo "sem memória", e que o Brasil é um país que não valoriza nem preserva seus acervos arquitetônicos e artísticos. Tais afirmações têm boa parcela de verdade, embora nem sempre essas características negativas sejam específicas dos brasileiros e do Brasil, já que também são encontradas em outras sociedades e países do mundo.

Poucas paisagens atuais do Brasil parecem oferecer, de modo tão evidente, aspectos de nossa história e cultura como as chamadas "cidades históricas" de Minas Gerais. Ouro Preto, antiga Vila Rica, foi o principal centro urbano do chamado "ciclo do ouro", cujo ápice deu-se no século XVIII.

Embora a atual Ouro Preto seja uma cidade muito mais complexa do que era no passado colonial, ainda conserva muitas características peculiares daquele período, como as ruas estreitas e sinuosas, as fachadas das casas com portas e janelas de madeira, as igrejas católicas suntuosas e cheias de detalhes decorativos etc.

Impossível não ver em uma paisagem atual como essa uma história tão importante e fascinante como a da exploração do ouro no Brasil do século XVIII. Uma história que, conforme veremos neste capítulo, mostrou-se crucial para a transformação das características da colonização portuguesa na América.

Vila Rica, atual Ouro Preto, no início do século XIX, pintura de Thomas Ender, 1832. Academia de Belas Artes, Viena.

A descoberta do ouro no Brasil

Objetivos

- Relacionar a descoberta de ouro na América portuguesa com a recuperação econômica do Reino Português.
- Identificar as técnicas e as ferramentas utilizadas na extração aurífera realizada no século XVIII.

Termos e conceitos

- Balança comercial
- Bandeirantes
- Ouro de aluvião
- Trabalho escravo
- Guerra dos Emboabas

Um império em declínio

Desde meados do século XVII, Portugal atravessava uma fase de graves problemas financeiros. O Império Português havia perdido para a Holanda o controle das principais rotas de comércio do Oceano Índico e grande parte das possessões coloniais que possuía na Ásia **[doc. 1]**. As rendas obtidas com o Brasil tinham decaído em razão das guerras de restauração de Pernambuco e da queda do preço do açúcar nos mercados mundiais, que passaram a contar com o açúcar de melhor qualidade produzido pela França, Holanda e Inglaterra nas ilhas do Caribe. Havia também uma situação de persistente balança comercial desfavorável, que Portugal não conseguia reverter **[doc. 2]**.

Várias tentativas para dinamizar a economia portuguesa vinham sendo feitas, como a reorganização da exploração comercial das colônias e ensaios de industrialização da economia portuguesa na Europa. No entanto, essas medidas mostraram-se insuficientes. A situação de crise do Império Português só começou a mudar no final do século XVII, quando, após anos de tentativas frustradas, os portugueses finalmente conseguiram encontrar grandes jazidas de ouro em território americano.

DOC. 1 O porto de Lisboa, em Portugal, em pintura do século XVIII. Museu Marítimo, Roterdã. Apesar do declínio da economia portuguesa, a atividade mercantil continuava ativa, como mostra o movimento de navios no porto.

DOC. 2 **A economia portuguesa**

"O renascimento econômico de Portugal e do seu império ultramarino, que todos esperaram que se seguisse à conclusão definitiva da paz com a Espanha e com as Províncias Unidas em 1668-1669, não se materializou de modo algum durante as duas décadas seguintes. A economia portuguesa dependia sobretudo da reexportação do açúcar e tabaco brasileiros, e da exportação dos próprios portugueses – sal, vinhos e frutas – para pagar as importações de cereais, tecidos e outros produtos manufaturados. O valor dessas exportações nunca foi suficiente para pagar o das importações; e a situação da balança de pagamentos portuguesa tornou-se cada vez mais crítica com o aparecimento da produção açucareira das Índias Orientais inglesas e francesas que começou a competir com a brasileira, mais antiga."

BOXER, Charles. *O império marítimo português (1415-1825)*. Lisboa: Edições 70, s/d. p. 155.

- **Balança comercial.** Expressão utilizada para descrever a relação que determinada economia nacional mantém entre o que importa e o que exporta. Se um país exporta mais do que importa, apresenta uma balança comercial favorável, e sua economia é forte; mas se um país importa mais do que exporta, sua balança comercial torna-se desfavorável e sua economia deficitária e fraca.

A busca pelo ouro

Já no século XVI, muitas expedições percorriam o interior do Brasil. Organizadas por colonos ou pela própria Coroa portuguesa, visavam explorar o território, buscar indígenas para escravização e encontrar pedras e metais preciosos. Os metais preciosos eram, na época, um dos principais indicadores de riqueza e poder das potências em competição no mundo ocidental. Além disso, a busca dos portugueses era estimulada pelo fato de os espanhóis terem encontrado muito ouro e prata no México e no Peru.

Algumas dessas expedições exploratórias, chamadas **bandeiras**, eram levadas a cabo por particulares que viviam em São Paulo. Elas tinham como principal objetivo apresar indígenas e escravizá-los para trabalharem nas plantações paulistas, nas quais os escravos africanos - mercadoria cara - eram pouco acessíveis. As bandeiras também poderiam, eventualmente, descobrir pedras preciosas e minérios, mas, nas poucas vezes em que isso acontecia, as quantidades descobertas eram pequenas.

Posteriormente transformados em "heróis nacionais", desbravadores do território, os **bandeirantes** foram, na verdade, caçadores e comerciantes de nativos bastante cruéis **[doc. 3]**. Também organizavam expedições militares de caça a escravos negros fugitivos e de destruição de quilombos, como ocorreu com o de Palmares, no fim do século XVII.

As expectativas da Coroa portuguesa de encontrar metais preciosos na colônia tornaram-se realidade entre 1693 e 1695, quando as primeiras jazidas de ouro foram descobertas próximas à atual cidade mineira de Sabará. A região até então não era habitada por europeus e seus descendentes, sendo apenas cruzada ocasionalmente por bandeirantes paulistas. É provável que essas descobertas iniciais tenham ocorrido graças à atividade desses bandeirantes.

Logo, muitas outras jazidas de ouro foram encontradas, e em dez anos as chamadas Minas Gerais tinham se constituído em uma região populosa e dinâmica, centro irradiador de uma riqueza que ajudou na recuperação econômica do Império Português e teve impactos importantes em todo o mundo ocidental.

Em 1718, os portugueses acharam ouro também na região de Mato Grosso e, em 1722, jazidas em Goiás **[doc. 4]**. Com isso, começou de fato a ocupação do interior da América portuguesa, com fluxos de pessoas e mercadorias, urbanização, numerosos conflitos sociais e também com a extensão da política administrativa imperial portuguesa para essas regiões, que até então tinham pouca importância no conjunto dos domínios metropolitanos.

DOC. 3 **O mito dos bandeirantes**

No início do século XX, época em que o quadro foi pintado, os bandeirantes eram representados pela elite paulista como heróis nacionais. A pintura serviria, assim, aos desígnios de uma nova elite ligada à produção de café, que exigia representações de sua própria classe. A caracterização de Domingos Jorge Velho é um bom indicativo dessa necessidade. Ele foi representado como um senhor austero, de idade avançada, numa alusão à ancestralidade e ao enraizamento dos paulistas.

Domingos Jorge Velho, pintura de Benedito Calixto, 1903. Museu Paulista/USP, São Paulo.

DOC. 4 **A região das Minas**

Fonte: *Atlas histórico escolar*. Rio de Janeiro: FAE, 1991. p. 32.

Corrida para as minas

As características geográficas da região das minas, com altas montanhas, vales e rios de grande correnteza, dificultavam o acesso dos exploradores. Os mineiros que saíam do litoral demoravam aproximadamente um mês para chegar às minas. Após a extenuante viagem, os acampamentos debilitavam ainda mais os exploradores: os alimentos eram escassos, e os preços das mercadorias exorbitantes. Até que as primeiras roças fossem plantadas e colhidas, a privação daqueles que se aventuravam sem recursos era muito grande.

Gente de toda parte do Brasil, de Portugal e também de outros países tentou se estabelecer na região das minas **[doc. 5]**, não tanto na esperança de enriquecer, pois a Coroa portuguesa logo restringiu a exploração das jazidas apenas a quem possuísse escravos e riquezas necessários ao investimento nessa tarefa, mas, principalmente, em razão da enorme demanda por todo tipo de trabalho que, imediatamente, criou-se na região.

Para ter uma ideia da rapidez com que isso ocorreu, em 1690, antes do início da mineração, a população total do Brasil girava em torno de 242 mil pessoas. Em 1766, a população tinha saltado para aproximadamente 1,5 milhão de habitantes; só em Minas Gerais viviam cerca de 300 mil pessoas.

Nas minas havia pessoas de todo tipo: nobres; grandes comerciantes; funcionários reais de alto, médio e baixo escalão; religiosos; trabalhadores livres, médios e pobres; aventureiros de toda ordem; e, claro, muitos escravos. A maioria esmagadora era de homens, e entre as poucas mulheres havia muitas prostitutas. Juntos, todos esses grupos sociais reproduziram em Minas Gerais as hierarquias já existentes no restante da colônia e baseadas em uma classificação básica: ser livre ou ser cativo.

Em Minas Gerais não se criou uma nova sociedade, mas uma típica sociedade colonial com algumas características peculiares. Tamanho contingente de pessoas diferentes se instalando, de modo tão rápido, em um território até então completamente despovoado de europeus e de seus descendentes criou, nos primeiros momentos da mineração, diversos conflitos, crises de abastecimento e de fome, que foram sendo contornados com o passar dos anos.

DOC. 5 *Caravana de mercadores se dirigindo ao Tijuco*, gravura de Johann Moritz Rugendas, c. 1825. Fundação Biblioteca Nacional/DRD/Div. de Iconografia, Rio de Janeiro. A descoberta de ouro e depois de diamantes, nas Minas Gerais, atraiu para a região pessoas de várias partes da colônia e de Portugal.

As técnicas de extração do ouro

Na região das minas, a fonte mais comum de ouro eram as chamadas minas de aluvião, encontradas junto às margens dos rios ou nos cursos d'água. Os exploradores garimpavam os leitos com o auxílio da **bateia**, instrumento que ajudava os mineiros a separar o cascalho e a areia das partículas e pepitas de ouro **[doc. 6]**. A extração do **ouro de aluvião** exigia menos recursos que a feita em minas subterrâneas, por isso, no período colonial, predominou esse tipo de extração.

Outra técnica de exploração do ouro era a **grupiara**. Os depósitos de ouro encontrados nas encostas das montanhas eram escavados e levados até a água para serem bateados.

A água também poderia ser transportada até os morros por meio de rodas-d'água. As pedras eram lavadas e o ouro separado de outros resíduos com a ajuda do trabalho de mineradores. Independentemente da técnica utilizada, a água era vital para o sucesso da mineração.

Ao longo do século XVIII, as técnicas e materiais utilizados na extração do ouro pouco mudaram, apesar das solicitações dos mineiros para que a Coroa enviasse técnicos ao Brasil, pedidos esses ignorados pelas autoridades metropolitanas. Um dos desenvolvimentos técnicos mais significativos foi a criação de máquinas hidráulicas, que aumentavam a disponibilidade de água nas lavras.

- **Mina de aluvião.** Refere-se ao ouro de aluvião. Encontrado no leito e nas margens dos rios, resultava de um longo processo natural de desgaste das rochas.
- **Lavra.** Terreno de onde se extraem os minérios.

DOC. 6 Extração de ouro com bateias, gravura do século XIX.

A mão de obra

Apesar de a mão de obra indígena ter sido utilizada em algumas regiões de exploração aurífera, o **trabalho escravo** africano era o mais expressivo, principalmente quando os negros eram oriundos da Costa da Mina. Acreditava-se que eles eram os mais indicados para o trabalho nas minas, por serem mais fortes e resistentes às doenças. Muitos tinham experiência prévia em mineração e conheciam técnicas de extração de ouro que foram incorporadas ao dia a dia da colônia.

A taxa de mortalidade dos escravos que trabalhavam na extração de ouro era bastante alta; em média eles viviam de sete a doze anos nas minas. Insolação, disenteria, pneumonia e malária eram as doenças mais comuns que afetavam os mineiros, escravos ou não.

A Guerra dos Emboabas

A grande instabilidade social do início da mineração resultou em diversos conflitos armados, sendo o mais conhecido deles a chamada **Guerra dos Emboabas**. Ocorrida nos sertões mineiros entre 1708 e 1709, resultou de tentativas de controle, por parte dos colonos, das lavras descobertas e do aparato administrativo local.

Na época, a presença da Coroa portuguesa ainda era tímida na região. Os portugueses paulistas já disputavam as áreas com portugueses de outras regiões, chamados pelos paulistas de **emboabas** (que quer dizer "estrangeiros"). Os emboabas, liderados por Manuel Nunes Viana, conseguiram expulsar os paulistas e afrontaram até mesmo o governador da capitania do Rio de Janeiro (à qual a região das minas estava, de início, subordinada).

Em 1709, a Coroa decidiu intervir diretamente para pôr fim aos conflitos. Separou as Minas Gerais da capitania do Rio de Janeiro, unindo a região à capitania de São Paulo, e enviou para lá um novo governador. O fim da Guerra dos Emboabas não significou uma completa pacificação da região, mas marcou o início da presença ostensiva da administração imperial portuguesa nas Minas Gerais.

QUESTÕES

1. Releia o texto **[doc. 2]** e responda.
   a) Quais eram os principais produtos importados e exportados por Portugal?
   b) Por que Portugal não conseguia equilibrar sua balança comercial? O que contribuiu para o agravamento dessa situação?
2. A colonização portuguesa na América concentrou-se inicialmente em áreas próximas ao litoral. Sabendo disso, e observando o mapa, comente a inovação trazida pela descoberta de metais preciosos no processo de ocupação da América portuguesa **[doc. 4]**.

Sociedade e economia das Minas Gerais

Objetivos

- Compreender a importância da atividade mineradora para a integração dos territórios da colônia.
- Conhecer as principais formas de tributação e controle estabelecidas pela Coroa portuguesa na região das minas.
- Conhecer o tipo de sociedade e as formas de solidariedade existentes na região mineradora.
- Compreender os limites do enriquecimento por meio de uma fonte não renovável.

Termos e conceitos

- Urbanização
- Integração territorial
- Tropeiros
- Quinto
- Casas de fundição
- Capitação
- Irmandades leigas
- Tratado de Methuen

A criação de vilas e cidades

De início, populações de portugueses e seus descendentes estabeleciam pequenos povoados na região das minas, construindo casas próximas a caminhos terrestres ou fluviais e plantando gêneros de subsistência que lhes permitissem permanecer no local. Se a área começasse a ganhar importância, poderia receber da Coroa um documento oficial, chamado **foral**, que transformava o povoado em uma **vila**. As primeiras vilas de Minas Gerais foram criadas em 1711: a Vila Leal de Nossa Senhora do Carmo, atual Mariana; Sabará; e Vila Rica, atual Ouro Preto.

Toda vila deveria ter um aparato administrativo básico, controlado pela Coroa: a Câmara Municipal, a cadeia, o pelourinho, funcionários de diversos níveis, além, claro, de igrejas. Assim, o que até então era um simples povoado passava a ser um centro urbano, onde a metrópole se fazia presente, inclusive arrecadando impostos. Por vezes, a vila poderia ser elevada ainda mais em sua condição político-administrativa, tornando-se uma **cidade** [doc. 1].

A urbanização nas Minas Gerais

Foi nas Minas Gerais que outro fenômeno muito importante teve lugar nas terras portuguesas da América: uma modificação no padrão de **urbanização** que até então existia na colônia. As construções das vilas e cidades ficaram mais suntuosas, sobretudo os edifícios religiosos e os do poder público. Além disso, a ocupação daquelas terras foi realizada de modo muito mais rápido e intenso do que em qualquer outra parte da América portuguesa até então. Por isso esses centros urbanos adquiriram, de início, feições mais caóticas do que os de outras partes, levando algum tempo para que começassem a ser ordenados pelo poder público e, consequentemente, administrados e controlados por ele.

DOC. 1 Vista da cidade de Ouro Preto, Minas Gerais. Foto de 2007.

A integração do território

Até o início da exploração do ouro nas Minas Gerais, as regiões da América portuguesa viviam em estado de grande isolamento. As rotas fluviais eram limitadas, pois nem todos os rios eram conhecidos ou navegáveis. A navegação por mar, em tempos de barcos a vela, dependia de ventos e marés, que em muitos casos tornavam impossível perfazer certas distâncias com alguma segurança. As rotas terrestres costumavam acompanhar o fluxo de grandes rios, como o São Francisco, o Amazonas e o Tietê, mas ainda não tinham sido bem estabelecidas.

A intensa atividade econômica das Minas Gerais, bem como as descobertas de ouro em Mato Grosso e Goiás, possibilitou a **integração territorial** de quase todas as partes dessas imensas regiões, incluindo o Amazonas, o sertão nordestino, a costa da Bahia, Rio de Janeiro, São Paulo e Rio Grande do Sul, até o Rio da Prata. A crescente importância econômica do Centro-Sul levou a metrópole a transferir a capital de Salvador para o Rio de Janeiro em 1763 **[doc. 2]**.

A ação dos tropeiros

Uma parcela importante dessa interiorização devia-se à atividade comercial dos **tropeiros**, praticada por vias terrestres desde o século XVII nos sertões do Rio São Francisco e de toda a atual região Nordeste do Brasil **[doc. 3]**. No século XVIII, essa atividade seria praticada extensivamente também no sul do país, passando por São Paulo até chegar a Minas Gerais. Os tropeiros conduziam grandes conjuntos de animais por largas distâncias, transportando também carne-seca, toucinho, peles, couros e outros derivados da pecuária.

Riqueza para poucos

Assim como no Nordeste açucareiro, na região das minas o trabalho escravo convivia com o assalariado, dada a variedade de tarefas complementares envolvidas na mineração, como o comércio, a produção de alimentos e a construção civil.

Durante muito tempo, acreditou-se que a sociedade das Minas Gerais tinha oferecido mais oportunidades de trabalho e de enriquecimento do que as de outras partes da colônia portuguesa na América. Supostamente, a possibilidade de encontrar ouro poderia elevar rapidamente a condição econômica e social de qualquer colono.

Novas pesquisas sobre o tema apontaram que não era isso o que ocorria na região. A exploração das jazidas, assim como a produção do açúcar, era uma tarefa muito cara, que demandava pesados investimentos. Ela era concedida pela Coroa somente àqueles que tivessem riqueza e escravos suficientes para poderem explorar um quinhão de terra e tributar uma parte do minério nele encontrada para o governo português. Não era possível, portanto, que qualquer um enriquecesse com o ouro: isso só ocorreria com os mineradores que já tivessem recursos.

Além disso, a organização social na região mineradora era semelhante à de outras partes da colônia, o que significava uma hierarquia profundamente excludente e com poucas possibilidades de verdadeira ascensão social. Era uma sociedade escravista, como em outras partes, e a riqueza só se convertia em *status* social quando o indivíduo preenchesse outros requisitos necessários, incluindo a crença religiosa (católica) e a cor da pele (branca). Não havia, portanto, nas Minas Gerais do século XVIII, nenhum esboço de democracia social, assim como no restante da colônia.

DOC. 2 **O novo eixo econômico da colônia**

"Há exagero em dizer que a extração do ouro liquidou a economia açucareira do Nordeste. Ela já estava em dificuldades vinte anos antes da descoberta do ouro e, como vimos, não morreu. Mas não há dúvida de que foi afetada pelos deslocamentos de população e, sobretudo, pelo aumento do preço da mão de obra escrava, dada a ampliação da procura. Em termos administrativos, o eixo da vida da colônia deslocou-se para o Centro-Sul, especialmente para o Rio de Janeiro, por onde entravam escravos e suprimentos e por onde saía o ouro das minas. Em 1763, a capital do Vice-Reinado foi transferida de Salvador para o Rio. As duas cidades tinham aproximadamente a mesma população (cerca de quarenta mil habitantes), mas uma coisa era ser a capital e, outra, apenas a principal cidade do Nordeste."

FAUSTO, Boris. *História do Brasil*. São Paulo: Edusp, 2008. p. 99.

DOC. 3 *Tropeiros pobres de São Paulo*, pintura de Jean-Baptiste Debret, 1823. Museus Castro Maya, Rio de Janeiro.

O controle das minas pela Coroa

O Império Português recorreu a diferentes estratégias para defender seus interesses na região das minas.

A tributação do ouro e a reação dos colonos

Para garantir a lucratividade com a exploração aurífera, a Coroa portuguesa criou mecanismos de cobrança de impostos.

A forma mais comum de arrecadação em cima do ouro era o chamado **quinto**, criado em 1700, o qual estabelecia a obrigatoriedade de entregar à Coroa um quinto do ouro extraído pelos mineradores. O controle da cobrança do tributo era realizado nas **casas de fundição**, criadas entre 1717 e 1719, fora da região mineradora, para onde todo o ouro extraído deveria ser levado, contado, selado e tributado. A **capitação** era outro imposto, definido com base no conjunto dos bens (inclusive escravos) que cada um dos envolvidos na mineração possuía.

A cobrança de tais impostos gerava muita insatisfação entre os colonos, muitas vezes induzindo-os à revolta contra as autoridades reais locais. Não que se recusassem a pagar os impostos, mas se queixavam de cobranças acumuladas, que resultavam em montantes que muitas vezes eles não podiam pagar, ou só o poderiam à custa de muito sacrifício. Foi o que ocorreu em 1720, quando vários habitantes de Vila Rica, liderados por Filipe dos Santos, protestaram veementemente.

O movimento foi rapidamente debelado, mas legaria ao conde de Assumar um enorme problema. No afã de reprimir os revoltosos e aplicar-lhes castigos exemplares, o governador de Minas condenou o líder, Filipe dos Santos, à morte. A medida tornou-se um problema porque Filipe era um rico negociante, tinha boa posição social, e a condenação à morte em praça pública só era esperada para indivíduos de baixa condição social. Por ter cometido tal deslize, a carreira política de Assumar foi abreviada.

O clero e as irmandades leigas

A Coroa portuguesa também proibiu a entrada de ordens religiosas regulares em Minas Gerais. Embora o clero regular fosse um parceiro fundamental da Coroa portuguesa na colonização do Brasil desde o século XVI, poderes próprios e a ampla autonomia dessas ordens entraram em conflito com os interesses da Coroa. Por isso, durante muito tempo, jesuítas, carmelitas, franciscanos, beneditinos e outras ordens não puderam realizar suas pregações, criar conventos e escolas, estabelecer fazendas etc. Só o clero secular poderia estar presente **[doc. 4]**.

Na ausência das ordens religiosas, associações religiosas leigas assumiram papel de destaque na sociedade mineira. Conhecidas como **ordens terceiras** ou **irmandades leigas**, essas associações se organizavam em torno da devoção a um santo.

DOC. 4 Fachada da Igreja de Nossa Senhora do Carmo, em Ouro Preto, MG. Foto de 2007.

As irmandades podiam ser de homens ricos ou pobres, livres ou escravos, brancos ou negros. Em geral, faziam trabalhos de caridade e constituíam espaços de sociabilidade restritos aos seus membros. Por vezes, entravam em conflito umas com as outras, sobretudo quando os interesses de destaque social e prestígio de seus membros conflitassem com os de outra. Era comum pessoas pertencerem a mais de uma irmandade, sobretudo as politicamente mais poderosas.

A debilidade da economia portuguesa

O Império Português fortaleceu-se com a exploração do ouro do Brasil e, pela primeira vez em muito tempo, a balança comercial portuguesa conheceu momentos favoráveis. O ouro não bastou, porém, para colocar Portugal lado a lado com as grandes potências europeias da época, que continuaram a ser França, Holanda e Inglaterra.

Um exemplo bastante claro da fragilidade econômica portuguesa foi a assinatura do **Tratado de Methuen** entre Inglaterra e Portugal, em 1703. Quando começava a lucrar com o ouro do Brasil, Portugal não pôde negar um acordo com a Inglaterra, pelo qual esta lhe garantia prioridade de compra dos vinhos lusos, e exigia em contrapartida a preferência portuguesa pelos tecidos ingleses. O problema era que o peso desses produtos era desigual, em prejuízo dos portugueses: os tecidos rendiam muito mais lucros para a Inglaterra do que os vinhos para Portugal. Com isso, parte do ouro do Brasil, de fato, escoou para mãos inglesas, indiretamente, e contribuiu para um fortalecimento ainda maior da Inglaterra, que, aliás, começava seu processo de industrialização, enquanto Portugal, pelo contrário, era um país quase totalmente agrícola. Mas é inegável que tanto o Tratado de Methuen quanto o ouro do Brasil também fortaleceram Portugal, dentro de suas limitadas possibilidades.

A descoberta de diamantes

Mais ao norte das regiões de exploração de ouro descobriram-se importantes jazidas de diamantes. As primeiras notícias remontam a 1714, no Arraial do Tijuco, onde, inclusive, já havia ouro, mas as descobertas significativas daquela pedra começaram apenas em 1727. Diante do alto valor que os diamantes tinham no mercado internacional, Portugal decidiu, em 1729, criar o **Distrito Diamantino**. Delimitou a região em torno do distrito, suspendeu a mineração no seu interior, cancelou todas as doações de terras feitas anteriormente, proibiu o ingresso de ordens religiosas regulares e de aventureiros e criou o monopólio real sobre a extração de diamantes. O Distrito Diamantino urbanizou-se, e a complexificação da economia e da sociedade tornaram-se visíveis. Durante 73 anos, a Coroa lucrou com os diamantes extraídos da região.

O declínio da produção aurífera

O auge da exploração aurífera das Minas Gerais ocorreu na década de 1730. Daí em diante, a extração foi decaindo irremediavelmente. Mesmo assim, no final do século XVIII, o montante de ouro encontrado em Minas Gerais não era desprezível **[doc. 5]**. Se considerarmos a quantidade de ouro extraída não só em Minas Gerais, mas também em Goiás e Mato Grosso, a queda geral dos rendimentos da Coroa portuguesa com a mineração do Brasil só começou a ocorrer em meados da década de 1750, quando também a exploração das jazidas do Centro-Oeste começou a decair.

Por se tratar de uma riqueza não renovável, a exploração de ouro possui limites, em qualquer parte. Mesmo assim, a Coroa portuguesa tentava manter seus rendimentos elevados em momentos de baixa extração, aumentando a carga de impostos ou simplesmente tornando sua cobrança mais efetiva, o que gerava muitos descontentamentos e revoltas por parte dos colonos. Também havia contrabando por todo lado, o que tornava essas tentativas de arrecadação ainda mais tensas **[doc. 6]**.

DOC. 5 **Cálculo aproximado da produção de ouro em Minas Gerais, Goiás e Mato Grosso no século XVIII (kg)**

Anos	Minas Gerais	Goiás	Mato Grosso
1730-1734	7.500	1.000	500
1735-1739	10.637	2.000	1.500
1740-1744	10.047	3.000	1.100
1745-1749	9.712	4.000	1.100
1750-1754	8.780	5.880	1.100
1755-1759	8.016	3.500	1.100
1760-1764	7.399	2.500	600
1765-1769	6.659	2.500	600
1770-1774	6.179	2.000	600
1775-1779	5.518	2.000	600
1780-1784	4.884	1.000	400
1785-1789	3.511	1.000	400

Fonte: PINTO, Virgílio Noya. *O ouro brasileiro e o comércio anglo-português*: uma contribuição aos estudos da economia atlântica no século XVIII. São Paulo: Nacional, 1979. In: SOUZA, Laura de Mello e. *Desclassificados do ouro*: a pobreza mineira no século XVIII. Rio de Janeiro: Graal, 1982. p. 48.

DOC. 6 **Os santos de pau oco**

O controle exercido pelas autoridades da Coroa sobre a cobrança do quinto gerava muitas queixas por parte dos mineradores. Uma das formas criadas pelos habitantes das minas para fugir da fiscalização era transportar ouro e diamantes contrabandeados em figuras de santos entalhadas em madeira oca, os chamados santos de pau oco.

Escultura em madeira representando Nossa Senhora do Rosário. Igreja do município de Paracatu, Minas Gerais.

QUESTÕES

1. Qual era a situação da economia açucareira em meados do século XVIII? Quais foram os principais efeitos que a mineração trouxe para o Nordeste açucareiro [doc. 2]?
2. Descreva o ambiente e os indivíduos que aparecem representados na imagem [doc. 3] e relacione o trabalho deles ao processo de desenvolvimento das áreas de mineração, ocorrido no século XVIII.
3. Observe a tabela e responda [doc. 5]:
   a) Qual foi a região que mais contribuiu para a produção aurífera da colônia ao longo de todo o período mostrado na tabela? Indique, também, o período de maior extração de ouro dessa região.
   b) Cite algumas das consequências do declínio da atividade mineradora.
4. Explique que função tinham os santos ocos e por que os mineradores faziam uso desse artifício [doc. 6].

CONTROVÉRSIAS As Minas Gerais depois do ouro: decadência ou diversificação?

Conforme vimos anteriormente, ouro e diamantes foram os principais gêneros extraídos da região da América portuguesa, que, aliás, desde fins do século XVII, ficou devendo à mineração seu nome e sua própria razão de ser. Também vimos, no entanto, que jamais a economia das Minas Gerais se limitou, de maneira exclusiva, a tais gêneros, precisando contar com escravos, serviços, alimentos, produtos manufaturados diversos etc.

Qual o peso de cada produto em dada economia? Essa questão, extremamente atual, divide opiniões de historiadores especializados na história da mineração do Brasil colonial. Por um lado, durante muito tempo, alguns especialistas sustentaram que o declínio da atividade mineradora, observada a partir da década de 1760 e em curso até as primeiras décadas do século XIX, significou uma decadência geral das Minas Gerais; por outro, em estudos recentes, alguns historiadores têm mostrado que houve grande diversificação das atividades econômicas na região, mesmo após 1760.

Texto 1

“O quadro desta área mineira, ao apontar do século XIX, revelava-se desolador. Superada a ‘febre’ do ouro, a economia estagnara-se e ocorria franca recessão populacional. Nos arredores de Vila Rica descortinavam-se campos desertos, sem lavouras ou rebanhos. Dos morros, esgaravatados até a rocha, havia-se eliminado a vida vegetal; neles restavam montes de cascalhos e casas, a maioria destas em ruínas. [...] A atividade manufatureira, proibida durante largo espaço de tempo, revelava-se tímida. Existiam na Vila e suas proximidades tão somente a manufatura de pólvora, pertencente ao governo, e uma fábrica de louça, estabelecida a pequena distância de Vila Rica [...]. Por outro lado, a lavoura – atividade a ressurgir – não se desenvolveu, em decorrência, ao que parece, do despreparo e da mentalidade do colonizador.”

LUNA, Francisco Vidal; COSTA, Iraci Del Nero da. *Minas colonial*: economia e sociedade. São Paulo: Estudos Econômicos-FIPE/ Pioneira, 1982. p. 57-58.

Texto 2

“O objetivo deste trabalho é discutir o caráter e a forma de funcionamento da economia mineira no período de 1750 a 1850 que compreende três distintas etapas da economia mineira: um primeiro subperíodo de auge minerador (1750-1770); uma segunda fase de acomodação evolutiva (1780-1810), quando então a economia da região sofreu um processo de diversificação da produção com tendências para a autossuficiência; e finalmente um último subperíodo (1820-1850), caracterizado pela consolidação da economia mercantil de subsistência [...] Quando o ouro de fácil extração se esgotava, não adiantava deixar a terra em descanso para, anos mais tarde, retomar a produção. Só restava ao minerador abandonar aquela terra ou usá-la para outros fins, para a produção agropecuária, por exemplo, que muitas vezes já era desenvolvida paralelamente à atividade extrativa.”

ALMEIDA, Carla Maria Carvalho de. Dinâmica produtiva em Minas Gerais. O sistema econômico em funcionamento no termo de Mariana, 1750-1850. In: *Revista Eletrônica de História do Brasil*. n. 2, 2004. v. 6, p. 58-71.

QUESTÕES

1. Que ideias são defendidas por cada um dos autores? Quais são os principais argumentos utilizados por eles?
2. A leitura dos dois textos é muito útil para entender melhor as características do ofício do historiador. Que características são essas?

Arraial de Bom Jesus de Matosinhos, gravura feita pelo artista Johann Moritz Rugendas em sua passagem por Minas Gerais, c. 1821-1825. Fundação D. João VI de Nova Friburgo, Rio de Janeiro. No século XIX, a criação de gado já era uma das atividades econômicas que mais rendiam lucros aos moradores da antiga região mineradora.

A religiosidade e a cultura do barroco

Objetivos

- Apreciar a produção artística do período da mineração, em especial a literatura e as artes plásticas.
- Desenvolver uma atitude de valorização do patrimônio histórico e artístico do Brasil.

Termos e conceitos

- Arte
- Religião
- Barroco mineiro

O barroco mineiro

No século XVIII, a relativa prosperidade do Império Português permitiu a construção de grandes obras não só em Portugal **[doc. 1]**, mas também no Brasil. Muitas dessas realizações tiveram como berço as próprias Minas Gerais e notabilizaram artistas nascidos na região. Esses homens eram, muitas vezes, artesãos, trabalhadores braçais encarregados de obras corriqueiras como retábulos, altares, imagens religiosas e quadros a óleo que deviam ser parte das igrejas. Outros eram magistrados e proprietários de terras e escravos que, em busca de boas posições na política, dedicavam-se à composição de obras literárias.

Arte e religião

Os artistas plásticos costumam ser agrupados como representantes de um estilo barroco típico das Minas Gerais **[doc. 2]**. A **arte** barroca é uma forma de expressão densa, rebuscada, detalhada, fortemente impactante já à primeira vista. De forte teor católico, essa arte seria também uma maneira de a sociedade que a produzia mostrar publicamente suas desigualdades, exibi-las como aspectos naturalizados, não necessariamente como atributos negativos. Ao contemplar uma expressão artística barroca, o membro dessa sociedade aprenderia a respeitar esse modo de vida.

A própria prática pública da fé católica nas Minas Gerais do século XVIII é prova disso: nas missas e cerimônias realizadas dentro das igrejas, as pessoas agrupavam-se de acordo com sua posição social, estando os lugares mais próximos do altar reservados aos estratos mais altos. Quando as cerimônias ou festas religiosas ocorriam nas ruas, as mesmas hierarquias eram mantidas, com os lugares da audiência e do próprio desfile ordenados segundo a posição social. Havia igrejas – e isso em todo o Brasil – reservadas aos escravos e seus descendentes, menos suntuosas, e igrejas frequentadas pelos estratos mais ricos da população, luxuosamente decoradas e ornamentadas com ouro.

DOC. 1 Fachada do palácio-convento de Mafra, Portugal, em foto recente.

DOC. 2 **O barroco e a Contrarreforma**

"O fenômeno artístico do setecentos em Minas não se explica autonomamente. Emerge ele de uma sociedade que se inscreve originária e culturalmente sob o signo do barroco, vivendo-o nas inquietações místico-existenciais que prolongam a Contrarreforma e expressando-o, concomitantemente, em estilo criativo que não esconde as suas raízes formais e ideológicas."

ÁVILA, Affonso. *O lúdico e as projeções do mundo barroco*. 3. ed. São Paulo: Perspectiva, 1994. p. 46.

Arte e sociedade

Política, hierarquia social, **religião** e cultura conviviam lado a lado, não só nas Minas Gerais, mas em toda a América portuguesa. Não havia uma estrita separação entre cada um desses elementos, tampouco a possibilidade de que todas as pessoas pensassem da mesma maneira, proferissem a mesma fé ou, ainda, que fossem todas religiosas. Ao estudar o **barroco mineiro**, um pesquisador dos dias atuais encontrará convenções típicas de uma época bastante religiosa, assim como as marcas de uma sociedade dinâmica e contraditória.

Artes plásticas

Muitos artistas trabalharam na América durante os séculos de colonização portuguesa, mas os de Minas Gerais do século XVIII foram os mais notáveis. Quando se fala em barroco mineiro, o primeiro nome que vem à mente é o do escultor Antonio Francisco Lisboa, conhecido como Aleijadinho **[doc. 3]**. Também merecem destaque os pintores marianenses Bernardo Pires da Silva, Antonio Martins da Silveira, João Batista de Figueiredo e o mais famoso de todos esses, Manuel da Costa Athaíde (1762-1830), autor de magníficas obras existentes até hoje em igrejas mineiras **[doc. 4]**.

DOC. 3 **O mestre Aleijadinho**

"Aleijadinho nasceu na década de 30 do século XVIII no seio de uma família de artistas. Seu pai, Manuel Francisco Lisboa, arquiteto português, já tinha granjeado alguma fama quando, de uma sua escrava de origem africana, teve um filho mulato que viria a tornar-se no seu grande continuador. [...] Se os seus primeiros passos no mundo da criação artística se deram no período da grande produção aurífera, será, no entanto, já no decorrer da segunda metade do século XVIII e princípios da centúria seguinte que a força criadora deste gênio da arte colonial brasileira irá desabrochar com todo o esplendor. Tal se deve à existência, nas principais cidades mineiras, de uma clientela ávida de afirmação perante uma sociedade que cada vez mais se ia enraizando – os membros das confrarias, irmandades e ordens terceiras."

TEDIM, José Manuel. Aleijadinho. In: SILVA, Maria Beatriz Nizza da (Coord.). *Dicionário da história da colonização portuguesa no Brasil*. Lisboa: Verbo, 1991. p. 38-39.

DOC. 4 *Nossa Senhora da Conceição*, pintura realizada por Manuel da Costa Athaíde no teto da Igreja de São Francisco de Assis, em Ouro Preto (MG). Foto de 2003.

Literatura

Vários escritores ajudaram a notabilizar a literatura do período: José Basílio da Gama (1741-1795), autor de um grande poema épico, *O Uraguay* (1769); Santa Rita Durão (1722-1784), autor do poema *Caramuru* (1781), ambientado no Brasil do século XVI; e Tomás Antônio Gonzaga (1744-1810), nascido na cidade do Porto, em Portugal, e autor de *Marília de Dirceu* (1792) e, provavelmente, das famosas *Cartas chilenas*, um longo poema satírico em que criticava as autoridades metropolitanas de Minas Gerais.

QUESTÃO

- Releia o texto, observe a imagem e comente algumas das características do barroco mineiro **[docs. 2 e 4]**.

Retomar conteúdos

1 Explique as razões da grave crise econômica que atingia o Império Português no século XVII e como o Brasil ajudou a contornar o problema.

2 Relacione a extração de metais na região das minas no século XVIII ao processo de integração do território da América portuguesa.

3 Que mecanismos foram criados pelas autoridades metropolitanas para garantir o controle e a lucratividade da extração aurífera no Brasil?

4 Observe o esquema seguinte.

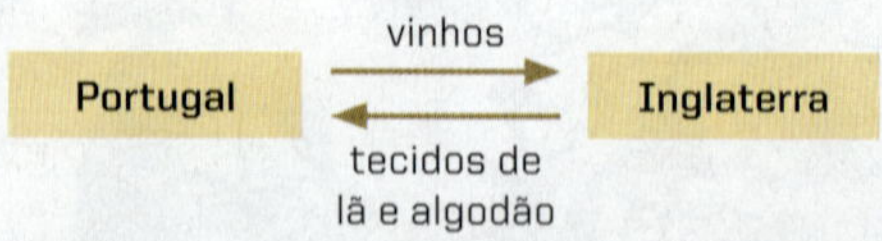

a) Que tratado assinado entre Portugal e Inglaterra foi representado no esquema? O que ele estabelecia?

b) Cite as implicações desse tratado para a economia de Portugal e da Inglaterra.

5 Segundo a historiadora Marina de Mello e Souza, as irmandades religiosas assumiram várias tarefas que normalmente deveriam ser atribuições do poder público. Que atividades eram essas? Qual a importância dessas associações na região das minas?

Ler textos e imagens

6 Observe a escultura *Santana mestra*, de Aleijadinho. Destaque os elementos da obra que se relacionam com as características básicas do barroco mineiro.

Santana mestra, escultura de Antonio Francisco Lisboa, o Aleijadinho, c. 1780. Museu do Ouro, Sabará.

7 O jesuíta italiano André João Antonil descreveu algumas características que marcaram o início das atividades mineradoras na colônia. Leia, a seguir, um trecho de sua obra de 1711 e responda às questões.

"Sendo a terra que dá ouro esterilíssima de tudo o que se há mister para a vida humana, e não menos estéril a maior parte dos caminhos das Minas, não se pode crer o que padeceram ao princípio os mineiros por falta de mantimentos, achando-se não poucos mortos com uma espiga de milho da mão, sem terem outro sustento. Porém, tanto que se viu a abundância do ouro que se tirava, e a largueza com que se pagava tudo o que lá ia, logo se fizeram estalagens e logo começaram os mercadores a mandar às minas o melhor que chega nos navios do reino e de outras partes, assim de mantimentos como de regalo e de pomposo para se vestirem, além de mil bugiarias de França que lá também foram dar. E a esse respeito, de todas as partes do Brasil se começou a enviar tudo o que dá a terra, com lucro não somente grande, mas excessivo."

ANTONIL, André João. *Cultura e opulência do Brasil por suas drogas e minas*. São Paulo: Edusp, 2007. p. 234-235.

a) Como Antonil descreveu a região das minas?

b) Segundo o autor, qual foi a grande mudança que ocorreu na região? O que estimulou essa alteração?

c) Por que as pessoas pagavam tão caro pelos produtos?

8 Leia o texto a seguir e responda às questões.

"O escravo mineiro vive com o senhor numa rústica cabana de palha [...] onde tudo é provisório. Esses casebres de chão batido podem abrigar ouro e diamantes, mas são miseráveis. Ninguém se preocupa com o conforto, pois o único pensamento do concessionário é enriquecer e retornar à Europa. [...] Para obter fortuna rápida, o concessionário da mina trata de burlar o fisco do rei. Nesse ponto parte uma engrenagem da qual o escravo terá dificuldade para sair: seu senhor lhe propõe uma espécie de associação incerta para as duas partes; de fato, basta que um escravo descubra uma pedra bem grande, ou então denuncie o contrabando feito por seu senhor para conquistar sua alforria, concedida pela autoridade administrativa. O senhor tem, portanto, interesse em manter boas relações com seu escravo. [...] Violência e concorrência reinam igualmente para senhores e escravos na mesma corrida furiosa ao ouro e aos diamantes. [...] A vida nos garimpos é, pois, tão rude quanto nas fazendas, para o escravo. Materialmente chega a ser ainda mais precária [...]. Mas o escravo é favorecido nas minas, pois tem uma esperança de alforria e nesse sonho de liberdade suporta sua dura labuta do nascer ao pôr do sol."

MATTOSO, Kátia de Queirós. *Ser escravo no Brasil*. 3. ed. São Paulo: Brasiliense, 2003. p. 136-137.

a) Identifique e descreva o contraste vivido por escravos e senhores na região das minas.

b) Segundo o texto, qual seria a "associação incerta" feita entre senhores e escravos nas minas?

c) Quais são as diferenças apontadas no texto entre os escravos das minas e os das fazendas?

Capítulo

17

As treze colônias e a formação dos Estados Unidos

Quatro séculos de história

Os Estados Unidos são certamente o país em maior evidência na atualidade. Após um expressivo crescimento econômico a partir da segunda metade do século XIX, as ex-treze colônias inglesas da América do Norte tornaram-se um dos países mais industrializados e ricos do mundo no século XX.

As intervenções norte-americanas, ainda hoje, em questões internacionais e em conflitos de outros países demonstram sua força política, econômica e militar. Essas interferências, porém, também provocaram e provocam apoios e protestos de vários tipos. Durante a Segunda Guerra Mundial, por exemplo, a atuação dos Estados Unidos foi saudada como um importante apoio àqueles que lutavam contra a opressão e o perigo, representados pelo nazifascismo. Nos anos 1960, ao contrário, sua ação militar no Vietnã foi mais rejeitada do que aceita, constituindo uma das guerras mais violentas e prolongadas daquele século.

Atualmente, a presença das tropas dos Estados Unidos no Afeganistão e no Iraque tem muito mais críticos que apoiadores, principalmente porque a ocupação norte-americana já se arrasta por muitos anos e os seus efeitos têm sido desastrosos para o cotidiano da população civil desses países.

Neste capítulo, estudaremos a história colonial do que mais tarde seriam os Estados Unidos, o processo de independência e de formação do novo país, a expansão territorial em direção ao Oceano Pacífico e o significado desse movimento expansionista para a população indígena. Com esse estudo, poderemos avaliar se o protagonismo atual desse país tem relação com as condições que marcaram sua formação histórica desde a chegada dos primeiros núcleos colonizadores.

Soldado norte-americano caminha em rua de Khan Bani Saad, no Iraque, em 2009.

Seção 17.1

Ingleses na América

> Objetivos

▶ Relacionar as perseguições religiosas na Inglaterra com o início da colonização inglesa na América do Norte.

▶ Diferenciar a colonização ocorrida nas colônias do norte e do centro da que houve nas colônias do sul.

> Termos e conceitos

- Colonização
- Pais peregrinos
- Puritanos
- Treze colônias
- Comércio triangular
- *Plantation*

Repulsão e atração

O primeiro grande grupo de ingleses que chegaram à América para iniciar a **colonização** sistemática tornou-se conhecido como **pais peregrinos** [doc. 1]. Eles eram puritanos e fugiam das perseguições religiosas que ocorriam na Inglaterra do início do século XVII.

Puritanos e anglicanos divergiam desde os primeiros tempos das reformas. As discordâncias ultrapassavam o espaço das questões teológicas, envolviam questões políticas e econômicas e incluíam o debate sobre o papel da Igreja e a forma de buscar a salvação. Os **puritanos** defendiam reformulações amplas na organização da Igreja e a adoção, pelos fiéis, de atitudes cotidianas rigorosas que, além de seu significado religioso, definiam uma forma de conceber o trabalho e a busca do sucesso financeiro.

Perseguidos por anglicanos e outros protestantes, muitos puritanos sentiram-se rejeitados por uma Europa que acreditavam ser decadente e optaram pela fuga para a América. Por isso, sua concepção de "novo mundo", produzida na mistura entre a repulsa pela Europa e a atração pela América, incluía, além da liberdade religiosa, a vontade de construir uma sociedade adequada a suas crenças e a seus princípios.

Eleitos de Deus

Aqueles que se interessavam por sair da Inglaterra, no entanto, nem sempre tinham condição de pagar a longa viagem pelo Oceano Atlântico. Além disso, a própria Coroa inglesa não tinha os recursos necessários para promover a travessia oceânica. O rei Jaime I autorizou, então, em 1606, dois grupos de mercadores de Londres e de Plymouth a constituir companhias de comércio para explorar o tráfego em direção ao novo continente e organizar sua colonização.

DOC. 1 Os pais peregrinos vieram para a América em 1620, a bordo do navio Mayflower. Não foram os primeiros ingleses a viver no novo continente, mas são geralmente celebrados como os fundadores da nova colônia. Na foto, desembarque dos pais peregrinos em Cape Cod (Massachusetts), gravura de Cosson Smeeton, 1864.

As treze colônias

Em outras partes da América, a colonização desenvolvida por outros países europeus, inclusive os reinos ibéricos e a própria Inglaterra, foi marcada pelo controle rígido do Estado colonizador. Já a colonização inglesa da América do Norte foi promovida por iniciativas particulares e autônomas.

A chegada do Mayflower marcou o início da ocupação regular na América do Norte. Os pais peregrinos fundaram Plymouth, em 1620, origem da futura colônia de Massachusetts. Novos núcleos de ocupação inglesa foram fundados no litoral atlântico até se formarem, em meados do século XVIII, as **treze colônias** da América inglesa **[doc. 2]**.

A ideia de que os colonos agiam em nome de Deus não foi apenas uma justificativa para seus atos, mesmo quando guerreavam, mas revelava, sobretudo, motivações religiosas, que se associavam aos interesses comerciais e, muitas vezes, os inspiravam. Na perspectiva puritana, uma das tarefas dos enviados divinos era, inclusive, gerar riquezas, o que demonstrava a capacidade de administrar, correta e eficazmente, os bens de Deus na Terra **[doc. 3]**.

A colonização do norte e do centro

As colônias do norte e do centro tiveram colonização diferente da do restante do continente. As condições climáticas e de solo inviabilizavam a agricultura extensiva praticada nas colônias do sul. A pouca interferência da metrópole nos assuntos internos das colônias também permitia que os colonos optassem pelas formas de colonização que julgavam mais adequadas ao local e aos seus interesses.

A economia do norte e do centro incluía caça, pesca e exploração de madeiras, que eram utilizadas na fabricação de embarcações ou vendidas diretamente a outras partes da América inglesa. A caça e a pesca abasteciam o comércio local de gorduras e carnes e geravam peles para o mercado externo.

O campo dividia-se basicamente em pequenas propriedades policultoras, voltadas à subsistência e cultivadas pela própria família. Prevalecia o plantio de frutas e grãos trazidos da Europa: maçã, pêssego, trigo e cevada. A batata e o milho, de origem americana, foram incorporados ao cultivo e à dieta das famílias puritanas. Havia, também, criação de animais, principalmente gado bovino e ovelhas.

A integração entre as economias rural e urbana também caracterizou essas colônias. Os excedentes da produção de cada propriedade familiar escoavam para o meio urbano. A produção da lã era aproveitada pelas manufaturas têxteis das cidades, que empregavam mão de obra livre, assalariada e com conhecimento do processo produtivo.

DOC. 2 **As treze colônias inglesas na América**

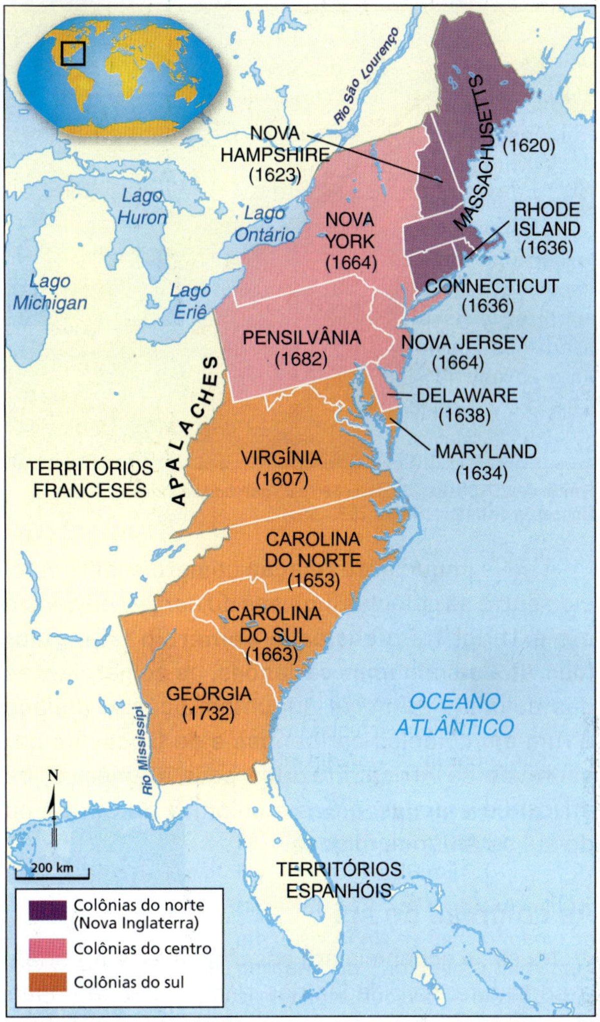

Fonte: *Atlas histórico escolar*. 8. ed. Rio de Janeiro: FAE, 1986. p. 62.
Nova York foi originalmente colonizada por holandeses, que a nomearam Nova Amsterdã. Em 1664, a Ilha de Manhattan, centro da ocupação holandesa, passou para o domínio inglês.

DOC. 3 **A ética protestante e o "espírito" do capitalismo**

Em 1904, o sociólogo alemão Max Weber publicou *A ética protestante e o "espírito" do capitalismo*, obra em que analisa histórica e sociologicamente o papel dos calvinistas puritanos no desenvolvimento de algumas economias capitalistas, como a dos Estados Unidos.

Weber procurou demonstrar neste trabalho que a moral puritana contribuiu para impulsionar o acúmulo de capital e os investimentos na atividade produtiva. Para os puritanos, a salvação da alma é escolha de Deus. O crente não pode garantir a sua salvação, mas pode obter sinais de que foi agraciado com ela. O sucesso individual seria um dos sinais da graça divina, daí a valorização do trabalho, da riqueza e da poupança. A necessidade de afastar a dúvida da salvação explicaria a vida disciplinada e rígida dos puritanos.

- **Policultura.** Refere-se à propriedade na qual se produzem vários artigos.

DOC. 4 **O comércio triangular**

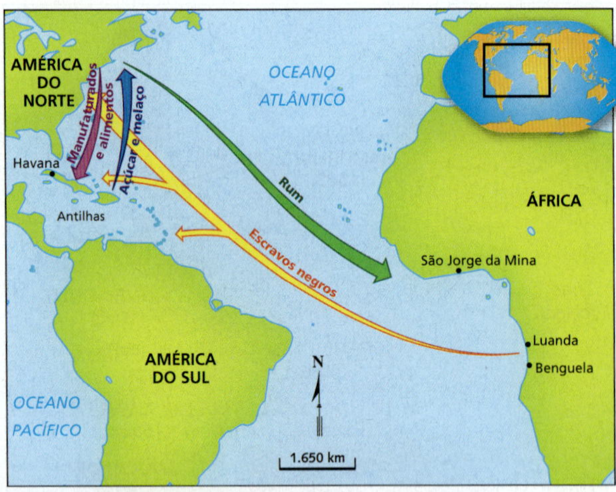

Fonte: DAVIDSON, Basil. *À descoberta do passado de África.* Lisboa: Sá da Costa, 1981. p. 183.

A mais importante relação comercial estabelecida entre as colônias inglesas do norte e do centro e o exterior foi o chamado **comércio triangular** [doc. 4]. Com algumas variações, os comerciantes das colônias do norte adquiriam açúcar, melaço e rum em colônias caribenhas e os trocavam por escravos na África. Trazidos para a América, os africanos eram vendidos a colônias do Caribe ou do sul da América inglesa.

As colônias do sul

No sul, a economia era essencialmente agrária e exportadora. As cidades não tinham grande importância, e as manufaturas e o comércio local eram pouco expressivos.

De maneira semelhante ao que ocorreu na América ibérica e em outras áreas do continente colonizadas pela Inglaterra, a base da produção era a grande propriedade rural, em geral monocultora, ou seja, centrada em um único produto. Prevalecia o sistema de **plantation**, peça fundamental do mercantilismo, então hegemônico, e da ampliação do mercado internacional de produtos agrícolas.

O tráfico de africanos para a região, iniciado em 1619, abastecia as fazendas e garantia o aumento nos lucros dos proprietários. Embora parte desse tráfico fosse realizada por mercadores do norte por meio do comércio triangular, havia pouca integração econômica entre as colônias do norte e centro e as do sul. A produção sulista de arroz, índigo, tabaco e algodão era vendida sobretudo para a Europa por meio das companhias inglesas de comércio.

A estrutura social, verticalizada e rigidamente hierarquizada, era controlada pelos grandes proprietários rurais, que também detinham o poder político e definiam as regras de sociabilidade. Entre essas regras, destacavam-se os valores religiosos dos europeus de origem católica, que compuseram a maioria dos colonos sulistas, e a supremacia branca estabelecida a partir da hegemonia política e econômica dos grandes fazendeiros. O contraste desse poder socioeconômico branco com a grande quantidade de africanos escravizados explica o racismo declarado que se arraigou no sul, a persistência do escravismo e as fortes restrições à ação do negro na sociedade sulista.

QUESTÕES

1. Que razões motivaram a vinda de puritanos ingleses para as terras da América?
2. Em que sentido a ética puritana impulsionou o capitalismo?
3. Como o comércio triangular demonstra a diferença entre as colônias do norte e as do sul [doc. 4]?

- ***Plantation.*** Sistema agrícola baseado na grande propriedade rural, na monocultura destinada à exportação e no uso de mão de obra escrava.
- **Índigo.** Planta da qual se extrai uma tinta de cor azul.

DOC. 5 Gravura do século XVIII representando africanos se lamentando pela perda de seus entes, que serão utilizados como mão de obra escrava.

Seção 17.2

A independência das treze colônias

› Objetivo

▸ Reconhecer o conflito gerado pela divergência de interesses entre a Coroa inglesa e as treze colônias.

› Termos e conceitos

- **Metrópole**
- **Leis Intoleráveis**
- **Declaração de Independência**
- **Constituição**

Novos interesses da metrópole

As treze colônias tinham um alto grau de autonomia, tanto entre si quanto em relação à metrópole. As leis eram votadas internamente, sem interferência de Londres, e mesmo as determinações vindas da **metrópole** podiam ser vetadas. Os impostos eram definidos pelas assembleias, compostas por representantes eleitos pelos homens livres.

Após a década de 1760, porém, os interesses ingleses em relação à exploração das colônias começaram a crescer. A burguesia inglesa passava a ver a América como fonte de matéria-prima e um potencial mercado consumidor. Para isso, era necessário reforçar os laços coloniais.

A ocupação britânica do Canadá e da Louisiana, resultado da vitória na guerra contra os franceses, abriu a possibilidade de avanço para o oeste. Havia, no entanto, um choque de interesses. Os colonos pretendiam expandir seus domínios para a área do Mississípi, levando a autonomia de que desfrutavam no litoral atlântico. A Coroa inglesa, por seu lado, queria o domínio direto da região e a manutenção das populações indígenas lá instaladas, de modo que as companhias britânicas pudessem comercializar peles e gordura obtidas daquelas comunidades.

A intervenção metropolitana

Nesse contexto de tensão, a Inglaterra aumentou a carga de tributos. A iniciativa visava compensar os gastos decorrentes da guerra e estreitar o controle metropolitano sobre seus domínios na América do Norte. Além de assegurar recursos monetários, as leis de aumento da arrecadação limitavam a produção de manufaturados na colônia, ampliando o mercado consumidor dos manufaturados ingleses. Conheça, a seguir, algumas dessas leis.

- **Lei do Melaço (1733).** Estabelecia tributos altos para o melaço adquirido fora das áreas de colonização inglesa. Visava inibir o comércio com as colônias antilhanas não inglesas.
- **Lei da Receita (1764).** Impunha tarifas alfandegárias e restrições à importação de açúcar, café, vinho, têxteis, madeiras e produtos de luxo.
- **Lei do Selo (1765).** Determinava que qualquer tipo de impresso nas colônias só podia circular exibindo um selo expedido e vendido pela metrópole.
- **Leis Townshend (1767).** Definia tributos e formas de controle da circulação de muitos produtos, entre eles papel, tinta, vidro e chumbo.
- **Lei do Chá (1773).** Determinava que o fornecimento de chá para a América inglesa só podia ser feito pela Companhia Inglesa das Índias Orientais. A Inglaterra pretendia assegurar mercado para o chá produzido em suas colônias do Oriente **[doc. 1]**.

DOC. 1 *George III forçando chá pela garganta da América*, litografia de Paul Revere. A imagem é uma alusão à Lei do Chá.

Com essas medidas, a Coroa inglesa pretendia enquadrar as colônias nas regras do exclusivo comercial metropolitano. Em vez disso, as leis britânicas precipitaram o movimento pela independência das treze colônias.

A reação colonial e as novas leis metropolitanas

Os colonos não ficaram passivos diante do esforço regrador da metrópole. A Lei do Selo, por exemplo, provocou a destruição dos postos de vendagem dos selos e ataques aos responsáveis pela fiscalização, até ser suspensa dez anos depois.

O episódio mais conhecido de recusa às novas leis britânicas foi a chamada Festa do Chá de Boston, em reação à Lei do Chá. Em 16 de dezembro de 1773, colonos vestidos de índios atacaram navios da Companhia Inglesa das Índias, ancorados na capital de Massachusetts, e lançaram ao mar suas mercadorias.

Em resposta ao ataque, a metrópole adotou um conjunto de medidas que ficaram conhecidas como **Leis Intoleráveis**: ocupou militarmente a colônia de Massachusetts, fechou o porto e condicionou sua liberação ao ressarcimento, pelos colonos, do valor da mercadoria destruída; também ampliou sua presença militar nas demais colônias.

Em setembro de 1774, representantes dos colonos reuniram-se no Primeiro Congresso Continental da Filadélfia, que só não contou com a participação da Geórgia. Esse congresso repudiou as Leis Intoleráveis, afirmou os direitos dos moradores das colônias e avaliou os caminhos de negociação com a metrópole. A Inglaterra reagiu a essas decisões com a ampliação de sua presença militar na América.

Os colonos responderam realizando o Segundo Congresso Continental, em 1776, dessa vez com a presença de todas as colônias. Nesse encontro, constatou-se a impossibilidade de negociação com os britânicos e defendeu-se a emancipação.

A independência

Essa luta consumou-se em 4 de julho de 1776, na **Declaração de Independência**, documento elaborado sob a supervisão de Thomas Jefferson **[doc. 2]**.

A tentativa militar inglesa de manter controle sobre as áreas coloniais ainda prosseguiu por sete anos, até a assinatura do Tratado de Paris, em 1783, que estabelecia a paz entre os dois países e o reconhecimento britânico da independência da ex-colônia.

Uma Constituição para o novo país

Uma vez consumada a independência, teve início o debate acerca da elaboração de uma Constituição que conciliasse a necessidade de um poder central com a disposição autonomista das regiões.

Em 1787, o Congresso Continental aprovou uma **Constituição**, de inspiração liberal, que estabelecia um regime presidencialista e reconhecia a divisão e o necessário equilíbrio entre os poderes executivo, judiciário e legislativo. Definia o princípio federalista como base da relação entre os estados e de sua relativa autonomia perante o governo federal.

A Constituição de 1787 vigora até hoje e já recebeu 27 emendas. Em 1789, foi aprovado o *Bill of Rights*, um conjunto de dez emendas que, entre outras garantias, estabelece que todos os norte-americanos têm direito à liberdade de imprensa, expressão e crença.

DOC. 2 **Declaração Unânime dos Treze Estados Unidos da América**

"Quando, no curso dos acontecimentos humanos, se torna necessário um povo dissolver laços políticos que o ligavam a outro, e assumir, entre os poderes da Terra, posição igual e separada, a que lhe dão direito as leis da natureza e as do Deus da natureza, o respeito digno às opiniões dos homens exige que se declarem as causas que os levam a essa separação.

Consideramos estas verdades como evidentes por si mesmas, que todos os homens foram criados iguais, foram dotados pelo Criador de certos direitos inalienáveis, que entre estes estão a vida, a liberdade e a busca da felicidade.

Que a fim de assegurar esses direitos, governos são instituídos entre os homens, derivando seus justos poderes do consentimento dos governados; que, sempre que qualquer forma de governo se torne destrutiva de tais fins, cabe ao povo o direito de alterá-la ou aboli-la e instituir novo governo, baseando-o em tais princípios e organizando-lhe os poderes pela forma que lhe pareça mais conveniente para realizar-lhe a segurança e a felicidade. [...]

Nós [...] representantes dos Estados Unidos da América, reunidos em Congresso Geral [...], em nome e por autoridade do bom povo destas colônias, publicamos e declaramos solenemente: que estas colônias unidas são e de direito têm de ser Estados livres e independentes, que estão desoneradas de qualquer vassalagem para com a Coroa Britânica, e que todo vínculo político entre elas e a Grã-Bretanha está e deve ficar totalmente dissolvido; e que, como Estados livres e independentes, têm inteiro poder para declarar guerra, concluir paz, contratar alianças, estabelecer comércio e praticar todos os atos e ações a que têm direito os estados independentes. [...]"

HANCOCK, John. Declaração Unânime dos Treze Estados Unidos da América [4 jul. 1776]. Disponível em www.embaixada-americana.org.br. Acesso em 7 dez. 2009.

QUESTÕES

1. Qual o contexto histórico em que a charge foi feita e qual crítica ela expressa **[doc. 1]**?
2. Que argumentos os colonos utilizam no documento para justificar a independência **[doc. 2]**?
3. Por que a Declaração de Independência é considerada tipicamente liberal **[doc. 2]**?

Expansão e guerra

› Objetivo

▸ Relacionar a ideia de Destino Manifesto com a expansão para o oeste.

› Termos e conceitos

- Destino Manifesto
- Conquista do oeste
- *Homestead Act*

Conteúdo digital Moderna PLUS http://www.modernaplus.com.br
Mapa animado: A formação dos Estados Unidos

A guerra contra o México

No princípio do século XIX, o governo norte-americano realizou uma política de compra de terras para ampliar seu território. Adquiriu, por exemplo, quase toda a região do sul, inclusive a Flórida, que foi negociada com a Espanha e as terras que estavam sob controle francês na Louisiana.

O caso mais complexo da política de aquisição ocorreu no Texas. Entre as décadas de 1820 e 1830, muitos norte-americanos deslocaram-se para a região, que pertencia ao México. Fazendeiros sulistas, por exemplo, instalaram plantações de milho e algodão nas terras texanas e passaram a pressionar o governo dos Estados Unidos para que anexasse as terras. Em 1836, chegaram a proclamar a independência dessa região. A autonomia durou nove anos e encerrou-se com a anexação do Texas aos Estados Unidos.

O México reagiu ao avanço norte-americano, e os países foram à guerra em 1846. O conflito durou dois anos e encerrou-se com a derrota do México, que perdeu, aproximadamente, 40% do seu território. Os Estados Unidos incorporaram a Califórnia, área rica em minérios, inclusive ouro, e uma faixa que corresponde aos atuais estados americanos de Nevada e Utah, além de partes de Wyoming, Colorado, Novo México e Arizona. Cinco anos depois, os Estados Unidos ainda compraram, do México, mais terras e ampliaram os estados do Arizona e do Novo México [doc. 1].

DOC. 1 **Expansão territorial norte-americana (século XIX)**

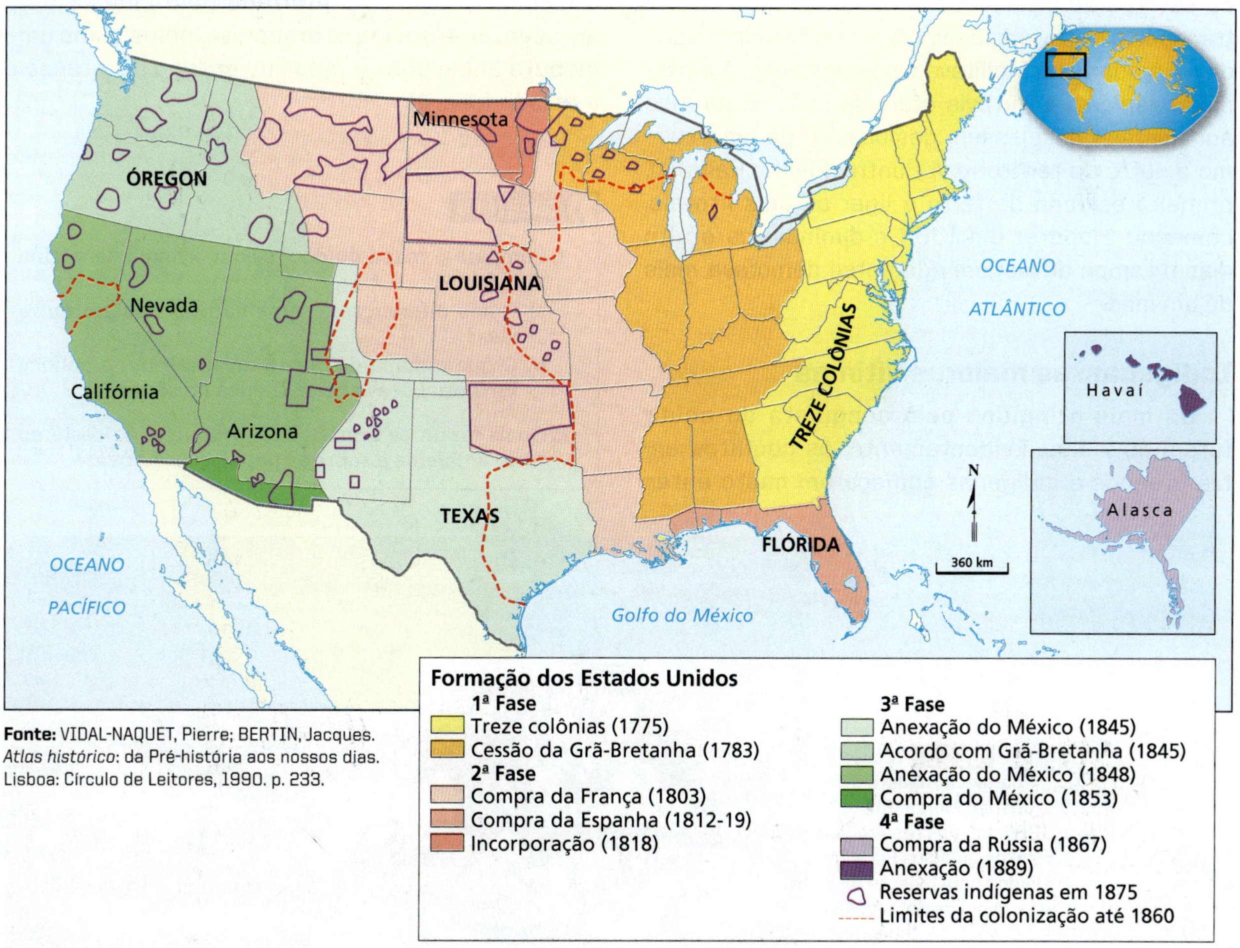

Fonte: VIDAL-NAQUET, Pierre; BERTIN, Jacques. *Atlas histórico*: da Pré-história aos nossos dias. Lisboa: Círculo de Leitores, 1990. p. 233.

A conquista do oeste

A disposição dos norte-americanos de avançar a fronteira para mais longe era estimulada pela crença no **Destino Manifesto**: eles iriam levar a ocupação até o Pacífico e construir um país de dimensões continentais.

O impulso decisivo para o deslocamento de milhares de pessoas para a **conquista do oeste** distante (*farwest*) foi dado pela notícia da descoberta de ouro na Califórnia. Entre 1848 e 1855, americanos do sul e do norte juntaram-se a caribenhos, asiáticos, australianos, neozelandeses e europeus numa corrida em busca da riqueza aparentemente fácil.

O rápido esgotamento das minas, no entanto, levou o governo norte-americano a tomar uma nova medida para garantir a ocupação do oeste. A lei do ***Homestead Act***, decretada em 1862, estabelecia a concessão de terras, a preços bastante baixos, a todos aqueles que se estabelecessem na região. O impacto da proposta foi grande, e perto de 1 milhão de habitantes da costa atlântica transferiu-se para pequenas propriedades próximas do litoral do Pacífico.

O papel das ferrovias

A construção de ferrovias também fez parte do esforço de incorporação definitiva do oeste. O transporte ferroviário diminuía o custo da circulação de mercadorias e facilitava a comunicação. Além da maior rapidez, a ferrovia oferecia mais segurança àqueles que desejassem deslocar-se de um extremo a outro do território. A Central Pacific Railroad, primeira estrada de ferro a ligar os dois litorais, começou a operar em 1869 e diminuiu para oito dias o tempo de viagem que antes demorava mais de um mês.

Indígenas: as maiores vítimas

Os mais atingidos pela conquista do oeste foram os índios. Evidentemente, os conflitos entre brancos e indígenas começaram muito antes do avanço em direção ao Pacífico. Em 1830, por exemplo, a Lei de Remoção Indígena determinou a transferência das populações indígenas que habitavam as terras a leste do Rio Mississípi para a margem oeste do rio. O objetivo era desocupar as terras para ampliar as áreas de plantio e de criação de gado.

Diante da resistência de várias comunidades, a cavalaria deu suporte armado para a aplicação da lei e garantiu a remoção de três quartos dos índios da região. O processo de transferência resultou em mortes de índios e mostrou a inadequação da nova área que lhes foi destinada. Entre 1830 e 1865, a população indígena decresceu rapidamente, demonstrando o custo humano da conquista do oeste e sua característica belicosa e violenta.

Nas décadas de expansão e de ocupação do oeste, os confrontos foram praticamente ininterruptos e violentos. Os índios eram encarados como inimigos que impediam o avanço dos desbravadores e deviam ser eliminados para que os "eleitos" prosseguissem em sua missão. Não por acaso, as representações da conquista do oeste realizadas pela literatura da época identificavam o índio como o vilão, que não compreendia a ação providencial do branco. No decorrer do século XX, a mesma imagem foi utilizada pelo cinema para apresentar a luta entre brancos e índios como uma disputa entre bons e maus ou entre o progresso e o atraso **[doc. 2]**.

QUESTÕES

1. Compare o mapa do **doc. 1** com o mapa da página 317 **[doc. 2]**:
   a) Quais diferenças e semelhanças existem entre eles?
   b) O que o mapa do **doc. 1** mostra sobre a política territorial dos Estados Unidos no século XIX?
2. Quais foram os impactos da conquista do oeste no meio ambiente e sobre as populações nativas?

DOC. 2 *Ataque à caravana*, aquarela de Charles Marion Russell, 1904. Um dos resultados da expansão dos Estados Unidos para o oeste foi o extermínio de populações indígenas.

ANALISAR UM DOCUMENTO HISTÓRICO

O Destino Manifesto e a identidade norte-americana

No século XIX, a crença de que os norte-americanos eram o povo eleito por Deus para expandir seus domínios e levar o desenvolvimento e o progresso a outros povos motivou milhares de pessoas a arriscar suas vidas no oeste. O Destino Manifesto e a ideia da luta da "civilização" contra a "barbárie" tiveram grande impacto popular e foram fundamentais para a formação da identidade nacional norte-americana.

Para compreender o documento

O documento é uma pintura de John Gast (1872) intitulada *O espírito da fronteira/Progresso da América*, que representa uma alegoria do Destino Manifesto. Em 1873 esta pintura, utilizada por George Croffut como capa de um guia para pessoas que viajavam para o oeste, ajudou a popularizar e difundir a obra. A imagem, além de personificar a América e o Destino Manifesto na figura de uma mulher flutuando vestida de branco, apresenta de forma didática todos os elementos envolvidos na conquista do oeste, associando tipos humanos e animais.

1. A figura feminina, como um grande anjo, representa a América e o Destino Manifesto. Ela avança em direção ao oeste iluminando a cena. O canto esquerdo, onde estão os índios, permanece na escuridão.
2. A figura feminina conduz homens brancos em direção ao oeste. Na frente, índios, bisões e outros animais selvagens parecem fugir.
3. O avanço é acompanhado por meios de transporte (trens, carruagens, carroções e cavalos) e pelo telégrafo, cujo fio é estendido pela figura feminina.
4. No canto superior direito da pintura (parte mais clara da imagem), podemos ver sinais de uma cidade, com ponte e barcos no rio.
5. Na parte inferior da pintura, podemos ver agricultores com seus instrumentos de trabalho.

QUESTÕES

1. De que forma a pintura representa os índios e os não índios?
2. Destaque e comente os elementos da pintura que caracterizam o *Progresso da América*, que dá título ao quadro.
3. Relacione as ideias representadas na pintura à política externa dos Estados Unidos do século XIX aos dias atuais.

O espírito da fronteira/Progresso da América, pintura de John Gast, 1872. A obra é bem representativa dos ideais do Destino Manifesto.

Seção 17.4

A guerra civil

› Objetivo

▸ Reconhecer o antagonismo entre os interesses do norte e os do sul que levou à guerra civil.

› Termos e conceitos

- Abolição da escravidão
- Federalismo
- Ianques
- Confederados
- Guerra de Secessão

Conteúdo digital Moderna PLUS http://www.modernaplus.com.br
Filme: *O nascimento de uma nação*. Diretor: D. W. Griffith. EUA, 1915

O sul contra o norte

A expansão para o oeste pareceu atenuar, durante algum tempo, a tensão entre o sul e o norte do país, mas, na verdade, apenas acirrou as diferenças e a disposição para o conflito. Tanto nortistas quanto sulistas que avançavam para o Pacífico buscavam reproduzir os modelos de suas sociedades de origem e articular a economia da nova região de acordo com seus interesses.

Havia muitas divergências entre os estados do norte e do sul. Uma delas derivava da diferente vocação econômica das duas partes. O norte, industrialista, desejava implementar uma política econômica que protegesse a produção industrial e assegurasse a manutenção e a ampliação do mercado interno. Para tanto, defendia tributação alta para a importação de manufaturados e industrializados. Pretendia, assim, ampliar o consumo de seus produtos dentro dos Estados Unidos.

O sul, agrário, dependia, até o princípio do século XIX, dos manufaturados e industrializados vindos da Europa, que garantiam o abastecimento da região e mantinham preço mais baixo em virtude da concorrência com os produtos gerados nos estados do norte.

Os fazendeiros sulistas sentiam-se prejudicados pela política econômica e insistiam que parte dos recursos governamentais utilizados na modernização do oeste fosse aplicada no sul para promover a industrialização, o que aumentaria a oferta de empregos para a população branca pobre da região.

Escravistas contra abolicionistas

O maior ponto de discórdia entre o norte e o sul consistia na escravidão. Já durante a elaboração da Constituição, alguns nortistas defenderam a **abolição da escravidão**. O tema, no entanto, ficou fora do texto constitucional porque era impossível obter qualquer consenso em torno dele. Durante a expansão territorial, a divergência se agravou. Os estados do norte impediram a escravidão nas áreas lideradas por eles, como as terras situadas a noroeste da faixa atlântica **[doc. 1]**.

DOC. 1 *Nossas peculiares instituições domésticas*, gravura de 1840. Nessa charge, o sul dos Estados Unidos foi representado como uma sociedade de vício, violência e crueldade.

Federalismo e escravidão

No sul, a defesa do escravismo persistia, e alguns políticos afirmavam que, enquanto houvesse escravos, os brancos não consumiriam seus esforços em conflitos sociais e poderiam dedicar-se integralmente à produção e à manutenção de instituições políticas democráticas. De acordo com essa visão, a existência de escravos impedia o surgimento de conflitos entre patrões e empregados.

O **federalismo** permitia, pela ampla autonomia que oferecia aos estados, a manutenção de posturas muito diferentes e dava a eles o direito de definir a legalidade ou não da utilização da mão de obra escrava. A disposição federalista incluía ainda um esforço para manter o equilíbrio, no Congresso, entre representantes de estados escravistas e de estados abolicionistas.

Escravistas e abolicionistas enfrentavam-se até mesmo dentro do Congresso. A Suprema Corte julgou, em 1857, o famoso caso de Dred Scott, negro que pleiteou judicialmente sua liberdade após viver em um estado onde não havia escravidão. Os juízes votaram majoritariamente pela recusa do pedido de liberdade e instigaram o Congresso a legislar em favor dos proprietários de escravos.

Nas eleições de 1860, o candidato abolicionista Abraham Lincoln foi eleito presidente ao obter 40% dos votos.

A reação sulista à vitória de um abolicionista foi imediata. Parte dos políticos da região passou a defender a saída da federação e a constituição de um outro país.

Eclode a guerra

A Carolina do Sul foi o primeiro estado a deixar a União, em dezembro de 1860, um mês após a vitória eleitoral de Lincoln. Nos dois primeiros meses de 1861, quatro estados sulistas (Alabama, Geórgia, Louisiana e Mississípi) e o Texas aderiram à secessão e anunciaram a criação de um novo país. Sob a presidência de Jefferson Davis e com uma constituição que assegurava a continuidade da escravidão, os Estados Confederados do Sul formalizaram a secessão e ganharam o apoio da Carolina do Norte, Virgínia, Flórida, Arkansas e Tennessee.

O norte reagiu para impedir a divisão e iniciou a guerra, que se anunciava desde a proclamação da independência. A luta entre **ianques** (norte) e **confederados** (sul) durou quatro anos (1861-1865) e ficou conhecida como **Guerra de Secessão**. O conflito transcorreu quase integralmente em território sulista e mostrou, pelo menos na sua primeira metade, o equilíbrio militar entre os dois lados.

A maior capacidade militar nortista, resultado da produção de armas e da industrialização da região, só começou a prevalecer após 1863 **[doc. 2]**. Neste ano, os ianques venceram a Batalha de Gettysburg e bloquearam portos importantes do sul, o que dificultou a exportação do algodão sulista e impediu a entrada de apoio estrangeiro para os confederados. A guerra, no entanto, prosseguiu por mais dois anos, até a rendição das tropas confederadas em abril de 1865.

O final da guerra deixou um saldo de destruição: meio milhão de mortos e a desorganização do aparato produtivo, incluindo a devastação de grande parte das lavouras do sul do país.

DOC. 2 **Recursos dos dois lados na guerra civil**

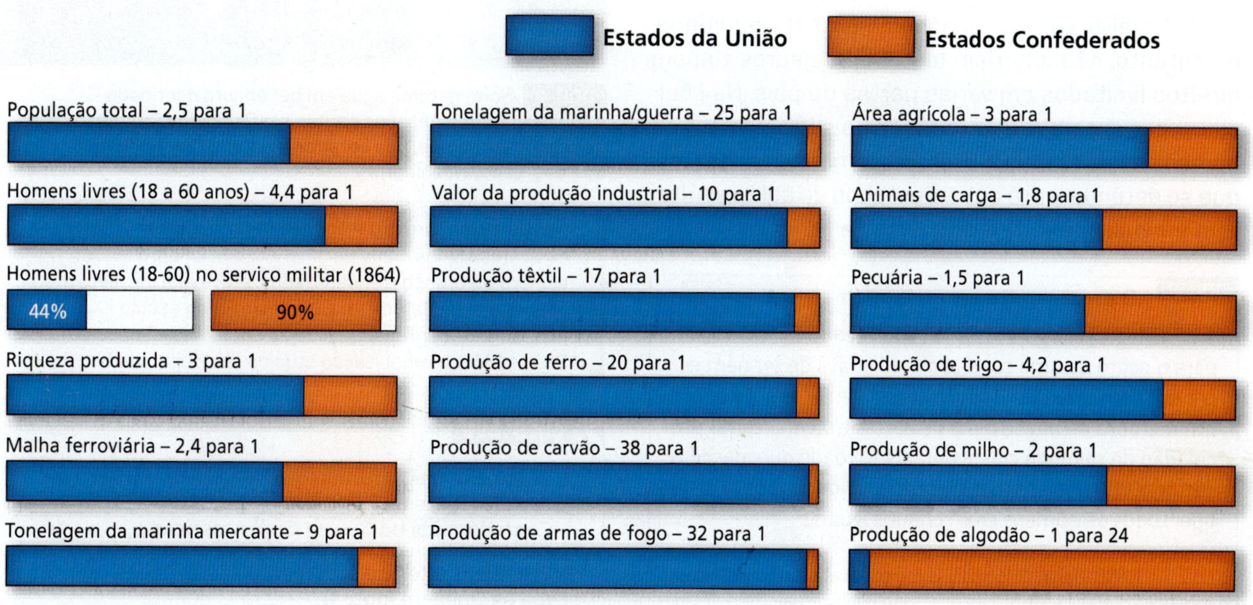

Fonte: *Atlas da história do mundo*. São Paulo: Times/Folha de S.Paulo, 1995. p. 219.

A abolição

O fim da escravidão representou um importante avanço para a sociedade norte-americana. A vitória do norte na guerra civil não eliminou, porém, as divergências entre escravistas e abolicionistas, nem unificou a economia. Norte e sul mantiveram suas diferentes estruturas produtivas; o sul e os estados escravistas do oeste, no entanto, foram forçados a aceitar a abolição.

Três meses antes da capitulação do sul, a escravidão foi proibida nos Estados Unidos por meio da 13ª emenda à Constituição. Na verdade, Lincoln já havia decretado o fim do trabalho escravo dois anos antes, ainda durante a guerra civil. A formalização constitucional, porém, só ocorreu na iminência do fim da guerra. Cerca de quatro milhões de escravos foram então libertados em todos os estados da União.

Libertos, mas marginalizados

Os ex-escravos tiveram dificuldades sérias para encontrar seu lugar na sociedade do pós-guerra. Estavam livres e, de acordo com a 13ª emenda, eram considerados cidadãos. Em 1866, o Congresso aprovou a lei dos Direitos Civis, que afirmava o direito à cidadania de todas as pessoas nascidas nos Estados Unidos ou naturalizadas, independentemente de raça, cor ou condição prévia. Quem negasse tal direito poderia ser punido com multa e prisão. No mesmo ano, a 14ª emenda reiterava a extensão do direito de cidadania aos ex-escravos e conferia autoridade ao governo federal para protegê-los. Quatro anos depois, o mesmo princípio foi reafirmado pela 15ª emenda. Ou seja, segundo a Constituição, os negros tinham exatamente os mesmos direitos políticos dos brancos e deviam ser tratados com igualdade.

O respeito à lei e o reconhecimento da igualdade, no entanto, não ocorriam **[doc. 3]**. Os negros tinham direitos limitados em várias partes do país. Na Louisiana, por exemplo, a introdução do sufrágio para os homens negros, em 1866, provocou conflitos abertos, que se estenderam a outros estados do sul e resultaram em mais de duzentos mortos e feridos.

DOC. 3 **O preconceito como legado**

"O legado da guerra civil acabou sendo a transmissão para o negro de uma condição ambígua: a de ser nem escravo e nem cidadão. O negro passaria muitos anos como um membro de um sistema de castas e viveria como um cidadão de segunda classe numa sociedade que, desde o século XVIII, tinha se manifestado a favor da proposta de que 'todos os homens eram criados iguais'."

NARO, Nancy Priscilla S. *A formação dos Estados Unidos*. São Paulo: Atual, 1986. p. 38.

A situação se repetia no caso do direito à propriedade e ao trabalho. Códigos legais editados em 1865 e 1866 garantiam o direito de propriedade aos negros e lhes permitia recorrer à justiça em casos de litígio, assegurando os mesmos direitos e possibilidades dos cidadãos brancos. Ao mesmo tempo, vetava aos negros o exercício de cargos públicos, proibia o porte de armas e limitava o acesso a postos de trabalho ocupados por brancos.

Em diversos estados, principalmente do sul, leis específicas proibiam que negros frequentassem os mesmos restaurantes e bares que os brancos, que andassem pelas mesmas calçadas ou utilizassem os mesmos meios de transporte público **[doc. 4]**.

O regime de segregação do negro, ferindo os princípios da Constituição, repetia o paradoxo que a expansão para o oeste já indicara. Sob o discurso da igualdade e da democracia, os Estados Unidos completavam sua formação nacional sob a marca do racismo e da intolerância. A desigualdade de fato e a crença numa superioridade do branco sobrepunham-se à igualdade jurídica e abriam espaço para o surgimento de grupos de defesa da "supremacia branca", como a Ku Klux Klan, que existe até hoje e continua a atuar em estados do sul dos Estados Unidos.

DOC. 4 Homem toma água em bebedouro destinado exclusivamente a pessoas negras em Oklahoma City, no estado de Oklahoma, nos Estados Unidos, 1939. Biblioteca do Congresso, Washington.

• **Ku Klux Klan.** Organização racista formada em 1868 por ex-confederados. Seus partidários, que se apresentam sempre de branco e encapuzados, atacavam inicialmente negros e seus defensores. No decorrer do século XX, a Klan passou a atacar também judeus, católicos e homossexuais. Desde 1869, a organização atua na clandestinidade.

QUESTÕES

1. Com base nas informações do gráfico, caracterize a correlação de forças entre os estados da União e os Confederados na Guerra Civil Americana.

2. Que elementos de segregação racial podem ser vistos na imagem [doc. 4]?

Seção 17.5

O avanço norte-americano na América Latina

Objetivo

- Relacionar a ideia de Destino Manifesto com a política intervencionista na América Latina.

Termos e conceitos

- Doutrina Monroe
- Emenda Platt
- Big Stick

DOC. 1 Charge de Bernard Gillam invocando a Doutrina Monroe para combater a intervenção europeia na construção do Canal do Panamá, 1889.

A fronteira avança para o sul

O predomínio político dos estados do norte após a guerra civil permitiu-lhes definir as bases da política econômica norte-americana. O esforço de incrementar a indústria passou a pautar as ações do governo. A produção voltou a crescer após os primeiros anos da reconstrução e, com ela, a necessidade de obter novos mercados consumidores.

O desejo de ultrapassar as fronteiras existentes, que caracterizou toda a ação expansionista em direção ao oeste, agora se orientava para outro lado: a América Latina. O contato de norte-americanos com algumas partes da América Latina já era antigo. O comércio triangular articulou, durante boa parte da colonização, algumas áreas do Caribe (principalmente Cuba) às colônias do norte e do sul. No século XIX, a guerra contra o México também indicou que os países vizinhos poderiam tornar-se alvo da expansão norte-americana.

Em dezembro de 1823, o presidente James Monroe, em sua mensagem anual ao Congresso, destacou a proximidade dos Estados Unidos com os demais países da América. A declaração, conhecida como **Doutrina Monroe**, é considerada por muitos autores como o prenúncio da ânsia expansionista dos Estados Unidos em direção à América Latina **[doc. 2]**. O discurso de Monroe, no entanto, tinha o objetivo exclusivo de refutar a intenção de alguns países europeus, na onda conservadora que se instaurou na Europa após a queda do imperador Napoleão Bonaparte, em 1815, de combater os movimentos emancipacionistas que se espalhavam pela América.

Os princípios anunciados por Monroe, sobretudo as noções de "fatalismo geográfico", e a famosa frase "A América para os americanos" apontavam a necessária aliança entre os países da América e afirmavam a autonomia dos países americanos. Em outras palavras, a Doutrina Monroe, pelo menos quando foi lançada, teve sentido defensivo contra a tentativa de avanço europeu **[doc. 1]**.

Conteúdo digital Moderna PLUS http://www.modernaplus.com.br
Mapa animado: A América para os americanos

DOC. 2 **Mensagem do presidente Monroe ao Congresso**

"[...] Foi julgada propícia a oportunidade de proclamar, como princípio em que os direitos e os interesses dos Estados Unidos estão envolvidos, que os continentes americanos, pela condição livre e independente que assumiram e mantêm, doravante não poderão ser considerados como objeto de futura colonização por parte de qualquer potência europeia. [...]

Os cidadãos dos Estados Unidos nutrem os mais amistosos sentimentos em prol da liberdade e felicidade dos seus concidadãos deste lado do Atlântico. Nas guerras das potências europeias, em matéria que só a elas diga respeito, jamais tomamos a menor parte, nem cabe à nossa política fazê-lo. [...]

Devemos, portanto, pelas sinceras e amistosas relações existentes entre os Estados Unidos e aquelas potências, declarar que consideraremos qualquer tentativa por parte delas de estender seu sistema a qualquer porção deste hemisfério como perigosa para a nossa paz e segurança. Não interferimos nem interferiremos nas colônias existentes ou dependentes de qualquer potência europeia. Mas, quanto aos governos que declararam sua independência que reconhecemos, depois de muita consideração e sob justos princípios, não poderemos ver nenhuma interferência por parte de qualquer potência europeia com o propósito de oprimi-los ou controlar-lhes o destino senão como manifestação de uma disposição inamistosa para com os Estados Unidos."

Mensagem do presidente James Monroe ao Congresso (2 dez. 1823). In: MATTOSO, Kátia M. de Queirós (Org.). *Textos e documentos para o estudo da história contemporânea*: 1789-1963. São Paulo: Hucitec/Edusp, 1977. p. 78-79.

Da negociação à ação

Depois da guerra civil, os Estados Unidos conheceram um acelerado crescimento industrial. Os países latino-americanos, em sua maioria, produziam poucos artigos manufaturados e industrializados e, por isso, tinham de importá-los da Europa. Para os industriais norte-americanos, isso significava que a América Latina representava um potencial mercado consumidor, que poderia ser conquistado por meio de uma ação política mais agressiva do Estado e das empresas norte-americanas.

Essa nova postura ficou clara em 1889, quando os Estados Unidos convocaram a Primeira Conferência Internacional Americana, que reuniu praticamente todos os países independentes da América. O objetivo era negociar uma aproximação comercial e apresentar-se como protetores do continente. Os resultados do encontro, contudo, foram inexpressivos.

Os passos seguintes na expansão norte-americana para o sul foram menos marcados pela diplomacia e tiveram como alvo Cuba, então colônia da Espanha. A primeira tentativa de Cuba de se tornar independente, entre 1868 e 1878, fracassou. A segunda guerra de independência, iniciada em 1895, ainda se arrastava quando os Estados Unidos interferiram no conflito, em 1898, e auxiliaram os cubanos a obter a emancipação política **[doc. 3]**.

Cuba tornou-se assim oficialmente autônoma, porém as tropas norte-americanas continuaram no território. Três anos depois da independência, uma alteração constitucional, a **Emenda Platt**, formalizou a hegemonia norte-americana sobre Cuba ao autorizar os Estados Unidos a atuar militarmente na ilha como protetores e garantidores da estabilidade interna.

DOC. 3 Charge alusiva à guerra de independência de Cuba mostra os Estados Unidos como heróis, a Espanha como vilã e Cuba como a dama em apuros, que recorre à proteção norte-americana, 1896.

A política do Big Stick

Durante o período presidencial de Theodore Roosevelt (1901-1909), a ação intervencionista dos Estados Unidos tornou-se regular. Em 1903, por exemplo, o governo de Roosevelt apoiou a secessão do norte da Colômbia e auxiliou a criação do Panamá. Em seguida, assumiu o comando das obras de abertura de um canal na região, que ligava o Oceano Atlântico ao Pacífico. Com a conclusão das obras, os Estados Unidos passaram a controlar o canal e sua circulação marítima e comercial.

A postura de Roosevelt diante da América Latina baseava-se numa interpretação da Doutrina Monroe. Para ele, a doutrina equivalia a uma declaração norte-americana de que os Estados Unidos deveriam agir sempre que os países vizinhos violassem os direitos norte-americanos ou quando seus governos demonstrassem relutância ou incapacidade de seguir as propostas norte-americanas ou de manter o controle político e militar interno.

A política intervencionista de Roosevelt na América Latina combinava ações diplomáticas e militares (daí ter se tornado conhecida como **Big Stick**) e foi mantida por seus sucessores. Durante todo o século XX, os Estados Unidos realizaram intervenções diretas ou indiretas em países latino-americanos, principalmente em áreas do Caribe e da América Central.

- **Big Stick.** Expressão que significa "grande porrete" e passou a ser usada para caracterizar o tom impositivo que os Estados Unidos adotavam nas negociações comerciais e diplomáticas com os demais países do continente. A origem da expressão estaria em uma frase de Roosevelt em que teria afirmado que se devia "falar com suavidade e com um grande porrete na mão".

QUESTÕES

1. Como a relação entre Estados Unidos e Inglaterra foi representada na charge **[doc. 1]**?
2. Quais eram as principais ideias da Doutrina Monroe **[doc. 2]**?
3. Há relação entre essa charge e os princípios da Doutrina Monroe? Qual?

ATIVIDADES

Retomar conteúdos

1 As colônias do norte/centro e do sul da América inglesa apresentavam características muito diferentes.

a) Exponha essas diferenças e as razões que explicam por que elas trilharam caminhos tão diferentes.

b) Como o desenvolvimento histórico das colônias do norte e do centro possibilitou a realização do comércio triangular?

c) No capítulo 15, você estudou outro comércio triangular. Compare os dois comércios, destacando semelhanças e diferenças.

2 Explique por que as treze colônias, apesar das grandes diferenças que havia entre elas, uniram-se na luta para libertar-se da Inglaterra.

3 Ao comentar sobre a Guerra Civil Americana, o alemão Karl Marx afirmou que esse era um conflito entre dois sistemas sociais inconciliáveis.

a) Que camadas sociais cada um dos lados do conflito representava?

b) Por que, segundo Marx, os dois sistemas eram inconciliáveis?

4 A tabela a seguir mostra a participação de brancos e de negros e mulatos (escravos ou não) em alguns estados norte-americanos em 1860 e 1870.

	1860		1870	
Estados	Brancos	Negros e mulatos escravos	Brancos	Negros e mulatos escravos
Alabama	526.271	435.080	521.384	–
Carolina do Sul	291.300	402.406	289.667	–
Louisiana	357.456	331.726	362.065	–
Michigan	736.142	–	1.167.282	–
Mississípi	353.899	436.631	382.896	–
Nova York	3.831.590	–	4.330.210	–
Ohio	2.302.808	–	2.601.946	–
Pensilvânia	2.849.259	–	3.456.609	–

Fonte: Censos populacionais de 1860 e 1870. WALKER, Francis A. *The Statistics of the Population of United States, Embracing the Tables of Race, Nationality, Sex, Selected Ages and Occupations*. Washington: Government Printing Office, 1872. U. S. Census Bureau. Disponível em http://www.census.gov. Acesso em 6 nov. 2009.

a) Por que no censo de 1860 havia escravos em alguns estados e em outros não?

b) Por que no censo de 1870 não havia escravos em nenhum estado?

c) Observe a relação entre o número de brancos e negros e mulatos escravos em Alabama, Carolina do Sul, Louisiana e Mississípi. Comente a importância econômica da mão de obra escrava nos estados do sul e relacione-a com a posição desses estados nas discussões sobre a abolição.

d) Que tensões sociais os dados do censo de 1860 para a Carolina do Sul e o Mississípi revelam?

Ler textos e imagens

5 O texto a seguir é o relato de um índio sioux sobre a chegada do homem branco em suas terras no final da década de 1860.

"Meus amigos, há muitos anos estamos neste território; nunca fomos ao território do Pai Grande, incomodá-lo sobre qualquer coisa. Foi seu povo que veio ao nosso território, incomodar-nos, fazer muitas coisas más e ensinar nosso povo a ser mau... Antes de seu povo atravessar o oceano para vir a este país, e dessa época até agora, nunca propuseram comprar um lugar que fosse igual a este em riqueza. Meus amigos, este território que vieram comprar é o melhor que temos... Este território é meu, cresci aqui; meus antepassados viveram e morreram nele e quero permanecer nele."

Kangi Wiyaka (Pena de Corvo). In: BROWN, Dee. *Enterrem meu coração na curva do rio*: índios contam o massacre de sua gente. São Paulo: Melhoramentos, 1986. p. 198.

a) Relacione o depoimento de Pena de Corvo com o contexto histórico da conquista do oeste dos Estados Unidos.

b) Qual é a relação dos índios com a terra, expressa nesse texto?

c) O que Kangi Wiyaka quis dizer com a afirmação de que os brancos vieram "fazer muitas coisas más e ensinar nosso povo a ser mau"?

6 Observe a charge.

O policial do mundo, charge representando o presidente norte-americano Theodore Roosevelt como um policial gigante sobre dois continentes. Sua mão direita segura um porrete com a inscrição "A nova diplomacia".

a) Sobre quais continentes o presidente Theodore Roosevelt apoia seus pés? Qual o significado desse ato?

b) Por que Roosevelt foi representado como um policial gigante?

c) O presidente Theodore Roosevelt também é conhecido como o criador da política do Big Stick. Qual o significado dessa política, especialmente para os países latino-americanos?

A expressividade da escultura barroca

Barroco: movimento e expressão

A pintura dos mestres renascentistas atingiu um alto grau de perfeição em equilibradas composições em perspectiva. Da mesma forma, a escultura da Renascença voltou a glorificar o corpo humano nu, apresentando-o de acordo com o ideal de beleza clássica dos antigos gregos **[doc. 1]**. O estudo da anatomia transformou os escultores em grandes conhecedores da musculatura humana, capazes de representar o corpo em inúmeras poses semelhantes às realizadas por pessoas reais.

O emprego da perspectiva geométrica também contribuiu para que as esculturas fossem observadas por todos os ângulos, sem prejuízo para a harmonia entre as partes. Mas faltava ainda aprimorar a representação do movimento e da expressão. E foi a essa tarefa que os artistas barrocos se dedicaram entre meados do século XVI e toda a extensão do XVII. Assim, a pintura barroca se concentrou mais nos jogos de luz e cor e menos nos contornos definidos dos objetos, criando composições menos simétricas, porém mais expressivas e dinâmicas. E a escultura, por sua vez, enfatizou o movimento das massas, sobretudo para representar a mobilidade dos estados da alma.

DOC. 1 *Baco ébrio*, escultura em mármore de Michelângelo, 1497. Museu Nacional do Bargello, Florença.

O barroco de Bernini

O italiano Gian Lorenzo Bernini (1598-1680) foi um dos maiores expoentes da escultura barroca. O **doc. 2** mostra o busto que ele esculpiu de sua jovem amante, captando a expressão a um só tempo doce e sensual da retratada. O decote deixa entrever o volume dos seios, e seu peito parece palpitar diante de nós. Bernini inaugurou o retrato escultural de pessoas comuns, já que os bustos de mármore eram utilizados até então apenas para homenagear figuras públicas, como imperadores e generais.

Além de se interessar por situações e pessoas do cotidiano, Bernini também voltou-se para os temas míticos. No **doc. 3**, vemos a escultura *Apolo e Dafne*, em que ele representou um episódio das *Metamorfoses*, do escritor latino Ovídio (42 a.C.-17 d.C.). No mito, Apolo é atingido pela flecha do amor lançada por Cupido e se apaixona por Dafne. A moça, atingida por uma flecha de bronze e cansada de ser perseguida por Apolo, transforma-se em um loureiro. Bernini captura o momento inicial da metamorfose, representando as pernas de Dafne já se transformando no tronco e nas raízes da árvore enquanto seus cabelos e dedos se transmutam em galhos e folhas. O movimento apreendido é duplo, pois envolve tanto a perseguição-fuga dos personagens quanto a sutileza da transmutação de um material em outro.

DOC. 2 *Busto de Constanza Buonarelli*, escultura em mármore de Gian Lorenzo Bernini, c. 1636. Museu Nacional do Bargello, Florença.

A arte da Contrarreforma

A arte barroca, no entanto, voltou-se principalmente para a representação de temas religiosos. O objetivo era combater o despojamento e a simplicidade pregados pelos reformadores protestantes com a exuberância das formas barrocas numa exaltação visual da fé e dos dogmas católicos. Em oposição à racionalidade do Renascimento, a arte barroca celebrava os sentimentos, criando expressões carregadas de drama e emoção.

O **doc. 4** mostra aquela que é provavelmente a obra-prima de Bernini, *O êxtase de Santa Teresa*, baseada nos relatos dessa religiosa sobre sua experiência mística de ser trespassada pela flecha de um anjo de Deus. O êxtase da santa se traduz em seu corpo entregue e contorcido e em sua expressão marcada por um misto de dor e prazer. A grande inovação de Bernini foi o tratamento dado ao manto da personagem, que não funciona apenas como um motivo ornamental, mas cujas dobras parecem se agitar num movimento frenético que acompanha sua experiência extasiante.

DOC. 3 *Apolo e Dafne*, escultura em mármore de Gian Lorenzo Bernini, 1622. Galeria Borghese, Roma.

O diálogo da modernidade com o barroco

No final do século XIX, o escultor francês Auguste Rodin também iria cobrir a figura de seu retratado com um grande manto em *Monumento a Balzac* **[doc. 5]**. Embora não tenha explorado a movimentação do panejamento como Bernini, Rodin aproveitou a vestimenta para investigar a superfície da escultura, transformando-a no principal motivo da obra, com todas suas imperfeições e nuances vibrantes. Sua preocupação em retratar a feição inspirada de Balzac como um gênio no ato da criação remete ao interesse barroco pela expressão. Rodin, contudo, é considerado o pai da escultura moderna por apresentar obras que rompem definitivamente com o ideal clássico de beleza e com o caráter bem acabado e polido das superfícies.

DOC. 4 *O êxtase de Santa Teresa*, escultura em mármore de Gian Lorenzo Bernini, c. 1650. Igreja Santa Maria della Vittoria, Roma.

DOC. 5 *Monumento a Balzac*, escultura em bronze de Auguste Rodin, 1898. Museu de Arte Moderna (Moma), Nova York.

O barroco em Minas Gerais

O fervor religioso da Contrarreforma cruzou o Atlântico e chegou ao Brasil, trazendo para cá a arte emotiva e intuitiva do barroco europeu. A região Nordeste e o estado de Minas Gerais foram os dois grandes centros do barroco brasileiro, que em cada um deles adquiriu características peculiares. Em Minas, particularmente na escultura, o mármore foi substituído por materiais da região, como a pedra-sabão e a madeira, e as deformações do barroco europeu deram lugar a figuras mais simples, joviais e de tons menos carregados.

O grande escultor do barroco brasileiro foi Antônio Francisco Lisboa, o Aleijadinho (c. 1730-1814). Ao contrário de Bernini, que se dividiu entre temas míticos e religiosos, Aleijadinho dedicou-se exclusivamente a representar imagens que exaltavam a fé católica. Sua obra se insere inteiramente no contexto do Brasil colonial, numa época em que Minas Gerais se tornava a região mais rica da América portuguesa justamente em razão da exploração de ouro e diamantes. A grande concentração de riquezas e o interesse em reafirmar os preceitos da Igreja Católica no fervor da Contrarreforma possibilitaram que as principais cidades mineiras se enchessem de igrejas e santuários magníficos.

As obras-primas do barroco mineiro

Além de desenhar as plantas e fachadas das construções religiosas mineiras, Aleijadinho trabalhou na ornamentação do interior dessas construções. As suas obras mais importantes são provavelmente os *Passos da Paixão* e os *Profetas*, que podem ser vistos na cidade de Congonhas (MG). Trata-se de dois conjuntos escultóricos pertencentes ao santuário do Bom Jesus do Matosinhos e que se compõem, respectivamente, de 66 estátuas de madeira pintada representando as estações da via-sacra de Jesus Cristo e 12 esculturas em pedra-sabão representando profetas da *Bíblia*. O **doc. 6** mostra a Coroação de espinhos, uma das cenas dos *Passos da Paixão*, em que a imagem de Cristo aparece ao centro cercada por soldados romanos.

Nessa cena, podemos ver o cuidado na representação do corpo do Cristo, com sua forte musculatura e veias salientes nos braços, enquanto a face porta uma expressão de sofrimento reflexivo. O **doc. 7** traz outra imagem de Cristo, do mesmo conjunto, dessa vez com a cruz às costas. A expressão de sofrimento torna-se mais intensa e dramática, e se pode perceber todo o peso da cruz sobre o corpo curvado da imagem. Também chama a atenção o tratamento dado ao panejamento do manto e da túnica com suas dobras angulosas, dando mais dramaticidade e movimento à figura.

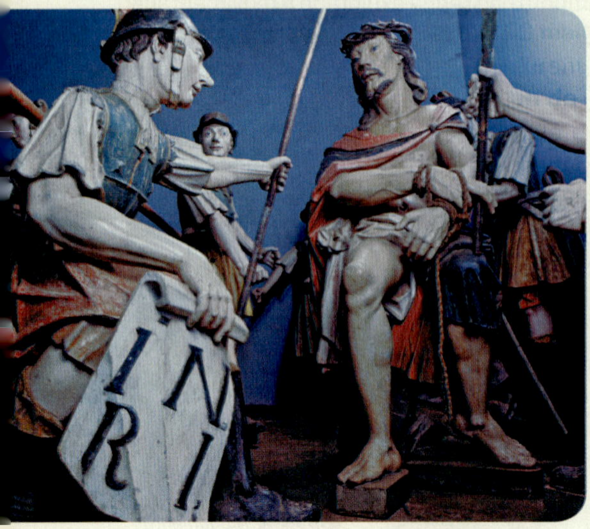

DOCS. 6-7 *Coroação de espinhos* (à esquerda) e *Cristo com cruz às costas* (abaixo), esculturas em madeira pintada do conjunto *Passos da Paixão*, 1796-1799, de Antônio Francisco Lisboa, o Aleijadinho. Santuário do Bom Jesus de Matosinhos, Congonhas (MG). Fotos de 2000.

Aleijadinho em uma releitura contemporânea

Assim como Bernini, Aleijadinho estava interessado na teatralidade do momento representado. Todas as cenas dos *Passos da Paixão* foram elaboradas para ser observadas de um ponto de vista privilegiado de máxima dramaticidade. O mesmo ocorre com o conjunto dos *Profetas*, dispostos no adro do santuário como se fossem atores de um auto religioso gesticulando e proclamando a vinda de Cristo **[doc. 8]**. Quando o observador se posiciona à frente dos primeiros degraus da escadaria, pode vislumbrar a totalidade da composição. Esse procedimento tinha como objetivo causar um impacto emocional no fiel que se aproximava do santuário e prepará-lo para o espetáculo das cenas da Paixão presentes nas capelas interiores.

Na década de 1990, Sergio Romagnolo, um artista paulista contemporâneo, iria retomar as imagens dos Profetas de Aleijadinho, refazendo-as com plástico poliestireno moldado à mão **[doc. 9]**. A cor cinza foi escolhida por Romagnolo por se assemelhar à coloração da pedra-sabão, e as dobras duras e angulosas dos mantos das imagens originais foram amolecidas e multiplicadas no tratamento do plástico. A intenção de Romagnolo é rediscutir alguns ícones da cultura brasileira e mundial e propor uma nova forma de apreensão visual para eles.

DOC. 8 Uma das doze esculturas em pedra-sabão que compõem a obra *Profetas*, de Aleijadinho, 1800-1805. Santuário do Bom Jesus de Matosinhos, Congonhas (MG), 2001.

- **Adro.** Pátio externo descoberto localizado em frente ou em torno de uma igreja.

DOC. 9 *Profetas*, conjunto de esculturas de Sergio Romagnolo, 1993. Galeria São Paulo.

QUESTÕES

1. Compare a escultura renascentista **[doc. 1]**, as feitas por Bernini **[docs. 2, 3 e 4]** e a de Rodin **[doc. 5]**. Que diferenças chamam a atenção?

2. Analise com atenção as esculturas de Aleijadinho **[docs. 6, 7 e 8]**. Que diálogo elas estabelecem com a obra *O êxtase de Santa Teresa*, de Bernini?

3. Compare os *Profetas* de Aleijadinho com os *Profetas* de Sergio Romagnolo. Destaque diferenças e semelhanças entre as duas obras.

4. Ao representar um episódio, os artistas barrocos pretendiam recriá-lo imprimindo-lhe uma carga de dramaticidade e emoção capaz de ser percebida e revivida pelo espectador, o que era mais importante que o entendimento racional.

   Imagine o que aconteceria se o escultor Bernini vivesse em outro momento histórico, por exemplo, no século XX, e tivesse, da mesma forma, representado o mito de Apolo e Dafne e *O êxtase de Santa Teresa*. Como teria sido a sua obra?

UNIDADE E A construção do mundo moderno

1 (UEL-PR) A exuberância da natureza brasileira impressionou artistas e viajantes europeus nos séculos XVI e XVII. Leia o texto e observe a imagem a seguir.

"[...] A América foi para os viajantes, evangelizadores e filósofos uma construção imaginária e simbólica. Diante da absoluta novidade, como explicá-la? Como compreendê-la? Como ter acesso ao seu sentido? Colombo, Vespúcio, Pero Vaz de Caminha, Las Casas, dispunham de um único instrumento para aproximar-se do Mundo Novo: os livros. [...] O Novo Mundo já existia, não como realidade geográfica e cultural, mas como texto, e os que para aqui vieram ou os que sobre aqui escreveram não cessam de conferir a exatidão dos antigos textos e o que aqui se encontra."

CHAUI, M. In: FRANZ, T. S. *Educação para uma compreensão crítica da arte*. Florianópolis: Letras Contemporâneas Oficina Editorial, 2003. p. 95.

Tribo guaicuru em busca de novas pastagens, obra de Jean-Baptiste Debret, 1834-1839. Museus Castro Maya/Div. Iconografia, Rio de Janeiro.

Com base no texto e na imagem, é correto afirmar:

I. O olhar do viajante europeu é contaminado pelo imaginário construído a partir de textos da Antiguidade e por relatos produzidos no contexto cultural europeu.

II. Os artistas viajantes produziram imagens precisas e detalhadas que apresentam com exatidão a realidade geográfica do Brasil.

III. Nas representações feitas por artistas estrangeiros coexistem elementos simbólicos e mitológicos oriundos do imaginário europeu e elementos advindos da observação da natureza e das coisas que o artista tinha diante de seus olhos.

IV. A imagem de Debret registra uma cena cotidiana e revela a capacidade do artista em documentar os costumes e a realidade do indígena brasileiro.

Copie em seu caderno a alternativa que contém todas as afirmativas corretas.

a) I e II.
b) I e III.
c) II e IV.
d) I, III e IV.
e) II, III e IV.

2 (Unicamp-SP) "O aprisionamento de indígenas pelos bandeirantes foi uma forma de obter mão de obra para a lavoura e para o transporte. No litoral, o preço dos indígenas era bem menor que o dos escravos negros – o que interessava aos colonos menos abonados. O sistema de apresamento consistia em manter boas relações com uma tribo indígena e aproveitar seu estado de guerra quase permanente com seus adversários, para convencê-la a lhes ceder os vencidos, os quais costumeiramente eram devorados em rituais antropofágicos."

Adaptado de Laima Mesgravis. De bandeirante a fazendeiro. In: Paula Porta (Org.). *História da cidade de São Paulo*: a cidade colonial, 1554-1822. São Paulo: Paz e Terra, 2004. v. 1. p. 117.

a) O que foram as bandeiras?
b) Por que o aprisionamento dos indígenas interessava aos bandeirantes e aos colonos?
c) O que eram rituais antropofágicos?

3 (Enem-MEC) "A identidade negra não surge da tomada de consciência de uma diferença de pigmentação ou de uma diferença biológica entre populações negras e brancas e (ou) negras e amarelas. Ela resulta de um longo processo histórico que começa com o descobrimento, no século XV, do continente africano e de seus habitantes pelos navegadores portugueses, descobrimento esse que abriu o caminho às relações mercantilistas com a África, ao tráfico negreiro, à escravidão e, enfim, à colonização do continente africano e de seus povos."

K. Munanga. Algumas considerações sobre a diversidade e a identidade negra no Brasil. In: *Diversidade na educação*: reflexões e experiências. Brasília: SEMTEC/MEC, 2003. p. 37.

Com relação ao assunto tratado no texto acima, é correto afirmar que

a) a colonização da África pelos europeus foi simultânea ao descobrimento desse continente.
b) a existência de lucrativo comércio na África levou os portugueses a desenvolverem esse continente.
c) o surgimento do tráfico negreiro foi posterior ao início da escravidão no Brasil.
d) a exploração da África decorreu do movimento de expansão europeia do início da Idade Moderna.
e) a colonização da África antecedeu as relações comerciais entre esse continente e a Europa.

4 (UFMG) Todas as alternativas apresentam fatores relacionados com a colonização inglesa na América do Norte, exceto:

a) A criação do anglicanismo como religião oficial da Inglaterra no século XVII.
b) A violenta perseguição religiosa desencadeada contra os católicos e protestantes ingleses.
c) O impulso dado ao mercantilismo pelo fortalecimento do absolutismo durante o reinado de Elizabeth I.
d) O poder crescente dos puritanos e calvinistas durante a dinastia Stuart no século XVII.

UNIDADE E

Leituras

Hans Staden: um aventureiro no Novo Mundo
OLIVEIRA, Jô.
São Paulo: Conrad, 2005.

A obra em quadrinhos conta as aventuras do alemão Hans Staden. No século XVI, ele partiu em uma viagem de navio para o Novo Mundo. O seu navio naufragou no litoral paulista, e Staden foi aprisionado pelos índios da região e ameaçado de ser devorado. Depois de viver algum tempo entre os índios, Staden conseguiu fugir e retornou à Europa, onde escreveu um livro contando suas aventuras no Brasil.

Explorando a América Latina
MACHADO, Ana Maria.
São Paulo: Ática, 2000. (Coleção Explorando)

Nessa obra é apresentado um panorama da América Latina antes e depois da chegada dos europeus, mostrando aspectos das culturas inca, maia e asteca, as riquezas da região e a presença dos conquistadores em busca de riquezas e do Eldorado.

Filmes

Hans Staden
Direção de Luiz Alberto Pereira. Brasil, 1999. 92 min.

O alemão Hans Staden, em viagem pela colônia portuguesa, foi capturado por índios que iriam matá-lo e devorá-lo. Depois de um tempo, conseguiu fugir e retornou para a Europa, onde escreveu um livro registrando suas aventuras.

A missão
Direção de Roland Joffé. Inglaterra, 1986. 166 min.

Essa é a história de um violento comerciante de escravos indígenas que se arrepende de seus atos e alia-se aos jesuítas. A história se passa na região dos Sete Povos das Missões, em um cenário político de disputas entre religiosos e traficantes de escravos.

Desmundo
Direção de Alain Fresnot. Brasil, 2003. 101 min.

Por volta de 1570, algumas jovens são mandadas de Portugal para casarem com os primeiros colonizadores portugueses. Mas esses relacionamentos são muito conturbados e violentos, como nos narra esse filme.

Aguirre, a cólera dos deuses
Direção de Werner Herzog. Alemanha, 1972.

Ao abandonarem o Peru, os primeiros conquistadores espanhóis dirigiram-se ao Rio Amazonas, onde enfrentaram muitas dificuldades. Tomado pela loucura, Aguirre liderou o grupo nessa expedição, levando-os a territórios completamente desconhecidos.

O último dos moicanos
Direção de Michael Mann. Estados Unidos, 1992. 136 min.

A história transcorre no século XVIII, quando França e Inglaterra disputam territórios ingleses na América do Norte. O personagem principal, um homem branco criado por índios, decide ficar ao lado dos índios, ao mesmo tempo que se apaixona por uma inglesa.

A letra escarlate
Direção de Rolland Joffé. Estados Unidos, 1995. 136 min.

Quando uma mulher pensa que seu marido havia morrido na guerra, ela se envolve com o pastor da cidade, com quem acaba tendo um filho. Pressionada a contar quem era o pai, nega-se a contar a verdade. Recebe, assim, a letra "A", símbolo dos adúlteros, para que fosse bordada em sua roupa.

As bruxas de Salem
Direção de Nicholas Hytner. Estados Unidos, 1996. 123 min.

O filme aborda a perseguição a mulheres acusadas de bruxaria, episódio ocorrido na cidade de Salem, colônia nortista de Massachusetts, em 1692. Muitas pessoas foram envolvidas nesse processo, que revelou a intolerância religiosa que caracterizou aquela parte das colônias inglesas.

Cold mountain
Direção de Anthony Minghella. Estados Unidos, 2003. 155 min.

Um soldado que sobrevive à Guerra Civil Americana retorna para sua casa, onde encontra sua namorada com dificuldades para administrar sua fazenda. O soldado divide com outros homens sua experiência da guerra.

Site

Casa das Áfricas
www.casadasafricas.org.br

No *site* estão disponíveis alguns artigos e dados sobre a história do continente, com fotografias, cartões-postais e representações nacionais. Traz também material de apoio para aprofundamento: filmes, palestras, *sites* e mapas.

UNIDADE F

Uma era de revoluções e transformações

» Capítulos

As duas faces de um mesmo processo

Observe a ilustração na página ao lado. Ela é uma representação do artista Max Beckmann das reformas urbanas que ocorreram na cidade de Paris na segunda metade do século XIX. Na imagem, prédios e casas estão sendo demolidos, e ruas estão sendo abertas. Agora, observe a fotografia abaixo, tirada de um município da China, em 2007. As duas representações são bastante significativas das mudanças, tensões e resistências envolvidas no processo de desenvolvimento industrial e urbano que vêm ocorrendo há mais de dois séculos.

A industrialização tem uma longa história de abuso, exploração e exclusão de indivíduos. Mas, ao mesmo tempo, gerou inovações tecnológicas consideradas hoje indispensáveis para nosso conforto e qualidade de vida. Além disso, um dos efeitos diretos do desenvolvimento industrial foi o crescimento das cidades. Embora em muitas delas grande parte da população tenha encontrado boas condições de vida e uma complexa rede de fabricação, distribuição e consumo de produtos, em alguns centros urbanos, problemas econômicos, sociais e ambientais tornaram-se desafios persistentes que as sociedades enfrentam ainda nos dias de hoje.

Residência de um casal chinês no município de Chongqing, sudoeste da China, cercada por um canteiro de obras. Uma empresa pretendia erguer no local um empreendimento imobiliário. Foto de 2007.

O grande processo revolucionário Esta linha do tempo não foi organizada em escala temporal.

1642-1649	1688	1751-1765	1769	1789	1798
Revolução Puritana, na Inglaterra.	Revolução Gloriosa.	Publicação da *Enciclopédia*.	James Watt aperfeiçoa a máquina a vapor.	Conjuração Mineira, no Brasil. Início da Revolução Francesa.	Conjuração Baiana, no Brasil.

QUESTÕES

1. Observe as imagens e faça um comentário a respeito da relação entre desenvolvimento industrial e urbanização.

2. A industrialização trouxe muitos benefícios e também resultados negativos. Em sua opinião, quais foram os mais importantes em ambos os casos?

3. A que se refere o lema Liberdade, Igualdade e Fraternidade?

4. Você já ouviu falar em Napoleão Bonaparte? O que sabe sobre ele?

Ilustração de Max Beckmann (1884-1950), feita entre os anos de 1943 e 1944.

1804	1808	1810	1815	1822	1831
Napoleão autoproclama-se imperador.	Chegada da família real ao Brasil.	Independência do México.	Congresso de Viena e elevação do Brasil à categoria de Reino Unido de Portugal, Brasil e Algarves.	Independência do Brasil.	Abdicação de d. Pedro I.

Capítulo

18

O iluminismo

› **18.1 O movimento iluminista**

Os iluministas viam na razão e na ciência o caminho para a liberdade e a felicidade do homem.

› **18.2 O despotismo esclarecido**

Os chamados déspotas esclarecidos procuraram conciliar racionalização administrativa com absolutismo e sociedade estamental.

O legado do iluminismo

Na maioria dos países ocidentais, hoje, as decisões políticas não estão subordinadas a nenhuma orientação religiosa. Além disso, eles estão dotados de constituições que asseguram juridicamente os direitos básicos dos indivíduos, como liberdade de pensamento e de crença, garantia de um tratamento igual perante a lei, acesso à educação e à saúde públicas etc.

Evidentemente, garantias jurídicas não resolvem, por si sós, os graves problemas que atingem as sociedades atuais, como exploração do trabalho, desigualdade econômica entre os cidadãos de um mesmo país e entre as nações, corrupção, limitação das liberdades individuais, intolerância religiosa e vários tipos de discriminação. O cumprimento efetivo desses direitos depende da criação de oportunidades econômicas para todos e de mecanismos que assegurem a transparência institucional e a participação efetiva dos cidadãos na vida política dos seus países.

Seria um erro negligenciar, contudo, a conquista dessas liberdades. Viver num Estado que definisse uma única religião para todos os seus cidadãos ou que censurasse determinadas formas de pensamento impediria o livre exercício da cidadania. A tolerância religiosa e a liberdade de expressão são heranças de um movimento que ocorreu na Europa entre os séculos XVII e XVIII: o iluminismo.

Os intelectuais iluministas acreditavam que todas as pessoas eram livres, autônomas e capazes de orientar sua própria conduta. A ignorância, gerada pela aceitação de dogmas religiosos e de governos tirânicos, impossibilitava os cidadãos de desenvolverem suas potencialidades. Assim, os iluministas propunham novos valores à sociedade, que deveria ser dirigida pela razão e pela ciência e não mais pela religião e pela fé.

Em grande parte, o iluminismo traduzia uma visão otimista na capacidade de o ser humano forjar seu próprio destino. A razão seria capaz de libertar os indivíduos dos grilhões da ignorância.

Leitura da tragédia "L'orphelin de la Chine", de Voltaire, no salão de madame Geoffrin. Pintura de Anicet Charles Gabriel Lemonnier, 1755. Museu Nacional do Castelo de Malmaison, Rueil-Malmaison.

Seção 18.1

O movimento iluminista

Objetivo

- Identificar as principais características que definem o iluminismo.

Termos e conceitos

- Iluminismo
- Educação
- Esfera pública
- República

A razão contra a fé

O **iluminismo** foi um movimento intelectual nascido na França e que se difundiu por toda a Europa no decorrer do século XVIII. Ele abrangia a filosofia, as artes, as ciências, a política e o direito. A palavra iluminismo fazia referência à luz e à claridade, opondo-se à sombra e à escuridão. Também dizia respeito à razão e ao entendimento, em contraposição à ignorância. Assim, a razão esclarecida, principal objetivo do iluminismo, opunha-se às trevas da ignorância, representadas pela fé, pelo preconceito e pela superstição **[doc. 1]**.

Os escritores que hoje são considerados integrantes do iluminismo não tinham a mesma opinião sobre o mesmo assunto nem se interessavam do mesmo modo por todas as questões. Mesmo assim é possível traçar algumas linhas gerais sobre esse movimento. O iluminismo caracterizou-se por responsabilizar a fé e a tradição pela ignorância e pela sobrevivência das velhas estruturas feudais. Segundo os filósofos iluministas somente o esclarecimento do indivíduo por meio do conhecimento racional e o avanço da ciência e da técnica poderiam libertar o homem dos grilhões da ignorância.

O papel do intelectual ou do homem letrado, segundo o próprio iluminismo, era investigar e discutir os limites do poder para libertar os homens do obscurantismo e dos laços feudais. A transformação da sociedade seria operada por meio de novas instituições, que estabelecessem a igualdade jurídica entre os homens, e de uma nova **educação**, voltada para a formação de seres humanos autônomos.

DOC. 1 **A religião e os iluministas**

"Qual é o traço mais característico do século do iluminismo? Nada parece mais fácil de responder, conforme a ideia tradicional que temos do assunto: a atitude crítica e cética em relação à religião, essa é a essência mesma da filosofia do iluminismo. [...]

Extirpar toda crença absolutamente, quaisquer que sejam os argumentos em que se apoie ou a forma histórica que assuma, parece ser definitivamente o único meio de libertar o homem dos preconceitos e da servidão e de abrir-lhe a via da verdadeira felicidade. [...]

Uma vez que se tomou consciência deste estado de coisas, não é mais possível pensar em retorno, compromisso ou conciliação. É preciso escolher entre a liberdade e as cadeias, entre a lucidez da consciência e a obscuridade das paixões, entre ciência e fé. E a escolha, evidentemente, não é problemática para o homem dos tempos novos, o homem das luzes. Ele renunciará sem reserva ao socorro vindo do alto, encontrará ele próprio seu caminho para a verdade e não pensará possuir esta verdade que ele não obteve e experimentou em virtude de suas próprias forças."

CASSIRER, Ernst. *La Philosophie des Lumières*. Paris: Gallimard, 1966. p. 153-154. (tradução nossa)

A difusão do iluminismo

Um dos fatores que contribuíram para difundir as ideias iluministas foi o aumento da circulação de livros e outros escritos. Entre 1700 e 1789, centenas de periódicos foram criados somente na França. Só nos últimos seis meses de 1789, o ano da Revolução, foram fundados 250 novos jornais, um dado surpreendente considerando que a maioria da população francesa não era alfabetizada.

O hábito da leitura pública também é um dos fatores que explicam a difusão do iluminismo. Nos salões aristocráticos, nos clubes sociais, nos cafés, nas oficinas e até mesmo na praça pública era comum a leitura de livros populares ou jornais em voz alta para que todos pudessem ouvir e dela se beneficiar.

As leituras públicas alimentavam o debate e a troca de ideias e opiniões entre as pessoas, contribuindo para formar um contexto em que as pessoas criticavam abertamente o poder e a religião **[doc. 2]**. A difusão de textos escritos foi fundamental para esse resultado, como ressalta o historiador francês Roger Chartier:

> "Os homens do século XVIII viam a circulação do escrito como a própria condição do progresso das Luzes. Graças a ela, todos estão em igualdade para julgar as instituições e opiniões e submeter à discussão comum suas próprias ideias. Um novo espaço crítico e político nasce desse exercício público da razão pelas pessoas privadas. [...]"

CHARTIER, Roger. *A aventura do livro*: do leitor ao navegador. São Paulo: Editora Unesp/Imprensa Oficial, 1999. p. 133.

DOC. 2 Denis Diderot discutindo sobre a *Enciclopédia* com seus colegas. Gravura feita a partir da obra em *La Ilustración Española y Americana*, 1877, do pintor e ilustrador francês Meissonier. Conselho Superior de Investigações Científicas, Biblioteca M-IH, Madri.

Os debates na esfera pública

O debate de ideias, que se difundiu em alguns centros urbanos da Europa do século XVIII, não se orientava pelos dogmas religiosos da Igreja Católica nem pelos interesses políticos desse ou daquele governante. Essa nova experiência resultou no surgimento de uma **esfera pública** de discussão, na qual os cidadãos podiam se encontrar para manifestar suas opiniões a respeito de determinados assuntos que lhes diziam respeito, sem a necessidade de submeter seu ponto de vista à aprovação da religião ou da política vigente.

A criação desses espaços e a divulgação das ideias iluministas encontraram resistência. O Estado e a Igreja mantinham vigilância e censura sobre o comportamento e os escritos em circulação. Para tentar evitá-las, organizavam-se comunidades clandestinas de livreiros, que imprimiam livros em segredo ou os contrabandeavam do exterior. Por esse meio, circulavam desde obras que criticavam a moral vigente, como os romances do marquês de Sade (1740-1814), até obras de filósofos iluministas, como Voltaire (1694-1778) e Jean-Jacques Rousseau (1712-1778).

A *Enciclopédia*

A livre expressão do pensamento, no entanto, chocava-se com a tirania do Antigo Regime. Em virtude da elaboração da obra *Carta sobre os cegos endereçada àqueles que enxergam*, o iluminista francês Denis Diderot (1713-1784) foi preso três vezes. Os encarceramentos não impediram, porém, que o filósofo concluísse sua obra mais importante, *a Enciclopédia*. Publicada entre 1751 e 1765, a redação da *Enciclopédia* foi coordenada por Diderot e Jean le Ron D'Alembert (1717-1783) e reuniu alguns dos maiores sábios e intelectuais da época. A obra totalizava dezessete volumes e apresentava, segundo seus coordenadores, todos os conhecimentos formulados pela humanidade até então.

A coleção, apesar da censura, foi finalizada em 1772. Só em sua primeira edição, a obra vendeu quase 25 mil exemplares. O espaço dedicado à ciência e à tecnologia, em detrimento daqueles relativos à teologia e à religião, expressava a preocupação com a censura, mas também a importância daquelas novas áreas do conhecimento para os pensadores iluministas **[doc. 3]**.

Inicialmente, apenas as camadas mais abastadas podiam comprar a *Enciclopédia*. Mas logo foram impressas cópias mais baratas, tornando-a acessível também às classes populares.

Vocabulário histórico

Esfera pública

Todo espaço onde haja liberdade para os cidadãos discutirem assuntos de seu interesse e possam expressar livremente suas opiniões. A opinião pública é o resultado dessas discussões e debates. Entre os séculos XVII e XVIII, apesar das restrições impostas pelo Estado e pela Igreja, uma esfera pública desenvolveu-se na Europa. No mundo contemporâneo, não há como separar a esfera pública dos meios de comunicação de massa, como os grandes jornais, a TV, o rádio e a internet, que cumprem um papel fundamental na formação da opinião pública.

DOC. 3 O "laboratório" das mudanças

"[...] A *Enciclopédia*, que se apresentava como um dicionário raciocinado das artes, ciências e ofícios, não deixava fora de seu campo nenhum domínio da atividade humana e do pensamento: das 'belas-letras' e 'belas-artes' ao conjunto dos conhecimentos científicos, então em pleno florescimento [...].

Constituída por uma 'sociedade de gente de letras', ela não era concebida como obra de um único indivíduo, ao contrário das obras que a inspiraram de uma maneira ou de outra, tais como o *Dicionário* de Pierre Bayle e a *Cyclopedia* de Ephraim Chambers. Mas sua verdadeira importância decorre de outro fato: ela ocupa na história das ideias e na história social um lugar único, resultado de seu papel antropológico e político e do espírito militante que a inspirava. Ela foi, de fato, o 'laboratório' em que se preparavam mudanças de toda espécie, sobretudo de mentalidade, e foi graças a tais mudanças que puderam ser inseridos diversos aspectos daquilo que é possível chamar de 'mundo moderno'."

PATY, Michel. *D'Alembert*. Ou a razão físico-matemática no século do iluminismo. São Paulo: Estação Liberdade, 2005. p. 19-21. (Coleção Figuras do saber)

Iluminismo e educação

Uma das principais preocupações dos iluministas foi a reforma educacional, que devia acompanhar as reformas das instituições. No Antigo Regime, o ensino estava restrito a uma pequena parcela da população e estava sob a responsabilidade da Igreja Católica. As famílias ricas contratavam preceptores para educar seus filhos. Não havia um sistema público nem universal de ensino.

Os iluministas defendiam uma educação gratuita, obrigatória e laica, ou seja, livre da influência da religião. As propostas acentuavam a necessidade de incluir a história e as ciências no currículo escolar. Essas disciplinas eram consideradas importantes no combate aos dogmas religiosos, levando os futuros cidadãos a buscar explicações racionais tanto para os fenômenos naturais quanto para os acontecimentos sociais.

A crítica de Rousseau

O principal renovador do conceito de educação e de infância foi o iluminista Jean-Jacques Rousseau. De acordo com o pensamento de Rousseau, a sociedade civil havia separado o homem da natureza, gerando efeitos nocivos ao próprio ser humano **[doc. 4]**. Rousseau acreditava que as sociedades, ao contrário de contribuírem para o desenvolvimento das potencialidades do ser humano, pervertiam sua bondade natural, incutindo afetos e vontades artificiais, que não possuíam relação com sua natureza original:

"Numa palavra: foi necessário que um homem se retratasse a si mesmo para nos mostrar o homem natural [...]. Mas onde existe ainda esse homem da natureza que vive uma vida verdadeiramente humana; que não leva em consideração a opinião dos outros, e que se deixa levar pura e simplesmente por suas inclinações e sua razão, sem atentar para o que a sociedade e o público aprovam ou censuram? Procuramo-lo em vão entre nós. [...]"

Jean-Jacques Rousseau. In: CASSIRER, E. *A questão Jean-Jacques Rousseau*. São Paulo: Editora Unesp, 1999. p. 41.

O estado de natureza

A expressão "estado de natureza da humanidade" diz respeito às características inatas do ser humano, por oposição àquelas que foram adquiridas no decorrer do desenvolvimento histórico da civilização. De modo geral, quando buscamos conceber esse estado natural, imaginamos o homem desprovido de razão e sentimento e movido apenas por seus instintos naturais. Esse estado da humanidade geralmente é visto como primitivo ou inferior.

Para Rousseau, o estado de natureza não se confundia com um estágio inferior de desenvolvimento, mas se referia à própria essência do ser humano. O homem natural de Rousseau dizia respeito ao ser humano ainda não recoberto com as marcas da civilização. Ao incorporar os traços civilizatórios, a essência do ser humano se via cada vez mais oculta e silenciada. Ao contrário dos demais iluministas, que glorificavam sua época como estágio superior de desenvolvimento humano, Rousseau expressava uma visão negativa e pessimista do progresso e da civilização.

O escritor conhecido como marquês de Sade, também um crítico da sociedade do Antigo Regime, discordava da visão de estado de natureza defendida por Rousseau.

- **Preceptor.** Professor encarregado da educação de um aluno, frequentemente ministrando aulas no domicílio do próprio aluno.

DOC. 4 **A origem da propriedade privada**

Ao contrário da maioria dos intelectuais iluministas, provenientes da aristocracia e da burguesia, Rousseau era de origem social humilde e fez uma crítica radical à sociedade de sua época. Um dos pontos dessa crítica foi a condenação da propriedade privada como origem das desigualdades sociais.

"O primeiro que, tendo cercado um terreno, atreveu-se a dizer: Isto é meu, e encontrou pessoas simples o suficiente para acreditar nele, foi o verdadeiro fundador da sociedade civil. Quantos crimes, guerras, assassínios, quantas misérias e horrores não teria poupado ao gênero humano aquele que, arrancando as estacas ou enchendo o fosso, houvesse gritado aos seus semelhantes: 'Evitai ouvir esse impostor. Estareis perdidos se esquecerdes que os frutos são de todos e que a terra não é de ninguém'."

ROUSSEAU, Jean-Jacques. *Discurso sobre a origem e os fundamentos da desigualdade entre os homens*. São Paulo: Martins Fontes, 2005. p. 203.

Retrato de Jean-Jacques Rousseau, pastel sobre papel de Maurice Quentin de La Tour, século XVIII. Museu Antoine Lecuyer, Saint-Quentin, França.

Rousseau e a educação

Rousseau acreditava que a sociedade europeia de sua época estava corrompida e desestruturada. Mas, por meio da educação, seria possível criar um novo homem. Para Rousseau, a educação não garantia a reforma da sociedade, mas permitia que o indivíduo se tornasse imune aos vícios da civilização. A criança, quando ainda não corrompida pela civilização, preservava sua bondade natural. A criança deveria crescer livre das influências negativas da sociedade e, ao ser educada, não deveria ser submetida a castigos e humilhações, mas ser respeitada em sua individualidade.

"Tudo o que não temos ao nascer, e de que precisamos adultos, é-nos dado pela educação.

Essa educação nos vem da natureza ou dos homens ou das coisas. O desenvolvimento interno de nossas faculdades e de nossos órgãos é a educação da natureza; o uso que nos ensinam a fazer desse desenvolvimento é a educação dos homens; e o ganho de nossa própria experiência sobre os objetos que nos afetam é a educação das coisas. [...]

Ora, dessas três educações diferentes, a da natureza não depende de nós; a das coisas só em certos pontos depende. A dos homens é a única de que somos realmente senhores e ainda assim só o somos por suposição, pois quem pode esperar dirigir inteiramente as palavras e as ações de todos os que cercam uma criança? [...]"

ROUSSEAU, Jean-Jacques. Emílio, ou da educação [1762]. In: FORTES, Luiz Roberto Salinas. *Rousseau*: o bom selvagem. São Paulo: Humanitas/Discurso Editorial, 2007. p. 119-120.

A educação ideal

Rousseau concebeu um novo modelo de educação para regenerar a sociedade. Essa educação diferenciava o ensino ministrado aos meninos daquele ministrado às meninas. Os meninos deveriam ser educados para ser cidadãos bons e virtuosos, enquanto as meninas deveriam ser educadas para se tornar boas mães, responsáveis por criar e educar os futuros cidadãos. Inspirado na educação espartana da Grécia antiga, Rousseau argumentava que o indivíduo não devia ser educado para si mesmo, mas para servir à coletividade e à pátria.

A tradição republicana

Os filósofos iluministas dividiram-se com respeito à reforma política da sociedade. Para Voltaire e Montesquieu (1689-1755), o regime monárquico possuía condições de educar o cidadão e conduzir as transformações sociais **[doc. 5]**. A ruptura com essa forma de governo não era necessária. Para eles, a monarquia constitucional inglesa, em que os poderes do rei eram limitados por um parlamento, era o modelo de regime político.

Havia, contudo, filósofos que acreditavam que o ideal iluminista só se cumpriria no regime republicano. O filósofo alemão Immanuel Kant (1724-1804), por exemplo, acreditava que somente um Estado organizado em bases republicanas poderia realizar o ideal iluminista de progresso e aperfeiçoamento da espécie humana.

Como outros pensadores e reformadores iluministas, Kant acreditava que a humanidade era capaz de se aperfeiçoar moralmente e de se tornar responsável por seu próprio destino, sem a necessidade da tutela de reis, padres ou pastores. Porém, esse ideal só poderia se tornar efetivo num regime republicano, em que houvesse separação de poderes e em que o povo fosse o único soberano.

Kant afirmava que a liberdade era a meta final da história humana e que estava próxima de se realizar. Idealizou um futuro em que a violência e a guerra, que caracterizaram a história humana até então, seriam substituídas por uma **república** mundial, da qual todos os homens seriam cidadãos.

DOC. 5 Montesquieu retratado por Jean-François Garnerey, século XVIII (acima); Voltaire, gravura do século XVIII (ao lado). Biblioteca Nacional da Espanha, Madri.

QUESTÃO

- Explique como se formaram, no século XVIII, espaços públicos de discussão e qual foi sua importância para a circulação das ideias iluministas.

ANALISAR UM DOCUMENTO HISTÓRICO — A pintura histórica

Os livros e os debates públicos não eram os únicos meios de divulgação das ideias e dos valores iluministas. Muitos pintores retratavam em suas obras imagens comprometidas com esses valores. A pintura histórica foi o gênero artístico que melhor expressou essa tendência.

O foco principal da pintura histórica era a representação de acontecimentos políticos considerados notáveis. Grandes personagens da história, assim como feitos e batalhas memoráveis, ganhavam cores e contornos nítidos na obra de arte, sendo elevados a um lugar grandioso na mentalidade nacional. A glorificação da nação e da política tornava-se seu mais forte efeito.

Para compreender o documento

Jacques-Louis David foi um dos artistas mais importantes do gênero de pintura histórica. Esteve profundamente envolvido com os debates políticos franceses, atuando por meio de suas obras e de sua vida.

A tela *O juramento dos Horácios* (1784), de Jacques-Louis David, é considerada uma das principais obras da pintura histórica. Retrata um momento da história de Roma em que três irmãos juram lutar pela República Romana, arriscando suas próprias vidas e de suas famílias.

1. O tema foi inspirado na própria Antiguidade clássica. Desse modo, o acontecimento histórico torna-se um exemplo de conduta para o momento em que a pintura foi realizada.
2. A iluminação da cena se concentra nos soldados. O fundo está escuro e tem poucos elementos pictóricos.
3. Os homens são pintados como se fossem estátuas. A luz destaca a textura das roupas e a musculatura dos corpos.
4. Os soldados são representados de pé com contornos retos e rígidos, enquanto as mulheres são retratadas sentadas e com formas curvas e suaves.
5. As cores também realçam o contraste entre os soldados e as mulheres. No primeiro caso, vemos cores mais fortes com destaque para o vermelho. Nas mulheres, as cores são mais suaves.

O juramento dos Horácios. Pintura de Jacques-Louis David, 1784. Museu do Louvre, Paris.

QUESTÕES

1. Faça uma descrição da pintura *O juramento dos Horácios*.
2. Que valor iluminista pode ser reconhecido na obra?
3. Os papéis sociais exercidos pelos homens e pelas mulheres têm a mesma importância no quadro? Justifique sua resposta.
4. Relacione a perspectiva política da pintura de David com a abordagem de alguns pensadores iluministas sobre a melhor forma de governo.

Seção 18.2

O despotismo esclarecido

Objetivo

- Avaliar o impacto do iluminismo na sociedade da época, destacando suas consequências políticas.

Termos e conceitos

- Antigo Regime
- Despotismo esclarecido

A racionalização do Estado

O objetivo do iluminismo era libertar o homem da ignorância, eliminando os obstáculos do **Antigo Regime** que impediam sua emancipação do dogmatismo religioso e da opressão política. Contudo, não havia consenso entre os intelectuais iluministas sobre o modo de alcançar esse fim: as opiniões se dividiram entre os que defendiam reformas políticas moderadas, preservando uma monarquia constitucional, e os que defendiam uma revolução radical, instituindo uma república de cidadãos livres e iguais.

A maior parte das monarquias europeias tomou o caminho prudente das reformas. Buscava adiantar-se aos anseios da opinião pública, que, cada vez mais bem informada, passou a questionar o governo absolutista. As reformas não tiveram o mesmo ritmo nem a mesma profundidade em todos os países da Europa. Na Prússia e na Áustria, elas foram muito mais pronunciadas do que na Rússia e em Portugal, onde a velha nobreza monopolizava o poder.

Os governantes que implantaram reformas utilizavam conhecimentos extraídos das obras de pensadores da época, mas não visavam à almejada emancipação da humanidade. As propostas iluministas, transformadas em reformas jurídicas e sociais, serviram para racionalizar as instituições estatais e ao mesmo tempo preservar a monarquia absolutista.

Assim, as medidas adotadas pelos soberanos permitiram aperfeiçoar a administração da sociedade, o que não significava, necessariamente, maior liberdade e participação política do povo. Pelo fato de preservar a ordem social e o absolutismo monárquico, aplicando os conhecimentos produzidos pelos pensadores iluministas, esse regime de governo ficou conhecido como **despotismo esclarecido**, ou seja, um governo forte e autoritário, porém mais bem administrado e eficiente.

O mais importante dos chamados déspotas esclarecidos foi o rei Frederico II (1712-1781), que governou a Prússia de 1740 até sua morte. Por sua enorme cultura e por sua amizade com filósofos iluministas, como Voltaire, Frederico II ficou conhecido como "rei filósofo" **[doc. 1]**.

DOC. 1 **O despotismo esclarecido e o Antigo Regime**

"No plano do governo e da administração, em busca da racionalização e da centralização, através dos avanços da burocracia, os progressos foram em geral significativos, principalmente quanto às finanças, aos exércitos, à ampliação da esfera de competência do Estado e à organização da justiça. Cooptando ou neutralizando a nobreza, reduzindo o poder eclesiástico, modernizando aquilo que era possível, o reformismo ilustrado lutou sempre contra os fantasmas da corrupção e da incompetência. E nem sempre foi vitorioso. Sua atuação foi bem maior no nível do poder central, uma vez que no nível local foi preciso fazer concessões maiores ou menores aos respectivos poderes tradicionais. [...]

O fato essencial, todavia, é que a despeito das reformas, ou justamente por sua causa, nem o absolutismo nem a sociedade de ordens foram alterados, salvo talvez em termos de um fortalecimento ainda maior."

FALCON, Francisco José Calazans. *Despotismo esclarecido*. São Paulo: Ática, 1986. p. 84-85. (Série Princípios)

Frederico, o Grande, como príncipe herdeiro, pintura de Antoine Pesne, 1739. Museu do Estado, Berlim.

A Prússia

Frederico II escreveu algumas obras sobre sua concepção de poder, como o *Testamento político* (1751) e o *Ensaio sobre as formas de governo e os deveres dos soberanos* (1777). Influenciado pelo iluminismo francês, argumentava que o governo dos reis não era fundamentado no direito divino. Ao contrário, havia entre o soberano e os súditos um contrato implícito, que determinava direitos e deveres para ambas as partes. Do mesmo modo que os súditos deviam obediência às leis para garantir os seus direitos, o soberano tinha o dever de fazer boas leis e garantir os direitos dos súditos.

Orientado por esse pensamento, Frederico II realizou diversas reformas políticas e sociais. Adotou uma política de tolerância religiosa e de liberdade de expressão, permitindo que a imprensa circulasse sem entraves e estimulando o debate de ideias nas universidades. Eliminou a prática da tortura nos tribunais e mandou redigir um código civil baseado na igualdade natural de todos os cidadãos. Apesar dessas medidas, Frederico II impunha normas severas a seus funcionários, como obediência, limpeza, gosto pela exatidão e pontualidade, controle das emoções, honestidade.

O Império Português

No século XVIII, o Reino Português não tinha promovido o desenvolvimento econômico e social tal como vinha ocorrendo em outros reinos europeus. O ensino, controlado pela Igreja Católica, era rudimentar. O Reino não possuía indústrias, o que o obrigava a importar produtos manufaturados da Inglaterra e o tornava dependente da exploração dos domínios ultramarinos, principalmente do ouro proveniente da América portuguesa. Mesmo assim, a corte aristocrática não se importava em dilapidar os tesouros públicos.

Sebastião José de Carvalho e Melo, futuro marquês de Pombal (1688-1782), considerado o maior representante do despotismo esclarecido em Portugal, buscou romper com essa situação. Primeiro-ministro do rei d. José I (1714-1777), que governou entre 1750 e 1777, obteve do rei a liberdade necessária para fazer as mudanças que precisava. Buscou apoio da burguesia mercantil e dos intelectuais iluministas, mas se colocou contra a velha nobreza e a Igreja Católica, que desfrutavam de um enorme poder no Império Português.

Com o objetivo de modernizar o Estado português e de colocá-lo em igualdade de condições com o restante dos reinos europeus, o marquês de Pombal empreendeu várias reformas: racionalizou a administração, melhorou a arrecadação de impostos, incentivou as manufaturas, renovou o ensino, estabeleceu companhias privilegiadas de comércio e impulsionou a exportação de vinhos lusitanos e de produtos da América portuguesa, como o açúcar, o algodão e o tabaco.

O marquês de Pombal não conseguiu, entretanto, industrializar Portugal. A oposição da Igreja e das famílias tradicionais à sua política não parava de crescer. A crise chegou ao limite quando o rei d. José I morreu. Dona Maria (1734-1816), filha de d. José I, assumiu o trono como rainha, demitiu Pombal e abandonou as reformas, devolvendo à Igreja parte do poder que perdera com a política do ex-primeiro-ministro **(doc. 2)**.

DOC. 2 **O poder da Igreja em Portugal**

Em Portugal, a Igreja Católica era a Igreja oficial e estendia sua influência sobre a maior parte das instituições sociais. Os jesuítas monopolizavam o sistema de ensino e, contrariando a tendência de outros países europeus, orientavam a educação segundo saberes e valores arcaicos. Autores, livreiros e editores que publicassem obras contrárias aos dogmas religiosos eram queimados nos chamados autos de fé junto de suas obras. Havia privilégios e cargos públicos reservados apenas àqueles que pudessem demonstrar que não tinham ascendência islâmica ou judaica. Ao expulsar os jesuítas dos territórios portugueses, em 1759, o futuro marquês de Pombal buscou diminuir a influência do clero sobre a administração pública.

Alegoria francesa à expulsão dos jesuítas de Portugal, gravura anônima, c. 1760. Biblioteca Nacional de Portugal, Lisboa.

A Áustria

Outro monarca influenciado pelo ideário iluminista foi José II (1741-1790). Ele herdou os domínios do Império Habsburgo, que compreendiam, em sua extensão, reinos e principados diferentes entre si, como Áustria, Hungria, Boêmia e os Países Baixos. Católicos, judeus, protestantes e povos de diferentes nacionalidades coexistiam sob uma mesma autoridade política.

Para evitar o conflito religioso, José II enfraqueceu o poder da Igreja Católica e garantiu a liberdade religiosa no Império. Promoveu, também, uma reforma administrativa e linguística nos territórios sob seu controle, fortalecendo seus funcionários e impondo o alemão como língua oficial. Assim como Frederico II da Prússia, José II promulgou um código civil reconhecendo a igualdade jurídica de todos perante a lei.

O Império Russo

No Império Russo, os resquícios do feudalismo permaneciam profundamente enraizados. As atividades econômicas estavam voltadas predominantemente para o meio rural, e a servidão marcava as relações de produção no campo. Sob o governo de Catarina II (1729-1796), que reinou de 1762 a 1796, foram realizadas reformas para modernizar e industrializar a Rússia e afastá-la de seu passado feudal.

A imperatriz, contudo, não conseguiu promover grandes transformações na estrutura da sociedade. A velha nobreza possuía praticamente todas as terras e continuou utilizando o trabalho servil. E, com as reformas, essa camada social ficou autorizada a utilizar a mão de obra servil para explorar minas e manufaturas, fortalecendo os privilégios já adquiridos **[doc. 3]**.

Contradições do despotismo esclarecido

A promoção do desenvolvimento social e econômico, associada à constituição de um Estado forte e centralizado, era a principal motivação do despotismo esclarecido. As reformas estavam orientadas para tornar a administração estatal mais eficiente. Os governantes designaram funcionários capazes de supervisionar seus reinos, eliminar a corrupção e coletar tributos.

As medidas tomadas pelos monarcas também visavam arrecadar e acumular a maior quantidade de recursos financeiros para fortalecer a economia de seu país. A expansão comercial foi incentivada, mediante a redução de tarifas alfandegárias, e foram introduzidas reformas na produção agrícola.

As reformas estavam destinadas a promover a modernização nacional. Os governantes, entretanto, mantinham uma política centralizadora. Frederico II, o maior exemplo do despotismo ilustrado, continuou mantendo em suas mãos as rédeas do poder. Na Prússia, não havia separação entre os poderes nem uma constituição que fixasse barreiras jurídicas para as medidas tomadas pelo rei.

DOC. 3 *Casa de fazenda russa*, gravura de Jean-Baptiste Le Prince, século XVIII. A gravura mostra uma casa de camponeses no tempo de Catarina, a grande, imperatriz da Rússia.

QUESTÕES

1. O despotismo esclarecido pode ser considerado uma aplicação dos princípios políticos iluministas? Justifique sua resposta.
2. Quais aspectos do despotismo esclarecido são ressaltados nesse retrato do imperador Frederico, o Grande, da Prússia [doc. 1]?
3. Relacione as medidas tomadas pelo marquês de Pombal em relação à Igreja Católica com o despotismo esclarecido [doc. 2].

ATIVIDADES

Retomar conteúdos

1 O iluminismo deu continuidade ao movimento de crítica aos dogmas religiosos, que já vinha ocorrendo desde a Revolução Científica dos séculos XVI e XVII. Leia o texto **[doc. 1, p. 339]** e caracterize o posicionamento dos pensadores iluministas a respeito de Deus e da religião.

2 A *Enciclopédia* foi um veículo de comunicação e expansão das ideias iluministas a partir da segunda metade do século XVIII. A partir da leitura do **doc. 3, p. 340**, responda qual foi a grande inovação da *Enciclopédia* se comparada ao que se fazia até então.

Ler textos e imagens

3 Nos estudos historiográficos sobre qualquer tema, dificilmente haverá um consenso sobre as conclusões. O iluminismo não foi uma exceção. O texto abaixo faz um comentário sobre o assunto.

"[...] o iluminismo combateu a pretensão à verdade dos universais, como superstição. Ele julga ver ainda, na autoridade dos conceitos universais, o medo dos demônios, por meio de cujas imagens os homens procuravam, no ritual mágico, influir na natureza. A partir de agora, a matéria deverá finalmente ser dominada, sem apelo a forças ilusórias que a governem ou que nela habitem, sem apelo a propriedades ocultas. O que não se ajusta às medidas da calculabilidade e da utilidade é suspeito para o iluminismo. Uma vez que pode desenvolver-se sem ser perturbado pela opressão externa, nada mais há que lhe possa servir de freio. Com as suas próprias ideias sobre os direitos humanos acontece o mesmo que acontecera com os antigos universais. Cada resistência espiritual que ele encontrava serve apenas para multiplicar a sua força. Isso se explica pelo fato de que o iluminismo se autorreconhece até mesmo nos mitos. Quaisquer que sejam os mitos para os quais essa resistência possa apelar, esses mitos, pelo simples fato de se tornarem argumentos numa tal contestação, aderem ao princípio da racionalidade demolidora pela qual censuram o iluminismo. O iluminismo é totalitário."

ARANTES, Paulo Eduardo. In: *Theodor W. Adorno. Textos escolhidos*. São Paulo: Nova Cultural, 1999. p. 20-21. (Coleção Os pensadores)

a) Segundo Adorno, qual era o objeto das críticas feitas pelos iluministas?

b) Por que, para Adorno, o iluminismo é totalitário?

4 A imagem seguinte é o frontispício da *Enciclopédia*, uma das obras mais importantes publicadas durante o iluminismo. Interprete, com base na imagem, a relação entre a verdade, de um lado, e a razão e a filosofia, de outro.

Frontispício da *Enciclopédia*, gravura de Bonaventure-Louis Prévost, final do século XIX. A figura do centro representa a verdade. Ao seu lado direito, vemos outras duas figuras importantes: a razão e a filosofia.

5 Observe a imagem e responda às questões.

Voltaire lendo para Frederico II, rei da Prússia, gravura do século XIX. A obra representa um momento da estada de Voltaire na Prússia, em meados do século XVIII.

a) Destaque uma das principais características do iluminismo.

b) A partir da imagem, identifique uma das principais formas de exercício do poder político no final do século XVIII. Justifique sua resposta.

Capítulo

19

Das Revoluções Inglesas à Revolução Industrial

Um mundo menor e mais dinâmico

Hoje vivemos numa sociedade altamente industrializada, urbanizada e tecnológica. A maior parte da população mundial já vive nas cidades, e as inovações tecnológicas são contínuas na indústria, nos transportes, nas comunicações e em outras atividades humanas. Claro que não devemos nos esquecer dos diversos graus de desenvolvimento que caracterizam os diferentes países. De qualquer forma, o percurso histórico desse elevado grau de industrialização e desenvolvimento tecnológico pode ser traçado de forma razoavelmente nítida a partir das grandes transformações ocorridas há aproximadamente 250 anos.

O mundo vivia, até o século XVIII, sob a dinâmica do capitalismo comercial, do absolutismo, da política mercantilista e de todo um conjunto de ideias e teorias que lhes davam sustentação. Contudo, nas últimas décadas desse mesmo século, transformações em diversos segmentos das atividades humanas, em especial na Inglaterra, promoveram o desenvolvimento do que viria a ser chamado, posteriormente, de Revolução Industrial.

Nesse novo contexto, algumas antigas tradições já não poderiam ser mantidas, pois a realidade não mais condizia com esse conjunto de ideias. Novas teorias surgiram, como o liberalismo econômico, e houve o crescimento das burguesias nacionais e do operariado industrial. Todas essas mudanças foram facilitadas pela expansão dos meios de comunicação e transporte, que permitiram a difusão das novas ideias e de inventos tecnológicos em escala e velocidade nunca vistos até então.

Confusão e barulho das fornalhas no Vale Madeley, em Shropshire (condado inglês), 1803. Pintura de Paul Sandby Munn (1773-1845). Galeria Tate, Londres.

Seção 19.1

A Inglaterra no século XVI

Objetivo

Explicar a formação do império comercial inglês.

Termos e conceitos

- Indústria moderna
- Império comercial
- *Gentry*
- Cercamentos

A Inglaterra no princípio da modernidade

A Inglaterra foi o primeiro país do mundo a reunir as condições necessárias para o desenvolvimento da **indústria moderna**, na segunda metade do século XVIII. Isso se deveu a um conjunto complexo de transformações econômicas, sociais e institucionais ocorridas no país a partir do século XVI. Entre essas mudanças, podemos destacar: a expulsão dos camponeses das terras em que viviam, o trabalho assalariado como forma predominante de relação econômica, a urbanização, a constituição de um **império comercial** e o estabelecimento de limites ao poder absoluto dos reis.

No fim do século XIV, a maior parcela da população inglesa era formada por camponeses, que eram donos das terras que cultivavam ou arrendatários de outros proprietários rurais. Cada família tinha direito a cultivar o seu lote de terra e também desfrutava das chamadas terras comuns (*open fields*), de uso coletivo, utilizadas como pasto e de onde retiravam lenha, turfa e outros produtos necessários para a sobrevivência.

Diversas modificações econômicas, sociais e jurídicas, porém, alteraram esse quadro a partir do século XVI. Nesse período, o rei Henrique VIII, ao romper com a Igreja de Roma, confiscou as terras eclesiásticas e as vendeu aos proprietários rurais ingleses (classe conhecida como ***gentry***), que puderam assim ampliar suas terras e sua influência social.

Para aumentar mais ainda suas propriedades, a *gentry* solicitava ao Estado as chamadas **cartas de cercamento** (*bills of enclosure*), que permitiam aos grandes proprietários cercar as terras comuns e utilizá-las em benefício próprio. O processo de **cercamentos** já ocorria desde o fim da Idade Média, mas se acelerou entre os séculos XVI e XVII. As terras cercadas eram utilizadas majoritariamente como pasto para as ovelhas, cuja lã abastecia as manufaturas de tecido, que cresciam em número e importância na Inglaterra.

Consequências dos cercamentos

Muitos camponeses pobres que viviam nas terras comunais foram expulsos dessas áreas pelos grandes proprietários. Já os camponeses que dispunham de pequenos lotes foram obrigados a vender suas terras a preços irrisórios ou foram realocados para as áreas mais improdutivas dos terrenos. A pauperização da população que vivia nos campos, o despovoamento de vilas e a destruição de florestas para dar lugar às pastagens foram consequências importantes do processo de cercamentos.

Apesar da oposição de vários setores da sociedade inglesa aos cercamentos, eles não foram revertidos, o que resultou em grande agitação social. Revoltas rurais e urbanas estouraram em várias regiões da Inglaterra. Além disso, muitos camponeses expulsos de suas terras se transformaram em desocupados, formando uma população flutuante que vagava sem destino pelas vilas e cidades inglesas.

Outro importante resultado do processo de cercamentos na Inglaterra foi a organização de uma agricultura voltada para o mercado e assentada em bases capitalistas. Os grandes proprietários arrendavam a terra a um intermediário, que contratava mão de obra (ex-camponeses ou camponeses em vias de serem expropriados) para trabalhar na lavoura ou nas pastagens. Para maximizar seus lucros e minimizar os custos de produção, o arrendatário procurava pagar o menos possível para os trabalhadores produzirem mais e a baixo custo.

Vocabulário histórico

Indústria
Atividade produtiva que transforma matérias-primas em mercadorias com o auxílio de ferramentas e máquinas. Pode-se entender por indústria desde a fabricação de produtos artesanais, voltados para o consumo próprio, até a produção de mercadorias que exigem alto grau de desenvolvimento tecnológico, como robôs, computadores e equipamentos eletrônicos diversos. A indústria moderna surgiu no século XVIII e caracteriza-se, entre outros aspectos, pela racionalização do processo produtivo e pela mecanização da produção, cujo resultado mais expressivo é a produção em massa de objetos padronizados.

Gentry
Categoria social heterogênea, geralmente associada aos proprietários de terra, mas que incluía elementos oriundos de outras camadas sociais. A palavra deriva de *gentleman* (cavalheiro, fidalgo, gentil-homem). Para ser *gentleman* era preciso ter uma vida gentil, isto é, isenta do trabalho manual e de suas penas. Na Inglaterra dos séculos XVI e XVII, para alguém se tornar membro da *gentry*, bastava possuir riqueza, um brasão e estar disposto a comprar uma propriedade rural.

As leis contra a vadiagem

Para reprimir o descontentamento com as mudanças no campo e obrigar a população desocupada a trabalhar, o Estado impôs diversas leis contra a vagabundagem e a mendicância. Uma lei de Henrique VIII, promulgada em 1530, concedia licença para mendigar apenas aos idosos e incapacitados. Os homens sadios que não trabalhavam eram condenados a serem açoitados publicamente e encarcerados. Na primeira reincidência, além do açoite público, tinham metade da orelha cortada. Se reincidissem novamente, eram considerados criminosos irrecuperáveis e enforcados em praça pública.

Novas leis, promulgadas em 1547 e 1572, tornavam ainda mais duras as penalidades. Agora, aquele que se recusasse a trabalhar era condenado a ser escravo de quem o denunciou, que podia açoitá-lo, obrigá-lo a realizar qualquer trabalho, até os mais degradantes, e acorrentá-lo. Caso o condenado tentasse fugir, era escravizado pelo resto da vida e marcado com a letra S (de *slave*, "escravo", em inglês) na testa e nas costas. Se reincidisse ou atacasse seu senhor, era enforcado como traidor. Os desocupados encarcerados e considerados "incorrigíveis" eram mandados para casas de trabalho forçado (*workhouses*) por períodos que variavam de seis meses a dois anos. Caso reincidissem e fossem surpreendidos mendigando, acabavam irremediavelmente na forca.

A formação do império comercial inglês

Nos reinados de Henrique VIII (1491-1547) e de sua filha Elizabeth I (1533-1603), a autoridade monárquica foi reforçada, com o objetivo de aumentar a riqueza e o poder do reino. Nesse processo, a participação da marinha inglesa foi fundamental. Os navios ingleses foram modernizados e equipados com armas de fogo de longo alcance. A vitória da marinha inglesa sobre a chamada "invencível armada" espanhola, a maior e mais bem equipada frota de navios da época, em 1588, mostra como a Inglaterra havia se tornado uma potência marítima e uma ameaça ao predomínio espanhol e português dos mares **[doc. 1]**.

Outro reforço para o poderio da monarquia foi a política de concessão de monopólios comerciais. As companhias privilegiadas, formadas por membros da alta burguesia, monopolizavam as relações comerciais de determinada região ou a exploração de um setor econômico. O objetivo dessa política era encontrar fornecedores de matérias-primas baratas e conquistar mercados para as manufaturas inglesas. O maior exemplo dessa política foi a fundação da **Companhia das Índias Orientais**.

A rainha Elizabeth I também estimulou a pirataria concedendo as **cartas de corso**, um documento declarando que os piratas, chamados corsários, atuavam a serviço da Coroa. O corsário inglês Francis Drake ficou famoso por atacar galeões espanhóis carregados de metais retirados das colônias hispânicas na América.

DOC. 1 **A derrota espanhola**

Em 1585, sob pretexto de defender os Países Baixos da dominação espanhola, Elizabeth I declarou guerra à Espanha. O evento mais marcante do conflito foi a derrota da armada espanhola, em 1588. Os estaleiros ingleses haviam aperfeiçoado o desenho dos galeões portugueses e espanhóis e criado navios de grande capacidade de manobra, munidos de canhões de longa distância. Mesmo em inferioridade numérica (eram sessenta navios da Inglaterra contra 130 da Espanha), os ingleses obtiveram uma vitória bastante expressiva.

A armada espanhola, gravura colorizada no século XIX a partir de desenho do século XVI. A derrota da "invencível armada espanhola" marcou a ascensão do domínio ultramarino inglês.

QUESTÕES

1. Caracterize o processo de cercamento ocorrido na Inglaterra.
2. O que representou a vitória da marinha inglesa contra a armada espanhola?
3. Cite as principais bases do império comercial inglês.

A crise do absolutismo inglês

› Objetivos

- Compreender as motivações para as Revoluções Inglesas e as mudanças que elas desencadearam na Inglaterra.
- Avaliar a importância da Revolução Industrial e identificar os resultados que produziu.

› Termos e conceitos

- Monarquia absolutista
- Revolução Puritana
- Atos de navegação
- Revolução Gloriosa

O início da era Stuart

A rainha Elizabeth I morreu em 1603, sem deixar herdeiros. Jaime IV, primo de Elizabeth e rei da Escócia, assumiu o trono inglês e adotou o nome de Jaime I. Iniciava-se, assim, a dinastia Stuart. Ao contrário dos reinados anteriores de Henrique VIII e de Elizabeth I, em que o soberano governava com o apoio do Parlamento, Jaime I tentou fazer valer a doutrina do direito divino dos reis, que legitimava as **monarquias absolutistas**.

A atitude do novo rei mostrou-se um grande erro político, pois nessa época o Parlamento inglês havia se tornado uma instituição muito atuante **[doc. 1]**. Formado pela nobreza fundiária e pelos grandes negociantes, o Parlamento havia se habituado a fiscalizar e até a fazer críticas à atuação da Coroa. Nas monarquias absolutistas tradicionais, como a França de Luís XIV, o Parlamento, chamado de Estados Gerais, era apenas um órgão consultivo, sem poder real, convocado esporadicamente para sancionar certas decisões da Coroa. Na Inglaterra, ao contrário, o Parlamento era uma instituição forte e restringia o poder da monarquia, que não podia governar de forma absoluta.

No início do século XVII, a inflação, resultante do afluxo contínuo de metais preciosos vindos da América, e os gastos com a guerra contra a Espanha haviam esvaziado os cofres da Coroa. Diante das negativas do Parlamento em aprovar os pedidos de verbas e de aumento de impostos, solicitados por Jaime I, o monarca o dissolveu, em 1610, e passou a controlar o país como soberano absoluto até 1621. Ao governar sem o Parlamento, porém, Jaime I ganhou a antipatia da nobreza e da burguesia, que eram majoritariamente calvinistas.

Para obter renda para o Estado, Jaime I recorreu a políticas mercantilistas, como a imposição de tarifas protecionistas, a venda de monopólios, o estímulo à pirataria e a criação de novos impostos. Outro expediente de que lançou mão e que lhe valeu ainda mais críticas foi a venda indiscriminada de cargos e honrarias. Sua política externa de aproximação com a Espanha gerava desconfiança crescente entre os calvinistas, que o acusavam de privilegiar os católicos.

DOC. 1 *Rainha Elizabeth I da Inglaterra e Irlanda presidindo o Parlamento*, gravura de 1608. O reinado de Elizabeth I foi marcado por um grande desenvolvimento econômico da Inglaterra.

Vocabulário histórico

Parlamento
Desde a assinatura da Magna Carta, em 1215, os reis tinham de consultar o chamado Conselho Real para aprovar impostos e taxas. No fim do século XIII, o conselho real passou a chamar-se Parlamento, e era eleito entre os nobres e proprietários de terra do reino. A partir do século XIV, o Parlamento foi dividido em duas casas: a Câmara dos Lordes, representando a nobreza e o alto clero, e a Câmara dos Comuns, representando os homens livres que fossem proprietários de terras. Em tese, nenhuma lei ou taxa poderia ser proposta sem a aprovação de ambas as casas do Parlamento.

O reinado de Carlos I

Carlos I, filho de Jaime I, assumiu o trono em 1625 e deu continuidade à política absolutista do pai. Diante da relutância do Parlamento em aprovar suas requisições de fundos, ele o dissolveu em 1629 e passou a governar com o auxílio apenas de seu conselho privado.

Após a dissolução do Parlamento, uma onda de repressão espalhou-se pelo país, com a censura de publicações consideradas subversivas, julgamentos arbitrários e torturas, o que contribuiu para acirrar os ânimos contra a monarquia.

Apenas a nobreza e a alta burguesia, beneficiadas pela venda de cargos e pela concessão de monopólios, permaneceram fiéis à monarquia. As classes sociais alinhadas ao calvinismo (a *gentry*, a burguesia comercial, além de trabalhadores e camponeses) decidiram recorrer à desobediência civil, recusando-se a pagar os impostos, uma vez que estes não haviam sido aprovados pelo Parlamento, mas impingidos arbitrariamente pelo rei.

Carlos I convocou novamente o Parlamento em 1640, pois a Coroa precisava reunir fundos para desarticular uma revolta, na Escócia, promovida por calvinistas descontentes com as reformas religiosas realizadas pelo rei. Em vez de obedecer ao pedido de Carlos I, o Parlamento impôs uma série de restrições, entre as quais a perda do direito de dissolver o Parlamento. Essa revolução teve como protagonistas os puritanos (como eram chamados os calvinistas na Inglaterra), por isso recebeu o nome de **Revolução Puritana**.

A Revolução Puritana

Em 1642, iniciou-se uma sangrenta guerra civil, que durou até 1649. A Inglaterra ficou dividida entre as regiões que permaneceram fiéis ao rei e aquelas que apoiaram o Parlamento. Sob a liderança de Oliver Cromwell, a oposição parlamentar calvinista formou um exército revolucionário, conhecido como **Exército de Novo Tipo**. A guerra e o comando do exército eram privilégio tradicional dos nobres desde a Idade Média. No novo exército, entretanto, a promoção acontecia por mérito e não por nascimento. Assim, ele incluía em suas fileiras não só elementos oriundos da nobreza, mas também burgueses, comerciantes e pequenos proprietários de terra.

Com apoio maciço da população, o exército prendeu o rei e expulsou do Parlamento todos os elementos favoráveis à política dos Stuart. Carlos I tentou fugir, porém logo em seguida foi recapturado. Em 1649, foi julgado e decapitado, sob a acusação de traição à pátria em virtude de sua política de aproximação com a Igreja Católica e com a Espanha **[doc. 2]**.

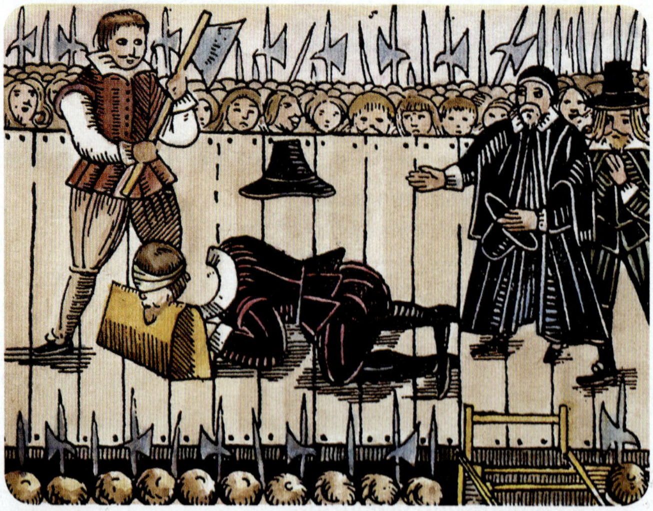

DOC. 2 Execução do rei Carlos I da Inglaterra em Whitehall, Londres, em gravura de 1649.

Os radicais da revolução

A Revolução Puritana também contou com a participação das classes populares, que tinham seus próprios interesses e expectativas. No decorrer do processo revolucionário, surgiram grupos políticos e religiosos radicais que desejavam uma reviravolta total das relações sociais. Os principais eram conhecidos como *levellers* (niveladores) e *diggers* (escavadores) e representavam os anseios das classes mais pobres (camponeses, artesãos, pequenos comerciantes) por uma sociedade mais justa **[doc. 3]**.

Esses grupos defendiam a divisão das grandes propriedades rurais, o fim dos cercamentos das terras comuns, a abolição da prisão por dívidas, o voto universal e a supressão do dízimo pago ao clero. Essas ideias assustavam a alta burguesia e os grandes proprietários rurais, que tinham outro projeto para a revolução: o fim dos obstáculos ao desenvolvimento de suas atividades econômicas, como monopólios, taxas, impostos e outras formas de intervenção do Estado na economia.

DOC. 3 **A posição dos niveladores**

Nas Revoluções Inglesas, a corrente *leveller* mais radical foi a dos verdadeiros niveladores (*The true levellers*), que defendiam o fim da propriedade privada.

“A defesa da propriedade e do interesse individual divide o povo de um país e do mundo todo em partidos, e por isso é a causa de todas as guerras, carnificinas [...] Mas, quando a terra tornar a ser um tesouro comum, assim como ela deve ser, [...] então haverá de cessar essa inimizade entre todos os países, e ninguém mais se atreverá a tentar dominar os outros, nem ousará matar o seu próximo, nem desejará possuir mais terras que o seu semelhante.”

Gerrard Winstanley. A lei da liberdade [1652]. In: HILL, Christopher. *O mundo de ponta-cabeça*. São Paulo: Companhia das Letras, 1987. p. 146.

A República Puritana

Com a execução do rei e a expulsão de todos os realistas do Parlamento, a Inglaterra deixava de ser uma monarquia e tornava-se uma república (em inglês, *Commonwealth*). A Igreja Anglicana foi suprimida. Além disso, a Câmara dos Lordes, que representava a alta nobreza e o alto clero, foi dissolvida, restando apenas a Câmara dos Comuns.

Levantes contra o governo de Cromwell na Escócia e na Irlanda, assim como movimentos populares radicais, foram esmagados pelo Exército do Novo Tipo. Em 1653, Cromwell dissolveu o que restou do Parlamento e assumiu o título vitalício de Lorde Protetor, tornando-se, na prática, ditador da República Inglesa **[doc. 4]**.

Atos de Navegação

A política econômica de Cromwell destacou-se pela criação dos **Atos de Navegação**, aprovados pelo Parlamento em 1651. A medida estabelecia que todas as mercadorias que entrassem na Inglaterra só podiam ser transportadas em navios ingleses ou dos países produtores. A tentativa de estabelecer o monopólio inglês sobre o comércio e a navegação provocou uma guerra com os holandeses. Vencedora no conflito, a Inglaterra conquistou o domínio dos mares.

A restauração e a Revolução Gloriosa

Após a morte de Cromwell, em 1658, o Parlamento desmobilizou o exército revolucionário e restaurou a monarquia e a dinastia Stuart. O rei Carlos II, porém, tinha seu poder limitado pela legislação aprovada durante a revolução. Mesmo assim, um dos primeiros atos do novo rei foi desenterrar os corpos de Cromwell e dos outros responsáveis pela execução do rei Carlos I. Eles foram enforcados e decapitados publicamente, ato que simbolizava que nenhum crime de regicídio ficaria impune.

Diante da tendência dos novos monarcas, em particular o rei Jaime II (irmão de Carlos II), de reforçar novamente o poder monárquico em direção ao absolutismo, o Parlamento, com o apoio de comerciantes, grandes proprietários rurais e financistas, depôs Jaime II, em 1688. Apesar de ter ficado conhecida como **Revolução Gloriosa**, não se tratou de outra revolução, mas da consolidação do Estado burguês surgido na Revolução Puritana. Assumiram o trono Guilherme de Orange e sua mulher Maria Stuart, filha de Jaime II. Guilherme de Orange foi obrigado a jurar a **Declaração dos Direitos**, que limitava os direitos do rei e o proibia de governar sem o Parlamento.

DOC. 4 Eleição de Cromwell como Lorde Protetor, governante da Inglaterra, da Escócia e da Irlanda, em 20 de abril de 1653, gravura colorida de Theodor Hosemann, 1855. Coll. Archiv F. Kunst & Geschichte, Berlim.

O processo revolucionário na Inglaterra marcou a primeira grande crise do absolutismo na Europa. O Estado burguês dele resultante criou as condições institucionais necessárias para que o **capitalismo** industrial se desenvolvesse na Inglaterra no decorrer do século XVIII.

- **Regicídio.** Assassinato de um monarca, de seu cônjuge ou de um de seus herdeiros.

Vocabulário histórico

Capitalismo

A palavra capitalismo designa um sistema econômico e social que se desenvolveu na Europa Ocidental entre os séculos XVI e XIX e que, progressivamente, difundiu-se pelo globo até se tornar o sistema hegemônico de produção de mercadorias.

Segundo os pensadores alemães Karl Marx e Friedrich Engels, o capitalismo é um modo de produção de mercadorias baseado na propriedade privada dos meios de produção (como máquinas, equipamentos e instalações necessários à produção, fontes de energia, terras) e na exploração da mão de obra assalariada.

Max Weber, outro grande teórico do capitalismo, abordou as origens do capitalismo em seu livro *A ética protestante e o espírito do capitalismo*, publicado em 1904. Diferentemente de Marx e Engels, Weber não define o capitalismo apenas como um modo de produção, mas como uma mentalidade, uma forma de comportamento e um estilo de vida originário de crenças religiosas calvinistas.

QUESTÕES

1. Sintetize a ideia principal apresentada pelo autor do texto [doc. 3].
2. Compare a visão do nivelador Winstanley [doc. 3] com a do iluminista Rousseau [doc. 4], no capítulo 18. O que as duas visões têm em comum?

ANALISAR UM DOCUMENTO HISTÓRICO

A construção da imagem de Cromwell

Ao contrário da maioria das revoluções modernas, inspiradas em ideologias políticas laicas, os revolucionários ingleses recorriam a ideias religiosas para justificar seus atos. Cromwell acreditava ter sido escolhido por Deus para conduzir a nação inglesa a um papel único entre as outras nações. Logo após ter se declarado Lorde Protetor, ele afirmou:

"Interroguemos as nações sobre este assunto e elas prestarão testemunho. Com efeito, as benesses do Senhor recaem sobre nós como se Ele dissesse: Inglaterra, és minha primogênita, minha alegria entre as nações, e sob este céu que nos cobre o Senhor jamais deu esse tratamento a nenhum dos povos que nos rodeiam."

Oliver Cromwell. Declaração do Lorde Protetor [1654].
In: HILL, Christopher. *O eleito de Deus*.
São Paulo: Companhia das Letras, 1990. p. 131.

Para compreender o documento

Oliver Cromwell, de certa forma, é fruto da reforma político-religiosa que promoveu a independência da Inglaterra em relação ao papado, no século XVI, e revelou, segundo alguns teólogos protestantes, o papel especial da nação inglesa na luta entre o Cristo e o Anticristo. A ideia da providência divina guiando os acontecimentos da história inglesa manifestava-se, em Cromwell, em sua crença como o instrumento de Deus que cumpriria os planos traçados para o povo inglês.

1. Esta gravura apresenta o ditador entre duas colunas. Na coluna da direita, três figuras alegóricas, oferecendo louros ao ditador, representam a Inglaterra, a Escócia e a Irlanda.
2. Na coluna da esquerda, as inscrições em latim mostram os princípios políticos da República Inglesa, como "Magna Carta" e "O bem do povo é a lei suprema".
3. Na mão direita, Cromwell segura uma espada, que penetra três coroas, simbolizando a reunião dos reinos da Inglaterra, da Escócia e da Irlanda.
4. O personagem segura na mão esquerda uma *Bíblia*, que simboliza a fé religiosa que guiou a revolução.
5. Acima e abaixo, são representadas diversas cenas que remetem a passagens bíblicas.
6. Acima da cabeça de Cromwell há uma pomba da paz e uma inscrição em grego antigo, que significa "Glória a Deus".

Cromwell entre duas colunas, gravura de William Faithorne, 1658.

QUESTÕES

1. Por que Cromwell é representado nessa imagem segurando uma Bíblia?
2. Observe o tamanho de Cromwell em relação aos outros elementos da imagem. Qual é o significado dessa desproporção?
3. Identifique a contradição entre os princípios defendidos pela Revolução Puritana e a ideia que essa imagem apresenta.

A Revolução Industrial

Objetivos

- Explicar o pioneirismo inglês na Revolução Industrial.
- Entender as diferenças entre o artesanato e a produção industrial moderna e as especificidades de cada um deles.

Termos e conceitos

- Revolução Industrial
- Sistema doméstico
- Sistema manufatureiro
- Maquinofatura
- Liberalismo econômico

O pioneirismo inglês no processo de industrialização

Nos dias de hoje, vivemos em um mundo no qual muitos dos produtos que utilizamos em nosso cotidiano são resultado de algum tipo de processo industrial altamente mecanizado. Objetos simples, como canetas e cadernos, e produtos sofisticados, como supercomputadores e robôs, são frutos da **Revolução Industrial**, um conjunto de mudanças na forma de produzir mercadorias e nas relações de trabalho que teve origem na Inglaterra, nas últimas décadas do século XVIII.

A Inglaterra foi o primeiro país a reunir as condições necessárias para dar início ao processo de industrialização. Após a Revolução Gloriosa, em 1688, com as restrições à atuação do rei e o aumento do poder do Parlamento, os representantes da burguesia puderam aprovar medidas que lhes interessavam, como o fim dos monopólios e das tarifas protecionistas, a garantia do direito à propriedade privada e a proibição das organizações de trabalhadores.

Outro elemento indispensável para o sucesso da atividade industrial na Inglaterra foi a oferta abundante de mão de obra. Os cercamentos e a organização capitalista da agricultura expropriaram grande quantidade de trabalhadores livres das terras que ocupavam. Para sobreviverem, muitas famílias migraram para as cidades e passaram a trabalhar como assalariados nas fábricas. A superexploração da força de trabalho permitiu a rápida acumulação de lucro, que era reinvestido no processo industrial.

Em outras regiões da Europa, essas condições não existiam. Nas monarquias absolutas, que vigoravam na maior parte do continente europeu, a base da economia continuava sendo a agricultura, organizada ainda em bases feudais. Assim, desde o final do século XVII, a burguesia inglesa estava livre dos entraves colocados pelo Estado à industrialização e dispunha de uma vasta reserva de mão de obra para suas manufaturas. Para financiar a instalação e a ampliação das manufaturas, porém, foram necessários investimentos e capital acumulado.

"O capital para o desenvolvimento industrial foi fornecido, direta ou indiretamente, por mercadores, traficantes de escravos e piratas, cujas fortunas tinham sido acumuladas no ultramar."

Christopher Hill. The English Revolution. In: ARRUDA, José Jobson de Andrade. *A Revolução Inglesa*. São Paulo: Brasiliense, 1984. p. 26-27.

Dessa forma, os capitais acumulados graças à poderosa marinha inglesa, que no fim do século XVII já dominava o comércio ultramarino e grande parte do tráfico de escravos, bem como as rendas obtidas com a agricultura capitalista e a exploração da mão de obra das manufaturas, permitiram gerar os recursos necessários para impulsionar o processo de industrialização.

Se, inicialmente, a industrialização atingia principalmente a fabricação de tecidos, hoje ela está presente em todos os setores, desde os de alimentos, calçados e automóveis até os dos mais modernos produtos eletrônicos.

Da produção artesanal à maquinofatura

No período anterior à Revolução Industrial, a transformação de matérias-primas em mercadorias tinha características diferentes das de hoje. No chamado **sistema doméstico**, a partir do século XV, os trabalhadores eram donos de suas próprias ferramentas de trabalho ou as alugavam de terceiros. Todas as etapas da produção eram executadas em suas próprias casas ou em pequenas oficinas artesanais, com a ajuda dos filhos, da esposa e de outros empregados. A produção era feita sob encomenda e entregue depois a comerciantes ou mercadores, que a vendiam no mercado interno ou a exportavam.

Já no **sistema manufatureiro**, desenvolvido a partir do século XVI, a produção não era mais realizada no ambiente doméstico, mas em grandes oficinas, nas quais os artesãos ficavam reunidos. Eles não eram mais donos dos instrumentos de produção e sim trabalhadores assalariados, que executavam funções específicas a mando de um patrão ou mestre. A produção era dividida em diversas etapas e cada trabalhador era responsável por uma fase do processo.

Tanto no sistema doméstico quanto no manufatureiro, os trabalhadores só utilizavam ferramentas simples e, ainda que trabalhassem com rapidez, os limites do corpo humano não permitiam ampliar a produção. Além disso, nesses sistemas, a produção dependia essencialmente da habilidade e da perícia do trabalhador.

Com o advento das máquinas ou a **maquinofatura**, na segunda metade do século XVIII, a produtividade aumentou vertiginosamente, pois se reduziu o tempo de trabalho necessário para produzir mercadorias. Dessa forma, os custos foram reduzidos e o lucro do empresário aumentou.

Os ofícios e as habilidades dos trabalhadores tornaram-se dispensáveis, pois as tarefas de alimentar a máquina e vigiar o processo de produção eram relativamente simples e não demandavam mão de obra qualificada. Sem controle sobre o processo de produção, o trabalhador tornou-se apenas um apêndice da máquina, um órgão de um sistema que ele não governava. Todo poder e controle passaram para o dono da fábrica, que estabelecia o ritmo da produção, o tempo de trabalho e o valor do salário **[doc. 2]**.

Com a Revolução Industrial, a produção artesanal de bens de consumo não deixou de existir, mas passou a ocupar uma posição marginal na economia das grandes cidades industriais. Até hoje, por exemplo, podemos mobiliar nossa casa com móveis feitos à mão por um carpinteiro especializado, ou usar roupas feitas sob medida por um alfaiate.

DOC. 2 No alto, família preparando linho no sótão da casa, gravura de 1791. Museu Victoria e Albert, Londres; acima, teares impulsionados por eixos de transmissão em uma fábrica inglesa de tecidos, gravura de 1840. Note a diferença entre a produção caseira e a produção fabril, surgida com a Revolução Industrial.

É preciso lembrar que tanto o carpinteiro quanto o alfaiate usam máquinas elétricas e matérias-primas (tecidos, aviamentos, blocos e tábuas de madeira) que foram feitas em fábricas por processos mecânicos. No mundo contemporâneo, existem equipamentos complexos, que são controlados por computadores programados para executar determinadas tarefas. As máquinas da época da Revolução Industrial, no entanto, eram relativamente simples e constituídas basicamente de três partes:

- **motor**, que converte um tipo de energia (térmica, hidráulica etc.) em energia mecânica, que impulsiona o movimento da máquina;
- **transmissão**, uma engrenagem (eixo, roldana etc.) que regula e transfere o movimento gerado pelo motor para as ferramentas;
- **ferramentas**, que executam as operações necessárias para o tipo de produção a que se destinam.

A revolução das máquinas

Ao longo do século XVIII, diversas invenções e inovações tecnológicas dinamizaram a produção, em particular no setor têxtil. Essas invenções foram sendo aperfeiçoadas e, com o tempo, se difundiram pelas fábricas da Inglaterra. Veja algumas delas.

- **Lançadeira volante:** inventada por John Kay, em 1733, foi inicialmente criada para aumentar a rapidez na tecelagem de fios de lã, mas logo foi adaptada para outros fios, como os de algodão. Ela permitiu dobrar a produtividade do trabalho de um tecelão.
- **Máquina de fiar *jenny*:** inventada por James Hargreaves, em 1764, e patenteada em 1769. Na fiação manual, só é possível tecer um fuso de cada vez. Essa máquina possuía até 18 fusos, podendo tecer diversos fios, ao mesmo tempo. Foi uma das invenções mais relevantes da Revolução Industrial.
- **Tear hidráulico:** patenteado por Richard Arkwright, em 1768, era movido com a ajuda de um moinho de água. Dispensava a força humana para lhe dar impulso e permitiu economizar trabalho e melhorar a qualidade dos fios produzidos.

A máquina a vapor

Em 1769, James Watt aperfeiçoou a máquina a vapor, criada por Thomas Newcomen. O vapor gerado pela queima de carvão permitiu a aceleração sem precedentes da atividade industrial. Enquanto dependiam da força da água, as fábricas tinham de ser instaladas obrigatoriamente perto dos cursos dos rios. Com a introdução da máquina a vapor, as fábricas passaram a se concentrar em cidades próximas de locais onde havia disponibilidade de carvão.

A máquina de Watt foi usada para diversas funções, como mover locomotivas e navios e acionar os enormes foles e martelos utilizados na metalurgia. Até a invenção dos motores de combustão interna e das usinas elétricas no começo do século XX, os motores a vapor dominaram a indústria e os transportes.

As primeiras ferrovias

O aumento vertiginoso da produção de mercadorias criou novas necessidades, como meios de transporte mais rápidos e eficientes para levar os produtos a seus locais de destino. Nesse contexto, surgiram as primeiras ferrovias, um sistema de transporte feito sobre trilhos. Desde o século XVI, existiam carros, geralmente puxados por cavalos, que deslizavam sobre trilhos de madeira e eram utilizados para transportar carvão das minas. Mas esses trilhos não suportavam muita carga e se deterioravam facilmente. Foi somente a partir da década de 1790, com as inovações do processo de fundição de ferro, que trilhos mais resistentes puderam ser fabricados.

O inventor inglês Richard Trevithick desenvolveu uma das primeiras locomotivas de que se tem notícia. A locomotiva de Trevithick fez sua primeira viagem em 1804, mas não se mostrou uma máquina funcional. Ela era muito pesada para os trilhos de madeira e para os trilhos de ferro fundido. George Stephenson construiu o primeiro modelo funcional de locomotiva, em 1814. Mas apenas em 1825 foi criado o trecho de ferrovia que serviria ao transporte regular de público e cargas, como carvão, ferro ou tecidos [doc. 3].

DOC. 3 Locomotiva Rocket de Stephenson, gravura colorida de 1829.

O liberalismo econômico

As atividades industriais geradas ao longo do século XVIII inauguraram novas relações entre trabalhadores e donos dos meios de produção. Para acompanhar essas inovações, alguns pensadores, que hoje poderíamos chamar de economistas, propuseram um conjunto de ideias e teorias capazes de explicar o contexto inédito que surgia na Europa, em particular na Inglaterra, naquele período. Nascia, assim, o **liberalismo econômico**.

Na teoria liberal, a busca do interesse próprio é a principal motivação do comportamento humano, e o sujeito é visto como um ser independente dos vínculos sociais, cada um concorrendo com os demais pela realização de seus objetivos. Assim, os liberais davam muito mais importância ao indivíduo do que à sociedade. Os liberais defendiam que os indivíduos (principalmente os empreendedores, ou seja, os homens de negócio) deveriam ser livres para atender a seus interesses sem nenhuma coerção exterior, fosse da sociedade, fosse do Estado. Ao perseguir seus interesses privados, os indivíduos estariam simultaneamente sendo úteis à sociedade, pois sua atividade geraria renda e criaria empregos, contribuindo para o aumento da riqueza da nação.

As ideias de Adam Smith

O mais importante teórico do liberalismo foi o economista escocês Adam Smith **[doc. 4]**. No seu principal livro, *A riqueza das nações*, publicado em 1776, Smith defendia a supressão de toda e qualquer restrição ao livre desenvolvimento do mercado. Em princípio, isso seria igualmente benéfico para trabalhadores e empresários. Segundo ele, da mesma forma que o empresário procura sempre a melhor aplicação para o seu capital, o trabalhador procura sempre o maior salário em troca do seu trabalho. Ambos procuram o maior lucro possível com aquilo que têm para oferecer no mercado. Se cada um fosse livre para procurar as melhores oportunidades e empregar seu capital ou seu trabalho onde quisesse, a sociedade como um todo sairia ganhando.

Para Adam Smith, em vez de ser uma característica moral negativa, o desejo de lucro leva o empresário a produzir de acordo com as necessidades dos consumidores, regulando a **oferta** pela **procura**. Concorrendo com outras empresas pelos mesmos consumidores, cada uma delas procuraria superar as outras ao oferecer produtos de melhor qualidade ou menores preços.

Assim, para os teóricos liberais, a economia é um conjunto de práticas regidas por leis naturais e seria irracional opor-se a essas leis. Por isso os liberais rejeitavam as medidas mercantilistas e pregavam o *laissez-faire*, ou seja, a não intervenção do Estado na economia, que devia obedecer apenas às leis básicas da oferta e da procura.

Segundo Adam Smith, o papel do Estado deveria se reduzir apenas a três funções básicas:

- a proteção do país contra invasões estrangeiras;
- a administração da justiça (o que incluía a proteção à propriedade privada, a garantia do cumprimento de contratos e a segurança interna, indispensáveis às atividades econômicas);
- a realização de grandes obras públicas, como canais, pontes e estradas (que, por exigirem muito capital, podiam ficar a cargo do Estado).

DOC. 4 **O pai da economia política**

Adam Smith (1723-1790) é considerado o pai da economia política e um dos maiores representantes do liberalismo econômico. Como ainda não havia cátedra de economia em sua época, ensinava filosofia moral na universidade escocesa de Glasgow. Uma de suas ideias fundamentais era a crença de que haveria uma "mão invisível", encarregada de harmonizar todos os interesses egoístas em concorrência na economia de mercado.

Centavo escocês comemorativo com a efígie de Adam Smith, 1797. Museu Britânico, Londres.

QUESTÕES

1. Explique o funcionamento dos sistemas doméstico e manufatureiro.
2. Relacione o aumento da produção de ferro com o desenvolvimento dos transportes da época [doc. 3].
3. Identifique as principais características do liberalismo econômico.

O cotidiano das cidades e dos trabalhadores

Objetivos

- Avaliar a importância da Revolução Industrial e identificar os resultados que produziu.
- Relacionar as duras condições de trabalho nas fábricas, no início da Revolução Industrial, à organização sindical dos trabalhadores.
- Reconhecer os danos que a sociedade industrial causou ao meio ambiente.

Termos e conceitos

- Meio ambiente
- Trabalho
- Ludismo
- Organização dos trabalhadores

O aumento populacional

A população das cidades industriais inglesas cresceu a taxas impressionantes entre os séculos XVIII e XIX. Em 1760, Manchester, por exemplo, tinha cerca de 17 mil habitantes; em 1831, esse número saltou para 237 mil e, em 1851, para 400 mil habitantes. Birmingham teve um desenvolvimento semelhante: em 1740, tinha 25 mil pessoas; em 1800, passou a ter 100 mil e, em 1851, chegou a 230 mil **[doc. 1]**.

O crescimento demográfico era uma realidade em toda a Inglaterra, resultado, entre outras coisas, de melhorias promovidas na agricultura, que aumentaram a produtividade dos campos. A população inglesa duplicou de tamanho no período entre 1750 e 1820. Por volta de 1840, a maior parte da população europeia ainda vivia no campo e somente 19 cidades do continente tinham mais de 100 mil habitantes, nove das quais ficavam na Inglaterra. Nessa época, Londres era a maior cidade do mundo, com cerca de 1 milhão de habitantes.

A questão ambiental

Nos séculos XVIII e XIX, não havia preocupação alguma com a preservação do **meio ambiente**. O tema tornou-se importante apenas no século XX. No entanto, é evidente que as transformações provocadas pela Revolução Industrial trouxeram alterações sensíveis no ambiente. A busca de uma produção maior e cada vez mais veloz gerava consumo amplo e descontrolado de recursos naturais. O exemplo mais óbvio ocorreu na extração e utilização do carvão mineral, que fazia as máquinas a vapor funcionarem **[doc. 2]**.

DOC. 1 Vista de Leeds, Yorkshire, no início do século XIX, gravura do século XIX.

DOC. 2 **Revolução Industrial e meio ambiente**

"A civilização agrícola, superada pela Revolução Industrial, usava fontes renováveis de energia. O vento enfunava as velas, os rios moviam moinhos. As florestas, cortadas em pequena escala para abastecer cozinhas e lareiras, eram logo recompostas pela natureza. [...] A civilização industrial, pelo contrário, estruturou-se numa base de combustíveis fósseis e não renováveis. Estamos falando principalmente do gás, do petróleo e do carvão de pedra."

MARCOVITCH, Jacques. *Para mudar o futuro*: mudanças climáticas, políticas públicas e estratégias empresariais. São Paulo: Edusp/Saraiva, 2006. p. 32-33.

Desde o final do século XVI, o crescimento das cidades, sobretudo de Londres, gerava forte demanda por combustíveis domésticos. O fácil acesso ao carvão vegetal provocou, até o princípio do século XVIII, a devastação de parte significativa das florestas inglesas. O problema ambiental e as necessidades energéticas da nascente indústria estimularam a obtenção de outras fontes carboníferas e o aprimoramento da extração do carvão mineral em áreas mais profundas das minas.

A nova dinâmica do **trabalho**, da circulação e do consumo de mercadorias implicava, em todas as suas fases, uma visão equivocada de que a natureza era uma fonte inesgotável de recursos, prontos a beneficiar o homem. O uso industrial da água e o acúmulo de dejetos nas áreas de mineração alteravam a vida local. O aumento populacional levou milhões de pessoas a viverem em um mesmo espaço urbano e gerou uma grande quantidade de lixo, que era despejado a céu aberto e propiciava condições ideais para a propagação de doenças.

A exploração da mão de obra nas fábricas

No início da Revolução Industrial, praticamente não havia limites para a exploração da mão de obra. Não existia legislação trabalhista, nem direitos sociais, como descanso remunerado, férias, limitação do horário de trabalho, aposentadoria etc., que só seriam aprovados muito mais tarde, a partir do fim do século XIX. A jornada de trabalho costumava variar de 12 a 18 horas diárias. Além disso, era comum o trabalho de crianças e mulheres. Dentro das fábricas, os trabalhadores estavam sujeitos a multas e punições severas.

Para garantir a sobrevivência, todos os membros da família tinham de trabalhar nas fábricas. Antes das primeiras leis restringindo o trabalho feminino e infantil, os empresários davam preferência para as crianças e as mulheres, que recebiam bem menos que os homens adultos:

"Aumentou muito o número de trabalhadores porque os homens foram substituídos no trabalho pelas mulheres e sobretudo porque os adultos foram substituídos por crianças. Três meninas com 13 anos de idade e salário de 6 a 8 xelins por semana substituem um homem adulto com salário de 18 a 45 xelins."

Thomas de Quincey. The Logic of Political Economy. In: MARX, Karl. *O capital*. Rio de Janeiro: Civilização Brasileira, 1975. v. 1. p. 451.

Documentos oficiais do governo britânico descrevem casos de trabalhadores que vendiam seus filhos e paróquias que faziam leilões de crianças órfãs para trabalhar nas fábricas. Jornais exibiam anúncios oferecendo crianças para alugar, como se fossem escravos. A mortalidade infantil, nas cidades industriais britânicas, era altíssima. Por volta da metade do século XIX, em Nottingham e Manchester, principais distritos industriais ingleses, para cada 100 mil crianças nascidas vivas, em torno de 25 mil morriam.

A insurreição contra as máquinas

Uma das principais formas de resistência dos trabalhadores à degradação das condições de trabalho e de vida foi a destruição de máquinas, movimento que na Inglaterra ficou conhecido como **ludismo**. O nome do movimento supostamente é uma homenagem ao primeiro trabalhador que se revoltou contra as máquinas, Ned Ludd. Não se sabe se Ludd foi um personagem real ou apenas uma lenda, mas um jornalista da época afirmou que os ludistas chamavam aquele que comandava a quebradeira de máquinas de general Ludd, talvez para ocultar sua identidade real e evitar represálias **[doc. 3]**.

O ludismo não foi um movimento de operários fabris, mas de artesãos qualificados, cujas habilidades estavam sendo substituídas pelas máquinas. Os trabalhadores exigiam uma lei eliminando a maquinaria das fábricas, que prejudicava não só os artesãos qualificados, mas também os pequenos comerciantes e outras categorias profissionais ligadas à indústria têxtil.

As ações judiciais e os apelos dos trabalhadores não tiveram efeito, não lhes restando alternativa senão a revolta. A partir de 1811, o movimento de destruição de máquinas espalhou-se por toda a Inglaterra. O governo enviou o exército para reprimir a revolta, mas ela já havia se alastrado e contava com o apoio da população pobre, dos camponeses e de pequenos comerciantes locais.

Em 1812, o governo inglês instituiu uma lei que punia com a morte a destruição de máquinas e enviou mais contingentes armados para acabar com a insurreição. Por fim, os líderes foram presos, julgados e enforcados. O movimento, mesmo assim, não terminou, e continuou atuando de forma esporádica até 1816.

DOC. 3 **Quebradores de máquinas**

"No mesmo dia, nas primeiras horas da tarde, uma grande fábrica situada em Crosley foi atacada por eles [quebradores de máquinas]. O chefe da fábrica pôde, com ajuda de alguns vizinhos, rechaçar o ataque e salvar a fábrica por esta vez. Dois dos assaltantes morreram no lugar. Aquela gente se exasperou e jurou vingar-se. Assim, pois, passaram o domingo e a manhã de segunda reunindo fuzis e munições. Mineiros se juntaram então a 8 mil homens, [que] marcharam [...] até a fábrica de onde haviam sido rechaçados no sábado. Acharam ali sir Richard Clyton à frente de uma guarda de 50 inválidos. Que podia fazer com um punhado de homens contra esses milhares enraivecidos? Tiveram que retirar-se [...] enquanto a multidão destruía de cima a baixo máquinas avaliadas em mais de 10 mil libras. Na terça pela manhã, ouvimos seus tambores a uma distância de duas milhas, pouco antes de abandonar Bolton. Sua intenção declarada era apoderar-se da cidade, depois de Manchester, Stockport, e daí marchar para Cromford para destruir as máquinas não só nestes lugares como em toda a Inglaterra."

Carta de Josiah Wedgewood a Th. Bentley [1779]. In: *Coletânea de documentos históricos para o 1º grau* - 5ª a 8ª séries. São Paulo: Secretaria da Educação, 1978. p. 89.

Os quebradores de máquinas (*machine-wreckers*) atacam a maquinaria de uma fábrica têxtil, gravura de Morgan, século XIX.

A organização dos trabalhadores

Reivindicações de trabalhadores por melhores condições de trabalho e de vida antecederam a própria Revolução Industrial. A **organização de trabalhadores** (*Trade Unions*) já existia na Inglaterra pelo menos desde 1720. As primeiras associações permanentes de trabalhadores nasceram em ofícios onde predominava o trabalho manual e artesanal, por exemplo, a União dos Entalhadores de Londres, cujo objetivo era obter aumentos salariais por meio de petições enviadas ao Parlamento.

DOC. 4 Manufatura de algodão, gravura da primeira metade do século XIX.

Com a Revolução Industrial, porém, esse processo se acelerou e radicalizou. Agora, aglomerados dentro das novas fábricas, os trabalhadores começaram a se ver como um grupo social, uma classe. Os conflitos entre os trabalhadores organizados, o governo e os patrões levaram à promulgação de leis antissindicais. Essas leis e as terríveis condições das fábricas motivaram os trabalhadores a se organizar sindicalmente.

Em 1825, os trabalhadores conseguiram a revogação das *Combination Acts*, leis que proibiam e consideravam criminosas as organizações sindicais. Em 1833, as reivindicações conseguiram limitar o trabalho das crianças entre 10 e 13 anos a 48 horas semanais, e entre 13 e 18 anos, a 69 horas semanais **[doc. 4]**. Foi estabelecido, também, que as crianças trabalhadoras tinham direito a duas horas por dia para ir à escola. Em 1834, a classe operária britânica formou a primeira central de trabalhadores (*Grand National Consolidated Trade Unions*). Depois de numerosas greves, em 1847 o movimento operário conseguiu a redução da jornada de trabalho para dez horas em toda a Inglaterra.

Conteúdo digital Moderna PLUS
http://www.modernaplus.com.br
Filme: *Daens: um grito de justiça.*
Diretor: Stijn Coninx. Bélgica, 1993

QUESTÃO

- Como se chamava o movimento que organizou a destruição de máquinas e fábricas na Inglaterra? Quais eram seus principais objetivos? Quem eram seus organizadores?

Jovens operários

No século XIX, a Revolução Industrial na Inglaterra transformou o cotidiano dos trabalhadores e das cidades. Os operários das fábricas trabalhavam em longas jornadas e em péssimas condições. Mulheres, crianças e adolescentes eram contratados por salários menores que os dos homens adultos, e os pequenos trabalhadores frequentemente sofriam castigos corporais. Abaixo acompanhamos um dia do jovem William Cooper, operário inglês que começou a trabalhar em 1814, aos 10 anos de idade.

Taxa de crescimento da produção industrial britânica (por década)
Na década de 1770, as fábricas de tecidos inglesas importavam anualmente 5 milhões de libras de algodão bruto. Com a Revolução Industrial, esse valor chegou aos 600 milhões em 1844.

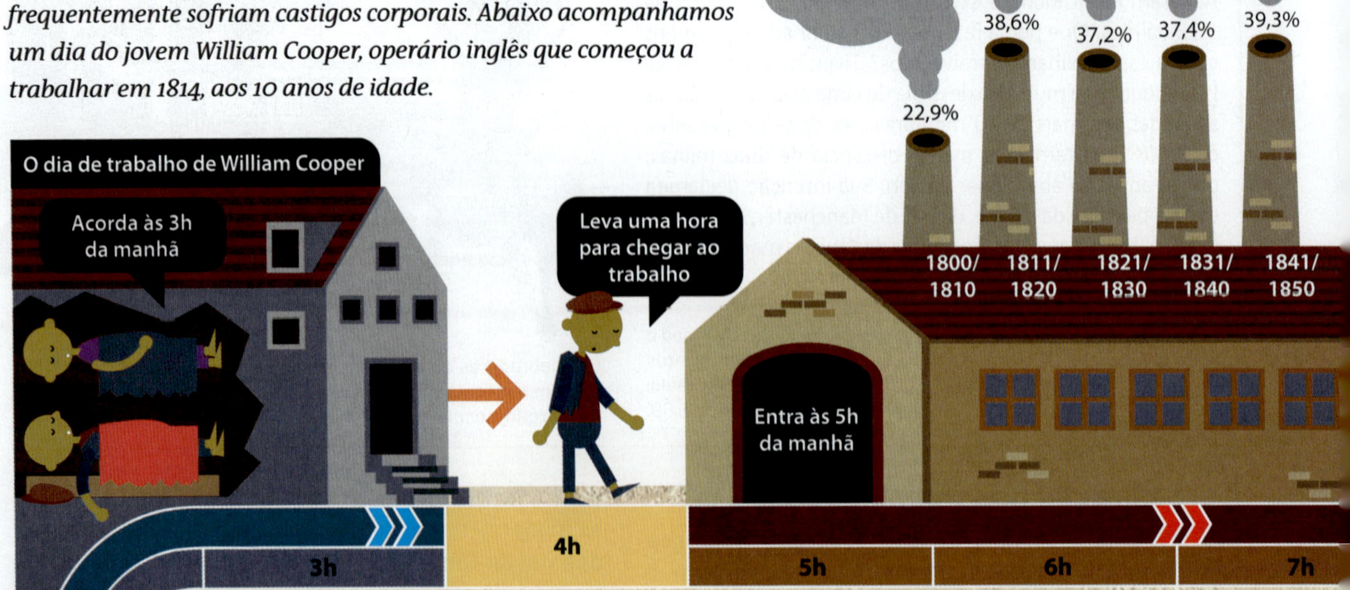

Famílias operárias

Os salários pagos nas fábricas eram baixos. Os pais não conseguiam sustentar suas famílias, e muitos morriam em acidentes de trabalho, deixando os filhos órfãos. As crianças disputavam vagas nas fábricas para poderem sobreviver, onde recebiam em média 3 xelins por semana.

Média dos aluguéis em Drury-Lane (semanal)

Por volta de 4m²

Nesse espaço viviam: pai, mãe, 4 filhos e avós

Bairros operários

Os operários viviam nos subúrbios das cidades e em péssimas habitações. As ruas eram fétidas, sujas e com esgoto exposto. Nesse aglomerado, furtos, assassinatos, casos de delinquência, alcoolismo e epidemias eram frequentes.

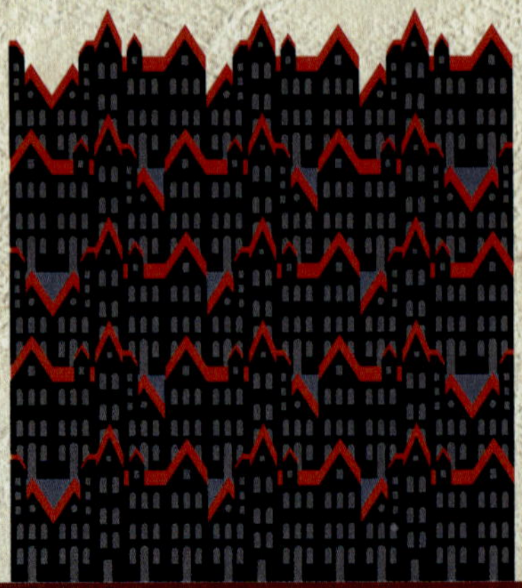

No espaço de 365,76m² havia 1.400 habitações

Total de operários do Império Britânico (1839)

419.590

192.887
Menores de 18 anos

Homens

176.594 sendo 80.695 menores de 18 anos

Mulheres

242.996 sendo 112.192 menores de 18 anos

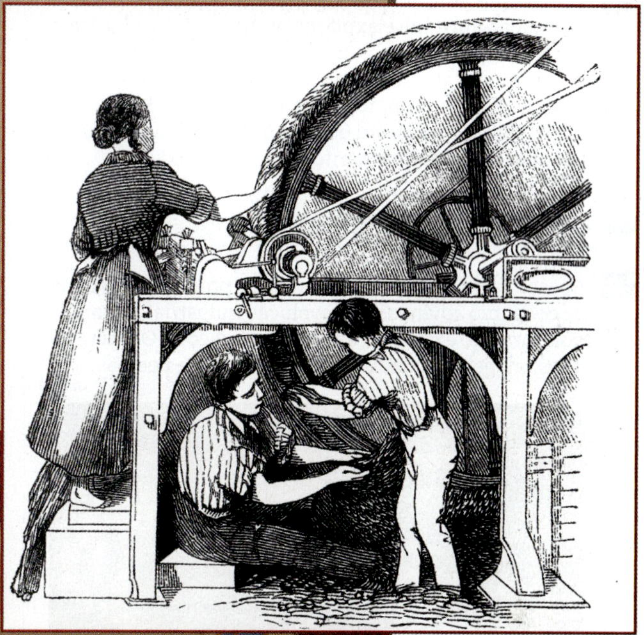

Na gravura, operária e crianças trabalham na manufatura da lã. Autor desconhecido, c. 1845.

8h | 9h | 10h | 11h

Pausa de 40 minutos para o almoço

12h | 13h | 14h | 15h | 16h | 17h

Mortes infantis

As péssimas condições de higiene e segurança nas fábricas traziam diversos problemas para a saúde das crianças e dos jovens. Muitos sofriam acidentes causados pelas condições de trabalho e pelas longas jornadas.

Na cidade de Manchester durante 9 meses ocorreram 225 mortes

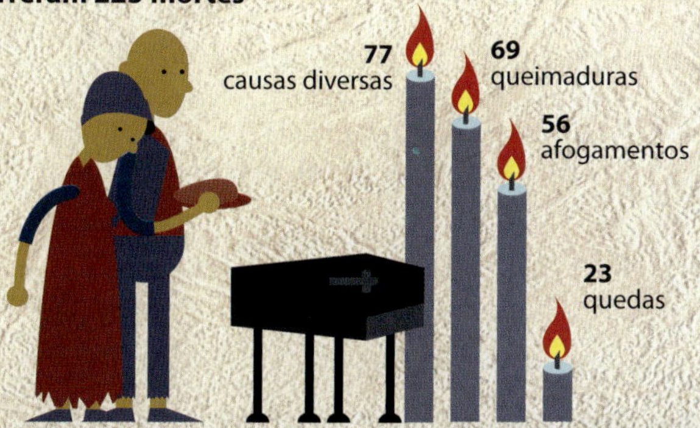

Fonte: ENGELS, Friedrich. *A situação da classe trabalhadora na Inglaterra*. São Paulo: Global, 1985. (Coleção Bases); Spartacus Educational. Disponível em www.spartacus.schoolnet.co.uk. Acesso em 16 fev. 2010.

QUESTÕES

1. Elabore um texto sobre as condições de vida dos operários ingleses durante a Revolução Industrial.
2. Tomando como base a rotina diária de William Cooper, caracterize as condições de trabalho dos jovens nas fábricas inglesas do século XIX. Houve mudanças daquela época para os dias de hoje? O que você pensa sobre o trabalho infantojuvenil?

Retomar conteúdos

1 Identifique os diferentes grupos que promoveram a Revolução Puritana e explique os interesses e objetivos de cada um deles.

2 Que condições proporcionaram o início da Revolução Industrial? Como foram obtidos os capitais necessários para esse empreendimento?

Ler textos e imagens

3 Apesar das mudanças nas formas de produção dos bens de consumo advindas da Revolução Industrial, a maquinofatura não extinguiu as antigas tradições. Observe as duas imagens abaixo e responda o que se pede.

Tecelão com bebê em um cadeirão, lápis e aquarela de Vincent van Gogh, 1884. Museu Van Gogh, Amsterdã.

The doubling room, gravura de Dean Mills, 1851. Arquivo Nacional, Surrey.

a) Qual sistema de produção a primeira imagem representa? Descreva a pintura e diga como o trabalhador foi representado.

b) A segunda imagem está relacionada a qual sistema de produção? Qual é o elemento de destaque dessa gravura? Qual é a condição social das pessoas que estão trabalhando nessa fábrica e como elas foram representadas?

4 A partir do século XVIII, a paisagem da Inglaterra sofreu grandes transformações. Aponte, na imagem a seguir, os elementos relativos a essas mudanças.

Vista de indústrias em Sheffield, gravura colorida do século XIX. Galerias e Museus Sheffield Trust, Sheffield.

5 Identifique o processo histórico inglês tratado pelo poema abaixo e a visão que o poema transmite sobre ele. Em seguida, explique os fatores que desencadearam esse processo e os resultados que ele gerou.

"Em tempos idos, ainda não distantes,
Havia em todo monte ou vale estradas
Abertas a todos os viandantes.
Até que foram as terras cercadas
E as velhas sendas todas bloqueadas
Por ordem dos tiranos odientos;
Agora as velhas leis são desprezadas:
— insensível quem trouxe tais tormentos
À gente do campo, criando os cercamentos.
[...]
De vis labregos a arbitrariedade
Veio substituir a lei de outrora;
Às aldeias impões sua vontade,
E quem não a aceitar que vá-se embora"

Clare, The village minstrel. In: WILLIAMS, R. *O campo e a cidade na história e na literatura.* São Paulo: Companhia das Letras, 1989. p. 191.

Debater

6 Um dos temas mais presentes nos noticiários atuais é o aquecimento global. Em 2009, em Copenhague, os principais líderes mundiais se reuniram para debater os efeitos das mudanças climáticas. Essa discussão tem envolvido ecologistas, céticos (aqueles que não acreditam que a Terra está ficando mais quente), pesquisadores, lideranças políticas e empresariais de todo o mundo.

Pesquise em *sites*, jornais e revistas as diversas opiniões sobre o assunto. Depois, discuta com seus colegas e com o professor e ouça a opinião deles.

Capítulo

20 A Revolução Francesa e o Império Napoleônico

Os movimentos sociais hoje

Greves de professores, paralisações de cobradores e motoristas de ônibus, protestos de estudantes universitários, ocupações do Movimento dos Sem-Terra, manifestações pelo fim do preconceito contra os negros e os homossexuais etc. Os objetivos que movem as pessoas a participar dessas mobilizações podem ser econômicos, políticos ou ambos.

A finalidade pode ser justa: aumento de salários, melhores condições de trabalho, igualdade de direitos, emprego, moradia etc. Frequentemente, porém, esses movimentos são desaprovados ou não recebem apoio de outros setores da sociedade e da mídia. Os críticos dessas mobilizações argumentam que elas atrapalham o trânsito, provocam desordem, são dirigidas por pessoas que muitas vezes não estão inseridas na categoria profissional que representam e têm apenas interesses partidários.

Muitas dessas críticas podem ser verdadeiras para algumas situações. Pode ser interessante questionar, entretanto, se não há outros motivos para haver tanto repúdio a essas manifestações coletivas. Por que movimentos sociais de diversas naturezas são tão atacados? Há algum receio de que esses movimentos tragam desordem política e social? Protestar pelo cumprimento de alguns dos direitos do ser humano deixou de ser legítimo?

Trabalhadores do setor público e privado realizam manifestação em Paris em protesto contra as medidas econômicas anunciadas pelo governo para combater os efeitos da crise financeira internacional. França, março de 2009.

A guerra revolucionária e a queda da monarquia

› Objetivo

▸ Reconhecer as condições sociais, políticas e econômicas que levaram ao processo revolucionário na França.

› Termos e conceitos

- Antigo Regime
- Monarquia absolutista
- Mercantilismo
- Revolução Francesa
- Estados Gerais

A França do Antigo Regime

Durante o **Antigo Regime**, o Estado francês era uma **monarquia absolutista**. O rei concentrava em suas mãos os poderes Executivo, Legislativo e Judiciário. Desse modo, suas decisões dificilmente encontravam limites para serem aplicadas. As vontades particulares do monarca, muitas vezes motiva-das por intrigas e caprichos pessoais, tornavam-se, na maior parte das vezes, orientações para o próprio Estado francês.

O **mercantilismo**, política econômica adotada pela monarquia francesa, era coerente com o absolutismo. A política mercantilista pressupunha, antes de mais nada, a intervenção do Estado nas atividades econômicas francesas. O comércio nacional e de longa distância, a manufatura e o artesanato franceses eram limitados e orientados conforme as determinações monárquicas, visando ao enriquecimento e ao crescimento do reino francês.

A sociedade francesa estava dividida em **três ordens** ou **estados**. O clero formava o primeiro estado; a nobreza, o segundo estado; e o terceiro estado reunia o restante da população **[doc. 1]**. O primeiro e o segundo estados desfrutavam de privilégios jurídicos, políticos, sociais e econômicos. Estavam isentos de determinados impostos e se mantinham com os tributos pagos pelos camponeses que trabalhavam em suas propriedades. Além disso, os cargos mais elevados no clero e na burocracia estatal eram reservados ao primeiro e ao segundo estados.

Já o terceiro estado estava submetido a restrições sociais e obrigações jurídicas. Os camponeses, que formavam a parcela mais numerosa do terceiro estado, pagavam diversos tipos de tributos aos proprietários de terra. Eram resquícios do feudalismo que ainda pesavam sobre os camponeses. O dízimo devido à Igreja Católica e a maior parte dos impostos cobrados pelo Estado também recaíam sobre os camponeses. A burguesia, além de arcar também com o peso dos impostos, estava excluída dos altos cargos da administração pública **[doc. 2]**.

DOC. 1 **A sociedade francesa no Antigo Regime**

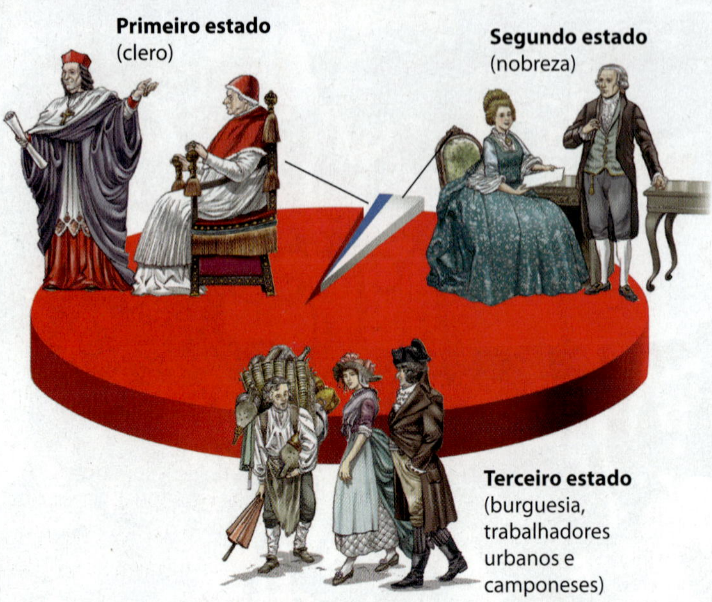

Fonte: SOBOUL, Albert. *A Revolução Francesa*. 3. ed. São Paulo/Rio de Janeiro: Difel, 1979. p. 12-22.

DOC. 2 Charge do século XVIII representando os três estados: clero, nobreza e o povo. Museu do Louvre, Paris.

A crise do Antigo Regime

Durante o século XVIII, a França sofreu algumas crises que abalaram a já desgastada estrutura do reino.

O tesouro francês encontrava-se esgotado. Era a manifestação de uma profunda **crise financeira**. A **Guerra dos Sete Anos** (1756-1763), motivada pela disputa entre franceses e britânicos pelo território de Ohio, na América do Norte, e o apoio francês à luta pela independência das colônias inglesas geraram diversas despesas. Como não conseguia arrecadar o suficiente para arcar com os compromissos assumidos, o Estado passou a viver de empréstimos, endividando-se cada vez mais.

A desordem na relação entre as despesas e as receitas, aliada a uma administração ineficiente, provocou uma **crise administrativa**. Privilégios disseminados pela sociedade francesa impediam o controle administrativo e restringiam a receita do Estado. Além disso, não havia um código de leis único, e a circulação de mercadorias era dificultada pelas tarifas alfandegárias, que variavam de uma região para outra. O comércio também era prejudicado em razão da existência de diferentes sistemas de pesos e medidas.

O campo também sofria prejuízos materiais. Oscilações do tempo eram frequentes nesse período e comprometiam o equilíbrio da economia agrícola. Em 1787, a França foi atingida por chuvas excessivas, e no ano seguinte ocorreram repetidas secas e tempestades que resultaram numa colheita fraca e deficitária. Em 1789, houve um inverno rigoroso que mais uma vez comprometeu a safra agrícola e resultou em uma grave **crise agrária**.

A pressão por mudanças

A escassez de alimentos e a situação de miséria dos camponeses provocaram repetidas revoltas populares nos anos que antecederam a **Revolução Francesa** [doc. 3]. O descontentamento popular, contudo, não bastava para impulsionar uma grande revolução. Era preciso uma ideologia que unisse as pessoas em torno de ideais comuns e desse expressão política à revolta. Essa ideologia foi fornecida pelo movimento iluminista, que mostrou aos franceses que outra forma de organizar a sociedade era viável.

A convocação dos Estados Gerais

A situação financeira tornou-se insustentável. Os ministros e os conselheiros do rei, percebendo o problema que se formava, propuseram elaborar uma reforma fiscal e administrativa. A proposta envolvia a cobrança de um novo imposto que recairia sobre toda aristocracia. Os juízes, membros do Parlamento de Paris e dos outros doze que existiam no Reino Francês, sugeriram, como saída para a grave crise financeira e política, a convocação dos **Estados Gerais**, buscando, na verdade, preservar seus privilégios adquiridos.

Vocabulário histórico

Revolução
Palavra originária da astronomia, indica o movimento dos planetas em órbitas circulares. No século XVII, a palavra revolução foi utilizada para se referir a acontecimentos políticos. Significava o retorno a uma situação anterior, que teria sido desvirtuada por um poder tirânico. Com a Revolução Francesa, a palavra passou a significar a instauração de uma nova ordem e a ruptura com o passado por meio de um processo de luta radical.

Estados Gerais
Assembleias que reuniam representantes dos três estados ou ordens da sociedade francesa. O objetivo dos Estados Gerais era aconselhar o rei em assuntos considerados importantes. De acordo com a cultura política do Antigo Regime, no entanto, o monarca não tinha obrigação de convocá-los nem de seguir seus conselhos. A última convocação havia ocorrido em 1614.

DOC. 3 A guerra das farinhas: pilhagem das padarias em Paris, episódio de 1775 representado em gravura do século XIX.

O despertar da revolução

A instabilidade social gerou um clima de intrigas e de insegurança no ambiente político. Devido à dificuldade da monarquia francesa em quitar os compromissos financeiros, a isenção de impostos das classes privilegiadas continuava sendo questionada. O rei Luís XVI, portanto, foi obrigado a convocar os Estados Gerais para decidir sobre um novo sistema de taxação. Convocados em 1788, os Estados Gerais começaram a se reunir em 1º de maio de 1789, em Versalhes.

Tradicionalmente, para decidir a respeito de determinado assunto, cada ordem ou estado reunia-se em separado e tinha direito a um único voto. Frequentemente, esse procedimento favorecia o primeiro e o segundo estados. Por possuírem interesses semelhantes, votavam em conjunto. O terceiro estado, que representava a maioria da população francesa, via-se prejudicado por esse sistema. Assim, exigiu que o voto fosse feito por cabeça e que as três ordens se reunissem numa só assembleia.

Percebendo que o rei se opunha às suas exigências, o terceiro estado proclamou-se em assembleia nacional permanente e, no dia 9 de julho de 1789, em Assembleia Nacional Constituinte, com o objetivo de aprovar uma Constituição para limitar os poderes absolutos do monarca. Enquanto isso, nas ruas de Paris, a população inflamada se reunia para discursar e protestar contra o governo.

A queda da Bastilha

Em 14 de julho, o povo de Paris tomou a Bastilha, fortaleza que funcionava como arsenal de armas e prisão política na França do Antigo Regime **[doc. 4]**. Seguiram-se revoltas rurais e urbanas em várias regiões da França, exigindo o tabelamento dos preços, o fornecimento regular e até mesmo a distribuição gratuita do trigo e o fim das taxas feudais. No campo, corria a notícia de que hordas de bandidos, a mando dos aristocratas, saqueariam as propriedades camponesas. Os camponeses reagiram violentamente, invadindo e incendiando os castelos da nobreza. Esses acontecimentos ficaram conhecidos como o **Grande Medo**.

A Assembleia teve de tomar medidas rapidamente. Em 4 de agosto, decretou a abolição dos privilégios feudais, e, em 26 de agosto de 1789, proclamou a **Declaração dos Direitos do Homem e do Cidadão**, que reconhecia a todo e qualquer indivíduo determinados direitos naturais, documento que serviu de base para a reforma jurídica do Estado. Com essas decisões, a sociedade de ordens, que vigorava na França desde a Idade Média, foi abolida **[doc. 5]**.

DOC. 4 **A tomada da Bastilha**

A Bastilha era uma antiga fortaleza medieval que, durante o Antigo Regime, funcionava como prisão. Nela ficaram detidos grandes intelectuais iluministas, como Voltaire. No final do século XVIII, porém, ela já havia perdido sua função de prisão, mas ainda representava um símbolo da tirania do absolutismo.

A tomada da Bastilha, aquarela de Claude Cholat, século XVIII. Museu Carnavalet, Paris.

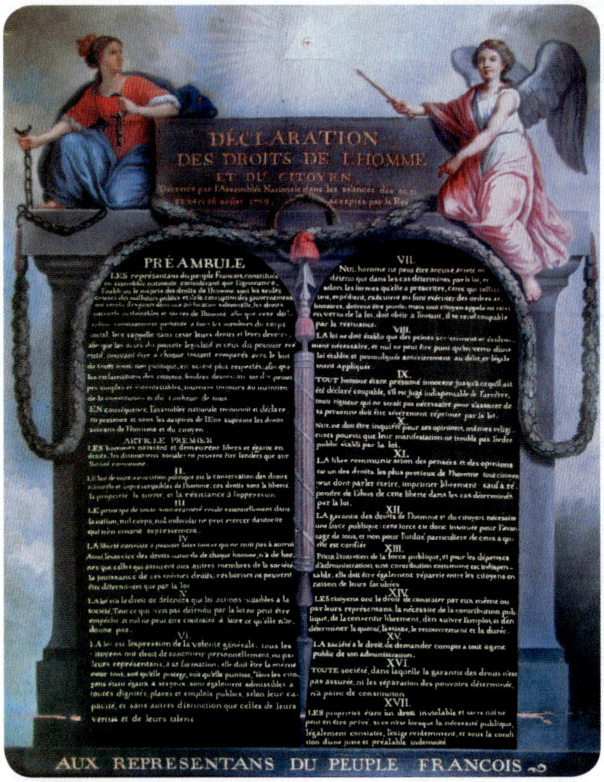

DOC. 5 *Declaração dos Direitos do Homem e do Cidadão*, óleo sobre madeira de Jean-Jacques François Le Barbier, século XVIII. Museu Carnavalet, Paris. As bandeiras políticas do documento serviram de inspiração para as cartas constitucionais de vários países do Ocidente.

A radicalização da revolução

Muitas famílias aristocráticas francesas opunham-se às decisões tomadas pela Assembleia Nacional e às mobilizações rurais e urbanas. Decidiram, assim, exilar-se em outros países para organizar a contrarrevolução. Com o apoio das monarquias da Prússia e da Áustria, planejavam uma guerra para restabelecer o poder absoluto do rei e restaurar os direitos feudais.

Em junho de 1791, a família real também tentou fugir para o estrangeiro para reunir-se aos exilados e preparar a retomada do poder, mas foi reconhecida enquanto passava pela pequena cidade de Varennes. A família foi detida e obrigada a retornar a Paris. O evento fez crescer a rejeição popular ao rei, e alguns grupos apoiavam não só sua deposição, mas também a proclamação da república.

A monarquia constitucional

A Assembleia, porém, manteve a monarquia. Em setembro de 1791, promulgou a Constituição e obrigou o rei a ratificá-la. Luís XVI tornou-se representante da nação e seus poderes foram limitados pela lei e por uma assembleia eleita, demolindo as bases do absolutismo.

Os revolucionários, no entanto, tiveram de lidar não apenas com dissidências internas. O avanço dos exércitos contrarrevolucionários da Áustria e da Prússia obrigou a França a declarar-lhes guerra em abril de 1792. O perigo iminente fez a Assembleia permitir que qualquer cidadão fosse incorporado à **Guarda Nacional**, até então composta apenas por cidadãos ativos. Homens vindos de várias regiões do país associaram-se como voluntários ao exército.

No Antigo Regime, o exército era formado por um corpo de soldados treinados e disciplinados, mas pequeno e de potência limitada. O exército revolucionário não tinha a mesma qualificação, mas tinha a vantagem de ser superior numericamente e de lutar por sua própria liberdade. Contava, assim, com uma motivação moral que os exércitos inimigos não possuíam **[doc. 6]**.

- **Contrarrevolução.** Revolução que se opõe às conquistas alcançadas por alguma revolução anterior.

DOC. 6 **O alistamento em massa**

Perante a guerra, todos os cidadãos, homens e mulheres, jovens e velhos foram recrutados para contribuir na defesa da revolução. Veja o que diz um trecho do decreto de alistamento em massa de 1793.

"[...] até a hora em que os inimigos tenham sido expulsos, todos os franceses estão requisitados para os serviços do exército. Os jovens irão ao combate, os homens casados forjarão as armas e transportarão os alimentos, as mulheres cuidarão da casa, das roupas e servirão nos hospitais, os velhos se reunirão nas praças públicas para aumentar a coragem dos soldados, difundir o ódio aos reis [...] Os edifícios serão convertidos em quartéis, as praças públicas em oficinas de armamento, [...] Todos os jovens, de 18 a 25 anos, não casados ou viúvos sem filhos, se reunirão, sem demora, em batalhões sob uma bandeira com estas palavras: o povo francês de pé contra os tiranos!"

Decreto de alistamento em massa [1793]. In: OSTERMANN, Nilse W.; KUNZE, Iole C. *Às armas, cidadãos!* A França revolucionária (1789-1799). São Paulo: Atual, 1995. p. 72.

QUESTÕES

1. Qual aspecto da organização social francesa do século XVIII está destacado na charge? Justifique com elementos da imagem **[doc. 2]**.

2. Sobre as crises do Estado francês no século XVIII, responda:
a) Quais foram as suas principais causas?
b) Que medidas foram tomadas para combater as crises? Explique, também, qual foi a consequência imediata dessas medidas.

Seção 20.2

A república revolucionária

› Objetivo

- Avaliar os diversos pontos de vista presentes durante o processo revolucionário.

› Termos e conceitos

- Sufrágio universal masculino
- Girondinos/jacobinos
- Terror
- Diretório

A Convenção Nacional

Em agosto de 1792, os *sans-culottes*, armados, tomaram o Palácio das Tulherias, residência da família real. O rei foi destituído e encarcerado pela Assembleia até ser julgado. Em setembro, a república foi proclamada e uma nova Assembleia foi eleita: a **Convenção Nacional**.

A Convenção Nacional foi eleita com base no **sufrágio universal masculino**, ou seja, todo e qualquer homem, independentemente de suas posses, teve direito ao voto. Antes dela, apenas os indivíduos com determinadas posses podiam votar. Além disso, o ano da queda da Bastilha, 1789, passou a ser considerado o ano inicial da revolução.

Girondinos e jacobinos

Durante a Revolução Francesa, não havia partidos políticos propriamente ditos, mas **clubes** revolucionários que manifestavam diferentes posições. Os clubes eram informais, pois os deputados eleitos para as assembleias eram considerados representantes diretos de seus eleitores.

- ***Sans-culottes.*** Membros do antigo terceiro estado constituídos por operários, artesãos, desempregados e pessoas pobres em geral. Em português, a expressão significa "sem culote", ou seja, aqueles que não usavam culote. O culote era um tipo de calça alargada na parte superior e justa na parte inferior, muito comum entre a nobreza e a alta burguesia.

Os **girondinos** e os **jacobinos**, rivais entre si, eram os principais grupos políticos na Convenção. "Girondino" vem de Gironda, nome de uma região portuária francesa. Já "jacobino" é derivado do nome de uma igreja, o Convento de São Tiago, local em que se realizavam as reuniões. Em latim, Tiago se escreve *Jacobus*. Os girondinos, que dominavam a Convenção, representavam os interesses dos grandes negociantes, como banqueiros e comerciantes, enquanto os jacobinos defendiam os interesses de profissionais liberais, funcionários e lojistas, além de estarem associados aos *sans-culottes*.

Para os girondinos, o rei devia ser exilado, enquanto os jacobinos aprovavam sua execução, o que acabou ocorrendo em janeiro de 1793. A execução do rei provocou a reação imediata dos países defensores do absolutismo, que formaram uma coligação para derrotar a França.

DOC. 1 **Comitê de Salvação Pública**

Órgão executivo do governo revolucionário, o Comitê de Salvação Pública tomou medidas para defender as fronteiras da França das ameaças externas e para preservar a ordem pública das ameaças internas. A instituição foi chefiada por Georges--Jacques Danton – que havia sido presidente do Clube dos *Cordeliers* – e, depois, por Maximilien Robespierre, principal dirigente dos jacobinos e do governo francês no período do Terror.

Reunião do Comitê de Salvação Pública, obra do século XVIII.

Os jacobinos no poder

Os girondinos estavam interessados em preservar suas propriedades, frear as mobilizações e promover o retorno da estabilidade à França. Por suas posições moderadas, os girondinos perderam para os jacobinos a influência na Convenção. Para combater as ameaças externas e internas, os jacobinos expulsaram os girondinos da Convenção e aprisionaram seus principais líderes.

As decisões centralizaram-se em Paris, desagradando algumas províncias, que se insurgiram contra o Estado revolucionário. Para reprimir a desordem, os jacobinos instalaram um governo ditatorial, suspenderam as liberdades civis e criaram o **Comitê de Salvação Pública** [doc. 1].

O Terror como arma política

Ao instituir o **Terror**, o Comitê de Salvação Pública iniciou o período mais violento da revolução. Visando à continuidade do processo revolucionário, o governo foi exercido sem nenhuma base constitucional. O traço mais notório desse período foi o decreto da **Lei dos suspeitos**. Cidadãos suspeitos de traição eram rapidamente julgados e punidos com a morte na guilhotina.

O órgão responsável pela condenação dos traidores da pátria era o **Tribunal Revolucionário**. Por meio desse órgão, o Comitê executou aristocratas, ricos negociantes, padres, camponeses das regiões em guerra civil e mesmo líderes populares, como Danton e Desmoulins. Calcula-se que cerca de 16 mil pessoas tenham morrido na guilhotina e mais outras dezenas de milhares tenham sido massacradas nos campos. Somente na região da Vendeia, por exemplo, em torno de 130 mil camponeses foram mortos pelo exército.

Apesar do clima de terror, foi no período jacobino que foram aprovadas medidas democráticas e progressistas como o sufrágio universal masculino e a abolição da escravidão nas colônias francesas. Para manter o apoio popular que os mantinha no poder, os jacobinos confiscaram as terras da nobreza que se refugiara no exterior e as distribuíram entre os camponeses pobres. Também estimulavam a arte, em especial aquela alinhada com os ideais republicanos **[doc. 2]**.

O retorno dos girondinos

Entre junho e julho de 1794, a França conheceu o período mais violento do Terror, mas também o início de seu fim. A política do Terror unificou diferentes grupos sociais em torno de um mesmo objetivo: conservar a revolução. Quando a sociedade francesa, entretanto, encontrou certa estabilidade, os interesses particulares de cada um desses grupos entraram em choque com as medidas repressivas e controladoras da Convenção. Os camponeses estavam descontentes com o racionamento, e o tabelamento de preços impedia o desenvolvimento da classe burguesa.

Os excessos cometidos na fase do Terror, especialmente as execuções, provocaram o esvaziamento da base política do governo jacobino, que perdeu apoiadores tanto à direita quanto à esquerda. Assim, dirigentes girondinos, apoiados por outros setores, em 27 de julho, **9 Termidor** no **calendário revolucionário**, articularam um golpe que derrubou Robespierre e seus seguidores, marcando o fim do Terror revolucionário. Os líderes jacobinos foram guilhotinados, seus clubes, fechados, e diversos deputados girondinos retornaram à Convenção. O regime de terror instituído por Robespierre não terminou com sua execução em 1794 e com o retorno dos girondinos ao poder. A luta entre facções rivais continuou, e cada grupo político que chegava ao poder procurava eliminar seus adversários mandando executá-los na guilhotina ou deportá-los para as colônias francesas. Essa foi a triste sorte de diversos jornalistas e diretores de jornais, deportados para a Guiana. Os sacerdotes que se recusavam a jurar a Constituição também eram perseguidos; os nobres perderam o direito à cidadania francesa, a não ser que fizessem um pedido formal de naturalização; e os emigrados, que somavam cerca de 300 mil franceses, estavam proibidos de retornar à França.

DOC. 2 **O pintor da revolução**

Os artistas revolucionários tinham a convicção de testemunhar um momento excepcional. Convertiam situações do cotidiano em acontecimentos heroicos e marcantes, inspirando-se nos valores da Antiguidade clássica.

O pintor Jacques-Louis David (1748-1825), considerado o pintor oficial da revolução, retratou com engenho e arte o assassinato do revolucionário Jean-Paul Marat. Conhecido como "o amigo do povo", Marat foi morto por uma partidária dos girondinos, em julho de 1793.

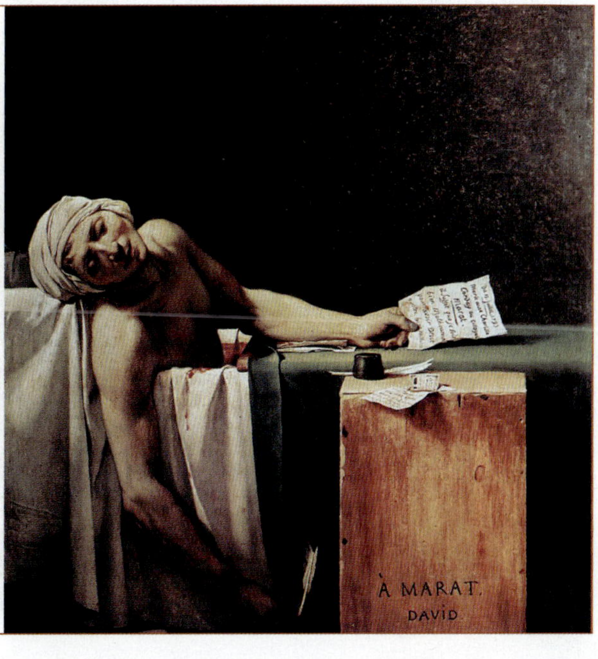

A morte de Marat, pintura de Jacques-Louis David, 1793. Museu Real de Belas Artes, Bruxelas.

A fase do Diretório

A maior parte da população francesa, contudo, ansiava pelo retorno à normalidade social. Assim, em 1795, o Tribunal Revolucionário foi extinto, uma nova Constituição foi redigida e a Convenção foi substituída pelo **Diretório**, órgão de função executiva composto de cinco homens. O Poder Legislativo era formado pelo Conselho dos Anciãos e pelo Conselho dos Quinhentos. O primeiro elegia os membros do Diretório e era composto pelos mais velhos. Os membros do segundo, por outro lado, eram eleitos por sufrágio censitário, substituindo o sufrágio universal masculino.

O fim do processo revolucionário

A sociedade francesa continuou marcada pela instabilidade social. Para a burguesia, interessada em preservar seus bens, apenas a força militar podia impedir a desordem. Durante uma das insurreições deflagradas durante o Diretório, o jovem general Napoleão Bonaparte foi chamado para conter os ânimos exaltados e salvar a república. Cada vez mais o Diretório passou a depender do exército para manter-se no poder, mostrando-se incapaz de conter os sucessivos golpes e conspirações e de restabelecer o equilíbrio social.

Nesse contexto, a população francesa passou a apoiar um golpe de Estado e a instituição de um poder forte. Assim, em 9 de novembro de 1799, **18 Brumário** no calendário revolucionário, o general Napoleão Bonaparte extinguiu o Diretório e encerrou o processo revolucionário. O Diretório foi substituído pelo **Consulado**, governo de cunho ditatorial liderado por três cônsules, mas de fato conduzido pelo seu primeiro cônsul, Napoleão Bonaparte **[doc. 3]**.

QUESTÕES

1. Quais eram os dois principais grupos políticos que se opunham na Convenção Nacional? Que setores da sociedade eles representavam?
2. Observe a pintura e responda às questões [doc. 2].
   a) Descreva a pintura, explicando de que modo o artista conseguiu transformar o assassinato de Marat numa cena heroica.
   b) Que aspecto do período do Terror é destacado na pintura de David?
3. Relacione a tensão social durante o Diretório e a consequente ascensão política de Napoleão Bonaparte.

DOC. 3 **A ascensão de Napoleão**

Napoleão pertencia à pequena nobreza, mas não possuía riqueza. Inicialmente, era um simples soldado. Aos 24 anos, após o sucesso no cerco de Toulon, em 1793, tornou-se general de brigada. Fez sua fama com as campanhas da Itália (1796-1797) e do Egito (1798-1799). Ambicioso, inteligente e astuto, Napoleão tornou-se um exemplo do homem que fez a si mesmo, ascendendo na sociedade por seus próprios méritos. Segundo o historiador Hobsbawm:

> "Todos os homens comuns ficavam excitados pela visão, então sem paralelo, de um homem comum que se tornou maior do que aqueles que tinham nascido para usar coroas."
>
> HOBSBAWM, Eric. *A Revolução Francesa*. São Paulo: Paz e Terra, 2008. p. 55-56.

O general Bonaparte no Conselho dos Quinhentos, pintura de François Bouchot, 1840. Museu Nacional do Palácio de Versalhes e Trianon, Versalhes.

Seção 20.3

O cotidiano durante a revolução

Objetivo

Explicar as transformações sociais e políticas ocasionadas pela Revolução Francesa.

Termos e conceitos

- Cotidiano
- Constituição Civil do Clero
- Tribunais da família
- Calendário revolucionário
- Sistema Métrico Decimal

A igualdade na fala e nas roupas

A Revolução Francesa não provocou mudanças apenas nas instituições políticas, mas também no **cotidiano**. Os discursos se alteraram e novos comportamentos e atitudes eram esperados. O patriotismo e o caráter revolucionário dos indivíduos deviam transparecer nos espaços públicos por meio de novas posturas. Colocar o bem comum acima dos interesses particulares, reconhecer a igualdade natural entre todos os homens e confraternizar-se com todos os cidadãos eram normas de conduta.

"Para ser realmente republicano, é preciso que cada cidadão experimente e opere em si mesmo uma revolução igual à que transformou a face da terra."

Declaração da Comissão de Vigilância Republicana de Lyon (1793). In: PERROT, Michelle (Org.). *História da vida privada*. São Paulo: Companhia das Letras, 1995. v. 4. p. 25.

As transformações nos indivíduos repercutiram, em primeiro lugar, na linguagem. Todas as formas honoríficas de tratamento pessoal, que identificavam o título e o *status* social dos membros da nobreza e do clero, como "sua excelência", "vossa alteza", "reverendíssimo", foram substituídas simplesmente por "cidadão". A generalização da forma de tratamento e a substituição do "vós" pelo "tu" indicaram o desejo de fazer valer a igualdade entre as pessoas a partir do uso cotidiano da linguagem.

No lugar dos dialetos regionais, o francês tornou-se a língua comum e obrigatória em todo o território nacional. As escolas deviam ensinar apenas a língua francesa, e os textos oficiais passaram a ser escritos exclusivamente em francês.

Outra mudança no cotidiano dizia respeito ao vestuário. A moda aristocrática incluía rendas, paramentos bordados a ouro, perucas empoadas e chapéus de plumas. O cidadão republicano, ao contrário do vestuário exagerado e pomposo da aristocracia, devia usar trajes sóbrios, modestos e populares.

As perucas foram substituídas pelos cabelos soltos caindo sobre os ombros, e a roupa perdeu ornamentos. A calça larga e o barrete frígio identificavam os *sans-culottes* e influenciavam a redefinição dos modos de vestir. As mulheres republicanas deviam usar vestidos simples, em cores pastel ou branco, sem anquinhas ou espartilhos, e um chapéu de feltro encimado por uma roseta tricolor, representando os ideais da revolução **[doc. 1]**.

- **Barrete frígio.** Touca utilizada pelos frígios, habitantes de uma região da Ásia Menor. Foi reutilizada na cor vermelha durante o período revolucionário francês.

Aquarela do século XVIII representando um barrete frígio. Museu da Revolução Francesa, Vizille.

DOC. 1 **Moda e política**

A preocupação em suprimir a distinção social baseada no vestuário levou o governo republicano a encomendar ao artista Jacques-Louis David um uniforme que deveria ser utilizado por todos os homens. Dessa maneira, a igualdade geral dos cidadãos estaria marcada na própria vestimenta. Devido à sua pouca aceitação, o traje nunca foi adotado. O próprio fato de alguém ter tido essa ideia, no entanto, demonstra a influência da política nos hábitos cotidianos, como a moda.

À esquerda, *Vestimenta de oficial municipal com echarpe*; à direita, *Vestimenta cívica de cidadão francês*, aquarelas de Jacques-Louis David, 1793. Museu Nacional do Palácio de Versalhes e Trianon, Versalhes.

A contestação ao poder da Igreja

Durante o Antigo Regime, o clero católico regulava a vida dos franceses. Os registros de nascimento, casamento e morte; o recolhimento de tributos e dízimos; a administração de escolas e hospitais e a censura de livros considerados imorais ou subversivos eram algumas das atividades controladas pela Igreja.

A revolução despertou uma onda anticlerical, atacando os privilégios e as prerrogativas tradicionais da Igreja **[doc. 2]**.

Uma das medidas tomadas pela Assembleia Constituinte foi a aprovação, em 1790, da **Constituição Civil do Clero**.

O documento reorganizava a relação da Igreja com o Estado francês. A cobrança do dízimo foi suprimida e os bens do clero foram confiscados. Muitas igrejas foram transformadas em granjas, estábulos, peixarias ou salas de reuniões para clubes revolucionários. Propriedades eclesiásticas foram vendidas e os padres foram proibidos de usar suas indumentárias eclesiásticas.

- **Anticlerical.** Relativo àquele que combate a interferência do clero na sociedade, defendendo a influência predominante do poder civil sobre o Estado e as instituições sociais.

A mulher e a família

A restrição à atuação da Igreja sobre determinados assuntos da sociedade civil resultou em mudanças na própria estrutura familiar, principalmente em relação ao casamento e ao poder dos pais sobre os filhos. O casamento tornou-se uma cerimônia civil e não mais religiosa. Para ser considerado legal, devia ser realizado perante um funcionário civil e duas testemunhas, e não mais perante o padre.

A união entre o homem e a mulher deixava de ser um sacramento religioso indissolúvel e passava a ser um contrato baseado no consentimento de ambas as partes. Como todo contrato, o casamento podia ser desfeito a qualquer momento por iniciativa de uma das partes. O direito ao divórcio eliminava, ou pelo menos limitava, o poder do marido sobre a mulher.

O poder dos pais sobre os filhos, o chamado pátrio poder, também foi limitado pelas leis revolucionárias. Foram instituídos os **tribunais da família**, que tinham a função de proteger os jovens dos abusos dos pais. O Estado se via na obrigação de proteger as crianças e os jovens para que se tornassem bons cidadãos. Os revolucionários consideravam que, além de pertencerem a seus pais, os filhos também pertenciam à pátria.

DOC. 2 **A nova religião**

Festa em homenagem ao Ser Supremo no Jardim das Tulherias, em Paris, aquarela do século XVIII. Museu Nacional do Palácio de Versalhes e Trianon, Versalhes. Os ataques desferidos contra o clero e a Igreja Católica abriram espaço para a realização de uma nova forma de ritual religioso. O culto ao Deus bíblico, a Jesus e aos santos católicos foi substituído pelo culto da Razão ou do Ser Supremo. O evento ocorria em espaços públicos e se apresentava como uma grande festividade civil reunindo centenas ou até milhares de pessoas.

O calendário revolucionário

O interesse em combater a influência da religião na vida cotidiana dos franceses também atingiu a medida do tempo. O tradicional calendário cristão foi substituído por um novo calendário. Instituído em 1793, o **calendário revolucionário** estabeleceu o início da república um ano antes, como o ano I. Indicava com isso que a revolução havia produzido uma ruptura com o passado e iniciado uma nova era.

O calendário revolucionário era dividido em doze meses de trinta dias. No final do ano, eram acrescentados cinco ou seis dias a mais para alinhá-lo com o ano solar. Cada mês era dividido em três décadas de dez dias. Os nomes dos meses estavam associados à natureza, às estações do ano e aos trabalhos agrícolas. Cada dia do ano também tinha um nome próprio, remetendo a frutas, flores, ervas e outros elementos da natureza **[doc. 3]**.

As referências aos fenômenos da natureza e aos trabalhos agrícolas revelam a intenção de aproximar a medida do tempo do cotidiano da população. Deve-se lembrar que, nessa época, a grande maioria da população francesa era composta de camponeses e trabalhadores rurais. Instituir um novo calendário era também uma forma de conferir significado aos acontecimentos sociais e políticos que marcavam o cotidiano da revolução.

O Sistema Métrico Decimal

Em 1790, no período da Monarquia Constitucional, a Academia de Ciências de Paris formou uma comissão encarregada de unificar as medidas no país, com base em padrões simples e fixos. O resultado foi a criação do **Sistema Métrico Decimal**, o primeiro passo para o surgimento do Sistema Internacional de Unidades (SI).

A padronização das medidas foi estabelecida com a criação do metro e do quilograma. A adoção do novo sistema ocorreu muito lentamente, pois a população francesa resistia a abandonar os antigos padrões de medida. Apenas em meados do século XIX, o sistema métrico tornou-se obrigatório na França. Hoje, ele é adotado em quase todos os países.

QUESTÕES

1. De que modo o confronto entre os revolucionários franceses e a Igreja Católica aparece na gravura **[doc. 2]**?
2. Que objetivos se pretendia atingir com a criação de um novo calendário (o calendário revolucionário) **[doc. 3]**?

DOC. 3 **Os meses da revolução**

"Ao instituir outra convenção para a divisão dos meses e dos dias, o calendário republicano tentou romper com o modelo do calendário cristão e com as datas comemorativas das festas santas. Os nomes dos meses estavam associados à natureza e às estações: vindemário (setembro, que no hemisfério Norte é o mês das colheitas ou vindima), brumário (outono no hemisfério Norte, época das brumas), frimário (novembro e dezembro, período em que, no hemisfério Norte, ocorrem as geadas e o tempo esfria) etc. Os anos eram contados a partir dos primórdios da república, em setembro de 1792: ano I, ano II, até o ano XIV, quando o imperador Napoleão suprimiu o sistema."

VOVELLE, M. *A Revolução Francesa explicada à minha neta*. São Paulo: Editora Unesp, 2007. p. 79.

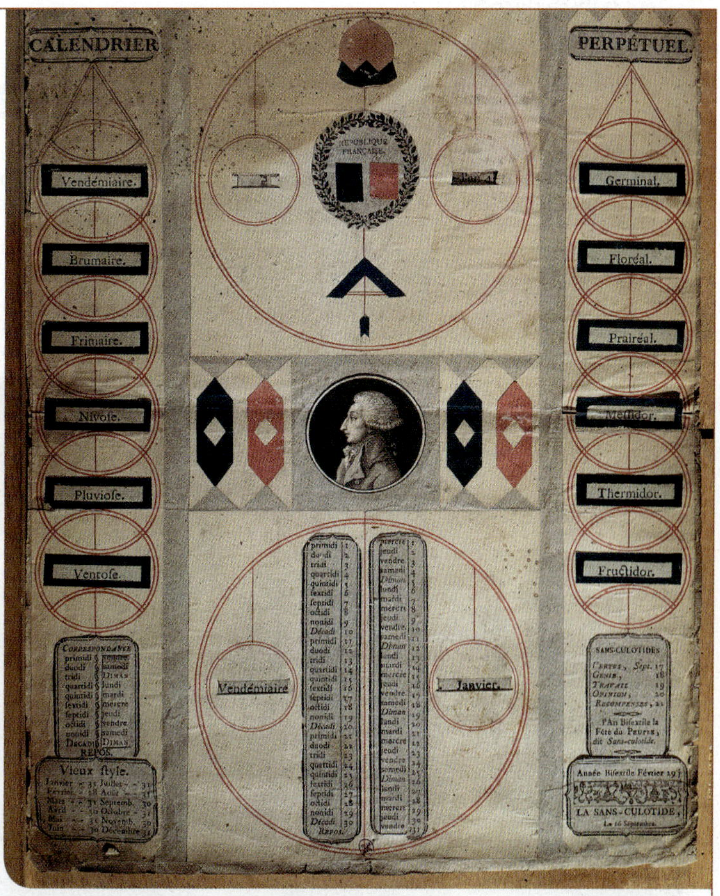

Calendário revolucionário francês, século XVIII. O calendário revolucionário foi utilizado até 1805, quando o imperador Napoleão instaurou o retorno do calendário cristão gregoriano, vigente até hoje. Museu Carnavalet, Paris. Se ainda estivesse em funcionamento, a data de 29 de setembro de 2009, por exemplo, seria 8 de Vendemiário do ano CCXX.

ANALISAR UM DOCUMENTO HISTÓRICO

O hino revolucionário

Durante a Revolução Francesa, houve uma verdadeira explosão de música política, com a difusão de hinos revolucionários, que tinham a função de arregimentar as massas e manter o seu moral elevado, mesmo nas fases mais difíceis. O hino cantado em uníssono também tem um papel simbólico: ele representa a utopia de uma voz única da coletividade que canta e celebra a liberdade.

Para compreender o documento

O hino nacional francês, mais conhecido como *A marselhesa*, foi escrito em abril de 1792, logo após a declaração de guerra contra a Áustria. A finalidade da canção, composta pelo oficial Claude Joseph Rouget de Lisle, era encorajar os soldados numa batalha na região do Rio Reno, fronteira austríaca.

A marselhesa era uma canção de guerra, mas se tornou tão popular entre os revolucionários franceses que, em 1795, a Convenção a elevou a hino nacional francês.

1. A maioria dos verbos é conjugada no imperativo.
2. São frequentes palavras que se referem ao universo militar e à guerra, como glória, soldados, batalhões, combate, defensores, vitória, armas e marchemos.
3. As palavras "cidadãos" e "filhos da pátria" dizem respeito aos integrantes dos batalhões. São palavras genéricas que não revelam nenhuma desigualdade entre os soldados.
4. Os soldados são os próprios cidadãos armados.
5. A guerra é motivada por agressões sofridas pela Pátria, de modo geral, e pelo cidadão, em particular.
6. Os inimigos são identificados como "sangue impuro" e "tirania", aqueles que ameaçam a liberdade e a vida de familiares (esposas e filhos).

"Vamos, filhos da Pátria
O dia da Glória chegou.
Contra nós, da tirania
O estandarte ensanguentado
Se ergue. Ouvis
Nos campos rugirem esses
Ferozes soldados? Eles vêm até
Os nossos braços degolar nossos
Filhos, nossas esposas.

Às armas, cidadãos!
Formai vossos batalhões!
Marchemos, marchemos
Que um sangue impuro
Mancha nossos campos [...].

Amor sagrado pela Pátria
Conduz, sustém nossos braços
Vingadores! Liberdade, liberdade
Querida, combate com os teus
Defensores! Sob as nossas
Bandeiras, que a vitória chegue
Logo às tuas vozes viris! Que teus
Inimigos agonizantes vejam teu
Triunfo, e nossa glória!"

SQUEFF, Ênio. *A música na Revolução Francesa*. Porto Alegre: L&PM, 1989. p. 131-136.

QUESTÕES

1. Anote em seu caderno os termos utilizados para designar os franceses e seus inimigos. Defina, também, a intenção da letra do hino.
2. *A marselhesa* foi redigida em abril de 1792. A república foi proclamada na França em setembro do mesmo ano. Que palavras e expressões da música apontam na direção da forma de governo implantada alguns meses depois? Explique.

Rouget de Lisle cantando *A marselhesa* na residência de Dietrich, prefeito de Estrasburgo, 26 de abril de 1792. Pintura de Isidore Pils, século XIX. Museu Histórico de Estrasburgo.

Seção 20.4

Ascensão e queda do Império Napoleônico

Objetivos

- Reconhecer a importância do governo de Napoleão na consolidação dos princípios liberais da Revolução Francesa.
- Compreender o surgimento do Império Napoleônico.

Termos e conceitos

- Código Civil Napoleônico
- Estado nacional moderno
- Bloqueio Continental

Do Consulado ao Império

Durante o período do Consulado, a principal obra de Napoleão Bonaparte no plano interno foi a instituição do **Código Civil Napoleônico**, que consolidou o Estado burguês na França. O Código Civil garantia as liberdades individuais, a ordem pública e a proteção à propriedade, antigas reivindicações da burguesia **[doc. 1]**.

No plano externo, Napoleão reaproximou o Estado francês da Igreja Católica ao assinar uma concordata com o papa. O documento afirmava ser o catolicismo a Igreja da maioria dos franceses e restituía antigos direitos do clero. As propriedades clericais confiscadas a partir de 1790, no entanto, não foram indenizadas. Em seguida, assinou a paz com a Áustria e com a Inglaterra, encerrando a série de guerras do período revolucionário.

Em 1804, Napoleão proclamou-se imperador coroando a si mesmo numa suntuosa cerimônia assistida pelo papa na Catedral de Notre-Dame, em Paris. Após a coroação, Napoleão dedicou-se a reorganizar o Estado francês, agora um Império, e a promover uma política expansionista pela Europa, que transformou o mapa geopolítico de todo o continente **[doc. 2]**.

- **Concordata.** Acordo estabelecido entre um Estado e o Vaticano, cujo objetivo é regular as relações entre ambos.

DOC. 1 **O Código Civil Napoleônico**

"As tentativas dos revolucionários de elaborar um código unificado de leis falharam. Reconhecendo o valor desse código para uma administração eficiente em todo o país, Napoleão insistiu na conclusão do projeto. O Código de Napoleão incorporou muitos princípios da revolução: igualdade perante a lei, direito de escolher a profissão, liberdade de consciência, proteção dos direitos de propriedade, abolição da servidão e o caráter secular do Estado."

PERRY, Marvin. *Civilização ocidental*: uma história concisa. São Paulo: Martins Fontes, 2002. p. 341.

DOC. 2 *Sagração do imperador Napoleão e coroamento da imperatriz Josefina na Catedral de Notre-Dame*, pintura de Jacques-Louis David, 1805-1807. Museu do Louvre, Paris.

O Estado napoleônico

A França napoleônica foi um dos primeiros esboços do **Estado nacional moderno**. Os monarcas do Antigo Regime reinavam sobre territórios de fronteiras indefinidas. A mudança ocorreu com Napoleão, que estabeleceu um Estado forte e estável, capaz de garantir a lei e a ordem num território unificado e delimitado.

O Estado napoleônico também consolidou a racionalização administrativa iniciada durante a Revolução Francesa. No Antigo Regime, não havia uniformidade jurídica nem unidade de pesos e medidas. Foi preciso unificar códigos de leis, padrões de pesos e medidas, cargos administrativos e militares. Essas reformas serviriam de exemplo para grande parte dos Estados modernos.

Uma nova elite

Ao mesmo tempo que dava forma ao novo Estado nacional francês, Napoleão recuperou instituições políticas abolidas pela Revolução Francesa. No mesmo ano, distribuiu as primeiras condecorações da **Legião de Honra**, criada em 1802. As distinções honoríficas foram atribuídas a civis e militares que houvessem prestado importantes serviços à nação. Não era uma instituição do Antigo Regime, mas criava distinções entre os cidadãos.

A Legião de Honra foi o primeiro instrumento que contribuiu para a formação de uma nova elite. O segundo veio em 1808, quando Napoleão Bonaparte restaurou alguns títulos nobiliárquicos. Os membros da família imperial receberam títulos de príncipes. Militares, políticos, magistrados, altos funcionários públicos, grandes empresários e proprietários rurais, enfim, as elites civil e militar, e até mesmo artistas e escritores, foram, também, enobrecidos.

A nova nobreza, porém, era diferente daquela do Antigo Regime. Não estava baseada na hereditariedade. O título era uma distinção conferida exclusivamente pelo imperador por serviços prestados ao Estado e podia ser revogado a qualquer momento. E, assim como as condecorações da Legião de Honra, os títulos não garantiam privilégios, como isenção de impostos ou direitos feudais. Os títulos honoríficos, portanto, reconheciam o **mérito** dos cidadãos e não o sangue ou a linhagem, valorizando a iniciativa individual de cada um.

As guerras napoleônicas

As campanhas militares de Napoleão Bonaparte duraram todo o período em que esteve no poder, com pequenos intervalos sem hostilidade. Os princípios que pareciam mobilizar as **guerras napoleônicas** eram os mesmos da Revolução Francesa. O exército francês era motivado a conduzir a liberdade a todos os povos que viviam sob o jugo de governos considerados despóticos. Nos países invadidos, Napoleão impunha o Código Civil francês, exigindo a abolição da servidão, a tolerância religiosa e a igualdade jurídica de todos os indivíduos.

Com o tempo, porém, o ideal revolucionário foi substituído pelo expansionismo militar e territorial. Armando o maior exército da época, empreendeu uma série de conquistas, chegando a dominar metade da Europa. No auge do Império Napoleônico, em 1812, cerca de 44 milhões de pessoas eram súditos da França **[doc. 3]**.

DOC. 3 **O Império Napoleônico**

Fonte: DUBY, Georges. *Atlas historique mondial*. Paris: Larousse, 2003. p. 84-85.

O Bloqueio Continental

O único adversário em condições de resistir era a Inglaterra, maior potência comercial e marítima da época e principal concorrente da França nos mercados europeu e colonial.

Sem condições de derrotar militarmente a Inglaterra, Napoleão Bonaparte optou por arruiná-la economicamente. Em 1806, por meio de um decreto oficial, o imperador francês instituiu o **Bloqueio Continental**, que proibia o acesso de navios ingleses aos portos dos países aliados ou dependentes da França e, consequentemente, impedia o comércio com aquele país. O objetivo de atingir a Inglaterra interrompendo suas atividades comerciais com o exterior não foi alcançado. O fluxo comercial inglês foi mantido com a Ásia e a América Latina.

A Campanha da Rússia

O maior desafio de Napoleão foi submeter o Império Russo. O czar Alexandre I recusou-se a obedecer às imposições de Napoleão e boicotou o Bloqueio Continental, mantendo relações comerciais com a Inglaterra. Napoleão respondeu a esse desafio com a invasão da Rússia.

A invasão da Rússia, iniciada na primavera de 1812 (veja a seção Ampliando conhecimentos, na página 380), resultou em grandes perdas humanas e materiais para a França. O desastre da campanha enfraqueceu a máquina de guerra napoleônica. Além disso, ao derrubar as dinastias locais para colocar seus irmãos e generais no poder, Napoleão criou inimigos por toda a Europa. Sem aliados, com o exército desestruturado e a França ocupada por uma coligação de potências estrangeiras (Áustria, Prússia e Rússia), em abril de 1814, Napoleão Bonaparte abdicou e foi obrigado a exilar-se na Ilha de Elba, no Mar Mediterrâneo.

A queda definitiva

O exílio na Ilha de Elba não durou muito tempo. A população francesa estava insatisfeita com o rei Luís XVIII, que havia assumido o trono francês. Disposto a retomar o trono, Napoleão desembarcou na França em março de 1815 e reassumiu o poder. Governou durante cem dias e reorganizou o exército. Imediatamente, os países inimigos se reuniram e declararam guerra ao general francês. Napoleão marchou, assim, em direção àquela que seria, definitivamente, sua última batalha: a **Batalha de Waterloo**, em 1815 **[doc. 4]**.

Com a derrota do exército francês, Napoleão foi definitivamente afastado do poder e conduzido ao exílio na Ilha de Santa Helena, onde permaneceu vigiado até sua morte, em 1821.

O fim do Império Napoleônico não significou, entretanto, o retorno às condições políticas e sociais do Antigo Regime. Houve esforços nesse sentido, mas a difusão dos princípios revolucionários pelas guerras napoleônicas trouxe uma nova ordem de ideias e de práticas políticas. Apesar da derrota francesa, os valores revolucionários haviam se estabelecido em diversos países do continente europeu.

DOC. 4 **O mito Napoleão Bonaparte**

O que impressiona na carreira meteórica de Napoleão é o fato de ele ter vindo de baixo. Grandes conquistadores do passado, como Alexandre Magno e Júlio César, eram aristocratas e foram educados desde o início para serem governantes. Napoleão, porém, começou como um simples soldado corso, que não possuía nem riqueza nem posição social.

Partindo de baixo e vencendo uma a uma as resistências, o soldado corso foi alçado aos píncaros da glória, chegando a dominar um imenso império. Essa imagem fixou-se na mente do homem do século XIX a ponto de criar um mito duradouro: o do indivíduo excepcional que cria o seu próprio destino, transpondo barreiras sociais e econômicas.

Napoleão triunfante na batalha de Arcole, pintura de Jean-Antoine Gros, 1800. Museu do Palácio de Versalhes, França.

QUESTÃO

- Segundo o texto, qual foi o grande mérito de Napoleão? Destaque e explique sua relação com os princípios revolucionários **[doc. 4]**.

A campanha de Napoleão na Rússia

No ano de 1812, Napoleão Bonaparte organizou seu exército para atacar a Rússia. Após o levantamento feito sobre as condições do território inimigo, o capitão francês Leclerc teria dito: "Penso que só a Rússia pode fazer a guerra na Rússia". O imperador Bonaparte, no entanto, ignorou o seu alerta e iniciou a campanha. Em menos de um ano, o exército francês foi aniquilado pelos russos.

Exército francês

Número de soldados — Ida — Volta

Batalha — Ataque russo

24 de junho
Napoleão e seu exército cruzam o Rio Niemen, em Kovno. Na Rússia, o exército do czar estava dividido em três frentes espalhadas pelo território.

O exército francês
Semanalmente, 6 mil homens adoeciam, outros desertavam, muitos morriam sem alimentos e de frio.

16 de dezembro
A uma temperatura de 36 °C negativos, os sobreviventes do exército francês cruzam o Rio Niemen. Outros soldados chegariam posteriormente.

26 de novembro
Em Beresina, o exército francês e o russo lutaram durante três dias. Parte dos soldados franceses mortos ficou enterrada sob a neve e só foi encontrada na primavera.

Uniformes e equipamentos inadequados para as baixas temperaturas.

Exército francês
Composto de soldados de diferentes regiões da Europa. Organizado em uma única frente de batalha.

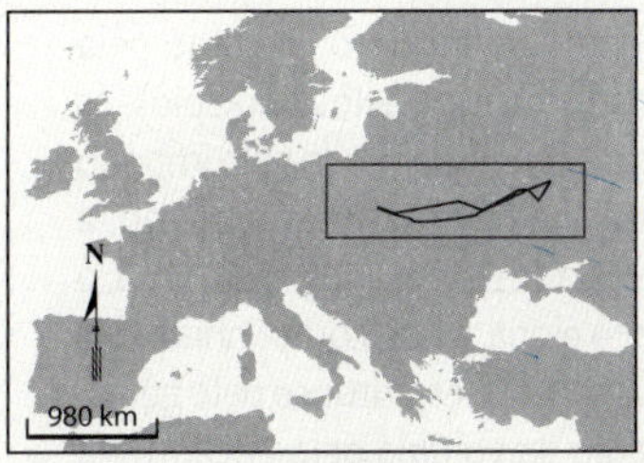

Território desconhecido
O desconhecimento do território russo dificultou ainda mais a ação do exército francês e colaborou para sua derrota.

QUESTÕES

1. Do ponto de vista estratégico, explique as razões da derrota francesa na Rússia.
2. Relacione o Bloqueio Continental com a invasão da Rússia pelas tropas de Napoleão.

18 de agosto
Napoleão chega à cidade de Smolensk. Durante as incursões pelo território russo, os soldados do general francês encontraram grandes áreas abandonadas.

7 de setembro
A cidade de Borodino é invadida por Napoleão. Após intensos combates, o exército francês vence a batalha, mas contabiliza milhares de mortos.

14 de setembro
Napoleão e seu exército chegam a Moscou e encontram a cidade devastada. Grande parte dos seus 250 mil habitantes havia deixado a capital levando com ela todo o suprimento.

19 de outubro
Sem alimento e água potável, poucos dias depois o exército napoleônico bate em retirada da capital e da Rússia.

Novembro
Ao se aproximar o inverno, a temperatura cai bruscamente e chega a 30 °C negativos. Enquanto os soldados russos estavam equipados para suportar as baixas temperaturas, os soldados franceses, com uniformes rasgados e sem agasalhos, morriam congelados.

Uniformes e equipamentos apropriados para as baixas temperaturas.

Exército russo
Composto principalmente de russos. Espalhado por todo o território russo.

934 canhões

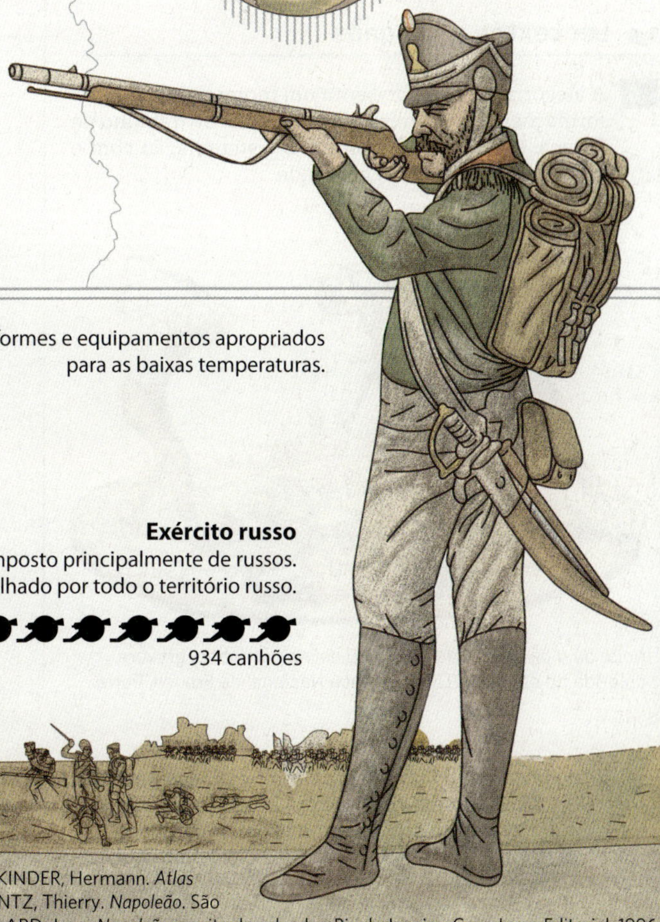

Representação atual da campanha napoleônica na Rússia.

Fontes: HILGEMANN, Werner; KINDER, Hermann. *Atlas historique*. Paris: Perrin, 1992; LENTZ, Thierry. *Napoleão*. São Paulo: Editora Unesp, 2008; TULARD, Jean. *Napoleão:* o mito do salvador. Rio de Janeiro: Casa Jorge Editorial, 1996.

Retomar conteúdos

1 Responda às questões sobre o Antigo Regime na França.

a) Que relação o rei da França estabelecia com o Estado?

b) Explique qual era a organização política e econômica na França daquele período.

2 A mobilidade social na França do século XVIII encontrava muitos entraves. Assim, explique por que Napoleão causava admiração entre a população comum **[doc. 4, página 379]**.

3 Observe os trajes desenhados por Jacques-Louis David **[doc. 1, página 373]**.

a) Compare as duas vestimentas. Associe suas características a um dos ideais revolucionários (liberdade, igualdade ou fraternidade). Justifique sua resposta.

b) Que diferenças podemos perceber entre os trajes revolucionários e os trajes da nobreza? Justifique sua resposta.

4 A igualdade entre os cidadãos continuava sendo defendida durante o governo napoleônico. A entrega de distinções e títulos nobiliárquicos, contudo, parecia contrariar esse princípio. Com respeito à igualdade entre os súditos ou cidadãos, portanto, o período napoleônico se diferenciava tanto em relação ao Antigo Regime quanto em relação à Revolução Francesa. Explique essa diferença.

Ler textos e imagens

5 A alegoria abaixo representa um momento nas transformações que ocorreram nas relações de trabalho na França. Explique esse momento e sua relação com o ideal revolucionário de liberdade.

Noite de 4 de agosto de 1789 ou O delírio patriótico, gravura colorida do século XVIII. Biblioteca Nacional da França, Paris.

6 Leia o texto e responda às questões.

"Em nosso país, queremos substituir o egoísmo pela moral, a honra pela probidade, os usos pelos princípios, as conveniências pelos deveres, a tirania da moda pelo império da razão, o desprezo à desgraça pelo desprezo ao vício, a insolência pelo orgulho, a vaidade pela grandeza da alma, o amor ao dinheiro pelo amor à glória, a boa companhia pelas boas pessoas, a intriga pelo mérito, o espirituoso pelo gênio, o brilho pela verdade, o tédio da volúpia pelo encanto da felicidade, a mesquinharia dos grandes pela grandeza do homem [...]. No sistema da Revolução Francesa, o que é imoral é impolítico, o que é corruptor é contrarrevolucionário."

Robespierre. Sobre os princípios da moral política [1794]. In: ARIÈS, Philippe; DUBY, Georges. *História da vida privada*: da Revolução Francesa à Primeira Guerra. São Paulo: Companhia das Letras, 2001. v. 4. p. 23.

a) Identifique o período da Revolução Francesa em que o discurso de Robespierre foi pronunciado e quais foram os meios utilizados para alcançar os objetivos propostos.

b) Compare os fins propostos por Robespierre e os meios utilizados para alcançá-los no período em que esteve à frente do poder na França. Qual é a principal diferença e que provoca maior estranhamento ao fazer essa comparação?

7 Na fase final do processo revolucionário na França, já era possível perceber, no cotidiano, mudanças claras em relação à sociedade do Antigo Regime. A imagem a seguir representa essa nova postura na época do Diretório.

Gravura do final do século XVIII representando a nova burguesia francesa ironizando aqueles que continuavam se vestindo de maneira extravagante, segundo a moda aristocrática antiga. Biblioteca Nacional da França, Paris.

a) Compare o vestuário dos dois casais representados na imagem e identifique as principais diferenças entre um e outro.

b) Como você interpreta a postura do casal da esquerda diante do casal que está ao lado?

Capítulo

21 A independência das colônias espanholas

21.1 Antes da independência

As mudanças geradas pela ascensão de Napoleão na Europa e a repercussão das ideias iluministas estimularam a elite criolla *a lutar pela independência.*

21.2 A luta na América Central e no México

No México e na América Central, a elite criolla *assumiu o comando dos Estados formados com a independência.*

21.3 A independência do Haiti e de Cuba

Enquanto a independência do Haiti brotou de uma rebelião escrava, a de Cuba expressou os interesses dos grandes produtores de cana e café da ilha.

21.4 A independência na América do Sul

O movimento pela independência na América do Sul foi marcado pela atuação dos líderes Simon Bolívar e San Martín.

21.5 Uma América, muitas Américas

Consumada a independência, a América se viu dividida em vários Estados, frustrando o projeto de unidade defendido por Bolívar.

A busca da liberdade

Na segunda metade do século XVIII, as tensões entre colônia e metrópole aprofundaram-se. Os comerciantes da colônia pretendiam aumentar seus ganhos e contavam, para tanto, com o estímulo de outros países europeus, interessados em realizar negócios diretamente com a América hispânica e, assim, ampliar o mercado consumidor de suas manufaturas e obter mais fontes de matérias-primas. À semelhança do que ocorreu posteriormente, e ainda se expressa hoje, cada parte da América estabelecia sua estratégia de luta. A ideia de unidade americana persistia distante da ação e dos olhos de muitos da mesma maneira que hoje é difícil imaginar laços e alianças entre países hispano-americanos.

Índios e escravos, submetidos às regras duras do trabalho forçado, insurgiam-se continuamente e participavam de revoltas que, mesmo contidas pela ação repressora dos representantes da metrópole, indicavam que o modelo colonial estava em crise. A independência parecia ter algumas respostas a dar às questões sociais, embora a questão do trabalho e da dominação social fosse muitas vezes vaga e ambígua.

No cenário europeu, a Espanha se envolvera em conflitos e atravessava períodos repetidos de crise econômica. O pensamento iluminista defendia o fim do domínio colonial, e o liberalismo econômico pregava liberdade comercial e suspensão de todos os protecionismos. Essas ideias atravessavam o oceano e mobilizavam intelectuais *criollos*, que assumiam os valores do liberalismo e do iluminismo e passavam a agir em defesa da emancipação política das colônias.

A América caminhava para a liberdade. No entanto, não bastaria apenas se separar da metrópole: um longo processo de formação de Estados nacionais se seguiria à luta pela independência. Uma nova América brotaria desse longo processo. Diante desse cenário surgem as seguintes questões: "Que problemas enfrentados no processo de emancipação política e formação nacional continuam presentes no dia a dia das pessoas?"; "Como as tensões políticas e sociais foram tratadas e quanto delas ainda prossegue na atualidade hispano-americana?".

Soldados desfilam durante as comemorações do Dia da Independência da Colômbia, em Bogotá, em 20 de julho de 2006.

Antes da independência

Objetivo

- Caracterizar o contexto social e político que precedeu os movimentos de independência na América hispânica.

Termos e conceitos

- Iluminismo
- *Criollos*

A força das ideias

O **iluminismo** chegou à América sobretudo pelas mãos de filhos da elite *criolla* que foram estudar na Europa e lá conheceram os autores e livros que criticavam duramente a condição colonial. O pensamento iluminista oferecia a base teórica em torno da qual os projetos de libertação e de formação de Estados autônomos podiam ser construídos. Além disso, o sucesso das revoluções Americana e Francesa ampliou a crença na possibilidade de romper os laços coloniais e escapar do controle da Coroa espanhola.

Crise espanhola e reformas na América

A Espanha da segunda metade do século XVIII era um país em crise. A prata americana se esgotava, e a produção agrícola na colônia era insuficiente para manter a estabilidade interna de um país que se endividara no decorrer do século e participava de vários conflitos armados.

Para compensar o declínio da mineração, a Coroa espanhola elaborou um plano de reformas que incluía, inicialmente, o aumento do seu aparato militar na América, com os objetivos de impedir o avanço de potências europeias sobre seus domínios e reprimir revoltas locais.

A introdução do regime de intendências, em particular após 1782, também procurou tirar as decisões econômicas e jurídicas das mãos dos ***criollos*** e das instâncias administrativas da colônia. Os **intendentes**, burocratas de carreira nascidos na Espanha, contribuíram para o crescimento da arrecadação de tributos e o estabelecimento de novos monopólios metropolitanos.

DOC. 1 *A capitulação de Madri*, pintura de Antoine Jean Gros, 1810. Museu do Castelo de Versalhes, Versalhes.

QUESTÕES

1. Que elementos contribuíram para o descontentamento dos *criollos* com relação ao domínio metropolitano a partir da segunda metade do século XVIII?
2. Que fator imediato desencadeou o processo de emancipação das colônias hispano-americanas?

O domínio francês

No início do século XIX, a França assistiu à ascensão do militarismo de Napoleão Bonaparte. Em crise, a Espanha não resistiu ao avanço armado dos franceses e foi ocupada pelas tropas napoleônicas em 1808 **[doc. 1]**. Após a conquista, Napoleão colocou seu irmão José Bonaparte no trono espanhol.

Algumas regiões da Espanha reagiram à presença francesa e organizaram juntas autônomas de governo, recusando-se a seguir as determinações dos novos governantes. O mesmo ocorreu na América hispânica, que deveria igualmente se sujeitar ao controle francês.

Após a derrota definitiva de Napoleão Bonaparte em 1815, o Congresso de Viena tentou reorganizar a Europa e restabelecer, por meio da Santa Aliança, o controle das metrópoles sobre suas colônias na América. O esforço recolonizador, no entanto, esbarrou na indisposição dos colonos para aceitar o retorno da presença limitadora da Espanha nos assuntos mercantis e administrativos.

A luta na América Central e no México

Objetivos

- Identificar as formas políticas e militares assumidas pelos movimentos de emancipação na América Central e no México.
- Caracterizar as lutas emancipacionistas e de formação nacional, reconhecendo os diferentes interesses sociais e políticos nelas envolvidos.

Termos e conceitos

- *Criollos*
- Emancipação/autonomia

Os *criollos* no comando dos novos governos

A luta pela liberdade na América hispânica nas primeiras décadas do século XIX envolveu quase toda a sociedade. O significado de liberdade, contudo, não era homogêneo: cada grupo ou segmento social a concebia de uma forma diversa. O discurso político autonomista era vago em muitos pontos e capaz de agrupar, sob palavras que podiam ser interpretadas de maneiras diversas, intenções e projetos político-econômicos diferentes.

Em primeiro lugar, a grande inimiga era a metrópole, que representava a limitação e a repressão. Os ***criollos*** a viam como portadora de uma política econômica ultrapassada (o mercantilismo), que os obrigava a submeter todos os seus negócios aos interesses das companhias de comércio espanholas. Índios e escravos tendiam a associá-la às formas de trabalho forçado presentes na América e às constantes cobranças de tributos.

Na maior parte da América, os *criollos* lideraram política e militarmente as forças antiespanholas. Eles foram, também, os que mais se beneficiaram com a **emancipação** e assumiram, em quase todos os casos, o controle dos novos governos. A política implementada após a independência privilegiou, num primeiro momento, a criação de mecanismos de representação política, o fortalecimento militar e o direcionamento da produção para o mercado exportador. Ou seja, venceu a lógica *criolla* e seu desejo de **autonomia** política e comercial.

Índios e negros foram beneficiados apenas parcialmente pelas medidas tomadas pelos novos governos. Muitos *criollos* eram senhores de escravos e não pretendiam abrir mão do trabalho forçado. Por isso, a prática escravista só foi abolida após a independência em algumas áreas da América e nem sempre de forma imediata ou definitiva **[doc. 1]**.

DOC. 1 **Abolição definitiva da escravidão em alguns países da América espanhola**

Fonte: BETHELL, Leslie. *História da América Latina*: da independência a 1870. São Paulo: Edusp, 2009. v. 3. p. 266.

Os casos do México e da América Central

Na América Central, houve uma longa negociação entre as elites locais e representantes da Coroa espanhola com o objetivo de obter a autonomia por via pacífica. Em 1812, chegou-se a um acordo por meio do qual essa região continuaria a pertencer à Espanha, mas receberia permissão para se organizar politicamente de maneira autônoma e realizar algumas transações comerciais com outros países, fora do regime do monopólio.

Enquanto isso, o México se consumia em conflitos internos desde setembro de 1810, até que o padre Miguel Hidalgo proclamou a independência, num episódio conhecido como Grito de Dolores. Após o grito, Hidalgo liderou um grupamento armado e iniciou uma marcha em busca de adeptos da emancipação dispostos a enfrentar os espanhóis. Entre setembro de 1810 e julho de 1811, ele participou de diversos combates contra tropas realistas, que deixaram milhares de mortos e prisioneiros dos dois lados. Em julho de 1811, Hidalgo foi derrotado e fuzilado pelas tropas fiéis à Espanha.

Independência e vitória *criolla*

José María Morelos, religioso e ex-aluno de Hidalgo, assumiu a liderança das tropas independentistas. Dois anos depois, Morelos foi o responsável pela elaboração do primeiro projeto constitucional do México independente **[doc. 2]**.

A Espanha, porém, ainda não estava derrotada. Capturado e fuzilado em 1815, Morelos deixou inconclusa a luta pela independência, mas colaborou para o avanço do programa de reformas sociais adotado originalmente por Hidalgo. Para os dois padres, a independência deveria trazer mudanças sociais amplas, que incluíam a extinção dos tributos e das dívidas indígenas, a abolição da escravidão e o acesso mais amplo às terras, com a divisão das grandes propriedades rurais.

Em 1821, Itúrbide, militar mexicano que lutara do lado da Coroa contra a rebelião de Hidalgo e Morelos, negociou com a Espanha a autonomia do México. O novo Estado ficou sob controle *criollo*, e as preocupações com reformas sociais foram abandonadas **[doc. 3]**. Itúrbide foi coroado imperador do México.

O monarca mexicano ofereceu apoio à independência da América Central, que assim se separou da Espanha. Sua intenção era expandir as áreas sob seu domínio, avançando o território mexicano em direção ao sul. O império de Itúrbide e a ligação entre América Central e México, no entanto, foram breves. Derrubado pelos republicanos em 1823, Itúrbide foi executado e a monarquia extinta no México. A América Central retomou sua autonomia e dividiu-se em vários países.

DOC. 2 **Projeto de Constituição para o México**

"1º Que a América é livre e independente da Espanha e de toda outra nação, governo ou monarquia [...].

2º Que a religião católica seja a única, sem tolerância de outra.

3º Que todos seus ministros se sustentem de todos os dízimos e primícias e apenas disso, e que o povo não tenha de pagar mais obvenções [tributos] que as de sua devoção e oferenda. [...]

11º Que a pátria não será de toda livre e nossa enquanto não se reforme o governo, aniquilando o tirânico, substituindo o liberal e expulsando do nosso solo o inimigo espanhol que tanto tem se declarado contra esta nação. [...]

15º Que a escravidão se prescreva para sempre, o mesmo para a distinção de castas, permanecendo todos iguais, e só distinguirá um americano de outro, o vício e a virtude. [...]

17º Que cada um se lhe respeitem as propriedades e sua casa como um asilo sagrado, estipulando pena aos infratores. [...]"

MORELOS, José María. Projeto de Constituição. México [1813]. In: BELLOTTO, Manoel Lelo; CORRÊA, Anna Maria Martinez. *A América Latina de colonização espanhola*: antologia de textos históricos. São Paulo: Hucitec/Edusp, 1979. p. 161-162.

QUESTÃO

- Cite algumas passagens do texto constitucional que revelam a influência dos ideais liberais na sua elaboração **[doc. 2]**.

DOC. 3 *Grupo de índios*, litogravura de Mariano Felipe Paz Soldán, 1863. Biblioteca de Artes Decorativas, Paris. Depois da independência, os índios perderam a posse comunitária das terras e tiveram de se integrar, como trabalhadores assalariados, à economia de mercado.

A independência do Haiti e de Cuba

› Objetivo

▸ Destacar as diferenças entre as experiências políticas de independência do Haiti e de Cuba.

› Termos e conceitos

- Rebelião escrava
- Autonomista/anexionista

A rebelião escrava no Haiti

As ilhas de Cuba e Hispaniola ficam na região do Caribe, primeiro local de ocupação europeia na América **[doc. 1]**. A presença francesa na Ilha Hispaniola data do final do século XVI, quando a Espanha já havia percebido a inexistência de grandes fontes de minérios na ilha e deslocado o eixo de sua colonização para o continente. Desinteressada nas terras, cedeu-as à França, na segunda metade do século XVII.

Os colonos franceses introduziram na ilha o cultivo de cana-de-açúcar, algodão e café. As novas lavouras exigiam a ampliação da mão de obra, o que os poucos remanescentes das comunidades nativas não podiam atender. O ingresso de africanos tornou-se, então, mais regular e intenso.

Na metade do século XVIII, a colônia francesa em Hispaniola já era a maior produtora de açúcar do Novo Mundo e registrava um grande número de escravos. Pesquisadores estimam que a população de escravos negros no Haiti, ao final do século XVIII, chegava a 500 mil, cerca de vinte vezes o número de brancos na colônia.

As péssimas condições de vida e trabalho dos escravos tornavam bastante conflituosa sua relação com a elite branca. A tensão cresceu após a Revolução Francesa. Parte da elite canavieira desejava obter sua autonomia aproveitando a dificuldade metropolitana de controlar a colônia. Outros senhores de engenho, porém, temerosos de não controlar a maioria negra, preferiam manter os vínculos coloniais.

Em 1791, eclodiu uma **rebelião escrava** no norte da parte francesa da ilha. O líder, François-Dominique Toussaint-Louverture, determinou a abolição da escravidão. Após dois anos de lutas, o governo jacobino de Robespierre, após tentar sem sucesso conter a revolta, emancipou a região.

Recolonização e independência

Os conflitos na ilha, porém, ainda prosseguiram por muitos anos. Em 1802, tropas napoleônicas restabeleceram a dominação francesa. Os franceses aprisionaram Louverture e o enviaram à França, onde morreu no ano seguinte. As tropas de Napoleão, no entanto, não conseguiram impedir que novas revoltas estourassem. Jean-Jacques Dessalines, que fora general de Louverture, assumiu a liderança do movimento negro e, em novembro de 1803, derrotou os franceses. No dia 1º de janeiro de 1804, o Haiti tornou-se definitivamente independente. Dessalines foi proclamado imperador e governante perpétuo (Jacques I) de um regime de maioria negra.

O país, porém, estava arrasado. Em 1804, as lavouras açucareiras, destruídas, produziam um terço da quantidade gerada em 1791. O café, cuja plantação fora menos atingida pela guerra interna, não alcançava a metade do que era produzido antes da primeira revolta. Nas décadas seguintes, a recuperação foi pequena, e a miséria permaneceu.

DOC. 1 O Caribe em 2010

Fonte: FERREIRA, Graça Maria Lemos. *Atlas geográfico*: espaço mundial. 3. ed. São Paulo: Moderna, 2010. p. 65.

Hoje, dois países dividem a Ilha Hispaniola (ou São Domingos): Haiti e República Dominicana.

O caminho oposto de Cuba

Na primeira metade do século XIX, o cenário em Cuba era de franco crescimento econômico, impulsionado pela produção de açúcar e de café e ampliado pelo cultivo do tabaco e pela criação de gado, para os quais se utilizava pouca mão de obra escrava. Diante desse quadro favorável, era difícil que os senhores de engenho e os donos das grandes plantações de café, organizadas em latifúndios, aceitassem a abolição da escravidão **[doc. 2]**.

A pressão do monopólio metropolitano sobre o comércio colonial, diferentemente do que ocorreu no restante da América, também não exercia tanta influência sobre os negócios cubanos. Praticamente desde o início da colonização, Cuba mantinha relações comerciais regulares com as colônias inglesas do litoral atlântico da América do Norte e, após a independência americana, com os Estados Unidos.

O exemplo da independência haitiana também assustava os senhores de terras de Cuba. Muitos deles acreditavam que era grande o risco de deflagrar-se em Cuba uma luta contra a metrópole que, em meio ao processo, poderia fazê-los perder o controle da situação. Eles temiam a "haitização" da independência: que ela deixasse de ser uma busca pela autonomia política e se tornasse uma revolução social.

O contexto socioeconômico de Cuba na primeira metade do século XIX retardou a busca pela independência. Na metade da década de 1860, porém, a vitória nortista na Guerra Civil norte-americana fez que alguns produtores do sul dos Estados Unidos, contrários à abolição da escravidão e às medidas de reorganização econômica implantadas pelo grupo vitorioso, transferissem parte de suas plantações para Cuba e colaborassem para o aprimoramento técnico dos campos cubanos. A ação aproximava Cuba ainda mais dos Estados Unidos, num momento em que as exportações para a metrópole diminuíam e a Coroa espanhola tentava impor restrições à relativa liberdade comercial de Cuba.

Autonomistas x anexionistas

A mobilização mais sistemática pela autonomia começou, então, a percorrer a ilha. Em 1868, um senhor de terras libertou seus escravos e convocou-os a lutar contra a Espanha, o que representou o grito de independência. A guerra pela emancipação arrastou-se por dez anos, até 1878, e terminou com a vitória espanhola e a manutenção da condição colonial de Cuba. A ânsia **autonomista**, no entanto, persistiu.

Os chamados autonomistas defendiam que Cuba independente não poderia ter nenhum vínculo obrigatório com outros países, devendo agir de forma livre no mercado internacional e na condução de suas ações políticas internas. Os **anexionistas**, no entanto, argumentavam que Cuba teria mais chance de derrotar a Espanha e de se reorganizar em seguida caso se aliasse aos Estados Unidos na guerra e, depois, fosse anexada ao vizinho do norte.

O debate entre autonomistas e anexionistas persistiu até a segunda guerra de independência, iniciada em 1895. O confronto se prolongou por três anos, até 1898, quando Cuba finalmente se separou da Espanha. Na parte final da guerra, forças norte-americanas auxiliaram os cubanos e aceleraram a vitória sobre as tropas da metrópole.

Essa participação reforçou a posição dos anexionistas. Cuba tornou-se oficialmente autônoma, mas toda a produção da ilha estava voltada prioritariamente para o comércio com os Estados Unidos.

QUESTÃO

- O caso do Haiti foi uma exceção no processo de emancipação das colônias americanas. Associe a independência do país à:
  a) formação de uma experiência revolucionária inédita até então.
  b) manutenção da condição colonial de Cuba e Jamaica.

DOC. 2 Casa das caldeiras do engenho Asunción, em Cuba. Litografia de Eduardo Laplante, em *Colección de vistas de los principales ingenios de azúcar de la Isla de Cuba*, 1857. Biblioteca Britânica, Londres.

A independência na América do Sul

Objetivo

▸ Identificar as formas políticas e militares assumidas pelos movimentos de emancipação na América do Sul.

Termos e conceitos

• Emancipação/autonomia
• *Criollos*

Conteúdo digital Moderna PLUS http://www.modernaplus.com.br
Mapa animado: As independências na América Latina
Vídeo: Discurso de Eduardo Galeano

A Grã-Colômbia

A **emancipação** da América do Sul foi difícil e contou com a participação de líderes militares que lutaram juntos contra a Espanha, mas combateram entre si para definir a futura organização do poder na região. Entre eles estava o mais famoso dos generais da independência hispano-americana: **Simón Bolívar**.

Bolívar, filho de proprietários de terras, nascido em Caracas, recebeu uma formação educacional cuidadosa, consolidada com várias viagens à Europa, onde fervilhavam os ideais iluministas e revolucionários. O objetivo dessas viagens era completar a educação do jovem herdeiro da elite ***criolla*** de Caracas.

Em 1807, Bolívar começou a participar das mobilizações emancipacionistas. Apoiou um movimento que, em 1810, depôs o representante espanhol em Caracas e instalou uma junta livre de governo. Ele também tomou parte na proclamação oficial da independência venezuelana, em 1811, e na elaboração da primeira constituição do país.

A Espanha reagiu rapidamente e, no ano seguinte, retomou o controle da Venezuela. As principais lideranças emancipacionistas foram presas, mortas ou exiladas. As idas e voltas no combate contra os espanhóis ainda prosseguiram por diversos anos. A vitória definitiva da Venezuela só veio em 1819.

DOC. 1 O desmembramento dos Vice-Reinos do Rio da Prata e do Peru

Fonte: BETHELL, Leslie. *História da América Latina*: da independência a 1870. São Paulo: Edusp, 2009. v. 3. p. 545.

QUESTÃO

▸ Relate o processo de independência das colônias que compunham o Vice-Reino do Rio da Prata.

O Vice-Reino do Rio da Prata

O Vice-Reino do Rio da Prata era composto pelos atuais Bolívia, Paraguai, Argentina e Uruguai. Um dos principais líderes militares e políticos da independência na região do Prata foi **José de San Martín**.

Diferentemente do que aconteceu no norte da América do Sul, a resistência espanhola no Prata foi pequena, e a consolidação da independência mais rápida. O Paraguai consolidou sua independência ainda em 1811. A Argentina completou sua **autonomia** em 1816, mas as lutas internas ainda prosseguiram por quase meio século. A Banda Oriental, que corresponde ao atual Uruguai, continuou pressionada entre projetos expansionistas ingleses, portugueses, brasileiros e argentinos, e somente em 1828 tornou-se independente.

Bolívia e Peru

A Bolívia (ou Alto Peru) pertencia ao Vice-Reino do Rio da Prata, e o Peru compunha o Vice-Reino do Peru **[doc. 1]**. As duas independências contaram com a participação das tropas de Bolívar e San Martín.

No Peru, as lutas pela autonomia começaram em 1811. Após dez anos, as tropas de San Martín entraram em Lima e proclamaram a independência definitiva do Peru, contando com a ajuda de tropas trazidas por Bolívar.

A independência boliviana consumou-se apenas em 1825. Em 1812, de passagem pela Bolívia, San Martín instigou a luta anti-hispânica e assegurou o controle de Buenos Aires sobre a região, avançando suas tropas até lá no ano final da luta, completando a vitória emancipacionista.

Uma América, muitas Américas

Objetivo

▸ Reconhecer as contradições da luta unificada que se constituiu na América hispânica contra a dominação colonial.

Termos e conceitos

- Localismo/caudilhismo
- Unitarismo

Os caudilhos e os projetos localistas

A conquista da independência trouxe a necessidade de organizar o novo poder, ou seja, de formar e consolidar o novo Estado nacional. Em algumas regiões da América hispânica (por exemplo, o Chile), os ajustes foram rápidos, e o novo Estado surgiu com facilidade, submetendo os interesses **localistas**. Em outras regiões, o território foi dividido e surgiram os **caudilhos**, com planos e projetos próprios que, muitas vezes, recusavam a organização de Estados unificados **[doc. 1]**.

O antigo Vice-Reino do Rio da Prata não se dividiu apenas em Paraguai, Bolívia, Argentina e, depois, Uruguai. Na Argentina, setores localistas impediam a formação de Estados centralizados na região. Somente na década de 1860, cinquenta anos após o primeiro grito de independência em Buenos Aires, a Argentina foi unificada plenamente e seu Estado nacional consolidado.

O antigo Vice-Reino de Nova Granada também se fragmentou: lá surgiram Colômbia, Venezuela, Equador e, posteriormente, Panamá. Outras tentativas de secessão ainda ocorreram internamente na Colômbia e na Venezuela, mas foram derrotadas nas primeiras décadas do século XIX.

DOC. 1 José Antonio Páes, caudilho venezuelano. Fotografia de c. 1855-1865. Biblioteca do Congresso, Washington. A atuação dos caudilhos, na América hispânica, contribuiu para dificultar a formação de Estados centralizados após a independência.

A defesa da unidade nacional

Os **unitários** estavam do outro lado das trincheiras nas guerras civis de consolidação nacional. Os defensores das propostas unitárias argumentavam que apenas governos centralizados seriam capazes de conter um eventual esforço recolonizador da Espanha ou as tentativas de invasão por parte de outros países europeus, que poderiam aproveitar a fragilidade das ex-colônias para submetê-las a seu domínio.

Em geral os unitários eram originários da elite *criolla*. Eles defendiam o predomínio da cidade sobre o campo e a submissão da produção rural à lógica de organização econômica estabelecida pelos comerciantes e banqueiros urbanos. Baseavam-se, sobretudo, no pensamento liberal, o mesmo que inspirara a luta contra a Espanha e a defesa do livre-comércio.

A unidade americana

Além dos conflitos locais entre unitários e caudilhos, surgiram propostas de unidade mais ambiciosas: a do conjunto da América hispânica ou de várias de suas regiões **[docs. 2 e 3]**.

O projeto unitário mais famoso foi o de Simón Bolívar, que formulou dois projetos de unidade da América. No entanto, em nenhum momento pretendeu reunificar todas as terras antes controladas pela Espanha. O principal ideal bolivariano foi o de constituir a liga sul-americana, que associaria os atuais Equador, Panamá, Venezuela e Colômbia.

Para ele, as antigas regiões do Vice-Reino de Nova Granada deveriam manter-se articuladas e viver sob o comando único e ditatorial de um governante sediado em Caracas. Bolívar também sugeriu outro projeto unitário e mais ambicioso: incorporar Peru, Bolívia e os países centro-americanos à liga sul-americana para fundar a liga americana. Nesse caso, o sistema político também seria ditatorial e o centro do poder ficaria em Caracas.

Vocabulário histórico

Caudilho
Chefe armado que atuou na América hispânica no período posterior à independência, defendendo os interesses de sua região contra a centralização do poder em nível nacional. O termo caudilho também foi usado, principalmente a partir do século XX, para designar lideranças fortes e com grande apoio popular. No entanto, o conceito, na sua origem, referia-se apenas aos líderes localistas que atuaram no processo de formação nacional na América hispânica.

Unidade: independência e desenvolvimento

Bolívar via grandes vantagens nessa unidade, pois era uma forma de impedir a reconquista colonial da Espanha e de reproduzir, ainda que sob outro regime político, o sucesso dos Estados Unidos independentes, que ele sempre tomava como modelo para sua ação. A unidade, segundo ele, também fortaleceria a defesa das terras do norte da América do Sul perante possíveis tentativas brasileiras de avançar seus domínios sobre os países vizinhos.

"Eu soube que os espanhóis haviam tramado um acordo com aquele príncipe [do Brasil] para unir seus interesses sob os auspícios da legitimidade. [...] Também parece certo que o rei de Portugal ajustou seus interesses com os do seu filho, o príncipe do Brasil; tudo com a finalidade de legitimar a América meridional. Infelizmente, o Brasil limita-se com todos os nossos Estados; por conseguinte, tem muitas facilidades para nos fazer a guerra com sucesso [...]. De fato, estou convencido de que será muito agradável a toda a aristocracia europeia que o poder do príncipe do Brasil se estenda até destruir o germe da revolução. Começará por Buenos Aires e acabará por nós."

Simón Bolívar. Carta ao general Santander [23 jan. 1825]. In: CORRÊA, Anna Maria Martinez; BELLOTTO, Manoel Lelo (Orgs.). *Bolívar*. São Paulo: Ática, 1983. p. 24.

DOC. 2 *Simón Bolívar, libertador e pai da nação*, pintura de Pedro José Figueroa, 1819. Casa Museu Quinta de Bolívar, Bogotá. Nesta pintura, elaborada para celebrar a independência da Nova Granada, a república foi representada como uma índia.

Nenhum dos dois projetos bolivarianos de unidade se consumou. Lideranças políticas e militares das regiões incluídas nas propostas bolivarianas de unidade recusaram sistematicamente o comando caraquenho e viram, nas ideias de Bolívar, a ânsia de poder pessoal e a defesa dos interesses de Caracas.

O hondurenho José Cecílio del Valle, com uma proposta mais radical, defendia a unidade de todas as antigas colônias espanholas. O modelo proposto por Valle previa a constituição de governos autônomos nos diversos países, que se reuniriam em um congresso continental por meio de representantes. A função do congresso seria defender os países membros e regular as relações entre os vários Estados, impedindo conflitos internos na América hispânica.

DOC. 3 **Hugo Chávez e a figura de Bolívar**

O presidente venezuelano Hugo Chávez, no poder desde 1999, apropriou-se do projeto e da imagem de Simón Bolívar para legitimar seu governo e identificá-lo com a marca da independência política.

"O uso estratégico dos símbolos da nacionalidade, com destaque para o uso do discurso e do legado bolivariano, adquire no projeto de Chávez certa singularidade. A figura de Bolívar permite que tal símbolo da nacionalidade venezuelana se transforme em uma espécie de fonte de legitimidade e de autoridade do ator político individual – Hugo Chávez. Tal estratégia, dessa forma, transcende o simples apelo, atingindo o *ancestralismo*. A recuperação do discurso bolivariano, em um país onde a figura e o exemplo de Bolívar continuam moldando muito a nacionalidade venezuelana, tem uma eficácia política importante, na medida em que oferece a um discurso abstrato um sentido concreto. Chávez tem feito do discurso bolivariano um instrumento concreto de ação política."

VILLA, Rafael Duarte. Venezuela: mudanças políticas na era Chávez. In: *Estudos Avançados*, 19 (55), 2005. p. 153-172. Disponível em www.scielo.br. Acesso em 10 mar. 2010.

QUESTÕES

1. O que explica o surgimento e o fortalecimento dos caudilhos?
2. Releia o trecho da *Carta ao general Santander* escrita por Bolívar e responda.
   a) Que preocupação Bolívar expressa na carta?
   b) Qual era a ideia de Bolívar para garantir a autonomia das nações hispano-americanas?
3. Explique por que o presidente venezuelano Hugo Chávez construiu uma relação de identidade entre seu governo e a figura de Bolívar [doc. 3].

CONTROVÉRSIAS A construção de um herói

Simón Bolívar morreu profundamente amargurado em dezembro de 1830. Considerava-se derrotado e fracassado. Doze anos após sua morte, ele foi relembrado e suas ações passaram a ser celebradas na Venezuela. O país construía sua nacionalidade e buscava um personagem que expressasse a identidade nacional. Para tanto, iniciou-se a construção da figura de Bolívar como herói e mito nacional.

Os textos seguintes mostram visões diferentes e abordam aspectos distintos da questão. O primeiro é um trecho de uma carta de Bolívar, escrita no final de sua vida, em que ele constata sua derrota política e se confessa decepcionado com os rumos que o processo de independência e de formação nacional assumiu. O segundo e o terceiro textos são de historiadores contemporâneos, que se posicionam de forma diferente perante a construção do mito bolivariano.

Texto 1

"Aos povos da Colômbia

Colombianos

Haveis presenciado meus esforços para implantar a liberdade onde antes reinava a tirania. Trabalhei com desinteresse, abandonando minha fortuna e mesmo minha tranquilidade. Afastei-me do poder quando me convenci de que desconfiáveis de meu desprendimento. Meus inimigos abusaram de vossa credulidade e esmagaram o que é mais sagrado: minha reputação e meu amor pela liberdade. [...]

Afastando-me do vosso meio, meu carinho diz que devo manifestar meus últimos desejos. Não aspiro a outra glória senão a consolidação da Colômbia. Todos deveis trabalhar pelo bem inestimável da União: os povos, obedecendo ao atual governo para libertar-se da anarquia; os ministros do santuário, dirigindo suas orações ao céu; os militares, empregando sua espada para defender as garantias sociais."

[...]

Simón Bolívar. Manifesto aos povos da Colômbia [10 dez. 1830]. In: CORRÊA, Anna Maria Martinez; BELLOTTO, Manoel Lelo (Orgs.). *Bolívar*. São Paulo: Ática, 1983. p. 190.

Texto 2

"Quarenta e sete anos de existência foram-lhe suficientes. Não precisou de mais para encarnar em ação a mais formidável vontade que o continente já conheceu. Foi um meteoro, um corpo ígneo, uma inteligência multiplicada. Nos dias do Renascimento, teria sido um '*condottiere*', um poeta, um homem de intensas luzes e paixões exaltadas. Não há dúvidas de que teria medido forças igualmente com papas e cardeais, com mui importantes senhoras [...].

Esse Simón Bolívar – sangue basco nas veias, talvez um pouco de africanidade – soube ser terno e feroz; poucos o superaram em elegância de espírito."

POMER, León. A jornada de Simón Bolívar. In: Folhetim. *Folha de S.Paulo*, 24 jul. 1983. p. 8.

Texto 3

"A classe dominante venezuelana apropriando-se do prestígio de que desfrutava Bolívar o elevou ao mais alto pedestal. As comparações feitas regular e continuamente entre Bolívar e os heróis da mitologia greco-romana tinham o objetivo de legitimar sua 'obra incomparável'. Criou-se o Olimpo '*criollo*' no qual Simón ocupava o lugar de Júpiter. No rastro da tradição judaico-cristã, além das figuras bíblicas, era ainda comparado com Jesus Cristo. [...] Ele nascera para ser o 'libertador do continente, o criador das repúblicas americanas, o pai dos cidadãos livres'. Para tanto, 'Deus oferecera a ele todos os talentos de valor, de audácia e de perseverança incomparáveis em toda a superfície da Terra tanto no passado, como no presente e no futuro. Desse modo, o herói nacional, simples mortal, avança para o plano da deificação. Colocou-se Bolívar numa região inacessível, num alto pedestal inatingível, onde ele paira acima do bem e do mal."

PRADO, Maria Lígia Coelho. Bolívar, Bolívares. In: Folhetim. *Folha de S.Paulo*, 24 jul. 1983. p. 11.

Retrato de Bolívar em Bogotá, detalhe de pintura de José Gil de Castro, 1830. Museu Nacional de Arqueologia, Antropologia e História do Peru, Lima.

QUESTÕES

1. De acordo com o texto 1, quais eram os principais motivos do sentimento de derrota expresso por Bolívar?

2. Compare os textos 2 e 3 e destaque a forma como cada historiador enxerga Bolívar e o mito que se construiu em torno dele.

Retomar conteúdos

1 Os movimentos de emancipação política da América hispânica têm como antecedentes as Revoluções Inglesas, o processo de independência das treze colônias inglesas na América e a Revolução Francesa, movimentos influenciados pelas ideias liberais. Sobre esse aspecto, comente:

a) três princípios do liberalismo político que orientaram a independência das colônias espanholas.

b) os meios de difusão das ideias liberais no continente americano.

2 Analise as tensões políticas entre unitaristas e caudilhos, relacionando-as ao processo de fragmentação política das ex-colônias espanholas.

Ler textos e imagens

3 Leia os textos para responder às questões.

Texto 1

"A Assembleia Geral sanciona o decreto expedido pela Junta Governante Provisória [...], relativo à extinção do tributo, e também anula a mita, as *encomiendas*, o *yanaconazgo* e o trabalho pessoal dos índios em todas as circunstâncias, sem excetuar o que prestam às igrejas e a seus padres e ministros, sendo a vontade desta corporação soberana que, do mesmo modo, se tenham os mencionados índios de todas as Províncias Unidas por homens perfeitamente livres e em igualdade de direitos com todos os demais cidadãos que as povoam, devendo imprimir-se e publicar-se este decreto soberano em todas as comunidades das mencionadas províncias, traduzindo-se-o fielmente nos idiomas guarani, quéchua e aimará, para sua completa compreensão."

Assembleia Geral Constituinte das Províncias Unidas da região do Prata [1813]. In: ROMERO, José Luis; ROMERO, Luis Alberto (Orgs.). *Pensamiento político de la emancipación* (1790-1825). Caracas: Biblioteca Ayacucho, 1977. v. I. p. 309-310. (tradução nossa)

Texto 2

"A 'igualdade [dos índios com os brancos] perante a lei' pouco ou nada pode significar para aqueles que, marginalizados na selva ou nas planícies desérticas, viviam na ordem interna de suas comunidades; ou para aqueles que, tendo sido incorporados às formas de vida dos brancos, tenham acabado numa verdadeira condição servil e, agora, face à abstrata 'igualdade' dos textos liberais, não encontravam amparo sequer numa legislação tutelar de sua desigualdade social."

José Gervasio Artigas. In: ABADIE, Washington Reyes. *Artigas y el federalismo en el Río de la Plata*: 1811-1820. Tomo II, parte I. Montevidéu: Ediciones de la Banda Oriental, 2006. p. 108. (tradução nossa)

a) Sintetize as medidas estabelecidas no texto 1.

b) Qual a crítica feita no texto 2 à legislação referente à questão indígena?

c) Na sua opinião, a independência das colônias espanholas garantiu melhores condições de vida para as populações indígenas? Justifique.

4 Mafalda e Liberdade são duas personagens criadas pelo argentino Quino. Leia o diálogo a seguir para responder às questões.

QUINO

Tira da Mafalda, de autoria de Quino. In: *Toda Mafalda*. São Paulo: Martins Fontes, 1997. p. 411.

a) De acordo com Liberdade, qual seria a solução para os problemas dos povos latino-americanos, no caso os argentinos?

b) As ideias de Liberdade são semelhantes às de qual pensador latino-americano do século XIX? Que posição ele defendeu ao longo do processo de independência de seu país?

c) Para Mafalda, os problemas latino-americanos serão resolvidos facilmente? Justifique sua resposta com alguma passagem da tirinha.

5 O poema a seguir foi escrito pelo poeta e escritor argentino Jorge Luís Borges (1899-1986). O poema é dedicado a Isidoro Suárez, avô de Borges, que participou da Batalha de Junín contra os espanhóis. Relacione o poema às lutas de independência na América.

"Alastrou sua coragem sobre os Andes.
Afrontou montanhas e exércitos.
A audácia foi costume de sua espada.
No alto da lhanura de Junín
pôs termo venturoso à batalha,
e às lanças do Peru deu sangue espanhol.
Escreveu seu censo de façanhas
em prosa rígida como os clarins belíssonos.
Preferiu o honroso desterro.
É agora um punhado de cinzas e glória."

BORGES, Jorge Luis. Inscrição sepulcral [1953]. *Primeira poesia*. São Paulo: Companhia das Letras, 2007. p. 35.

Lhanura. Planície.

Capítulo

22 A independência do Brasil e o Primeiro Reinado

O herói construído

Sete de setembro de 1822, o grito de d. Pedro separou o Brasil de Portugal. Na época, porém, quase ninguém soube do que havia acontecido às margens do Rio Ipiranga, em São Paulo. Só duas semanas depois é que um jornal do Rio de Janeiro noticiou o episódio. D. Pedro foi aclamado imperador do Brasil no dia 12 de outubro e, por vários anos, essa data foi celebrada como o dia da independência.

A imagem heroica do grito do Ipiranga surgiu muito tempo depois, em 1888, quando Pedro Américo pintou a tela *Independência ou morte*. Nela, o imperador aparece em destaque no centro da cena e conduz a ação. Os demais personagens o cercam e repetem seu gesto de levantar a espada. O quadro transmite certeza e convicção, idealismo e vitória.

Hoje, quando pensamos na independência do Brasil, imediatamente a pintura de Pedro Américo vem à nossa cabeça. Apesar de ela não representar o que de fato ocorreu às margens do Ipiranga, ajudou a construir a ideia de que o Estado brasileiro teve um início épico.

Independência ou morte, pintura mais conhecida como *O Grito do Ipiranga*, do paraibano Pedro Américo, 1888. Museu Paulista/USP, São Paulo.

A crise do sistema colonial

Objetivos

- Conhecer as características do reformismo ilustrado e as implicações dessa política para as colônias portuguesas, em especial o Brasil.
- Compreender as razões que motivaram a Conjuração Mineira e a Conjuração Baiana e reconhecer as influências que os dois movimentos receberam.

Termos e conceitos

- Reformismo ilustrado
- Crise do sistema colonial
- Conjuração Mineira
- Conjuração Baiana

A política pombalina

Ao longo do século XVIII, o ouro extraído das minas do Brasil proporcionou uma relativa recuperação da economia portuguesa e certo fortalecimento político do Império Português. Portugal, no entanto, continuava sendo uma potência secundária diante de forças como França, Inglaterra e Holanda. Para melhorar esse quadro, durante o reinado de d. João V (1706-1750), Portugal adotou uma série de reformas, que foram sistematizadas e aprofundadas a partir de 1750, quando subiu ao trono d. José I. Essas práticas políticas ficaram conhecidas como **despotismo esclarecido** ou **reformismo ilustrado**.

O início do reinado de d. José I caracterizou-se pela presença marcante de seu principal ministro, Sebastião José de Carvalho e Melo, que em 1770 recebeu o título com que se tornou mais conhecido: marquês de Pombal **[doc. 1]**.

Desde o início, a gestão de Pombal foi caracterizada por um esforço bem-sucedido visando diminuir a presença da Inglaterra na economia portuguesa. Pombal eliminou os muitos intermediários britânicos que havia nas atividades comerciais, as quais submeteu ao controle direto da Coroa e dos portugueses. Além disso, criou políticas de estímulo às atividades manufatureiras e apoiou grandes comerciantes e a nobreza ligada à burocracia e às letras, em oposição àquela ligada à posse de terras e à agricultura.

O alvo da atenção do ministro português, porém, foi a Companhia de Jesus. A política oficial de fortalecimento do poder real considerava intolerável a atuação, no interior do Império Português, de uma ordem com poderes tão grandes como a Companhia de Jesus **[doc. 2]**. Um decreto expedido em setembro de 1759 ordenou a expulsão dos jesuítas de Portugal e de todos os seus domínios, assim como o confisco dos bens da companhia.

As mudanças promovidas por Pombal, muitas delas mantidas depois de seu afastamento do governo, não foram suficientes para fortalecer a economia portuguesa. No início do século XIX, a **crise do sistema colonial** obrigaria o Império Português a mudanças tão drásticas que criariam as condições para a independência do Brasil.

DOC. 1 Sebastião José de Carvalho e Melo, o futuro marquês de Pombal, em pintura de Louis-Michel van Loo e Claude-Joseph Vernet, 1766. Museu da Cidade, Lisboa. Na obra, o ministro português é representado apontando para o Rio Tejo, onde aparecem várias embarcações, simbolizando o império marítimo português.

DOC. 2 **O poder dos jesuítas**

"Além do controle de um grande número de indígenas em suas aldeias, eram de monta os capitais e o poder dos jesuítas nos Estados do Grão-Pará e Maranhão. [...] Além das fazendas de gado com mais de 100 mil cabeças, os padres administravam um vasto patrimônio de terras e engenhos, sem contar o fato de comercializarem as 'drogas do sertão' evadindo impostos devidos à Coroa. Formavam um verdadeiro Estado dentro do Estado. Fora tudo isso, a ordem negava-se a pagar o dízimo e mantinha vínculos comerciais com contrabandistas ingleses."

MOTA, Carlos Guilherme; LOPEZ, Adriana. *História do Brasil*: uma interpretação. São Paulo: Editora Senac São Paulo, 2008. p. 226.

A Conjuração Mineira

A atividade mineradora na colônia possibilitou a criação de uma rica elite urbana em Minas Gerais. Muitos desses homens recebiam da Coroa o direito de cobrar impostos mediante o pagamento de uma quantia ao tesouro português. O esgotamento das lavras, no entanto, fez com que muitos mineiros não conseguissem garantir o mínimo anual exigido em taxas. Essa situação levou a Coroa a criar uma série de medidas que assegurassem a arrecadação do quinto.

A notícia da cobrança da **derrama**, imposto que recaía sobre toda a população das minas e que previa o pagamento dos quintos em atraso, alarmou os habitantes de Minas Gerais, em especial os grandes devedores. Muitos se uniram e deram início a um movimento de rebeldia, em fins de 1788, que seria deflagrado no dia da derrama. A chamada **Conjuração Mineira**, na verdade, não chegou a acontecer. Ela foi descoberta antes disso. No início de 1789, denúncias recebidas pelo governador de Minas Gerais falavam de um movimento contra o governo local.

Logo que as investigações começaram, ficou clara a condição social diversificada dos envolvidos no movimento: advogados, juízes, fazendeiros, comerciantes, clérigos e militares. Muitos desses homens eram formados em prestigiosas universidades europeias, onde tinham conhecido as ideias de Rousseau, Voltaire, Locke e acompanharam os acontecimentos da guerra de independência das treze colônias inglesas na América do Norte.

As autoridades ficaram alarmadas com o que veio à tona durante as investigações: os revoltosos propunham a independência da capitania de Minas Gerais, embora houvesse divergência quanto à forma de governo a ser adotada, o incentivo à atividade manufatureira, a fundação de uma universidade em Vila Rica e o perdão das dívidas dos mineradores. A abolição da escravidão não era um consenso entre os participantes do movimento, já que muitos eram proprietários de escravos.

Tiradentes e a conspiração

A revolta em Minas Gerais não foi adiante, muito provavelmente porque alguns de seus membros ficaram assustados com a radicalidade de seus projetos e ações. Assim, no momento decisivo, voltaram atrás, e, quando as investigações começaram, muitos tentaram se livrar do crime de que foram acusados. O único a ter um comportamento diferente foi o militar de baixa patente Joaquim José da Silva Xavier, conhecido popularmente por "Tiradentes". Ele assumiu quase tudo de que foi acusado e, segundo testemunhos, era um propagador bastante convicto do projeto revolucionário. De todos os acusados de envolvimento na conspiração, Tiradentes foi o único condenado à morte e executado.

Tiradentes foi executado no Rio de Janeiro, em 21 de abril de 1792. Foi enforcado em público – na praça que hoje leva seu nome –, em seguida esquartejado, e seus restos mortais ficaram expostos em vários lugares do Rio de Janeiro e de Minas Gerais **[doc. 3]**. A crueldade dessa execução tinha uma razão de ser: a Coroa portuguesa procurava mostrar, com esse fato, o fim que movimentos semelhantes teriam na colônia. Mas os tempos eram propícios às novidades políticas, e o Brasil não era uma exceção.

DOC. 3 *Tiradentes supliciado*, pintura de Pedro Américo, 1893. Museu Mariano Procópio, Juiz de Fora.

A Conjuração Baiana

Em 1798, um novo movimento de contestação política foi desbaratado na colônia, antes que chegasse a eclodir. Dessa vez, o palco foi a Bahia, que conhecia um aumento significativo da produção açucareira e da quantidade de escravos. Se os grandes produtores se beneficiavam com essa situação, grande parte da população sofria com a escassez de alimentos e as más condições de vida, que agravavam as tensões no local.

Os conspiradores da **Conjuração Baiana** defendiam a proclamação de uma república, o fim da escravidão e das diferenças raciais e a liberdade de comércio. Vários pequenos cartazes, conhecidos como pasquins, conclamando o "povo bahiense" à revolução foram afixados em lugares públicos da cidade de Salvador.

Além de pregarem um igualitarismo social claramente inspirado na Revolução Francesa, os conjurados da Bahia tinham uma condição social ainda mais abrangente: artesãos livres, comerciantes, clérigos, militares, médicos, homens de letras; brancos, forros pardos e escravos.

As autoridades reais rapidamente se mobilizaram, contando com o apoio da atemorizada elite dirigente local. Muitas pessoas foram interrogadas, vários dos envolvidos foram presos e degredados para a África e quatro executados em praça pública, em Salvador, no dia 8 de novembro de 1799: João de Deus do Nascimento, Luís Gonzaga das Virgens, Manuel Faustino dos Santos Lira e Lucas Dantas de Amorim Torres **[doc. 4]**.

Esses movimentos de contestação não pregavam a independência da América portuguesa nem a construção de um Estado brasileiro, mas foram sintomas das transformações que estavam ocorrendo no Império Português e em outras partes do mundo.

A construção de um herói

Durante muito tempo, a Conjuração Baiana ficou praticamente esquecida, enquanto a Conjuração Mineira, desde o século XIX, está presente no imaginário histórico dos brasileiros. Duas razões principais explicam essa diferença de tratamento.

Em primeiro lugar, o movimento da Bahia propunha uma transformação social mais profunda, e justamente por isso foi desprezado pelas elites do século XIX, interessadas em que seu exemplo não inspirasse outros movimentos semelhantes.

Em segundo lugar, a Conjuração Mineira só ganhou destaque após a instauração da república no Brasil. Os republicanos, em busca de um herói que fortalecesse seu movimento, escolheram o até então obscuro Tiradentes: republicano de cem anos antes, de imagem semelhante à de Jesus Cristo (pelo menos assim o quiseram), branco e morto pelo governo monárquico de então – era um perfeito mártir. Com a proclamação da república, em 1889, Tiradentes foi elevado à categoria de "herói nacional", e, no dia 21 de abril de 1890, comemorou-se o primeiro feriado nacional, que dura até hoje.

QUESTÕES

1. Releia o texto e responda **[doc. 2]**.
   a) De acordo com o documento, quais eram os bens que os jesuítas possuíam no Brasil?
   b) Que ameaça a Companhia de Jesus representava para a Coroa portuguesa?
2. Observe a imagem. Identifique o movimento que ela representa e exponha os fatos que o projetaram na memória dos brasileiros **[doc. 3]**.

DOC. 4 *Convento de Nossa Senhora da Piedade*, em Salvador (BA), onde foram executados os líderes da Conjuração Baiana, em 8 de novembro de 1799. Estampa colorizada da gravura de Johann Moritz Rugendas, c. 1835. Fundação Biblioteca Nacional/DRD/Div. de Iconografia, RJ.

Seção 22.2

A chegada da corte e a abertura dos portos

Objetivo

- Analisar os fatores que desencadearam a vinda da corte portuguesa para o Brasil e as consequências desse ato para a colônia e para a metrópole.

Termos e conceitos

- Bloqueio Continental
- Abertura dos portos

A Europa no início do século XIX

Na primeira década do século XIX, o poder militar da França estava no auge. Os exércitos da Áustria e da Prússia haviam sido derrotados, Napoleão tinha estabelecido um equilíbrio momentâneo com a Rússia, à espera de um momento mais adequado para conquistar o país, e praticamente todo o Mediterrâneo estava sob influência ou domínio direto do imperador francês. O **Bloqueio Continental**, decretado em 21 de novembro de 1806, fechou a grande maioria dos portos europeus ao comércio com a Inglaterra, adversária da França. A Espanha buscava resistir ao domínio francês. Portugal, no entanto, muito fraco política e economicamente, não tinha condições de seguir uma política independente.

A viagem para o Brasil

Em 1807, França e Inglaterra aumentaram as pressões sobre Portugal. A França assinou um tratado com a Espanha prevendo a divisão do território português entre os dois países. Já a Inglaterra mobilizou uma forte armada perto de Lisboa e exigiu que Portugal tomasse uma decisão. Portugal, no entanto, tinha ainda um trunfo: o Brasil. Aos olhos da metrópole, as terras americanas continuavam a ser um conjunto de riquezas nada desprezíveis, sobretudo em um momento de grande dificuldade, como o que o Império atravessava.

A decisão de aliar-se à Inglaterra e de transferir a família real portuguesa para o Brasil foi tomada, em novembro de 1807, às pressas, pelo gabinete do príncipe regente d. João (sua mãe, a rainha d. Maria I, foi declarada incapacitada mentalmente para governar em 1792). A intenção era evitar que a Coroa portuguesa fosse usurpada por Napoleão e garantir, com a proteção militar britânica, que o Império Português pudesse preservar, ao menos, o Brasil.

No dia 26 de novembro, a corte e seu séquito embarcaram em navios ancorados no Rio Tejo **[doc. 1]**. Já se sabia que a Espanha tinha aberto suas fronteiras aos exércitos franceses, que estavam em território português e rumavam para Lisboa. A situação era de grande tumulto. Passado o mau tempo, que tornaria a viagem excessivamente perigosa, no dia 29, sob escolta britânica, a esquadra partiu em direção ao Brasil. No dia seguinte, os franceses entraram em Lisboa.

DOC.1 *Embarque da família real para o Brasil*, pintor anônimo, sem data. Ministério das Relações Exteriores, Rio de Janeiro.

No meio do Atlântico, a esquadra dividiu-se: uma parte, incluindo o navio onde estava d. Maria I, chegou ao Rio de Janeiro em 17 de janeiro de 1808; o príncipe d. João foi parar primeiro em Salvador, em 24 daquele mês, e reuniu-se à sua mãe somente em 7 de março. O Rio de Janeiro era, agora, a nova sede do Império Português. Enquanto a guerra grassava na Europa, e Portugal era defendido pela Inglaterra, a corte poderia permanecer segura na América e o Império continuar unido.

DOC. 2 *Rua Direita, no Rio de Janeiro*, estampa colorizada da gravura de Johann Moritz Rugendas, c. 1835. Fundação Biblioteca Nacional/DRD/Div. de Iconografia, RJ.

A abertura dos portos

Uma das primeiras medidas tomadas pelo governo de d. João após sua chegada ao Brasil foi a criação do decreto de 28 de janeiro de 1808, assinado ainda em Salvador, que determinava a **abertura dos portos** do Brasil ao comércio com outras nações além de Portugal. A medida favoreceu principalmente a Inglaterra, que precisava compensar as dificuldades criadas pelo Bloqueio Continental com a abertura de novos mercados fornecedores e consumidores. Em 1810, a Coroa portuguesa assinou uma série de tratados comerciais exclusivamente com a Inglaterra, pelos quais esta se beneficiaria ainda mais da sua aliança com Portugal.

DOC. 3 Artistas franceses no Brasil

Em março de 1816, um grupo de artistas plásticos franceses desembarcou no Rio de Janeiro. Para alguns historiadores, d. João teria solicitado ao seu representante na França, o marquês de Marialva, o recrutamento desses artistas para a instalação de uma academia de arte. Porém, outros pesquisadores contestam essa versão e afirmam que esses pintores e escultores teriam vindo para o Brasil por conta própria. De qualquer maneira, artistas como Jean-Baptiste Debret e Nicolas-Antoine Taunay produziram um vasto conjunto de pinturas representativas da natureza, do cotidiano e dos costumes brasileiros.

Brasil: de colônia a Reino Unido

Com todas essas mudanças, o Brasil deixava de ser, na prática, uma colônia. Não era mais possível manter-se assim, já que se tornara sede da corte **[docs. 2 e 3]**. Além disso, a abertura dos portos e os tratados com a Inglaterra liquidavam o regime do exclusivo colonial, que havia sido durante tanto tempo uma das bases de sustentação de todo o sistema colonial. Mas se o Brasil deixava de ser colônia passava a ser o quê? Não se tornava uma nova metrópole, pois não havia colônias do Brasil. Tampouco o Império Português deixava de existir, cedendo lugar a um suposto "Império do Brasil". A nova condição só foi oficializada em dezembro de 1815, com a criação do **Reino Unido de Portugal, Brasil e Algarves**. O Brasil tornou-se, então, um reino, isto é, um território de estatura política equivalente à de Portugal.

Após a derrota definitiva de Napoleão na Europa, em 1815, d. João e seu séquito permaneceram no Brasil, o que levou muitos de seus súditos europeus a se perguntarem: se o motivo que levou à mudança da sede em 1807 não existia mais, por que a corte permanecia no Brasil? Eles queriam a volta do monarca, o restabelecimento do exclusivo metropolitano e o retorno dos privilégios. No entanto, alguns dos ministros de d. João argumentavam, com boa razão, que o Brasil já havia se tornado mais importante do que Portugal, e que a independência das colônias espanholas na América ameaçava a permanência da monarquia de Bragança.

QUESTÕES

1. Observe como o artista representou a partida da família real portuguesa para o Brasil. Qual a visão que ele construiu a respeito desse acontecimento? Essa visão coincide com os estudos feitos sobre o assunto? Justifique **[doc. 1]**.

2. Rugendas representou a sociedade carioca como poucos o fizeram. Nessa imagem, que grupos sociais aparecem em primeiro plano? Que elementos presentes na imagem indicam as mudanças ocorridas na cidade com a chegada da família real **[doc. 2]**?

A corte portuguesa no Rio de Janeiro

Em 1808, a família real portuguesa desembarcou no Brasil. Após uma curta estada em Salvador, d. João chegou à cidade do Rio de Janeiro. Para acomodar seus novos habitantes e o aparato administrativo régio, a capital sofreu uma série de transformações.

Embarcações

Durante a viagem, a corte portuguesa foi escoltada por navios de guerra ingleses.

15 embarcações da esquadra portuguesa

21 navios mercantes portugueses

4 navios de guerra ingleses

11.500 pessoas aproximadamente embarcaram para o Brasil.

Fontes: ARRUDA, José Jobson de Andrade. *Uma colônia entre dois impérios*: a abertura dos portos brasileiros. 1800-1808. Bauru: Edusc, 2008; BARATA, Carlos. *Afinal!!! Quantas pessoas vieram com a corte de d. João?* 1807-1808. In: IPANEMA, Rogéria Moreira de. *D. João e a cidade do Rio de Janeiro*: 1808-2008. Rio de Janeiro: Instituto Histórico e Geográfico do Rio de Janeiro, 2008; LIMA, Oliveira. *D. João VI no Brasil*. 4. ed. Rio de Janeiro: Topbooks, 2006.

1806
- Napoleão Bonaparte decreta o Bloqueio Continental.

1807
- A corte portuguesa parte para o Brasil.
- O exército francês entra na cidade de Lisboa.

1808
- Abertura dos portos brasileiros às nações amigas.
- A família real desembarca no Rio de Janeiro.
- Início das atividades do Banco do Brasil.

1809
- Criação do Corpo da Guarda Real de Polícia da Corte.
- Isenção de impostos para as manufaturas nacionais.

1810
- Portugal e Inglaterra assinam os tratados de Comércio e Navegação, e Aliança e Amizade.
- Fundação da Real Biblioteca (hoje Biblioteca Nacional), no Rio de Janeiro.

1811
- O exército francês retira-se de Portugal.

1812
- Retirada das tropas luso-brasileiras do território da Banda Oriental.

1813
- Inauguração do Real Teatro de São João.

População

Ao desembarcar no Rio de Janeiro, a tripulação europeia encontrou uma cidade com pouca infraestrutura e marcada pela presença escrava.

60 mil

habitantes era a estimativa da população do Rio de Janeiro.

12 mil
escravos

16 mil
estrangeiros, sem residência fixa na cidade

20%
em média foi o aumento da população do Rio de Janeiro com a chegada da corte

Receitas

Foram criados novos impostos e novas taxas para arcar com os gastos da corte e do aparato burocrático.

400%

foi o aumento médio da receita de 1808 a 1820 (em réis).

Ano	Valor gasto	Valor arrecadado
1808	2.297:904	2.258:172
1820	9.771:110	9.715:628

Concessão de títulos

4.877 foi o total de títulos concedidos por d. João, até 1821, em troca de apoio político e para obter recursos: 11 duques, 38 marqueses, 64 condes, 91 viscondes, 31 barões e 4.642 cavaleiros, comendadores e grã-cruzes de diferentes ordens.

QUESTÕES

1. Quais as razões para o aumento do valor arrecadado com impostos entre 1808 e 1820? Cite um mecanismo criado para aumentar a arrecadação.
2. Aponte algumas mudanças ocorridas no Brasil após a instalação da família real portuguesa.

Imagem de fundo. *Chegada da família real portuguesa*, pintura de Geoff Hunt, 1999.

1814
- Napoleão Bonaparte é exilado na Ilha de Elba.
- Início do Congresso de Viena.

1815
- O Brasil é elevado à categoria de Reino Unido de Portugal e Algarves.

1816
- D. João assume o trono como d. João VI.
- Chegada da "Missão Artística Francesa".

1817
- Eclode no Recife a Revolução Pernambucana.

1818
- Aclamação de d. João VI.
- Criação do Museu Real.

1819
- Reconhecimento legal da propriedade dos índios sobre suas terras.

1820
- Revolução Constitucionalista do Porto.
- Fundação da Academia de Belas Artes, no Rio de Janeiro.

1821
- A família real regressa a Portugal e d. Pedro assume a regência do Reino do Brasil.
- Napoleão Bonaparte falece na Ilha de Santa Helena.

CONTROVÉRSIAS Duas visões do mesmo acontecimento

A imagem que tradicionalmente se construiu de d. João VI é a de um rei medroso, indeciso, comilão e ingênuo, acuado entre as pressões francesas pela adesão ao Bloqueio Continental e as relações estreitas estabelecidas com a Inglaterra, e assessorado por uma administração incompetente e parasitária.

Pesquisas historiográficas mais recentes, no entanto, têm revelado um rei habilidoso, que soube, diante das pressões que sofria, encontrar a saída que possibilitou preservar a casa de Bragança no trono de Portugal e do Brasil.

Leia agora dois textos que mostram visões diferentes a respeito de d. João, do Reino Português e da vinda da família real para o Brasil.

Texto 1

"Segundo filho da rainha louca, d. João não tinha sido educado para dirigir os destinos do país. [...] Além de despreparado para reinar, d. João era um homem solitário às voltas com sérios problemas conjugais [...]. O príncipe regente era tímido, supersticioso e feio. O principal traço de sua personalidade e que se refletia no trabalho, no entanto, era a indecisão. [...] Em novembro de 1807, porém, d. João foi colocado contra a parede e obrigado a tomar a decisão mais importante da sua vida. [...] Encurralado entre as duas maiores potências econômicas e militares de sua época, d. João tinha pela frente duas alternativas amargas e excludentes. A primeira era ceder às pressões de Napoleão e aderir ao Bloqueio Continental. A segunda, aceitar a oferta dos aliados ingleses e embarcar para o Brasil levando junto a família real, a maior parte da nobreza, seus tesouros e todo o aparato do Estado. [...] Havia, obviamente, uma terceira alternativa, que sequer foi considerada por d. João. Seria permanecer em Portugal, enfrentar Napoleão e lutar ao lado dos ingleses na defesa do país [...], mas, em 1807, essa opção não estava ao alcance do inseguro e medroso príncipe regente. Incapaz de resistir e enfrentar um inimigo que julgava muito mais poderoso, decidiu fugir."

GOMES, Laurentino. *1808*: como uma rainha louca, um príncipe medroso e uma corte corrupta enganaram Napoleão e mudaram a história de Portugal e do Brasil. São Paulo: Planeta, 2007. p. 32-35.

Texto 2

"A situação era grave, como bem sabia o gabinete português. Logo após a chegada da esquadra britânica, foi convocado o Conselho de Estado, que se reuniria em várias ocasiões até novembro de 1807 para discutir a situação e propor soluções [...]. Foi nessas ocasiões que a proposta de transferência da corte para a América começou a ganhar contornos consistentes e definitivos, principalmente a partir de agosto de 1807, com a iminência de uma invasão franco-espanhola do território português [...]. Os estadistas portugueses, pensando e agindo em meio a um turbilhão de acontecimentos e sob fortes pressões, mostravam-se capazes de fazer uma acertada leitura de conjuntura. Aliás, essa era a sua função. Por isso, quando conceberam e realizaram a mudança da corte para a América, não agiam como 'visionários' ou 'beneméritos', apenas faziam aquilo que muito provavelmente outros governos na mesma situação fariam [...]. A concretização da medida em Portugal, tomada por um grupo de estadistas, tampouco deve servir de argumento para tolas pretensões de 'recuperação da imagem' de d. João – ou seu oposto, a igualmente tola ideia de que era um príncipe 'medroso' [...]. D. João não parece ter sido nem mais nem menos talentoso ou medíocre do que seus colegas de ofício europeus. Da mesma forma, a transferência da corte foi uma medida emergencial, bem-sucedida a curto prazo, mas incapaz de garantir, por muito tempo, a longevidade do Império Português na América."

SLEMIAN, Andréa; PIMENTA, João Paulo. *A Corte e o mundo*: uma história do ano em que a família real portuguesa chegou ao Brasil. São Paulo: Alameda, 2008. p. 47-48.

QUESTÕES

1. Compare o título dos dois livros e o conteúdo dos textos 1 e 2 e procure compreender como cada autor analisa o papel de d. João nos acontecimentos de 1807.
2. De que maneira cada um dos autores interpretou a transferência da família real portuguesa para o Brasil? Indique qual foi a ênfase historiográfica em cada um dos dois casos.

Retrato de d. João VI, pintura de Jean-Baptiste Debret, século XIX. Museu Paulista/USP, São Paulo.

A proclamação da independência e o Primeiro Reinado

Objetivo

- Reconhecer o contexto político instável que antecedeu a independência do Brasil.

Termos e conceitos

- Revolução de 1817
- Revolução do Porto
- Cortes
- Constituição

A Revolução de 1817 em Pernambuco

A capitania de Pernambuco não se beneficiou com a presença da corte portuguesa na América. Ela, bem como todas as outras do norte e nordeste do Brasil, não participava diretamente do comércio com o Rio de Janeiro, ao contrário de regiões como São Paulo, Minas Gerais e Rio Grande do Sul. Pernambuco vinculava-se diretamente a Portugal, já que não havia ligações terrestres, fluviais ou marítimas que permitissem um contato contínuo com o Rio de Janeiro.

Apesar de pagar ao Rio de Janeiro altos impostos, cujo retorno não era visto por ninguém na capitania, e de ceder habitantes para indesejados recrutamentos militares, Pernambuco atravessava um período economicamente muito difícil, com sucessivas secas, crises de produção agrícola e de abastecimento.

Em março de 1817, lideranças locais derrubaram o governo de Pernambuco e instauraram uma república, governada por uma junta. Homens livres e escravos, grandes, médios e pequenos proprietários, comerciantes, advogados, trabalhadores manuais, ricos e pobres participaram do movimento.

Eles propunham uma ruptura com a monarquia portuguesa e o governo do Rio de Janeiro, e tiveram a adesão da Paraíba, Rio Grande do Norte, Ceará, Alagoas e Bahia. Não queriam a independência do Brasil inteiro, mas sim de uma parte dele, embora criticassem a "tirania" do governo português sobre todo o território.

A **Revolução de 1817** mobilizou uma forte repressão contra aqueles que eram considerados rebeldes e traidores. Muitos foram presos e condenados à morte e, a exemplo do que já tinha ocorrido anos antes com Tiradentes e com os conjurados baianos, tiveram suas penas aplicadas em praças públicas, para que ninguém se sentisse encorajado a seguir tal exemplo.

DOC. 1 *Sessão das Cortes de Lisboa*, representando episódio em que deputados liderados por Antônio Carlos de Andrada e Silva, irmão de José Bonifácio, defenderam que um único soberano deveria governar o Império Português. Pintura de Oscar Pereira da Silva, 1922. Museu Paulista/USP, São Paulo.

A Revolução do Porto

Pouco depois da revolução em Pernambuco, um movimento de contestação estourou em Portugal. Em agosto de 1820, um grupo de comerciantes, advogados, médicos e profissionais liberais proclamou, na cidade do Porto, a formação de uma assembleia nacional legislativa e constituinte, que deveria reunir deputados de todas as partes do Reino Unido, para elaborar uma Constituição, que valeria para todos os portugueses de todas as partes do mundo, o que incluía, portanto, o Brasil.

Mesmo sendo conservador na sua essência, a **Revolução do Porto** foi profundamente inovador em dois sentidos: primeiro, porque pretendia limitar a autoridade do monarca e submetê-lo a uma Constituição escrita e elaborada por uma assembleia de pessoas escolhidas pela população. Em segundo lugar, tudo isso implicava a transferência da soberania (isto é, do poder máximo de decisão e arbítrio coletivos), que não era mais do rei, mas sim da assembleia (chamada de **Cortes**) **[doc. 1]**.

A volta de d. João a Portugal e a independência do Brasil

Logo que se reuniram, as Cortes de Lisboa exigiram o retorno de d. João e de toda a sua família. Em abril de 1821, o rei cedeu às pressões dos deputados e partiu para Portugal, mas deixou aqui seu filho, o príncipe d. Pedro de Alcântara. As Cortes também ditaram uma série de medidas que desagradaram aos grandes comerciantes portugueses que viviam no Brasil e tinham começado a lucrar com a presença da corte. Passaram, assim, a depositar no jovem d. Pedro suas esperanças de manterem a posição de destaque do Brasil dentro do Reino Unido e continuarem lucrando.

Foi aí que começou a surgir, de fato, um projeto de independência para o Brasil. A separação até então era combatida nas Cortes de Lisboa por deputados portugueses tanto da Europa quanto do Brasil. Mas cada vez mais os deputados "brasileiros" se tornaram sensíveis às reivindicações vindas do outro lado do oceano, e se incompatibilizaram com seus colegas europeus. Durante todo o ano de 1822, a ideia de que o Brasil poderia e deveria seguir um curso próprio, fora do Reino Unido, ganhou força.

As Cortes passaram a exigir o retorno de d. Pedro. No entanto, em 9 de janeiro, d. Pedro declarou o célebre "Fico", isto é, sua decisão de desobedecer às Cortes e permanecer no Brasil. Poucos dias depois, organizou um governo próprio, com ministros, entre os quais se destacava José Bonifácio de Andrada e Silva. Em fevereiro, foi convocado um conselho de representantes de todas as províncias do Brasil para auxiliar o príncipe em suas decisões, e em junho d. Pedro convocou uma assembleia legislativa e constituinte.

A essa altura, muita gente ainda cogitava seriamente a possibilidade de Portugal e Brasil continuarem unidos, e até mesmo de o Reino Unido ter duas sedes simultâneas, uma no Brasil e outra em Portugal. Na prática, porém, os acontecimentos mostravam o contrário. Em 7 de setembro de 1822, em passagem por São Paulo, d. Pedro declarou a independência. Em 12 de outubro foi aclamado publicamente "imperador do Brasil" **[docs. 2 e 3]**.

DOC. 3 **A independência do Brasil e a aclamação de d. Pedro I**

"CIDADÃOS! O Deus da natureza fez a América para ser independente e livre; o Deus da natureza conservou no Brasil o príncipe regente para ser aquele que firmasse a independência deste vasto continente. Que tardamos? A época é esta. Portugal nos insulta, a América nos convida, a Europa nos contempla, o Príncipe nos defende... Cidadãos! Soltai o grito festivo: viva o imperador constitucional do Brasil, o senhor d. Pedro primeiro."

Correio do Rio de Janeiro, n. 3, extraordinário, de 21 de setembro de 1822.

DOC. 2 *Reconhecimento do Império do Brasil e sua independência* (*entrega de credenciais do embaixador Charles Stuart*), pintura de Leon Tirode, final do século XIX e início do XX. Museu do Itamaraty, Brasília.

A formação do Estado nacional brasileiro

A independência não foi imediatamente aceita por todos os grupos políticos organizados no Brasil. Em muitas das províncias, houve até mesmo uma tendência majoritária a recusar o novo governo de d. Pedro e a permanecer fiel às Cortes de Lisboa. Foi o caso do Maranhão, do Pará, da Bahia e da Província Cisplatina. Em todas estas regiões, houve verdadeiras guerras opondo os partidários das Cortes aos de d. Pedro, e nas duas primeiras o imperador teve de contratar exércitos de mercenários estrangeiros para forçar sua adesão ao Império que se formava.

Entre os anos de 1822 e 1823, era grande a incerteza que rondava o futuro do Império do Brasil, e não havia nenhuma clareza quanto aos contornos territoriais que ele finalmente teria. Assim, se não fossem essas violentas lutas, e se os partidários das Cortes tivessem conseguido vencer, talvez o Brasil de hoje fosse muito diferente do que é - não poderia contar com alguns importantes Estados atuais **[doc. 4]**.

DOC. 4 Maria Quitéria, líder das guerras contra as tropas portuguesas na Bahia. *Maria Quitéria*, de Domenico Failutt, c. 1920. Museu Paulista/USP, São Paulo.

A criação de símbolos nacionais

A separação definitiva entre Portugal e Brasil possibilitou o surgimento de um Estado, de uma nação e de uma identidade nacional brasileiros, que até então não existiam. Foi necessário criar não só um governo próprio, mas também um aparato administrativo, um sistema tributário, um sistema eleitoral, um exército, códigos legais, um senado e uma câmara dos deputados, um sistema escolar etc., que evidentemente não poderiam mais ser compartilhados com Portugal.

Também foi necessário criar símbolos nacionais que permitissem às pessoas que até então se consideravam portuguesas considerar-se brasileiras. Muitos dos símbolos nacionais que existem hoje foram criados até mesmo décadas depois da independência. O atual Hino Nacional brasileiro, por exemplo, teve sua música composta em algum momento entre 1822 e 1840, pelo maestro Francisco Manuel da Silva, mas a sua letra definitiva só foi composta por Joaquim Osório Duque Estrada, em 1909. Já a bandeira do país foi criada em 1822 e reformulada até adquirir as características que tem hoje.

A primeira constituinte brasileira

O Brasil só pôde construir-se como nação porque homens e mulheres da época acreditavam que era necessário limitar os poderes do rei, mas sem extingui-los totalmente. Um regime de **monarquia constitucional** foi a solução pensada para se evitar uma república, considerada um tipo de regime excessivamente aberto.

Com a oficialização da independência, entre setembro e outubro de 1822, ficou no ar a promessa do agora imperador: reunir uma assembleia de representantes encarregada de elaborar uma **Constituição**, inteiramente brasileira, e que preservasse também a monarquia, tal qual começara a ser pensado já em junho de 1822.

Em 3 de maio de 1823, deputados escolhidos por várias províncias brasileiras reuniram-se no Rio de Janeiro e deram início aos seus trabalhos. Durante seis meses, as discussões ocorreram em torno de temas da maior importância: quem seria considerado brasileiro? Quem poderia participar das eleições? Qual seria a forma de governo definitiva do novo Estado? Quais seriam seus limites territoriais?, entre outros assuntos.

A dissolução da constituinte

Após muitos debates, alguns opondo violentamente posições divergentes, os deputados da primeira constituinte brasileira fizeram um projeto de Constituição que deveria ser apresentado a d. Pedro I.

Entretanto, o imperador temia uma excessiva limitação de seus poderes. Receava também que algumas vozes politicamente mais radicais que tinham se manifestado durante os trabalhos constituintes se juntassem a outras, que vinham das ruas e dos jornais. Assim, no dia 12 de novembro de 1823, d. Pedro I fechou a assembleia, perseguiu e prendeu vários de seus deputados e decidiu promulgar, ele próprio, uma Constituição **[doc. 5]**.

A Constituição de 1824

A primeira Carta Magna brasileira, que entrou em vigor em 25 de março de 1824, mantinha a monarquia como regime de governo, bem como a tripartição dos poderes entre Executivo, Legislativo e Judiciário. Introduzia ainda um "quarto poder", o Poder Moderador, que atribuía ao imperador a possibilidade de interferir, quando necessário, nos outros três. A Constituição era unitária, previa o governo das províncias por Conselhos Gerais e presidentes provinciais, estes escolhidos pelo imperador. O voto era indireto, reservado a proprietários e cidadãos com uma renda mínima. A escravidão foi mantida. Aliás, em nenhum momento, seja durante os debates constituintes de 1823, seja durante a elaboração da Carta em 1824, ninguém a contestou seriamente, e ela nem sequer foi mencionada em plenário ou nos escritos dos deputados.

A Confederação do Equador

Como era de esperar, o fechamento da assembleia e a promulgação da Carta de 1824, por d. Pedro I, não foram bem-aceitos em toda parte. Um dos homens mais notáveis que levantou voz contra essa situação foi o frei pernambucano Joaquim do Amor Divino Caneca, outrora partícipe da Revolução de 1817, editor do jornal *Tiphis Pernambucano* e naquele momento uma importante liderança política de sua província. Após jurarem lealdade a d. Pedro e ao Império do Brasil, na expectativa de que d. Pedro cumprisse com a agenda política anunciada, Caneca e muitos outros ex-portugueses - agora brasileiros - protestaram **[doc. 6]**.

Em julho de 1824, Frei Caneca, Manuel Carvalho Pais de Andrade e outros líderes proclamaram, em Pernambuco, a **Confederação do Equador**, que de certo modo reeditava o movimento de 1817 **[doc. 7]**. Propondo uma república constitucional que rompesse com a "tirania" de d. Pedro, e que deveria se estender por várias províncias do norte e nordeste do Brasil, os confederados foram duramente perseguidos e castigados pelas forças militares de d. Pedro I. A capitulação final do movimento deu-se somente em novembro. Mas, apesar da vitória do imperador, o desgaste do governo foi grande. Prova disso é que no dia 13 de janeiro de 1825, marcado para enforcamento e esquartejamento público de frei Caneca, no forte de Cinco Pontas, em Recife, a cartilha de Tiradentes, dos conjurados baianos e dos revolucionários de 1817 deveria ser seguida à risca. Mas as coisas não aconteceram como o planejado **[docs. 8 e 9]**.

DOC. 5 Capa da Constituição de 1824, que vigorou de 25 de março de 1824 a 15 de novembro de 1889. Arquivo Nacional, Rio de Janeiro.

DOC. 6 **Manifesto de Frei Caneca**

"Vós senhores, no dia 17 de outubro de 1822, na Igreja Matriz do Sacramento, dissestes: 'Nós juramos perante Deus, seus sacerdotes e altares, adesão à causa geral do Brasil, e seu sistema atual, debaixo dos auspícios do senhor d. Pedro, príncipe regente constitucional e defensor perpétuo do Brasil, a quem obedecemos, e assim juramos reconhecer e obedecer às Cortes brasilianas Constituintes e Legislativas, e defender a nossa pátria, liberdade e direitos até vencer ou morrer'. Como agora podeis jurar uma carta constitucional, que não foi dada pela soberania da nação, que vos degrada da sociedade de um povo livre e brioso, para um valongo de escravos e curral de bestas de carga? Um projeto que destrói a vossa categoria no meio das nações livres do orbe? [...] Onde está vossa moral, vossos costumes, vossa religião? Se tal desgraça sucedesse, como olhariam para nós os outros povos nossos conterrâneos e externos? Quem quererá contratar com um povo tão imoral e tão sem respeito aos laços mais sagrados da sociedade e tão sem acatamento para a religião de que faz glória?"

Frei Joaquim do Amor Divino Caneca. Voto sobre o juramento do projeto de Constituição oferecido por D. Pedro I [6 jun. 1824]. In: MELLO, Evaldo Cabral de (Org.). *Frei Joaquim do Amor Divino Caneca*. São Paulo: Editora 34, 2001. p. 565-566.

- **Valongo.** Local utilizado para a venda de escravos.
- **Orbe.** O mundo, a Terra, o universo.

DOC. 7 **A Confederação do Equador**

Fonte: *Brasil 500 anos*: Atlas histórico. São Paulo: Três, 1998.

DOC. 8 **A execução de Frei Caneca**

"O preso Agostinho Vieira, 'pardo', retirado da cadeia para ser carrasco, recusa-se a cumprir seu papel [...]. Acenaram-lhe com alívio de pena, nada. Ameaçaram, passaram das ameaças à violência, espancaram o preso a socos, pontapés e golpes de baioneta. Ele gritava que preferia ser morto. Foi deixado sangrando no chão, 'por morto', mas não serviu de carrasco. Dois negros então foram retirados da cadeia, anônimos, acorrentados e conduzidos ao pé da forca para realizarem o serviço. Os dois recusaram-se. Promessas, ameaças, espancamentos [...]. Não aceitaram servir como braço do poder do monarca. A Comissão Militar reúne-se e, com a rapidez já característica, altera a sentença para fuzilamento, dispensando a forca. Um batalhão perfila-se e marcha a passos marciais. Frei Caneca assiste a tudo tranquilamente, ladeado por frei Carlos de São José. No momento em que as armas são apontadas, o soldado João da Costa Palma, negro, integrante do pelotão de fuzilamento, tem uma síncope e cai fulminado. [...] O soldado é rapidamente afastado. Frei Caneca pede aos soldados que não o deixem sofrer e indica aos mais próximos o local para o alvo. Em seguida, o carmelita faz um gesto de quem vai começar a falar ao público, mas a um sinal de frei Carlos obedece e cala-se. Os fuzis disparam."

MOREL, Marco. *Frei Caneca*: entre Marília e a pátria. Rio de Janeiro: FGV Editora, 2000. p. 89-91.

Na origem do Estado brasileiro

O Estado e a nação brasileiros nasciam, assim, a duras penas. Conflitos, contestações, guerras e derramamento de sangue foram, diferentemente do que se costuma acreditar, elementos muito presentes nesse cenário. E as muitas pessoas que participaram ativamente desse processo foram capazes de estabelecer, pelo menos, dois pontos de convergência, que passavam por cima de todas as suas eventuais divergências: o Brasil deveria ser constitucional e escravista.

Ao contrário do que se acredita, também não há incompatibilidade entre as duas situações. Até pensadores e ativistas coerentes como Cipriano Barata e Frei Caneca pensavam assim, ou seja, defendiam a Constituição soberana, criticavam as atitudes contrárias de d. Pedro I, mas não foram contra a escravidão. Muitos outros países da mesma época acreditavam nisso, e fizeram constituições liberais que não aboliram o regime de trabalho cativo. O caso mais notório é o dos Estados Unidos da América. Como ele, o Brasil nasceu liberal e escravista, ao mesmo tempo.

DOC. 9 *Execução de Frei Caneca*, pintura de Murillo La Greca, século XX. Museu Murillo La Greca, Recife.

QUESTÕES

1. Explique o duplo caráter da Revolução Constitucional do Porto.
2. Frei Caneca foi uma das personalidades mais atuantes do Primeiro Reinado [doc. 6]. Escreva um pequeno texto sobre as relações entre a elite intelectual pernambucana e o novo governo.

O fim do Primeiro Reinado

Objetivo

- Relacionar a Guerra da Cisplatina com o fim do Primeiro Reinado.

Termos e conceitos

- Política internacional
- Abdicação

Crise na Província Cisplatina

Durante o governo de d. João, a Banda Oriental (atual Uruguai) foi incorporada ao Brasil com o nome de **Província Cisplatina**. A região era motivo de disputa entre Espanha e Portugal desde o período colonial e continuou sendo uma área de tensão na **política internacional** do governo de d. Pedro I.

Com a independência do Brasil, em 1822, houve divisão na Província: uma parte das lideranças políticas permaneceu leal às Cortes de Lisboa, enquanto outra aderiu a d. Pedro I e ao seu império. Além disso, o governo de Buenos Aires incentivava vários grupos favoráveis ou à incorporação da Província à república argentina ou à total independência da região. Com as dificuldades do Império do Brasil para consolidar seu poder na província, em dezembro de 1825, o país declarou guerra contra Buenos Aires.

A Guerra da Cisplatina, como o conflito ficou conhecido no Brasil, durou até 1828 **[doc. 1]**. Em combates terrestres e navais, o equilíbrio era evidente, e nenhuma das partes conseguia vantagens significativas. A guerra terminou com mediação da Inglaterra, que queria lucrar com a exploração dos portos e dos mercados da região, e que, portanto, tinha seus negócios atrapalhados pela guerra. Em 27 de agosto de 1828 foi acordada a criação da "República Oriental" ou Uruguai, sediada em Montevidéu, e que existe até hoje.

A abdicação de d. Pedro I

Não era só à Inglaterra, porém, que a guerra incomodava. Negociantes e políticos brasileiros passaram a criticar duramente d. Pedro I e sua insistência em levar adiante uma guerra pouco produtiva, e que ademais onerava ainda mais o nascente Império do Brasil. A Guerra da Cisplatina era cara, e ela contribuiu para minar a popularidade do imperador, que já não era grande desde os acontecimentos de 1824.

A esses fatores somava-se, ainda, a inflação, que prejudicava o comércio de média e longa distância, sobretudo aquele que conectava o Rio da Prata e a República Oriental a São Paulo, Rio de Janeiro, Bahia e Pernambuco. A crise de 1831 foi o desfecho desse movimento. Sem base de apoio, d. Pedro I **abdicou** do trono, voltou para Portugal e deixou no Brasil seu filho criança, que seria coroado d. Pedro II somente em 1840. Até lá, o Brasil seria governado por regências.

QUESTÃO

- Aponte as razões que levaram o Império do Brasil a fazer uma guerra pelo controle da Província da Cisplatina e cite as consequências mais importantes desse conflito para o Brasil.

DOC. 1 Batalha de Punta Lara, em 1826, episódio da Guerra da Cisplatina, gravura de artista anônimo, século XIX.

ATIVIDADES

Retomar conteúdos

1 O marquês de Pombal, ministro do rei d. José I, promoveu uma série de reformas que visavam à manutenção dos interesses do Império Português. Que reformas foram essas? De que maneira elas atingiram o Brasil?

2 Leia as afirmativas a seguir e anote em seu caderno a que apresenta características comuns à Conjuração Mineira e à Conjuração Baiana.

I. Foram movimentos que apresentaram forte caráter popular.

II. Expressavam insatisfação com as medidas restritivas impostas pela metrópole.

III. Reivindicavam a emancipação política do Brasil e a abolição da escravidão.

IV. Ideias liberais, como a liberdade dos povos, influenciaram os dois movimentos.

3 O historiador José Murilo de Carvalho explica, no trecho a seguir, por que a Conjuração Mineira e Tiradentes foram abominados pelo regime monárquico brasileiro.

"Embora fosse viva na memória popular, a Inconfidência era tema delicado para a elite culta do Segundo Reinado. Afinal, o proclamador da independência era neto de d. Maria I, contra quem se tinham rebelado os inconfidentes. O Brasil era uma monarquia governada pela casa de Bragança, ao passo que os inconfidentes tinham pregado uma república americana. Não era fácil exaltar os inconfidentes, e Tiradentes em particular, sem de alguma maneira condenar seus algozes e o sistema político vigente."

CARVALHO, José Murilo de. *A formação das almas*: o imaginário da República no Brasil. São Paulo: Companhia das Letras, 1990. p. 59.

a) Segundo o autor, por que, embora fosse bastante conhecida, a Inconfidência Mineira era um "tema delicado para a elite culta do Segundo Reinado"?

b) Em contrapartida, por que os republicanos brasileiros adotaram Tiradentes como mártir e herói do regime?

4 Defina os termos a seguir.

a) Bloqueio Continental.

b) Exclusivo comercial metropolitano.

c) Abertura dos portos.

5 A transferência da corte portuguesa para o Brasil foi fruto de diversos acontecimentos políticos e acarretou importantes consequências para a história de Portugal e do Brasil.

a) Relacione a transferência da corte portuguesa para o Brasil à política napoleônica.

b) Cite as mudanças políticas, econômicas e culturais sofridas pela colônia com a vinda da corte.

c) Anote em seu caderno as consequências da mudança de *status* político do Brasil para os portugueses que viviam na Europa.

6 A cena a seguir, produzida pelo pintor brasileiro Eduardo Sá, no final do século XIX, suscita diferentes interpretações. Observe a obra e responda às questões.

Fundação da pátria brasileira, pintura de Eduardo Sá, século XIX.

a) Identifique os elementos presentes na cena.

b) Estabeleça uma relação entre a imagem e o título da obra.

c) Na sua opinião, por que José Bonifácio aparece na pintura segurando a bandeira do império? Justifique.

Pesquisar/Debater

7 Pesquise no dicionário os significados da palavra independente. Depois, reúna-se com alguns colegas e debatam as seguintes questões: o Brasil tornou-se um país independente após 1822? E, é possível atualmente afirmar que o Brasil é um país independente?

A arte burguesa e o teatro da crítica social

Do barroco ao neoclássico

O **barroco** cristalizou-se como a expressão máxima da Contrarreforma e das monarquias absolutistas da Europa com sua variante tardia mais aristocrática e cortesã, o **rococó**. Ambos eram marcados, em suas pinturas e esculturas, por formas sinuosas e exuberantes e por uma busca incessante pela representação do movimento. Enquanto o barroco se concentrava na temática religiosa, o rococó apresentava um lado mais profano e mundano, com ênfase no estilo decorativo. Tudo no barroco e no rococó levava ao exagero, visando impressionar os fiéis da Igreja Católica, em uma época de grande inquietação religiosa. Entretanto, as ondas revolucionárias que, no final do século XVIII e início do XIX, varreram o Antigo Regime da França e de outros países europeus também levaram ao questionamento da arte identificada com o absolutismo e a aristocracia.

Para combater a frivolidade do rococó das cortes corruptas dos monarcas europeus, os artistas, sobretudo na França, voltaram-se mais uma vez para a Antiguidade clássica, principalmente para a Roma antiga, que parecia configurar-se como exemplo de civilização moralmente superior. A arte linear e equilibrada da Antiguidade colocava-se, para eles, como um modelo de racionalidade e beleza ordenada que se opunha aos excessos e ao luxo extravagante do barroco e do rococó.

O pintor da Revolução e de Bonaparte

Jacques-Louis David tornou-se o principal pintor da Revolução Francesa e, posteriormente, do Império Napoleônico. Ele se dedicou a pintar grandes composições de tema clássico, como *A morte de Sócrates* **[doc. 1]**, em que retratou a execução do filósofo grego, condenado a ingerir cicuta por se opor à classe dominante de seu tempo. Em sua pintura, o elemento mais importante é o desenho, e as figuras aparecem delineadas por contornos suaves, mas precisos. As cores, claras e sóbrias, são utilizadas apenas como auxiliares do desenho numa composição equilibrada e elegante. David visava instruir seus contemporâneos por meio de suas obras. Nesse quadro, a figura de Sócrates se estabelece como um exemplo a ser seguido pelos revolucionários franceses, já que o filósofo havia colocado a devoção aos seus ideais acima de qualquer interesse pessoal. Durante o Império Napoleônico, David também empregou sua estética neoclássica para exaltar os feitos e a glória do imperador de forma idealizada **[doc. 2]**.

DOC. 1 *A morte de Sócrates*, pintura de Jacques-Louis David, 1787. Museu Metropolitano de Arte, Nova York.

DOC. 2 *Napoleão sobre o cavalo na passagem de São Bernardo*, pintura de Jacques-Louis David, início do século XIX. Palácio de Charlottenburg, Berlim. A pintura de David contribuiu para construir o mito Napoleão Bonaparte.

A dramaticidade do romantismo

A arte neoclássica institucionalizou-se como o estilo oficial da Academia Francesa de Belas Artes. Na primeira metade do século XIX, para muitos artistas, a ênfase excessiva no desenho e nos temas clássicos e históricos enrijeceu a pintura e cerceou a criatividade dos jovens artistas. Para eles, o neoclassicismo, que, no princípio, se associara aos ideais revolucionários, havia se tornado uma expressão reacionária, associada ao academicismo e à cópia de antigos modelos.

A crítica ao neoclassicismo e a busca por uma estética mais livre originaram o **romantismo**, movimento que propunha libertar a criatividade artística de qualquer amarra acadêmica. Os românticos colocavam o sentimento e a sensibilidade acima da racionalidade clássica. Na pintura, a cor voltou a ser mais importante que o desenho, e a estética equilibrada e racional da arte neoclássica foi substituída por composições marcadas pela intensidade passional e dramática, como mostra a pintura *Exercícios militares dos marroquinos (fantasia)* **[doc. 3]**, de Eugène Delacroix, uma de suas muitas obras produzidas a partir de sua viagem em missão diplomática ao Marrocos em 1832.

A luminosidade do poente marroquino e as cores quentes de sua paisagem o impressionaram profundamente. O Marrocos parecia carregado de uma paixão e de um exotismo que os românticos europeus desejavam resgatar. Nesse quadro, Delacroix retrata um espetáculo militar que presenciou durante sua estada naquele país, no qual soldados nativos simulam uma ofensiva a um inimigo oculto.

O artista romântico foi capaz de representar com maestria toda a velocidade e violência do avanço de homens e cavalos. À frente da linha de ataque fez surgir ainda o luminoso pôr do sol marroquino, que parece incendiar as túnicas brancas e amarelas dos militares. É um excelente exemplo de como a pintura de Delacroix e do romantismo em geral é caracterizada por cores reluzentes e intensas e pelo movimento de vigorosas pinceladas.

O novo realismo europeu

Características semelhantes às da pintura de Delacroix podem ser encontradas no pintor contemporâneo anglo-germânico Lucian Freud, que, nas últimas décadas, retomou a pintura figurativa, ou de representação tradicional, em novas bases. Freud se concentra, sobretudo, nos retratos, muitas vezes de pessoas nuas. Sua pintura é considerada pertencente ao movimento do novo realismo europeu ou do hiper-realismo, que é a tentativa de representar a realidade na arte da forma mais acurada e realista possível. No entanto, a obra de Freud é única, uma vez que ele consegue grande densidade psicológica com o exagero do pormenor realista. Podemos ver o trabalho de suas grossas pinceladas no detalhamento da expressão no retrato da rainha Elizabeth II, que ele pintou em 2001 **[doc. 4]**, sem idealização alguma da imagem da soberana.

DOC. 3 *Exercícios militares dos marroquinos (fantasia)*, pintura de Eugène Delacroix, 1832. Museu Fabre, Montpellier.

DOC. 4 *Retrato da rainha Elizabeth II*, pintura de Lucian Freud, 2001. Arquivo Lucian Freud - A Coleção Real, Londres.

A tragédia clássica

O século XVIII também viu surgir na Europa o drama burguês. O teatro francês do século XVII havia se caracterizado pelo predomínio da tragédia clássica, um gênero teatral baseado nas obras dos tragediógrafos da Grécia antiga e na *Poética* de Aristóteles, obra em que ele estabelecera as principais características da tragédia grega. As premissas de Aristóteles foram seguidas à risca pelos autores franceses, sobretudo a regra das três unidades, de acordo com a qual cada tragédia deve apresentar uma única ação principal transcorrida num único lugar em apenas um dia.

Na verdade, o próprio Aristóteles não havia sido tão rigoroso no estabelecimento dessa regra. Os franceses, porém, a tomaram como algo obrigatório e escreveram suas tragédias obedecendo fielmente a esse princípio. Apesar dessa fonte clássica, a tragédia francesa foi uma expressão característica do barroco. Tratava-se de um teatro aristocrático, apresentado para as cortes e cujos personagens eram geralmente nobres. Além disso, os diálogos eram compostos em versos alexandrinos (de doze sílabas) e os figurinos eram bastante rebuscados, como é possível perceber na pintura de Antoine Watteau, na qual o artista representa atores franceses encenando uma tragédia **[doc. 5]**. Os pais da tragédia clássica francesa foram Pierre Corneille e Jean Racine.

O drama burguês

No século XVIII, contudo, Denis Diderot enfatizou a necessidade de se produzirem peças teatrais voltadas para a classe burguesa e os valores do iluminismo. Para Diderot, o teatro deveria exercer uma função instrutiva, assumindo a missão de pregar a virtude aos seus espectadores. Dessa forma, era preciso afastar-se da decadência moral da classe aristocrática e enfatizar os principais valores burgueses.

Em 1758, Diderot escreveu *O pai de família*, peça que ficou conhecida como o primeiro drama realmente burguês **[doc. 6]**. Nela, um pai de família tenta dissuadir seu filho e herdeiro de se casar com uma jovem de condição inferior. Quando a moça se revela verdadeiramente virtuosa, porém, o conflito se resolve e o pai finalmente concorda com o casamento. Os principais temas são a lealdade à família e o coroamento da virtude, elementos fundamentais da cultura burguesa. Outra importante característica da peça de Diderot é que seus diálogos foram escritos em prosa e não mais em versos, o que os tornou muito mais próximos da fala cotidiana das pessoas. Com o tempo, o drama burguês buscou cada vez mais a ilusão de realidade, com os autores esmerando-se para criar situações teatrais que pareciam diretamente tiradas da vida de pessoas reais.

Tragediógrafo. Autor de tragédias.

DOC. 5 *Os comediantes franceses*, pintura de Antoine Watteau, 1720. Museu Metropolitano de Arte, Nova York.

DOC. 6 Cena da peça *O pai de família*, ato V, cena 12. Gravura de 1773 extraída de *Coleção completa das obras filosóficas, literárias e dramáticas*, de Denis Diderot. Biblioteca Instituição Taylor, Oxford.

DOC. 8 Cena de montagem da *Ópera dos três vinténs*, de Bertolt Brecht, 1933, apresentada em Moscou.

O teatro inglês

A Inglaterra também apresentou sua contribuição para o desenvolvimento de novas formas dramáticas. Em 1728, John Gay e John Rich produziram a famosa *Ópera do mendigo*, na qual criticavam as classes aristocráticas e poderosas do país utilizando personagens comuns, como mendigos e pequenos ladrões. No **doc. 7**, vemos uma cena dessa ópera representada por William Hogarth, em que o chefe dos ladrões Macheath aparece acorrentado, ao centro, enquanto suas duas amantes, Polly e Lucy, imploram para que sua sentença de morte não seja executada.

Essa ópera influenciou a *Ópera dos três vinténs* **[doc. 8]**, escrita em 1928 por Bertolt Brecht, que adaptou a história para o início do século XX. O objetivo de Brecht, contudo, era realizar um teatro didático, em que o público fosse esclarecido a respeito das forças que atuam na sociedade, sob uma perspectiva marxista. Além da simples crítica, sua intenção era utilizar a experiência teatral para despertar a conscientização e, assim, promover a transformação da realidade social. Seu teatro, que ficou conhecido como **teatro épico**, opunha-se à ilusão de realidade do drama burguês. Brecht procurava, dessa forma, criar no espectador um distanciamento em relação ao enredo dramático, levando-o a questionar a sociedade burguesa.

DOC. 7 Uma cena da *Ópera do mendigo*, pintura de William Hogarth, 1729. Galeria Nacional de Arte, Washington.

QUESTÕES

1. Destaque os elementos da imagem do **doc. 1** que caracterizam o estilo neoclássico.
2. Relacione o tema da pintura ao momento histórico em que ela foi produzida **[docs. 1 e 2]**.
3. Analise o **doc. 2** e exponha o significado simbólico da pintura na construção do mito de Napoleão.
4. Observe as imagens dos **docs. 5, 6 e 7**. Que características da comédia francesa, do drama burguês e do teatro inglês foram ressaltadas nas pinturas? Qual é a principal diferença entre elas?

PRATICANDO: VESTIBULARES E ENEM

UNIDADE F Uma era de revoluções e transformações

1 (Enem-MEC) "Em 4 de julho de 1776, as treze colônias que vieram inicialmente a constituir os Estados Unidos da América (EUA) declaravam sua independência e justificavam a ruptura do Pacto Colonial. Em palavras profundamente subversivas para a época, afirmavam a igualdade dos homens e apregoavam como seus direitos inalienáveis: o direito à vida, à liberdade e à busca da felicidade. Afirmavam que o poder dos governantes, aos quais cabia a defesa daqueles direitos, derivava dos governados. Esses conceitos revolucionários que ecoavam o iluminismo foram retomados com maior vigor e amplitude treze anos mais tarde, em 1789, na França."

Emília Viotti da Costa. Apresentação da coleção. In: POMAR, Wladimir. *Revolução Chinesa*. São Paulo: Unesp, 2003. (com adaptações)

Considerando o texto acima, acerca da independência dos EUA e da Revolução Francesa, indique a opção correta.

a) A independência dos EUA e a Revolução Francesa integravam o mesmo contexto histórico, mas se baseavam em princípios e ideais opostos.
b) O processo revolucionário francês identificou-se com o movimento de independência norte-americana no apoio ao absolutismo esclarecido.
c) Tanto nos EUA quanto na França, as teses iluministas sustentavam a luta pelo reconhecimento dos direitos considerados essenciais à dignidade humana.
d) Por ter sido pioneira, a Revolução Francesa exerceu forte influência no desencadeamento da independência norte-americana.
e) Ao romper o pacto colonial, a Revolução Francesa abriu o caminho para as independências das colônias ibéricas situadas na América.

2 (PUC-RS) A chegada da Corte portuguesa ao Rio de Janeiro, em 1808, representou o início do desenvolvimento estrutural do Brasil, e também a introdução de princípios do liberalismo econômico na Colônia, com a abertura dos portos às nações amigas. Copie em seu caderno a afirmativa correta sobre uma das consequências dessa abertura.

a) a diminuição dos laços coloniais, baseados no monopólio comercial mercantilista.
b) a diminuição das liberdades coloniais, fundadas na estrutura liberal.
c) o aumento da opressão colonial portuguesa, privilegiando-se a Inglaterra no comércio com o Brasil.
d) o aumento de restrições ao comércio com a Inglaterra.
e) o aumento da distribuição de privilégios aos franceses, quanto ao comércio com o Brasil.

3 (UFMT) "A Revolução Francesa pode não ter sido um fenômeno isolado, mas foi muito mais fundamental do que os outros fenômenos contemporâneos e suas consequências foram portanto mais profundas."

HOBSBAWM, E. J. *A era das revoluções*: 1789-1848. Rio de Janeiro: Paz e Terra, 1977.

Uma das consequências mais profundas, segundo Hobsbawm, foi a *Declaração dos Direitos do Homem e do Cidadão*. Sobre ela, analise as afirmativas.

I. Representou as exigências da maioria dos liberais burgueses contra os privilégios da nobreza e do clero, mas não um manifesto a favor de uma sociedade democrática e igualitária.
II. Significou uma tentativa da monarquia absoluta de permanecer no poder, fazendo concessões à nobreza descontente e aos burgueses jacobinos que lutavam pela igualdade.
III. Foi um manifesto revolucionário a favor de uma sociedade efetivamente democrática e igualitária, do fim da monarquia e da nobreza, do desligamento da Igreja do Estado e da ascensão do povo ao centro da república democrática.
IV. Expressou a vontade de parte da burguesia de governar a partir de uma monarquia regulada por uma Constituição e apoiada numa oligarquia possuidora de terras.

Estão corretas as afirmativas:

a) III e IV, apenas.
b) II, III e IV, apenas.
c) I e IV, apenas.
d) I, II e III, apenas.
e) I, II, III e IV.

4 (UFMG) "O que significa a frase 'a revolução industrial' explodiu? Significa que a certa altura da década de 1780, e pela primeira vez na história da humanidade, foram retirados os grilhões do poder produtivo das sociedades humanas, que daí em diante se tornaram capazes da multiplicação rápida, constante, e até o presente ilimitada, de homens, mercadorias e serviços. [...] Sob qualquer aspecto, este foi provavelmente o mais importante acontecimento na história do mundo, pelo menos desde a invenção da agricultura e das cidades. E foi iniciado pela Grã-Bretanha. É evidente que isto não foi acidental."

HOBSBAWM, Eric J. *A era das revoluções*: Europa 1789-1848. Rio de Janeiro: Paz e Terra, 1977. p. 44-45.

a) Cite e analise dois fatores que tornaram possível o pioneirismo inglês no processo de industrialização.
b) Registre uma das razões por que a indústria têxtil se tornou o setor de ponta nos primórdios da industrialização.

5 (UFPE) A Revolução Francesa de 1789 produziu mudanças políticas que abalaram a Europa. Era um sinal de que os ideais iluministas conquistaram muitos simpatizantes. Nesse cenário, o período napoleônico foi marcado por guerras, mas também por realizações que consolidaram o domínio burguês na França. Identifique as afirmativas verdadeiras sobre o período:

a) As reformas administrativas favoreceram a centralização da organização do Estado, atendendo, em grande medida, aos interesses da burguesia.
b) A unificação das leis, através do Código Civil de 1804, serviu para garantir o direito à propriedade privada.
c) Os decretos napoleônicos ampliaram a cidadania, inclusive aumentando os direitos políticos das mulheres.
d) A reforma educacional consagrou as ideias de Rousseau, destacando o nacionalismo e a luta pela democracia popular.
e) A fundação de escolas públicas mostrou o interesse de divulgar ideais burgueses e de exaltar a figura de Napoleão.

UNIDADE F

Leituras

Iluminismo: a revolução das luzes
NASCIMENTO, Maria das Graças; NASCIMENTO, Milton Meira do. São Paulo: Ática, 1998. (Coleção História em movimento)

A obra analisa o contexto histórico do surgimento do iluminismo e as ideias defendidas pelos principais pensadores dos séculos XVII e XVIII.

Fábricas e homens: a Revolução Industrial e o cotidiano dos trabalhadores
DECCA, Edgar de; MENEGUELLO, Cristina. São Paulo: Atual, 1999. (Coleção História geral em documentos)

A Revolução Industrial trouxe mudanças no cotidiano das pessoas e na organização do trabalho. O autor aborda diferentes aspectos dessas alterações, com destaque para o trabalho nas fábricas, a situação dos trabalhadores e a organização sindical.

Oliver Twist
DICKENS, Charles. São Paulo: Companhia das Letrinhas, 2007.

Romance clássico da literatura inglesa, sobre um garoto órfão que sofre maus-tratos no orfanato e foge de uma pequena cidade da Inglaterra para Londres, a grande cidade recém-industrializada, com todos os problemas que a súbita urbanização traz. Lá, encontra um senhor rico que se propõe a ajudá-lo, mas ainda assim acaba envolvendo-se inadvertidamente com um bando de marginais, até descobrir que possui uma grande herança. Trata-se de uma adaptação da história do próprio Charles Dickens, que também passou por uma infância muito pobre, mas, após receber uma herança, pôde continuar seus estudos.

A Revolução Francesa e a modernidade
CAVALCANTE, Berenice. São Paulo: Contexto, 2001.

Na obra, a Revolução Francesa é abordada como um marco na divisão entre a ordem do Antigo Regime e a modernidade.

Guerra e paz
TOLSTOI, Leon. 5. ed. Belo Horizonte: Itatiaia, 1997.

Nesse clássico da literatura russa, a história desenrola-se ao longo dos anos de 1805 e 1813, no contexto da invasão do exército napoleônico na Áustria e na Rússia.

A corte portuguesa no Rio de Janeiro
JAF, Ivan. São Paulo: Ática, 2001.

O livro é uma adaptação do relato de viagem do comerciante inglês John Luccock, que chegou ao Brasil no início do século XIX. O viajante apresenta o cotidiano de transformações no Rio de Janeiro e em outras cidades.

Filmes

Germinal
Direção de Claude Berri. França, 1993. 180 min.

Baseado no romance de Émile Zola, de 1885, o filme aborda a situação dos trabalhadores das minas de carvão francesas no século XIX e o início dos movimentos grevistas desses mineiros.

Tempos modernos
Direção de Charles Chaplin. Estados Unidos, 1936. 105 min.

Clássico da cinematografia, o filme trata de modo cômico e inteligente a massificação dos trabalhadores e a condição dos operários de uma linha de montagem da grande indústria.

Oliver Twist
Direção de Roman Polanski. República Tcheca/França/Itália/Inglaterra, 2005. 130 min.

Adaptação para o cinema da obra homônima de Charles Dickens, escrita originalmente em 1838, que conta a história de um menino órfão vivendo na Inglaterra recém-industrializada.

Casanova e a revolução
Direção de Ettore Scola. Itália/França, 1982. 121 min.

No ano de 1791, em uma tentativa frustrada de fuga, o rei da França Luís XVI é preso na pequena cidade francesa de Varennes. Naquela noite, no mesmo local encontra-se um grupo de viajantes que discute e apresenta diferentes percepções sobre a Revolução Francesa.

Queimada
Direção de Gillo Pontecorvo. França/Itália, 1969. 112 min.

No século XIX, na ilha do Caribe desembarca um inglês com o objetivo de incentivar uma revolta para derrubar o governo local e favorecer a Coroa inglesa.

Sites

Instituto Camões
http://cvc.instituto-camoes.pt

O *site* do instituto apresenta alguns aspectos do iluminismo em Portugal ao longo do século XVIII. Traz também a biografia de alguns dos pensadores iluministas portugueses e suas obras.

Museu Histórico Nacional
http://www.museuhistoriconacional.com.br

Diferentes aspectos da história do Brasil são apresentados no *site*, que disponibiliza para visualização peças do seu acervo, como fotografias, objetos e esculturas.

UNIDADE G

Sociedade e cultura no século XIX

» Capítulos

Um século de ambiguidades

Fala-se muito, atualmente, que vivemos um tempo de mudanças rápidas. O passado parece ir embora rapidamente, o presente escoa entre os dedos das mãos, o futuro bate à porta. A informática e outras conquistas no campo das comunicações são exemplos dessa aceleração na passagem do tempo, marcas do espírito moderno.

Nascida em virtude das revoluções sociais e das profundas transformações econômicas do século XVIII, essa percepção formou-se e consolidou-se ao longo do século XIX nos países europeus. O mundo assistiu, então, à consolidação do poder da burguesia, ao surgimento de novas ideologias e à crença no poder da ciência e da tecnologia.

As cidades cresciam cada vez mais. Novas formas de relacionamento e convívio social brotavam nas novíssimas e impressionantes metrópoles europeias. Inventores e invenções alteravam o cotidiano e pareciam transportar o homem para um mundo em que a tecnologia imperaria.

Retrato de d. Pedro II, fotografia de 1876. Biblioteca do Congresso, Divisão de gravuras e fotografias, Washington. O imperador era um dos adeptos mais entusiasmados da fotografia no país. Ele foi o primeiro brasileiro a adquirir um daguerreótipo, máquina fotográfica desenvolvida pelo francês Louis-Jacques Mandé Daguerre nos anos 1830.

Ontem, assim como hoje, porém, nem todos desfrutavam do lado positivo da nova realidade. Trabalhadores protestavam contra as más condições de existência e de trabalho e suas reivindicações mostravam desconfiança nas melhorias que o liberalismo triunfante celebrava.

No Brasil, o panorama geral também mostrava-se ambíguo. De um lado, a independência política trouxera a expectativa de mudanças. De outro, boa parte da organização interna mantinha práticas do período colonial: a escravidão persistia e as tradições de índios e negros raramente eram reconhecidas como parte importante da cultura brasileira.

Aqui e no resto dos países ocidentais, o século XIX oscilava entre manter os traços do passado ou modernizar o presente e buscar o futuro. Manter ou transformar, essa era a questão. Manter e transformar, essa foi a opção do século XIX.

Transformações no Brasil e na Europa

Esta linha do tempo não foi organizada em escala temporal.

1820	1837	1840	1848	1850	1858
Revolução do Porto.	A *Carta do Povo* é apresentada ao Parlamento britânico.	Início do Segundo Reinado, no Brasil.	Revoluções de 1848 na Europa. Revolução Praieira, no Brasil.	Lei Eusébio de Queiroz: proibição do tráfico de escravos, no Brasil.	Charles Fourier funda as comunidades conhecidas como **falanstérios**, na França.

Trabalhadores protestam no dia 1º de Maio de 1893 reivindicando 8 horas de trabalho, 8 horas de descanso, 8 horas de sono. Gravura do jornal *Le Petit Parisien*, 7 de maio de 1893.

QUESTÕES

1. Você saberia citar algumas invenções que marcaram o século XIX e o XX? É possível estabelecer uma comparação entre elas? O que elas nos dizem sobre cada um desses séculos?

2. O que significa "moderno"? Procure em livros e na internet, entreviste pessoas e compare as várias formas de entender o significado dessa palavra.

3. Você sabe a diferença entre o criacionismo e o evolucionismo? Troque ideias com os colegas sobre o assunto.

4. O Segundo Império no Brasil foi marcado, no campo político, social e econômico, por muitas mudanças e continuidades em relação ao período anterior. Cite algumas dessas mudanças e continuidades.

Trecho da Estrada de Ferro Santos-Jundiaí, 1895. Acervo Iconographia. As ferrovias tornaram-se o principal meio de escoamento da produção cafeeira da região do oeste paulista, invento que permitiu reduzir drasticamente o tempo das viagens e o preço do produto.

1859 – Publicação de **A origem das espécies**, de Charles Darwin.

1864 – Fundação da Associação Internacional dos Trabalhadores, a Primeira Internacional.

1867 – Implantação da Estrada de Ferro Santos-Jundiaí.

Guerra do Paraguai.

1870 – Unificação italiana.

1871 – Unificação alemã.

Lei do Ventre Livre: os filhos de escravos nascidos no Brasil seriam livres a partir desta data.

1888 – Lei Áurea: abolição da escravidão no Brasil.

Capítulo

23 Ciência, nação e revolução no século XIX

› **23.1 As revoluções liberais na Europa**

A onda revolucionária que varreu a Europa em 1848 foi impulsionada por aspirações políticas e sociais.

› **23.2 O nacionalismo**

O sentimento de identidade nacional que se difundiu na Europa do século XIX foi em grande parte uma construção ideológica.

› **23.3 A ciência no século XIX**

A teoria da evolução, elaborada por Darwin e Wallace, expôs a ideia revolucionária de que todas as espécies descendem de um ancestral comum.

› **23.4 Organizar cientificamente a sociedade**

Uma das faces do desenvolvimento científico e tecnológico do século XIX foi a crença na capacidade ilimitada da ciência.

A burguesia triunfante

Grande parte das instituições, valores e crenças do mundo contemporâneo, em particular da sociedade ocidental, é uma herança do século XIX. A partir da Revolução Francesa, o continente europeu conheceu, gradualmente, o triunfo político e social da burguesia sobre a aristocracia. Ao superar a mentalidade do Antigo Regime, a classe burguesa difundiu uma nova ideologia.

Três orientações marcaram a ideologia burguesa: o **liberalismo** político, que determinava limites à atuação do Estado e pregava como valor máximo a liberdade individual; o **nacionalismo**, que considerava o Estado-nação a organização política soberana e ideal; e a crença no **progresso**, segundo a qual a história da humanidade avança, continuamente, em direção a um futuro que lhe garante cada vez mais conforto e liberdade, e o século XIX seria o auge dessa linha evolutiva.

O século XIX, na Europa, marcou a transição das sociedades agrárias, tradicionalistas, hierarquizadas e religiosas do Antigo Regime para as sociedades urbanas e industriais, que se afirmaram no século XX em quase todo o mundo. Por isso, saber como os europeus do século XIX pensavam e quais ideais motivavam suas ações contribuirá para entender melhor o mundo contemporâneo.

Bolsa de Valores de Paris (*La Bourse*), França. Foto de 1891. Na segunda metade do século XIX, a bolsa de valores começa a se afirmar como um dos investimentos mais rentáveis para a burguesia.

Seção 23.1

As revoluções liberais na Europa

Objetivo

- Explicar as causas e os desdobramentos das revoluções liberais do século XIX.

Termos e conceitos

- Restauração
- Revoluções de 1848
- Liberalismo
- Ideologia

O Congresso de Viena e a Restauração

Em 1815, com o fim das guerras napoleônicas, as potências vencedoras (Inglaterra, Rússia, Prússia e Áustria) reuniram-se no **Congresso de Viena**, iniciado em 1814, com o objetivo de restabelecer a ordem europeia que foi subvertida pela Revolução Francesa. Na França e em outros territórios conquistados por Napoleão, as antigas dinastias reais foram reconduzidas aos seus respectivos tronos. Luís XVIII, primo do rei guilhotinado Luís XVI, assumiu o trono francês. Os Bourbons voltaram a governar a Espanha e o Reino de Nápoles. Os Braganças retornaram a Portugal, e a dinastia de Orange, aos Países-Baixos **[doc. 1]**.

O objetivo do Congresso de Viena era eliminar quaisquer resquícios das transformações promovidas pela Revolução Francesa e pelo Império Napoleônico e restabelecer a sociedade do Antigo Regime em todo o continente europeu, movimento conhecido como **Restauração**. Apesar dos esforços, porém, nem tudo voltou a ser como antes. Para poder governar, os monarcas que retornaram ao poder foram obrigados a fazer concessões e aceitar constituições que garantiam os direitos civis dos súditos. Não se tratava de um puro e simples retrocesso ao absolutismo do Antigo Regime, mas de uma solução que mantinha certas conquistas daquele período subordinadas ao controle monárquico.

Após o Congresso de Viena, a sociedade europeia ficou ideologicamente dividida. De um lado, havia os **ultrarrealistas**, conservadores que ficaram descontentes com as concessões feitas pelo Congresso de Viena e que desejavam o restabelecimento integral do Antigo Regime. De outro lado, os **liberais** e **nacionalistas**, que queriam prosseguir com as transformações sociais interrompidas pela restauração monárquica.

DOC. 1 *Reunião do Congresso de Viena*, gravura de J. Zutz, 1815. O Congresso de Viena inaugurou o movimento de restauração das monarquias destituídas na Europa com os desdobramentos do processo revolucionário de 1789.

A onda revolucionária

Os regimes reacionários estabelecidos pela Restauração lutaram para conter as transformações políticas. Não foram capazes, no entanto, de conter o desejo por mudanças. Durante a primeira metade do século XIX, uma série de revoltas e revoluções minou pouco a pouco a estabilidade das monarquias e tornou as mudanças inevitáveis.

A primeira grande onda revolucionária deu-se por volta de 1820, quando ocorreram revoltas de caráter liberal na Itália, na Espanha, em Portugal e na Grécia, países que ainda iniciavam o desenvolvimento industrial. A **Revolução do Porto**, em 1820, em Portugal, influenciou diretamente o destino do Brasil. Ao exigir o retorno imediato de d. João VI a Portugal, o que ocorreu em 1821, o movimento do Porto contribuiu para acelerar o processo de independência do Brasil.

A independência da Grécia

Em 1821, ocorreu o primeiro grande movimento nacionalista: a guerra de independência da Grécia contra o domínio do Império Otomano. A insurreição dos gregos recebeu apoio financeiro e ajuda militar de liberais de toda a Europa. O apoio à liberdade de um povo oprimido por um império somava-se ao respeito pelo país que representava a origem das tradições culturais ocidentais **[doc. 2]**.

As Revoluções de 1830

Uma nova onda de revoltas estourou em 1830. Na França, o rei Carlos X havia tomado uma série de medidas políticas orientadas para o retorno ao absolutismo. As **Ordenanças de Julho** determinavam a dissolução da Câmara dos Deputados, a supressão da liberdade de imprensa e a redução do eleitorado, entre outros. A população revoltou-se, ergueu barricadas nas ruas e forçou a derrubada da dinastia dos Bourbons e a abdicação do rei Carlos X.

A burguesia liberal, porém, temia as tendências republicanas das massas. O trono francês acabou sendo entregue a Luís Felipe, um primo do rei deposto, que governou com a ajuda da alta burguesia. Mesmo assim, a queda de Carlos X na França motivou a expansão do movimento revoltoso por outros países, como a Bélgica, que declarou independência dos Países-Baixos; e a Polônia, que tentou, sem sucesso, livrar-se do domínio russo. Na Itália e na Alemanha também ocorreram revoltas que anteciparam o processo de unificação desses países, que ocorreria décadas mais tarde.

As Revoluções de 1848

Em 1848, ocorreu a maior das ondas revolucionárias que varreram a Europa durante o século XIX. As revoltas eram o resultado da crise que acometeu a economia europeia nas décadas de 1830 e 1840. Começaram na França, com a deposição de Luís Felipe e a proclamação da república em fevereiro de 1848. Da França, o movimento republicano logo se alastrou pela Itália, Alemanha, Suíça, Áustria, Polônia, Espanha e Portugal **[doc. 3]**. Muitas das ideias liberais de 1848 chegaram até mesmo ao Brasil, influenciando o movimento conhecido como Revolução Praieira, em Pernambuco.

As **Revoluções de 1848**, como ficou conhecida a nova onda revolucionária, exigiam não só mudanças políticas, como o sufrágio universal, mas também reformas sociais, como a reforma agrária. Temendo o risco de subversão social, porém, a burguesia voltou-se contra o povo. Só na França, 3 mil pessoas foram mortas e 12 mil foram encarceradas. Luís Bonaparte, sobrinho do imperador Napoleão Bonaparte, foi eleito presidente da Segunda República francesa. Em 1851, deu um golpe de Estado e proclamou-se imperador.

- **Barricada.** Espécie de trincheira improvisada, geralmente feita no interior do espaço urbano, utilizada para proteger os combatentes.

Conteúdo digital Moderna PLUS http://www.modernaplus.com.br
Mapa animado: Revoluções de 1848

DOC. 2 *A recepção de Lorde Byron em Missolonghi*, em 1824, pintura de Theodoros Vryzakis, 1861. Museu Nacional Alexandros Soutzos, Atenas. O movimento de apoio à guerra de independência grega ficou conhecido como filelenismo, que significa amor pela cultura grega. Inspirado nos ideais do movimento filelênico, o poeta romântico inglês Lorde Byron participou da luta pela independência da Grécia. Nessa imagem, vemos o poeta recebido pelos gregos em Missolonghi, em 1824, para juntar-se ao movimento de resistência ao Império Otomano.

DOC. 3 Pintura de Horace Vernet, 1849, representando a barricada da Rua Soufflot, em Paris, durante as jornadas revolucionárias de 1848. Museu Histórico Alemão, Berlim.

A ideologia liberal

O **liberalismo** foi uma das **ideologias** que nortearam a onda revolucionária de toda a primeira metade do século XIX. A ideologia liberal foi definida como a luta pela limitação do poder estatal e por determinadas formas de liberdade, como a de locomoção, a de imprensa e a de expressão, e pela oposição a qualquer forma de absolutismo.

A ideologia liberal variava conforme a região, a classe social e a situação política e econômica de cada país. Para a burguesia industrial europeia, o liberalismo significava o direito de produzir e comercializar livremente. Na América portuguesa do século XIX, por outro lado, quando a dependência em relação à metrópole tornou-se prejudicial aos interesses de determinados grupos sociais da colônia, o princípio de liberdade significava a ruptura dos laços com Portugal.

O liberalismo, entretanto, não era apenas uma ideologia política, mas a expressão de um profundo desejo de liberdade e o sintoma de uma grande mudança nos hábitos e no pensamento das pessoas. As ideias liberais influenciaram profundamente as artes e a literatura. O romantismo, que exaltava a individualidade criadora como valor máximo, foi a maior expressão do pensamento liberal nas artes [doc. 4].

Vocabulário histórico

Ideologia

Em sentido abrangente, ideologia designa qualquer conjunto de ideias organizadas, como as doutrinas filosóficas, religiosas, éticas ou políticas. Na visão marxista, ideologia refere-se a conhecimentos falsos e ilusórios, que se apresentam como verdades absolutas, mas que distorcem a realidade e mascaram os problemas e conflitos sociais. Segundo Marx, por exemplo, o liberalismo era uma ideologia porque afirmava que no mundo liberal todos eram livres. Na realidade, porém, os trabalhadores não seriam exatamente livres, na medida em que estavam presos ao capitalista e ao capitalismo, tanto pelo trabalho e pelo salário quanto pelas condições econômicas.

DOC. 4 **O liberalismo na arte romântica**

"O romantismo, mal definido tantas vezes, não existe [...] se não for encarado pelo seu lado militante, que é o do liberalismo em literatura. Esta verdade já foi compreendida por quase todos os homens de bom-senso, cujo número é grande; e logo [...] o liberalismo literário não será menos popular que o liberalismo político. A liberdade na arte, a liberdade na sociedade, eis o duplo objetivo que devem ter em mente, numa única marcha, os espíritos consequentes e lógicos [...]."

HUGO, Victor [1830]. Prefácio a Hernani. In: LOBO, Luiza. *Teorias poéticas do romantismo*. Porto Alegre: Mercado Aberto, 1986. p. 135.

Retrato do escritor francês Victor Hugo, pintura de Leon-Joseph-Florentin Bonnat, 1879. Museu Nacional do Palácio de Versalhes e Trianon, Versalhes.

QUESTÕES

1. Descreva as imagens e compare o modo como os acontecimentos foram representados pelos artistas [docs. 1 e 3].
2. Apresente as três ondas revolucionárias do século XIX e as principais características de cada uma delas.
3. Responda às questões [doc. 4].
   a) Caracterize o liberalismo.
   b) Os diversos grupos sociais interpretavam do mesmo modo o liberalismo? Justifique sua resposta.

ANALISAR UM DOCUMENTO HISTÓRICO
A pintura romântica

A arte neoclássica e a filosofia iluminista, ambas do século XVIII, possuíam características semelhantes entre si. Ambas estavam marcadas pela busca da ordem e do equilíbrio por meio do exercício da razão, fosse com relação à beleza fosse com relação ao conhecimento. Na passagem do século XVIII para o século XIX, as duas formas de manifestação foram paulatinamente substituídas pelo movimento romântico.

O romantismo questionou e diminuiu a importância da ordem e do equilíbrio para a arte e para a filosofia. A paixão e o ímpeto individual, associados ao uso da elaboração imaginativa, tornaram-se alguns dos principais valores da nova geração de filósofos, escritores e pintores. Algumas características da pintura neoclássica permaneceram nas produções românticas, como o uso de temas históricos e nacionalistas. A abordagem, no entanto, era outra.

Para compreender o documento

O artista francês Eugène Delacroix (1798-1863) recebeu, desde cedo, uma formação primorosa, que lhe deu condições de desenvolver seus talentos. Abandonou as normas e as diretrizes das academias de arte, explorando as novas possibilidades da pintura e tornando-se o maior expoente da produção romântica.

A tela *A Liberdade guiando o povo* (1830) foi criada após as revoltas de julho de 1830, na França, contra a permanência de Carlos X no poder. O tema faz referência explícita àquele movimento social. A liberdade, personificada numa mulher e que representa a França, conduz os revolucionários em sua luta contra o absolutismo.

1. Observe o quadro de baixo para cima. Perceba a mudança na disposição dos corpos à medida que seu olhar se eleva.
2. A mulher no centro da tela é uma alegoria (uma representação simbólica) que personifica a liberdade.
3. A luz difusa indica tratar-se do fim de uma batalha ao crepúsculo.
4. Os personagens estão reunidos em grupo, mas as ações são individuais.
5. Os personagens representam as distintas classes sociais que participaram da Revolução de 1830.
6. O jovem estudante, armado de pistolas e olhando para a frente, representa o futuro da nação liberta da tirania.

QUESTÕES

1. Faça uma descrição da pintura.
2. Quais são os principais personagens representados na cena? Especifique suas características.
3. Os combates ocorridos durante a Revolução de 1830 punham em evidência conflitos que pareciam ter praticamente desaparecido durante o período napoleônico. Explique-os com base nos elementos da pintura.
4. Compare esta pintura com a obra *O juramento dos Horácios*, localizada no capítulo 18. Destaque as principais diferenças.

A Liberdade guiando o povo, pintura de Eugène Delacroix, 1830. Museu do Louvre, Paris.

O nacionalismo

Objetivo

- Compreender a formação histórica do nacionalismo e seu papel no processo de unificação política da Itália e da Alemanha.

Termos e conceitos

- Nacionalismo
- Separatismo
- Unificação
- Nação

A formação do sentimento nacional

Durante o Antigo Regime, não havia um sentimento de pertencimento a uma mesma nação. As pessoas se identificavam por pertencerem a uma mesma religião, por viverem em uma mesma região ou pela obediência à dinastia reinante. Foi apenas na passagem do século XVIII para o XIX que o **nacionalismo** surgiu. O sentimento de pertencer a uma nação, criado entre os franceses desde a Revolução Francesa, difundiu-se pela Europa com as guerras napoleônicas. Os habitantes de territórios ocupados uniam-se para expulsar de suas terras o invasor.

Em diversas localidades, surgiram movimentos nacionalistas ansiosos por libertar os territórios dominados dos povos estrangeiros. A guerra de independência da Grécia contra o domínio otomano, entre 1821 e 1832, ou a luta fracassada pela libertação da Polônia contra o domínio russo, em 1831, foram alguns exemplos. Organizando-se em sociedades secretas, como os **carbonários**, esses movimentos buscavam enfraquecer as dinastias restauradas pelo Congresso de Viena, associando a luta pela independência com a luta pela democracia **[doc. 1]**.

Nas Revoluções de 1848, húngaros e tchecos rebelaram-se contra o domínio austríaco, mas foram duramente reprimidos pelo governo austríaco. Insurreições de outras nacionalidades que viviam nos territórios controlados pela dinastia dos Habsburgos ocorreram no decorrer de todo o século XIX. Apesar da censura e da repressão, essas revoltas conseguiram enfraquecer a unidade do Império. A queda da dinastia dos Habsburgos ocorreu apenas em 1918, ao final da Primeira Guerra Mundial.

DOC. 1 **As sociedades secretas**

A Carbonária foi a mais famosa sociedade secreta surgida na onda revolucionária do século XIX. Nascida na Itália, logo se estendeu para outros países. Para tornar-se carbonário, o iniciado devia submeter-se a um ritual e recitar o seguinte juramento:

"Eu, N. N., prometo e juro sobre os estatutos gerais da ordem e sobre esta lâmina afiada, instrumento vingador dos perjúrios, guardar escrupulosamente o segredo do carbonarismo; juro igualmente não escrever nem gravar nem pintar coisa alguma que se refira a ele sem haver obtido autorização escrita. Juro ajudar a meus Caros Primos em caso de necessidade na medida de minhas possibilidades, e nunca atentar contra a honra de suas famílias. Consinto e espero, se cometer perjúrio, que meu corpo seja cortado em pedaços, queimado logo e que minhas cinzas sejam lançadas ao vento para que meu nome se converta em objeto da execração dos Caros Primos por toda a terra. Que Deus me ajude."

Memórias das sociedades secretas do sul da Itália [1821]. In: HOBSBAWM, Eric. *Rebeldes primitivos*. Barcelona: Ariel, 1974. p. 352.

Reunião dos carbonários, gravura francesa de 1864.

A unificação da Itália e da Alemanha

Os nacionalismos não tiveram apenas uma única orientação. Nos grandes impérios, como o austríaco, o russo e o otomano, que abrangiam diferentes nacionalidades, os movimentos tendiam para o **separatismo**. Já naqueles territórios marcados pela divisão política, mas constituídos de povos com tradições culturais e uma história em parte comum, como as regiões da Itália e Alemanha, a **unificação** conseguiu se impor. Esses dois países foram os únicos da Europa Ocidental que não conseguiram unificar-se como Estado-nação na Idade Moderna. O desfecho se deu apenas na segunda metade do século XIX.

A unificação da Itália

Na primeira metade do século XIX, o território italiano encontrava-se dividido politicamente, e parte dele estava submetida ao domínio austríaco. Com o objetivo de emancipar a Itália da ocupação estrangeira e de unificá-la sob um governo republicano, o escritor e carbonário Giuseppe Mazzini fundou, em 1831, o movimento **Jovem Itália**. Para Mazzini, o levante devia ser popular e voltar-se não apenas contra o domínio estrangeiro, mas também contra os Estados da Igreja. Após o fracasso da Revolução de 1848 na Itália, a importância de Mazzini na condução do processo de unificação diminuiu **[doc. 2]**.

Para dar continuidade ao projeto da unidade italiana, os republicanos tiveram de fazer concessões, estabelecendo uma aliança com o Reino do Piemonte-Sardenha. Cavour, primeiro-ministro desse Reino, interessado em expandir seu território, forçou uma guerra com a Áustria em 1859, iniciando o processo de libertação contra o domínio austríaco. Com o auxílio militar da França, Cavour expulsou os austríacos e tomou posse de grande parte do norte e do centro da península. Ao mesmo tempo, o revolucionário Giuseppe Garibaldi conquistou o sul da Itália com um exército de mil voluntários, os camisas vermelhas.

Em 1861, o rei do Piemonte-Sardenha, Vitor Emanuel II, foi proclamado rei da Itália. Para completar o processo de unificação, faltava apenas conquistar Veneza e Roma. Veneza foi conquistada em 1866; Roma, por sua vez, foi tomada em 1870, embora a Igreja pretendesse manter a autonomia romana em relação ao novo país. A Itália realizou sua unificação política. O recente país, contudo, encontraria novos problemas, mas de ordem interna e social. A Itália unificada era um país contraditório, que unia o norte da península, rico e industrializado, com o sul, pobre e rural.

A unificação da Alemanha

Na Alemanha, o processo de unificação seguiu outro rumo. Um dos primeiros passos importantes foi a criação de uma união aduaneira e comercial entre determinados Estados alemães, chamada de *Zollverein*. A aliança foi criada em 1834 sob a liderança do Reino da Prússia, que se viu fortalecido, e não incluía o poderoso Império Austríaco.

Com a coroação de Guilherme I para o Reino da Prússia, em 1861, e a liderança do primeiro-ministro Otto von Bismarck, a ideia de uma unificação alemã pôde ser realizada. Para conduzir sua expansão territorial, o Estado prussiano fortaleceu seu poderio militar. Em primeiro lugar, junto com o Império Austríaco, declarou guerra contra a Dinamarca em 1864 para anexar os ducados de Schleswig e Holstein, situados ao norte do território alemão e sob domínio dinamarquês.

- **União aduaneira e comercial.** Conjunto de países ou territórios que estabelecem uma área comum de circulação de mercadorias. As mercadorias comercializadas entre os membros da União circulam sem nenhuma tarifa adicional, enquanto as mercadorias importadas de outros países recebem acréscimo de uma tarifa comum.

DOC. 2 **A Itália na primeira metade do século XIX**

Fonte: DUBY, Georges. *Atlas historique mondial.* Paris: Larousse, 2003. p. 134.

A liderança prussiana

A aliança entre o Reino da Prússia e o Império Austríaco era estratégica. Dois anos depois da anexação de Schleswig e Holstein, o Estado prussiano declarou guerra à Áustria sob a alegação de má administração austríaca. Bismarck uniu os Estados do norte da Alemanha e transformou a Áustria em um inimigo comum. Favorecida por sua superioridade militar, a Prússia venceu a **Guerra Austro-Prussiana**.

O último passo para a unificação da Alemanha era a anexação dos Estados do sul, que desconfiavam da liderança prussiana. Bismarck conseguiu integrá-los à Prússia numa guerra contra a França, em 1870, após despertar o nacionalismo por toda a Alemanha **[doc. 3]**. Com a vitória da Guerra Franco-Prussiana, o Estado alemão nascia, em 1871, como uma potência militar expansionista, iniciando o caminho que conduziria, no século XX, às duas guerras mundiais **[doc. 4]**.

DOC. 3 **Nacionalismo e xenofobia**

O nacionalismo pode estar associado, em alguns momentos, a atitudes racistas ou particularistas.

"As culturas nacionais são tentadas, algumas vezes, a se voltar para o passado, a recuar defensivamente para aquele 'tempo perdido', quando a nação era 'grande'; são tentadas a restaurar as identidades passadas. Este constitui o elemento regressivo, anacrônico, da história da cultura nacional. Mas frequentemente esse mesmo retorno ao passado oculta uma luta para mobilizar as 'pessoas' para que purifiquem suas fileiras, para que expulsem os 'outros' que ameaçam sua identidade e para que se preparem para uma nova marcha para frente."

HALL, Stuart. *A identidade cultural na pós-modernidade*. Rio de Janeiro: DP&A, 2003. p. 56.

A nação como invenção

A ideia de **nação** está associada à existência de um sentimento comum e coletivo, compartilhado pelos habitantes de um mesmo país. Acredita-se que esse sentimento expresse a identidade profunda que une a população de um território. Muitos estudos, entretanto, questionam essa visão que entende o nacionalismo como um sentimento natural e espontâneo. A nação seria, antes de tudo, um conceito inventado por grupos sociais específicos, que atribuem a um grupo cultural e linguisticamente hegemônico a tarefa de unificar o território. Determinados elementos culturais, como a língua, seriam favorecidos em detrimento de outros.

Eleger determinadas características culturais como sendo próprias de um povo não basta, contudo, para que o sentimento de nacionalidade seja criado e difundido. Para adquirir legitimidade, o discurso nacionalista geralmente recorre à tradição e ao passado. Parte-se do princípio de que as características sociais de um povo permaneceram inalteradas ao longo dos séculos. As tradições, porém, são muitas vezes invenções modernas com a função de legitimar certos valores ou padrões de comportamento.

QUESTÕES

1. Os movimentos nacionalistas europeus do século XIX seguiram duas tendências diferentes. Quais eram elas?

2. Identifique os problemas relacionados aos movimentos nacionalistas atuais para os quais o texto chama a atenção **[doc. 3]**.

DOC. 4 **A unificação alemã**

Fonte: HILGEMANN, Werner; KINDER, Hermann. *Atlas historique*. Paris: Perrin, 1992. p. 350.

Seção 23.3

A ciência no século XIX

Objetivo

▸ Reconhecer as transformações ocorridas no campo científico e no campo tecnológico durante o século XIX.

Termos e conceitos

- Ciência
- Tecnologia
- Seleção natural
- Evolucionismo
- Secularização

Tecnologia e sociedade

O século XIX foi marcado por diversas inovações tecnológicas. Algumas delas, como as invenções relativas aos transportes e aos meios de comunicação, tiveram aplicação imediata e seus efeitos foram logo sentidos na vida e no cotidiano das pessoas.

A energia a vapor, alimentada pela queima do carvão, foi empregada em barcos e em um novo tipo de transporte terrestre, o ferroviário, tornando as viagens mais velozes e seguras **[doc. 1]**. Já o aperfeiçoamento e a difusão do telégrafo permitiram transmitir notícias e informações a distância de forma rápida e eficiente.

A aplicação de outras inovações, como o telefone, o gramofone, a lâmpada elétrica, o cinema e as primeiras calculadoras programáveis, antepassados dos futuros computadores, foi feita apenas num momento posterior. Os impactos sociais puderam ser avaliados, portanto, somente no século XX.

Os exemplos citados indicam que o desenvolvimento da **ciência**, da **tecnologia** e da sociedade esteve mais fortemente associado a partir do século XIX. Os resultados podiam, enfim, ser mais bem aplicados na fabricação de novos produtos.

Termodinâmica e eletromagnetismo

Partindo exclusivamente da matéria e dos eventos observáveis, o raciocínio científico moderno dispensa explicações religiosas ou sobrenaturais para os fenômenos da natureza. O princípio de conservação de energia, enunciado pelo químico francês Antoine Lavoisier no fim do século XVIII, por exemplo, é um dos resultados desse raciocínio e tornou-se uma das bases para o desenvolvimento científico posterior.

A partir de suas experiências, Lavoisier comprovou que a massa que compõe uma reação química é sempre igual à das substâncias que resultam do processo. Dessa constatação, nasceu a famosa afirmação: "Na natureza nada se cria, nada se perde, tudo se transforma". Segundo esse princípio, a existência de um Deus criador não era mais necessária para explicar as leis da natureza. A ciência tornava-se norma para compreender o mundo. Destacaremos dois campos científicos que tiveram impacto na sociedade: o **eletromagnetismo** e a **termodinâmica**.

O eletromagnetismo é um ramo da física que estuda as propriedades dos campos eletromagnéticos. Os cientistas descobriram que os fenômenos elétricos e magnéticos interagiam entre si de tal forma que deviam ser entendidos como um sistema físico unificado.

Além disso, provou-se experimentalmente que a eletricidade era sempre a mesma, independentemente da fonte que a produzia. Assim, a eletricidade dos relâmpagos, a de certos animais, como a arraia elétrica, e aquela gerada artificialmente por meio dos eletromagnetismos ou da termoeletricidade possuíam a mesma natureza.

• **Termoeletricidade.** Eletricidade produzida pelo aquecimento de dois metais diferentes.

DOC. 1 *Estação de Saint Lazare*, pintura de Claude Monet, 1877. Museu de Orsay, Paris.

A termodinâmica

A termodinâmica é uma área da física que estuda os fenômenos relacionados ao calor e à energia térmica. Desenvolveu-se no século XIX graças aos estudos de cientistas como Sadi Carnot, James Joule e James Maxwell. Ao contrário, porém, do eletromagnetismo, não se tratava de um conhecimento científico que depois seria aplicado à indústria.

Primeiro surgiram as invenções técnicas, depois as explicações da termodinâmica para essas invenções. Foi com o estudo e a experiência com os motores a vapor que os cientistas conseguiram definir a dinâmica dos fenômenos térmicos.

"A termodinâmica surgiu a partir da Revolução Industrial, que forneceu aos físicos exemplos (como a máquina a vapor) de calor em ação, inspirando-os a investigar precisamente como funcionavam essas máquinas, mas também influenciou o desenvolvimento da Revolução Industrial, na medida em que o aperfeiçoamento da compreensão científica do processo tornava possível projetar e construir máquinas mais eficientes."

GRIBBIN, John. *Science*: a history. New York: Penguin, 2002. p. 381. (tradução nossa)

No início do século XIX, Carnot realizou experiências com motores a vapor. A partir de seus estudos, conseguiu provar que o calor nada mais era do que uma força motriz, ou seja, uma força que mudou de forma. Mais tarde, o físico alemão Rudolf Clausius retomou o trabalho de Carnot e afirmou que o calor não podia ser destruído, mas podia ser transformado em outra forma de energia.

As descobertas de Darwin e Wallace

Outra disciplina científica que se destacou no século XIX foi a biologia, alimentada pela observação e análise de amostras de seres vivos trazidas de lugares distantes por naturalistas e viajantes. Charles Darwin e Alfred Russel Wallace foram dois desses naturalistas **[doc. 2]**.

Entre 1831 e 1837, Darwin viajou pela América do Sul a bordo do *HMS Beagle*, tendo inclusive visitado o Brasil.

"Para Darwin, a viagem do *Beagle* foi menos importante pelos espécimes coletados do que pela experiência de testemunhar os horrores da escravidão no Brasil. De certa forma, ele escolheu focar na descendência comum do homem justamente para mostrar que todas as raças eram iguais e, dessa forma, enfim, objetar àqueles que insistiam em chamar os negros de espécies diferentes e inferiores aos brancos [...]. Para ele, não havia diferença entre 'raça' e 'espécie' e sua pesquisa sobre a origem das espécies é também sobre a origem das raças, incluindo-se os humanos.

A extensão de seu interesse explícito no combate à ciência de cunho racista é surpreendente, e pudemos detectar um ímpeto moral por trás de seu trabalho sobre a evolução humana, uma crença numa 'irmandade' racial que tinha raízes em seu ódio ao escravismo que o levou, junto com outros fatores, a pensar numa descendência comum."

Adrian Desmond. In: HAAG, Carlos. O elo perdido tropical. *Pesquisa Fapesp*, n. 159, maio 2009. Disponível em http://revistapesquisa.fapesp.br. Acesso em 25 abr. 2010.

DOC. 2 Charles Darwin (1809-1882), fotografado em 1869 (à esquerda), e Alfred Russel Wallace (1823-1913).

A seleção natural

Em suas viagens, Darwin recolheu aproximadamente 5.500 amostras de plantas e animais e levou-as para a Inglaterra. O material foi classificado, analisado e comparado. Após confrontar os dados de suas pesquisas com os resultados obtidos por outros naturalistas, Darwin publicou vários artigos sobre seus achados.

Na década de 1840, Darwin passou a trabalhar num livro no qual sintetizava suas descobertas e conclusões. Ele hesitou em publicá-lo até tomar conhecimento de que Alfred Russel Wallace, que havia viajado pela Amazônia durante anos, havia chegado às mesmas conclusões.

Os dois acabaram se tornando amigos e correspondentes. Observando as diferenças anatômicas entre milhares de espécies, Darwin e Wallace perceberam que todos os organismos que vivem ou viveram na Terra descendiam de um ancestral comum, surgido há 3 bilhões de anos.

As espécies mais bem adaptadas ao ambiente tendiam a sobreviver e a transmitir suas características aos descendentes, enquanto as espécies menos adaptadas tendiam a ser extintas. Esse processo foi chamado de **seleção natural**. Os dois cientistas concluíram também que eram as condições ambientais que geravam as mudanças responsáveis por diferenciar as espécies e torná-las mais ou menos adaptadas ao ambiente.

Em 1858, Darwin e Wallace foram convidados a expor suas ideias sobre a **evolução** das espécies e a seleção natural numa seção na *Sociedade Lineana* de Londres. Por fim, em 1859, Darwin publicou a conhecida obra *A evolução das espécies*.

Evolucionismo *versus* criacionismo

Setores conservadores e tradicionalistas da sociedade inglesa ficaram profundamente chocados com as descobertas. As conclusões do **evolucionismo** invalidavam as crenças, baseadas no criacionismo, sobre a natureza e o homem. De acordo com a narrativa bíblica, Deus teria criado o mundo e todos os seres, inclusive o ser humano, em seis dias, e isso teria acontecido cerca de 6 mil anos atrás. Esse tempo, porém, não seria suficiente para as espécies se diferenciarem e evoluírem. As descobertas feitas na área de geologia mostraram que a Terra é muito mais antiga do que se pensava: ela teria 4,5 bilhões de anos de idade. Dessa forma, unindo as descobertas geológicas com suas próprias observações, Darwin concluiu que as espécies não são imutáveis, mas se transformam lenta e continuamente, através do mecanismo de seleção natural.

DOC. 3 *A venerable orang-outang*, caricatura de Charles Darwin como um macaco, publicada em 1871 na revista satírica *The Hornet*, após a divulgação da teoria da evolução das espécies.

Um golpe na vaidade humana

Com as descobertas de Darwin, o homem perdia seu papel de protagonista no universo e sua condição especial, de ter sido criado à imagem e semelhança do criador, para tornar-se apenas uma espécie entre outras, engajada na luta pela sobrevivência. Utilizando as evidências fósseis, Darwin deduziu, ainda, que o homem tinha um parentesco com todas as outras espécies de macacos, sendo descendentes, todas elas, de um ancestral comum.

"O homem, com todas suas nobres qualidades [...] ainda traz em sua estrutura corporal a marca indelével de sua origem humilde."

DARWIN, Charles. *A origem do homem e a seleção sexual*. São Paulo: Hemus, 1974. p. 712.

Apesar da reação dos setores conservadores da sociedade britânica da época, as descobertas de Darwin foram reconhecidas pelos cientistas e tiveram repercussão mundial. Na Europa, suas ideias fizeram sucesso entre as classes médias liberais das grandes cidades, entusiasmadas com as novidades do mundo científico **[doc. 3]**.

Ciência e secularização

Até o século XVIII, a cultura científica ficava restrita a grupos muito pequenos de sábios, curiosos e eruditos, que trocavam correspondências entre si e discutiam suas descobertas em clubes e academias. O restante da sociedade permanecia indiferente à ciência, baseando-se na tradição e nas crenças religiosas. A polêmica em torno das ideias de Darwin, expressa pelo confronto entre a rejeição dos setores mais conservadores da sociedade e a adesão entusiasta dos grupos mais letrados e progressistas, no entanto, mostra-nos o alcance das descobertas científicas e seu impacto na vida do homem a partir do século XIX.

A divulgação das descobertas científicas, associada à liberdade de imprensa, reduziu gradualmente a importância da religião e das crenças tradicionais. A ciência adquiriu um peso maior, não apenas em relação ao pensamento, mas também em relação ao comportamento dos indivíduos. Essa inversão de valores foi definida como **secularização** da sociedade. Aliada a esse processo, o continente europeu também conheceu a ampliação e a sistematização dos estabelecimentos de ensino. As escolas foram uma das instituições responsáveis pelo ensino dos novos saberes e valores **[doc. 4]**.

Ensino laico

Um último fator que se associou a esse processo foi o surgimento do Estado-nação laico, ou seja, isento de qualquer orientação religiosa. O Estado-nação, interessado na formulação de uma unidade cultural, investiu na expansão da educação universal, pública, obrigatória e gratuita. O ensino de uma língua e de uma história nacionais forneceria condições para essa unidade. Por outro lado, a escola tornou-se uma das instituições responsáveis pela divulgação do conhecimento científico. O processo não foi o mesmo em todos os países, mas seguiu linhas gerais que associaram secularização, escolarização e formação do Estado-nação.

QUESTÕES

1. Observe a imagem e responda às questões **[doc. 1]**.
  a) Que elementos da pintura *Estação Saint-Lazare* estão relacionados às inovações tecnológicas do século XIX?
  b) Qual foi a principal mudança trazida pela locomotiva e pelo telégrafo ao cotidiano europeu? Explique.

2. Com base na caricatura, explique que aspecto da teoria evolucionista é ironizado pelos seus críticos **[doc. 3]**.

3. Descreva a imagem e relacione a instituição que ela representa com os novos valores difundidos na Europa no século XIX **[doc. 4]**.

DOC. 4 *Sala de aula no Instituto Caillet*, pintura de G. Remy, 1845. Museu Carnavalet, Paris.

CONTROVÉRSIAS O evolucionismo e o criacionismo

Na maior parte das escolas e universidades públicas dos países ocidentais, o evolucionismo é a única teoria sobre a origem das espécies aceita pela comunidade científica e ensinada aos alunos.

Outras instituições de ensino, no entanto, principalmente as religiosas, apresentam outros pontos de vista. O criacionismo e/ou o design inteligente são os exemplos mais importantes.

Sobre a polêmica que opõe evolucionismo e criacionismo, leia o texto a seguir.

"Segundo a pesquisa '*Rescuing Darwin*' [Resgatando Darwin], que veio a público na última semana, mais da metade dos britânicos acredita no *design* inteligente, em detrimento da teoria da evolução. Esta determina que animais, plantas e seres humanos mudam para adaptar-se às condições do ambiente ao longo dos tempos, por meio da seleção natural.

Realizada pelo *Theos* [grupo de investigação] [...] dedicado a temas religiosos, e o Instituto Faraday, de Cambridge, o estudo aponta que aqueles que defendem ou simpatizam com a ideia de criacionismo da Terra Jovem somam 32%.

E o *design* inteligente conta com 51% de adesão – os números não são excludentes, pois referem-se a um questionário múltiplo. [...]

Feitas as ressalvas, acadêmicos como Denis Alexander, diretor do Instituto Faraday e responsável pela interpretação da pesquisa, consideram que ela traz resultados preocupantes. Principalmente por conta da grande quantidade de pessoas que acham que a Terra foi criada nos últimos 10 mil anos.

'É desconcertante que, em 2009, existam pessoas que pensam que o mundo tem essa idade por conta de uma leitura da *Bíblia*, quando toda evidência científica demonstra que isso é errado', diz Denis Alexander [...].

Alexander [...] tem a impressão de que o criacionismo esteja crescendo consideravelmente no Reino Unido nos últimos anos. E aponta três causas que considera principais.

As duas primeiras seriam o aumento da população de imigrantes islâmicos e a proliferação de igrejas pentecostais de africanos ou afrodescendentes, grupos em que o criacionismo é muito popular.

A terceira seria o 'desfavor que vêm fazendo à ciência os ditos intelectuais neodarwinistas'. Entre eles, o principal culpado seria o também britânico Richard Dawkins [...] que, por meio das ideias de Darwin, defende o ateísmo. [...]

James Williams, estudioso de ciência da educação da Universidade de Sussex, concorda. 'Dawkins é um intelectual a ser respeitado, mas exagera em suas interpretações. [...] Elimina a ideia de que evolução e crença em Deus possam andar juntas. Tenta provar que Deus não existe, mas não pode fazer isso. Desse modo, provoca uma reação violenta, que acaba dando força ao criacionismo', diz o pesquisador. [...]"

COLOMBO, Sylvia. Estudo aponta que 32% dos britânicos são favoráveis ao criacionismo, 12 fev. 2009. Disponível em www1.folha.uol.com.br. Acesso em 3 fev. 2010.

Criação de Eva, painel central e parte integrante da obra *Tríptico da criação*. Pintura do século XVI. Museu Nacional de San Carlos, Cidade do México. A visão criacionista da origem da vida tem inspirado muitos artistas.

QUESTÕES

1. O texto trata de uma pesquisa realizada no Reino Unido. Anote o tema da pesquisa, os procedimentos utilizados e o resultado alcançado.
2. Quais foram as explicações fornecidas por alguns pesquisadores para o resultado da pesquisa?
3. Segundo os pesquisadores, a crença religiosa e a explicação científica são compatíveis? Justifique sua resposta.

Organizar cientificamente a sociedade

Objetivo

- Avaliar o impacto social das ideologias cientificistas e das inovações científicas e tecnológicas do século XIX.

Termos e conceitos

- Progresso social
- Cientificismo
- Positivismo
- Darwinismo social

Desenvolvimento científico e sociedade

O desenvolvimento científico e tecnológico do século XIX foi acompanhado pela crença no **progresso social**. Intelectuais e reformadores acreditavam ser possível conduzir a sociedade, por meio do aperfeiçoamento das ciências e das técnicas, a um patamar superior de desenvolvimento. Assim, a ciência aplicada era orientada a suprir as necessidades das pessoas, propiciando conforto e melhoria da sua condição de vida, associando bem-estar material à própria noção de evolução social.

A dificuldade residia, no entanto, em aceitar que essas mudanças significassem abandonar o passado. Muitos temiam perder seus laços com a tradição, e alguns grupos alimentavam o interesse em preservar a ordem social, que podia se ver comprometida com mudanças bruscas na política. De que modo a transformação das instituições, das relações de poder e de trabalho podiam ocorrer sem causar nenhum tipo de desordem social? Como a sociedade podia evoluir sem gerar danos e conflitos entre os diversos grupos sociais **[doc. 1]**?

DOC. 1 Gravura publicada em *Le Petit* Journal, Paris, 1893, representando conflito entre trabalhadores e forças policiais em Mons, na Bélgica.

Pseudociência

Se o desenvolvimento social devia associar mudança histórica e estabilidade política, então o papel da ciência era descobrir as leis que regiam o **funcionamento da sociedade humana**. De posse desse conhecimento, os governantes teriam mais condições de controlar o corpo social, evitando crimes e revoltas. Estudiosos buscaram na biologia, mais especialmente na teoria da evolução por seleção natural, conceitos que pudessem auxiliá-los a compreender a relação entre a história da sociedade e a evolução da espécie humana.

Muitos pesquisadores criaram ideologias políticas com base em determinadas conclusões científicas, gerando as chamadas pseudociências. Um exemplo disso foi a chamada **fisiognomonia** do século XIX, doutrina controversa difundida pelo médico italiano Cesare Lombroso que a apresentava como uma solução para os problemas sociais. Lombroso acreditava que a criminalidade era inata no indivíduo. Por meio da descrição da fisionomia e da medição do crânio, seria possível identificar os criminosos antes que pudessem praticar seus crimes **[doc. 2]**.

- **Pseudociência.** Conjunto de crenças e afirmações que se apresenta como científico, embora não esteja baseado no método experimental nem no raciocínio rigoroso.

DOC. 2 **O pensamento de Lombroso**

"Cesare Lombroso (1836-1909) já partia de concepções nitidamente evolucionistas da história humana. Ele acreditava, porém, que havia a possibilidade de 'recaídas individuais' a estágios inferiores no processo da evolução. Para Lombroso, esses 'tipos atávicos' comportavam-se como selvagens ou macacos, o que faz com que sejam, numa 'sociedade civilizada', identificados como 'criminosos'. Lombroso argumentava que ossos cranianos grossos, mandíbulas e orelhas grandes, e a falta de calvície eram indícios do fenômeno do atavismo. Lombroso defendia que a sociedade deveria se proteger de indivíduos que cientificamente fossem identificáveis como 'criminosos'. [...] Criticado pela escola de Broca (os cientistas atacavam o uso de seus critérios e as bases científicas da noção de atavismo), Lombroso recuou um pouco e relativizou a força do determinismo em suas ideias, sem, contudo, renegar sua teoria."

HOFBAUER, Andreas. *Uma história de branqueamento ou o negro em questão*. São Paulo: Editora Unesp, 2006. p. 120.

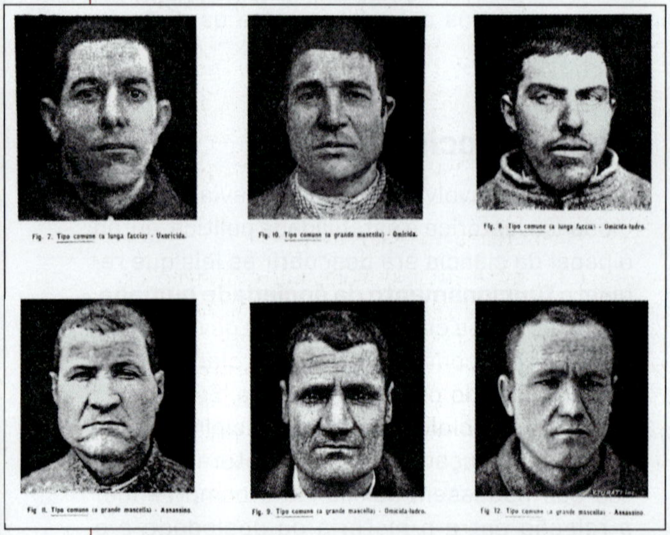

Espécimes de criminosos, prancha de *O homem delinquente*, de Cesare Lombroso, publicado em 1886. Biblioteca Nacional da França, Paris.

Cientificismo

Crer na capacidade ilimitada da ciência de explicar e controlar todos os fenômenos do mundo e propor teorias baseadas nessa crença é uma atitude conhecida como **cientificismo**. Essa postura, entretanto, não se restringiu ao século XIX. Atualmente, ainda podemos encontrar correntes de pensamento que concedem à ciência o poder absoluto de explicar e controlar não apenas a totalidade dos fenômenos naturais, mas também os fenômenos sociais. Algumas doutrinas vinculadas ao **mapeamento do genoma humano** são um exemplo disso.

O genoma humano é a sequência do DNA dos cromossomos contidos no núcleo de uma célula humana. O famoso Projeto Genoma Humano foi o resultado de um esforço de vários laboratórios e especialistas de diversas partes do mundo, inclusive do Brasil, para mapear todas as sequências do DNA da espécie humana. O mapeamento do genoma humano permite estabelecer as relações entre os genes e as respectivas informações hereditárias de um organismo, desde características físicas até o diagnóstico de doenças genéticas.

O positivismo: a ciência como religião

Em 1813, na França, o conde de Saint-Simon redigiu a obra *A fisiologia social*, na qual apontava determinado tipo de sociedade industrial como a solução para os problemas sociais, como a pobreza e a miséria da classe trabalhadora. Na época, essas ideias foram consideradas utópicas, mas Auguste Comte, discípulo de Saint-Simon, fundou um sistema de conhecimentos com base nessa visão de sociedade, conhecido como **positivismo**. Segundo Comte, o espírito humano teria passado por três estágios de desenvolvimento histórico:

- **Teológico**. Os homens explicavam os fenômenos naturais recorrendo à ação de seres sobrenaturais, como deuses ou espíritos.
- **Metafísico**. O espírito humano teria iniciado sua investigação racional dos fenômenos da natureza e da sociedade. As explicações, porém, se apoiavam na observação dos fenômenos e não reconheciam que havia limites intransponíveis para o conhecimento humano.
- **Positivo**. Ao aprimorar a ciência experimental e abandonar as pretensões de tudo conhecer, o espírito humano teria ingressado na idade positiva. Essa situação teria tornado possível descobrir as leis universais que regiam os fenômenos naturais e conquistar o domínio técnico da natureza.

O período de cada um desses estágios podia variar conforme a sociedade. Comte acreditava, assim, que, enquanto a sociedade europeia já teria ingressado no estágio positivo, outras sociedades ainda estariam no estágio teológico ou no estágio metafísico. Para popularizar suas ideias, Comte escreveu o *Catecismo positivista*, em 1852, e fundou uma nova religião: a Igreja Positivista. O culto a Deus e aos santos havia sido substituído pelo culto à humanidade e aos grandes cientistas **[doc. 3]**.

- **Cientificismo.** Atitude tomada por alguns pesquisadores que atribuem à ciência um nível de entendimento superior a todos os outros, como a religião e a tradição, e a capacidade de orientar, controlar e prever o comportamento humano e de definir princípios e valores.

DOC. 3 Fachada da sede da Igreja Positivista do Brasil, localizada no Bairro do Catete, zona sul do Rio de Janeiro, RJ. Foto de 2003.

O darwinismo social

Após as descobertas de Darwin, surgiram doutrinas que procuravam aplicar as teorias biológicas à sociedade humana. O **darwinismo social**, a principal dessas doutrinas, defendia que as sociedades humanas passavam por estágios de evolução sucessivos e lineares, do mesmo modo que as espécies da natureza. O sociólogo Herbert Spencer foi o principal representante dessa doutrina.

Segundo Spencer, assim como na natureza as espécies lutam entre si por fontes de alimentos, na sociedade os indivíduos competem uns com os outros por recursos escassos. Nessa concorrência geral de todos contra todos, de acordo com Spencer, somente os mais aptos, ou seja, os mais bem adaptados, sobrevivem, fazendo com que a espécie se fortaleça e evolua.

Com base nessa visão, os darwinistas sociais defendiam o fim de todas as políticas sociais e filantrópicas que tinham como objetivo melhorar as condições de vida dos trabalhadores, auxiliar os pobres e amparar os doentes e deficientes. De acordo com Spencer, o Estado e os filantropos favoreciam a reprodução dos fracos e dos débeis, enfraquecendo o organismo social **[doc. 4]**.

A degenerescência social e a eugenia

Também procurando aplicar teorias da biologia à sociedade humana, o psiquiatra francês Benedict Augustin Morel defendia que as péssimas condições das cidades estavam levando a humanidade à degeneração. O aumento da prostituição, da criminalidade, dos suicídios, dos casos de doença mental e perversão sexual nas grandes cidades era visto por Morel como um sintoma desse processo de degeneração.

Unindo as teorias do darwinismo social e a teoria da degenerescência, o cientista inglês Francis Galton, primo de Darwin, propôs uma nova ciência que ele chamou de eugenia. O objetivo seria orientar as políticas públicas para impedir a reprodução de indivíduos considerados "degenerados" ou menos aptos, ou seja, portadores de defeitos genéticos hereditários (eugenia negativa) e favorecer a reprodução de indivíduos considerados mais aptos, ou seja, portadores de bons genes (eugenia positiva).

Na atualidade, o darwinismo social, a ideia da degenerescência e a eugenia são teorias completamente desacreditadas e podem ser consideradas apropriações indevidas da ciência, ou seja, pseudociências.

DOC. 4 **O abandono do mais fraco**

"Ajudar o que é mau a se multiplicar, com efeito, é o mesmo que fornecer perversamente aos nossos descendentes uma multidão de inimigos. Não há dúvida de que o altruísmo individual é benquisto, mas a caridade organizada é intolerável. É inquestionável o mal que fazem as organizações que se empenham de forma generalizada em ajudar os inúteis, impedindo assim o processo natural de eliminação através do qual a sociedade continuamente se purifica."

SPENCER, Herbert. O estudo da sociologia [1874]. In: RUSE, Michael. *Levando Darwin a sério*. Belo Horizonte: Itatiaia, 1995. p. 102.

Vocabulário histórico

A eugenia

Palavra de origem grega (*eu*, "bom", e *genes*, "nascimento"), a eugenia diz respeito a todos os procedimentos por meio dos quais se podem melhorar as qualidades raciais da descendência humana, física e mentalmente. Os eugenistas pretendiam promover esse melhoramento da espécie por meio da intervenção científica nos processos de reprodução da espécie humana.

QUESTÕES

1. Explique como os estudiosos do século XIX viam o papel da ciência na vida humana.
2. Explique duas pseudociências do século XIX: a fisiognomonia e o darwinismo social **[docs. 2 e 4]**.

Retomar conteúdos

1 Explique quais foram os fatores que mobilizaram a formação do nacionalismo europeu. Em seguida, cite dois movimentos nacionalistas europeus.

2 De que modo a teoria da evolução contribuiu para a crescente secularização da sociedade europeia?

3 Exponha como a fisiognomonia pretendia contribuir para o controle da sociedade e explique os efeitos negativos da aplicação dessa doutrina.

Ler textos e imagens

4 O texto abaixo trata da Revolução de 1848. Leia-o e, em seguida, responda às questões.

"Tem havido um bom número de grandes revoluções na história do mundo moderno, e certamente muitas delas foram bem-sucedidas. Mas nunca houve uma que se tivesse espalhado tão rápida e amplamente, alastrando-se como fogo na palha por sobre fronteiras, países e mesmo oceanos. [...] Em poucas semanas, nenhum governo ficou de pé numa área da Europa que hoje é ocupada completa ou parcialmente por dez Estados, sem contar as repercussões menores em um bom número de outros. Além disso, 1848 foi a primeira revolução potencialmente global, cuja influência direta pode ser detectada na insurreição de 1848 em Pernambuco (Brasil) e, poucos anos depois, na remota Colômbia. Em certo sentido, foi o paradigma de um tipo de 'revolução mundial' com o qual, dali em diante, os rebeldes poderiam sonhar e que em raros momentos, como no pós-guerra das duas guerras mundiais, eles pensaram poder reconhecer. De fato, tais explosões simultâneas continentais ou mundiais são extremamente raras. A revolução de 1848 na Europa foi a única a afetar tanto as partes 'desenvolvidas' quanto as atrasadas do continente. [...]

As revoluções de 1848 deixaram claro que a classe média, o liberalismo, a democracia política, o nacionalismo e mesmo as classes trabalhadoras eram, daquele momento em diante, presenças permanentes no panorama político. [...]"

HOBSBAWM, Eric. *A era do capital*: 1848-1875. Rio de Janeiro: Paz e Terra, 2000. p. 28-29; 50.

a) De acordo com Hobsbawm, qual foi a originalidade da Revolução de 1848?

b) A Revolução de 1848 consolidou a presença de novos atores no cenário político urbano. Em alguns momentos, no entanto, esses novos atores entraram em conflito aberto. Responda quem eram esses novos atores sociais e quais motivações os conduziram ao conflito.

5 O personagem da charge a seguir é conhecido em quase todo o mundo. O modo como está representado provoca alguma estranheza? Justifique.

O homem é apenas um verme, caricatura de Edward Linley, 1881.

6 Ultranacionalismo e xenofobia. Esses sentimentos estão ainda muito presentes em diversos países, principalmente na Europa. Pesquise notícias relacionadas a esse assunto, do Brasil e do exterior, e depois discuta com seus colegas sobre as motivações desses preconceitos e as consequências para as pessoas que são vítimas deles. O texto a seguir pode ajudar a refletir sobre essas questões.

"É normal ficar com medo quando nos sentimos ameaçados, assim como tomar medidas para afastar a ameaça. O que não é tão normal e pode levar a reações contraproducentes é imaginar que essas ameaças se devam à natureza daqueles que as proferem, e que essa natureza seja ao mesmo tempo inferior e detestável — em suma: bárbara. Atualmente, democracias ocidentais deixam-se arrastar a tais reações tanto fora de suas fronteiras quanto dentro de casa. A 'guerra contra o terrorismo', travada por uma coalizão liderada pelos Estados Unidos, levou à ocupação de países como o Iraque e o Afeganistão, com o habitual cortejo de destruição, tortura e matança. Atos que alimentarão durante muito tempo o ressentimento. No próprio interior dos países europeus, presenciamos uma ascensão do populismo de extrema direita, que imputa todas as misérias da vida cotidiana aos imigrantes, principalmente aos praticantes da religião muçulmana. É preciso resistir a essa tentação: o remédio às vezes é pior do que o mal. Decididamente, o medo dos bárbaros é que ameaça nos transformar em bárbaros."

TODOROV, Tzvetan. Bárbaro é quem não reconhece a plena humanidade dos outros. In: *História Viva*. Especial Grandes Temas. n. 28, p. 81.

7 No texto da página 427, o biólogo Adrian Desmond expõe uma conclusão muito importante de Darwin, relacionada à divisão da espécie humana em raças, quando visitou o Brasil. Identifique essa conclusão e a crítica feita por Darwin.

Capítulo

24 O movimento operário e as ideias socialistas

24.1 A luta pela cidadania

O sufrágio universal e a igualdade de direitos entre homens e mulheres foram duas das principais bandeiras levantadas nas mobilizações do século XIX.

24.2 Socialismo e anarquismo

O movimento operário do século XIX se dividiu entre a proposta anarquista de livre organização dos trabalhadores e a teoria marxista de construção de um partido político revolucionário.

24.3 A mobilização da classe operária

A fundação da Primeira Internacional dos Trabalhadores e a Comuna de Paris marcaram o movimento operário da segunda metade do século XIX.

As questões sociais

Temos conhecimento, atualmente, de diversas inovações científicas e tecnológicas que podem nos trazer grandes benefícios. O mapeamento genético, o advento da robótica e o aperfeiçoamento da comunicação são conquistas que parecem nos aproximar da felicidade, afastando-nos das doenças, do trabalho pesado e da falta de informação.

A sociedade contemporânea, no entanto, ainda não conseguiu resolver problemas básicos da humanidade, como o acesso universal à saúde, à educação, ao trabalho digno e à habitação decente. Grande parte das pessoas ainda é obrigada a sujeitar-se a condições de trabalho precárias e desumanas para poder prover sua subsistência e a de seus familiares. Milhões de pessoas, ainda, sofrem por não conseguir emprego, problema que se agravou com a política de reestruturação das empresas, cada vez mais comum nos dias atuais, que tende a fechar postos de trabalho e a dispensar mão de obra.

É preciso não esquecer, porém, que para muitos outros trabalhadores há direitos que os protegem desse tipo de situação. A conquista desses direitos foi o resultado de diversas mobilizações promovidas por organismos do movimento operário, iniciados no século XIX, na Europa. Naquele século e no seguinte, os trabalhadores criaram diferentes tipos de associação e promoveram várias formas de luta, com destaque para as greves, em defesa de melhores condições de trabalho e salário, história que ainda continua nos dias atuais.

Greve dos trabalhadores do estaleiro de Londres, também conhecida como *The great strike dock*, foto de 1889.

Seção 24.1

A luta pela cidadania

› Objetivo

▸ Relacionar os problemas sociais e econômicos gerados pelo desenvolvimento do capitalismo ao surgimento de movimentos que lutavam pela ampliação de direitos.

› Termos e conceitos

- Capitalismo
- Sufrágio universal
- Proletariado
- Mobilização feminina

Os custos sociais do capitalismo

As revoluções que ocorreram entre 1789 e 1848 removeram os obstáculos que impediam o desenvolvimento da indústria e do **capitalismo**. As **legislações liberais**, instituídas em grande parte dos países europeus, garantiam liberdade econômica à burguesia, restringindo as ações do Estado nas atividades comerciais e produtivas. A defesa da propriedade privada oferecia à burguesia condições para exigir do Estado medidas de segurança e de proteção.

Removidos os entraves que comprometiam o avanço capitalista, uma enorme transformação social ocorreu. À medida que o capitalismo penetrava na agricultura e mecanizava a produção, massas de trabalhadores pobres migravam do campo para a cidade para trabalhar nas fábricas. A população das cidades industriais cresceu aceleradamente. Entre 1800 e 1851, por exemplo, a população da cidade inglesa de Liverpool passou de 77 mil para 400 mil habitantes. O problema é que as cidades não comportavam toda essa população **[doc. 1]**.

Ao mesmo tempo, as associações operárias eram proibidas. Na luta pelos direitos trabalhistas, os operários não podiam mais contar com a força da coletividade. E a implantação do **voto censitário**, que exigia a comprovação de renda ou de nível educacional para votar, assegurava o monopólio do poder político nas mãos da alta burguesia, classe com maior capacidade para acumular e se instruir. Assim, o operariado encontrava dificuldades para reivindicar qualquer direito.

A exploração fabril

Segundo o liberalismo, o Estado não deveria intervir na relação entre patrões e empregados. Assim, recusava-se tanto a instituir uma legislação trabalhista, o que tornava a exploração da mão de obra praticamente ilimitada, quanto a implementar políticas que aliviassem as condições desumanas em que viviam os pobres. Aproveitando-se dessas condições e com o objetivo de aumentar seus lucros, os empresários empregavam crianças e mulheres, que recebiam salários muito inferiores aos dos homens.

- ***Wynd.*** Rua estreita, típica das cidades escocesas, onde costumavam morar as famílias mais pobres.

DOC. 1 **A situação da classe operária na cidade de Glasgow**

Localizados próximos às fábricas, os distritos operários eram caracterizados por habitações miseráveis, esgotos a céu aberto, rios poluídos por resíduos industriais e ruas imundas em que se expandiam doenças, criminalidade e prostituição.

"Vi aqui e no continente a miséria em alguns de seus piores aspectos, mas antes de ter visitado os *wynds* de Glasgow não acreditava que tantos crimes, miséria e doenças pudessem existir em qualquer país civilizado. Nos albergues de categoria inferior dormem, no mesmo chão, dez, doze, e por vezes vinte pessoas dos dois sexos e de todas as idades, numa nudez mais ou menos total. Estes alojamentos estão normalmente tão sujos, úmidos e arruinados que ninguém alojaria, neles, o seu cavalo [...]. [...] Por mais revoltante que fosse o aspecto exterior destes lugares, eu ainda não estava preparado para a sujeira e miséria que reinavam no interior. [...]"

J. C. Symons. Ofícios e artesãos no nosso país e no estrangeiro [1839]. In: ENGELS, Friedrich. *A situação da classe trabalhadora na Inglaterra*. Rio de Janeiro: Global, 1985. p. 49-50.

Libberton's Wynd, ilustração do pintor inglês George Cattermole, c. 1840.

A disciplina no trabalho

Para garantir a obediência dentro das fábricas, utilizavam-se sistemas brutais de disciplina.

"Os regulamentos preveem todo um elenco de *sanções*: essencialmente multas em caso de faltas, atrasos, falhas de fabricação, mas também por deterioração das máquinas, brigas dentro ou na frente da fábrica, cachimbos mal apagados, 'bagunças', 'disputas, grosserias, conversas obscenas, maneiras indecentes'; embriaguez, falatórios, deslocamentos fora do serviço, insolência em relação aos chefes, escritos nas paredes etc. [...]."

PERROT, Michelle. *Os excluídos da história*: operários, mulheres e prisioneiros. Rio de Janeiro: Paz e Terra, 1988. p. 68.

A pobreza desesperadora, o desemprego crescente e a degradação de suas condições de vida levaram uma grande quantidade de pessoas a emigrar da Europa para outros continentes entre a segunda metade do século XIX e o início do século XX. Calcula-se que, nesse período, cerca de 55 milhões de pessoas tenham emigrado da Europa para outros continentes, principalmente a América. Foi uma das maiores ondas de **migração em massa** da história.

Igualdade jurídica e desigualdade social

Os regimes liberais do século XIX reconheciam direitos e liberdades individuais ignoradas durante o Antigo Regime. A igualdade de todos perante a lei era um princípio fundamental da política liberal, e as liberdades de opinião, de expressão e de reunião eram tidas como uma das principais conquistas políticas consolidadas após o período revolucionário.

Com os governos liberais, a riqueza tornou-se o principal fator de desigualdade social e econômica. Além disso, a antiga nobreza perdeu seus privilégios hereditários, responsáveis por distingui-la da burguesia, que não tinha privilégio algum. O resultado foi a formação de uma **nova elite econômica** fundindo burguesia e aristocracia.

Mas, ao mesmo tempo que a distinção pela riqueza aproximava a aristocracia e a burguesia, o fosso que separava os pobres dos ricos aumentava **[doc. 2]**. Os direitos e as liberdades individuais não eram reconhecidos para todas as classes sociais. A desigualdade real entre ricos e pobres, empregados e empregadores, homens e mulheres, por exemplo, era ignorada.

As lutas pela ampliação dos direitos

O liberalismo impunha limitações à ampliação dos direitos para toda a sociedade. As liberdades civis eram asseguradas juridicamente, mas as diferentes condições econômicas das classes sociais restringiam o exercício dessas conquistas. Assim, as camadas populares, as mais penalizadas por essa desigualdade, pressionaram continuamente as elites e o Estado para poderem usufruir plenamente desses direitos.

A luta pelo **sufrágio universal** foi uma das mais importantes mobilizações pela ampliação dos direitos. Ao utilizar critérios censitários e de escolaridade, os regimes liberais restringiam o direito ao voto. O resultado foi a formação de duas categorias de cidadãos: os que gozavam de direitos políticos plenos e os que estavam excluídos desses direitos. Ampliar o direito ao voto, portanto, tornou-se uma das principais reivindicações das camadas sociais mais pobres durante o século XIX.

- **Censitário.** Refere-se a sufrágio censitário, que restringe o direito ao voto àqueles indivíduos que comprovem possuir determinada riqueza ou renda.

DOC. 2 *Reunião familiar*, pintura de Jean Frederic Bazille, 1867. Museu de Orsay, Paris. Representação de uma próspera família burguesa do século XIX.

A conquista do sufrágio universal masculino

A ampliação do sufrágio ocorreu em épocas e condições diferentes em cada país. Os Estados Unidos adotaram o sufrágio universal masculino em 1828. Já na França, em 1830, apenas uma minoria de eleitores podia votar. Quando questionado, o ministro François Guizot respondia que bastava enriquecer para cumprir o critério censitário e usufruir desse direito. O sufrágio universal masculino foi adotado na França apenas em 1848. Mesmo assim, foi o primeiro país europeu a tomar essa decisão.

Na Inglaterra, o **movimento cartista** lutava pela organização dos trabalhadores e pelo voto universal masculino **[doc. 3]**. Em 1837, os cartistas apresentaram ao Parlamento britânico a *Carta do Povo*, na qual exigiam, além do direito ao voto, o pagamento de salários aos representantes dos pobres para que pudessem se manter no Parlamento após eleitos. O Parlamento, porém, rejeitou a proposta, mesmo com mais de 3 milhões de assinaturas e uma greve geral.

O direito ao voto, por não estar acompanhado de outros direitos sociais, não garantia, contudo, a participação dos trabalhadores no governo. Não havia um sistema de educação pública, e, como vimos, os parlamentares não eram remunerados. A ausência dessas condições era um grande empecilho para a ampliação da cidadania e foram algumas das principais exigências do **proletariado** nas Revoluções de 1848.

A mobilização feminina

A exigência de igualdade política e social, que surgiu com a Revolução Francesa e difundiu-se com as revoluções liberais do século XIX, repercutiu também nos movimentos pelos direitos políticos das mulheres. A **mobilização feminina** moderna surgiu durante a Revolução Francesa. Em 1791, em resposta à famosa *Declaração dos direitos do homem e do cidadão*, a revolucionária Olimpia de Gouges redigiu a *Declaração dos direitos da mulher e da cidadã*, na qual afirmava:

> "A mulher nasce livre e permanece igual ao homem em direitos [...]. O objetivo de toda associação política é a representação dos [direitos] naturais [...] do homem e da mulher."
>
> In: PERRY, Marvin. *Civilização ocidental*: uma história concisa. São Paulo: Martins Fontes, 2002. p. 437.

Inspiradas nos princípios revolucionários de igualdade e liberdade, as mulheres pretendiam abolir todas as formas de tirania e de opressão, inclusive a do homem sobre a mulher e vice-versa. Segundo o historiador francês Jules Michelet, "as mulheres estiveram na vanguarda da nossa Revolução. Não é de admirar: elas sofriam mais". As mulheres francesas, contudo, mesmo tendo participado ativamente da Revolução Francesa, foram proibidas de exercer a atividade política em 1793. A luta era difícil, pois se chocava com a mentalidade predominante na época **[doc. 4]**.

DOC. 3 **O movimento cartista**

O movimento cartista nasceu como uma reação dos trabalhadores ingleses ao *Reform Act* que, em 1832, privou os operários do direito ao voto. Os trabalhadores reagiram. Organizaram a *Carta do Povo*, daí o nome "cartista", documento que reunia algumas das principais reivindicações dos trabalhadores. De fato, o movimento cartista ajudou os trabalhadores a conquistarem melhorias nas condições de trabalho, como a redução da jornada de trabalho de crianças operárias para oito horas diárias e a proibição do trabalho de mulheres em minas.

O grande encontro cartista no Kennington Common (atual Parque Kennington), em Londres, em 10 de abril de 1840. Fotografia de William Kilburn. Castelo de Windsor, Windsor.

DOC. 4 **As mulheres e a política**

Durante a Revolução Francesa, as mulheres formaram os chamados "clubes patrióticos", nos quais se reuniam para ler jornais, discutir e redigir petições, além de recolher doações. Buscavam, de uma maneira ou de outra, engajar-se na política.

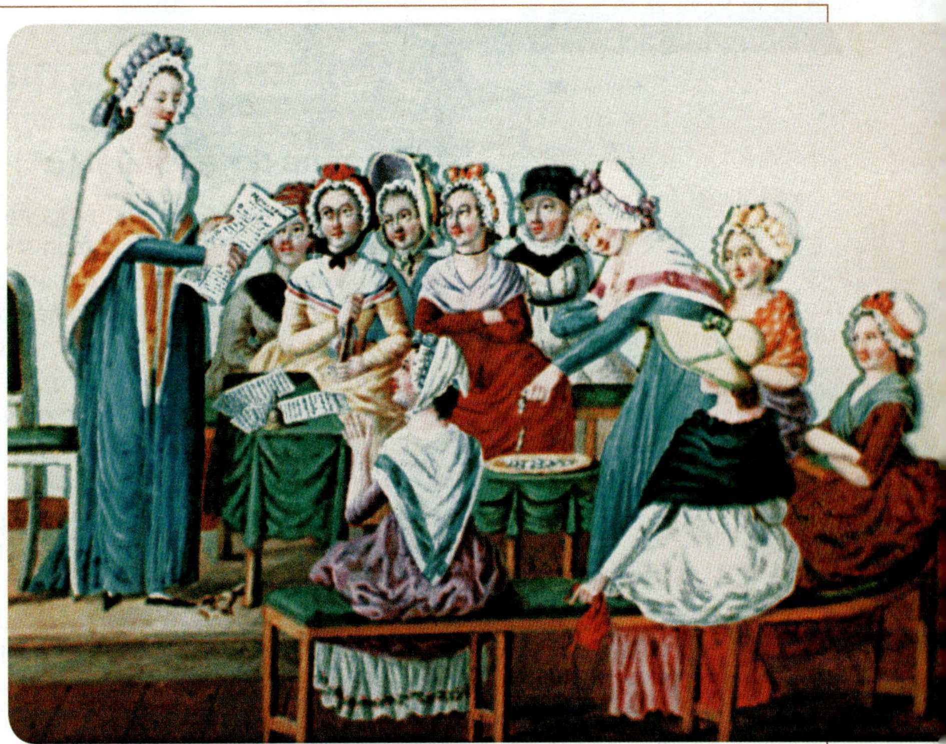

Clube patriótico de mulheres durante a Revolução Francesa, pintura de Pierre-Etienne Le Seur, 1793. Museu Carnavalet, Paris.

As mulheres no século XIX

Durante o século XIX, a divisão de papéis sociais entre homem e mulher era considerada obra da natureza e não o resultado de processos históricos e relações sociais. Nessa divisão tradicional, o espaço público, compreendendo a política, os negócios e o trabalho, estava reservado ao homem. Cabia à mulher o cuidado com a família e com o lar, ou seja, o mundo doméstico e o espaço privado.

No século XIX, essa divisão tradicional de papéis foi reforçada por uma legislação que retirava da mulher praticamente toda autonomia jurídica. Quando solteiras, as mulheres deviam subordinar-se ao pai da família; depois de casadas, deviam obediência ao marido. A sociedade atribuía ao homem o dever de proteger a mulher e prover as necessidades da família, como habitação, alimentação e vestuário. A autoridade da família e todos os direitos que daí decorriam também estavam reservados ao chefe da casa **[doc. 5]**.

Para modificar essa situação, as mulheres lutavam pelos mesmos direitos políticos e civis que os homens, reivindicando participação nas eleições, igualdade de acesso a todas as profissões e ocupações, direito de as casadas poderem gerir seu patrimônio sem a autorização do marido e proteção contra a violência doméstica. Outras, ainda, lutavam também por direitos sociais, reivindicando melhores condições de trabalho, salários iguais aos dos homens e redução da jornada de trabalho.

DOC. 5 **A mulher no Código Civil Napoleônico**

"[...] Em nome da natureza, o Código Civil [Napoleônico] estabelece a superioridade absoluta do marido no lar e do pai na família, e a incapacidade da mulher e da mãe. [...] A mulher não pode [...] ser testemunha nos tribunais. Se abandona o domicílio conjugal, pode ser reconduzida ao lar pela força pública e obrigada 'a cumprir seus deveres e a gozar de seus direitos em plena liberdade'. A adúltera pode ser punida com a pena de morte, pois ameaça atentar contra o que há de mais sagrado na família: a filiação legítima. [...]

A mulher não pode dispor de seus bens na comunidade, regime este que se amplia constantemente. Guardando uma grande semelhança com o menor, a mulher também não pode dispor de seu salário, o que subsiste até 1907, quando a lei finalmente lhe confere liberdade de ação. [...] O Código, esporadicamente eficaz entre as famílias ricas, deixa as mulheres pobres numa situação singularmente desarmada. E ainda há quem vá além da lei. Alexandre Dumas Filho acha que um marido enganado tem pleno direito de fazer justiça com suas próprias mãos. [...]"

Michelle Perrot. Figuras e papéis. In: PERROT, Michelle (Org.). *História da vida privada*: da Revolução Francesa à Primeira Guerra. São Paulo: Companhia das Letras, 1995. v. 4. p. 121-122.

QUESTÕES

1. Relacione o desenvolvimento do capitalismo no século XIX com as precárias condições de vida dos operários, como as descritas na cidade de Glasgow **[doc. 1]**.
2. Sintetize a condição que o Código Civil Napoleônico **[doc. 5]** estabelecia para as mulheres. Essa condição condiz com a cena representada na imagem do **doc. 4**? Justifique.

Seção 24.2

Socialismo e anarquismo

Objetivos

- Explicar as principais motivações e repercussões do movimento operário.
- Identificar e comparar as principais doutrinas políticas nascidas paralelamente ao movimento operário.

Termos e conceitos

- Socialismo
- Anarquismo
- Marxismo
- Comunismo

Origens do socialismo

Organizar a sociedade com base na distribuição igualitária da riqueza e no uso social da propriedade é uma aspiração que surgiu bem antes do século XIX. Na Idade Média, já existiam comunidades camponesas e religiosas igualitárias, nas quais não havia propriedade privada nem autoridade centralizada. Com o fim do período medieval, a ideia de uma comunidade igualitária transformou-se em livro, quando o humanista inglês Thomas More publicou, em 1516, o livro *A utopia*. A obra expunha a história de uma ilha imaginária em que a propriedade era coletiva e onde não existiam distinções sociais.

Considera-se que o **socialismo** moderno nasceu após a Revolução Francesa, com as ideias do revolucionário francês Gracchus Babeuf. Após a morte de Robespierre, em 1794, Babeuf liderou uma conspiração, conhecida como **Conspiração dos Iguais**, que tinha por objetivo derrubar o governo girondino e instaurar uma república socialista igualitária na França. A conspiração foi descoberta e Babeuf e seus seguidores foram guilhotinados em 1797. Mas suas ideias frutificaram e deram origem a outros movimentos no século XIX.

O conjunto de doutrinas socialistas que surgiu na primeira metade do século XIX ficou conhecido como **socialismo utópico**. A classificação de utópico foi dada pelo alemão Friedrich Engels (1820-1895), que considerava utópicos todos aqueles que acreditavam ser possível construir uma sociedade socialista somente por meio do convencimento, não havendo necessidade de uma luta revolucionária. Algumas das principais propostas do socialismo utópico foram o cooperativismo de Robert Owen e o falansterianismo de Charles Fourier.

Robert Owen e o cooperativismo

O empresário e escritor britânico Robert Owen (1771-1858) é considerado um dos primeiros socialistas e fundador do **movimento cooperativista**, e suas propostas são discutidas e utilizadas até hoje **[doc. 1]**. Em sua obra *Uma nova visão da sociedade*, escrita entre 1812 e 1816, Owen defendia uma reforma da sociedade em que a concorrência e o conflito, valores importantes no capitalismo, seriam substituídos pela harmonia e a cooperação.

DOC. 1 O movimento cooperativista

Explorados pelos empresários capitalistas e desprovidos de proteção social, muitos operários do século XIX decidiram unir-se voluntariamente e fundar associações que contribuíssem para a concretização de suas aspirações econômicas e sociais. Por meio da decisão democrática e da ajuda mútua, os associados se organizavam para atingir níveis básicos de consumo, de produção, de crédito etc.

Trabalhadores produzindo vidro em fábrica de Buenos Aires, Argentina. Quando a empresa faliu, um grupo de ex-empregados formou uma cooperativa, assumiu o controle da fábrica e retomou a produção em seu antigo local de trabalho. Foto de 2003.

Vocabulário histórico

Utopia

O termo vem da junção dos vocábulos gregos *u* (não) e *topos* (lugar): literalmente, "não lugar". As utopias são imagens do futuro, visões de um mundo mais belo e mais justo que ainda não existe, mas poderia vir a existir. Mas as utopias não são apenas fantasias. Elas também exercem a importante função de criticar a realidade vigente e mostrar que é possível construir uma sociedade diferente daquela estabelecida.

O movimento cooperativista na Escócia

Nas fábricas de Owen em New Lanark, na Escócia, não havia trabalho infantil, e a jornada média de trabalho era de oito horas diárias. Os trabalhadores viviam numa vila operária e podiam comprar alimentos a preços baratos em armazéns subsidiados pela firma. As crianças frequentavam uma escola para filhos de operários. Mesmo com os custos decorrentes desse sistema de proteção social, as fábricas davam lucro e se mostraram economicamente viáveis.

Estimulado pelo sucesso da experiência de New Lanark e convicto das vantagens da cooperação sobre a concorrência, Owen passou a defender a criação de comunidades cooperativas como forma de acabar com o desemprego e melhorar o padrão de vida do proletariado. Diferentemente das fábricas de New Lanark, onde os benefícios dos operários se restringiam àqueles que eram concedidos pelo patrão, nas comunidades cooperativas os operários seriam eles próprios coproprietários do empreendimento.

Da Europa aos Estados Unidos

Inicialmente, Robert Owen tentou convencer a elite britânica do valor e da importância de seu projeto, mas não foi bem-sucedido. Devido à hostilidade encontrada em seu país, Owen decidiu criar uma comunidade cooperativa nos Estados Unidos. Fundada em 1825, a comunidade ficou conhecida como *New Harmony*. Devido a problemas de organização e desentendimentos entre seus membros, durou apenas dois anos.

O movimento cooperativo expandiu-se na década de 1830 com a criação de centenas de comunidades cooperativas na Europa e nos Estados Unidos. Pensava-se que o cooperativismo, com o tempo, iria substituir o capitalismo como sistema de produção. Apesar das experiências positivas, o cooperativismo nunca foi aplicado em larga escala e não chegou a constituir uma ameaça para as práticas capitalistas estabelecidas.

Charles Fourier e o falansterianismo

Partindo da ideia de que o ambiente condicionava a relação entre as pessoas, o francês Charles Fourier (1772-1837) idealizou um modelo de comunidade perfeita, em que tanto a relação entre os seres humanos quanto a relação deles com a natureza seria radicalmente diferente. As comunidades propostas por Fourier ficaram conhecidas como **falanstérios**.

O termo falanstério referia-se tanto à comunidade quanto ao edifício em que ela deveria se organizar. Um falanstério reuniria entre 1.600 e 1.800 pessoas, cada uma delas com uma ou mais cotas que lhe dariam o direito de viver e trabalhar na comunidade. As pessoas trabalhariam para o bem comum e dividiriam o resultado do trabalho, trocando os produtos diretamente, sem necessidade de dinheiro. Os falanstérios seriam autossuficientes, produzindo, com o trabalho cooperativo de todos, tudo ou quase tudo de que necessitassem.

Dezenas de falanstérios foram construídos e funcionaram durante certo tempo na França, nos Estados Unidos e até mesmo no Brasil. Aqui, em 1842, colonos franceses fundaram um falanstério em Saí, no atual estado de Santa Catarina.

A experiência dos falanstérios teve curta duração. As comunidades se desfizeram devido às desavenças entre seus membros, às dificuldades econômicas e à falta de apoio ou à franca hostilidade por parte dos governos. Os falanstérios, entretanto, assim como as cooperativas de Owen, foram importantes ao mostrar que era possível substituir a concorrência pela cooperação **[doc. 2]**.

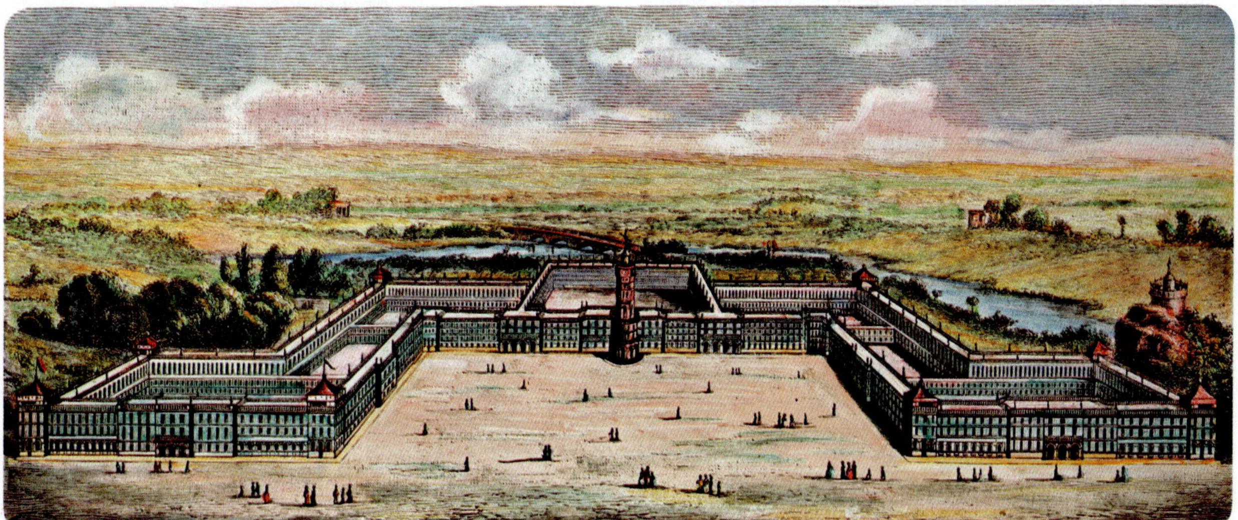

DOC. 2 *Projeto de um falanstério*, gravura alemã do século XVIII.

O anarquismo

Com o avanço da industrialização, o movimento operário cresceu em número e força. As experiências utópicas, porém, fracassavam em sua tentativa de organizar o proletariado. Surgiram, assim, alternativas para mobilizar o movimento operário por outros meios. Uma delas foi o **anarquismo**, uma doutrina que teve suas raízes no iluminismo do século XVIII e que ganhou cada vez mais adeptos entre os trabalhadores ao longo do século XIX.

Para o anarquismo, os direitos e as liberdades individuais defendidos pelo liberalismo não tinham alcance universal, protegendo apenas os interesses dos grandes proprietários e dos capitalistas e não os das camadas populares. Os anarquistas também acreditavam que o Estado era uma instituição autoritária e opressiva, responsável por tolher a autonomia natural dos indivíduos.

Segundo o anarquismo, o Estado e toda forma de autoridade deviam ser substituídos por formas livres de associação entre os indivíduos, sem leis ou hierarquias **[doc. 3]**. Sem a pressão do Estado e dos interesses econômicos, os indivíduos poderiam desenvolver todas as suas potencialidades e se associar de diversas maneiras para atingir objetivos comuns.

A sociedade anarquista seria formada por uma federação de comunas independentes, nas quais todas as decisões seriam tomadas diretamente pelos cidadãos. Quaisquer formas de representação política, como parlamentos, senados, partidos ou colegiados, seriam desnecessárias.

Cidadãos livres e sem pátria

Os anarquistas também se opunham ao nacionalismo. Consideravam que todos os seres humanos eram cidadãos do mundo, independentemente de sua origem ou nacionalidade. Segundo esse ponto de vista, o Estado-nação seria uma forma de poder artificial e opressiva, criada para manter o conflito entre os indivíduos e assegurar a preservação da riqueza nas mãos de uma elite. Nesse sentido, o benefício concedido pelo Estado ficaria restrito aos capitalistas.

O escritor russo Léon Tolstói procurou conciliar o anarquismo e o cristianismo. Grande parte dos anarquistas, porém, era contra as instituições religiosas. Os dogmas, o poder das igrejas e a influência dos sacerdotes eram vistos como outra forma de opressão, que induzia os indivíduos à resignação passiva diante das injustiças, incutindo-lhes o sentimento de culpa e o medo do inferno.

DOC. 3 **A ditadura do relógio**

"O relógio representa um elemento de ditadura mecânica na vida do homem moderno, mais poderoso do que qualquer outro explorador isolado ou do que qualquer outra máquina. [...]

Na igreja e na escola, nos escritórios e nas fábricas, a pontualidade passou a ser considerada como a maior das virtudes. E desta dependência servil ao tempo marcado nos relógios, que se espalhou insidiosamente por todas as classes sociais no século XIX, surgiu a arregimentação desmoralizante que ainda hoje caracteriza a rotina das fábricas. [...]

Refeições feitas às pressas, a disputa de todas as manhãs e de todas as tardes por um lugar nos trens e nos ônibus, a tensão de trabalhar obedecendo a horários, tudo isso contribui, pelos distúrbios digestivos e nervosos que provoca, para arruinar a saúde e encurtar a vida dos homens. [...]

O operário transforma-se [...] num especialista em 'olhar o relógio', preocupado apenas em saber quando poderá escapar para gozar suas escassas e monótonas formas de lazer que a sociedade industrial lhe proporciona; onde ele, para 'matar o tempo', programará tantas atividades mecânicas com tempo marcado, como ir ao cinema, ouvir rádio e ler jornais, quanto permitir o seu salário e o seu cansaço. [...]"

WOODCOCK, George. A rejeição da política. In: *Os grandes escritos anarquistas*. Porto Alegre: L&PM, 1981. p. 120.

Sala de aula de uma escola primária no início do século XX. Museu Nacional da Educação, Rouen. Note o relógio na parede acima da lousa marcando o tempo das aulas.

O marxismo ou socialismo científico

Outra proposta de organização do movimento operário foi o socialismo científico, que se difundiu a partir da obra dos pensadores alemães Karl Marx (1818-1883) e Friedrich Engels [doc. 4]. Analisando a história do ponto de vista da luta de classes, Marx e Engels elaboraram uma complexa e influente teoria da sociedade, que foi chamada de **materialismo histórico**. Segundo Engels, o materialismo histórico

> "[...] designa uma visão do desenrolar da história que procura a causa final e a grande força motriz de todos os acontecimentos históricos importantes no desenvolvimento econômico da sociedade, nas transformações dos modos de produção e de troca, na consequente divisão da sociedade em classes distintas e na luta entre essas classes."
>
> Engels, Friedrich. Do socialismo utópico ao socialismo científico (1892). In: BOTTOMORE, Tom (Org.). *Dicionário do pensamento marxista*. Rio de Janeiro: Jorge Zahar, 1988. p. 260.

DOC. 4 Em cima, *Karl Marx*, pintura de P. Nasarov e N. Gereljuk, c. 1920; ao lado, Friedrich Engels em fotografia de 1879. Arquivo da Ciência de Oxford, Oxford. As ideias desses dois pensadores influenciariam movimentos e partidos políticos de todo o mundo. Muitos conflitos e revoluções ocorridas no século XX foram motivados pelas críticas ao sistema capitalista elaboradas por esses dois autores.

O ponto de partida do materialismo histórico era a crítica à economia política, elaborada pelos economistas liberais dos séculos XVIII e XIX, como Adam Smith e David Ricardo. Os economistas liberais forneceram a base teórica para justificar o capitalismo.

Conforme a teoria econômica liberal, a satisfação do próprio desejo era a principal motivação do comportamento humano e, portanto, a base da economia e da sociedade.

Para os economistas liberais, havia uma natureza humana fixa e imutável, que sempre buscava obter o maior lucro possível pelo menor prejuízo. Ao perseguir seus interesses privados, os indivíduos seriam úteis à sociedade, pois sua atividade gerava renda, criava empregos e contribuía para o aumento da riqueza das nações.

A teoria marxista contrapunha-se à teoria econômica liberal. Marx e Engels afirmavam que a riqueza social era produzida pelo trabalho cooperativo das massas proletárias, e não pela concorrência entre indivíduos independentes. Apenas o trabalho gerava riqueza. Aqueles que a produziam, no entanto, estavam excluídos de seus benefícios, pois as riquezas eram apropriadas pelos donos dos meios de produção, como os proprietários das fábricas.

A alienação

Para elaborar a crítica da economia capitalista, Marx e Engels desenvolveram o conceito de **alienação**. A alienação é um termo especificamente jurídico que designa o ato de transferir ou vender um direito ou um bem. A partir do final do século XVIII, adquiriu um sentido político, filosófico, médico, econômico e mesmo literário. O **marxismo** foi o principal responsável pelo sentido econômico desse termo.

Na sociedade capitalista, os operários são os responsáveis pela produção das mercadorias. Os meios de produção, como a matéria-prima, as máquinas e o próprio local de produção, no entanto, não são propriedade dos operários. Assim, ao contrário do que se poderia pensar, a mercadoria não se torna propriedade daquele que a produziu. O fruto do trabalho realizado pelo proletariado é apropriado pelo dono dos meios de produção, ou seja, a burguesia.

Ao ser desapropriado do fruto de seu trabalho, o proletariado torna-se incapaz de se reconhecer nos produtos de sua própria atividade. As obras que o trabalho realiza tornam-se estranhas para ele, não mantendo com elas qualquer vínculo de proximidade ou familiaridade. No caso mais específico do operário, que também não se reconhece mais em suas obras, a riqueza produzida por ele é uma fonte de opressão, pois ela não lhe pertence mais.

A mais-valia

Um segundo conceito importante na teoria marxista é o de **mais-valia**, ou seja, o valor do trabalho realizado pelo operário não pago pelo proprietário. Em troca do tempo despendido na produção de uma mercadoria, o operário recebe um salário. O salário deve suprir suas necessidades básicas de existência, tornando-o apto a recomeçar o trabalho no dia seguinte. A soma do salário e dos custos de produção geram o valor dos bens produzidos pelo operário.

O objetivo do proprietário é obter lucro em sua produção. Assim, uma parte do valor da mercadoria produzida deve retornar em forma de rendimentos para o proprietário. Um modo de obter esse retorno é estender o tempo de trabalho do operário, sem, no entanto, aumentar o seu salário. Outra maneira é aprimorar tecnologicamente os meios de produção da empresa, mas sem a necessidade de ampliar o tempo de trabalho.

Nos dois casos acima, produz-se uma quantidade maior de mercadorias, enquanto o valor do salário continua o mesmo. A diferença entre o valor das mercadorias produzidas e o salário do operário gera a chamada mais-valia. Ou seja, o valor que o trabalho do operário rende ao capitalista é muito maior que o salário pago ao trabalhador.

A revolução proletária

A alienação do trabalhador e a mais-valia faziam parte da contradição entre o caráter coletivo e cooperativo do trabalho e o caráter privado da apropriação da riqueza. Para resolver essa contradição, os trabalhadores deveriam adquirir consciência de sua condição e de seu poder de transformar a sociedade, realizando uma revolução que aboliria a opressão capitalista. Ao destruir a sociedade burguesa, os trabalhadores assumiriam a tarefa de instituir um **Estado socialista**, baseado na propriedade coletiva dos meios de produção e liderado pela classe operária.

A duração do Estado socialista seria provisória. Seu papel seria abolir todos os instrumentos que perpetuavam a dominação de uma classe sobre a outra, como o direito, a religião, a polícia, o exército, o capitalismo e o próprio Estado. A revolução seria uma violência para pôr fim a todas as formas de violência. A sociedade que resultaria das transformações operadas pelo Estado socialista indicaria uma nova etapa da revolução proletária, o **comunismo**, quando todos os antagonismos entre as classes, as classes em geral e o próprio Estado teriam sido abolidos.

"Em lugar da antiga sociedade burguesa, com suas classes e antagonismos de classes, surge uma associação na qual o livre desenvolvimento de cada um é a condição para o livre desenvolvimento de todos."

MARX, Karl; ENGELS, Friedrich. *O manifesto comunista* [1848]. São Paulo: Boitempo, 1998. p. 59.

As ideias fundamentais de Marx estão contidas na obra *O capital*: crítica da economia política, uma obra monumental cujo primeiro volume foi publicado em 1867 **[doc. 5]**.

O marxismo foi a mais importante das teorias socialistas e tornou-se muito popular entre os intelectuais e o movimento operário a partir do final do século XIX. O marxismo também foi reivindicado por diversos regimes e correntes políticas de esquerda durante o século XX, inclusive no Brasil, tendo inspirado revoltas, revoluções e movimentos sociais no mundo inteiro.

DOC. 5 Membros da Liga Espartaquista (Partido Comunista da Alemanha), armados, enfrentam a polícia, enquanto um membro do governo faz um apelo à ordem, janeiro de 1919. O evento é uma da série de ações contra o governo ocorridas durante a Revolução de 1918-1919 na Alemanha, que levou à queda do *Kaiser* e à implantação de um governo democrático no país.

QUESTÕES

1. Compare o cooperativismo de Robert Owen com o falansterianismo de Charles Fourier.
2. A quais ideias da economia liberal o socialismo científico se contrapunha? Explique.
3. Explique o que é a mais-valia e como ela é gerada e ampliada.

A mobilização da classe operária

Objetivo

- Compreender a formação do movimento operário no século XIX, incluindo os tipos de organização, as principais reivindicações e as formas de protesto mais comuns.

Termos e conceitos

- Associação internacional
- Proletariado
- Comuna de Paris

A superação das fronteiras nacionais

A repressão que se seguiu às Revoluções de 1848 em toda a Europa levou o movimento operário a reformular suas estratégias políticas e táticas de luta. À medida que a industrialização se expandia, ficava cada vez mais evidente que o capital não se restringia ao seu país de origem, tendendo a se expandir para além das fronteiras nacionais, em busca de lucros crescentes. Do mesmo modo, os operários reconheceram que, se a exploração capitalista era internacional, também a organização dos trabalhadores deveria ser internacional.

Os esforços do movimento operário europeu passaram a se concentrar na tarefa de construir uma **associação internacional** capaz de fortalecer a luta do **proletariado** pela conquista de suas reivindicações. As antigas táticas utilizadas pelos operários, como o movimento de destruição de máquinas e a fundação de cooperativas ou comunidades socialistas, foram sendo abandonadas em benefício da organização política internacional da classe operária.

A Associação Internacional dos Trabalhadores

Reunindo movimentos populares de várias tendências e de diversos países da Europa, a **Associação Internacional dos Trabalhadores** foi fundada num congresso em Londres em 1864. Conhecida como Primeira Internacional, a Associação visava apoiar movimentos de povos e minorias oprimidas e coordenar a ação dos trabalhadores em defesa de reivindicações democráticas, como o direito ao voto, a diminuição da jornada de trabalho e melhores salários **[doc. 1]**.

DOC. 1 **A fundação da Associação Internacional dos Trabalhadores**

O texto abaixo foi extraído da Mensagem inaugural da Associação Internacional dos Trabalhadores. O documento foi redigido por Karl Marx em outubro de 1864, embora a reunião tenha ocorrido em setembro de 1864.

"[...] Na verdade, com as cores locais alteradas e numa escala algo contraída, os fatos ingleses reproduzem-se em todos os países industriosos e progressivos do continente. Em todos eles, teve lugar, desde 1848, um inaudito desenvolvimento da indústria e uma inimaginável expansão das importações e exportações. Em todos eles, 'o aumento de riqueza e poder inteiramente confinado às classes possidentes' foi verdadeiramente 'inebriante'. [...]. Por toda a parte, [entretanto,] a grande massa das classes operárias se estava a afundar mais, pelo menos à mesma taxa que as acima delas subiam na escala social. Em todos os países da Europa, tornou-se agora uma verdade demonstrável a todo o espírito sem preconceitos [...] que nenhum melhoramento da maquinaria, nenhuma aplicação da ciência à produção, nenhum invento de comunicação, [...] nenhum comércio livre, nem todas estas coisas juntas, farão desaparecer as misérias das massas industriosas [...].

Após o fracasso das Revoluções de 1848, todas as organizações partidárias e jornais partidários das classes operárias foram, no continente, esmagados pela mão de ferro da força, os mais avançados filhos do trabalho fugiram desesperados para a República Transatlântica e os sonhos efêmeros de emancipação desvaneceram-se ante uma época de febre industrial, de marasmo moral e de reação política.

[...] A experiência passada mostrou como a falta de cuidado por este laço de fraternidade, que deve existir entre os operários de diferentes países e incitá-los a permanecer firmemente ao lado uns dos outros em toda a sua luta pela emancipação, será castigada pela derrota comum dos seus esforços incoerentes. Este pensamento incitou os operários de diferentes países, congregados em 28 de setembro de 1864 numa reunião pública em St. Martin's Hall, a fundar a Associação Internacional. [...]"

Karl Marx [1864]. Mensagem inaugural da Associação Internacional dos Trabalhadores. Disponível em www.marxists.org/portugues. Acesso em 1º mar. 2010.

DOC. 2 Reunião de membros da Primeira Internacional dos Trabalhadores. Gravura de Cosson Smeeton, 1870.

O fim da Primeira Internacional

Em 1872, a Primeira Internacional [doc. 2] entrou em crise, motivada pelos desentendimentos entre as duas correntes políticas mais importantes que dela participavam: os comunistas, liderados por Karl Marx e Friedrich Engels, e os anarquistas, liderados pelo russo Mikhail Bakunin. Os dois grupos divergiam a respeito das táticas a serem adotadas pelo movimento operário em busca de sua emancipação.

Os comunistas e outras correntes socialistas não recusavam a participação em parlamentos nacionais e lutavam pela organização de partidos e sindicatos capazes de defender os interesses dos trabalhadores. Os anarquistas, entretanto, achavam que a participação no Estado burguês e a constituição de partidos iriam burocratizar o movimento. Propunham a criação de cooperativas de trabalho e a ação direta das massas como únicos meios eficazes para os trabalhadores atingirem seus objetivos. As greves eram os principais métodos de luta defendidos pelos anarquistas.

Diante do impasse, os anarquistas acabaram se retirando da Associação, o que a enfraqueceu e resultou na sua dissolução, em 1876.

A Comuna de Paris

Entre 1870 e 1871, sob a liderança de Bismarck, a Alemanha travou uma guerra contra a França, a chamada Guerra Franco-Prussiana. O conflito levou à unificação alemã e, com a derrota da França, à queda do império de Napoleão III na França. A instabilidade política francesa facilitou a proclamação da chamada **Comuna de Paris**.

No começo de 1871, o exército alemão sitiou a cidade de Paris, causando várias privações ao povo parisiense. O governo francês não demonstrou nenhuma preocupação com essa situação. Indignada, a população rebelou-se contra o governo em 28 de março, tomando o prédio da prefeitura de Paris e proclamando-a uma comuna livre e independente.

Mantendo todos os serviços básicos em funcionamento, os trabalhadores mostraram que eram capazes de se organizar com autonomia, governando-se a si mesmos sem a necessidade de um poder central. Testava-se a viabilidade de uma sociedade sem Estado, baseada exclusivamente no autogoverno da população.

A Comuna tomou várias medidas para desmantelar o aparelho repressivo do Estado e garantir o controle da cidade pelo povo rebelado:

- **Exército**. Assim como na Revolução Francesa de 1789, o exército profissional foi substituído pelos cidadãos em armas.
- **Cargos públicos**. Tornaram-se eletivos. Os ocupantes podiam ser demitidos a qualquer momento por decisão da Comuna.
- **Religião**. Foi decretada a separação total entre a Igreja Católica e o Estado, e as propriedades e riquezas pertencentes à Igreja foram confiscadas.
- **Forma de governo**. O Conselho Comunal incorporou as funções legislativa e executiva.

A Comuna de Paris reuniu várias correntes políticas: revolucionários de 1848, anarquistas, marxistas e socialistas de diferentes tendências. As prolongadas discussões impediam que se definisse uma ação unificada para o movimento.

A semana sangrenta

A Comuna de Paris, no entanto, durou apenas dois meses. Após a queda de Napoleão III, havia se formado um governo provisório paralelo à Comuna, liderado pelo ministro Adolphe Thiers. O governante recusou-se a negociar com os revolucionários e ordenou a repressão do movimento.

Com o apoio da Prússia, Thiers mandou o exército tomar a cidade de Paris, iniciando a guerra civil. A Comuna mobilizou a Guarda Nacional, e a população parisiense armou barricadas na tentativa de preservar a Comuna. As tropas do governo, entretanto, mais preparadas e em muito maior número, ocuparam Paris **[doc. 3]**.

Durante a chamada "semana sangrenta", entre 21 e 28 de maio de 1871, as tropas do governo massacraram impiedosamente milhares de pessoas, incluindo crianças e mulheres. Não se sabe ao certo quantos foram assassinados pelas forças comandadas por Thiers. O governo provisório admitia o número de 17 mil pessoas, mas outras cifras falam de 35 mil ou até 50 mil mortos **[doc. 4]**.

DOC. 3 Barricadas levantadas pelos revolucionários na Rua Charonne, durante a Comuna de Paris, 1871.

QUESTÕES

1. A *Mensagem* faz um apelo para a organização nacional do movimento operário ou para a sua internacionalização? Justifique sua resposta com argumentos e passagens do texto **[doc. 1]**.

2. Relacione a formação da Comuna de Paris com a Guerra Franco-Prussiana.

DOC. 4 **A memória do massacre**

O escritor português Eça de Queirós, que na época trabalhava como jornalista e diplomata em Paris, relembrou o horror do massacre por ocasião de uma manifestação realizada em homenagem à Comuna, que reuniu 20 mil pessoas no centro de Paris em 1880.

"O acontecimento saliente e comentado destes últimos dias é a manifestação do dia 23 de maio. Lembram-se que há nove anos, nessa data, na semana sanguinolenta da derrota da Comuna, os regimentos de Versalhes, invadindo Paris, numa demência de represálias, fizeram uma exterminação à antiga, fuzilando sem discernimento, pelos pátios dos quartéis, entre os túmulos dos cemitérios, sob o pórtico das igrejas, todo o ser vivo que era surpreendido com as mãos negras de pólvora, e um calor de batalha na face. *Trinta e cinco mil pessoas* foram aniquiladas nesta S. Barthélemy conservadora, nesta hecatombe da plebe, oferecida em sacrifício à ordem [...]

Os anos passaram, e os vencidos de então são hoje cidadãos formidáveis, armados não da espingarda revolucionária, mas de um legal boletim de voto, e que, em lugar de erguer barricadas nas ruas, fazem deputados socialistas nas eleições.

No dia 23 de maio, pois, aniversário do extermínio dos seus, preparavam-se eles para ir através das ruas de Paris, numa vasta procissão funerária com coroas de perpétuas nas mãos, visitar essa lúgubre vala onde apodrecem os seus mortos."

QUEIRÓS, Eça de. *Ecos de Paris*. Porto: Lello & Irmão, s.d. p. 10.

Placa de homenagem à Comuna de Paris no cemitério Père Lachaise. França, 2003.

CONTROVÉRSIAS A polêmica entre marxistas e anarquistas

A Associação Internacional dos Trabalhadores pretendia congregar todas as tendências do movimento operário mundial. Havia, porém, divergências consideráveis, principalmente entre os adeptos de Marx e o grupo dos anarquistas ligados ao russo Mikhail Bakunin.

O principal motivo de divergência dizia respeito à questão do papel do Estado na sociedade revolucionária. Para os anarquistas, o Estado era um instrumento de dominação e devia ser abolido após a revolução. Para os marxistas, o Estado não podia ser eliminado imediatamente. Era necessária uma fase de transição, durante a qual o proletariado dominaria a máquina do Estado.

Texto 1

"Já exprimimos várias vezes uma viva aversão pela teoria de Lassale e de Marx que recomenda aos trabalhadores, senão como ideal supremo, ao menos como objetivo essencial imediato, a fundação de um 'Estado Popular', o qual, como eles próprios explicaram, nada mais seria do que 'o proletariado organizado em classe dominante'. Se o proletariado se torna a classe dominante, sobre quem, pergunta-se, dominará? É óbvio, portanto, que sobrará ainda uma classe submissa a esta nova classe dominante, a este novo Estado, talvez seja, por exemplo, a plebe do campo que, como se sabe, não é vista com bons olhos pelos *marxianos* e que, situada no mais baixo grau de civilização, será provavelmente dirigida pelo proletariado das cidades e das fábricas; ou então, se considerarmos a questão do ponto de vista étnico, digamos, para os alemães, a questão dos eslavos, estes se acharão pela mesma razão em relação ao proletariado alemão vitorioso em uma sujeição de escravo idêntica à do proletariado em relação à burguesia. Quem diz Estado diz automaticamente dominação e, consequentemente, escravidão; um Estado sem escravidão, confessada ou mascarada, é inconcebível; por esta razão somos inimigos do Estado."

BAKUNIN, Mikhail. Estatismo e anarquia [1873]. In: *Textos anarquistas*. Porto Alegre: L&PM, 2000. p. 154-155.

Texto 2

"[...] os diversos Estados dos diversos países civilizados, apesar da sua variada diversidade de formas, têm tudo isto em comum: erguem-se sobre o solo da sociedade burguesa moderna, só que umas mais ou menos desenvolvidas de modo capitalista. Também têm, portanto, em comum certos caracteres essenciais. Neste sentido, pode falar-se de 'sistema de Estado [atual] [...]', em oposição ao futuro, em que a sua raiz atual, a sociedade burguesa, se terá extinguido.

Pergunta-se, então: por que transformação passará o sistema de Estado numa sociedade comunista? Por outras palavras, que funções sociais permanecem aí, que sejam análogas às funções atuais do Estado? Há que responder a esta pergunta apenas cientificamente, e também não se fica [...] mais perto do problema pela combinação [...] da palavra povo com a palavra Estado.

Entre a sociedade capitalista e a comunista fica o período da transformação revolucionária de uma na outra. Ao qual corresponde também um período político de transição cujo Estado não pode ser senão a ditadura revolucionária do proletariado."

MARX, Karl. *Crítica do programa de Gotha* [1875]. Disponível em www.marxists.org. Acesso em 16 ago. 2009.

Retrato de Mikhail Aleksandrovich Bakunin. Fotografia de Félix Nadar, c. 1860. Biblioteca Nacional da França, Paris.

QUESTÕES

1. Desenvolva o argumento utilizado por Karl Marx para justificar a ditadura revolucionária do proletariado, explicando como se daria a formação do Estado operário.

2. Em sua crítica à ditadura do proletariado, Mikhail Bakunin denuncia a existência de discriminações sociais no interior do movimento dos trabalhadores. Aponte que discriminações eram essas e como elas se tornariam concretas com a instituição da ditadura do proletariado.

3. Compare a concepção de Estado de cada um dos autores. Em seguida, explique como esse ponto de vista interferiu na interpretação que cada um fez da passagem da sociedade capitalista para a sociedade comunista.

Retomar conteúdos

1 Compare as principais propostas do socialismo utópico, do anarquismo e do socialismo científico. Cite os principais representantes de cada corrente.

2 Explique a importância dos conceitos de alienação e de mais-valia nas críticas feitas às relações de trabalho capitalistas.

3 Sintetize a transformação sofrida pela organização do movimento operário a partir de 1848.

Ler textos e imagens

4 O texto a seguir foi escrito pelo jornalista e ativista revolucionário Paul Lafargue na prisão de Saint Pelágie em 1883.

"Uma estranha loucura dominou as classes operárias das nações onde reina a civilização capitalista. Essa loucura traz como consequência misérias individuais e sociais que há séculos torturam a triste humanidade. Essa loucura é o amor ao trabalho, a paixão moribunda que absorve as forças vitais do indivíduo e de sua prole até ao esgotamento. Em vez de reagir contra esta aberração mental, os padres, os economistas, os moralistas sacrossantificaram o trabalho. Homens cegos e limitados, quiseram ser mais sábios do que o seu Deus; homens fracos e desprezíveis, quiseram reabilitar aquilo que o seu Deus amaldiçoara. Eu, que não professo o credo cristão, nem tenho posição econômica e moral como a deles, recuso-me a admitir as pregações dessa moral religiosa, econômica, livre-pensadora, considerando as terríveis consequências do trabalho na sociedade capitalista.

Na nossa Europa civilizada, quando se quer encontrar um traço de beleza nativa do homem, é preciso ir procurá-lo nas nações onde os preconceitos econômicos ainda não desenraizaram o ódio ao trabalho. A Espanha, que infelizmente degenera, pode ainda se gabar de possuir menos fábricas do que as prisões e casernas que nós temos; mas o artista se alegra ao admirar o ousado andaluz, moreno como as castanhas, forte e flexível como uma haste de aço [...]. Para o espanhol, em cujo país o animal primitivo não está atrofiado, o trabalho é a pior das escravidões. [...] Os filósofos da Antiguidade ensinavam o desprezo pelo trabalho, essa degradação do homem livre; os poetas cantavam a preguiça, esse presente dos deuses [...]."

LAFARGUE, Paul. *O direito à preguiça*. São Paulo: Claridade, 2003. p. 19-21. (edição bilíngue)

a) Qual a crítica central feita por Lafargue nesse texto?

b) Que valores e culturas o autor toma como exemplo para contrapor à valorização excessiva do trabalho nos países industrializados da época?

5 Observe com atenção o cartaz a seguir.

Pôster inglês de 1908 com os dizeres: "Aquilo que vale para o ganso macho também vale para o ganso fêmea"; desenho de Mary Sargent Florence.

a) Analise o cartaz relacionando-o ao contexto histórico em que foi produzido.

b) Que argumento a imagem apresenta em favor da igualdade de direitos?

6 Descreva a gravura abaixo e identifique a principal característica da resistência dos rebeldes da Comuna de Paris.

Remoção de barricadas na Place Vendome, durante a semana sangrenta da Comuna de Paris, em 1871. Gravura do século XIX.

Capítulo

25

Um império nos trópicos: a monarquia brasileira

Nós, brasileiros

O que uma pessoa que mora em uma pequena cidade do sul do país teria em comum com um morador de uma grande cidade ou com um habitante de alguma vila no meio da floresta amazônica? Em meados do século XIX, a discussão em torno da identidade nacional começou a tomar grandes dimensões. A monarquia brasileira começou a promover ações para atenuar as diferenças que separavam as regiões do Brasil e construir, assim, uma nacionalidade brasileira.

A questão da identidade não era a única que dividia opiniões no Brasil. Havia outras dificuldades que demandaram atenção por parte dos intelectuais e políticos do Império. Entre elas, as tentativas de modernização, colocadas em prática mais ou menos na mesma época. Mas como modernizar uma sociedade que dependia basicamente do trabalho escravo, com fortes influências das culturas africanas e indígenas, consideradas atrasadas, pelas elites, quando eram comparadas à cultura europeia?

A segunda metade do século XIX foi, assim, um período caracterizado por profundas mudanças econômicas e sociais que colocavam em evidência as contradições de uma sociedade dividida entre o modelo liberal e a estrutura escravista herdada do período colonial. Como combinar assim aspectos tão contrastantes – uma monarquia e um projeto de modernização, a dependência do trabalho escravo e as novas formas de trabalho livre que começavam a se afirmar? Todas essas oposições foram, por certo tempo, absorvidas pelo regime monárquico. Mas o Império não conseguiu resistir, ao final, a tantas mudanças.

Largo do Paço, Rio de Janeiro, pintura de Luigi Stallone, 1865. Museu Histórico da Cidade do Rio de Janeiro, Rio de Janeiro. A cidade do Rio de Janeiro foi o centro das mudanças ocorridas no Brasil no Segundo Reinado.

Seção 25.1

Da Regência ao Segundo Reinado

O sistema regencial

Em abril de 1831, d. Pedro I abdicou da Coroa brasileira e retornou a Portugal, deixando seu filho Pedro de Alcântara, de 5 anos de idade, como herdeiro do trono. Conforme previa a Constituição de 1824, adotou-se o sistema político da **Regência**, que deveria governar o país até a maioridade do príncipe herdeiro. Em caráter emergencial, José Joaquim Carneiro de Campos, Nicolau de Campos Vergueiro e Francisco de Lima e Silva assumiram provisoriamente o poder, até que eleições entre membros do Poder Legislativo definissem a Regência que governaria o país de fato.

A Regência Provisória, depois de um breve governo de dois meses, foi substituída por uma Regência Trina Permanente, eleita por uma Assembleia Geral de deputados e senadores. Em 1834, uma mudança constitucional substituiu a Regência Trina pela Regência Una. Da primeira eleição para a composição da Regência, em 1831, até a maioridade de d. Pedro, em 1840, o Brasil foi governado por diferentes regentes. Observe.

- **Regência Trina Permanente:** José da Costa Carvalho, João Bráulio Muniz e o general Francisco de Lima e Silva (1831 a 1835).
- **Regência Una:** padre Diogo Antonio Feijó (1835 a 1837) **[doc. 1]**.
- **Regência Una:** Pedro de Araújo Lima (1837 a 1840).

Os regentes tinham as atribuições do Poder Executivo, mas não as do Poder Moderador, que eram exclusivas do imperador. Eles não tinham autoridade, por exemplo, para dissolver a Câmara dos Deputados nem para estabelecer acordos internacionais.

Objetivos

- Identificar as correntes políticas dominantes durante a Regência.
- Compreender as principais revoltas provinciais do período regencial.
- Entender o processo de transição entre o período regencial e o início do Segundo Reinado.

Termos e conceitos

- Regência
- Ato Adicional de 1834
- Revoltas regenciais
- Império
- Conservador
- Liberal
- Parlamentarismo às avessas

Tendências políticas do período regencial

Durante a Regência, não havia consenso entre as elites sobre a forma como elas deveriam se organizar institucionalmente, nem sobre qual seria o papel do Estado, que, em tese, representaria a força aglutinadora dos interesses da jovem nação. A divergência de ideias e de tendências políticas explica, em parte, a grande instabilidade política que caracterizou o período.

Três grupos principais representavam os interesses de diferentes segmentos da elite brasileira.

- **Liberais exaltados:** formado por proprietários rurais, camadas médias urbanas, militares e padres. Defendiam as liberdades individuais e a descentralização administrativa e por esse motivo conquistou a simpatia de grupos de poder e influência locais. Alguns membros desse grupo defendiam a república.
- **Liberais moderados:** formado por proprietários rurais, especialmente cafeicultores, e comerciantes brasileiros das províncias do Rio de Janeiro, São Paulo e Minas Gerais. Defendiam a monarquia constitucional e a manutenção da escravidão. De fato, foram eles os dirigentes do poder político durante a Regência Trina Permanente entre os anos de 1831 a 1835. Na imprensa, os liberais moderados se expressavam pelos jornais *Aurora fluminense*, *O sete de abril*, *O censor brasileiro*, entre outros.
- **Restauradores:** formado por comerciantes portugueses e membros da administração pública. Defendiam uma monarquia forte e um Estado centralizado. Como indica o próprio nome, eles pretendiam restaurar o governo de d. Pedro I, mas acabaram perdendo força política após a sua morte, em 1834.

As diferenças que dividiam as elites expressavam as dificuldades de conciliar o modelo liberal e as bases de um Estado que garantisse a manutenção dos interesses dos grupos dominantes.

DOC. 1 O padre Feijó foi regente do Império de 1835 a 1837. Era liberal e abolicionista.

- **Regência.** Governo transitório de um país, em função da ausência ou do impedimento do soberano.

Reformas regenciais

A instabilidade política dos primeiros meses após a abdicação de d. Pedro I levou à formação da **Guarda Nacional**, em 1831. O intuito era constituir uma guarda armada de cidadãos – nos moldes da República Francesa – para garantir a segurança dos municípios e, eventualmente, das fronteiras do país. A instituição servia também como reforço contra rebeliões e conflitos regionais.

As reformas regenciais também merecem destaque. O **Ato Adicional de 1834** modificou a Carta Constitucional outorgada em 1824. Ele modificou a relação entre o governo central e as províncias, que conquistaram maior autonomia com a criação das **Assembleias Provinciais**, encarregadas de cuidar das despesas provinciais e municipais e distribuir os impostos arrecadados pelo governo central. O Ato Adicional também criou a Regência Una com mandato de quatro anos, eleita pelo voto censitário.

Revoltas provinciais

Ao longo do período regencial, rebeliões contra a ordem vigente eclodiram em todo o país. Razões políticas, como disputas entre diferentes grupos locais, ou insatisfação com a pobreza, a escravidão e as duras condições de vida foram alguns dos motivos das **revoltas regenciais** [doc. 2]. Alguns movimentos foram violentamente debelados pelas forças regenciais e serviram de justificativa para a implantação de medidas conservadoras, que revogaram algumas conquistas como a liberdade administrativa concedida às províncias. Para muitos estudiosos, a pacificação do território não significou apenas a reafirmação da ordem imperial, mas também a consolidação do Estado nacional brasileiro.

DOC. 2 **Revoltas do período regencial**

Fonte: *IstoÉ Brasil 500 anos*: atlas histórico. São Paulo: Três, 1998. p. 57.

Cabanagem (1835-1840)

Na década de 1830, uma grave crise econômica assolou o Pará. A difícil situação desagradava às elites locais, que se enfrentavam duramente pelo poder. Paralelamente, a situação dos cabanos era de extrema penúria. Em meio às disputas entre as elites, em 1835 eclodiu uma grande rebelião popular, que proclamou a independência do Pará, mas não organizou um governo muito diferente do que já existia. Seguiu-se uma dura repressão: após longos e violentos conflitos, tropas legalistas retomaram o controle de importantes cidades comandadas pelos cabanos, como Belém.

> "Violência e crueldade marcaram a ação dos dois grupos de antagonistas. Soldados do governo eram vistos nas ruas exibindo em torno do pescoço rosários feitos de orelhas de cabanos. Uns 4 mil cabanos morreram somente em prisões, navios e hospitais. Calculou-se o número total de mortos em 30 mil, divididos igualmente entre os dois campos de luta. Esse número representava 20% da população da província. Foi a maior carnificina do Brasil independente."
>
> CARVALHO, José Murilo de. *Cidadania no Brasil*: o longo caminho. 12. ed. Rio de Janeiro: Civilização Brasileira, 2009. p. 69.

Revolta dos Malês (1835)

Em 25 de janeiro de 1835, eclodiu em Salvador a Revolta dos Malês, uma rebelião organizada e conduzida por escravos e libertos muçulmanos das etnias iorubá ou nagô, jejê e haussá. Além do descontentamento com a escravidão, da crise econômica e da escassez vigentes em Salvador, motivações de ordem religiosa, como a repressão aos costumes islâmicos e a conversão forçada ao catolicismo, incitaram o movimento.

Unidos por sua proximidade étnica e liderados por negros muçulmanos, os rebeldes pretendiam mobilizar os escravos e libertos que viviam em Salvador e dirigir-se para o Recôncavo Baiano, região que concentrava importantes engenhos e grande quantidade de escravos. A revolta foi rapidamente foi sufocada. Os escravos nagôs Pedro, Gonçalo e Joaquim e o liberto carregador de cal Jorge da Cruz Barbosa, que eram os principais líderes do movimento, foram mortos, e os demais revoltosos, punidos com açoitamentos, prisões e degredos.

• **Cabanos.** Nome dado aos habitantes das margens dos rios, população formada em grande parte por negros alforriados, índios e mestiços.

Balaiada (1838-1841)

No Maranhão, próximo à fronteira com o Piauí, uma disputa entre grupos da elite local acabou envolvendo as populações sertanejas que viviam em absoluta miséria na região. Um dos líderes do movimento, Francisco dos Anjos Ferreira, era artesão e produzia balaios, daí o nome do movimento, Balaiada.

Nesse ambiente conturbado, escravos fugidos formaram diversos quilombos, desestabilizando a rígida estrutura social vigente. O então coronel Luís Alves de Lima e Silva foi nomeado presidente da província e conseguiu, em pouco tempo, pôr fim à rebelião. Parte dos revoltosos foi anistiada, o escravo Cosme, principal líder, foi enforcado e os demais negros reconduzidos à escravidão.

Revolução Farroupilha (1835-1845)

No Rio Grande do Sul, ocorreu a **Revolução Farroupilha**. Ela teve início em 1835 e tornou a província independente durante os dez anos seguintes. Dentre os principais motivos que levaram à deflagração do movimento estavam os elevados impostos cobrados pelo governo do Rio de Janeiro sobre o gado e o charque (carne-seca), principais produtos da região, e o isolamento em relação ao poder central. Os estancieiros revoltosos defendiam uma política protecionista para seus produtos, que eram prejudicados pela concorrência do sal e do charque produzidos na Argentina.

Em 1835, o governo provincial foi deposto e a República de Piratini foi proclamada, embora não fosse aceita em toda a parte. A longa guerra civil acabou prejudicando o setor pecuarista, que contraiu dívidas com comerciantes e banqueiros. A pacificação só foi obtida em 1842, novamente pela intervenção de Luis Alves de Lima e Silva, já intitulado Barão de Caxias. O movimento republicano e separatista arrefeceu. Houve anistia total e parte dos revoltosos acabou incorporada às fileiras do exército brasileiro.

O golpe da maioridade e a coroação de d. Pedro II

A radicalização política que marcou o Brasil regencial preocupava as elites, que temiam tanto a turbulência revolucionária quanto a quebra da frágil unidade territorial do jovem Estado. Julgando que a Regência era incapaz de garantir a estabilidade, muitos políticos passaram a defender um governo central forte, que controlasse efetivamente o país. O príncipe herdeiro, contudo, ainda não tinha a idade necessária, de acordo com a Constituição de 1824, para assumir o trono. Ele faria 18 anos somente em 1843.

Desde 1835, políticos debatiam a possibilidade de antecipar a maioridade do futuro monarca. Em 1840, foi fundado o **Clube da Maioridade**, encarregado de aprovar a lei que permitia a d. Pedro assumir o controle do governo antes de sua maioridade. Panfletos eram distribuídos em diversas regiões do Brasil, as discussões ficavam cada dia mais acaloradas, versos populares faziam referência ao assunto. Dessa maneira, a posição dos maioristas fortalecia-se gradualmente.

Finalmente, no final de 1840, após muita agitação política no Senado e na Câmara dos Deputados, Pedro de Alcântara assumiu o trono e iniciou seu governo, o mais longo da história política brasileira **[doc. 3]**.

A disputa entre liberais e conservadores

Durante a década de 1840, o **Império** foi marcado por disputas políticas entre os **conservadores** e os **liberais**. Os embates extrapolaram a esfera política, e alguns grupos chegaram a se confrontar nas ruas de algumas províncias, como São Paulo e Minas Gerais.

Apesar de d. Pedro II ter sido apoiado pelos liberais na campanha da maioridade, isso não significou que os projetos políticos para o país fossem alterados de forma substancial. A maioridade, assim, foi uma articulação política para promover a manutenção da estrutura oligárquica e impedir o avanço dos movimentos revolucionários que vinham tomando conta de diversas províncias.

O primeiro ministério do reinado de d. Pedro II foi composto pelos liberais. Incapazes de conterem as revoltas, especialmente a Revolução Farroupilha, os liberais foram destituídos do poder pelo imperador, e os conservadores voltaram a comandar a política imperial. Somente em 1844, os liberais conseguiram retornar ao poder. Nesse período, eles criaram, em 1847, o cargo de presidente do Conselho de Ministros, medida que se mostraria essencial para a adoção de um regime similar ao parlamentarista.

DOC. 3 *Coroação de d. Pedro II*, pintura de François René Moreaux, 1842. Museu Imperial, Rio de Janeiro. A antecipação da coroação do novo imperador inseriu-se no contexto de intensas revoltas provinciais e de tentativas de consolidação do grupo conservador diante dos movimentos contestatórios que se sucediam.

As experiências políticas no Império

O parlamentarismo brasileiro foi uma experiência política bem diferente da matriz inglesa. Na Inglaterra, a principal função do Parlamento era limitar o poder do rei. No Brasil, ao contrário, o imperador sobrepunha-se aos parlamentares, tendo poder, inclusive, para dissolver a Câmara. Por isso, ficou conhecido como **parlamentarismo às avessas** **[doc. 4]**.

Após a conturbada década de 1840, os anos 1850 iniciaram-se com o retorno, mais uma vez, dos conservadores ao poder. Em 1853, com a formação do ministério da conciliação, que abarcava representantes dos dois grupos, parecia que as disputas entre liberais e conservadores chegariam ao fim. A conciliação, porém, foi uma breve pausa nos conflitos entre os dois grupos. Em 1858, o revezamento entre eles foi reiniciado e mantido até a proclamação da República.

DOC. 4 **Parlamentarismo às avessas**

"Como resultado desse mecanismo, houve, em um governo de cinquenta anos, a sucessão de 36 gabinetes, com a média de um ano e três meses de duração cada um. [...] Tratava-se de um sistema flexível que permitia o rodízio dos dois principais partidos no governo, sem maiores traumas. Para quem estivesse na oposição, havia sempre a esperança de ser chamado a governar. Assim, o recurso às armas se tornou desnecessário."

FAUSTO, Boris. *História do Brasil*. 13. ed. São Paulo: Edusp, 2008. p. 179-180.

A Revolução Praieira

Em 1848, ocorreu em Pernambuco a última das revoltas provinciais: a Revolução Praieira **[doc. 5]**. Influenciados pelos eventos revolucionários ocorridos na Europa, os praieiros rebelaram-se contra as difíceis condições econômicas e sociais da região. No campo, a agricultura era dominada pelos grandes senhores de engenho. Nas cidades, principalmente em Recife, o comércio estava nas mãos de um grupo de comerciantes de origem portuguesa.

A revolta dirigiu-se contra os comerciantes portugueses de Recife. As principais reivindicações dos rebeldes eram o voto universal masculino, a nacionalização do comércio, a liberdade de imprensa e o sistema federativo.

Partindo de Olinda, em 1848, os revoltosos invadiram Recife no início do ano seguinte. Em 1850, as tropas do Império invadiram a capital e debelaram o movimento. Após esse episódio, todo o território estava controlado pelo governo e o poder monárquico consolidava-se no país.

QUESTÕES

1. Após a abdicação de d. Pedro I, houve um período de instabilidade política no Brasil. Como os grupos dirigentes do Brasil tentaram superar esse momento? Quais foram as medidas tomadas por eles?
2. A Revolta dos Malês teve um caráter diferente das outras. Especifique-o.
3. Como funcionava o parlamentarismo no Brasil? Qual é a opinião do historiador Boris Fausto a respeito desse sistema político [doc. 4]?
4. Diferencie as décadas de 1830 e 1840 quanto aos tipos de conflitos predominantes em cada uma delas.

DOC. 5 *Vista da Rua da Cruz, em Recife*. Litografia de F. Krauss e Emil Bauch, 1870. Os revoltosos foram chamados de praieiros em referência ao jornal liberal *Diário Novo*, que se localizava na Rua da Praia, em Recife.

A economia no governo de d. Pedro II

Objetivos

- Compreender a importância da produção cafeeira para o Brasil do Segundo Reinado.
- Caracterizar a estrutura fundiária do Segundo Reinado e o contexto de implantação da Lei de Terras.
- Compreender a passagem do trabalho escravo para o trabalho livre.

Termos e conceitos

- Trabalho livre
- Tráfico negreiro
- Lei de Terras
- Imigração
- Colônias de parceria

Conteúdo digital Moderna PLUS http://www.modernaplus.com.br
Mapa animado:
Sua majestade, o café

O império do café

O café é um produto de grande valor econômico para o Brasil. Segundo dados da Embrapa (Empresa Brasileira de Pesquisa Agropecuária), em 2009, a produção brasileira de café foi a maior do mundo e respondeu por mais de um terço de toda a produção mundial. No passado, porém, a importância do produto foi ainda maior. Entre 1880 e 1929, as exportações de café correspondiam a 75% de toda a balança comercial brasileira.

A produção cafeeira em larga escala começou a se desenvolver no Rio de Janeiro, nas primeiras décadas do século XIX, e logo se espalhou por toda a região do Vale do Paraíba, em terras paulistas e fluminenses. Em pouco tempo o cultivo do produto cresceu em volume e importância. Entre 1826 e 1829 cerca de 25 mil toneladas de café foram exportadas. Do Vale do Paraíba, o cultivo do café se estendeu para o oeste paulista, o sul de Minas e o Espírito Santo **[doc. 1]**. A rápida expansão do cultivo foi favorecida pelas condições climáticas e pelo solo dessas regiões, propícios para o cultivo do café.

No mercado externo, havia uma demanda crescente por café. O aumento do consumo do produto entre as classes médias norte-americanas e em alguns países europeus estimulou o aumento da produção brasileira, que em meados do século XIX se transformou no principal produto de exportação do Brasil e gerou grandes lucros aos produtores, chamados "barões do café".

A organização da produção cafeeira

Nas fazendas de café do oeste paulista predominavam as grandes propriedades monocultoras e o emprego de mão de obra escrava. No entanto, apesar dessas formas tradicionais de cultivo, foi nessa região que se desenvolveram os avanços mais importantes na lavoura cafeeira, principalmente a partir da segunda metade do século XIX, como a adoção progressiva do **trabalho livre** e a incorporação de técnicas mais ágeis de cultivo e colheita. O solo adequado ao plantio, a chamada terra roxa, foi muito importante para o aumento da produtividade, pois permitia plantar o café na mesma área por até trinta anos, contra os 25 anos de outras terras destinadas ao mesmo cultivo.

DOC. 1 **Expansão do café**

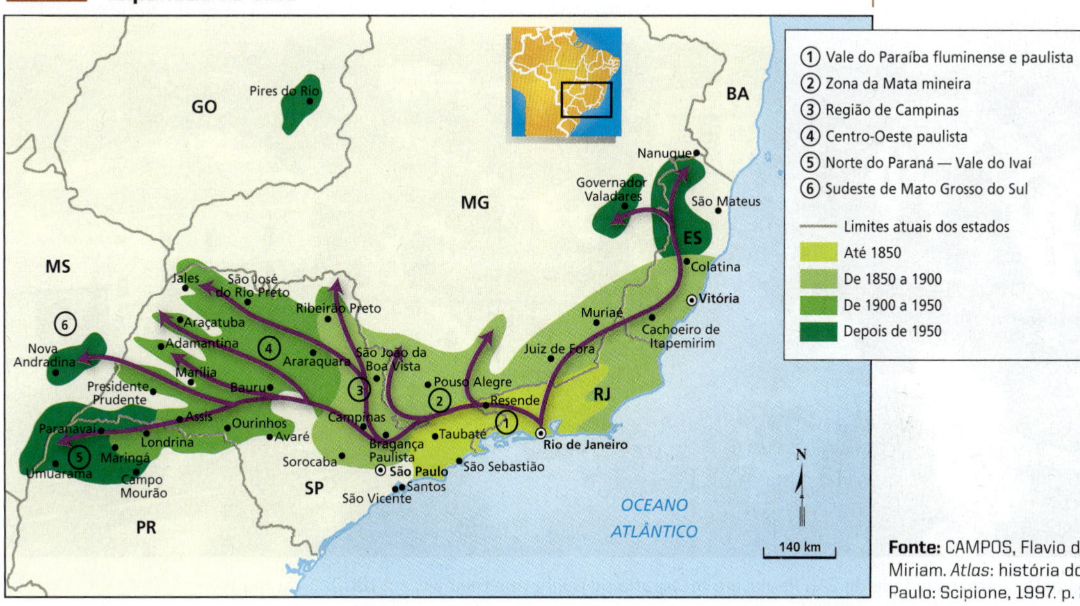

Fonte: CAMPOS, Flavio de; DOLHNIKOFF, Miriam. *Atlas*: história do Brasil. São Paulo: Scipione, 1997. p. 24.

A implantação das primeiras ferrovias

A primeira linha ferroviária inaugurada no Brasil, em 1854, contava com pouco mais de 14 quilômetros de extensão e ligava o porto de Mauá até Petrópolis, na província do Rio de Janeiro. A obra pioneira foi fruto da iniciativa de Irineu Evangelista de Souza, o Barão de Mauá, um dos mais importantes empresários do período imperial. Dez anos após a construção da primeira estrada de ferro, o país contava com uma rede de aproximadamente 250 quilômetros de ferrovias **[doc. 2]**.

Em 1867, foi implantada a primeira estrada de ferro paulista, a Estrada de Ferro Santos-Jundiaí, construída com capital inglês. Um investimento altamente lucrativo, pois através dessa linha se transportava toda a produção de café do interior de São Paulo até o porto de Santos. Antes da inauguração da ferrovia, as sacas de café eram transportadas com muita lentidão e perdas consideráveis no lombo de mulas. Para se ter uma ideia, o transporte do café das fazendas em Campinas (interior de São Paulo) até o porto de Santos levava cerca de um mês. Com a ferrovia, o café que chegava a Santos ia diretamente das fazendas para os armazéns, na área portuária, de modo rápido e seguro.

A ferrovia contribuiu não só para baratear a produção de café, como também ajudou a ampliar a fronteira agrícola e a desenvolver novas cidades em torno do seu percurso. Um bom exemplo é a cidade de São Paulo, que nesse período se modernizou rapidamente. Os fazendeiros paulistas passaram a diversificar seus negócios reinvestindo parte de seus lucros na capital. Além disso, a ferrovia estabeleceu uma ligação rápida entre o interior e a capital permitindo que os fazendeiros pudessem morar na cidade, sem descuidar do controle de suas lavouras **[doc. 3]**.

DOC. 2 **Ferrovia e Mata Atlântica: o testemunho de viajantes estrangeiros**

Leia o testemunho do casal de naturalistas americanos Luiz e Elisabeth Agassiz, que viajaram pela Estrada de Ferro D. Pedro II em 1865, durante os seus primeiros anos de funcionamento.

"O vagão que ocupávamos, colocado na frente da locomotiva, defrontava a estrada, e nada perturbava a vista, nem fumaça, nem cinzas. Ao sair de um túnel onde a escuridão parecia tangível, vimos desenrolar-se diante de nós um quadro deslumbrante, todo resplendente de luz. Uma exclamação saída de todas as bocas testemunhou nossa surpresa e admiração."

AGASSIZ, Luis; AGASSIZ, Elizabeth. *Viagem ao Brasil*. Associação Nacional de Preservação Ferroviária. Disponível em www.anpf.com.br. Acesso em 6 abr. 2010.

Ponte da Grota Funda, em trecho da ferrovia Santos-Jundiaí, na Serra do Mar. Foto de Marc Ferrez, c. 1882. Mapoteca do Palácio do Itamaraty, Rio de Janeiro.

DOC. 3 A Avenida Paulista, na cidade de São Paulo, em fotografia de Guilherme Gaensly, em 1902.

As pressões inglesas pelo fim do tráfico negreiro

Em meados do século XIX, a Inglaterra era a maior potência industrial do mundo. Não interessava à Inglaterra manter o tráfico de escravos, uma vez que estes não podiam consumir seus produtos, pois não recebiam salários e não dispunham de rendimentos.

Outras razões ainda ajudam a explicar a posição inglesa de combate ao **tráfico negreiro**. Em 1833, a escravidão foi abolida em todos os domínios ingleses. Nas Antilhas britânicas, onde era forte a produção de açúcar, a implantação do trabalho assalariado gerou o aumento dos custos de produção, e o açúcar antilhano tornou-se mais caro que o açúcar brasileiro e, portanto, menos competitivo.

Também é importante lembrar que o fim do tráfico era uma demanda de parte da elite intelectual inglesa, que amparada nas ideias de igualdade entre os homens reivindicava o fim do tráfico e da escravidão africana.

As pressões internacionais, principalmente por parte da Inglaterra, levaram o governo brasileiro a aprovar uma lei proibindo o tráfico negreiro, em 1831. A lei declarava livre todos os africanos introduzidos no Brasil a partir dessa data.

Apesar desse avanço jurídico, a lei não saiu do papel e foi burlada à exaustão. O tráfico negreiro, agora ilegal, passou a ser feito de forma clandestina: praias afastadas eram utilizadas para o desembarque, embarcações hasteavam bandeiras falsas para burlar a fiscalização, autoridades eram corrompidas para ignorar o crime. Durante os 20 anos seguintes, foram trazidos ao Brasil e escravizados cerca de meio milhão de africanos, o que representou um significativo aumento desse rentável comércio.

A abolição do tráfico negreiro

Diante da situação, em 1845, o Parlamento britânico aprovou o **Bill Aberdeen**, lei que concedia à marinha britânica o direito de aprisionar navios negreiros, mesmo em águas brasileiras. Cerca de 600 embarcações foram apreendidas pelas autoridades britânicas, que por sua vez foram violentamente criticadas pelos políticos brasileiros. As tensões entre os dois países só cessaram em 1850, quando o governo brasileiro aprovou a **Lei Eusébio de Queiroz**, que proibiu o tráfico negreiro para o país.

No entanto, a lavoura cafeeira no sudeste do país, em rápida expansão, continuava dependendo da mão de obra escrava. A solução veio do tráfico interno de cativos, que passou a suprir a demanda criada pela proibição do tráfico intercontinental **[doc. 4]**. Com o declínio da produção açucareira nordestina, os proprietários da região passaram a fornecer escravos para trabalhar nos cafezais do sudeste do país.

A extinção do tráfico negreiro provocou a imediata elevação do preço dos escravos. Ter escravos tornou-se privilégio das camadas sociais mais ricas, o que obrigou os pequenos proprietários a se adaptar à nova realidade **[doc. 5]**.

ESCRAVOS.

Vende uma pessoa chegada ha pouco do Norte bonitos e moços, entre elles notão-se um official de ourives, uma bonita crioula, uma parda de 18 a 20 annos com habilidades, um preto padeiro e forneiro, um bonito pardo de 17 annos, optimo para pagem, e mais pretos e moleques; na rua da Alfandega n. 278. (.

COMPRA-SE uma cria de peito; na rua da Assembléa n. 78. (.

DOC. 4 Anúncio de venda de escravo recém-chegado ao Rio de Janeiro, publicado no periódico carioca *Jornal do Commercio*, 1854. Fundação Biblioteca Nacional, Rio de Janeiro

DOC. 5 **Preço médio dos escravos (15-29 anos) - oeste paulista**

Período	Preço em mil-réis
1843-1847	550$000
1848-1852	649$000
1853-1857	1:177$500
1858-1862	1:840$000
1863-1867	1:817$000
1868-1872	1:792$500
1873-1877	2:076$862

Fonte: MARTINS, José de Souza. *O cativeiro da terra*. São Paulo: LECH, 1981. p. 27.

A Lei de Terras de 1850

Desde o período colonial, o acesso à terra era feito por doação, ocupação ou compra. Porém, essa situação alterou-se substancialmente com a implantação da Lei nº 601, de 18 de setembro de 1850, ou simplesmente, **Lei de Terras**. O governo imperial, por meio dessa lei, estabeleceu a compra como única forma de aquisição da terra.

A promulgação da Lei de Terras estava diretamente relacionada ao fim do tráfico negreiro e à demanda por mão de obra nas lavouras, especialmente de café. Ao estabelecer que o acesso à terra só poderia ser feito por meio da compra, a legislação criava dificuldades para os trabalhadores (ex-escravos, imigrantes e pobres em geral) conseguirem sua própria terra, obrigando-os a trabalhar nas grandes propriedades cafeicultoras.

A mão de obra livre dos imigrantes

As primeiras tentativas de introduzir o trabalho livre nas fazendas de café, alimentado principalmente pela **imigração**, ocorreram antes ainda da extinção oficial do tráfico. As chamadas **colônias de parceria** foram implantadas na década de 1840 pelo ex-regente Nicolau de Campos Vergueiro em suas propriedades em Limeira, no interior paulista. Essa iniciativa funcionou como um experimento e logo atraiu a atenção de outros fazendeiros.

O sistema de parceria previa a divisão dos custos e dos lucros entre os fazendeiros e os imigrantes que cuidavam da lavoura e colhiam o produto. No entanto, o sistema era desvantajoso para os imigrantes. Eles deveriam ressarcir os fazendeiros pelos custos da viagem, pagar pelos instrumentos de trabalho, mantimentos etc. e contribuir com uma parcela dos ganhos obtidos ao longo das colheitas.

Em 1856 uma revolta em uma das propriedades de Vergueiro pôs fim à experiência pioneira. O sistema fracassou porque os imigrantes não aceitaram a forma de tratamento que lhes era dispensado pelos fazendeiros **[doc. 6]**. Além disso, acostumados à tradição escravocrata, os fazendeiros tinham dificuldade em lidar com o regime de trabalho livre, o que levou a conflitos e insatisfações de ambos os lados.

A imigração subvencionada

Depois de 1850, com a extinção do tráfico intercontinental negreiro, os fazendeiros procuraram alternativas para o problema da mão de obra. A solução veio de uma política de subvenção do Estado para financiar a vinda de imigrantes para as fazendas de café. Essa política se tornou oficial, na província de São Paulo, a partir da década de 1880 e promoveu a entrada maciça de imigrantes, principalmente italianos, num fluxo constante até as primeiras décadas do século XX.

QUESTÕES

1. Em seu caderno escreva um pequeno texto sobre a importância do café para a economia brasileira no século XIX e as razões que levaram ao aumento da demanda pelo produto.
2. Identifique as razões que levaram a Inglaterra a pressionar o governo brasileiro para acabar com o tráfico de escravos. Que medidas foram adotadas para isso? Como elas repercutiram no mercado nacional de escravos **[doc. 5]**?
3. Como funcionava o sistema de parceria?

DOC. 6 **A dura rotina de trabalho nas fazendas de café**

"Nada, porém, foi pior para eles do que as violências físicas, morais e econômicas. Casos de espancamento, assassinatos, estupros e perseguições eram comuns. Do ponto de vista econômico, a falta de pagamentos, o pagamento por vales, roubos nas medidas do café e a obrigatoriedade, para muitos, de só comprar nas vendas da fazenda, eram abusos corriqueiros."

Michel Hall. In: ALVIM, Zuleika. *Brava gente!* Os italianos em São Paulo. São Paulo: Brasiliense, 1986. p. 102.

Imigrantes trabalhando na colheita de café. Cartão-postal do início do século XIX. Coleção Emilio Gerodetti, São Paulo. A rotina de trabalho nas fazendas de café podia durar até 18 horas no auge da safra. Os trabalhadores eram acordados às 5 horas da manhã e trabalhavam até o anoitecer.

Seção 25.3

Cultura e cotidiano no Segundo Reinado

Objetivo

- Analisar o projeto de modernização proposto pelas elites intelectuais do Império.

Termos e conceitos

- Identidade nacional
- Romantismo
- Teorias raciais

Um projeto moderno de civilização

Ao longo do Segundo Reinado, uma pequena elite de intelectuais patrocinada pelo Estado começou a se preocupar com a construção de um projeto nacional para a incipiente nação brasileira. Tal projeto tinha a intenção de fomentar um sentimento de **identidade nacional**, que ajudaria a unificar o fragmentado território brasileiro. Esses teóricos também acreditavam que era preciso construir uma nação moderna, diferente do passado colonial, em que predominassem o desenvolvimento econômico e o progresso técnico e tecnológico. Os desafios eram imensos diante da realidade de uma população formada por uma minoria de cidadãos e uma massa de escravos. Como constituir uma civilização nesse cenário?

Mudanças na corte

Já a partir da chegada da família real ao Brasil novos hábitos de vida e de consumo foram pouco a pouco introduzidos pela corte. Durante o Segundo Reinado, a presença constante de estrangeiros - que passaram a fazer parte do cotidiano do Rio de Janeiro - ajudou a fomentar a circulação e a troca de novos hábitos culturais. Além disso, a vida pública da corte, seus hábitos de comer, de vestir e de se divertir funcionavam como uma espécie de vitrine para aqueles que desejavam imitar e adquirir hábitos considerados civilizados, tão valorizados no ambiente político e cultural daquele período.

Esses novos hábitos de civilidade exigiam certa infraestrutura urbana, daí o investimento em reformas e construções cujo modelo era a cidade de Paris com seus bulevares, suas praças e cafés. Foram construídos palácios majestosos, edifícios monumentais, por exemplo, a Academia Imperial de Belas-Artes, o Palácio do Comércio e os primeiros jardins públicos, como a Quinta da Boa Vista. Ruas foram calçadas, a cidade ganhou iluminação a gás e um novo tipo de transporte: o bonde de tração animal, que substituiu as cadeirinhas e as liteiras tradicionalmente conduzidas pelos escravos **[doc. 1]**.

Algumas mudanças culturais também foram incorporadas por certa parcela da população que vivia na corte, como formas diferentes de se vestir e de se comportar, novos hábitos alimentares e também rituais. A presença de cafés e de confeitarias no estilo europeu, por exemplo, estimulavam novas formas de sociabilidade, como as conversas informais entre as mulheres. As requintadas casas de modistas francesas traziam a última moda parisiense para os trópicos. Por sua vez, a chegada dos restaurantes criou outros hábitos alimentares, entre os quais o de comer fora de casa. O costume de frequentar livrarias contribuiu para transmitir um ar de requinte e de sofisticação a esse público.

Os recém-adquiridos hábitos de civilidade se expressavam também nas festas, nas cerimônias e nos espetáculos teatrais, locais privilegiados para "ver e ser visto". Nesses ambientes circulavam políticos, bacharéis, militares, intelectuais, comerciantes, fazendeiros, profissionais liberais, enfim todos aqueles que de alguma forma estavam associados à corte e a esses valores emergentes.

DOC. 1 **As reformas urbanas no Rio de Janeiro**

As reformas urbanas na cidade do Rio de Janeiro ganharam fôlego a partir de 1850 com a instalação da iluminação a gás (1854), a introdução dos bondes puxados a burro (1859) e a criação de redes de esgoto (1862). Tais mudanças contribuíram para transformar a capital do Império em modelo de civilidade e progresso para o restante do país.

Bonde da Tijuca, no Rio de Janeiro. Fotografia de Augusto Malta, 1905.

DOC. 2 *Chafariz no Rio de Janeiro*, aquarela de Eduard Hildebrandt, 1844. Museu do Estado, Berlim.

O outro lado da capital

Ao lado das ruas chiques e remodeladas da cidade do Rio de Janeiro se encontravam as velhas ruas sujas e malcheirosas, apinhadas de escravos e libertos e tomada pelo comércio informal, que garantia a sobrevivência da população mais pobre e imprimia outros hábitos e ritmos à cidade **[doc. 2]**.

De fato, se a corte representava uma ilha de civilidade e progresso em meio ao ambiente caótico e desordenado da vida cotidiana e da realidade do trabalho escravo, era preciso difundir os novos valores e incluir todos os brasileiros no recente projeto de nação, superando essas gritantes contradições. Sem dúvida, esse foi o maior desafio político e social do Segundo Império.

O que é ser brasileiro?

Assim como tinha sido conquistada a independência política, era preciso conquistar autonomia no plano da cultura, daí a importância de se investir num projeto que fosse genuinamente nacional. Em 1827, foram criadas as faculdades de Direito de São Paulo e de Olinda, responsáveis pela formação de grande parte dos políticos, juristas e administradores do Estado. Em 1838, foi fundado o Instituto Histórico e Geográfico Brasileiro (IHGB), que congregou a elite intelectual do Rio de Janeiro.

Em janeiro de 1845, o IHGB lançou um concurso intitulado "Como se deve escrever a história do Brasil", cujo intuito era promover a produção da história nacional e oficial do país. O vencedor do concurso foi o viajante naturalista Carl von Martius, que era membro colaborador da instituição e já havia viajado pelo país entre 1817 e 1822. Essas viagens e os estudos científicos que realizou possibilitaram a Martius conhecer a natureza e as populações nativas do país, experiência que o ajudou no ensaio que lhe garantiu a vitória no concurso.

A divulgação dessa interpretação da história nacional foi muito importante, na medida em que ajudou a consolidar uma determinada visão da história nacional. Para o autor, a originalidade da nossa história seria decorrente da fusão das três raças formadoras da nação: o branco (europeu), o negro e o índio. O brasileiro, então, era entendido como resultado da fusão dessas três raças, ou seja, o brasileiro típico era em essência uma população miscigenada.

Vocabulário histórico

Raça

O termo raça foi uma construção ideológica europeia do século XIX que, pretensamente, estaria baseada em preceitos científicos, em especial na apropriação incorreta das teorias de Darwin. No decorrer do século, o termo foi sendo utilizado para justificar restrições e exclusões sofridas pelos grupos considerados inferiores. No Brasil de fins do século XIX, a grande questão foi como adequar as teorias das raças puras num país predominantemente miscigenado. Surgiu, então, a política do branqueamento, visando criar uma população brasileira uniformemente branca, sem traços de miscigenação, o que influenciou a decisão do governo de promover a imigração europeia.

O romantismo brasileiro

Em meados do século XIX, o **romantismo**, movimento intelectual e artístico de grande expressão, aportou no Brasil. Poetas, escritores, pintores e músicos - em grande parte, homens brancos e representantes da elite - buscavam forjar uma arte genuinamente nacional. Nesse ambiente se destacaram nomes como Gonçalves Dias, José de Alencar, Joaquim Manuel de Macedo, entre outros.

Para esses homens, a produção artística nacional deveria se afastar da mera imitação da tradição europeia. O movimento romântico, por meio da pintura, da música ou da literatura, transformou o indígena brasileiro em ator principal dessas manifestações culturais **[doc. 3]**.

Apesar de suas contradições, o romantismo constituiu importante instrumento de aquisição de uma consciência nacional, fazendo frente, em certa medida, às teorias raciais que colocavam a nação brasileira em um patamar de inferioridade diante das nações europeias.

Teorias raciais na Europa e no Brasil

Na Europa, pensadores como os franceses conde de Gobineau e Paul Broca defendiam a superioridade inquestionável da raça branca sobre as demais. Outros autores europeus sustentavam teorias sobre o caráter irrevogável da degenerescência das raças miscigenadas. Leia, a seguir, o que o viajante suíço Louis Agassiz, que esteve no país em 1865, registrou em seu livro *Viagem ao Brasil*.

"Quem quiser ter um exemplo do que é a degeneração e a mistura racial extremada, venha ao Brasil e terá a prova da degeneração total."

In: SCHWARCZ, Lilia; QUEIROZ, Renato. (Orgs.) *Raça e diversidade*. São Paulo: Edusp, 1996. p. 171.

Se as **teorias raciais** em voga na Europa nesse período condenavam a jovem nação a um futuro pouco promissor, era preciso dar uma resposta que fosse condizente com a nossa realidade. Nesse sentido, o mestiço brasileiro foi elevado à categoria de raça forte, resultado da mistura das três raças primitivas e formadoras do povo brasileiro: o branco, o negro e o indígena. Cada qual teria fornecido características próprias para a formação da identidade nacional. Dessa forma, buscava-se harmonizar as tensões e as desigualdades sociais com uma teoria que aglutinava todos os brasileiros no novo projeto de nação.

- **Degenerescência.** Mudança das qualidades de uma espécie para um estado inferior.

QUESTÕES

1. Por que somente a partir da década de 1850 as autoridades decidiram adotar projetos modernizadores? Que dificuldades o projeto de modernização enfrentava?
2. Por que o romantismo brasileiro foi importante na constituição da identidade nacional? Como os escritores românticos nacionais contribuíram para esse projeto?

DOC. 3 *Iracema*, pintura de José Maria de Medeiros, 1881. Museu Nacional de Belas Artes, Rio de Janeiro. O índio, na visão dos românticos, era o símbolo da pureza e da bondade natural do homem.

O fim do Segundo Reinado

› Objetivos

- Compreender a Guerra do Paraguai como um conflito que envolveu os interesses regionais de Brasil, Paraguai, Uruguai e Argentina.
- Explicar o processo que levou à abolição da escravidão no Brasil.
- Explicar as razões que levaram ao fim do Segundo Reinado, em 1889.

› Termos e conceitos

- Império
- Movimento abolicionista
- República
- Guerra do Paraguai

Conteúdo digital Moderna PLUS http://www.modernaplus.com.br
Mapa animado: A Guerra do Paraguai

A Guerra do Paraguai

O Brasil e o Paraguai tinham, desde a década de 1840, pendências que envolviam questões de fronteiras mal delimitadas e divergências quanto ao direito de navegação no Rio Paraguai, principal via de acesso e comunicação entre a província de Mato Grosso e o restante do Brasil.

Em 1862 ascendeu ao governo paraguaio Francisco Solano López. O governante procurou estimular a exportação de produtos como erva-mate e importar tecnologia e produtos manufaturados, principalmente material bélico. Além disso, López convocou especialistas estrangeiros para implementar um amplo projeto de modernização militar com vistas à defesa da soberania do país.

O estopim do conflito foi a intromissão do Brasil na política interna do Uruguai. Duas facções políticas disputavam o poder no país: os *blancos*, representados por grandes proprietários rurais e apoiados por López, e os *colorados*, formados basicamente por comerciantes e que recebiam apoio do governo brasileiro. Em 1864, o Brasil interveio no Uruguai, alegando defender interesses de brasileiros residentes no país.

Em retaliação, o Paraguai rompeu relações diplomáticas com o Brasil e invadiu a província de Mato Grosso, o que deu início à guerra entre Brasil e Paraguai. López solicitou livre passagem de suas tropas pela província argentina de Corrientes, com o objetivo de atacar o Rio Grande do Sul e tropas brasileiras que se encontravam no Uruguai. O pedido de López foi negado, mas mesmo assim ele invadiu o território argentino, o que levou o país a declarar guerra ao Paraguai.

Contra o Paraguai formou-se a **Tríplice Aliança**, reunindo Brasil, Argentina e Uruguai. O conflito estendeu-se pelos cinco anos seguintes **[doc. 1]**. Em 1º de março de 1870, as tropas brasileiras derrotaram os últimos focos de resistência paraguaia. Solano López foi cercado em seu acampamento e morto pelos soldados brasileiros.

Resultados do conflito

Cerca de 120 mil brasileiros lutaram no conflito. Desse total, acredita-se que entre 30 mil e 50 mil brasileiros morreram na guerra. As doenças, o frio e a fome mataram mais pessoas do que os combates propriamente ditos. Para o Paraguai, a guerra foi desastrosa. Embora haja divergência com relação ao número de mortos, é consenso entre os estudiosos de que a população masculina foi praticamente dizimada.

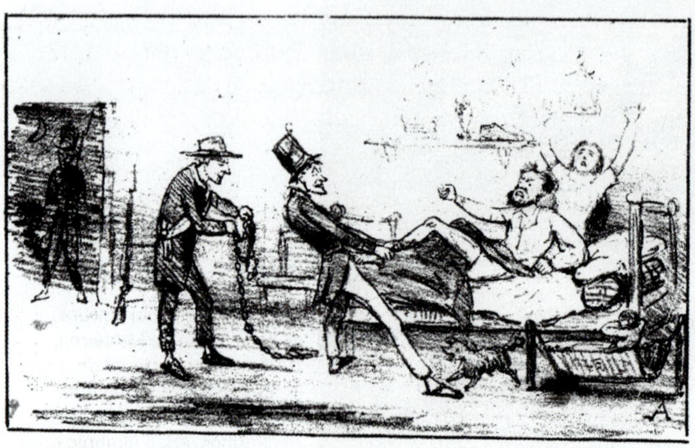

DOC. 1 Charge do semanário carioca *O Cabrião*, de 1866, representando o recrutamento forçado para compor as fileiras do exército brasileiro.

Respaldado pela vitória militar, com mais poder e prestígio, o exército passou a exigir maior poder e participação na vida política brasileira. Fortalecido como corporação, o exército tornou-se uma das instituições mais importantes na veiculação do ideário republicano. Já no plano econômico, os cofres do **Império** sofreram fortes impactos com os custos da guerra. Os elevados gastos do Estado obrigaram o governo a emitir mais papel-moeda, o que consequentemente levou à inflação, ao aumento da dívida externa e ao enriquecimento dos banqueiros ingleses, que lucraram com os empréstimos fornecidos ao Brasil.

O movimento abolicionista

Ao longo do século XIX, entre a supressão definitiva do tráfico de escravos (1850) e a abolição da escravidão (1888), houve um longo histórico de lutas, discussões e conquistas jurídicas e sociais que caracterizam o chamado **movimento abolicionista**. A partir de 1860, o abolicionismo tornou-se mais forte e abrangente, engajando parte significativa da opinião pública urbana nas associações, na imprensa ou nos tribunais, em prol da liberdade dos cativos.

A primeira etapa da abolição ocorreu com a aprovação da **Lei do Ventre Livre**, em 1871, após intensas negociações. A lei considerava livres todos os filhos de escravos nascidos a partir daquela data. No entanto, eles deveriam continuar a prestar serviços ao senhor até a idade de 21 anos, a título de ressarcimento pelos gastos com sua criação. O proprietário podia também optar por entregá-lo ao Estado aos 8 anos, quando o governo lhe indenizaria com a quantia de 600$000 (seiscentos mil-réis).

O movimento abolicionista ganhava as ruas e conquistava mais adeptos, organizados em clubes e associações. Conferências, palestras, quermesses e todas as formas possíveis eram utilizadas para angariar fundos e lutar pela emancipação dos cativos. As mulheres tiveram papel importante nessa empreitada, pois foram proponentes ativas dessas iniciativas. Havia diferentes tipos de defensores, desde os mais radicais, que pregavam a sublevação total dos escravos, até os mais moderados, que defendiam a solução parlamentar. Nas duas vertentes, a campanha abolicionista era tida como causa nobre, cristã e cidadã.

É importante destacar que os escravos também tiveram participação ativa no processo da abolição. Em certa medida, a legislação atendia a uma realidade concreta, marcada pelo aumento crescente do número de escravos que, fugindo do cativeiro, eram acolhidos nas cidades e se incorporavam ao mercado de trabalho. A inserção do escravo no mercado de trabalho acabou se configurando numa forma mais eficaz de minar internamente o sistema escravista. A cidade passou a ser o reduto do escravo fugitivo e sua inclusão no mercado de trabalho provocou uma ruptura profunda no sistema.

A abolição da escravidão no Brasil

Setores cada vez mais amplos da população livre da cidade envolviam-se na campanha abolicionista patrocinando fugas, reunindo fundos para obter alforrias e defendendo escravos foragidos da justiça. Em São Paulo, os escravos fugitivos das fazendas eram encaminhados pelos **caifases** ao quilombo Jabaquara, fundado em 1882, em Santos, cidade do litoral de São Paulo. Os caifases agenciavam fugas coletivas, perseguiam capitães do mato e ameaçavam senhores de escravos.

No entanto, nem todos concordavam com o movimento e a pressão das ruas logo foi sentida no Parlamento, que passou a receber denúncias dos grupos escravistas contra "a devastadora onda abolicionista" que ameaçava a ordem pública e a riqueza do país. Veja o que dizia uma dessas petições:

"A lavoura e o comércio desta província não são escravagistas, como ninguém o é no século em que vivemos. Mas a escravidão tendo entrado em nossos costumes, em nossos hábitos, em toda nossa vida social e política, acha-se por tal forma a ela vinculada que extingui-la de momento será comprometer a vida nacional, perturbar sua economia interna, lançar esta na indulgência, na senda do crime e no precipício de uma ruína incontável."

Imperial Instituto Bahiano (14 jun. 1884). In: COSTA, Emília Viotti da. *A abolição*. São Paulo: Editora Unesp, 2008. p. 82.

A pressão de ambos os lados acabou reacendendo o debate parlamentar e, em 1885, foi aprovada a **Lei Saraiva-Cotegipe** ou Lei dos Sexagenários, que emancipava os escravos maiores de 60 anos. O sistema desestruturou-se, à medida que os escravos que ainda não tinham se libertado se rebelaram, fugindo em massa das fazendas **[doc. 2]**.

Nas cidades, os militares assinaram petição oficial ao governo pedindo liberação da desonrosa tarefa de perseguir escravos. Em 13 de maio de 1888, a princesa Isabel, que assumiu provisoriamente o governo, pois d. Pedro, seu pai, estava em tratamento na Europa, assinou a **Lei Áurea**, dando o golpe de misericórdia na falida instituição. Abolida a escravidão, faltava discutir o lugar social do ex-escravo na incipiente nação brasileira e remover o legado de mais de trezentos anos de escravidão.

DOC. 2 *Fuga de escravos*, charge de Angelo Agostini para a *Revista Illustrada*. Fundação Biblioteca Nacional, Rio de Janeiro. As fugas constantes de escravos, apoiadas por grande parte da população livre, demonstravam que a escravidão estava com os dias contados.

A crise da monarquia e a proclamação da república

A partir da década de 1880, uma série de acontecimentos associados desencadeou uma crise no regime monárquico que levou à sua derrocada e à instalação do regime republicano. Tais acontecimentos expressavam uma profunda mudança social e econômica que estava em curso desde 1850: a emergência da economia do café e o desenvolvimento das cidades e de uma nova mentalidade influenciada pelos valores da modernidade.

Foi nesse contexto que cresceram os movimentos em prol da **república**, e o Partido Republicano, sobretudo em São Paulo, Rio de Janeiro e Rio Grande do Sul, conquistou novos adeptos e ganhou mais credibilidade. Nas cidades, cresceu o número de jornais que apoiavam o movimento e influenciavam o restante da população. No entanto, é preciso lembrar que o Brasil era ainda essencialmente rural, as cidades concentravam uma pequena parcela da população e mesmo nelas o movimento republicano era limitado.

Havia divergências entre os republicanos em relação à forma de implantar a república; enquanto alguns eram adeptos da mobilização popular, como Silva Jardim, outros defendiam a via parlamentar ou institucional, como Quintino Bocaiúva. No entanto, as duas correntes republicanas defendiam a separação entre a Igreja e o Estado, o fim do Senado vitalício e o federalismo.

Outro elemento de crise da monarquia era a questão militar. Oficiais do exército brasileiro, fortalecidos com a vitória brasileira na **Guerra do Paraguai**, sentiam que a corporação não tinha do governo o reconhecimento merecido. Descontentes com o papel que lhes cabia na política nacional e influenciados pelas ideias positivistas, muitos militares assumiram o discurso do patriotismo e o papel de defensores da "salvação nacional". Não havia consenso entre todos os militares, mas a adesão de parte significativa desse contingente acabou definindo os rumos da monarquia **[doc. 3]**.

"Em 11 de novembro, Rui Barbosa, Benjamin Constant, Aristides Lobo, Bocaiuva, Glicério e o coronel Sólon reuniram-se na casa de Deodoro com o fito de convencê-lo a tomar partido. Mais uma vez, civis e militares conspiraram juntos contra o trono. Em 15 de novembro de 1889 a monarquia era derrubada por golpe militar e proclamava-se a república."

COSTA, Emília Viotti da. *Da monarquia à república*. São Paulo: Editora Unesp, 1999. p. 489.

De acordo com testemunhos da época, conta-se que parte da população assistiu "bestializada" aos acontecimentos que deflagraram a instituição do regime republicano. A família imperial foi comunicada, por meio de um telegrama, da deposição e do exíguo prazo de 24 horas que teria para deixar o país. Até mesmo parte dos republicanos surpreendeu-se diante da notícia, demonstrando que apenas uma pequena parcela da população participara ativamente desse acontecimento.

QUESTÕES

1. Quais foram as consequências mais importantes da Guerra do Paraguai para o Império Brasileiro?
2. Explique por que a abolição da escravatura no Brasil foi um processo que se concretizou lenta e gradualmente.
3. Identifique os fatores que contribuíram para a proclamação da república no Brasil.

DOC. 3 *A proclamação da república*, pintura de Benedito Calixto, 1893. Museu Mariano Procópio, Juiz de Fora. Note que o artista destacou a participação dos militares no episódio que marcou o início da república no Brasil.

ATIVIDADES

Retomar conteúdos

1 Identifique os grupos políticos existentes no Brasil durante o período regencial e as principais ideias que defendiam.

2 Elabore um texto sintetizando a importância das ferrovias na economia brasileira na segunda metade do século XIX.

3 Estabeleça relações entre a Lei Eusébio de Queiroz, a Lei de Terras e a imigração subvencionada.

4 Aponte os motivos que levaram ao conflito conhecido no Brasil como Guerra do Paraguai.

Ler textos e imagens

5 Descreva a imagem e redija um pequeno texto estabelecendo uma relação entre o texto da capa do periódico e o contexto histórico do país nos anos finais da década de 1880.

Charge de Angelo Agostini publicada na capa de um número da *Revista Illustrada*, de 1887. Fundação Biblioteca Nacional. O texto publicado com a charge diz: "El Rey, nosso senhor, e amo dorme o sono da indiferença. Os jornais que diariamente trazem os desmandos desta situação parecem produzir em sua majestade o efeito de um narcótico."

6 Leia o texto a seguir e responda às questões.

"As ideias republicanas eram antigas entre nós [...]. Na Inconfidência Mineira (1789), por exemplo, o líder José Álvares Maciel defendia a implantação de uma república; na Conjuração Baiana (1798), um dos objetivos explicitados também era a proclamação da república. Nas diversas revoltas ocorridas durante o período regencial (1831 a 1840), como a Cabanagem, por exemplo, também existiram propostas vinculadas ao ideário republicano.

Porém, as ideias de um regime republicano e federativo para o país só tomaram maior impulso com a fundação do Partido Republicano, em 1870. Afirma-se mesmo que aqui o republicanismo pode ser dividido em duas fases bastante distintas: a do republicanismo utópico, do período colonial até 1870, e a do republicanismo ativo em que as práticas tornaram-se mais efetivas, de 1870 até a proclamação da república, em 1889."

GUZZO, Maria Auxiliadora Dias. *Silva Jardim*. São Paulo: Ícone, 2003. p. 32. (Série Pensamento americano)

a) Segundo a autora, desde quando é possível identificar ideias relacionadas à república no Brasil?

b) A autora divide as ideias republicanas em dois momentos. Identifique esses dois momentos e aponte as principais diferenças.

7 Em 1885 foi promulgada a Lei dos Sexagenários ou Lei Saraiva-Cotegipe, que estabelecia a libertação dos escravos com mais de 60 anos. Sobre esse tema, observe a caricatura feita por Angelo Agostini, publicada na *Revista Illustrada* em 1887. Fundação Biblioteca Nacional, Rio de Janeiro.

Charge de Angelo Agostini *A Lei Saraiva-Cotegipe* e o trem abolicionista, publicada na *Revista Illustrada*, de 1887. O texto publicado com a charge diz: "Cada dia o trem do progresso vae tomando passageiros. De muitas localidades e sobretudo da província de S. Paulo, os próprios lavradores não hesitam em embarcar. A iniciativa particular vencendo sempre a oficial! Que figura ridícula fazem hoje esses dois estadistas, com a sua famosa lei de 28 de setembro de 1885, que prolonga o prazo da escravidão até o fim desse século, quando em menos de três annos ela ficará de todo extinta!"

a) Por que o trem é retratado como símbolo do progresso? Que grupos sociais foram representados subindo no trem?

b) Identifique o contraste estabelecido pelo autor da charge entre os personagens montados no burro e aqueles que embarcam no trem.

Poesia e romance no século XIX

A poesia romântica

O romantismo significou, desde o seu surgimento, uma busca incessante pela representação de uma realidade interior. Nesse aspecto, ele se opunha à estética clássica ou neoclássica, que se voltara principalmente para a representação do mundo sensível, ainda que fosse de uma maneira idealizada, pautando-se por uma concepção do belo como o equilíbrio matemático e perfeito entre as partes de um todo.

A estética romântica, por sua vez, ressaltava o poder criativo da imaginação. A beleza tornava-se algo relativo, apreciada e exaltada pela subjetividade do artista. A ênfase na esfera subjetiva acarretava um profundo sentimento de inadequação do indivíduo em face do mundo exterior. O escapismo tornou-se, assim, uma constante na arte. Isso aparecia, por um lado, como uma valorização do passado histórico, sobretudo da Idade Média, vista como um período de inocência cavalheiresca, e, por outro, como a nostalgia em relação ao passado individual, principalmente a infância.

O gênero lírico conheceu um grande florescimento durante o romantismo porque a poesia apresentava-se como um veículo perfeito para a expressão dos sentimentos mais íntimos. Poetas como William Wordsworth, Samuel Coleridge, Lord Byron e Charles Baudelaire tingiram as formas poéticas com a experiência individual, fazendo a sensibilidade e a intensidade de paixão prevalecerem sobre a objetividade e a racionalidade.

Os autores brasileiros foram bastante influenciados por esses precursores, mas imprimiram uma cor local na produção das obras. O movimento romântico no Brasil foi tão bem-sucedido que produziu três fases poéticas. A primeira fase caracterizou-se por um forte nacionalismo, já que surgiu logo depois da independência do país. A busca romântica pelo passado significou, no Brasil, um resgate do indígena e do período anterior à colonização, juntamente com a valorização da paisagem nativa, como um emblema da nacionalidade brasileira. Essas características também podem ser encontradas nas obras dos pintores românticos brasileiros, que buscaram representar importantes eventos históricos nacionais **[doc. 1]**, assim como a paisagem e o indígena brasileiro **[doc. 2]**. A segunda fase, chamada de ultrarromântica, trouxe a exacerbação do *spleen* ou mal do século, uma espécie de crise existencial marcada pela melancolia e pelo pessimismo. A fuga da realidade, a ênfase na fantasia e a obsessão pela morte são os temas fundamentais dessa etapa. Já a terceira fase foi influenciada pelas lutas abolicionistas e se distinguiu pela temática social e pelo estilo condoreiro, constituindo uma poesia grandiloquente e elevada, como o voo do condor.

DOC. 1 *Primeira missa no Brasil*, pintura de Victor Meirelles. 1860. Museu Nacional de Belas Artes, Rio de Janeiro. O indígena e a paisagem natural, símbolos de um passado ameaçado pelo progresso, foram elementos característicos do romantismo brasileiro.

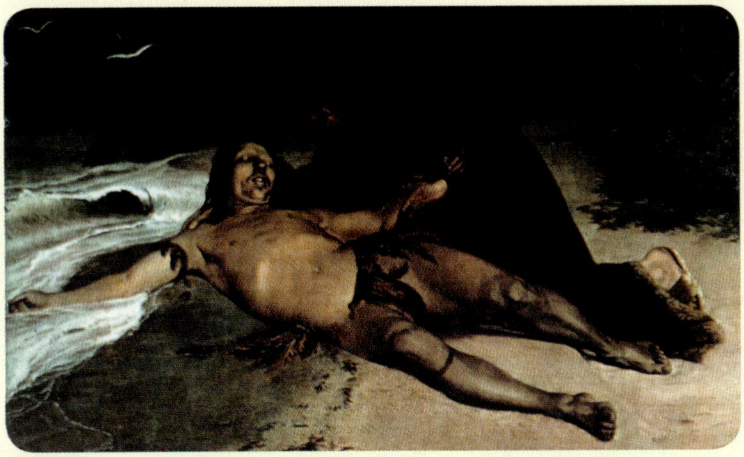

DOC. 2 *O último tamoio*, óleo sobre tela de Rodolfo Amoedo, 1883. Museu Nacional de Belas Artes, Rio de Janeiro.

A *Canção do exílio* e outras canções

A *Canção do exílio* de Gonçalves Dias (1843) **[doc. 3]** é uma das obras poéticas mais importantes da primeira geração romântica. O tema do exílio, da saudade da terra natal, prestava-se à intenção de criar símbolos poéticos que funcionassem ao mesmo tempo como símbolos nacionais. A partir dessa obra inaugural, o sabiá e as palmeiras tornaram-se elementos intimamente associados à identidade nacional brasileira.

Na maioria das antologias escolares, esse poema é, infelizmente, apresentado sem a epígrafe em alemão, mas ela é parte essencial da obra *Canção de Mignon*, que pertence ao livro *Os anos de aprendizado de Wilhelm Meister*, de Johann Wolfgang von Goethe, e se refere à Itália, vista pelo autor como um idílico país de frutos dourados. Gonçalves Dias utiliza esse trecho como mote para sua criação, identificando também o Brasil com essa terra paradisíaca que se deseja alcançar novamente. Muito além de uma exaltação ao Brasil, no entanto, a *Canção do exílio* trata da nostalgia universal do paraíso perdido, um local e um tempo de inocência e felicidade perfeitas, e do sentimento de se viver em permanente exílio no mundo.

O texto de Gonçalves Dias foi provavelmente um dos mais parodiados ao longo da história por autores como Oswald de Andrade, Carlos Drummond de Andrade e Murilo Mendes. A paródia é uma releitura e reescritura de algum texto literário, geralmente canônico, feita de maneira irônica, zombeteira ou crítica, como é a música *Sabiá*, composta por Tom Jobim e Chico Buarque em 1968 **[doc. 4]**. Nesse período, o Brasil vivia sob o regime militar, que teve início com o golpe de 1964 e só terminou em 1985. Oposicionistas, artistas e intelectuais eram perseguidos, presos e, muitas vezes, forçados a exilar-se. A canção, vitoriosa num dos famosos festivais de música da década de 1960, revelava o desencanto diante do Brasil que parecia perdido. Curiosamente, seu caráter político não foi notado por boa parte do público estudantil que acompanhava os festivais, que preferia canções mais explícitas de protesto e reagiu violentamente à premiação da canção.

DOC. 3 Canção do exílio

"Minha terra tem palmeiras,
Onde canta o Sabiá;
As aves, que aqui gorjeiam,
Não gorjeiam como lá.

Nosso céu tem mais estrelas,
Nossas várzeas têm mais flores,
Nossos bosques têm mais vida,
Nossa vida mais amores. [...]

Não permita Deus que eu morra,
Sem que eu volte para lá;
Sem que desfrute os primores
Que não encontro por cá;
Sem qu'inda aviste as palmeiras,
Onde canta o Sabiá."

DIAS, Gonçalves. *Poesias completas*. Rio de Janeiro: Livraria Editora Zelio Valverde, 1944. v. 2. p. 77-78.

DOC. 4 Sabiá

"Vou voltar
Sei que ainda vou voltar
Para o meu lugar
Foi lá e é ainda lá
Que eu hei de ouvir cantar
Uma sabiá

Vou voltar
Sei que ainda vou voltar
Vou deitar à sombra
De uma palmeira
Que já não há
Colher a flor
Que já não dá
E algum amor
Talvez possa espantar
As noites que eu não queria
E anunciar o dia [...]"

Chico Buarque e Tom Jobim. Sabiá (1968). In: BUARQUE, Chico. *Letra e música*. São Paulo: Companhia das Letras, 1989. p. 57.

A prosa de ficção romântica

Além da poesia, a prosa de ficção também se desenvolveu nos séculos XVIII e XIX. Até esse período, os romances não eram normalmente considerados uma leitura séria, digna de intelectuais e estudiosos, mas simples entretenimento para pessoas sem formação especial. A partir do romantismo, o romance passou a ser encarado como o principal gênero literário a explorar a totalidade da experiência humana na sociedade industrial.

Os críticos normalmente localizam a origem do romance moderno na Inglaterra do século XVIII, com a produção de Daniel Defoe, Samuel Richardson e Henry Fielding. O ponto em comum na obra desses precursores era o uso de indivíduos comuns de vida burguesa como protagonistas de suas narrativas. Esses heróis ficcionais tinham, na maioria das vezes, um nome próprio definido e, quase sempre, um sobrenome (*Robinson Crusoe*, *Tom Jones* e *Pamela* foram os títulos das primeiras obras desses autores), e viviam numa sociedade específica, dentro de uma moldura temporal semelhante àquela em que vivia o escritor. Dessa forma, o homem moderno, constantemente às voltas com os problemas de viver num mundo em rápidas transformações causadas pela Revolução Industrial, se reconhecia nesses personagens literários, e suas trajetórias o faziam refletir sobre sua própria existência.

Também na França, com as obras de Chateaubriand, Victor Hugo e Stendhal, o romance afirmava-se como o espaço por excelência para a discussão de questões sociais e psicológicas. Personagens deslocados, marginalizados ou injustiçados tornaram-se os atores mais importantes em histórias cheias de sentimentalismo, imaginação e denúncia social, como *Os miseráveis* e *Notre-Dame de Paris*, ambos de Victor Hugo **[doc 5]**. O romance romântico focaliza não apenas as mazelas da sociedade, mas também a alma humana, com todos os seus anseios e emoções profundas.

No Brasil, o principal romancista do romantismo foi José de Alencar, que soube explorar em sua obra temas fundamentais para o movimento, como o indianismo em *O Guarani* (1857), *Iracema* (1865) e *Ubirajara* (1874), o regionalismo em *O gaúcho* (1870) e *O sertanejo* (1875), além dos temas urbanos em *Senhora* (1875), *Lucíola* (1862) e *Diva* (1864), entre outros.

DOC. 5 À esquerda, Cossete (personagem do romance *Os miseráveis*) varrendo o chão da taverna. Ilustração de Emile Bayard para a primeira edição de *Os miseráveis*, de Victor Hugo, 1862; à direita, *Quasímodo*, ilustração de Alfred Barbou para o livro *Notre-Dame de Paris*, de Victor Hugo, 1831.

O realismo

Foi, porém, com o realismo que a crítica social e dos costumes passou a imperar soberana no romance. Os escritores realistas foram grandes analistas de suas sociedades, esmiuçando a natureza das instituições e dos relacionamentos humanos. Surgindo a princípio como um prolongamento do realismo, o naturalismo trouxe, por sua vez, a preocupação em descrever a vida, utilizando métodos e princípios retirados das ciências naturais, explicando ações, comportamentos e crimes por meio do determinismo, da hereditariedade, da patologia ou da influência do ambiente social sobre os seres humanos. Charles Dickens, Honoré de Balzac, Émile Zola, Leon Tolstoi e Fiodor Dostoievski foram os expoentes máximos do período. Com todos eles, a investigação social e psicológica atingiu seu ápice na esfera do romance.

No Brasil, o romance de Machado de Assis revelou as idiossincrasias da sociedade pequeno-burguesa do Segundo Reinado. Em *Dom Casmurro* (1899), o protagonista e também narrador Bento Santiago é um membro da classe dos privilegiados brasileiros e, em suas relações com os demais personagens, desenham-se as relações desiguais entre as classes sociais no Brasil. A obra-prima de Machado de Assis é talvez *Memórias póstumas de Brás Cubas* (1881), em que outro membro da camada abastada da sociedade narra sua biografia depois de morto. Os romances machadianos são cheios de ironia, ceticismo e pessimismo, enfocando o esforço inútil dos personagens contra as forças do destino, que acabam destruindo suas aspirações e desejos de felicidade.

Releituras do romance vitoriano

Em 1969, o escritor inglês John Fowles escreveu *A mulher do tenente francês*, em que rediscute as questões do romance realista vitoriano. Fowles, porém, realiza essa releitura dentro do enfoque da metaficção, uma vertente da literatura dos anos 1960 e 1970 que chama a atenção do leitor, durante toda a narrativa, para os procedimentos de escrita do texto literário, questionando ao mesmo tempo os limites entre ficção e realidade. O livro apresenta, por exemplo, um narrador, que também se chama John Fowles, que interrompe a narrativa tecendo frequentes comentários sobre os personagens. Diferentemente, porém, do narrador onisciente dos romances realistas, o narrador de Fowles perde o controle sobre suas figuras ficcionais, que lhe desobedecem constantemente. Além disso, o romance apresenta três finais possíveis, ficando a cargo do leitor escolher aquele que mais lhe aprouver. Essa obra ficcional também serviu de argumento para o filme homônimo rodado em 1981 e dirigido por Karel Reisz [doc. 6], que aprofunda as estratégias da metaficção, interligando a história dos personagens do romance com a história dos atores que a estão filmando.

DOC. 6 Meryl Streep e Jeremy Irons nos papéis de Sarah e Charles (Acima) e Anna e Mike (à esquerda), personagens do filme *A mulher do tenente francês*, produção britânica dirigida por Karel Reisz, 1981.

QUESTÕES

1. Observe o **doc. 1** e o **doc. 2** e responda.

a) Quais são os personagens que compõem as duas obras?

b) Identifique o acontecimento histórico que a pintura de Victor Meirelles representa.

c) Explique o tipo de relação entre os personagens que a tela de Meirelles sugere.

d) Qual é a posição dos dois personagens de *O último tamoio*? O que significa a disposição deles na pintura?

e) Por que as duas imagens podem ser associadas ao romantismo brasileiro?

2. Leia com atenção a *Canção do exílio*, de Gonçalves Dias **[doc. 3]**, e a música *Sabiá*, de Chico Buarque e Tom Jobim **[doc. 4]**.

a) Além dos sabiás e das palmeiras, que outras lembranças do Brasil são apresentadas no poema de Gonçalves Dias?

b) Você identifica uma diferença de expectativa quanto à volta entre o narrador da *Canção do exílio*, de Gonçalves Dias, e o de *Sabiá*, de Chico Buarque e Tom Jobim?

PRATICANDO: VESTIBULARES E ENEM

UNIDADE G Sociedade e cultura no século XIX

1 (Fuvest-SP) "Nossas instituições vacilam, o cidadão vive receoso, assustado; o governo consome o tempo em vãs recomendações... O vulcão da anarquia ameaça devorar o Império: aplicai a tempo o remédio." Padre Antonio Feijó, em 1836.

Essa reflexão pode ser explicada como uma reação à

a) revogação da Constituição de 1824, que fornecia os instrumentos adequados à manutenção da ordem.

b) intervenção armada brasileira na Argentina, que causou grandes distúrbios nas fronteiras.

c) disputa pelo poder entre São Paulo, centro econômico importante, e Rio de Janeiro, sede do governo.

d) crise decorrente do declínio da produção cafeeira, que produziu descontentamento entre proprietários rurais.

e) eclosão de rebeliões regionais, entre elas, a Cabanagem no Pará e a Farroupilha no sul do país.

2 (UFTM-MG) A obra de Charles Darwin (1809-1882) – *Sobre a origem das espécies por meio da seleção natural ou a conservação das raças favorecidas na luta pela vida* – publicada em 1859, causou grande polêmica. Naquele contexto histórico, suas ideias extrapolaram o campo da biologia, servindo para que alguns intelectuais e políticos justificassem a:

a) necessidade de divulgar a fé cristã em outros continentes.

b) superioridade dos mestiços frente às raças puras.

c) missão civilizadora do homem branco na África e Ásia.

d) degeneração de todas as raças nas áreas coloniais.

e) divisão dos países europeus em civilizados e primitivos.

3 (Fatec-SP) A reação operária aos efeitos da Revolução Industrial fez surgirem críticos ao progresso industrial, os quais propunham reformulações sociais e a construção de um mundo mais justo – os teóricos socialistas. Sabe-se que:

a) Pierre Joseph Proudhon propunha a formação de uma sociedade em que não haveria ociosos nem a exploração do homem pelo homem.

b) Robert Owen tornou-se o líder do anarquismo terrorista ao apontar a violência como a única forma de alcançar uma sociedade sem Estado e sem desigualdade.

c) Friederich Engels acreditava ser possível reorganizar a sociedade com a criação dos falanstérios, fazendas coletivistas agroindustriais.

d) Charles Fourier implantou na Escócia uma comunidade de alto padrão e de igualdade absoluta; contudo, suas críticas à propriedade e à religião o forçaram a abandonar a Grã-Bretanha.

e) Karl Marx considerava inevitável a ação política do operariado, a Revolução Socialista, que inauguraria a construção de uma nova sociedade.

4 (UFTM-MG) "Na segunda metade do século XIX, as classes dominantes das potências imperialistas encontraram uma forma espetacular de exibir seu poderio industrial: as exposições universais. Estas consistiam em mostras gigantescas, organizadas em grandes espaços criados para isso nas maiores cidades do mundo. Nelas se expunham as novidades do desenvolvimento industrial e tecnológico, manifestações artísticas e amostras das conquistas coloniais."

PAZZINATO, Alceu e SENISE, Maria Helena. *História Moderna e Contemporânea*.

a) Que ideologia estava presente nessas exposições universais?

b) Cite três exemplos das "novidades do desenvolvimento industrial e tecnológico" que chegaram ao Brasil nessa época.

5 (UFRJ-RJ) Explique de que maneira a charge a seguir, de autoria de Angelo Agostini, expressa uma das ambiguidades presentes na sociedade brasileira do Segundo Reinado (1840-1889) em relação à escravidão.

Charge de Angelo Agostini para a *Revista Illustrada*. Rio de Janeiro, junho de 1883. Instituto de Estudos Brasileiros – USP.

– Mas é que eu não posso separar-me delle: é quem me veste, quem me dá de comer, quem... me serve em tudo, afinal!

– É que... enfim, em attenção ás illustres qualidades pessoaes de tao sabio soberano, creio que as nações civilizadas não duvidarão em admitti-lo."

LEMOS, Renato. *Uma história do Brasil através da caricatura: 1840-2001*. Rio de Janeiro: Bom texto, 2001. p. 13.

6 **(Fuvest-SP)** A vitória do regime republicano no Brasil (1889) e a consequente derrubada da Monarquia podem ser explicadas, levando-se em conta diversos fatores. Entre eles, explique:

a) a importância do Partido Republicano.

b) o papel dos militares apoiados nas ideias positivistas.

7 **(Enem-MEC)** Considerando a linha do tempo a seguir e o processo de abolição da escravatura no Brasil, copie a afirmativa correta.

ABOLIÇÃO DA ESCRAVATURA

1850	1871	1885	1888
Lei Eusébio de Queiroz (fim do tráfico negreiro)	Lei do Ventre Livre (liberdade para os filhos de escravos nascidos a partir dessa data)	Lei dos Sexagenários (liberdade para os escravos maiores de 60 anos)	Lei Áurea (abolição da escravatura)

a) O processo abolicionista foi rápido porque recebeu a adesão de todas as correntes políticas do país.

b) O primeiro passo para a abolição da escravatura foi a proibição do uso dos serviços das crianças nascidas em cativeiro.

c) Antes que a compra de escravos no exterior fosse proibida, decidiu-se pela libertação dos cativos mais velhos.

d) Assinada pela princesa Isabel, a Lei Áurea concluiu o processo abolicionista, tornando ilegal a escravidão no Brasil.

e) Ao abolir o tráfico negreiro, a Lei Eusébio de Queiroz bloqueou a formulação de novas leis antiescravidão no Brasil.

8 **(UERGS-RS)** As frases abaixo são representativas de que doutrinas sociais que marcaram o século XIX?

I. "A luta de classes é a força que move a história."

II. "Todas as formas de Estado são formas de opressão."

a) I. Anarquismo – II. Liberalismo.

b) I. Liberalismo – II. Socialismo utópico.

c) I. Socialismo utópico – II. Liberalismo.

d) I. Socialismo científico – II. Anarquismo.

e) I. Liberalismo – II. Socialismo científico.

9 **(Fuvest-SP)** As agitações políticas e sociais que marcaram o período 1820-1848, no Ocidente, guiaram-se por concepções decorrentes tanto da Revolução Francesa de 1789, quanto da Revolução Industrial inglesa (em curso desde a década de 1780).

a) Descreva uma dessas concepções.

b) Relacione-as com um movimento social e/ou político do período (1820-1848).

10 **(UEL-PR)** O quadro abaixo, criado pelo italiano Giuseppe Pellizza, é uma expressiva representação da emergência dos movimentos sociais no final do século XIX, ao mostrar uma multidão de trabalhadores que, determinadamente, avança para reivindicar seus direitos. Esse fenômeno de desenvolvimento das organizações coletivas, como o movimento sindical e os partidos políticos, teve início na Europa e Estados Unidos do século XIX, espalhando-se por todo o mundo ocidental.

Qual das afirmativas abaixo corresponde às condições sociais daquele período?

a) A rígida estratificação social impedia que os camponeses procurassem trabalho fora dos limites feudais.

b) A estagnação do setor econômico-produtivo, centralizado num mundo agrário incapaz de atender às necessidades humanas de subsistência.

c) Leis trabalhistas que reconheciam os direitos dos homens, mulheres e crianças.

d) As péssimas condições de vida dos mais pobres, com longas jornadas de trabalho e precárias condições de habitação.

e) A expansão dos governos democráticos, abertos à participação popular e à inclusão dos mais pobres na política.

O quarto estado, pintura de Pellizza da Volpedo, 1901. Galeria Cívica de Arte Moderna.

SUGESTÕES

UNIDADE G

Leituras

A formação da classe operária
SINGER, Paul. 15. ed. São Paulo: Atual, 1994. (Coleção Discutindo a história)

A obra procura explicar como se deu o processo de industrialização ocorrido na Inglaterra, no século XVIII, e a formação da classe operária neste país.

Guerra do Paraguai
LOCONTE, Wanderley. São Paulo: Ática, 1998. (Coleção Guerras e revoluções brasileiras)

O livro é uma análise da Guerra do Paraguai, confronto que envolveu Argentina, Brasil, Uruguai e Paraguai, em meados do século XIX, e de suas consequências para o Império Brasileiro.

Dom Pedro II, imperador do Brasil
OLIVIERI, Antonio Carlos. 2. ed. São Paulo: Callis, 1999.

D. Pedro II é uma figura emblemática do Segundo Reinado no Brasil. O autor, ao mesmo tempo que narra os acontecimentos históricos do período, apresenta a vida desse monarca apaixonado por artes e estudos científicos.

Para entender o anarquismo
DELFINI, Luciano; PETTA, Nicolina Luiza de. São Paulo: Moderna, 2004. (Coleção Polêmica)

Na obra, os autores explicam detalhadamente o conceito de anarquismo e analisam algumas experiências que consideram anarquistas, como a Comuna de Paris e as lutas anarcossindicalistas no Brasil.

Filmes

Guerra do Brasil: toda a verdade sobre a Guerra do Paraguai
Direção de Sylvio Back. Brasil, 1987, 104 min.

Por meio da união entre ficção e documentário, o filme aborda os acontecimentos e os envolvidos na Guerra do Paraguai, como Luis Alves de Lima e Silva, o Duque de Caxias.

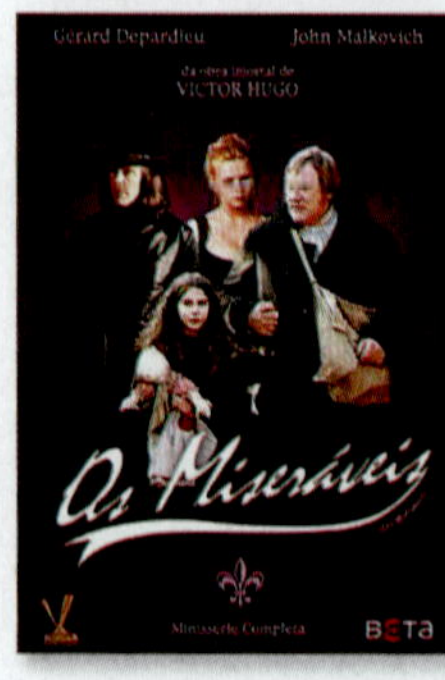

Os miseráveis
Direção de Josée Dayan. França, 2000, 360 min.

A história de Jean Valjean, que passa 20 anos na prisão por ter roubado pão para sustentar a família. Ao sair, em meio a muitas adversidades, prospera como negociante de vidrilhos até que outros acontecimentos o reconduzem à prisão. Baseado no romance homônimo do escritor Victor Hugo (1802-1885).

Sherlock Holmes
Direção de Guy Ritchie. Austrália/Estados Unidos/Reino Unido, 2009, 128 min.

O inglês Sherlock Holmes, personagem criado pelo escritor *sir* Arthur Conan Doyle, vive no ambiente das descobertas científicas e do pensamento cientificista do século XIX. O famoso detetive consegue decifrar assassinatos e desaparecimentos graças à investigação detalhada dos vestígios que encontra.

Site

Fundação Joaquim Nabuco
www.fundaj.gov.br

As publicações e as cartas do importante abolicionista brasileiro do século XIX, Joaquim Nabuco, estão disponíveis no acervo digital da fundação.

PARTE III
Do imperialismo ao totalitarismo

Unidade H

Um mundo em crise, *474*

Unidade I

Totalitarismo a autoritarismo: a caminho da guerra total, *546*

Unidade J

A Guerra Fria e o conflito de ideologias, *596*

Unidade K

O mundo globalizado, *658*

PARTE

III

UNIDADE

H

Um mundo em crise

» Capítulos

O deslumbramento tecnológico

Nos últimos séculos, a tecnologia vem deslumbrando cada vez mais os homens. Cada grande invento frequentemente acarretou impactos sociais que interferiram com mais ou menos força na vida das pessoas. Por exemplo, ao longo do último século, a popularização dos automóveis e a invenção da internet mudaram indiscutivelmente nossos hábitos culturais.

A virada do século XIX para o XX foi outro momento de deslumbramento ocasionado pela difusão de novas tecnologias. Mudaram-se hábitos e costumes, especialmente nas grandes cidades europeias. Por meio dos novos meios de comunicação, como o rádio, inventado no final do século XIX, as produções culturais se difundiram rapidamente e alcançaram um número cada vez maior de pessoas. A própria arte passou a expressar essas mudanças sociais, como podemos observar na imagem do quadro de Giacomo Balla.

Todo o deslumbramento em torno dos novos avanços tecnológicos, contudo, foi silenciado pelos barulhos dos intensos combates que se seguiram. Todo o otimismo desse período foi ofuscado pelos fogos das bombas e dos disparos da Primeira Guerra Mundial. O auge da tecnologia foi se refugiar nas trincheiras da guerra.

Em 1913, Henry Ford (1863-1947) inaugurou a linha de montagem em sua empresa, a Ford Motor Company. O primeiro automóvel produzido dessa forma foi o chamado Modelo T, com 15 milhões de unidades vendidas. A partir de então, o processo de fabricação em série se expandiu para todo o mundo.

Da *Belle Époque* aos anos 1920

Esta linha do tempo não foi organizada em escala temporal.

- **1859** – Perfuração do primeiro poço de petróleo, nos Estados Unidos.
- **1868** – Início da era Meiji, no Japão.
- **1876** – O primeiro telefone é patenteado por Alexander Graham Bell e Alisha Gray.
- **1884-1885** – Conferência de Berlim.
- **1889** – Proclamação da república no Brasil.
- **1891** – É promulgada a primeira Constituição republicana no Brasil.
- **1895** – Os irmãos Auguste e Louis Lumière inventam o *cinematógrafo*.

QUESTÕES

1. Relacione estas imagens com o texto. Qual é a impressão que elas transmitem?
2. Quais impactos, em sua opinião, a produção em série provocou nas indústrias e na sociedade do início do século XX?
3. O que você sabe sobre a Primeira Guerra Mundial?
4. Você já ouviu a expressão República do café com leite? O que você acha que ela significa?

Destruição e devastação causadas por batalhas da Primeira Guerra Mundial na Frente Ocidental. Note o desespero do soldado australiano e as duras condições às quais os soldados tinham que resistir. Outros 46 mil compatriotas seus não tiveram a mesma sorte e, com outras 3 milhões de pessoas, morreram nos combates travados nesta região.

Abstract Speed + Sound [Velocidade abstrata + Som], de Giacomo Balla, 1913-1914. Podemos observar neste quadro algumas características do futurismo, movimento artístico que enaltecia as novas tecnologias, o futuro e o mundo urbano. O pintor italiano Giacomo Balla explora, neste quadro, o movimento e a velocidade dos carros de corrida. O artista sugere as alterações da paisagem e do ar causadas pela passagem de um carro em alta velocidade.

1896-1897	1904	1910	1914	1917	1919	1924
Guerra de Canudos.	Revolta da Vacina.	Início da Revolução Mexicana. Revolta da Chibata.	Início da Primeira Guerra Mundial.	Greve geral em São Paulo. Revolução Russa.	Tratado de Versalhes.	Morte de Lênin e ascensão de Stalin na União Soviética.

Capítulo

26

O imperialismo na Ásia e na África

26.1 Industrialização e imperialismo

A expansão imperialista do século XIX resultou na dominação europeia de um vasto território na Ásia e na África.

26.2 A expansão europeia na Ásia

Na Índia e na China, a Grã-Bretanha venceu a resistência local e conquistou um amplo mercado para os artigos industriais ingleses.

26.3 A expansão europeia na África

A Conferência de Berlim (1884-1885) formalizou a partilha da África e definiu, em linhas gerais, a atual configuração geográfica do continente.

26.4 Ideologia e cultura no imperialismo

A expansão imperialista na África, ao mesmo tempo que alimentou a ideologia da superioridade racial, proporcionou uma fonte de inspiração para cientistas e artistas europeus.

A aceleração dos tempos modernos

Tempo é dinheiro. Você já deve ter escutado esta frase antes. Mas o que será que ela significa? Será que está ligada apenas ao tempo de cada homem? Ou seja, que cada pessoa não pode perder tempo em suas atividades cotidianas? Ou podemos expandir essa frase para toda uma sociedade? Para toda a humanidade? O que se quer dizer com tempo é dinheiro?

Observe a charge abaixo. A ampulheta representa o tempo que aprisiona o homem em seu trabalho escravo. Ou seja, o homem e a mulher mostrados são duplamente escravos. Eles estão sendo explorados na coleta de matérias-primas que serão utilizadas em fábricas de países desenvolvidos, mas também estão presos ao tempo. O tempo da indústria e das formas de exploração dos indivíduos. O tempo que escoa não em segundos, minutos ou horas, nem na areia da ampulheta, mas na matéria-prima que escoa e se transforma em moedas, em dinheiro.

Na transformação desta matéria-prima, extraída nos países colonizados, em produtos manufaturados está implícita uma relação de exploração que foi se tornando mais complexa e ampla. À medida que a tecnologia se aprimorava, a industrialização se acelerava e se expandia, fomentando conflitos entre as principais potências europeias. As rivalidades entre elas culminaram no maior embate presenciado pela humanidade até então: a Primeira Guerra Mundial.

De cima para baixo, está escrito: "colonialismo", "escravidão", "e a Revolução Industrial". A imagem é uma metáfora da relação entre colonialismo e industrialização. Na ampulheta, os produtos extraídos nos territórios coloniais promovem a industrialização nas potências europeias. Capa do livro *A case study*: the empire in South Yorkshire (1700-1860).

Cecil Rhodes, explorador inglês, em uma caricatura feita em 1892 para o periódico britânico *Punch*, famoso pelas caricaturas humorísticas e satíricas em relação à sociedade e à política britânicas. Várias destas caricaturas se tornariam muito famosas e conhecidas.

Industrialização e imperialismo

› Objetivos

- Relacionar o desenvolvimento do capitalismo com o imperialismo.
- Explicar as razões políticas e econômicas que levaram as potências europeias a estabelecer o domínio sobre territórios africanos e asiáticos.

› Termos e conceitos

- Segunda Revolução Industrial
- Capitalismo
- Oligopólio
- Imperialismo

As novas tecnologias e a expansão industrial

Na segunda metade do século XIX, sucessivas inovações tecnológicas impulsionaram indústrias tradicionais, possibilitaram o desenvolvimento de novas indústrias e estimularam a realização de novas pesquisas e invenções. Os avanços na industrialização atingiram os campos, resultando também num grande aumento da produção agrícola.

A industrialização não apenas se intensificou como também se expandiu para outros países. Na Europa, depois da Grã-Bretanha, França, Bélgica, Holanda e norte da Alemanha, a Revolução Industrial atingiu também os países nórdicos, a Rússia, o norte da Itália e algumas regiões da Espanha. Fora da Europa, a industrialização ocorreu nos Estados Unidos e no Japão.

As mudanças econômicas, sociais e políticas desse período, conhecido como **Segunda Revolução Industrial**, tiveram como base duas novas fontes de energia: a eletricidade e o petróleo.

- A geração de **eletricidade**, mais barata que o carvão e inesgotável, tornou-se possível com a invenção do dínamo, na segunda metade do século XIX. Utilizada inicialmente na iluminação pública, a eletricidade cada vez mais foi substituindo a energia a vapor nas fábricas e nos transportes.
- O **petróleo** começou a ser utilizado como fonte geradora de energia a partir de 1859, quando se perfuraram os primeiros poços de petróleo, nos Estados Unidos. Inicialmente, ele foi utilizado na iluminação; posteriormente, passou a ser empregado para movimentar as máquinas nas fábricas e, com o aperfeiçoamento do motor de combustão interna, a partir de 1870, foi possível utilizá-lo como combustível nos meios de transporte.

As inovações tecnológicas do período impulsionaram outros inventos e um grande desenvolvimento da indústria. No setor elétrico, o destaque foi a invenção do telefone, do telégrafo e do rádio **[doc. 1]**. A indústria química teve um grande impulso com a produção de fertilizantes, artigos sintéticos, novos explosivos e medicamentos. A siderurgia foi revolucionada com um novo processo de fabricação do aço, permitindo produzir essa liga metálica em maior quantidade e a preços mais baixos **[doc. 2]**.

DOC. 1 Invenções da Segunda Revolução Industrial

Invenção	Atribuída a	País/ano
Máquina de costura	Elias Howe	Estados Unidos/1846
Lâmpada incandescente	Thomas Edison	Estados Unidos/1854
Motor de combustão interna	Nikolaus Otto	Alemanha/1866
Dínamo elétrico	Werner Siemens	Alemanha/1866
Máquina de escrever	Christopher Sholes e Carlos Glidden	Estados Unidos/1867
Telefone	Alexander Graham Bell	Estados Unidos/1876
Processamento de aço	Sidney Thomas e Gilchrist	Grã-Bretanha/1877
Automóvel	Gottlieb Daimler e Karl Benz	Alemanha/1885
Turbina a vapor	Charles Algernon Parsons	Grã-Bretanha/1890
Motor a *diesel*	Rudolf Diesel	Alemanha/1897
Dirigível	Ferdinand von Zeppelin	Alemanha/1900

DOC. 2 *Os poços de petróleo em Baku, no Mar Cáspio*, gravura de 1886. A extração do petróleo tornou-se fundamental para o desenvolvimento da indústria e dos transportes.

Os meios de transporte e a demografia

Ao mesmo tempo, houve uma revolução nos meios de transporte com a expansão dos trilhos ferroviários, a construção das ferrovias transcontinentais e a substituição definitiva dos navios a vela pelos navios a vapor, facilitando o armazenamento de cargas e a distribuição de mercadorias. O coroamento dessa série de inovações nos transportes veio com a invenção do primeiro veículo reconhecido como automóvel, em 1885.

Novos métodos de produção foram implementados na agricultura, com a utilização de máquinas e de fertilizantes químicos, ocasionando, assim, o aumento da produção de grãos. Essa mudança acarretou o barateamento dos preços dos produtos agrícolas e possibilitou um grande aumento demográfico. A população da Europa, que era de aproximadamente 145 milhões de habitantes em 1750, aumentou para 265 milhões em 1850, e, em 1900, chegou a cerca de 430 milhões de pessoas **[doc. 3]**.

A formação dos oligopólios

Durante a Primeira Revolução Industrial, de fins do século XVIII a meados do XIX, a iniciativa individual assumiu um papel decisivo na constituição de uma empresa e na sua expansão. Indústrias de tecidos ou de calçados, por demandarem menos investimentos de capitais, podiam se instalar e crescer com recursos do próprio empresário. Na Segunda Revolução Industrial, ao contrário, a complexidade e o alto custo das novas atividades econômicas, como uma usina hidrelétrica ou uma companhia petrolífera, exigiam um grande aporte de capitais, que dificilmente poderia ser obtido com recursos individuais.

A dificuldade de sustentar os novos investimentos com recursos individuais criou um cenário privilegiado para a atuação dos bancos e das instituições financeiras, que passaram a investir na indústria, no comércio, na agricultura e na mineração e a controlar essas atividades por meio de empréstimos. Muitos bancos, como é muito comum nos dias atuais, passaram a participar dos negócios de uma empresa como acionistas. Surgia assim o **capitalismo financeiro**, resultante da fusão do capital bancário com aquele gerado nos demais setores da economia.

As crescentes inovações tecnológicas do período e a necessidade de cada vez mais recursos para ampliar a produção e conquistar novos mercados criaram dificuldades para a atuação de pequenos e médios empresários. Assim, muitas empresas, sem capital suficiente para enfrentar a concorrência, associavam-se, formando **oligopólios**, um pequeno grupo de empresas poderosas que controlava determinado ramo da produção.

O primeiro modelo de associação empresarial era o **truste**, formado quando várias empresas de um mesmo setor, interessadas em controlar preços, produção e mercado, se fundiam, formando uma única organização. Muitas empresas, ainda, estabeleciam acordos para controlar preços e combater os concorrentes. Esse modelo de associação era o **cartel**. Criou-se também a ***holding***, tipo de organização econômica que detém o controle acionário de um grupo de empresas subsidiárias de um mesmo ramo ou de ramos diferentes.

A formação dos oligopólios resultou numa grande concentração de capital, isso porque um número reduzido de empresas controlava os principais setores da economia, como o automobilístico, o da mineração e o das ferrovias, podendo reduzir custos na fabricação dos produtos e comercializá-los a preços mais altos. As empresas familiares continuaram existindo, mas o capital concentrou-se nas mãos das chamadas sociedades anônimas.

DOC. 3 **Número de cidades com mais de mil habitantes**

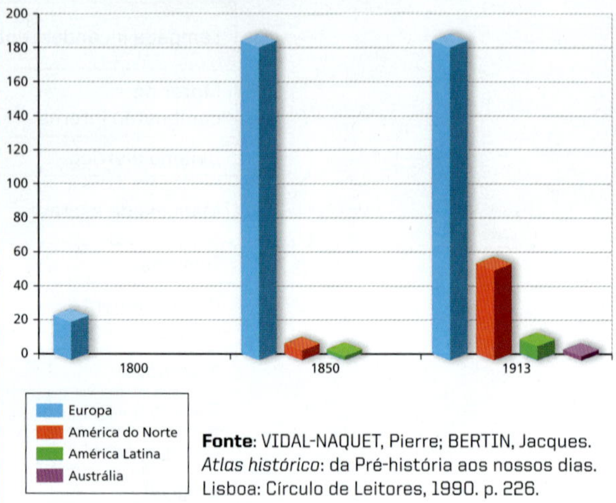

Fonte: VIDAL-NAQUET, Pierre; BERTIN, Jacques. *Atlas histórico*: da Pré-história aos nossos dias. Lisboa: Círculo de Leitores, 1990. p. 226.

A crise capitalista de 1873 e seus efeitos

O aumento acelerado da produção, impulsionado pelos avanços técnicos, gerou uma grande depressão, que se estendeu de 1873 a 1896. A depressão econômica caracterizou-se pela queda generalizada dos preços e dos lucros e pela falência de muitas empresas. A principal marca, entretanto, dessa e de outras crises econômicas que atingiriam as nações capitalistas foi a superprodução de mercadorias, ou seja, o sistema entrou em colapso em virtude da abundância de produtos, e não pela carência deles. A crise obrigou as empresas e os governos a tomar medidas para contornar as dificuldades econômicas e para prevenir novas crises.

Uma das medidas adotadas pelas empresas para combater os efeitos da crise econômica foi criar mecanismos de associação com outras empresas do mesmo ramo para fixar preços e dividir o mercado. Governos de alguns países, como Itália e Alemanha, recorreram a medidas protecionistas para proteger a produção nacional. A livre-concorrência, que marcou a Primeira Revolução Industrial, dava lugar aos oligopólios e ao protecionismo alfandegário.

Outra medida adotada pelos países industrializados foi sair em busca de novos mercados, em geral na África e na Ásia, onde pudessem escoar as mercadorias excedentes. O ministro francês Jules Ferry chegou a afirmar, em 1885: "o que falta às nossas indústrias, o que lhes falta cada vez mais, são mercados".

Além de mercados consumidores, as potências industriais europeias aumentaram a procura por matérias-primas, acirrando a corrida por produtos provenientes da América Latina, da África e da Ásia. O aumento da população europeia também exigiu novas terras que pudessem absorver a mão de obra excedente, gerando o maior movimento migratório da história. Entre 1815 e 1915, cerca de 35 milhões de pessoas deixaram a Europa para tentar uma nova vida em outros continentes, principalmente na América **[doc. 4]**.

Nos campos, as dificuldades da crise econômica e a crescente mecanização reduziam os braços necessários à lavoura, gerando tensões sociais. No meio urbano, as pressões exercidas por uma classe operária cada dia mais numerosa e organizada, tanto em sindicatos quanto em partidos de esquerda, levavam os governos europeus a verem a exploração colonial como uma saída para afastar a ameaça de uma revolução social **[doc. 5]**.

Os territórios africanos e asiáticos tornavam-se, assim, uma "válvula de escape" para uma iminente crise social europeia, tanto do ponto de vista econômico, com a aquisição de novas fontes de energia e novos mercados consumidores, quanto do ponto de vista social, ao deslocar uma enorme quantidade de europeus para os territórios colonizados.

DOC. 4 **A grande emigração europeia (1800-1930) em milhões**

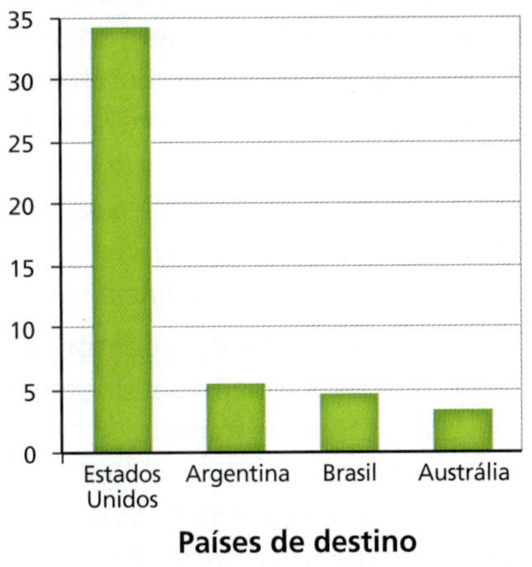

Fonte: VIDAL-NAQUET, Pierre; BERTIN, Jacques. *Atlas histórico*: da Pré-história aos nossos dias. Lisboa: Círculo de Leitores, 1990. p. 227.

Solução para os conflitos sociais

A respeito dos conflitos sociais agravados com a Segunda Revolução Industrial, Cecil Rhodes, explorador britânico da região do Cabo, na África do Sul, afirmou, em 1895:

"Ontem estive no East-End (bairro operário de Londres) e assisti a uma assembleia de desempregados. Ao ouvir ali discursos exaltados, cuja nota dominante era: pão! pão!, e ao refletir, de regresso a casa, sobre o que tinha ouvido, convenci-me, mais do que nunca, da importância do imperialismo... A ideia que mais me acode ao espírito é a solução do problema social, a saber: nós, os colonizadores, devemos, para salvar os 40 milhões de habitantes do Reino Unido de uma mortífera guerra civil, conquistar novas terras a fim de aí instalarmos o excedente da nossa população, de aí encontrarmos novos mercados para os produtos das nossas fábricas e das nossas minas. O Império, como sempre tenho dito, é uma questão de estômago. Se quereis evitar a guerra civil, é necessário que vos torneis imperialistas."

Cecil Rhodes [1895]. In: LÊNIN, Vladimir. *O imperialismo*: fase superior do capitalismo. São Paulo: Centauro, 2003.

DOC. 5 Trabalhadores ingleses em 1879. Biblioteca Britânica, Londres.

O colonialismo contemporâneo

O processo de expansão das grandes potências industrializadas em busca de colônias e áreas de exploração econômica, impulsionado pelos interesses do capital financeiro e dos grandes oligopólios, convencionou-se chamar **imperialismo**. O resultado dessa expansão imperialista foi a partilha quase completa da África entre os Estados europeus e a ocupação de vastos territórios da Ásia ou sua subordinação à influência europeia.

A dominação imperialista apresentou, em cada região, características específicas, de acordo com os interesses das potências imperialistas e as relações estabelecidas com as elites dirigentes locais. Podemos identificar os seguintes tipos de dominação imperialista nos territórios da América Latina, da África e da Ásia.

- **Áreas de domínio econômico**: países independentes que não sofriam dominação política direta, mas eram explorados economicamente e persuadidos a tomar medidas que beneficiavam os países imperialistas (caso da América Latina).
- **Áreas de protetorado**: domínios coloniais tratados como aliados, mantendo-se os quadros dirigentes locais, mas subordinados a uma autoridade europeia presente (por exemplo, Índia).
- **Áreas de colonização direta**: áreas dominadas militar, política e economicamente, com a presença no local de quadros dirigentes europeus (diversas regiões da África).
- **Áreas de influência**: territórios em que os dirigentes locais eram mantidos, mas obrigados a assinar tratados que garantiam vantagens econômicas e jurídicas à potência estrangeira. Nos territórios dominados, estabelecia-se ainda que os cidadãos do país dominador residentes nessas áreas estavam sujeitos às leis do país de origem.

Nessas áreas de dominação, a busca do lucro não era meta apenas das empresas privadas, mas se converteu numa política nacional seguida pelos Estados europeus, financiada com fundos públicos e apoiada pela criação de aparelhos administrativos e políticos. Na tentativa de alcançar o máximo de lucro, procurava-se gastar o mínimo possível com mão de obra. Para isso, contratavam trabalhadores a baixos salários ou recorriam ao trabalho forçado.

Realizando grandes investimentos de capital, os europeus fomentaram a produção de gêneros agrícolas e a extração de recursos de origem animal, mineral e vegetal. Nas savanas africanas, por exemplo, os conquistadores extraíam peles, plumas e marfim [doc. 6]. Na África do Sul, destacava-se a extração de diamantes e ouro. Nas áreas de florestas e savanas, os europeus exploravam, por exemplo, noz-de-cola, borracha e palmeiras. Também impulsionaram o cultivo de cacau, café, cana-de-açúcar e amendoim.

Vocabulário histórico

Imperialismo

O termo *imperialismo*, cunhado no século XIX, começou a ser frequentemente empregado no início do século XX para se referir à etapa do desenvolvimento do capitalismo inaugurada com a Segunda Revolução Industrial, a partir de 1870. Em sua essência econômica, o imperialismo é a fase do capital monopolista e financeiro em que poderosos grupos de grandes empresários e financistas, situados nas nações mais ricas, promoveram a fusão do capital industrial e bancário, resultando numa enorme concentração da produção e do capital. O imperialismo também inaugurou uma nova partilha colonial, motivada pela busca de novos mercados fornecedores de fontes de energia, matérias-primas e locais de investimentos dos capitais excedentes na Europa.

O processo de expansão imperialista é dirigido pelos Estados onde os grandes oligopólios estão instalados, o que explica o uso das expressões "Império Britânico", "Império Francês", entre outros. Em seu livro mais recente, *Globalização, democracia e terrorismo*, o historiador Eric Hobsbawm analisa a situação atual do Império Norte-americano e os riscos de se construir um futuro marcado pelos conflitos e pelos desequilíbrios políticos e ambientais.

DOC. 6 Caçadores de búfalos no Transvaal, na África do Sul, gravura de cerca de 1890.

QUESTÕES

1. Observe a tabela e as respectivas invenções nela mostradas [doc. 1].
   a) Que diferença chama a atenção entre as invenções europeias e as norte-americanas?
   b) Com base nas datas dos inventos e no texto, explique o que representou este período e quais foram suas principais características.
2. Analise com atenção a imagem [doc. 6].
   a) Interprete a postura dos homens diante do animal morto.
   b) É possível identificar a origem geográfica das pessoas que aparecem na foto? Qual seria?

Seção 26.2

A expansão europeia na Ásia

Objetivos

- Compreender as particularidades históricas do imperialismo no continente asiático.
- Compreender a importância da Restauração Meiji para o desenvolvimento do capitalismo japonês.

Termos e conceitos

- Revolta dos Cipaios
- Guerra do Ópio
- Xogunato
- Restauração Meiji

A dominação britânica na Índia

No final do século XVIII, a Índia tinha diversos principados sujeitos à administração da Companhia das Índias Orientais. Uma das medidas tomadas pela Companhia Britânica foi substituir, no mercado europeu, os tecidos indianos (musselinas) pelos tecidos ingleses de algodão, levando diversos principados à inviabilidade econômica.

Outra prática comum realizada pela Companhia Britânica eram os tratados subsidiários, que restringiam a autonomia dos príncipes indianos, impedindo-os, por exemplo, de controlar o território e declarar guerra, ao mesmo tempo que asseguravam maior poder de decisão aos ingleses.

Em meados do século XIX, os ingleses dominavam quase todo o território da Índia, ficando a outra parte constituída de principados dependentes dos britânicos por meio de tratados subsidiários.

A dominação britânica na Índia promoveu a destruição das comunidades tradicionais indianas, que combinavam a pequena produção agrícola com a produção artesanal. De exportadores de tecidos, os indianos se transformaram em fornecedores de matérias-primas e especiarias e importadores de tecidos ingleses. Além disso, a população indiana foi submetida aos altos impostos cobrados pelos britânicos e a relações de comércio desiguais com o colonizador.

A política inglesa ajudou a enriquecer alguns poucos comerciantes locais, mas resultou na miséria da maior parte da população indiana. Como consequência, em 1857-1858 ocorreu a **Revolta dos Cipaios**, organizada pelos soldados coloniais indianos. Após reprimir a revolta, o governo britânico dissolveu a Companhia das Índias Orientais e assumiu diretamente o comando da sua colônia indiana. Depois disso, outros territórios asiáticos foram incorporados ao Império Britânico: Birmânia (1866) e Malásia (1874) **[doc. 1]**.

DOC. 1 **A dominação imperialista na Ásia (início do século XX)**

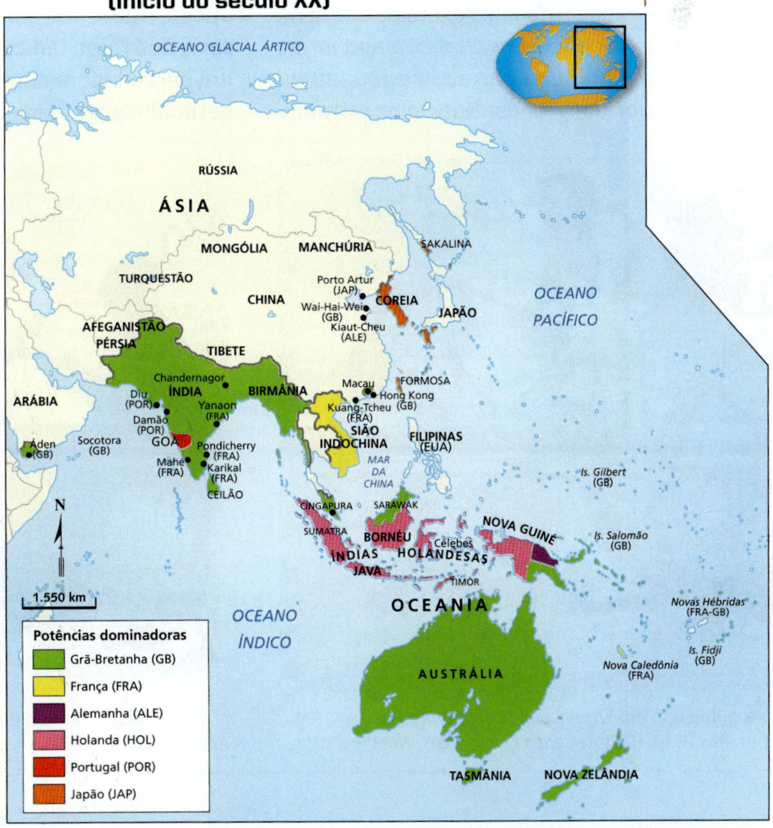

A França conquistou a Indochina em 1862 e, no ano seguinte, anexou a Conchinchina e o Camboja. Entre 1863 e 1893, foram incorporados Vietnã e Laos. Por sua vez, os holandeses, em parceria com os ingleses, dominaram a Indonésia, estabelecendo aí uma das bases mais importantes da companhia petrolífera Shell.

Fonte: PARKER, Geoffrey. *Atlas verbo de história universal*. Lisboa: Verbo, 1997. p . 113.

O imperialismo na China

Grã-Bretanha, França, Alemanha e Estados Unidos direcionaram seus esforços de dominação também para a Ásia Oriental, em especial para a China, país muito populoso e rico em recursos naturais. A China tinha como vassalos vários de seus vizinhos, como Vietnã, Birmânia, Coreia, Mongólia e Tibete, o que atraía os interesses dos países imperialistas. As potências europeias, no entanto, encontravam dificuldades para estabelecer seus empreendimentos na China, pois o governo exercia um poder centralizado, que colocava empecilhos à penetração estrangeira.

Na primeira metade do século XIX, entretanto, uma relativa e crescente autonomia das províncias favoreceu a penetração gradual dos países europeus, que já investiam no comércio com a China. Os ingleses, por exemplo, compravam chá dos chineses, mas não conseguiam vender a eles outro produto em semelhante proporção. O ópio, mercadoria de grande aceitação entre os chineses, foi a solução para melhorar a balança comercial inglesa.

A Guerra do Ópio

Produzido na Índia e na Birmânia, o ópio era comercializado pela Companhia das Índias Orientais com a permissão da Coroa britânica. Diante das consequências do consumo do ópio para a saúde da população chinesa, em 1839 as autoridades chinesas promoveram a queima de 20 mil caixas de ópio na província de Cantão, ato que foi considerado uma afronta pelos britânicos. O fato deu início à **Guerra do Ópio** (1839-1842).

Em 1840, o governo britânico enviou à China uma esquadra formada por potentes e modernos navios de guerra, que destruíram rapidamente as embarcações chinesas e bombardearam a cidade de Nanquim. Diante da ofensiva britânica, a China rendeu-se. Em 1842, foi assinado o **Tratado de Nanquim**, que estabelecia como reparação de guerra a abertura de cinco portos chineses à Grã-Bretanha, imunidade e privilégios aos comerciantes ingleses na China e a transferência de Hong Kong ao controle britânico.

No final do século XIX, a China encontrava-se dividida em áreas de influência da Grã-Bretanha, França, Alemanha, Rússia, Estados Unidos e Japão **[doc. 2]**.

- **Ópio.** Suco espesso extraído da papoula, planta largamente cultivada na Ásia. Utilizado como matéria-prima na fabricação de vários medicamentos, o ópio também é cultivado para o comércio clandestino de drogas, como a heroína, que levam facilmente à dependência e, em muitos casos, à morte.

DOC. 2 **Caricaturas da colonização**

Diversas caricaturas foram elaboradas nos países colonizadores satirizando o domínio exercido sobre os povos colonizados. Na caricatura abaixo, à esquerda, um irlandês sentado em uma carroça carregada de pedras é puxado por um chinês. Note que a trança do chinês, importante elemento de sua cultura na época, é utilizada como rédea. Na caricatura à direita, John Bull força um chinês a aceitar ópio. John Bull foi um personagem criado no século XVIII e tornou-se a personificação nacional da Grã-Bretanha.

Caricatura publicada em *Frank Leslie's Illustrated Newspaper*, em 1870. Biblioteca do Congresso, Washington.

A frágil relação, cartum de jornal norte-americano de 1864.

O Japão e a era Meiji

Até meados do século XIX, o poder no Japão era controlado por poderosas famílias de proprietários rurais, cada uma delas chefiada por um **xogum**. Além de representante político, o xogum era um chefe militar, com poderes hereditários. Durante o período do **xogunato**, o Japão apresentava características semelhantes ao feudalismo da Europa Ocidental, em que a sociedade era militarizada e a economia basicamente agrícola.

Desde o século XV, o Japão e o Sudeste Asiático travavam contatos com o Ocidente. No caso do Japão, o comércio foi monopolizado, durante grande parte do tempo, por comerciantes holandeses, mas que ficavam restritos ao porto de Nagasaki. A partir do século XVII, no entanto, para defender interesses internos, os xoguns do clã Tokugawa promoveram o isolamento do Japão em relação ao mundo exterior, abolindo o comércio com a Europa e expulsando os estrangeiros.

Em 1853, os norte-americanos enviaram ao Japão a Esquadra Negra do comodoro Perry, que forçou a abertura dos portos japoneses ao comércio com os Estados Unidos. Desde então, o Japão procurou evitar a dominação externa fortalecendo o poder imperial. Assim, a partir de 1868, com o fim do xogunato, o Japão iniciou a chamada era ou **Restauração Meiji** (governo esclarecido), período marcado por reformas econômicas **[doc. 3]**.

Com financiamentos externos, grandes indústrias siderúrgicas e de tecelagem foram inauguradas; estradas de ferro foram construídas; a imprensa, o serviço postal e o telégrafo foram implementados. O desenvolvimento industrial e agrícola, já que novas tecnologias foram incorporadas na agricultura, proporcionou a transformação do Japão numa verdadeira potência asiática.

As reformas na economia foram acompanhadas de mudanças na sociedade. O sistema feudal foi abolido, o casamento entre classes diferentes foi permitido e o serviço militar obrigatório foi instituído. Os antigos senhores feudais passaram a investir na industrialização, tornando-se uma classe que comandava o Estado.

O Japão, contudo, não deixou de manter sua identidade cultural, na qual a educação era um fator primordial. Por isso, o ensino primário tornou-se obrigatório para todos os japoneses. Além disso, muitos jovens foram enviados para estudar no exterior e houve um aumento do número de instituições escolares no país.

• **Comodoro.** Oficial da marinha responsável pelo comando do navio de uma escolta.

DOC. 3 **A Restauração Meiji**

"O problema de enfrentar o Ocidente havia preocupado os japoneses por algumas décadas [...]. Se a própria China não lhes podia resistir, não estariam os ocidentais predestinados a vencer em todas as partes? [...] A resistência direta era inócua, como o demonstraram as fracas tentativas de organizá-la. Meras concessões e evasões diplomáticas não eram senão expedientes temporários. A necessidade de reforma, tanto pela adoção das técnicas relevantes do Ocidente como através de restauração (ou criação) da vontade de afirmação nacional, era vigorosamente debatida pelos funcionários superiores e os intelectuais, mas o que veio a ser a 'Restauração Meiji' de 1868, isto é, uma drástica 'revolução de cima' foi o evidente fracasso do sistema militar feudal-burocrático dos xoguns em resolver a crise. [...] Desde a década de 1840, ativistas patrióticos tinham iniciado estudos militares e ideológicos nas províncias e em algumas escolas de esgrima em Edo (Tóquio), onde passaram a sofrer a influência de alguns filósofos, voltando depois para suas províncias feudais (*han*) com os dois *slogans*: 'expulsar os bárbaros' e 'venerar o imperador'. Ambos os *slogans* eram lógicos: o Japão precisava evitar cair vítima dos estrangeiros e, dado o fracasso do xogunato, era natural que a atenção conservadora se voltasse para a alternativa política tradicional sobrevivente, o teoricamente todo-poderoso mas praticamente impotente trono imperial. [...]"

HOBSBAWM, Eric. *A era do capital* (1848-1875). 5. ed. Rio de Janeiro: Paz e Terra, 2000. p. 213-214.

Retrato da família imperial Meiji, gravura de Torajiro Kasai, c. 1900. Biblioteca do Congresso, Washington.

QUESTÕES

1. O que a Guerra do Ópio e a Revolta dos Cipaios tinham em comum?
2. Analise com atenção as imagens e identifique o contexto histórico representado nas charges [doc. 2].

A expansão europeia na África

Objetivo

- Compreender as particularidades históricas do imperialismo no continente africano.

Termos e conceitos

- Conferência de Berlim
- Resistência

A corrida pelo domínio da África

A partir de 1870, intensificou-se a corrida pelo domínio de vastos territórios no continente africano, que resultou, no início do século XX, na ocupação da maior parte do continente pelas potências europeias. Em 1876, apenas 10% do território africano estava sujeito a políticas colonialistas; em 1900, essa proporção já alcançava 90,4%.

Interesses políticos e econômicos estavam em jogo e faziam os territórios africanos serem muito cobiçados pelas principais nações europeias, que investiam em expedições de estudo e ocupação. Um bom exemplo disso foi a iniciativa do rei belga Leopoldo II de, em 1876, apossar-se da Bacia do Congo, região dez vezes maior que a própria Bélgica, conservando-a como domínio pessoal **[doc. 1]**.

Para obter o reconhecimento da posse dessa parte do território africano, o rei Leopoldo II financiou expedições e conferências de geógrafos e viajantes, como a Conferência Internacional de Bruxelas, que aconteceu em setembro de 1876. Após essa conferência, o rei belga fundou a Associação Internacional Africana, tornando-se seu presidente eleito, e o Comitê de Estudos do Alto Congo, que contou com a participação de empresários ingleses e holandeses.

Portugal também se dedicou ao reconhecimento internacional de seus domínios na África, representado pelo famoso "Mapa-cor-de-rosa", publicado em 1885. Esse mapa mostrava a dimensão do Império Português, unindo os territórios de Angola e Moçambique.

A França empenhou-se igualmente em conseguir o controle da Tunísia, do Marrocos e de parte do Congo. O Egito, depois de um curto período de dominação francesa, foi ocupado, em 1882, pelas forças britânicas, passando a ser um protetorado. Na África do Sul, os ingleses tiveram de enfrentar a presença de colonos holandeses, conhecidos como bôeres, que estavam na região desde a segunda metade do século XVII. O principal objetivo da Grã-Bretanha era criar um império contínuo na África, unindo a cidade do Cabo, na África do Sul, ao Cairo, no Egito.

DOC. 1 O rei Leopoldo II, da Bélgica, aparece encolhido perante dois soldados ao carregar sacos cheios de dinheiro. Caricatura de 1869. A colonização belga na região do Congo ficou marcada pela crueldade contra os nativos e pela pilhagem das riquezas do território.

A Conferência de Berlim

Diante desses conflitos de interesse pelos territórios africanos, organizou-se a **Conferência de Berlim**, realizada entre 15 de novembro de 1884 e 26 de fevereiro de 1885. Dela participaram França, Bélgica, Grã-Bretanha, Alemanha, Itália, Portugal, Espanha, Rússia, Estados Unidos, Dinamarca, Suécia, Noruega, Países Baixos, Áustria-Hungria e Turquia. Representantes dos países presentes celebraram um acordo que se chamou a Partilha da África, que organizava a corrida das nações europeias para conquistar os poucos territórios livres no continente africano. Além disso, a Ata Geral da Conferência assegurou a livre-navegação e o livre-comércio em dois dos principais rios africanos, o Congo e o Níger.

A legitimação das conquistas

O princípio geral acordado em Berlim reconhecia a área de influência, em território africano, das potências estrangeiras e legitimava as conquistas que poderiam ser feitas na zona que cabia a cada uma delas. Isso significava, por exemplo, que, uma vez estabelecida na costa norte do Atlântico, a potência poderia, a partir daí, avançar em direção ao interior. O resultado foi a ampliação, na África, dos impérios coloniais da Grã-Bretanha, da França e de Portugal e a definição de uma fatia da partilha colonial para a Alemanha, a Itália e a Bélgica.

Em grande medida, a Conferência de Berlim demarcou as fronteiras atuais dos países africanos. Nesse processo de divisão dos territórios entre as nações europeias, não foram levadas em consideração as formas de organização tradicionais dos africanos nem suas especificidades linguísticas e culturais. Muitas vezes, a partilha agrupou etnias historicamente rivais e separou outras com elementos de identidade cultural comuns.

Os movimentos de **resistência** à dominação europeia não puderam, pelo menos a curto prazo, conter o avanço imperialista **[doc. 2]**. No saldo geral da partilha, apenas a Libéria e a Etiópia ficaram fora do domínio europeu **[doc. 3]**.

DOC. 2 **Movimentos de resistência africana**

"Como os movimentos de resistência não atingiram seus objetivos políticos maiores, tende-se a minimizar e mesmo ignorar vitórias militares localizadas, considerando-as, no conjunto, como fracassos. [...] Não há dúvida, numerosos grupos africanos foram rapidamente derrotados, mas também muitos conseguiram deter as primeiras incursões europeias e infligir pesadas perdas ao inimigo. [...]

Apesar da vitória dos europeus no processo de conquista e ocupação dos territórios do continente africano, os movimentos de resistência africanos têm tido, nos últimos anos, destaque como objeto de estudo. Essas pesquisas tendem a revelar a importância das diferentes formas de resistência africana, desde o protesto social cotidiano até a articulação de movimentos de grande alcance."

ISAACMAN, A.; VANSINA, J. Iniciativas e resistência africanas na África Central, 1880-1914. In: BOAHEN, A. Adu. (Coord.). *História geral da África*: a África sob dominação colonial, 1880-1935. São Paulo: Ática/Unesco, 1985. v. 7. p. 195.

DOC. 3 **A partilha da África**

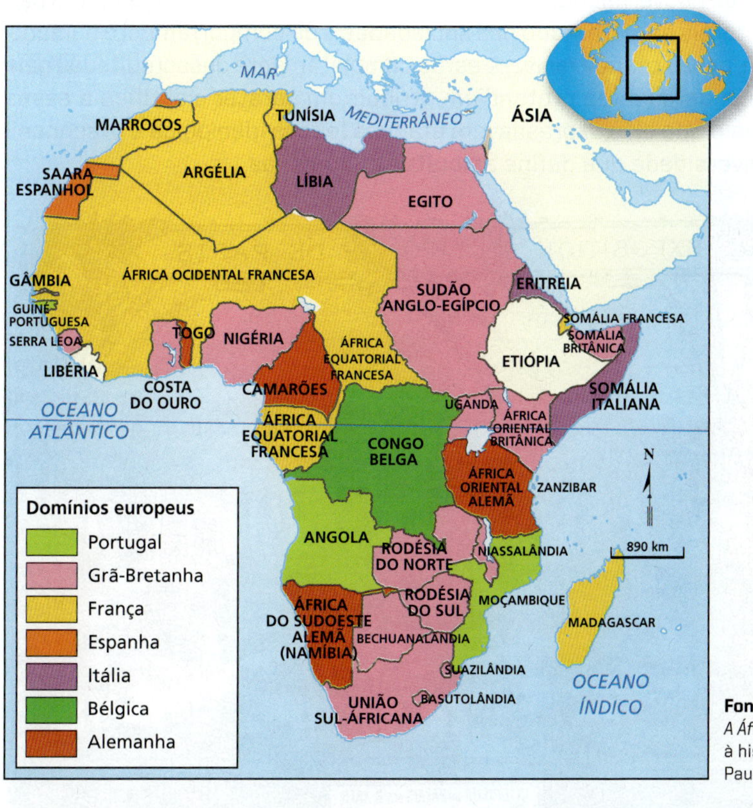

Fonte: HERNANDEZ, Leila Leite. *A África na sala de aula*: visita à história contemporânea. São Paulo: Selo Negro, 2005. p. 68.

QUESTÃO

- Releia o texto e responda qual é o assunto tratado pelos autores **[doc. 2]**.

Seção 26.4

Ideologia e cultura no imperialismo

Objetivos

- Compreender as motivações culturais que justificaram o imperialismo europeu.
- Identificar a influência exercida pelo imperialismo nas ciências e nas artes.

Termos e conceitos

- Darwinismo social
- Racismo
- Cultura

O darwinismo social

A conquista e a dominação da África e da Ásia pelas potências europeias exigiam justificativas ideológicas que ocultassem os interesses econômicos imediatos. Assim, muitos cientistas do século XIX aproveitaram a teoria da evolução das espécies, criada por Charles Darwin, para formular o chamado **darwinismo social**.

Seguindo o mesmo princípio elaborado por Darwin para explicar a evolução das espécies, os darwinistas sociais defendiam que as sociedades se modificariam e evoluiriam, passando de um estágio inferior para um estágio superior. Segundo essa visão, cada povo se encontrava num estágio de evolução, podendo ser classificado numa gradação cujos extremos eram o "selvagem-bárbaro", de um lado, e o "civilizado", de outro.

A ideologia da superioridade racial

Igualmente advindo da teoria da evolução social, difundiu-se a ideologia da superioridade racial. Entrava em cena a ideia de raça, considerada essencial para a análise da evolução dos povos. Os darwinistas sociais acreditavam na relação entre as raças e as características físicas, morais, intelectuais e psicológicas dos indivíduos. Significa dizer que as características físicas, como a cor da pele, o tamanho do cérebro, o tipo de cabelo, revelavam as qualidades morais e intelectuais de cada raça.

O **racismo** foi utilizado para justificar a expansão imperialista europeia, na medida em que propagava a superioridade da "raça branca" e a inferioridade dos outros povos. Além disso, partindo do princípio de que as sociedades tradicionais da África, da Ásia e da América viviam num estágio primitivo da história humana, os evolucionistas sociais defendiam a ideia da missão civilizatória e divina dos europeus de levar a "civilização" até "a barbárie".

Em síntese houve, naquele momento, uma transposição dos conceitos das ciências naturais para o estudo das sociedades e do comportamento humano. Atualmente, essas teorias racistas estão completamente desacreditadas pela ciência. Seus defensores pretendiam atribuir um caráter científico a essas teorias, mas o que elas expressavam era uma leitura ideológica e preconceituosa da diversidade que define as **culturas** humanas.

DOC. 1 Pôster publicitário para a Exposição Universal representando o interior do Palácio de Belas-Artes. Paris, 1900. Coleção Kharbine, Tapabor. A primeira exposição universal foi realizada em Londres em 1851. Nessas exposições se exibiam os maiores triunfos tecnológicos do período, como a geração de energia elétrica e a construção da Torre Eiffel.

As grandes exposições universais

Com o objetivo de reafirmar a suposta superioridade da civilização ocidental, celebrar as inovações da modernidade e fazer os cidadãos europeus e norte-americanos se identificarem com os propósitos das nações imperiais, dando-lhes legitimidade, os governos da Europa e dos Estados Unidos organizaram feiras coloniais, mostras etnográficas e grandes exposições universais **[doc. 1]**.

As exposições universais, as maiores delas realizadas em Paris, Londres e Chicago, traduziam o entusiasmo dos ocidentais com as conquistas da ciência e da indústria e a crença no progresso contínuo da humanidade. Nessas exposições eram apresentadas informações a respeito da fauna, da flora e dos povos africanos e asiáticos, levando em conta o sistema classificatório do evolucionismo social, isto é, separando as sociedades civilizadas (europeias e norte-americanas) e as exóticas e selvagens (as dos demais povos).

Diálogos com a arte africana

Durante muito tempo, a produção artística africana foi excluída da história da arte, pois, de acordo com o pensamento racista predominante na Europa do século XIX e início do XX, a arte africana era considerada primitiva, produzida por povos bárbaros e inferiores.

Nas primeiras décadas do século XX, contudo, a pintura realista passava por uma crise na Europa. Muitos artistas desejavam transformar e romper com a arte acadêmica. Dessa maneira, o contato com objetos africanos, levados pelos viajantes e exploradores que haviam estado na África, possibilitou aos artistas europeus um novo olhar sobre a arte **[doc. 2]**.

Alguns artistas, como Guillaume Apollinaire, Henri Matisse e Pablo Picasso, encantados com as peças trazidas da África pelos exploradores europeus, reconheceram as obras africanas como objeto de admiração e fonte de inspiração.

Em geral, as peças de arte africana eram compradas ou trocadas por pesquisadores, geógrafos e etnógrafos que faziam as viagens exploratórias no continente africano. Outras eram produzidas pelos africanos com o objetivo de comercializá-las com os europeus. Levadas para a Europa, as peças passavam a compor os acervos de museus, como o Museu Etnográfico de Berlim, na Alemanha. Esse museu possuiu um dos maiores e mais importantes acervos de arte africana do mundo, com 75 mil peças, entre máscaras, esculturas figurativas, joias em marfim e ouro, apoios para nuca e pentes.

© SUCCESSION H. MATISSE/LICENSIADO POR AUTVIS, BRASIL, 2010 - PHILADELPHIA MUSEUM OF ART, FILADÉLFIA

1

© PETER WILLI/SUPERSTOCK/KEYSTOCK/SUCCESSION PABLO PICASSO/LICENCIADO POR AUTVIS, BRASIL, 2010 - MUSÉE PICASSO, PARIS

3

WERNER FORMAN ARCHIVE/COURTESY ENTWISTLE GALLERY/IMAGEPLUS - ENTWISTLE GALLERY, LONDRES

2

DOC. 2 **1.** *Retrato de Madame Yvonne Landsberg*, Henri Matisse, 1914. Observe que o rosto se assemelha aos traços de máscaras africanas, e que o restante do corpo é desenhado de modo a acompanhar esses traços; **2.** Máscara Gueledé, esculpida em madeira, cultura iorubá, Nigéria. Galeria Entwistle, Londres; **3.** *Busto de homem*, pintura de Pablo Picasso, 1907. Museu Picasso, Paris.

Relatos de viagens pela África

Desde o final do século XVIII e durante todo o século XIX, o continente africano foi um dos lugares preferidos de viajantes, pesquisadores, geógrafos e etnólogos. Dirigiam-se para a África em busca de informações que pudessem contribuir para as suas pesquisas. Nessas expedições, procuravam desbravar o interior do continente, descobrir as nascentes e os cursos dos principais rios utilizados nas rotas comerciais e conhecer os costumes dos povos africanos.

A maior parte dessas viagens era financiada por associações europeias ou pelas chamadas sociedades de geografia, criadas com o objetivo de investigar, estudar e discutir as explorações científicas realizadas na África e na Ásia.

Muitas dessas viagens resultaram em relatos publicados que podem ser utilizados como fontes históricas para o período referente ao imperialismo europeu, sobretudo na África. Essas obras, produzidas por viajantes, pesquisadores, geógrafos e etnólogos, resultaram de experiências e contatos com os diversos povos africanos e podem revelar aspectos das culturas locais, mas, em especial, a visão dos europeus sobre os africanos, com todas as suas prenoções e preconceitos.

O coração das trevas: uma leitura da dominação colonial

O romance foi um tipo de literatura bastante apreciado nas áreas coloniais. Um dos mais famosos e conceituados foi *O coração das trevas*, escrito por Joseph Conrad (1857-1924), em 1902. Conrad nasceu em Berditchev, na atual Ucrânia, mas tornou-se cidadão inglês e marinheiro, passando alguns meses, em 1890, numa expedição pela África, mais exatamente na região do Rio Congo. Nesse período, contraiu malária e desistiu da sua atividade para dedicar-se à literatura.

Seu livro *O coração das trevas* narra as aventuras de Marlow no Rio Congo em busca de Kurtz, um comerciante belga de marfim que havia sido designado pela "Sociedade Internacional para a Eliminação de Costumes Bárbaros" para levar a "civilização" aos povos tidos como "selvagens" e realizar a exploração de marfim **[doc. 3]**. Seguindo sua missão, Kurtz passou a viver entre os nativos e tornou-se adorado por eles. Nessa obra, Conrad revela todas as atrocidades cometidas pelo imperialismo europeu na África, inspirando, mais tarde, a história do filme *Apocalipse Now*, dirigido por Francis Ford Coppola.

A obra de Joseph Conrad foi escrita no final do século XIX, ou seja, em plena expansão do capitalismo e da cultura europeia, que dividia o mundo em duas partes: a dos "civilizados" e a dos "atrasados" ou "bárbaros". A partilha do "mundo bárbaro" entre as "potências civilizadas" possuía uma dimensão econômica e uma dimensão cultural, como muito bem coloca o historiador Eric Hobsbawm:

"A era dos impérios não foi apenas um fenômeno econômico e político, mas também cultural: a conquista do globo pelas imagens, ideias e aspirações transformadas de sua minoria 'desenvolvida', tanto pelas forças e pelas instituições como por meio do exemplo e da transformação social."

HOBSBAWM, Eric J. *A era dos impérios*. 7. ed. São Paulo: Paz e Terra, 2007. p. 114.

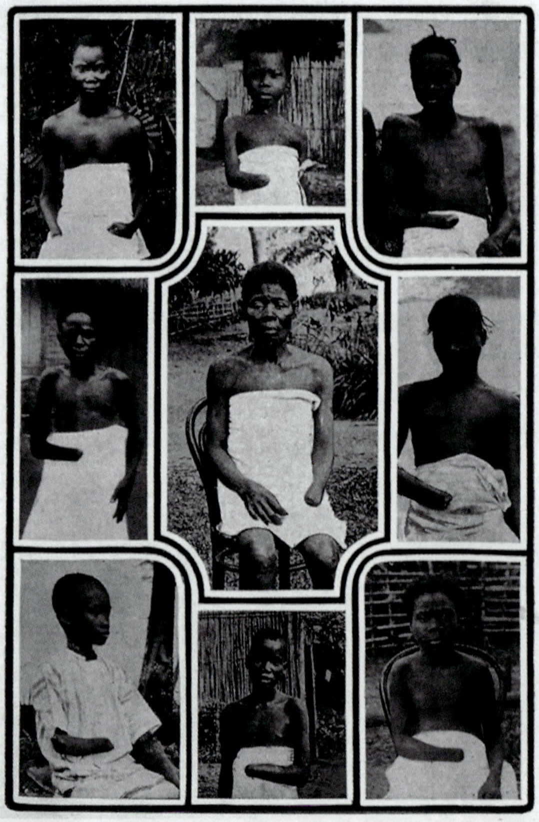

DOC. 3 Pessoas mutiladas no Congo, uma das marcas da crueldade da colonização belga na África. Fotografias extraídas da obra de Mark Twain *King Leopold's Soliloquy*, de 1905. Museu Americano de História Natural, Nova York.

QUESTÕES

1. Aponte a diferença entre o racismo que existia na Europa antes do século XIX e o que passou a existir depois daquele século.
2. De que modo o domínio das potências europeias sobre os territórios africanos possibilitou e influenciou os estudos realizados pelos pesquisadores europeus sobre os povos africanos colonizados?

Retomar conteúdos

1 Considere os processos esquematizados a seguir.

A. Livre-concorrência e mecanização → superprodução industrial → preços baixos → crise econômica

B. Formação de oligopólios → controle do mercado → preços altos → acumulação de capital

a) Explique a relação de causa e efeito entre os esquemas A e B.

b) Dê um exemplo atual do fenômeno representado no esquema B.

2 Identifique as principais invenções e inovações tecnológicas da Segunda Revolução Industrial que, com o tempo, difundiram-se nos continentes, interligando a economia das áreas mais pobres à economia dos países capitalistas centrais.

3 Cite e caracterize duas reações estudadas no capítulo à dominação imperialista na Ásia.

4 Sintetize as características e os resultados da era Meiji, no Japão.

Textos e imagens

5 Leia trechos da carta de Victor Hugo narrando o saque ao Palácio de Verão, na segunda Guerra do Ópio.

"Havia, num confim do mundo, uma maravilha do mundo: tal maravilha chamava-se o Palácio de Verão [...].

Edificai um sonho em jade, bronze e porcelana, modelai-o em madeira de cedro, cobri-o de pedrarias, fazei-o aqui santuário, ali harém, acolá cidadela, ponde nele deuses, ponde nele monstros, poli-o, esmaltai-o, dourai-o, mandai construir por arquitetos que sejam também poetas os mil e um sonhos das mil e uma noites, ajuntai jardins, fontes, jorros d'água e espuma, íbis, pavões, imaginai, numa palavra, uma espécie de ofuscante caverna humana com face de templo e palácio — assim era tal monumento. [...]

Um dia, dois bandidos entraram no Palácio de Verão. Um pilhou, o outro incendiou. [...] Grande feito, vasto ganho. Um dos vencedores encheu os bolsos e, vendo isto, o outro encheu os cofres; e voltaram à Europa, de braços dados, a rir. [...]

Ante a história, um dos bandidos chamar-se-á França, o outro chamar-se-á Inglaterra. Mas eu protesto [...]. Os crimes dos que governam não são culpa dos governados; os governos às vezes são bandidos, os povos, jamais. [...]"

Victor Hugo, carta ao capitão Butler [25 de novembro de 1861]. In: *Correio da Unesco*, FGV, jan. 1986. p. 15.

a) Como o autor descreve o Palácio de Verão?

b) Comente os cuidados que o autor tomou ao definir os sujeitos históricos envolvidos no evento e explique a razão de seu protesto.

6 Interprete a visão de tecnologia, imperialismo e progresso expressa nesta gravura japonesa e nas palavras do pensador e político indiano Mahatma Gandhi (1869-1948).

Um navio estrangeiro, final do século XIX. Instituto de tecnologia de Massachusetts, Cambridge.

"Detesto de todo o coração
Este desejo louco de anular
A distância e o tempo,
De aumentar os apetites animais
E de ir até o fim do mundo
Para satisfazê-los [...]"

Mahatma Gandhi. In: TEVOÉDJRÉ, Albert. *A pobreza, riqueza dos povos*. São Paulo/Petrópolis: Cidade Nova/Vozes, 1982. p. 17.

7 Compare a participação da produção chinesa e indiana ao longo do período com a produção europeia e inglesa e relacione os dados da tabela com o contexto da expansão da industrialização no século XIX.

Parcelas relativas da produção manufatureira* mundial (1750 - 1900)

	1750	1800	1830	1860	1880	1900
Toda a Europa **	23,2	28,1	34,2	53,2	61,3	62,0
Reino Unido	1,9	4,3	9,5	19,9	22,9	18,5
Estados Unidos	0,1	0,8	2,4	7,2	14,7	23,6
Japão	3,8	3,5	2,8	2,6	2,4	2,4
Todo o Terceiro Mundo ***	73,0	63,7	60,5	36,6	20,9	11,0
China	32,8	33,3	29,8	19,7	12,5	6,2
Índia	24,5	19,7	17,6	8,6	2,8	1,7

* Atividades industriais e artesanais, em relação ao total mundial, calculado por Bairoch (1982), citado por Kennedy.
** Inclui Rússia e Reino Unido
*** África, América Latina e Ásia, à exceção do Japão.

Fonte: KENNEDY, Paul. *Ascensão e queda das grandes potências*. Rio de Janeiro: Campus, 1989. p. 148.

Capítulo

27 Arte, ciência e tecnologia na *Belle Époque*

27.1 O impacto das novas tecnologias no cotidiano

O telefone e o cinema foram duas importantes invenções que marcaram a sociedade da Belle Époque.

27.2 O conhecimento no início do século XX

A psicanálise renovou o olhar sobre o indivíduo e a antropologia cultural demonstrou que todas as sociedades humanas possuem cultura.

27.3 A revolução das vanguardas artísticas

As vanguardas artísticas do início do século XX propunham uma arte livre, ligada à vida e ao cotidiano e que expressasse as mudanças que ocorriam na sociedade.

A era do progresso e do otimismo

De tempos em tempos, a humanidade depara-se com momentos em que crê estar diante do início de uma nova era. Muitos começam a alimentar a convicção de que todos os problemas serão resolvidos e que será possível seguir um caminho de paz e prosperidade ininterruptas. Isso parece ocorrer em épocas de forte crescimento econômico e grandes novidades tecnológicas, que conduzem as pessoas com tanto ímpeto que lhes parece impossível resistir.

Um desses períodos foi a virada do século XIX para o século XX, a chamada *Belle Époque* (do francês, "Bela Época"), vivenciado tanto na Europa quanto fora dela, como no Brasil. No mundo que surgia, as cidades cresciam incessantemente, fornecendo condições para a formação das chamadas massas urbanas, principalmente na Europa, em finais do século XIX. Elas se caracterizavam pela despersonalização e pela perda da individualidade.

A difusão de todas as mudanças promovidas na *Belle Époque* foi facilitada pelo grande desenvolvimento dos meios de comunicação. A ampliação das publicações literárias, dos jornais e do público leitor, a diminuição do tempo de deslocamento entre as cidades, em virtude da ampliação da rede ferroviária, os novos avanços técnicos, tudo isso colaborou para o clima de entusiasmo e de otimismo na capacidade humana de criar e de superar obstáculos.

Os artistas também alteraram seus objetos de interesse, bem como a maneira de representá-los, realizando intensas rupturas com as tradições herdadas de períodos anteriores. Naquele momento, o antigo parecia não ter condições para lutar contra o novo. O andamento da modernidade, então, acelerava-se como nunca se havia visto.

No hall *do teatro*, cartão-postal de 1910. Biblioteca de Artes Decorativas, Paris. O gosto das elites europeias pelos espetáculos de teatro, cafés, óperas e livrarias marcou, no terreno da cultura, o otimismo e o entusiasmo da *Belle Époque*.

L'ILLUSTRÉ
DU PETIT JOURNAL
ET SON SUPPLÉMENT AGRICOLE
GRAND HEBDOMADAIRE POUR TOUS
TOUS LES DIMANCHES
50c

LA PREMIÈRE VOITURE AUTOMOBILE DANS PARIS

L'apparition de la première voiture automobile de Serpollet, qui portait le nom de "Voiture Miracle", dans les rues de Paris, en Avril 1891, fut la cause d'une émotion considérable dont se souviennent encore les vieux parisiens. (Voir l'article page 3).

Gravura do *L'illustré du petit journal*, de 1933, trazendo como manchete "A primeira viatura automóvel em Paris", que trata da aparição do primeiro veículo de Serpollet na ruas de Paris, em abril de 1891.

Seção 27.1

O impacto das novas tecnologias no cotidiano

Objetivos

- Avaliar os efeitos das transformações tecnológicas na vida cotidiana.
- Compreender o surgimento da cultura de massa.

Termos e conceitos

- Desenvolvimento tecnológico
- *Belle Époque*
- Cultura de massa

O desenvolvimento tecnológico no século XIX

Durante o século XIX, a enorme quantidade de descobertas científicas e de inovações tecnológicas transformou drasticamente o cotidiano. O **desenvolvimento tecnológico** gerou novas formas de ver o mundo e o homem e reforçou nas pessoas uma fé inabalável nas virtudes da ciência e da técnica. As invenções que mais contribuíram para modificar o cotidiano das pessoas foram aquelas associadas aos transportes e aos meios de comunicação. Cada invento levava a uma série de outras inovações e aperfeiçoamentos, logo ganhando aplicações comerciais.

A exaltação da técnica tornava-se visível nas **exposições universais**. Invenções, engenhocas e artefatos de diversas partes do mundo eram exibidos em pavilhões diante do olhar de milhares de expectadores. Na exposição de 1889, comemorando o centenário da Revolução Francesa, foi inaugurada a Torre Eiffel **[doc. 1]**. Na exposição de 1900, foi construído um palácio monumental iluminado por 12 mil lâmpadas, onde estavam expostos inventos de todos os tipos. Numa tela gigante, eram exibidos filmes de Louis Lumière, mostrando a grande novidade do momento: o cinematógrafo.

No mesmo ano, o metrô de Paris foi inaugurado com seus primeiros dez quilômetros de linha, consolidando a expansão desse meio de transporte no continente europeu, que já ocorria fazia alguns anos **[doc. 2]**. Era mais um meio de transporte que se somava às ferrovias, aos bondes elétricos e aos barcos a vapor. Os automóveis difundiram-se pouco depois, passando a fazer parte do cotidiano das grandes cidades. No início, contudo, houve resistência à difusão do automóvel, porque os carros eram considerados apenas uma diversão para ricos, e não havia infraestrutura preparada para esse novo meio de transporte.

DOC. 1 A Torre Eiffel fotografada em quatro momentos durante a sua construção, entre 1888 e 1889. Ela foi construída no Campo de Marte, próximo ao Rio Sena, na cidade de Paris. Inteiramente feita de aço, com 317 metros de altura, a Torre Eiffel era considerada, naquela época, a estrutura artificial mais alta do mundo.

DOC. 2 **O metrô e as grandes cidades**

Até a metade do século XIX, o tráfego de trens nas grandes cidades por uma rede de túneis subterrâneos era uma proeza inimaginável. Os avanços na área de engenharia, todavia, permitiram que a primeira linha de metrô (abreviação de metropolitano) fosse inaugurada em 1863 na cidade de Londres. Em 1875, foi inaugurado o metrô de Istambul, na Turquia; em 1896, o de Budapeste, na Hungria; e, em 1898, o de Viena, no Império Austro-Húngaro. No Brasil, em 1900, havia um projeto para implantar o metrô na cidade de São Paulo, mas a proposta não vingou devido à falta de apoio governamental. Na América Latina, a primeira linha de metrô foi a de Buenos Aires, inaugurada em 1913. O metrô é uma das formas de transporte mais bem adaptadas ao estilo de vida e ao cotidiano das populações das grandes cidades.

Vantagens para poucos

Os benefícios gerados pela Segunda Revolução Industrial não atingiram todos os habitantes da Europa, e muito menos todos os países dos demais continentes. A fome e os surtos epidêmicos continuaram sendo grandes problemas nas áreas menos desenvolvidas do continente europeu, como a Rússia, e do mundo. O desenvolvimento científico e tecnológico era apenas um sonho para os habitantes dos países ainda não inseridos plenamente no capitalismo industrial.

Entre 1870 e 1914, a participação dos países industrializados na riqueza mundial passou de 44% para 60,4%. Já a dos países não industrializados diminuiu na mesma proporção. Sem o capital necessário para impulsionar o seu próprio desenvolvimento e, muitas vezes, sofrendo a resistência dos setores conservadores nacionais, os países colonizados ou não industrializados permaneciam afastados da modernidade e de seus efeitos positivos.

Os novos meios de comunicação

O primeiro telefone foi patenteado por Alexander Graham Bell e Alisha Gray, em 1876, e exposto, no mesmo ano, na Exposição Universal da Filadélfia. O sucesso do aparelho levou o inventor norte-americano a fundar uma empresa para comercializar a nova invenção. Diferentemente do telégrafo, que transmitia apenas sinais, o telefone permitia a transmissão da voz humana. Levou algum tempo, porém, para que o aparelho se tornasse acessível às pessoas. O sistema de discagem só apareceu em 1896, e a comutação mecanizada só se difundiu no final da década de 1920 **[doc. 3]**.

Nas ondas do rádio

Datam dessa época, também, as primeiras tentativas na área da radiodifusão. Em 1901, o italiano Guglielmo Marconi fez a primeira transmissão de mensagens a distância através das ondas de rádio. A mensagem partiu de Cornualha, na costa escocesa, e foi recebida na Terra Nova, no Canadá. Os primeiros programas de rádio transmitiam programas diários com notícias, palestras, peças de teatro e até sermões de igreja. A invenção, porém, não foi pensada inicialmente para a difusão de programas ou notícias, mas para substituir a telegrafia por fios.

Logo ficaram claras as potencialidades das ondas de rádio com a proliferação de radioamadores na Europa e nos Estados Unidos. Na década de 1910, foram feitas as primeiras transmissões de som, resultantes de diversos aperfeiçoamentos do sistema. O principal desses aperfeiçoamentos foi a construção de aparelhos receptores utilizando a válvula termiônica, que permitia captar e transmitir com fidelidade os sinais de rádio emitidos das estações transmissoras. Na mesma época, descobriu-se que as válvulas também permitiam a transmissão de imagens. A televisão só se tornaria uma realidade, porém, na década de 1930. E no Brasil só viria a ser uma realidade em 1950, com a inauguração da primeira emissora de televisão brasileira, a TV Tupi.

- **Comutação mecanizada.** Sistema que permite a realização de chamadas telefônicas sem a intermediação de telefonistas.
- **Termiônico.** Fenômeno que manifesta a emissão de elétrons em virtude do calor.

DOC. 3 **O telefone no mundo desenvolvido**

A difusão do telefone foi desigual, tendo sido maior nos países mais desenvolvidos e industrializados. Nos Estados Unidos, por volta de 1900, havia um telefone para cada sessenta pessoas. A Suécia vinha em segundo lugar, com um aparelho para cada 215 pessoas. Na França, uma em cada 1.216 pessoas possuía um telefone, e, na Rússia, uma em cada 6.958. Antes da invenção da comutação mecânica, as ligações eram recebidas e transmitidas pelas telefonistas, uma profissão tipicamente feminina na época.

Mulheres trabalhando em uma central telefônica. Gravura publicada no *Le Petit Journal*, 1904.

DOC. 4 Thomas Edison e seu fonógrafo em foto de 1877. Centro Thomas Edison, Nova York.

A cultura de massa

Os hábitos de consumo da população trabalhadora das grandes cidades também sofreram grandes transformações durante a ***Belle Époque***. A produção em massa e a relativa melhora nas condições de vida da classe operária levaram à difusão da produção de bens e da prestação de serviços voltados para o lazer, elaborando o que ficou conhecido como **cultura de massa**. Com melhores salários e menos horas de trabalho, obtidos graças à atividade dos sindicatos e à organização dos partidos operários, havia mais tempo livre para o lazer.

O tempo livre também era preenchido com os meios de comunicação dirigidos ao consumo do grande público. Estavam incluídos os jornais diários de grande tiragem, o cinema, a indústria do disco, o rádio e, algumas décadas mais tarde, a televisão. Os **meios de comunicação de massa** não se orientavam para um ou outro grupo social, mas sim para a maior quantidade possível de consumidores. Foi então que nasceu a propaganda de massa, que se aproveitou dos novos meios de comunicação para impulsionar a venda de produtos industrializados.

Os primórdios do cinema

O mais popular meio de comunicação de massa da época foi, sem dúvida, o cinema, que não nasceu como uma expressão artística, mas como um divertimento popular. Diversos inventores, à procura de um aparelho capaz de transmitir imagens em movimento, foram responsáveis pelo surgimento do cinema.

Em 1876, Thomas Edison colocou à venda a sua patente do cinetoscópio, um aparelho que permitia assistir a imagens em movimento através de um pequeno visor. Porém, o cinetoscópio era apenas um brinquedo de parque de diversão e tinha um defeito: só permitia que uma pessoa por vez assistisse às imagens.

Em 1895, os irmãos franceses Auguste e Louis Lumière inventaram o cinematógrafo, um projetor que rodava pequenos filmes de cerca de vinte minutos. Logo as casas de espetáculos de grandes cidades, como Berlim, Londres e Paris, começaram a exibir filmes para vários espectadores. Foram inauguradas grandes redes de salas de cinema, como a *Pathé*, na França.

Nessa época, os filmes ainda eram mudos. Era necessário, portanto, que pianistas acompanhassem as exibições ao vivo para fazer a trilha sonora dos filmes (para produzir efeitos sonoros, eram usados recursos especiais, como chacoalhar uma lâmina de zinco para fazer o som de trovões ou tocar uma corneta para imitar uma buzina).

Do fonógrafo ao gramofone

A indústria fonográfica foi impulsionada pelo cinema, difundindo-se graças à invenção de um aparelho que permitia a reprodução mecânica do som: o fonógrafo **[doc. 4]**.

O objetivo dos inventores do fonógrafo não era reproduzir a música, mas simplesmente permitir a gravação da voz. O fonógrafo também foi utilizado para fins científicos. Etnólogos, linguistas, antropólogos e folcloristas saíam a campo para realizar registros fonográficos da pronúncia de outras línguas.

A partir do final do século XIX, o fonógrafo foi sendo substituído por outra invenção: o **gramofone** **[doc. 5]**. Era impossível, no entanto, transportar, para as pesquisas de campo, o material utilizado para a gravação. Assim, a utilidade científica do gramofone tornou-se praticamente nula.

O surgimento do disco, no final do século XIX, permitiu a comercialização e a popularização imediata da nova invenção. A gravação da fala cedeu lugar à gravação da música.

DOC. 5 **O gramofone no Brasil**

"O Brasil foi o primeiro país do mundo responsável pela produção de um disco com gravações de ambos os lados. Trata-se da canção *Isto é bom*, um lundu de Xisto Bahia, na voz de Bahiano, lançada em 1902. 'Nos países da Europa e Estados Unidos, isso só foi acontecer anos mais tarde', lembra [...] o professor Eduardo Anderson Duffles Andrade [...]."

FAVA, Antonio Roberto. Do gramofone ao CD. *Jornal da Unicamp*, jul. 2003. Disponível em www.unicamp.br. Acesso em 6 ago. 2010.

QUESTÕES

1. Na segunda metade do século XIX, o acesso às invenções tecnológicas era igual para todos os países? Justifique sua resposta.
2. Relacione o crescimento das cidades com os inventos relativos à comunicação.

ANALISAR UM DOCUMENTO HISTÓRICO — O cartão-postal

O cartão-postal surgiu em 1869 no Império Austro-Húngaro. Diferenciava-se das cartas fechadas por ser utilizado sem envelope, simplificando a correspondência. O sucesso foi tão grande que logo passou a ser seguido por outros países europeus. Mas foi apenas na última década do século XIX que surgiram os primeiros cartões ilustrados.

O cartão-postal ilustrou as grandes transformações do final do século XIX, marcado pela euforia e pela crença no progresso científico e social, principalmente na Europa. O trem e o navio a vapor foram alguns dos principais símbolos dessa época. As viagens tornaram-se cada vez mais rápidas e mais frequentes, transformando o cartão-postal em um instrumento privilegiado de comunicação.

As diversas imagens retratadas no cartão-postal são importantes fontes de informação para o historiador que deseja conhecer o imaginário daquele período. A circulação desse tipo de correspondência também pode ser entendida como o início do processo de globalização da imagem.

QUESTÕES

1. Descreva as duas partes do cartão-postal e explique como elas se relacionam.
2. De que forma a ideia de ciência e tecnologia está presente na imagem?
3. A crença no progresso e na ciência foi bastante difundida na Europa na passagem do século XIX para o século XX. De que modo o cartão-postal fortalece essa crença?

Para compreender o documento

Várias imagens foram produzidas tendo como tema a Exposição Universal de 1900, em Paris. Um dos principais objetivos da exposição era apresentar ao mundo as conquistas da ciência e da tecnologia como símbolos do progresso humano.

O cartão-postal que será analisado agora mostra um dos edifícios mais significativos da Exposição Universal, o *Grand Palais des Beaux-Arts* ("Grande Palácio de Belas-Artes"). Construído especialmente para abrigar a exposição, tornou-se, ao lado da Torre Eiffel, um dos símbolos da Exposição Universal.

1. A ilustração do cartão-postal está dividida em duas partes laterais. As dimensões e o modo de representação utilizado em cada uma delas são diferentes.
2. No canto esquerdo da imagem, vemos três pessoas com roupas elegantes (um casal de adultos e uma jovem) observando o *Grand Palais*.
3. No canto direito, ocupando cerca de dois terços da imagem, vemos o prédio do *Grand Palais* e uma praça.
4. A fachada do prédio é feita de pedra, e o telhado é envidraçado (com estruturas de aço).
5. Na porção central inferior vemos um poste de luz em destaque e várias pessoas circulando pela praça.

Grand-Palais des Beaux-Arts, de Jack Abeillé, cartão-postal de 1900. Biblioteca Britânica, Londres.

Seção 27.2

O conhecimento no início do século XX

Objetivo

- Entender o desenvolvimento científico da psicanálise e da antropologia cultural no contexto da *Belle Époque*.

Termos e conceitos

- Psicanálise
- Antropologia cultural

Uma nova visão do homem

Atualmente, a ciência conquistou uma posição importante entre as atividades humanas e seus efeitos têm sido sentidos cada vez mais. Na esfera pública, muitas das decisões tomadas pelos governantes são fundamentadas em conclusões de especialistas de diversos campos científicos, como a estatística, a economia, a medicina etc. No âmbito privado, quase tudo o que utilizamos em nosso cotidiano, como os aparelhos eletrônicos, os alimentos industrializados, os materiais de construção e os tecidos das roupas, é o resultado da pesquisa e da aplicação de princípios científicos.

Os efeitos da ciência, no entanto, não se resumem a justificar e orientar decisões governamentais ou a aplicações práticas voltadas para a criação de objetos de consumo. O conhecimento científico também modifica a imagem que temos da natureza e de nós mesmos. Vejamos dois exemplos. No século XVI, Copérnico confirmou que a Terra não era o centro do universo, mas apenas um astro entre outros. No século XIX, Darwin concluiu que o homem não era um ser especial, criado à imagem e à semelhança de Deus, mas que ele e o macaco haviam evoluído de um mesmo ancestral. Assim, o homem não estava mais no centro do universo nem no centro do reino animal **[doc. 1]**.

Entre o fim do século XIX e o começo do século XX, várias outras descobertas e inovações, tanto nas ciências naturais quanto nas ciências humanas, modificaram profundamente a forma como vemos o homem e o universo. Questionando dogmas religiosos, crenças tradicionais e opiniões estabelecidas, cientistas e pensadores desse período contribuíram decisivamente para repensar o mundo em que vivemos. Nesse tema, vamos conhecer algumas dessas contribuições e os efeitos provocados na imagem que temos do mundo.

DOC. 1 Darwin representado como um macaco, caricatura de 1860. Biblioteca Britânica, Londres. As ideias de Charles Darwin não foram aceitas imediatamente. O pesquisador tornou-se alvo de chacota por alguns de seus opositores.

As ciências humanas e a filosofia numa época de mudanças

No fim do século XIX, as ciências humanas sofreram duas mudanças importantes. Em primeiro lugar, separaram-se das ciências naturais e adquiriram autonomia e independência. Em segundo lugar, começaram a se fragmentar em seus diversos ramos: história, economia, sociologia, antropologia, psicologia etc. As mudanças não foram consensuais. Os pesquisadores dividiram-se entre aqueles que achavam que as ciências humanas deveriam aplicar os mesmos procedimentos que os das ciências da natureza e os que defendiam que cada ramo das ciências humanas deveria procurar o seu próprio caminho metodológico.

A escola positivista, derivada das teorias do filósofo francês Auguste Comte, era a principal representante da primeira posição e dominou grande parte do cenário intelectual na segunda metade do século XIX. Os positivistas pretendiam encontrar as leis que regiam o comportamento individual e a sociedade humana, aplicando-lhes o mesmo método das ciências naturais. Muitos intelectuais discordavam, porém, dessa concepção e defendiam a criação de métodos próprios e específicos das ciências humanas para entender a sociedade e o indivíduo. Para eles, o comportamento humano era muito mais complexo e multifacetado do que os fenômenos estudados pelos cientistas da natureza. Não era possível enquadrar esses fenômenos em leis gerais ou deduzi-los por meio de fórmulas matemáticas.

A psicanálise e a antropologia cultural

No início do século XX, duas novas disciplinas contribuíram para transformar a visão do ser humano que se tinha até então: a **psicanálise** e a **antropologia cultural**. Quando consideramos a transformação das ciências humanas na virada do século XIX para o século XX, não há como ignorar o impacto revolucionário que tiveram essas duas áreas de estudo sobre a sociedade contemporânea.

O termo psicanálise foi usado pela primeira vez pelo neurologista austríaco Sigmund Freud (1856-1939), em 1896, para nomear um novo método de tratamento e de investigação do psiquismo humano. No tratamento médico tradicional, o médico faz um exame físico do paciente e analisa os seus sintomas. Aquilo que o paciente diz ou pensa não conta no diagnóstico final. Freud inverteu o olhar médico, desenvolvendo a chamada "terapia pela fala". As ideias e as teorias elaboradas pelo paciente sobre seu próprio mal-estar são a base do tratamento. Assim, o psicanalista interpreta os seus sintomas e revela seus conflitos inconscientes.

Freud não descobriu ou inventou o inconsciente. Esse conceito já existia na literatura e na filosofia do século XIX. Freud foi o primeiro, porém, a compreender plenamente o significado dessa descoberta para a existência humana. Se a maior parte de nossa vida psíquica transcorre de modo inconsciente, isso significa que o homem não é um ser absolutamente livre, racional e consciente de si mesmo. De acordo com Freud, grande parte de nossos pensamentos e ações é determinada por forças que não são conscientes para o indivíduo e que só podem ser conhecidas por meio da prática psicanalítica **[doc. 2]**.

Mergulhando nas profundezas do inconsciente, a psicanálise renovou o olhar sobre o ser humano, despertando a atenção para dimensões da existência até então negligenciadas ou mal compreendidas pela sociedade burguesa. A sexualidade, a libido, o mundo do sonho e as forças instintivas foram revalorizados com a psicanálise, influenciando profundamente não somente as ciências humanas, mas também toda a cultura do século XX.

DOC. 2 Sigmund Freud no início do século XX. A psicanálise iniciou-se como uma terapia para perturbações nervosas, mas o desenvolvimento teórico conferido a ela por Freud tornou-a um modelo para explicar toda a vida mental humana em suas diversas dimensões.

O nascimento da antropologia cultural ocorreu na mesma época que o da psicanálise. O próprio Freud chegou a escrever estudos antropológicos e, da mesma forma que na psicanálise, a antropologia cultural buscava compreender significados inconscientes que ordenavam as sociedades humanas. Antropólogos como o francês Marcel Mauss (1872-1950) e o austro-americano Franz Boas (1858-1942) mostraram que, diferentemente dos animais, que interagem com o ambiente de maneira direta e instintiva, o ser humano se relaciona com o mundo e com os outros seres humanos por intermédio de complexos sistemas simbólicos.

Para a antropologia cultural, as culturas devem ser entendidas como conjuntos de sistemas simbólicos que povoam a vida de seus membros e que orientam seus comportamentos desde que nascem. São exemplos de sistemas simbólicos: a linguagem, as regras matrimoniais, as relações econômicas, as normas jurídicas, a arte, a ciência e a religião. Desse modo, a antropologia cultural mostrou que todas as sociedades humanas possuem cultura e que nenhuma delas pode ser considerada superior às outras. Elas são apenas diferentes por possuírem distintos sistemas simbólicos **[doc. 3]**.

DOC. 3 **A valorização da diferença**

A antropologia física do século XIX defendia a superioridade do homem branco e da civilização europeia sobre os povos considerados "primitivos" e "selvagens", como as nações indígenas. Ao mostrar que todas as culturas são capazes de definir seus próprios valores, a antropologia cultural concedeu um lugar de importância à diversidade e à riqueza cultural das sociedades indígenas.

Grupo de índios macuchis, Rio Branco, Acre. Cartão-postal de G. Huebner & Amaral, 1903-1904.

QUESTÃO

› Explique como a antropologia cultural avaliava a diversidade existente entre as culturas **[doc. 3]**.

Seção 27.3

A revolução das vanguardas artísticas

Objetivo

- Compreender o surgimento de novas concepções artísticas.

Termos e conceitos

- Vanguarda artística

Conteúdo digital Moderna PLUS http://www.modernaplus.com.br
Vídeo: Semana de 1922

A arte em transição

Até o século XIX, o espaço da arte estava reservado a instituições especializadas, como museus, salas de concerto, galerias, academias etc. Esses lugares eram considerados verdadeiros templos da arte e os próprios artistas eram cultuados como seres excepcionais. O público era formado por uma pequena elite econômica e letrada que dispunha de tempo livre para as atividades culturais.

Com o desenvolvimento do capitalismo industrial e a ascensão da burguesia, os locais de exposição da produção artística continuaram restritos a instituições especializadas. O gosto burguês tornou-se, entretanto, hegemônico. Apenas as obras que estavam de acordo com os valores estéticos burgueses eram valorizadas. Assim, artistas como Vincent van Gogh (1853-1890), Paul Gauguin (1848-1903) ou Paul Cézanne (1839-1906), hoje universalmente reconhecidos, foram rejeitados em sua época por não se enquadrarem nas convenções da arte burguesa e, muitas vezes, por chocarem a própria moral convencional **[doc. 1]**.

DOC. 1 **Um pintor considerado maldito**

Quando vivo, o artista holandês Vincent van Gogh só conseguiu vender um único quadro. As tintas, telas e demais materiais de que necessitava para pintar eram financiados por seu irmão, Theo. Precursor da arte moderna, Vincent van Gogh teve uma vida conturbada, marcada por crises de depressão, por tratamentos psiquiátricos, pela mutilação da própria orelha e por uma tentativa de suicídio, que finalmente o levou à morte com apenas 37 anos. Hoje suas telas atingem milhões de dólares nos leilões de arte.

A noite estrelada, pintura de Vincent van Gogh, 1889. Museu Metropolitano de Arte, Nova York. Note a expressividade do céu noturno nesta obra.

Vocabulário histórico

Vanguarda artística

"Entende-se, com esse termo, um movimento que investe um interesse ideológico na arte, preparando e anunciando deliberadamente uma subversão radical da cultura e até dos costumes sociais, negando em bloco todo o passado e substituindo a pesquisa metódica por uma ousada experimentação na ordem estilística e técnica."

ARGAN, Giulio Carlo. *Arte moderna*: do iluminismo aos movimentos contemporâneos. São Paulo: Companhia das Letras, 1996. p. 310.

A ruptura com a tradição

No início do século XX, intelectuais e artistas começaram a criticar a visão tradicional da arte e revoltaram-se contra uma arte feita apenas para o usufruto de uma burguesia endinheirada. Eles defendiam o direito de o artista criar plenamente, sem a necessidade de obedecer a alguma convenção ou norma exterior, fosse ela imposta pelo Estado ou pelo mercado. Também pretendiam que a arte se fundisse com a vida e povoasse o cotidiano das pessoas, ao invés de se refugiar nas instituições de arte.

O movimento estético do início do século XX questionava as técnicas e os modelos de produção da obra de arte herdados do passado. Os artistas da **vanguarda artística** acreditavam que a função da arte moderna era expressar as novas formas de experiência que estavam surgindo num mundo cada vez mais modelado pela técnica. Era necessária uma nova arte para um novo mundo, capaz de captar os novos símbolos, ritmos e vivências que caracterizavam a vida do homem contemporâneo.

Nas grandes cidades, a percepção humana foi alterada. A velocidade dos carros e dos novos meios de transporte, a fragmentação do espaço, a aglomeração da multidão, o som repetitivo das ferramentas e das máquinas da construção civil e das fábricas, os semáforos determinando o movimento dos pedestres, todas essas situações presentes nas grandes cidades passaram a preencher o cotidiano das pessoas. Em suas obras, os artistas buscavam dar sentido a esse conjunto, rico e complexo, de transformações que estavam acontecendo na sociedade em que viviam.

Vanguarda e revolução

O termo "vanguarda", atribuído aos artistas que contestavam a cultura e as artes tradicionais, tem origem militar: significa o batalhão que vai à frente da batalha, o primeiro a chegar (e, geralmente, o primeiro a morrer). Os vanguardistas das artes viam-se como o batalhão de frente das lutas contra o conformismo, a tradição e o culto ao passado. Na Europa Ocidental, principalmente na França e na Alemanha, havia muitos artistas que contestavam simultaneamente as formas tradicionais de representação da realidade e as instituições sociais e políticas do mundo burguês. Na Itália, o movimento futurista exaltava a ciência, a técnica e a sociedade industrial **[doc. 2]**.

É o caso dos **dadaístas**, que pretendiam questionar o caráter sagrado atribuído às obras de arte tradicionais. Para isso eles usavam o humor, a paródia, a ridicularização de obras consagradas, faziam *happenings* (ações públicas em diferentes lugares, interferindo na normalidade do cotidiano). Uma obra típica dessa vanguarda foi a intervenção que o artista Marcel Duchamp fez no famoso quadro Mona Lisa, pintando na imagem da mulher um cômico bigode masculino **[doc. 3]**.

Mais tarde, o **movimento surrealista**, fundado por André Breton em Paris, retomou as propostas dadaístas, mas também incorporou outros elementos ao universo da arte, como o mundo do inconsciente, do sonho, do delírio e dos instintos, francamente inspirado nas ideias de Freud.

DOC. 3 *L.H.O.O.Q.*, gravura de Marcel Duchamp, 1919. Museu de Arte da Filadélfia, Filadélfia.

QUESTÕES

1. As vanguardas artísticas, no final do século XIX e início do século XX, contrapunham-se a determinada cultura e mentalidade que vinha se formando desde o início do século XIX. Responda que cultura era essa e como se deu o processo da crítica realizado pelas vanguardas artísticas.
2. Identifique e comente os procedimentos dos dadaístas em relação à arte tradicional presentes nessa obra de Marcel Duchamp [doc. 3].

DOC. 2 **O futurismo italiano**

"O movimento [futurista] se abre com o manifesto literário de F. T. Marinetti (1878-1944), em 1909; um ano depois, segue-se o manifesto da pintura futurista [...].

Nos manifestos futuristas, pede-se a destruição das cidades históricas (por exemplo, Veneza) e dos museus; exalta-se a cidade nova, concebida como uma imensa máquina em movimento. A revolução que se deseja é, na verdade, a revolução industrial ou tecnológica, isto é, ainda uma revolução burguesa; na nova civilização das máquinas, os intelectuais-artistas deverão representar o impulso espiritual do 'gênio'. Sob o gosto pelo escândalo e o desprezo pela burguesia oculta-se um oportunismo inconsciente e involuntário, e essa contradição explica todas as demais. Os futuristas se dizem antirromânticos e pregam uma arte que expresse 'estados de alma', fortemente emotiva; exaltam a ciência e a técnica, mas querem-nas intimamente poéticas ou 'líricas'; proclamam-se socialistas, mas não se interessam pelas lutas operárias: pelo contrário, veem nos intelectuais de vanguarda a aristocracia do futuro. São internacionalistas, mas anunciam que o 'gênio italiano' salvará a cultura mundial. [...]"

ARGAN, Giulio Carlo. *Arte moderna*. Do iluminismo aos movimentos contemporâneos. São Paulo: Companhia das Letras, 1996. p. 310-313.

Formas únicas de continuidade no espaço, escultura de Umberto Boccioni, 1913. Coleção Mattioli, Milão.

Retomar conteúdos

1 Durante o século XIX, as cidades europeias sofreram transformações que marcariam profundamente o cotidiano de seus habitantes. Aponte que transformações foram essas.

2 As exposições universais eram eventos anuais e de grande importância. Diversas nações eram convidadas a participar, inclusive o Brasil. Relacione os avanços tecnológicos do século XIX com as exposições universais.

3 Do final do século XIX até os dias atuais, a cultura de massas é um conceito que vem adquirindo importância cada vez maior. Quais foram as condições que tornaram possível o seu surgimento na *Belle Époque*? Explique.

4 Segundo Sigmund Freud, três acontecimentos da modernidade golpearam a autoestima da humanidade: a teoria heliocêntrica de Copérnico, a teoria evolucionista de Darwin e a própria psicanálise de Freud. Explique essa interpretação.

5 A psicanálise e a antropologia cultural surgiram na mesma época. Indique quais características dessas duas áreas se assemelham.

Ler textos e imagens

6 Leia o trecho a seguir e responda às questões.

"**Para fazer um poema dadaísta**

Pegue um jornal.
Pegue a tesoura.
Escolha no jornal um artigo do tamanho que você [deseja dar a seu poema.
Recorte o artigo.
Recorte em seguida com atenção algumas palavras que [formam esse artigo e meta-as num saco.
Agite suavemente.
Tire em seguida cada pedaço um após o outro.
Copie conscienciosamente na ordem em que elas são [tiradas do saco.
O poema se parecerá com você.
E ei-lo um escritor infinitamente original e de uma [sensibilidade graciosa, ainda que incompreendido do público."

Tristan Tzara. Para fazer um poema dadaísta. Disponível em http://iaracaju.infonet.com.br. Acesso em 6 ago. 2010.

a) Que materiais são precisos para fazer um poema dadaísta?
b) Segundo Tristan Tzara, qual será o resultado?
c) A proposta de Tzara de elaboração da poesia é bastante revolucionária tanto em relação àquilo que entendemos como poesia como em relação a alguns de seus contemporâneos. Você acredita que essa seja uma forma possível de produzir arte? Justifique sua resposta.

7 Leia o texto a seguir e responda às questões.

"[...] Nos países onde já se implantou a Revolução Industrial, como na Grã-Bretanha, na França e em alguns Estados alemães e a Bélgica os grandes troncos são complementados por uma verdadeira teia de vias secundárias, desde logo na Bélgica ou na Grã-Bretanha, e mais tardiamente na França, onde será necessário esperar pela Terceira República para construir os ramais secundários. Por tudo, o trilho assedia a vitória da industrialização, cerca as atividades de cúpula, e consolida o capitalismo. [...] Após 1880, por outro lado, a construção das ferrovias torna-se um elemento decisivo nas políticas imperialistas das grandes potências industriais: na Rússia, na China e na América do Sul, nos impérios coloniais, a ferrovia anima todas as esperanças de dominação econômica e de presença política. [...] Arma decisiva do capitalismo e do imperialismo, a ferrovia se expande e dilata os efeitos da nova ordem econômica em dimensões planetárias. As consequências são imensas. A ferrovia acelera a Revolução Industrial. Graças a ela, diminuem as distâncias, as novas ideias circulam, as mentalidades evoluem, a cidade penetra nos campos."

RIOUX, Jean Pierre. *A Revolução Industrial*. 1780-1880. São Paulo: Pioneira, 1975. p. 67-69

a) Até 1880, quais foram os países em que a malha ferroviária havia se expandido? Aponte o que havia em comum entre eles.
b) Após 1880, a construção de ferrovias expandiu-se para quais territórios? Novamente, aponte o que havia em comum entre eles.
c) O papel da malha ferroviária foi modificado nos dois momentos analisados? Justifique sua resposta.

Debater

8 Leia o trecho a seguir e discuta com seus colegas a função da arte na passagem do século XIX para o século XX e estabeleçam uma relação com o papel da arte no mundo contemporâneo.

"O passado é necessariamente inferior ao futuro. É assim que queremos que seja. Como poderíamos reconhecer qualquer mérito ao nosso mais perigoso inimigo?... É assim que negamos o esplendor, que nos obceca, dos séculos mortos e que cooperamos com a mecânica vitoriosa que mantém o mundo firme em sua teia de velocidade."

F. T. Marinetti, o futurista [1913]. In: HOBSBAWM, Eric J. *A era dos impérios*: 1875-1914. Rio de Janeiro: Paz e Terra, 2002. p. 307.

Capítulo

28 A Primeira Guerra Mundial

› 28.1 A marcha para a guerra

Disputas imperialistas, nacionalismo exacerbado e corrida armamentista: foram essas as condições que conduziram à Primeira Guerra Mundial.

› 28.2 Eclode o conflito mundial

Depois de um período de movimentação das tropas, o conflito mundial transformou-se numa guerra de trincheiras.

› 28.3 A tecnologia da destruição

Na Primeira Guerra Mundial, pela primeira vez na história, a maior parte dos recursos gerados pelas sociedades estava voltada para o esforço de guerra.

› 28.4 O armistício e os resultados da guerra

Morte, destruição, pessimismo e sentimento de revanche, esse foi o principal legado da Primeira Guerra Mundial.

Guerra e tecnologia

A guerra está presente na história humana em todos os tempos. Não raro, a experiência limite da violência e da luta entre seres humanos até a morte deixa marcas profundas nos indivíduos e na sociedade. Essas marcas podem ser notadas nos hábitos e nas conversas do cotidiano, nas artes, nas construções e na expressão das pessoas que se cruzam pelas ruas.

As guerras não são todas iguais. Elas podem se diferenciar pelas suas motivações, pela quantidade de países ou grupos que se enfrentam, pela duração do conflito, entre outras características. Nos primeiros anos do século XX, países de diversos continentes se envolveram na Primeira Guerra Mundial da história humana, uma experiência sem precedentes, que marcou duramente a geração contemporânea ao conflito e as posteriores, de tal forma que a história do século XX passou a ser também a história das guerras mundiais.

A Primeira Guerra Mundial (1914-1918) coincidiu com um período de grande inovação tecnológica. Podemos dizer que parte dessa inovação foi desenvolvida em função da guerra e, infelizmente, usada para produzir armas potencialmente mais destrutivas que as do passado. A experiência da Primeira Grande Guerra, como também ficou conhecida, revelou para a humanidade os perigos do uso indiscriminado dessa tecnologia e provocou uma crise de consciência da civilização europeia que não seria facilmente resolvida.

Soldados das forças aliadas aguardam ordem para atacar alemães na Batalha de *Menin Road*, na Bélgica, durante a Primeira Guerra Mundial, setembro de 1917.

A marcha para a guerra

Objetivo

- Entender o contexto europeu que levou à Primeira Guerra Mundial.

Termos e conceitos

- Imperialismo
- Nacionalismo
- Corrida armamentista
- Pan-eslavismo

Conteúdo digital Moderna PLUS http://www.modernaplus.com.br
Mapa animado: A primeira grande guerra
Vídeo: Partida

Os antecedentes da guerra

A Primeira Guerra Mundial teve início com um conflito separatista localizado na região dos Bálcãs, na Europa Central e, em pouco tempo, se difundiu envolvendo potências rivais e tomando proporções inesperadas. Os acontecimentos que antecederam esse conflito são cruciais para entender como a Europa mergulhou numa guerra tão devastadora.

Nos primórdios do século XX, a Europa vivia um período de otimismo e de orgulho pelas realizações da civilização europeia **[doc. 1]**. O período, chamado *Belle Époque*, ficou caracterizado pela crença na prosperidade econômica sem fim, proporcionada pelo **imperialismo** europeu, e pela relativa paz entre as nações. Um forte sentimento nacionalista, no entanto, crescia e era alimentado pela imprensa e por pensadores nacionalistas, motivando a disputa e a concorrência entre as nações.

"[...] Pode-se falar de uma verdadeira religião da pátria, inculcada pela escola laica (por volta de 1880, as crianças aprendiam a manejar armas, usando espingardas de madeira, desde a escola primária), e ensinada também nas instituições religiosas. O nacionalismo é um 'valor' partilhado tanto pela direita quanto pela esquerda [...]."

VINCENT, Gérard. Guerras ditas, guerras silenciadas e o enigma identitário. In: PROST, Antoine; VINCENT, Gérard (Orgs.). *História da vida privada*: da Primeira Guerra aos nossos dias. São Paulo: Companhia das Letras, 1992. v. 5. p. 208.

DOC. 1 Antigo Palácio do Trocadero, visto da Torre Eiffel, Paris. Ele foi construído para a Exposição Universal de 1878, e sua arquitetura foi inspirada no estilo mouro. França, foto de 1900.

As camadas populares eram mobilizadas por meio do apelo da imprensa, que alimentava os sentimentos nacionalistas e difundia a crença na superioridade de um povo sobre outro. Intelectuais, políticos e formadores de opinião instigavam o patriotismo e a adesão voluntária às fileiras militares **[doc. 2]**. Ao **nacionalismo** exacerbado se somavam a competição industrial acirrada entre as principais potências europeias e as rivalidades étnicas locais.

As disputas imperialistas

A competição acirrada entre as potências imperialistas por mercados e capitais foi uma das razões para o fim da relativa paz e estabilidade do período da *Belle Époque*. Grã-Bretanha, Alemanha e França eram as protagonistas da disputa imperialista que contribuiu para a eclosão do conflito mundial.

A Grã-Bretanha era desde o século XIX a maior potência econômica e industrial do mundo. Em grande parte porque sua política, francamente imperialista, garantiu a ela o domínio de vastos territórios na Ásia e na África. Os ingleses se orgulhavam de seu território imperial, que contava com mais de 450 milhões de habitantes. Toda essa potência favorecia em muito os interesses dos capitalistas britânicos, mas desagradava a outras nações, especialmente a Alemanha.

DOC. 2 À esquerda, pôster de Alfred Leete, publicado em 1914. Com os dizeres "Seu país precisa de você", o pôster tornou-se a mais famosa campanha britânica de convocação para o exército. No centro, pôster alemão da Primeira Guerra Mundial, com a mensagem "O imperador e o povo agradecem ao exército e à marinha", de Lisa von Schauroth, 1917; à direita, cartaz de manifestação pacifista em Budapeste, com os dizeres "A guerra é o mais terrível dos crimes em massa", de Mihaly Biro, 1914 . Biblioteca do Congresso, Washington.

A rivalidade franco-alemã

A formação do Estado nacional alemão só ocorreu na segunda metade do século XIX, bem mais tarde que o das grandes potências europeias. Por esse motivo, a Alemanha saiu atrasada na corrida imperialista e ficou com a parte menor da partilha colonial. Apesar disso, a economia alemã se desenvolveu rapidamente e, em 1900, já superava em alguns setores a poderosa indústria da Grã-Bretanha.

A França vinha alimentando um sentimento de revanchismo contra a Alemanha desde a derrota na Guerra Franco-Prussiana, em 1871, quando perdeu para os alemães as regiões da Alsácia e da Lorena, ricas em minérios. Além disso, a França construiu um grande exército e promoveu a sua industrialização, impulsionada pela conquista de vários territórios na África e na Ásia. Interessadas em barrar o avanço alemão, França e Grã-Bretanha, mesmo sendo inimigas históricas, selaram, em 1904, um primeiro pacto de "amizade".

A corrida armamentista

Em meados do século XIX, a disputa imperialista entre as nações europeias se manifestou também na forma de uma **corrida armamentista**. O desenvolvimento da indústria de guerra significou a produção de armamentos mais eficientes e potencialmente mais destrutivos, além de um crescente investimento do Estado nesse setor, conforme se aproximava o início do conflito.

É importante ressaltar que os bens produzidos por essa "indústria da morte" eram pautados não pelas demandas do mercado, mas pela concorrência acirrada entre as nações. Nesse sentido, podemos falar em uma "corrida armamentista", uma vez que nenhuma nação queria ficar atrás da outra quando se tratava da aquisição de armas mais avançadas.

Por fim, devemos mencionar que a indústria bélica era financiada pelos Estados imperialistas, uma vez que eram eles os maiores consumidores dessa produção. Nos anos próximos à deflagração do conflito, a acumulação de armas atingiu proporções preocupantes, de tal maneira que não havia mais como estocar, fato que tornou iminente a guerra.

O pan-eslavismo e a crise nos Bálcãs

A região dos Bálcãs, na Europa Central, era uma zona de instabilidade e de conflitos desde que o poder do Império Otomano começou a declinar, a partir de 1870. Com o esfacelamento do Império, os grupos étnicos que viviam na região (sérvios, búlgaros e romenos, principalmente) começaram a se organizar para formar novos Estados. A Sérvia, com população de origem eslava, tornou-se independente do Império Otomano em 1878 e logo investiu em uma campanha nacionalista pela constituição da Grande Sérvia, reunindo croatas, bósnios e eslovenos.

O nacionalismo sérvio apoiava-se no **pan-eslavismo** da Rússia, movimento que pregava a união da grande "família eslava" da Europa Oriental sob a proteção do Estado russo. O nacionalismo sérvio chocava-se, no entanto, com a política expansionista do Império Austro-Húngaro, que desde 1908 havia anexado a Bósnia e a Herzegovina. Constituído por diferentes minorias étnicas, o Império Austro-Húngaro via com preocupação o crescente nacionalismo sérvio nos Bálcãs, que significava uma ameaça concreta à unidade territorial do Império.

Em 1912, o Império Otomano foi atacado pela Liga Balcânica (Bulgária, Grécia, Sérvia e Montenegro), apoiada pela Rússia, ofensiva que resultou na expulsão dos turcos dos limites europeus. Em 1913, uma segunda guerra explodiu nos Bálcãs entre Bulgária, Sérvia, Grécia e Turquia. Como resultado, a Bulgária foi derrotada e a Macedônia partilhada entre Grécia e Sérvia que, nesse contexto, saiu beneficiada. Por outro lado, no Império Austro-Húngaro, aumentava a pressão dos grupos étnicos pela independência. Configurava-se, assim, a situação crítica que seria o estopim da Primeira Grande Guerra. Em pouco tempo, a população passou a ser mobilizada para a guerra no mesmo momento em que surgiam movimentos pacifistas **[doc. 2]**.

QUESTÕES

1. Com base na leitura do texto de Gérard Vincent, na página 501, avalie o papel do nacionalismo na eclosão do conflito mundial.

2. Identifique a intenção expressa em cada cartaz e o argumento utilizado para atingir os objetivos colocados **[doc. 2]**.

Eclode o conflito mundial

Objetivos

- Compreender o significado de guerra de trincheiras.
- Reconhecer a importância da entrada dos Estados Unidos na guerra para a vitória dos aliados.

Termos e conceitos

- Tríplice Entente
- Tríplice Aliança
- Guerra de trincheiras

O estopim da guerra

Em 1914, as nações europeias se encontravam divididas em dois sistemas de alianças rivais. De um lado, a **Tríplice Entente**, formada pela Grã-Bretanha, França e Rússia; de outro lado, a **Tríplice Aliança**, composta pela Alemanha, Áustria-Hungria e Itália, também conhecida como bloco dos **Impérios Centrais** [doc. 1].

O estopim do conflito foi um ataque terrorista na cidade de Sarajevo, capital da Bósnia, em junho de 1914. Nesse dia, o arquiduque Francisco Ferdinando – herdeiro do Império Austro-Húngaro – e sua esposa foram mortos a tiros por um grupo nacionalista da Sérvia. A motivação do atentado era local e visava deflagrar uma revolução contra o Império Austro-Húngaro, mas acabou gerando consequências bem maiores.

A velha rivalidade entre Áustria-Hungria e Sérvia foi reativada e cerca de um mês depois a Áustria declarava oficialmente guerra à Sérvia, mobilizando a rede de alianças que jogava uma nação contra a outra. Nesse contexto, a Rússia, aliada da Sérvia, começou a movimentar a sua máquina de guerra, enquanto a Alemanha, aliada da Áustria, esperava que a Rússia não se envolvesse no conflito, restringindo-o a um confronto local.

As negociações para impedir a expansão do conflito, no entanto, foram inúteis e rapidamente as declarações de guerra se espalharam como um rastilho de pólvora. A Alemanha declarou guerra à Rússia e também à França, buscando a vantagem estratégica do ataque sobre a defesa. Rapidamente, a Alemanha partiu em ataque à França ocupando, durante o percurso, o território da Bélgica, um país neutro. O avanço alemão na Europa Ocidental e a invasão da Bélgica precipitaram a entrada da Grã-Bretanha no conflito. Estava armado o palco principal da Primeira Guerra Mundial.

DOC. 1 **Alianças e frentes de combate na Primeira Guerra Mundial**

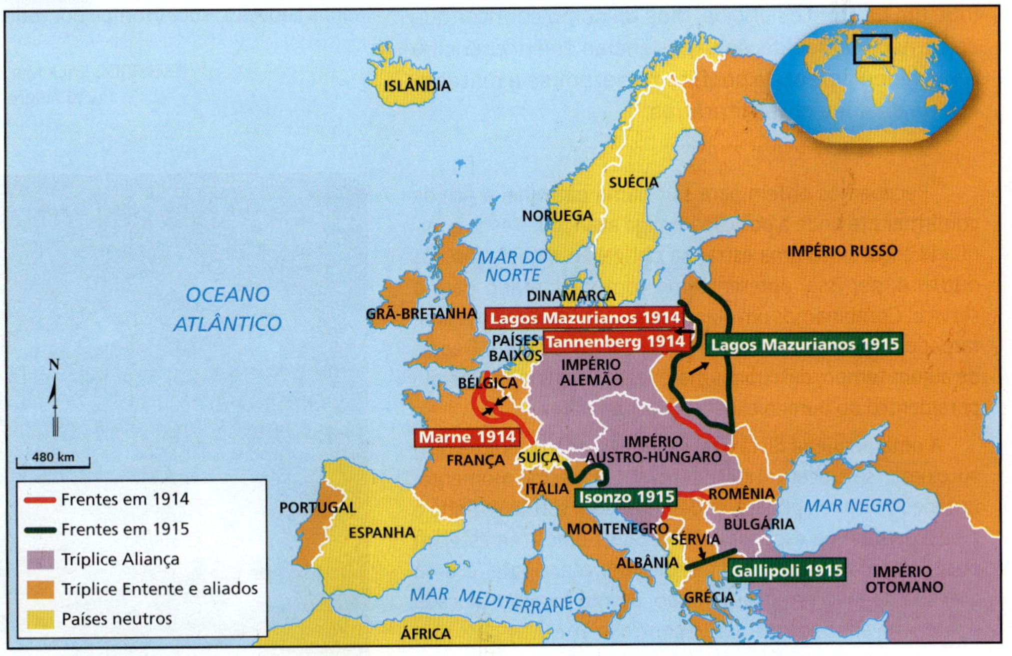

A Itália, em 1915, rompeu com a Tríplice Aliança e entrou na guerra ao lado dos países aliados, em troca de ganhos territoriais.

Fontes: CHALIAND, Gérard. *Atlas strategique*. Paris: Complexe, 1988. p. 34; *Atlas histórico*. Encyclopaedia Britannica do Brasil. Barcelona: Marin, 1997. p. 178.

Nacionalismo militarizado

A ideologia nacionalista alimentou e difundiu o sentimento patriótico e o orgulho em defender a nação, motivando o engajamento voluntário da população. No início da guerra, grande parte dos Estados europeus mantinha exércitos de conscritos, ou seja, de cidadãos civis alistados, no qual o lema central era "cada homem, um soldado".

A nova mentalidade, em que se atribuíam virtudes cívicas ao serviço militar, significava uma ruptura com o modelo tradicional de guerra, travada por uma "elite guerreira" ou um exército profissional. Apesar do entusiasmo, ninguém esperava que a guerra durasse tanto tempo. A expectativa de ambos os lados era de um conflito curto, decisivo e glorioso, o que não ocorreu.

A guerra de trincheiras

A estratégia de guerra da Alemanha era liquidar rapidamente a França na Frente Ocidental, para depois partir para o ataque à Rússia na Frente Oriental, despachando o exército pelos trilhos do trem. A primeira investida dos alemães, em setembro de 1914, levou-os até cerca de sessenta quilômetros da cidade de Paris, mas franceses e ingleses reagiram de forma inesperada e contra-atacaram, obrigando o exército alemão a recuar.

Depois do recuo alemão, a guerra na Frente Ocidental abandonou a fase inicial, caracterizada pela movimentação das tropas, e assumiu uma **guerra de trincheiras**. Esse nome caracterizou a segunda fase das batalhas da Primeira Guerra Mundial, pelo menos na Frente Ocidental, quando os exércitos passaram a se fixar em **trincheiras** abertas no solo para auxiliá-los a manter suas posições conquistadas na fase anterior.

As trincheiras formavam uma linha divisória de aproximadamente 650 quilômetros de extensão, marcada por fios de arame farpado e sacos de areia, estendendo-se desde o Canal da Mancha até a Suíça. Presos às trincheiras, cerca de 230 metros distantes um do outro, os dois campos inimigos se enfrentavam com artilharia pesada, banhos de sangue e carnificina, tudo para conquistar poucos metros do território inimigo **[doc. 2]**.

Do outro lado da Europa, na Frente Oriental, as batalhas aconteciam de forma mais dinâmica, pois os exércitos eram mais reduzidos e os espaços mais amplos. Os russos tomaram a dianteira nas ofensivas e atacaram a Alemanha, mas acabaram derrotados. Em 1916, houve uma nova ofensiva russa contra os austríacos, que também foi contra-atacada pelo poderoso exército alemão, resultando em mais de 1 milhão de baixas no exército russo **[doc. 3]**.

DOC. 2 **A guerra transposta para a literatura**

Erick Maria Remarque (1898-1970) foi um alemão que se alistou e combateu na Primeira Guerra Mundial. Com o fim da guerra, retornou para a Alemanha e trabalhou em diferentes ofícios. Mas foi como escritor que se tornou conhecido. As experiências que presenciou e vivenciou durante o conflito tornaram-se a matéria-prima de suas obras literárias.

"Recebemos ordem para sair numa patrulha, a fim de confirmar até onde a posição inimiga avançou. Desde a minha licença, sinto uma estranha obrigação em relação aos outros e, por isso, apresento-me como voluntário para o serviço. Combinamos um plano, arrastamo-nos até o arame farpado e nos separamos, para avançar um por um. Depois de algum tempo, descubro uma cratera de granada. Rastejo para dentro do buraco e, de lá, observo a área. [...]

A uma pequena distância, cai uma granada. Não a ouvi aproximar-se e levei um susto terrível. No mesmo momento, um medo insano apodera-se de mim. Aqui estou, sozinho e quase perdido na escuridão. Talvez dois olhos me estejam observando, há muito tempo, de uma outra vala, e uma granada de mão esteja esperando, pronta para ser lançada e fazer-me em pedaços. Tento controlar-me. [...]

Explico a mim mesmo que minha agitação é infundada, que provavelmente ninguém me espreita na escuridão, porque, do contrário, os projéteis não seriam tão rasteiros.

É tudo em vão. [...] Na minha imaginação, vejo, atormentado, a pavorosa boca cinzenta e implacável de um fuzil que me ameaça silenciosamente e que acompanha os movimentos de minha cabeça; o suor irrompe por todos os poros."

REMARQUE, Erick Maria. *Nada de novo no* front. Porto Alegre: L&PM, 2008. p. 162-163.

Companhia alemã com metralhadoras durante a Batalha de Darkehmen (hoje Ozersk, na Rússia), em 1915.

DOC. 3 Soldados russos sobem morro em preparação para o combate durante a Primeira Guerra Mundial, c. 1916.

Os limites da resistência

Em 1917, começaram a despontar conflitos no interior dos exércitos, como se nota no texto a seguir.

> "Os custos, tanto materiais como psicológicos, de fazer de cada homem um soldado começaram a apresentar seus inevitáveis efeitos. Houve um motim em larga escala no exército francês na primavera daquele ano; no outono, o exército russo entrou em colapso total."
>
> KEEGAN, John. *Uma história da guerra*. São Paulo: Companhia de Bolso, 2006. p. 305.

Os motins no interior dos exércitos indicavam os limites do patriotismo entre os soldados. A imobilidade das tropas e a falta de perspectiva de término do conflito colocavam em questão a própria razão da guerra.

A entrada dos Estados Unidos na guerra

O ano de 1917 foi um ponto de inflexão na trajetória da guerra. Em primeiro lugar, o conflito tornou-se de fato mundial. Naquele ano, catorze países europeus participavam da guerra. Fora da Europa, o conflito arrastou colônias europeias na Ásia e na África e, na América, onze países entraram no conflito ao lado da Entente.

Os países aliados, como também ficaram conhecidos os países da Entente, no entanto, estavam perdendo a guerra. Na Frente Ocidental, a guerra de trincheiras continuava ceifando milhares de vidas, e os ataques ofensivos não rompiam as linhas inimigas. Na Frente Oriental, os russos saíam de cena, obrigados a se voltar para a solução dos conflitos internos, em função da eclosão da **Revolução Russa de 1917**.

Em abril, a entrada dos Estados Unidos no conflito contribuiu para alterar o equilíbrio de forças em favor dos aliados. Até então, os Estados Unidos haviam assumido uma posição neutra. A situação modificou-se quando o país se tornou alvo de submarinos alemães. O objetivo era sufocar a Grã-Bretanha impedindo a entrada de suprimentos de guerra, a maior parte fornecida pela marinha norte-americana. Com essa ação, os alemães violaram a doutrina de liberdade dos mares e ameaçaram os interesses econômicos dos Estados Unidos. Com tais argumentos, o então presidente dos Estados Unidos, Woodrow Wilson, convenceu o Congresso a declarar guerra à Alemanha.

Principalmente a partir de 1918, a adesão norte-americana significou o reforço de tropas e suprimentos e uma motivação para os soldados, condições decisivas para a vitória dos aliados. Em outubro e novembro, a rendição da Bulgária, do Império Otomano e do Império Austro-Húngaro deixou a Alemanha isolada. No mesmo período, o general alemão Ludendorff solicitou um armistício. No mês seguinte, na Alemanha, uma mobilização popular derrubou o Império e proclamou a República. No dia 11, a jovem República Alemã assinou o armistício final. Terminava oficialmente a Primeira Guerra Mundial, que arrasou plantações, destruiu indústrias, causou grandes prejuízos econômicos, tanto aos países vencedores quanto aos vencidos, e conseguiu envolver nações de vários continentes.

- **Conscrito.** Que ou quem foi alistado no serviço militar, recrutado.
- **Doutrina de liberdade dos mares.** Acordo informal que define o oceano como território internacional, podendo ser partilhado por todas as nações. Segundo essa doutrina, atacar um navio em alto-mar pode ser considerado um ato de guerra.
- **Armistício.** Acordo entre países em guerra para pôr fim, temporária ou definitivamente, aos conflitos.

QUESTÕES

1. Explique por que, na Frente Ocidental, a Primeira Guerra ficou conhecida como "guerra de trincheiras".
2. Por que a entrada dos Estados Unidos na guerra, em 1917, alterou o equilíbrio de forças em favor dos aliados?

A tecnologia da destruição

Objetivos

- Reconhecer a relação entre a guerra e o desenvolvimento da tecnologia.
- Relacionar a guerra com algumas transformações ocorridas na sociedade civil.

Termos e conceitos

- Armas químicas
- Indústria bélica

A ciência a serviço da morte

A recente Guerra do Iraque, no Oriente Médio, mostrou ao mundo os últimos avanços da tecnologia aplicados à guerra, como mísseis de longo alcance, bombas inteligentes e eletromagnéticas, veículos blindados e caças aéreos. As operações dessa "guerra cirúrgica", veiculadas pela TV como uma espécie de "jogo de *videogame*", transmitiam a ideia de uma guerra precisa e objetiva, que não envolvesse a morte e a destruição. As estatísticas do número de mortos, no entanto, revelam que as guerras têm adquirido um potencial de destruição cada vez maior.

A Primeira Guerra Mundial chamou a atenção por aplicar avanços tecnológicos da época a serviço da destruição. Por isso, a guerra não era travada apenas nos campos de batalha, na linha de frente, mas também nos bastidores, na disputa industrial entre as nações pela fabricação de armas mais potentes e revolucionárias. Pela primeira vez na história, a maior parte dos recursos produzidos pela sociedade, sobretudo as inovações da ciência, estava voltada para o esforço de guerra. Esse é um dos aspectos centrais que distingue esse conflito dos anteriores. A Primeira Guerra Mundial foi também uma guerra de tecnologia **[doc. 1]**.

A indústria química, o motor a combustão, a aviação e a tecnologia de fabricação do aço, recursos tecnológicos e científicos desenvolvidos durante a Segunda Revolução Industrial, foram colocados a serviço da guerra. Isso significou um incremento no potencial de destruição e de mortes das nações beligerantes.

A guerra no mar

Nos mares, a guerra era travada na disputa pelo desenvolvimento da tecnologia naval dos couraçados e dos submarinos. Os alemães ambicionavam diversas rotas comerciais dominadas pelos britânicos. No decorrer da guerra, a tecnologia do submarino foi decisiva para as batalhas travadas no Atlântico Norte. A estratégia alemã era tentar sufocar a Grã-Bretanha impedindo a chegada de suprimentos por mar. A estratégia quase funcionou, mas acabou obrigando os Estados Unidos a entrarem na guerra, acontecimento que acabou sendo decisivo para a vitória dos aliados.

DOC. 1 **A tecnologia aérea a serviço da guerra**

Um dos aspectos mais sombrios da guerra eram os ataques aéreos contra a população civil. Inventado pelo alemão Ferdinand Zeppelin, os dirigíveis eram usados em ataques-surpresa sobre as cidades de Londres e Paris. Como eram lentos, sofriam contra-ataques sem grandes dificuldades. Por esse motivo, foram abandonados em 1917 e substituídos pelos aviões, mais potentes e eficientes no combate aéreo.

A guerra aérea projetou grandes pilotos, dos quais se construiu uma memória de valentia e glória. É o caso do alemão Manfred Albrecht von Richthofen (o Barão Vermelho), que, a bordo do seu biplano, derrubou inúmeros aviadores das forças aliadas, obtendo mais de oitenta vitórias durante a Grande Guerra. Quando morreu em combate, em 1918, aos 26 anos, foi sepultado pelos inimigos com todas as honrarias militares e homenageado como herói de guerra.

Retrato do Barão Vermelho, do início do século XX.

A indústria e a guerra

No contexto da corrida armamentista, a Alemanha saiu em vantagem, pois contava com um parque industrial mais moderno e eficiente. Os alemães foram os primeiros a desenvolver uma racionalidade administrativa aplicada à guerra, o que significou organizar uma gestão de materiais bélicos com a participação da população civil, principalmente engenheiros e administradores.

A política industrial alemã logo foi adotada pelas demais potências beligerantes que, seguindo o mesmo receituário, transformaram a indústria numa máquina de guerra, o que significou um grande avanço industrial nesses países e a geração de vultosos lucros para um restrito grupo de empresários.

Na França, por exemplo, o Ministro da Guerra convidou todos os principais representantes das indústrias a dividir a produção em grupos regionais, submetendo toda a produção ao controle do Estado para a "guerra total".

Na Alemanha, a indústria química era muito forte desde o final do século XIX, resultado de uma cooperação entre cientistas e empresários ligados à produção bélica. Essa associação transformou a indústria química alemã em líder mundial na produção de gases, explosivos e todo material bélico indispensável à máquina de guerra. Ainda durante o conflito, as oito principais indústrias químicas alemãs formaram uma associação, que mais tarde se transformou na maior empresa química do mundo e uma figura central da economia alemã no período.

Um dos aspectos mais terríveis dessa guerra foi o poder destruidor das **armas químicas**, resultado das descobertas científicas, que foram utilizadas pelos dois lados nos campos de batalha. As primeiras experiências com esse tipo de arma aconteceram em 1915, quando os alemães lançaram gás de cloro contra um regimento franco-argelino. Os ingleses deram o troco contra os alemães. Os franceses também utilizaram os gases de sangue, à base de cianeto de hidrogênio e ácido prússico.

Os bastidores da guerra

Muitas pessoas devem se perguntar quem eram os trabalhadores da indústria, uma vez que grande parte da população estava envolvida na guerra, inclusive civis. Os operários convocados para a guerra eram substituídos por estrangeiros vindos das colônias e, sobretudo, por mulheres. Na França, elas trabalhavam para atender às necessidades da população urbana, trabalhando como motoristas de trens e ambulâncias, além de trabalharem como operárias na **indústria bélica**, atividades que lhes proporcionaram autonomia e contribuíram para transformar a forma como a sociedade estava organizada **[doc. 2]**.

A economia de guerra também envolvia uma política de racionamento de alimentos que atingia seriamente a população civil. A insuficiência alimentar provocava a carência de vitaminas e nutrientes, atingindo principalmente as crianças e os idosos. Diante desse quadro, doenças como tifo, escorbuto e tuberculose disseminavam-se com facilidade. Nas famílias, às dificuldades do cotidiano se somavam a angústia e o medo de receber telegramas que noticiassem a morte de entes queridos que estavam na guerra. Havia ainda o pavor dos bombardeios noturnos dos zepelins ou dos aviões que atacavam as cidades atingindo a população civil.

DOC. 2 Operárias trabalham em fábrica britânica de munições, em 1917. Museu Imperial da Guerra, Londres. A mobilização das mulheres durante a guerra foi muito importante para atender às demandas da indústria bélica e da agricultura. Essa participação ampliou o prestígio social das mulheres e contribuiu para a conquista de direitos civis, como o direito ao voto, que na Grã-Bretanha ocorreu em 1918 e, nos Estados Unidos, em 1920.

- **Arma química.** Armamento não convencional produzido com base em substâncias químicas, altamente tóxicas, com a finalidade de matar ou dizimar em massa. O Protocolo de Genebra de 1925 proibiu o uso de gases asfixiantes, tóxicos ou similares e de meios bacteriológicos de guerra. A necessidade de atualizar e reafirmar o Protocolo de Genebra deu origem à Convenção sobre Armas Químicas, que entrou em vigor em 1997 e hoje conta com a adesão da maior parte dos países.

QUESTÃO

- Como a ciência e a tecnologia foram colocadas a serviço da guerra?

Seção 28.4

O armistício e os resultados da guerra

Objetivo

- Explicar as principais mudanças que a Primeira Guerra Mundial promoveu nos cenários europeu e mundial.

Termos e conceitos

- Tratado de Versalhes
- Revanchismo

A paz dos vencedores

Terminada a guerra, as potências vencedoras se reuniram na **Conferência de Paris**, em janeiro de 1919, para estabelecer as condições de paz. O encontro teve a participação de 32 países, incluindo o Brasil, mas a liderança coube aos três grandes: Estados Unidos, Grã-Bretanha e França.

O então presidente norte-americano, Woodrow Wilson, teve papel de destaque na Conferência, defendendo uma "paz sem vitória, sem anexações e indenizações", em que vencedores e vencidos trabalhariam juntos na construção de uma nova Europa. As ideias de Wilson foram sistematizadas nos "14 pontos" para a paz, um conjunto de princípios para restabelecer o equilíbrio entre as nações. Um deles proclamava o direito à autodeterminação dos países e condenava as intervenções estrangeiras.

O resultado, depois de vários meses de negociação, foi bem diferente do proposto pelo presidente dos Estados Unidos. Desse encontro saíram cinco tratados, que definiram, em separado, uma paz punitiva aos países vencidos no conflito: Alemanha, Áustria, Hungria, Bulgária e Turquia.

Os tratados de paz subtraíram parte do território alemão e estabeleceram, entre outras disposições, o desmembramento dos antigos impérios Austro-Húngaro e Otomano, redesenhando o mapa da Europa e do Oriente Médio. A Turquia foi obrigada a ceder a maior parte de suas terras europeias à Grécia e a transferir, para o controle da Grã-Bretanha e da França, seus territórios no Oriente Médio. Do desmembramento dos territórios da Áustria e da Hungria, surgiram a Tchecoslováquia e a Iugoslávia, novos Estados nacionais formados com base em critérios étnico-linguísticos **[doc. 1]**.

Conteúdo digital Moderna PLUS http://www.modernaplus.com.br
Vídeo: Fim da guerra

O **Tratado de Versalhes**, assinado com a Alemanha em junho de 1919, foi o que teve maior impacto e importância para o destino da Europa do pós-guerra. O Tratado considerou a Alemanha a principal responsável pela guerra. O Estado alemão foi obrigado a devolver à França as ricas regiões mineradoras da Alsácia e Lorena, a arcar com pesadas indenizações de guerra, a desmilitarizar-se e a entregar aos vencedores seus territórios coloniais. As medidas impostas em Versalhes serviram para fomentar o ressentimento e o desejo de vingança do povo alemão, preparando terreno para a ascensão do regime nazista e para um novo conflito mundial.

DOC. 1 **A Europa após a Primeira Guerra Mundial**

Fonte: CHALIAND, Gérard; RAGEAU, Jean-Pierre. *Atlas politique du XXe siècle*. Paris: Seuil, 1988. p. 52.

O pessimismo do pós-guerra

O contexto do pós-guerra na Europa foi bastante desolador para os governos e para a população dos países europeus, mesmo para os vencedores. De fato, a Europa como um todo saiu perdendo e mergulhou numa profunda crise econômica, social e também de valores. Como acreditar na ideia de progresso e de civilização que até então tinha fundamentado o imperialismo? Como a Europa poderia continuar a servir de modelo de civilização para os países de outros continentes? Como recuperar a economia e curar as feridas físicas e psicológicas deixadas pela guerra? O clima amargo e depressivo gerava inquietudes e questionamentos, como nos revela, nesta passagem, o historiador britânico Alan John Percivale (AJP) Taylor.

"Os homens civilizados do século XIX tinham excedido em selvageria os bárbaros de todas as épocas anteriores, e suas virtudes civilizadas — organização, habilidade mecânica, autossacrifício — tornaram ainda mais terrível a selvageria da guerra. O homem moderno tinha desenvolvido poderes que não estava preparado para usar. A civilização europeia fora avaliada em seu equilíbrio e se revelara carente."

AJP Taylor (1906-1990). In: PERRY, Marvin. *Civilização ocidental*: uma história concisa. São Paulo: Martins Fontes, 2002. p. 540.

A crise do pós-guerra prepara um novo conflito mundial

No pós-guerra, os europeus estavam cansados, desiludidos e traumatizados. Nas cidades não havia famílias sem viúvas, órfãos e mutilados. O saldo de mortos era assustador: cerca de 10 milhões. A França perdeu mais de 1,7 milhão de jovens, a Grã-Bretanha, 1 milhão, e a Alemanha, aproximadamente 2 milhões. Fora os mortos, havia 21 milhões de feridos.

A economia europeia também saiu arruinada da guerra. A produção agrícola e industrial caiu vertiginosamente, faltava mão de obra, e as contas governamentais estavam deficitárias, em razão principalmente do pagamento das indenizações de guerra, no caso dos países perdedores, e das dívidas assumidas com os Estados Unidos, caso das nações vencedoras. Enquanto a Europa assistia ao ocaso do seu império, os Estados Unidos despontavam como a nação mais poderosa do mundo.

Nesse contexto, a Europa mergulhou em uma crise política que se manifestou de dois modos antagônicos. De um lado, muitos veteranos de guerra e parte da população passaram a defender regimes autoritários, que alimentavam o ódio, o ultranacionalismo e o militarismo. Não por acaso, os dois grandes líderes dessas ideologias, Hitler e Mussolini, eram ex-soldados e aproveitavam as feridas da guerra para propagar suas ideias e alimentar o **revanchismo**. De outro lado, intelectuais, artistas, setores da classe trabalhadora e muitos ex-combatentes se engajaram na luta pela paz organizando movimentos e produzindo livros, filmes, pinturas e discursos **[doc. 2]**.

Infelizmente, a experiência dos milhões de mortos e feridos e o quadro de destruição produzido pelos combates não foram suficientes para impedir que pouco mais de duas décadas depois uma nova guerra mundial, ainda mais perigosa e devastadora, eclodisse na Europa e se espalhasse pelo planeta. Sigmund Freud, o fundador da psicanálise, retomando o pessimismo de Tomas Hobbes, para quem "o homem é o lobo do homem", desafiou: "Quem tem coragem de discutir essa afirmação em face de toda a evidência da vida humana e da história?".

DOC. 2 *No crepúsculo*, pintura de George Grosz, 1922. Academia de Arte, Berlim. Grosz era comunista e buscava elaborar uma arte politicamente engajada.

QUESTÕES

1. Identifique alguns dos novos Estados nacionais constituídos ao fim da Primeira Guerra Mundial.
2. Descreva a mudança ocorrida com o território da Alemanha.
3. Avalie, do ponto de vista territorial, qual foi o saldo da guerra para a Rússia.

ANALISAR UM DOCUMENTO HISTÓRICO

A arte e a tragédia da guerra

O artista plástico alemão Otto Dix (1891-1969), veterano da Primeira Guerra, retratou com maestria o momento histórico que vivia a Alemanha na década de 1920: derrotada, falida e humilhada pelos resultados da guerra. Junto de outros artistas, criou o movimento "Nova Objetividade", que denunciava, de forma realista e cruel, a tragédia causada pela guerra e a indiferença da sociedade burguesa diante da dor e da morte. As mutilações, os sofrimentos e o desamparo dos veteranos de guerra, que então vagavam pelas ruas, entregues a sua própria sorte, são o objeto dessa estética crítica e contestadora.

Otto Dix, que lutou na Frente Ocidental e testemunhou a insanidade da guerra, transformou-se num pacifista. Em 1924, junto de outros artistas, participou de uma exposição itinerante intitulada *Chega de guerra*. Nesse mesmo ano, publicou *A guerra*, um álbum de gravuras em metal, algumas delas feitas no campo de batalha. Sua obra foi considerada pelos críticos como "talvez a maior e mais poderosa declaração antiguerra da arte moderna".

Tríptico da guerra, pintura de Otto Dix, c. 1929-1932. Nova Galeria de Mestres, Dresden.

Para compreender o documento

A pintura *Tríptico da guerra*, de Otto Dix, foi produzida entre 1929 e 1932, em Dresden. Inspirou-se na obra *Crucificação*, do pintor renascentista Mathias Grunewald, evocando o suplício de Jesus para denunciar a brutalidade da guerra.

O tríptico é um conjunto de três pinturas que, juntas, remetem a uma temática comum. O modelo tríptico surgiu na Idade Média, tendo como tema personagens e episódios cristãos. Ressurgido nos séculos XIX e XX, foi recriado, com novos temas e técnicas, por artistas como Otto Dix e Damien Hirst.

1. As três partes da pintura, embora ligadas por uma temática comum, são independentes, possibilitando uma interpretação particular de cada uma delas.
2. A primeira cena à esquerda mostra soldados (de costas) se deslocando para o campo de batalha.
3. A cena central mostra corpos destroçados misturados a restos de armas e construções.
4. Vê-se, também, no painel central, o cadáver de um soldado pendurado numa estrutura de metal, enquanto um soldado com máscaras antigás contempla a cena.
5. Na base do quadro aparecem soldados mortos e enterrados na própria trincheira.
6. Na cena à direita, dois soldados feridos se deslocam e passam por cima dos mortos.

QUESTÕES

1. Qual aspecto da guerra está representado nessa obra? Por que o artista escolheu esse ponto de vista?
2. Quais momentos da guerra o artista procurou representar nessa obra? Justifique com elementos da imagem.
3. Que relações podemos estabelecer entre a forma pela qual o artista representou a guerra e o contexto no qual ela foi produzida?

Retomar conteúdos

1 Identifique as duas principais coligações formadas na Primeira Grande Guerra e explique por que o conflito se originou nos Bálcãs.

2 Caracterize e explique o sentimento geral da população em relação à guerra nos países europeus.

3 Redija um texto sintetizando os principais resultados da Primeira Guerra Mundial.

4 Caracterize a mentalidade e o sentimento dominantes na Europa após 1918 e responda qual foi a influência desse sentimento nas ideologias que cresceram naquele período.

Ler textos e imagens

5 Observe as pinturas a seguir, produzidas durante a Primeira Guerra Mundial. Explique de que maneira as duas pinturas representaram o contexto histórico da Primeira Guerra Mundial.

Morte do barão von Richthofen, pintura de Albert-Henry Fullwood, 1918. Memorial de Guerra Australiano, Campbell.

Fruteira, copo e jornal, 1916, quadro de Juan Gris, pintor espanhol exilado na Suíça durante a Primeira Guerra. Faculdade Smith, Northampton.

6 Com base nos dados da tabela, crie um gráfico de linhas usando uma cor para cada tipo de armamento. Em seguida, indique:

a) a tendência geral da produção de armamentos.

b) o momento de maior aceleração (ou crescimento percentual) na produção de armamentos.

Produção de munições na Grã-Bretanha (1914-1918)

	1914	1915	1916	1917	1918
Canhões	91	3.390	4.314	5.137	8.039
Tanques	–	–	150	1.100	1.359
Aviões	200	1.900	6.100	14.700	32.000
Metralhadoras	300	6.100	33.500	79.700	120.900

Fonte: KENNEDY, Paul. *Ascensão e queda das grandes potências.* Rio de Janeiro: Campus, 1989. p. 259.

7 Explique o significado da expressão "esforço de guerra", relacionando a tabela acima e a foto e o cartaz abaixo.

Mulheres trabalhando em uma fábrica de munições na Grã-Bretanha durante a Primeira Guerra Mundial, c. 1914-1918. Museu Imperial da Guerra, Londres.

Cartaz de propaganda canadense, de autoria de Arthur Keelor, com os dizeres "Para a expansão industrial, compre os bônus da vitória", c. 1914-1918.

Fazer uma denúncia da guerra

8 Redija um texto, faça uma colagem, cartaz ou material de propaganda denunciando os horrores causados pelas guerras.

Capítulo

29

Revolução e contrarrevolução num mundo instável

29.1 A Revolução Mexicana

A Revolução Mexicana reuniu uma imensa massa camponesa, miserável e explorada, setores do operariado e das camadas médias urbanas.

29.2 A Revolução Russa

O ano de 1917 na Rússia mudou radicalmente a história daquele país ao assinalar a queda do czarismo e instituir o primeiro Estado socialista do mundo.

29.3 O Estado socialista

A vitória da política de Stalin conduziu a União Soviética para um regime totalitário.

Um mundo em ebulição

Atualmente, quando um governo vai contra os interesses da maioria das pessoas, a população não precisa, na maioria dos Estados democráticos que respeitam suas instituições, levantar-se em armas. Os conflitos armados entre o Estado e a sociedade civil cederam lugar aos processos eleitorais e às destituições legais dos governantes.

No início do século XX, porém, a situação era bem diferente em dois países. De um lado, o Império Russo, cujo governo autoritário relegava os interesses das massas ao último plano. De outro, camponeses mexicanos, desprovidos de suas terras pelo governo ditatorial. Embora distantes geograficamente, muitos russos e mexicanos viam na revolução a única maneira de mudar suas condições de vida.

As duas revoluções causaram um grande impacto não só na trajetória de seus países, mas foram também um marco dos movimentos populares na história mundial. A Revolução Russa, em especial, lançou as sementes para o surgimento da polaridade ideológica entre socialismo e capitalismo que marcaria quase todo o século XX.

Soldados e trabalhadores nas ruas de Petrogrado em plena Revolução Russa. Foto de 1917. A Revolução Russa foi a primeira revolução na história da humanidade a estabelecer um regime socialista.

A Revolução Mexicana

Objetivos

- Compreender como os diferentes grupos revolucionários se alternaram no poder durante a Revolução Mexicana.
- Reconhecer o campesinato como a base social em que se apoiou a Revolução Mexicana.

Termos e conceitos

- Caudilho
- Revolução Mexicana
- Porfiriato

México: um país com muitos conflitos

O México conquistou sua independência em 1821. Ao longo de todo o século XIX até o início do século XX, porém, o país era marcado pela dependência em relação ao capital externo, pelas disputas com os Estados Unidos por fronteiras e terras, pela pobreza do campesinato e pela política interna dominada por ditadores militares e **caudilhos** [doc. 1].

Foi nesse contexto que começou o maior movimento de massas no mundo desde o período das revoluções europeias de 1830-1871. A **Revolução Mexicana** teve início em 1910 e foi um processo de revoltas, insurreições, golpes e contragolpes.

Por volta da década de 1870, a sociedade mexicana era formada por cerca de 9,5 milhões de pessoas, a maioria camponeses de origem indígena, analfabetos e vivendo na absoluta miséria. A origem dessa situação remontava à época da colonização e à forma de exploração do trabalho. Uma dessas formas era a *encomienda*. A Igreja não permitia a escravização de índios, mas aceitava um sistema em que o trabalho forçado do indígena era trocado por sua evangelização.

No meio urbano, o proletariado concentrava-se em áreas de investimento estrangeiro, como ferrovias, mineração e indústria têxtil. Em 1872, foi fundado o *Gran Círculo de Obreros de México*, composto por 28 sociedades operárias que nos anos seguintes promoveram 250 greves por melhores salários, diminuição da jornada de trabalho, leis regulatórias e igualdade de condições com os trabalhadores estrangeiros que atuavam no México.

Conteúdo digital Moderna PLUS http://www.modernaplus.com.br
Vídeo: EZLN
Filme:
Viva Zapata! Direção: Elia Kazan. EUA, 1952

A ditadura de Porfírio Diaz

Esse quadro de extrema desigualdade social chegou ao máximo na época da ditadura comandada por Porfírio Diaz, entre 1876 e 1911. Nesse período, conhecido como **porfiriato**, os interesses da antiga elite eram privilegiados, e as condições de vida da maioria da população ficaram ainda mais degradadas. Em 1890, um decreto do governo expropriou as terras dos camponeses e as distribuiu aos latifundiários.

Em 1910, cerca de 90% dos camponeses não tinham terras. Praticamente todos tinham de trabalhar como peões em grandes fazendas, sem situação legal definida. Eles também eram obrigados a adquirir todos os seus produtos de subsistência em determinadas lojas, chamadas de *tiendas de raya*, e assim se endividavam por toda a vida.

Em 1910, a reação ao autoritarismo e à pobreza tomou a forma de um levante popular. O objetivo dos camponeses era conquistar liberdade de trabalho e acesso a terras: seu lema era "Terra e Liberdade". O movimento obteve o apoio de estudantes, alguns jornais e de operários urbanos, que também realizavam greves contra o governo de Diaz. Em 1907, a repressão a uma greve de trabalhadores do setor têxtil resultou na morte de cerca de duzentos trabalhadores.

A crise econômica de 1907-1911 acabou com a relativa ascensão social que a modernização econômica trazia para as camadas urbanas, o que colaborou para reduzir o apoio dessas classes ao porfiriato. Os antiporfiristas organizavam-se, desde o início do século XX, por meio de "clubes democráticos", que defendiam a democracia, as eleições livres e as liberdades políticas. Esses clubes eram compostos de maçons, políticos liberais, movimentos de esquerda e mesmo de alguns caudilhos que se viam apartados do poder.

DOC. 1 Caudilhos

O caudilhismo, ou a política dominada pelos caudilhos, teve início durante as guerras de independência na América hispânica. Durante os conflitos, personalidades políticas conquistaram prestígio como chefes militares ou líderes regionais. Eles criaram uma rede de apoio baseada na obediência e no favorecimento pessoal.

DOC. 2 *D. Porfírio e suas cortesãs*, afresco de David Alfaro Siqueiros, 1957-1965. Museu Nacional de História, Cidade do México. Porfírio Diaz foi representado no centro, com o pé sobre a constituição, cercado por capitalistas e cortesãs.

Os líderes Madero, Villa e Zapata

Dentre os críticos de Porfírio Diaz **[doc. 2]**, destacava-se o liberal Francisco Madero, originário de uma família de ricos proprietários de terras e figura atuante na política do país. Em 1909, Madero concorreu à presidência contra Porfírio Diaz e adquiriu grande popularidade. O governo, porém, o acusou de rebelião e decidiu prendê-lo.

Madero exilou-se nos Estados Unidos, de onde insuflou o povo a reagir contra a ditadura. Um mês depois, em novembro de 1910, grupos de camponeses armados rebelaram-se em Puebla e Chihuahua, liderados, respectivamente, por Pascual Orozco e por Francisco Pancho Villa.

A renúncia de Diaz

Desde 1910, Pancho Villa buscou acordo com Madero para desapropriar terras e iniciar a reforma agrária. Entre 1913 e 1915, tornou-se governador da cidade de Chihuahua, onde foi criada uma moeda própria, o preço de gêneros alimentícios (carne, leite e pão) foi fixado e iniciou-se o processo de expropriação de grandes latifúndios.

O movimento revolucionário organizou-se, portanto, por meio de uma aliança entre camponeses e parte dos setores modernos e liberais das cidades, além dos caudilhos "menores" ou que não eram atendidos por Diaz. A progressiva radicalização do campesinato e o aprofundamento das críticas de liberais e da esquerda operária transformaram uma luta por liberdades civis e justiça social em uma revolução social armada.

Os revolucionários reivindicavam que terras, florestas e recursos naturais fossem tomados dos grandes proprietários e distribuídos aos camponeses sem terra para a criação de *ejidos* e colônias agrárias.

• ***Ejido.*** Propriedade rural de uso coletivo.

Três grandes focos revolucionários se formaram: Madero e seus seguidores nas cidades; os exércitos camponeses de Pancho Villa (no norte) e Emiliano Zapata (no sul) **[doc. 3]**. Essas forças combinadas levaram Porfírio Diaz à renúncia em 1911. Em seguida, Francisco Madero foi eleito com ampla maioria, prometendo reformas sociais.

O governo de Madero

Madero tentou se equilibrar em uma situação que envolvia interesses opostos. Por um lado, os pobres que o apoiaram exigiam ações que ele não contemplava plenamente. Por outro lado, para contentar as elites, Madero se recusava a atacar o problema do latifúndio e os privilégios dos ricos. Enquanto isso, as forças políticas conservadoras queriam voltar a dominar completamente o Estado mexicano e temiam que o governo cedesse às reivindicações dos camponeses sublevados.

Em novembro de 1911, Zapata lançou o **Plano Ayala**, um manifesto revolucionário com fortes críticas ao governo Madero e que anunciava o projeto de retomar as terras que haviam sido tomadas dos camponeses. Seu ponto central era coletivizar as terras, transformando-as em bem de uso comum. Os seguidores de Zapata seguiram o plano por mais de uma década, influenciando, mais do que qualquer outra facção camponesa, os rumos da reforma agrária no país.

Em 1913, apoiado pelo sobrinho de Porfírio Diaz, Félix Diaz, e pelo embaixador norte-americano no México, Henry Lane Wilson, Victoriano Huerta deu um golpe e tirou Madero do poder. O presidente e seu vice foram presos e executados em uma penitenciária na Cidade do México. Huerta assumiu o poder e passou a combater a insurreição dos camponeses, prometendo um governo de terror.

DOC. 3 Zapata e seu exército em 1910. Zapata é o quarto a cavalo da esquerda para a direita, de casaco preto. A figura de Zapata e sua luta pela reforma agrária no México serviram de inspiração para o movimento zapatista, iniciado na década de 1990 no estado de Chiapas, no México.

Um período de instabilidade política

Uma reação, contudo, também se organizava. No norte do país, no estado de Coahuila, o governador que fora nomeado por Madero, Venustiano Carranza, declarou o Plano de Guadalupe, negando a legitimidade de Huerta e declarando-se líder dos "constitucionalistas", que alegavam defender a "ordem democrática". Após dezesseis meses de luta, uma ação dos Estados Unidos foi decisiva para o conflito. Disputando o controle do petróleo mexicano com os europeus, o governo norte-americano se desentendeu com Huerta. Em 21 de abril de 1914, os Estados Unidos invadiram o território mexicano. O abastecimento de armas ao governo federal foi interrompido, precipitando a derrota de Huerta, que foi deposto em 15 de julho de 1914. Venustiano Carranza assumiu o poder.

O governo de Carranza

Com a queda de Huerta, um novo governo constitucional foi estabelecido, mesmo sem a resolução dos conflitos. Por um lado, a revolução dos camponeses ganhava força. Pancho Villa e Zapata não faziam acordos com Carranza, a quem acusavam de governar para os ricos e contra os pobres. Por outro, a elite mexicana buscava manter-se no poder. Em 1914, sem conseguir apoio dos camponeses revoltosos nem reprimi-los, Carranza foi obrigado a deixar o governo, enquanto os exércitos liderados por Pancho Villa e Zapata entraram na capital do país **[doc. 4]**. Acuado, Carranza reconheceu os planos para reforma agrária e melhorias para os trabalhadores. Em 1915, porém, o exército de Obregón conseguiu várias vitórias sobre o de Pancho Villa. Ele e Zapata tiveram que recuar, e Carranza retornou à capital.

Em 1917, uma nova constituição legitimou o governo de Venustiano Carranza e incorporou algumas das reivindicações dos camponeses. Os revolucionários, porém, não se sentiam satisfeitos. Sem conseguir criar um consenso entre os vários grupos, Carranza se enfraqueceu e, em 1919, perdeu o apoio de empresários, operários e até do Exército, liderado por Obregón, que, após o assassinato de Carranza, elegeu-se presidente.

Zapata morreu em 1919, assassinado por forças do governo, assim como Pancho Villa, em 1923. No ano seguinte, os zapatistas se reconciliaram com o governo de Obregón. Com isso, o agrarismo foi formalmente oficializado, processo iniciado com a constituição de 1917, que reconheceu os *ejidos*. O governo pós-revolucionário concebeu a criação dos *ejidos* como uma forma de organização produtiva dos camponeses e também como um instrumento de controle político. Essa foi a base de cooptação dos camponeses pelo Estado e representou o fim da fase revolucionária.

DOC. 4 Entrada triunfal dos revolucionários Pancho Villa e Zapata na Cidade do México, em 1914. Fototeca Nacional do Instituto Nacional de Antropologia e História de Panchuca, México.

QUESTÃO

- Quais foram os três principais grupos que lideraram os primeiros combates da Revolução Mexicana? Indique seus líderes e as principais reivindicações.

A Revolução Russa

Objetivos

- Relacionar a Primeira Guerra Mundial com a Revolução Russa.
- Compreender as condições que levaram à Revolução Russa de 1917.

Termos e conceitos

- Czarismo
- Revolução Russa
- *Soviet*
- Menchevique
- Bolchevique
- Revolução de Fevereiro
- Revolução de Outubro

A Rússia: palco de uma revolução

Quase meio século depois da Comuna de Paris (1871), uma revolução comunista levou à formação do primeiro Estado socialista da história. Mas isso não aconteceu em um país central da Europa, como a França, nem onde o capitalismo industrial estava mais avançado, como a Inglaterra. A revolução que Marx imaginou aconteceu em um lugar e em determinadas circunstâncias que ele pouco havia pensado: o antigo Império Russo.

O Império Russo era o território mais extenso da Europa, com 127 milhões de habitantes, 80% camponeses, abrigando culturas diversas, muitas delas inimigas entre si. Este enorme império era governado por uma autocracia burocrática, cuja autoridade máxima era o **czar**, o imperador dos russos.

A Rússia era um dos países com menor desenvolvimento capitalista. No final do século XIX, entretanto, a economia russa foi a que mais havia se fortalecido sem que isso significasse uma melhora de vida substancial para a maioria da população.

O ingresso tardio no capitalismo concorrencial, a industrialização (mesmo que incipiente se comparada com a da Europa Ocidental), o crescimento das cidades e as políticas de "desenvolvimento" pareciam fazer o país saltar décadas em dias. O desenvolvimento industrial acontecia sobretudo financiado por capitais franceses e ingleses, mas era muito inferior ao que o país necessitava. Uma parte da economia se modernizava rapidamente, enquanto outra permanecia em uma estrutura basicamente feudal **[doc. 1]**.

Um dos principais problemas da Rússia era a enorme concentração de terras nas mãos de poucos proprietários. E mesmo a parte do país que se modernizava estava sujeita à política despótica do **czarismo**. Esse era o cenário em que eclodiu a **Revolução Russa**.

Conteúdo digital Moderna PLUS http://www.modernaplus.com.br
Mapa animado: Revolução Russa

DOC. 1 **As diversas Rússias**

"Na bacia carbonífera do Donetz, na Ucrânia, coexistiam indústrias metalúrgicas de primeiríssimo nível internacional e o arado de madeira, empregado ainda por 50% das explorações agrícolas vizinhas. [...] Outros exemplos poderiam ser referidos indefinidamente, evidenciando etapas distintas, entrelaçadas, mundos contraditórios, alternativos, mas interativos.

Os contrastes tomavam o cotidiano, invadindo todas as dimensões da vida. [...] Quais os elos entre os bailes de perucas coloridas e perfumadas, delicadas pratarias, laços de fita, galões e lustres, e as fétidas cantinas, pratos de metal fosco e a sopa rala [...]?"

REIS FILHO, Daniel Aarão. *Uma revolução perdida*: a história do socialismo soviético. São Paulo: Fundação Perseu Abramo, 1997. p. 35.

O czar junto ao embaixador da França em São Petersburgo, gravura de autoria desconhecida, publicada em *Le Petit Journal*, 1893. O contraste entre o luxo da nobreza e a miséria da maioria da população era semelhante ao contexto que precedeu a Revolução de 1789 na França.

Conteúdo digital Moderna PLUS http://www.modernaplus.com.br
Filme: *O encouraçado Potemkin*. Direção: Bronenosets Potymkin. Rússia, 1925

DOC. 2 *Morte na neve*, pintura de Vladimir Egorovic Makovsky, 1905. Museu da Revolução, Moscou. Durante uma manifestação pacífica, as tropas czaristas abriram fogo sobre os manifestantes. Esse episódio de 1905 ficou conhecido como Domingo Sangrento.

Primeiro ato: a Revolução de 1905

No final do século XIX, as ideias socialistas chegaram à Rússia. Em 1903 foi fundado o **Partido Social-Democrata Russo**, que formou os grandes líderes da revolução, entre eles Vladimir Ilich Unianov, conhecido como Lênin. Mas a causa da revolução também tinha antecedentes internos. Movimentos revolucionários, como os Narodniks ou "Narodnaia Volin" (Liberdade do Povo), que em 1881 assassinou o czar Alexandre II, e outros conhecidos como "populistas", que foram apoiados por Marx, eram bastante ativos. Revoltas violentas contra o czarismo já aconteciam muito antes que os revolucionários liderados por Lênin surgissem.

A humilhação do czar

As precárias condições de vida da maioria da população pioraram bastante no início do século XX. A derrota que o Império Russo sofreu em 1905 diante de outro império expansionista, o japonês, na Guerra Russo-Japonesa, foi a gota d'água para que a insatisfação popular com os rumos do país e com a corrupção da corte imperial fosse às ruas. As principais cidades foram tomadas por greves, manifestações violentas e motins no Exército. Nesse ano, os marinheiros de um navio importante da frota de guerra, o encouraçado Potemkin, rebelaram-se contra as péssimas condições de trabalho e se juntaram aos rebeldes. As forças czaristas, então em maioria, reprimiram duramente as manifestações **[doc. 2]**.

Mas a Rússia não seria mais a mesma. Os acontecimentos de 1905 humilharam o czarismo, tanto pela derrota para o Japão quanto pelo fato de que a guerra fortaleceu os protestos operários. O czarismo foi obrigado a aceitar uma reforma. Os cadetes, membros do Partido Constitucional Democrático, lideraram o processo reformista. Do lado dos revolucionários, após o episódio do Encouraçado, formou-se o primeiro ***soviet***, um conselho popular composto principalmente por operários e soldados e liderado por Leon Trotski.

A Rússia e a Primeira Guerra Mundial

Desde a sua fundação, o Partido Social-Democrata dividia-se em duas tendências políticas no campo do socialismo. De um lado o grupo conhecido como **mencheviques** (que em russo significa "minoria"). Os mencheviques, entretanto, eram maioria dentro do partido. Eles defendiam que o caminho para o socialismo teria que ser lento e gradual. Eram contrários, a princípio, à ideia de uma revolução popular armada. Em oposição a eles estava o grupo minoritário, liderado por Lênin, que se intitulava **bolcheviques** (que em russo significa "maioria"). Os bolcheviques defendiam a necessidade de realizar uma revolução proletária. As divergências entre as duas correntes se aprofundaram e o rompimento definitivo ocorreu em 1912.

Enquanto as tendências políticas se confrontavam, eclodiu a Primeira Guerra Mundial. A guerra fez a economia russa desmoronar. Enquanto alguns especuladores obtinham grandes lucros, o povo russo passava por enormes privações. O exército, mal armado e mal preparado, era dizimado nos campos de batalha. A entrada na guerra foi catastrófica para o czarismo, pois ela trouxe derrotas e perdas de territórios, paralisação da indústria, inflação e desemprego. Nas cidades, os trabalhadores iniciavam greves, ao mesmo tempo que muitos soldados desertavam. Esses grupos sociais passaram a ser cada vez mais influenciados pelos bolcheviques, que denunciavam a guerra.

Segundo ato: a Revolução de Fevereiro

Em fevereiro de 1917, passeatas, greves e manifestações eclodiram pela Rússia **[doc. 3]**. Soldados e tropas aderiram ao movimento e até mesmo setores moderados abandonaram o czar. Então, os *soviets* foram reorganizados. A força da **Revolução de Fevereiro** levou o czar Nicolau II a abdicar.

Os revolucionários formaram um governo provisório e republicano. Nesse contexto, reabriram-se os confrontos entre os diferentes projetos para a revolução, representados por alguns grupos principais: bolcheviques, mencheviques, socialistas revolucionários, anarquistas e populistas. Todos imaginavam algum tipo de revolução e tinham, ou acreditavam ter, um projeto.

Em fevereiro, venceram os social-democratas, liderados por Alexandre Kerensky, líder do grupo Socialista Revolucionário, ideologicamente ligado aos mencheviques. Imediatamente o governo realizou uma série de reformas, tais como a adoção do sufrágio universal e a convocação de uma Assembleia Constituinte.

A radicalização do movimento

Os rumos catastróficos da guerra, a consolidação e a radicalização das reivindicações dos *soviets* e a miséria do país levaram o governo provisório a perder cada vez mais popularidade. Ao mesmo tempo, os bolcheviques iam se tornando cada vez mais populares e numerosos. Logo depois da Revolução de Fevereiro, eles já eram mais de 80 mil militantes, e a figura pública de Lênin ganhava cada vez mais destaque. Os bolcheviques exigiam a retirada da Rússia da guerra, a realização da reforma agrária e o fortalecimento dos *soviets* **[docs. 4 e 5]**. A sua palavra de ordem, repetida por Lênin em seus inflamados discursos, era: "todo o poder aos *soviets*".

DOC. 3 Russos realizam manifestação na Praça Teatralnaya, em Moscou, durante a Revolução de Fevereiro de 1917. A Revolução de Fevereiro caracterizou-se por unificar distintas correntes políticas da Rússia insatisfeitas com o regime czarista.

DOC. 4 *A palavra de Lênin*, litografia colorida de L. Liminov, s/d. Essa pintura representa soldados russos lendo as reivindicações de Lênin sobre a proposta de paz.

DOC. 5 **A paz aos povos**

"O governo soviético deverá propor sem demora a todos os povos beligerantes (isto é, a seus governos e, simultaneamente, às massas de operários e camponeses) a conclusão imediata de uma paz geral sobre bases democráticas e, além disso, um armistício imediato [...].

A condição fundamental para uma paz democrática é renunciar às anexações, mas não no falso sentido de que todas as potências devam recuperar os territórios que tenham perdido, mas sim no único sentido justo, ou seja, no sentido de que todo povo, sem nenhuma exceção, tanto na Europa como nas colônias, obtenha a liberdade e a possibilidade de decidir por sua conta se deseja constituir-se como Estado independente ou ser parte de qualquer outro.

[...] A revolução operária contra a guerra cresce irresistivelmente em todas as partes, e a única coisa que pode impulsioná-la não são as frases sobre a paz (com as quais todos os governos imperialistas, incluindo o nosso governo Kerensky, vêm enganando, há muito, os operários e os camponeses), e sim a ruptura com os capitalistas e a proposta de paz."

LÊNIN. As tarefas da revolução [out. 1917]. In: ZIZEC, Slavoj. *Às portas da revolução*: seleção dos escritos de Lênin de fevereiro a outubro de 1917. São Paulo: Boitempo, 2005. p. 133-134.

O enfraquecimento do poder central

As fábricas e o exército começaram a formar seus *soviets*, ignorando cada vez mais o poder constituído. Lênin e os bolcheviques passaram a criticar a inoperância dos socialistas moderados em transformar a vida social russa. Eles pregavam que uma nova e mais profunda revolução teria de acontecer, dando poder pleno à classe trabalhadora, chamando esse novo estado de "ditadura do proletariado".

Enfraquecido, o governo social-democrata via a radicalização contra ele vir dos dois lados: à esquerda, pelo crescimento dos bolcheviques, à direita, pelos contrarrevolucionários monarquistas que queriam derrubar o governo e restaurar o czarismo. Diante do naufrágio das forças em guerra e do isolamento político, o governo de Kerensky não tinha mais em que se apoiar. A Rússia estava dividida entre o retorno à velha ordem e a aventura de uma nova onda revolucionária.

Terceiro ato: a Revolução de Outubro

Em Petrogrado, os bolcheviques tomaram pontos estratégicos e partiram para atacar o Palácio de Inverno. No dia 25 de outubro, o palácio foi bombardeado e Kerensky fugiu. Uma grande parte das tropas militares, assim como os marinheiros da frota do Báltico, juntaram-se aos "guardas vermelhos", uma milícia revolucionária formada por operários e organizada a partir das fábricas.

Com o apoio dessas forças e aclamado pelo povo nas ruas, Lênin foi escolhido para presidir o governo bolchevique da Rússia. A **Revolução de Outubro** resultou numa série de medidas.

- As terras da aristocracia e da Igreja foram confiscadas.
- A propriedade privada dos meios de produção (terras, minas e fábricas) foi abolida e transferida para o controle do Estado, assim como o comércio exterior e o sistema financeiro.
- O governo revolucionário decretou a liberdade de expressão, de imprensa, de greve. Os juízes passaram a ser escolhidos por meio de eleições, assim como as empresas geridas pelos trabalhadores.

Em 1918, o governo dos *soviets*, por isso chamado de soviético, assinou um tratado de paz com a Alemanha, chamado **Brest-Litovski** [doc. 6]. Com esse tratado, a Rússia se retirou da guerra e perdeu diversos territórios, como a Polônia, a Finlândia, os territórios bálticos e a Ucrânia.

No novo governo, as lideranças que marcaram o período anterior ocuparam lugares estratégicos. Além de Lênin, o novo presidente, Leon Trotski assumiu a responsabilidade pelos negócios estrangeiros, e Joseph Stalin se tornou ministro das "nacionalidades".

A guerra civil

A jovem república soviética saía de uma guerra externa para enfrentar outras duas. Uma guerra interna, porque as forças czaristas, em alguns casos aliando-se aos socialistas moderados e a alguns anarquistas que não aceitavam a centralização estatal trazida pela revolução, iniciaram uma guerra antirrevolucionária dentro do território soviético. E uma nova ameaça externa, pois com o fim da Primeira Guerra Mundial, em 1918, as nações capitalistas formaram coligações para derrubar o governo bolchevique e restaurar o capitalismo na Rússia.

Os contrarrevolucionários constituíam o chamado Exército Branco, com apoio internacional, e passaram a lutar contra o **Exército Vermelho**, liderado por Trotski. Os *kulaks* foram acusados de trair a revolução. O governo enviou brigadas formadas principalmente por operários para atacar os pequenos proprietários rurais que não queriam ceder suas propriedades. Terríveis confrontos resultaram em milhões de camponeses e soldados vermelhos e brancos mortos. Apenas no final da década de 1920, o Exército Vermelho venceu seus oponentes.

DOC. 6 Assinatura do Tratado de Brest-Litovski, em 1918. Arquivo Federal Alemão, Berlim. Com esse tratado, a Rússia perdeu vários territórios de seu imenso império.

QUESTÕES

1. Entre todos os países da Europa, o palco de uma revolução comunista foi o Império Russo. Explique o motivo de esse acontecimento provocar certa dose de estranhamento.
2. Qual foi a importância da Primeira Guerra Mundial para a eclosão da Revolução Russa?
3. Para atingir o socialismo, os bolcheviques propunham a revolução armada e, ao mesmo tempo, a retirada da Rússia da Primeira Guerra e a assinatura de tratados de paz. Esclareça essa contradição [doc. 5].

CONTROVÉRSIAS A ditadura do proletariado ou a ditadura de poucos

A vitória bolchevique em 1917 alçou os *soviets* como único órgão representativo na Rússia. Essa situação não tinha o apoio de todo o movimento socialista internacional. A seguir, apresentamos duas visões opostas sobre a hegemonia dos *soviets*. De um lado, Lênin, um dos líderes da revolução. De outro lado, Rosa Luxemburgo, pensadora e militante judia polonesa que defendia a democracia operária.

Texto 1

"Todo poder do Estado deve passar exclusivamente às mãos dos representantes dos *soviets* de deputados operários, soldados e camponeses, tomando como base um programa concreto e com a condição de que o governo seja totalmente responsável perante os *soviets*. [...]

Onde não existam ainda instituições democraticamente eleitas, isso também no exército, todo o poder deverá passar aos *soviets* locais e aos comissários eleitos por eles, ou a outras instituições, sempre e quando forem eleitas."

LÊNIN. As tarefas da revolução [out. 1917]. In: ZIZEC, Slavoj. *Às portas da revolução*: seleção dos escritos de Lênin de fevereiro a outubro de 1917. São Paulo: Boitempo, 2005. p. 133.

Cartaz *Ano da ditadura do proletariado, outubro 1917-outubro 1918*, de 1918. Instituição de Arquivos Hoover, Stanford.

Texto 2

"O único caminho que leva ao renascimento é a própria escola da vida pública, a mais ampla e ilimitada democracia, opinião pública. É justamente o terror que desmoraliza.

Se tudo isso for suprimido, o que resta na realidade? No lugar dos organismos representativos saídos de eleições populares, Lênin e Trotski puseram os *soviets* como a única representação verdadeira das massas operárias. [...] A vida pública adormece progressivamente, algumas dúzias de chefes [...] dirigem e governam [...] e a elite do operariado é convocada de tempos em tempos para reuniões, com o fim de aplaudir os discursos dos chefes e de votar unanimemente as resoluções propostas: [...] trata-se de uma ditadura, é verdade, não a ditadura do proletariado, mas a ditadura de um punhado de políticos, isto é, uma ditadura no sentido puramente burguês."

LUXEMBURGO, Rosa. *A Revolução Russa* [1918]. Petrópolis: Vozes, 1991. p. 92-93.

Cartaz de programa do regime stalinista em que se lê: "Nos movemos rumo ao comunismo", 1950.

QUESTÕES

1. De acordo com Lênin, qual era a função dos *soviets*?
2. Qual a posição de Rosa Luxemburgo em relação aos *soviets*?
3. Por que, para Rosa Luxemburgo, não havia ditadura do proletariado nos primeiros anos da Revolução Russa?

Seção 29.3

O Estado socialista

Objetivo

- Conhecer as principais características e problemas envolvidos durante a formação do Estado soviético.

Termos e conceitos

- Nova Política Econômica
- Estado socialista

Conteúdo digital Moderna PLUS http://www.modernaplus.com.br
Vídeo: Stalin

O comunismo de guerra

Após a guerra civil, a situação social da Rússia estava terrivelmente deteriorada. A agricultura estava arruinada, as minas, abandonadas, e cerca de 20 milhões de pessoas haviam morrido devido à fome e às doenças.

A crise generalizada forçou o que Lênin chamou de comunismo de guerra. Imaginando dar "um passo atrás", ou seja, retornando às práticas capitalistas, para no futuro poder dar "dois passos à frente" (construir de fato uma economia planejada e socializada), em 1921 Lênin elaborou o que ficou conhecido como **Nova Política Econômica (NEP)**, um impulso de desenvolvimento em moldes capitalistas.

Pelo plano, o governo permitiria a atuação das empresas privadas em setores como indústria, alimentos e agricultura. Para conseguir regular o abastecimento de alimentos, o governo permitia aos camponeses vender sua produção no mercado. Apenas os setores básicos da economia, como comunicação, transportes e o sistema financeiro, permaneciam sob completo controle estatal. Os defensores do plano argumentavam que ele promoveria o desenvolvimento da indústria de base, formaria cooperativas agrícolas (os ***kolkhozes*** e os ***sovkhozes***, que deveriam ampliar a produção no campo) e investiria na educação e na qualificação da mão de obra.

Essas reformas liberais na economia, porém, não se estenderam à política do Estado. Ao contrário, o poder político que a revolução havia transferido quase integralmente aos organismos dos trabalhadores passou a se concentrar nas mãos do Estado. O poder da classe operária foi transferido para o partido único, o bolchevique. Esse processo se intensificou quando Stalin, em 1922, foi nomeado secretário-geral do partido. Nesse mesmo ano, o novo Estado soviético passou a se chamar **União das Repúblicas Socialistas Soviéticas (URSS)** [doc. 1]. Dois anos depois, Lênin, seu principal líder, faleceu.

DOC. 1 **A União Soviética em 1950**

Fonte: *Atlas geográfico escolar*. Rio de Janeiro: IBGE, 2006. p. 43.

As diferenças ideológicas

A decisão de se adotarem as medidas da NEP reavivou um debate teórico que marcava o comunismo desde a época de Karl Marx. Com tais medidas, que propunham a constituição de relações sociais radicalmente diferentes da sociedade capitalista tradicional, a ideia de que uma nova sociedade revolucionária deveria ser atingida de forma lenta foi colocada em prática. Assim, o próprio Estado, fruto da revolução proletária, encarregou-se de criar, planejar e administrar o desenvolvimento de um capitalismo retardatário, pois a União Soviética nascia como um país novo, mas muito atrasado do ponto de vista do desenvolvimento capitalista das forças produtivas.

A revolução em um só país

Outro debate político também se abria nesse momento, dividindo radicalmente dois líderes soviéticos. Stalin defendia que, além das novas medidas da NEP, era preciso que a revolução se fechasse internamente, ou seja, era preciso que a revolução se consolidasse primeiro na União Soviética, e para isso era necessário que todo o poder estivesse com o partido e com o Estado. Em oposição a isso, Trotski e seus seguidores defendiam a ideia de que, sozinha, a União Soviética iria perecer. E mais: que a continuidade e a difusão da revolução, aliada ativa da classe operária de todos os países, era a única maneira de evitar que ela fosse esmagada pelas forças dos outros países capitalistas ou terminasse sufocada pela burocratização e pelo autoritarismo do partido único.

DOC. 2 Leon Trotski (primeiro à esquerda), acompanhado de sua esposa, Natalia Sedova, caminha junto aos pintores mexicanos Diego Rivera e Frida Kahlo em sua chegada ao México em 1937. Durante boa parte de sua permanência no México, Trotski ficou hospedado na casa de Rivera e de Frida Kahlo.

Em resumo, Stalin defendia uma posição centralista e nacionalista; Trotski, uma posição internacionalista e de continuidade da revolução para além das fronteiras da União Soviética. Stalin defendia a ditadura do proletariado, mas sem o proletariado, por meio da ditadura do Partido Comunista. Trotski o acusava de, na verdade, defender uma ditadura sobre o proletariado. No XIV Congresso do Partido Comunista, em 1924, as teses de Stalin foram aprovadas. Logo, Trotski e seus seguidores foram expulsos do partido. Muitos foram presos e assassinados. O próprio Trotski foi morto a mando do governo de Stalin em 1940, quando estava exilado no México **[doc. 2]**.

Da revolução à estabilização

Segundo o historiador E. H. Carr, a partir de 1925, a palavra-chave para compreender o desenvolvimento da Revolução Russa deixa de ser "revolução" para se tornar "estabilização". Nesse período, estava claro para todas as tendências que a URSS estava ilhada. Esse era o argumento que justificava a ideia da autossuficiência nacional. Com a derrota dos trotskistas, assumia-se que a URSS não mais dependia da revolução proletária internacional.

O XIV Congresso do Partido Comunista foi visto como a luta entre os "extremistas" (Trotski e Zinoviev) contra os "moderados", liderados por Stalin, que propunham uma "política realista" de concessões aos países capitalistas. Os moderados venceram, como se viu. Mas o que aconteceu depois disso não teve nada de moderado.

Stalin inaugurou um período das grandes perseguições, expurgos e massacres internos. Devido à importância adquirida pela personalidade de Stalin e à centralização do poder em suas mãos, o período ficou conhecido por **stalinismo**.

As manifestações artísticas mais radicais da União Soviética também foram reprimidas durante o stalinismo. Em seu lugar, o **Estado socialista** determinou que a arte tinha o dever de exaltar a pátria soviética e representar heroicamente apenas o que o regime definia como o mundo dos trabalhadores: soldados em guerra, operários e camponeses fortes e felizes, mineiros sujos de fuligem. Stalin deveria ser representado sempre como o "pai do povo soviético".

QUESTÕES

1. O que eram as reformas liberais econômicas ocorridas na Rússia, no começo da década de 1920? Houve também reformas liberais na política?

2. Quais eram as duas opiniões que dividiam as lideranças da recém-fundada União Soviética sobre o futuro da revolução? Qual delas prevaleceu?

ATIVIDADES

Retomar conteúdos

1 Os grupos que lideraram a Revolução Mexicana insurgiram-se contra um governo de caráter ditatorial.

a) Quem era o líder desse governo? Como se chama o período em que esse líder permaneceu no poder?

b) Que medidas desse período levaram à eclosão da revolução?

2 Compare os resultados da Revolução de Fevereiro com os da Revolução de Outubro, na Rússia, e explique por que a segunda foi muito mais radical que a primeira.

Ler textos e imagens

3 Na gravura abaixo, o artista mexicano José Guadalupe Posada representou um aspecto do governo porfirista.

Maltrato do peão, gravura de José Guadalupe Posada, início do século XX. Fototeca Nacional do Instituto Nacional de Antropologia e História de Panchuca, México.

a) Que elementos marcam a oposição entre o grupo da direita e o da esquerda? Observe o vestuário, as feições e as expressões corporais.

b) A que aspecto do porfiriato essa imagem se refere?

4 Mariano Azuela foi um dos principais escritores da Revolução Mexicana. Ele participou da revolução juntando-se às tropas do norte. No trecho a seguir, Azuela faz uma descrição de Pancho Villa.

"Mas os feitos vistos e vividos não valiam nada. Havia que ouvir a narração de suas portentosas proezas [...]. Villa é o indomável senhor da serra, a eterna vítima de todos os governos que o perseguem como uma fera; Villa é a reencarnação da velha lenda: o bandido-providência, que passa pelo mundo com a tocha luminosa de um ideal: roubar aos ricos para fazer ricos aos pobres! E os pobres lhe forjam uma lenda que o tempo se encarregará de embelezar para que viva de geração em geração."

Mariano Azuela. Los de abajo. In: RUFFINELLI, Jorge (Org.). *Los de abajo*. Paris: Allca XX, 1997. p. 67. (tradução nossa)

a) Como Pancho Villa foi descrito?

b) A descrição é favorável a Villa ou é uma crítica a sua figura? Justifique.

c) De acordo com Azuela, como a figura de Villa foi construída?

5 No texto abaixo, Trotski relata um encontro entre ele e Lênin em Londres.

"De uma ponte, Lênin apontou para Westminster e alguns outros prédios famosos. Não me lembro das palavras exatas que ele usou, mas o sentido foi o seguinte: 'Esta é a famosa abadia de Westminster deles', onde 'deles', naturalmente, se referia não aos ingleses, mas às classes dominantes. Essa implicação, que não era em absoluto enfatizada, mas que, vindo do mais profundo âmago do homem e manifestada mais pelo seu tom de voz do que por qualquer outra coisa, estava sempre presente, quer Lênin falasse dos tesouros culturais, das novas realizações, da abundância de livros do Museu Britânico, das informações fornecidas pelos grandes jornais europeus ou, anos depois, da artilharia alemã ou da aviação francesa. Eles sabem isso, eles têm aquilo, eles fizeram isso e realizaram aquilo — mas que inimigos eles são! Para Lênin, a sombra invisível das classes dominantes sempre se sobrepunha à totalidade da cultura humana — uma sombra que, para ele, era tão real quanto a luz do dia."

TROTSKI. In: WILSON, Edmund. *Rumo à estação Finlândia*: escritores e atores da história. São Paulo: Companhia de Bolso, 2006. p. 470-471.

a) Quem eram "eles" na fala de Lênin? Ao dizer "eles", Lênin se posiciona integrado a esse grupo ou apartado dele?

b) O que Trotski quis dizer com "sombra invisível"?

Capítulo

30 A república das elites: a Primeira República no Brasil

30.1 Cidadania e exclusão social na Primeira República

A Primeira República ficou marcada pelo domínio das oligarquias, especialmente de São Paulo e Minas Gerais, na vida política brasileira.

30.2 Mudanças socioeconômicas no Brasil

Parte dos lucros gerados na produção de café foi investida na atividade industrial, cujo crescimento foi acompanhado pela urbanização.

30.3 Messianismo e cangaço

A Guerra de Canudos e o cangaço expressaram também os limites da jovem república brasileira em combater as distorções sociais nas áreas rurais do país.

30.4 Movimentos urbanos

Os movimentos sociais urbanos da Primeira República exigiam reformas políticas e melhores condições de trabalho para os operários.

A luta pela democracia no Brasil

A abolição do trabalho escravo, em 1888, e a proclamação da república, em 1889, encerraram um longo período da história do Brasil. A república veio acompanhada da esperança por renovação, liberdade e democracia. Com o desenvolvimento das cidades e da indústria, muitos acreditavam que o Brasil estava prestes a superar o passado agrário e escravista.

A Primeira República brasileira se mostrava, no entanto, em alguns aspectos, até mais conservadora, autoritária e excludente do que a monarquia. A massa da população, em particular os escravos recém-libertos, permanecia econômica e socialmente marginalizada e submetida ao poder arbitrário das oligarquias que dominavam a política local.

O descaso com os direitos dos cidadãos, a corrupção e as fraudes eleitorais provocaram uma série de conflitos e revoltas entre diferentes setores da população, o que torna o período entre 1889 e 1930 um dos mais conturbados da história nacional. Estudar suas tensões e contradições é fundamental para compreender a origem de problemas que ainda assolam o país, como violência no campo e na cidade, marginalidade e desigualdade social.

Rua 15 de novembro vista do Largo da Sé, na cidade de São Paulo, em 1911. Na cidade de São Paulo, os bondes elétricos ainda conviviam com bondes puxados por animais.

Seção 30.1

Cidadania e exclusão social na Primeira República

Objetivo

- Compreender as principais características do regime republicano implantado no Brasil, em 1889.

Termos e conceitos

- República da Espada
- República Oligárquica
- Política dos governadores
- Clientelismo
- Política do café com leite

A República da Espada (1889-1894)

Em 15 de novembro de 1889, um grupo de civis e militares adeptos da causa republicana depôs d. Pedro II e declarou o fim do regime monárquico no Brasil **[doc. 1]**. A proclamação da república, no entanto, não significou o fim das divergências entre os diversos grupos políticos que existiam no país. O novo regime, ao contrário, trouxe à tona essas diferenças. Em primeiro lugar, havia divergências entre civis e militares. Por sua vez, outras diferenças se manifestavam no interior de cada um desses dois grupos. Entre os civis, havia um grupo forte que representava os interesses dos fazendeiros de café de Minas Gerais e São Paulo. Eram os chamados **republicanos históricos**, que defendiam uma república federativa, na qual prevaleceria a autonomia dos estados. Entre os civis, havia também os positivistas, que, apoiados pelos militares, defendiam a instauração de uma ditadura positivista, representada pelo Rio Grande do Sul e parte do Rio de Janeiro. Por fim, havia os republicanos radicais, cuja meta era a ampliação da participação popular e dos valores da democracia. Como se já não bastasse tanta divergência, havia ainda um grupo minoritário de monarquistas, que nesse período ainda depositava esperanças na Restauração.

DOC. 1 *Proclamação da República no Brasil*, ilustração de Angelo Agostini para a *Revista Illustrada*, 1889. Instituto de Estudos Brasileiros da Universidade de São Paulo (IEB, USP), São Paulo. Note, ao fundo, a figura do marechal Deodoro da Fonseca, personagem que representa a fundação do regime republicano no Brasil.

Do lado dos militares, havia também dissidências internas, sobretudo entre o exército e a marinha. No entanto, uma ideologia comum unia o grupo: a instauração de uma república forte centrada no Poder Executivo. Foi essa vertente que prevaleceu nos primeiros anos da república. Esse primeiro período da história republicana ficou conhecido como **República da Espada**, uma vez que a chefia do governo ficou a cargo de dois militares: Deodoro da Fonseca (1889-1891) e Floriano Peixoto (1891-1894).

A primeira Constituição republicana

A primeira Constituição republicana do Brasil foi promulgada em fevereiro de 1891, no governo de Deodoro da Fonseca. A Constituição inspirou-se no modelo norte-americano e consagrou o sistema federativo. O país passava a se chamar República dos Estados Unidos do Brasil. Além disso, a Carta Magna decretou que a cobrança de impostos sobre a produção e a indústria tornava-se atribuição dos estados, uma antiga aspiração dos federalistas.

A Constituição estabeleceu o presidencialismo como sistema de governo e a divisão entre os poderes Executivo, Legislativo e Judiciário, tal como conhecemos ainda hoje. O voto deixou de ser censitário e todo cidadão maior de 21 anos passou a ter direito de votar. Excluía-se, no entanto, a participação dos analfabetos, dos mendigos, dos praças militares e das mulheres.

O caráter laico e as contradições da nova lei

A nova Carta também promoveu a separação entre a Igreja e o Estado, garantindo liberdade de culto e declarando o casamento civil o único reconhecido pela república. O catolicismo perdeu o estatuto de religião oficial do Estado, e o ensino religioso foi excluído das escolas públicas. Tais medidas revelavam os princípios laicos da Constituição.

A Carta Magna republicana inspirou-se na Constituição norte-americana. O voto, por exemplo, deixou de ser censitário e tornou-se universal. No entanto, nem todos os brasileiros tinham direito ao voto. Os mendigos, os analfabetos e determinados militares e religiosos estavam excluídos do processo eleitoral. As mulheres não foram sequer citadas no texto constitucional. Além disso, o documento não refletia a realidade econômica e social do país: o processo eleitoral era fraudulento e controlado pelas elites regionais.

O encilhamento

Na economia, o então ministro das finanças, Rui Barbosa, adotou uma política econômica de incentivo à industrialização. Créditos foram concedidos com o objetivo de facilitar a abertura de empresas. Além disso, o ministro ordenou o aumento do volume de dinheiro em circulação, o que provocou a desvalorização da moeda e um surto inflacionário no país. Apenas em 1890, foram fundadas no país cerca de trezentas empresas, muitas delas fantasmas. A febre especulativa com as ações dessas empresas recebeu o nome de encilhamento.

A consolidação do regime

A Constituição de 1891 consagrou o sistema federativo, o que significava relativa autonomia dos estados em relação à União. A orientação federalista se concretizava na atuação do Congresso, dominado por cafeicultores paulistas. O presidente Deodoro da Fonseca, no entanto, ao contrário do que definia o texto constitucional, mantinha uma conduta centralizadora.

A tensão política entre o presidente e o Congresso intensificou-se a tal ponto que Deodoro da Fonseca ordenou o fechamento da instituição, violando a Constituição. Em resposta, a marinha rebelou-se, fato que desgastou ainda mais o governo de Deodoro. No mesmo ano da promulgação da Carta Magna, o marechal renunciou e, no lugar dele, assumiu o vice-presidente, Floriano Peixoto.

Floriano Peixoto enfrentou com truculência um segundo levante na marinha em 1893. **A Revolta da Armada**, como ficou conhecida, contava com a participação tanto de monarquistas quanto de republicanos descontentes. A maior revolta ocorrida na marinha durante a Primeira República, porém, deu-se no mandato do presidente Hermes da Fonseca. O levante, protagonizado por marinheiros subalternos, a maior parte negros e mulatos, recebeu o nome de **Revolta da Chibata** [doc. 2].

- **Encilhamento.** Acredita-se que o termo era uma analogia ao momento que antecede uma corrida de cavalos. Uma vez soltos, correm em disparada, dando início ao páreo.

DOC. 2 **João Cândido e a Revolta da Chibata**

Na noite do dia 22 de novembro de 1910, cerca de oitocentos marinheiros, muitos deles negros e mulatos, se revoltaram, reivindicando o fim dos castigos corporais, melhores soldos e condições de trabalho. Liderados pelo marinheiro negro João Cândido Felisberto, os revoltosos assumiram o comando de três grandes encouraçados: o Minas Gerais, o São Paulo e o Deodoro. João Cândido ameaçava bombardear a Baía da Guanabara caso as reivindicações dos marinheiros não fossem atendidas.

Incapaz de reprimir o levante, o governo fingiu aceitar as solicitações dos revoltosos e concordou em anistiar os marinheiros caso se submetessem às autoridades. Considerando-se vitoriosos, os marinheiros desembarcaram no porto do Rio de Janeiro, sob os aplausos de uma multidão que os aguardava.

O governo, contudo, não manteve sua palavra e logo em seguida puniu cruelmente todos os que participaram da insurreição. João Cândido e outros dezessete líderes da revolta foram isolados numa prisão na Ilha das Cobras. Os demais participantes foram deportados para o Acre, condenados a fazer trabalhos forçados.

Marinheiros revoltosos a bordo do encouraçado São Paulo, em 1910. Arquivo G. Ermakoff, Rio de Janeiro. Os maus-tratos sofridos pelos marinheiros, a maior parte deles negra ou mulata, eram um resquício do período escravista no Brasil.

A República Oligárquica

A partir de 1894, com a eleição do paulista Prudente de Morais, iniciou-se um período em que o país foi comandado por presidentes civis, à exceção do marechal Hermes da Fonseca (1910-1914). Esses presidentes representavam as oligarquias dos estados que detinham o poder econômico do país: Minas Gerais, São Paulo e Rio Grande do Sul. A **República Oligárquica** vigorou no Brasil até 1930.

Para entendermos essa nova forma de organização do poder, é preciso lembrar que a república concretizou a autonomia dos estados e fortaleceu politicamente os partidos políticos estaduais. Esses partidos monopolizavam o poder político federal por meio de um mecanismo conhecido como **política dos governadores**. Idealizada por Campos Sales – o segundo presidente civil a comandar a república –, a política estabelecia alianças entre os estados e o governo federal de tal forma a permitir aos governadores liberdade para exercer o poder local. Em troca, eles ficariam responsáveis por ajudar a eleger os deputados e senadores que dariam sustentação política ao governo federal.

Essa estratégia era possibilitada pelo **clientelismo**, uma relação de troca que existia tanto no campo como na cidade. Os clientes eram homens pobres, agregados, trabalhadores do campo e da cidade que, sem poder contar com nenhum tipo de direito ou garantia social do Estado, recorriam ao apoio de grandes proprietários de terras ou de homens ricos nas cidades. Em troca de apoio político, em especial de votos, os clientes recebiam benefícios como empregos, isenções, benefícios fiscais etc.

Grandes latifundiários, muitos deles detentores do título de coronel, atuavam como chefes políticos locais. A influência dos coronéis traduzia-se na manipulação e no controle total dos votos da clientela que vivia nas áreas sob influência deles. O voto não era obrigatório nem secreto, portanto os eleitores eram facilmente acuados pela pressão dos mandatários da política local ou seduzidos pela cessão de benefícios. Além disso, a fraude eleitoral era uma prática política corriqueira e representava uma continuidade em relação ao período monárquico **[doc. 3]**.

- **Oligarquia.** Palavra grega que significa "governo de poucos". Nesse período, o poder era de fato controlado por um reduzido número de políticos em cada estado.
- **Coronel.** Chefe da Guarda Nacional, força paramilitar criada durante o período regencial com a tarefa de combater, em cada município, movimentos que ameaçavam a "ordem" e os interesses da "nação". Na prática, os coronéis tinham o comando da política e da economia local, situação que perdurou durante o período republicano.

DOC. 3 *As próximas eleições... "de Cabresto"*, charge de Storni para a *Revista Careta*, 1927. Fundação Biblioteca Nacional, Rio de Janeiro. Com a imagem publicou-se o seguinte diálogo: "Ella (Soberania) – É o Zé Besta?; Elle (Político) – Não, é o Zé Burro".

A política do café com leite

É comum afirmar que a Primeira República foi o período da **política do café com leite** em razão da estreita aliança política entre São Paulo e Minas Gerais, respectivamente, grandes produtores de café e de leite. Os dois estados detinham os dois maiores colégios eleitorais do país, e, no período entre 1894 e 1930, as oligarquias de Minas Gerais e de São Paulo conseguiram eleger nove dos doze presidentes que governaram o país.

A aliança política entre São Paulo e Minas Gerais, entretanto, não significou que esses dois estados tinham conseguido dominar a cena política brasileira por completo. O Rio Grande do Sul também exerceu papel de destaque na política da Primeira República, sobretudo após 1909, quando o militar Hermes da Fonseca venceu as eleições para a presidência. O candidato havia sido apoiado pelas oligarquias mineiras e gaúchas, rompendo temporariamente a política do café com leite.

O principal adversário político de Hermes da Fonseca nas eleições presidenciais foi o político baiano Rui Barbosa. O candidato baiano tinha um motivo especial para se empenhar na corrida presidencial. Desde o fim do governo de Floriano Peixoto, o Brasil havia tido apenas presidentes civis. Buscando preservar os civis no poder e manter os militares afastados, o que incluía o candidato Hermes da Fonseca, Rui Barbosa promoveu a **Campanha Civilista**. Apesar do empenho, o político baiano perdeu as eleições.

QUESTÕES

1. O que foi a política dos governadores? Quem se beneficiava com ela?
2. Interprete a crítica feita nessa charge ao sistema eleitoral da Primeira República no Brasil **[doc. 3]**.

Mudanças socioeconômicas no Brasil

Objetivos

- Compreender a importância do setor cafeeiro para o crescimento econômico do país durante a Primeira República.
- Explicar o processo de reforma urbana da capital federal e da cidade de São Paulo na Primeira República.
- Compreender a Revolta da Vacina no contexto das reformas urbanas e da política de saúde pública na capital federal.

Termos e conceitos

- Crise do café
- Reforma urbana
- Urbanização
- Revolta da Vacina

A primazia do setor cafeeiro

Durante a Primeira República, o Brasil concentrava cerca de 75% da produção mundial de café, o que lhe garantia uma situação excepcional de controle da oferta do produto **[doc. 1]**. Nesse mesmo período, contudo, o preço da mercadoria começou a cair no mercado internacional. A solução encontrada pelos grandes produtores para resolver a **crise do café** foi produzir uma valorização artificial do grão, comprando e estocando o excedente da produção. Dessa forma, garantia-se o preço alto, lançando mão do estoque acumulado quando fosse necessário.

O Convênio de Taubaté

São Paulo, Rio de Janeiro e Minas Gerais - os principais estados produtores de café - oficializaram, em 1906, um programa de valorização do produto por meio da assinatura do **Convênio de Taubaté**. Entre os pontos previstos pelo acordo, ficou estabelecido que o governo federal desestimularia a expansão de novos cafezais e compraria o excedente da produção de café. Essas medidas tinham por objetivo restabelecer o equilíbrio entre a oferta e a procura. Para cobrir os gastos com as compras, o governo contaria com empréstimos internacionais e com um novo imposto cobrado sobre cada saca de café exportado.

Apesar da polêmica, o Convênio se impôs para todo o país. Durante o período em que vigorou o convênio, entre 1906 e 1910, cerca de 8 milhões de sacas de café foram retiradas de circulação e uma grande parte foi queimada. A estratégia foi em parte bem-sucedida e adotou-se política semelhante em 1914, início da Primeira Guerra Mundial (1914-1918), quando irrompeu nova crise no setor.

A economia da borracha

O país não exportava apenas café. A borracha, produzida a partir do látex explorado em seringais na Região Norte, teve grande importância econômica durante a Primeira República. O interesse pelo produto aumentou a partir do final do século XIX, com a invenção do automóvel e com a demanda por pneus. O auge da produção aconteceu entre 1890 e 1910, de tal modo que a borracha chegou a ocupar cerca de 25% da pauta das exportações brasileiras. A economia da borracha atraiu um grande contingente populacional na região, especialmente de nordestinos, que fugiam da seca e da fome, e impulsionou o desenvolvimento de cidades como Manaus e Belém **[doc. 2]**.

"Entre 1890 e 1900, a população de Belém quase dobrou, passando de 50 mil para 96 mil pessoas. As duas maiores cidades da Amazônia contavam com linhas elétricas de bonde, serviços de telefone, água encanada, iluminação elétrica nas ruas, quando tudo isso em muitas cidades brasileiras era ainda um luxo."

FAUSTO, Boris. *História do Brasil*. São Paulo: Edusp, 1999. p. 291.

DOC. 1 **O café nas exportações brasileiras**

Decênio	Sacas de 60 kg (em milhares)	Valor (contos de réis)	Porcentagem das exportações nacionais
1891 - 1900	74.491	4.691.906	64,5%
1901 - 1910	130.599	4.179.817	51,3%
1911 - 1920	120.503	6.446.400	53,0%
1921 - 1930	139.532	22.807.858	69,6%

Fonte: CARONE, Edgar. *A República Velha*. 3. ed. São Paulo: Difel, 1975. p. 44.

DOC. 2 Fachada do Teatro Amazonas, em Manaus, Amazonas, em 2009. O teatro ainda expressa as marcas do período áureo da exploração da borracha na Amazônia brasileira.

O desenvolvimento industrial

Em meados do século XIX, surgiram as primeiras fábricas no país. Grande parte do capital que permitiu os investimentos nas atividades industriais foi liberada com o fim do tráfico negreiro, em 1850. Muitos dos recursos antes empregados na compra de escravos puderam ser aplicados em outras atividades como na indústria. Mas foram os lucros gerados com a produção cafeeira que de fato propiciaram investimentos maciços em infraestrutura industrial. Não por acaso, essas indústrias se concentraram na região Centro-Sul do país, principalmente em torno das cidades de São Paulo e do Rio de Janeiro. Nesses locais, já existia um bom sistema de serviços, mão de obra imigrante farta e barata, sistema eficiente de meios de transporte e fornecimento de energia adequado.

Em 1889, existiam cerca de seiscentas indústrias no país. Em 1914, já eram mais de 7.400 estabelecimentos industriais e algo em torno de 153 mil operários. Por volta de 1920, o país já possuía cerca de 13 mil indústrias instaladas e mais de 2 milhões de operários empregados em atividades fabris.

Um dos períodos marcantes do processo de desenvolvimento industrial no Brasil ocorreu durante a Primeira Guerra. O conflito diminuiu drasticamente a entrada de mercadorias importadas no país, o que forçou a indústria nacional a suprir as necessidades do mercado interno. Em consequência, houve um significativo crescimento nos principais setores industriais da época: o têxtil e o de alimentos.

As reformas urbanas

As elites republicanas acreditavam que era necessário superar o passado colonial e imperial do país, visível nas ruas populosas, habitações superlotadas e epidemias que se alastravam pelos bairros. Para isso, entre o final do século XIX e as primeiras décadas do século XX, importantes cidades brasileiras, como Rio de Janeiro e São Paulo, foram reurbanizadas e remodeladas.

Durante o governo do presidente Rodrigues Alves (1902-1906), teve início o projeto de reforma e saneamento da cidade do Rio de Janeiro. Na época, o Distrito Federal era conhecido como "Cidade da Morte": a miséria, o grande número populacional, a falta de infraestrutura e de higiene e a eclosão de epidemias lhe renderam esse apelido. A cidade convivia com todos os problemas típicos do processo de inchaço urbano. O objetivo maior, portanto, era transformar o Distrito Federal em um local moderno e atraente.

Urbanização e segregação

No Rio de Janeiro, a construção da Avenida Central – atual Avenida Rio Branco – foi símbolo desse processo de reformas urbanas e representou os valores de modernidade e de progresso que a elite republicana desejava imprimir à paisagem da cidade. Durante mais de sete meses de obras, foram derrubadas cerca de seiscentas construções, numa operação que ficou conhecida como "bota abaixo".

Em São Paulo, o crescimento populacional e a riqueza do café impulsionaram **reformas urbanas** que tinham por objetivo modernizar a cidade e deixar para trás a aparência da antiga vila colonial. As reformas urbanas empreendidas pelo então prefeito, Antônio Prado, na primeira década do século XX, deixavam clara a nova organização da cidade. O centro e os arredores eram destinados ao comércio, enquanto a parte alta e nobre da cidade ganhava ares europeus com a **urbanização** de bairros como Higienópolis e arredores. Ao longo da várzea dos rios, das fábricas e das linhas de trem, instalaram-se bairros operários como Brás, Bexiga e Barra Funda. Já a população mais pobre da cidade de São Paulo – muitos ex-escravos – trabalhava em atividades informais e morava em habitações precárias nas ruelas e becos do centro da cidade, na proximidade da Várzea do Carmo.

A urbanização, tanto no Rio de Janeiro quanto em São Paulo, significou a segregação da população mais pobre, que foi expulsa das áreas centrais e empurrada para a periferia. Esse processo aconteceu de forma rápida e pouco democrática: casas e cortiços foram derrubados e novas avenidas e ruas foram abertas. O resultado dessas reformas pode ser visto ainda hoje na proliferação de favelas e moradias precárias nas periferias das grandes cidades e na ocupação informal de morros e áreas de mananciais.

A cidade no século XXI

No século XXI, o problema da falta de infraestrutura urbana e de moradia digna é uma questão mundial. Segundo relatório divulgado em 2007 pela ONU (Organização das Nações Unidas), mais de 800 milhões de pessoas no mundo viviam em favelas, principalmente em regiões da África e em países do Sudeste Asiático. Na América Latina, o Brasil destaca-se com uma população próxima a 12 milhões de pessoas vivendo em condições precárias. Alguns dos critérios utilizados para avaliar a qualidade de moradia são: acesso a água limpa, saneamento, segurança da posse e densidade de habitantes por casa.

O problema não é simples de ser resolvido, na medida em que o crescimento da população urbana avança mais rapidamente que as políticas de construção de moradias para a população de baixa renda - cerca de 3,5 bilhões de pessoas ou uma em cada duas vive em zona urbana atualmente. A vida nas grandes cidades tornou-se muito complexa e a solução para os principais problemas exige cada vez mais políticas públicas de geração de emprego e inclusão social.

As epidemias e os avanços na medicina

Em razão das constantes epidemias no fim do século XIX, principalmente de doenças como malária, febre amarela, peste bubônica e varíola, o Brasil chegou a ser descrito pela imprensa europeia como o lugar mais insalubre do mundo. As epidemias prejudicavam não só a saúde da população, mas também comprometiam as transações comerciais nos portos, submetidos constantemente às quarentenas. Era necessário, portanto, que a área biomédica se desenvolvesse e se organizasse.

A organização da saúde pública

No início do período republicano, foram criadas diversas instituições de saúde pública no Brasil. Em 1892, foi fundado o Instituto Bacteriológico de São Paulo, onde, sob a direção de Adolfo Lutz, organizou-se o Instituto de Vacinação (atual Instituto Adolfo Lutz). Emílio Ribas e Vital Brazil, dois médicos epidemiologistas que trabalharam com Adolfo Lutz, criaram o Instituto Soroterápico do Butantã, ainda hoje o principal centro de produção de vacinas no Brasil. O médico sanitarista Oswaldo Cruz, atuante na saúde pública, fundou o Instituto Soroterápico Federal (atual Fundação Oswaldo Cruz) na cidade do Rio de Janeiro, que se tornou uma das mais importantes instituições científicas do Brasil.

A fundação desses institutos constituiu o primeiro esforço na área de saúde para ligar ciência pura e ciência aplicada no Brasil. Mesmo com as dificuldades enfrentadas na época, como equipamento precário e falta de verba e de pessoal treinado, os estudos produzidos por essas instituições contribuíram para melhorar as condições de vida das populações urbanas e rurais no país. Além disso, os debates e as discussões que surgiram em virtude dos esforços desses profissionais conduziram à criação do Departamento Nacional de Saúde Pública.

A Revolta da Vacina

Em 1903, em razão do sucesso de sua política de combate à peste bubônica em Santos, Oswaldo Cruz assumiu o cargo de diretor-geral de Saúde Pública. A principal tarefa assumida por ele foi combater os surtos de peste bubônica, de febre amarela e de varíola na cidade do Rio de Janeiro.

Oswaldo Cruz reduziu as ocorrências de peste bubônica com campanhas de eliminação de ratos. Para combater a febre amarela, criou as brigadas de combate ao mosquito transmissor da doença. Acompanhadas da polícia, as brigadas invadiam as casas para combater os mosquitos e fiscalizar as condições sanitárias das residências, o que desagradava os moradores.

O próximo passo de Oswaldo Cruz no combate às epidemias foi convencer o Congresso a aprovar, em outubro de 1904, a vacinação obrigatória contra a varíola. A população, mal orientada sobre os benefícios da vacina e descontente com as invasões domiciliares, reagiu violentamente contra a medida. Durante uma semana, ocorreram diversos confrontos entre civis e policiais, reação que ficou conhecida como **Revolta da Vacina** [doc. 3].

A imprensa está contra as medidas do dr. Osvaldo Cruz.

DOC. 3 Charge publicada na revista *O Malho*, 1908, satirizando a campanha sanitária dirigida por Oswaldo Cruz na cidade do Rio de Janeiro. Biblioteca Municipal Mário de Andrade, São Paulo.

QUESTÕES

1. Como funcionava a política de valorização do café? Qual foi sua maior consequência econômica?
2. Em que região as primeiras indústrias brasileiras se concentraram? De onde vieram os capitais necessários para sua expansão?
3. Qual a relação entre a Revolta da Vacina e as reformas urbanas realizadas no período da Primeira República?

ANALISAR UM DOCUMENTO HISTÓRICO A fotografia: testemunho da modernidade

Nos primórdios do século XX, a fotografia já era largamente utilizada como registro documental das transformações urbanas em curso nesse período. As autoridades responsáveis pela implantação de melhorias urbanas, como instalação de rede elétrica, bondes, reforma de ruas, edificações etc., frequentemente usavam a fotografia para registrar e divulgar essas mudanças. Dessa maneira, por meio da fotografia, as elites urbanas destacavam determinados aspectos que se desejava evidenciar e suprimiam outros que estavam em desacordo com a imagem de cidade moderna e civilizada que se pretendia edificar.

GUILHERME GAENSLY - COLEÇÃO PARTICULAR

Vista da Rua XV de Novembro, em direção ao Largo do Tesouro, na cidade de São Paulo. Fotografia de Guilherme Gaensly, 1908.

Para compreender o documento

O ofício de fotógrafo ganhou notoriedade rapidamente nesse período. Os fotógrafos, quase sempre europeus, estabeleciam-se nas principais cidades brasileiras e ofereciam seus serviços aos jornais e revistas locais. Esses profissionais atraíam a curiosidade do público, uma vez que poucas pessoas dominavam a técnica da fotografia e podiam dispor dos pesados e caros equipamentos disponíveis naquela época.

O fotógrafo suíço Guilherme Gaensly começou sua carreira em Salvador. Em 1895, estabeleceu-se em São Paulo, onde produziu inúmeras imagens do vertiginoso crescimento da cidade que, em pouco mais de vinte anos, passou de vila a metrópole. Parte dessas profundas e rápidas transformações urbanas, instigadas pelos urbanistas, sanitaristas e reformadores em geral, pode, ainda hoje, ser analisada por meio da fotografia.

1. A Rua XV de Novembro fazia parte do triângulo central da cidade de São Paulo e tinha função essencialmente comercial e financeira.
2. O fotógrafo registra o movimento da rua, que se encontra em plena ebulição para os padrões da época.
3. Há alguns estabelecimentos comerciais, que podem ser identificados pelas fachadas.
4. Pessoas, algumas bem trajadas, andam pela rua.
5. Percebe-se a presença de uma carroça movida a tração animal e um bonde elétrico.

QUESTÕES

1. Identifique os elementos presentes na imagem que mostram o crescimento e o desenvolvimento urbanos da cidade de São Paulo na virada do século XIX para o século XX.
2. Cite os fatores que proporcionaram o rápido crescimento da cidade de São Paulo nesse período.
3. De que forma a imagem está relacionada aos desejos das elites urbanas do período?

O legado de Oswaldo Cruz

O século XX foi marcado por melhorias na área da saúde e pelas reformas sanitaristas. Em 1903, depois de conduzir com sucesso o combate à peste bubônica na cidade de Santos, o médico sanitarista Oswaldo Cruz assumiu a Diretoria de Saúde Pública. Suas ações foram precursoras e algumas delas, como as campanhas de vacinação, são utilizadas até os nossos dias, contribuindo para que a expectativa de vida do brasileiro saltasse de 34 anos, em 1900, para 73 anos, em 2009.

Retrato de Oswaldo Cruz com aproximadamente 36 anos, c. 1908. Acervo Iconographia.

A febre amarela
Um dos primeiros registros de epidemia da febre amarela no Brasil data do século XVII, em Salvador, e ao longo dos séculos ela foi descrita inúmeras vezes.
Para combater esse flagelo e outras enfermidades, Oswaldo Cruz organizou, juntamente com Pereira Passos, prefeito do Rio de Janeiro, a reforma urbanística da cidade carioca, que também foi feita em outras regiões do país. Para combater a febre amarela, instituiu a distribuição de panfletos explicativos e ordenou a vistoria das casas pelos agentes sanitários, chamados de "mata-mosquitos".

Algumas de suas propostas persistem

1. Controle das pragas
2. Limpeza das ruas
3. Saneamento básico
4. Campanhas de vacinação

Evolução da expectativa de vida (em anos)

População rural enferma
Segundo o médico sanitarista Belisário Penna, no ano de 1916 grande parte da população rural brasileira estava enferma: 70% tinha ancilostomíase (amarelão), 40% estava com malária e 15% era portadora da doença de Chagas.

Urbanização
O crescimento da industrialização e das taxas de escolarização impulsionaram o processo de urbanização. Para evitar as epidemias que agem principalmente nas áreas de concentração populacional, a extensão das áreas com saneamento foi ampliada.

Política e saúde
A introdução do uso de antibióticos na década de 1940 contribuiu para o aumento da expectativa de vida. Além disso, na década de 1950 foram criados o Ministério da Saúde (1953) e o Departamento Nacional de Endemias Rurais (1956).

Vítimas da violência

A diferença de expectativa de vida entre homens e mulheres indica que as mulheres vivem mais em diversos países. Porém, no Brasil, a violência, que atinge principalmente os homens jovens, torna essa diferença ainda maior.

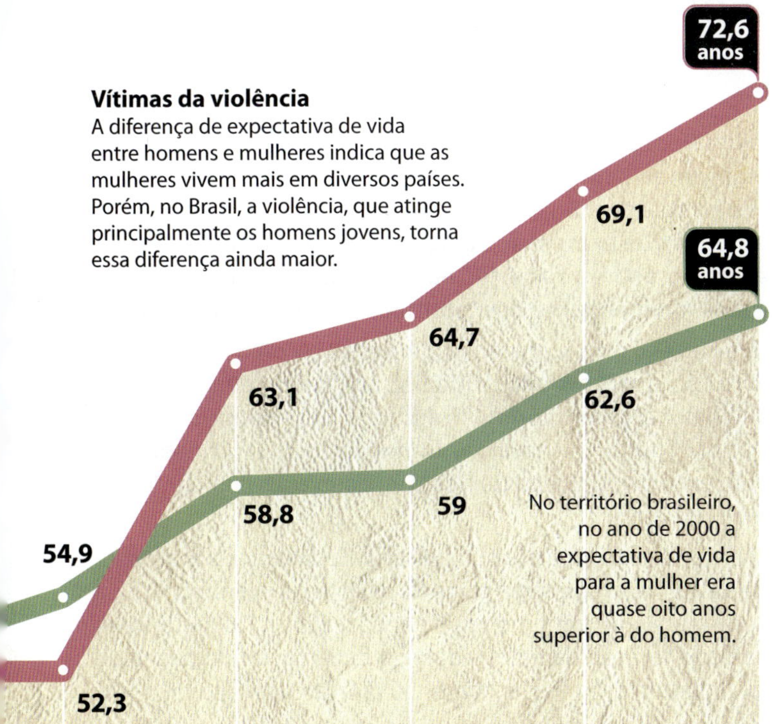

No território brasileiro, no ano de 2000 a expectativa de vida para a mulher era quase oito anos superior à do homem.

A saúde do homem e da mulher

No ano de 2009, do total de pacientes que passaram por consulta médica 54% eram mulheres e 46% homens. Com relação às internações, essa diferença aumenta: 59% foram de mulheres e 41% de homens. O descuido com a saúde contribui para a menor expectativa de vida dos homens brasileiros.

A taxa de mortalidade infantil no Brasil atual é quase 80% menor do que era em 1935

Campanhas de vacinação, melhorias na alimentação e maior acesso à informação contribuíram para essa diminuição.

Vacinação e saneamento

Dois importantes fatores contribuíram para a melhoria na qualidade de vida: a intensificação das campanhas de vacinação e a criação de companhias estaduais de saneamento para ampliar a rede de água e esgotos nas regiões urbanas e rurais.

Mais hospitais e remédios

A distribuição gratuita de medicamentos e a criação de um sistema de hospitais e postos de saúde em todo o território nacional pelo governo aumentou o acesso da população a esses recursos.

QUESTÕES

1. Estabeleça a relação entre aumento da expectativa de vida, descobertas na área da saúde e investimentos em saneamento.

2. Pesquise nas campanhas atuais de combate a doenças algumas medidas semelhantes às utilizadas por Oswaldo Cruz.

3. Nos dias de hoje, que desafios impedem que se amplie ainda mais a expectativa de vida no Brasil?

Os desafios permanecem

As ações de Oswaldo Cruz para a criação de campanhas de vacinação e os investimentos nos projetos sanitaristas continuam nos nossos dias, mas os desafios permanecem. No Brasil,

15 milhões de brasileiros que habitavam as cidades não tinham em 2008 acesso a água encanada

60 milhões de brasileiros das áreas urbanas não dispunham em 2008 de coleta de esgoto

Apesar dos avanços na área da medicina e do crescimento do número de hospitais e postos de saúde, é grande a desigualdade no acesso da população a esses recursos.

Fonte: UFRJ. Disponível em www.saneamento.poli.ufrj.br. Acesso em 24 ago. 2010.

Fontes: SCLIAR, Moacyr. *Oswaldo Cruz*: entre micróbios e barricadas. Rio de Janeiro: Relume-Dumará, 1996. (Coleção Perfis do Rio); Instituto Brasileiro de Geografia e Estatística – IBGE. Disponível em www.ibge.gov.br. Acesso em 12 abr. 2010; Ministério da Saúde. Disponível em www.saude.gov.br. Acesso em 12 abr. 2010.

Messianismo e cangaço

Objetivo

- Identificar as características da Guerra de Canudos e do cangaço.

Termos e conceitos

- Messianismo
- Cangaço

Canudos

Durante a Primeira República emergiu no campo uma série de conflitos sociais que expressavam as limitações da jovem república brasileira em garantir a todos as conquistas da modernidade. Alguns desses conflitos, como a Guerra de Canudos, além de expressar o estado de carência social em que vivia grande parte dos moradores do sertão nordestino, também manifestavam uma religiosidade independente das instituições: o **messianismo**.

Em 1893, depois de mais de vinte anos de andança pelo sertão nordestino, o beato Antônio Vicente Mendes Maciel, conhecido como Antônio Conselheiro, fundou, às margens do Rio Vaza-Barris, no interior da Bahia, em uma fazenda abandonada, o Arraial de Canudos **[doc. 1]**. Conselheiro congregou uma crescente comunidade de fiéis que desejava viver conforme os preceitos ditados por ele.

A economia no Arraial de Canudos era comunitária. Todos os que ingressavam na comunidade deviam entregar uma parte de seus bens - cerca de 1/3 - a Conselheiro para a formação de um fundo que servia a todos. Os moradores dividiam-se para realizar tarefas da coletividade: a construção de casas ou de uma nova igreja, o plantio de roças, o comércio ou o artesanato.

A vida religiosa era severa. Uma rígida moral cristã servia como guia para o comportamento na comunidade. Antônio Conselheiro obrigava todos a participarem dos cultos religiosos. O não cumprimento era punido com a prisão, assim como os furtos e os homicídios. Além disso, exigiam-se o respeito aos pais e o recato das mulheres.

As críticas ao Arraial

Se inicialmente a comunidade e seu líder eram aceitos pelas autoridades em razão dos serviços prestados nas redondezas, o prestígio crescente de Canudos e o tom exaltado do líder começaram a gerar conflitos. As pregações de Antônio Conselheiro passaram a incorporar críticas duras à república. A separação entre a Igreja e o Estado e a instituição do casamento civil, estabelecidas pela Constituição de 1891, desagradavam o catolicismo tradicional do peregrino. Conselheiro também defendia o não pagamento dos impostos, atitude que também incomodava o governo republicano.

DOC. 1 Vista do Arraial de Canudos, 1897. Museu da República, Rio de Janeiro. Em primeiro plano, típica construção de pau a pique coberta por folhas de icó e barro.

DOC. 2 Lampião e parte de seu bando em 1936. Acervo Abafilm, Fortaleza. Da esquerda para direita: Vila Nova, cangaceiro não identificado, Luís Pedro, Amoroso, Lampião, Cacheado, Maria Bonita, Juriti, cangaceiro não identificado e Quinta-feira, 1936.

As expedições contra Canudos

A autonomia de Canudos era avaliada pelas autoridades baianas como um perigo para a consolidação da jovem república. As três primeiras expedições enviadas pelo governo para destruir Canudos foram derrotadas pela resistência organizada no Arraial. As notícias das vitórias de Canudos passaram a movimentar a imprensa na capital da república. Antônio Conselheiro passou a ser associado a forças restauradoras da extinta monarquia, algo que nunca pôde ser provado.

A quarta e última expedição enviada a Canudos contava com um contingente de cerca de 8 mil militares e pesado arsenal de guerra. Os militares pretendiam dar um fim definitivo ao problema, além de restaurar a confiança no exército. Do outro lado, os conselheiristas, enfraquecidos pelas repetidas campanhas, não tinham mais como resistir. O cerco ao Arraial impedia o abastecimento da população, que enfrentava, além da fome e da sede, os incessantes bombardeios. Em setembro, Antônio Conselheiro morreu, aos 67 anos, vítima de ferimentos resultantes de estilhaços de bomba. O conflito prolongou-se até outubro, quando os militares finalmente destruíram Canudos.

Violência e cangaço

Entre o final do século XIX e a década de 1930, no interior do Nordeste do Brasil, bandos de homens armados, conhecidos como **cangaceiros**, agiam à margem da lei e contestavam a ordem dominante dos latifundiários e dos coronéis. Eles praticavam assaltos em fazendas, sequestros, saques em comboios e armazéns. Em algumas situações, eram recrutados pelos latifundiários para prestarem serviços temporários e agiam na resolução de desavenças pessoais ou conflitos coletivos.

Os cangaceiros recorriam à violência em suas ações, não só como forma de intimidação dos inimigos e da população, mas também como marca de identidade do grupo. Eles conheciam muito bem o sertão nordestino e sabiam tirar proveito dos recursos disponíveis na região. Por isso, dificilmente eram capturados **[doc. 2]**.

Construiu-se, na memória popular e na literatura, uma imagem romantizada da figura dos cangaceiros, como se eles, agindo como valorosos justiceiros sociais, redimissem a população mais pobre de todo o sofrimento. Ao tratar de Lampião, o mais famoso cangaceiro, o historiador Eric Hobsbawm mostra outra visão a respeito do **cangaço**.

"[O que existe de relato sobre Lampião não menciona] nenhum ato de tirar dos ricos para dar aos pobres, nenhuma dispensação de justiça. Registra batalhas, ferimentos, ataques a cidades [...], sequestros, assaltos a ricos, combates com os soldados, aventuras com mulheres, episódios de fome e de sede, mas nada que lembre Robin Hood. Pelo contrário, registra 'horrores': como Lampião assassinou um prisioneiro, embora sua mulher o tivesse resgatado, como ele massacrava trabalhadores, como torturou uma velha que o amaldiçoara (sem saber de quem se tratava), fazendo-a dançar com um pé de mandacaru até morrer [...], e incidentes semelhantes. Causar terror e ser impiedoso é um atributo mais importante para esse bandido do que ser amigo dos pobres."

HOBSBAWM, Eric. *Bandidos*. Rio de Janeiro: Forense Universitária, 1976. p. 57-58.

QUESTÕES

1. Explique os motivos que levaram o Arraial de Canudos a ser considerado um problema grave, que deveria ser enfrentado pelo governo federal.
2. Identifique a crítica feita pelo historiador Eric Hobsbawm no que se refere à figura do cangaceiro Lampião.

Movimentos urbanos

Objetivo

- Analisar os movimentos sociais urbanos que eclodiram durante a Primeira República.

Termos e conceitos

- Movimento operário
- Anarquismo
- Anarcossindicalismo
- Tenentismo

A formação da classe operária no Brasil

O processo de industrialização no Brasil foi impulsionado não só pelo capital acumulado com o café, mas também pela disponibilidade da mão de obra de imigrantes europeus. Entre 1887 e 1930, entraram no país cerca de 3,8 milhões de estrangeiros. Inicialmente, os imigrantes eram direcionados para trabalhar nas lavouras de café. Contudo, atraídos pela possibilidade de trabalho nas fábricas, muitos imigrantes deslocaram-se do campo para a cidade. A chegada desses trabalhadores às cidades impulsionou a organização do **movimento operário** no país.

A luta por direitos sociais

No início do século XX, não havia ainda nenhum tipo de regulamentação das relações de trabalho no Brasil. Cada fábrica impunha aos empregados as suas normas. Não havia férias nem descanso semanal remunerados, licença-saúde, licença-maternidade ou qualquer legislação de proteção ao trabalhador. Os operários trabalhavam até 16 horas diárias em condições insalubres e sob vigilância constante. A difícil rotina de trabalho impulsionou a organização dos operários em partidos, sindicatos, associações etc. Em geral, os trabalhadores reivindicavam melhores condições de vida, de trabalho, de saúde e o direito de participar ativamente da vida política do país.

Foi no ambiente urbano, onde havia maior liberdade de circulação e de troca de ideias, que os trabalhadores organizaram as primeiras greves operárias como forma de pressionar os empregadores pela conquista de direitos e benefícios. Em alguns casos, as greves surtiam efeito e, temporariamente, os operários conquistavam algum benefício, mas, como não havia respaldo da lei, logo retornavam à condição anterior.

As greves mais efetivas eram aquelas que atingiam setores estratégicos da economia, como as paralisações de ferroviários e estivadores ou, ainda, aquelas que mobilizavam uma grande quantidade de trabalhadores de diferentes categorias, como a que ocorreu em 1917, na cidade de São Paulo **[doc. 1]**.

Conteúdo digital Moderna PLUS http://www.modernaplus.com.br
Filme: *Anarquistas, graças a Deus*. Direção: Walter Avancini. Brasil, 1984
Libertários. Direção: Lauro Escorel Filho. Brasil, 1976

DOC. 1 **A greve geral de 1917 em São Paulo**

"A escalada sufocante do custo de vida, convergindo com a ampliação dos investimentos industriais e a interrupção do fluxo imigratório, reforçou a capacidade de organização, reivindicação e negociação dos operários, levando empresários e autoridades a recorrerem mais aberta e completamente à violência policial como recurso fundamental de contenção. A equação explosiva que assim se armou irrompeu num conflito urbano da mais extrema gravidade em julho de 1917, quando a polícia matou um operário grevista ao reprimir uma manifestação de têxteis por melhores salários. A passagem do cortejo fúnebre pela cidade arrebatou as multidões operárias, desencadeando uma greve geral, com a adesão de mais de 45 mil trabalhadores que, premidos pela polícia, se amotinaram e assumiram o espaço público por vários dias."

SEVCENKO, Nicolau. *Orfeu extático na metrópole*: São Paulo, sociedade e cultura nos frementes anos 20. São Paulo: Companhia das Letras, 1998. p. 142.

Maria Teresa Carini (Teresina) fala aos operários em um comício no bairro do Brás, na cidade de São Paulo, durante a greve de 1917. Arquivo do Estado de São Paulo, São Paulo.

A repressão governamental

Nesse período, em razão da ausência de uma legislação trabalhista, os conflitos entre patrões e empregados costumavam ser tratados como casos de polícia. Eram comuns casos de prisão e de deportação de operários estrangeiros acusados de perturbar e ameaçar a "ordem pública".

Os líderes operários, muitos deles italianos e espanhóis, eram vistos como ameaças aos interesses dos empresários e considerados indesejáveis pela capacidade que se acreditava que eles tinham de influenciar a massa do operariado. Em 1907, o governo lançou um decreto que permitia a expulsão de estrangeiros por motivos políticos e, em 1927, com a **Lei Celerada**, o decreto ganhou força de lei, consolidando essa política repressora.

DOC. 2 Fundadores do PCB na cidade do Rio de Janeiro, em 1922. Acervo iconográfico. No congresso de fundação do partido estavam presentes nove delegados, que representavam grupos comunistas espalhados por várias cidades do país.

Anarquismo e anarcossindicalismo

Os militantes das organizações operárias, em sua maioria imigrantes italianos, espanhóis e portugueses, trouxeram o pensamento anarquista para o Brasil. As ideias anarquistas propagaram-se a partir dos anos 1890 principalmente por meio da imprensa operária, encarregada de informar e politizar as massas trabalhadoras.

O movimento anarquista, contudo, não formava uma unidade, mas se dividia em diversas tendências que compartilhavam alguns pontos. Entre estes, podemos destacar a oposição a qualquer forma de Estado e de organização política, o anticlericalismo e o internacionalismo. Os anarquistas defendiam a supressão de toda forma de autoridade e a sua substituição por formas de livre associação entre os indivíduos, sem leis ou hierarquias.

O **anarquismo** também influenciou o movimento operário por meio do **anarcossindicalismo** ou **sindicalismo revolucionário**. Os anarcossindicalistas pregavam a ação direta dos trabalhadores e se opunham à tentativa de conquistar direitos por meio da participação em eleições ou em processos político-partidários. Eles acreditavam que os sindicatos eram os núcleos da sociedade anarquista, nas quais todas as decisões seriam tomadas diretamente pelos trabalhadores, sem a necessidade de formas de representação política (tais como parlamentos, partidos, colegiados etc.).

A fundação do PCB

O Partido Comunista do Brasil (PCB) foi fundado em março de 1922, na cidade do Rio de Janeiro, por militantes anarquistas e anarcossindicalistas. A decepção com o resultado das greves e a vitória dos comunistas na Revolução Russa de 1917 levaram à criação do partido **[doc. 2]**. Diferentemente dos anarquistas, os comunistas acreditavam que os trabalhadores só poderiam lutar por seus direitos se tivessem um partido que representasse seus interesses.

Quatro meses após sua fundação, o PCB foi declarado ilegal pelo presidente Epitácio Pessoa, que usou contra os comunistas a Lei Celerada. O partido contava, porém, com milhares de simpatizantes em grandes cidades, como Rio de Janeiro, São Paulo e Recife, e concorria às eleições por meio de seu braço legal, o Bloco Operário Camponês (BOC). Além das eleições, os militantes do partido lutavam também pelo controle dos sindicatos, defendendo a ideia da unidade sindical (um sindicato por categoria profissional).

O tenentismo

Motins e rebeliões nos quadros do exército, principalmente entre oficiais de baixa patente e jovens egressos das escolas militares, eram comuns desde os primeiros anos da República. O movimento militar mais influente da Primeira República foi o **tenentismo**, que recebeu esse nome em razão de seus líderes serem predominantemente tenentes e capitães, oficiais de patentes intermediárias no exército.

O tenentismo representava os anseios das camadas médias urbanas por maior participação política e pela moralização do governo da República. Educados nas escolas militares e influenciados pelo positivismo, os tenentes rejeitavam o domínio das oligarquias agrárias, que eram vistas como as responsáveis pelo atraso do país. Além disso, os tenentes defendiam a modernização econômica do país e a existência de um Estado forte e centralizado.

A Revolta dos 18 do Forte

Em 5 de julho de 1922, ocorreu o levante que ficou conhecido como a **Revolta dos 18 do Forte**, a primeira insurreição do movimento tenentista. O estopim foi a prisão do marechal Hermes da Fonseca e o fechamento do Clube Militar pelo presidente Artur Bernardes.

A adesão à revolta, contudo, foi baixa e envolveu apenas os jovens tenentes da Escola Militar e do Forte de Copacabana, além da guarnição local do Mato Grosso. As tropas do governo bombardearam o forte, obrigando a maior parte dos tenentes entrincheirados no forte a se entregar. Dezoito deles, porém, continuaram resistindo, dezessete dos quais morreram nos confrontos com as forças federais.

Dois anos depois, em 5 de julho de 1924, estourou uma nova revolta entre os tenentes (a escolha da data é a mesma da revolta de 1922, como uma homenagem à resistência dos 18 do Forte). Desta vez a insurreição, liderada pelo marechal Isidoro Dias Lopes, foi mais bem planejada e tinha por objetivo expresso depor o presidente Artur Bernardes.

Os rebeldes ocuparam a cidade de São Paulo e bombardearam o palácio do governo estadual, obrigando o governador, Carlos de Campos, a se refugiar no interior do estado. Parte da população da cidade, descontente com a corrupção no governo, era simpática à causa dos tenentes e aderiu ao movimento. Pessoas de classe média, operários e imigrantes paulistanos saíram às ruas para apoiar os rebeldes.

O governo reagiu e mandou as tropas legalistas atirarem na multidão, matando indiscriminadamente civis e militares. A cidade de São Paulo foi bombardeada pela força aérea, que despejava bombas especialmente nos bairros operários ou em áreas com concentração de imigrantes.

Sem ter como continuar resistindo, os tenentes retiraram-se e marcharam para o interior do estado de São Paulo, em direção a Bauru. Formou-se assim a chamada "coluna paulista", que marchou até o oeste do estado do Paraná, onde aguardavam reforços vindos dos estados do Sul.

A Coluna Prestes

Enquanto ocorria a revolta dos tenentes paulistas, um levante iniciou-se nas guarnições militares do Rio Grande do Sul. Sob a liderança do tenente João Alberto e do capitão Luís Carlos Prestes, cerca de 1.500 homens marcharam em direção ao Paraná para se reunir com a coluna paulista. As duas colunas decidiram fundir-se e percorrer o Brasil para propagar a rebelião e arregimentar a população contra o governo.

Entre abril de 1925 e o início de 1927, quando a marcha terminou, a Coluna Prestes tinha percorrido cerca de 24 mil km e atravessado catorze estados brasileiros. Sem ter conseguido a adesão esperada, os rebelados decidiram, por fim, exilar-se na Bolívia, onde foram obrigados a depor suas armas, e a coluna se desfez **[doc. 3]**.

DOC. 3 **Dificuldades da coluna**

"Os animais desapareceram, dia a dia [...]. Dentro de pouco tempo [...] a coluna estava a pé e sem recursos, alimentando-se de palmitos e de poucos bois que lhes restavam para as montadas, sem ter sequer um pouco de sal para temperar a carne. Essa marcha era feita, muitas vezes, com água pelo peito e, em certas ocasiões, a nado, quando se deparava com algum corixo. Descansava-se trepando nas árvores. Quando a coluna chegou à Bolívia, vi muitos companheiros embrulhados em trapos de cobertores, que mal lhes cobriam as vergonhas, e inúmeros vestidos com vagos farrapos, que tinham sido calças ou ceroulas."

Lourenço Moreira Lima. *A Coluna Prestes*: marchas e combates (1945). In: SOUZA, Claudia Moraes de; MACHADO, Ana Claudia. *Movimentos sociais no Brasil contemporâneo*. São Paulo: Loyola, 1997. p. 96.

O alto comando da Coluna Prestes em Porto Nacional, Goiás, em 1925. Os líderes Luís Carlos Prestes, Juarez Távora e João Alberto estão indicados com os números 2, 3 e 4, respectivamente. Foi no exílio, na Bolívia, que Prestes se tornou comunista. Mais tarde, o ex-tenente foi enviado a Moscou para completar sua formação política.

QUESTÕES

1. Quais foram as condições que levaram à greve geral de 1917 [doc. 1]?
2. Explique de que forma as ideias socialistas e anarquistas chegaram ao país e se disseminaram.
3. O que os militares da década de 1920 criticavam? Quais eram as reivindicações deles?

Retomar conteúdos

1 Os coronéis e as elites urbanas exerceram grande influência política no período da Primeira República (1889-1930).

a) Explique o que era o clientelismo e a sua importância para a manutenção dos interesses das elites no período.

b) Analise o papel das elites locais para o sucesso da chamada política do café com leite.

2 O Distrito Federal e a cidade de São Paulo passaram por reformas urbanas no início do século XX.

a) Explique a razão pela qual as elites republicanas investiram no projeto de reformar essas cidades.

b) Identifique os fatores que proporcionaram as reformas e as principais mudanças que ocorreram nos projetos urbanísticos dessas cidades.

3 Analise as principais características do Arraial de Canudos e as razões pelas quais a comunidade foi destruída.

4 Diferencie as ideias anarquistas e anarcossindicalistas da visão dos comunistas a respeito da organização dos trabalhadores.

5 Qual era o objetivo da Coluna Prestes? A qual movimento de contestação ela estava ligada?

Ler textos e imagens

6 Leia o texto a seguir sobre os operários do início do século XX e responda às questões.

"Percebidos como selvagens, ignorantes, incivilizados, rudes, feios e grevistas, sobre os trabalhadores urbanos que compõem a classe operária em formação nos inícios da industrialização no Brasil constituiu-se paulatinamente uma vasta 'empresa de moralização'. [...] A tentativa de domesticação do operariado passa pela construção de um novo modelo de comportamento e de vida, que se tenta impor aos dominados. O projeto de integração do proletariado e de suas famílias ao universo dos valores burgueses, domesticação literal que a imagem projetiva de 'bárbaros' justifica, desdobra-se em múltiplas estratégias de disciplinarização: mecanismos de controle e vigilância que atuam no interior da fábrica, mas também fora dela. Que perseguem o trabalhador em todos os momentos da sua vida, até nas horas de lazer, buscando redefinir sua maneira de pensar, de sentir, de agir e erradicar práticas e hábitos considerados perniciosos e tradicionais."

RAGO, Margareth. *Do cabaré ao lar*: a utopia da cidade disciplinar. Brasil 1890-1930. Rio de Janeiro: Paz e Terra, 1985. p. 12. (Coleção Estudos brasileiros)

a) Segundo a autora, como os operários do período em questão eram vistos? É possível deduzir quem os caracterizava dessa forma?

b) Explique a expressão "domesticação do operariado" utilizada pela autora.

c) Segundo o documento, o que foi feito para modificar os hábitos da classe operária? Esse processo se deu de forma pacífica? Justifique.

7 Leia a letra da música *O mestre-sala dos mares*. Em seguida, identifique o fato histórico a que o texto se refere e explique as principais características dele.

"Há muito tempo nas águas da Guanabara
O dragão do mar reapareceu
Na figura de um bravo feiticeiro
A quem a história não esqueceu
Conhecido como o navegante negro
Tinha a dignidade de um mestre-sala [...]
Rubras cascatas
Jorravam das costas dos santos entre cantos e chibatas
Inundando o coração do pessoal do porão [...]
Glória a todas as lutas inglórias
Que através da nossa história não esquecemos jamais
Salve o navegante negro
Que tem por monumento as pedras pisadas do cais [...]"

BOSCO, João; BLANC, Aldir. O mestre-sala dos mares. In: *Caça à raposa*. Rio de Janeiro: RCA Victor, 1975.

8 Observe a foto abaixo e responda às questões.

Colocação de trilhos na Av. Rangel Pestana, no bairro do Brás, em São Paulo (SP), em 1900.

a) Em que tipo de obra os operários mostrados na foto estão trabalhando?

b) Em qual contexto social e econômico do Brasil a construção mostrada na foto se inseria?

A arte da *Belle Époque*

Transformações econômicas, sociais e científicas

O período da virada do século XIX para o século XX foi um momento de intensas transformações sociais no mundo, assinalando o fim de uma era e o começo de outra. O desenvolvimento do capitalismo industrial permitiu que as classes mais abastadas da Europa prosperassem cada vez mais. Inúmeros avanços tecnológicos, como a invenção do automóvel, do avião, do telefone e do cinematógrafo, tornavam a vida da elite econômica mais confortável e agradável. Por todas essas razões, esse período é normalmente chamado de *Belle Époque*.

Para as classes menos privilegiadas, contudo, a situação não era tão bela. A jornada de trabalho nas fábricas das nações mais desenvolvidas continuava sendo extremamente exaustiva, e as relações entre trabalhadores e patrões ainda não estavam bem reguladas pela legislação. As cidades haviam crescido desordenadamente num curto espaço de tempo, obrigando o grande contingente de mão de obra a se concentrar nas áreas periféricas, frequentemente em péssimas condições de vida. Além disso, algumas acirradas disputas territoriais entre as principais potências da Europa marcariam esse momento histórico, resultando na Primeira Guerra Mundial (1914-1918), conflito que pôs fim à fase de paz e prosperidade europeias.

DOC. 1 *Regatas em Argenteuil*, pintura de Claude Monet, 1872. Museu d'Orsay, Paris.

DOC. 2 *O esquife*, pintura de Pierre-Auguste Renoir, c. 1875. Galeria Nacional, Londres.

O impressionismo e o expressionismo

Os avanços científicos do período influenciaram intensamente a produção artística. Na física, por exemplo, eram descritos com precisão os efeitos óticos da visão, os modos como o olhar humano percebe a reflexão da luz, o movimento e a velocidade dos corpos. As transformações científicas e sociais alteraram a percepção que o homem tinha do mundo. Por esse motivo, muitos artistas perderam o interesse em imitar a realidade e a natureza em seus quadros tal como era feito até então. O **impressionismo**, movimento artístico que marcou a pintura do período, buscava representar justamente o modo como a reflexão da luz marcava (ou *impressionava*) a retina do olho humano.

A tela era vista como uma grande superfície. Pinceladas grossas e vigorosas tentavam reproduzir a passagem da luz sobre os objetos e a mudança que ela operava em suas cores. A intenção dos pintores era capturar um instante efêmero da paisagem iluminada pelos raios do Sol. Assim, abandonaram quase completamente o trabalho no ateliê e passaram a realizar suas composições de maneira rápida ao ar livre. A água foi um dos temas favoritos dos impressionistas, como podemos ver no **doc. 1** e no **doc. 2**, respectivamente *Regatas em Argenteuil*, de Claude Monet, e *O esquife*, de Pierre-Auguste Renoir. A representação da água configurava-se como uma oportunidade perfeita para registrar o movimento cintilante e colorido da luz, já que a água, por natureza, é uma excelente superfície de reflexão.

Enquanto o impressionismo se voltava para o exterior, o **expressionismo** era uma manifestação do interior e da dimensão psíquica do ser humano na obra de arte. Por esse motivo, o expressionismo foi bastante influenciado pelos estudos de Sigmund Freud. A pintura *O grito*, de Edvard Munch, por exemplo, busca manifestar toda a angústia existencial e desespero do homem moderno diante de um mundo que não o acolhe mais **[doc. 3]**. Anos mais tarde, na década de 1980, um posicionamento estético semelhante iria marcar a obra de Jean-Michel Basquiat, um jovem artista norte-americano de ascendência haitiana e porto-riquenha. As obras de Basquiat, que têm sua origem no grafite, também retratam personagens desesperados ou apavorados (dessa vez, quase sempre negros) em meio à caótica vida urbana de Nova York **[doc. 4]**.

DOC. 3 *O grito*, pintura de Edvard Munch, c. 1893. Galeria Nacional, Oslo.

DOC. 4 *Cabeza*, pintura de Jean-Michel Basquiat, 1982.

DOC. 5 Cena do filme *Empregados deixando a fábrica Lumière*, direção de Louis Lumière, 1895.

DOC. 6 Cena do filme *Chegada do trem à estação Ciotat*, direção de Louis e Auguste Lumière, 1895.

DOC. 7 Cena do filme *Viagem à Lua*, de Georges Méliès, 1902.

O cinema

Uma das grandes invenções tecnológicas da virada do século XIX para o século XX foi o cinematógrafo. Tratava-se de uma pequena máquina movida a eletricidade capaz de filmar, revelar e projetar a película cinematográfica. Em 28 de dezembro de 1895, no Salão Grand Café de Paris, os irmãos Auguste e Louis Lumière fizeram a primeira exibição pública do cinematógrafo. Os filmes exibidos duravam apenas alguns minutos e foram filmados pelos próprios Lumière com a câmera parada, em preto e branco e sem som.

Os **docs. 5 e 6** mostram fotografias das cenas desses filmes inaugurais, cujos títulos eram apenas descritivos: *Empregados deixando a fábrica Lumière* e *Chegada do trem à estação Ciotat*. O segundo dos dois filmes impressionou a plateia na primeira audiência, obviamente ainda desacostumada com o cinema, porque criava a ilusão de que o trem avançava sobre a tela, estando prestes a irromper pela sala de projeção.

Cinema e entretenimento

A exibição foi um grande sucesso, mas os irmãos Lumière não imaginavam todo o potencial que seu invento poderia alcançar no futuro. Chegaram mesmo a tentar demover o ilusionista Georges Méliès do plano de adquirir um cinematógrafo e usá-lo para fins de entretenimento, com a explicação de que ele só serviria para fins científicos.

Méliès, porém, não desistiu de seu projeto. Ao contrário dos Lumière, que inicialmente usaram o cinematógrafo apenas para registrar cenas comuns do cotidiano, o ilusionista dedicou-se a realizar filmes narrativos, humorísticos e até com efeitos especiais, como *Viagem à Lua*, de 1902, que mostrava homens numa cápsula sendo lançados à Lua por meio de um grande canhão, encontrando lá alienígenas hostis **[doc. 7]**. A vocação do cinema para a ficção começava a se solidificar.

A partir da obra de David W. Griffith, pioneiro do cinema norte-americano, a indústria cinematográfica instalou-se com força cada vez maior nos Estados Unidos. Após a Primeira Guerra Mundial, esse país alcançou a posição de principal produtor de cinema do mundo. Em Hollywood, uma cidade da costa leste norte-americana, foram fundados os primeiros estúdios, Warner, Universal, Paramount e Metro-Goldwyn-Mayer, que transformaram o cinema num lucrativo bem de consumo voltado para as massas.

Griffith foi também um dos responsáveis pelo desenvolvimento de uma linguagem cinematográfica. Em seus filmes, utilizou e aprimorou a técnica da montagem, ou seja, a justaposição de cenas ou tomadas com o intuito de criar uma sequência temporal na história, elemento fundamental para o cinema narrativo. Foi o soviético Sergei Eisenstein, contudo, que radicalizou os experimentos com a montagem.

Uma revolução cinematográfica

Para Eisenstein, a montagem poderia ser usada de uma forma muito mais metafórica do que narrativa, evocando conceitos nas mentes dos espectadores em vez de se restringir apenas a contar histórias. Em sua concepção, a montagem obedeceria a um movimento dialético em que a relação entre duas sequências de imagens paralelas, funcionando como tese e antítese, criaria a síntese da ideia ou, em outras palavras, a criação de um terceiro significado diferente das duas instâncias originais, mas apoiado nelas.

Em *O encouraçado Potemkin* (1925), Eisenstein explorou plenamente a potencialidade da montagem. Inspirado nos acontecimentos de 1905, o filme narra a história da insurreição dos marinheiros russos, apoiados pela população da cidade de Odessa, contra as forças czaristas. Na famosa sequência da escadaria de Odessa, por exemplo, uma cena revela botas enfileiradas no topo da escada **[doc. 8]**. Em seguida, são mostrados rifles sendo empunhados. A próxima tomada se concentra na expressão de dor no rosto de uma mulher. A seguir, vemos as rodas de um carrinho de bebê escorregando pelos degraus e, num plano mais geral, o carrinho descendo em meio aos cadáveres espalhados pela escada **[doc. 9]**.

O espectador entende que os soldados czaristas abriram fogo contra a população, causando inúmeras mortes, sem que isso seja diretamente mostrado. A própria imagem do carrinho de bebê rolando indefeso pelos degraus rumo a uma queda inevitável funciona como uma metáfora para a destruição da inocência e da esperança pelas forças da opressão.

O cineasta contemporâneo Brian De Palma fez uma homenagem e uma releitura dessa cena histórica em *Os intocáveis* (1987), quando Eliot Ness, interpretado pelo ator Kevin Costner, salva um bebê, detendo seu carrinho que rolava pelas escadas da Railway Station após se soltar das mãos de sua mãe durante tiroteio com os gângsteres de Al Capone **[doc. 10]**. Com essa breve cena, De Palma parece estar simbolizando a vitória do bem sobre o mal, representada, como um todo, pelo enredo do filme.

DOC. 8 Cena da escadaria de Odessa do filme *O encouraçado Potemkin*, direção de Sergei Eisenstein, União Soviética, 1925.

DOC. 9 Cena da escadaria de Odessa do filme *O encouraçado Potemkin*, direção de Sergei Eisenstein, União Soviética, 1925.

DOC. 10 Cena do filme *Os intocáveis*, direção de Brian De Palma, Estados Unidos, 1987.

QUESTÕES

1. Dois elementos da produção artística visual se repetem nas pinturas dos **docs. 1 e 2**. Identifique-os e compare suas possíveis diferenças. Em seguida, explique o motivo de sua repetição.
2. Identifique na imagem do **doc. 2**, de Renoir, as características da pintura impressionista e compare-as com o expressionismo das pinturas dos **docs. 3 e 4**.
3. O cinema passou por diversas transformações até se tornar o que é hoje. Compare os primeiros filmes produzidos na história **[docs. 5 e 6]** com *O encouraçado Potemkin*, de Sergei Eisenstein **[docs. 8 e 9]**, e com *Os intocáveis*, de Brian de Palma. **[doc. 10]**.

UNIDADE H Um mundo em crise

1 (Fuvest-SP) Em um balanço sobre a Primeira República no Brasil, Júlio de Mesquita Filho escreveu: "... a política se orienta não mais pela vontade popular livremente manifesta, mas pelos caprichos de um número limitado de indivíduos sob cuja proteção se acolhem todos quantos pretendem um lugar nas Assembleias Estaduais e Federais".

A crise nacional, 1925.

De acordo com o texto, o autor

a) critica a autonomia excessiva do Poder Legislativo.
b) propõe limites ao federalismo.
c) defende o regime parlamentarista.
d) critica o poder oligárquico.
e) defende a supremacia política do Sul do país.

2 (UFJF-MG) Ao compararmos o colonialismo do século XVI com o neocolonialismo, ou imperialismo, do final do século XIX, podemos identificar formas diferentes de dominação.

Com base nessa afirmação e em seus conhecimentos, responda ao que se pede.

a) Quais eram as principais áreas geográficas que foram dominadas no colonialismo e no neocolonialismo?
b) Cite e analise **uma** motivação para a expansão colonialista.
c) Analise **uma** motivação econômica que foi específica do neocolonialismo.

3 (UFMG) "Na história da África jamais se sucederam tantas e tão rápidas mudanças como durante o período entre 1880 e 1935. Na verdade, as mudanças mais importantes, mais espetaculares – e também mais trágicas –, ocorreram num lapso de tempo bem mais curto, de 1880 a 1910, marcado pela conquista e ocupação de quase todo o continente africano pelas potências imperialistas e, depois, pela instauração do sistema colonial. A fase posterior a 1910 caracterizou-se essencialmente pela consolidação e exploração do sistema."

BOAHEN, Albert Adu. *História geral da África. A África sob dominação colonial, 1880-1935.* São Paulo: Ática/Unesco, 1991. v. 7. p. 25.

Considerando-se o contexto da colonização europeia da África, é correto afirmar que:

a) a demarcação das fronteiras entre as diferentes colônias respeitou as divisões territoriais previamente existentes entre as etnias africanas.
b) a derrota da Alemanha na Primeira Guerra implicou a concessão de independência aos territórios por ela colonizados, sob a proteção da ONU.
c) essa colonização resultou em decréscimo da população africana, devido à intensa exploração dos recursos humanos e materiais.
d) os Estados europeus, embora negassem oficialmente a escravidão, adotavam trabalho compulsório em alguns territórios coloniais.

4 (Uergs) Na Revolução Inglesa (1640), Francesa (1789) e Russa (1917), pode-se identificar como elemento comum a

a) luta contra o regime monárquico absolutista.
b) participação ativa do proletariado.
c) instalação de um regime republicano presidencialista.
d) influência de ideias socialistas.
e) luta religiosa entre católicos e protestantes.

5 (Unicamp-SP) A biologia era essencial para uma ideologia burguesa teoricamente igualitária, pois deslocava a culpa das desigualdades humanas da sociedade para a natureza. As vinculações entre biologia e ideologia são evidentes no intercâmbio entre a eugenia e a genética. A eugenia era essencialmente um movimento político, que acreditava que as condições do homem e da sociedade só poderiam melhorar através do incentivo à reprodução de tipos humanos valorizados e da eliminação dos indesejáveis. A eugenia só passou a ser considerada científica após 1900, com o surgimento da genética, que parecia sugerir que o cruzamento seletivo dos seres humanos segundo o processo mendeliano era possível.

Adaptado de HOBSBAWM, Eric. *A era dos impérios*: 1875-1914. Rio de Janeiro: Paz e Terra. p. 351-353.

a) Quais as implicações políticas do desenvolvimento da genética, no início do século XX?
b) Relacione a ciência do final do século XIX e a política externa europeia do período.

6 (UFC-CE) Analise as afirmações abaixo sobre a Grande Guerra de 1914-1918 e suas consequências.

I. Embora sua ação militar tenha ocorrido sobretudo na Europa, ela envolveu, direta ou indiretamente, grande parte do mundo, e americanos, canadenses, australianos, neozelandeses, indianos e africanos lutaram também na guerra, na Tríplice Entente.
II. As grandes perdas humanas e a desestruturação da produção atingiram todos os países do mundo, provocando um enfraquecimento generalizado das economias e um vazio de poder, com o fim da hegemonia europeia.
III. Após a guerra, uma onda revolucionária atravessou a Europa que, nas décadas seguintes, vivenciou o colapso dos valores e instituições liberais, com a instalação de regimes autoritários.

Com base nas três assertivas, é correto afirmar que somente:

a) I é verdadeira.
b) II é verdadeira.
c) III é verdadeira.
d) I e II são verdadeiras.
e) I e III são verdadeiras.

7 (Unicamp-SP) *La Bataglia*, *A Lanterna*, *O livre pensamento*, *A terra livre*, *La guerra sociale*, tais eram os títulos de alguns jornais operários publicados em São Paulo, nas duas primeiras décadas do século XX. Levando em conta os próprios títulos mencionados, responda:

a) Qual a composição social do operariado paulista nesse período?
b) Que movimento social esses jornais representavam e quais eram as ideias que caracterizavam tal movimento?

SUGESTÕES

UNIDADE H

Leituras

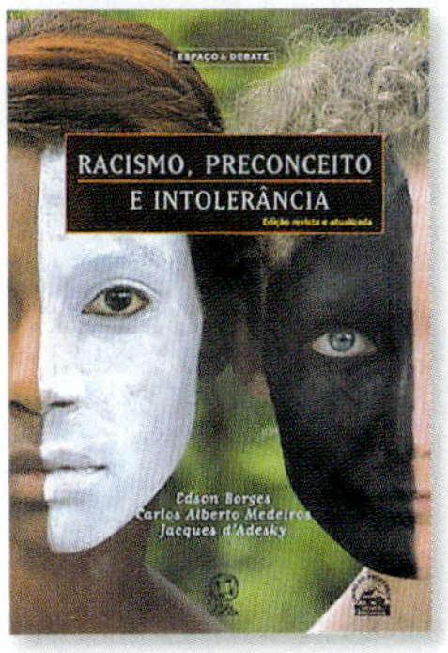

Racismo, preconceito e intolerância
BORGES, Edson;
D'ADESKY, Jacques.
São Paulo: Atual, 2009.

A obra discute dois problemas de destaque em nossa sociedade: a intolerância e as diversas formas de preconceito praticadas pelos seres humanos. A reflexão em torno desses temas é fundamental para a construção de um mundo tolerante e mais justo.

Londres e Paris no século XIX: o espetáculo da pobreza
BRESCIANI, Maria Stella M.
São Paulo: Brasiliense, 1996.

O livro trata do cotidiano de duas das maiores cidades operárias da Europa nesse período: Londres e Paris. Os relatos de miséria, crimes e violência nas manifestações de rua é instigante e comovente.

A Primeira Guerra Mundial
BRENER, Jayme.
São Paulo: Ática, 2000.
(Coleção Retrospectiva do século XX)

A obra apresenta a trama de interesses e intrigas que desencadearam o conflito, assim como o seu desenvolvimento e desfecho, com a assinatura do Tratado de Versalhes.

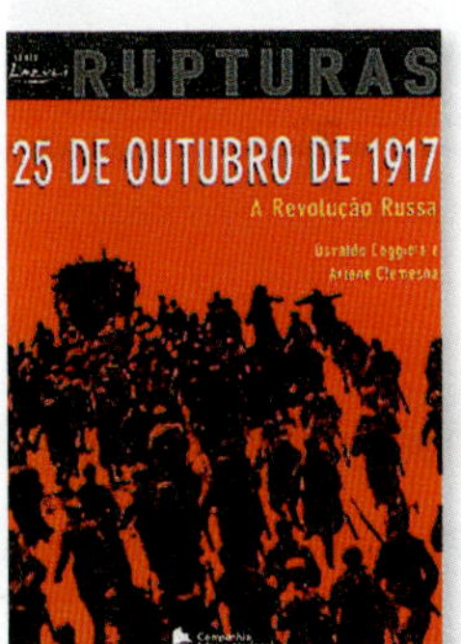

25 de outubro de 1917: a Revolução Russa
CLEMESHA, Arlene;
COGGIOLA, Osvaldo.
São Paulo: Ibep/Nacional, 2005.

Os autores fazem uma análise dos acontecimentos que desencadearam a derrubada do Império Russo e as condições que favoreceram a implantação de um governo revolucionário no país.

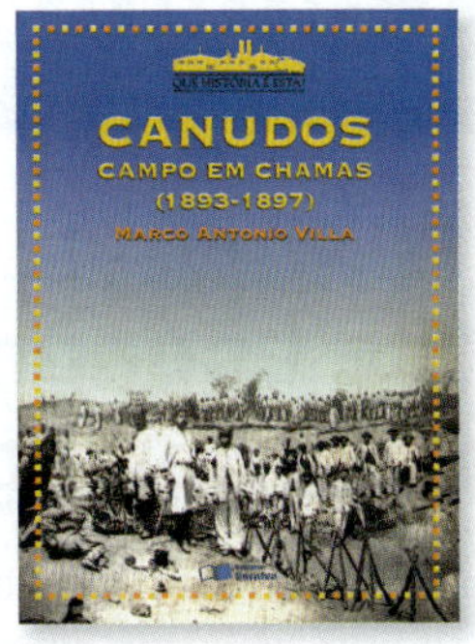

Canudos: campo em chamas (1893-1897)
VILLA, Marco Antonio.
São Paulo: Saraiva, 2002.
(Coleção Que história é esta?)

O livro mostra a complexidade do episódio, como a imagem construída de Antônio Conselheiro, a situação vantajosa do exército e a resistência dos revoltosos.

Filmes

As montanhas da Lua
Direção de Bob Rafelson.
Estados Unidos, 1990.
136 min.

No ano de 1860, sob o reinado da rainha Vitória, o oficial britânico Richard Burton e seu colega John Speke realizam uma expedição em busca da nascente do Rio Nilo. As aventuras de Burton na África representam a presença britânica no continente.

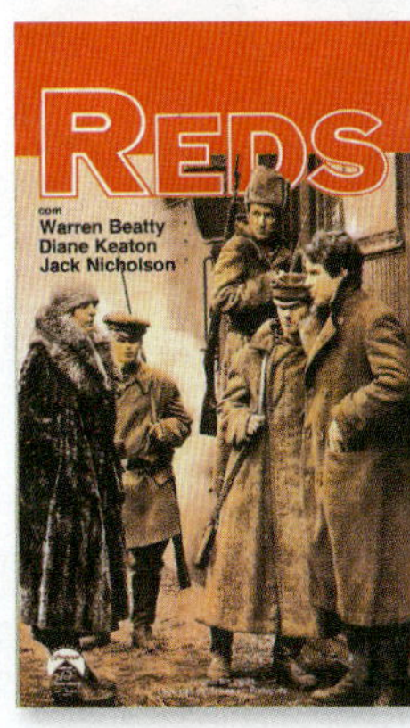

Reds
Direção de Warren Beatty.
Estados Unidos, 1981.
188 min.

O jornalista norte-americano John Reed, depois de acompanhar a Revolução no México, viaja para a Rússia e chega a tempo de acompanhar a tomada do poder pelos bolcheviques em outubro de 1917. Amor, política e revolução se misturam num filme apaixonante.

Guerra de Canudos
Direção de Sérgio Rezende.
Brasil, 1997. 169 min.

Filme sobre o conflito no interior da Bahia, liderado pelo beato Antônio Conselheiro, que marcou o início do período republicano no Brasil. Após forte resistência, o movimento foi destruído pelo exército republicano.

UNIDADE

I

Totalitarismo e autoritarismo: a caminho da guerra total

» Capítulos

Crise econômica, radicalização política e uma nova guerra mundial

Multidões nas ruas, líderes políticos inflamados, conclamando a sociedade a se unir num só corpo, numa só vontade: o Brasil e o mundo viram a cena se repetir inúmeras vezes entre os anos 1920 e 1950.

Na Europa, fascistas e nazistas ascenderam em meio à crise econômica que, após a Primeira Guerra Mundial, quebrou bolsas de valores e empresas, provocou inflação e desemprego.

O ideal de democracia liberal parecia fracassado e propostas radicais passaram a receber forte apoio popular. À direita e à esquerda, o totalitarismo ganhava forma e gerava Estados policiais, marcados pela negação da democracia, pela política de exaltação do líder e pela brutal perseguição aos oposicionistas.

1

2

Guerra, totalitarismo e autoritarismo

Esta linha do tempo não foi organizada em escala temporal.

- **1919** Benito Mussolini funda o fascismo na Itália.
- **1925** Publicação de *Mein Kampf*, de Adolf Hitler.
- **1924-1927** Ascensão de Stalin ao poder na União Soviética.
- **1929** Quebra da Bolsa de Nova York.
- **1930** Vargas toma o poder no Brasil.
- **1932** Revolução Constitucionalista, em São Paulo.
- **1933** Ascensão de Hitler ao poder na Alemanha.
- **1934** Promulgada a Carta Constitucional do governo Vargas.

Líderes como Adolf Hitler, na Alemanha, e Benito Mussolini, na Itália, mobilizavam massas e difundiam doutrinas políticas que defendiam guerras externas e internas e o controle completo da sociedade pelo Estado. Na União Soviética, a ascensão de Josef Stalin ao poder intensificou a centralização política e levou à criação de um forte aparato repressivo.

O cenário mundial de crise e radicalização afetou também o Brasil. Getúlio Vargas chegou à presidência em 1930 e sete anos depois implantou o Estado Novo, reforçando os mecanismos autoritários de restrição de acesso à informação e à participação política.

A tensão crescia de um lado a outro do Atlântico, a liberdade parecia banida do cotidiano de boa parte do Ocidente e o mundo caminhava para um novo conflito mundial.

QUESTÕES

1. Que impacto a comparação entre essas quatro imagens causou em você?
2. Quais foram os países que lutaram ao lado da Alemanha na Segunda Guerra Mundial?
3. O que você conhece sobre a União Soviética?

1. Operários desfilam com imagem de Getúlio Vargas em comemoração ao Dia do Trabalho. Rio de Janeiro, 1942. Arquivo Nacional; **2.** Comício na cidade de Nuremberg durante o regime nazista. Alemanha, 1936; **3.** Desfile de tanques soviéticos em comemoração ao Dia do Trabalho na Praça Vermelha, Moscou. União Soviética, 1938; **4.** Desfile em comemoração ao oitavo ano da fundação da Força Aérea Italiana, em Roma. Itália, 1936. Note que todos esses eventos envolvem a participação do Estado, uma grande quantidade de pessoas e ocorreram num período de tempo muito próximo.

3

4

- **1935** — Intentona Comunista no Brasil.
- **1936** — Início da Guerra Civil Espanhola, encerrada em 1939.
- **1937** — Início do Estado Novo.
- **1939** — Eclosão da Segunda Guerra Mundial.
- **1941** — Os alemães invadem a União Soviética. Os Estados Unidos entram na guerra.
- **1943** — Getúlio Vargas regulamenta as relações trabalhistas no Brasil.
- **1945** — Bombas atômicas são lançadas no Japão. Fim da Segunda Guerra Mundial.

Capítulo

31 A ascensão do totalitarismo

› 31.1 O surgimento do fascismo

O nazismo, na Alemanha, e o fascismo, na Itália, resultaram da crise econômica, política e social que abalou esses países após a Primeira Guerra Mundial.

› 31.2 A crise econômica mundial

A crise de 1929 afetou países do mundo inteiro e contribuiu para o surgimento de governos autoritários e totalitários.

› 31.3 O totalitarismo nazista

O Estado nazista baseou-se na propaganda política dirigida às massas, no controle policial de toda a sociedade e na perseguição aos judeus e a outros grupos discriminados pelo regime.

› 31.4 O totalitarismo na União Soviética

Ao assumir o governo da União Soviética, Joseph Stalin estabeleceu uma ditadura de partido único e uma política de perseguição aos opositores do regime.

› 31.5 A Guerra Civil Espanhola

Militante de diversas tendências políticas e voluntários de vários países se uniram para lutar contra o fascismo na Guerra Civil Espanhola.

A era das massas e a crise da democracia liberal

A tradição liberal e democrática dos Estados da Europa Ocidental e do continente americano foi construída a partir da defesa das liberdades individuais, como o direito à livre expressão e a garantia à inviolabilidade do mundo privado. Da Revolução Francesa à Primeira Guerra Mundial, diversas atividades sociais e culturais, como a produção filosófica, as discussões políticas, a criação artística, o direito etc., foram fortemente orientadas por essa corrente de pensamento.

No século XX, entretanto, a profunda crise econômica e política que se abateu sobre a Europa após a Primeira Guerra Mundial, aliada ao temor das classes dirigentes de uma revolução socialista nos moldes da revolução bolchevique, na Rússia, deu origem a movimentos políticos baseados na negação da individualidade, na mobilização e na manipulação permanente das massas. Esses movimentos constituíam uma reação contra os valores democráticos e liberais que até então haviam pautado as instituições e o pensamento no mundo ocidental.

Os avanços tecnológicos e o desenvolvimento dos meios de comunicação em massa possibilitaram aos Estados totalitários controlar e dominar as pessoas por meio da propaganda e da doutrinação numa escala nunca antes imaginada. A liberdade de expressar ideias e contestar o poder deu lugar à obediência e à submissão. Para compreender esse fenômeno histórico, é importante entender como os partidos totalitários surgiram e como chegaram ao poder no período do entreguerras.

Uma professora se despede de seus alunos do lado de fora da escola fazendo a saudação nazista, Alemanha, c. 1933. Arquivo Fotográfico Austríaco, Viena. A ideologia dos regimes políticos totalitários buscava se infiltrar em todas as esferas e instituições sociais.

O surgimento do fascismo

Objetivos

- Entender o contexto histórico que conduziu o fascismo e o nazismo ao poder.
- Destacar a diferença entre autoritarismo e totalitarismo.

Termos e conceitos

- Totalitarismo
- Fascismo
- Nazismo

A onda revolucionária

Para os comunistas, a Primeira Guerra Mundial (1914-1918) era um conflito entre potências capitalistas que disputavam o controle dos mercados coloniais. O que estava em jogo era o enriquecimento da classe burguesa de cada país e a preservação e o fortalecimento do Estado nacional. Por esse motivo, segundo Vladimir Lênin (1870-1924) e Leon Trotski (1879-1940), em vez de lutar pelo Estado burguês que os explorava a os deixava morrer no campo de batalha, os trabalhadores deveriam reunir forças para uma revolução mundial.

A Revolução Russa de 1917, primeira revolução proletária da história que obteve sucesso, fortaleceu os movimentos de trabalhadores e desencadeou uma onda de levantes por toda a Europa. Acreditava-se que a Revolução Russa seria apenas a primeira de uma série de revoluções. O poder da classe burguesa, garantido pelos Estados nacionais, seria abolido e transferido para as mãos dos trabalhadores.

Um ano depois da Revolução Russa, em novembro de 1918, estourou uma revolta na Alemanha. O Império Alemão foi derrubado e o Partido Social-Democrata Alemão proclamou a república. O novo regime, no entanto, estava longe de garantir a estabilidade no país. A corrente marxista conhecida como **Liga Espartaquista** difundiu a formação de conselhos operários por diversas cidades **[doc. 1]**. Os conselhos operários, por meio do regime de autogestão dos trabalhadores fabris, organizavam a produção de uma indústria ou de um território.

Entre 1919 e 1920, uma onda de greves e manifestações eclodiu nas principais cidades industriais da Europa. Antes, porém, que a onda revolucionária se estendesse, grupos armados de extrema direita desencadearam uma reação violenta.

Durante a chamada **Semana Sangrenta**, de 6 a 12 de janeiro de 1919, os principais líderes do movimento espartaquista foram assassinados em Berlim, e os socialistas foram vencidos nas diversas cidades em que o poder havia sido tomado pelos conselhos operários. O socialismo, assim, ficou restrito à Rússia, e diversos países europeus adotaram regimes políticos marcados pelo autoritarismo ou pelo **totalitarismo**. **[doc. 2]**.

DOC. 1 Retrato de Rosa Luxemburgo, início do século XX. Museu histórico alemão, Berlim. Em 1914, a maior parte do Partido Social-Democrata Alemão apoiou a entrada do país na Primeira Guerra. Isso levou os integrantes mais esquerdistas do partido, que ficaram conhecidos por espartaquistas, a romperem com ele. Os espartaquistas eram liderados por Karl Liebknecht (1871-1919) e Rosa Luxemburgo (1871-1919).

DOC. 2 **Totalitarismo e autoritarismo**

No interior do vocabulário político, fazer a distinção entre os conceitos de totalitário e autoritário é uma das tarefas mais complexas. O texto a seguir procura ajudar a esclarecer o problema.

"[...] os regimes totalitários são caracterizados pela presença simultânea de um centro de poder que afirma seu monopólio, de uma ideologia que pretende [...] exclusividade e de um empreendimento de mobilização total da população através de um partido único e das organizações sob sua dependência. Os regimes autoritários se distinguem dos totalitários pela existência de um pluralismo limitado, o poder reconhecendo a legitimidade de corpos privilegiados como a Igreja, por uma ideologia mal articulada e fracamente difundida, enfim pela ausência ou por um grau limitado de mobilização política da população, o partido único, quando existe, tendo apenas um lugar reduzido no centro do regime e um alcance superficial sobre a sociedade."

BURRIN, Philippe. Politique et société: les structures du povoir dans l'Italie fasciste et l'Allemagne nazie. In: FERRO, Marc (Org.). *Nazisme et communisme*: deux régimes dans le siècle. Paris: Hachette, 1999. p. 47. (tradução nossa)

A contrarrevolução e o surgimento do fascismo

A derrota da onda revolucionária abriu caminho para o fortalecimento de movimentos reacionários e de extrema direita por toda a Europa no decorrer das décadas de 1920 e 1930. O primeiro desses regimes foi o **fascismo**. Fundado na Itália em 1919 por Benito Mussolini, um ex-dirigente socialista, o movimento fascista cresceu no clima de instabilidade política do pós-guerra. Assustados com as greves, invasões de terra e manifestações organizadas pelos sindicatos e grupos de esquerda, os empresários, proprietários de terras e a classe média italiana apoiaram Mussolini e o movimento fascista.

Os fascistas organizavam-se em esquadrões paramilitares e promoviam violentas manifestações nas ruas, atacando as organizações de esquerda e destruindo sindicatos. Seus membros eram recrutados, em geral, nas fileiras do exército e da polícia, mas intelectuais nacionalistas e jovens insatisfeitos com as mobilizações operárias e camponesas também aderiram ao fascismo. Quando foi fundado por Mussolini, em 1921, o Partido Nacional Fascista contava com cerca de 700 mil membros.

Reagindo à convocação de uma greve geral em 1922, feita pelas organizações operárias, os fascistas promoveram a famosa **Marcha sobre Roma [doc. 3]**. O rei da Itália, Emanuel III, tinha possibilidades de deter a manifestação, mesmo porque os fascistas estavam mal-armados e mal preparados. O rei, porém, não apenas permitiu a manifestação como convidou Mussolini a compor um novo governo.

A ideologia fascista

O fascismo condenava os principais valores do mundo moderno, como o racionalismo, o individualismo, a democracia liberal e o Estado de direito. Também condenava a teoria da luta de classes e o internacionalismo socialista. No lugar desses valores, os fascistas sacralizavam a guerra como uma necessidade vital para a preservação da nação, o que conduziu ao processo de militarização da sociedade; defendiam a subordinação total do indivíduo ao Estado, o nacionalismo exacerbado e faziam apologia da violência. A oposição, por exemplo, foi silenciada por meio da brutalidade e do assassinato, o que impedia o confronto entre opiniões divergentes **[doc. 4]**.

Durante o domínio fascista na Itália, todas as instituições sociais foram subordinadas ao Estado. Os sindicatos e outras organizações de esquerda foram dissolvidos e substituídos pelo **corporativismo**. Nesse modelo, cada categoria profissional ou empresarial era representada por um sindicato ou uma corporação subordinados ao Estado.

DOC. 3 Mussolini (terceiro da direita para a esquerda, na linha de frente) com seus partidários durante a Marcha sobre Roma, Itália, em 1922.

A Carta del Lavoro

Segundo a *Carta del Lavoro* (1927), documento que continha a política trabalhista do governo fascista, os sindicatos corporativos, que incluíam tanto patrões quanto empregados, tinham de se reunir nas chamadas câmaras de conciliação para solucionar possíveis conflitos.

O sindicato corporativo, contudo, era parcial em suas decisões. Estava alinhado aos interesses dos grandes industriais e era dominado por militantes fascistas. Buscava-se diminuir os conflitos entre patrões e empregados, mas sem alterar as relações de poder existentes entre as duas classes sociais. Em todo o período fascista, portanto, o padrão de vida dos trabalhadores urbanos e dos camponeses declinou.

DOC. 4 **A doutrina fascista**

"Antes de tudo, o fascismo, no que concerne ao futuro e ao desenvolvimento da humanidade, e pondo de lado qualquer consideração sobre a política atual, não crê na possibilidade nem na utilidade de uma paz perpétua. Por isso rejeita o pacifismo que oculta uma renúncia à luta e uma vileza frente ao sacrifício. Somente a guerra leva ao máximo de tensão todas as energias humanas e marca com um sinal de nobreza os povos que têm a coragem de afrontá-la. [...] O fascismo deseja um Estado forte, orgânico e, ao mesmo tempo, apoiado sobre uma larga base popular. [...] No Estado circulam, enquadradas nas respectivas organizações, todas as forças políticas, econômicas e espirituais da nação [...]."

MUSSOLINI, Benito; GENTILE, Giovanni. La dottrina del fascismo (1932). In: *Enciclopedia italiana*. Disponível em www.polyarchy.org. Acesso em 26 ago. 2010. (tradução nossa)

A crise econômica e política na Alemanha

Na Alemanha, em 1919, os conselhos operários foram derrotados e implantou-se a **República de Weimar**. Organizou-se um governo parlamentar baseado na Constituição de Weimar, promulgada pela Assembleia Constituinte. A jovem república, no entanto, teve dificuldades para contornar a crise econômica e social que marcou a Alemanha entre os anos de 1919 e 1923 **[doc. 5]**.

Em virtude da crise econômica e do sentimento de humilhação causado pela derrota na Primeira Guerra Mundial, as instituições da República de Weimar ficaram desacreditadas. Surgiram diversos movimentos ultranacionalistas de extrema direita: o Partido Nacionalista Alemão e outros grupos paramilitares, que recorriam ao terror e ao assassinato de comunistas e membros do governo republicano.

Entre os grupos paramilitares da Alemanha, havia um pequeno partido político que atuava na cidade de Munique, o Partido dos Trabalhadores Alemães, mais tarde rebatizado de Partido Nacional-Socialista dos Trabalhadores Alemães, também conhecido como **Partido Nazista**. Sob a liderança de Adolf Hitler, soldado austríaco que havia participado da Primeira Guerra Mundial, os nacional-socialistas tentaram dar um golpe de Estado, que ficou conhecido como o ***Putsch* de Munique**, em 1923.

A ideologia nazista

A tentativa de golpe dos nazistas fracassou e seus líderes, entre eles Hitler, foram presos pela polícia. Entre 1923 e 1924, enquanto esteve preso, Hitler ditou suas ideias e concepções políticas a Rudolf Hess. O resultado foi a publicação do livro *Mein Kampf* (*Minha luta*) em 1925. O livro tornou-se a base do **nazismo**. A vingança contra os aliados que derrotaram a Alemanha na Primeira Guerra e a união de todos os povos de língua germânica num grande *Reich* (Império) eram seus principais objetivos **[doc. 6]**.

A obra também estava marcada pelo racismo e pela eugenia. Com ideias muito próximas das ideologias racistas do século XIX, Hitler considerava os povos arianos superiores a todos os outros povos, o que lhes dava o direito de subjugá-los. Os judeus eram acusados de planejar uma conspiração internacional para dominar o mundo. Os povos eslavos deviam ser escravizados. Já o destino dos deficientes físicos e dos doentes mentais era mais doloroso: deviam ser eliminados.

- **Paramilitar.** Refere-se à organização armada que mantém autonomia em relação às forças militares regulares.
- **Ariano.** Refere-se aos povos indo-europeus originários da Ásia Central que penetraram a Europa no fim do período neolítico.

DOC. 5 **Cotação do marco alemão – 1919-1923 (marcos para 1 dólar)**

Ano	Marcos
1919	4,2
1920	75,00
1921	258,00
1922	1.460,00
1923	4.200.000.000.000

Fonte: ECKARDT, Wolf von; GILMAN, Sander L. *A Berlim de Bertolt Brecht*: um álbum dos anos 20. Rio de Janeiro: José Olympio, 1996. p. 13-14.

QUESTÕES

- Descreva os dados informados na tabela e explique as causas que levaram a essa situação **[doc. 5]**.

DOC. 6 Os nazistas organizam o *Putsch* de Munique, uma tentativa fracassada de tomar o poder. Alemanha, 1923.

Seção 31.2

A crise econômica mundial

› Objetivo

▸ Explicar as transformações econômicas, sociais e políticas que levaram aos regimes totalitários na Europa entre as décadas de 1920 e 1930.

› Termos e conceitos

- Crise econômica
- Depressão

A quebra da Bolsa de Nova York

Os Estados Unidos saíram da Primeira Guerra Mundial como a potência econômica mais importante do planeta. Enquanto a economia norte-americana dominava uma larga fatia do comércio internacional, as economias europeias, por outro lado, estavam enfraquecidas devido aos esforços despendidos na guerra e tornaram-se cronicamente dependentes dos empréstimos provenientes dos Estados Unidos. Na Europa, à exceção da Rússia, tanto os países vitoriosos quanto os derrotados mergulharam numa profunda **crise econômica**.

Os capitais norte-americanos financiaram a retomada da atividade industrial e estimularam o comércio bilateral com os países europeus. A impressão de um retorno à normalidade econômica, entretanto, era ilusória. Em 1929, iniciou-se uma crise econômica de uma gravidade e abrangência sem precedentes, que arrastaria grande parte do mundo para uma **depressão** durante quase toda a década de 1930. O ponto de partida da crise foi a quebra da Bolsa de Nova York **[doc. 1]**.

Conteúdo digital Moderna PLUS http://www.modernaplus.com.br
Mapa animado: Depressão nos Estados Unidos
Vídeo: Desemprego
Filme: *As vinhas da ira.* Diretor: John Ford. EUA, 1940

DOC. 1 A crise de 1929 e a crise de 2008

Diante da tarefa de combater os efeitos da crise financeira de 1929, o presidente dos Estados Unidos Franklin Delano Roosevelt adotou o *New Deal*, um programa estatal de medidas intervencionistas que visavam recuperar a economia norte-americana. O governo democrata de Roosevelt rompia, assim, com o discurso e a lógica liberais, então predominantes, que pregavam que o Estado não devia interferir no funcionamento da economia. As medidas tomadas para combater a crise (obras de infraestrutura, assistência aos desempregados, redução da jornada de trabalho, fixação de um salário mínimo e acesso facilitado a créditos) iam na contramão da crença de que o mercado devia atuar livremente.

Em 2008, o cenário da economia internacional era bem diferente do que envolveu a crise de 1929, mas novamente a completa liberdade do sistema financeiro estava na origem da crise. O pedido de concordata de um grande banco de investimentos norte-americano desencadeou uma onda de anúncios de fortes prejuízos de outras instituições tradicionais, como a seguradora American International Group (AIG) e a fábrica de automóveis General Motors.

Para impedir o avanço da crise, o governo dos Estados Unidos interveio fortemente na economia, investindo bilhões de dólares em empresas privadas e assumindo o controle de agências de crédito. Intervencionismo semelhante aconteceu, entre outros, na Alemanha e na França. Até 2010 a crise não havia sido completamente superada e alguns países europeus, como Grécia, Islândia, Portugal e Espanha, continuavam a enfrentar dificuldades.

Apesar de separadas pelo tempo, as crises de 1929 e de 2008 mostram os limites do modelo econômico liberal em prevenir colapsos financeiros.

Dois democratas na presidência dos Estados Unidos. Acima, Barack Obama, eleito em 2008; ao lado, Franklin D. Roosevelt, presidente por quatro mandatos, em foto de 1933.

Os efeitos da crise de 1929

No dia 29 de outubro de 1929, que ficou conhecido como **quinta-feira negra**, o preço das ações começou a declinar, causando pânico entre os investidores e abalando profundamente a confiança nos negócios. Atemorizados, os empresários cortaram investimentos e reduziram drasticamente a produção. O pânico aumentou quando os clientes correram aos bancos para retirar suas economias e perceberam que não havia dinheiro disponível naquele momento para pagá-las. Como num efeito dominó, houve uma verdadeira quebradeira no sistema bancário norte-americano, com milhares de casas bancárias falindo simultaneamente.

No período de 1929 a 1932, o valor das ações na Bolsa de Nova York caiu de 87 bilhões para 19 bilhões de dólares, 85 mil empresas entraram em falência, 5 mil bancos deixaram de operar e 12 milhões de pessoas ficaram desempregadas. Com as fábricas paralisadas, a produção industrial norte-americana caiu cerca de 50%, enquanto a renda da terra reduziu-se a menos da metade do valor de antes da crise. Milhões de pessoas caíram na miséria, perdendo suas casas particulares ou propriedades rurais e sendo obrigadas a morar nas ruas ou em habitações precárias, a vagar de cidade em cidade à procura de qualquer trabalho ou a mendigar **[doc. 2]**.

A crise logo se alastrou para o restante do mundo. Um de seus efeitos mais marcantes foi o colapso do sistema internacional de crédito e de comércio. Entre os mais afetados estavam os países da Europa Ocidental, pois dependiam dos empréstimos e das importações norte-americanas para recuperar suas economias abaladas após a Primeira Guerra. No Brasil, a crise econômica mundial marcou a derrocada da economia cafeeira e o fim da Primeira República.

O descrédito da democracia

O desemprego em massa, a pobreza e a falta de perspectivas de mudança criaram um ambiente de inquietação social, que foi habilmente explorado por líderes de movimentos antidemocráticos. Entre 1929 e 1939, governos de extrema direita foram adotados em 25 países, alguns dos quais inspirados no modelo fascista italiano ou no nazismo alemão. A doutrina que defendiam era ultranacionalista, anticomunista, antissemita e antiliberal.

O fascismo, até então restrito à Itália, tornou-se um modelo político e ideológico para outros movimentos de extrema direita. Esses grupos apresentavam o Estado fascista corporativo como a solução para os problemas causados pela crise econômica. Ao mesmo tempo, a insatisfação provocada pela crise foi direcionada para as minorias e para os imigrantes. O ódio insuflado contra esses grupos servia como válvula de escape para os problemas sociais.

O nazismo de Adolf Hitler e o antissemitismo também se difundiram por outros países ao longo das décadas de 1920 e 1930. Em 1927, na Romênia, foi fundada a Guarda de Ferro, um movimento fascista paramilitar, responsável por tentativas de golpe de Estado e atos de brutalidade contra minorias. Em 1935, na Hungria, surgiu o Partido da Cruz em Seta, movimento de extrema direita fortemente antissemita que se inspirava no nacional-socialismo alemão. Os dois movimentos colaboraram estreitamente com a Alemanha nazista durante a Segunda Guerra Mundial.

DOC. 2 **O desemprego em massa**

Na época da grande depressão nos Estados Unidos, um conselheiro da cidade de Nova York mostrou como o desemprego levava as pessoas progressivamente à fome e ao desespero.

"Quando quem ganha o pão para a família está desempregado, geralmente gasta toda a sua poupança, se a tem. Se tiver uma apólice de seguro, provavelmente fará empréstimos até o limite de seu valor. Toma emprestado de amigos e de parentes, até eles não suportarem mais. Consegue comprar fiado na quitanda da esquina e no açougue, e o senhorio deixa de cobrar o aluguel até ter que pagar os impostos e taxas ou até precisar do dinheiro para fazer qualquer coisa. Todos estes recursos se acabam esgotando depois de algum tempo e estas pessoas, que nunca passaram necessidade antes, são obrigadas a pedir auxílio. O espectro da fome ameaça milhões de pessoas que nunca souberam o que era ficar sem emprego durante um período considerável e que, certamente, nunca souberam o que era estar em dificuldade."

CHANDLER, Lester V. America's Greatest Depression [1970]. In: HUNT, E. K. *História do pensamento econômico*. Rio de Janeiro: Campus, 1989. p. 428-429.

Família de indigentes na Califórnia, Estados Unidos, 1936. Biblioteca do Congresso, Washington.

QUESTÕES

1. Relacione a crise de 1929 e o surgimento de governos totalitários na década de 1930 na Europa.
2. Identifique as semelhanças de cenário socioeconômico e de ações políticas entre o governo de Roosevelt, na década de 1930, e o de Barack Obama, em 2008 **[doc. 1]**.

O totalitarismo nazista

Objetivo

- Compreender os mecanismos políticos, ideológicos e psicológicos utilizados pelo regime nazista para controlar as massas.

Termos e conceitos

- Partido Nazista
- *Führer*
- Eugenia
- Antissemitismo

A ascensão do Partido Nazista

As orientações ideológicas do **Partido Nazista** estavam fundadas em princípios antidemocráticos. Contraditoriamente, os representantes nazistas chegaram ao poder na Alemanha por meios democráticos. Nas eleições legislativas de julho de 1932, o Partido Nazista obteve 13,7 milhões de votos, enquanto os comunistas, seus principais adversários, apenas 6 milhões de votos.

Imediatamente após a ascensão de Hitler ao poder, em fevereiro de 1933 **[doc. 1]**, a SA (*Sturm Abteilung* ou "Sessão de Assalto", braço armado do Partido Nazista) iniciou uma violenta e brutal perseguição aos social-democratas e comunistas. No ano seguinte, o Parlamento alemão aprovou um ato que transferia plenos poderes a Hitler para governar por decreto. Em 1934, o Parlamento foi dissolvido e deu lugar a um regime totalitário de partido único.

Entre 1933 e 1934, Hitler e o Partido Nazista dissolveram as instituições democráticas, pondo fim à República de Weimar. Com o Estado e a sociedade alemães em suas mãos, Hitler proclamou-se ***Führer*** (Líder) da nação e chanceler do *Reich* (Império) Alemão. Até mesmo a SA foi dissolvida e seus principais líderes foram assassinados. No lugar da SA foi criada a SS (*Schutzstafel* ou "Esquadrão de Defesa"), tropa de elite do exército nazista responsável, entre outras tarefas, pela eliminação dos adversários do regime.

A estrutura do Estado alemão

Os nazistas atribuíam a si mesmos o papel messiânico de regenerar a nação alemã, retirando-a do caos em que fora lançada com a derrota na Primeira Guerra Mundial e com a crise econômica da década de 1930. Toda forma de oposição interna foi desarticulada e todas as instituições estatais (aparelho jurídico, sistema educacional, aparato técnico-científico etc.) foram absorvidas pelo governo nazista.

A propaganda nazista veiculava a imagem de um Estado alemão sólido e hierarquicamente organizado, cujo topo estava ocupado pela figura do *Führer*. Para mostrar a população, o Estado e a figura do *Führer* como um todo coeso, unido em torno dos mesmos interesses, diversos mecanismos foram criados, como os discursos de Hitler, os símbolos nazistas e os megacomícios. Neste último caso, a política era transformada em espetáculo para as massas **[doc. 2]**.

DOC. 1 Em 30 de janeiro de 1933, o Partido Nacional-Socialista tornou-se majoritário no Parlamento, e Adolf Hitler foi nomeado chanceler alemão. Começou, assim, a ascensão dos nazistas ao poder.

DOC. 2 Adolf Hitler durante as comemorações do Dia do Trabalho no estádio olímpico de Berlim. Alemanha 1º de maio de 1939. Timepix/Time Life Pictures.

Perseguição e eugenia

Para garantir a suposta pureza e superioridade da raça ariana, algumas medidas políticas foram tomadas após a ascensão do regime nazista. Em julho de 1933, foram decretadas as leis eugênicas. Os indivíduos considerados "degenerados", como portadores de doença mental e de déficit cognitivo, criminosos e pessoas com doenças incuráveis, foram esterilizados.

A missão de promover a **eugenia** foi atribuída aos médicos. Eram responsáveis não só por proteger a sociedade contra as doenças, mas também contra a ameaça da "degeneração racial". Cerca de 45% dos médicos alemães eram membros do Partido Nazista, a maior taxa de adesão entre todas as profissões. A adesão ao regime contribuía para a rápida ascensão a altos cargos, enquanto aqueles que hesitavam eram expulsos das associações médicas e científicas.

O antissemitismo

As Leis de Nuremberg, de 1935, dividiram a população conforme critérios raciais: arianos puros, não arianos e mestiços. A cidadania plena era reservada somente aos arianos puros, que deveriam provar sua ascendência ariana até a terceira geração. Os judeus foram privados de seus direitos civis e proibidos de se casar com alemães.

O objetivo das Leis de Nuremberg era obrigar os judeus a deixar a Alemanha. O **antissemitismo** nazista seguiu um curso de radicalização progressiva, com medidas cada vez mais violentas.

Em novembro de 1938, o assassinato de um diplomata alemão em Paris, supostamente cometido por um comunista judeu, provocou uma onda de violência contra os judeus na chamada "Noite dos Cristais", quando dezenas de sinagogas foram incendiadas por toda a Alemanha. Seguiram-se outras medidas discriminatórias contra os judeus: foram proibidos de exercer as profissões liberais e de manter contato com a população ariana. Além disso, todas as propriedades e bens de suas famílias foram confiscados pelo Estado nazista e cerca de 30 mil judeus foram levados para campos de concentração.

O cotidiano sob a dominação nazista

Durante o regime nazista, diversos setores da sociedade alemã contribuíram para concretizar os princípios do nazismo. Doutrinadas pelo aparato de propaganda, muitas pessoas colaboraram com a política discriminatória antissemita, não somente por medo, mas também pela perspectiva de ascender socialmente no novo regime.

Pequenos comerciantes eliminavam a disputa comercial pondo em dúvida a pureza racial dos concorrentes. Muitos se beneficiaram com o boicote aos comerciantes judeus promovido pelo regime. Mesmo pessoas comuns buscavam vingar-se de vizinhos e desafetos ao denunciá-los à Gestapo, a polícia secreta nazista.

Profissionais liberais, juízes e advogados colaboravam com o regime legitimando julgamentos falsos e outras medidas contrárias a qualquer princípio jurídico. Padres católicos e pastores protestantes fechavam os olhos diante das atrocidades nazistas.

QUESTÃO

- Identifique os elementos visuais utilizados pelos nazistas para causar impacto na população **[doc. 2]**.

O totalitarismo na União Soviética

Objetivo

- Compreender o surgimento do stalinismo e os mecanismos utilizados por Stalin para centralizar o poder e governar as massas.

Termos e conceitos

- Stalinismo
- *Kulaks*
- Planos quinquenais

A construção do regime soviético

Em 1922, foi criada a União das Repúblicas Socialistas Soviéticas. No mesmo ano, o dirigente Lênin sofreu um derrame cerebral e foi obrigado a ausentar-se indefinidamente do governo. Os dois principais líderes bolcheviques eram Leon Trotski (1879-1940), comandante do exército vermelho, e Josef Stalin (1878-1953), na época membro do comitê central do partido **[doc. 1]**. Lênin começou a se preocupar com a ascensão de Stalin, em quem não confiava, e fez um testamento político exigindo sua demissão imediata. Seu sucessor natural seria Trotski, a segunda personalidade mais importante da Revolução.

Após a morte de Lênin, em 1924, contudo, Stalin habilmente manipulou a situação para permanecer como secretário-geral do PCURSS e isolar Trotski, que acabou sendo demitido do cargo de comissário da guerra. Trotski foi expulso da União Soviética e exilou-se no exterior, enquanto Stalin centralizava cada vez mais o poder na União Soviética. A ascensão de Stalin marcou não só o abandono dos ideais que inspiraram a Revolução de Outubro, mas também sua traição. A União Soviética isolou-se do restante do mundo, contrariando a opinião de Trotski de que a revolução socialista devia tornar-se internacional.

No decorrer da década de 1920, os partidos adversários dos bolcheviques foram suprimidos, e os sindicatos e todas as outras instituições ou órgãos criados pela Revolução Russa foram absorvidos pelo Partido Comunista Soviético. Os opositores eram perseguidos, eliminados, obrigados a emigrar ou enviados a campos de trabalho forçado. Enfim, o poder dos sovietes foi substituído pelo do Partido Comunista, que cada vez mais assumiu a direção do Estado na União Soviética um regime totalitário, o **stalinismo**.

DOC. 1 **O Grande Expurgo**

Entre 1934 e 1939, com a ascensão definitiva de Stalin ao poder (1928), a perseguição aos opositores do regime soviético tornou-se mais intensa. O **Grande Expurgo**, como ficou conhecido, resultou na prisão e na execução dos principais dirigentes da Revolução de 1917 e do Partido Comunista. Muitos dos revolucionários executados eram de origem judaica, como o próprio Trotski, que, a mando de Stalin, foi perseguido e assassinado quando estava exilado no México.

DOC. 2 Joseph Stalin (esquerda), Vladimir Lênin (centro) e Mikhail Kalinin (direita) durante o 8º Congresso do Partido Comunista da Rússia, 1919.

O sistema educacional stalinista

Abandonando os ideais humanistas e socialistas que haviam alimentado a Revolução Russa, o Estado soviético tornava-se arbitrário, violento e totalitário. A eliminação da elite dirigente do país causou sérios problemas econômicos e técnicos para o próprio regime.

Na ausência de quadros qualificados, funcionários semianalfabetos tornavam-se encarregados das fábricas, da agricultura ou dos órgãos do governo local. Em 1937, por exemplo, apenas 17,7% dos secretários regionais do partido tinham ensino superior e 70,4% haviam interrompido os estudos no primário.

Assim, Stalin investiu pesadamente na **alfabetização em massa**, alcançando resultados impressionantes em poucos anos. Mesmo possuindo acesso à educação, contudo, as pessoas eram apenas engrenagens de um sistema, crescendo totalmente isoladas do mundo e doutrinadas, desde crianças, para se sacrificarem pelo Estado e pelo líder **[doc. 2]**.

A coletivização forçada da terra

Interessadas na aquisição de terras para o plantio, que seriam conquistadas com a divisão e a distribuição igualitária das grandes propriedades agrícolas, as massas camponesas participaram da Revolução Russa. A esperada reforma agrária, no entanto, foi conduzida com medidas autoritárias e violentas.

A propriedade privada da terra foi substituída pelas **fazendas cooperativas** (*sovkhozes*) e pelas **fazendas estatais** (*kolkhozes*). Cerca de 25 milhões de pequenas propriedades foram estatizadas por decreto. Em resposta, os pequenos proprietários de terras, os ***kulaks***, mantiveram forte oposição aos planos de Stalin, boicotando o processo de coletivização da terra. Os produtores escondiam suas colheitas e recusavam-se a entregar sua produção ao Estado.

Stalin decretou guerra contra eles. Entre 1930 e 1931, milhões de camponeses foram assassinados, presos ou deportados para campos de trabalho forçado. A produtividade agrícola caiu pela metade e cerca de 10 milhões de pessoas morreram na grande fome de 1932-1933.

A industrialização soviética

A industrialização na União Soviética apoiou-se, em larga medida, na transferência de 30 milhões de camponeses para as cidades a fim de trabalharem nas fábricas. Sendo um país imenso e rico em matérias-primas, priorizou-se a indústria de base em vez da indústria de consumo. Produzia-se carvão, ferro, aço, petróleo, eletricidade etc.

A produção soviética era orientada pelos **planos quinquenais**, planejamentos econômicos elaborados pelo governo, que determinavam as prioridades da produção por um período de cinco anos. Com os planos quinquenais, a produção industrial soviética mais que triplicou entre 1929 e 1940.

Ao mesmo tempo, a população era mantida nos níveis mais baixos de consumo. Faltava-lhes praticamente tudo o que era necessário no cotidiano, desde produtos de higiene a roupas e calçados. Somente a burocracia estatal e os funcionários do partido gozavam de benefícios, como boa alimentação e boas acomodações, distribuídos àqueles que cumpriam metas e eram fiéis aos planos de Stalin.

DOC. 2 **O culto ao líder**

Stalin esforçou-se por construir sua própria imagem como um espetáculo para as massas e, para isso, fez do culto ao Chefe (*Vojd*, em língua russa) o elemento central de seu edifício político. Stalin inventou seu nome, data de nascimento, nacionalidade, educação e até mesmo seu passado, para criar um mito e um culto em torno de si.

"Para o nosso querido Stalin, a Nação", litografia russa de 1949. Museu do Exército, Bruxelas. Um traço característico dos regimes totalitários é o culto à imagem do líder, como se pode observar neste cartaz, que mostra um desenho de Stalin.

QUESTÕES

1. Explique quais foram os objetivos e as principais consequências do Grande Expurgo na União Soviética **[doc. 1]**.

2. Quem eram os *kulaks*? As expectativas desse grupo foram atendidas pelo governo stalinista? Justifique sua resposta.

ANALISAR UM DOCUMENTO HISTÓRICO

O realismo socialista

Desde o começo da Revolução Russa, as artes adquiriram grande importância no projeto de construir uma nova sociedade e um novo homem revolucionário. Com o fortalecimento do regime stalinista, a atividade artística tornou-se uma questão de Estado. Em 1934, durante o Primeiro Congresso dos Escritores Soviéticos, foi aprovada a designação realismo socialista para definir as diretrizes oficiais para as artes sob o regime soviético.

Segundo o realismo socialista, todas as manifestações culturais deveriam ter compromisso com a educação e a formação dos trabalhadores soviéticos. Para promover a construção do socialismo, a arte teria de ser acessível à população. Por intermédio de pôsteres e cartazes, os artistas deveriam utilizar formas figurativas e descritivas, incluindo operários e camponeses idealizados, para divulgar temas nacionais e propagandas do governo.

Ao estabelecer parâmetros oficiais para a arte soviética, o stalinismo desprezou o que vinha sendo produzido por alguns artistas desde o início do século XX. As pesquisas e as experimentações estéticas perderam espaço e foram bloqueadas. A criação artística ficou subordinada a um programa político-partidário, limitando qualquer tentativa de inovação.

Para compreender o documento

Esse pôster, de 1952, é um dos exemplos da arte do realismo socialista. Ele celebrava mais uma conquista dos planos quinquenais impostos por Stalin para expandir a produção econômica soviética.

Note que os dizeres do cartaz estão escritos em alemão. Isso se explica porque a exaltação da figura de Stalin ocorria em todo o bloco soviético, e a Alemanha Oriental era fiel seguidora do regime stalinista.

1. Observe o destaque dado para a figura de Joseph Stalin.
2. Ao redor do "grande líder" e ao fundo aparece uma multidão de pessoas sorridentes e vigorosas.
3. O dirigente se confunde com a nação, como se encarnasse os interesses de toda a população.
4. Atrás de Stalin, um cartaz com os dizeres "A construção em larga escala do comunismo" mostra a construção de um canal no grande território da União Soviética.
5. Nas laterais do mapa, vemos prédios e torres de transmissão de energia, símbolos da grandeza soviética propagandeada pelo regime.

QUESTÕES

1. Quais aspectos do totalitarismo stalinista estão presentes nesse cartaz?
2. Relacione a forma e o conteúdo do cartaz com as características do realismo socialista.

"A construção em larga escala do comunismo", cartaz alemão oriental de 1952. Museu Grassi, Leipzig.

A Guerra Civil Espanhola

› Objetivo

▸ Relacionar a Guerra Civil Espanhola com o confronto entre fascismo e democracia, que marcou o período do entreguerras.

› Termos e conceitos

• Brigadas Internacionais
• Guerra Civil Espanhola

Origens da Guerra Civil Espanhola

Nos primeiros anos do século XX, a Espanha era regida por uma monarquia. O descontentamento com o governo, entretanto, levou à sua dissolução e à proclamação da república em abril de 1931. Imediatamente, os republicanos iniciaram uma série de reformas sociais: separação entre Estado e Igreja, reforma agrária, estabelecimento de direitos trabalhistas etc.

Na década de 1930, as reformas republicanas polarizaram as forças políticas no país. Por um lado, o movimento operário as considerava insuficientes. De outro, a direita monarquista e católica, assustada com o ritmo das mudanças, decidiu organizar um golpe de Estado. Assim, em julho de 1936, um grupo de generais, entre eles Francisco Franco, tentou depor o governo republicano.

A tentativa de golpe não foi bem-sucedida, e o território espanhol rachou-se em dois: uma parte controlada pelo governo republicano legítimo e a outra invadida pelo exército de Franco **[doc. 1]**. O governo republicano manteve o controle da marinha, da guarda civil e da guarda de assalto, mas não tinha como se defender sem o exército.

Os integrantes do governo decidiram, assim, fornecer armas ao povo, que começou a se organizar em milícias coordenadas pelo movimento operário. Além disso, para cooperar com os republicanos, formaram-se unidades de voluntários que viviam na própria Espanha ou que vinham de outras partes do mundo para compor as **Brigadas Internacionais**. Eram 60 mil combatentes oriundos de 53 países e dispostos a lutar na **Guerra Civil Espanhola** para impedir a vitória do fascismo na Espanha **[doc. 2]**.

Hitler e Mussolini também forneceram equipamentos aos exércitos de Franco. Diante dessa situação, os republicanos recorreram à União Soviética de Stalin, que lhes fornecia armas, equipamentos e um corpo de especialistas militares.

Em 1938, a ajuda soviética começou a diminuir até cessar completamente. Isso desequilibrou os lados em conflito em favor das forças franquistas, já que Franco contava com o apoio maciço da Itália e da Alemanha. Internamente divididos e sem apoio do exterior, os revolucionários foram derrotados pelas forças franquistas no início de 1939.

Conteúdo digital Moderna PLUS http://www.modernaplus.com.br
Vídeo: Guerra Civil Espanhola
Filme: *Terra e liberdade*. Diretor: Ken Loach. Itália/Espanha/Inglaterra, 1995

QUESTÃO

› Registre a impressão que George Orwell teve da cidade de Barcelona quando a visitou em 1936 [doc. 2].

DOC. 1 **A Espanha dividida**

Fonte: *Atlas histórico*. Barcelona: Marin, 1997. p. 196.

DOC. 2 **Relato de um escritor**

O escritor George Orwell, voluntário das Brigadas Internacionais, relatou suas impressões ao chegar a Barcelona em 1936.

"Era a primeira vez que eu estava em uma cidade controlada pela classe operária [...]. Aparentemente era uma cidade onde as classes ricas tinham quase deixado de existir. Fora algumas poucas mulheres e estrangeiros não havia nenhuma pessoa 'bem-vestida'. A maioria esmagadora da população usava roupa de trabalho, macacão azul ou alguma variedade do uniforme de miliciano."

In: FIUZA, Bruno. A revolução abortada. *História Viva*, ano VI, n. 70, p. 38.

Retomar conteúdos

1 Que lugar é reservado ao indivíduo no interior do regime fascista [doc. 4, p. 550]?

2 Exponha os efeitos da crise de 1929 na Europa.

3 Faça um breve resumo das principais etapas que levaram Hitler ao poder na Alemanha.

4 Explique o que foram os planos quinquenais na União Soviética.

5 Qual foi a relevância da Guerra Civil Espanhola no contexto europeu anterior à Segunda Guerra Mundial?

Ler texto e imagens

6 Um mapa é, também, uma forma de transmitir uma ideologia. Dependendo da maneira como ele é desenhado, a visão que se tem sobre determinada região ou acontecimento pode sofrer uma mudança considerável. Observe o mapa e responda às questões.

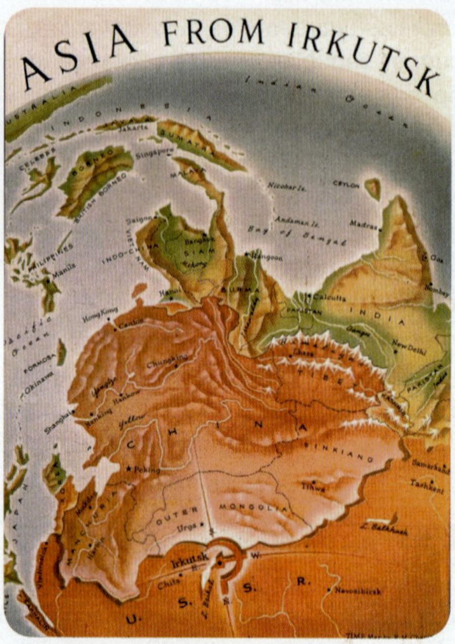

Representação cartográfica de 1952 publicada na revista *Time*, nos Estados Unidos. Universidade de São Diego.

a) Compare este mapa com um planisfério político e responda quais são as diferenças entre as cores e as posições dos países de ambos os mapas.

b) Dois países desse mapa recebem destaque especial. Explique o motivo desse destaque, levando em conta o conteúdo estudado no capítulo, as diferenças entre esse mapa e um planisfério político comum e o símbolo localizado na fronteira entre a China e a União Soviética.

7 O filólogo judeu-alemão convertido ao protestantismo Victor Klemperer (1881-1960), casado com uma alemã, vivenciou o crescimento do nazismo e a conversão em massa da população à doutrina do regime. Na obra que escreveu, o filólogo estudou a apropriação que o nazismo fazia da linguagem. Leia o texto abaixo para responder às questões:

"A linguagem nazista usa empréstimos do estrangeiro e absorve muito do alemão pré-hitlerista. Mas altera o sentido das palavras e a frequência de seu uso. [...] Adapta a língua ao seu sistema terrível e, com ela, conquista o meio de propaganda mais poderoso, ao mesmo tempo o mais público e o mais secreto. [...] Para um judeu ortodoxo, quando o preparo de um alimento escapa às normas preestabelecidas, tornando-o impuro, a purificação consiste em enterrá-lo. Deveríamos enterrar muitas palavras da linguagem nazista na vala comum por longo tempo. Algumas, talvez, para sempre."

KLEMPERER, Victor. LTI. *A linguagem do Terceiro Reich*. Rio de Janeiro: Contraponto, 2009. p. 56.

a) Qual função da linguagem o texto destaca? Explique.

b) Por que, segundo o autor, algumas palavras do vocabulário nazista deveriam ser enterradas para sempre?

8 Destaque as principais características da Guerra Civil Espanhola representadas neste cartaz.

Pôster socialista da Guerra Civil Espanhola, gravura de Marti Bas, c. 1937.

Pesquisar e debater

9 Movimentos a favor das ideias nazistas, chamados de neonazistas, vêm ganhando força nessas duas últimas décadas em alguns países da Europa. Pesquise em jornais, revistas e na internet informações sobre eles e discuta com seus colegas os possíveis motivos que estão levando ao crescimento desses grupos radicais.

Capítulo

32 Vargas e o Estado Novo no Brasil

Portinari e o Estado Novo

As constituições de 1934 e 1937 definiam que o Estado tinha a função de estimular e proteger a produção artística nacional. O então ministro da Educação, Gustavo Capanema, cumprindo esse princípio, garantiu apoio e financiamento a um grande grupo de artistas e intelectuais.

O pintor Candido Portinari, que nasceu em Brodowski, interior de São Paulo, em 1903, foi um dos beneficiados por essa nova relação do Estado com a intelectualidade. Além dele, Mario de Andrade, Heitor Villa-Lobos, Oscar Niemeyer e outros se valeram de vínculos com o Estado Novo.

Portinari recebeu diversos convites oficiais. Um dos mais importantes foi a encomenda de doze painéis para decorar o moderno edifício do Ministério da Educação e Saúde. Os doze afrescos, chamados de *Ciclos econômicos*, cobriram as paredes do salão nobre e destacaram, junto com as atividades produtivas brasileiras, a figura dos trabalhadores braçais, especialmente dos escravos, representados com pés e mãos aumentados.

Fumo, afresco de Candido Portinari, 1938. Detalhe do mural *Ciclos econômicos*. Palácio Gustavo Capanema, Rio de Janeiro.

Seção 32.1

A crise do liberalismo no Brasil

Objetivo

- Compreender as razões que levaram Getúlio Vargas ao poder, em 1930.

Termos e conceitos

- Aliança Liberal
- Revolução de 1930
- Governo Provisório

O Brasil e a crise de 1929

Os anos de 1920 foram especialmente críticos para a República Brasileira. A economia do país, fortemente dependente da produção e da venda de café, sofria com as oscilações cada vez mais abruptas dos preços do produto no mercado internacional. Na expectativa de compensar as perdas, muitos produtores contraíram empréstimos para ampliar as lavouras de café e, dessa forma, aumentar o volume de vendas do produto.

Mesmo assim, a crise econômica mundial de 1929 levou muitos cafeicultores à ruína. Em função da retração do consumo no mercado externo e da queda ainda maior dos preços, os estoques de café se acumularam. Os pedidos de moratória das dívidas e de concessão de novos financiamentos feitos pelos produtores paulistas ao presidente Washington Luís foram negados.

A ascensão de Vargas ao poder

A hegemonia das elites cafeeiras de Minas Gerais e de São Paulo era contestada por vários setores. As classes médias e o operariado urbano, que se ampliavam em virtude da industrialização e da urbanização em curso no país, organizavam-se e exigiam maior representação política, assim como alguns setores do exército, comerciantes, empresários e produtores rurais não vinculados ao café. Nos estados do Rio Grande do Sul, de Minas Gerais e da Paraíba, era grande a insatisfação das elites agrárias com a gestão do governo central.

A campanha presidencial para a sucessão de Washington Luís, ocorrida em fins de 1929, foi bastante turbulenta. Embora pelo acordo entre São Paulo e Minas Gerais a tarefa de indicar o sucessor do então presidente coubesse a Minas Gerais, Washington Luís insistiu em indicar outro paulista para sucedê-lo, o governador de São Paulo Júlio Prestes. Em virtude disso, políticos de Minas Gerais, do Rio Grande do Sul e da Paraíba, descontentes, formaram a **Aliança Liberal** e lançaram a candidatura do gaúcho Getúlio Vargas à presidência e do paraibano João Pessoa à vice-presidência.

DOC. 1 Getúlio Vargas (no centro) chega ao Rio de Janeiro para assumir o governo federal, em 3 de novembro de 1930. Acervo Editora Abril.

A Revolução de 1930

Em março de 1930, as eleições sagraram vencedores os candidatos da situação, Júlio Prestes e o vice Vital Soares. O resultado, porém, foi contestado pela Aliança Liberal. Sem acordo político possível sobre como agir diante desse resultado, a Aliança se dividiu e alguns aliados de Vargas recusaram-se a aceitar a derrota eleitoral, clamando por uma revolução que restaurasse a moralidade republicana.

O assassinato de João Pessoa serviu como pretexto político para o movimento armado. Mineiros, gaúchos, paraibanos e simpatizantes da candidatura Vargas em outras localidades brasileiras passaram à mobilização armada, que acabou por derrubar o presidente em exercício, Washington Luís, em outubro de 1930. O movimento que conduziu Vargas ao poder ficou tradicionalmente conhecido como **Revolução de 1930**.

O Governo Provisório e a centralização do poder

Conduzido ao poder em caráter provisório, Vargas tomou uma série de decisões centralizadoras que repercutiram na economia e na política do país, como a aplicação de medidas de proteção do setor cafeeiro **[doc. 2]**, a suspensão temporária das eleições, a dissolução do Congresso Nacional e dos legislativos estaduais e municipais e o estabelecimento do Decreto nº 19.770, que estabelecia regras para o funcionamento dos sindicatos e os tornava dependentes do Estado.

Durante o **Governo Provisório**, os **interventores**, homens de confiança indicados pelo presidente, substituíram os governadores dos estados. Para o governo de São Paulo, foi designado o interventor João Alberto, militar não paulista. A decisão desapontou não só diferentes setores da burguesia paulista, adversários declarados de Vargas, mas também os membros do Partido Democrático, o PD, fundado em 1926 em oposição ao tradicional Partido Republicano Paulista, o PRP. O PD, que inicialmente havia apoiado Getúlio Vargas, sentiu-se traído pelo governante, uma vez que havia um acordo para que o paulista Francisco Morato assumisse a direção de São Paulo.

João Alberto demitiu-se do cargo em virtude do aumento da pressão interna dos democratas e dos republicanos paulistas. Entre novembro de 1931 e fevereiro de 1932, formou-se, então, a Frente Única Paulista (FUP), que reunia membros do PD e do PRP e se opunha ao fortalecimento do poder central.

São Paulo concentrou o maior foco de reação contra o governo varguista. Mas também se formaram frentes únicas nos estados de Minas Gerais e Rio Grande do Sul, que se voltaram contra a excessiva centralização político-administrativa e pela volta de um regime constitucional para a nação.

No início de 1932, o movimento radicalizou-se em São Paulo após a morte de estudantes durante uma manifestação popular. Formou-se, então, o movimento MMDC (sigla composta pelas iniciais dos sobrenomes de quatro dos estudantes mortos: Martins, Miragaia, Dráusio e Camargo), que mobilizou amplos setores paulistas à revolta **[doc. 3]**.

DOC. 2 **A política do café**

"O governo Vargas não abandonou nem poderia abandonar o setor cafeeiro. [...] Um decreto de fevereiro de 1931 estabeleceu que o governo federal compraria todos os estoques existentes no país em 30 de junho de 1931 ao preço mínimo de 60 mil-réis, com exceção dos cafés adquiridos por São Paulo. [...] Mas o problema de fundo subsistia: que fazer com parte dos estoques atuais e futuros que não encontravam colocação no mercado internacional? A resposta surgiu em julho de 1931: o governo compraria o café com a receita derivada do imposto de exportação, e do confisco cambial, ou seja, de uma parte da receita das exportações, e destruiria fisicamente uma parcela do produto. Tratava assim de reduzir a oferta e sustentar os preços. [...] A destruição do café só terminou em julho de 1944. Em treze anos, foram eliminados 78,2 milhões de sacas, ou seja, uma quantidade equivalente ao consumo mundial de três anos."

FAUSTO, Boris. *História do Brasil*. 2. ed. São Paulo: Edusp/ Fundação do Desenvolvimento da Educação, 1995. p. 333-334.

DOC. 3 Cartão-postal de 1932 que homenageia o MMDC, sigla com as iniciais dos nomes de quatro estudantes mortos na revolta paulista de 1932. FGV, Rio de Janeiro.

QUESTÕES

1. Responda às questões sobre a política do governo federal para o café [doc. 2].
   a) Qual era o principal problema que os produtores de café enfrentavam na década de 1930?
   b) Qual foi a solução encontrada pelas autoridades para manter os preços do produto?
2. Observe o cartão-postal e responda às questões [doc. 3].
   a) Qual foi o contexto histórico da criação desse cartão-postal?
   b) Como os estudantes foram representados?

Seção 32.2

O movimento constitucionalista

› Objetivos

- Compreender as razões e o desfecho da Revolução Constitucionalista de 1932.
- Relacionar os principais grupos políticos do Brasil do período à polarização ideológica do entreguerras.

› Termos e conceitos

- Revolução Constitucionalista de 1932
- Ação Integralista Brasileira
- Aliança Nacional Libertadora
- Intentona Comunista

A Revolução Constitucionalista de 1932

No dia 9 de julho de 1932, eclodiu em São Paulo uma revolta armada contra o governo federal, conhecida como **Revolução Constitucionalista de 1932**. A participação direta e indireta da população de São Paulo no movimento foi ampla: profissionais liberais das classes médias, estudantes, intelectuais, clérigos, estrangeiros, mulheres, operariado, negros e índios lutaram contra a "ditadura getulista" **[docs. 1 e 2]**.

Os estudiosos têm chamado a atenção para a grande mobilização popular liderada pelas elites paulistas que, por meio de intensa propaganda – do rádio, da imprensa escrita, de cartazes, de associações civis e corporações profissionais –, conseguiu congregar setores muito distintos em torno da luta em prol de São Paulo e da legalidade constitucional.

O conflito durou três meses. Isoladas, as tropas paulistas foram cercadas em suas fronteiras. O porto de Santos foi fechado pela marinha, o que impediu o acesso ao mercado externo. Apesar de serem muitos, os soldados careciam de munição e de armas. Utilizaram, então, matracas para imitar o som das rajadas das balas de metralhadoras, na falta desse e de outros armamentos **[doc. 3]**. Não havia, também, alimentos, remédios e atendimento médico suficientes para os combatentes. Em outubro de 1932, os paulistas se renderam.

DOC. 1 Cartaz da Revolução Constitucionalista de 1932. FGV, Rio de Janeiro.

DOC. 2 **Batalhões bem singulares**

"Cabe salientar a presença de índios e negros no movimento. Esse tipo de participação, também destacada de qualquer contexto de classe, foi bastante enaltecido. Tendo em vista a 'causa de São Paulo', a classe dominante paulista deixou de lado, em seu discurso, os preconceitos raciais, sempre tão presentes em sua ideologia.

Formou-se um batalhão de soldados negros, a Legião Negra, e seu comandante, J. Lafayette, não poupou elogios à atuação desses soldados [...]. Cabe mencionar que o batalhão foi exterminado. Dessa unidade, não restou nem mesmo o registro dos nomes dos mortos.

Índios do Paraná (Avaí) também formaram um batalhão que se incorporou ao Exército Constitucionalista. Eram em número de 75 e ficaram acantonados no quartel da Legião Negra. [...] Os índios usavam sob a farda os colares de guerreiros. Isto foi interpretado 'como símbolo de que são guerreiros. O colar de guerreiro é a medalha de valente, é a bandeira primitiva de nosso povo' (*Diário Nacional*, 07/08/1932)."

CAPELATO, Maria Helena. *O movimento de 1932*: a causa paulista. São Paulo: Brasiliense, 1981. p. 29-30.

DOC. 3 Batalhão da Revolução Constitucionalista de 1932. Coleção Paulo Florençano, Taubaté.

DOC. 4 Deputados da Assembleia Nacional Constituinte no Rio de Janeiro durante os debates de 1934. À esquerda, está Carlota Pereira de Queirós, primeira deputada federal na história do Brasil.

A Constituição de 1934

Os paulistas, derrotados militarmente, consideraram-se vitoriosos do ponto de vista moral. Getúlio Vargas anistiou amplamente os revoltosos, cedeu às exigências de indicação de um interventor paulista, reafirmando o nome do civil Pedro de Toledo e, sobretudo, convocou, em 1933, eleições para a formação de uma Assembleia Nacional Constituinte, que elaboraria uma nova Constituição para o país **[doc. 4]**. Em 16 de julho de 1934, promulgou-se a Carta Magna, inspirada nos textos de outras constituições, principalmente a alemã de 1919 e a espanhola de 1931.

A Constituição de 1934 mesclava princípios liberais e autoritários. Alguns pontos da legislação merecem destaque:

- O Brasil permaneceu uma República Federativa.
- Reafirmou-se a independência entre os poderes Executivo, Legislativo e Judiciário.
- O voto tornou-se obrigatório (para os brasileiros alfabetizados maiores de 18 anos), universal e direto.
- Introduziu-se o voto feminino **[doc. 5]**.
- Estabeleceu-se o ensino primário gratuito e obrigatório.
- Reafirmou-se a obrigatoriedade do serviço militar.
- Regulamentou-se a propriedade pública de recursos hídricos e minerais.

Ainda que a Carta Constitucional de 1934 estabelecesse eleições diretas para a presidência da república, Vargas acabou sendo eleito indiretamente pela Assembleia Nacional Constituinte para um mandato de quatro anos. Pela norma, Vargas ocuparia o poder até 1938, quando deveriam ser realizadas novas eleições presidenciais no país.

Anos de conflito: o Brasil entre 1930-1937

A primeira metade da década de 1930 foi marcada por um clima de grande agitação e mobilização políticas. Em 1932, sob a direção do ex-tenente Plínio Salgado, organizou-se a **Ação Integralista Brasileira** (AIB), que professava princípios antiliberais e antissemitas. A organização negava a pluralidade partidária e defendia a implantação de um Estado integral, que seria constituído pelo chefe da nação, órgãos representativos das profissões e entidades culturais.

DOC. 5 **O voto de saias**

"Há 76 anos a mulher brasileira ganhou o direito de votar nas eleições nacionais por meio do Código Eleitoral Provisório, de 24 de fevereiro de 1932. Mesmo assim, a conquista não foi completa. O código permitia apenas que mulheres casadas (com autorização do marido), viúvas e solteiras com renda própria pudessem votar.

As restrições ao pleno exercício do voto feminino só foram eliminadas no Código Eleitoral de 1934. No entanto, o código não tornava obrigatório o voto feminino. Apenas o masculino. O voto feminino, sem restrições, só passou a ser obrigatório em 1946.

O direito ao voto feminino começou pelo Rio Grande do Norte. Em 1927, o Estado se tornou o primeiro do país a permitir que as mulheres votassem nas eleições. Ainda em 1927, a professora Celina Guimarães, de Mossoró (RN), tornou-se a primeira brasileira a fazer o alistamento eleitoral. A conquista regional desse direito beneficiou a luta feminina da expansão do 'voto de saias' para todo o país.

Atualmente, as mulheres não só estão à frente de vários ministérios como há uma Secretaria Especial de Políticas para as Mulheres [...]. Apesar do avanço feminino na política, [até as eleições presidenciais de 2006] o Brasil ainda não teve nenhuma mulher eleita presidente. [...]"

Direito de voto feminino completa 76 anos no Brasil. *Correio do Brasil*, 2 fev. 2008. Disponível em www.correiodobrasil.com.br. Acesso em 8 fev. 2010.

Conteúdo digital Moderna PLUS http://www.modernaplus.com.br
Filme: 32 - *A Guerra Civil.* Diretor: Eduardo Escorel. Brasil, 1993
35 - *Assalto ao poder.* Diretor: Eduardo Escorel. Brasil, 2002
O Velho. Diretor: Toni Venturi. Brasil, 1997

DOC. 6 Desfile integralista na cidade do Rio de Janeiro, em 1937. Arquivo Público do Estado do Rio de Janeiro, Rio de Janeiro. Os integralistas não se dirigiam apenas aos membros adultos, mas também aos futuros integrantes.

Símbolos e rituais

Os integralistas criaram palavras de ordem e rituais, como a saudação "anauê", vocábulo de origem tupi de significado incerto, empregado como cumprimento e brado de luta entre guerreiros. O emblema do integralismo era a letra grega sigma (Σ), que corresponde em português à letra "s". Símbolo matemático da adição, a letra significava, no ideário integralista, a união e o fortalecimento da sociedade, mediante a obediência do indivíduo aos desígnios sociais [doc. 6].

A ANL e o Plano Cohen

Em março de 1935, sob a direção do Partido Comunista do Brasil (PCB) e de seu líder, Luís Carlos Prestes, articulou-se a **Aliança Nacional Libertadora** (ANL), frente que aglutinava setores liberais e de esquerda e propunha o fortalecimento da democracia e mudanças radicais no Brasil. A ANL seguia de perto a política das frentes populares europeias, formadas para combater os governos fascistas em ascensão no velho continente. Participavam da ANL comunistas, liberais (progressistas e conservadores), socialistas (reformistas e revolucionários) e anarquistas de diversas correntes.

Acusada de golpista, a ANL foi colocada na ilegalidade em julho de 1935, por meio da Lei de Segurança Nacional. A frente de esquerda começou a organizar, então, apesar da discordância dos liberais, levantes armados no Rio Grande do Norte, em Pernambuco e no Rio de Janeiro de combate ao conservadorismo governamental e ao integralismo.

A **Intentona Comunista**, nome dado pelo governo ao movimento da ANL, foi desarticulada e derrotada rapidamente, no mesmo ano de 1935. Seguiu-se intensa perseguição política e repressão a todos os membros da ANL, acusados de comunistas, golpistas, subversivos e inimigos do regime, apesar de seu variado posicionamento ideológico. Um dos líderes, Luís Carlos Prestes, foi condenado a trinta anos de detenção, e sua esposa, Olga Benário, judia alemã, foi presa e pouco depois deportada para a Alemanha, onde morreu em um campo de concentração.

Nesse clima político repressivo, denunciou-se, em 1937, o **Plano Cohen**, um suposto plano comunista de tomada do poder. Muitas dúvidas pairam quanto à autoria desse projeto, atribuída aos integralistas e ao general Olímpio Mourão Filho, que o teriam forjado para instituir no Brasil um regime forte e ditatorial sob a direção de Getúlio Vargas. Apesar das incertezas, as evidências históricas apontam para o uso político do obscuro plano para que Vargas continuasse no poder.

Vocabulário histórico

Lei de Segurança Nacional

Também conhecida como "Lei Monstro", definia crimes contra a ordem social e política e suspendia direitos constitucionais. Estabelecida em 1935, a principal finalidade da lei era transferir para uma legislação especial os crimes contra a segurança do Estado, submetendo-os a um regime mais rigoroso. Sua aplicação foi reforçada em 1936, quando foi instituído um tribunal de segurança civil e militar, o Tribunal de Segurança Nacional, que julgava processos contra os indivíduos considerados subversivos e suspeitos de ameaçar a integridade nacional.

QUESTÕES

1. Comente a participação de negros e índios na luta de São Paulo contra o governo federal, em 1932 [doc. 2].
2. Como os paulistas foram representados no cartaz [doc. 1]? Qual a função e o sentido da imagem no contexto da Revolução de 1932?
3. Observe a imagem [doc. 4] e releia o texto [doc. 5]. O que se pode dizer sobre a situação da mulher na política nacional desde o primeiro governo Vargas até os dias de hoje?
4. Observe a foto e responda às questões [doc. 6].
   a) Identifique o movimento político representado na imagem e sintetize as suas principais características.
   b) Que símbolos criados por esse grupo estão presentes na foto? Qual a importância desses símbolos?

Seção 32.3

O Estado Novo

› Objetivos

- Conhecer as principais características políticas, econômicas e sociais do Estado Novo.
- Estabelecer relações entre a ditadura de Vargas e os regimes autoritários que se formaram na Europa no mesmo período.

› Termos e conceitos

- Estado Novo
- Ditadura
- Departamento de Imprensa e Propaganda (DIP)
- Consolidação das Leis do Trabalho (CLT)

O golpe de 1937

A divulgação do Plano Cohen serviu de justificativa para o enrijecimento do regime de Vargas. No dia 10 de novembro de 1937, foi publicada no *Diário Oficial da União* uma nova Constituição, redigida por Francisco Campos. Esse conjunto de leis legitimou a permanência de Vargas no poder, suspendeu as eleições, previstas para o ano seguinte, e colocou na ilegalidade as associações e os partidos políticos.

No mesmo dia da divulgação da nova Constituição, à noite, em transmissão radiofônica, Vargas anunciou a implantação do **Estado Novo**, nome que recebeu a **ditadura** que se iniciava no país. De acordo com alguns estudiosos, desde a Lei de Segurança Nacional de 1935, reforçada em 1938 e 1942, arquitetava-se um modelo de governo inspirado em regimes fortes, conservadores e autoritários.

O Estado Novo vigorou de 1937 a 1945. Algumas características foram determinantes durante esse período.

- **Centralização política**. O poder do presidente da república foi ampliado, enquanto a autonomia do Poder Executivo dos estados e municípios foi restringida. O governo central nomeou interventores para os estados, que deviam governar de acordo com as orientações do presidente.
- **Intervenção econômica**. O Estado criou instrumentos de intervenção na economia nacional, por exemplo, fundando empresas estatais.
- **Corporativismo**. Inspirado no fascismo italiano, esse sistema previa a participação de representantes de classe (empresários e trabalhadores), nomeados pelas respectivas associações, para participar da vida política nacional.

A criação desses mecanismos resultou no fortalecimento do governo federal, em especial do presidente, que se colocava acima dos interesses de classe e das instituições de representação política.

DOC. 1 Cartão-postal editado pelo DIP exaltando as realizações do governo Vargas, c. 1937.

Repressão, censura e propaganda

Com a extinção dos direitos democráticos, a vida partidária e eleitoral foi suspensa. Até mesmo antigos aliados, como os integralistas, foram colocados na ilegalidade em 1938. Ao reprimir os integralistas, o governo ditatorial mandava sua mensagem: toda e qualquer atividade ou agremiação política estava terminantemente proibida, independente de sua natureza ideológica.

Durante o Estado Novo, Getúlio Vargas prosseguiu com a repressão política, aprimorando os métodos e os mecanismos repressivos adotados no início do seu governo. Para isso, instituiu uma **polícia secreta**, responsável por vigiar e reprimir descontentes ou opositores do Estado Novo. Além disso, criou um importante órgão institucional de censura e propaganda, o **Departamento de Imprensa e Propaganda (DIP)**, responsável pela formação de uma ampla opinião pública em favor do regime **[doc. 1]**.

DIP

O Departamento de Imprensa e Propaganda foi criado em 1939, subordinado diretamente à presidência da república. O bacharel em direito e jornalista Lourival Fontes chefiou o órgão de 1937 a 1942 e recebeu apoio de importantes intelectuais do período como Cândido Mota Filho e Cassiano Ricardo. As atribuições do DIP eram principalmente:

- Controlar e exercer a propaganda do regime estabelecido **[doc. 2]**.
- Promover manifestações cívicas e culturais.
- Exercer a censura sobre a imprensa e os meios de comunicação em geral.
- Promover exposições demonstrativas das atividades do governo.
- Produzir e divulgar o noticiário oficial.

O DIP ajudou a afirmar o projeto político-ideológico de Vargas: filtrava e censurava qualquer produto, ideário, posição ou notícia desfavorável ao governo, veiculando uma imagem sempre positiva do ditador e de suas realizações.

DOC. 2 **A exaltação do líder**

"Da mesma forma, a máquina da propaganda disseminava o rosto pessoal do regime através de fotos, cartazes, lemas, dísticos, moedas, selos, placas comemorativas. Toda a sociedade parece olhar com os 'olhos luminosos [...] de Getúlio'. Seu nome passa a ser doado a grandes instituições, provas esportivas, logradouros públicos; sua vida é recontada em detalhes, passando através de ampla literatura, escrita e encomendada, por uma reescrição mítica de suas qualidades pessoais de chefe predestinado. [...]"

LENHARO, Alcir. *Sacralização da política*. Campinas, São Paulo: Papirus/Unicamp, 1986. p. 47-50.

DOC. 3 **A defesa do Estado interventor**

"O imperialismo do Brasil consiste em ampliar as suas fronteiras econômicas e integrar um sistema coerente, em que a circulação das riquezas e utilidades se faça livre e rapidamente, baseada em meios de transporte eficientes, que aniquilarão as forças desintegradoras da nacionalidade. [...] Desde que o mercado nacional tenha a sua unidade assegurada, acrescendo-se a sua capacidade de absorção, estará solidificada a federação política. A expansão econômica trará o equilíbrio desejado entre as diversas regiões do país, evitando-se que existam irmãos ricos ao lado de irmãos pobres. No momento nacional só a existência de um governo central forte, dotado de recursos suficientes, poderá trazer o resultado desejado."

Getúlio Vargas. A nova política do Brasil. Rio de Janeiro: José Olympio, 1938-1947. v. 5. p. 164-165. In: DEL PRIORE, Mary. *Documentos de história do Brasil*: de Cabral aos anos 90. São Paulo: Scipione, 1997. p. 93.

A política econômica

Ao longo do Estado Novo promoveu-se uma diversificação ainda maior das atividades econômicas. Foram criados muitos órgãos governamentais de regulamentação e controle de vários setores produtivos agrícolas e industriais. Os institutos, autarquias e conselhos econômicos foram mecanismos criados para que o Estado interviesse de forma mais ampla e integrada no conjunto da economia nacional **[doc. 3]**.

A industrialização e a urbanização continuaram se expandindo expressivamente, sem o abandono, contudo, da agroexportação de produtos como café, açúcar e cacau. Vargas instituiu diversos órgãos para regulamentar e controlar a produção e a comercialização de insumos agrícolas e extrativos: Instituto Nacional do Mate (1938), Instituto Nacional do Sal (1940), Instituto Nacional do Pinho (1941) etc.

O Estado tornou-se empresário em setores considerados básicos ou essenciais para o desenvolvimento industrial. Criou companhias estatais como a Companhia Siderúrgica Nacional (1941) **[doc. 4]** e a Companhia Nacional de Álcalis (1943). Além disso, criou, em 1942, a Companhia Vale do Rio Doce, empresa de capital misto, com controle acionário do governo federal. Hoje, é considerada a maior empresa privada do Brasil.

Embora não se possa afirmar que o Estado Novo tenha praticado uma política preferencialmente industrializante, iniciou-se, nos anos 1930 e 1940, a transição de um sistema agroexportador para um sistema de base industrial, marcado por uma tendência à maior complexidade socioeconômica e maior competição política entre diferentes setores das elites nacionais.

DOC. 4 Construção da Companhia Siderúrgica Nacional. Volta Redonda, Rio de Janeiro, 1941. Em 1993, a Companhia Siderúrgica Nacional, maior siderúrgica do Brasil, foi privatizada.

A valorização do trabalho

Para os ideólogos do Estado Novo, o trabalho era a única via para construir um país forte e bem-sucedido. Os indivíduos ociosos ou sem ocupação regular, conhecidos como "malandros", eram considerados inimigos internos do regime e avessos ao trabalho e às leis e regras da ordem estabelecida **[doc. 5]**.

O próprio desempregado encontrava-se na posição ambígua e incômoda de ser considerado inimigo da pátria e de seus valores. Como a cidadania se definia pelo trabalho e não por direitos e deveres políticos, o cidadão era por excelência um trabalhador. Aqueles que se encontravam marginalizados do mundo do trabalho, como os desempregados, eram desqualificados e vistos como uma ameaça pelas autoridades.

A política trabalhista do Estado Novo sistematizou algumas práticas que ocorriam no país desde a década de 1930. Em 1939, Vargas instituiu a Justiça do Trabalho, órgão que decidia questões trabalhistas; em 1940, foi criado o decreto-lei que estabelecia o salário-mínimo e o imposto sindical, uma contribuição anual que corresponde a um dia de trabalho e que serviu de instrumento para o financiamento dos sindicatos e para sua subordinação ao controle do Estado.

Em 1943, construiu a uma legislação social de proteção ao trabalho, a **Consolidação das Leis do Trabalho (CLT)**. O documento estabelecia e ampliava importantes conquistas dos trabalhadores brasileiros, como a jornada de 8 horas e férias remuneradas. No entanto, para poderem usufruir de direitos como a lei de férias, por exemplo, os trabalhadores tinham de ter carteira profissional, que só era expedida pelos sindicatos reconhecidos pelo Estado.

Vargas construiu a imagem de protetor dos trabalhadores, graças ao uso intensivo dos meios de comunicação. O rádio servia eficientemente para espalhar a presença onipresente de Vargas pelo país. Foram célebres as suas palestras aos trabalhadores, sempre de teor intimista, via programas radiofônicos. Destacam-se, também, as cerimônias do dia 1º de maio, realizadas em grandes estádios. Nessas comemorações, Vargas costumava anunciar medidas que eram aguardadas pelos trabalhadores **[doc. 6]**.

DOC. 5 **O samba e o trabalho**

Wilson Batista (1913-1968) foi autor de dois sambas que expressavam em suas letras valores muito diferentes em relação ao trabalho.

Texto 1

"Meu chapéu do lado
Tamanco arrastando
Lenço no pescoço
Navalha no bolso
Eu passo gingando
Provoco e desafio
Eu tenho orgulho
Em ser tão vadio
Sei que eles falam
Deste meu proceder
Eu vejo quem trabalha
Andar no miserê [...]"

In: Samba e a verdadeira malandragem (28 abr. 2007). O Estado de S. Paulo. Disponível em www.estadao.com.br. Acesso em 8 fev. 2010.

Texto 2

"Quem trabalha é que tem razão
Eu digo e não tenho medo de errar
O bonde São Januário
Leva mais um operário:
Sou eu que vou trabalhar
Antigamente eu não tinha juízo
Mas resolvi garantir meu futuro
Vejam vocês:
Sou feliz, vivo muito bem
A boemia não dá camisa a ninguém [...]"

In: Muita música. Disponível em www.muitamusica.com.br. Acesso em 8 fev. 2010.

DOC. 6 Getúlio Vargas acena para o público no estádio do Pacaembu, em São Paulo, durante as festividades do Dia do Trabalho, 1º de maio de 1944. CPDOC/FGV, Rio de Janeiro.

QUESTÕES

1. Como o DIP representou na propaganda a relação de Vargas com as massas **[doc. 1]**?

2. Releia o texto e responda **[doc. 3]**.
   a) Para o autor, qual é a relação entre meios de transporte eficientes e crescimento econômico?
   b) Quais seriam as condições para a implantação de ambos?

3. A iniciativa de Vargas de promover a construção de grandes empresas mostra uma característica marcante da política econômica do Estado Novo **[doc. 4]**. Qual era essa característica?

Cotidiano e cultura

› Objetivos

▸ Reconhecer o rádio como importante veículo de comunicação e formador de opinião ao longo da era Vargas.

▸ Analisar a produção cultural do Estado Novo, em especial as charges.

› Termos e conceitos

• Educação
• Meio de comunicação

Educação no Estado Novo

Getúlio Vargas buscou definir e uniformizar parâmetros e diretrizes educacionais. O objetivo era "nacionalizar" as iniciativas públicas voltadas à **educação**, isto é, padronizar o ensino público em seus diferentes níveis, em todo o território nacional, no que se referia às grades curriculares e aos conteúdos das matérias lecionadas. Enfatizou-se o ensino da educação física e da história do Brasil para reforçar, respectivamente, o espírito de disciplina e hierarquia entre os jovens e o respeito à figura de Vargas, que deveria ser visto como o dirigente destinado a conduzir o Brasil à grandeza política e econômica **[doc. 1]**.

Gustavo Capanema, ministro da Educação do então Ministério de Educação e Saúde, procurou reordenar e reorganizar o ensino no país. O analfabetismo foi reduzido e ampliou-se o acesso ao ensino primário, equivalente ao atual ensino fundamental de 1º a 5º ano.

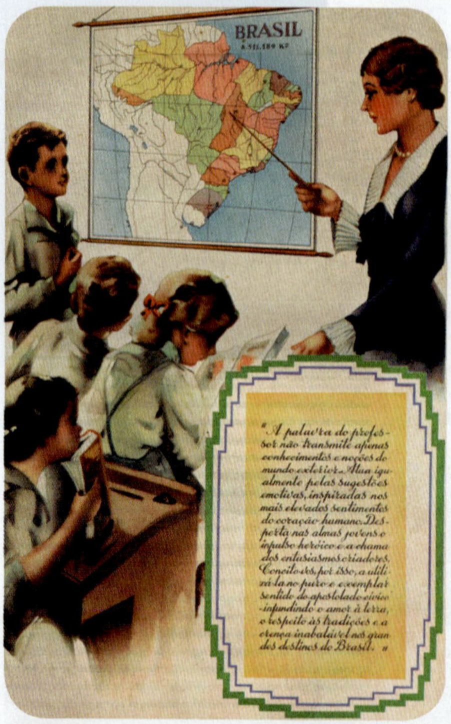

DOC. 1 Página da cartilha da juventude no Estado Novo, publicada pelo DIP, mostrando alunos e professor em uma sala de aula. FGV, Rio de Janeiro. A propaganda ideológica do regime atingia diversas instituições sociais, até mesmo a escola.

Conteúdo digital Moderna PLUS
http://www.modernaplus.com.br
Vídeo: Getúlio Vargas

Cinédia e Atlântida

A produção cinematográfica brasileira era praticamente artesanal nas primeiras décadas do século XX. Não havia conhecimentos técnicos, materiais e dinheiro suficiente para a realização de grandes obras. A indústria norte-americana era a responsável pela maior parte das produções exibidas no país. No entanto, em fins da década de 1920, a sonorização dos filmes preocupava os distribuidores e apontava para um novo cenário das produções nacionais **[doc. 2]**.

Em 1930, Adhemar Gonzaga, diretor e crítico cinematográfico, fundou a **Cinédia**, companhia que esperava conquistar o público do cinema norte-americano. A Cinédia consagrou o humor leve e irreverente de comunicação fácil e imediata com o público. Produziu uma série de comédias musicais, como *Alô, Alô, Brasil*, *Estudantes* e *Alô, Alô, Carnaval*.

Outra companhia cinematográfica que deu importante contribuição ao cinema brasileiro foi a **Atlântida**. Criada no dia 16 de outubro de 1941, produziu aproximadamente 66 filmes durante seus 21 anos de existência, num ritmo regular e com bom retorno de bilheteria. Os maiores astros da empresa foram Oscarito (1906-1970) e Grande Otelo (1915-1993).

DOC. 2 **A esperança no cinema nacional**

"O aparecimento do [cinema] falado parecia indicar que, finalmente, a situação tendia a inverter-se: o cinema estrangeiro seria preterido em favor do brasileiro. O próprio cinema estrangeiro cria uma barreira – a da língua – que iria afastar dele o público e permitir ao cinema brasileiro a ocupação do seu mercado. Acreditava-se que o desenvolvimento da produção nacional viria fatalmente como resultado de um processo natural e necessário. A demanda do público faria com que se produzissem cada vez mais filmes; com o aumento da quantidade, os filmes iriam se aprimorando e em pouco tempo se igualariam em qualidade aos estrangeiros. E mais: desenvolvida a cinematografia nacional, o Brasil poderia mesmo substituir os Estados Unidos nos mercados latino-americanos – a proximidade das línguas faria com que os filmes brasileiros tivessem aceitação garantida."

PIERUCCI, Antônio Flávio de Oliveira e outros. *História geral da civilização brasileira*: o Brasil republicano - economia e cultura (1930-1964). 4. ed. Rio de Janeiro: Bertrand Brasil, 2007. v. 11. p. 569-570.

A era de ouro do rádio

As mudanças na estrutura socioeconômica do país repercutiram especialmente em cidades como Rio de Janeiro e São Paulo. Esses centros urbanos se transformaram em grandes metrópoles e núcleos irradiadores de novos padrões de comportamento, usos, costumes, hábitos e formas de lazer. O futebol, o cinema, o teatro nas suas diversas modalidades, particularmente, o teatro de revista, tornaram-se divertimentos coletivos bastante populares nas grandes cidades. Já o **rádio** ocupava um lugar especial tanto no cotidiano das pessoas do campo quanto no das cidades.

Em 1939, existiam no Brasil mais de 350 mil aparelhos, que ocupavam lugar de honra nas casas. Foi inegável o impacto do veículo no dia a dia. O rádio ditou moda, estimulou o consumo de produtos industrializados, criou novas formas de lazer e convivência e veiculou diferentes sensibilidades, valores e hábitos. Nos dias de hoje, mesmo com a grande oferta de **meios de comunicação**, como os aparelhos de televisão, os mp3 *players* e a internet, o rádio continua a ser um importante veículo de informação e entretenimento.

No espaço doméstico, o rádio constituía a grande diversão. Sua variada programação - noticiários, transmissões esportivas, *shows* musicais, programas humorísticos e novelas - congregava famílias, parentes e vizinhos. Nos bares, a população mais pobre se reunia em torno do rádio, a grande atração. Por meio da sua programação, a música e o humor caipiras conquistaram lugar de destaque tanto nos grandes centros urbanos como no interior.

Vargas, sabendo da importância do rádio como veículo de comunicação das massas, usou-o habilmente. Em 1940, o Estado Novo estatizou a Rádio Nacional, empresa que pertencia ao grupo jornalístico *A Noite*. Vargas nomeou homens de sua confiança para a administração da empresa, que logo se tornou uma das rádios mais importantes da América Latina e um dos principais meios de divulgação das ideias e das realizações do regime varguista **[doc. 3]**.

Na música, o samba se popularizou, consagrando inúmeros compositores e intérpretes como Noel Rosa, Wilson Batista, Ari Barroso, Lamartine Babo, Carmem Miranda, Dirce e Linda Batista, entre tantos outros **[doc. 4]**. As primeiras escolas de samba, fundadas nos anos 1920, foram alvo de manipulação política durante o governo Vargas, que buscava se legitimar por meio delas e reproduzir mitos políticos. No entanto, o espírito popular de humor e crítica social sobreviveu. A riqueza da música brasileira também se revelava em outros gêneros populares, como as marchinhas e os choros, e no campo erudito. Músicos como Heitor Villa-Lobos tentaram aliar o erudito ao popular, misturando vários gêneros musicais.

DOC. 3 **A rádio pioneira**

"Afinal, em 31 de dezembro de 1942, a América Latina ganhara uma das cinco emissoras mais potentes do mundo: a Nacional entrava no ar para transmitir programas diários em quatro idiomas, fazendo a divulgação metodizada da música e do folclore brasileiro lado a lado com a propaganda constante dos principais produtos do país (então o café, o algodão, a borracha e a madeira), por meio de uma estação de ondas curtas de 50kW de potência e oito antenas instaladas pela RCA Victor: duas dirigidas aos Estados Unidos, duas à Europa, uma voltada para a Ásia."

SAROLDI, Luiz Carlos; MOREIRA, Sonia Virgínia. *Rádio Nacional*: o Brasil em sintonia. 3. ed. Rio de Janeiro: Jorge Zahar, 2005. p. 98.

- **Teatro de revista.** Também conhecido como **revista**, foi um gênero de apresentação teatral bastante popular até a década de 1950. Contava com cenários e figurinos suntuosos, números de dança e canto. Algumas apresentações faziam críticas sociais e políticas bem-humoradas.

QUESTÕES

1. Relacione a imagem ao projeto educacional do governo de Getúlio Vargas [doc. 1].
2. De acordo com o texto [doc. 2], qual era a relação entre idioma e cinema falado? Qual era a expectativa no Brasil com a chegada do cinema falado?
3. Após ler o texto [doc. 3], responda.
   a) Qual foi a importância do rádio no Brasil ao longo da década de 1940?
   b) Por que a Rádio Nacional se tornou uma das maiores do mundo? Qual foi sua importância na época e como ela foi utilizada pelo Estado Novo?

DOC. 4 A cantora Carmen Miranda, c. 1940. Carmem Miranda tornou-se um ícone da cultura brasileira, inclusive no exterior.

Uma charge da era do rádio

Quando ocorrem tragédias naturais ou acontecimentos políticos, econômicos ou sociais de destaque, é comum, logo no dia seguinte, que jornais de grande circulação ou mesmo alguns *sites* veiculem desenhos, acompanhados de textos ou não, que satirizam, ironizam ou criticam o personagem ou a situação de forma divertida e inusitada. A essas representações visuais de caráter humorístico e opinativo damos o nome de **charges**. As charges se caracterizam por ser um tipo de imagem de leitura rápida e que abordam temas relevantes do cotidiano do chargista, o artista responsável pela produção da obra. Normalmente, os textos que acompanham algumas charges completam ou explicitam o sentido da imagem.

QUESTÕES

1. Descreva a cena e os personagens nela representados.
2. A charge ressalta o poder do rádio no cotidiano de uma família na década de 1930. Que aspectos da relação entre rádio e cotidiano estão presentes na imagem? Justifique sua resposta.
3. O rádio foi um dos primeiros meios de comunicação de massa. Sobre esse tema, que ironia a charge apresenta?
4. As charges são importantes fontes históricas. Que informações podemos obter por meio da análise desse tipo de imagem?

Ao longo do período do primeiro governo Vargas, as charges foram importantes elementos de crítica e denúncia de aspectos políticos do regime, além de registrar costumes e novos hábitos da sociedade brasileira. Muitas obras do cartunista Seth (pseudônimo de Álvaro Martins) fazem referência à grande penetração do rádio no espaço doméstico no Rio de Janeiro dos anos de 1930 e às transformações que esse veículo gerou no cotidiano das famílias.

Para compreender o documento

As transmissões de rádio no Brasil iniciaram-se na década de 1920, mas foi apenas a partir dos anos de 1930 que houve um grande aumento no número de emissoras e de aparelhos nas casas brasileiras dos grandes centros urbanos. A crescente audiência e os patrocínios resultaram em uma programação mais variada: noticiários, transmissões esportivas, *shows* musicais e humorísticos e novelas. O rádio se tornaria uma das principais fontes de diversão, informação e entretenimento das famílias. Havia programação para os mais variados grupos, juntando, além dos membros da família, agregados, vizinhos, amigos etc.

1. A cena representa a reunião de uma família em torno de um rádio na sala de uma residência.
2. Repare nos vários tipos humanos que fazem parte da cena na sala da casa.
3. Observe a posição de destaque dada ao aparelho de rádio.
4. O principal foco da cena é o pai (ao lado do rádio), em claro contraste com o restante da família.

Família ouvindo rádio, charge de Seth, c. 1930.

O fim do Estado Novo

Objetivo

- Compreender os fatores que acarretaram o fim do governo ditatorial de Vargas, em 1945.

Termos e conceitos

- Força Expedicionária Brasileira
- Pracinhas
- Queremismo

As relações internacionais do regime

Durante o Estado Novo, interesses econômicos e compromissos geopolíticos orientaram a política externa brasileira. Embora ideologicamente a ditadura varguista estivesse muito mais próxima dos regimes nazifascistas europeus, dada a admiração pelos governos fortes e antiliberais, mais afinados com o projeto político brasileiro, o país não rompeu relações com as democracias liberais, e procurou tirar vantagem da rivalidade entre Estados Unidos e Alemanha.

O ministro das Relações Exteriores do governo de Vargas, Oswaldo Aranha, assinou importantes acordos comerciais entre o Brasil e os Estados Unidos em 1933, 1937 e 1939 **[doc. 1]**. Paralelamente, o Brasil também negociava com a Alemanha. Desde a implantação do Terceiro *Reich*, em 1933, o governo nazista procurou acelerar o desenvolvimento industrial da Alemanha, necessitando, para isso, de matérias-primas. O Brasil fornecia produtos primários e recebia, em troca, tecnologia militar da Alemanha. Era notória a admiração de alguns setores das Forças Armadas pelas ideias do regime nazista.

A entrada do Brasil na Segunda Guerra

Com a eclosão da Segunda Guerra Mundial, em 1939, o governo brasileiro manteve uma neutralidade ambígua. Aproveitando-se do esforço de guerra empreendido pelas potências beligerantes, o Brasil enviou matérias-primas e produtos estratégicos, ora aos países do Eixo, ora aos países aliados. Além disso, o governo brasileiro negociava seu alinhamento em troca de dinheiro e tecnologia para a instalação de um parque siderúrgico no país.

Em 1940, o presidente norte-americano Franklin D. Roosevelt concedeu um vantajoso empréstimo ao país, de aproximadamente 20 milhões de dólares, e apoio técnico para a construção da Companhia Siderúrgica Nacional (CSN). Em troca, o governo brasileiro permitiu que tropas norte-americanas se instalassem no Nordeste. Em 1942, rompeu relações diplomáticas com os países do Eixo.

Como represália, ainda em 1942, submarinos alemães torpedearam cinco navios mercantes brasileiros. Esse fato gerou grandes manifestações populares e, poucos dias após os ataques, o Brasil declarou guerra às forças do Eixo. Autoridades britânicas e norte-americanas tentaram desencorajar o Brasil a participar diretamente do conflito. Porém, Vargas insistiu no envio de tropas para a Europa e negociou com Roosevelt as condições para o ingresso do Brasil na guerra.

DOC. 1 O presidente Getúlio Vargas e o presidente dos Estados Unidos Franklin Delano Roosevelt em banquete durante visita do chefe de Estado norte-americano ao Brasil, em 1936. Fundação Biblioteca Nacional, Rio de Janeiro.

Duas instituições militares brasileiras atuaram no desenrolar dos acontecimentos do conflito mundial: a **Força Aérea Brasileira** (FAB) e a **Força Expedicionária Brasileira** (FEB). A FAB, fundada em 1941, contou com a instrução e os equipamentos militares norte-americanos. A principal missão da Força Aérea Brasileira foi o patrulhamento da costa nordestina, cujos portos haviam sido construídos ou modernizados com investimentos vindos dos Estados Unidos.

A Força Expedicionária Brasileira

A **Força Expedicionária Brasileira**, criada em 1943, lutou ao lado de tropas norte-americanas e britânicas. Os **pracinhas**, soldados que integravam a FEB, foram treinados nos Estados Unidos entre 1943 e 1944. Em 1944, os soldados brasileiros desembarcaram na Itália, sob a liderança do general Mascarenhas de Morais e sob o comando geral do general norte-americano Mark Clark. Quase 30 mil brasileiros participaram dos combates na Itália, e mais de quinhentos pracinhas perderam a vida nos conflitos. A participação das tropas brasileiras foi estratégica para conter os alemães no norte da Itália e permitir o avanço dos aliados.

A participação do Brasil nos combates da Segunda Guerra Mundial foi um dos fatores que levaram à derrocada e ao final do Estado Novo. Externamente, o Brasil lutava em prol da democracia e, internamente, vivia sob um regime ditatorial. Essa situação contraditória criou condições para que a oposição política ao regime varguista encontrasse espaço para manifestar-se.

A derrocada do Estado Novo

A contradição provocada pela entrada do Brasil na Segunda Guerra Mundial lutando contra o totalitarismo nazista, enquanto se vivia no plano político interno uma ditadura, permitiu que, principalmente a partir de 1943, as oposições passassem a se proclamar abertamente contra o regime político vigente de então.

Em 1943, o **Manifesto dos Mineiros** pedia o retorno à democracia. De teor bastante moderado, sua importância política talvez tenha sido superestimada pelos estudiosos; em todo caso, o manifesto marcava o afastamento das elites de Minas Gerais do governo.

A crise do regime varguista aprofundou-se em 1944, em virtude das pressões da sociedade civil e dos desentendimentos entre Vargas e os militares da alta cúpula das Forças Armadas, que pouco a pouco retiravam seu apoio ao regime. No próprio seio do governo ocorreram muitas desistências, como a de Oswaldo Aranha, ministro das Relações Exteriores e amigo de Vargas.

Em 1945, foram fundados três partidos políticos: a União Democrática Nacional (UDN), antiga oposição liberal; o Partido Social Democrático (PSD), que reunia as elites rurais e a burocracia estatal; e o Partido Trabalhista Brasileiro (PTB), que tinha como base as massas trabalhadoras urbanas.

Com o fortalecimento da UDN, Vargas aproximou-se do PCB, interessado na capacidade do partido de levar as massas às ruas. Em troca, algumas reivindicações dos comunistas foram atendidas: as relações diplomáticas com a União Soviética foram restabelecidas em abril de 1945 e anistiaram-se os crimes políticos ocorridos desde 1934, acordo que resultou na libertação de Luís Carlos Prestes e de mais uma centena de líderes comunistas.

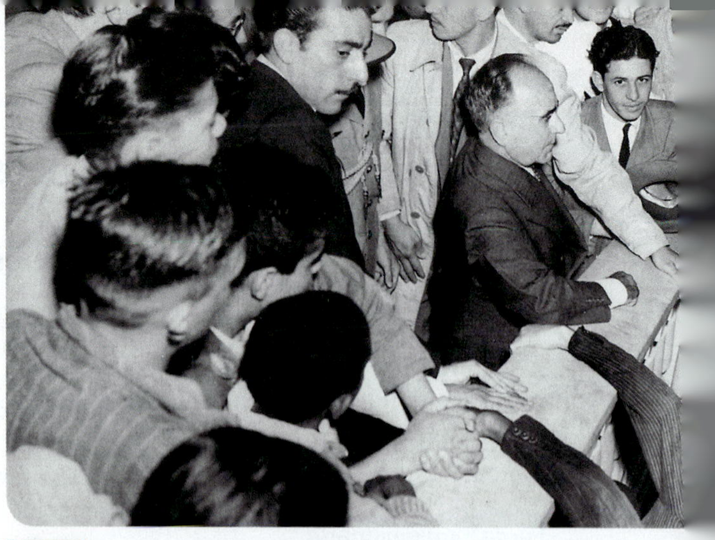

DOC. 2 Após o término de um comício "queremista" no Largo da Carioca, a população dirigiu-se ao Palácio da Guanabara para homenagear o presidente Getúlio Vargas. Rio de Janeiro, década de 1940. Arquivo/Agência Estado.

Em maio de 1945, foi criado um novo Código Eleitoral, que estabeleceu a data da eleição presidencial para dezembro daquele ano. A UDN lançou a candidatura do brigadeiro Eduardo Gomes à presidência da república, enquanto Vargas articulou e endossou a candidatura de Eurico Gaspar Dutra, pelo PSD, contando poder retirá-la caso permanecesse no poder.

A deposição de Vargas

Os meses de setembro e outubro de 1945 foram de intensa atividade política tanto do governo como das oposições, acirrando-se os conflitos entre simpatizantes e oposicionistas do regime.

Um movimento de apoio à continuação do governo de Vargas, chamado **queremismo**, alimentou a suspeita de que o presidente pudesse tramar um golpe. Com o lema "Queremos Getúlio", o queremismo reunia políticos na defesa de que a transição para a democracia ocorresse sob o controle do presidente. A movimentação favorável a Vargas mobilizou a oposição, que passou a defender o afastamento do presidente como garantia de que as eleições ocorressem **[doc. 2]**.

O fator imediato para o fim do governo ditatorial de Vargas foi o afastamento de João Alberto da chefia da polícia do Distrito Federal e a nomeação de Benjamin "Bejo" Vargas, irmão do presidente, para o cargo, o que desagradou profundamente os militares. Como Vargas não abriu mão de sua indicação, as Forças Armadas mobilizadas forçaram a renúncia de Vargas em troca de garantias pessoais para ele e sua família. Na noite de 29 de outubro de 1945, findava o Estado Novo. No poder, ficava José Linhares, presidente do Supremo Tribunal Federal, até as eleições de 2 de dezembro de 1945.

QUESTÃO

- Elabore um texto expondo a participação brasileira na Segunda Guerra Mundial e as consequências desse fato para o governo de Vargas.

Retomar conteúdos

1 Uma combinação única de fatores políticos e econômicos levou Getúlio Vargas ao poder, em 1930, e condicionou muitas das ações de seu governo. Sobre esse aspecto, responda.

a) Identifique os fatores políticos que levaram Vargas à presidência, em 1930.

b) Qual era o principal produto de exportação do país no período? De que forma o setor foi afetado pela crise de 1929?

c) Que medidas foram tomadas para proteger esse setor?

2 O Estado Novo foi um período ditatorial, marcado por algumas características. Quais foram elas?

3 Na década de 1940, o rádio tornou-se um importante meio de comunicação de massas.

a) Caracterize as modificações que o rádio trouxe para o cotidiano dos brasileiros.

b) Quais eram as principais características da programação das rádios nesse período?

c) Como Vargas utilizou o rádio durante o Estado Novo?

4 Explique por que a propaganda é um elemento importante nos regimes políticos autoritários e totalitários.

5 Que contradição surgiu entre o posicionamento do Brasil na Segunda Guerra Mundial e a política do Estado Novo? Que consequências esse posicionamento trouxe para o regime?

Ler texto e imagens

6 Ao longo das décadas de 1930 e 1940, o governo norte-americano promoveu uma série de atividades que buscavam melhorar as relações dos Estados Unidos com os demais países do continente americano. Observe a imagem a seguir.

Cena da animação *Saludos amigos*, de 1942.

a) Identifique os personagens representados na imagem e os relacione à política diplomática adotada pelos Estados Unidos.

b) Aponte outros esforços que foram feitos para aproximar o Brasil dos Estados Unidos e vice-versa.

7 Leia a letra de música a seguir e responda às questões.

Brasil brasileiro!
"Meu coração é pequeno
Mas cabe inteirinho
Meu Brasil moreno
Brasil que os poetas
Cantaram em teu louvor
[...]
Brasil! Meu Brasil de verde-mar
Gigante que desperta
De um sono secular
Brasil! Orgulho do brasileiro
Tens no leme do teu barco
Um heroico timoneiro
[...]
Brasil! Meu Brasil tão querido
Espelhas o mundo com o Estado Novo
Eu vou cantando feliz
Esses versos que fiz em teu louvor
Que é uma mensagem sincera
Do teu trovador!"

Sebastião Lima e Henrique de Almeida. *Brasil brasileiro!* [1942]. Álbum *O ciclo Vargas*: uma visão através da música popular. Rio de Janeiro: Fundação Roberto Marinho e Sesc São Paulo/ Estúdio Transamérica, 1983.

a) De que forma o compositor descreve o Brasil?

b) Quem é o "heroico timoneiro" ao qual a música se refere? Qual papel ele desempenharia?

c) Relacione a letra da música à política colocada em prática pelo DIP.

• **Timoneiro.** Indivíduo que dirige uma embarcação.

Pesquisar

8 Faça uma pesquisa sobre o papel da CLT na época de sua criação, em 1943, e verifique as mudanças que a lei estabeleceu para trabalhadores e empregados. Depois, estabeleça uma comparação com o mercado de trabalho brasileiro contemporâneo, pesquisando sobre o assunto em jornais, *sites* e revistas. Indique se houve mudanças ou não na condição dos trabalhadores brasileiros e as diferenças existentes entre as legislações trabalhistas das duas épocas.

Capítulo

33

A Segunda Guerra Mundial

› 33.1 Rumo à guerra total

A invasão da Polônia pelas tropas nazistas, em 1939, foi o estopim para o início da Segunda Guerra Mundial.

› 33.2 A guerra no Pacífico

A guerra no Pacífico teve como protagonistas o Japão e os Estados Unidos, potências que tinham fortes interesses econômicos na região.

› 33.3 A guerra na União Soviética

Os combates decisivos entre os países do Eixo e as forças aliadas foram travados em território soviético.

› 33.4 A resistência e a contraofensiva dos aliados

Enquanto os soviéticos venciam os alemães na Frente Oriental, os aliados abriam, com o Dia D, uma nova frente para derrotar os nazistas na Europa Ocidental.

› 33.5 Guerra e tecnologia

O lançamento da bomba atômica no Japão até hoje nos assombra por revelar o uso da ciência a serviço da destruição em massa.

"Meu Deus, meu Deus..."

O século XX iniciou-se com a euforia da *Belle Époque*, mas logo o otimismo daqueles anos foi aprisionado nas trincheiras da Primeira Guerra Mundial. O fim desse terrível acontecimento não foi suficiente, contudo, para trazer a paz e o bem-estar à humanidade.

A expansão dos regimes totalitários contribuía ainda mais para agravar a tensão política que pairava sobre a Europa. Assim, mais uma guerra mundial começou, destroçando milhões de vidas e abrindo uma enorme cicatriz na face moderna do século XX, mais uma vez desfigurada pelos horrores de um conflito mundial.

No lugar do burburinho dos teatros, do cinematógrafo, dos cafés e bulevares, das garotas graciosas e dos homens charmosos que passeavam pelas avenidas das grandes cidades, ouviam-se canções de guerra e desfilavam tropas militares, tanques de guerra e soldados, cujas expressões faciais pendiam entre o medo e a raiva, o desespero e o desejo de extermínio.

Ao final de tantos estrondos de bombas, que emudeceram as alegrias das grandes avenidas e bares, ouviu-se um último barulho: o da terrível bomba atômica. Depois, silêncio, ausência, morte e devastação tornaram-se o legado que a humanidade daria às suas futuras gerações.

E lá no alto, em meio a um céu límpido e claro, contrastando perversamente com a destruição no solo japonês, o piloto do avião que jogou a bomba resumiu o horror que os homens deveriam sentir pelo que fizeram. Suas únicas palavras, depois da explosão da bomba, foram: "Meu Deus, meu Deus...".

Abaixo, hangar de sapatos no campo de concentração de Auschwitz, Polônia, 1939; à direita, ruínas de edifício em Hiroshima, Japão, preservado como um memorial aos mortos pela bomba atômica no fim da Segunda Guerra Mundial, foto de 2008.

Seção 33.1

Rumo à guerra total

Objetivo

- Conhecer o contexto europeu que levou à Segunda Guerra Mundial.

Termos e conceitos

- Tratado de Versalhes
- Nazismo
- Conferência de Munique
- Pacto Nazi-Soviético de Não Agressão
- Guerra relâmpago

O período do entreguerras

Dois acontecimentos marcaram profundamente a sociedade e a economia alemãs no período do entreguerras. Em primeiro lugar, o **Tratado de Versalhes**. Assinado no fim da Primeira Guerra Mundial (1919), o documento impôs pesadas sanções econômicas e sociais à Alemanha. O país, considerado o principal responsável pelo conflito, foi obrigado a assumir pesadas reparações de guerra impostas pelos países vencedores. O Tratado significou uma humilhação para o povo alemão, que o considerava "injusto e inaceitável", estimulando o sentimento de revanchismo.

Em segundo lugar, a Grande Depressão de 1929 e seus efeitos na economia alemã. A crise econômica aprofundou a insatisfação da população alemã. As camadas mais altas temiam o surgimento de uma revolução operária nos mesmos moldes da revolução bolchevique na Rússia. Ao mesmo tempo, a descrença na capacidade de a democracia combater os efeitos da crise criou o terreno propício para a penetração de ideias conservadoras e ultranacionalistas, divulgadas pelos partidos de extrema direita. É nesse contexto de crise econômica e de instabilidade política que se deu a formação de um governo totalitário na Alemanha.

Conteúdo digital Moderna PLUS http://www.modernaplus.com.br
Mapa animado:
Avanços ítalo-germânicos antes da Segunda Guerra Mundial
Campanhas na Europa
Vídeo: Amém (2ª. GM)
Hitler
Mussolini

A ascensão de Hitler na Alemanha

Em 1933, Hitler, líder do Partido Nacional Socialista, foi nomeado chanceler da Alemanha, o mais alto cargo executivo do Estado alemão. Iniciavam-se, assim, a vertiginosa carreira política do *Führer* e a ditadura fascista na Alemanha, acontecimentos que seriam fundamentais para a eclosão de um novo conflito mundial.

O que levou os alemães a elegerem um partido que defendia ideias tão autoritárias? Em primeiro lugar, Hitler representava valores arraigados na cultura alemã, especialmente nas elites prussianas, como o ideal de força, expansionismo militar, supremacia da nação e superioridade da "raça ariana" **[doc. 1]**. Diante da grave crise econômica que vivia a Alemanha no período do entreguerras, Hitler também encarnava a figura do líder que tinha força e carisma para superar a crise e permitir um "renascimento nacional". Se uma parte da população alemã rechaçava o **nazismo**, o cenário mudou a partir do momento em que a Alemanha, sob o governo do Terceiro *Reich*, conseguiu retomar o crescimento econômico e reduzir drasticamente o desemprego.

A partir de 1935, Hitler deu início à política de expansão e de militarização do Estado alemão, contrariando as determinações impostas pelo Tratado de Versalhes. Nesse ano, ele mandou oficialmente restabelecer a Força Aérea alemã que, um ano mais tarde, teria papel preponderante no bombardeio sobre Guernica, durante a Guerra Civil Espanhola. No ano seguinte, Hitler ocupou a região da Renânia, na fronteira com a França e a Bélgica.

DOC. 1 Capa de folheto de propaganda nazista, em que se lê "Pais saudáveis – crianças saudáveis!". Gravura colorida de 1934. Museu Histórico Alemão, Berlim. A exibição de famílias vigorosas e felizes era um dos eixos da propaganda nazista.

- **Terceiro *Reich*.** A ascensão de Adolf Hitler ao poder na Alemanha, em 1933, marcou o início do Terceiro *Reich*, período controlado pelos nazistas, que vigorou até 1945. O termo sugeria o retorno a dois períodos gloriosos e prósperos da história alemã: o do Primeiro *Reich* (o Sacro Império Romano-Germânico) e o Segundo *Reich* (o período do Império Alemão de Guilherme II), anteriores à República de Weimar.

O Eixo Roma-Berlim

A política ofensiva alemã, surpreendentemente, não foi contestada pela Grã-Bretanha e França, fato que estimulou ainda mais a investida de Hitler sobre o restante da Europa. Em 1935, a Itália fascista, comandada por Mussolini, invadiu a Etiópia e retirou-se da Liga das Nações. Em 1936, os dois governos estabeleceram o **Eixo Roma-Berlim**, em que se comprometiam a estreitar suas relações econômicas e a lutar contra o comunismo **[doc. 2]**. Pouco tempo depois, Mussolini, demonstrando sua fidelidade ao pacto, adotou as leis raciais de perseguição aos judeus. Estava traçado o caminho da guerra.

A anexação da Tchecoslováquia

A Alemanha foi a grande protagonista das ações que deflagraram a Segunda Guerra. Em 1938, anexou a Áustria formando a *Anschluss*, ou seja, a grande Alemanha. No mesmo ano Hitler reivindicou os Sudetos, região da Tchecoslováquia habitada por uma minoria alemã expressiva. Com o objetivo de dissuadir Hitler de suas pretensões em relação ao território tcheco, França e Grã-Bretanha organizaram a **Conferência de Munique**.

DOC. 2 Hitler (à direita) cumprimenta Mussolini em visita à Itália, em maio de 1938. Na década de 1930, os dois países iniciaram as aproximações que levariam à aliança durante a Segunda Guerra.

O resultado das negociações em Munique foi uma vitória para Hitler. O acordo entregou os Sudetos à Alemanha e deixou a Tchecoslováquia à mercê do expansionismo nazista. No ano seguinte, Hitler estimulou a separação da Eslováquia, governada por um fascista, e anexou a Morávia e a Boêmia à Alemanha. A Tchecoslováquia, enquanto Estado independente, desapareceu do mapa europeu.

É importante notar que, enquanto a Alemanha ampliava seu território na Europa, França e Grã-Bretanha permaneciam na neutralidade. É provável que os traumas da Primeira Grande Guerra, ainda muito recentes na memória de franceses e britânicos, os levassem a procurar evitar, a qualquer custo, uma nova guerra. Acredita-se também que, para França e Grã-Bretanha, a expansão de Hitler freava uma ameaça maior, a do "perigo comunista", que rondava a Europa em agitações sociais contínuas.

A invasão da Polônia e o início da guerra

Seguro da neutralidade anglo-francesa, Hitler voltou-se para a União Soviética. O **Pacto Nazi-Soviético de Não Agressão**, assinado entre Hitler e Stalin em 1939, surpreendeu as potências aliadas, além de grupos de direita e de esquerda em todo o mundo. Tal acordo garantia liberdade de ação para o exército alemão avançar na Europa Ocidental, enquanto a União Soviética recuperava os países bálticos, perdidos no final da Primeira Guerra Mundial. O pacto entre os dois Estados totalitários continha um anexo secreto que garantia a divisão da Polônia entre as duas partes.

Aproveitando o silêncio anglo-francês e acreditando que a União Soviética não interferiria no conflito, no dia 1º de setembro de 1939 as tropas alemãs invadiram a Polônia **[doc. 3]**. A nova ofensiva alemã não deixou saída para França e Grã-Bretanha, pois um acordo assinado entre os dois países e o governo polonês, logo após a Conferência de Munique, garantia a intervenção aliada no caso de invasão da Polônia. Procurando evitar a guerra, os governos de Paris e Londres enviaram um ultimato à Alemanha exigindo a retirada imediata das tropas alemãs do território polonês. A tentativa foi inútil. No dia 3 de setembro, os dois países declararam guerra à Alemanha. Tinha início, oficialmente, a Segunda Guerra Mundial.

Entre 1939 e 1941, a Alemanha expandiu-se rapidamente pela Europa, invadindo e ocupando diferentes países: Polônia, Bélgica, Luxemburgo, Holanda, Dinamarca e Noruega. O objetivo final da ofensiva ocidental era a ocupação da França, que tinha não só importância militar, mas também simbólica. A operação de conquista da França, concluída em junho de 1940 com a ocupação de Paris e altamente festejada pelo Terceiro *Reich*, mobilizou tanques de última geração, lança-chamas, colunas blindadas e bombardeiros **[docs. 4 e 5]**.

DOC. 3 Soldados alemães marcham em avenida após invasão da Polônia, em 1939. A Polônia, cobiçada tanto por alemães quanto por soviéticos, foi um dos países mais atingidos pela destruição causada pela guerra.

A guerra relâmpago

Vencida, a França foi dividida em duas partes: o setor mais industrializado, ao norte, incluindo Paris, a capital, ficou sob controle dos alemães; ao sul, ficava a zona livre, com sede na cidade de Vichy. Nessa área, o governo foi assumido pelo marechal Henry Pétain, que ficou conhecido por sua colaboração com os nazistas. Em Londres, o general Charles de Gaulle estabeleceu a França Livre, de onde passou a combater a invasão nazista.

A estratégia de ataque dos alemães chamava-se *blitzkrieg* – **guerra relâmpago** –, método que consistia em tomar rapidamente as regiões, apoiada nos tanques de guerra e em aviões de combate. A vantagem dessa estratégia era a rapidez com que se liquidava o inimigo e os baixos custos da campanha em relação a uma guerra total.

O isolamento da Grã-Bretanha

Após a conquista da França, a Alemanha investiu contra a Grã-Bretanha. Em vez de atacá-la por mar, atravessando o Canal da Mancha, Hitler optou pelo ataque aéreo, comandado pela *Luftwaffe*, a poderosa aviação de guerra alemã. O plano de invasão, contudo, fracassou, levando os alemães a voltarem seus olhos para a outra direção do continente europeu.

Com exceção da Grã-Bretanha e de alguns poucos países do continente, a Europa Ocidental estava sob domínio alemão. Não se podia dizer o mesmo da Europa Oriental. Assim, em 1941, a Alemanha conquistou, sucessivamente, a Bulgária, a Iugoslávia e a Grécia. O próximo passo de Hitler, o mais ambicioso, era a conquista da União Soviética.

DOC. 4 **A supremacia alemã**

"No verão de 1940, parecia que a Alemanha iria viver no melhor de todos os mundos: vitória, abundância econômica e o retorno de seus guerreiros aos seus lares. Como precaução contra a retomada do conflito, Hitler deu ordens para continuar a produção de novas armas; era preciso duplicar o número de divisões blindadas, aumentar a construção de submarinos e colocar em linha de produção os protótipos de aviões avançados. Porém, não parecia haver nenhuma ameaça de conflito. A União Soviética estava inerte, satisfeita com a incorporação ao seu território das terras que Hitler lhe destinara no acordo com Stalin, anterior à guerra, e com o cumprimento das entregas das matérias-primas que eram uma condição do acordo."

KEEGAN, John. *Uma história da guerra*. São Paulo: Companhia das Letras, 2006. p. 472- 473.

DOC. 5 **As conquistas do Eixo na Europa (1940)**

Fonte: CHALIAND, Gérard; RAGEAU, Jean-Pierre. *Atlas stratégique*. Paris: Complexe, 1988. p. 39.

O Eixo reunia Alemanha, Itália e Japão. Mas foi o exército alemão, altamente treinado e aparelhado, o grande responsável pela rápida conquista da Europa. A Polônia foi vencida em quinze dias, enquanto Bélgica, Luxemburgo, França e Dinamarca, em cerca de seis semanas. Entrava em cena a tática militar da *blitzkrieg*. A mesma tática seria utilizada contra a União Soviética em 1941, no mais ousado e perigoso projeto de Hitler de dominar toda a Europa. Rapidamente, os alemães atingiriam as portas de Leningrado e Moscou.

QUESTÕES

1. Quais foram as razões que levaram as principais nações europeias a se manterem neutras enquanto o nazismo se expandia pela Europa?

2. Explique por que, "no verão de 1940, a Alemanha parecia que iria viver o melhor dos mundos" **[doc. 4]**.

Seção 33.2

A guerra no Pacífico

› Objetivos

▸ Reconhecer os interesses econômicos do Japão e dos Estados Unidos como decisivos para a eclosão da guerra na região do Pacífico.

▸ Entender o funcionamento da economia de guerra.

› Termos e conceitos

- Países do Eixo
- Países aliados
- Economia de guerra

A entrada dos Estados Unidos na guerra

A guerra no Pacífico teve como protagonistas Estados Unidos e Japão e resultou principalmente da ofensiva japonesa sobre a Ásia. A expansão industrial do Japão, acelerada depois da Revolução Meiji, criava uma demanda crescente por recursos naturais como petróleo, ferro e carvão. Para obter essas riquezas, escassas no território, o Japão voltou-se para os países vizinhos.

A política expansionista japonesa teve início em 1931, quando o Japão ocupou a região da Manchúria, no norte da China. Nessa área, os japoneses criaram o Estado de Manchukuo, subordinado ao governo de Tóquio. A expansão militar do Japão prosseguiu com a invasão de Xangai, Nanquim e o sudoeste da China. A forte resistência chinesa desencadeou a Guerra Sino-Japonesa, em 1937, que se estendeu até 1945.

Os norte-americanos, diante da ameaça japonesa no Oriente, começaram a reforçar o seu arsenal naval, tanto no Pacífico quanto no Atlântico Norte. Além disso, impuseram um embargo comercial ao Japão, que atingia principalmente o fornecimento de petroleo. O Japão, então, decidiu atacar, preventivamente, os Estados Unidos, na tentativa de neutralizar a única potência que poderia ameaçar sua influência na região **[doc. 1]**.

Assim, em dezembro de 1941, o Japão atacou a base aérea norte-americana de **Pearl Harbor**, no arquipélago do Havaí, provocando a entrada dos Estados Unidos na guerra. Alguns dias depois, a Alemanha e a Itália, aliadas do Japão no bloco dos **países do Eixo**, declararam guerra aos norte-americanos. A entrada dos Estados Unidos na guerra significou um grande reforço ao bloco dos **países aliados** e um marco na internacionalização do conflito, pois atrás deles vieram outros países, como Brasil e México.

Conteúdo digital Moderna PLUS http://www.modernaplus.com.br
Mapa animado:
A expansão japonesa
Os alinhamentos europeus
Vídeo: Ataque a Pearl Harbor

DOC. 1 A guerra no Pacífico

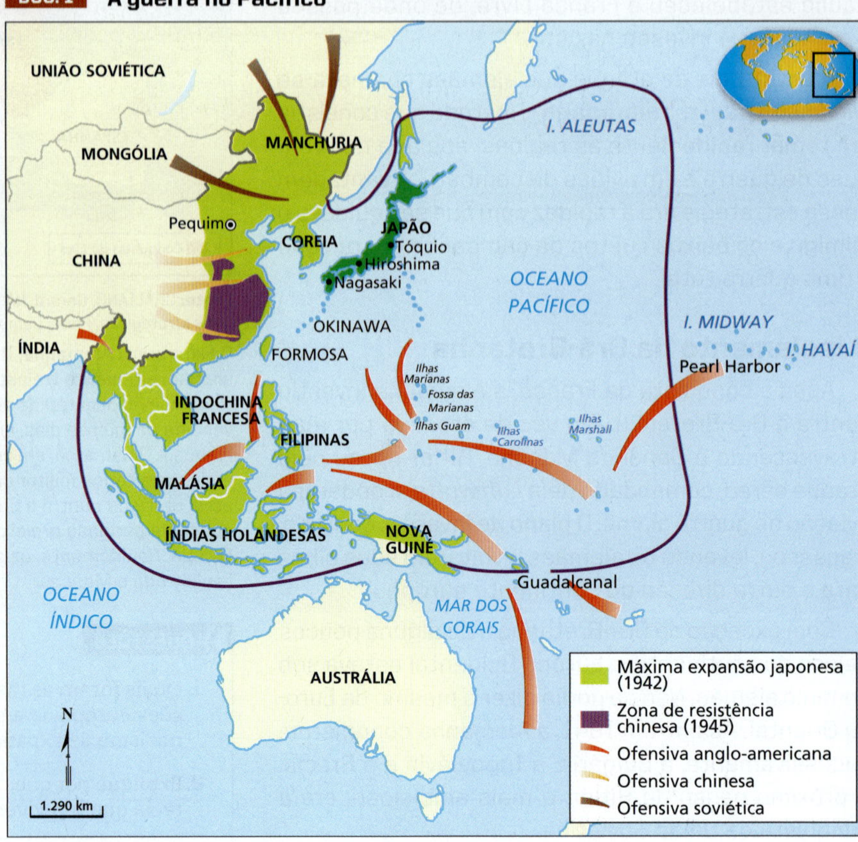

Fonte: CHALIAND, Gérard; RAGEAU, Jean-Pierre. *Atlas politique du XX*[e] siècle. Paris: Seuil, 1988. p. 106.

Em abril de 1941, o Japão assinou um tratado de não agressão com a União Soviética, pré-requisito fundamental para investir em sua política expansionista. A invasão da União Soviética pelos alemães estimulou ainda mais as ofensivas japonesas.

A breve ofensiva japonesa

Apesar da superioridade logística dos norte-americanos e dos aliados, os primeiros seis meses da guerra no Pacífico foram vencidos, ininterruptamente, pelos japoneses. Em junho de 1942, o Japão conquistou a cidade de Hong Kong, as Filipinas, a Malásia e também as Índias Orientais (atual Indonésia), garantindo os suprimentos de petróleo, borracha e outras matérias-primas que lhes eram indispensáveis. A sorte japonesa começou a mudar a partir da Batalha de Midway, em junho de 1942, quando os norte-americanos afundaram vários porta-aviões japoneses e saíram vitoriosos. Parte dessa vitória pode ser atribuída ao fato de os norte-americanos terem decifrado os códigos secretos usados pela inteligência japonesa. Daí em diante a maré virou e a superioridade técnica e industrial dos Estados Unidos passou a pesar contra o Japão.

Efeitos da guerra nos Estados Unidos

O esforço de guerra teve um grande impacto na economia norte-americana, marcando o fim do período da Grande Depressão e a retomada da expansão econômica do país. A produção industrial teve um grande incremento em função da guerra. O modelo de produção em massa, já adotado na indústria automobilística, foi estendido para a indústria bélica, que passou a produzir com o máximo do seu potencial. Nesse contexto, surgiram novos postos de trabalho, a jornada de trabalho diária foi ampliada e houve um aumento no consumo e na renda *per capita* da população norte-americana **[doc. 2]**.

O cotidiano e a população civil

A guerra também alterou o cotidiano, trazendo mudanças sociais significativas para as mulheres e para os negros norte-americanos. As mulheres ocuparam a maioria dos postos de trabalho na indústria bélica, atendendo, em massa, à convocação do trabalho feminino feita pelo governo. Para se ter uma ideia, na cidade de Detroit, em 1943, 91% das vagas criadas na indústria da guerra eram ocupadas por mulheres.

A população civil também era convocada a cumprir o seu "dever patriótico", quer doando toda sorte de metais, quer reciclando materiais como o alumínio – utilizado na produção de aviões –, ou ainda doando dinheiro para o esforço de guerra. Essas práticas eram estimuladas pelas campanhas publicitárias feitas no rádio e no cinema, as formas mais populares de entretenimento durante a guerra. Aliás, a grande expansão econômica dos Estados Unidos no período contribuiu para incrementar a produção cinematográfica.

Do outro lado do Oceano Pacífico, as dificuldades eram bem maiores. A **economia de guerra** japonesa era essencialmente uma "economia da escassez". No início de 1942, cada cidadão recebia uma cota de arroz de apenas 330 gramas por dia. É preciso lembrar que o Japão dependia das importações de alimentos para suprir as necessidades da população. A escassez de alimentos trouxe consequências desastrosas, sobretudo para as crianças e os idosos. Nas grandes cidades, houve surto de tuberculose e de outras doenças que vitimaram a população. À medida que a guerra avançava e o território japonês era constantemente assolado pelos bombardeios norte-americanos, a falta de alimentos no país agravava-se ainda mais.

DOC. 2 **A produção industrial norte-americana**

"Em 1940 havia 8 milhões de norte-americanos desempregados. Em 1943, praticamente não se falava em desemprego e até faltava mão de obra em alguns setores. A semana de trabalho média na indústria de bens duráveis passou de 38 horas, em 1939, para 47 horas em 1943. [...] Entre 1940 e 1945, os trabalhadores norte-americanos fabricaram 80 mil barcaças de desembarque, 100 mil tanques e carros blindados, 300.000 aviões, 15 milhões de armas de fogo e 41 bilhões de cargas de munição. O produto nacional bruto cresceu em ritmo sem precedentes, de 91 bilhões de dólares em 1939 para 214 bilhões em 1945, isto é, 235%. A renda nacional dobrou e tanto os gastos de consumo quanto a poupança cresceram consideravelmente."

WILLMOTT, H. P. e outros. *Segunda Guerra Mundial*. Rio de Janeiro: Nova Fronteira, 2008. p. 125.

Vista geral de linha de produção de aviões bombardeiros Martin B-26, em Baltimore, Estados Unidos, 1941. A produção industrial norte-americana acelerou-se durante a guerra.

QUESTÕES

1. Explique a importância da entrada dos Estados Unidos na Segunda Guerra Mundial.
2. Explique o grande desenvolvimento da economia norte-americana durante a Segunda Guerra **[doc. 2]**.

Seção 33.3

A guerra na União Soviética

› Objetivo

▸ Compreender a importância dos combates na União Soviética para a inversão nos rumos da Segunda Guerra Mundial.

› Termos e conceitos

- Espaço vital
- Batalha de Stalingrado

O espaço vital e a Operação Barbarossa

A guerra era um componente indispensável da ideologia nazista, e a conquista da Europa Oriental, sobretudo da União Soviética, parte essencial da estratégia de Hitler. De acordo com o princípio do **espaço vital**, era necessário ocupar um vasto território onde a nação alemã pudesse se desenvolver.

O objetivo maior era fazer uma guerra de aniquilação do inimigo. Os documentos revelam que Hitler pretendia não somente se apossar das riquezas industriais, agrícolas e petrolíferas da União Soviética, mas também eliminar do mapa as cidades de Moscou e Leningrado, as maiores e mais importantes da União Soviética, no lugar das quais seriam construídas enormes represas.

É preciso lembrar que a ideologia nazista, de forte cunho racista e antissemita, associava a figura do judeu ao do comunista, vistos como parte de um mesmo problema. Não por acaso foi nos países do leste, especialmente na Polônia, que o Terceiro *Reich* planejou e construiu os mais cruéis campos de concentração e de extermínio.

A invasão da União Soviética, em junho de 1941, significou o rompimento do acordo de não agressão e a instauração de uma nova fase da guerra. Considerada uma das maiores operações militares da história, a chamada Operação Barbarossa mobilizou cerca de 4 milhões de soldados do Eixo. Apoiados por tanques, canhões e aviões, eles atacaram numa linha de frente gigantesca, que se estendia dos Estados bálticos até as montanhas do Cáucaso. Mais uma vez, a estratégia da *blitzkrieg* colocou os alemães, em poucas semanas, nas portas das principais cidades russas, assustando o inimigo **[doc. 1]**.

- **Barbarossa.** A operação recebeu esse nome em homenagem a Frederico Barbarossa ("barba ruiva"), imperador do Sacro Império Romano-Germânico, no século XII, tido como herói pelos nazistas.

O exército soviético encontrava-se desguarnecido e despreparado, uma vez que a política de terror do regime stalinista tinha expurgado mais de 60% dos oficiais, levados para campos de concentração ou fuzilados. Alguns meses antes da investida alemã, Hitler teria afirmado: "Ele está como uma lebre diante da serpente", referindo-se a Stalin, o líder soviético.

DOC. 1 **A guerra na União Soviética**

Fonte: PARKER, Geoffrey. *Atlas Verbo de história universal.* Lisboa: Verbo, 1996. p. 132.

Os planos nazistas

Stalin tentava ganhar tempo. Ele não acreditava que Hitler atacasse a União Soviética, pois assim teria que combater em duas frentes - no Ocidente e no Oriente. Com essa estratégia passiva, Stalin pretendia ganhar fôlego para organizar uma guerra ofensiva combinada.

A ofensiva do Terceiro *Reich* se estenderia por mais de 3 mil quilômetros de extensão (de Leningrado a Odessa) e se dividiria em três frentes: Leningrado, símbolo da Revolução Russa, era o alvo ideológico; Moscou, a capital, o alvo político; e Kiev (capital da Ucrânia), o alvo econômico. Para alguns analistas, foi essa estratégia que comprometeu a operação. Hitler chegou a receber críticas internas, mas manteve o plano.

Uma guerra bem mais longa que o previsto

À medida que o inverno se aproximava, as tropas alemãs marchavam cada vez mais lentamente: avançavam, em média, 50 quilômetros por dia. Não havia estradas, e os soldados chegavam a percorrer longas distâncias sem avistar nenhuma vila. As ordens de Stalin eram para que todos os camponeses abandonassem suas casas e queimassem as plantações. Era a tática da terra arrasada, usada para dificultar a sobrevivência dos alemães.

O plano da Alemanha era "colocar a URSS de joelhos" no máximo em quatro meses. Uma série de dificuldades, no entanto, retardava a meta nazista. Caminhões de suprimento alemães tinham dificuldade de avançar em razão da falta de estradas e da chuva, que enchia o caminho de lama. A artilharia pesada alemã atolava e levava de 24 a 48 horas para percorrer somente dez quilômetros.

Com a chegada do inverno, em dezembro de 1941, a situação se agravou. Os soldados não estavam preparados para enfrentar temperaturas que chegavam a atingir 40 graus negativos. O frio trouxe fome e doenças, como tifo e disenteria, além dos piolhos. Mesmo assim, o exército continuou avançando.

No final de 1941, chegando às portas de Moscou, o inverno tornou-se cada vez mais rigoroso e a vantagem passou a ser dos russos. Dos cerca de 250 tanques alemães, restavam pouco mais de 30 alguns meses depois. A falta de preparo para um frio tão intenso dificultava a ofensiva alemã, enquanto o exército vermelho recebia reforços dos siberianos. Parte dos alemães foi salva pelos aviões da *Luftwaffe*, que conseguiu abastecer seu exército despejando suprimentos em meio ao terrível inverno.

DOC. 2 Prisioneiros alemães marcham em rua de Stalingrado, na União Soviética, após serem derrotados pela forças soviéticas em fevereiro de 1943.

A Batalha de Stalingrado

Nenhuma luta simbolizou mais e melhor a força de resistência russa do que a **Batalha de Stalingrado**, em 1942. O cerco à cidade foi impiedoso, atendendo a um desejo pessoal de Hitler. A população civil e militar de Stalingrado envolveu-se obstinadamente na defesa da cidade contra a invasão alemã, travando uma luta rua a rua, casa a casa.

No início de 1943, os oficiais alemães que comandavam a operação em Stalingrado, sem saída, assinaram a rendição **[doc. 2]**. A derrota alemã marcou o início do recuo nazista da União Soviética e da ofensiva aliada.

Durante os quatro anos de batalhas na União Soviética, morreram cerca de 25 milhões de pessoas e foram destruídas 1.710 cidades, 70 mil aldeias, mais de 2.500 igrejas e quase 65 mil quilômetros de ferrovias. A derrota da Alemanha teve um grande impacto e acabou se configurando como a grande virada da Segunda Guerra Mundial.

Conteúdo digital Moderna PLUS
http://www.modernaplus.com.br
Vídeo: Batalha de Stalingrado

QUESTÕES

1. Qual foi o impacto da decisão de invadir a União Soviética para a estratégia militar nazista?
2. Exponha a importância da Batalha de Stalingrado para os rumos que o conflito tomaria a partir de então.

CONTROVÉRSIAS Holocausto: a política de extermínio dos judeus

Vários registros atestam a veracidade do holocausto. Mesmo assim, há pessoas que contestam o extermínio de cerca de 6 milhões de judeus durante a Segunda Guerra Mundial. Recentemente, novos documentos sobre o assunto vieram à luz com a abertura dos arquivos do Leste Europeu, após a queda dos regimes socialistas.

Leia a entrevista do historiador Nicolas Kinloch, especialista em história do holocausto, que discute algumas das principais controvérsias sobre esse assunto, por si só bastante polêmico. Ao ler a entrevista, você vai poder imaginar o sofrimento ao qual foi submetida parte da população que vivia cotidianamente sob o regime nazista.

- **"Quais são as principais áreas de discordância entre os historiadores?**

Existe um debate vigoroso entre funcionalistas e intencionalistas. Os primeiros [...] acreditavam que o genocídio emergiu paulatinamente por meio de uma 'radicalização cumulativa'. Isto é, não havia um plano de longo prazo para exterminar a comunidade judaica. [...] Já na opinião dos intencionalistas, [...] o holocausto teria sido a concretização de um 'antissemitismo eliminacionista' constante na história alemã. Para os defensores dessa visão, os nazistas apenas concederam a alemães comuns a oportunidade de realizar algo que eles sempre desejaram: assassinar o povo judeu.

- **Por que tantos alemães se mobilizaram na matança?**

Um livro importante de Cristopher Browning, *Ordinary Men* (*Homens comuns*), não publicado no Brasil, debruçou-se sobre o comportamento assassino de um batalhão da Polícia de Reserva na Polônia, em 1942. A descoberta foi que ninguém forçou aqueles homens a serem assassinos em massa — eles eram livres para escolher. Isso diz muito. Goldhagen, outro pesquisador que também estudou o grupo, o considerou uma prova concreta de que o antissemitismo eliminacionista infectava os alemães em geral. Já Browning enxerga o grupo como uma prova do baixo nível moral que se instalava de forma generalizada, motivado, em parte, pela insidiosa propaganda nazista, mas, em maior medida, pela extrema brutalidade com que a guerra era lutada no leste.

- **E quanto à negação do holocausto, ela pode ser levada a sério?**

Negar o holocausto é ignorar de forma deliberada uma imensa quantidade de provas, a maioria concedida pelos próprios alemães. Ao contrário do que dizem aqueles que negam esse genocídio, não somos dependentes do testemunho em primeira pessoa de sobreviventes.

- **Quais são as provas existentes?**

São diversas. Temos, por exemplo, os discursos de Heinrich Himmler gravados, nos quais o oficial nazista fala abertamente sobre a matança de judeus como 'uma página de glória em nossa história que nunca foi nem será escrita'. Além disso, há enormes quantidades de fotografias e filmes — as tentativas nazistas de proibir o registro de assassinatos em massa costumavam ser ignoradas — e documentos que descrevem os trens a caminho da morte em Treblinka e Birkenau. Não bastasse isso tudo, temos o testemunho voluntário de uma série de criminosos, até de homens como Stangl, o comandante de Treblinka, e Eichmann, diretor do departamento judeu da SS. Por fim, não podemos ignorar a existência dos campos de extermínio em si. [...] Inexistem motivos históricos para duvidar que quase 6 milhões de judeus foram mortos entre 1941 e 1945."

KINLOCH, Nicolas. Explicações para o injustificável holocausto. *Revista BBC História*. São Paulo: Editora Tríada, Ano 1, n. 1, set. 2009. p. 14-15.

Deportação de judeus poloneses em uma estação de trem em Lodz, Polônia, 1943. A fotografia é um dos vestígios históricos utilizados pelo historiador para estudar o holocausto.

QUESTÕES

1. De acordo com o historiador Nicolas Kinloch, quais são as duas correntes historiográficas que se dividem ao explicar o holocausto?
2. O que o autor afirma sobre a negação do holocausto? Quais são as evidências históricas que comprovam esse terrível acontecimento?

A resistência e a contraofensiva dos aliados

› Objetivos

▸ Conhecer os focos de resistência europeus contra o nazifascismo.

▸ Explicar o fim da Segunda Guerra Mundial.

› Termos e conceitos

- Resistência civil
- Dia D

A resistência contra o nazifascismo

Em 1942, a área ocupada pela Alemanha na Europa atingiu sua máxima expansão **[doc. 1]**. Em praticamente todos os países ocupados, organizou-se um movimento de **resistência civil** contra o invasor, que agia promovendo atos de sabotagem, salvamento de reféns, espionagem e guerra de guerrilhas. Conforme crescia o terror e a dominação do regime nazista, crescia também a resistência, que floresceu inclusive na Alemanha e na Itália.

A luta da resistência ganhou mais força depois da invasão da União Soviética, acontecimento que levou os comunistas franceses a se engajarem na resistência. O apelo à resistência era forte também entre os jovens e os intelectuais. Um grupo de destaque entre os militantes do movimento na França eram os Franco-Atiradores e *Partisans* da Mão de Obra Imigrada. Presos em 1944, todos foram condenados ao fuzilamento. Na Noruega, a força ativista da resistência local atuou sabotando ferrovias e ajudando a deslocar cerca de oito mil judeus para a Suécia, país que se manteve neutro no conflito.

Na Iugoslávia, a resistência civil organizou-se na forma de guerrilha, com força estimada em cerca de 200 mil homens e mulheres. Comandados pelo Marechal Tito, os guerrilheiros comunistas tiveram atuação militar estratégica a partir de 1943, sobretudo após a rendição da Itália. A atuação de Tito chamou a atenção dos aliados, que passaram a apoiá-lo na tarefa de libertação dos países dos Bálcãs. O papel dos guerrilheiros acabou sendo decisivo para a derrota dos alemães na região.

DOC. 1 **Os domínios nazistas em sua máxima expansão (fim de 1942)**

Fonte: FERRO, Marc. *História da Segunda Guerra Mundial.* São Paulo: Ática, 1997. p. 59.

O Dia D e o avanço aliado na Europa Ocidental

A operação decisiva dos aliados na frente ocidental ocorreu com o desembarque das tropas aliadas na Normandia, em junho de 1944, que foi fundamental para a libertação da região noroeste da Europa. O comando principal da Operação Overlord, mais conhecida como o **Dia D**, coube ao general norte-americano Dwight Eisenhower.

Para surpreender os alemães, os aliados simularam um ataque à Noruega com o intuito de desviar a atenção do inimigo, que deslocou parte do seu contingente para essa região. Além disso, um oleoduto submarino foi construído para abastecer a frota de navios da frente aliada e garantir o sucesso da operação. A estratégia surtiu efeito e os aliados pegaram os alemães de surpresa: desembarcaram cerca de 150 mil homens e conseguiram abrir uma nova frente para libertar a Europa da dominação nazista **[doc. 2]**.

Os últimos dias da guerra

O sucesso da operação Overlord abriu caminho para a retomada gradual da Europa Ocidental pelas forças aliadas. Depois da conquista da Normandia, os aliados libertaram Paris em agosto de 1944. Do outro lado, na frente oriental, os russos avançavam rapidamente em direção ao leste da Europa. Para ajudar a ofensiva soviética, os aliados bombardeavam as cidades alemãs.

Em março de 1945, os aliados já estavam em toda parte e em abril, junto dos soviéticos, cruzaram o Rio Elba, anunciando o fim do Terceiro *Reich*. A queda definitiva dos nazistas foi consumada com a conquista de Berlim, em abril de 1945, e o violento bombardeio da sede do poder alemão, a Chancelaria do *Reich*.

Em 20 de abril, na comemoração do seu aniversário, Hitler encontrou-se com a juventude hitlerista no jardim da Chancelaria do *Reich*. Foi sua última aparição pública. Em 30 de abril, ele e sua companheira Eva Braun cometeram suicídio no *bunker* (espécie de fortaleza) da Chancelaria, em Berlim. Era o fim do Terceiro *Reich*. No dia 2 de maio de 1945, a Alemanha assinou a rendição incondicional.

No Pacífico, os japoneses resistiam. Os ataques suicidas dos pilotos *camicases* tornaram-se cada vez mais comuns, e muitos militares preferiam o suicídio à humilhação da rendição. A resistência japonesa e o interesse dos Estados Unidos em afirmar sua supremacia bélica diante da ofensiva soviética encerraram de forma trágica a guerra no Pacífico. No dia 6 de agosto de 1945, os norte-americanos lançaram a bomba atômica sobre a cidade de Hiroshima. No dia 9, outra bomba, dessa vez sobre a cidade de Nagasaki, foi lançada no Japão. Sem saída, o governo japonês capitulou. Terminava a Segunda Guerra Mundial.

- ***Camicase.*** Piloto do Japão que empreendia missões suicidas, jogando seus aviões carregados de bombas sobre alvos militares, como navios.

QUESTÃO

- O que foi o Dia D? Qual foi sua importância na guerra? Responda e justifique sua resposta, baseando-se no conceito estudado.

DOC. 2 O Dia D. As tropas aliadas desembarcam nas praias da Normandia em 6 de junho de 1944 para libertar a França da dominação nazista.

Seção 33.5

Guerra e tecnologia

Objetivo

- Explicar a relação entre a guerra e o desenvolvimento da tecnologia.

Termos e conceitos

- Potencial tecnológico
- Destruição em massa

Conteúdo digital Moderna PLUS http://www.modernaplus.com.br
Vídeo:
As tropas japonesas
Hiroshima

As armas de destruição em massa

Na Segunda Guerra Mundial, pela primeira vez na história da humanidade, todo o **potencial tecnológico** acumulado pelo Ocidente foi utilizado para fins militares ou para a **destruição em massa**. O resultado foi catastrófico: cerca de 55 milhões de mortos, cidades inteiras arruinadas e a produção econômica dos principais países do conflito drasticamente reduzida.

Durante o conflito, as potências militares lutavam entre si para conquistar ou destruir territórios, para matar ou capturar os inimigos e para desenvolver novas armas e tecnologias. O limite desse processo foi o desenvolvimento da bomba atômica pelos norte-americanos, que oferecia potencial de destruição em massa sem precedentes.

No dia 6 de agosto de 1945, a bomba atômica lançada sobre a cidade de Hiroshima destruiu, em poucos segundos, três quartos da cidade, matando imediatamente 78 mil dos seus 250 mil habitantes. Milhares de sobreviventes foram atingidos por queimaduras ou pelo poder deletério da radiação que, entre outras coisas, provoca câncer e alterações genéticas. O poder destrutivo da bomba surpreendeu até a tripulação do avião da esquadrilha que a transportava, o B-29 Enola Gay **[doc. 1]**.

"Uma luz brilhante tomou conta do avião. Viramo-nos para trás, e a cidade estava escondida sob uma impressionante nuvem que crescia em forma de cogumelo. Por um momento, ninguém falou nada. Então, o copiloto, Robert Lewis, bateu repetidamente no ombro de Tibbets dizendo: 'Olha aquilo, olhe aquilo, olhe aquilo!' Era o brilho de mil sóis que teria sido citado por Oppenheimer, em alusão a um texto hindu, durante o teste com a bomba Trinity."

Dossiê Bomba Atômica. *Revista Grandes Guerras*: especial 70 anos da Segunda Guerra. São Paulo: Abril, edição 31, out. 2009. p. 33.

DOC. 1 **Disputa pela tecnologia da bomba atômica**

Nas primeiras décadas do século XX, a descoberta da fissão nuclear e do potencial de elementos químicos radioativos foram as peças-chave que permitiram a criação da bomba atômica. O físico norte-americano Robert Oppenheimer foi o principal responsável pelo desenvolvimento das pesquisas. Na verdade, físicos alemães já vinham trabalhando com a fissão nuclear desde a década de 1930 e, por muito pouco, a tecnologia que permitiu a construção da bomba não caiu nas mãos dos nazistas. Nesse contexto, os Estados Unidos lançaram o projeto ultrassecreto Manhattan, que empregou mais de 100 mil pessoas e consumiu milhões de dólares para conseguir, em pouco mais de quatro anos, desenvolver essa tecnologia. As bombas atômicas lançadas sobre Hiroshima e Nagasaki assombraram o mundo e abriram um precedente muito perigoso do uso militar da tecnologia nuclear, da qual o mundo ainda não conseguiu se livrar.

Nuvem radioativa com 20 quilômetros de altura, em forma de cogumelo, formada pelo lançamento da segunda bomba atômica contra o Japão. Nagasaki, 9 de agosto de 1945.

Os bombardeios aéreos

A tecnologia dos aviões de guerra, aliada ao potencial destrutivo das bombas, transformava a população civil em alvo fácil. As cidades inglesas sofreram repetidos ataques dos bombardeiros alemães, obrigando a população civil a se refugiar nos abrigos antiaéreos espalhados por todos os cantos, no subterrâneo dos campos e das cidades **[doc. 2]**.

O poder de destruição das bombas lançadas dos aviões de guerra variava, podendo demolir desde um simples prédio até devastar uma região inteira. O principal objetivo em destruir alvos militares como fábricas, arsenais e fontes de energia era cortar a comunicação e o abastecimento de armas ou alimentos. Já a destruição de alvos civis, como cidades e a própria população, visava minar o moral do inimigo.

"Uma diretriz do Comando Aéreo Britânico de 14 de fevereiro estabeleceu que as operações '*devem agora atingir o moral da população civil do inimigo e, em particular, dos trabalhadores industriais*'. Logo mil bombas inglesas com explosivos de ruptura choviam sobre cidades alemãs escolhidas — nos ataques noturnos de 24-30 de junho de 1943 a Hamburgo, 80% dos prédios da cidade foram danificados ou destruídos, 30 mil habitantes foram mortos e as ruas ficaram obstruídas com 40 milhões de toneladas de entulho."

KEEGAN, J. *Uma história da guerra*. São Paulo: Companhia das Letras, 2006. p. 477-478.

DOC. 3 Vista da cidade de Dresden, Alemanha, destruída pela guerra. Foto de 1945.

O massacre de Dresden

O bombardeio à cidade alemã de Dresden, já no final da guerra, destruiu a cidade e causou a morte de cerca de 60 mil pessoas. O argumento oficial foi o mesmo usado para justificar as bombas atômicas lançadas contra o Japão: forçar uma rendição total e rápida. Muitos historiadores, no entanto, acreditam que os motivos eram políticos. Dresden situava-se no leste da Alemanha, zona que deveria ser ocupada pelos soviéticos após a guerra **[doc. 3]**.

Se, por um lado, o número de mortos na guerra foi assustador, por outro, houve uma redução dos óbitos causados por ferimentos - cerca de 4% -, número considerado baixo em relação a guerras anteriores. Isso aconteceu em decorrência dos avanços da medicina, do aprimoramento das técnicas cirúrgicas e da descoberta da penicilina, substância que mais ajudou a salvar vidas.

DOC. 2 *Em reparos*, pintura de Laura Knight, 1942. Harris Museu e Galeria de Arte, Preston. A pintora inglesa retratou a vida de civis ingleses em várias situações durante a guerra. Os balões eram usados para impedir a ação dos bombardeiros de mergulho e das bombas V-1 alemãs.

QUESTÕES

1. Como os avanços da ciência foram utilizados na Segunda Guerra Mundial?

2. Relacione os elementos e a temática da pintura com o cotidiano da guerra na Inglaterra **[doc. 2]**.

3. Se é possível dizer que uma guerra deixou algum legado positivo, qual teria sido o mais significativo?

Retomar conteúdos

1 A Segunda Guerra Mundial foi em parte uma continuação da Primeira, tendo sido inclusive prevista por observadores do Tratado de Versalhes. Explique resumidamente a relação de proximidade entre as duas guerras e, em seguida, aponte as diferenças que se destacam entre elas.

2 A França compunha, com outros países, o bloco dos aliados, mas contou também, contraditoriamente, com um governo reconhecido pelo Estado nazista alemão. Descreva a situação política ambígua da França após 1940.

3 Relacione a ideologia do espaço vital à estratégia alemã e japonesa na guerra, diferenciando os espaços cobiçados e os resultados obtidos nessa estratégia.

Ler textos e imagens

4 Leia o trecho a seguir, escrito por Mr. Colville, secretário particular do primeiro-ministro britânico Winston Churchill, em 1941.

"Fui sábado, dia 21 de junho, a Chequers antes do jantar. Estavam lá Mr. Winant [então embaixador dos Estados Unidos na Grã-Bretanha] e Mr. Eden, com suas respectivas esposas, e Mr. Edward Bridges. Durante o jantar Mr. Churchill declarou que era agora certo um ataque dos alemães contra a Rússia e julgava que Hitler estivesse contando atrair a simpatia da ala direita e dos capitalistas deste país e dos Estados Unidos, mas que o *Führer* estava enganado, e que todos nós deveríamos ir em auxílio da Rússia. Winant disse que os Estados Unidos iam encarar a situação da mesma maneira.

Depois do jantar, quando eu passeava [...] com Mr. Churchill, voltou ele a falar daquele tema. Perguntei-lhe se, para ele, o arquianticomunista, ao demonstrar aquela sua simpatia pelos russos, não estaria fazendo uma reverência a uma obra imoral. Churchill respondeu: — Absolutamente. Tenho apenas um objetivo: destruir Hitler. Com isso simplificarei bastante a minha vida. Se Hitler invadisse o inferno, eu faria, pelo menos, alguns comentários favoráveis ao diabo, na Câmara dos Comuns."

CHURCHILL, Winston. *História da Segunda Guerra Mundial*. São Paulo: Nacional, 1950. p. 365. v. 3, 1ª parte.

a) Considerando a data do documento, exponha a situação dos países citados no texto naquele momento da guerra e interprete a última frase de Churchill.

b) Com base no documento, compare as características da aliança entre Estados Unidos e Grã-Bretanha ao acordo que depois se selaria entre esses países e a União Soviética.

5 Durante a guerra, em vários países ocupados pela Alemanha, autoridades, intelectuais, artistas, cientistas, entre outros, colaboraram com o regime nazista por medo ou no intuito de obter vantagens. Sobre isso, observe a imagem e leia o texto da filósofa Hannah Arendt.

O líder do governo francês instalado pelo regime nazista, Philippe Pétain, aperta a mão de Hitler, concordando com as condições impostas pelo líder nazista à França ocupada pela Alemanha, em 1940.

"Para um judeu, este papel de líder judaico na destruição de seu próprio povo é indubitavelmente o capítulo mais sombrio de toda uma história escura.

Em Amsterdã, assim como em Varsóvia, em Berlim como em Budapeste podia-se confiar nos funcionários judeus para fazerem a lista das pessoas e suas propriedades, para apanharem o dinheiro dos deportados, para calcularem as despesas de sua deportação e extermínio, para seguirem a pista de apartamentos vagos, para ajudarem as forças policiais a agarrar os judeus e pô-los nos trens [...]. Eles distribuíam os distintivos das estrelas amarelas e às vezes, como em Varsóvia, a venda de braçadeiras tornou-se um negócio regular. [...] Em Theresienstadt a autonomia judaica foi levada tão longe que até o carrasco era judeu."

ARENDT, Hannah. Um relato sobre a banalidade do mal: Eichmann em Jerusalém. In: BOSI, Ecléa. *O tempo vivo da memória*. São Paulo: Ateliê Editorial, 2003. p. 90.

a) Tanto a foto quanto o texto de Hannah Arendt denunciam uma atitude terrível ocorrida durante a guerra. Identifique essa atitude, extraindo exemplos da foto e do texto de como ela se manifestava.

b) Interprete o significado da expressão "banalidade do mal", utilizada por Hannah Arendt, relacionando-a ao contexto da Segunda Guerra.

Debater

6 O bombardeio aéreo sobre a população civil pode ou não ser considerado um crime de guerra? Aqueles que o condenam argumentam que a proteção dos civis é um princípio muito antigo e deve ser preservado em qualquer situação. Os defensores dessa estratégia, no entanto, argumentam que "a criminalidade também requer a intenção" e mesmo não sendo a população civil o objetivo principal, atingir o moral do inimigo é um alvo legítimo. Reflita sobre o assunto e debata a questão com os colegas.

DOC. 1 Máscara *fang ngil*, Gabão, final do século XIX e início do século XX. Coleção Schindler, Nova York.

DOC. 2 Escultura da fertilidade Akan, Gana, final do século XIX e início do XX. Museu de Arte da Carolina do Norte, EUA.

A arte de vanguarda

A inovação da arte na Europa

A colonização dos países africanos pelas potências europeias, que havia se iniciado no século XIX, consolidou-se durante a primeira metade do século XX. Uma das consequências dessa nova realidade geopolítica foi a afluência de inúmeros artefatos e utensílios africanos aos museus e salas de exposição da Europa. A princípio, a arte das sociedades tradicionais da África chamou a atenção do público europeu por seu valor etnológico e por ser considerada exótica, pois ainda não se reconhecia, na Europa, a qualidade artística dessas obras.

A visão que se tinha da arte africana, contudo, mudou com a arte de vanguarda do começo do século XX. Em sua busca por novas formas de ver e representar o mundo, os artistas modernistas souberam identificar, na arte africana, uma vitalidade que parecia faltar à arte europeia e fizeram daquela arte uma fonte de inspiração para suas pesquisas e criações.

O que fascinou os artistas europeus foi principalmente a maneira não naturalista de os africanos representarem o corpo humano. As partes anatômicas e os traços do rosto convertiam-se em uma abstração quase geométrica das formas. Nos **docs. 1 e 2**, vemos, respectivamente, uma máscara *fang ngil* do Gabão e uma escultura Akan de Gana, que seguem ambas esses preceitos estéticos. Isso não quer dizer que havia uma única arte africana em todas as culturas desse vasto continente. Mesmo existindo diferentes expressões artísticas na África, os modernistas perceberam um único estilo estético. Estavam mais preocupados em reconhecer as características que diferenciavam a arte africana da produção artística europeia.

DOC. 3 *Les Demoiselles d'Avignon*, pintura de Pablo Picasso, 1907. Museu Metropolitano de Arte, Nova York.

O diálogo entre o cubismo e a arte africana

O espanhol Pablo Picasso, um dos fundadores do movimento cubista, foi um dos artistas influenciados pela arte africana. A geometrização das formas proposta pelo **cubismo** parece ter sido inspirada tanto na obra de Paul Cézanne, que acreditava que a pintura deveria representar os elementos da natureza como cones, esferas e cilindros, quanto na escultura vinda da África. A obra *Les Demoiselles d'Avignon* **[doc. 3]**, considerada a primeira pintura cubista, apresenta inclusive a face de pelo menos duas de suas figuras pintada com traços inspirados nas máscaras africanas. O cubismo levou ainda mais longe essa fragmentação geométrica ao decompor os objetos representados, dispondo seus diversos lados num único plano. A mulher sentada à direita no quadro, por exemplo, pode ser observada simultaneamente numa vista frontal, de perfil e de costas, um procedimento revolucionário na pintura até então.

Guernica: a denúncia da guerra

Em 1937, na Guerra Civil Espanhola, forças do general Franco, simpatizante de Hitler e de Mussolini, lutavam contra os republicanos. Em abril daquele ano, aviões da *Luftwaffe*, a força aérea alemã, em apoio a Franco, bombardearam a cidade basca de Guernica. O nome desse pequeno vilarejo ficaria mundialmente conhecido ao servir de título para a pintura de Picasso representando o episódio **[doc. 4]**. Na enorme tela, vemos uma composição em preto e branco em que corpos de pessoas e animais aparecem destroçados. No caso de *Guernica*, a decomposição cubista combina-se a formas surrealistas para revelar todo o sofrimento físico e o trauma psicológico envolvidos no massacre.

A atualidade da obra de Picasso aparece, por exemplo, no projeto *American Guernica* de John Unger, que propôs encher os céus e paredes dos Estados Unidos com *outdoors* e pichações baseados na pintura de Picasso. Unger teve essa ideia depois que o então secretário de Estado norte-americano, Collin Powell, pronunciou um discurso público procurando justificar a invasão do Iraque, em fevereiro de 2003. Powell fez seu pronunciamento à imprensa no prédio das Nações Unidas em Nova York, tendo como pano de fundo uma reprodução de *Guernica*, que, naquele momento, se encontrava coberta por uma grossa cortina azul. Ao que tudo indica, a obra de Picasso intimidou ou envergonhou os burocratas promotores da guerra e, para Unger, isso seria razão mais do que suficiente para espalhar imagens pelo país inspiradas na mensagem de *Guernica* **[doc. 5]**.

DOC. 5 Manifestantes durante protesto pacifista seguram bandeiras do Iraque e da Autoridade Nacional Palestina e carregam *banner* que mostra a pintura *Guernica*, de Picasso. Tessalônica, na Grécia, março de 2004. A obra do pintor espanhol tornou-se um símbolo dos movimentos pela paz mundial.

DOC. 4 *Guernica*, pintura de Pablo Picasso, 1937. Museu Nacional do Prado, Madri.

A inovação da arte no Brasil

No Brasil, também houve, nas primeiras décadas do século XX, um movimento de ruptura com as formas tradicionais de representação e criação na arte. A Semana de Arte Moderna de 1922 fixou-se como o marco inaugural do **modernismo** brasileiro, mas isso não significa que as inovações trazidas por esse movimento tenham sido lançadas naquele evento. Escritores como Mário de Andrade e Manuel Bandeira e artistas como Lasar Segall e Anita Malfatti já haviam produzido e tornado públicas obras bastante influenciadas pelas vanguardas europeias.

Em 1917, ao retornar de uma viagem aos Estados Unidos, a pintora Anita Malfatti realizou uma exposição de pinturas baseadas em princípios estéticos vanguardistas **[docs. 6 e 7]**. O escritor Monteiro Lobato publicou, na ocasião, um artigo intitulado *Paranoia ou mistificação*, em que tecia duras críticas ao trabalho da pintora. O artigo de Lobato foi o estopim para uma grande polêmica no campo da crítica artística brasileira, dividindo artistas e intelectuais entre defensores e detratores das correntes modernas.

O debate certamente deu sustentação à Semana, que comemorava o primeiro centenário da proclamação da independência do Brasil. O evento contou com uma programação de conferências, apresentações artísticas e exposições e foi realizado entre os dias 13 e 17 de fevereiro de 1922 no Teatro Municipal de São Paulo. Uma das noites mais agitadas foi a segunda, quando o poeta Ronald de Carvalho recitou o poema *Os sapos*, de Manuel Bandeira, que ridicularizava os poetas parnasianos e os valores que fundamentavam o gosto nacional.

A crítica aos valores do passado

O parnasianismo era o movimento literário mais apreciado naquele momento e se caracterizava por empregar rigorosas regras de composição na poesia, além de formas e motivos clássicos. Os modernistas viam as regras da poesia parnasiana como um aprisionamento da criatividade que precisava ser combatido. Em contrapartida, propunham uma maior experimentação do estilo. A declamação foi acompanhada por vaias, gritos e achincalhes do público, que não estava acostumado àquela nova linguagem poética.

A Semana de 1922 inaugurou um período de intensa atividade da arte modernista, com a difusão de grupos, manifestos e periódicos vanguardistas no Brasil, de tendências variadas, por vezes até contrárias umas às outras. Uma das mais importantes manifestações do período foi o Manifesto Antropófago, lançado por Oswald de Andrade em 1928. Para ele, a saída para a identidade brasileira se dava pela deglutição das formas culturais e técnicas estrangeiras que invadiam em massa o cenário nacional, sobretudo a partir da década de 1920.

DOC. 6 *O homem amarelo*, pintura de Anita Malfatti, 1916. Coleção Mário de Andrade, Instituto de Estudos Brasileiros - USP.

DOC. 7 *Torso/Ritmo*, pintura de Anita Malfatti, 1915-1916. Acervo MAC-USP, São Paulo.

Antropofagia cultural

A antropofagia cultural proposta por Oswald previa a deglutição das influências culturais estrangeiras, assimilando o que interessasse e descartando o resto. Era uma visão diferente da que predominava na arte brasileira daquele momento, que negava tudo o que fosse estrangeiro para exaltar as tradições nacionais.

A ideia do manifesto ocorreu a Oswald depois que a pintora Tarsila do Amaral lhe deu de presente o quadro *Abaporu* **[doc. 8]**, que, em tupi, significa "homem que come". A pintura apresenta uma figura remotamente humana, de mãos e pés agigantados e cabeça diminuta, sentada em pose meditativa numa paisagem composta simplesmente por um céu azul, um sol alaranjado e um cacto verde.

DOC. 8 *O Abaporu*, pintura de Tarsila do Amaral, 1928. Coleção Costantini, Buenos Aires.

É proibido proibir

Na década de 1960, em pleno regime militar, alguns artistas e intelectuais brasileiros inspiraram-se nas ideias do Manifesto Antropófago de Oswald de Andrade para mais uma vez renovar a cultura brasileira, realizando uma amálgama entre elementos da tradição nacional e inovações estrangeiras. Essa foi a proposta do **tropicalismo**, movimento que teve um grande impacto na música, nas artes plásticas e no cinema do Brasil daquele período.

Um dos momentos mais famosos do movimento tropicalista foi o 3º Festival Internacional da Canção (FIC) em São Paulo. Em 12 de setembro de 1968, Caetano Veloso, um dos principais idealizadores do movimento tropicalista, acompanhado pelo grupo Mutantes, tentou apresentar a canção *É proibido proibir* **[doc. 9]**. Foi recebido por vaias, uivos e até mesmo alguns tomates e ovos, num evento muito semelhante ao ocorrido décadas antes com Ronald de Carvalho.

O público do festival, interessado em ouvir as músicas politicamente engajadas, que denunciavam claramente a ditadura e a situação social no Brasil, não compreendeu a proposta de Caetano. Como ocorreu na Semana de 1922, a música do movimento tropicalista não refletia o gosto predominante no público.

DOC. 9 Caetano Veloso, acompanhado dos Mutantes e de Gilberto Gil, no 3º Festival Internacional da Canção, 1968.

QUESTÕES

1. Comente a influência da arte africana na pintura *Les Demoiselles d'Avignon*, de Pablo Picasso. Justifique com elementos da imagem **[doc. 3]**.
2. Aponte e comente a principal diferença entre a obra *Guernica*, de Pablo Picasso, e o projeto *American Guernica*, de John Unger **[docs. 4 e 5]**.
3. Quais características dessas pinturas **[docs. 6 e 8]** podemos associar com a arte de vanguarda europeia?

PRATICANDO: VESTIBULARES E ENEM

UNIDADE I Totalitarismo e autoritarismo: a caminho da guerra total

1 **(Fuvest-SP)** No Brasil, a defesa de posições culturais nacionalistas se apresenta de formas variadas. Exemplifique-a em dois momentos do século XX:

a) na Semana de Arte Moderna de 1922.

b) no Estado Novo.

2 **(UFG-GO)** O lançamento da bomba atômica sobre Hiroshima e Nagasaki, respectivamente em 6 e 9 de agosto de 1945, provocou a rendição incondicional do Japão na Segunda Guerra. Nesse momento, o mundo ocidental vivia a dualidade ideológica, capitalismo e socialismo. Nesse contexto, o lançamento da bomba está relacionado com

a) o descompasso entre o desenvolvimento da ciência, financiado pelos Estados beligerantes, e os interesses da população civil.

b) a busca de hegemonia dos Estados Unidos, que demonstraram seu poder bélico para conter, no futuro, a União Soviética.

c) a persistência da luta contra o nazifascismo, pelos países aliados, objetivando a expansão da democracia.

d) a difusão de políticas de cunho racista associadas a pesquisas que comprovassem a superioridade da civilização europeia.

e) a convergência de posições entre norte-americanos e soviéticos, escolhendo o Japão como inimigo a ser derrotado.

3 **(UFF-RJ)** Os regimes fascistas que se desenvolvem na Europa entre as duas grandes guerras mundiais tinham como principal instrumento de mobilização o retorno a um passado de glórias, destruído, no caso da Alemanha, pela derrota na Primeira Guerra Mundial. Essa mobilização teve como base na Alemanha:

a) a participação popular no Partido Nacional-Socialista e a política de alianças com a Inglaterra e a França.

b) o apoio às indústrias bélicas e a liderança dos políticos liberais e socialistas.

c) a retomada do nacionalismo e a política expansionista baseada na noção de espaço vital.

d) a crítica às iniciativas dos judeus e o apoio da juventude socialista e comunista nos grandes centros urbanos.

e) o resgate das tradições prussianas e a economia de livre mercado no âmbito da política industrial.

4 **(Enem-MEC/Simulado)** A crise de 1929 e dos anos subsequentes teve sua origem no grande aumento da produção industrial e agrícola, nos Estados Unidos, ocorrido durante a Primeira Guerra Mundial, quando o mercado consumidor, principalmente o externo, conheceu ampliação significativa. O rápido crescimento da produção e das empresas valorizou as ações e estimulou a especulação, responsável pela "pequena crise" de 1920-1921. Em outubro de 1929, a venda cresceu nas Bolsas de Valores, criando uma tendência de baixa no preço das ações, o que fez com que muitos investidores ou especuladores vendessem seus papéis. De 24 a 29 de outubro, a Bolsa de Nova York teve um prejuízo de US$ 40 bilhões. A redução da receita tributária que atingiu o Estado fez com que os empréstimos ao exterior fossem suspensos e as dívidas, cobradas; e que se criassem também altas tarifas sobre produtos importados, tornando a crise internacional.

RECCO, C. História: a crise de 29 e a depressão do capitalismo. Disponível em www1.folha.uol.com.br/folha/educacao/ult305u11504.shtml. Acesso em 26 out. 2008. (com adaptações).

Os fatos apresentados permitem inferir que

a) as despesas e prejuízos decorrentes da Primeira Guerra Mundial levaram à crise de 1929, devido à falta de capital para investimentos.

b) o significativo incremento da produção industrial e agrícola norte-americana durante a Primeira Guerra Mundial consistiu num dos fatores originários da crise de 1929.

c) a queda dos índices nas Bolsas de Valores pode ser apontada como causa do aumento dos preços de ações nos EUA em outubro de 1929.

d) a crise de 1929 eclodiu nos EUA a partir da interrupção de empréstimos ao exterior e da criação de altas tarifas sobre produtos de origem importada.

e) a crise de 1929 gerou uma ampliação do mercado consumidor externo e, consequentemente, um crescimento industrial e agrícola nos EUA.

5 **(Unicamp-SP)** Alguns comunistas franceses encontravam conforto na ideia de que as atitudes de Stalin em relação aos opositores do regime político vigente na União Soviética eram tão justificadas pela necessidade quanto havia sido o Terror de 1793-1794, liderado por Robespierre. Talvez em outros países, onde a palavra Terror não sugerisse tão prontamente episódios de glória nacional e triunfo revolucionário, essa comparação entre Robespierre e Stalin não tenha sido feita.

Adaptado de HOBSBAWM, Eric. *Ecos da Marselhesa*: dois séculos reveem a Revolução Francesa. São Paulo: Companhia das Letras, 1996. p. 67-68.

a) De acordo com o texto, o que permitiu aos comunistas a comparação entre os regimes de Robespierre e de Stalin?

b) Quais os princípios políticos que definiam o regime soviético?

6 **(Unicamp-SP)** Durante o Estado Novo (1937-1945), entidades ligadas à imigração italiana, alemã, síria, libanesa, japonesa, entre outros grupos, foram forçadas a "nacionalizar" seu nome e eleger uma diretoria de "brasileiros natos". Um dos exemplos mais conhecidos de nacionalização do nome são os clubes de futebol como o Palestra Itália, que mudou seu nome, em setembro de 1942, para Sociedade Esportiva Palmeiras.

Adaptado de Cytrynowicz, Roney. Além do Estado e da ideologia: imigração judaica, Estado Novo e Segunda Guerra Mundial. In: *Revista Brasileira de História*, v. 22, n. 44, dez. 2002. p. 408-422.

a) Explique por que o Palestra Itália mudou seu nome.

b) Qual o uso político dos estádios de futebol durante o Estado Novo?

c) Cite duas funções do Departamento de Imprensa e Propaganda (DIP) durante o Estado Novo.

UNIDADE I

Leituras

A noite dos desesperados
MCCOY, Horace.
São Paulo: Sá Editora, 2000.

No período da Grande Depressão dos anos 1930, a fome e o desespero levavam as pessoas a se inscrever em maratonas de dança para competir às vezes até morrer, em troca de comida, roupa ou alguns dólares. Nesta obra, o autor expõe as contradições de uma sociedade que buscava superar a crise por meio da própria degradação.

Antes que os pássaros acordem
MONTELLO, Josué.
Rio de Janeiro: Nova Fronteira, 1987.

Ambientado em Paris, no período da ocupação das tropas nazistas, durante a Segunda Guerra Mundial, o autor trata de temas universais como a angústia e a perplexidade, ao mostrar o episódio sob a perspectiva de um cidadão francês.

A Segunda Guerra Mundial
CHIARETTI, Marco.
São Paulo: Ática, 1998.

Um panorama sobre os fatos mais importantes, o significado, as circunstâncias e as consequências do maior conflito mundial ocorrido até o momento.

Diário de Anne Frank
FRANK, Anne.
Rio de Janeiro: Record, 2003.

O diário de uma adolescente judia que ficou presa com sua família dentro de um sótão durante a ocupação alemã na Holanda. Em meio à situação adversa que viveu, Anne documentou sua vida, acontecimentos da Segunda Guerra Mundial, mas também mostrou que passou por conflitos pessoais comuns a qualquer adolescente.

Memórias do cárcere
RAMOS, Graciliano.
Rio de Janeiro: Record, 2008.

Autor de histórias de ficção geralmente ambientadas no sertão nordestino, denunciando os problemas decorrentes da seca, o escritor Graciliano Ramos conta, nesta obra biográfica, sobre o período em que viveu na prisão durante a Era Vargas, sofrendo torturas e privações impostas pelo regime ditatorial de Vargas.

Filmes

Eternamente Pagu
Direção de Norma Bengell. Brasil, 1987. 100 min.

A história da ativista política Patrícia Galvão, que viveu no início do século XX. Musa da poesia modernista, ela viveu um romance com o escritor Oswald de Andrade. Filiou-se ao Partido Comunista e trabalhou como correspondente em vários países, sendo presa diversas vezes, deixando o partido para se dedicar ao teatro de vanguarda.

Memórias do cárcere
Direção de Nelson Pereira dos Santos.
Brasil, 1982. 185 min.

Baseado na obra de Graciliano Ramos, o filme retrata o período em que o escritor passou na prisão, nos anos 1930, no presídio de Ilha Grande, no Rio de Janeiro, durante a Era Vargas.

Júlia
Direção de Fred Zinnemann. Estados Unidos, 1977. 117 min.

Durante a Segunda Guerra Mundial, uma jovem dramaturga faz amizade com uma ativista antinazista que lhe pede para transportar uma grande soma em dinheiro, da Rússia para a Alemanha, recurso que seria usado para financiar a luta contra o nazismo.

Rapsódia em agosto
Direção de Akira Kurosawa. Japão, 1991. 98 min.

Clark, um jovem norte-americano, vai conhecer seus parentes no Japão. Sua avó, sobrevivente do bombardeio atômico de Nagasaki, ainda sofre com a perda do marido. O encontro de gerações reflete as tristes consequências da Segunda Guerra Mundial.

Cartas de Iwo Jima
Direção de Clint Eastwood. Estados Unidos, 2006. 141 min.

A campanha do Pacífico, durante a Segunda Guerra Mundial, contada sob o ponto de vista dos japoneses. Estabelece um diálogo com o filme *A conquista da honra*, que mostra o mesmo episódio sob a ótica norte-americana.

A queda: as últimas horas de Hitler
Direção de Oliver Hirschbiegel. Alemanha/Itália, 2004. 156 min.

Nos últimos dias da Segunda Guerra na Europa, em que o exército alemão sofria seguidas derrotas, os líderes nazistas refugiam-se em abrigos subterrâneos em Berlim. A derrota inevitável da Alemanha leva os líderes a tomar uma trágica decisão.

Operação Valquíria
Direção de Bryan Singer. Estados Unidos/Alemanha, 2008. 121 min.

Dentro do próprio exército nazista, armou-se uma conspiração para tomar Berlim e derrubar o poder do *Reich*, promovendo um atentado contra Adolf Hitler. Denominada "Operação Valquíria", entre os conspiradores estava o coronel Claus von Stauffenberg.

Site

Anne Frank House
http://www.annefrank.org

Site oficial do museu da casa de Anne Frank, em Amsterdã, que contém detalhes sobre a história da residência, o anexo secreto e outras informações.

UNIDADE J

A Guerra Fria e o conflito de ideologias

Capítulos

Muro do mundo

O Muro de Berlim foi uma criação da Guerra Fria. Durante quase trinta anos, essa barreira de concreto dividiu a cidade de Berlim entre as duas Alemanhas, a Ocidental e a Oriental. Na história e na memória de quem viveu esse período, o Muro de Berlim pode ser considerado o símbolo principal do conflito que separou o mundo em dois blocos rivais: o capitalista e o socialista.

Quando a Alemanha foi dividida em dois países, em 1949, a cidade de Berlim também foi dividida em duas partes, a ocidental e a oriental. Mas as pessoas ainda podiam circular livremente de um lado para outro. Em 1961, porém, arames farpados e os primeiros trechos do muro começaram a ser construídos pelo governo da Alemanha Oriental, fechando a passagem entre os dois lados.

Representação atual de como eram a estrutura e a organização de um trecho do Muro de Berlim nos anos 1970.

Construção e queda do Muro de Berlim

1945

Derrotada na guerra, a Alemanha e a cidade de Berlim são divididas em quatro zonas: norte-americana, francesa, britânica e soviética.

1949

A Alemanha é dividida em dois países: a Alemanha Ocidental (RFA), capitalista, e a Alemanha Oriental (RDA), socialista.

1953

Em junho, uma mobilização de operários na Alemanha Oriental desencadeia uma greve geral por democracia e eleições livres, atingindo várias cidades do país. A repressão do governo foi violenta.

A divisão de Berlim (1945-1949)

Berlim Ocidental situava-se na Alemanha Oriental, isolada do território socialista por 155 quilômetros de cercas e muros.

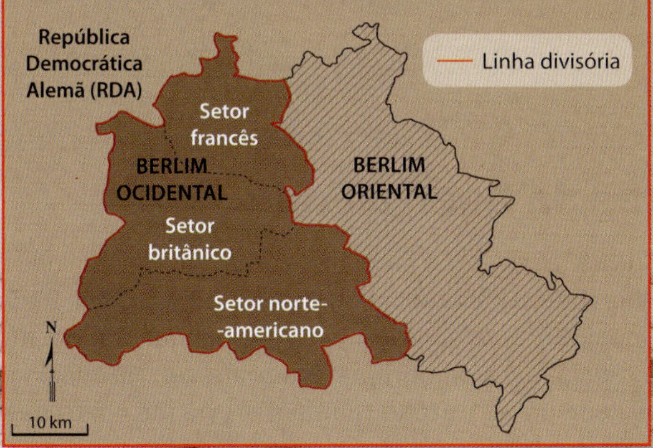

A divisão da Alemanha (1949)

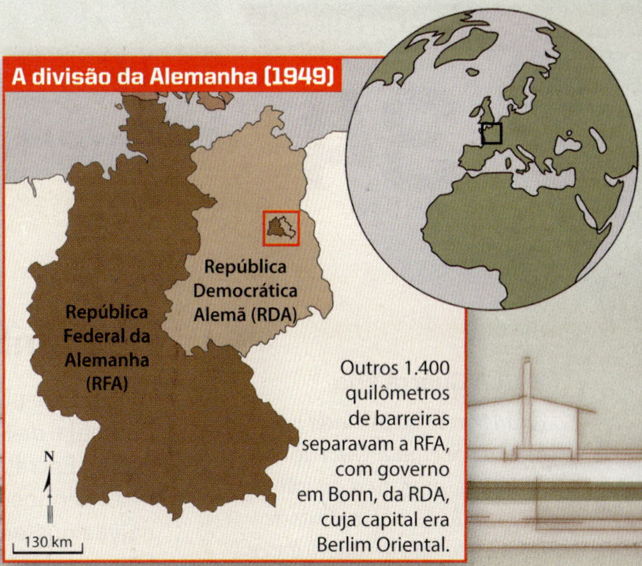

Outros 1.400 quilômetros de barreiras separavam a RFA, com governo em Bonn, da RDA, cuja capital era Berlim Oriental.

Fontes: TAYLOR, Frederick. *Muro de Berlim*: um mundo dividido, 1961-1989. Rio de Janeiro: Record, 2009; Deutsche Welle; Chancelaria do Senado da Alemanha; Jornal *O Estado de S. Paulo*.

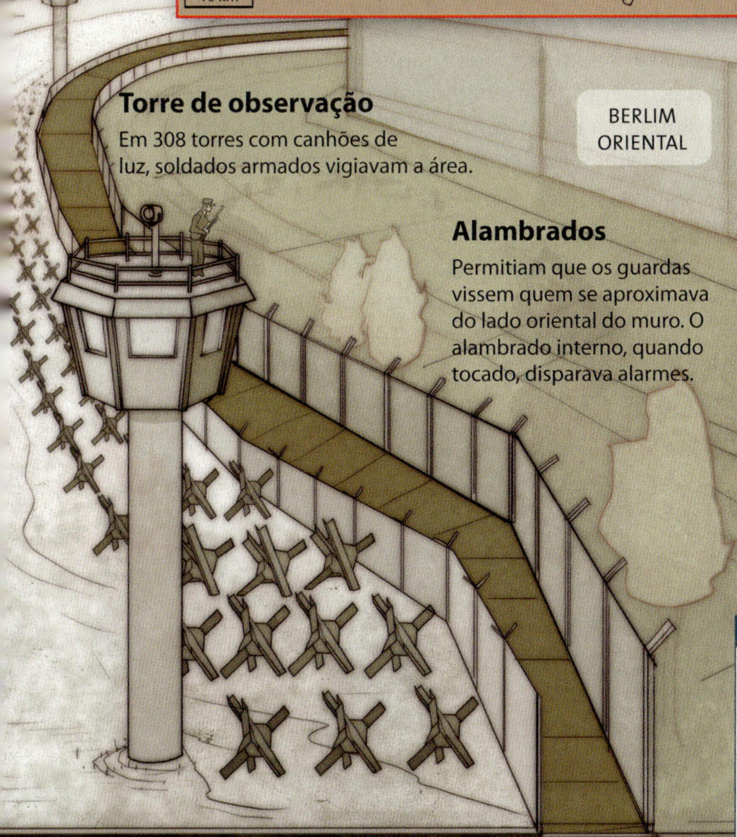

Torre de observação

Em 308 torres com canhões de luz, soldados armados vigiavam a área.

Alambrados

Permitiam que os guardas vissem quem se aproximava do lado oriental do muro. O alambrado interno, quando tocado, disparava alarmes.

Faixa de areia

Marcava os passos de quem tentava fugir.

Obstáculos metálicos

Barreiras com estacas de aço podiam deter carros e destruir seus pneus.

Incontáveis vítimas

100.000 é a estimativa oficial de alemães orientais presos tentando atravessar o muro.

Mais de cem pessoas morreram tentando ultrapassar as barreiras. Contudo, como o governo da RDA procurava ocultar os casos de fuga, o número exato é desconhecido.

Fonte: Disponível em www.berlin.de. Acesso em 31 mar. 2010.

QUESTÕES

1. De que forma a divisão de Berlim representa a continuidade das divergências que dividiram as potências vencedoras da Segunda Guerra Mundial?
2. O Muro de Berlim, no imaginário de muitas pessoas, devia ser uma simples barreira dividindo dois lados da cidade. Por que o significado físico e ideológico dessa construção vai muito além dessa visão?
3. Você conhece outros países que, durante a Guerra Fria, foram divididos em dois lados, o capitalista e o socialista? Qual(is)?

1961

Na madrugada de 13 de agosto de 1961, soldados da Alemanha Oriental começam a erguer o Muro de Berlim, fechando a passagem dos dois lados da cidade com arame farpado e concreto.

1972

Os governos da RFA e da RDA assinam um tratado reconhecendo os dois Estados.

1989

Uma onda de revoluções democráticas no Leste Europeu provoca a queda da maior parte dos regimes socialistas da região. Em novembro, o Muro de Berlim é derrubado por uma manifestação popular.

Capítulo

34 Guerra Fria e descolonização

34.1 A Guerra Fria

A Guerra Fria, iniciada ao final da Segunda Guerra Mundial, marcou a divisão do mundo em duas áreas de influência: norte-americana e soviética.

34.2 Os conflitos "quentes" da Guerra Fria

O envolvimento das duas superpotências nos conflitos armados da Guerra Fria foi motivado pelo interesse em preservar e expandir suas respectivas áreas de influência.

34.3 A descolonização na Ásia e na África

Ao final da Segunda Guerra Mundial, as potências europeias, enfraquecidas, já não podiam conter o movimento de independência de suas colônias.

As sombras da Guerra Fria

Em 8 de abril de 2010, os então presidentes dos Estados Unidos (Barack Obama) e da Rússia (Dmitri Medvedev) renovaram o Tratado de Redução de Armas Estratégicas (*Start*, na sigla em inglês). Considerado um momento histórico, os dois países se comprometeram em ter, no máximo, 1.550 ogivas nucleares cada um. O tratado também previa um limite de mísseis balísticos intercontinentais.

Há pouco mais de vinte anos, Estados Unidos e União Soviética eram superpotências inimigas que dividiam o mundo em dois blocos de influência. Buscando o domínio global, iniciaram uma corrida armamentista caracterizada pela construção de armas nucleares e equipamentos de guerra que, se usados, poderiam acabar com a vida do planeta.

Essa disputa perdeu sentido com o fim da União Soviética, em 1991, que inaugurou a era da supremacia política e militar norte-americana sobre o mundo. O arsenal bélico dos dois países, porém, ainda constitui uma sombra desse período e um perigo em potência para a humanidade. Com o *Start*, Estados Unidos e Rússia deram um importante passo nas relações diplomáticas e no processo de desarmamento, principalmente das ogivas nucleares.

O presidente norte-americano, Barack Obama, e o presidente russo, Dmitri Medvedev, assinam o Tratado de Redução de Armas Estratégicas no Castelo de Praga, República Tcheca, 2010. O Tratado é um avanço nas negociações para redução de ogivas nucleares. Analistas acreditam, contudo, que o tratado também servirá para pressionar países interessados em desenvolver programas nucleares a abandonarem seus planos.

Seção 34.1

A Guerra Fria

Objetivos

- Compreender o significado de Guerra Fria.
- Explicar o surgimento de organizações, alianças e pactos supranacionais no contexto da Guerra Fria.

Termos e conceitos

- Guerra Fria
- Capitalismo
- Socialismo
- Organização das Nações Unidas (ONU)
- Estado de bem-estar social
- Otan
- Pacto de Varsóvia

Depois das guerras, a Guerra Fria

Em termos gerais, a consequência mais importante do final da Segunda Guerra Mundial foi o fim da hegemonia europeia sobre o mundo. Estados Unidos e União Soviética passaram a disputar a supremacia econômica, militar, política e cultural. Em torno dessas novas superpotências foram criados dois blocos de poder e de atuação internacional, que dividiram o mundo em capitalista e socialista. Essa oposição alimentou uma imensa corrida armamentista, ideológica e territorial, que colocou o mundo à beira do extermínio total. De 1945 a 1991, a polarização e a tensão entre esses dois blocos e suas implicações em todo o mundo caracterizaram a chamada **Guerra Fria**.

O desenvolvimento do **capitalismo** no Ocidente, nesse período, aconteceu em confronto com a expansão do **socialismo**. O crescimento econômico, científico e tecnológico desse período, assim como as guerras, as invasões, as tensões políticas e militares e um clima de pânico constante, surgiu da concorrência e da disputa pela hegemonia mundial entre esses dois blocos de poder. Assim, a grande novidade do século XX desde a Revolução Russa de 1917 foi que o socialismo provocou transformações dentro do capitalismo, mas pagando um preço alto: anos de instabilidade e crise constante que colocavam o mundo diante da expectativa de uma nova guerra, maior que as anteriores.

A criação da ONU

Quando a Segunda Guerra Mundial terminou, em agosto de 1945, o saldo foi devastador: cerca de 55 milhões de mortos, mais de 35 milhões de feridos e 3 milhões de desaparecidos. Para a maioria das nações vencedoras, era preciso criar um mecanismo de controle internacional que evitasse não só uma Terceira Guerra Mundial, mas principalmente o início de um conflito novo e potencialmente pior: a **guerra nuclear**.

Foi com essas preocupações que, em 24 de outubro de 1945, foi criada a **Organização das Nações Unidas (ONU)**. Reunindo representações da maioria dos países do mundo, a ONU nascia com a obrigação de manter a paz mundial, garantir a defesa dos direitos humanos e a igualdade entre os diferentes povos **[docs. 1 e 2]**. Embora a ONU tenha nascido com esses objetivos, quem ditava o ritmo dos acontecimentos durante a Guerra Fria eram os blocos formados e dominados por Estados Unidos e União Soviética.

DOC. 1 Representantes de vários países na conferência de fundação das Nações Unidas no *Opera House*. São Francisco, Estados Unidos, 1945.

DOC. 2 **Carta Geral das Nações Unidas (1945)**

"Artigo 1

Os propósitos das Nações Unidas são:

1. Manter a paz e a segurança internacionais e, para esse fim: tomar, coletivamente, medidas efetivas para evitar ameaças à paz e reprimir os atos de agressão ou outra qualquer ruptura da paz e chegar, por meios pacíficos e de conformidade com os princípios da justiça e do direito internacional, a um ajuste ou solução das controvérsias ou situações que possam levar a uma perturbação da paz; [...]

3. Conseguir uma cooperação internacional para resolver os problemas internacionais de caráter econômico, social, cultural ou humanitário, e para promover e estimular o respeito aos direitos humanos e às liberdades fundamentais para todos, sem distinção de raça, sexo, língua ou religião [...]."

Nações Unidas no Brasil. Disponível em www.onu-brasil.org.br. Acesso em 28 abr. 2010.

O mundo dividido em dois

A divisão do mundo entre socialismo e capitalismo começou a se delinear na **Conferência de Ialta**, cidade da Crimeia, na região do Mar Negro, em fevereiro de 1945, antes mesmo do fim da Segunda Guerra Mundial. Ali, os líderes dos Estados Unidos (Franklin D. Roosevelt), da Grã-Bretanha (Winston Churchill) e da União Soviética (Josef Stalin) se reuniram para delimitar suas zonas de influência. A União Soviética impôs seu controle sobre os países do Leste Europeu, formando a chamada **"cortina de ferro"**, e os Estados Unidos assumiram a hegemonia política e econômica da maior parte do mundo capitalista, como a Europa Ocidental, a América Latina e o Japão **[doc. 3]**.

O grande símbolo da repartição do mundo aconteceu na Alemanha. Após a Segunda Guerra Mundial, o país foi ocupado pelos vencedores e dividido em duas áreas, uma capitalista outro socialista. Em 1949, a Alemanha foi dividida em dois países: nascia a República Democrática da Alemanha, com capital em Berlim, situada na zona de influência soviética, e a República Federal da Alemanha, com capital em Bonn, sob a influência dos países capitalistas **[doc. 4]**. A cidade de Berlim também foi dividida em duas partes, mas as pessoas podiam ainda transitar de um lado a outro da cidade. Em 1961, foi construído o Muro de Berlim, que separava fisicamente o lado oriental do lado ocidental.

DOC. 3 **A "cortina de ferro"**

Leia o discurso feito em 1946 pelo então primeiro-ministro inglês, Winston Churchill, sobre a influência da União Soviética sobre o Leste Europeu.

"Uma sombra caiu sobre as cenas tão recentemente iluminadas pela vitória aliada. Ninguém sabe o que a Rússia soviética e a sua organização comunista internacional pretendem fazer em futuro imediato, ou quais são os limites de suas tendências expansionistas e proselitistas.

De Stettin, no Báltico, a Trieste, no Adriático, uma cortina de ferro desceu através do continente. Além daquela linha ficam as capitais dos antigos Estados da Europa Central e Oriental. Varsóvia, Praga, Viena, Budapeste, Belgrado, Bucareste e Sófia, todas essas cidades famosas e as populações adjacentes estão sujeitas à influência soviética e ao crescente controle de Moscou.

Os partidos comunistas, que eram muito pequenos em todos esses países da Europa Oriental, foram colocados em preeminência e poder muito além de seu número e estão procurando obter em toda frente o controle totalitário.

Eu não acredito que a Rússia soviética deseje a guerra. O que eles querem são os frutos da guerra e uma indefinida expansão do seu poder e doutrinas. [...]"

CHURCHIL, Winston. Discurso no Westminster College, de Fulton, Missouri. [5 maio 1946]. In: *Coletânea de documentos históricos para o 1º grau – 5ª a 8ª séries*. São Paulo: SE/Cenp, 1980. p. 95.

A reconstrução capitalista

Antes mesmo do final da Segunda Guerra Mundial, a conferência conhecida como **Bretton Woods** (1944) decidiu que era preciso criar instituições e normas para administrar a economia mundial e salvar o capitalismo. Assim, nasceram instituições como o Fundo Monetário Internacional (FMI) e o Banco Mundial. No pós-guerra, o poder econômico, político e militar dos Estados Unidos impôs o dólar como a moeda internacional, e o país assumiu a responsabilidade de prover a liquidez internacional, tornando-se o grande emprestador de dinheiro para o mundo capitalista.

A Guerra Fria gerou outra alternativa de transferência de recursos para a Europa, sem as restrições políticas das instituições de Bretton Woods: o **Plano Marshall**, um programa de ajuda econômica dos Estados Unidos para reconstruir países europeus destruídos pela guerra. Seu objetivo principal era evitar a influência comunista na Europa Ocidental e garantir a hegemonia norte-americana sobre a região. Em resposta à iniciativa dos Estados Unidos, em 1949 a União Soviética criou o **Conselho para Assistência Econômica Mútua** (Comecon), com o objetivo de garantir auxílio mútuo entre os países socialistas.

DOC. 4 **A Europa após a Segunda Guerra Mundial**

Fonte: CHALIAND, Gérard; RAGEAU, Jean-Pierre. *Atlas stratégique*. Paris: Complexe, 1988. p. 40 e 97.

Efeitos do Plano Marshall

Elaborado pelo general George Catlett Marshall, o Plano Marshall permitia aos Estados Unidos oferecer à Europa matérias-primas, produtos e capitais, na forma de créditos e doações. Em contrapartida, o mercado europeu não podia impor qualquer restrição à atividade das empresas norte-americanas.

Estima-se que entre 1948 e 1952, por meio do Plano Marshall, os Estados Unidos forneceram cerca de 13 bilhões de dólares para a reconstrução europeia, o que, em valores atuais reajustados, equivaleria a mais de 130 bilhões de dólares **[doc. 5]**. Depois da vitória da revolução socialista na China, os Estados Unidos estenderam o Plano Marshall ao Japão, incentivando a reforma agrária e a formação de grandes indústrias.

DOC. 6 "Qualquer que seja o tempo, somente alcançaremos o bem-estar social juntos", cartaz de 1947. O financiamento do Estado de bem-estar social pelo Plano Marshall também foi uma maneira de impedir o avanço soviético no continente europeu.

O Estado de bem-estar social

A reconstrução do capitalismo na Europa não foi feita respeitando os princípios do liberalismo. No pós-guerra, a reconstrução dos países europeus contou, além do dinheiro do Plano Marshall, com um novo papel atribuído ao Estado, agora como regulador da economia e da vida social.

O programa de reconstrução da Europa combinou princípios da economia de mercado, capitalista, com as exigências de justiça social, o bem-estar social, que era a principal bandeira do socialismo. O **Estado de bem-estar social**, também chamado de *Welfare State*, foi estabelecido principalmente nos países da Europa Ocidental, como Grã-Bretanha, França, Alemanha Ocidental e países escandinavos. Ele priorizava a educação, a saúde e os direitos sociais dos trabalhadores.

Na Europa, durante a Guerra Fria, o *Welfare State* garantiu a permanência da democracia e do capitalismo, agora transformado pela ideia de prioridade para o bem-estar social **[doc. 6]**.

DOC. 5 **Países que receberam recursos do Plano Marshall (1940-1952)**

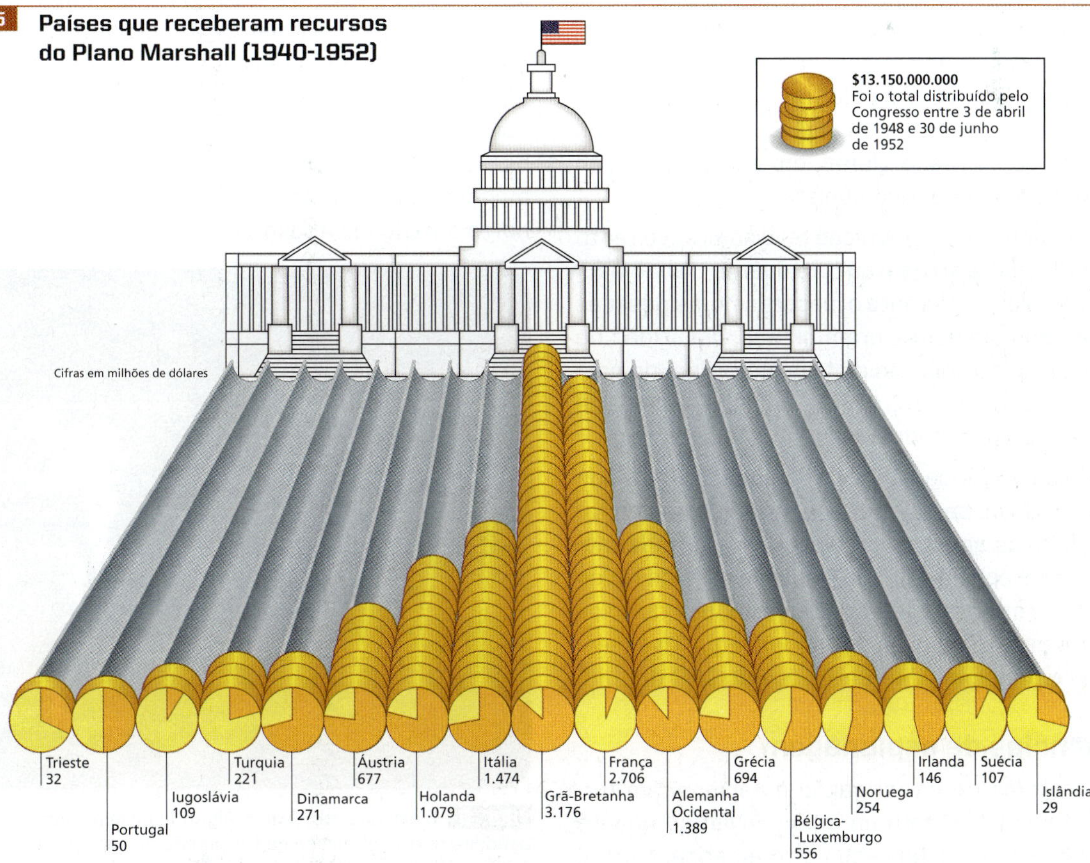

Fonte: *História do século 20*: 1942-1956. São Paulo: Abril Cultural, 1968. p. 2.327.

DOC. 7 Cena do filme *Moscou contra 007*, de Terence Young, Grã-Bretanha, 1964. Nesse filme, o agente britânico James Bond tem a missão de ajudar uma agente espiã soviética desertora.

A perseguição ao "inimigo"

Nos Estados Unidos, o período imediatamente posterior à Segunda Guerra Mundial assistiu a uma perseguição violenta e sistemática a tudo que pudesse representar antiamericanismo ou simpatia pelo socialismo e, sobretudo, pelo regime soviético. Nos Estados Unidos, essa perseguição sistemática ficou conhecida como **macartismo**, em alusão a Joseph McCarthy, senador anticomunista.

A campanha de perseguição teve como alvo tanto pessoas ligadas à arte e à cultura quanto trabalhadores e sindicalistas. Durante o macartismo, as pessoas consideradas suspeitas eram presas, demitidas de seus empregos, proibidas de trabalhar, além de passar por interrogatórios, muitos deles transmitidos pela televisão para todo o país.

Na União Soviética, o Partido Comunista, utilizando a justificativa de se defender da propaganda capitalista e de seus agentes, organizou uma grande máquina de perseguição, prisão e assassinato de todos aqueles que eram considerados dissidentes, tanto os de direita quanto aqueles de esquerda que tivessem opiniões e princípios diferentes dos do partido.

As agências de espionagem

Um sistema de investigação e espionagem fortíssimo foi criado, tanto na União Soviética quanto nos Estados Unidos. No caso norte-americano, esse sistema era organizado pela Agência Central de Inteligência (CIA). Na União Soviética, esse papel cabia à KGB, que agia em vários países do bloco socialista, associada também às polícias políticas e agências de espionagem locais, como a temida *Stasi*, da Alemanha Oriental.

A Grã-Bretanha também manteve uma vasta rede de espionagem pelo mundo, associada aos interesses dos Estados Unidos. O governo inglês usou a imagem de sua espionagem internacional para criar uma eficiente máquina de propaganda por meio do cinema. É o caso dos filmes estrelados pelo personagem 007, um espião a serviço da Coroa britânica que, em seus primeiros filmes, basicamente lutava contra comunistas e fazia propaganda de produtos (carros, roupas etc) ingleses **[doc. 7]**. Os filmes de 007 continuam até hoje, constituindo-se um resquício do tipo de propaganda ideológica da Guerra Fria.

A corrida espacial

A rivalidade entre Estados Unidos e União Soviética em torno da corrida espacial não foi apenas uma forma de investimento econômico, mas significava também uma disputa pela hegemonia política e cultural. Com a conquista do espaço, cada um dos blocos queria se mostrar mais "avançado" e moderno, portanto mais ligado ao futuro, do que o outro.

A corrida espacial era parte da máquina de propaganda da Guerra Fria e teve seus momentos espetaculares. Em 1957, a União Soviética lançou o satélite *Sputnik*, "tripulado" pela cadela Laika, que se tornou o primeiro ser vivo a ir ao espaço. O último grande episódio dessa disputa aconteceu em 1969, quando boa parte do mundo assistiu ao vivo pela televisão à chegada do homem à Lua, com a missão espacial norte-americana Apollo 11 **[doc. 8]**.

DOC. 8 O astronauta Edwin E. Aldrin Jr. posa ao lado da bandeira norte-americana na Lua, em 20 de julho de 1969. À esquerda, é possível reconhecer a sombra do módulo lunar da Apollo 11. Nasa, Centro Espacial Kennedy.

A corrida armamentista

Tanto nos Estados Unidos quanto na União Soviética, a economia interna foi direcionada para uma economia de guerra. A corrida armamentista, tecnológica (voltada para a energia nuclear) e aeroespacial animava a economia, absorvendo boa parte dos empregos e da mão de obra. União Soviética e Estados Unidos se tornaram verdadeiras máquinas de guerra voltadas para o controle de seus satélites e para o desenvolvimento interno de suas economias.

Os conflitos políticos e econômicos do período foram marcados por um perigo iminente, que foi progressivamente usado como pressão e ameaça internacional: a bomba atômica. De certa forma, a manipulação e a produção de arsenal bélico nuclear mudou a configuração e a política internacional e, consequentemente, o equilíbrio político do período, além de efetivamente colocar em risco a vida no planeta.

Depois dos norte-americanos, que usaram a bomba nuclear duas vezes contra o Japão, a União Soviética fabricou sua bomba em 1949. Em 1952, a Grã-Bretanha fabricou a sua e, nos anos 1960, foi a vez da China socialista e da França anunciarem seu armamento nuclear. A rivalidade fez com que as superpotências passassem a acumular um arsenal nuclear capaz de aniquilar o planeta várias vezes.

A Otan e o Pacto de Varsóvia

A polaridade política, a nova tecnologia militar destrutiva e a fraqueza da ONU resultaram em outra repartição de poderes e zonas de influência. Decididos a ter controle total sobre sua área de influência, no mesmo ano em que a União Soviética anunciou sua bomba atômica, os Estados Unidos lideraram a criação da **Organização do Tratado do Atlântico Norte**, mais conhecida como **Otan** **[doc. 9]**. O objetivo declarado era garantir a defesa dos países associados no caso de um ataque da União Soviética.

Em contrapartida, em 1955, a União Soviética criou o **Pacto de Varsóvia**, reunindo os Estados do Leste Europeu sob seu domínio. A única exceção foi a Iugoslávia, então dirigida pelo Marechal Tito, cuja política era tentar uma certa independência em relação a Moscou. As principais ações do Pacto foram internas e não externas ao bloco. As forças do Pacto de Varsóvia foram usadas para reprimir manifestações populares que exigiam abertura política ou criticavam as imposições do regime soviético, como ocorreu na Hungria e na Polônia, em 1956, e na Tchecoslováquia, em 1968. O Pacto de Varsóvia foi extinto com o fim da União Soviética e do socialismo no Leste Europeu a partir de 1991.

Uma terceira associação internacional tentou criar um bloco de países que pretendia permanecer fora do jogo entre União Soviética e Estados Unidos, reivindicando certa neutralidade. Em 1955, um grupo de países afro-asiáticos se reuniu na **Conferência de Bandung**, formando o bloco que ficou conhecido como de países não alinhados. Esses países, liderados pela Índia, lutavam também para conseguir sua emancipação política, econômica e cultural dos antigos impérios europeus. O texto do comunicado final da Conferência deixa clara essa posição.

DOC. 9 Caricatura russa de 1949 que representa o Tio Sam (Estados Unidos) forçando os países da Europa Ocidental a assinar o Tratado do Atlântico Norte.

"[...] As nações deveriam praticar a tolerância, viver em paz num espírito de boa vizinhança e desenvolver uma cooperação amigável na base dos seguintes princípios: [...]

2. Respeito da soberania e integridade territorial de todas as nações;

3. Reconhecimento da igualdade de todas as raças e da igualdade de todas as nações, pequenas e grandes;

4. Não intervenção e não ingerência nos negócios dos outros países; [...]"

In: MATTOSO, Kátia M. de Queirós (Org.). *Textos e documentos para o estudo da história contemporânea*: 1789-1963. São Paulo: Hucitec/Edusp, 1977. p. 202.

QUESTÕES

1. Sintetize as principais características da Guerra Fria.
2. Releia a Carta Geral das Nações Unidas e responda às questões **[doc. 2]**.
   a) Quais eram as propostas da ONU expressas nesse trecho?
   b) Tendo em vista o contexto histórico de sua criação, essas propostas foram cumpridas? Justifique.
3. O que o britânico Churchill quis dizer com a expressão "cortina de ferro" **[doc. 3]**?

Seção 34.2

Os conflitos "quentes" da Guerra Fria

Objetivos

- Explicar o processo que culminou na Revolução Chinesa de 1949.
- Reconhecer características comuns aos conflitos ocorridos durante a Guerra Fria.

Termos e conceitos

- Revolução Cultural
- Organização para a Libertação da Palestina (OLP)
- Guerra dos Seis Dias
- Frente de Libertação Nacional (FLN)
- Crise dos Mísseis

Conteúdo digital Moderna PLUS http://www.modernaplus.com.br
Mapa animado: Expansão em Israel
Vídeo: A Guerra da Coreia
A Guerra do Vietnã
Crise dos mísseis
Filme: *Dr. Fantástico.* Diretor: Stanley Kubrick. EUA, 1963
Nascido para matar. Diretor: Stanley Kubrick. EUA, 1991
O dia seguinte. Diretor: Nicholas Meyer. EUA, 1983

O Partido Comunista Chinês

Enquanto soviéticos e norte-americanos dividiam o mundo em áreas de influência, um terceiro elemento surgiu para reforçar os conflitos internacionais. A China, o país mais populoso do mundo, realizou uma revolução socialista, criando outra área de tensão que levaria o conflito entre socialismo e capitalismo diretamente para o interior da Ásia.

No início do século XX, a China estava polarizada por dois grupos políticos. Os nacionalistas do Kuomintang tinham o apoio da burguesia chinesa e dos Estados Unidos. Do outro lado estavam os comunistas, apoiados pela União Soviética e liderados por Mao Tsé-tung. Eles defendiam a reforma agrária e um modelo chinês de socialismo.

Sob a liderança de Mao Tsé-tung, o PCCh organizou em várias províncias da China as **bases vermelhas**, zonas rurais sob domínio do Partido Comunista. Ao mesmo tempo, criou-se o **Exército Vermelho**, uma força armada que reunia soldados, camponeses e operários. Fugindo da repressão governamental, as tropas comunistas deixaram o leste do território chinês em direção ao norte. Marcharam durante aproximadamente um ano, percorrendo 10 mil quilômetros a pé. Esse evento ficou conhecido como a **Longa Marcha**.

Em julho de 1937, o Japão atacou a China, ocupando províncias e grandes cidades, como Pequim e Xangai. Os nacionalistas do Kuomintang e os líderes rurais deixaram o campo rumo às cidades, abandonando por completo os camponeses. Oprimidos pelos japoneses, os camponeses articularam sua resistência à invasão estrangeira. O Partido Comunista aproveitou o momento para liderar a resistência contra os invasores e consolidar seu poder no campo. Com o fim da Segunda Guerra Mundial, o Japão retirou-se da China e o governo de Chiang Kai-shek voltou-se contra os comunistas.

A República Popular da China

O Kuomintang perdia cada vez mais sua força por causa do aumento da inflação e da corrupção. Mao Tsé-tung ganhava poder, transformando o Exército Vermelho em Exército Popular de Libertação. Em 1949, o Exército Popular de Libertação entrou em Pequim, e Chiang Kai-shek foi obrigado a abandonar o país, refugiando-se na Ilha de Formosa, em Taiwan. Em 1º de outubro, foi proclamada a República Popular da China, sob um regime socialista. Diante dos acontecimentos, os Estados Unidos procuraram isolar a China, negando-se a reconhecer o novo regime.

O regime socialista chinês não tinha a aprovação de toda a sociedade. Internamente, surgiram greves e críticas à política de Mao Tsé-tung. No plano externo, a China rompeu relações com a União Soviética em 1960, e a contribuição técnica e financeira que recebia desse país foi retirada **[doc. 1]**. O governo chinês, então, promoveu uma nova política de desenvolvimento econômico e social chamada de **Grande Salto para Frente**.

O objetivo do Grande Salto para Frente era mobilizar a população para alcançar um maior desenvolvimento econômico num curto espaço de tempo. A falta de estudo e de planejamento, no entanto, trouxe resultados desastrosos e um período marcado pelo aumento da fome. A imagem de Mao Tsé-tung ficou profundamente abalada.

DOC. 1 **O fim da aliança entre China e União Soviética**

"Mao admirava os métodos tirânicos de Stalin, mas muita coisa atrapalhava a amizade entre os dois. Mao era carismático, de forte personalidade e pouco disposto a acatar as ordens de Stalin. Além disso, havia consolidado o poder do Partido Comunista Chinês sem a ajuda de Moscou. Finalmente, apesar de ser um país pobre, a China tinha, na época da revolução, mais de 500 milhões de habitantes, vastos recursos naturais e um grande potencial de crescimento. Stalin, de sua parte, apreciava a amizade de Mao, mas não estava acostumado a ser desafiado. As boas relações entre Moscou e Pequim dependiam, portanto, de um delicado equilíbrio, o qual foi rompido com a morte de Stalin, em março de 1953.

O agravamento das relações aconteceu em 1956, com as denúncias dos crimes de Stalin feitas por Nikita Khrushev. Mao sentiu-se diretamente ameaçado, pois uma denúncia muito semelhante poderia ser feita sobre seu próprio regime. Dezenas de milhões de pessoas foram vítimas da repressão maoísta, e o relatório poderia encorajar movimentos de oposição dentro de seu próprio país. Além disso, os soviéticos não queriam oferecer aos chineses a tecnologia para a fabricação da bomba atômica. Essa conjunção de elementos ideológicos e militares produziu a ruptura sino-soviética em 1960."

ARBEX JÚNIOR, José. *Guerra Fria*: o Estado terrorista. São Paulo: Moderna, 2005. p. 48. (Coleção Polêmica)

A Revolução Cultural Chinesa

O prestígio político de Mao Tsé-Tung foi recuperado apenas com a **Revolução Cultural**, que teve início em 1966 **[doc. 2]**. O governo promoveu uma campanha para persuadir os camponeses e os operários a se agruparem em torno do Partido Comunista Chinês, ao mesmo tempo que conduziu uma intensa repressão a membros do partido, como militares e empresários.

Cursos universitários foram extintos e muitos professores tiveram que se exilar. Os estudantes universitários e de ensino médio foram chamados a promover a Revolução Cultural por todo o país com o apoio do Estado. Milhares de jovens chineses passaram a usar uma braçadeira vermelha e, guiados pelo famoso *Livro Vermelho*, de Mao Tsé-tung, formaram a Guarda Vermelha.

DOC. 2 Cartaz da Revolução Chinesa em que se lê: "Vida longa à completa vitória da Revolução Cultural", de 1967. Galeria das Câmaras, Londres.

A participação das superpotências nos conflitos

A questão nuclear e os interesses econômicos inviabilizaram um conflito direto entre os blocos soviético e norte-americano. Entretanto, durante a Guerra Fria, eles se envolveram indiretamente em questões políticas ou em conflitos armados em vários países. Ou seja, as guerras entre norte-americanos e soviéticos aconteceram por intermédio de outras nações e isso é fundamental para se entender a ideia de Guerra Fria.

Em alguns conflitos, as duas potências se envolveram de forma mais aberta e direta, como foi o caso dos Estados Unidos na Guerra do Vietnã. Em outros, a participação foi mais velada, envolvendo questões territoriais, econômicas e estratégicas, como na fundação do Estado de Israel.

A criação do Estado de Israel

Em 1948, a ONU estabeleceu a criação do Estado de Israel na região da Palestina, decisão que teve o apoio dos Estados Unidos e da União Soviética.

Os países ligados à Liga Árabe (Egito, Líbano, Síria, Transjordânia e Iraque) criticaram duramente a criação do Estado israelense e o destino que seria dado aos palestinos, que são de maioria muçulmana.

Centenas de milhares de judeus de todo o mundo passaram a migrar em massa para o novo país. Os impasses entre esses grupos levaram à primeira guerra entre árabes e israelenses. Com o apoio norte-americano, o exército de Israel resistiu aos ataques árabes. Em fevereiro de 1949, a ONU impôs um armistício, que não conseguiu diminuir a tensão entre os dois lados nem impedir uma nova guerra em 1956.

A luta dos palestinos contra Israel e pela criação do Estado nacional palestino resultou na fundação, em 1964, da **Organização para a Libertação da Palestina (OLP)**, liderada por Yasser Arafat. Com o tempo, porém, divergências sobre os métodos de luta a serem usados contra o poder israelense levaram a organização a se dividir em vários grupos.

A incapacidade de conduzir uma guerra vitoriosa contra Israel contribuiu para o surgimento de grupos radicais islâmicos que adotavam o terrorismo como estratégia de luta contra o Estado judaico. Este, por sua vez, ao longo da Guerra Fria, tornou-se fortemente militarizado, sendo um dos principais compradores de armas e tecnologia de guerra fabricadas pelos Estados Unidos.

DOC. 3 **Territórios ocupados por Israel/novas guerras após 1967**

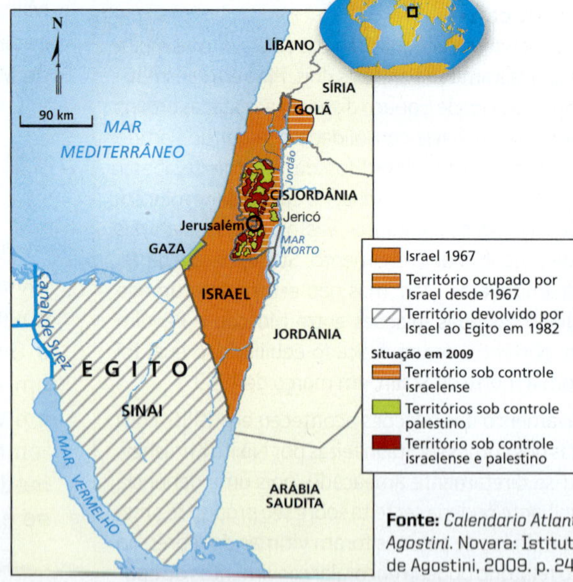

Fonte: *Calendario Atlante de Agostini*. Novara: Istituto Geografico de Agostini, 2009. p. 24.

A Guerra dos Seis dias

Em 1967, na chamada **Guerra dos Seis Dias**, Israel ocupou a Península do Sinai, a Faixa de Gaza, as Colinas de Golã e a Cisjordânia, exatamente as mesmas regiões que até hoje se encontram em litígio **[doc. 3]**.

Colonos israelenses passaram a ocupar territórios designados aos palestinos de acordo com a divisão estabelecida pela ONU. Estes, por sua vez, passaram a resistir a quase todos os acordos com o Estado de Israel. Os palestinos transformaram-se em uma nação confinada em seu próprio território ou exilada nos países vizinhos.

A Guerra da Coreia

Até o final da Segunda Guerra Mundial, a Península Coreana estava sob a ocupação do Japão. Com a derrota do exército japonês, em 1945, a União Soviética ocupou militarmente o norte da península, enquanto as tropas dos Estados Unidos fizeram o mesmo no sul.

As duas repúblicas, uma aliada dos soviéticos e dos chineses, outra dos norte-americanos, entraram em guerra em 1950 **[doc. 4]**. Os Estados Unidos enviaram suas tropas para lutar ao lado dos sul-coreanos. O resultado foram três anos de combates sangrentos, que só se encerraram com a trégua assinada em julho de 1953.

A região passou a ser definitivamente dividida em duas partes, a Coreia do Norte (socialista) e a Coreia do Sul (capitalista), ocupada militarmente pelos Estados Unidos. Essa divisão se mantém ainda hoje.

A Guerra do Vietnã

A Indochina, situada na península do sudoeste asiático, era composta pelo Vietnã, o Laos e o Reino do Camboja. A região foi colonizada pela França entre o final do século XIX e a década de 1940, quando o Japão conseguiu ocupá-la. O comunista Ho Chi Minh organizou um movimento de resistência à dominação imperialista na região, que ficou conhecido como Vietminh. Em 1954, foi assinado na Suíça um acordo de paz com a França, no qual se dividia o território do Vietnã em dois: o norte ficava sob o governo dos comunistas, liderados por Ho Chi Minh, e o sul, ocupado pelos nacionalistas, sob o domínio do imperador Bao Dai.

Em 1956, um golpe de Estado, liderado por Ngo Dinh Diem, anulou as eleições do Vietnã do sul e instituiu um regime ditatorial. A perseguição aos membros do Vietminh causou a morte de mais de 70 mil pessoas. O golpe foi apoiado pelos Estados Unidos que, temendo que o Vietminh ganhasse as eleições, esforçaram-se para impedir que o Vietnã fosse totalmente controlado pelos comunistas. Os Estados Unidos enviaram armas, dinheiro e instrutores militares para o país e, ainda, criaram a Otase (Organização do Tratado do Sudeste Asiático), com o objetivo de ajudar o Vietnã do Sul.

Em reação, os comunistas e os nacionalistas vietnamitas formaram, em 1960, a **Frente de Libertação Nacional (FLN)**. Conhecida como Vietcongue, promoveu uma guerra de guerrilhas contra o governo do sul. Ngo Dinh Diem, percebendo que não seria capaz de derrotar o Vietcongue, aceitou a participação direta dos Estados Unidos no conflito. Em 1963, contudo, tornou-se vítima de um golpe militar que resultou em sua morte. A partir desse momento, o governo norte-americano investiu mais pesadamente no conflito, enviando soldados e armamentos para região.

DOC. 4 Artilharia norte-americana dispara canhão durante combate na Guerra da Coreia, em junho de 1951. A Guerra da Coreia foi um dos episódios do conflito mundial que envolveu o bloco capitalista, liderado pelos Estados Unidos, e o bloco socialista, liderado pela União Soviética.

O fim da guerra

O exército norte-americano executava bombardeios aéreos e utilizava armas químicas extremamente potentes e prejudiciais à saúde. O uso de desfolhantes causava a queda das folhas das árvores, impossibilitando que os vietcongues se escondessem nas florestas e privando-os das fontes de alimento. As bombas de *napalm*, que em combustão podem chegar a 1.000 °C, provocavam a devastação pelo fogo, causando queimaduras, asfixia, desregulando as funções hormonais, reprodutivas e imunológicas do organismo. Ainda hoje, mais de trinta anos após o fim da guerra, os efeitos ainda podem ser vistos no nascimento de pessoas mutiladas ou cegas.

Na década de 1960, várias manifestações foram organizadas contra a guerra e a participação dos Estados Unidos. O movimento *hippie*, por exemplo, pregava uma nova maneira de se comportar na sociedade, de fazer política e de se relacionar sexualmente. Os *hippies* também repudiavam a política bélica dos Estados Unidos e influenciaram o mundo todo com o lema "Faça amor, não faça guerra".

A grande resistência dos vietcongues, assim como a pressão da opinião pública e de setores organizados da sociedade civil norte-americana, contribuiu para a derrota dos Estados Unidos **[doc. 5]**. Em 1973, o governo norte-americano assinou o Acordo de Paris, comprometendo-se a retirar as suas tropas do Vietnã. Finalmente, em 2 de julho de 1976, o Vietnã foi reunificado sob o regime socialista.

A Crise dos Mísseis

Durante a Guerra Fria, qualquer conflito grave entre as duas superpotências poderia desencadear uma catástrofe nuclear. Um exemplo desse risco aconteceu em 1962, durante a **Crise dos Mísseis**.

- ***Napalm.*** Agente que produz a consistência de gel naquilo em que é misturado. Durante a Guerra do Vietnã, dava-se o nome de *napalm* às bombas incendiárias constituídas de um conjunto de líquidos inflamáveis misturados a essa substância.

A crise começou quando os soviéticos, em resposta aos Estados Unidos pela instalação de mísseis nucleares na Turquia e à invasão da Baía dos Porcos em Cuba, em 1961, instalaram mísseis nucleares em território cubano. Soviéticos e norte-americanos travaram uma guerra diplomática exigindo a retirada dos mísseis da Turquia e de Cuba.

Durante treze dias o mundo viveu o medo de uma possível guerra nuclear. Nos Estados Unidos, diante do pânico, as famílias chegaram a construir abrigos dentro de suas próprias casas. Ao final, as superpotências entraram em acordo: a União Soviética retirou os mísseis de Cuba, e os Estados Unidos fizeram o mesmo na Turquia.

DOC. 5 **O Massacre de My Lai**

Em 1969, uma foto tirada por Ronald Haeberle, um soldado do exército norte-americano, foi divulgada na imprensa e chocou todo o mundo. Era a imagem do que ficou conhecido como o Massacre de My Lai, uma pequena aldeia vietnamita que, em 16 de março de 1968, teve sua população civil chacinada pelos soldados norte-americanos. Muitas das vítimas, antes de serem assassinadas, foram estupradas, torturadas e mutiladas por serem consideradas colaboradoras dos vietcongues. Esse acontecimento foi escondido pelo exército e pelo governo norte-americano por cerca de um ano. Ele só veio a público por denúncias dos próprios soldados, publicadas na imprensa.

Casas incendiadas por soldados norte-americanos durante o Massacre de My Lai, Vietnã, em 1968. O término do massacre foi possível graças à intervenção de Hugh Thompson Jr., piloto de helicóptero das Forças Armadas dos Estados Unidos.

QUESTÕES

1. Identifique, pelo cartaz, o papel atribuído a Mao Tsé-tung na Revolução Chinesa [doc. 2].
2. Por que interessava aos Estados Unidos a fundação do Estado de Israel?
3. Qual foi o papel cumprido pela opinião pública internacional na Guerra do Vietnã?

Jerusalém: cidade velha de guerra

Das colinas palestinas, onde está localizada, ao desenho de suas ruas, muros e construções, tudo o que vemos na Cidade Velha de Jerusalém – o centro histórico da cidade –, é resultado de milênios de disputa, domínio e declínio dos diversos povos que nela viveram.

A região onde está situada a cidade de Jerusalém é cheia de colinas com fontes de água perene e grutas. A Cidade Velha de Jerusalém é uma área fortificada com cerca de 1 km^2 na periferia da moderna Jerusalém, uma cidade com mais de 125 km^2.

Uma cidade entre vários impérios

Assírios, persas, babilônios, romanos, entre outros povos da Antiguidade e seus descendentes, disputaram as terras situadas entre o Mar Mediterrâneo e o Rio Jordão.

Fonte: ARMSTRONG, Karen. *Jerusalém, uma cidade, três religiões*. São Paulo: Companhia das Letras, 2000. p. 61, 155, 185, 198, 255, 340, 382, 425. Ministério do Exterior de Israel. Disponível em www.mfa.gov.il. Acesso em 2 abr. 2010.

Quatro mil anos de disputas

A atual Jerusalém desenvolveu-se a partir de uma aldeia fortificada onde o povo cananeu se fixou em meados do terceiro milênio a.C., no lugar chamado Ofel, junto ao Monte Moriá (Monte do Templo), no alto do qual, mais tarde, surgiu a Cidade Velha.

Cidade de Davi
Cerca de 1000 a.C.

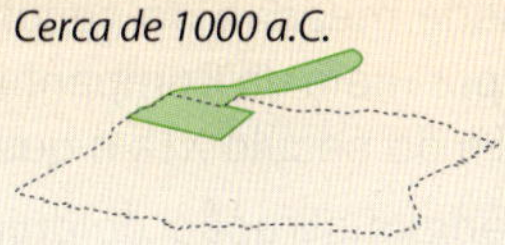

Na época de Davi, acredita-se que a área da cidade equivalia a cerca de 8 campos de futebol.

Segundo a *Bíblia*, a cidade foi tomada por tribos hebraicas lideradas por Davi, cujo filho, Salomão, construiu o Primeiro Templo de Jerusalém no alto do Monte Moriá. No século VI a.C., a cidade foi conquistada pelos babilônios, que destruíram o Templo; mais tarde, caiu sob o controle do Império Persa, dos reinos helenísticos e de Roma.

Cidade de Herodes
37 a.C.

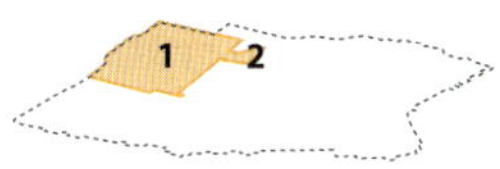

O rei Herodes, o Grande, imposto por Roma, ampliou o Segundo Templo de Salomão, construído durante o período persa no mesmo local daquele destruído pelos babilônios. Sobre o local do Segundo Templo fica a a Esplanada das Mesquitas (1). Do Templo resta apenas o Muro Ocidental, conhecido como Muro das Lamentações (2).

Cidade romana
135

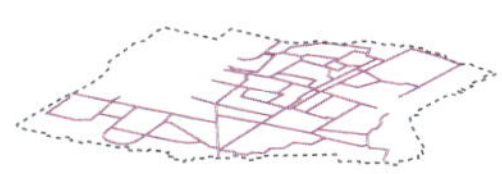

As revoltas judaicas contra o domínio romano duraram 69 anos (66-135 d.C.) e, ao final, a cidade foi destruída. No lugar, os romanos ergueram outra cidade, agora chamada Aelia Capitolina. Muito do atual traçado das ruas e das mais antigas construções visíveis na Cidade Velha é, assim, tipicamente romano.

Cidade árabe
638

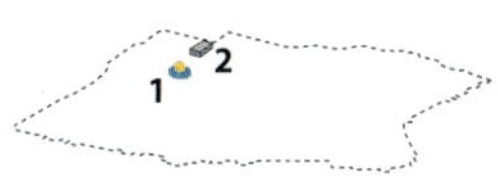

Depois de períodos alternados de domínio romano, persa e bizantino, Jerusalém foi conquistada pelos árabes, em 638, que construíram na cidade templos islâmicos importantes, como a Cúpula do Rochedo (1) e a Mesquita de Al-Aqsa (2). Os muçulmanos preservaram locais sagrados de judeus e cristãos e permitiram suas práticas religiosas.

Cidade dos turcos-otomanos
1517

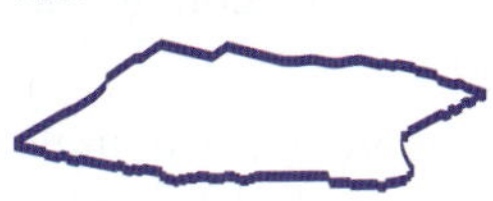

No início do domínio turco-otomano, que durou cerca de quatrocentos anos, o sultão Solimão reergueu a muralha do período romano e reformou seus portões, que têm 3 quilômetros de extensão com 12 metros de altura, 34 torres e 7 portas. É essa a muralha que vemos cercando a atual Cidade Velha. Nesse período iniciou-se a ocupação da porção exterior às muralhas.

Cidade dividida
1967

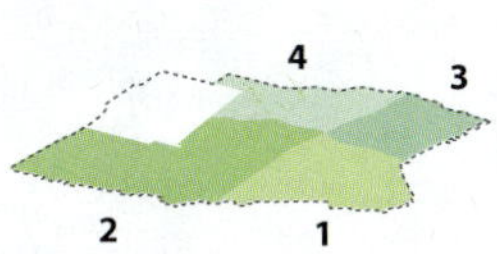

Depois da fundação do Estado de Israel, em 1948, a cidade de Jerusalém foi dividida entre Israel e Jordânia, que controlava a Cidade Velha. Na Guerra dos Seis Dias, em 1967, os israelenses anexaram a Porção Oriental e a cidade ficou dividida em quatro setores: armênio (1), muçulmano (2), cristão (3) e judaico (4). O caráter sagrado da cidade para as três religiões (cristianismo, judaísmo e islamismo) é um dos motivos para os constantes conflitos na região.

QUESTÕES

1. Relacione um dos quatro setores da cidade, dividida após 1967, a algum marco arquitetônico da religião predominante.
2. Em sua opinião, por que o controle da cidade de Jerusalém originou tantas disputas ao longo dos séculos?

Seção 34.3

A descolonização na Ásia e na África

Objetivos

- Compreender o contexto da descolonização da Ásia e da África.
- Explicar a origem do *apartheid* na África do Sul e o surgimento da resistência a esse regime.

Termos e conceitos

- Descolonização
- Pan-africanismo
- *Apartheid*

Conteúdo digital Moderna PLUS http://www.modernaplus.com.br
Mapa animado: A descolonização afro-asiática
Vídeo: Apartheid
Independência do Congo
Organização das tropas no Congo
Filme: *A batalha de Argel*. Diretor: Gillo Pontecorvo. Argélia/Itália, 1965
O senhor das armas. Diretor: Andrew Niccol. EUA, 2005

O domínio britânico na Índia

Desde meados do século XVIII, os ingleses controlavam o comércio na Índia por meio da Companhia das Índias Orientais. Mas somente na segunda metade do século XIX é que a Índia tornou-se colônia da Grã-Bretanha.

A administração colonial inglesa transformou a sociedade indiana. A produção indiana era, basicamente, artesanal e, com a dominação britânica, passou a ser parcialmente fabril.

Os ingleses também incentivaram a formação de uma nova camada de proprietários rurais. Os *zamindars*, como eram chamados, passaram a deter a posse das terras. O arrendamento dessas terras era feito aos camponeses, conhecidos como *ryots*.

Com o fim da Primeira Guerra Mundial, a Grã-Bretanha, enfraquecida econômica e militarmente, começou a enfrentar dificuldades em manter suas colônias. Assim, o cenário tornou-se propício para o surgimento de movimentos de independência na Índia e do processo de **descolonização**.

A independência e a divisão da Índia

Quando os britânicos começaram a colonizar a Índia, hindus e muçulmanos já conviviam na região. Os hindus, seguindo a tradição, organizam a sociedade em um sistema de castas. Se um indivíduo não cumpre as normas da casta a qual pertence, deve ser expulso. Como no islamismo não há divisão da sociedade em castas, essa religião atraiu muitos indianos das castas inferiores.

Em 1885, os hindus criaram o Partido do Congresso, cujo líder era o advogado conhecido como Mahatma ("grande alma") Gandhi. As estratégias de resistência à dominação inglesa desenvolvidas por Gandhi consistiam na não violência e na desobediência civil. Gandhi e seus seguidores desobedeciam as leis coloniais, faziam greves de fome, boicotavam os produtos ingleses, mas nunca entravam em confronto direto e violento com os colonizadores **[doc. 1]**.

Os muçulmanos estavam organizados, desde 1906, na Liga Muçulmana, liderada por Mohamed Ali Jinnah. Gandhi lutou para que hindus e muçulmanos se unissem em torno do objetivo comum. A Liga Muçulmana, porém, rompeu definitivamente com o Partido do Congresso e encabeçou a luta pelo separatismo.

A Segunda Guerra abalou ainda mais o domínio colonial inglês. Assim, em 15 de agosto de 1947, a Grã-Bretanha reconheceu a independência da Índia.

DOC. 1 Marcha do Sal, 5 de abril de 1930. A Marcha do Sal foi um movimento de resistência, liderado por Mahatma Gandhi, contra o monopólio britânico de extração de sal na Índia.

O contexto africano

Os movimentos africanos de resistência à dominação europeia surgiram no final do século XIX, porém, se tornaram mais intensos na primeira metade do século XX. A Primeira Guerra Mundial aprofundou a pobreza e a desigualdade social entre as populações do continente africano. Os preços dos produtos básicos exportados caíram, enquanto os produtos importados tiveram um aumento de 50% no valor.

A participação dos africanos na Primeira e na Segunda Guerra foi outro fator importante. Muitos lutaram com a promessa de realização de reformas sociais e políticas em seus países, além da garantia de liberdades individuais. Quando regressaram, entretanto, encontraram a população de seus países em situação ainda mais precária. Desde então, o colonialismo foi mais intensamente criticado.

A resistência

Desde o final da década de 1920, denúncias das mazelas provocadas pelo colonialismo eram feitas por associações e partidos políticos que defendiam a autodeterminação e a igualdade entre os povos.

Os estudantes tiveram participação ativa nas lutas pela independência. Muitos jovens que se deslocaram para os países colonizadores para poder estudar ingressaram em partidos socialistas ou comunistas europeus ou formaram associações ligadas à causa da independência.

Deve-se destacar, também, a atuação das elites culturais africanas. Diante da atitude brutal dos colonizadores, que negavam e inferiorizavam a cultura dos colonizados, elas tiveram uma forte preocupação com a formação de uma consciência anticolonialista, que foi a base dos movimentos culturais do **pan-africanismo**.

O pan-africanismo foi um movimento cultural que surgiu na segunda metade do século XIX e defendia que a raça era o elemento unificador dos povos africanos. Outro ponto comum era a situação de opressão imposta pelos colonizadores.

A descolonização da África

Os movimentos contrários ao colonialismo na África seguiram diferentes caminhos para alcançar a independência. Algumas colônias tornaram-se livres com a realização de acordos com os colonizadores. Outras encontraram uma maior resistência por parte da metrópole, o que as fez trilhar o caminho da luta armada.

As últimas independências reconhecidas na África foram as das colônias portuguesas. Em Moçambique, vários partidos, associações e jornais foram criados com o objetivo de combater a exploração colonial. Eduardo Mondlane, um dos principais líderes do movimento anticolonial, fundou, em 1962, a Frente de Libertação de Moçambique (Frelimo). Foi assassinado sete anos mais tarde, quando já havia sido iniciada a luta armada contra Portugal. Logo após a sua morte, Samora Machel tomou a direção da Frelimo e, com mais de 80 mil soldados, venceu as tropas portuguesas. O reconhecimento da independência de Moçambique aconteceu em 25 de junho de 1975.

Em Angola, inicialmente, nas décadas de 1950 e 1960, surgiram alguns agrupamentos políticos que atuaram separadamente em diferentes regiões, mas que se tornaram centrais na luta pela independência. Esses partidos eram a Frente Nacional de Libertação de Angola (FNLA), o Movimento pela Libertação de Angola (MPLA) e a União Nacional pela Independência Total de Angola (Unita). Após vários anos de luta armada, os representantes daqueles três partidos assinaram um acordo com o governo português, no qual se estabeleceu a criação de um governo de transição. A independência de Angola foi proclamada em 11 de novembro de 1975 **[doc. 2]**.

- **Autodeterminação.** Princípio assegurado pela Carta das Nações Unidas que define a soberania de cada país em legislar e governar a si próprio sem qualquer interferência estrangeira.

DOC. 2 **A descolonização da África (1936-1990)**

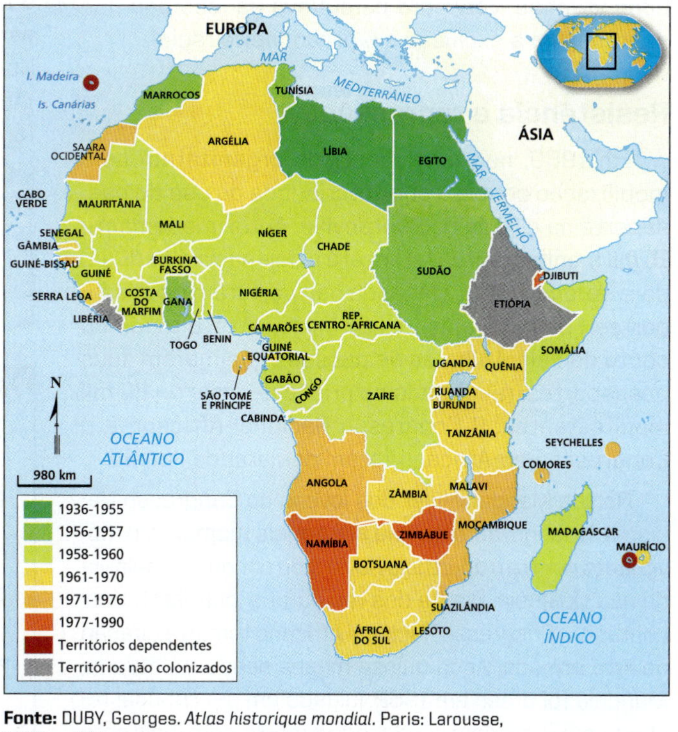

Fonte: DUBY, Georges. *Atlas historique mondial*. Paris: Larousse, 2003. p. 219.

O *apartheid* na África do Sul

O preconceito racial na África do Sul originou a política de segregação conhecida como ***apartheid***. A origem histórica do preconceito remonta à segunda metade do século XVII. Colonos holandeses calvinistas, conhecidos como bôeres, desembarcaram no Cabo da Boa Esperança. A região era habitada por nativos, os hotentotes. Os bôeres, cujos descendentes ficaram conhecidos como africânderes, passaram a conviver com os hotentotes.

Os africânderes viam-se como um povo que tinha a missão de preservar as diferenças de raças. De acordo com a sua religião, negros e brancos eram de fato diferentes e torná-los iguais era contrariar as leis divinas. A diferenciação entre as raças e a proibição da miscigenação foram institucionalizadas pela Constituição do Transvaal, em 1858, abrindo caminho para a origem do *apartheid*.

A década de 1920 foi muito difícil para os negros na União Sul-Africana (como o território passou a ser chamado em 1910), pois uma série de leis foi promulgada com o objetivo de limitar os seus direitos ao trabalho e à moradia. Contra essa política discriminatória surgiu, no período entre a Primeira e a Segunda Guerra, o partido *South African Native National Congress*, que, em 1925, passou a se chamar **Congresso Nacional Africano (CNA)**.

No início da década de 1950, Hendrik Verwoerd, membro do Partido Nacionalista, que promovia as políticas do *apartheid*, tornou-se primeiro-ministro. Dizendo aceitar as diferenças entre os povos e recomendando que todos se comportassem como bons vizinhos, Verwoerd camuflava as medidas que acentuavam a exclusão e o preconceito racial.

Resistência e repressão

Em 1960, negros e mestiços organizaram uma mobilização contra a obrigatoriedade do uso do passaporte na cidade de Sharpeville. Aproximadamente 15 mil manifestantes foram até a delegacia e pediram para serem presos, alegando não portarem os passaportes. Foram duramente reprimidos. A revolta tomou conta do país. Milhares de pessoas queimaram seus passaportes, resultando na prisão de mais de 20 mil manifestantes. O Congresso Nacional Africano e o Congresso Pan-Africano foram declarados ilegais.

Nelson Mandela, líder dos jovens do Congresso Nacional Africano, afirmou que até aquele momento o movimento contra o *apartheid* havia sido conduzido pela via da não violência. Diante dos resultados insatisfatórios, contudo, o Congresso Nacional Africano tomou a direção da luta armada. Após quinze meses sendo procurado, Mandela foi preso em 1962, julgado em um tribunal fechado, em Pretória, e condenado à morte, com mais sete companheiros. A sua pena foi transformada em prisão perpétua, que seria cumprida na Ilha Robben **[doc. 3]**.

DOC. 3 Nelson Mandela (à esquerda) e Walter Sisulu na prisão da Ilha Robben, próxima à Cidade do Cabo, em 1964. O pedido de libertação de Nelson Mandela extrapolou os limites territoriais da África do Sul, atingindo manifestantes de diversas partes do mundo.

O fim do *apartheid*

A partir da década de 1970, a situação da África do Sul complicou-se cada vez mais. No âmbito internacional, a imagem do país estava muito afetada. Em resposta às arbitrariedades do *apartheid*, a ONU excluiu o país da sua Assembleia Geral e recomendou aos demais membros que interrompessem o fornecimento de armas e petróleo para a África do Sul.

O início da negociação do fim do *apartheid* foi dado na década de 1980. Cinquenta africânderes progressistas realizaram uma reunião com os líderes do Congresso Nacional Africano, no Senegal. O Partido Nacional percebeu que era o momento de ceder, pois, devido ao *apartheid*, os investimentos estrangeiros diminuíram. O Congresso Nacional Africano, o Partido Comunista e o Partido Pan-Africano saíram da clandestinidade e Nelson Mandela foi libertado. Em seguida, foi formado um Comitê Executivo de Transição e as eleições foram marcadas para abril de 1994. Mandela foi eleito presidente.

- ***Apartheid.*** Palavra de origem africânder que significa "separação" e definiu a política discriminatória racial na África do Sul.

QUESTÕES

1. Como as divergências entre hindus e muçulmanos levaram à divisão da Índia após a independência?
2. Quais foram os meios utilizados pelos diversos povos africanos na reivindicação e posterior conquista das independências?
3. Qual foi a influência dos africânderes na instituição do *apartheid*?
4. Explique os antecedentes históricos da formação da União Sul-Africana e suas consequências para os negros do país.

CONTROVÉRSIAS A noção de "raça" no pan-africanismo

A utilização do conceito de raça pelos pan-africanistas foi alvo de muitas críticas e serviu para que muitas pessoas desqualificassem esse movimento. Isso porque "raça" foi um termo propagado, no século XIX, pelas potências europeias para desqualificar as sociedades africanas e asiáticas. Esse conceito dividia o mundo em diferentes raças, caracterizadas como superiores ou inferiores. Ele foi, de modo recorrente, empregado para justificar a violência praticada pelo colonialismo europeu.

Leia o que os historiadores Leila Leite Hernandez e Eric J. Hobsbawm pensam sobre a utilização do termo "raça" pelos pan-africanistas.

Texto 1

"De imediato, deve-se reconhecer que a ênfase na raça tem a ver com a elaboração ocidental europeia da primeira justificação tanto teórica como pragmática do racismo biológico. Em outras palavras, a justificação do racismo biológico integrou a violência institucional e simbólica naturalizada pelo colonialismo do final do século XIX.

Por outro lado, a categoria genérica 'raça' responde à busca de um *ethos* comum, incorporador de todos os africanos e seus descendentes e, portanto, capaz de reuni-los numa comunidade ligada por uma união de sentimento e de destino, fundada na consciência comum de sua condição de africanos oprimidos em oposição aos seus opressores, dirigentes coloniais e brancos.

Pode-se dizer ainda que a categoria genérica 'raça' não é mera importação europeia, respondendo a condições impostas por circunstâncias históricas reais. É, portanto, uma categoria histórica, social e localmente enraizada; e, ao mesmo tempo que é reproduzida, também é reinterpretada e readaptada, apresentando-se de formas diversas, quer no âmbito do discurso quer em outras facetas, mantido o princípio de que ela é o elemento ordenador capaz de conferir uma identidade a um continente caracterizado pelas heterogeneidades."

HERNANDEZ, Leila Leite. *A África na sala de aula*: visita à história contemporânea. 2. ed. São Paulo: Selo Negro, 2008. p. 138-139.

Texto 2

"[...] quaisquer que fossem os objetivos conscientes ou inconscientes dos que moldavam a história do mundo atrasado, a modernização, ou seja, a imitação de modelos derivados do Ocidente, era o caminho necessário e indispensável para atingi-los.

Isso era tanto mais óbvio quando as perspectivas das elites do Terceiro Mundo e as do grosso de suas populações divergiam substancialmente, exceto na medida em que o racismo branco (isto é, do Atlântico Norte) proporcionava um laço comum de ressentimento que podia ser partilhado por marajás e varredores. Ainda assim, podia acontecer de ser menos sentido por homens, e sobretudo mulheres, acostumados a *status* inferiores em qualquer sociedade, independentemente da cor da pele de seus membros. [...]."

HOBSBAWM, Eric J. *Era dos extremos*: o breve século XX (1914-1991). São Paulo: Companhia das Letras, 2007. p. 202.

À esquerda, Robert Sobukwe, fundador do Congresso Pan-Africano, cumprimenta Potlako Leballo, então líder do Congresso. O Congresso Pan-Africano, hostil à participação de brancos na organização, surgiu como uma cisão do Congresso Nacional Africano.

QUESTÕES

1. De acordo com o texto 1, por que os pan-africanistas utilizavam o termo "raça"?
2. Em que aspecto o texto 2 está de acordo com o texto 1? Em que ponto eles divergem?

ATIVIDADES

Retomar conteúdos

1 Reveja o **doc. 4, p. 600**, e responda.

a) O que significa a linha vermelha que cruza o continente europeu?

b) Observe o mapa à direita, no canto inferior, e responda como a Alemanha foi dividida logo após a Segunda Guerra Mundial.

2 Sobre o Plano Marshall, responda.

a) Qual era o objetivo dos Estados Unidos em promover essa política?

b) Os Estados Unidos atingiram esse objetivo?

c) Como a União Soviética reagiu?

3 Responda às questões sobre alguns acontecimentos que marcaram a Guerra Fria.

a) Por que a criação do Estado de Israel, em 1948, deu início a uma série de conflitos entre o Estado judaico e os países árabes?

b) Explique o que foi o regime do *apartheid* na África do Sul.

c) Por que o período que se iniciou com o fim da Segunda Guerra Mundial ficou conhecido como Guerra Fria?

4 Escreva **V** (verdadeiro) ou **F** (falso) nas afirmativas relacionadas ao período da Guerra Fria. Depois, corrija as frases incorretas.

a) ☐ A Guerra dos Seis Dias opôs o Estado israelense ao bloco de países árabes e resultou na expansão dos territórios controlados por Israel na Palestina.

b) ☐ Ao final da Segunda Guerra, o Muro de Berlim dividiu a Alemanha em duas partes: a República Democrática Alemã, socialista, e a República Federal Alemã, capitalista.

c) ☐ A Revolução Chinesa, em 1949, promoveu a derrubada do regime monárquico e inaugurou o período de modernização e abertura econômica da China.

d) ☐ A rivalidade entre Estados Unidos e União Soviética já se manifestava durante a Segunda Guerra Mundial, mesmo os dois países lutando no mesmo lado contra as forças do Eixo, e anunciava a relação bipolar que marcaria a geopolítica mundial depois de 1945.

5 Leia o texto e observe o mapa.

"[...] Apesar da retórica apocalíptica de ambos os lados, mas sobretudo do lado americano, os governos das duas superpotências aceitaram a distribuição global de forças no fim da Segunda Guerra Mundial, que equivalia a um equilíbrio de poder desigual mas não contestado em sua essência. [...]

A situação fora da Europa era menos definida, a não ser pelo Japão [...]. Foi nessa área [Ásia] que as duas superpotências continuaram a competir, por apoio e influência, durante toda a Guerra Fria, e por isso a maior zona de atrito entre elas, aquela onde o conflito armado era mais provável, e onde de fato irrompeu."

HOBSBAWM, Eric J. *Era dos extremos*: o breve século XX (1914-1991). São Paulo: Companhia das Letras, 2007. p. 224-225.

Intervenções militares dos Estados Unidos durante a Guerra Fria

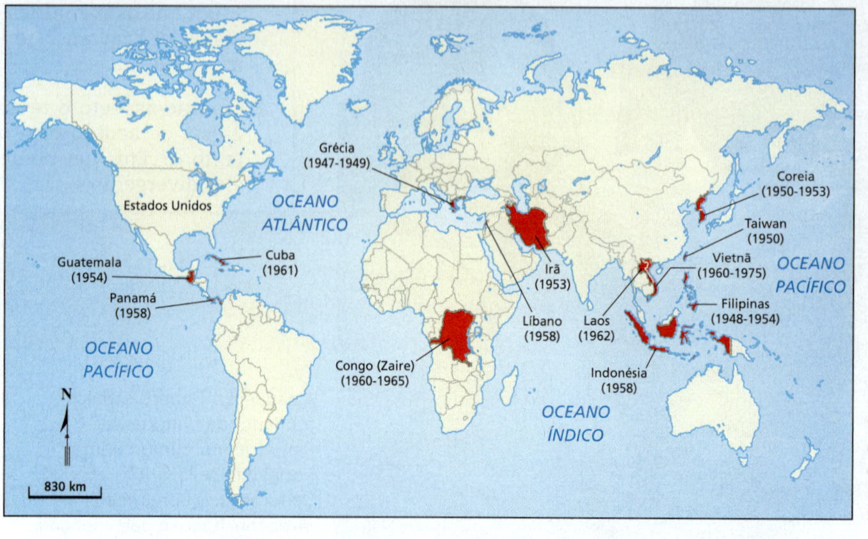

Fonte: WESTAD, Odd Arne. *The global cold war*. Third world interventions and the making of our times. Cambridge: Cambridge University Press, 2007. p. 116.

a) Em que regiões do mundo os Estados Unidos atuaram durante a Guerra Fria?

b) Segundo Hobsbawm, qual a relação entre a indefinição política na Ásia e os conflitos existentes nessa região?

c) O texto está de acordo com o mapa ou o contradiz? Justifique.

Capítulo

35

Os movimentos sociais e a transformação dos comportamentos

35.1 A sociedade de consumo e a revolução cultural

Na sociedade de consumo, as imagens veiculadas na mídia definem padrões de beleza e de comportamento.

35.2 Revolta e protesto nos anos 1960

O Maio de 1968, na França, e a Primavera de Praga, na Tchecoslováquia, expressaram essencialmente a insatisfação da juventude com a ordem mundial que nasceu com o fim da Segunda Guerra.

35.3 Os novos movimentos sociais

Os movimentos sociais dos anos 1960 incorporaram novas temáticas, como a discriminação da mulher, o preconceito racial e os prejuízos do progresso tecnológico.

Os movimentos sociais e a renovação da sociedade

Em novembro de 2008, o democrata negro Barack Obama venceu por ampla maioria as eleições presidenciais nos Estados Unidos. Foi o primeiro cidadão de origem africana a exercer o mais alto cargo do país mais rico do mundo. Jovem, dinâmico e eloquente, Obama conquistou grande parte do eleitorado, particularmente os jovens, que se mobilizaram por meio da internet e compareceram em peso às urnas, para apoiá-lo, num país em que o voto não é obrigatório.

A eleição de um negro para a presidência dos Estados Unidos era inimaginável há pouco mais de 40 anos, quando os negros ainda eram socialmente discriminados nos Estados Unidos e em outros países. A situação começou a se modificar entre os anos de 1960 e 1970, graças aos movimentos sociais que lutavam pela conquista dos direitos civis das minorias.

Os movimentos sociais não ocorreram apenas nos Estados Unidos. Jovens de diversas partes do mundo mobilizaram-se politicamente contra uma sociedade que acreditavam ser autoritária ou preconceituosa. E a importância desses movimentos foi tão grande que sua influência estende-se até hoje, nas mobilizações estudantis, nas greves e nas lutas políticas.

Policial lança gás lacrimogênio para dispersar a multidão durante as manifestações estudantis em Paris, França, em 1968. As mobilizações de 1968 na Europa fizeram daquele ano um dos mais revolucionários da história.

Seção 35.1

A sociedade de consumo e a revolução cultural

Objetivos

- Entender as transformações econômicas, demográficas e sociais ocorridas no Ocidente após a Segunda Guerra Mundial.
- Explicar o surgimento de uma cultura jovem.

Termos e conceitos

- Corporação
- Sociedade de consumo
- Cultura

As transformações no sistema capitalista

O período que vai de 1950 a 1973 foi marcado pela enorme concentração de capital e pelo crescimento econômico constante, principalmente nos países desenvolvidos. O Produto Interno Bruto (PIB) dos Estados Unidos quase dobrou em apenas dez anos, subindo de 355 bilhões de dólares em 1950 para 727 bilhões em 1960.

O poder econômico, no entanto, ficou centralizado nas mãos de um reduzido número de grandes **corporações** e empresas transnacionais. Nos Estados Unidos, por exemplo, em 1962, os 25% dos ativos industriais estavam restritos às vinte maiores empresas, que recebiam 28% de todo o lucro econômico gerado no país.

O monopólio das grandes corporações

As grandes corporações ficaram maiores e mais complexas, tornando-se necessário efetuar mudanças na estrutura administrativa. A gestão individual ou familiar das antigas indústrias foi sendo substituída por uma equipe de administradores profissionais, os executivos. Embora não fossem os proprietários da empresa, os executivos gerenciavam as atividades administrativas.

Nas grandes corporações do mundo desenvolvido, os indivíduos, submetidos a uma burocracia centralizadora e autoritária, trabalhavam da juventude até a aposentadoria, galgando um a um os degraus da hierarquia corporativa. O aumento de salários e benefícios implicava obediência e fidelidade absoluta à organização.

Nas fábricas ou nos escritórios exigia-se estrita obediência dos empregados às ordens emanadas da direção. O controle autoritário sobre o processo de produção criava uma atmosfera opressiva, que impedia o desenvolvimento da autonomia, da liberdade e da criatividade. Assim, o indivíduo não encontrava condições para se realizar profissionalmente ou sentir prazer no trabalho concluído.

A sociedade de consumo

No período do pós-guerra, entre as décadas de 1950 e 1960, o processo de acumulação de capital e de modernização tecnológica propiciou um aumento sem precedentes da produção de mercadorias e da prestação de serviços, provocando várias transformações sociais, econômicas e culturais. Uma delas foi a expansão da **sociedade de consumo** nas nações desenvolvidas do mundo ocidental e em determinados setores de países subdesenvolvidos, como o Brasil.

Fosse por meio do cinema, da televisão ou das revistas e jornais populares, as imagens contribuíram para criar um verdadeiro espetáculo da sociedade de consumo. O *marketing* e a propaganda encarregavam-se não só de transformar as mercadorias em objetos de desejo, mas também de conferir a elas qualidades que não possuíam, tais como masculinidade, atratividade sexual, inteligência, modernidade ou sofisticação.

Foi nesse período, também, que o culto a celebridades e atores famosos começou a se difundir. Os espectadores anônimos tendiam a se identificar com as imagens de seus ídolos, vistas diariamente no cinema ou na televisão. As celebridades ditavam modas, gostos, estilos e padrões de comportamento numa sociedade cada vez mais pautada pelo consumo de imagens **[doc. 1]**.

DOC. 1 Cena do filme *O pecado mora ao lado*, de Billy Wilder, Estados Unidos, 1955. Marilyn Monroe tornou-se um ícone e estabeleceu um padrão de beleza feminina em sua época.

Imagem e cotidiano

O resultado desse processo de encantamento da mercadoria por meio da propaganda é a colonização da vida cotidiana das pessoas pelas imagens difundidas na mídia, frequentemente desconectadas do mundo real. Reduzidos ao papel de consumidores, os indivíduos tendem a se tornar passivos e a renunciar à consciência crítica e à cidadania. A desconexão entre a realidade e o mundo das imagens, que afeta particularmente as novas gerações, pode ser considerada um dos maiores problemas do mundo contemporâneo.

A formação de uma cultura jovem

Entre 1959 e 1969, houve um aumento expressivo das taxas de escolarização em quase toda a Europa Ocidental, na América do Norte e nos países do bloco soviético. O maior acesso ao ensino secundário e universitário tornou possível o convívio diário entre jovens nas instituições de ensino, contribuindo para o surgimento de características comuns de gosto e de comportamento.

A mensagem transmitida pela música popular, pelo cinema, pela televisão e pela publicidade fazia um apelo cada vez maior à juventude. Assim, os jovens encontraram elementos que tornaram possível a elaboração de uma **cultura** singular e específica à sua faixa etária, aos seus círculos de convivência e aos seus anseios.

A moda é um bom exemplo dessa transformação. O vestuário feminino incorporou os decotes ousados, as blusas transparentes e os vestidos e saias justos e curtos, que valorizavam o corpo da mulher. O uso da calça comprida se generalizou, e os biquínis se difundiram nas praias. A moda masculina, inspirada em filmes norte-americanos, ficou caracterizada pelo uso da calça *jeans* apertada e da jaqueta de couro. E surgiu, também, a moda *unissex*, com itens fabricados tanto para homens quanto para mulheres **[doc. 2]**.

Politização da juventude

Em busca de sua própria identidade, os jovens também expressavam sua revolta e seus anseios adotando um ideal político. O marxismo fornecia a linguagem comum a esses grupos de jovens em luta contra a opressão e a injustiça social. A teoria marxista permitia a identificação dos jovens com a luta de grupos oprimidos, como a dos negros por direitos civis nos Estados Unidos, a dos povos colonizados contra o imperialismo e a da classe trabalhadora contra os capitalistas.

O protesto da juventude, contudo, não se dirigia contra somente a opressão política e a exploração econômica, mas também contra a sociedade de consumo, que os jovens viam como vazia e destituída de sentido. Os jovens reivindicavam uma vida individual e coletiva significativa, em que cada um pudesse alcançar sua realização pessoal, prazer e felicidade.

No movimento *hippie*, que se difundiu a partir da Califórnia, nos Estados Unidos, a busca de uma existência mais plena de sentido traduzia-se na adoção de um estilo de vida mais simples e mais próximo da natureza. Inspirados por esse ideal, muitos jovens foram viver em comunidades rurais e sociedades alternativas, onde podiam vivenciar formas não convencionais de amor.

DOC. 2 Jovem casal caminha pela rua em Londres, em 1967. A comercialização de um vestuário voltado para a juventude permitiu marcar a singularidade dessa fase da vida.

Vocabulário histórico

Sociedade de consumo
Expressão que adquiriu diversos significados, mas que frequentemente é utilizada para caracterizar um dos aspectos do sistema capitalista: a predominância do consumo nas relações humanas.

Hippie
A palavra *hippie* deriva de *hipster*, como eram chamados os grupos de jovens que se inspiravam nas ideias da chamada geração *beat*. Formada por escritores e artistas nova-iorquinos, tais como Jack Kerouac, William Burroughs e Lawrence Ferlinghetti, a geração *beat* (ou os *beatniks*, como também eram conhecidos) recusava os valores materialistas e o moralismo da sociedade norte-americana. Os ideais dos *beatniks* foram descritos no romance autobiográfico de Jack Kerouac, *On the road* (1957), (traduzido no Brasil como "Pé na estrada"), que narra a viagem de um grupo de jovens pelos Estados Unidos em busca de novas experiências, espiritualidade e autoconhecimento.

QUESTÕES

1. Identifique os atributos pessoais destacados nessa foto de Marilyn Monroe e relacione-os com a expansão da sociedade de consumo **[doc. 1]**.
2. Que fatores contribuíram para a formação de uma cultura jovem nas décadas de 1950 e 1960? Explique.
3. De que modo a juventude passou a se manifestar politicamente? Explique.

Seção 35.2

Revolta e protesto nos anos 1960

Objetivo

- Relacionar as transformações ocorridas após a Segunda Guerra Mundial com o surgimento de movimentos sociais na Europa na década de 1960.

Termos e conceitos

- Maio de 1968
- Primavera de Praga
- Universidade

O ano de 1968

No ano de 1968, uma onda de protestos de estudantes agitou diversos países, tanto no bloco capitalista quanto no bloco comunista. Nos países capitalistas desenvolvidos, os estudantes rebelados contestavam a sociedade de consumo. Nos países periféricos, a revolta expressava a condenação da exploração econômica e a opressão dos regimes autoritários. Já nos países socialistas, a democracia e a liberdade de expressão eram os objetivos mais importantes. De modo geral, o que havia de comum entre todos esses movimentos era a insatisfação com a ordem mundial estabelecida após o fim da Segunda Guerra.

Estudantes secundaristas e universitários revoltaram-se contra um sistema de ensino considerado autoritário e repressivo, contra o imperialismo e contra as organizações tradicionais da própria esquerda, tais como sindicatos e partidos. Entre todos esses movimentos, destacaremos dois deles: o protesto dos estudantes em Paris, que ficou conhecido como **Maio de 1968** [doc. 1], e a rebelião estudantil na Tchecoslováquia, também chamada de **Primavera de Praga**.

O Maio de 1968

A participação de muitos estudantes franceses no jogo político dominante esvaziou-se. Os partidos políticos tradicionais e os grandes sindicatos haviam abandonado as propostas radicais e se submeteram às do governo. Por essa razão, muitos estudantes se filiaram a pequenos agrupamentos de esquerda, que realizavam atividades políticas alternativas, como distribuição de panfletos nas fábricas e **universidades**.

Na década de 1960, esses pequenos grupos funcionavam como meio de sociabilidade para os estudantes. Diferentemente da esquerda tradicional, que se limitava a fazer reivindicações econômicas, como melhores salários e mais benefícios trabalhistas, a esquerda jovem defendia causas utópicas, como a abolição do trabalho assalariado e a transformação da sociedade numa república de conselhos.

DOC. 1 Protesto de estudantes e trabalhadores no famoso Maio de 1968. Paris, França, 1968. Ao ocupar as ruas, os manifestantes tornaram públicas as inquietações da sua época.

DOC. 2 Participantes da Primeira Parada Gay em Nova York, nos Estados Unidos, em junho de 1970. A luta pelo reconhecimento político dos homossexuais, que visava à conquista de direitos iguais aos dos demais cidadãos, intensificou-se na década de 1970.

O estopim do movimento

A partir de março de 1967, começou o movimento de ocupação dos *campi* universitários pelos estudantes. A primeira universidade a ser ocupada foi a de Nanterre, na periferia de Paris. A motivação foi aparentemente pueril: a proibição do acesso dos rapazes aos dormitórios das moças na residência universitária. Em seguida, o movimento alastrou-se por outras universidades, chegando ao centro de Paris, onde estavam as mais prestigiadas universidades do país.

As autoridades reagiram, desrespeitando o privilégio tradicional da autonomia dos *campi* universitários. Os policiais invadiram as universidades, prendendo e interrogando diversos estudantes. Em maio de 1968, diante da intransigência das autoridades, o movimento alastrou-se para fora das universidades.

DOC. 3 **A universidade e a sociedade**

"A ocupação da [Universidade de] Sorbonne, a partir da segunda-feira, 13 de maio, abriu um novo período na crise da sociedade moderna. Os acontecimentos que estão ocorrendo agora na França prefiguram o retorno do movimento revolucionário proletário em todos os países. [...]

Ao deixar a Sorbonne, o governo pretendia pacificar a revolta dos estudantes, que já haviam conseguido manter suas barricadas durante uma noite inteira num bairro de Paris, duramente reconquistado pela polícia. Deixavam a Sorbonne aos estudantes para que eles discutissem enfim pacificamente os seus problemas universitários. Mas os ocupantes logo decidiram abri-la à população para discutir livremente problemas gerais da sociedade.

[...] O exemplo do que havia de melhor numa situação como essa assumiu imediatamente uma significação explosiva. Os operários viram em ação a livre discussão, a busca de uma crítica radical, a democracia direta, um direito a assumir. Era, mesmo limitado a uma Sorbonne liberta do Estado, o programa da revolução encontrando suas próprias formas. [...]"

Conselho para a manutenção das ocupações. Relatório sobre a ocupação da Sorbonne. Paris, 19 maio 1968. In: FAURÉ, Christine. *Mai 68*: jour et nuit. Paris: Gallimard, 1998. p. 110-111.

As ruas de Paris foram tomadas por manifestações, que chegaram a reunir milhares de pessoas.

O movimento e o seu fim

Quanto mais a polícia reprimia o movimento, mais ele crescia, pois outras categorias se uniram aos universitários **[doc. 3]**. Os estudantes secundaristas se mobilizaram, sendo seguidos por cerca de 7 milhões de operários, que entraram em greve em várias cidades da França. O governo, mesmo desmoralizado, continuou recorrendo à força policial na tentativa de estancar a rebelião. Em resposta, os estudantes construíram barricadas, estacionaram carros nas vias e responderam com paus, pedras e bombas caseiras à violência policial.

Com o objetivo de desmobilizar e isolar os estudantes, o governo do general De Gaulle fez concessões aos trabalhadores em greve, como aumento de salários e maior autonomia aos sindicatos. Além disso, convocou a população a se manifestar em seu favor e obteve certo sucesso, pois milhares de pessoas que se opunham aos estudantes saíram às ruas para apoiá-lo.

Alguns grupos estudantis e setores do movimento operário resistiram com vigor e continuaram a erguer barricadas. O movimento, contudo, terminou em junho de 1968, com uma eleição parlamentar vencida pela coalizão que apoiava De Gaulle. As universidades foram reabertas, os grupos de esquerda foram dissolvidos, as manifestações foram proibidas e os operários foram coagidos a voltar ao trabalho.

Aparentemente, a ordem social havia retornado. O Maio de 1968, no entanto, marcou época, servindo de orientação para as mobilizações das décadas de 1970 e 1980. Movimentos pelos direitos dos imigrantes, contra a violência nas prisões, pela humanização do sistema de saúde, pelos direitos das mulheres e dos homossexuais, entre muitos outros, originaram-se das manifestações que ocorreram em maio de 1968 **[doc. 2]**.

A Primavera de Praga

Os regimes socialistas controlados pela União Soviética conheceram certos ganhos sociais, como melhorias nos sistemas de ensino e de saúde, mas estavam organizados sobre ditaduras unipartidárias e sobre o controle totalitário da vida cotidiana. Nos países da Europa Oriental dominados pelo regime soviético, toda manifestação de oposição era imediatamente rotulada de contrarrevolucionária e duramente reprimida pelo exército ou pelas polícias políticas de cada regime.

Uma relativa abertura política na Tchecoslováquia começou a se esboçar apenas na década de 1960, com o revigoramento da cultura e da discussão intelectual no país. Diretores de cinema, escritores, estudantes e professores universitários começaram a discutir o passado do país e as perspectivas para o futuro do socialismo. Prejudicada pela estagnação econômica, a população exigia reformas que abrissem a economia e garantissem mais autonomia para regiões menos desenvolvidas, como a Eslováquia.

Em outubro de 1967, uma revolta estudantil, que se manifestava contra a burocracia stalinista, foi violentamente reprimida pelas forças do regime. Meses depois, em janeiro de 1968, algo inesperado aconteceu: o Comitê Central do Partido Comunista elegeu um novo primeiro-secretário de linha reformista, Alexander Dubcek. Ele era relativamente jovem (tinha 49 anos quando foi nomeado) e estava disposto a realizar as reformas pelas quais clamava a sociedade tcheca.

Manifestações de rua exigiam o fim da censura, maior liberdade de imprensa e a expulsão da linha-dura stalinista dos quadros do Partido Comunista. Os novos quadros partidários queriam democratizar o regime comunista. O controle sobre a imprensa e a liberdade de opinião foi reduzido, e mais autonomia foi concedida a cada região.

A elite comunista ainda mantinha as rédeas do poder em suas mãos, apesar das boas intenções de Dubcek. Temendo que a situação saísse de controle e que a revolta se espalhasse pelos demais países sob o regime soviético, a União Soviética interveio. A linha dura do Partido Comunista da Tchecoslováquia, receando perder seus privilégios, conspirava em segredo contra o governo Dubcek, negociando com os soviéticos a deposição do governo.

A invasão soviética

Em agosto de 1968, as tropas do Pacto de Varsóvia invadiram a Tchecoslováquia **[doc. 4]**. A invasão, contudo, encontrou resistência dos estudantes e da população tcheca. Dubcek e os líderes reformistas ainda permaneceram nos seus cargos, mas meses depois foram afastados do poder e perseguidos. Estudantes, professores e intelectuais que apoiavam as reformas foram obrigados a fazer confissões forçadas e coagidos a realizar trabalhos degradantes e humilhantes.

Os estudantes não estavam lutando pelo fim do socialismo nem por um regime capitalista, mas pela democratização e humanização do socialismo. Muitos deles eram comunistas convictos, decepcionados com o rumo que o socialismo estava tomando. O que eles defendiam era autonomia para encontrar uma via própria para o socialismo, sem ter de obedecer aos ditames vindos de Moscou nem sustentar uma burocracia corrupta e decrépita.

DOC. 4 Civis protestam contra a invasão de tanques do Pacto de Varsóvia no centro de Praga, capital da Tchecoslováquia, 1968. A Primavera de Praga foi um evento importante na história do regime soviético, pois explicitou as divergências que havia no interior do bloco socialista.

QUESTÕES

1. Em 1968, jovens de diversas partes do mundo se revoltaram e se mobilizaram. As motivações desses movimentos se diferenciavam, entretanto, conforme as condições econômicas ou o tipo de regime político instituído em cada país. Apresente essas diferenças.
2. Faça uma comparação e explique o que diferenciava a Primavera de Praga, na Tchecoslováquia, das manifestações de maio de 1968, na França.

Seção 35.3

Os novos movimentos sociais

Objetivo

▶ Entender a luta das mulheres e dos negros no contexto dos movimentos pela conquista da liberdade e dos direitos democráticos dos anos 1960.

Termos e conceitos

- Racismo
- Feminismo
- Nova Esquerda

Conteúdo digital Moderna PLUS http://www.modernaplus.com.br
Vídeo: Crash

A luta contra o racismo nos Estados Unidos

Entre as décadas de 1950 e 1960, os Estados Unidos tiveram um crescimento econômico exponencial. A prosperidade norte-americana, contudo, não era homogeneamente distribuída na sociedade. A distribuição de renda era bastante desigual: os 20% mais ricos da população controlavam 45% de toda a renda, enquanto os 20% mais pobres controlavam apenas 5%. Em 1960, segundo estimativas do governo norte-americano, um quinto da população dos Estados Unidos estava abaixo da linha oficial de pobreza.

Negros, indígenas e imigrantes latino-americanos formavam parte substancial da população pobre dos Estados Unidos, especialmente nos estados do sul do país. Nesses estados, os direitos civis da população não branca não estavam assegurados. Mantinha-se um sistema de segregação racial que se manifestava de diversas formas. Os negros eram vítimas de linchamentos, violência policial e discriminação no trabalho, na escola e nos serviços públicos. Nos ônibus, por exemplo, os negros eram obrigados a sentar-se nos bancos traseiros.

Contra esse estado de coisas, teve início, a partir de meados da década de 1950, um movimento de oposição ao **racismo** e em defesa dos direitos civis para os negros. O movimento começou em 1955 no estado do Alabama, com o protesto contra a segregação racial em ônibus e escolas. Foi nesse contexto que surgiram líderes importantes, como Martin Luther King, que era pastor batista na Geórgia e utilizou a rede formada pelas igrejas como suporte à sua campanha de desobediência civil.

DOC. 1 Martin Luther King acena para a multidão em Washington, Estados Unidos, 1963. Durante a Marcha sobre Washington por Terra e Liberdade, Martin Luther King pronunciou seu famoso discurso *I have a dream* ("Eu tenho um sonho"), em que defendia o fim do racismo nos Estados Unidos.

Marcha sobre Washington

Na década de 1960, o movimento cresceu com a adesão dos estudantes, que organizavam manifestações contra a segregação racial em restaurantes, cinemas, bibliotecas e rodoviárias nos estados do sul, mas também em muitas cidades do norte onde havia discriminação. Em 1963, registrou-se o ápice das manifestações, quando mais de 15 mil norte-americanos foram presos por protestos em 186 cidades. Em agosto de 1963, 200 mil pessoas caminharam na célebre "Marcha sobre Washington", quando Luther King discursou na capital norte-americana **[doc. 1]**. Parte da população branca do sul, no entanto, não aceitava o fim da segregação racial, reagindo com enorme violência aos protestos que se alastravam.

Milhares de pessoas foram espancadas e presas pela polícia, igrejas negras foram incendiadas e militantes foram assassinados. Inicialmente fazendo vista grossa para o que estava acontecendo, o governo federal teve que intervir, oferecendo proteção aos manifestantes. Entre 1964 e 1967, uma série de atos legislativos garantiu na lei o fim da discriminação no trabalho, nos serviços públicos e nas eleições, o que não alterou, contudo, a situação de humilhante pobreza em que vivia a população negra nos Estados Unidos. A partir de 1965, programas de ação afirmativa foram postos em prática para incluir os negros nas universidades e no mercado de trabalho.

- **Ação afirmativa.** Nesse caso, conjunto de políticas destinadas a reduzir a desigualdade racial por meio de medidas de inclusão do negro na sociedade.

O feminismo

O **feminismo** contemporâneo também nasceu na década de 1960, no bojo de todo esse conjunto de movimentos de crítica e contestação da ordem existente. No caso do movimento feminista, o que se contestava era a ordem sexual dominante, que limitava o desenvolvimento da mulher, condenando-a a posições inferiores no mercado de trabalho ou ao papel tradicional de esposa e mãe.

O movimento feminista teve origem nas transformações sociais e econômicas impulsionadas pela Segunda Guerra Mundial. Após o fim do conflito, as mulheres ganharam o direito ao voto na maior parte dos países ocidentais. Grande parte das proibições legais também foi excluída, mas a opressão feminina no cotidiano e na família continuava.

Nas décadas de 1950 e 1960, uma quantidade crescente de mulheres ingressou nas universidades e, consequentemente, no mercado de trabalho. Mas as desigualdades entre os sexos persistiam: as mulheres recebiam salários menores que os homens pelo mesmo trabalho, não tinham acesso a todas as profissões e continuavam responsáveis pela criação dos filhos e pelos cuidados da casa.

Na segunda metade da década de 1960, o movimento feminista retornou com força, particularmente nos Estados Unidos. As mulheres também passaram a exigir o direito sobre o próprio corpo e a própria sexualidade. Os contraceptivos, a difusão do amor livre e as mudanças no comportamento e na moda provocaram uma verdadeira revolução sexual. A luta voltava-se cada vez mais para o direito ao divórcio e ao aborto, temas que até hoje geram discussão em vários países.

A Nova Esquerda

Os movimentos políticos originados com os acontecimentos de 1968 ficaram conhecidos nos Estados Unidos como *New Left* ("**Nova Esquerda**") e renovaram o pensamento crítico **[doc. 2]**. Ao contrário da esquerda tradicional, a Nova Esquerda não criticava somente o capitalismo, mas também o socialismo autoritário e burocrático de regimes como os da China e da União Soviética.

Assim, ao recusar as opções políticas convencionais, a Nova Esquerda chamava a atenção para novas questões, denunciando a falta de liberdade, o conservadorismo moral e a repressão do desejo. Com essa mudança de perspectiva, novas lutas vinham à tona. Passou-se a defender a extensão dos direitos civis não apenas às mulheres, mas também a outras minorias (negros, indígenas, homossexuais etc.).

Uma questão de particular importância, que começou a surgir na década de 1970, era a destruição da natureza. A esquerda tradicional jamais pôs em questão o valor do progresso, da ciência e da técnica. Contudo, a experiência das bombas atômicas e a descoberta dos experimentos científicos, realizados em seres humanos pelos médicos nazistas, levaram a questionar os limites éticos dos progressos técnico e científico.

QUESTÕES

1. Exponha a importância do movimento liderado por Martin Luther King nos Estados Unidos.
2. De acordo com Marcuse, a sociedade industrial avançada intensificou a opressão sobre o indivíduo. Explique quais foram as novas formas encontradas e dê exemplos atuais [doc. 2].

DOC. 2 **Faça amor, não faça guerra!**

Em livros como *Eros e civilização* (1955) e *O homem unidimensional* (1964), Marcuse defendia que a sociedade industrial avançada estava fundada na repressão dos instintos e na violência contra a natureza. Diferente do capitalismo do século XIX, a sociedade industrial contemporânea, de acordo com esse ponto de vista, não se limitava apenas a explorar os corpos, mas também a colonizar a imaginação e o desejo por meio da ininterrupta produção de novas necessidades.

Marcuse ainda argumentava que a classe operária havia perdido seu papel transformador na sociedade, pois teria sido cooptada por intermédio do consumo. Assim, a transformação social deixaria de ser apenas uma questão de luta de classes. Para ele, era o próprio modo de vida da sociedade de consumo que seria nocivo, irracional e autodestrutivo.

Herbert Marcuse no debate *Opinião vs. Opinião*, em Düsseldorf, Alemanha, 1976. As obras de Marcuse ficaram marcadas por suas duras críticas sociais e propostas libertárias.

ATIVIDADES

Retomar conteúdos

1 O movimento francês de maio de 1968 foi motivado por diversos fatores como a crítica à sociedade de consumo e aos regimes autoritários. O conflito de gerações pode ser incluído nesses fatores? Justifique sua resposta.

2 Responda às questões sobre o movimento feminista.

a) Em que contexto social e político o movimento feminista da década de 1960 esteve inserido?

b) Compare as reivindicações feministas da década de 1960 com as do século XIX.

Ler textos e imagens

3 Observe as imagens a seguir para responder às questões.

Frente da Universidade de Sorbonne, em Paris, no dia seguinte a um grande tumulto no local. França, maio de 1968.

Tanques do Pacto de Varsóvia invadem o centro de Praga, na Tchecoslováquia, agosto de 1968.

a) Identifique os acontecimentos representados em cada uma das fotos.

b) Descreva e compare as imagens, identificando as semelhanças e as diferenças de suas motivações políticas.

4 Em 1963, Martin Luther King (1929-1968) proferia seu mais famoso discurso: "*I have a dream*" ("Eu tenho um sonho"). Identifique, no discurso, os anseios de Luther King, destacando, ao mesmo tempo, o estilo de texto utilizado pelo líder negro norte-americano.

"[...] eu tenho um sonho. É um sonho profundamente enraizado no sonho americano.

Eu tenho um sonho que um dia esta nação se levantará e viverá o verdadeiro significado de sua crença [...], que os homens são criados iguais.

Eu tenho um sonho que um dia nas colinas vermelhas da Geórgia os filhos dos descendentes de escravos e os filhos dos descendentes dos donos de escravos poderão se sentar juntos à mesa da fraternidade.

Eu tenho o sonho que um dia, até mesmo o estado de Mississipi [...] será transformado em um oásis de liberdade e justiça.

Eu tenho um sonho de que minhas quatro pequenas crianças vão um dia viver em uma nação onde elas não serão julgadas pela cor da pele, mas pelo conteúdo de seu caráter. Eu tenho um sonho hoje!

Eu tenho um sonho que um dia todo vale será exaltado, e todas as colinas e montanhas virão abaixo [...], e a glória do Senhor será revelada e toda a carne estará junta. [...]"

Discurso de Martin Luther King [28 ago. 1963]. Disponível em www.palmares.gov.br. Acesso em 15 abr. 2010.

5 O texto a seguir trata da crise do modelo tradicional de família nas décadas de 1960 e 1970. Leia o texto, identifique os fatores que provocaram esse processo e explique como estão relacionados a esse acontecimento.

"As décadas de 1960 e 1970 [...] foram uma era de extraordinária liberalização tanto para os heterossexuais (isto é, sobretudo para as mulheres, que gozavam de muito menos liberdade que os homens) quanto para os homossexuais, além de outras formas de dissidência cultural-sexual. Na Grã-Bretanha, a maior parte das práticas homossexuais foi descriminada na segunda metade da década de 1960, poucos anos depois de nos EUA [...]. Na própria Itália do papa, o divórcio se tornou legal em 1970 [...]. A venda de anticoncepcionais e a informação sobre controle de natalidade foram legalizadas em 1971, e em 1975 um novo código de família substituiu o velho, que sobrevivera do período fascista. Finalmente, o aborto tornou-se legal em 1978, confirmado por referendo em 1981."

HOBSBAWM, Eric J. *Era dos extremos*: o breve século XX (1914-1991). São Paulo: Companhia das Letras, 1998. p. 316.

Capítulo

36 O populismo no Brasil e na América Latina

Novos ventos

O final da Segunda Guerra Mundial, em 1945, expôs algumas contradições da era Vargas. O mesmo país que lutava contra os totalitarismos nazifascistas na Europa vivia, internamente, um período ditatorial. O Estado Novo limitava drasticamente as manifestações políticas oposicionistas e mantinha o modelo centralizado de poder que, em alguns pontos, inspirou-se na experiência nazifascista, agora derrotada.

Ao mesmo tempo, o crescimento industrial em curso desde a década de 1930 acelerou o processo de deslocamento de pessoas do campo para a cidade e acarretou expansão significativa do número de operários. Os movimentos populares ganharam maior força e organização, ampliaram suas reivindicações e exigiram maior espaço de expressão e de participação política.

Outros países latino-americanos viviam situações históricas semelhantes ou com traços parecidos. O tema da redemocratização, trazido pelo fim da guerra para o debate político, cruzava com as questões internas e com os processos particulares de modernização e transformação nacional. Novos ventos – nem sempre de maior liberdade – sopravam sobre o continente e abriam o período histórico que foi chamado de "populista".

Mas o que foi efetivamente o "populismo"? Que feições assumiu nos vários países do continente latino-americano? Qual sua pertinência nos anos de 1930 a 1960 e ainda hoje? Neste capítulo, acompanharemos algumas transformações pelas quais a América Latina passou naquelas décadas e o impacto delas na atualidade.

A primeira-dama Eva Duarte Perón acena para multidão no 4º aniversário do governo de Juan Domingo Perón. Argentina, 1950. Em virtude de sua personalidade marcante, Eva Perón, mais conhecida como Evita, adquiriu prestígio e veneração perante milhares de argentinos.

Seção 36.1

O Brasil depois do Estado Novo

Objetivos

- Conhecer as principais características do populismo.
- Identificar os acontecimentos que levaram ao fim do segundo governo de Vargas, em 1954.

Termos e conceitos

- Populismo
- Varguismo
- Nacional-desenvolvimentismo
- Nacionalismo

Populismo e política de massas

Muitas vezes encontramos nos jornais a palavra **populismo** e a caracterização de certas ações e práticas como populistas. O termo surgiu nos anos 1950 e, embora atualmente seja questionado por diversos historiadores, continua sendo aplicado para caracterizar certos políticos e práticas políticas.

O conceito de populismo foi utilizado por autores que buscavam compreender o surgimento de propostas políticas voltadas para a melhoria das condições de vida e de trabalho das camadas populares, embora as mantivessem submissas a grandes líderes políticos.

Segundo esses autores, o populismo correspondia ao momento de passagem de uma sociedade rural e agrária para uma sociedade urbana e industrializada. Getúlio Vargas (Brasil), Juan Domingo Perón (Argentina) ou Lázaro Cárdenas del Rio (México) seriam alguns exemplos desses líderes **[doc. 1]**.

Desde a década de 1970, porém, o conceito vem sendo questionado. Novos trabalhos recusaram a ideia de que os setores populares dependiam de líderes externos a eles e insistiam que os dois modelos de sociedade (rural e urbana) não eram excludentes. Não haveria, portanto, transição de uma para outra, e sim relações e vínculos entre as duas faces das economias latino-americanas.

Os novos trabalhos defendiam que cada experiência histórica fosse estudada em sua especificidade e numa perspectiva comparativa. Propunham, também, que as estratégias adotadas em cada governo, como a do **varguismo**, fossem analisadas detalhadamente, como a importância da propaganda na construção de uma relação forte com as massas trabalhadoras e a simbologia empregada pelos partidos e pelos políticos.

Nessa mudança historiográfica, ainda hoje em curso, o conceito de populismo passou a conviver com a noção de política de massas e com o estudo dos mecanismos de exercício de poder que foram utilizados em tantas partes da América Latina entre as décadas de 1930 e 1960.

DOC. 1 Getúlio Vargas acena para diversas pessoas durante campanha eleitoral no Rio Grande do Sul, em 1950. FGV, Rio de Janeiro.

De Vargas a Dutra

O general Eurico Gaspar Dutra, candidato de Vargas, venceu a eleição presidencial de 1945. No mesmo ano, foram realizadas eleições legislativas para a composição da Assembleia Constituinte. A nova Constituição, promulgada em 1946, afirmava os princípios do federalismo e do equilíbrio entre os três poderes (Executivo, Legislativo e Judiciário). O esforço democratizante expressava-se, ainda, no estabelecimento de eleições diretas para o preenchimento de todos os cargos dos poderes Executivo e Legislativo, nos planos federal, estadual e municipal, e na extensão do direito de voto a todos os brasileiros alfabetizados e autônomos maiores de 18 anos, sem distinção de sexo ou condição social.

O reconhecimento da questão social e das reivindicações trabalhistas, ponto marcante do período Vargas, apareceu no texto constitucional de 1946 de duas formas distintas. Por um lado, assegurava-se o direito de greve; por outro, mantinha-se o atrelamento dos sindicatos ao Estado. Nos dois casos, a Constituição demonstrava a persistência de traços do governo anterior: os direitos dos trabalhadores eram reconhecidos e ganhavam espaço legal de discussão, mas o Estado garantia mecanismos de controle sobre as associações profissionais e sindicais.

A redemocratização promovida pelas eleições e pela nova Constituição tinha limites. Em meio à chamada bipolaridade estratégica, o Brasil aprofundou seus laços com os Estados Unidos e incorporou o discurso anticomunista propagandeado pelo governo norte-americano e endossado, após 1948, pela Organização dos Estados Americanos (OEA). Isso levou o governo Dutra a limitar a liberdade de organização partidária e a declarar ilegal, em 1947, o Partido Comunista do Brasil (PCB). Os sindicatos também foram atingidos pela perseguição, e algumas de suas lideranças foram presas, mesmo quando não tinham influência ou orientação comunista. No ano seguinte, o rompimento das relações diplomáticas com a União Soviética reiterava a posição brasileira ao lado dos Estados Unidos.

A política econômica

A política econômica do governo Dutra caracterizou-se pelo alinhamento brasileiro com os Estados Unidos. No primeiro ano de mandato, a adoção de uma política liberal de estímulo à importação de bens estrangeiros possibilitou a entrada de muitos produtos norte-americanos no país. O objetivo era ampliar a concorrência no mercado interno e, assim, baratear os similares brasileiros.

A partir de 1947, o governo passou a estabelecer certo controle à entrada de produtos estrangeiros, restringindo o ingresso de bens de consumo rápido e estimulando a compra de maquinaria para o avanço industrial brasileiro. Um programa de valorização da moeda nacional e o aumento do preço do café, principal produto brasileiro de exportação, também auxiliaram na recuperação e no crescimento.

A sucessão de Dutra

O avanço democrático, mesmo limitado, e o crescimento econômico dos anos Dutra, porém, foram insuficientes para diminuir o prestígio popular e a força política de Vargas. O ex-ditador se recolhera, após a deposição de 1945, em suas propriedades rurais em São Borja, no Rio Grande do Sul, e lá recebia inúmeras lideranças políticas e sindicais interessadas em ouvir seus conselhos e orientações. Vargas afastara-se de Dutra e se preocupava, principalmente, em organizar seu partido, o PTB, e compor alianças que lhe permitissem voltar à política **[doc. 2]**.

Vargas construiu uma base sólida para suceder Dutra na presidência. Nas eleições de 1950, concorreu com o brigadeiro Eduardo Gomes, novamente lançado pela União Democrática Nacional (UDN), com o candidato apoiado por Dutra e pelo PSD, Cristiano Machado, e com João Mangabeira, do Partido Socialista Brasileiro (PSB). Durante a campanha, parte do PSD abandonou seu candidato e passou a apoiar Vargas, repetindo, informalmente, a aliança que embasara a vitória de Dutra, cinco anos antes, e facilitando a vitória do candidato do PTB. Getúlio estava de volta.

> **Vocabulário histórico**
>
> **Organização dos Estados Americanos (OEA)**
> A Organização dos Estados Americanos foi criada em 1948, na Conferência Pan-americana de Bogotá, e contou, inicialmente, com o endosso de 21 países das Américas, inclusive o Brasil. Sua finalidade, no momento da fundação, era garantir o estabelecimento e a manutenção da democracia e ampliar o intercâmbio e as parcerias comerciais entre os países-membros. No contexto da Guerra Fria, porém, acabou por reforçar a hegemonia norte-americana no continente.

DOC. 2 Caricatura de Getúlio Vargas em material de propaganda da campanha presidencial de 1950. FGV, Rio de Janeiro. No carnaval de 1951, uma marchinha de Marino Pinto e Haroldo Lobo que dizia "Bota o retrato do velho outra vez" fez grande sucesso. O "velho" era Vargas, e seu "retrato", a foto oficial da presidência da república.

Vargas novamente no poder

As principais medidas do novo governo de Vargas tinham como objetivo reduzir a inflação - para baratear os bens de primeira necessidade e aumentar a capacidade de consumo da população - e estimular a industrialização. As medidas anti-inflacionárias, no entanto, não surtiram o efeito desejado e a inflação continuava a crescer. O incentivo à captação externa de recursos também se mostrou insuficiente diante do déficit que a balança comercial brasileira acumulava. Abria-se espaço para a volta da retórica nacionalista do Vargas dos anos 1930, que, no plano econômico, fazia a defesa do **nacional-desenvolvimentismo** **[doc. 3]**.

O reforço do nacionalismo

No princípio de 1952, o governo limitou em 10% a remessa ao exterior dos lucros das empresas estrangeiras que atuavam no país. No mesmo ano, fundou o Banco Nacional de Desenvolvimento Econômico e Social (BNDES), com a finalidade de financiar e incentivar o avanço industrial brasileiro. Em 1953, Vargas criou a **Petrobras**, empresa estatal que tinha o monopólio da exploração e do refino de petróleo em território nacional.

A oposição política, liderada pela UDN, atacava as medidas de Vargas por considerá-las nocivas ao desenvolvimento nacional, uma vez que impedia a plena integração econômica do Brasil ao bloco de países capitalistas liderado pelos Estados Unidos. Já os defensores do **nacionalismo** varguista acusavam os udenistas de pretenderem facilitar o ingresso de capitais e de tecnologia estrangeira no país e, dessa forma, impedir o crescimento de uma economia autônoma.

A morte de Vargas

Vargas enfrentava reações à direita e à esquerda e tinha dificuldade de conduzir seu governo. Demitiu João Goulart, em fevereiro de 1954, para tentar diminuir as críticas da oposição, mas a medida foi insuficiente. Carlos Lacerda, então deputado federal pelo Rio de Janeiro e principal voz da UDN, denunciava atos corruptos de membros do governo, exigia a renúncia de Vargas e conclamava a sua destituição do posto de presidente.

Em 5 de agosto de 1954, Lacerda sofreu um atentado na Rua Tonelero, no Rio de Janeiro, e as investigações posteriores identificaram o chefe da guarda presidencial, Gregório Fortunato, como mandante do crime. O envolvimento de um auxiliar tão próximo ao presidente no crime complicou ainda mais a situação de Vargas. Entre 22 e 23 de agosto, militares da aeronáutica e do exército lançaram manifestos exigindo sua renúncia. Em 24 de agosto, Vargas cometeu suicídio. Na carta-testamento que deixou, acusava seus opositores de pretenderem destruir as conquistas dos trabalhadores alcançadas em seus períodos de governo e de agirem contrariamente aos interesses nacionais **[doc. 4]**.

DOC. 3 **Os nacionalistas e seus opositores**

"Esquematicamente, os nacionalistas defendiam o desenvolvimento baseado na industrialização, enfatizando a necessidade de se criar um sistema econômico autônomo, independente do sistema capitalista internacional. [...]

No quadro das relações internacionais, os nacionalistas eram favoráveis a uma posição de distanciamento, ou mesmo de oposição, relativamente aos Estados Unidos. Seus opositores defendiam a necessidade de o Brasil se alinhar irrestritamente com os americanos, no combate mundial ao comunismo. Lembremos que, nos primeiros anos da década de 1950, uma série de acontecimentos empurrou os países do Terceiro Mundo a uma definição por um dos campos em luta."

FAUSTO, Boris. *História do Brasil*. São Paulo: Edusp, 2008. p. 407.

DOC. 4 Multidão acompanha o cortejo fúnebre de Getúlio Vargas, Rio de Janeiro, agosto de 1954. FGV, Rio de Janeiro. A morte de Getúlio Vargas provocou uma forte mobilização popular.

QUESTÕES

1. Que aspecto do populismo está presente nessa imagem [doc. 1]?
2. Como o Brasil se posicionou politicamente nos primeiros anos da Guerra Fria? Exponha aos colegas as decisões adotadas pelos governos brasileiros que justifiquem sua resposta.

Seção 36.2

Os anos JK

Objetivo

- Analisar a política econômica adotada pelo presidente Juscelino Kubitschek e sua aceitação por parte das classes médias brasileiras.

Termos e conceitos

- Plano de Metas
- Populismo

Conteúdo digital Moderna PLUS http://www.modernaplus.com.br
Vídeo: JK, a construção de Brasília
Filme: *Os anos JK*. Diretor: Silvio Tendler. Brasil, 1980

A sucessão de Vargas

Após a morte de Getúlio Vargas, o vice-presidente João Café Filho tomou posse na presidência com a função de conduzir o país até as eleições presidenciais, que ocorreriam um ano e dois meses depois. O clima político, no entanto, impedia que o processo transcorresse com tranquilidade. Dias antes do suicídio, Vargas era atacado por quase todas as partes da sociedade brasileira. A comoção causada pelo suicídio, porém, reavivou o ânimo de seus antigos adeptos e colocou seus adversários na defensiva.

PSD e PTB retomaram a antiga aliança, que havia sido bem-sucedida anteriormente, e lançaram uma chapa mista para a disputa presidencial. Para presidente, o governador de Minas Gerais, Juscelino Kubitschek de Oliveira, do PSD. Para vice, João Goulart, do PTB, que fora ministro do Trabalho de Vargas e surgia como seu principal herdeiro político. A UDN, pela terceira vez, lançou o candidatura de um militar, Juarez Távora.

Juscelino Kubitschek, também conhecido como JK, venceu com 3.077.411 votos (35,7%). Inconformados com a derrota, a UDN e outros setores da oposição tentaram impugnar o resultado das eleições, mas não tiveram êxito.

O Plano de Metas

A base do governo de Juscelino Kubitschek era o **Plano de Metas**, que defendia a modernização acelerada da economia, com aumento significativo do nível de industrialização e forte crescimento econômico nacional. Durante a campanha eleitoral, a proposta era simbolizada pelo lema de JK, "Cinquenta anos em cinco": prometia fazer o país avançar cinco décadas nos cinco anos de seu mandato.

DOC. 1 Anúncio de eletrodomésticos Walita, 1960. Os eletrodomésticos tornaram-se um dos principais bens de consumo desejados pela classe média urbana.

O Plano de Metas organizou os investimentos governamentais em cinco eixos: energia, transporte, alimentação, indústria e educação. O tópico "Indústria" concentrava onze itens do plano. "Educação", em contrapartida, era alvo de apenas uma das metas. Os dois primeiros eixos indicavam claramente o tipo de intervenção econômica que o novo governo pretendia fazer: investir em setores estratégicos, que ofereceriam respaldo e dariam agilidade para que a iniciativa privada ampliasse sua produção, criasse mais postos de trabalho e intensificasse a circulação de capitais e de mercadorias.

A entrada e a atuação de empresas estrangeiras no Brasil agora eram estimuladas pelo governo, que também oferecia vantagens tributárias, facilidade na importação de equipamentos e máquinas, reserva de mercado para seus produtos e benefícios na remessa de lucros para o exterior. O foco principal de JK estava na indústria de bens duráveis, que atenderia às necessidades e aos desejos da classe média urbana ansiosa pelo consumo, por exemplo, de eletrodomésticos e automóveis **[docs. 1 e 2]**.

O conjunto de medidas foi capaz de atrair empresas estrangeiras e o país passou a contar rapidamente com subsidiárias de multinacionais do setor farmacêutico, eletroeletrônico e petroquímico. Para a sociedade brasileira, no entanto, o que mais chamou a atenção foi o ingresso de multinacionais do setor automobilístico, que passaram a montar automóveis em território nacional.

DOC. 2 **Produção industrial do Brasil no período JK**

"Há diferenças importantes entre a manufatura de bens de consumo imediato, como roupas e sapatos, por exemplo, e os bens duráveis, como os carros. No primeiro caso, a produção pode ser feita em pequena escala, por várias empresas que competem no mercado, sem requerer muitos capitais, tecnologia avançada ou gerenciamento profissional das fábricas. Exatamente o oposto ocorre no caso da indústria de automóvel e outros bens duráveis. Esta concentra grandes investimentos, técnicas sofisticadas, equipamentos modernos, administração de especialistas, monopólio do mercado, além de ser controlada não por um indivíduo ou família, mas por investidores."

LUCA, Tania Regina de. *Indústria e trabalho no Brasil*. São Paulo: Contexto, 2001. p. 70-71.

O outro lado do crescimento

Dois setores sociais se beneficiaram efetivamente com o crescimento. Em primeiro lugar, os empresários vinculados às empresas e ao capital estrangeiro, que ingressava no país, e os grupos de investidores e empreendedores nacionais, que aproveitaram a oportunidade aberta pelas grandes obras bancadas pelo governo federal. Reforçava-se, assim, o poder de uma elite econômico-financeira e aumentava-se a diferença entre as classes. Além disso, a classe média urbana, principalmente do sul-sudeste, expandiu-se numericamente e aumentou seu poder de consumo. A inflação em alta, porém, corroía parte desse avanço e penalizava, ainda, as camadas populares, que não podiam usufruir plenamente os benefícios do desenvolvimento **[doc. 3]**.

Os benefícios do crescimento econômico também não foram distribuídos equitativamente em termos regionais. A maior parte das multinacionais que entraram no país concentrou-se na Região Sudeste, anteriormente já mais industrializada e onde também estava a capital federal. A região do chamado ABC (Santo André, São Bernardo, São Caetano), em São Paulo, por exemplo, sediou a indústria automobilística e atraiu migrantes de outras partes do Brasil.

DOC. 3 **Evolução dos preços de produtos básicos (1956-1959)**

Produto (quilograma)	Preço em 1956	Preço em 1959
Arroz	Cr$ 13,00	Cr$ 35,00
Batata	Cr$ 8,00	Cr$ 25,00
Carne	Cr$ 40,00	Cr$ 100,00
Charque	Cr$ 42,00	Cr$ 110,00
Feijão	Cr$ 10,00	Cr$ 80,00
Manteiga	Cr$ 74,00	Cr$ 190,00

Fonte: VIEIRA, Evaldo. *Estado e miséria social no Brasil*: de Getúlio a Geisel. São Paulo: Cortez, 1987. p. 94. In: LUCA, Tania Regina de. *Indústria e trabalho no Brasil*. São Paulo: Contexto, 2001. p. 70-71.

DOC. 4 Jogadores e equipe técnica da seleção brasileira de futebol fazem volta olímpica no Estádio Rasunda na final da Copa do Mundo de 1958, na Suécia. A seleção brasileira venceu a seleção sueca por 5 a 2. Agência O Globo.

Otimismo nacional

A abertura do país à ampla entrada de capital e de empresas multinacionais atendia aos desejos dos setores sociais e políticos que, representados pela UDN, haviam se oposto ao discurso nacionalista de Vargas e defendiam uma inserção mais ativa do país no mercado internacionalizado. Na prática, as novas bases da política econômica neutralizavam parcialmente as críticas da oposição, mantendo traços do **populismo** que caracterizara os anos anteriores.

A tecnologia passava a frequentar o cotidiano da classe média na forma de eletrodomésticos, rádios de pilha, automóveis e elevadores. O otimismo, provocado pelas taxas de crescimento econômico, ocultava o aumento do déficit interno e da dívida externa e levava a maioria da população a acreditar que o Brasil construía um destino de potência moderna.

A música brasileira assumia, com a bossa nova, o diálogo entre o nacional e o estrangeiro e ganhava difusão. Conquistas de esportistas brasileiros, como os títulos internacionais da tenista Maria Esther Bueno e a primeira vitória brasileira numa Copa do Mundo, em 1958, reforçavam a sensação de que o Brasil chegava ao primeiro plano entre os países do Ocidente **[doc. 4]**.

A própria figura de JK confirmava a imagem de modernização, empreendedorismo e avanço. De origem pobre, ex-engraxate e filho de um caixeiro-viajante vitimado pela malária, JK ascendera política e socialmente e chegara à presidência. Representava a força do indivíduo, a possibilidade de superar as dificuldades e a capacidade de agir para transformar.

QUESTÃO

- Quais foram as principais propostas do Plano de Metas? O que se pode observar a partir delas?

CONTROVÉRSIAS A mudança da capital

A transferência da capital do Rio de Janeiro para o Centro-Oeste do país foi um dos pontos principais da campanha presidencial de Juscelino Kubitschek. Embora não constasse dos 31 itens do Plano de Metas, JK declarou que Brasília era a meta principal de seu governo. Os defensores da transferência da capital alardeavam que ela integraria mais o país e ampliaria o equilíbrio entre as regiões.

O projeto da nova capital (plano urbanístico e edificações) foi feito pelos arquitetos Lúcio Costa e Oscar Niemeyer, seguidores do modernismo arquitetônico do suíço Le Corbusier. Os responsáveis pela obra apresentaram o projeto da cidade como equalizador, capaz de integrar não apenas regiões do país, mas também classes sociais.

A construção, realizada em apenas três anos, implicou o deslocamento de uma grande quantidade de trabalhadores de outras regiões do país para o Planalto Central. A obra foi desenvolvida por grandes empreiteiras, consumindo milhões de dólares. Brasília foi inaugurada em 21 de abril de 1960.

Texto 1

"Os blocos de apartamento de uma superquadra são todos iguais: a mesma fachada, a mesma altura, as mesmas facilidades, todos construídos sobre pilotis, dotados de garagem e construídos com o mesmo material, o que evita a odiosa diferenciação de classes sociais, isto é, todas as famílias vivem em comum, o alto funcionário público, o médio e o pequeno.

Quanto aos apartamentos há uns maiores e outros menores em número de cômodos, que são distribuídos, respectivamente, para famílias conforme o número de dependentes. E por causa de sua distribuição e inexistência de discriminação de classes sociais, os moradores de uma superquadra são forçados a viver como que no âmbito de uma grande família, em perfeita coexistência social, o que redunda em benefício das crianças que vivem, brincam e estudam num mesmo ambiente de franca camaradagem, amizade e saudável formação. [...] E assim é educada, no Planalto, a infância que construirá o Brasil de amanhã, já que Brasília é o glorioso berço de uma nova civilização."

Brasília. Jornal da Companhia Urbanizadora da Nova Capital do Brasil – Novacap (1963). p. 15. In: HOLSTON, James. *A cidade modernista*: uma crítica de Brasília e sua utopia. São Paulo: Companhia das Letras, 1993. p. 28.

Texto 2

"Torna-se difícil aceitar a ideia de que Brasília foi projetada como 'cidade socialista', como uma utopia que pretenderia antecipar um futuro mais igualitário para a sociedade brasileira. Implementado como instrumento de controle social pelo Estado [...], o plano urbanístico de Brasília traz já em suas origens e em sua concepção o louvor à autoridade, à hierarquia, à funcionalidade técnica (nos moldes da indústria moderna) dos espaços."

VESENTINI, José William. *A capital da geopolítica*. São Paulo: Ática, 1986. p. 148.

QUESTÕES

1. Como o autor do texto 1 caracteriza Brasília e as relações sociais e políticas no seu interior?
2. É possível notar alguma crítica do autor do texto 2 às concepções indicadas no texto 1? Que comparação é possível fazer entre o texto 1 e o texto 2?

À esquerda, imagem de satélite do Plano Piloto de Brasília, 2010. Acima, Praça dos Três Poderes. Note, em primeiro plano, o monumento *Os candangos* e, à direita, o Congresso Nacional. Brasília, 2009.

Seção 36.3

Os antecedentes do golpe de 1964

› Objetivo

▸ Compreender as razões que contribuíram para a instalação de uma ditadura militar no Brasil, em 1964.

› Termos e conceitos

- Reformas de base
- Reforma agrária
- Golpe militar

Conteúdo digital Moderna PLUS http://www.modernaplus.com.br
Vídeo: Visita de João Goulart à China

O governo Jânio Quadros

As eleições presidenciais de 1960 voltaram a acirrar as tensões entre grupos e partidos políticos. PTB e PSD lançaram a candidatura do marechal da reserva Henrique Teixeira Lott. A grande novidade das eleições, porém, era Jânio Quadros; que fizera uma rápida carreira política em São Paulo, onde foi vereador, prefeito da capital (1953-1954) e governador (1955-1959). Jânio Quadros insistia na necessidade de moralizar a política e afirmava que "varreria" os corruptos **[doc. 1]**. Apoiado pela UDN, que liderava uma aliança com o Partido Democrata Cristão (PDC) e alguns partidos pequenos, Jânio Quadros chegava à presidência.

Personalista e preocupado em preservar a imagem de moralizador que construíra em suas campanhas, Jânio expedia bilhetinhos com determinações e ordens para seus ministros e assessores. Fazia visitas-surpresas a repartições públicas e punia os funcionários que porventura tivessem faltado naquele dia. Regulamentou questões cotidianas, como a programação de cinemas e casas noturnas, proibiu brigas de galo, uso de biquíni em praia, corridas de cavalos nos dias úteis e lança-perfume.

Afirmava repetidamente sua autonomia no campo internacional. Contudo, Jânio se reaproximou do Fundo Monetário Internacional (FMI) e assinou acordos extremamente desfavoráveis aos interesses dos grupos industriais nacionais. Na política externa, também oscilou. Restabeleceu relações diplomáticas com países do Leste Europeu (Bulgária, Romênia e Hungria), criticou duramente o governo norte-americano de John Kennedy e condecorou Ernesto Che Guevara, mas não reatou relações com Cuba.

Isolado daqueles que o elegeram e que agora temiam que seu governo caminhasse para a esquerda, Jânio tinha dificuldades para lidar com o Congresso Nacional e com as críticas que recebia dos próprios partidos que o haviam apoiado nas eleições. Poucos dias antes de completar sete meses de governo, em 25 de agosto de 1961, Jânio renunciou à presidência, no que parece ter sido uma tentativa de criar uma situação que lhe permitisse ampliar seus poderes presidenciais.

DOC. 1 O candidato a presidente da república Jânio Quadros levanta a vassoura, símbolo de sua campanha. Santos, São Paulo, 1960. O *jingle* da campanha eleitoral de Jânio, "Varre, varre, vassourinha / Varre, varre a bandalheira / Que o povo já está cansado / De sofrer dessa maneira [...]", fez bastante sucesso.

Uma tentativa fracassada

O vice-presidente João Goulart estava em visita oficial à República Popular da China, e o Congresso, na iminência do final de semana, encontrava-se esvaziado. É possível que Jânio acreditasse que sua renúncia não seria votada no Parlamento até a segunda-feira. Talvez esperasse que os militares, temendo a ascensão do vice João Goulart ao poder, se esforçariam para mantê-lo no cargo, e manifestações populares e políticas pediriam a sua volta.

Nada disso aconteceu. O Congresso se reuniu em caráter de urgência e aprovou a renúncia, empossando Ranieri Mazzilli, presidente da Câmara dos Deputados, como presidente interino na tarde do mesmo dia. Os militares mantiveram-se calados. Nenhuma manifestação pública em apoio a Jânio ocorreu no país. Efetivamente, ele saía da presidência.

A posse de Jango

João Goulart recebeu a notícia da renúncia de Jânio no dia 26 de agosto, já em Cingapura, preparando-se para voltar ao Brasil. A UDN se recusava a aceitar que o vice, herdeiro político de Vargas e acusado de ter tendências esquerdistas, assumisse o controle do Estado brasileiro. Os três ministros militares divulgaram nota, no mesmo dia 26, afirmando que a volta de Goulart ao país era de "absoluta inconveniência".

Enquanto isso, Jango aguardava o desfecho da crise em Paris, onde se mantinha informado dos movimentos dos dois lados. No Congresso, seus partidários buscavam um acordo político que permitisse sua volta. Os dois últimos dias de agosto foram tensos. Um projeto que implantava o parlamentarismo foi a solução encontrada. Na noite de 1º de setembro, finalmente, Goulart voltou para o Brasil, e no dia 7 de setembro tomou posse como presidente de uma república parlamentarista. Era o resultado das negociações: ele assumiria o cargo, mas com poderes limitados.

Jango buscou se apoiar no PTB e em sua base sindical para ampliar o apoio popular com que contava em alguns estados. Pretendia, assim, reverter a limitação de poderes que a saída parlamentarista provocara. Por meio de negociações, os partidários de Goulart conseguiram que o Congresso aprovasse a antecipação de um plebiscito, originalmente marcado para 1965, sobre a manutenção do parlamentarismo ou a volta do presidencialismo. Em janeiro de 1963, os brasileiros votaram e, por ampla maioria, decidiram retornar ao sistema presidencialista. Jango assumia, além da chefia do Estado, a chefia do governo brasileiro.

O golpe militar

O encarecimento de bens de primeira necessidade aumentava as pressões populares, e as associações de trabalhadores recorriam a Jango, cuja imagem persistia ligada ao varguismo e ao seu período como ministro do Trabalho, no último governo de Getúlio. Goulart várias vezes comprometeu-se a realizar as chamadas **reformas de base**, que incluíam transformações no regime de propriedade da terra e nas áreas da educação e dos tributos. Prometeu, também, ampliar o direito de voto aos analfabetos e regulamentar os direitos dos trabalhadores rurais.

Movimentos de camponeses e de operários se articulavam para aumentar a pressão sobre o governo e cobrar de Jango fidelidade às promessas de reforma. Em Pernambuco e na Paraíba, as Ligas Camponesas reivindicavam ampla **reforma agrária** e organizavam trabalhadores rurais contra os grandes proprietários de terras. Estudantes se mobilizavam e também insistiam numa radicalização das iniciativas sociais do governo.

Políticos da oposição denunciavam o "esquerdismo" do presidente e conspiravam para sua derrubada. Os militares se mobilizavam e desenvolviam a hipótese golpista, já ensaiada em anos anteriores. A classe média urbana, temerosa de que Jango caminhasse de fato para o socialismo, saía às ruas para protestar.

Momentos decisivos

Em 31 de março de 1964, tropas do exército sediadas em Minas Gerais, sob o comando do General Olimpio Mourão Filho, começaram a se deslocar para o Rio de Janeiro e receberam apoio de outras guarnições. O **golpe militar** começava e poucos se dispuseram a resistir. Na madrugada do dia 2 de abril, o Congresso empossou Ranieri Mazzilli como presidente provisório. O país era controlado, no entanto, por uma junta militar, composta de representantes das três instituições das Forças Armadas.

No Rio Grande do Sul, Leonel Brizola tentou garantir a legalidade do Estado e ofereceu apoio político e tropas contra o golpe. Jango saiu de Brasília e foi para o Sul, mas rapidamente abandonou qualquer disposição de resistir e, no dia 4 de maio, voou para o exílio no Uruguai.

Começava o regime militar brasileiro.

QUESTÕES

1. Quais foram os principais motivos que levaram Jânio Quadros a renunciar à presidência do país?
2. Explique a situação política brasileira às vésperas do golpe militar de 1964.

Seção 36.4

O populismo na Argentina

› Objetivo

▸ Entender o peronismo como uma das manifestações do populismo na América Latina.

› Termos e conceitos

• Populismo
• Peronismo

Da grandeza à crise

Na passagem do século XIX para o XX, a Argentina viveu um período de forte imigração e de grande crescimento econômico, impulsionado pelo aumento da exportação de grãos e carne. O país tornou-se uma das maiores economias do mundo **[doc. 1]**. Contudo, como continuava dependente do mercado externo, a economia argentina estava mais vulnerável às oscilações e às crises da economia mundial.

E foi o que aconteceu. A crise de 1929 restringiu drasticamente o mercado para os produtos de exportação argentinos, fez diminuir a entrada de capitais e abalou profundamente a economia do país. Apesar de se tratar de uma crise econômica internacional, no debate político interno argentino, o governo foi responsabilizado pela crise nacional e acusado de ter provocado a derrocada econômica. Abriu-se espaço, assim, para que um grupo de militares, apoiado por setores civis oposicionistas, organizasse o golpe que derrubou o governo em 1930.

DOC. 1 Avenida de Mayo, primeiro bulevar argentino, inaugurada no primeiro centenário da independência, em 1910. Buenos Aires, Argentina, do início do século XX. Os bulevares são vias de trânsito largas e espaçosas. A intensa imigração espanhola contribuiu para definir um caráter hispânico à Avenida de Mayo, embora tenha sido inspirada nas reformas urbanas parisienses.

O golpe de 1930

Os novos governantes estabeleceram acordos comerciais com a Grã-Bretanha em troca de uma série de concessões, como o aumento da importação de manufaturados e industrializados ingleses, a significativa diminuição das tarifas alfandegárias impostas a esses produtos e a desvalorização da moeda argentina perante a libra. Na Argentina, esses acordos foram denunciados como nocivos à autonomia nacional, e os responsáveis por sua assinatura passaram a ser chamados de "vende-pátria".

O discurso nacionalista ganhou força na oposição aos governos dos anos 1930 e entre alguns setores militares. A sociedade assistia ao declínio da economia depois de quase três décadas de crescimento. Nesse cenário, militares nacionalistas organizados no **Grupo de Oficiais Unidos** (GOU) articularam um golpe e assumiram o controle do Estado argentino em julho de 1943. Entre os novos golpistas estava Juan Domingo Perón.

Como ministro do Trabalho do novo governo, Perón ampliou a legislação trabalhista, regulou as relações entre trabalhadores e patrões e articulou o surgimento de novos sindicatos, vinculados ao Estado, no lugar das antigas organizações independentes de trabalhadores. Estabeleceu-se, assim, como o principal interlocutor dos setores populares e recebeu, em contrapartida, grande apoio dos trabalhadores, mostrando as tendências **populistas** de suas medidas. Empresários e militares, no entanto, acusavam Perón de simpatizar com a União Soviética e com o socialismo. Pressionado, o presidente da república, Edelmiro Farrell, afastou Perón do governo.

O governo de Perón

Nas eleições presidenciais de 1946, Perón foi lançado candidato. Na campanha à presidência, porém acusava os industriais e os grandes proprietários de terra de defenderem seus interesses específicos e de serem contrários às melhorias das condições dos trabalhadores **[doc. 2]**. Além disso, insistia na importância da autonomia nacional e denunciava os países estrangeiros como responsáveis pela crise econômica e política que a Argentina atravessava desde o princípio da década de 1930.

Eleito por uma pequena diferença de votos, Perón governou cinco anos com relativa tranquilidade. O cenário do pós-Segunda Guerra Mundial abria os mercados externos e facilitava a captação de investimentos, ampliando a capacidade econômica do país. Os sindicatos continuavam atrelados ao Estado e se vinculavam ao partido peronista. Inúmeras formas de assistência social difundiam a imagem de Perón e de sua esposa, Eva Duarte, a Evita, como pais e protetores dos pobres **[doc. 3]**. Em 1951, foi reeleito com praticamente o dobro da votação da chapa adversária.

Os investimentos estrangeiros, no entanto, diminuíam, e as reservas financeiras do país baixavam em virtude dos gastos com os programas assistencialistas e dos recursos repassados aos sindicatos. A inflação crescia e alguns setores começavam a demonstrar seu descontentamento com a perspectiva de uma nova crise.

A classe média, que nunca apoiara efetivamente Perón, mas que tinha sido beneficiada pela melhoria das condições econômicas do país nos primeiros anos do **peronismo**, passou a manifestar sua oposição. Alguns militares, temerosos da proximidade de Perón com o operariado e insatisfeitos com algumas de suas negociações externas, também se mobilizavam.

Em setembro de 1955, um golpe militar forçou Perón a renunciar e a sair da Argentina. O peronismo foi proscrito como força política e chegou-se a proibir a menção ao nome de Perón nos jornais. O controle dos sindicatos por lideranças ligadas a Perón, porém, se manteve e garantiu a continuidade da força política e da influência de seus principais líderes.

DOC. 2 **O sindicalismo peronista**

"Para que este sindicalismo possa desenvolver sua ação paralela ao governo é mister que seja livre. Nós não temos, a partir do governo, nenhuma imposição sobre o sindicalismo. Temos, sim, um acordo, e quando vou tomar uma medida de governo os consulto e quando eles vão tomar uma medida me consultam. [...] Estamos os dois defendendo um mesmo objetivo, que é o objetivo da NAÇÃO e eles o sabem, e no preâmbulo da declaração das organizações sindicais está colocado que o interesse supremo que se defende é a NAÇÃO."

Juan Domingo Perón. In: PRADO, Maria Lígia. *O populismo na América Latina*. São Paulo: Brasiliense, 1981. p. 52.

DOC. 3 Juan Domingo Perón e sua mulher, Eva Perón, acenam para a população. Argentina, 1950

O retorno de Perón

Perón passou dezoito anos no exílio e só voltou definitivamente à Argentina em 1973, quando se candidatou à presidência e foi eleito pela terceira vez. Estava, porém, doente e, segundo muitos, era tutelado por pessoas próximas. Morreu no ano seguinte e foi sucedido por sua terceira mulher, Maria Estela Martínez de Perón, a Isabelita. Outro golpe militar a derrubou em 1976, iniciando a mais violenta sequência de governos armados da história do país, que durou até 1983.

Após a redemocratização, o peronismo voltou a ter papel central na cena política argentina e venceu as eleições presidenciais quatro vezes: Carlos Menem, em 1989 e em 1995; Néstor Kirchner, em 2003; Cristina Kirchner, em 2007. Embora suas propostas sejam bastante distintas das defendidas por Perón nos anos 1940 e 1950, o peronismo atual mantém vários dos símbolos do peronismo tradicional e o culto à figura de seu fundador.

QUESTÕES

1. O que motivou o golpe militar argentino de 1943?
2. Identifique a proposta de Perón apresentada no **[doc. 2]**. Qual a importância dessa proposta em seu governo?

ATIVIDADES

Retomar conteúdos

1 O conceito de populismo foi cunhado na década de 1950 e tentava explicar diferentes experiências políticas que ocorreram em alguns países da América Latina, entre os anos de 1930 e 1960. Qual o significado originalmente atribuído a esse conceito? De que forma o conceito é entendido pelos historiadores atualmente?

2 Vargas retornou democraticamente à presidência em 1950. Explique que alianças políticas o auxiliaram nessa vitória.

3 Compare os governos de Getúlio Vargas e de Juan D. Perón com relação a(o):

a) política econômica.
b) legislação trabalhista.
c) uso da imagem pessoal.

4 A construção de Brasília foi um dos mais expressivos projetos do governo de Juscelino Kubitschek (1956-1961).

a) Identifique e caracterize o plano de governo de Juscelino Kubitschek.
b) Indique as consequências da mudança de capital para o interior do Brasil.

5 O que eram as reformas de base defendidas durante o governo de João Goulart? De que forma essa proposta política influenciou a tomada do poder pelos militares em 1964?

Ler texto e imagens

6 Sintetize a ideia principal apresentada no texto a seguir.

"Goulart, como Quadros, atravessou em seu curto período de governo grave crise de legitimidade — o segundo por excesso, o primeiro por falta. Foram ambos vítimas de um processo que delegou a um uma quase unanimidade que não se fez acompanhar dos necessários instrumentos de poder e a outro uma prévia e ampla margem de desconfiança que o obrigou a assumir o governo sob tutela do Congresso e sob a vigilância das forças que tradicionalmente o hostilizavam. Assim, se Jânio cai por impossibilidade de instrumentalizar um amplo espectro de forças aliadas e por superestimar os seus próprios recursos, excessivamente valorizados por uma legitimidade previamente concedida, Jango se deixa conduzir por uma paralisia asfixiante que não o deixa governar e que o força a buscar neutralidade ou apoio ora nas esquerdas, ora nas áreas de centro em uma perigosa oscilação que reduz gradativamente suas áreas de apoio."

GOMES, Ângela Maria de Castro e outros. *O Brasil republicano*: sociedade e política (1930-1946). Rio de Janeiro: Bertrand Brasil, 2007. v. 10. p. 229. (Coleção História Geral da Civilização Brasileira)

7 Identifique as características do populismo que estão presentes na imagem a seguir.

Eva Perón (Evita) realiza trabalho assistencial com famílias carentes. Argentina, década de 1940.

8 Leia o cordel a seguir e responda às perguntas.

"[...] Foi aí que apareceu
Intriga com o jornalista
No dia 5 de agosto
Quando o galo ergueu a crista
A morte do major Vaz
Que a polícia deu na pista.
A justiça achou que era
Por um guarda pessoal
Da presidência de Vargas
Que surgiu todo esse mal
Cresceu a investigação
Sobre o ato criminal.
Caiu a culpa em Getúlio
Como o autor do mandado
Porém Getúlio dizia: Estou sendo caluniado
Os seus ministros disseram: Saia então licenciado.
Getúlio disse: Eu não devo
Contra mim isto vem torto;
Meu corpo já sua sangue
Igual a Cristo no Horto;
E daqui da presidência
Só sairei preso ou morto! [...]"

Antônio Teodoro dos Santos. In: *Nosso século*: Brasil (1945-1960). São Paulo: Nova Cultural, 1985. v. 1. p. 155.

a) Identifique o evento narrado no trecho do poema.
b) Que personagem o poema associa à figura de Vargas? Justifique.
c) Da presidência, Getúlio Vargas saiu "morto" e não "preso". Explique os acontecimentos que levaram a esse desfecho.

Capítulo

37 Ditaduras militares na América Latina

37.1 Militares no poder

Os primeiros anos do regime militar ficaram marcados pelo fortalecimento do Poder Executivo e pela supressão progressiva dos direitos democráticos.

37.2 O regime consolidado

A propaganda ufanista do regime militar contribuiu para firmar a imagem de que o país caminhava rapidamente para o posto de grande potência econômica.

37.3 Golpes militares em outros países da América Latina

Como havia ocorrido no Brasil, no Chile e na Argentina a intensa polarização política resultou na implantação de um regime autoritário, comandado pelos militares.

Violência e esperança

Nos anos 1960 e 1970, a instabilidade política, a crise econômica e o temor de convulsões sociais foram as principais razões que levaram os militares ao poder em algumas nações latino-americanas, como o Brasil. A instauração de ditaduras militares na América Latina expressava a bipolaridade dos anos da Guerra Fria. O fim das liberdades democráticas, a violência, a repressão aos opositores e a censura tornaram-se as marcas de muitos desses governos.

Apesar disso tudo, novos tempos viriam. A conquista da liberdade e da democracia foi uma luta muito dura e tortuosa. Muitas pessoas resistiram a esses governos e pagaram com a própria vida pelo direito de expressar livremente suas opiniões e pelo desejo de um país mais justo e equilibrado. As atrocidades cometidas pelos regimes militares estão entre as mais bárbaras da história recente do continente.

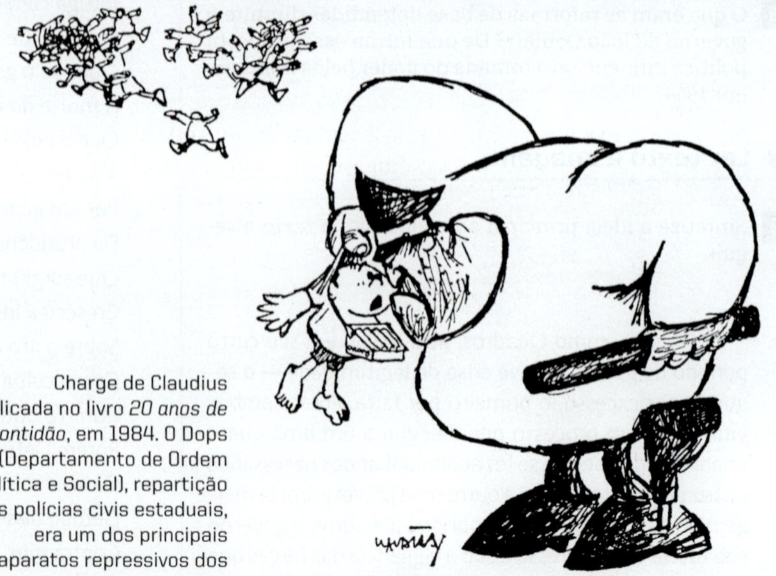

Charge de Claudius publicada no livro *20 anos de prontidão*, em 1984. O Dops (Departamento de Ordem Política e Social), repartição das polícias civis estaduais, era um dos principais aparatos repressivos dos governos militares do Brasil.

Charge de Ziraldo publicada no livro *20 anos de prontidão*, em 1984. O artista ironiza na obra um dos mais famosos *slogans* criados pelos militares: "Brasil: ame-o ou deixe-o".

Militares no poder

› Objetivos

▶ Reconhecer nas primeiras medidas tomadas pelo regime militar a montagem do sistema de repressão e centralização política.

▶ Compreender o papel contestador de algumas produções artísticas.

› Termos e conceitos

- Ditadura militar
- Ato Institucional
- Repressão
- Cinema novo
- Tropicalismo

Conteúdo digital Moderna PLUS http://www.modernaplus.com.br
Filme: *Batismo de sangue*. Diretor: Helvecio Ratton. Brasil, 2006
Hércules 56. Diretor: Silvio Da-Rin. Brasil, 2007
O que é isso companheiro? Diretor: Bruno Barreto. Brasil, 1997

Unidade militar?

Os movimentos e manifestações contra o governo de João Goulart no Brasil cresciam a cada dia. O alto escalão do exército e vários governadores se insurgiram contra Jango e articularam o golpe que o derrubou em março de 1964 **[doc. 1]**. O discurso dos golpistas insistia na necessidade de unidade nacional e afirmava que o Brasil estava dividido e precisava ser unificado. No entanto, os militares que derrubaram João Goulart não partilhavam necessariamente das mesmas ideias. Nem todos pretendiam que o golpe iniciasse um período de governo armado.

Alguns setores das forças armadas repudiavam a ideia de abandonar os quartéis e suas funções específicas para ocupar o espaço da política. Eram os chamados "legalistas", que já haviam atuado contra tentativas golpistas em 1954 (crise do governo Vargas), 1955 (posse de JK) e 1961 (renúncia de Jânio Quadros e posse de Jango). Nos três momentos, conseguiram impor-se aos grupos golpistas, que, por sua vez, também englobavam setores diferentes, sobretudo do exército.

Já os defensores do golpe podiam ser identificados em dois grandes grupos: o chamado "grupo da Sorbonne", composto pelos ideólogos que atuavam na Escola Superior de Guerra (ESG) e que analisavam as possibilidades de ampliação do poder militar no Brasil, sem que isso implicasse necessariamente o comando do governo, e a chamada "linha-dura", que reunia, sobretudo, os comandantes de tropa, pouco dispostos à teorização e ao debate político, mas muito influentes dentro dos quartéis.

Nos últimos meses do governo Goulart, os legalistas aderiram ao golpe, em primeiro lugar, em função do que consideravam quebra de hierarquia pelo presidente da república: em mais de uma ocasião, Jango demonstrou publicamente seu apoio a reivindicações de marinheiros e soldados, desrespeitando a rígida hierarquia militar. Contudo, o principal traço que unificava os comandos militares e que os levou ao golpe foi o anticomunismo. Embora Jango não fosse adepto de uma ideologia de esquerda radical, sua política de aproximação com os movimentos sociais podia ser facilmente vista como uma política comunista no contexto da Guerra Fria.

Vocabulário histórico

Escola Superior de Guerra (ESG)
A Escola Superior de Guerra brasileira foi criada em 1949 para exercer a função de centro de estudos estratégicos e aprimorar a formação de comandos militares. Teve como modelo uma instituição existente nos Estados Unidos, de atuação destacada na formação e difusão ideológica durante a Segunda Guerra Mundial e a Guerra Fria.

DOC. 1 Tanque de guerra do exército diante do Palácio da Guanabara, no Rio de Janeiro, em 1964. Os militares se faziam presentes por toda parte.

Castello Branco: a primeira fase do regime

Com a tomada do Estado em 31 de março, os militares realizaram um conjunto de transformações em seu funcionamento institucional, dando início à **ditadura militar**. Já em 9 de abril de 1964, a Junta Militar expediu o primeiro **Ato Institucional** (AI), lei emitida pelo Poder Executivo que não dependia de análise e aprovação pelo Congresso Nacional.

O primeiro Ato Institucional ampliava os poderes do presidente e fortalecia o Poder Executivo como um todo. Autorizava também o chefe do Poder Executivo a alterar a Constituição, suspender direitos políticos e cassar mandatos.

O AI-1 também determinava eleições indiretas imediatas para a presidência da república. Dois dias depois, o general Humberto de Alencar Castello Branco, ligado à "Sorbonne", foi eleito presidente. Seu mandato duraria até o final de janeiro de 1966, quando completaria o período de governo de João Goulart.

O regime amplia o controle

A crença na saída rápida dos militares durou pouco. Ainda em 1964, uma emenda constitucional adiou as eleições em um ano. Diversos líderes políticos civis que haviam apoiado o golpe passaram a criticar as decisões dos militares. Entre eles, Carlos Lacerda, da União Democrática Nacional (UDN), e Adhemar de Barros, do Partido Social Progressista (PSP), que pretendiam candidatar-se à presidência em 1965.

A resposta do governo às críticas políticas de ex-aliados veio em outubro de 1965: a criação do Ato Institucional nº 2, que transformava as eleições presidenciais em pleitos indiretos, alterava a composição do órgão máximo do Poder Judiciário, o Supremo Tribunal Federal, e extinguia os partidos políticos então existentes. No lugar daqueles que existiam foram criados dois novos partidos: **Aliança Renovadora Nacional** (Arena) e **Movimento Democrático Brasileiro** (MDB). No bipartidarismo imposto pelo AI-2, a Arena correspondia à situação – os defensores do governo – e o MDB reunia a oposição.

O espaço de participação política da sociedade ficou ainda mais reduzido com o decreto dos Atos Institucionais nº 3 e nº 4, respectivamente em fevereiro e dezembro de 1966. O AI-3 transformava em indiretas as eleições para governador e suspendia as eleições para prefeito das capitais, que passavam a ser indicados pelos governadores. O AI-4 era um projeto de Constituição que reforçava o Executivo e extinguia os efeitos da Constituição de 1946.

Sindicatos operários e camponeses, organizações estudantis e jornalistas eram perseguidos e silenciados **[doc. 2]**. O regime mostrava sua face repressiva. A decretação da **Lei de Segurança Nacional** de 1967 confirmou a disposição do regime ao autorizar a **repressão** a toda manifestação de militares ou civis que pudesse ameaçar o governo ou a estabilidade nacional.

AI-5: a dura face do regime

Arthur da Costa e Silva, alinhado com a "linha dura" do regime, havia assumido a presidência em 1967. Foi em seu governo, em 13 de dezembro de 1968, que a repressão assumiu sua forma mais clara: a criação do **Ato Institucional nº 5**, e, junto dele, a decretação do fechamento do Congresso. O AI-5 determinava a suspensão de todos os direitos civis e constitucionais, autorizando a prisão de qualquer brasileiro, a proibição de manifestações de natureza política e a suspensão de direitos políticos, por dez anos, de todos aqueles suspeitos de agir contra o governo. O mesmo Ato autorizava o presidente a intervir nos estados e nos municípios sem as limitações previstas na Constituição e a suspender a garantia de *habeus corpus* nos casos de crimes políticos. Com o AI-5, a ditadura mostrou seu lado mais sombrio. Aumentaram as perseguições a oposicionistas, a restrição ao funcionamento de organizações civis e o controle sobre o cotidiano.

DOC. 2 Charge de Ziraldo, publicada no *Correio da Manhã*, em junho de 1968, meses antes do anúncio do AI-5. A violência do regime já tinha se estabelecido.

Contestações ao regime

A produção cultural do período tratou de importantes questões políticas brasileiras e também mostrava que a insatisfação com o regime crescia **[doc. 3]**. O **cinema novo** buscava, com sua linguagem fortemente imaginativa, uma estética capaz de mostrar a crueza das relações sociais e pessoais no país. O teatro atravessava um momento de intensa produtividade. Grupos como o Arena e o Oficina chamavam o público para participar das apresentações e intensificavam o desejo de todos de se manifestar numa época de restrições. A chamada música de protesto incorporava temas sociais e atuava como espaço de denúncia política. Outras formas de expressão na música popular, como o **tropicalismo**, também moviam os jovens a questionar valores e costumes e a mostrar uma face rebelde.

"Derrubar as prateleiras
As estantes, as estátuas
As vidraças, louças, livros, sim
Eu digo sim
Eu digo não ao não
Eu digo
É proibido proibir
É proibido proibir."

VELOSO, Caetano. É proibido proibir. Disponível em www.caetanoveloso.com.br. Acesso em 11 abr. 2010.

DOC. 3 Charge de Fortuna publicada no *Correio da Manhã*, em 1966. Fundação Biblioteca Nacional, Rio de Janeiro.

Resistência e repressão

A imposição do AI-5 e o fechamento do Congresso restringiram ainda mais as contestações públicas ao regime militar **[doc. 4]**. As passeatas de estudantes pela liberdade, violentamente reprimidas pelas tropas policiais, rarearam, e parte da oposição ao regime passou a atuar na clandestinidade.

Setores da esquerda optaram pela luta armada e organizaram movimentos de guerrilha urbana e rural. As experiências guerrilheiras ocorridas na América hispânica, desde a Revolução Cubana até os grupos atuantes nos anos 1960, serviam de exemplo e modelo. Os movimentos armados ocorridos no Brasil, no entanto, enfrentavam dificuldades sérias para se firmar: o número de participantes era pequeno, o apoio da população civil era restrito, e as condições para a ação, num país territorialmente imenso, eram extremamente precárias.

Além disso, a esquerda armada pulverizou-se num número grande de grupos e movimentos e foi atingida pela repressão violenta de órgãos de segurança, como o **Departamento de Ordem Política e Social (Dops)** e a **Operação Bandeirantes (Oban)**, centro de informações e investigações do exército, criada em 1969. A Oban recebeu apoio financeiro de empresários brasileiros e estrangeiros para combater a guerrilha de esquerda. O órgão foi responsável pela prisão, tortura e morte de adversários do regime militar. Na década de 1990, foi descoberto, no bairro de Perus, na cidade de São Paulo, um cemitério onde eram enterrados corpos de prisioneiros mortos pela Oban.

DOC. 4 Na manifestação de dezembro de 1968, intelectuais e artistas, como Chico Buarque, Caetano Veloso, Paulo Autran e Gilberto Gil, juntam-se aos estudantes na passeata dos cem mil. Rio de Janeiro, 1968.

QUESTÕES

1. Explique por que alguns políticos civis apoiaram o golpe que instituiu um regime militar no Brasil em 1964.
2. Descreva os meios usados pelos governos militares brasileiros para coibir as atividades da oposição.

Seção 37.2

O regime consolidado

Objetivos

▸ Relacionar a propaganda do "milagre" econômico brasileiro ao ufanismo promovido pelo regime militar.

▸ Compreender os principais acontecimentos que marcaram o processo de abertura política.

Termos e conceitos

- "Milagre" econômico
- Ufanismo
- Distensão
- Abertura política
- Lei da Anistia
- Diretas Já

Conteúdo digital Moderna PLUS http://www.modernaplus.com.br
Vídeo: Diretas
Filme: *Lamarca*.
Diretor: Sérgio Rezende. Brasil, 1994

Os anos do governo Médici

A sucessão de Costa e Silva também foi turbulenta. Problemas de saúde o obrigaram a afastar-se do cargo em agosto de 1969. O novo presidente foi o general Emílio Garrastazu Médici, que governou entre 1969 e 1974. Seu período foi marcado, sobretudo, pelo acelerado crescimento econômico do país, conhecido como **"milagre" econômico**, pela realização de grandes obras, as "obras faraônicas", e pelo recrudescimento da repressão política, com a ação quase autônoma do aparato repressivo.

O "milagre" econômico

O país vivia uma fase de recuperação econômica desde o início do regime militar. A aguda centralização política e o fortalecimento do Poder Executivo obtiveram amplo apoio entre empresários, que viam o regime como uma alternativa positiva à confusa gestão administrativa e à onda de greves do governo João Goulart. O aumento dos investimentos na produção foi auxiliado pelas políticas anti-inflacionárias, que conseguiram baixar o índice anual de inflação de mais de 100%, em 1964, para 20%, em 1969.

A entrada maciça de capitais estrangeiros também impulsionou a economia brasileira. Ao mesmo tempo, o aumento da população urbana (que, na década de 1960, ultrapassou a rural) oferecia mão de obra farta e de baixo custo para a expansão industrial nos grandes centros econômicos do país. Finalmente, a censura e a repressão impediam as manifestações de descontentamento popular diante das reduções salariais e facilitavam a implantação de uma ordem fortemente disciplinada no mundo do trabalho.

O resultado contábil foi a retomada do crescimento econômico e, no governo Médici, o forte aumento do Produto Interno Bruto (PIB), que chegou a 14% anuais em 1973. Nem todos, porém, eram beneficiados pelo "milagre". A classe média urbana ampliou seu poder de compra, mas a estagnação salarial penalizava as camadas populares. A concentração de recursos na Região Sudeste reforçava as disparidades regionais, e o baixo investimento em educação e em saúde não correspondia ao padrão de desenvolvimento que os índices econômicos sugeriam.

DOC. 1 Cartaz de propaganda do governo Médici, 1972. Acervo Editora Abril.

De qualquer forma, o governo aproveitou os bons números da economia para reforçar a imagem de que os militares estavam saneando e melhorando o país. A propaganda oficial insistia na importância do desenvolvimento e tentava mostrar que ele se expressava também na capacidade de realização de grandes obras, que ficaram conhecidas como obras "faraônicas", uma referência às imensas construções realizadas no Egito antigo. Algumas delas confirmaram, a médio ou longo prazo, sua importância, como a ponte Rio-Niterói ou a Usina Hidrelétrica de Itaipu Binacional **[doc. 2]**. Outras não foram concluídas ou resultaram em fracassos e incrível desperdício de recursos, como a Rodovia Transamazônica.

DOC. 2 **Itaipu, um problema binacional**

A Usina Hidrelétrica de Itaipu Binacional foi resultado de longas negociações, iniciadas na década de 1960, entre Brasil e Paraguai. Sua construção começou em 1974, incluiu o desvio de rios e implicou acordos com países afetados pelas obras ou por suas consequências, como a Argentina. O aproveitamento compartilhado da energia hidrelétrica gerada pelo Rio Paraná foi definido pelo Tratado de Itaipu, assinado em 1975 pelos governos dos dois países. As operações da usina começaram em 1982, e, aos poucos, tornaram-se responsáveis pela geração de parte essencial da energia consumida nas regiões Sul e Sudeste do Brasil e no Paraguai. No final da década de 2000, o governo paraguaio pediu a revisão do acordo, julgando-se prejudicado pelo tratado de 1975. Em 2009, o Ministério das Relações Exteriores brasileiro, em decisão contestada pelo Ministério das Minas e Energia e considerada equivocada pela maioria dos especialistas no setor, aceitou aumentar os ganhos paraguaios com a exploração dos recursos gerados em Itaipu.

O ufanismo do período

Durante o regime militar, *slogans* nacionalistas foram amplamente difundidos. Alguns deles celebravam o crescimento nacional, como "Este é um país que vai pra frente" e "Ninguém segura este país" **[doc. 1]**. Outros propunham, de forma sutil, mas direta, a exclusão daqueles que não concordavam com os rumos do país, como o *slogan* "Brasil: ame-o ou deixe-o".

A conquista da Copa do Mundo de futebol, em 1970, foi igualmente explorada pelo **ufanismo** da propaganda governamental para mostrar que o país caminhava para se tornar uma potência do futuro **[doc. 3]**. O rádio difundiu diversas músicas e lemas, e a televisão mostrava obras em andamento e projetava a imagem de um país gigante. A música da dupla Don e Ravel *Eu te amo, meu Brasil*, gravada pelo grupo *Os Incríveis*, reforçava o clima de festividade ufanista:

"As praias do Brasil ensolaradas,
O chão onde o país se elevou,
A mão de Deus abençoou,
Mulher que nasce aqui tem muito mais amor.
O céu do meu Brasil tem mais estrelas.
O sol do meu país, mais esplendor.
A mão de Deus abençoou,
Em terras brasileiras vou plantar amor.

Eu te amo, meu Brasil, eu te amo!
Meu coração é verde, amarelo, branco, azul anil.
Eu te amo, meu Brasil, eu te amo!
Ninguém segura a juventude do Brasil. [...]"

Eu te amo, meu Brasil. Disponível em www.vagalume.com.br. Acesso em 12 abr. 2010.

Enquanto a perseguição política crescia, e as notícias de prisões, torturas e assassinatos prosseguiam, a oposição legal ao regime, representada principalmente pelo MDB, aumentava e se preparava para as eleições de 1974.

DOC. 3 A seleção brasileira de futebol na Copa do Mundo de 1970, no México, quando conquistou o tricampeonato.

O governo Geisel

O general Ernesto Geisel tornou-se o quarto presidente do regime militar. A situação econômica do país não era mais tão tranquila quanto no governo Médici. O aumento dos preços do petróleo no mercado internacional e a excessiva dependência brasileira de recursos e de investimentos estrangeiros dificultavam a manutenção das taxas de crescimento, elevavam a inflação e encareciam os bens de primeira necessidade. O "milagre" econômico mostrava o preço de uma política econômica de estímulo ao ingresso de capital especulativo no país e de forte endividamento externo.

A insatisfação cresceu entre a classe média e as camadas populares. A oposição legal ganhou força e conseguiu, nas eleições parlamentares de 1974, vitórias importantes nos estados de São Paulo, Rio de Janeiro, Minas Gerais e Pernambuco. Além de quase duplicar sua bancada de deputados, o MDB elegeu diversos senadores e aumentou sua força no Congresso Nacional. A ditadura iniciava um lento processo de **distensão**.

Os descaminhos da abertura

O governo, contudo, tomou medidas que mostravam que ainda faltava muito para que o regime militar cedesse às pressões e aceitasse a abertura democrática **[doc. 4]**. A repressão e a tortura prosseguiam nos porões dos órgãos de segurança. No dia 25 de outubro de 1975, Vladimir Herzog, chefe de jornalismo da TV Cultura, foi encontrado morto numa cela do DOI-CODI (Destacamento de Operações e Informações do Centro de Operações de Defesa Interna), em São Paulo.

Oficialmente, a morte teria ocorrido por suicídio. No entanto, sabia-se que Herzog morrera durante uma sessão de tortura. A cerimônia fúnebre em sua homenagem, celebrada na Catedral da Sé, foi realizada pelos três principais líderes religiosos da cidade: o cardeal d. Paulo Evaristo Arns, o rabino Henry Sobel e o pastor James Wright. Cerca de 10 mil pessoas compareceram, e o culto se tornou um símbolo da resistência e da denúncia dos crimes cometidos pelo regime militar.

Ninguém foi punido e as torturas continuaram. No ano seguinte, o metalúrgico Manoel Fiel Filho morreu no mesmo local e em situação semelhante à de Herzog. No entanto, o gesto do presidente deixava a impressão de que o país começava a mudar. A própria circulação da notícia da morte de Herzog, embora controlada, mostrou que os mecanismos de censura haviam afrouxado ligeiramente.

DOC. 4 **A Lei Falcão e o Pacote de Abril**

O governo, temeroso diante do avanço da oposição, alterou as regras eleitorais com a **Lei Falcão** (1976) e com o **Pacote de Abril** (1977). A Lei Falcão proibia a livre propaganda política no rádio e na televisão. O Pacote de Abril estabelecia que um terço dos senadores não seriam eleitos pelo voto popular, mas indicados pelo presidente da república. Por meio dessas estratégias, que visavam às eleições de 1978, o governo conseguiu manter a maioria na Câmara dos Deputados e no Senado Federal.

Charge do cartunista Ziraldo ironizando a Lei Falcão.

A abertura: lenta, gradual e progressiva

O general João Baptista de Oliveira Figueiredo sucedeu Ernesto Geisel em 1979 e foi o último presidente militar do Brasil. Seu governo caracterizou-se pelo processo de **abertura política**, que foi definida como "lenta, gradual e progressiva".

Os primeiros passos foram a **Lei da Anistia**, de agosto de 1979, que tornava possível a volta dos exilados políticos e a libertação de acusados de crimes políticos. A mesma lei perdoava os envolvidos na repressão política, impedindo punições aos responsáveis por torturas e perseguições realizadas pelos órgãos de segurança do Estado. Ainda hoje, porém, vários intelectuais, políticos e vítimas defendem a revisão da lei e o estabelecimento de punições para quem participou da repressão.

"A Lei da Anistia de 1979 não impede a punição dos crimes da ditadura. Mais de 30 mil cidadãos foram presos e torturados por órgãos da repressão no Brasil. Cinco centenas de pessoas foram mortas ou desapareceram. Foram crimes praticados por agentes do Estado, num contexto de ataque generalizado e sistemático a toda pessoa ou grupo suspeito de divergir do governo militar.

Esse cenário qualifica tais atos como crimes contra a humanidade, conceito vigente desde o Tribunal de Nüremberg (1945) e ratificado pela Assembleia Geral da ONU em 1946. Crimes contra a humanidade não podem ficar impunes. A apuração e a responsabilização desses delitos, a qualquer tempo, são obrigações internacionais de todos os Estados. [...]"

FÁVERO, Eugênia Augusta Gonzaga; WEICHERT, Marlon Alberto. *Folha de S.Paulo*, 16 ago. 2008. Tendências/Debates.

Outro indício do avanço democrático foi a reforma política que encerrou o período de bipartidarismo e permitiu o retorno do sistema pluripartidário ao país. No lugar da Arena e do MDB surgiram, inicialmente, seis partidos:

- Partido Democrático Social (PDS), sucessor direto da Arena e partido da situação.
- Partido do Movimento Democrático Brasileiro (PMDB), sucessor do MDB.
- Partido Popular (PP), teve duração breve, sendo fundido ao PMDB no ano seguinte.
- Partido Trabalhista Brasileiro (PTB), que buscava retomar a força que a sigla tivera no período de 1945 a 1964.
- Partido Democrático Trabalhista (PDT).
- Partido dos Trabalhadores (PT), surgiu com a renovação do sindicalismo na região do ABC paulista.

A volta do exílio e as eleições estaduais

Ao retornarem do exílio, muitos políticos participaram da formação de novos partidos e retomaram a atuação política interrompida. Entre eles, o ex-governador do Rio Grande do Sul, Leonel Brizola, um dos poucos que tentaram organizar a resistência imediata ao golpe de 1964, e o ex-governador de Pernambuco, Miguel Arraes.

As primeiras eleições disputadas pelos novos partidos ocorreram em 1982. Houve eleições gerais para os governos dos estados, definidos pelo voto direto, para prefeitos (à exceção das capitais), para o legislativo municipal e estadual e para o Congresso Nacional. Os partidos de oposição conseguiram eleger os governadores em alguns dos estados mais ricos do país: São Paulo (Franco Montoro), Minas Gerais (Tancredo Neves) e Rio de Janeiro (Leonel Brizola).

A campanha das Diretas Já

As eleições presidenciais, no entanto, continuavam a ser realizadas por via indireta. No final do governo Figueiredo, foi apresentada uma emenda constitucional que propunha a volta das diretas. Ampla mobilização popular, expressa em grandes comícios realizados em várias partes do Brasil, defendeu a aprovação da emenda das eleições diretas. No entanto, apesar da grande repercussão da campanha das **Diretas Já**, a Câmara dos Deputados a rejeitou a emenda **[doc. 5]**. O próximo presidente do Brasil ainda seria eleito por via indireta.

No início de 1985, Tancredo Neves, candidato que reunia parte da oposição, derrotou Paulo Maluf, candidato do PDS, partido situacionista, e foi eleito presidente da república pelo **Colégio Eleitoral**. Instituído pelos militares em 1973, o Colégio Eleitoral era composto pelo Congresso Nacional e por delegados das Assembleias Legislativas estaduais.

Problemas de saúde impediram, no entanto, que Tancredo assumisse o cargo. No seu lugar, foi empossado o vice, José Sarney, que apoiara o governo militar e chegara a liderar o partido situacionista, migrando para a oposição pouco antes das eleições. Tancredo morreu dias depois da posse de Sarney, e o Brasil, agora com um presidente civil, começava a superar os 21 anos de regime militar.

QUESTÕES

1. O mandato do presidente Emílio Garrastazu Médici, de 1969 a 1974, foi o mais violento dos governos militares. Sobre o período, responda.
   a) Que instrumento legal permitiu o recrudescimento do regime?
   b) De que maneira o governo sufocou o clima repressivo existente no país?
2. Identifique a crítica política que o cartunista Ziraldo fez nessa charge **[doc. 4]**.

DOC. 5 Comício das Diretas Já em Belo Horizonte, Minas Gerais, em fevereiro de 1984. As manifestações por eleições diretas para presidente se transformaram na maior mobilização popular da história do Brasil.

CONTROVÉRSIAS Quando começou a ditadura?

Um editorial publicado no jornal *Folha de S.Paulo*, no início de 2009, provocou uma grande polêmica, que envolveu jornalistas, historiadores e outras pessoas que acompanharam e viveram os anos da ditadura militar no Brasil. O jornal designou o período de 1964 a 1968 como "ditabranda" – um trocadilho com as palavras ditadura e brandura. Os quatro textos a seguir comentam a diferença entre o direito de expressão e de ação política antes e depois de 1968. Veja a seguir.

Texto 1

"É rotineira a associação do regime militar brasileiro com as ditaduras do Cone Sul (Argentina, Uruguai, Chile e Paraguai). Nada mais falso. O regime militar brasileiro teve características próprias, independentes até da Guerra Fria. [...]

O regime militar brasileiro não foi uma ditadura de 21 anos. Não é possível chamar de ditadura o período 1964-1968 (até o AI-5), com toda a movimentação político-cultural. Muito menos os anos 1979-1985, com a aprovação da Lei de Anistia e as eleições para os governos estaduais em 1982. Mas as diferenças são maiores. [...]

No Brasil, naquele período, circularam jornais independentes – da imprensa alternativa – com críticas ao regime (evidentemente, não deve ser esquecida a ação nefasta da censura contra esses periódicos). Isso ocorreu no Chile de Pinochet? E os festivais de música popular e as canções-protesto? Na Argentina de Videla esse fato se repetiu? E o teatro de protesto? A ditadura argentina privatizou e desindustrializou a economia. [...] Já o regime militar brasileiro estatizou grande parte da economia.

Somente o presidente Ernesto Geisel criou mais de uma centena de estatais. [...] É sabido que o crescimento econômico foi feito sem critérios, concentrou renda, criou privilégios nas empresas estatais [...] e estabeleceu uma relação nociva com as empreiteiras de obras públicas. Porém, é inegável que se enfrentaram e se venceram vários desafios econômicos e sociais. [...]"

VILLA, Marco Antonio. Ditadura à brasileira [5 mar. 2009]. *Folha de S.Paulo*. Disponível em www1.folha.uol.com.br. Acesso em 12 ago. 2009.

Texto 2

"O mundo mudou um bocado, mas 'ditabranda' é demais. O argumento de que, comparada a outras instaladas na América Latina, a ditadura brasileira apresentou 'níveis baixos de violência política e institucional' parece servir, hoje, para atenuar a percepção dos danos daquele regime de exceção, e não para compreendê-lo melhor. [...]

Algumas matam mais, outras menos, mas toda ditadura é igualmente repugnante. Devemos agora contar cadáveres para medir níveis de afabilidade ou criar algum *ranking* entre regimes bárbaros? [...] Ora, se é verdade que o aparelho repressivo brasileiro produziu menos vítimas do que o chileno ou o argentino, isso se deu porque a esquerda armada daqui era menos organizada e foi mais facilmente dizimada, não porque nossos militares tenham sido 'brandos'.

Quando a tortura se transforma em política de Estado, como de fato ocorreu após o AI-5, o que se tem é a 'ditadura escancarada', para falar como Elio Gaspari. Seria um equívoco de mau gosto associar qualquer tipo de 'brandura' até mesmo ao que Gaspari chamou de 'ditadura envergonhada', quando o regime, entre 1964 e 1968, ainda convivia com clarões de liberdade, circunscritos à cultura. [...]"

SILVA, Fernando de Barros e. Ditadura, por favor [24 fev. 2009]. *Folha de S.Paulo*. Disponível em www1.folha.uol.com.br. Acesso em 12 ago. 2009.

Memorial da Liberdade e Museu do Imaginário do Povo Brasileiro, edifício que abrigava o antigo Dops. São Paulo, 2003. Acervo da Editora Abril.

Instalação de Siron Franco no Museu do Imaginário do Povo Brasileiro. São Paulo, 2002. Acervo da Editora Abril.

Texto 3

"O trocadilho usado (ditabranda em vez de ditadura) pode ter sido infeliz, mas nem por isso errado de todo. O que houve entre as duas datas (1964 e 1985) foi realmente uma ditadura gradual, que chegou a seu ponto-limite em 1968, com a edição do AI-5. Abandonando qualquer disfarce cínico e jurídico, precipitou a nação num regime de brutalidade e desrespeito à dignidade humana. [...]

Meus artigos começaram no dia seguinte ao golpe, a 2 de abril de 1964. Eram violentos e apaixonados justamente porque não entendia direito o que estava acontecendo, a não ser o ritual da opressão. O processo contra mim foi instaurado em julho daquele ano, e eu tive o direito de ter advogado, o ex-ministro Nelson Hungria, que se ofereceu de graça para me defender, chegando a obter do Supremo Tribunal Federal um *habeas corpus* que descaracterizou o processo, o qual passou a correr não mais pela LSN [Lei de Segurança Nacional], mas pela Lei de Imprensa.

Fui condenado a três meses da prisão. A justiça não fora de todo abolida após a edição do primeiro Ato Institucional. Havia brechas do Estado de direito, os tribunais funcionavam, outros *habeas corpus* foram concedidos a perseguidos pelo movimento militar, como os ex-governadores Miguel Arraes, Mauro Borges e Plínio Coelho.

Houve violência na repressão, mas alguns resíduos de legalidade permaneceram após a primeira fase da ditadura. O regime militar, que fora apoiado pela maioria da sociedade civil e pela totalidade da mídia, tentava manter uma aparência de legalidade. Aos poucos – repito, gradualmente –, a cortina de chumbo desceu sobre a nação, sobretudo após 1968, que iniciou o período de horror na vida pública nacional, não apenas no setor político, mas no seio das universidades, dos sindicatos e das instituições públicas e particulares. [...]"

CONY, Carlos Heitor. Ditadura e ditabranda [20 mar. 2009]. *Folha de S.Paulo*. Disponível em www1.folha.uol.com.br. Acesso em 12 ago. 2009.

Texto 4

"Houve uma ditadura no Brasil, a partir de 1964. Em 1968, ela piorou. Seu desmonte se iniciou na segunda metade dos anos 1970, impulsionado por movimentos sociais expressivos – mobilizações populares, crescimento de setores oposicionistas, greves e lutas contra a carestia e o desemprego [...] e por eleições diretas [...]. Demissões, cassações de direitos políticos e prisões arbitrárias, torturas, censura e outras violências explícitas se iniciaram apenas em 1968? Tudo era ditadura, na sociedade brasileira, entre 1964 e 1968, ou nesgas de democracia eram reinventadas, a duras penas, no cotidiano desse período, por alguns de seus sujeitos? A ditadura foi apenas militar, ou também possuía fortes componentes civis? Existiu um prelúdio *soft* da ditadura, entre 1964 e 1968, e ela se iniciou para valer somente com o AI-5 [...]? O regime se encerrou por completo em 1985, ou se desdobra, através de personagens, instituições e práticas, até hoje?"

SILVA, Marcos. 1964/1968: de pior a pior. In *Brasil* 1964/1968: a ditadura já era ditadura. São Paulo: LCTE, 2006. p. 7.

QUESTÕES

1. Identifique o posicionamento adotado pelos autores dos quatro textos quanto à caracterização do período compreendido entre 1964 e 1968.

2. Anote em seu caderno os argumentos utilizados pelos autores dos textos 1 e 3 para diferenciar o período anterior e posterior a 1968.

3. A quais argumentos os textos 2 e 4 recorrem para justificar a existência de uma ditadura no período anterior a 1968?

Seção 37.3

Golpes militares em outros países da América Latina

Objetivos

- Analisar dois casos de ditadura militar em outros países da América Latina: Chile e Argentina.
- Identificar as principais características dos governos militares instaurados no Brasil, no Chile e na Argentina.

Termos e conceitos

- Frente popular
- Golpe militar
- Ditadura militar
- Madres de Mayo
- Plano Condor

Conteúdo digital Moderna PLUS http://www.modernaplus.com.br
Mapa animado: Ditaduras militares na América Latina

Chile: da democracia ao golpe

No Chile, uma proposta de **frente popular** venceu as eleições de 1935 e governou até 1938, com uma aliança entre os partidos Comunista, Socialista e Radical, comprometidos com o respeito e a defesa da democracia. Nos anos 1940 e 1950, predominaram governos de partidos conservadores, mas o centro político, representado pela Democracia Cristã, e a esquerda mantinham-se atuantes. Participavam ativamente dos debates internos e obtinham votações expressivas em eleições parlamentares e presidenciais.

Em 1964, o democrata-cristão Eduardo Frei tornou-se presidente. Em seu governo, buscou apoio das camadas populares, incentivou a atuação de sindicatos de trabalhadores rurais e a integração dos camponeses em cooperativas. Aumentava, assim, a participação popular na política. Junto ao crescimento dos movimentos populares organizados, cresceu a preocupação dos setores social e politicamente hegemônicos com o que muitos consideravam um risco de "esquerdização" do país.

Nas eleições presidenciais de 1970, Salvador Allende, do Partido Socialista, foi vitorioso. Allende havia se candidatado três vezes à presidência e, em 1970, foi apoiado pela Unidade Popular (UP). Allende recebeu 36,2% dos votos contra 34,9% de Jorge Alessandri, político conservador que já fora presidente entre 1952 e 1958.

Em novembro de 1970, Allende tomou posse como presidente do Chile, iniciando o que foi definido como transição pacífica em direção ao socialismo **[doc. 1]**. Allende trazia uma alternativa de transformação para uma América Latina que havia passado a década de 1960 sob o impacto da Revolução Cubana e tinha visto diversos projetos de revolução social fracassarem diante de intervenções estrangeiras ou do poder armado de regimes militares. No lugar da ruptura revolucionária, a esquerda chilena propunha a adoção do socialismo por via legal e institucional.

- **Unidade Popular.** A UP foi uma coalizão de partidos de esquerda, formada para as eleições presidenciais de 1970. Liderada pelo Partido Socialista, também contava, entre outros, com a participação do Partido Comunista (que originalmente tinha como candidato à presidência o poeta Pablo Neruda, que abriu mão da própria candidatura para apoiar Allende) e do Partido Radical.

DOC. 1 O presidente chileno Salvador Allende, acompanhado de sua esposa, Hortênsia Bussi, acena do balcão da residência oficial em Santiago, Chile, em 1970.

DOC. 2 Tropas do exército chileno posicionadas diante do Palácio de La Moneda, em Santiago, bombardeado durante o golpe militar liderado pelo general Augusto Pinochet. Chile, setembro de 1973. AFP.

O golpe militar de 1973

Muitos países acompanhavam com atenção o desenrolar dos acontecimentos no Chile. A sociedade chilena, que não votara majoritariamente em Allende, dividia-se diante das nacionalizações e estatizações de bancos, empresas estrangeiras e, sobretudo, da exploração de minérios, base da economia do país. A alta burguesia chilena e os militares começaram a se mobilizar contra o avanço das camadas populares e da participação mais intensa de operários e camponeses no controle da produção.

As pressões estrangeiras sobre o governo de Allende, principalmente do governo norte-americano, aumentaram **[doc. 3]**. Países com governos militares, incluindo o Brasil, auxiliavam silenciosamente a preparação do golpe.

Boicotes e a diminuição acentuada de investimentos provocaram a queda da produção industrial e o desabastecimento. Nas ruas, aumentaram os protestos da classe média, que acusava o governo pelas dificuldades enfrentadas pelo país. Empresas estrangeiras que atuavam no Chile, como a ITT, multinacional norte-americana de comunicações, ajudavam a desestabilizar o governo e passavam informações internas para os órgãos de inteligência dos Estados Unidos.

O equilíbrio político, que já estava fragilizado desde o governo anterior, rompia-se. Em agosto de 1973, Allende, numa tentativa de negociar com setores militares insatisfeitos, colocou um representante desses grupos no comando do exército, o general Augusto Pinochet. Três semanas depois, no dia 11 de setembro, Pinochet liderou o **golpe militar** que depôs Allende **[doc. 2]**.

O presidente, cercado e sob bombardeio no palácio presidencial de La Moneda, tentou resistir à ação armada e convocou a população a defender a legalidade. Os golpistas, porém, já controlavam o país. Sem alternativa, Allende cometeu suicídio.

DOC. 3 **A oposição de Nixon**

"Durante três anos, o governo Nixon realizou uma 'campanha de desestabilização' clandestina e coordenada para tornar o Chile ingovernável. Washington instituiu um 'bloqueio invisível' contra Allende, pressionando silenciosamente as instituições financeiras internacionais para que suspendessem todos os empréstimos ao Chile e cortando a ajuda bilateral e os créditos norte-americanos, com exceção, o que não surpreende, do apoio às forças armadas chilenas."

Peter Kornbluh. Prólogo. In: BANDEIRA, Luiz Alberto Moniz. *Fórmula para o caos*: ascensão e queda de Salvador Allende (1970-1973). Rio de Janeiro: Civilização Brasileira, 2008. p. 31.

A ditadura de Pinochet

O golpe quebrava a longa tradição democrática do Chile e iniciava uma das mais brutais **ditaduras militares** da América Latina. A repressão, generalizada, atingiu os diversos setores da sociedade e foi especialmente dura na área sindical e entre os artistas e intelectuais. Os partidos políticos foram dissolvidos, todos os suspeitos de ligação com a esquerda foram perseguidos.

A violência do golpe surpreendeu a todos que acompanhavam a crise política chilena. Desconhece-se o número de prisões efetuadas e calcula-se que os golpistas tenham assassinado dezenas de milhares de pessoas. O Estádio Nacional do Chile foi transformado em prisão política nos dias imediatamente posteriores ao golpe **[doc. 4]**. Muitos depoimentos posteriores afirmaram que a tortura foi largamente empregada pelo novo governo contra prisioneiros e adversários políticos.

Estrangeiros que viviam no Chile e que não conseguiram fugir a tempo ou refugiar-se dentro de embaixadas ou consulados de países estrangeiros também foram perseguidos pelas tropas que apoiavam Pinochet. Entre eles, havia muitos exilados pela ditadura militar brasileira, que haviam buscado asilo político no Chile.

Medidas liberais

Após o terror da repressão dos primeiros anos, o regime de Pinochet passou a adotar medidas liberais para reorganizar a economia, como a desnacionalização de empresas e de atividades produtivas. Promoveu a privatização dos setores estatizados durante o governo de Allende e ampliou o ingresso de capital estrangeiro no país. Acelerou o crescimento econômico e superou a crise do período anterior.

O autoritarismo impedia a livre manifestação da sociedade chilena e, por meio de reformas constitucionais, Pinochet prolongou seu período presidencial. No final dos anos 1980, porém, a América Latina atravessou uma fase de redemocratização, e as pressões internas e externas ao Chile pelo fim da ditadura cresceram.

Um plebiscito, realizado em 1988, rejeitou a extensão por mais oito anos do mandato de Pinochet. Em 1989, o democrata-cristão Patricio Alwyn venceu as eleições presidenciais e acelerou o processo de redemocratização negociada do Chile. Mesmo depois de sair da presidência em 1990, Pinochet foi mantido como comandante do exército até 1998, quando se tornou senador vitalício.

DOC. 4 **Os porões da ditadura**

"A repressão selvagem — as prisões em massa no estádio de Santiago e as execuções sumárias — institucionaliza-se pouco a pouco. As operações de limpeza da 'lepra vermelha' teriam feito de 30 mil a 50 mil vítimas, segundo as estimativas realizadas durante o primeiro ano e 90 mil chilenos (em uma população de aproximadamente 9 milhões de habitantes) teriam sido detidos. A partir de 1974, uma polícia política sob as ordens diretas do Executivo, a Dina, centraliza as operações que até então eram realizadas pelas várias armas e sob a direção dos chefes de unidade. Essa *Dirección nacional de inteligencia* é rebatizada como Central Nacional de Informação em agosto de 1977, depois do assassinato, em Nova York, do antigo ministro da Unidade Popular, Orlando Letellier, pelos agentes da Dina. Mas os métodos continuam os mesmos. Ainda que o exílio e a deportação tendam a substituir, a partir de 1978, o 'desaparecimento'."

ROUQUIÉ, Alain. *O Estado militar na América Latina*. São Paulo: Alfa-Omega, 1984. p. 306-307.

Soldado do exército chileno, em primeiro plano, mantém sob guarda presos políticos detidos no Estádio Nacional, em Santiago. Chile, setembro de 1973.

O processo contra Pinochet

Se dentro do Chile Pinochet não sofreu nenhuma punição pelos crimes do governo que liderava, fora do país (na Espanha) foi processado por crimes contra a humanidade e chegou a ser preso durante uma viagem à Inglaterra, em 1999. Sua idade avançada e o estado de saúde precário, associados à indisposição do governo inglês de entregá-lo à justiça espanhola, permitiram que fosse libertado e retornasse ao Chile, onde morreu no final de 2006.

Argentina: país de golpes

Ao contrário do Chile, que não conhecia intervenções militares na política há mais de setenta anos, a Argentina viveu muitos golpes militares no decorrer do século XX. No princípio dos anos 1970, porém, atravessava uma fase de democratização, com a volta dos militares aos quartéis e a autorização para que Juan Domingo Perón, exilado desde 1955, voltasse ao país.

Perón retornou em 1973 e foi eleito presidente. Com sua morte no ano seguinte, sua mulher e vice, Isabelita, assumiu o cargo **[doc. 5]**. As divergências no interior do peronismo, que então se mostrava bastante dividido, e o cenário crítico da economia argentina mantinham a situação interna tensa e instigavam os militares a voltar à política. Setores da alta burguesia argentina aproximavam-se dos quartéis e, em 1975, já se cogitava a hipótese de um golpe e, em março do ano seguinte, os militares derrubaram a presidente.

Os golpistas denunciavam a falta de projeto político, alertavam para a falta de autoridade e para o risco do comunismo. Apresentavam-se como representantes do conjunto da sociedade argentina, acima das divisões de classe e sem interesses ideológicos ou financeiros.

DOC. 5 O presidente argentino Juan Perón em um de seus últimos discursos. Buenos Aires, Argentina, em 1974.

A ditadura argentina

No decorrer dos sete anos que os militares dirigiram a Argentina, no entanto, nenhum projeto nacional foi desenvolvido, nem o país foi efetivamente reorganizado. Os investimentos estrangeiros abandonaram o país, e a Argentina iniciou um processo de declínio econômico acelerado. A violenta repressão contra supostos adversários e organizações estudantis e de trabalhadores marcou o regime e instaurou um quadro de terror no país, que resultou em milhares de mortos e desaparecidos **[doc. 6]**.

Grupos de resistência armada e a oposição política reagiram ao poder extremo dos governantes. As **Madres de Mayo** iniciaram seus protestos em 1977 e, além de denunciar o desaparecimento de seus filhos, tentavam obter informações e notícias de perseguidos políticos. Em 1982, o regime militar argentino já estava bastante desgastado dentro e fora do país. As notícias de extorsões e de crimes comuns praticados por policiais circulavam e indicavam que os governantes haviam perdido o controle sobre o aparato repressivo, que passara a agir autonomamente, em benefício de seus membros.

Vocabulário histórico

Madres de Mayo
A associação Madres de Mayo (Mães de Maio) foi formada em 1977, no segundo ano da ditadura militar argentina, com o objetivo de reunir informações sobre mortos e desaparecidos na repressão política. Suas fundadoras tinham filhos entre os perseguidos e protestavam na Praça de Maio, diante da sede do governo argentino. Hoje, além do movimento das Mães de Maio, há também o das Avós de Maio, pessoas que buscam explicações para o desaparecimento de crianças cujos pais foram presos ou mortos durante a ditadura.

DOC. 6 Membros do movimento Mães da Praça de Maio posam com fotografias de seus filhos, desaparecidos durante a ditadura militar argentina (1976-1983). Buenos Aires, Argentina, 2008. AFP.

A Guerra das Malvinas

Interessado em manter-se por mais tempo no regime, o presidente Leopoldo Galtieri iniciou um conflito internacional para desviar a atenção dos argentinos dos problemas internos. Em abril de 1982, determinou a invasão das ilhas Malvinas e reivindicou a soberania argentina sobre o território.

As ilhas Malvinas, localizadas no extremo sul do continente americano, eram objeto de disputa entre Argentina e Grã-Bretanha desde o século XVIII. O território tornou-se domínio colonial britânico na década de 1830, fato que nunca foi plenamente aceito pela Argentina.

A Inglaterra reagiu aos planos da Argentina de recuperar as ilhas e os dois países foram à guerra. O conflito durou dois meses. Parte da sociedade argentina acreditava ser possível conquistar o território em disputa. Por esse motivo, o apoio ao governo de Galtieri aumentou sensivelmente.

A derrota e o fim da ditadura

Em pouco tempo, a Grã-Bretanha venceu a guerra, o que revelou a fragilidade das forças armadas argentinas. Embora o interesse inicial do governo fosse obter apoio popular, o conflito expôs de maneira ainda mais clara a corrupção e o autoritarismo do regime. Pressionado, Galtieri foi substituído por outros militares, que convocaram eleições para o ano seguinte.

Raúl Alfonsín venceu as eleições e assumiu a presidência no final de 1983, iniciando um novo período de redemocratização argentina. A economia do país estava arrasada, com taxas altíssimas de inflação e moeda desvalorizada. O nível de industrialização regredira durante os anos militares, e o nível de tensão social era intenso.

O Plano Condor

No decorrer dos anos 1980, quase todos os países da América Latina passaram por processos de redemocratização, e poucos mantiveram governos ditatoriais. O retorno à democracia e a divulgação de informações sobre os anos de poder armado permitiram que se desvendasse inclusive a existência de mecanismos de colaboração, como o **Plano Condor**, entre as polícias políticas dos países do Cone Sul, que se ajudavam mutuamente na perseguição e, em muitos casos, execução de adversários políticos **[doc. 7]**.

No Brasil e no Chile, os crimes cometidos pelos governos militares foram anistiados ou esquecidos. A Argentina, ao contrário, realizou uma longa e profunda investigação, que resultou em diversos julgamentos e punições. Os processos incorporaram inclusive ex-governantes acusados de participar da Guerra Suja, nome que se deu ao terrorismo de Estado promovido entre 1976 e 1983. As investigações e os processos revelaram uma grande quantidade de crimes comuns como tráficos de armas, extorsão de empresários e sequestro de pessoas **[doc. 8]**.

DOC. 7 **A colaboração entre os governos militares e os Estados Unidos**

"Havia a afinidade entre dois regimes autoritários [do Brasil e da Argentina] que ganhou conteúdo prático, na perseguição dos opositores por todo o continente. Sua expressão mais tenebrosa foi o Plano Condor, concebido e posto em prática, a partir de 1975, pelo regime de Pinochet, com o conhecimento da CIA, envolvendo também a Argentina, o Brasil, o Uruguai, a Bolívia e o Paraguai. Pessoas acusadas de subversão foram presas em quaisquer dos países e levadas geralmente à morte em seus países de origem. [...] Os Estados Unidos, sob os governos de Nixon e Ford, facilitaram e abençoaram tais práticas até a eleição do presidente Carter, que passou a insistir no respeito aos direitos humanos na América Latina."

FAUSTO, Boris; DEVOTO, Fernando. *Brasil e Argentina*: um ensaio de história comparada (1850-2002). São Paulo: Editora 34, 2004. p. 502-503.

DOC. 8 **Sequestros na Argentina**

"Em nome da Segurança Nacional, milhares e milhares de seres humanos, geralmente jovens e adolescentes até, passaram a integrar uma categoria tétrica e fantasmagórica: a dos desaparecidos. [...] Arrancados pela força, deixaram de ter presença civil. Quem exatamente os tinha sequestrado? Por quê? Onde estavam? Não havia resposta certa para tais perguntas: as autoridades não ouviram falar deles, a justiça desconhecia-os e os *habeas corpus* só eram respondidos com o silêncio. [...] A partir do sequestro, a vítima perdia todos os direitos; privada de qualquer comunicação com o mundo exterior, confinada em locais desconhecidos, submetida a suplícios infernais, ignorando o seu destino mediato ou imediato, sujeita a ser atirada ao rio ou ao mar, amarrada a blocos de cimento, ou transformada em cinzas; seres que não eram 'coisas', e sim pessoas na plenitude dos atributos humanos [...]."

Nunca mais. Informe da Comissão Nacional sobre o desaparecimento de pessoas na Argentina, presidida por Ernesto Sábato. Porto Alegre: L&PM, 1984. p. 2-3.

QUESTÕES

1. O que a expressão "desaparecimento" significava na época da ditadura militar chilena **[doc. 4]**? De acordo com Rouquié, quais foram os métodos empregados pelo governo para reprimir os que se opunham a Pinochet?

2. Como as autoridades argentinas reagiam diante das denúncias de desaparecimento de pessoas **[doc. 8]**?

ATIVIDADES

Retomar conteúdos

1 Durante o período militar no Brasil, foram instituídos diversos Atos Institucionais. Sintetize o que esses decretos estabeleciam e a importância deles para o regime.

2 Exponha o que foi o chamado "milagre" econômico brasileiro. Ele beneficiou de forma igualitária toda a população?

3 A partir do governo Geisel, o país viveu um processo de distensão do regime militar. De que forma se deu esse processo político?

4 Exponha o contexto histórico que serviu de justificativa para os militares instaurarem ditaduras no Chile e na Argentina.

5 Assinale a afirmativa **incorreta** sobre o período militar na América Latina e a corrija.

a) Os golpes militares na América Latina devem ser analisados no contexto das disputas políticas e ideológicas que marcaram a Guerra Fria, opondo o bloco socialista e o bloco capitalista.

b) A descoberta de documentos sobre o chamado Plano Condor revelou a existência de uma política de colaboração entre os órgãos de repressão mantidos pelos governos militares do Cone Sul, com o aval do governo dos Estados Unidos.

c) O fim da ditadura militar no Brasil, no Chile e na Argentina e as investigações que seguiram sobre os crimes cometidos pelo Estado no período resultaram, nos três países, na punição dos responsáveis por práticas de tortura e execuções de presos políticos.

Ler textos e imagens

6 Em 1970, a seleção brasileira conquistou, no México, o tricampeonato da Copa do Mundo de futebol. Um dos hinos dessa Copa foi a música *Pra frente Brasil*, de Miguel Gustavo.

"Noventa milhões em ação,
Pra frente Brasil,
Do meu coração...
Todos juntos vamos,
Pra frente Brasil,
Salve a seleção!

De repente
É aquela corrente pra frente,
Parece que todo o Brasil deu a mão...
Todos ligados na mesma emoção...
Tudo é um só coração!"

Miguel Gustavo. *Pra frente Brasil*.
Disponível em www.vagalume.uol.com.br.
Acesso em 15 abr. 2010.

a) Em qual contexto histórico a música foi composta?

b) Segundo a canção, como se encontravam o Brasil e o povo brasileiro naquele momento?

c) É possível afirmar que a letra da música tem um tom ufanista? Por quê?

7 O cartunista Henfil foi um dos personagens mais atuantes na luta contra a censura e a violência impostas pelo regime militar no Brasil. Observe a charge a seguir e identifique a ironia presente na obra.

Nhoqui, nhoqui, charge de Henfil.

Debater

8 Atualmente, temos acesso a relatos de várias pessoas que foram perseguidas e torturadas pelos regimes militares em países da América Latina.

- No Brasil, a Lei da Anistia beneficiou os torturados, mas também os torturadores. Na sua opinião, a lei deveria ser revista? Por quê? Reúna-se com seus colegas e discutam a questão.

A arte do pós-guerra

O neorrealismo italiano

Depois da Segunda Guerra Mundial, grande parte da Europa estava devastada. Na Itália, a população enfrentava uma séria crise econômica e níveis alarmantes de desemprego. Em meio a esse cenário sombrio, surgiu o **neorrealismo italiano**, um movimento artístico que procurava, sobretudo, representar a realidade política, econômica e social do país.

O cinema foi uma das vertentes mais expressivas do neorrealismo italiano. Para produzir filmes ficcionais capazes de abordar a dura realidade de seu país no período do pós-guerra, os cineastas italianos afastaram-se da influência do cinema hollywoodiano e de sua estética idealizada e se aproximaram da linguagem dos documentários. Os filmes eram produzidos em preto e branco, a filmagem de cenas externas era predominante, não eram utilizados efeitos especiais, e, frequentemente, atores amadores atuavam nos papéis principais.

Roma, cidade aberta

O filme *Roma, cidade aberta* (1945), de Roberto Rosselini, foi um dos primeiros representantes do movimento. Mesmo sendo uma obra de ficção, o filme inspirava-se em fatos e situações reais, com o objetivo expresso de tornar evidente que uma parcela da população italiana era contrária ao fascismo e ao nazismo. Apesar de ter entrado na guerra como aliada da Alemanha, a Itália era, em 1943, uma nação dividida. O ditador Benito Mussolini havia sido deposto e se refugiara no norte do país, onde fundara a República Social Italiana, sob a proteção do governo nazista alemão. O governo que o substituiu em Roma declarou, por sua vez, guerra à Alemanha, juntando-se aos aliados. Nesse momento, os alemães ocuparam a capital italiana, declarando-a "cidade aberta", ou seja, uma cidade que se rendia sem oferecer resistência, fato que Rosselini contestou em seu filme.

A narrativa ficcional se passa em plena ocupação alemã e gira em torno de Manfredi, um líder comunista da resistência. Para não ser preso pela Gestapo, Manfredi pretende sair de Roma com uma identidade falsa. Os resistentes, porém, são delatados por uma amante de Manfredi, e eles são presos e executados.

A cena mais famosa do filme e uma das mais comoventes do cinema mostra Pina, noiva de Francesco, chorando deseperadamente após a prisão do personagem **[doc. 1]**. Pina é metralhada após correr em direção ao caminhão que o levava preso. Seu filho, Marcello, chora, então, sobre seu cadáver **[doc. 2]**. Esse pequeno órfão funciona como um símbolo do futuro da Itália, alquebrado depois de tantos anos de conflito e controle fascista.

DOC. 1 Cena do filme *Roma, cidade aberta*, de Roberto Rosselini, 1945, um marco do neorrealismo italiano.

DOC. 2 Uma das cenas finais do filme *Roma, cidade aberta*, de Roberto Rosselini, 1945.

Ladrões de bicicleta

Outro filme que marcou o neorrealismo italiano foi *Ladrões de bicicleta* (1948), de Vittorio de Sica, que, assim como Rosselini, utilizou as ruas e os becos de Roma como locações para a maior parte de suas cenas. O recorte temporal é o período imediatamente posterior à Segunda Guerra, quando a Itália, quase completamente destruída e com seu povo enfrentando a miséria e o desemprego, luta para se reerguer.

O enredo conta a história de Ricci, um desempregado que, finalmente, consegue trabalho como colador de cartazes. Contudo, para ficar com a vaga, ele deve se apresentar com uma bicicleta. Ricci e a esposa são obrigados a penhorar os lençóis da casa para conseguir dinheiro para comprar uma bicicleta. Ainda durante o primeiro dia de trabalho, a bicicleta de Ricci é roubada. Ele e seu filho Bruno se lançam, então, numa busca desesperada para encontrá-la. Por fim, Ricci, com medo de perder o emprego, decide furtar ele mesmo uma bicicleta, sendo, porém, pego em pleno ato e quase espancado por populares. Pai e filho voltam para casa humilhados.

Esse desfecho pessimista revela mais uma vez a preocupação dos cineastas neorrealistas com o futuro de sua nação. A bicicleta simboliza inicialmente a reconquista da esperança quando é adquirida pelo casal, numa cena em que ambos aparecem sorridentes e entusiasmados **[doc. 3]**. Após a perda, o clima de desilusão intensifica-se cada vez mais, como aparece na cena em que Ricci e Bruno sentam-se no meio-fio da calçada, sem saber o que fazer, momentos antes da tentativa de furto **[doc. 4]**.

DOC. 3 Cena do filme *Ladrões de bicicleta*, de Vittorio de Sica, 1948. A compra da bicicleta simbolizava a esperança para o casal.

DOC. 4 Cena do filme *Ladrões de bicicleta*, de Vittorio de Sica, 1948. Pai e filho sentados na calçada, desorientados, após várias tentativas frustradas de reaver a bicicleta roubada.

O cinema novo

O neorrealismo italiano influenciou bastante o **cinema novo**, movimento que marcou a produção fílmica brasileira nas décadas de 1950 e 1960. Assim como os neorrealistas italianos, os cineastas brasileiros desejavam investigar, nas telas, a realidade de seu povo. *Rio, 40 graus* (1955), de Nelson Pereira dos Santos, foi um dos primeiros filmes a tratar do tema da pobreza em plena metrópole carioca. Mais tarde, Nelson Pereira dos Santos levaria esse interesse pelas questões sociais brasileiras ao sertão nordestino com *Vidas secas* (1963), baseado na obra de Graciliano Ramos, e que expõe a problemática dos retirantes da seca **[doc. 5]**. O expoente máximo do cinema novo foi provavelmente Glauber Rocha, que, em filmes como *Deus e o Diabo na terra do sol* (1964) e *Terra em transe* (1967), aliou de maneira magistral preocupações políticas e estéticas, colocando a descoberto as forças que atuam na sociedade brasileira em montagens incrivelmente poéticas.

DOC. 5 Cartaz do filme *Vidas secas*, de Nelson Pereira dos Santos, de 1963.

As artes plásticas no pós-Segunda Guerra

Nas artes plásticas, o fim da Segunda Guerra Mundial também significou um divisor de águas, iniciando um contexto inspirador de novas experiências estéticas. Assim como os Estados Unidos emergiram do conflito como a nação mais poderosa do planeta, uma vez que as potências europeias haviam sido drasticamente destruídas, o principal centro de produção artística também se deslocou de Paris para Nova York. A arte norte-americana começou, então, a demonstrar uma vitalidade que parecia perdida na sua contraparte europeia. Os artistas norte-americanos pareciam livres das restrições impostas por séculos de tradição no campo da arte.

Nos anos 1950 e 1960, período de intensificação do consumismo e de implantação da cultura de massas, os Estados Unidos foram capazes de produzir uma arte nova que, ao mesmo tempo que criticava a sociedade industrial contemporânea, tinha nela a sua origem e o seu apoio. A publicidade, o cinema hollywoodiano, o desenho industrial, as novas tecnologias, tudo isso servia de fonte de onde os artistas norte-americanos retiravam suas imagens, ícones e até mesmo estratégias artísticas. Nesse período, as mais importantes expressões das artes visuais foram a *action painting* e a *pop art*.

A produção artística de Jackson Pollock

O principal expoente da ***action painting*** foi o norte-americano Jackson Pollock, que, apesar de ainda produzir pinturas, contestou grande parte da tradição artística do gênero. Pollock retirou a tela do cavalete e a esticou no chão de seu estúdio, girando em volta dela e atirando a tinta sobre sua superfície. Isso contrariava o papel tradicional do pintor, que, assim, não se colocava mais fora ou diante da pintura. Pollock procurava se colocar dentro de suas composições, registrando nelas o resultado de seus movimentos **[doc. 6]**. O pintor transformava-se numa espécie de dançarino a lançar respingos de tinta sobre a tela, como que tomado por um transe. Mais do que nunca, a pintura foi vista e sentida tal qual um processo, uma ação única no espaço e no tempo, daí o nome do movimento.

Pollock conservava uma atitude ritualística diante do fazer artístico, mas utilizava como material pictórico tinta metálica ou esmalte, o que mostra sua ligação com o contexto industrializado e tecnológico da sociedade norte-americana do período. Aliar o ritual à industrialização não é algo simples de ser feito. Na verdade, é um procedimento extremamente complexo que questiona os limites de ambas as coisas. Até onde é possível manter uma postura ritualística no contexto da sociedade de massas e até onde se pode levar a racionalidade e a objetividade exigidas pelos processos industriais de produção em série? É essa pergunta que está no cerne da obra de Pollock.

DOC. 6 Jackson Pollock fotografado por Hans Mamuth, em 1950, quando pintava na tela estendida no chão.

Andy Warhol e a *pop art*

A ***pop art*** foi ainda mais radical em seu relacionamento com a cultura de massas. Seus artistas apropriavam-se de imagens e objetos diretamente retirados da televisão, da mídia impressa ou mesmo das prateleiras de supermercados. Foi o que aconteceu, por exemplo, com Andy Warhol e as latas de sopa Campbell, muito populares nos Estados Unidos. Warhol aproveitou a embalagem desse produto e a reproduziu em suas inúmeras serigrafias **[doc. 7]**.

A *pop art* e o *superflat*

Dessa forma, colocava em discussão, por um lado, o verdadeiro bombardeamento de itens de consumo a que está exposta a sociedade contemporânea. Por outro, questionava o caráter de mercadoria da própria obra de arte, inserida no mercado como qualquer outro produto. De acordo com a lógica capitalista, qual a diferença essencial entre uma obra de arte e uma lata de sopa? Ambas são vistas afinal como coisas que se pode comprar. Warhol realizou esse mesmo procedimento de reprodução em série com imagens de celebridades norte-americanas, como Elizabeth Taylor e Marilyn Monroe, e até mesmo com ícones das artes plásticas, como a *Mona Lisa*, de Leonardo da Vinci **[doc. 8]**.

Nas últimas décadas, um artista que vem sendo comparado a Warhol, justamente por explorar a relação entre os objetos de arte e a cultura de massas, é o japonês Takashi Murakami, criador do estilo ***superflat***, influenciado pelos mangás e desenhos animados japoneses **[doc. 9]**. Na Universidade Nacional de Belas Artes e Música de Tóquio, Murakami teve uma formação tradicional baseada no estilo de pintura japonesa do século XIX, chamada *nihonga*, a que somou aspectos da arte moderna e contemporânea, principalmente a dos Estados Unidos, que conheceu quando seu pai trabalhava em uma base naval desse país. A novidade é que a arte de Murakami situa-se no contexto da cultura japonesa contemporânea, altamente tecnológica e consumista.

DOC. 8 *Double Mona Lisa*, Andy Warhol, 1963.

DOC. 9 *Kaikai Kiki news*, obra de Takashi Murakami, criador do estilo *superflat*.

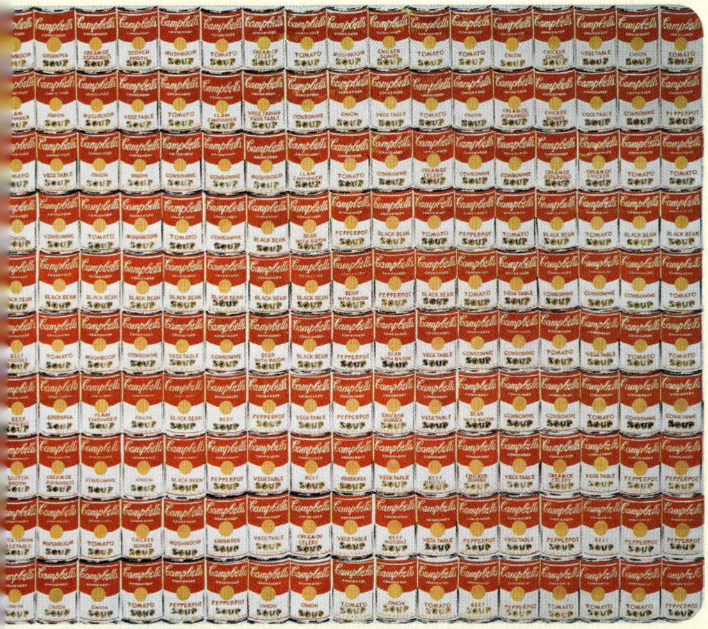

DOC. 7 *Latas de sopa Campbell*, Andy Warhol, 1962.

QUESTÕES

1. Cite pelo menos duas relações possíveis entre o surgimento das produções neorrealistas na Itália e a hegemonia do fascismo no país.
2. Pesquise sobre o neorrealismo italiano em livros e na internet. Identifique outras manifestações desta estética na literatura e no cinema.
3. Indique as características da *action painting* representadas na fotografia [doc. 6].
4. Identifique os elementos da *pop art* presentes nas imagens [docs. 7, 8 e 9].

PRATICANDO: VESTIBULARES E ENEM

UNIDADE J A Guerra Fria e o conflito de ideologias

1 (Fuvest-SP) Existem semelhanças entre as ditaduras militares brasileira (1964-1985), argentina (1976-1983), uruguaia (1973-1985) e chilena (1973-1990). Todas elas:

a) receberam amplo apoio internacional tanto dos Estados Unidos quanto da Europa Ocidental.
b) combateram um inimigo comum, os grupos esquerdistas, recorrendo a métodos violentos.
c) tiveram forte sustentação social interna, especialmente dos partidos políticos organizados.
d) apoiaram-se em ideias populistas para justificar a manutenção da ordem.
e) defenderam programas econômicos nacionalistas, promovendo o desenvolvimento industrial de seus países.

2 (PUC-RJ) "A catástrofe humana desencadeada pela Segunda Guerra Mundial é quase certamente a maior na história humana. O aspecto não menos importante dessa catástrofe é que a humanidade aprendeu a viver num mundo em que a matança, a tortura e o exílio em massa se tornaram experiências do dia a dia que não mais notamos."

HOBSBAWM, Eric. *Era dos extremos.* São Paulo: Companhia das Letras, 1995.

A partir da leitura do trecho acima:

a) Identifique duas consequências da Segunda Guerra Mundial para a África e a Ásia.
b) Explique uma característica da "Era da Guerra Fria" iniciada após a Grande Guerra.

3 (UFF-RJ) Em dezembro de 2008, foram transcorridos quarenta anos da edição do Ato Institucional nº 5 (AI-5) pelo governo militar instalado após o golpe de 1964. A partir dele, o novo regime aperfeiçoaria suas técnicas de repressão e censura a qualquer manifestação de oposição à ditadura militar.

A partir da afirmativa:

a) Indique duas manifestações posteriores a 1964 – sejam de cunho político, artístico ou cultural – de questionamento ao regime militar.
b) Analise os impactos do AI-5 no que se refere ao avanço da repressão e da censura no país.

4 (UEM-PR) A respeito do Plano Marshall e da reconstrução da Europa após o final da Segunda Guerra Mundial, assinale a afirmativa **correta**.

a) A recuperação da Europa após o final da Segunda Guerra Mundial enfrentou muitas dificuldades devido à relutância dos Estados Unidos em ajudar na reconstrução dos países ocidentais envolvidos no conflito.
b) A Alemanha Ocidental não recebeu recursos do Plano Marshall.
c) A rápida reconstrução da União Soviética foi possível graças aos recursos financeiros dos Estados Unidos viabilizados pelo Plano Marshall.
d) A Inglaterra, como não havia sofrido invasão estrangeira, achou melhor não se sujeitar a diretriz americana alguma, preferindo não aderir ao Plano Marshall.
e) Os Estados Unidos criaram o Plano Marshall com o objetivo de ajudar a Europa a se recuperar da destruição produzida pela guerra.

5 (UFF-RJ) Em finais da década de 1970, o "milagre" brasileiro dava mostras de seu efetivo esgotamento. As repercussões desse processo, no mundo do trabalho, consistiram em greves sem precedentes no país, dando origem ao chamado "novo sindicalismo", liderado por Luiz Inácio Lula da Silva. Segundo ele, em discurso em 1978:

"A estrutura sindical brasileira [...] é totalmente inadequada [...]. A estrutura e a legislação sindical deveriam ser reformuladas como resultado das necessidades. O sindicato ideal é aquele que surge espontaneamente, que existe porque o trabalhador exige que ele exista."

Lula: entrevistas e discursos, p. 45. In: MATTOS, Marcelo Badaró. *Trabalhadores e sindicatos no Brasil.* Rio de Janeiro: Vício de leitura, 2002. p. 79.

Com base no seu conhecimento sobre esse assunto, no enunciado e no texto, analise as afirmativas a seguir.

I. o novo sindicalismo opunha-se à interferência do Estado nos sindicatos.
II. o novo sindicalismo pregava a revolução social imediata.
III. o novo sindicalismo defendia o fim do imposto sindical.
IV. o novo sindicalismo advogava o retorno ao trabalhismo varguista.
V. o novo sindicalismo defendia o direito irrestrito à greve.

Assinale a única opção que apresenta as afirmativas verdadeiras.

a) I, II e III.
b) I, III e V.
c) II, III e V.
d) II, IV, e V.
e) III, IV e V.

6 (UFMG) As viagens espaciais conjuntas têm comprovado que as potências militares podem cooperar pacificamente nessa área. No entanto, essas cooperações são fenômeno recente, pois, entre os anos 1950 e 1980, no quadro da Guerra Fria, prevaleceu uma competição acirrada.

Considerando-se a corrida espacial travada, nessa época, entre os Estados Unidos e a União Soviética, é **incorreto** afirmar que:

a) as conquistas obtidas eram usadas na guerra de propaganda, a exemplo do que ocorreu com Iuri Gagarin, enviado em turnê mundial para divulgar os feitos da União Soviética.
b) o propósito era conseguir superioridade científica e política em relação à potência oponente, sem, contudo, a intenção de usar as conquistas espaciais para fins bélicos.
c) os investimentos dos Estados Unidos, na fase final da corrida espacial, se dirigiram para os ônibus espaciais, enquanto os da União Soviética se concentraram na construção de estações orbitais.
d) os melhores resultados soviéticos alcançados nos anos 1950 foram compensados pelos norte-americanos com o projeto vitorioso de chegar primeiro à Lua.

UNIDADE J

Leituras

Guerra Fria: o Estado terrorista
ARBEX JR., José.
São Paulo: Moderna, 2005.

O autor narra os acontecimentos que se desencadearam no fim da Guerra Fria. Segundo o autor, a prática do terrorismo que assola o mundo contemporâneo teve origem na disputa de forças que ocorreu entre os Estados Unidos e a então União Soviética após a Segunda Guerra Mundial.

O Brasil de Juscelino Kubitschek
PIRES, Lucas Rodrigues da Motta.
São Paulo: Landy, 2006.

O livro aborda a trajetória de um dos presidentes mais populares da história do país. Realizador de significativas mudanças, ele comandou a construção de Brasília, nova sede da capital federal, e instituiu o Plano de Metas, conjunto de medidas que, entre outras coisas, previa a rápida industrialização do Brasil.

O governo Goulart e o golpe de 64
TOLEDO, Caio Navarro de.
São Paulo: Brasiliense, 1982.

A obra trata do período compreendido entre o fim do governo João Goulart e o golpe militar que o sucedeu.

Guerra Fria: a era do medo
DIAS JR., José Augusto; ROUBICEK, Rafael.
São Paulo: Ática, 1999. (Coleção História em movimento)

Os autores fazem uma análise da rivalidade entre Estados Unidos e União Soviética e da disputa pelo controle de áreas de influência em todo o mundo.

Filmes

Boa noite e boa sorte
Direção de George Clooney.
Estados Unidos, 2005.
93 min.

Em plena era do macarthismo, o âncora de um jornal televisivo, Edward Morrow, luta para mostrar os dois lados da questão da caça aos comunistas nos Estados Unidos. Para isso, envolve-se em um grande confronto público contra o então senador Joseph McCarthy.

Moscou contra 007
Direção de Terence Young.
Estados Unidos, 1963.
116 min.

James Bond recebe a missão de salvar uma agente soviética, que trabalha na embaixada da Rússia, em Istambul, na Turquia. A agente, no entanto, nada mais é do que uma isca utilizada por uma organização criminosa, que planeja matar o famoso agente secreto.

Machuca
Direção de Andrés Wood.
Chile/Espanha, 2004.
120 min.

A história se passa em Santiago, no Chile, no período final do governo de Allende. A relação entre crianças que estudam em um colégio de padres progressistas possibilita perceber uma sociedade polarizada entre um projeto de esquerda e uma saída autoritária.

O ano em que meus pais saíram de férias
Direção de Cao Hamburger.
Brasil, 2006. 110 min.

Um garoto de 12 anos presencia a súbita viagem dos pais e precisa ficar com o avô. Seus pais, na verdade, fugiram da perseguição da ditadura militar. O pequeno Mauro vive, então, momentos de solidão e alegria, ao acompanhar o desempenho da seleção brasileira durante a Copa do Mundo de 1970.

UNIDADE

K

O mundo globalizado

» Capítulos

A fábrica global

A cadeia global de produção do iPod, armazenador de arquivos digitais da empresa americana Apple, mostra como corporações transnacionais criam e vendem produtos mesmo sem ter fábricas ou operários próprios, distribuindo diferentes etapas do trabalho pelo mundo em busca dos menores custos e de lucros mais elevados.

Ricos no topo da cadeia

Segundo a ONU, 95 das 100 maiores transnacionais não financeiras de 2010 eram comandadas de países da OCDE*, como os Estados Unidos. De lá, a corporação Apple controla outras empresas contratadas em vários países para fabricar componentes, montar e cuidar de outras etapas da produção do iPod.

Salário médio de engenheiros e gerentes – 2009

Distribuição de trabalhadores ligados à produção do iPod e salários – 2006
(em porcentagem)

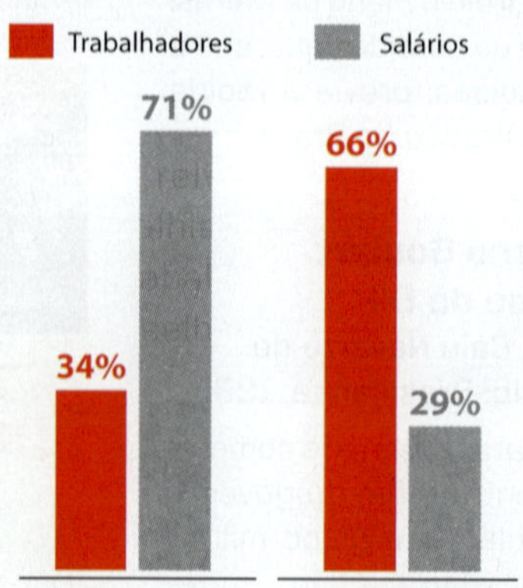

Segundo pesquisadores da Universidade Irvine da Califórnia (UC Irvine), cerca de **41 mil pessoas** pelo mundo trabalhavam na produção do iPod em 2006. Elas receberam pouco mais de **US$ 1 bilhão em salários**. Observe que, apesar de ter o menor número de trabalhadores, os Estados Unidos ficavam com o maior volume salarial.

*OCDE: Organização para a Cooperação e Desenvolvimento Econômico, reúne os países mais ricos do mundo.

Acontecimentos do mundo contemporâneo

Esta linha do tempo não foi organizada em escala temporal.

As imagens da linha do tempo estão identificadas no interior desta unidade.

1985 — Tancredo Neves é eleito presidente da república pelo Colégio Eleitoral.

1988 — É promulgada uma nova Constituição no Brasil.

1989 — Queda do Muro de Berlim.

1990 — Fim do *apartheid* (regime de segregação racial) na África do Sul.

1991 — Fim da União Soviética.

1994 — Fernando Henrique Cardoso é eleito presidente da república.

Nelson Mandela é eleito presidente da África do Sul.

Legenda

% — Participação do país ou grupo de países na divisão do valor de venda de um iPod em 2006, em porcentagem.

US$ — Valores salariais mensais médios, em dólares.

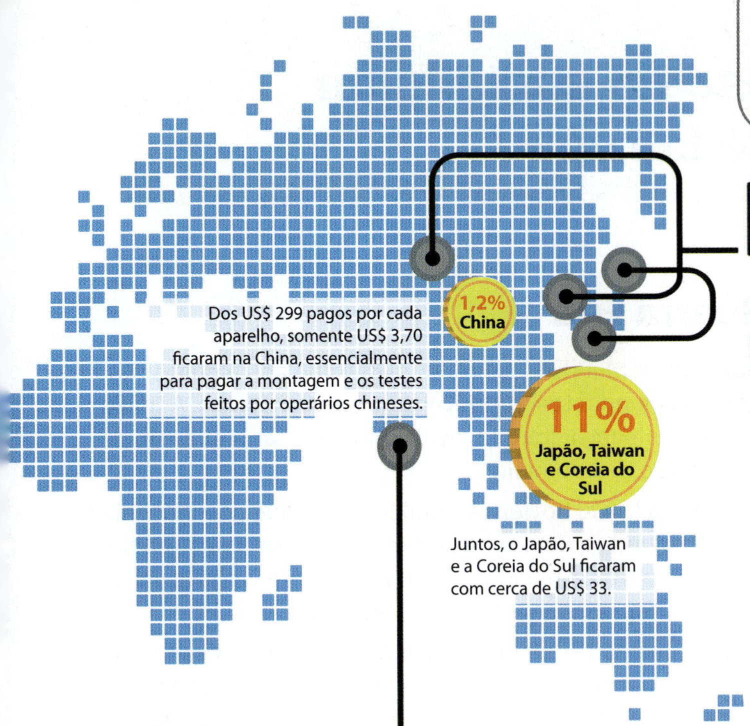

Meio de campo tecnológico
Memórias, telas, chips e outros componentes de alta tecnologia são as partes mais caras do iPod. A maior parte desses componentes é produzida em países asiáticos por empresas do Japão, da Coreia do Sul, de Taiwan e dos Estados Unidos.

Salário médio de operários – 2009

Nos Estados Unidos | **Na China**

Matérias-primas
Direta ou indiretamente, petróleo, metais e outras matérias-primas são necessários em todas as etapas do processo, desde a concepção à venda dos produtos. Países do hemisfério sul e do Oriente Médio estão entre os principais fornecedores dessas *commodities*.

Especialistas no mundo em desenvolvimento
As corporações também terceirizam seviços e o trabalho intelectual quando essa estratégia é mais vantajosa. Para desenvolver os programas que fazem funcionar o iPod, por exemplo, programadores na Índia recebem um décimo do salário de seus colegas norte-americanos.

Salário médio de programadores – 2010

Nos Estados Unidos | **Na Índia**

QUESTÕES

1. Cite duas características de uma corporação transnacional.
2. Com base na análise deste infográfico, como as corporações transnacionais tiram vantagem da desigualdade de salários entre os países?

Fontes: Banco Mundial; Ministério das Comunicações e Tecnologia da Informação da Índia; Universidade Irvine da Califórnia.

1999
Desmembramento da Iugoslávia.

2001
Ataque às torres gêmeas do World Trade Center em Nova York.

2002
Luiz Inácio Lula da Silva é eleito presidente do Brasil.

2008
Crise financeira mundial.

Barack Obama é eleito presidente dos Estados Unidos.

Capítulo

38 O colapso do socialismo no Leste Europeu

38.1 A crise e o fim do sistema soviético

Na década de 1980, as reformas políticas e econômicas de Mikhail Gorbachev não conseguiram evitar o fim da União Soviética.

38.2 A desagregação do bloco socialista

A queda do Muro de Berlim, em novembro de 1989, iniciou o movimento que derrubou o regime socialista nos países do Leste Europeu.

38.3 A Europa Oriental depois do socialismo

Após a queda do regime soviético, recessão, desemprego e conflitos étnicos marcaram alguns dos países que integravam o antigo bloco socialista.

O fim da Guerra Fria

Após a Segunda Guerra Mundial, o mundo foi dividido entre dois sistemas sociais e econômicos opostos: o capitalismo e o socialismo. A União Soviética liderava o bloco socialista e fornecia apoio militar e econômico aos países submetidos ao seu domínio.

O apoio oferecido pela União Soviética equilibrava o peso da influência dos Estados Unidos no mundo e mantinha as economias dos países socialistas isoladas da economia internacional. Esse isolamento tornava viável o funcionamento das várias economias socialistas.

As economias dos países do bloco socialista estavam baseadas no modelo de planejamento centralizado. O objetivo era organizar a produção de acordo com as necessidades da população e não segundo o desejo de lucro e as regras do mercado, tal como ocorria nos países capitalistas.

O comando centralizado do Estado sobre todas as atividades econômicas, contudo, gerava graves problemas sociais. Os alimentos e os bens de consumo eram escassos, e havia dificuldades para o desenvolvimento tecnológico e do trabalho.

Os países do bloco soviético acabaram entrando em crise. O desmantelamento das economias socialistas contribuiu para romper a ordem mundial que caracterizava o período da Guerra Fria. Para compreender as novas fontes de tensão do mundo contemporâneo, é importante entender esse processo histórico.

A estátua de Lênin é removida de Berlim, Alemanha, em novembro de 1991.

A crise e o fim do sistema soviético

Objetivo

- Explicar os fatores econômicos, sociais e políticos que levaram ao fim da União Soviética.

Termos e conceitos

- Bloco soviético
- Socialismo
- Abertura política

O sistema político da União Soviética

A Constituição da União Soviética previa a partilha do poder entre três instâncias: o povo, o Estado e o Partido Comunista. O povo tinha direito de participar dos sovietes regionais e de eleger representantes para o soviete da União e para o soviete das nacionalidades. O Estado era composto de diversos órgãos administrativos. Esses órgãos, por sua vez, eram subordinados ao Partido Comunista, que contava com a participação de cerca de 10% da população soviética.

A participação política popular estava assegurada pela Constituição soviética. Apesar dessa garantia, os direitos políticos do povo dificilmente se efetivaram. Um pequeno grupo de dirigentes que compunham o Politburo e o Secretariado do Comitê Central do Partido Comunista concentrava o poder político. O Partido Comunista, considerado a força que dirigia e orientava a sociedade soviética, era responsável pelas decisões políticas importantes. Nas eleições, os cidadãos tinham de escolher os candidatos a partir de uma lista única definida pelo Partido Comunista.

Liberdade de expressão

A liberdade de expressão também foi muito prejudicada durante o regime soviético. Josef Stalin governou de 1922 até o ano de sua morte, em 1953. Durante esse período, transformou a União Soviética num regime totalitário. O culto à personalidade do líder, as propagandas políticas, as perseguições, os expurgos e os mecanismos de controle da opinião pública marcaram profundamente a cultura política da sociedade soviética.

Após a morte de Stalin, políticos como Nikita Khrushchov denunciaram os crimes cometidos durante o período stalinista. Assim, na década de 1970, a repressão estatal era mais branda do que na época do totalitarismo stalinista. Contudo, o Estado soviético continuava sendo autoritário, rigidamente hierarquizado e centralizado em torno do Partido Comunista.

Como o Partido Comunista detinha o monopólio do poder e da palavra, as críticas ao regime permaneciam terminantemente proibidas. Muitos dissidentes terminaram presos em hospitais psiquiátricos, onde eram internados para acobertar a repressão. As manifestações pela independência nacional nas repúblicas soviéticas também eram reprimidas em benefício da unidade do que se considerava ser a grande nação soviética.

Estagnação econômica do bloco soviético

O sistema econômico da União Soviética e dos países satélites da Europa Oriental era tão rígido quanto seu sistema político, levando-o à perda de produtividade, à ineficiência, à escassez e à corrupção. Na década de 1970, as economias do **bloco soviético** apresentavam taxas declinantes de crescimento e tendiam cada vez mais à estagnação econômica **[doc. 1]**.

DOC. 1 **Taxa de crescimento da economia soviética**

	1966-1970	1971-1975	1976	1977	1978	1979
Renda nacional	7,2	5,1	5,0	3,5	4,0	2,0
Produção industrial	8,5	7,4	4,8	5,7	4,8	3,4
Bens de consumo	8,3	6,5	3,0	5,0	4,0	3,3
Investimentos	7,5	6,9	2,0	3,4	5,2	1,0
Renda real *per capita*	5,9	4,4	3,7	3,5	3,0	3,0

Fonte: Anuário estatístico da URSS. In: BERSTEIN, Serge; MILZA, Pierre (Dir.). *História do século XX: de 1973 aos dias atuais*. São Paulo: Nacional, 2007. v. 3. p. 318.

Fatores da estagnação econômica

A estagnação econômica se deveu a vários fatores, entre os quais podemos destacar os seguintes:

- A estrutura altamente centralizada das empresas estatais comprometia a inovação tecnológica. As economias do bloco soviético não conseguiram acompanhar os avanços tecnológicos conquistados pelos países capitalistas, como o uso intensivo da microeletrônica e da robótica, o que as conduziu à ineficiência e à perda de produtividade.
- O Estado encarregava-se de fixar a quantidade e a qualidade dos produtos a serem fabricados, assim como os preços e os salários. A rigidez desse sistema provocava distorções econômicas, como a escassez crônica de bens de consumo. O racionamento de produtos básicos reforçava a insatisfação da população.
- Para satisfazer suas necessidades, os países do bloco soviético eram obrigados a importar alimentos e bens de consumo do Ocidente. Com exceção do petróleo e de alguns produtos minerais, as mercadorias produzidas nas fábricas do bloco soviético, contudo, não tinham mercado nos países do mundo desenvolvido, pois eram de baixa qualidade.

As reformas de Mikhail Gorbachev

Em março de 1985, Mikhail Gorbachev assumiu o cargo de secretário-geral do Partido Comunista, decidido a fazer reformas para corrigir as distorções econômicas e eliminar a corrupção no país. Gorbachev acreditava que poderia fazer da União Soviética um Estado democrático de direito, porém sem abandonar o **socialismo**.

O novo líder soviético lançou um conjunto de medidas destinadas a modernizar a economia soviética e democratizar seu sistema político: a *perestroika* **[doc. 2]** e a *glasnost*. A *perestroika* ("reestruturação") incluía maior autonomia para as empresas estatais e estímulo à abertura de pequenos negócios familiares como lojas e restaurantes. A *glasnost* ("transparência") estabelecia algumas liberdades políticas e direitos individuais.

Abertura política

Com as reformas, a censura à imprensa e aos meios de comunicação foi reduzida, as publicações críticas ao governo foram permitidas, os dissidentes presos foram soltos, e as estações de rádio estrangeiras, antes proibidas, puderam ser ouvidas na União Soviética. Em 1989, ocorreram as primeiras eleições livres, em que políticos independentes da linha do Partido puderam se candidatar. As reformas promoviam a **abertura política** da União Soviética.

Gorbachev também se esforçou para pôr fim à corrida armamentista, que tanto prejudicava a economia soviética. Entre 1986 e 1989, uma série de encontros entre Gorbachev e o presidente dos Estados Unidos, Ronald Reagan, levou a uma considerável redução do arsenal bélico das duas potências. Em 1988, Gorbachev também encerrou a guerra no Afeganistão, negociando uma trégua e ordenando a retirada das tropas soviéticas.

DOC. 2 **O projeto *perestroika***

"[...] As mudanças necessárias exigiam algo mais. Em consequência, a partir de outubro de 1985, afinal, apareceu uma perspectiva mais ambiciosa, traduzida numa palavra inovadora: *perestroika*, ou seja, recolocar as coisas em construção, reconstruir, ou, segundo a tradução que se tornou corrente, reestruturar.

O novo programa, exposto em livro que se tornou *best-seller* mundial, conseguiu ser ao mesmo tempo preciso e genérico. Preciso na crítica aos desmandos das tradições: os desperdícios, o quantitativismo, a negligência em relação aos consumidores, a prioridade sempre atribuída aos comedores de ferro e de aço, o exagerado centralismo, a ambição desmedida de controle e de comando. Genérico na proposta de alternativas. O texto rasgava amplos horizontes, propunha altos e nobres objetivos: uma sociedade comprometida com a paz, produtiva, emancipada e harmônica. A perspectiva de um socialismo renovado. Preocupado com o Homem, com o *H* sempre maiúsculo, enfatizando uma sensibilidade diferente para tempos que se queriam novos. A sociedade à qual se queria chegar."

REIS FILHO, Daniel Aarão. *Uma revolução perdida*: a história do socialismo soviético. São Paulo: Fundação Perseu Abramo, 2002. p. 233.

Mikhail Gorbachev, presidente da URSS e secretário-geral do Comitê Central do PCUS desde 1985, esforçou-se para reerguer a União Soviética, mas suas medidas não conseguiram impedir a derrocada do socialismo europeu. Foto de 1986.

A política externa e interna

Gorbachev tornou-se imensamente popular no mundo ocidental, em virtude de sua política externa orientada pelo fim dos conflitos militares e por seu esforço em democratizar o regime soviético, angariando-lhe o prêmio Nobel da Paz em 1990. No plano interno, contudo, seu governo tornava-se cada dia mais impopular.

Gorbachev e aqueles que o apoiavam viam nas reformas a possibilidade de recuperar os princípios que inspiraram a Revolução Russa de 1917. Para os conservadores do Partido Comunista, entretanto, Gorbachev era um traidor do regime soviético, enquanto para a oposição liberal ele era moderado demais.

Nos anos de 1989-1990, as repúblicas bálticas declararam sua independência. Em seguida, as demais repúblicas também reivindicaram sua soberania. Então, Gorbachev propôs o **Tratado da União**: cada república teria o direito de optar, por meio de um plebiscito, se desejava ou não conservar sua adesão à União Soviética.

O fim da União Soviética

Os conservadores do Partido Comunista responsabilizavam Gorbachev pela desestruturação da economia soviética, pela perda de sua influência política na Europa Oriental e pelo esfacelamento de seu território. Numa tentativa desesperada de evitar o fim da União Soviética e restaurar seu poder, eles arquitetaram um golpe de Estado para afastar Gorbachev e tomar o poder.

O Partido Comunista foi responsabilizado pelo golpe e proibido de funcionar em toda a União Soviética. Os órgãos dirigentes e os sindicatos ligados a ele foram dissolvidos. Gorbachev foi, assim, obrigado a renunciar ao cargo que ocupava desde 1985, o de secretário-geral do Comitê Central, mantendo somente o cargo de presidente da União Soviética.

O político russo Boris Yeltsin aproveitou sua popularidade para criar uma nova entidade política, destinada a substituir a União Soviética. Reuniu-se com os presidentes da Bielo-Rússia e da Ucrânia e, juntos, decidiram criar a **Comunidade de Estados Independentes** (CEI). As cinco repúblicas da Ásia Central (Azerbaijão, Cazaquistão, Uzbequistão, Tadjiquistão e Turcomenistão), mais a Armênia e a Moldávia, juntaram-se logo em seguida à CEI. No final de 1991, a União Soviética já não existia mais **[doc. 3]**.

QUESTÕES

1. Compare a situação econômica da União Soviética entre os anos de 1966 e 1979. Descreva as mudanças que ocorreram e explique os motivos que ocasionaram essa situação **[doc. 1]**.

2. Leia o texto e responda às questões **[doc. 2]**.
   a) Qual era o conteúdo da obra *Perestroika?*
   b) De que modo a obra *Perestroika* refletia a situação econômica da União Soviética?

DOC. 3 **A União Soviética (1945-1991)**

Fonte: CHALIAND, Gérard; RAGEAU, Jean-Pierre. *Atlas strategique*. Paris: Complexe, 1988. p. 91.

Seção 38.2

A desagregação do bloco socialista

Objetivo

- Compreender o processo de desmontagem do socialismo nos países satélites da União Soviética na Europa Oriental.

Termos e conceitos

- Socialismo
- Bloco soviético
- Queda do Muro de Berlim

Socialismo à força

Alguns dos regimes socialistas da Europa Oriental tinham raízes em movimentos sociais e contavam com certo apoio popular. Era o caso da Hungria, da Alemanha Oriental e da Tchecoslováquia, que possuíam um forte movimento comunista desde a década de 1920. Nos outros casos, no entanto, o **socialismo** foi imposto à força pelos soviéticos após a Segunda Guerra Mundial.

A *perestroika* de Gorbachev mudou esse cenário político. A política externa da União Soviética concedia liberdade aos regimes satélites da Europa Oriental para escolherem preservar ou não a adesão ao socialismo soviético. O princípio da nova política adotada por Moscou era a não interferência nos assuntos internos dos "países irmãos".

Polônia

Entre 1976 e 1979, uma série de greves trabalhistas contra o aumento de preços estourou por toda a Polônia. Para defender os direitos civis dos trabalhadores, formou-se uma associação constituída por intelectuais dissidentes, o KOR (sigla em polonês para Comitê de Defesa dos Trabalhadores). Grupos estudantis, jornais e editoras clandestinas fortaleceram a resistência.

Uma nova tentativa do governo de aumentar os preços no início de 1980 levou a uma nova onda de greves e à formação do *Solidariedade*, o primeiro sindicato livre no mundo socialista desde a formação do **bloco soviético**, liderado pelo operário Lech Walesa **(doc. 1)**. A greve logo se espalhou e paralisou o país.

Para combater o Solidariedade, o Partido Comunista entregou o poder ao general Jaruzelski, que decretou estado de sítio e mandou prender todos os dirigentes do movimento em 1981. Os membros do Solidariedade continuaram se organizando na clandestinidade.

Entre 1986 e 1988, conforme a situação econômica da Polônia se deteriorava, uma nova onda de greves e protestos varreu o país. O general Jaruzelski, por fim, cedeu e, em 1988, decidiu libertar os líderes presos e convidá-los a uma mesa-redonda. O Solidariedade tornou-se, assim, o primeiro sindicato livre oficialmente reconhecido no regime socialista soviético.

Conteúdo digital Moderna PLUS http://www.modernaplus.com.br
Vídeo: A queda do Muro de Berlim
Filme: *Adeus, Lenin!* Diretor: Wolfgang Becker. Alemanha, 2003

DOC. 1 Trabalhadores comemoram o reconhecimento oficial do sindicato independente Solidariedade carregando o líder Lech Walesa nos ombros. Gdansk, Polônia, 1980.

O fim do socialismo

Naquele momento, o governo socialista já estava desacreditado pela opinião pública polonesa. As negociações entre governo e oposição na mesa-redonda previam a realização de eleições livres em junho de 1989. Jaruzelski, entretanto, reservou dois terços das vagas da *Duma* (Congresso Nacional polonês) para o Partido Comunista e preservou para si o cargo de presidente da república. Mesmo assim, o Partido Comunista sofreu uma grande derrota nas eleições, ocupando apenas 1% das vagas no senado.

Em consequência da crise de legitimidade, o Partido Comunista decidiu afastar Jaruzelski e indicar um não comunista para a presidência, que ocuparia o cargo provisoriamente até a convocação de eleições totalmente livres: Taddeusz Mazowiecki. Em 1990, Lech Walesa foi eleito presidente e imediatamente começou a implementar as reformas econômicas visando fazer a transição da economia planificada para a economia de mercado na Polônia.

Hungria

Desde a invasão soviética em 1956, a Hungria era governada pelo ditador Janos Kádár. A *perestroika* de Gorbachev, contudo, alimentou a pressão por reformas. Kádár, então, foi afastado em 1988 pela direção do próprio Partido Comunista. Diferentemente do que ocorreu na Polônia, onde a transição foi longa, marcada pela repressão estatal, por prisões e ameaças, na Hungria ela se deu rápida e pacificamente.

Elementos moderados do próprio Partido Comunista tomaram a iniciativa de reformar o país e abriram mão voluntariamente do monopólio do poder. Em março de 1989, foram convocadas eleições livres e multipartidárias, e o próprio Partido Comunista mudou de nome, passando a chamar-se Partido Socialista Húngaro.

Alemanha Oriental (RDA)

Em outubro de 1989, movimentos e agitações nas ruas tomaram conta da República Democrática Alemã. Em cidades como Berlim Oriental, Leipzig e Dresden, dezenas de milhares de pessoas realizaram vigílias pela abertura das fronteiras. Erich Honecker, líder político da Alemanha Oriental, planejava usar o exército para reprimir os protestos quando foi afastado do poder, em outubro de 1989, pelo próprio Partido Comunista, que passou a ser dirigido pelos líderes mais moderados. O Partido não pretendia abandonar o monopólio do poder, mas realizar uma abertura lenta e gradual do regime.

Centenas de milhares de pessoas aglomeravam-se na capital exigindo livre trânsito para o lado ocidental, ou seja, a abertura do **Muro de Berlim**. Sem alternativa, os dirigentes do Partido cederam e abriram as fronteiras em 9 de novembro, quando dezenas de milhares de pessoas eufóricas passaram para o outro lado **[doc. 2]**. Até o fim de 1989, 2,4 milhões de alemães orientais estiveram no lado ocidental de Berlim. Muitos deles voltavam para seus lares, porém uma boa parte decidiu emigrar definitivamente.

DOC. 2 O Muro de Berlim, na Alemanha Oriental, um dia após sua abertura em 1989. Construído em 1961, o Muro dividia a cidade de Berlim em duas partes. Sua queda marcou simbolicamente o fim da Guerra Fria.

Após a **queda do Muro de Berlim**, o Partido Comunista da Alemanha Oriental decidiu mudar seu nome para Partido do Socialismo Democrático e expulsou os velhos líderes comprometidos com a repressão na República Democrática Alemã. Em maio de 1990, com a unificação das duas Alemanhas, a Alemanha Oriental deixou de existir.

Bulgária

Desde o fim da Segunda Guerra Mundial, a Bulgária foi o regime que mais se conservou próximo do modelo soviético. No poder desde 1954, o ditador Todor Jivkov era então o mais velho dirigente comunista do bloco soviético, tendo se mantido fiel aos ditames provenientes de Moscou. Jivkov opunha-se às reformas políticas e econômicas realizadas por Gorbachev, pois considerava que não eram coerentes com os princípios de uma sociedade socialista. Assim, Jivkov afastou do Partido Comunista os dirigentes inclinados a adotar a mesma linha para a Bulgária.

Do mesmo modo que na Hungria e na Alemanha Oriental, foi o próprio Partido Comunista da Bulgária que afastou o ditador Jivkov e encaminhou reformas no país. A transição foi pacífica. Logo após a deposição de Jivkov, em novembro de 1989, os prisioneiros políticos foram libertados, partidos de oposição puderam se organizar e eleições livres foram convocadas no ano seguinte. Para participar de processos eleitorais multipartidários, o Partido Comunista mudou de nome para Partido Socialista Búlgaro e ganhou as primeiras eleições livres em junho de 1990.

Tchecoslováquia

Em contrapartida, na Tchecoslováquia, o Partido reprimiu violentamente os protestos e tentou exercer o monopólio político até o último instante. A ditadura de Gustav Husak, que assumiu logo após o esmagamento da Primavera de Praga em 1968, reprimia implacavelmente qualquer tentativa de crítica ou oposição. A imprensa, os professores universitários e o meio artístico eram vigiados.

Na década de 1980, a pressão social levou ao afastamento do ditador Husak. Seu sucessor, Milos Jakes, contudo, que havia tomado parte na repressão que se seguiu à Primavera de Praga, respondeu com violência às reivindicações de intelectuais e trabalhadores. Em contrapartida, sob a liderança de Václav Havel, constituiu-se o Fórum Cívico, um movimento que organizava greves, manifestações de rua e exigia a redemocratização do país.

O Partido Comunista afastou-se do poder e eleições livres foram convocadas em dezembro de 1989, quando Václav Havel foi eleito presidente por esmagadora maioria. Seu primeiro ato foi anistiar os 16 mil prisioneiros políticos do governo socialista. O processo que, entre novembro e dezembro de 1989, conduziu a Tchecoslováquia da ditadura de partido único à democracia ficou conhecido como "Revolução de Veludo", por ter sido rápido e pacífico.

Romênia

A Romênia era governada por um dos ditadores mais sanguinários: Nicolau Ceausescu. Como Stalin, instaurou um culto à sua própria personalidade. Seu retrato podia ser visto por todo canto (em *outdoors* nas ruas, nas repartições públicas, na televisão etc.). Nos programas de rádio e televisão, o ditador era chamado de "gênio dos Cárpatos", "libertador da terra" e "filho dileto do povo romeno".

Na década de 1980, Ceausescu decidiu pagar a dívida de 10 bilhões de dólares da Romênia com o FMI. Para isso, racionou combustível, energia elétrica e alimentos básicos. Reduzida a uma situação de penúria, a população estava cada vez mais descontente. Qualquer atitude de protesto, porém, era suprimida pela brutal e onipresente polícia secreta romena, a *Securitate*.

A população voltou-se contra Ceausescu após sua reeleição em 1989, quando ele foi vaiado publicamente. O ditador, então, ordenou que o exército avançasse contra a população que protestava. Essa atitude levou o próprio exército a voltar-se contra ele, passando a obedecer às ordens da Frente de Salvação Nacional, formada por dissidentes e outros membros do Partido Comunista que se opunham a Ceausescu.

Em 25 de dezembro de 1989, dia de Natal, a Frente de Salvação Nacional convocou um julgamento sumário e mandou executar o ditador e sua mulher por traição à pátria. Em seguida, instaurou-se um governo provisório até a convocação de eleições livres em maio de 1990, quando Ion Iliescu, um dissidente perseguido por Ceausescu, foi eleito presidente **[doc. 3]**.

QUESTÃO

- De modo geral, o Partido Comunista e/ou os movimentos sociais de cada país foram os agentes responsáveis por pressionar ou conduzir o movimento pela queda do regime soviético. Compare o peso e a importância que cada um desses agentes teve em cada um dos países estudados.

DOC. 3 **O fim do bloco soviético**

"O mais impressionante [...] fora o fulminante desmoronamento do socialismo na área da Europa Central. Depois dos acontecimentos na Polônia e na Hungria, já referidos, o processo ganhou ritmo e força [...]. De sorte que, entre 1988 e 1990, em pouco mais de dois anos, e à exceção da Albânia [cuja transição consumou-se em 1992], todo o chamado Leste Europeu, considerado por muitos como uma área destinada indefinidamente ao domínio soviético, não apenas saíra da órbita de Moscou, como abandonara o socialismo como projeto de sociedade. E a URSS nada fizera para detê-lo. [...]

A Guerra Fria terminara. [...]"

REIS FILHO, Daniel Aarão. *As revoluções russas e o socialismo soviético*. São Paulo: Editora Unesp, 2003. p. 149-150.

Manifestantes exigem reformas democráticas diante da sede do Comitê Central do Partido Comunista Romeno, em Bucareste, Romênia, 1989.

Seção 38.3

A Europa Oriental depois do socialismo

Objetivo

▸ Avaliar os efeitos econômicos, sociais e políticos do desmantelamento do bloco soviético.

Termos e conceitos

• Socialismo
• Nacionalismo/etnia
• Guerra civil

Conteúdo digital Moderna PLUS http://www.modernaplus.com.br
Vídeo: Reagan

A Rússia após o colapso da União Soviética

A transição acelerada para a economia de mercado foi uma verdadeira catástrofe. O fim do sistema de preços subsidiados pelo Estado provocou hiperinflação e fez decair subitamente o padrão de vida da maioria da população russa. Os serviços públicos, como educação e saúde, desarticularam-se por falta de verbas do Estado. Professores ficaram sem salários, e escolas e hospitais, sem equipamentos. Como se não bastasse, a população estava sujeita a racionamento de energia elétrica.

O primeiro passo das reformas políticas de Boris Yeltsin foi colocar em prática uma onda de privatizações, vendendo o patrimônio do Estado aos interessados. As empresas mais rentáveis, como as da área de energia, foram adquiridas por processos fraudulentos e a preços irrisórios pelos grandes burocratas russos. Da noite para o dia, passaram de dirigentes de um Estado socialista para magnatas capitalistas. As menos rentáveis foram fechadas, deixando 10 milhões de pessoas desempregadas em apenas um ano **[doc.1]**. Outros milhões de pessoas deixaram o país, emigrando principalmente para a Europa e para os Estados Unidos.

DOC. 1 Idosa sem-teto pede esmolas em estação de metrô de Moscou, na Rússia, em 1995. Uma realidade de desamparo e pobreza ronda a população mais idosa em Moscou, especialmente a partir da década de 1990.

Crise no antigo bloco soviético

A população dos países do antigo bloco soviético sofria com problemas econômicos inexistentes nos países capitalistas, como a escassez crônica de bens de consumo. Por outro lado, contava com proteção social e era beneficiada pelo baixo custo de alguns serviços, como aluguel, transporte, aquecimento, educação e saúde. Na nova situação, entretanto, o desemprego alto, o aumento de preços e os baixos salários levaram ao acentuado declínio do padrão de vida da população.

A transição do antigo bloco soviético para a economia de mercado, feita por meio da privatização de empresas estatais e da retirada do subsídio estatal sobre os preços, provocou recessão e desemprego. O processo de privatizações não possuía regras claras, permitindo que ex-membros da burocracia estatal e poderosos grupos econômicos estrangeiros saíssem ganhando, enquanto a população era abandonada à própria sorte.

A recomposição dos comunistas como força política

O novo cenário político foi marcado pela recomposição das forças partidárias. Como na maior parte dos países do bloco socialista não havia oposição organizada, os novos partidos políticos foram formados por ex-membros da própria burocracia soviética. Dividiram-se entre os reformistas, que queriam apressar o processo de transição para uma sociedade capitalista, e os que se mantiveram fiéis ao ideário socialista, que desejavam um retorno à situação anterior de maior segurança social.

A defesa do **socialismo** ressurgiu em diversos partidos, que adotaram outros nomes e têm ganhado eleições explorando os problemas econômicos, o sentimento de insegurança e o descontentamento popular. Na República da Geórgia, Edward Schevarnadze, antigo comunista e ministro das Relações Exteriores no governo de Gorbachev, foi eleito presidente da república em 1995. No mesmo ano, o líder histórico do sindicato Solidariedade, Lech Walesa, perdeu as eleições presidenciais para o ex-comunista Alexandre Kwasniewski.

Os conflitos étnicos

A crise social e econômica no antigo bloco soviético conduziu ao ressurgimento do **nacionalismo** e de tensões entre **etnias** de diversos países da região. Antes de 1989, a repressão dos governos socialistas contribuía para abafar as diferenças étnicas ou religiosas entre os povos. Depois da implosão do bloco, contudo, essas diferenças voltaram a se expressar, e com mais força do que nunca, resultando no surgimento de vários conflitos e tensões de caráter étnico a partir da década de 1990.

O caso da Chechênia

Em 1991, a Chechênia, uma região de maioria muçulmana localizada entre a Rússia, ao norte, e a Geórgia, ao sul, declarou independência. O governo russo, porém, não aceitou perder esse território. Em dezembro de 1994, a capital da Chechênia, Grosny, foi bombardeada e invadida pelo exército russo. Os chechenos passaram a resistir por meio da organização de grupos guerrilheiros.

O conflito desenrolou-se até 1996, quando a condenação da opinião pública dentro e fora do país levou o governo russo a propor um plano de paz, mas que não previa a possibilidade de abdicar do território checheno. Em 1999, o novo presidente russo, Vladimir Putin, antigo membro da KGB e aliado de Yeltsin, retomou a hostilidade contra os chechenos. A guerra contra a Chechênia tem sido marcada por torturas e assassinatos por parte das forças russas, contra as quais os rebeldes chechenos respondem com ataques terroristas à população civil na Rússia.

A guerra civil na Iugoslávia

A Iugoslávia era um país multiétnico, dividido entre católicos, cristãos ortodoxos e muçulmanos, que falavam quatro línguas (o servo-croata, o albanês, o esloveno e o macedônio) e escreviam em dois alfabetos (o latino e o cirílico). Até 1980, quando faleceu, o governante Tito evitou as tensões étnicas no país por meio de acordos e da repressão.

Em 1992, contudo, croatas e muçulmanos da Bósnia-Herzegovina declararam independência da Federação Iugoslava, governada por Slobodan Milosevic. Os sérvios que habitavam a Bósnia não aceitaram a separação e iniciaram uma **guerra civil**, apoiada pelo governo da Sérvia.

A ação das forças da Otan impediu Milosevic de dominar a Bósnia, que acabou se voltando para a região autônoma do Kosovo, onde vivia uma população de origem albanesa majoritariamente muçulmana. Os mesmos horrores cometidos na Bósnia começaram em Kosovo, em 1997.

A comunidade internacional interveio no conflito por meio da Otan apenas em 1999. O término da guerra civil na Iugoslávia marcou não apenas o fim do socialismo no Leste Europeu, mas também a divisão de antigos Estados e o surgimento de novos países **[doc. 2]**.

QUESTÕES

1. Exponha as dificuldades econômicas e sociais que marcaram, na Rússia, a transição da economia socialista para a economia de mercado.
2. Observe o mapa e relacione o processo de desmontagem dos regimes socialistas do Leste Europeu com o surgimento de uma nova configuração geográfica na região [doc. 2].

DOC. 2 **Os países do Leste Europeu em 2010**

Fonte: IBGE. *Atlas geográfico escolar*. 3. ed. Rio de Janeiro: IBGE, 2006. p. 43 (com atualizações).

Conteúdo digital Moderna PLUS http://www.modernaplus.com.br
Vídeo: General Tito

CONTROVÉRSIAS Em busca de uma saída

O fim da União Soviética pode nos inspirar, de modo irrefletido, uma certeza e uma indignação. A certeza: o capitalismo provou, pelo menos até o momento, sua superioridade em relação ao socialismo. A indignação: os dirigentes soviéticos foram responsáveis pelo fracasso do socialismo.

Nos dias de hoje, quando todos dizem possuir convicções inabaláveis, pensar com paciência sobre os problemas que nos são colocados tornou-se uma atividade muito rara. Apesar disso, o texto a seguir nos convida a esse tipo de reflexão.

Moradores de rua em Nova York, Estados Unidos, 1990.

"Em primeiro lugar, é preciso reconhecer que algo, de fato, 'deu errado' na União Soviética. [...] Em vez de assegurar uma era de democracia, justiça social e liberdade política para a maioria, o PC [Partido Comunista] monopolizou completamente a vida do país. [...]

É irrelevante discutir, neste ponto, se Stalin era marxista ou se foi uma 'corrupção' do marxismo. Marxista ou não, ele apenas levou ao extremo uma lógica inerente ao pensamento de Marx, que pode ser sintetizada da seguinte forma: 'Em nome da necessidade histórica, tudo é permitido'. Só que 'necessidade histórica' representa apenas aquilo que os próprios marxistas pensam ser historicamente necessário.

O que 'deu errado', portanto, foi o fato de que, em seu esforço muito humano de interpretar a história, Marx acabou caindo no extremo de se acreditar seu profeta, seu domesticador. A sociedade do futuro por ele imaginada só poderia existir em sua imaginação, já que a história não se comportou [...] de acordo com os seus desígnios. [...]

Mas, se o socialismo se reduziu a uma caricatura de si mesmo, isso não prova a 'superioridade' do capitalismo. As sucessivas crises econômicas, mesmo nos países desenvolvidos, com a consequente geração de desemprego, miséria e fome, são um indício de que há muita coisa não resolvida pelo sistema de mercado capitalista.

Além disso, são relativamente poucos os que se beneficiam deste sistema. Dos 5 bilhões de habitantes da Terra em 1992, talvez não somasse 1 bilhão o número dos que poderiam manter um nível decente de vida. A fome na África Negra é um terrível depoimento do fracasso do sistema capitalista, quando se trata de apontar para as resoluções dos grandes dramas humanos.

A permanência de conflitos raciais [...] [, assim como] o insolúvel problema da dívida externa do Terceiro Mundo, tudo aponta para um grande beco sem saída. Se o socialismo fracassou, o capitalismo não deu sinais muito melhores de ter triunfado, apesar do ufanismo de seus defensores. [...]

Voltamos, então, ao problema original: quais as perspectivas colocadas para o século XXI, ou, para sermos mais dramáticos, para o próximo milênio?"

ARBEX JÚNIOR, José. *Revolução em 3 tempos*: URSS, Alemanha, China. São Paulo: Moderna, 1993. p. 80-82. (Coleção Polêmica)

Deputados em sessão do Congresso em Moscou, União Soviética, 1991.

QUESTÕES

1. Onde se encontram as raízes para o "erro" da União Soviética? Justifique sua resposta.
2. Quais são os principais argumentos apresentados contra o capitalismo?
3. Redija um texto apresentando uma proposta de regime político e econômico, que deve conter características da organização política (democracia, monarquia etc.), econômica (empresas privadas e/ou estatais, alterações nas relações de trabalho etc.) e sociocultural (reforma educacional, papel da imprensa etc.).

ATIVIDADES

Retomar conteúdos

1 Faça uma lista dos principais fatores que, a partir da década de 1970, acentuaram a crise econômica soviética e contribuíram, mais tarde, para a desintegração do país e para o fim do socialismo no Leste Europeu.

Ler textos e imagens

2 Compare o texto a seguir com o **doc. 2, p. 662**, para poder responder às questões.

"Como os Estados Unidos, o Estado soviético foi fundado sobre ideias e planos para o melhoramento da humanidade, e não em conceitos de identidade e nação. Ambos foram concebidos por seus fundadores para ser grandes experimentos, no qual, do sucesso de cada um, dependia o futuro da humanidade. [...]

Enquanto as ideologias norte-americana e soviética tinham muito em comum em termos de bases e projeto, o que os separava eram suas distintas definições do que modernidade significava. Enquanto a maioria dos americanos celebrava o mercado, as elites soviéticas o negavam."

WESTAD, Odd Arne. *The global cold war*. Cambridge: Cambridge University Press, 2007. p. 39-40. (tradução nossa)

a) O que o autor afirma sobre as ideologias norte-americana e soviética?

b) Os conceitos de identidade e nação possuíam a mesma importância na ideologia soviética e na obra *Perestroika*, de Gorbachev **[doc. 2, p. 662]**? Justifique sua resposta.

3 Observe a imagem e descreva-a comentando o que significou, para a União Soviética, o evento retratado.

Encontro de Mikhail Gorbachev (direita), presidente da União Soviética, e Ronald Reagan, presidente dos Estados Unidos, em Genebra, Suíça, em 1985.

4 Observe a foto a seguir e responda à questão.

Retirada da estátua de Lênin, Lituânia, 1991.

Descreva o evento retratado na foto e indique o acontecimento ao qual ele estava relacionado.

5 O regime soviético sempre suscitou críticas que, às vezes, vinham de dentro do próprio sistema, como no trecho a seguir. Leia-o para responder à seguinte questão: o regime soviético podia ser mais bem caracterizado como democracia ou oligarquia? Justifique sua resposta.

"Nosso sistema gerou uma categoria de indivíduos sustentados pela sociedade [...] [.] Isso é a consequência de uma política do chamado igualitarismo [...]. O fato de a sociedade se dividir em duas partes, os que decidem e distribuem e os que são comandados e recebem, constitui um dos maiores freios ao desenvolvimento [...]. O *Homo sovieticus* [...] é ao mesmo tempo lastro e freio. De um lado, se opõe à reforma, por outro, constitui a base de apoio para o sistema existente."

Afanassiev (1991). In: HOBSBAWM, Eric. *Era dos extremos*: o breve século XX (1914-1991). São Paulo: Companhia das Letras, 1996. p. 463.

Pesquisar

6 Em grupo, escolham um dos países do antigo bloco dos países socialistas do Leste Europeu para realizar uma pesquisa sobre ele. Levantem informações sobre as condições sociais e econômicas desse país, as características do regime político, sua posição no Índice de Desenvolvimento Humano (IDH) e as relações com a União Europeia. Com os dados obtidos, comparem a situação atual desse país com a da época do socialismo, apontando os pontos negativos e os positivos de cada período.

Capítulo

39 O Brasil contemporâneo

Caminhos e descaminhos

A história recente do Brasil contemporâneo costuma ser contada a partir da transição democrática, quando a ditadura militar chegou ao fim e Tancredo Neves foi eleito indiretamente pelo Colégio Eleitoral, em 15 de janeiro de 1985. Desde esse momento de retorno da democracia ao país até a atualidade, muitas mudanças têm ocorrido em vários aspectos da realidade brasileira. Embora ainda existam muitas permanências, que têm origem em épocas mais longínquas da história do país, tornou-se lugar-comum afirmar que o Brasil já não é o mesmo.

Em um período de pouco mais de vinte anos, o país vivenciou experiências importantes: crises econômicas; estabilização da moeda nacional; jogo político democrático, que, por meio de conflitos, composição e reorganização de interesses, fortaleceu os mecanismos de participação dos cidadãos brasileiros na política nacional; inserção de setores sociais, antes marginalizados, na vida social e econômica do país e melhoria nos índices socioeconômicos.

Muitos problemas da sociedade brasileira, contudo, ainda precisam ser superados: erradicar a miséria de contingentes significativos da população; aumentar a frequência de alunos em todas as etapas do ensino; distribuir a riqueza nacional de forma mais justa, com a correção de desigualdades sociais e regionais; eliminar a corrupção política e inibir qualquer tipo de preconceito. São muitas as tarefas a serem conduzidas para que se possa dizer, com segurança, que o Brasil é de todos os brasileiros.

Praia de Copacabana em primeiro plano e, ao fundo, o morro do Pavão-Pavãozinho, favela encravada no bairro de Copacabana, zona sul do Rio de Janeiro. Foto de 2010.

A nova república

Objetivos

- Explicar os fatores que definiram o início da redemocratização brasileira.
- Compreender o papel dos diversos planos econômicos para a economia do país.
- Reconhecer o esforço democrático na elaboração da Constituição de 1988.

Termos e conceitos

- Redemocratização
- Nova República
- Planos econômicos
- Constituição

A transição democrática

O governo militar preparava o retorno à democracia de modo "lento, gradual e progressivo", com a realização de eleições indiretas para presidente. O escolhido para ocupar o cargo, o político mineiro Tancredo Neves, faleceu antes mesmo de ser empossado, no dia 21 de abril de 1985. O vice-presidente José Sarney assumiu o poder como o 35º presidente do Brasil e governou o país de 15 de março de 1985 até 15 de março de 1990.

A emblemática imagem do presidente João Figueiredo saindo pelas portas dos fundos do Palácio do Planalto, sem entregar a faixa presidencial a José Sarney, mostrava o melancólico fim do período ditatorial. Indicava, também, o início de outra fase na história da república brasileira, marcada pelo processo de **redemocratização** da sociedade e designada, desde logo, como **Nova República**.

O governo Sarney

José Sarney tomou medidas que pareciam acenar para a resolução de importantes problemas sociais como a questão agrária. Em junho de 1985, foi anunciado o Plano Nacional de Reforma Agrária, que propunha a distribuição de cerca de 130 milhões de hectares de terra a aproximadamente 1,5 milhão de famílias. Sem bases políticas para sua efetivação, entretanto, o plano só foi aprovado por decreto em outubro. Da proposta inicial, pouco restava.

Os conflitos de terra cresceram especialmente nas regiões Centro-Oeste e Norte do Brasil. Chico Mendes, morto em dezembro de 1988, foi uma de suas vítimas. Mandantes e assassinos permaneceram impunes na maioria das ocasiões. Casos como o de Dorothy Stang, missionária morta em fevereiro de 2005, evidenciam a violência presente nas regiões rurais do país ainda nos dias de hoje.

Ao longo do mandato de Sarney, a instabilidade da moeda brasileira e os índices inflacionários preocupavam os analistas. Para solucionar esses problemas, foram criados e adotados alguns **planos econômicos**. O primeiro deles, o **Plano Cruzado**, elaborado pelo então ministro da Fazenda, o empresário paulista Dílson Funaro, entrou em vigor em fevereiro de 1986 e previa a implantação de uma série de medidas [doc. 2].

DOC. 1 O movimento pelas "Diretas Já", que propunha eleições diretas para a presidência da república, levou milhões de pessoas para os grandes comícios realizados nas principais cidades do país. Praça da Sé, na cidade de São Paulo, 1984.

DOC. 2 **Plano Cruzado**

- Reforma monetária: substituição do **cruzeiro** pelo **cruzado**, com corte de três zeros.
- Congelamento de preços: por prazo indeterminado.
- Congelamento de aluguéis e hipotecas: válido por um ano.
- Controle salarial: reajuste dos salários pelo valor médio dos últimos seis meses mais abono de 8%, prevendo-se a partir daí o seu congelamento.
- Reajustes salariais: automáticos sempre que a inflação atingisse 20%, recebendo esse dispositivo o nome de gatilho salarial.
- Salário mínimo: aumento de 15%.
- Estabelecimento do seguro-desemprego.

Fonte: Portal do Ministério da Fazenda 200 anos. Disponível em http://200anos.fazenda.gov.br. Acesso em 15 set. 2010.

Sucessão de planos econômicos

O plano foi bem recebido pelos brasileiros, especialmente os dos setores sociais médios. A população, convocada a ser "fiscal do Sarney", passou a controlar os preços com a lista de produtos tabelados pelo governo. Após o primeiro mês de aplicação do choque econômico, a inflação mostrou-se negativa, o consumo cresceu rapidamente e as famílias brasileiras conseguiram planejar gastos, inclusive com alimentação.

Alguns produtos, porém, só podiam ser conseguidos com pagamento de taxa adicional sobre o seu preço (o "ágio"), caso, por exemplo, de automóveis e de gêneros alimentícios como a carne. Produtores e intermediários, diante de lucros menores, deixaram de abastecer a população, e muitos produtos ficaram escassos ou desapareceram dos estabelecimentos comerciais.

Em julho, o Plano Cruzado já parecia destinado ao fracasso, e o governo lançou um pacote com a intenção de reprimir o consumo e incrementar investimentos e produção, buscando acordos com produtores e chegando mesmo a confiscar bois de criadores de gado. Depois das eleições, em novembro de 1986, e dos ótimos resultados eleitorais do PMDB, partido do presidente, o Plano Cruzado chegou ao fim.

Os outros dois planos econômicos do governo Sarney, Bresser (1987) e Verão (1989), também não obtiveram sucesso. A inflação quadruplicou entre 1985 e 1989, atingindo o patamar de 1.000% ao ano.

DOC. 3 Membros da Assembleia Nacional Constituinte comemoram o término dos trabalhos. Brasília, 5 de outubro de 1988.

A Constituição cidadã

Em 1987, elegeram-se congressistas que iriam compor a Assembleia Nacional Constituinte, cuja função era elaborar a **Constituição** brasileira da nova era democrática. A redação de um novo conjunto de normas que deveriam reger o Brasil completaria o processo de redemocratização.

Vários problemas elementares e graves deveriam ser enfrentados: questões referentes à propriedade da terra, pagamento de salários dignos aos trabalhadores, liberdade e justiça para todos, moradia própria, ensino, saúde e alimentação.

A Constituição de 1988

A Constituinte contou com amplo apoio popular e enorme participação de diferentes setores sociais, o que resultou na elaboração da mais democrática Constituição brasileira, alcunhada de "cidadã" por Ulysses Guimarães, presidente da Assembleia Nacional Constituinte **[doc. 3]**.

Os especialistas em direito constitucional caracterizam a Constituição brasileira como **escrita**, **promulgada**, **rígida**, **analítica** e **dogmática**. Escrita, porque é um texto único; promulgada, por ter sido elaborada por um poder democraticamente eleito; rígida, por exigir um processo legislativo mais elaborado para ser alterada; analítica, porque descreve pormenorizadamente todas as normas estatais e todos os direitos e garantias defendidos por ela; finalmente, dogmática, por ser a sistematização das principais teorias políticas e do direito vigentes no período.

A promulgação da Constituição, em 5 de outubro de 1988, representou o fortalecimento das instituições democráticas brasileiras. Apesar das mais de sessenta emendas constitucionais agregadas à Carta Magna até 2010, ela não foi descaracterizada em sua essência.

QUESTÃO

- Quais foram as medidas adotadas pelo governo Sarney para tentar sanar a grave crise econômica do final dos anos 1980?

Seção 39.2

O povo nas urnas: eleições diretas para presidente

Objetivos

- Identificar as medidas econômicas adotadas durante o governo Collor e explicar seus efeitos sociais e econômicos.
- Entender a crise política que resultou no *impeachment* do presidente Fernando Collor.
- Compreender o papel do Plano Real para a estabilidade da economia nacional.

Termos e conceitos

- Eleição direta
- Medidas econômicas
- *Impeachment*
- Plano Real

Conteúdo digital Moderna PLUS http://www.modernaplus.com.br
Vídeo: Anúncio do confisco das poupanças

A eleição de Fernando Collor

Como previa o novo texto constitucional, em 1989 ocorreram **eleições diretas** para presidente. Muitos brasileiros escolheriam pela primeira vez em suas vidas um presidente para o país. No segundo turno, o candidato Fernando Collor de Mello obteve 53% dos votos, derrotando Luiz Inácio Lula da Silva.

Imediatamente após sua posse como presidente em 1990, Fernando Collor de Mello endossou um novo pacote de **medidas econômicas**. Em 16 de março, a ministra da Economia, Zélia Cardoso de Mello, noticiava pelos meios de comunicação o maior choque econômico já experimentado no Brasil. A partir daquela data, por dezoito meses, ficaram congelados dois terços dos 5 trilhões de cruzados que circulavam no país, e foram bloqueados os investimentos, a poupança e as contas correntes de cerca de 60 milhões de brasileiros.

Ainda que perplexa, a maioria da população brasileira deu inicialmente seu voto de confiança a Collor, na esperança de que a economia brasileira conseguisse equilibrar-se. Embora a inflação realmente caísse nos primeiros meses do novo governo, inúmeros problemas continuavam a rondar a vida dos brasileiros. Apesar do confisco de suas economias e da suspensão de seus projetos particulares, as questões econômicas fundamentais do país não foram resolvidas. Com as medidas, negócios foram desfeitos, empresas ficaram sem caixa, e o comércio se ressentiu da falta de dinheiro.

Ao lado de seu radical plano econômico, o governo Collor, tendo em vista a modernização da economia nacional, abriu o mercado brasileiro ao comércio internacional e permitiu a entrada do capital externo no país de forma quase irrestrita e bastante liberal. A ampla abertura do mercado brasileiro rompeu com a política de reserva de mercado, adotada por governos anteriores, que visava proteger o empresariado do poder das empresas estrangeiras, as transnacionais.

Como aspectos negativos da abertura do mercado brasileiro podem ser destacados a inibição da competição interna e do investimento tecnológico e o fechamento de muitas empresas nacionais ou sua absorção pelas transnacionais, que entravam livremente no país. Em termos de propostas econômicas do governo Collor, deve ser lembrado também o início da privatização das empresas estatais, processo polêmico que gerou debate intenso entre partidos políticos de diferentes posições ideológicas.

DOC. 1 Fernando Collor de Mello recebendo a faixa presidencial do ex-presidente José Sarney, 1990. Acervo da Editora Abril.

A crise política e a renúncia de Collor

No período compreendido entre 1991 e 1992, os desmandos, os escândalos envolvendo despesas públicas suntuosas e desnecessárias e as denúncias de corrupção administrativa não paravam de crescer.

Revelações feitas à imprensa pelo irmão do presidente, Pedro Collor, em 27 de maio de 1992, agravaram a crise e levaram às ruas milhares de manifestantes que pediam o ***impeachment*** do governante **[doc. 2]**. A imprensa e uma Comissão Parlamentar de Inquérito (CPI) conseguiram revelar, pelo menos parcialmente, o amplo esquema de fraudes, comandado, principalmente, por Paulo Cesar Farias - o PC, ex-tesoureiro da campanha presidencial de Collor -, além de desvio de verbas, propinas e apropriação indevida e criminosa de dinheiro público pelos ocupantes do poder.

Sem outra saída política, Collor afastou-se do poder no dia 2 de outubro, teve seu *impeachment* aprovado pela Câmara e, antes que o Senado julgasse definitivamente o seu caso, renunciou ao poder no dia 29 de dezembro de 1992. Como punição, teve seus direitos políticos cassados por oito anos. Seu vice, Itamar Franco, que havia assumido o poder em outubro, passou a governar oficialmente o Brasil.

O governo Itamar Franco

Diante de uma nação traumatizada pela recente crise governamental e pelo insucesso dos planos econômicos colocados em prática desde 1985, a gestão de Itamar Franco mostrou-se moderada politicamente, mas determinada a resolver os problemas nacionais mais graves. Em maio de 1993, o senador por São Paulo e sociólogo, Fernando Henrique Cardoso, assumiu o Ministério da Fazenda. Fernando Henrique tinha por objetivo controlar a inflação e criar condições para um desenvolvimento econômico equilibrado e contínuo.

DOC. 2 Jovens com os rostos pintados de verde e amarelo, durante manifestação pelo *impeachment* do presidente Fernando Collor. São Paulo, 1992.

O Plano Real

Cercando-se de uma equipe de economistas afinados com propostas de desestatização da economia, corte de gastos públicos e renegociação da dívida externa com os bancos credores, FHC, como passaria a ser chamado, preparou o caminho para um novo plano econômico, o **Plano Real**, que teve início entre maio e junho de 1993. O novo plano criou a Unidade Real de Valor (URV), um indexador de contratos, preços e salários que deveria acompanhar as flutuações do mercado até que pudesse ser fixado, para transformar-se em uma nova moeda, o real. Embora a moeda continuasse a ser o cruzeiro-real, a URV, uma espécie de moeda virtual, era o que alinhava os preços da economia.

Em 1º de julho de 1994, foi lançado o novo padrão monetário brasileiro, o real. A unidade da nova moeda, R$ 1,00, lastreada nas reservas monetárias internacionais do país, equivalia a US$ 1,00. Embora tenha dado a partida para a montagem do Plano Real, Fernando Henrique já não era ministro da Fazenda no momento em que o real se estabeleceu.

O novo plano aplicado à economia nacional revelou-se um sucesso: a inflação caiu, os salários recuperaram o seu poder de compra e o mercado se aqueceu, com vendas expressivas, especialmente de bens de consumo. Por causa do êxito econômico, Itamar Franco pôde assegurar uma das mais tranquilas sucessões presidenciais da história republicana do país.

Fernando Henrique Cardoso, membro do Partido da Social-Democracia Brasileira (PSDB), foi eleito presidente em 2 de outubro de 1994, derrotando Luiz Inácio Lula da Silva, do Partido dos Trabalhadores (PT). O PSDB, dissidência política do PMDB, foi fundado em 1988 e coligou-se ao Partido da Frente Liberal (PFL) para viabilizar a candidatura de FHC, que governou o Brasil durante os oito anos seguintes.

- ***Impeachment.*** Processo político criminal instalado por denúncia no Congresso, Assembleias Legislativas Estaduais ou Câmaras de Vereadores para apurar responsabilidade, por delito grave e má conduta no exercício de suas funções, do presidente da República, ministros do Supremo Tribunal, funcionários de alto escalão, governadores e prefeitos, podendo resultar na destituição do cargo, se comprovada a denúncia.

QUESTÕES

1. Cite aspectos positivos e negativos da política econômica de Collor.
2. Como os estudantes estão caracterizados na imagem [doc. 2]? Contra quem eles se mobilizaram? Explique os motivos que os levaram às ruas.
3. Indique o grande êxito econômico do governo Itamar Franco e as consequências desse êxito nos dias atuais.

De FHC a Lula

Objetivo

- Avaliar o impacto da política econômica do governo FHC e dos programas sociais implantados durante o governo Lula.

Termos e conceitos

- Política econômica
- Reeleição
- Bolsa Família
- Corrupção

Conteúdo digital Moderna PLUS http://www.modernaplus.com.br
Filme: *Entreatos*.
Diretor: João Moreira Salles. Brasil, 2004
Lula, o presidente.
Diretor: Produzido pela equipe de Jornalismo da TV Bandeirantes. Brasil, 2002

O primeiro mandato de FHC

Com a inflação em baixa acentuada no país, o novo presidente iniciou seu governo com a necessária estabilidade para prosseguir com uma série de reformas na **política econômica** nacional, perseguindo a meta de modernização e desenvolvimento econômicos.

No plano interno, a gestão FHC combateu os contínuos déficits fiscais e buscou equilíbrio entre as despesas e as receitas nacionais; para tanto, iniciou um processo de cortes de despesas governamentais e de aumento dos recursos públicos. Nesse último aspecto, algumas mudanças foram importantes: privatização de setores econômicos básicos – elétrico, químico, metalúrgico, siderúrgico, transporte ferroviário e telecomunicações; reforma da previdência, que impôs novas regras tanto para a aposentadoria pública quanto para a privada.

No plano externo, Fernando Henrique retomou o processo, iniciado por Collor, de abertura do Brasil à economia internacional, de forma a situar o país, favoravelmente, no capitalismo globalizado. De modo a garantir o equilíbrio das contas públicas e honrar o pagamento dos juros da dívida externa, o governo FHC coibiu o aumento do consumo, elevando as taxas de juros. Como resultado dessa ação, tanto a dívida externa quanto a dívida interna cresceram significativamente. Assim, embora a moeda continuasse estável e mantivesse seu poder de compra, a euforia econômica inicial da gestão FHC deu lugar à recessão.

A elevação dos juros teve outros efeitos recessivos marcantes: diminuição de investimentos produtivos, especulação financeira e ampliação dos níveis de desemprego. Embora a classe média brasileira tenha sido afetada negativamente pelos reajustes do Plano Real, e sua renda tenha sido claramente reduzida, houve uma melhoria geral das condições de vida dos brasileiros durante o primeiro mandato de Fernando Henrique. Com o controle da inflação, 8 milhões de pessoas teriam saído da linha de pobreza e teriam tido acesso a bens básicos de consumo.

DOC. 1 "– Ei, moço!? Tem um trocado?", charge de Angeli, publicada em *FHC, uma biografia não autorizada*. São Paulo: Ensaio, 1995, contracapa.

A reeleição de FHC

No dia 4 de junho de 1997, foi promulgada a emenda constitucional que permitia aos ocupantes de cargos executivos concorrer a um segundo mandato. Essa polêmica mudança na Constituição permitiu que Fernando Henrique Cardoso se candidatasse a um segundo mandato presidencial.

Fernando Henrique derrotou Luiz Inácio Lula da Silva no primeiro turno eleitoral, apesar dos altos índices de desemprego e de miséria social, da crise da saúde pública e de outros setores, como o educacional. O sucesso do Plano Real e a relativa estabilidade econômica do país foram essenciais para a **reeleição** do presidente.

No decorrer de todo o seu segundo mandato, FHC buscou manter a estabilidade econômica e controlar a inflação. Para a obtenção dessa meta central em sua política econômica, novos empréstimos foram contraídos com o FMI e novas práticas recessivas foram efetivadas.

Melhorias em diversas áreas

A miséria persistiu no Brasil, havendo a permanência de inúmeros problemas sociais. Contudo, inúmeros indicadores sociais do país melhoraram, como o aumento do número de crianças em idade escolar frequentando o sistema educacional e a diminuição do analfabetismo e da mortalidade infantil em níveis nacionais. A economia brasileira passou a figurar entre as dez mais fortes economias mundiais, havendo, em decorrência, expressivos índices de melhora no padrão de vida das camadas populacionais mais pobres. No campo diplomático, o Brasil firmava-se como líder na política regional latino-americana, mostrando autonomia em face da política comercial dos países ricos.

Na vida política, porém, as inúmeras crises e escândalos político-financeiros comprometeram irremediavelmente o governo. Os episódios mais ruidosos foram a quebra do sigilo do painel eletrônico do Senado e os desvios de verbas em órgãos públicos extintos, como a Superintendência para o Desenvolvimento da Amazônia (Sudam). Como consequência, dois presidentes do Senado, Antonio Carlos Magalhães (PFL-BA) e Jader Barbalho (PMDB-PA), foram cassados.

FHC não conseguiu fazer seu sucessor nas eleições presidenciais de 2002 em consequência das crises políticas, da recessão e dos vários escândalos ocorridos em seu governo. Luiz Inácio Lula da Silva, derrotado em três sucessivas eleições (1989, 1994, 1998), finalmente foi eleito presidente do Brasil, tomando posse em 1º de janeiro de 2003 **[doc. 2]**.

DOC. 2 O presidente eleito, Luiz Inácio Lula da Silva, na tribuna com seu antecessor, Fernando Henrique. Brasília, 1º de janeiro de 2003. Agência Estado.

DOC. 3 **Inflação mensal (IPC-Fipe): comparação com planos de estabilização anteriores**

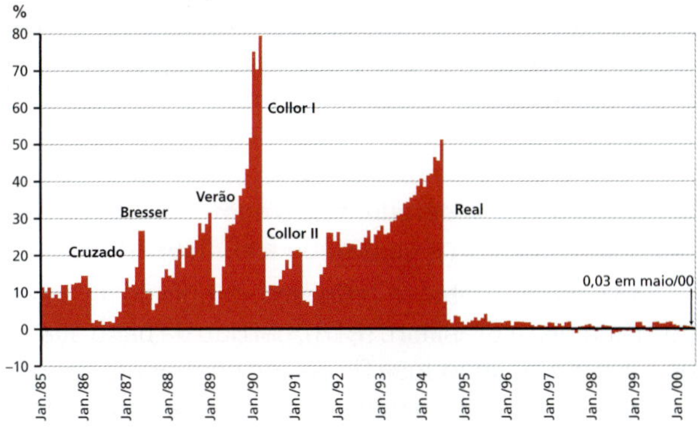

Fonte: *Seis anos do real*: crescimento e desenvolvimento social. Publicações da presidência da República. Disponível em www.planalto.gov.br. Acesso em 7 abr. 2010.

O primeiro mandato presidencial de Lula

Com a economia sob controle, o primeiro governo Lula procurou atacar decididamente o desemprego e a miséria nacionais, investindo pesadamente em uma pauta social **[doc. 3]**. O primeiro programa social desenvolvido pelo governo e lançado em 2003 foi o **Programa Fome Zero**, inspirado nas campanhas contra a fome, lideradas pelo sociólogo Herbert de Souza, o Betinho. O Programa Fome Zero de Lula teve poucos resultados práticos e acabou incorporado a outros projetos sociais, como o **Bolsa Família**, também criado em 2003.

O programa Bolsa Família obteve sucesso parcial, pois conseguiu efetivamente transferir alguma renda do governo federal para a população brasileira mais pobre, especialmente da Região Nordeste, onde se concentra a metade dos segmentos sociais mais miseráveis. Em 2010, famílias com renda familiar de até R$ 140,00 e com crianças e jovens em idade escolar recebiam por mês benefícios em dinheiro do governo para cada membro que frequentasse a escola. Famílias com renda de R$ 70,00 ou menos também recebiam ajuda, independentemente da existência de crianças e jovens em idade escolar.

Alguns analistas e setores da oposição argumentam que o programa Bolsa Família não erradica a pobreza e favorece o acomodamento de grande parte da população, sem inseri-la na dinâmica produtiva da sociedade brasileira. Além disso, criticam a retirada da palavra "escola" do nome do programa. Durante o governo Fernando Henrique, havia um programa que se chamava Bolsa Escola, que foi incorporado ao Bolsa Família no governo Lula. Ao fazer isso, o programa teria perdido sua ênfase na educação, ficando marcado por um caráter mais assistencialista.

Denúncias de corrupção

O primeiro mandato de Lula foi marcado por uma série de denúncias de **corrupção**. Inicialmente, houve o caso de Waldomiro Diniz, acusado de pedir propina a um bicheiro em nome de seu chefe, José Dirceu, ministro chefe da Casa Civil. O dinheiro arrecadado financiaria campanhas eleitorais dos aliados do ministro. Diniz foi exonerado, mas o nome de José Dirceu ficou sob suspeita e continuou a ser investigado.

Em seguida, Roberto Jefferson, deputado do Partido Trabalhista Brasileiro (PTB), partido da base aliada do governo, acusou José Dirceu de chefiar um esquema que veio a ser conhecido como "mensalão". Por meio desse expediente, parlamentares receberiam dinheiro de empresas para garantir-lhes contratos públicos do Estado ou de empresas estatais. Em decorrência das denúncias, José Dirceu foi afastado do cargo em 2005, e a ministra Dilma Rousseff assumiu a chefia da Casa Civil.

O segundo mandato presidencial de Lula

A popularidade do presidente não foi abalada, apesar dos vários escândalos políticos. Lula foi reeleito em outubro de 2006, com os votos de 60% do eleitorado brasileiro. Seu adversário, Geraldo Alckmin, era nome conhecido apenas no estado de São Paulo, o que permitiu a Lula vencê-lo facilmente. Em seu discurso de posse, o presidente Lula avaliou positivamente a economia brasileira, mas admitiu a permanência de graves problemas nacionais.

Logo no início de seu segundo mandato, Lula anunciou um novo plano para estimular o desenvolvimento econômico brasileiro, o **Plano de Aceleração do Crescimento (PAC)**. O PAC, um conjunto de medidas político-econômicas, tinha como finalidade garantir um aumento anual de, pelo menos, 5% do PIB, entre 2007 e 2010. Para isso, previram-se investimentos vultosos de cerca de R$ 500 bilhões, a serem feitos em sua maioria por empresas e empreendimentos privados, enquanto a União contribuiria com cerca de US$ 60 bilhões.

O PAC foi objeto de muita polêmica, pois se questionou sua aplicação e operacionalidade. Muitos consideraram o plano de crescimento inviável. Entretanto, em 2007, o PIB cresceu 5,4%, ficando a inflação em 4,5%. No início de 2008, o Brasil pagou sua dívida com o FMI, foi alçado à condição de credor externo e passou a ser considerado lugar de investimento seguro pelo mercado financeiro internacional.

A crise econômico-financeira que a partir de Nova York, centro do capitalismo internacional, abalou as bolsas, os mercados e o sistema bancário no mundo inteiro, no final de 2007 e nos anos de 2008 e 2009, teve, evidentemente, efeitos no Brasil, mas estes foram administrados satisfatoriamente pelo governo.

Um balanço do governo Lula

A oposição, mesmo reconhecendo os méritos do segundo mandato presidencial de Lula, questiona o crescimento da violência, o combate insatisfatório ao tráfico de drogas, em especial na cidade do Rio de Janeiro, o encolhimento da classe média, a ausência de uma reforma tributária significativa, o péssimo desempenho do Brasil nas avaliações internacionais do ensino e o precário serviço de saúde nacional.

O Brasil ainda enfrentará muitos desafios: melhorar os indicadores econômicos e sociais, reduzir a criminalidade urbana, estimular o desenvolvimento científico e tecnológico e criar políticas de fomento à educação e à cultura do país. Espera-se, também, um tratamento mais responsável em relação à questão ambiental. Práticas de uso sustentável dos recursos naturais precisam ser incentivadas, bem como políticas de desenvolvimento que aliem o respeito ao meio ambiente com a inclusão social **[doc. 4]**.

DOC. 4 **Oba-oba ou pessimismo?**

"Desde o Plano Real vêm sendo construídas as condições para um novo surto [de crescimento]. [...] As condições internas e externas parecem mais favoráveis do que nunca para a decolagem. Há, no entanto, um grande inimigo da vitória sobre o viralatismo: a invasão do oba-obismo. Nada está garantido. O crescimento econômico pode não deslanchar, a Copa e a Olimpíada podem fracassar, a abundância de petróleo pode transformar-se em maldição. Apesar de todas as grandes melhoras recentes, o país continua sendo campeão de desigualdades, apresenta índices vergonhosos de escolaridade, instituições pouco confiáveis, cidades dominadas pela violência, depredação da fantástica natureza. [...] Não haverá milagres. Nem pessimismo nem euforia levam a lugar nenhum."

CARVALHO, José Murilo de. Nem mito nem realidade. *Folha de S.Paulo*, 18 out. 2009.

Brasileiros comemoram, em Madri, na Espanha, a eleição do Rio de Janeiro como cidade-sede das Olimpíadas de 2016. Foto de 2009.

QUESTÕES

1. Caracterize as diretrizes da política econômica do governo FHC.
2. Responda que medidas foram adotadas no governo Lula para combater a miséria e a pobreza e quais foram as críticas da oposição.

Desafios do Brasil contemporâneo

Objetivos

- Problematizar a situação atual dos povos indígenas brasileiros.
- Conhecer as principais políticas adotadas com o objetivo de corrigir injustiças históricas cometidas contra a população afrodescendente.
- Analisar a situação política e econômica do Brasil no contexto do mundo globalizado.

Termos e conceitos

- Terras indígenas
- Cotas raciais
- Capitalismo globalizado

Os indígenas no Brasil atual

Desde a chegada dos europeus, no século XVI, os indígenas vêm sofrendo um intenso processo de dizimação e expropriação cultural. Estudos apontam que nos momentos iniciais da colonização portuguesa existiam cerca de mil povos indígenas, que constituíam uma população de 2 a 6 milhões de pessoas.

Hoje, as estimativas do total de indígenas do país variam muito. Os índios seriam 270 mil, segundo o Instituto Socioambiental (1994); 306 mil de acordo com o IBGE (1991) ou 325 mil segundo dados da Funai - Fundação Nacional do Índio (1995), sem contar os residentes em cidades.

Dos 206 povos indígenas existentes no Brasil, 162 estão na chamada Amazônia Legal, que engloba os atuais estados do Amazonas, Pará, Acre, Roraima, Amapá, Rondônia, Mato Grosso, Tocantins e parte do Maranhão. No entanto, a população indígena tem crescido desde as últimas décadas do século XX. Novas etnias, fruto da miscigenação, reivindicam a condição de povos indígenas, principalmente na Região Nordeste.

Desafios a serem enfrentados pelos povos indígenas

Ao longo dos últimos quinhentos anos, os indígenas foram expulsos das terras em que viviam e confinados em territórios cada vez menores. Para garantir o modo de vida tradicional e a cultura desses povos, uma série de medidas vem sendo tomadas, como a demarcação das **terras indígenas**, ação que visa garantir a posse e o uso da terra por essas populações.

Até o ano 2000, cerca de 60 milhões de hectares já haviam sido demarcados na Amazônia Legal. A questão da posse dessas terras, contudo, tem posto em confronto povos indígenas e não índios: grandes empresários e proprietários de terra, agricultores, mineradores, pecuaristas, madeireiras etc., que desrespeitam as demarcações e ocupam os territórios indígenas, muitas vezes de modo violento.

Entre as principais demandas dos povos indígenas, atualmente, estão a demarcação de suas terras e a revisão do Estatuto do Índio. As comunidades espalhadas pelo país lutam ainda por muitos direitos: acesso à educação, à saúde, aos meios de comunicação, alimentação de qualidade, uso sustentável dos recursos do meio ambiente etc.

O Estado, as organizações não governamentais, as associações indígenas e outras instituições preocupadas com a situação do índio devem buscar conjuntamente novas perspectivas, ações e práticas diante do atual cenário dos grupos indígenas brasileiros **[doc. 1]**. O Estado brasileiro precisa garantir que os direitos previstos na lei sejam de fato cumpridos.

DOC. 1 Índios da etnia Kalapalo durante o Kuarup, ritual em homenagem aos seus mortos ilustres, na aldeia Aiwa, Mato Grosso, 2009.

- **Estatuto do Índio.** Em 1973, a Lei nº 6.001, conhecida como Estatuto do Índio, que regula as relações dos povos indígenas com a sociedade e o Estado brasileiros, foi redigida. Segundo o Estatuto, por exemplo, os indígenas são considerados relativamente capazes, ou seja, são inimputáveis pelas possíveis contravenções que venham a cometer.

A afirmação da cultura africana no Brasil

A população negra capturada na África e obrigada a trabalhar como escrava no Brasil foi, por longo período, vista e avaliada unicamente como uma mercadoria. Mesmo com a abolição da escravidão no Brasil, em 1888, os negros brasileiros tiveram uma cidadania de segunda classe. Em consequência do passado escravo e de ideias provenientes das teorias racistas do século XIX, o menosprezo em relação aos negros manteve-se até o início do século XX.

Esse quadro começou a se modificar com a criação de movimentos culturais e artísticos como o modernismo, na década de 1920, e a publicação de obras como *Casa-grande & senzala*, de 1933, do escritor pernambucano Gilberto Freyre. O polêmico trabalho é considerado por muitos um olhar branco, elitista e paternalista da vida e da cultura dos negros e precursor da controvertida ideia de que no país teria havido uma "democracia racial". No entanto, a obra foi uma das primeiras a valorizar a cultura africana e a atribuir papel de destaque aos negros na formação do Brasil contemporâneo.

As lutas da população negra no Brasil

A sociedade e o Estado brasileiros vêm apoiando muitas lutas do chamado movimento negro, que tem como objetivo a reparação de injustiças históricas cometidas contra a população negra e a valorização da cultura africana e afro-brasileira.

Um exemplo é a adoção do sistema de **cotas raciais** para o ingresso de estudantes afrodescendentes em instituições públicas de ensino. Inicialmente encampada por instituições de ensino no Rio de Janeiro, no início da década de 2000, outras universidades rapidamente seguiram o exemplo da medida e adotaram critérios particulares para a admissão da população negra no ensino superior.

O Estado brasileiro também estabeleceu resoluções para o estudo afirmativo da cultura afro-brasileira no sistema público nacional de ensino por meio do Conselho Nacional da Educação, que em 2004 instituiu o "Ensino de história e cultura afro-brasileira e africana" na educação básica.

Ecos culturais e musicais

Na música, os ritmos negros, assim como os de povos indígenas, misturaram-se aos sons, ritmos e instrumentos musicais europeus desde o período colonial, gerando uma musicalidade toda particular e ocupando um lugar central na música popular brasileira contemporânea.

Dos terreiros africanos, os sons da capoeira e dos batuques de negros criaram a partir do século XVIII muitas modalidades musicais e danças como o lundu (mistura da umbigada dos rituais africanos de terreiro e o fandango ibérico) e o samba, impregnando decisivamente os maxixes, as marchinhas carnavalescas e as marchas de ranchos **[doc. 2]**.

DOC. 2 *Samba*, pintura de Anita Malfatti, 1943-1945. Coleção Gabriel de Castro Oliveira, SP.

Danças e ritmos negros

A partir do século XX, compositores negros e mulatos, como Sinhô, Caninha, João da Gente, Donga, Ismael Silva, Heitor dos Prazeres e muitos outros, popularizaram e disseminaram o samba nas cidades brasileiras. O samba, em várias de suas modalidades - por exemplo, o samba urbano, de raiz (o samba de partido-alto, o pagode, o samba de roda etc.), o "samba-choro", o samba de breque, o samba-canção -, tornou-se a expressão por excelência da música popular brasileira.

Em décadas recentes, o carnaval baiano criou várias novidades a partir de danças e ritmos musicais negros (como o deboche, o tititi, a dança do pezinho ou do macaco). Misturada ao som do *rock*, a música dos trios elétricos, criada na década de 1940, continua presente nos carnavais atuais, arrastando multidões às ruas da Bahia e de todo o Nordeste. O *rap* e o *hip-hop* sintonizaram em tempos presentes a musicalidade negra brasileira à música negra internacional, em particular a norte-americana, imprimindo um teor crítico de protesto à situação do negro e das camadas pobres na atual sociedade brasileira **[doc. 3]**.

O Brasil no mundo pós-crise

A grave crise financeira internacional de 2008 e 2009 afetou mercados, bolsas e o sistema bancário e financeiro de todos os países integrados no atual **capitalismo globalizado**. Com o seu fim, governos do mundo inteiro deram início a um amplo processo de reestruturação das suas economias, visando combater os efeitos da crise e prevenir novos colapsos financeiros.

No Brasil, a crise chegou tarde, bem depois de setembro de 2008, e, aparentemente, foi embora cedo. Isso só foi possível pela condição estável da economia brasileira e da moeda nacional nos últimos quinze anos, ou seja, desde a implantação do Plano Real, em 1994, cujos ganhos mostram-se bem superiores a eventuais perdas e problemas. A atuação eficaz do governo e do Banco Central brasileiro foi decisiva para o pronto restabelecimento nacional em um mundo que ainda apresentava graves dificuldades econômicas em 2010, especialmente os países europeus.

O Brasil atravessou o pior período econômico mundial dos últimos tempos sem maiores problemas internos e externos. O noticiário econômico, em geral cuidadoso em suas afirmações, apresenta-se cada vez mais otimista: a despeito dos temores do final do ano de 2008 e da ameaça de que o desemprego voltasse a assombrar a economia, o país já estava em plena recuperação.

Segundo Henrique Meirelles, presidente do Banco Central no governo Lula, o Brasil tinha em 2010 grande credibilidade internacional. Com taxa de desemprego de 8%, os salários reais em alta e as *commodities* produzidas internamente em ascensão, o Brasil tem, para o futuro próximo, segundo estudos internacionais, previsão de crescimento. Juntamente a outros países, também exportadores de produtos básicos, como Canadá e Austrália, o país deverá enriquecer.

DOC. 3 À esquerda, dançarinos de *hip-hop* sob o viaduto Santa Tereza, Belo Horizonte, Minas Gerais, em 2009. No Projeto Fica Vivo, pinturas com *spray*, duelos entre *rappers* e dançarinos veteranos de *soul* se apropriam e transformam o cenário urbano da capital mineira. À direita, multidão segue o Camaleão, bloco puxado pela banda Chiclete com Banana, no Circuito do Campo Grande, durante o carnaval de Salvador, Bahia, 2007.

O cenário futuro para o Brasil

A descoberta do pré-sal é mais um elemento para a previsão de bom desempenho futuro da economia do Brasil **[doc. 4]**. Além das *commodities*, a indústria brasileira diversificada e em crescimento mostra-se forte, apesar das dificuldades experimentadas por alguns de seus setores.

Tirar proveito dessas riquezas e investir em educação, tecnologia e infraestrutura são, entretanto, tarefas imperativas. Além disso, sanar disparidades regionais, equacionar melhor os desequilíbrios sociais e combater os problemas vivenciados pelas grandes cidades brasileiras, como a degradação urbana, a violência e a criminalidade, também são importantes medidas que devem ser tomadas.

O consenso geral atual é que o Brasil, além de líder político e econômico na América do Sul, ocupa lugar de destaque entre as potências globais. A firme disposição do país em defender seus interesses específicos, sem, contudo, entrar em disputas cujos resultados pouco ou nada contribuem para a dinâmica política do planeta, contribui para fortalecer essa imagem **[doc. 5]**.

A política externa brasileira tem sido consistente e equilibrada, o que conta para o crescimento futuro do país. Um bom exemplo dessa postura foi a intervenção do presidente Lula, junto ao governo da Turquia, na delicada questão da produção de energia nuclear do Irã. Apesar dos poucos avanços, o Brasil mostrou empenho e capacidade nas relações internacionais. Assim, espera-se que o imenso potencial do Brasil se materialize no presente imediato, e que o "país do futuro" seja agora.

DOC. 5 **Uma política externa autônoma**

"Como se viu, a história nos revela que tanto o conceito de desenvolvimento quanto o de autonomia são socialmente construídos. Seja como for, não há dúvida que, como ressaltado por alguns diplomatas e analistas, a busca de autonomia continuou sendo uma constante da nossa política externa mesmo que por tal se tenham definições bastante diferentes – *autonomia na dependência, autonomia pela distância, autonomia pela participação* ou *autonomia pela integração*.

[...] Nota-se desde o início dessa gestão [do presidente Lula] uma tentativa de imprimir uma forte conotação política aos rumos da política externa. Assim, devemos estar atentos para examinar de que forma a herança deixada pelo governo FHC será reforçada ou substituída pelas novas prioridades domésticas agora calcadas num declarado projeto de centro-esquerda. Podemos também esperar que o viés autonomista mais uma vez se articule com o projeto de desenvolvimento e que, embora por meio de uma conduta pragmática, desta feita venha associado a um projeto redistributivo. Um esforço, enfim, de tornar a política externa mais um instrumento na busca de autonomia para a implantação de um projeto de desenvolvimento com justiça social."

PINHEIRO, Letícia. *Política externa brasileira (1889-2002)*. Rio de Janeiro: Jorge Zahar, 2004. p. 68.

QUESTÕES

- Com relação à atual situação do país, responda.
  a) Quais são as perspectivas para o futuro do Brasil? Quais são os problemas a serem enfrentados?
  b) Explique o significado do último parágrafo do texto: "espera-se que o 'país do futuro' seja agora". A que ideia essa frase remete?

DOC. 4 **A camada pré-sal**

"A chamada camada pré-sal é uma faixa que se estende ao longo de 800 quilômetros entre os estados do Espírito Santo e Santa Catarina, abaixo do leito do mar, e engloba três bacias sedimentares (Espírito Santo, Campos e Santos). O petróleo encontrado nesta área está a profundidades que superam os 7 mil metros, abaixo de uma extensa camada de sal que, segundo geólogos, conserva a qualidade do petróleo [...].

Vários campos e poços de petróleo já foram descobertos no pré-sal, entre eles o de Tupi, o principal. [...]

Um comunicado, em novembro do ano passado [2009], de que Tupi tem reservas gigantes, fez com que os olhos do mundo se voltassem para o Brasil e ampliassem o debate acerca da camada pré-sal. À época do anúncio, a ministra Dilma Rousseff (Casa Civil) chegou a dizer que o Brasil tem condições de se tornar exportador de petróleo com esse óleo. [...]"

Entenda o que é a camada pré-sal. Disponível em www1.folha.uol.com.br. Acesso em 30 abr. 2010.

Plataforma da Petrobras no Espírito Santo, onde se deu a solenidade que marcou o início da extração do óleo da camada do pré-sal, localizada abaixo do leito marinho. Foto de 2008.

CONTROVÉRSIAS

A política de cotas raciais: uma correção justa por caminhos injustos?

O sistema de cotas é uma medida estatal que visa eliminar, reduzir ou compensar desigualdades ou injustiças sociais acumuladas historicamente. Segundo essa política, também conhecida como ação afirmativa, instituições públicas ou privadas, sejam elas educacionais, políticas, religiosas etc., devem reservar determinada quantidade de vagas para minorias sociais ou segmentos marginalizados. Esses grupos podem ser definidos em função da condição econômica, da fé religiosa, da origem étnica, entre outros.

No Brasil, a política de cotas para a população negra é uma das ações mais controversas do Estado. A medida prevê a reserva de vagas em universidades e outras instituições de ensino para estudantes negros, mas também para alunos egressos das escolas públicas. A política busca resolver, assim, injustiças raciais e sociais. A seguir, dois textos abordam a questão sob diferentes pontos de vista.

Texto 1

"Na última quarta-feira (18/03) [...], o ministro da Igualdade Racial, Edson Santos, defendeu a instituição de cotas raciais para o ingresso nas universidades públicas [...]. O ministro lembrou que a sociedade brasileira foi constituída de forma desigual, uma vez que a abolição da escravatura não foi acompanhada de adequadas políticas de apoio aos negros libertados. Assim, em sua opinião, o projeto das cotas é importante para o país [...]. O secretário de Assuntos Legislativos do Ministério da Justiça, Pedro Vieira Abramovay, também defendeu as políticas afirmativas para ingresso nas universidades brasileiras. Ele afirmou que o Estado deve dar proteção igualitária a todos os brasileiros, mas, segundo salientou, em algumas circunstâncias isso pressupõe tratamento diferenciado às pessoas. Para Abramovay, as ações afirmativas que visem à igualdade social não são inconstitucionais [...] 'Um sistema de vestibular que coloca na universidade 80% de brancos não trata com igualdade os brasileiros', argumentou o secretário."

Ministro defende no Senado a política de cotas raciais. *Conselho estadual de participação e integração da comunidade negra de Minas Gerais*. Disponível em www.conselhos.mg.gov.br. Acesso em 10 abr. 2010.

Texto 2

"A natureza elitista da universidade pública evidencia as extremas disparidades de renda do Brasil [...]. Contudo, os significados do fenômeno são vertidos para a linguagem do racialismo como uma prova da exclusão dos 'negros' – não dos pobres, de todas as cores – no acesso à universidade pública.

A Pnad [Pesquisa Nacional por Amostra de Domicílios] de 2006 revelou que, na faixa etária de 18 a 30 anos, quase 13 milhões de pessoas tinham renda familiar *per capita* igual ou inferior a meio salário mínimo. No interior deste grupo dos mais pobres, 60% classificavam-se como 'pardos'; 9%, como 'pretos' e 30%, como 'brancos'. Entre os dois primeiros grupos, apenas 16% tinham o ensino médio completo; entre os 'brancos', essa parcela era também bastante baixa, de 21%. Muito poucos, porém, 'pretos', 'pardos' ou 'brancos' prosseguiram os estudos, ingressando no ensino superior – o que indica que a barreira é essencialmente de renda, não de cor. Por razões óbvias, cotas raciais para ingresso na universidade não têm o condão de alterar o panorama de exclusão, que se verifica antes dos exames de acesso e cuja natureza é socioeconômica. Mas elas cumprem um duplo objetivo no projeto de racialização das relações sociais. O primeiro é fabricar uma elite intelectual 'negra' [...]. O segundo é fabricar uma comunidade racial consciente de si mesma [...]."

MAGNOLI, Demétrio. *Uma gota de sangue*: história do pensamento racial. São Paulo: Contexto, 2009. p. 365.

Adesão ao sistema de cotas no Brasil (2009)

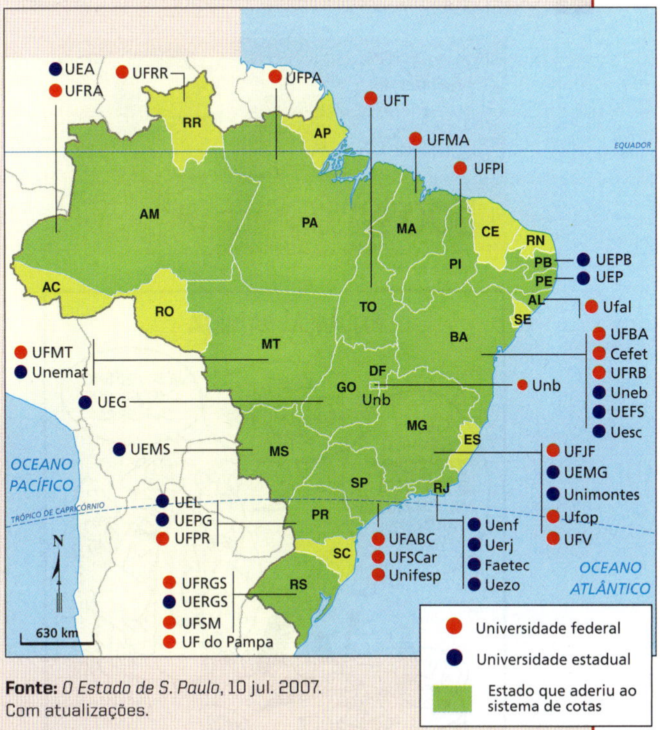

Fonte: *O Estado de S. Paulo*, 10 jul. 2007. Com atualizações.

QUESTÕES

1. De que forma cada um dos textos apresenta a questão das cotas raciais nas universidades públicas? Destaque as principais diferenças entre eles.

2. Se você tivesse que opinar sobre esse tema, como discutiria a questão? Você se alinharia a qual forma de pensamento? Justifique.

Retomar conteúdos

1 Estabeleça uma comparação entre o Plano Cruzado e o Plano Real, levando em consideração o contexto em que foram propostos, as medidas tomadas e os resultados alcançados.

2 Faça um breve relato da gestão de Fernando Collor de Mello na presidência da república e explique os motivos que o levaram à renúncia.

3 Fernando Henrique Cardoso foi acusado por seus opositores políticos de fazer "tudo pelo econômico e nada pelo social". Por quê?

4 Caracterize os principais desafios enfrentados por Luiz Inácio Lula da Silva na presidência da república.

5 Problematize a situação atual dos povos indígenas no Brasil e identifique as principais demandas dessa população.

6 Cite as medidas adotadas nos últimos anos que beneficiam a população afrodescendente.

Ler texto e imagens

7 Observe as imagens a seguir e responda às questões.

No alto, nota de 500 cruzados novos com o carimbo de 500 cruzeiros. Banco Central do Brasil. Acima, *Mudanças na moeda*, charge de Angeli, publicada na *Folha de S.Paulo* em agosto de 1993.

a) Caracterize o fenômeno que justificava as mudanças monetárias no início dos anos 1990.

b) Identifique as medidas tomadas no governo Itamar Franco, representado na charge, em relação ao problema descrito.

8 O conto do escritor Fernando Bonassi, *15 cenas de descobrimento de brasis*, é formado por quinze microcontos (ou cenas). Leia, a seguir, a *cena 9: canção do exílio*, uma paródia da *Canção do exílio*, do poeta romântico Gonçalves Dias.

"Minha terra tem campos de futebol onde cadáveres amanhecem emborcados para atrapalhar os jogos. Tem uma pedrinha cor de bile que faz 'tuim' na cabeça da gente. Tem também muros de blocos (sem pintura, é claro, que tinta é a maior frescura quando falta mistura), onde pousam cacos de vidro pra espantar malaco. Minha terra tem HK, AR15, M21, 45 e 38 (na minha terra, 32 é uma piada). As sirenes que aqui apitam, apitam de repente e sem hora marcada. Elas não são mais as das fábricas, que fecharam. São mesmo é dos camburões, que vêm fazer aleijados, trazer tranquilidade e aflição."

BONASSI, Fernando. 15 cenas de descobrimento de brasis. In: MORICONI, Ítalo (Org.). *Os cem melhores contos brasileiros do século*. Rio de Janeiro: Objetiva, 2001. p. 607.

Que relação foi estabelecida pelo autor em seu texto? Identifique-a e faça um breve comentário.

9 O cantor e compositor pernambucano Chico Science morreu prematuramente, em 1997, mas suas músicas fazem sucesso até hoje. Leia o trecho da música a seguir e responda às perguntas.

"Cavaleiros circulam vigiando as pessoas
Não importa se são ruins, nem importa se são boas
E a cidade se apresenta centro das ambições
Para mendigos ou ricos e outras armações
Coletivos, automóveis, motos e metrôs
Trabalhadores, patrões, policiais, camelôs
A cidade não para, a cidade só cresce
O de cima sobe e o de baixo desce
A cidade não para, a cidade só cresce
O de cima sobe e o de baixo desce
A cidade se encontra prostituída
Por aqueles que a usaram em busca de saída
Ilusora de pessoas de outros lugares
A cidade e sua fama vai além dos mares
No meio da esperteza internacional
A cidade até que não está tão mal
E a situação sempre mais ou menos
Sempre uns com mais e outros com menos
A cidade não para, a cidade só cresce
O de cima sobe e o de baixo desce
A cidade não para, a cidade só cresce
O de cima sobe e o de baixo desce. [...]"

SCIENCE, Chico. A cidade. *Da lama ao caos*. Sony Music, 1994.

a) Como a cidade é descrita pelo compositor?

b) Que personagens aparecem na letra da música?

c) Interprete a frase "o de cima sobe e o de baixo desce".

Capítulo

40 Perspectivas do mundo globalizado

› 40.1 O novo capitalismo global

As políticas neoliberais impulsionaram o aumento do fluxo de capitais e mercadorias no mundo e o crescimento de empresas transnacionais.

› 40.2 Efeitos sociais do processo de globalização

A globalização trouxe novas questões para as sociedades, como o desemprego mundial e o crime organizado globalizado.

› 40.3 A revolução tecnológica e as mudanças nas relações humanas

A internet foi uma das realizações mais importantes das novas tecnologias da informação, trazendo mudanças profundas nas relações humanas.

› 40.4 Guerra e terrorismo em um mundo instável

Os ataques terroristas vêm mostrando um novo tipo de conflito armado, em que o monopólio da violência não é mais um privilégio do Estado.

› 40.5 O problema ecológico e a ameaça da catástrofe climática

O crescimento da atividade industrial rompeu o equilíbrio entre a sociedade e a natureza, podendo ser uma das causas do aquecimento global.

A era da incerteza

Nas últimas décadas, profundas mudanças ocorreram nas formas de organização e gestão da economia. Essas mudanças, impulsionadas pelo processo de transformação e inovação tecnológica, ficaram conhecidas pelo termo globalização. Acompanhada por modificações políticas, sociais e culturais, a globalização se caracteriza cada vez mais pela difusão de um capitalismo que não mede as consequências sociais e ambientais de suas atividades.

As mudanças desencadeadas pela globalização produzem insegurança, ceticismo e incerteza em relação ao futuro. Os efeitos negativos desse processo, como a exclusão social, o recrudescimento do terrorismo e a devastação ambiental, devem ser enfrentados por todos os países do mundo. Questões locais podem tornar-se problemas globais. Infelizmente não existem ainda mecanismos institucionais capazes de unir a comunidade mundial para solucionar esses problemas.

São essas as questões e os problemas que terão de ser enfrentados pelas próximas gerações, que herdarão um mundo contraditório. Um mundo marcado, por um lado, pelo exponencial desenvolvimento da tecnologia, que passa a povoar todos os aspectos da vida e do cotidiano, e afetado, por outro, pela instabilidade econômica, pelo aumento da violência e pela falta de um projeto claro de futuro.

Ataque contra as torres gêmeas do World Trade Center, em Nova York, em 11 de setembro de 2001. A imagem foi captada pouco antes de o segundo avião atingir a outra torre.

O novo capitalismo global

Objetivos

- Compreender as características da globalização e os resultados que ela tem produzido.
- Relacionar as políticas neoliberais com as características da globalização.

Termos e conceitos

- Globalização
- Neoliberalismo
- Desindustrialização

Conteúdo digital Moderna PLUS http://www.modernaplus.com.br
Mapa animado: Comércio internacional

Globalização e integração econômica

A **globalização** pode ser entendida como o crescimento acelerado da integração econômica entre os países, resultado da supressão das barreiras para o livre fluxo de mercadorias e capitais pelo globo **[doc. 1]**. O termo "global" passou a ser aplicado a partir da década de 1980 nas faculdades de administração de empresas norte-americanas para qualificar as grandes corporações transnacionais, que aproveitaram as novas tecnologias de comunicação e informação para expandir seus negócios pelo globo.

Alguns especialistas acreditam que esse processo de integração não é novo e teria se iniciado com as grandes navegações transoceânicas no século XVI. Mas o fato é que somente após a Segunda Guerra Mundial houve condições concretas para intensificar os fluxos comerciais pelo globo. Isso foi possível com o aperfeiçoamento dos sistemas de transporte e de comunicação, com o domínio da economia por grandes empresas transnacionais e com o estabelecimento de instituições econômicas internacionais como o Acordo Geral sobre Pautas Aduaneiras e Comércio (GATT), o Fundo Monetário Internacional (FMI), o Banco Mundial e a Organização de Cooperação e Desenvolvimento Econômico (OCDE).

Para se ter uma ideia dos efeitos dessa integração, entre 1955 e 2005 o comércio mundial de bens industrializados aumentou mais de 100 vezes, de 95 bilhões para 12 trilhões de dólares. A integração econômica ocorreu tanto entre países quanto entre empresas. Hoje, por exemplo, cerca de um terço do comércio mundial é realizado entre grandes grupos empresariais e não entre empresas e consumidores. Por exemplo, partes de carros feitas no Japão ou na Alemanha são vendidas a empresas montadoras no México ou no Brasil.

Três fatores levaram à aceleração desse processo de integração mundial da economia: a utilização intensiva das novas tecnologias de comunicação e informação a partir da década de 1970; as políticas econômicas neoliberais, que a partir da década de 1980 promoveram a liberalização e a desregulamentação das atividades econômicas; e o desmantelamento dos países do bloco soviético, cujas economias se integraram ao mercado mundial a partir de 1989.

DOC. 1 **Comércio mundial de mercadorias (2009)**

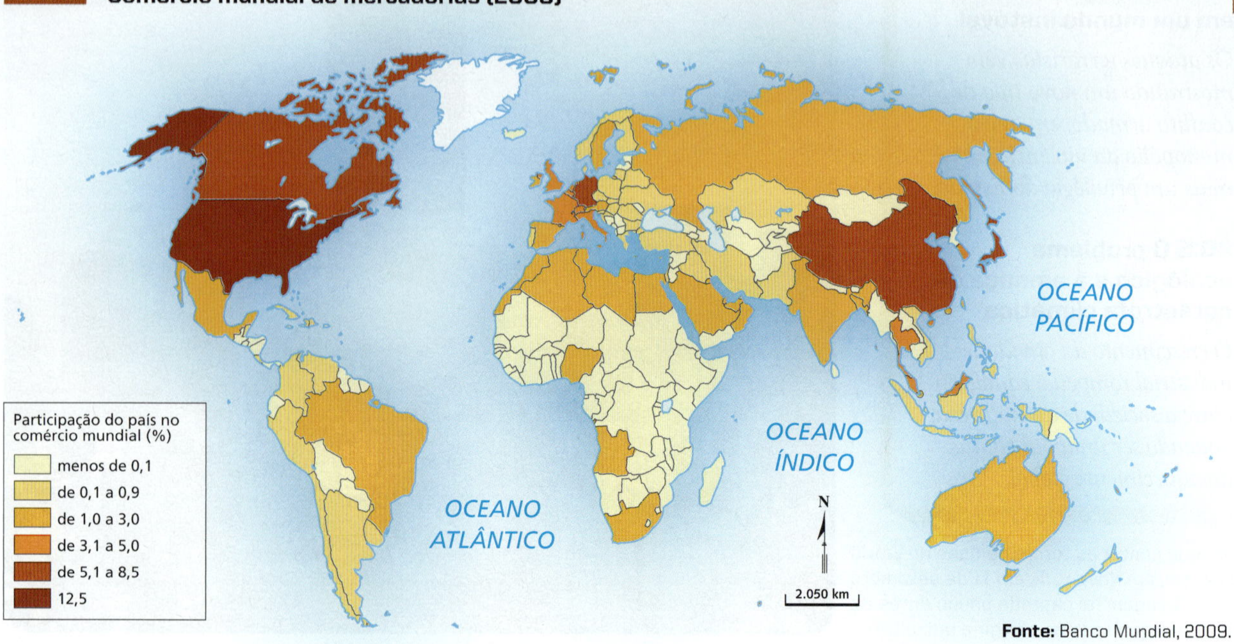

Fonte: Banco Mundial, 2009.

As políticas econômicas neoliberais

O **neoliberalismo** é uma teoria econômica que teve origem em universidades norte-americanas e britânicas na década de 1970 e logo se tornou influente no mundo todo. Segundo os economistas neoliberais, para haver crescimento econômico é necessário eliminar ou reduzir todos os obstáculos à iniciativa privada e ao livre fluxo de capitais, como encargos fiscais sobre salários e sobre o lucro das empresas, tarifas protecionistas, subsídios e regulamentações do Estado sobre a atividade comercial. Segundo os neoliberais, essas ações do Estado impedem o livre fluxo de mercadorias e serviços entre países, limitam a concorrência entre eles e criam mecanismos de proteção a empresas ineficientes **[doc. 2]**.

As políticas econômicas neoliberais foram elaboradas com o objetivo de combater os efeitos da crise econômica que afetava os países capitalistas desenvolvidos nos anos 1970. Defendendo o ideal de um "Estado mínimo", as políticas neoliberais estimularam a desmontagem dos sistemas de seguridade social, a flexibilização da legislação trabalhista e a redução de gastos com direitos sociais como saúde e educação. Na visão dos neoliberais, as políticas trabalhistas e a regulamentação da atividade econômica pelo Estado engessavam as empresas e outros agentes econômicos, sendo responsáveis pela crise econômica e financeira.

DOC. 2 Vista do porto de Xangai, na China, com centenas de contêineres empilhados, em março de 2009.

DOC. 3 O presidente dos Estados Unidos Ronald Reagan, durante visita da primeira-ministra britânica Margareth Thatcher. Estados Unidos, 1988.

Os modelos de governo neoliberal

A aplicação de políticas neoliberais iniciou-se com os governos de Margareth Thatcher, na Grã-Bretanha, e de Ronald Reagan, nos Estados Unidos, a partir de 1980 **[doc. 3]**. Empresas públicas prestadoras de serviços básicos (telefonia, gás, fornecimento de água, transporte aéreo) foram privatizadas; amplos setores da economia (transporte, finanças, comunicações etc.) foram desregulamentados; impostos sobre o grande capital foram suprimidos ou reduzidos; e removeram-se os limites jurídicos para o fluxo de capitais e mercadorias.

No plano social, houve cortes nos gastos do governo com saúde, educação, financiamento de moradia popular, ajuda a famílias pobres e aos desempregados. A legislação trabalhista foi modificada para permitir diversas formas de contrato e estimular a livre negociação entre empregador e empregado, sem passar pelos sindicatos. A multiplicação de várias formas de trabalho precário enfraqueceu os sindicatos, que se apoiavam na mobilização de categorias profissionais numerosas e na proteção legal dos direitos trabalhistas.

A recuperação da economia britânica e da norte-americana, associada à desintegração do bloco soviético, facilitou a difusão das políticas neoliberais, que passaram a ser adotadas por outros países nos anos 1980 e 1990.

Neoliberalismo e globalização

As políticas econômicas neoliberais promoveram a progressiva remoção dos mecanismos de regulação estatal da atividade econômica. Reduziram ao máximo as regras que limitavam a iniciativa privada e possibilitaram o seu acesso a setores antes controlados pelo Estado.

A desregulamentação da economia e a flexibilização das relações de trabalho, aliadas ao uso intensivo das novas tecnologias, impulsionaram o processo de globalização da economia. Com essas medidas, os fluxos de capital no globo tiveram um dramático aumento nas últimas décadas. Em 1980, a soma de todos os empréstimos bancários no mundo era de 324 bilhões de dólares por ano. Em 1991, esse número havia atingido 7,5 trilhões. Em apenas onze anos, houve um aumento de mais de 2.000%.

A desindustrialização

A maior parte do comércio global hoje é realizada por grandes empresas transnacionais sediadas nos países capitalistas desenvolvidos **[doc. 4]**. A partir dos anos 1970, essas empresas começaram a transferir suas fábricas para países em desenvolvimento a fim de cortar custos. Com incentivos de governos locais e mão de obra mais barata, elas podiam lucrar muito mais.

Assim, em vez de importar força de trabalho de países pobres, como havia ocorrido com a imigração de turcos para a Alemanha, de latino-americanos para os Estados Unidos e de árabes para a França e a Grã-Bretanha, as empresas passaram a instalar suas fábricas em países como México, Malásia, China, entre outros. Com mão de obra mais barata e poucos direitos trabalhistas garantidos por lei, esses países se tornaram atrativos para os capitais internacionais. A construção de fábricas nos países mais pobres ocasionou, nos países desenvolvidos, um processo de **desindustrialização**.

Vocabulário histórico

Desindustrialização

Termo que designa as mudanças sociais e econômicas resultantes da supressão ou da redução das atividades industriais numa certa região ou país. A desindustrialização dos países tem causado desemprego e enfraquecido a capacidade de reivindicação dos sindicatos de trabalhadores, que se apoiavam na estrutura das grandes fábricas para organizar os trabalhadores para a conquista de suas reivindicações.

QUESTÕES

1. Analisando o mapa, podemos concluir que há um equilíbrio na participação dos países no comércio mundial? Justifique **[doc. 1]**.

2. Observando os dois mapas **[docs. 1 e 4]**, percebemos que ambos representam uma característica importante da produção de riqueza no capitalismo globalizado. Identifique-a.

DOC. 4 **As maiores empresas transnacionais**

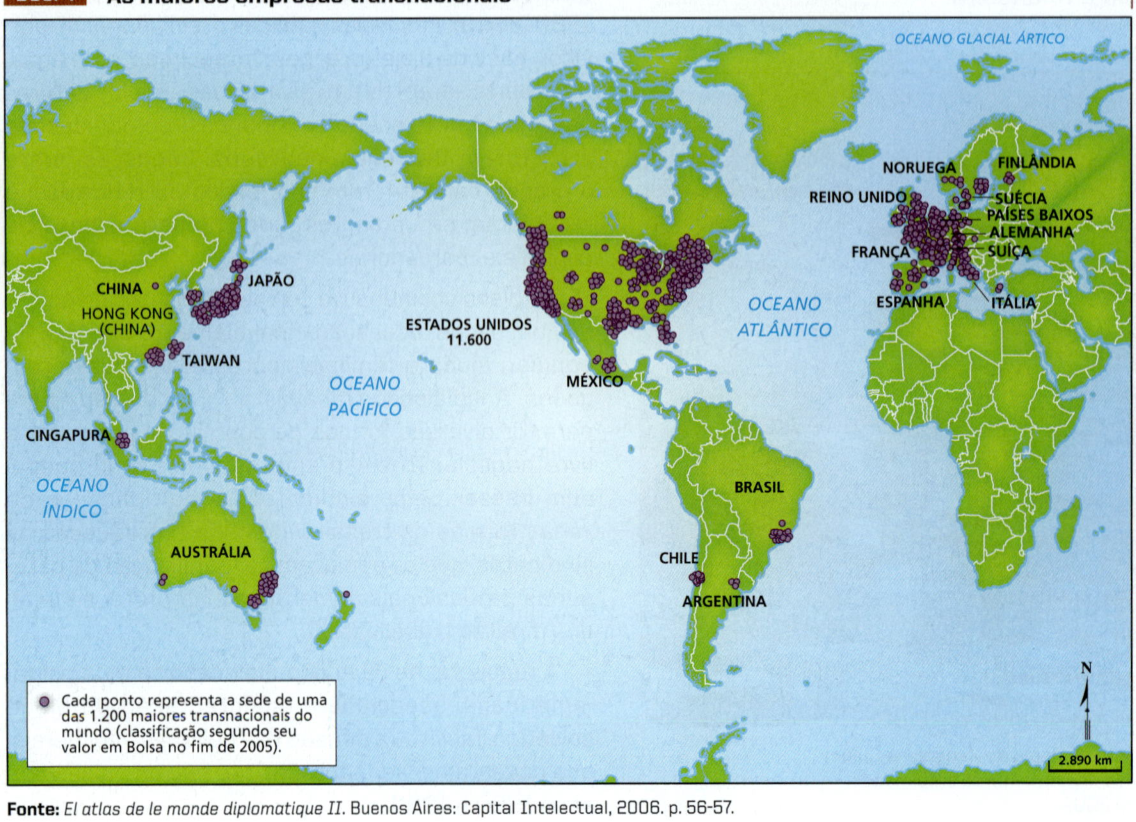

Fonte: *El atlas de le monde diplomatique II*. Buenos Aires: Capital Intelectual, 2006. p. 56-57.

Seção 40.2

Efeitos sociais do processo de globalização

Objetivos

- Identificar e explicar as transformações econômicas, sociais e culturais ocasionadas pela integração econômica mundial.
- Perceber os efeitos da globalização na produção cultural.

Termos e conceitos

- Trabalho
- Desemprego
- Urbanização descontrolada
- Indústria do entretenimento

A organização das empresas e do trabalho

Até os anos 1980, as empresas em geral eram geridas de acordo com os princípios do taylorismo. As empresas geridas dessa forma estruturavam-se como uma pirâmide de comando. As decisões importantes eram centralizadas na direção, situada no topo da pirâmide; os setores intermediários (burocratas, gerentes etc.) eram encarregados de transmitir as ordens emanadas do topo; por fim, na base da pirâmide situavam-se os funcionários encarregados de executar as ordens.

Apesar do caráter rígido e burocrático da organização empresarial, era comum um trabalhador ir galgando os graus hierárquicos, melhorando seu salário e sua posição dentro da empresa até chegar aos cargos de direção ou se aposentar. Muitas dessas empresas garantiam aos trabalhadores benefícios como seguro-saúde, participação em fundos de pensão e até mesmo escola para os filhos.

A partir da década de 1980, com a utilização das novas tecnologias de informação (fax, *e-mails*, celulares), as empresas se organizaram em redes flexíveis e interativas de **trabalho**. Os níveis hierárquicos foram reduzidos, e o processo de planejamento, de tomada de decisões e de produção tornou-se mais ágil. Milhares de gerentes e de funcionários perderem o emprego.

As atividades se integravam sem a necessidade de se situarem no mesmo espaço físico. No processo de fabricação de um carro, o *design* poderia ser planejado na Alemanha; o motor, construído na França; os componentes eletrônicos, no Japão; o chassi e a lataria, em Taiwan. Por fim, todos os componentes poderiam ser transportados, reunidos e montados no Brasil **[doc. 1]**.

DOC. 1 Operário monta componente de veículo em linha de montagem de automóveis de Porto Real, no Rio de Janeiro, 2006. Agência Estado. Nesta unidade de uma indústria automobilística transnacional, as peças dos automóveis são produzidas em vários países.

Vocabulário histórico

Taylorismo
Modelo de gestão empresarial criado pelo administrador de empresas norte-americano Frederick Taylor (1856-1915). O método administrativo de Taylor visava aumentar a produtividade do trabalho, racionalizando as atividades no interior da firma e diminuindo as fontes de desperdício e perda de tempo. Taylor preconizava a rígida disciplina nas fábricas, a separação estrita de funções, a divisão entre os que planejam e os que executam e uso intensivo de maquinaria como meios de aumentar a produtividade.

Desemprego e precarização do trabalho

Outra mudança associada ao processo de globalização foi a reestruturação administrativa das empresas, ocorrida entre as décadas de 1980 e 1990 e conhecida como "reengenharia". O **desemprego** atingiu setores inteiros, a atividade profissional estável numa mesma instituição tornou-se rara, benefícios foram cortados e difundiu-se a prática da terceirização. A jornada de trabalho tendeu a se estender, invadindo o cotidiano do trabalhador e tornando difícil separar tempo de trabalho e tempo de lazer. Devido ao menor número de trabalhadores, tornou-se comum o acúmulo de funções **[doc. 2]**.

A reengenharia empresarial também ficou marcada pelo aumento da demanda por mão de obra qualificada, continuamente aprimorada, capaz de utilizar as novas tecnologias na tarefa de agilizar o processo produtivo. Criou-se, por outro lado, a cultura do trabalho cooperativo, em que todos os funcionários atuam para aumentar a eficiência do processo de trabalho e melhorar a qualidade do produto, reduzindo os custos com o sistema de controle mantido nas empresas tradicionais.

Declínio dos sindicatos

A reestruturação produtiva ocorrida a partir dos anos 1980, com a transferência das fábricas para países onde a força de trabalho era mais barata, enfraqueceu o poder de negociação dos sindicatos. As categorias mais mobilizadas eram justamente as ligadas aos operários das fábricas.

No lugar das grandes firmas industriais, proliferaram pequenas e médias empresas na área de serviços, que geram poucos empregos e oferecem trabalho precário (contratos terceirizados, emprego em meio período, remuneração atrelada ao resultado etc.), sem os benefícios e as garantias trabalhistas do período anterior.

Nos países ricos da Europa, onde os sindicatos eram tradicionalmente fortes e atuantes, houve uma drástica redução do número de trabalhadores sindicalizados. O declínio dos sindicatos modificou o equilíbrio entre capital e trabalho, fazendo a balança pender para o lado do capital, que passou a contar com instrumentos para aumentar os lucros, rebaixando o padrão de vida dos trabalhadores.

- **Terceirização.** Parceria estabelecida entre empresas em que uma transfere para a outra parte das tarefas do processo produtivo.

DOC. 2 Manifestação geral contra as reformas propostas pelo então primeiro-ministro francês Alain Juppé, em dezembro de 1995, em Paris. As reformas neoliberais provocaram fortes reações na Europa.

Globalização e pobreza

Ao favorecer a ação das grandes corporações empresariais, o processo de globalização levou à concentração da riqueza e ao aumento dos contrastes sociais em todo o globo. A grande mudança é que a pobreza deixou de ser um fenômeno social exclusivo dos países em desenvolvimento. A distância entre ricos e pobres cresceu na maioria dos países desenvolvidos desde os anos 1980.

Os Estados Unidos, por exemplo, tinham em 1989 66 bilionários e 31,5 milhões de pessoas vivendo abaixo da linha oficial de pobreza. Em 1999, tanto o número de ricos, quanto o de pobres cresceu, com 268 bilionários e 34,5 milhões de pobres. Em grandes cidades como Londres e Paris, o número de pessoas sem teto também cresce continuamente. O aumento da pobreza e da desigualdade social preocupa os críticos de governos como o da Grã-Bretanha.

"Crime e infelicidade perseguem sociedades desiguais. Na Grã-Bretanha, os 50% da base da população agora possuem somente 1% da riqueza: em 1976, eles possuíam 12%. A estrutura de incentivo de nosso sistema econômico, ao invés de distribuir recursos aos pobres, está 'drenando' esses recursos dos pobres para os ricos. Desigualdade leva a instabilidade, a última coisa de que o país e o mundo precisam no momento."

SIMMS, Andrew. Now for a maximum wage. *The Guardian*, 6 ago. 2003. Disponível em www.guardian.co.uk. Acesso em 26 abr. 2010. (tradução nossa).

As políticas neoliberais produziram nos países ricos toda uma população marginalizada, boa parte dela formada por imigrantes, que vive de empregos precários e se concentra na periferia das grandes cidades. Em 2004, havia 2 milhões de pessoas vivendo nas periferias de cidades francesas. Nesses locais, onde convivem imigrantes e franceses pobres, o desemprego entre jovens é superior a 50%, o que provoca tensões sociais crescentes **[doc. 3]**.

Punição em vez de políticas sociais

No capitalismo globalizado, os pobres, muitos deles imigrantes, são muitas vezes vistos como um peso para os sistemas de previdência social dos países ricos, além de serem associados à criminalidade. Assim, as políticas neoliberais provocaram uma mudança de atitude dos Estados com relação à pobreza, aperfeiçoando os sistemas de punição e encarceramento em vez de melhorar políticas públicas voltadas para os pobres **[doc. 4]**.

Nos Estados Unidos, por exemplo, a quantidade de pessoas presas saltou de 1 milhão, em 1994, para 2,5 milhões, em 2006, a maior população carcerária do mundo. A grande maioria dos sentenciados é constituída de negros e brancos pobres, muitos deles imigrantes de países da América Latina, que entraram ilegalmente no país em busca de melhores oportunidades.

DOC. 3 Automóveis queimados dentro de loja nos arredores de Paris, em novembro de 2007. AFP. A morte de dois jovens de origem imigrante na periferia da capital francesa desencadeou uma onda de protestos e violência pela Grande Paris.

DOC. 4 **População carcerária por 100 mil habitantes (em 2007)**

País	
Alemanha	88
Brasil	242
Canadá	116
China*	119
Estados Unidos	753
França	80
Grã-Bretanha e Irlanda do Norte	152
Itália	107
Japão	63
Polônia	220
Rússia	610
Suécia	74

*Os números não incluem os presos em "detenção administrativa", enviados para campos de trabalhos forçados, os prisioneiros políticos e aqueles que aguardam julgamento. Eles totalizam 950 mil presos, o que faria a taxa subir para 189.

Fonte: Centro Internacional de Estudos da Prisão. King's College London. Disponível em www.kcl.ac.uk. Acesso em 27 abr. 2010.

Crime globalizado

O uso das novas tecnologias, associado à pobreza e à desestruturação social, permitiu a expansão de atividades e organizações criminosas pelo globo. Do mesmo modo que as empresas capitalistas, o crime também passou a se organizar em forma de redes flexíveis, em que as diversas atividades ilegais podem ser coordenadas a partir de um centro de comando utilizando tecnologia de telefonia móvel, rádio, GPS e internet.

O tráfico de armas vindas da Rússia, que herdou a maior parte do arsenal bélico soviético dos anos da Guerra Fria, tem abastecido organizações criminosas que ameaçam a estabilidade dos Estados e a segurança das sociedades. Várias organizações criminosas atuam em vários países ao mesmo tempo, como se fossem transnacionais do crime. Suas atividades vão desde a lavagem de dinheiro e o tráfico de drogas até a exploração da prostituição e o tráfico de pessoas **[doc. 5]**.

Ao intensificar o fluxo de bens, produtos e mercadorias pelo mundo, a globalização indiretamente estimulou a expansão do crime, com a organização de redes criminosas que atuam simultaneamente em diversos países. Um dos fatores que mais contribuem para esse fenômeno é a falta de oportunidades e as altas taxas de desemprego resultantes da reestruturação produtiva. Afetando principalmente os jovens, esses problemas sociais fornecem grande parte da mão de obra que alimenta as atividades ilegais.

DOC. 5 **O tráfico de seres humanos**

O tráfico de pessoas é a terceira forma de comércio ilegal mais lucrativa no mundo. Segundo dados da ONU, todos os anos, entre 800 mil e 2,4 milhões de pessoas no mundo caem nas garras de redes criminosas. A maior parte das vítimas é constituída de mulheres e crianças, sujeitas à prostituição, à exploração sexual, ao trabalho forçado ou destinadas à extração de órgãos.

Êxodo rural e urbanização descontrolada

A intensificação do êxodo rural e a **urbanização descontrolada**, particularmente em países pobres, também se aprofundaram com a globalização. Segundo um relatório de 2009 da ONU, todo dia cerca de 200 mil pessoas no mundo deixam o campo para morar em cidades.

Sem recursos, a população migrante acaba se instalando ilegalmente em áreas na periferia das cidades, onde não há serviços urbanos para atender a todos (como transporte, escolas, comércio) nem infraestrutura adequada (como água encanada, sistema de esgoto e coleta de lixo).

Na África subsaariana, 62,2% das pessoas moram em favelas; e no Camboja, país do leste asiático, essa proporção chega a 78,9%. No Brasil, apesar das melhorias decorrentes de investimentos recentes feitos pelo Estado, 29% das pessoas vivem em habitações precárias, normalmente na periferia de grandes cidades como São Paulo, Brasília e Rio de Janeiro.

DOC. 6 Vista de Mumbai, capital de Maharashtra, a maior e mais populosa cidade da Índia. Foto de abril de 2008.

Mercantilização da produção cultural

Os efeitos do capitalismo global também afetam a produção cultural. Os Estados que adotaram políticas neoliberais cortaram subsídios e outras formas de financiamento público destinados às diversas áreas da cultura como literatura, teatro, cinema, música etc. A produção cultural teve, dessa forma, de submeter-se à lei do mercado como se a cultura fosse um produto como qualquer outro. A transformação da arte em mercadoria levou empresas e mídia a priorizarem as manifestações culturais que visam ao mero entretenimento.

"A cultura está ameaçada porque as condições econômicas e sociais nas quais ela pode se desenvolver estão profundamente afetadas pela lógica do lucro. [...]"

BOURDIEU, Pierre. *Contrafogos 2*. Rio de Janeiro: Jorge Zahar, 2001. p. 86.

Entre a arte e o entretenimento

Ao subordinar-se às exigências do mercado, a qualidade da produção cultural pode ser afetada. O apelo comercial pode acabar intervindo na própria manifestação artística. Um exemplo disso é a indústria cinematográfica, que é cada vez mais dominada por grandes grupos comerciais que controlam a produção e a distribuição de filmes. Como a obtenção de lucros é o que mais interessa a esses grupos, eles tendem a priorizar obras de fácil entendimento para o grande público, utilizando recursos como efeitos especiais e computação gráfica.

Os críticos temem que o crescimento da **indústria do entretenimento** não deixe espaço para os filmes de arte e os documentários, produções alternativas que não têm apelo comercial e, por isso, não geram grandes lucros **[doc. 7]**. Além disso, muitos filmes comerciais, em busca de lucro, abusam de cenas de violência e crueldade sem preocupações éticas ou educacionais com relação ao público jovem.

O efeito da globalização na cultura, marcada pela mercantilização da produção, é uma homogeneização cada vez maior de comportamentos, gostos e manifestações culturais. A intensificação do uso das novas tecnologias levou ao aperfeiçoamento das técnicas de *marketing* e publicidade, que hoje contam com possibilidades quase ilimitadas de manipulação do comportamento e do imaginário das pessoas. Os jovens são um setor particularmente vulnerável a essa padronização cultural por não terem uma identidade plenamente formada e estarem sujeitos à sedução da sociedade de consumo.

"Estudos estimam que, contando logotipos, rótulos e anúncios, cerca de 16 mil imagens comerciais se imprimem na consciência de uma pessoa por dia. A publicidade hoje infesta todo e qualquer órgão da sociedade. Onde quer que a propaganda ponha um pé, ela aos poucos vai ingerindo tudo, como um vampiro ou um vírus. [...]"

Leslie Savan. The sponsored life, ads, TV, and American culture [1994]. In: SEVCENKO, Nicolau. *A corrida para o século XXI*. São Paulo: Companhia das Letras, 2003. p. 124.

QUESTÕES

1. Que aspectos do mundo atual as fotos registram [docs. 2, 3 e 5]?
2. A população carcerária tem crescido em praticamente todos os países. Relacione esse fato com as políticas adotadas pelos governos para combater a pobreza [doc. 4].

DOC. 7 À esquerda, cena do filme *Crepúsculo*, direção de Catherine Hardwicke, Estados Unidos, 2008, um grande sucesso de bilheteria mundial. Acima, cena do filme *O caminho para casa*, direção de Zhang Yimou, China, 2000, um filme muito elogiado pela crítica, mas pouco conhecido pelo grande público.

A revolução tecnológica e as mudanças nas relações humanas

Objetivos

- Compreender a formação do chamado paradigma tecnológico.
- Avaliar os impactos das novas tecnologias sobre as relações humanas.

Termos e conceitos

- Paradigma tecnológico
- Internet
- Mundo virtual

A tecnologia e a transformação da sociedade

As inovações tecnológicas, assim como as descobertas científicas a elas associadas, tiveram um papel muito importante na formação do mundo contemporâneo. Podemos dizer que a tecnologia modela as sociedades tanto quanto é modelada por elas.

O novo **paradigma tecnológico**, que tornou possível a globalização econômica, surgiu a partir dos anos 1970 nos países desenvolvidos e se baseia no desenvolvimento das tecnologias de informação e comunicação. Com esse novo paradigma, a tecnologia passou a penetrar todas as esferas de atividade humana.

Os avanços tecnológicos realizados a partir desse período concentraram-se em três áreas principais:

- **Novos materiais.** A pesquisa e o desenvolvimento de novos materiais como, por exemplo, as cerâmicas industriais, os semicondutores, as fibras óticas e os polímeros. Esses materiais permitiram o aperfeiçoamento de máquinas e sistemas de comunicação, novos processos industriais e novos produtos.
- **Biotecnologia.** A pesquisa e a compreensão dos processos biológicos que permitem a modificação dos seres vivos, como a clonagem e a produção de organismos geneticamente modificados (OGMs).
- **Microeletrônica.** Novas formas de controle, manipulação e transmissão da informação com o desenvolvimento da microeletrônica. Esse foi o mais importante avanço tecnológico que impulsionou o processo de globalização.

As inovações tecnológicas provocaram diversas reações por parte da sociedade. Consumidores frenéticos com as novidades e especialistas em alta tecnologia saudaram as inovações com entusiasmo **[doc. 1]**. Os críticos, em contrapartida, preocupam-se com os problemas sociais e ambientais que podem ser causados pelas novas tecnologias. As técnicas de clonagem e a transgenia, em particular, têm despertado sérios questionamentos sobre os limites éticos e jurídicos desse tipo de pesquisa.

A atriz Daryl Hannah no papel de androide no filme *Blade Runner, o caçador de androides*, direção de Ridley Scott. Estados Unidos, 1982.

DOC. 1 **A utopia da fusão entre o homem e a máquina**

"A biotecnologia irá avançar muito depressa nos próximos anos. Nas experiências de clonagem, por exemplo, hoje o DNA é inserido em uma célula através de um choque elétrico. Parece um filme do Frankenstein! Tal é o nível de sutileza da tecnologia atual. No entanto, depurando o processo poderemos alterar o DNA com precisão e modificar as propriedades das células. [...] Assim, a distinção entre o que é um robô e o que é uma pessoa irá desaparecer, e começará a verdadeira fusão entre o homem e a máquina."

BÄR, Eva. Las máquinas espirituales. *La Nación*, 9 set. 2001. Disponível em www.lanacion.com.ar. Acesso em 15 out. 2009. (tradução nossa)

As novas tecnologias de informação e comunicação

A invenção do *microchip* ou circuito integrado, após a Segunda Guerra Mundial, foi a principal invenção que levou ao desenvolvimento das novas tecnologias de informação e comunicação. Comparando com os padrões atuais, os computadores construídos nas décadas de 1940 e 1950 eram máquinas enormes e lentas. Funcionando com válvulas e transistores, essas máquinas eram difíceis de programar e armazenavam informações em forma de cartões perfurados ou em fita magnética **[doc. 2]**.

A invenção do circuito integrado permitiu a diminuição do tamanho dos computadores, que se tornaram mais práticos e baratos, e o aumento da capacidade de processamento. Entre os anos 1980 e 1990, o lançamento de diferentes modelos de computadores pessoais transformou essa máquina em um aparelho doméstico que pode ser possuído por grande parte das pessoas.

Outras inovações tecnológicas, como o desenvolvimento dos telefones celulares, a comunicação via satélite e o uso de cabos de fibra ótica, contribuíram para tornar a comunicação instantânea, superando as barreiras de espaço e tempo. Mas, de todas essas invenções, a que mais atuou para transformar as relações humanas foi a rede mundial de computadores, a **internet**.

A origem da internet

Na década de 1960, a Agência de Projetos de Pesquisa Avançada do Departamento de Defesa (Darpa), um órgão do governo dos Estados Unidos, foi encarregada de pesquisar novas tecnologias que pudessem ter aplicações militares. No contexto da Guerra Fria, o governo norte-americano temia ficar para trás na competição militar e tecnológica com os soviéticos.

Uma das realizações da Darpa foi a criação, em 1969, de uma rede de comunicação entre computadores chamada Arpanet, planejada para manter a integridade das comunicações no caso de um ataque nuclear soviético. O objetivo era criar uma rede de comunicação que garantisse a conexão entre os computadores caso parte da rede fosse destruída.

O sistema de comunicações Arpanet foi aperfeiçoado, dando origem a outros sistemas utilizados inicialmente para conectar computadores em instituições do governo norte-americano, em empresas e universidades. Ainda se tratava, porém, de redes internas de comunicação, restritas aos terminais das instituições que faziam uso delas.

A internet aberta só surgiu no começo da década de 1990, quando foi lançado o sistema www (*world wide web*, "rede de abrangência mundial"), que permite conectar computadores em qualquer parte do mundo. Utilizando o sistema de *hiperlinks* e um programa chamado de navegador (em inglês *browser*), a rede mundial de computadores torna possível trocar informações (programas, textos, imagens, mensagens, vídeos etc.) entre computadores à distância.

O impacto da internet nas relações humanas

É inegável o avanço que se verifica nos últimos anos no que diz respeito ao acesso à informação. A internet possibilita acessar instantaneamente e nas mais diversas línguas livros, *sites*, relatórios, dicionários, enciclopédias e periódicos. Porém, o fácil acesso à informação não significa necessariamente aumento da consciência crítica e da livre discussão. Na prática, indivíduos isolados como ilhas interagem em comunidades separadas, que não compartilham ideias e referências em comum com o restante da sociedade.

- ***Hiperlinks.*** *Links* ou vínculos que aparecem nas páginas da internet e permitem navegar de uma página a outra.

DOC. 2 Acima, o Eniac, o primeiro computador digital eletrônico de grande escala, criado em 1946 por cientistas norte-americanos.
À esquerda, modelo de computador do final da década de 1980. A inovação nos modelos e recursos dos computadores é contínua.

Riscos e benefícios da internet

Para entender essa questão, vale a pena fazer uma comparação com a França do século XVIII. Nesse período, formou-se uma forte esfera pública no país, que preparou a eclosão da Revolução Francesa. Apesar da censura e do policiamento do Estado e da Igreja, desenvolveram-se várias formas de sociabilidade e de troca de ideias nos cafés, salões, clubes e associações, nos quais as pessoas se reuniam para discutir os problemas da sociedade e as formas de solucioná-los.

O **mundo virtual** da internet, no entanto, tende a reduzir o intercâmbio social entre as pessoas, substituindo formas diretas de relacionamento, amizade e colaboração pela comunicação à distância. Ele pode contribuir, assim, para a atrofia da esfera pública e para a desertificação das relações sociais, isolando os indivíduos entre si em vez de aproximá-los. Jovens desorientados e sem referências, que vivem conectados permanentemente à internet, crescem, muitas vezes, alheios à realidade e aos problemas mundiais, seduzidos pelo mundo virtual de imagens, jogos e programas **[doc. 3]**.

Além disso, a internet tem sido cada vez mais apropriada por poderes privados. Grandes redes comerciais aproveitam a ausência de regulamentações jurídicas sobre o uso da internet para manipular consumidores e espionar seus hábitos de consumo. O número de crimes virtuais, como sequestro de dados bancários e tráfico de produtos ilegais, tem crescido progressivamente na internet.

Como toda tecnologia, contudo, a internet pode ser usada de muitas maneiras. Ela permanece sendo uma inovação fundamental que possui potencialidades ainda inexploradas, podendo tanto afastar as pessoas quanto aproximá-las, tanto ajudar a resolver os problemas mundiais quanto dificultar a sua solução **[doc. 4]**.

DOC. 3 **A era da imagem**

"Para a maioria das pessoas nos Estados Unidos, a vida é mediada pela televisão e, em escala menor, pelo cinema [...]. Essas formas de comunicação estão agora sendo ameaçadas pelos meios visuais interativos, como a internet e os recursos de realidade virtual. Vinte e três milhões de americanos estavam conectados com a rede em 1998, com as adesões crescendo a cada dia. Em meio a esse turbilhão de imagens, ver significa muito mais que acreditar. As imagens não são mais uma parte da vida cotidiana, elas são a vida cotidiana."

MIRZOEFF, Nicholas. An introduction to visual culture. In: SEVCENKO, Nicolau. *A corrida para o século XXI*: no *loop* da montanha-russa. São Paulo: Companhia das Letras, 2003. p. 123.

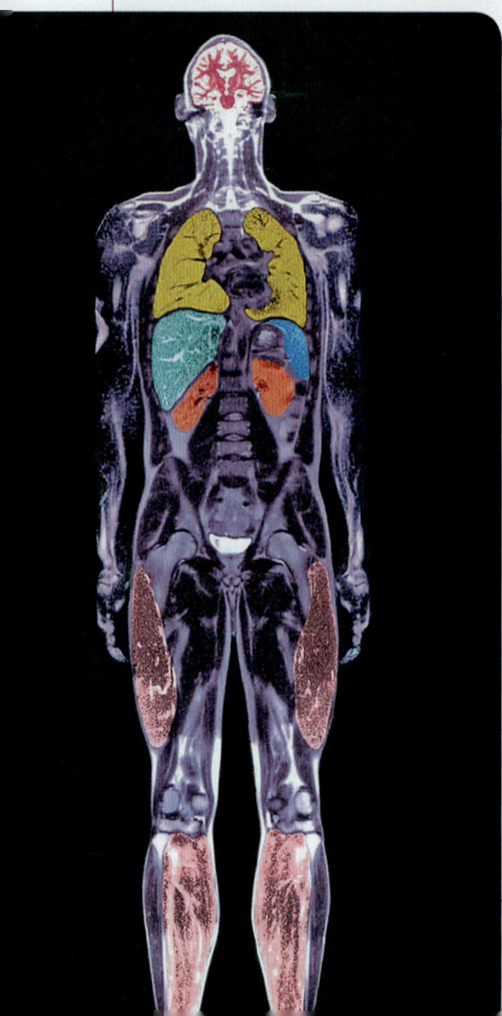

Imagem de ressonância magnética do corpo humano captada pelo Sistema RMI (Ressonância Magnética Intraoperatória). Esse sistema de imagens permite monitorar, em tempo real, o processo cirúrgico depois de iniciado. Londres, 2005.

DOC. 4 **As potencialidades da internet**

Ao ser indagado sobre o papel da internet nas últimas décadas – se ela aproximou ou afastou as pessoas –, o sociólogo e filósofo francês Edgar Morin respondeu:

"Se considerarmos o fato de a internet ser um instrumento polivalente, que serve até aos interesses do crime, acho que a rede aproxima as pessoas. A internet tornou-se um sistema nervoso artificial que tomou conta do planeta. É algo que ajuda muito na hora de desenvolver afinidades, encontrar amigos, amores ou parceiros de *hobby*. A internet é um fato universal importantíssimo. Mas os sistemas de comunicação não criam compreensão. A comunicação apenas transmite informação. É preciso estimular o surgimento de uma consciência planetária. Se a internet não desenvolver a ideia da comunidade de destinos da humanidade, terá apenas uma função limitada e parcelar."

Edgar Morin. In: *Folha de S. Paulo*, 28 abr. 2008. Mundo.

QUESTÕES

1. Qual a possibilidade que o autor do texto vislumbra para o futuro? O que você pensa a respeito dessa hipótese [doc. 1]?
2. Como o autor caracteriza o papel da internet e das imagens na sociedade norte-americana dos dias atuais [doc. 3]?

ANALISAR UM DOCUMENTO HISTÓRICO

A sociedade de consumo e o império das marcas

A globalização provocou profundas mudanças nas práticas comerciais. Numa sociedade marcada pelo consumo excessivo de imagens, as marcas em geral se tornaram mais importantes que os próprios produtos. Conglomerados empresariais gigantes, com presença em praticamente todas as grandes cidades do mundo, competem agressivamente para impor suas marcas num mercado consumidor dinâmico e em contínuo crescimento. Em grandes cidades como Nova York, os anúncios publicitários estão por toda parte. As empresas fazem acordos até com escolas para tornar as crianças e os jovens consumidores de suas marcas desde cedo.

A Praça Times Square, em Nova York, é uma confluência de grandes avenidas onde se concentram muitas lojas famosas e vários locais da indústria do entretenimento. Estados Unidos, 2001.

Para compreender o documento

Os primeiros painéis de propaganda começaram a aparecer nas ruas no século XIX. A grande vantagem desse meio de divulgação de marcas e produtos era a possibilidade de atingir um grande número de consumidores o tempo todo. Em algumas avenidas de Nova York, nos Estados Unidos, os painéis de propagada foram incorporados à paisagem cotidiana de cidade.

1. Esta é uma foto noturna, feita para captar as luzes dos grandes painéis publicitários que iluminam a noite da Praça Times Square, em Nova York.
2. Observe a quantidade e a diversidade de marcas globais exibidas nos painéis. Manter um desses painéis em cidades como Nova York, Londres ou Tóquio pode custar dezenas de milhões de dólares.
3. Mostrando a acumulação de marcas, a fotografia ressalta o papel da imagem e da propaganda no cotidiano do homem contemporâneo.
4. Note que a visibilidade dada às marcas encobre quase totalmente a arquitetura e as particularidades da cidade. Com base somente nesta foto, seria difícil distinguir Nova York de qualquer outra cidade do mesmo padrão.

QUESTÕES

1. Quais características da sociedade globalizada moderna podemos identificar nessa fotografia?
2. Relacione os elementos dessa fotografia com a discussão sobre a imagem na sociedade moderna feita no texto do **doc. 3, p. 696**.
3. Essa foto poderia expressar o tipo de publicidade existente na cidade onde você vive? Justifique.

Seção 40.4

Guerra e terrorismo em um mundo instável

Objetivo

▶ Relacionar o atual processo de globalização ao recrudescimento da violência e ao terrorismo.

Termos e conceitos

- Novas guerras
- Terrorismo

Conteúdo digital Moderna PLUS http://www.modernaplus.com.br
Vídeo: Bombardeios em Bagdá (1991 ou 2003)
Razões para a Guerra
World Trade Center
Filme: *Fahrenheit 11 de setembro*. Diretor: Michael Moore. EUA, 2004

A guerra no mundo contemporâneo

Tradicionalmente se considera que o Estado é a única instituição com autoridade para usar a força armada e, assim, garantir a paz e a segurança do território. Segundo essa visão, o direito de uso da violência é um privilégio do Estado, devendo ser utilizado para a manutenção da ordem social. Porém, o surgimento de novos bandos armados, como grupos separatistas, organizações terroristas e crime organizado, tem ameaçado o monopólio do Estado de usar a violência e de possuir armamento.

A guerra na Iugoslávia entre 1991 e 1999 é um exemplo do horror que esse tipo de conflito pode causar. Em partes da África e da Ásia, conflitos armados se tornaram endêmicos, provocando massacres e expulsão em massa da população civil. Mesmo países antigos e estáveis, como Grã-Bretanha e Espanha, passaram a enfrentar poderes paralelos armados e não conseguem garantir a segurança dentro do próprio território **[doc. 1]**.

Essas **novas guerras** não são mais travadas entre exércitos de linha, como as guerras do passado, e não reconhecem as convenções internacionais que limitam o uso de certos tipos de armas e separam alvos militares de alvos civis. As operações militares afetam de diferentes formas a população civil, envolvendo tentativas de genocídio (como no conflito em Ruanda em 1994), mutilações, torturas, assassinatos, estupro de mulheres e enormes ondas de refugiados civis.

DOC. 1 **Conflitos armados no mundo**

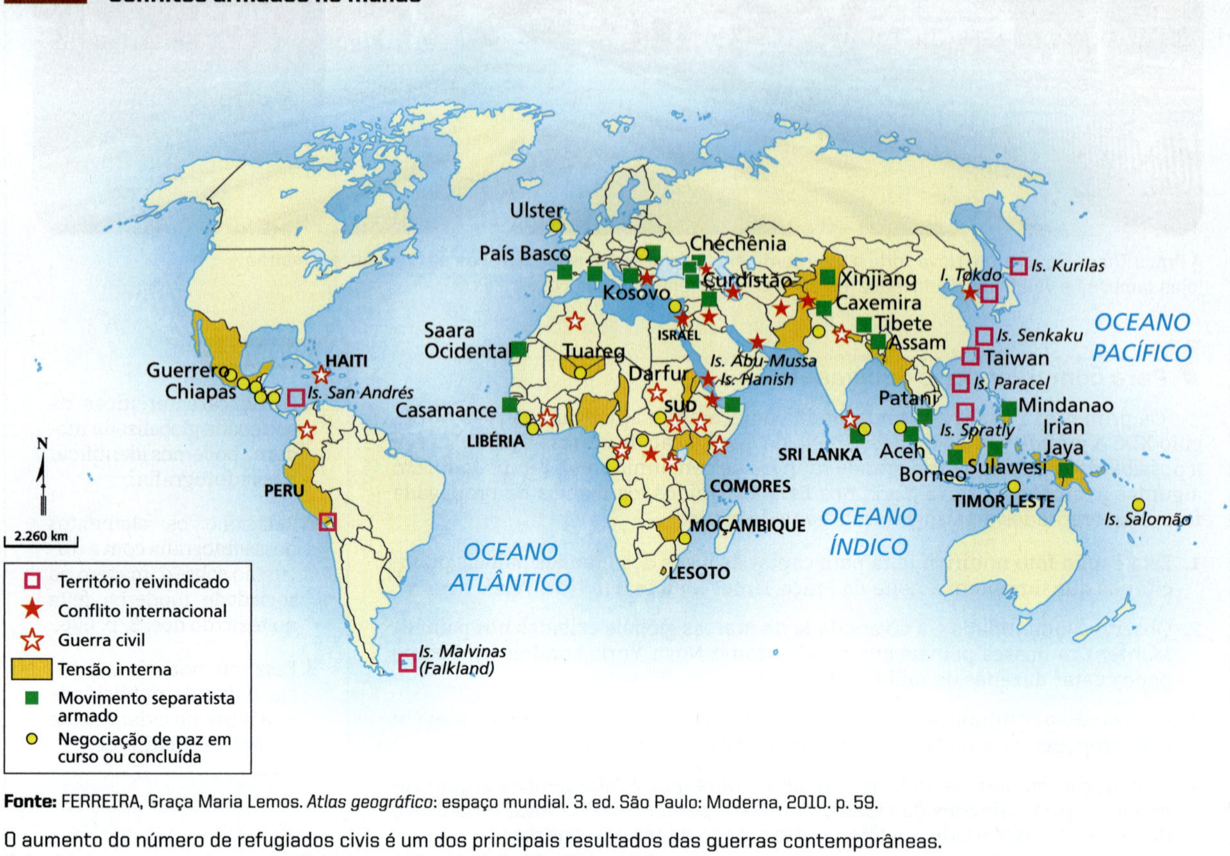

Fonte: FERREIRA, Graça Maria Lemos. *Atlas geográfico*: espaço mundial. 3. ed. São Paulo: Moderna, 2010. p. 59.

O aumento do número de refugiados civis é um dos principais resultados das guerras contemporâneas. Calcula-se que esse número atualmente esteja acima de 40 milhões de pessoas.

Os ataques terroristas de 11 de setembro

Na manhã do dia 11 de setembro de 2001, terroristas islâmicos assumiram o controle de dois aviões de passageiros e os lançaram contra as torres gêmeas do World Trade Center, em Nova York, centro comercial de 110 andares que era considerado o símbolo do poderio econômico norte-americano. Um terceiro avião foi lançado sobre o Pentágono, símbolo do poder militar dos Estados Unidos, e um quarto dirigiu-se à Casa Branca, sede do governo norte-americano, mas foi abatido antes de atingir o alvo.

Descobriu-se que os ataques não foram improvisados, mas planejados com antecedência pela organização terrorista Al-Qaeda, e tinham por objetivo desafiar a supremacia econômica, política e militar dos Estados Unidos. Os ataques terroristas, que mataram cerca de 3 mil pessoas, foram filmados e transmitidos em tempo real para televisões de todos os países. O espetáculo do **terrorismo** deixou atônitos os espectadores no mundo inteiro e provocou uma verdadeira paranoia dentro dos Estados Unidos **[doc. 2]**.

Era a primeira vez que os norte-americanos eram atacados em seu próprio território. Diante do clima de insegurança que se espalhou pelo país, estimulado pelo sensacionalismo dos meios de comunicação, o governo decidiu agir. Em outubro de 2001, o presidente George W. Bush lançou o *Patriot Act*, um pacote de medidas de segurança que estabelecia o aumento da vigilância em portos, aeroportos e locais públicos, o direito de violar correspondências, conversas telefônicas e *e-mails* sem autorização judicial e a liberdade para prender e interrogar suspeitos de terrorismo sem o devido processo judicial.

O pacote de medidas de Bush foi muito criticado por restringir direitos civis elementares dos cidadãos, como a liberdade de ir e vir, o respeito à privacidade e a garantia de ampla defesa em caso de prisão.

A guerra contra o terror

Os ataques de 11 de setembro fortaleceram os setores mais conservadores da sociedade e do exército dos Estados Unidos. Esses setores defendiam uma política externa mais agressiva para mostrar ao mundo a supremacia política, econômica e militar dos Estados Unidos. Apoiando-se nesses grupos, o presidente George W. Bush elegeu a luta contra o terrorismo como prioridade do governo norte-americano.

Numa ofensiva ideológica e militar, conhecida como "guerra contra o terror", o governo passou a preconizar ataques a países acusados de financiar, apoiar ou de serem tolerantes com grupos terroristas. A guerra contra o terror também previa a realização de ataques preventivos contra esses países, realizados sem o apoio da ONU e sem respaldo das leis internacionais que regulamentam a guerra.

DOC. 2 **Os efeitos do 11 de setembro no cotidiano dos norte-americanos**

"A partir do 11 de setembro, os norte-americanos concluíram que sua vida havia se transformado definitivamente. O ambiente de paz não existe mais. Os dirigentes anunciam que a guerra ao terrorismo irá se estender por muitos anos e que uma grave ameaça paira sobre os Estados Unidos, pois os terroristas podem atacar de muitas maneiras e empregar métodos bastante variados, inclusive armas químicas e biológicas. [...]

A nova situação de perigo que paira sobre os norte-americanos os leva a exigir uma proteção redobrada das autoridades federais. Enquanto, até então, o que mais os motivava era a sede de liberdade, eles agora aceitam que ela sofra restrições para que possam se sentir mais seguros. [...] Assiste-se a um consenso patriótico, e a mídia se envolve no esforço de guerra. Estabelece-se, assim, um novo equilíbrio entre a liberdade e a segurança, revelador da fragilidade que tomou conta da sociedade norte-americana após o 11 de setembro."

BERNSTEIN, Serge; MILZA, Pierre (Dir.). *História do século XX*: de 1974 aos dias atuais – a caminho da globalização e do século XXI. São Paulo: Nacional, 2007. p. 202-204.

As torres do World Trade Center, em Nova York, em chamas. Estados Unidos, 11 de setembro de 2001.

Guerra no Iraque e no Afeganistão

Em seus discursos, o presidente Bush chamava os países supostamente vinculados ao terrorismo pela denominação genérica de "eixo do mal" **[doc. 3]**. Os ataques, no entanto, voltaram-se especificamente a dois países: o Afeganistão e o Iraque.

O primeiro ataque "preventivo" do governo Bush foi a invasão do Afeganistão em outubro de 2001. O objetivo da operação era derrubar o regime do Talibã, localizar e prender Osama Bin Laden e os outros líderes da organização terrorista Al-Qaeda que estariam usando o país como base de operações. O governo do Talibã foi derrubado, mas a milícia passou a se organizar em forma de guerrilha para combater a ocupação norte-americana.

O segundo ataque foi a invasão do Iraque em março de 2003. O país, governado pelo ditador Saddam Hussein, era acusado de apoiar o terrorismo islâmico e de ocultar armas de destruição em massa. Porém, após alguns meses de guerra ficou evidente que não havia armas de destruição em massa no país e que o regime de Saddam, apesar de autoritário e violento, não tinha conexão direta com redes terroristas **[doc. 4]**.

A ação unilateral dos Estados Unidos no Afeganistão e no Iraque isolou o país no cenário internacional. Os custos econômicos das guerras aumentaram o já enorme déficit público norte-americano. Além disso, os esforços dos Estados Unidos para estabilizar os dois países se mostraram infrutíferos. Com grande parte de sua infraestrutura destruída pelos bombardeios norte-americanos, Iraque e Afeganistão passaram a enfrentar contínuos atentados terroristas e lutas entre grupos islâmicos rivais.

- **Talibã.** Milícia islâmica sunita que luta para transformar o Afeganistão em um Estado governado de acordo com os preceitos do islã.

DOC. 3 **O discurso do presidente Bush**

"Os terroristas se organizaram para penetrar nas sociedades livres e voltar contra nós o poder das modernas tecnologias. Para derrotar essa ameaça, devemos fazer uso de cada ferramenta de nosso arsenal — poder militar [...], reforço das leis, inteligência e vigorosos esforços para estancar o financiamento terrorista. [...] A América ajudará as nações que precisam de nossa assistência no combate ao terror. E a América considerará responsáveis as nações que se comprometem com o terror, incluindo as que abrigam terroristas — porque os aliados do terror são os inimigos da civilização."

The National Security Strategy (2002). Disponível em http://georgewbush-whitehouse.archives.gov. Acesso em 8 abr. 2010. (tradução nossa)

QUESTÃO

› Segundo o texto, por que os ataques de 11 de setembro contribuíram para fortalecer o poder do governo dos Estados Unidos, na época sob o comando de George W. Bush **[doc. 2]**?

DOC. 4 **O mundo contra a guerra**

A ação unilateral dos Estados Unidos no Iraque não recebeu o apoio da ONU, tampouco de aliados tradicionais dos norte-americanos, como França e Alemanha. As imagens de morte e destruição causadas pela guerra colocaram grande parte da opinião pública mundial contra a guerra. O governo norte-americano passou a ser acusado de usar a luta contra o terrorismo como pretexto para uma guerra cujo verdadeiro objetivo seria o controle das reservas de petróleo do Oriente Médio.

Manifestação em Johanesburgo, África do Sul, contra a guerra no Iraque, fevereiro de 2003.

Seção 40.5

O problema ecológico e a ameaça da catástrofe climática

Objetivos

- Avaliar os impactos da sociedade industrial contemporânea para a natureza.
- Adotar atitudes visando reduzir os prejuízos ambientais provocados pela sociedade de consumo.

Termos e conceitos

- Sociedade industrial
- Degradação ambiental
- Aquecimento global
- Desenvolvimento sustentável

A relação entre homem e natureza

A presença humana na Terra sempre exerceu certo impacto sobre o meio ambiente. Não se pode dizer, contudo, que a destruição da natureza seja recorrente na história humana. As sociedades pré-industriais mantinham e mantêm certo equilíbrio entre recursos naturais e necessidades humanas. A **sociedade industrial**, entretanto, rompeu esse equilíbrio, originando um processo de contínua **degradação ambiental**, cujos resultados começamos a sentir nas últimas décadas **[doc. 1]**.

Nas sociedades pré-industriais, o baixo grau de aplicação da ciência e da tecnologia às atividades produtivas permitia e permite uma relação muito mais próxima e íntima entre o ser humano e a natureza. Para muitos povos, os elementos da natureza, como a terra, os animais e a paisagem, são considerados sagrados e essa sacralidade se expressa em mitos, narrativas, rituais e na arte de cada povo.

Industrialização e degradação ambiental

O processo de industrialização, que se iniciou na Inglaterra no final do século XVIII, modificou radicalmente a relação entre homem e natureza. A sociedade industrial criou um mundo de necessidades artificiais, que tem destruído o modo de vida tradicional de muitas populações, causado a degradação constante das paisagens locais e exercido uma pressão cada vez maior sobre os recursos do planeta.

O modelo de desenvolvimento hoje predominante, baseado na produção em massa de bens de consumo, tem-se mostrado insustentável em longo prazo. Se o padrão de comportamento caracterizado pelo consumismo e pelo desperdício se difundisse para todos os habitantes do mundo, isso significaria a morte da Terra.

DOC. 1 Sociedades pré-industriais e meio ambiente

As sociedades pré-industriais, como muitas comunidades indígenas do Brasil, mantêm uma relação bastante diferente com o meio ambiente. Nessas sociedades, há uma integração entre a vida do homem e a natureza. Contudo, essas sociedades têm cada vez mais dificuldade de manter suas tradições e valores no mundo globalizado. Por um lado, elas sofrem a pressão constante de empresas interessadas na exploração dos recursos das suas terras. Por outro, os contatos cada vez mais estreitos de muitas comunidades com povos não indígenas têm resultado na assimilação de produtos e costumes ocidentais, o que ameaça seu modo de vida tradicional.

Crianças indígenas da tribo Barasano e Tuyuca tomam banho no Igarapé Tarumã-Açu, na aldeia Rouxinol, em Manaus (AM), 2008.

O aquecimento global

Um dos mais graves problemas ambientais do mundo contemporâneo é o aumento da temperatura média do planeta, o chamado **aquecimento global**. Ele é causado pelo acúmulo na atmosfera de gases de efeito estufa, lançados em quantidade superior ao que as florestas e os oceanos são capazes de absorver.

Os gases de efeito estufa, como o gás carbônico (CO_2), são originados da queima de combustíveis fósseis, como petróleo e carvão, do desmatamento e das queimadas **[doc. 2]**. Os efeitos dessa mudança climática são o derretimento das calotas polares, a elevação do nível dos mares e o aumento da frequência e da intensidade de eventos naturais, como secas, tempestades e furacões.

O tema do aquecimento global, no entanto, divide os especialistas. Alguns pesquisadores discordam de que haja uma mudança climática global em curso. Segundo eles, períodos de resfriamento e aquecimento do planeta fazem parte do ciclo natural do clima, e independem da intervenção humana. Essa não é, porém, a posição do Painel Intergovernamental sobre Mudanças Climáticas (IPCC), um órgão das Nações Unidas. Em seus diversos relatórios, o IPCC comprovou que as mudanças climáticas resultam da ação humana e não de fenômenos naturais.

De qualquer forma, a ameaça de uma catástrofe ambiental de proporções apocalípticas mobiliza cada vez mais setores da sociedade, preocupados em discutir e elaborar alternativas ao modelo de desenvolvimento hoje predominante. A procura de soluções aos problemas socioambientais levou à formulação do conceito de **desenvolvimento sustentável**.

Vocabulário histórico

Desenvolvimento sustentável

Segundo a Comissão Mundial para o Meio Ambiente e o Desenvolvimento, ligada à ONU, desenvolvimento sustentável é "o desenvolvimento econômico e social que atende às necessidades da geração atual sem comprometer a capacidade das futuras gerações de atender às suas próprias necessidades" (Relatório Brundtland, 1987). A necessidade de conciliar o desenvolvimento econômico com a preservação dos recursos naturais da Terra exige dos governos e da sociedade a adoção das seguintes medidas: redução de dejetos e resíduos industriais, a diminuição dos gases causadores do efeito estufa, a preservação da biodiversidade e dos ecossistemas, a diminuição do consumo de energia, o desenvolvimento de tecnologias com uso de fontes energéticas renováveis, o controle da urbanização descontrolada e a limitação do crescimento populacional.

QUESTÕES

1. Explique por que a sociedade industrial tem ameaçado cada vez mais o modo de vida das sociedades pré-industriais **[doc. 1]**.
2. Qual é a grande polêmica que divide os especialistas a respeito da mudança climática global?
3. Em grupo, faça uma lista de ações que os governos, a sociedade e cada pessoa individualmente podem adotar para contribuir para o desenvolvimento sustentável. Apresente o resultado para os demais grupos.

DOC. 2 **Principais emissores de CO_2**

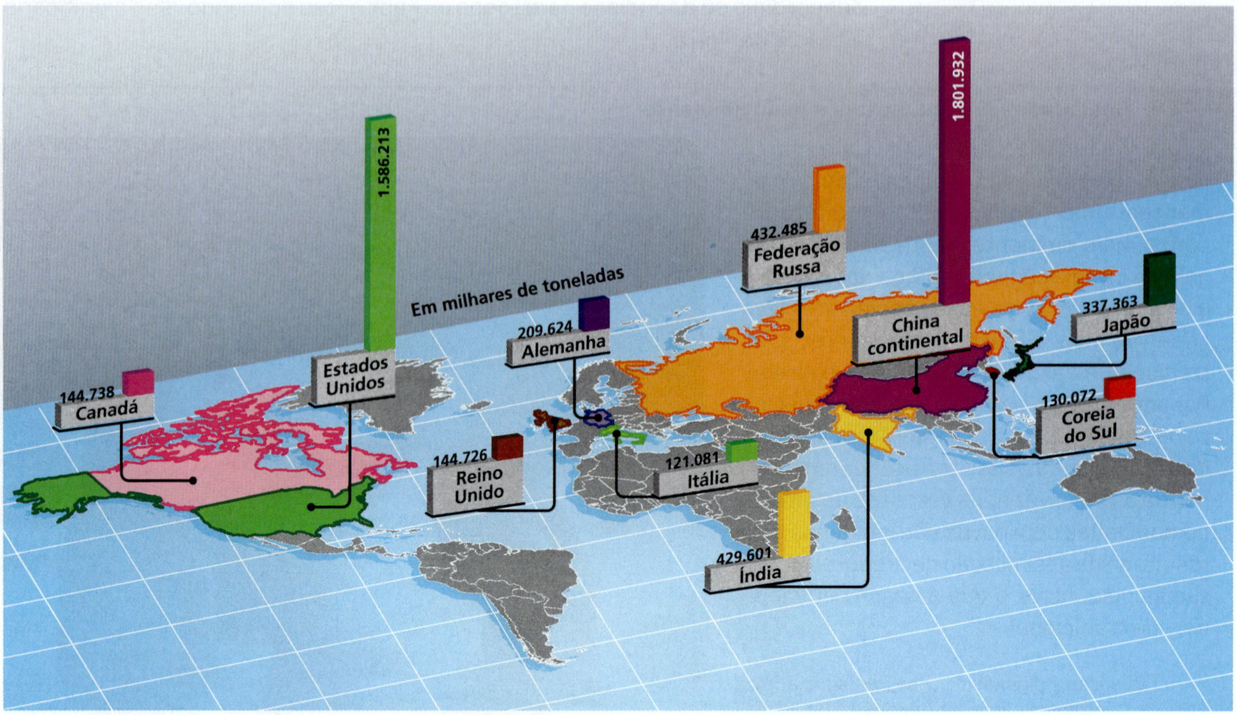

Fonte: Centro de Análise e Informações sobre Dióxido de Carbono (Carbon Dioxide Information Analysis Center). Disponível em http://cdiac.ornl.gov. Acesso em 29 jun. 2009.

Retomar conteúdos

1 Liste algumas medidas consideradas neoliberais adotadas pelos governos contemporâneos e aponte suas principais consequências.

2 Relacione o aperfeiçoamento dos computadores e das novas tecnologias na vida contemporânea ao problema das desigualdades sociais e locais no mundo globalizado.

Ler textos e imagens

3 Analise os textos e o gráfico abaixo. Em seguida, identifique a tendência apontada pelo gráfico e pelos textos e relacione o capitalismo globalizado ao consumo de energia e aos problemas ambientais.

Texto 1

"[...] O americano típico usa em torno de 40 a 70 vezes mais recursos do que uma pessoa em um país pobre, como Bangladesh. Multiplicar a população americana pelo número [...] 40 significa que a pressão dessa população é igual a de mais de 10 bilhões de pessoas! [...] É meridianamente claro que toda a população do mundo jamais poderá viver como vivem hoje os americanos."

SAHTOURIS, Elizabeth. A dança da Terra. In: FARIA, A. Augusto da Costa (Org.). *Encontros fortuitos*: reflexões sobre a natureza. São Paulo: Senac, 2002. p. 74.

Texto 2

"Utilizemo-nos da letra Q, representando a energia obtida da queima de 33 milhões de toneladas de carvão. Em meados do século XVIII [...], a energia total consumida era aproximadamente metade Q por século. Mas por volta de 1850 o índice havia subido a um Q por século. Em nossos dias, o índice é cerca de dez Q por século. Isto significa, falando-se de uma maneira esquemática, que a metade de toda a energia consumida pelo homem nos passados dois mil anos foi consumida nos últimos cem anos."

TOFLER, Alvin. *O choque do futuro*. Rio de Janeiro: Artenova, 1972. p. 16.

4 Leia a tirinha a seguir.

Tirinha *Calvin & Hobbes*, de Bill Watterson, 1995.

a) Que tipo de relação entre o homem e a tecnologia a tirinha sugere?

b) Procure explicar por que, no mundo globalizado de hoje, a intensa mecanização e informatização não significou redução do tempo de trabalho e aumento do tempo livre.

Debater

5 Segundo o filósofo francês Edgar Morin, "se a internet não desenvolver a ideia da comunidade de destinos da humanidade, terá apenas uma função limitada". Reúna-se com seus colegas e expliquem a afirmação feita pelo pensador.

População residente em áreas urbanas (%)

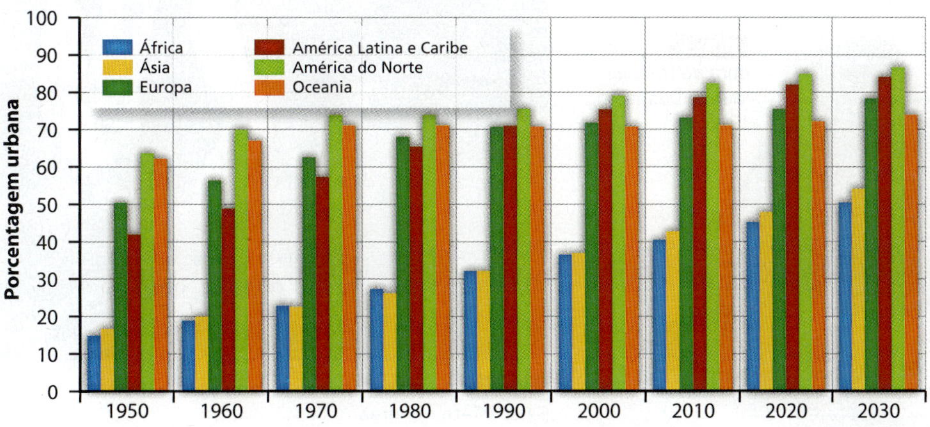

Fonte: *Situação da população mundial 2007*: desencadeando o potencial do crescimento urbano. Nova York: Fundo de População das Nações Unidas, 2007. p. 11.

Novas leituras e linguagens

A arte no mundo globalizado

Nas últimas décadas do século XX, a arte também foi afetada pelo processo de globalização cultural e econômica. Apesar de os grandes centros produtores de arte, como Estados Unidos e Europa, ainda manterem sua hegemonia, outros espaços importantes de criação e discussão artística se rearticularam, como a América Latina, a África e a Ásia.

Reafirmando sua identidade, esses e outros centros se destacam com uma arte que se diferencia daquela produzida nos centros tradicionais. Além disso, mesmo no seio das sociedades hegemônicas, as chamadas minorias étnicas ou sociais, como mulheres, negros, indígenas, homossexuais, imigrantes etc., também se manifestam intensamente no campo das artes visuais, da música e da literatura. As artes se transformam num grande veículo para a propagação de políticas de resistência às tentativas de opressão dos grupos dominantes.

A arte das instalações

As instalações conheceram um grande florescimento nessa nova fase. A instalação é o gênero de arte que se volta para a organização de objetos no espaço, normalmente um espaço interior, como as salas de um museu ou galeria. Dependendo das intenções do artista, a natureza dos objetos utilizados é bastante variável.

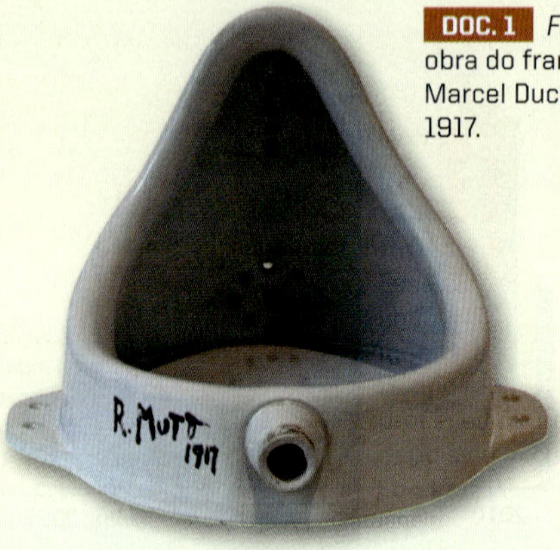

DOC. 1 *Fonte*, obra do francês Marcel Duchamp, 1917.

A origem da instalação pode ser recuada às vanguardas artísticas do início do século XX, principalmente com a obra de Marcel Duchamp, que utilizou objetos da realidade para lhes dar outro sentido. Em 1917, por exemplo, ele apresentou um urinol na exposição da Sociedade dos Artistas Independentes de Nova York, dando-lhe o nome de *Fonte* **[doc. 1]**. Com esse procedimento, Duchamp mostrou que, para um artista contemporâneo, é muito mais importante uma atitude contestadora do que propriamente a habilidade técnica.

Um dos mais famosos precursores da instalação é o alemão Joseph Beuys. Em suas instalações, Beuys utiliza, frequentemente, feltro e gordura. A escolha desses dois materiais foi motivada por um acidente sofrido durante a Segunda Guerra Mundial, quando o avião de Beuys foi derrubado pelo inimigo. Sobrevivendo à queda, Beuys foi resgatado por tártaros nômades que enrolaram seu corpo em gordura e feltro para mantê-lo aquecido e trataram suas queimaduras e fraturas.

O episódio da cura levou Beuys a desenvolver um profundo respeito pela natureza e por seus elementos. Em sua poética, o feltro, na qualidade de material isolante, representa tudo aquilo que protege a vida e seus processos, enquanto a gordura simboliza a energia de onde os organismos retiram sua força. Em 1969, Beuys elaborou a instalação *A matilha*, que rememorava essa experiência pessoal e era composta por uma Kombi e vinte trenós com feltros enrolados, cintos de couro e lanternas **[doc. 2]**.

DOC. 2 *A matilha*, obra de Joseph Beuys, 1969. Galeria Tate, Londres.

DOC. 3 O artista plástico e professor Joseph Beuys atrás de uma cerca de arame farpado durante protesto contra sua demissão, sem aviso prévio, da Academia de Arte de Düsseldorf, antiga Alemanha Ocidental, 1972. Ele foi demitido por defender que todas as pessoas podiam assistir às suas aulas.

A *performance*: uma arte interdisciplinar

Beuys também foi um importante pioneiro no campo da *performance*, modalidade artística que traz para as artes visuais elementos do teatro, da música, da dança e da expressão corporal. Por suas posições contestadoras, Beuys foi demitido da Academia de Arte de Düsseldorf, na antiga Alemanha Ocidental, em 1972 **[doc. 3]**.

Na *performance Eu amo a América e a América me ama* (1974), Beuys manteve-se enrolado em feltro e fechado por alguns dias numa galeria em Nova York na companhia de um coiote selvagem. Para os indígenas americanos, o coiote é um animal sagrado, cuja existência vem sendo ameaçada desde o início da colonização.

Experiências estéticas na América Latina

Como não podia deixar de ser, as instalações e as *performances* também serviram para expressar as preocupações com a identidade étnica e cultural de artistas oriundos de países pobres ou em desenvolvimento. É o caso do cubano Kcho (Alexis Leyva Machado), que propôs a instalação *Para esquecer*, em que um caiaque é colocado sobre inúmeras garrafas de bebida.

É recorrente na obra de Kcho o uso de botes e caiaques. Os dois elementos fazem referência ao êxodo de milhares de cubanos ocorrido em 1994, quando, desesperados pelas privações causadas pelo embargo comercial ao seu país, tentavam chegar aos Estados Unidos em pequenas embarcações improvisadas.

Kcho também participou da Primeira Bienal do Fim do Mundo, organizada na cidade argentina de Ushuaia, em 2007. Artistas de várias nacionalidades, preocupados com questões ecológicas e políticas, propuseram projetos artísticos que fomentassem a reflexão a respeito do fim do mundo e de outras possibilidades de vida depois dele. Ushuaia foi escolhida por ser a cidade mais austral do mundo, exatamente o último ponto de presença humana antes das terras geladas da Antártida.

Nessa exposição, Kcho ocupou uma antiga residência da região, a Casa Beban, com objetos retirados do cotidiano, como móveis usados e até mesmo assentos sanitários. As bases de cada item encontravam-se fixadas sobre remos de cerca de um metro e meio de altura **[doc. 4]**. Kcho, ironicamente, deixava sua casa preparada para o fim do mundo, aprontando seus móveis para o derretimento das geleiras do Polo Sul.

Os remos também se ligam à temática sempre presente em sua obra, ajudando a compor a ideia de que os homens estão em permanente movimento, eternamente em travessia.

DOC. 4 Kcho e sua instalação *A casa dos homens da praia* em Ushuaia, Argentina, durante a Primeira Bienal do Fim do Mundo, em 2007.

A literatura pós-colonial

Alargando o conceito

Na literatura, nas últimas décadas do século XX, muitas produções conhecidas como pós-coloniais emergiram de uma posição periférica para o centro do debate crítico. Bill Ashcroft, Gareth Griffiths e Helen Tiffin, todos professores de universidades australianas, publicaram, em 1989, o livro *The empire writes back*, no qual examinaram pela primeira vez de forma sistemática o que ficou conhecido como estudos pós-coloniais. Os autores definem como pós-colonial toda cultura que passou pelos processos de imperialismo e colonização impostos pelas potências europeias.

Segundo essa visão, o que essas diferentes literaturas têm em comum é o fato de todas elas surgirem da experiência da colonização, revelando as tensões entre a sociedade colonizada e o poder imperial e afirmando ao mesmo tempo suas características distintivas.

Teóricos posteriores propuseram uma ampliação do conceito declarando que o termo pós-colonial não deve se restringir apenas aos Estados-nação, mas também abranger os grupos oprimidos de diversos contextos. A característica principal dos autores pós-coloniais, portanto, seria sua resistência à opressão política e/ou cultural.

Considerando esse alargamento do conceito, a literatura pós-colonial abrangeria também aquela produzida pelos *chicanos*, ou seja, pessoas de descendência mexicana que vivem legal ou ilegalmente nos Estados Unidos, pelos imigrantes de origem asiática ou africana, na Inglaterra, e ainda aquelas literaturas produzidas por indígenas, negros, mulheres e homossexuais em diversos países.

A produção pós-colonial no mundo

Uma evidência de que as literaturas pós-coloniais ocupam um papel de destaque no cenário crítico contemporâneo pode ser encontrada no grande número de premiações conferidas a escritores que fazem parte dessa classificação. Entre os ganhadores do Prêmio Nobel, por exemplo, há grandes autores pós-coloniais, como Gabriel García Márquez (1982), John M. Coetzee (1983 e 2003), Wole Soyinka (1986), Octavio Paz (1990), Nadine Gordimer (1991), Seamus Heaney (1995), Doris Lessing (2007), entre outros.

Para os autores de língua inglesa, existe ainda o Man Booker Prize, prêmio concedido a cidadãos dos países da Comunidade das Nações (antiga Comunidade Britânica), Irlanda e Zimbábue.

Ben Okri foi o único nigeriano até agora a vencer o Man Booker Prize. Seu romance *The famished road* conquistou a premiação em 1991. Nessa obra, ele conta a história de uma criança-espírito ou *abiku*, uma criatura especial que nasce e morre diversas vezes sem perfazer o ciclo completo da vida do nascimento até a velhice e a morte. Okri utiliza, dessa forma, um motivo recorrente nas culturas da África Ocidental e, pela primeira vez na literatura africana, faz do *abiku* o narrador-protagonista de seu romance. **[doc. 5]**.

DOC. 5 ***The famished road***

"[...] em algum lugar no interespaço entre o mundo dos espíritos e o dos vivos, eu escolhi ficar. [...] Não foi por causa dos sacrifícios, das oferendas incineradas de óleos, inhames e nozes de palmeira ou por causa das blandícias, das promessas breves de tratamento especial e nem mesmo por causa da tristeza que havia causado. Também não foi por causa do meu horror ao reconhecimento. Com exceção de uma pequena marca na palma de minha mão, havia conseguido evitar ser descoberto. Talvez tenha sido simplesmente porque tivesse ficado cansado de ir e vir. É terrível permanecer para sempre no interstício. Também pode ser que quisesse experimentar esse mundo, senti-lo, sofrê-lo, conhecê-lo, amá-lo, dar a ele uma valiosa contribuição e ter aquela sublime sensação de eternidade em mim enquanto vivo a vida que está por vir. Mas às vezes penso que foi um rosto que me fez querer ficar. Eu quis fazer feliz o rosto castigado da mulher que se tornaria minha mãe [...]."

OKRI, Ben. *The famished road*. In: CARBONIERI, Divanize. *Hibridismo e simultaneidade no romance The famished road*, de Ben Okri. Dissertação de mestrado. São Paulo: FFLCH-USP, 2006. p. 13-14.

O escritor nigeriano Ben Okri, em 2003. Ao lado, a capa do seu livro *The famished road*.

A literatura de língua portuguesa

DOC. 6 O escritor moçambicano Mia Couto em sua visita ao Brasil. São Paulo (SP), 2008.

Nos países africanos de língua portuguesa, como Guiné-Bissau, Angola, Moçambique e Cabo Verde, o processo de descolonização também impulsionou o desenvolvimento de literaturas locais. Em Moçambique, por exemplo, escritores como José Craveirinha e Mia Couto são reconhecidos mundialmente e suas obras já receberam importantes premiações **[doc. 6]**.

A novidade, porém, é a projeção de Paulina Chiziane, escritora moçambicana que tem chamado a atenção da crítica. Paulina já publicou cinco romances. Em todas essas obras, ela dá voz a protagonistas femininas que lutam para exercer uma identidade mais plena diante da opressão de práticas culturais tradicionais. Seu primeiro romance, *Balada de amor ao vento* **[doc. 7]**, traz a história de Sarnau, uma mulher que foge de um casamento poligâmico com um homem abusivo para tentar viver livremente sua história de amor. Ao mesmo tempo que valoriza a cultura ancestral moçambicana, Chiziane questiona a submissão das mulheres nesse contexto.

DOC. 7 **Descrição do marido Nguila**

"Não vos falei ainda do meu marido, o Nguila, o homem mais desejado por todas as fêmeas do território. Não o conheço bem, mas estou devidamente informada sobre ele. É um búfalo enorme e forte como exige a nobreza de sua raça. Tem a pele bem negra, testa e nariz esbeltos, dentes branquíssimos, o que lhe confere um aspecto de espécie rara. Tem um caminhar dinâmico, dominante, sedutor. É um excelente caçador, o melhor atirador de arco e flecha. Não há quem meça forças com ele. [...] Dizem que é doido varrido pelo sexo oposto, o que orgulha o rei, seu pai. O padre Ferreira tentou cristianizá-lo sem resultado. Fez tudo para que ele estudasse, pois não fica bem ao futuro rei ser analfabeto, e lá aprendeu algumas coisas, ao menos sabe ler uma carta."

CHIZIANE, Paulina. *Balada de amor ao vento*. Lisboa: Caminho, 2003. p. 31.

A escritora moçambicana Paulina Chiziane, em 2008. Ao lado, a capa do seu livro *Balada de amor ao vento*.

QUESTÕES

1. Observe as obras *Fonte*, de Marcel Duchamp **[doc. 1]**, *A matilha*, de Joseph Beuys **[doc. 2]**, e *A casa dos homens da praia*, de Kcho **[doc. 4]**. Uma diferença entre a primeira e as outras duas é a distância temporal: a *Fonte* é de 1917, enquanto as outras duas instalações são, respectivamente, de 1969 e 2007. Mas a principal diferença reside nos elementos utilizados para compor a obra.

a) Identifique a diferença existente entre os elementos que compõem a obra *Fonte* e os elementos que compõem as obras *A matilha* e *A casa dos homens da praia*.

b) A partir da resposta anterior, responda qual foi o principal fator que determinou a originalidade da obra *Fonte* quando foi apresentada em 1917.

2. A obra *Eu amo a América e a América me ama*, do artista plástico Joseph Beuys, tem muito a ensinar para a sociedade predatória contemporânea. Explique por quê.

3. Identifique o recurso literário inovador que o escritor nigeriano adotou no romance do qual reproduzimos o trecho **[doc. 5]**.

4. Por que a obra de Paulina Chiziane tem sido recebida como uma grande inovação na literatura africana de língua portuguesa **[doc. 7]**?

PRATICANDO: VESTIBULARES E ENEM

UNIDADE K O mundo globalizado

1 (PUC-MG) A economia globalizada caracteriza-se por extrema movimentação de capitais, que circulam diariamente por diferentes mercados financeiros do mundo. Em muitos casos, esses capitais direcionam-se para investimentos produtivos; porém, em grande parte, essa movimentação tem caráter especulativo, que pode devastar economias mais frágeis.

Sobre as características que essa fase do capitalismo apresenta, fase essa marcada pela supremacia do capital financeiro sobre o capital produtivo, é incorreto afirmar que ocorre:

a) um amplo movimento de abertura econômica e de redução do papel regulador do Estado sobre os capitais privados.
b) a formação de megablocos econômicos, que tendem a promover uma ampla abertura comercial e financeira entre seus membros.
c) a universalização de direitos sociais, que se estendem ao conjunto das populações mundiais, uniformizando o processo de desenvolvimento.
d) a redução do papel do Estado nas economias nacionais, por meio da privatização de empresas e atividades econômicas anteriormente exercidas por empresas estatais.

2 (Enem-MEC) Em dezembro de 1998, um dos assuntos mais veiculados nos jornais era o que tratava da moeda única europeia. Leia a notícia destacada abaixo.

"O nascimento do euro, a moeda única a ser adotada por onze países europeus a partir de 1º de janeiro, é possivelmente a mais importante realização deste continente nos últimos dez anos que assistiu à derrubada do Muro de Berlim, à reunificação das Alemanhas, à libertação dos países da Cortina de Ferro e ao fim da União Soviética. Enquanto todos esses eventos têm a ver com a desmontagem de estruturas do passado, o euro é uma aposta no futuro e uma prova da vitalidade da sociedade europeia. A 'Euroland', região abrangida por Alemanha, Áustria, Bélgica, Espanha, Finlândia, França, Holanda, Itália, Irlanda, Luxemburgo e Portugal, tem um PIB (Produto Interno Bruto) equivalente a quase 80% do americano, 289 milhões de consumidores e responde por cerca de 20% do comércio internacional. Com esse cacife, o euro vai disputar com o dólar a condição de moeda hegemônica."

Gazeta Mercantil, 30 dez. 1998.

A matéria refere-se à "desmontagem das estruturas do passado" que pode ser entendida como

a) o fim da Guerra Fria, período de inquietação mundial que dividiu o mundo em dois blocos ideológicos opostos.
b) a inserção de alguns países do Leste Europeu em organismos supranacionais, com o intuito de exercer o controle ideológico no mundo.
c) a crise do capitalismo, do liberalismo e da democracia levando à polarização ideológica da antiga União Soviética.
d) a confrontação dos modelos socialista e capitalista para deter o processo de unificação das duas Alemanhas.
e) a prosperidade das economias capitalista e socialista, com o consequente fim da Guerra Fria entre Estados Unidos e União Soviética.

3 (UFRN) Em 1992 acusações de corrupção atingiram o presidente Fernando Collor de Mello, que, reagindo a essas denúncias, convocou a população para defendê-lo. No entanto, as manifestações da sociedade civil e do Congresso Nacional resultaram na deposição do presidente acusado.

Avaliando essa situação política, atenda às solicitações abaixo.

a) Explique como o Congresso Nacional e a sociedade civil reagiram diante das denúncias contra o presidente.
b) Explicite quais os valores éticos exigidos por esses manifestantes.

4 (Unicamp-SP) Os anos 90 constituem a década em que o impacto das chamadas novas tecnologias sobre o trabalho, a vida e a cultura se fez sentir de modo incontornável. Com a disseminação dos computadores e da internet, com os avanços da biotecnologia e as promessas da nanotecnologia, ficava patente que as inovações tecnológicas não se encontravam apenas nos laboratórios, mas faziam parte do cotidiano das massas urbanas. O acesso à tecnologia tornou-se tão vital que hoje a inclusão social e a própria sobrevivência passam obrigatoriamente pela capacidade que as pessoas têm de se inserir no mundo das máquinas e de acompanhar as ondas da evolução tecnológica.

Adaptado de SANTOS, Laymert Garcia dos. *Politizar as novas tecnologias*: o impacto sociotécnico da informação digital e da genética. São Paulo: 34, 2003. p. 9-10.

a) Identifique três das novas tecnologias citadas no texto e aponte um uso para cada uma delas.
b) Explique uma questão ética presente nas discussões atuais sobre a biotecnologia.

5 (UFRJ) Desde o início dos anos 90 o Brasil vem experimentando os efeitos das políticas adotadas pelos Governos Collor, Itamar Franco e Fernando Henrique Cardoso. As principais características deste modelo político, considerado por muitos neoliberal, são

a) o pleno emprego e o desenvolvimento econômico, com base nos investimentos estatais e nas parcerias com o setor financeiro.
b) o controle da inflação e da dívida pública, a partir da redução dos impostos, da negociação da dívida externa e da elevação salarial.
c) a redução da interferência do Estado na economia (Estado-mínimo), a abertura ao capital externo e às privatizações, além da redução de gastos do Estado, através de reformas constitucionais.
d) os investimentos exclusivos na política de bem-estar social, expressos nos assentamentos dos sem-terra e na Ação da Cidadania Contra a Fome, privilegiando a redistribuição de renda e permanência do homem no campo.
e) a valorização das organizações dos trabalhadores, visando construir parcerias na luta contra o desemprego.

Leituras

O fim da URSS: origens e fracasso da *perestroika*
GORENDER, Jacob
São Paulo: Atual, 2003.

O livro debruça-se sobre o processo de desmontagem do bloco soviético e de estabelecimento da hegemonia neoliberal. Ao contrário de outras interpretações, entretanto, o autor insiste em virar a página da história mais uma vez, apontando para a fragilidade do neoliberalismo e para a possibilidade de recuperação de um socialismo renovado.

Globalização a olho nu
BRIGAGÃO, Clóvis; RODRIGUES, Gilberto M. A.
São Paulo: Moderna, 2004.
(Coleção Polêmica)

O assunto desse livro é a globalização. Os autores se propõem a analisar o fenômeno a partir de diversos pontos de vista. Tratam das transformações operadas pela globalização e buscam compreender as novas demandas mundiais.

História do Brasil recente (1964-1992)
MENDONÇA, Sônia R. de; FONTES, Virginia Maria.
São Paulo: Ática, 2006.
(Série Princípios)

O livro trata dos fatores que determinaram o golpe militar em 1964. Analisa os resultados provocados por esse período na formação social brasileira e, por fim, volta-se para o processo de abertura política.

Filmes

Adeus, Lenin!
Direção de Wolfgang Becker.
Alemanha, 2003. 121 min.

Uma moradora de Berlim Oriental, fiel ao regime soviético, entra em coma e acorda tempos depois da queda do Muro de Berlim. Seu filho altera ou omite os novos acontecimentos, temendo que pudessem prejudicar a saúde da mãe.

Antes da chuva
Direção de Milcho Manchevski.
França/Grã-Bretanha/Macedônia, 1994. 115 min.

Três histórias se desenrolam e estabelecem um impressionante diálogo entre si. A trama é uma especial leitura dos conflitos étnico-religiosos que assombraram a região da antiga Iugoslávia e envolve o confronto entre macedônios ortodoxos e albaneses muçulmanos.

Central do Brasil
Direção de Walter Salles.
Brasil/França, 1998. 113 min.

Dora escreve cartas para analfabetos na estação de trem Central do Brasil, no Rio de Janeiro. Acaba envolvendo-se e acolhendo Josué, um garoto de nove anos de idade que perdeu a mãe e está à procura do pai. Juntos empreendem a viagem à procura do pai em direção ao interior do Brasil.

Entre os muros da escola
Direção de Laurent Cantet.
França, 2007. 128 min.

Um professor de língua francesa em uma escola de ensino médio na periferia de Paris tenta lidar com as tensões sociais e culturais que emergem na sala de aula e que refletem a França contemporânea.

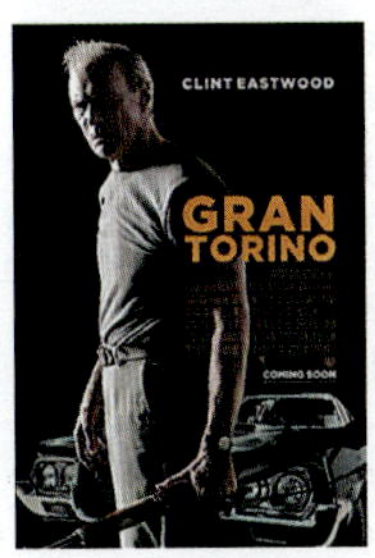

Gran Torino
Direção de Clint Eastwood.
Estados Unidos, 2008. 116 min.

Um veterano da Guerra da Coreia, solitário e inflexível, tem que rever seus próprios preconceitos quando passa a conviver com novos vizinhos, imigrantes vindos do Laos. O estranhamento e a rejeição inicial, com o tempo, transformam-se em uma grande lição de vida.

Medos privados em lugares públicos
Direção de Alain Resnais.
França/Itália, 2006. 120 min.

Diversos personagens, homens e mulheres, interagem entre si no inverno parisiense. A solidão e os medos particulares de cada um deles, entretanto, os mantêm a uma distância que os impede de um contato mais íntimo. É somente com a superação desse vazio que os relacionamentos podem tornar-se verdadeiramente próximos.

REFERÊNCIAS BIBLIOGRÁFICAS

ABRAMO, F.; KAREPOVS, D. *Na contracorrente da história*. São Paulo: Brasiliense, 1987.

ALCORÃO. O significado dos versículos do Alcorão sagrado: versão portuguesa diretamente do árabe. São Paulo: Marsam, 2004.

ALENCASTRO, Luiz Felipe de. *O trato dos viventes*: formação do Brasil no Atlântico sul. São Paulo: Companhia das Letras, 2000.

__________ (Org.). *História da vida privada no Brasil*. São Paulo: Companhia das Letras, 2008. v. 2.

ALMEIDA, Carla Maria Carvalho de. Dinâmica produtiva em Minas Gerais. O sistema econômico em funcionamento no termo de Mariana, 1750-1850. In: *Revista Eletrônica de História do Brasil*, v. 6, n. 2, 2004.

ALVES, Castro. *Obra completa*. 2. ed. Rio de Janeiro: Nova Aguilar, 1997.

ALVIM, Zuleika. *Brava gente*: os italianos em São Paulo. São Paulo: Brasiliense, 1986.

AMADO, Janaína; GARCIA, Leônidas F. *Navegar é preciso*: grandes descobrimentos marítimos europeus. São Paulo: Atual, 1989.

ANDERSON, Perry. *Linhagens do Estado absolutista*. São Paulo: Brasiliense, 1985.

ANTONIL, André João. *Cultura e opulência do Brasil por suas drogas e minas*. São Paulo: Edusp, 2007.

APPIAH, Kwame Anthony. *Na casa de meu pai*: a África na filosofia da cultura. Rio de Janeiro: Contraponto, 1997.

ARENDT, Hannah. *Origens do totalitarismo*: antissemitismo, imperialismo, totalitarismo. São Paulo: Companhia das Letras, 1989.

ARGAN, Giulio Carlo. *Arte moderna*: do iluminismo aos movimentos contemporâneos. 5. ed. São Paulo: Companhia das Letras, 1992.

ARIÈS, Philippe; DUBY, Georges. *História da vida privada*: da Revolução Francesa à Primeira Guerra. São Paulo: Companhia das Letras, 2001. v. 3.

ARRUDA, José Jobson de. *A Revolução Inglesa*. São Paulo: Brasiliense, 1984.

ARTE da África. Obras-primas do Museu Etnológico de Berlim. Brasília/São Paulo/Rio de Janeiro: Centro Cultural Banco do Brasil, 2004.

ASHCROFT, Bill; GRIFFITHS, Gareth; TIFFIN, Helen. *The empire writes back*: theory and practice in post-colonial literatures. Londres/Nova York: Routledge, 1994.

ASH, Timothy Garton. *Nós, o povo*: a revolução de 1989 em Varsóvia, Budapeste, Berlim e Praga. São Paulo: Companhia das Letras, 1992.

ASHERI, David. *O Estado persa*. São Paulo: Perspectiva, 2006.

ATLAS da história do mundo. São Paulo: Times/Folha de S.Paulo, 1995.

ATLAS de história mundial. Rio de Janeiro: Reader's Digest, 2001 e 2005.

ATLAS geográfico escolar. Rio de Janeiro: IBGE, 2006.

ATLAS histórico escolar. Rio de Janeiro: FAE, 1991.

ATLAS of the world history. Skokie: Rand McNally, 1995.

AZEVEDO, Aroldo de. *Vilas e cidades do Brasil colonial*: ensaio de geografia urbana retrospectiva. São Paulo: Faculdade de Filosofia, Ciências e Letras/Universidade de São Paulo, 1956.

BAIÃO, António; CIDADE, Hernani; MÚRIAS, Manuel (Dir.). *História da expansão portuguesa no mundo*. Lisboa: Ática, 1937. v. 1.

BAKUNIN, Mikhail. *Textos anarquistas*. Porto Alegre: L&PM, 2000.

BANCO CENTRAL DO BRASIL. *500 anos do dinheiro no Brasil*. 2. ed. Secretaria de Relações Institucionais do Banco Central do Brasil, 2000.

BARBOSA, Lívia. *Sociedade de consumo*. Rio de Janeiro: Jorge Zahar, 2008.

BASCHET, Jérôme. *A civilização feudal*. São Paulo: Globo, 2006.

BATALHA, Claudio. *O movimento operário na Primeira República*. Rio de Janeiro: Jorge Zahar, 2000.

BEAUD, Michel. *História do capitalismo de 1500 aos nossos dias*. São Paulo: Brasiliense, 1994.

BELLUZO, Ana Maria de Moraes (Org.). *O Brasil dos viajantes*. São Paulo: Metalivros, 1994.

BENEVIDES, Maria Victoria. *O governo Jânio Quadros*. São Paulo: Brasiliense, 1981.

BERNARDES, Denis de Mendonça. *O patriotismo constitucional*: Pernambuco, 1820-1822. São Paulo: Hucitec; Recife: Editora UFPE, 2006.

BERNARDET, Jean-Claude. *O que é cinema*. São Paulo: Nova Cultural/Brasiliense, 1985.

BERNSTEIN, Serge; MILZA, Pierre (Dir.). *História do século XX*: de 1973 aos dias atuais. A caminho da globalização e do século XXI. São Paulo: Nacional, 2007. v. 3.

BETHELL, Leslie (Org.). *História da América Latina*: de 1870 a 1930. São Paulo: Edusp/Imprensa Oficial do Estado de São Paulo; Brasília: Fundação Alexandre de Gusmão, 2001. v. 4.

BÍBLIA de Jerusalém. São Paulo: Paulus, 2002.

BITTENCOURT, Circe (Org.). *O saber histórico na sala de aula*. São Paulo: Contexto, 1998.

BLAINEY, Geoffrey. *Uma breve história do século XX*. São Paulo: Fundamento, 2009.

BLANNING, Tim. *The Pursuit of Glory*: Europe 1648-1815. Londres: Penguin, 2007.

BOAHEN, A. Adu (Coord.). *História geral da África. A África sob dominação colonial (1880-1935)*. São Paulo: Ática/Unesco, 1991 e 1985.

BOBBIO, Norberto e outros. *Dicionário de política*. Brasília: Editora da UnB, 1998. 2 v.

BOLÍVAR, Simón. *Textos-política*. São Paulo: Ática, 1983.

BÖMELBURG, Helen von. Aufstand gegen die Maschinen. In: *Geoepoche*: Die industrielle Revolution, n. 30.

BORGES, Vavy Pacheco. *Getúlio Vargas e a oligarquia paulista*. São Paulo: Brasiliense, 1979.

BOSI, Ecléa. *Memória e sociedade*: lembranças de velhos. São Paulo: Companhia das Letras, 1998.

__________. *O tempo vivo da memória*. São Paulo: Ateliê Editorial, 2003.

BOTTOMORE, Tom (Org.). *Dicionário do pensamento marxista*. Rio de Janeiro: Jorge Zahar, 1988.

BOXER, Charles R. *O império marítimo português*: 1415-1825. São Paulo: Companhia das Letras, 2002.

BRAUDEL, Fernand. *Civilização material, economia e capitalismo*: séculos XV-XVIII. Lisboa: Teorema, s.d.

BRESCIANI, Maria Stella M. *Londres e Paris no século XIX*: o espetáculo da pobreza. São Paulo: Brasiliense, 1989.

BRIGGS, Asa; BURKE, Peter. *Uma história social da mídia*: de Gutenberg à internet. Rio de Janeiro: Jorge Zahar, 2006.

BROWN, Peter. *Corpo e sociedade*: o homem, a mulher e a renúncia sexual no início do cristianismo. Rio de Janeiro: Jorge Zahar, 1990.

BUBER, Martin. *O socialismo utópico*. São Paulo: Perspectiva, 1986.

BUENO, Eduardo. *Brasil – uma história*: a incrível saga de um país. São Paulo: Ática, 2002.

BÜRGER, Peter. *Teoria da vanguarda*. São Paulo: Cosac Naify, 2008.

BURKE, Peter. *A fabricação do rei*: a construção da imagem pública de Luís XIV. Rio de Janeiro: Jorge Zahar, 1994.

__________. *O que é história cultural?* Rio de Janeiro: Jorge Zahar, 2005.

__________. *Uma história social do conhecimento*: de Gutenberg a Diderot. Rio de Janeiro: Jorge Zahar, 2003.

__________ (Org.). *A escrita da história*: novas perspectivas. São Paulo: Editora Unesp, 1992.

BURKHARDT, Jacob. *A cultura do Renascimento na Itália*. São Paulo: Companhia das Letras, 1995.

CAIRE-JABINET, Marie-Paule. *Introdução à historiografia*. Bauru: Edusc, 2003.

CALDAS, Waldenyr. *Iniciação à música popular brasileira*. São Paulo: Ática, 2000.

CALDEIRA, Jorge. *Brasil:* a história contada por quem viu. São Paulo: Mameluco, 2008.

CAMÍN, Hector Aguilar; MEYER, Lorenzo. *À sombra da Revolução Mexicana*: história mexicana contemporânea (1910-1989). São Paulo: Edusp, 2001.

CAMÕES, Luís de. *Os lusíadas*. 5. ed. São Paulo: Cultrix, 1982.

CANÊDO, Letícia Bicalho. *A Revolução Industrial*. São Paulo: Atual/Editora da Unicamp, 1985.

CAPELATO, Maria Helena R. *Multidões em cena*: propaganda política no varguismo e no peronismo. Campinas: Papirus, 1998.

__________. *O movimento de 1932*: a causa paulista. São Paulo: Brasiliense, 1981. v. 15. (Tudo é história)

__________. *Os arautos do liberalismo*: imprensa paulista (1920-1945). São Paulo: Brasiliense, 1989.

CARNEIRO, Maria Luíza T. *O antissemitismo na era Vargas (1930-1945)*. São Paulo: Brasiliense, 1988.

CARONE, Edgard. *A República Velha. Instituições e classes sociais*. São Paulo: Difel, 1975.

CARPENTIER, Jean; LEBRUN, François (Ed.). *Histoire de l'Europe*. Paris: Seuil, 1990.

CARR, E. H. *A Revolução Russa de Lênin a Stalin (1917-1929)*. Rio de Janeiro: Zahar, 1981.

CARVALHO, José Murilo de. *Cidadania no Brasil*: o longo caminho. 12. ed. Rio de Janeiro: Civilização Brasileira, 2008 e 2009.

__________. *Forças armadas e política no Brasil*. Rio de Janeiro: Jorge Zahar, 2005.

CASSIRER, Ernst. *A filosofia do iluminismo*. Campinas: Editora da Unicamp, 1994.

__________. *A questão Jean-Jacques Rousseau*. São Paulo: Editora Unesp, 1999.

CASTELLS, Manuel. *A sociedade em rede*. Rio de Janeiro: Paz e Terra, 2007. v. 1. (Série A era da informação: economia, sociedade e cultura)

CEPIK, Marco A. C. *Espionagem e democracia*. Rio de Janeiro: Editora FGV, 2003.

CHALIAND, Gérard; RAGEAU, Jean-Pierre. *Atlas stratégique*: géopolitique des rapports de forces dans le monde. Paris: Complexe, 1988.

CHARTIER, Roger. *A aventura do livro*: do leitor ao navegador. São Paulo: Editora Unesp/Imprensa Oficial do Estado de São Paulo, 1999.

__________. *À beira da falésia*: a história entre certezas e inquietudes. Porto Alegre: Ed. Universidade/UFRGS, 2002.

CHÂTELET, François e outros. *História das ideias políticas*. Rio de Janeiro: Jorge Zahar, 2000.

CHAVOT, P.; MORENNE, J.-D. *L'ABCdaire de la Première Guerre Mondiale*. Paris: Flammarion, 2003.

CHIPP, H. B. *Teorias da arte moderna*. São Paulo: Martins Fontes, 1999.

CHIRICO, Selva López. *América Latina na hora da independência*. São Paulo: Memorial da America Latina, 2008.

CHOURAQUI, André. *Os homens da Bíblia*. São Paulo: Companhia das Letras/Círculo do Livro, 1990.

COLETÂNEA de documentos históricos para o 1º grau: 5ª a 8ª séries. São Paulo: SE/Cenp, 1980.

COLOMBO, Cristóvão. *Diários da descoberta da América. As quatro viagens e o testamento*. Porto Alegre: L&PM, 1991.

COMMELIN, P. *Mitologia grega e romana*. São Paulo: Martins Fontes, 1993.

CONCEIÇÃO, José Maria Nunes Pereira. *África*: um novo olhar. Rio de Janeiro: Ceap, 2006.

CONRAD, Joseph. *O coração das trevas*. Rio de Janeiro: Ediouro, 1996.

CONRAD, Robert Edgar. *Tumbeiros*: o tráfico de escravos para o Brasil. São Paulo: Brasiliense, 1985.

COOK, Michael. *Uma breve história do homem*. Rio de Janeiro: Jorge Zahar, 2005.

CORNEVIN, M. *História da África contemporânea*: da Segunda Guerra Mundial aos nossos dias. Lisboa: Edições Sociais, 1979. v. 1.

CORRÊA, Anna Maria Martinez. *A Revolução Mexicana*. São Paulo: Brasiliense, 1983.

COSTA E SILVA, Alberto da. *A enxada e a lança*: a África antes dos portugueses. 2. ed. Rio de Janeiro: Nova Fronteira, 1996.

COSTA, Angela Marques da; SCHWARCZ, Lilia Moritz. *1890-1914*: no tempo das certezas. São Paulo: Companhia das Letras, 2000.

COSTA, Emilia Viotti da. *A abolição*. São Paulo: Editora Unesp, 2008.

__________. *Da monarquia à república*. São Paulo: Editora Unesp, 1999.

CUNHA, Manuela Carneiro da (Org.). *História dos índios no Brasil*. São Paulo: Companhia das Letras/Secretaria Municipal de Cultura/ Fapesp, 1992.

D'INCAO, Maria Ângela (Org.). *O Brasil não é mais aquele...*: mudanças sociais após a redemocratização. São Paulo: Cortez, 2001.

D'ONOFRIO, Salvatore. *Literatura ocidental*: autores e obras fundamentais. São Paulo: Ática, 2007.

DABÈNE, Olivier. *América Latina no século XX*. Porto Alegre: EDIPUCRS, 2003.

DARWIN, Charles. *A origem do homem e a seleção sexual*. São Paulo: Hemus, 1974.

DAVIDSON, Basil. *A descoberta do passado de África*. Lisboa: Sá da Costa, 1981.

__________. Os impérios africanos. In: *História em Revista (1300-1400)*. A era da calamidade. Rio de Janeiro: Abril Livros/Time-Life, 1992.

DE DECCA, Edgar. *1930*: o silêncio dos vencidos. 6. ed. São Paulo: Brasiliense, 1994.

DE DECCA, Maria Auxiliadora Guzzo. *Cotidiano de trabalhadores na república. São Paulo (1889-1940)*. São Paulo: Brasiliense, 1990.

DELUMEAU, Jean. *Nascimento e afirmação da Reforma*. São Paulo: Pioneira, 1989.

DEMPSEY, Amy. Construtivismo. In: *Estilos, escolas e movimentos*: guia enciclopédico da arte moderna. São Paulo: Cosac Naify, 2003.

DEUSTCHER, Isaac. *A revolução inacabada*: Rússia (1917-1967). Rio de Janeiro: Civilização Brasileira, 1968.

DIAS, Gonçalves. *Poesias completas*. Rio de Janeiro: Livraria Editora Zelio Valverde, 1944. v. 2.

DICKENS, Charles. *Tempos difíceis*. São Paulo: Paulinas, 1968.

DOCUMENTOS históricos. Rio de Janeiro: Biblioteca Nacional/Divisão de Obras Raras e Publicações, 1954. v. 105.

DONGHI, Tulio Halperín. *História da América Latina*. Rio de Janeiro: Paz e Terra, 1975.

DONNER, Herbert. *História de Israel e dos povos vizinhos*: dos primórdios até a formação do Estado. São Leopoldo: Sinodal, 1997. v. 1.

DORATIOTO, Francisco Fernando Monteoliva. *Maldita guerra*: nova história da Guerra do Paraguai. São Paulo: Companhia das Letras, 2002.

DROZ, Bernard; ROWLEY, Anthony. *Histoire générale du XXe siècle*. Paris: Seuil, 1986. v. 4.

DUBY, Georges. *Atlas historique mondial*. Paris: Larousse, 2003.

__________ (Org.). *História da vida privada*: da Europa feudal à Renascença. São Paulo: Companhia das Letras, 1999. v. 2.

DURANT, Will. *A idade da fé*. Rio de Janeiro: Record, s/d.

DUSSEN, Adriaen van der. *Relatório sobre as capitanias conquistadas no Brasil pelos holandeses*. Rio de Janeiro: IAA, 1947.

EAGLETON, Terry. *Marx*. São Paulo: Editora Unesp, 1999.

ECKARDT, Wolf von; GILMAN, Sander L. *A Berlim de Bertolt Brecht*: um álbum dos anos 20. Rio de Janeiro: José Olympio, 1996.

ECO, Umberto (Org.). *História da beleza*. Rio de Janeiro: Record, 2004.

EISENBERG, Peter Louis. *Guerra Civil Americana*. São Paulo: Brasiliense, 1985.

EISENSTEIN, Sergei. *Reflexões de um cineasta*. Lisboa: Arcádia, 1961.

ELIADE, Mircea. *História das crenças e das ideias religiosas*. 2. ed. Rio de Janeiro: Jorge Zahar, 1983.

__________. *História das crenças e das ideias religiosas*. Rio de Janeiro: Zahar, 1979. v. 2.

__________. *O conhecimento sagrado de todas as eras*. São Paulo: Mercuryo, 1995.

__________. *Yoga*: mortalidade e liberdade. São Paulo: Palas Athena, 1997.

ELIAS, Norbert. *A sociedade de corte*: investigação sobre a sociologia da realeza e da aristocracia de corte. Rio de Janeiro: Jorge Zahar, 2001.

__________. *O processo civilizador*. Rio de Janeiro: Jorge Zahar, 1997. v. 2.

__________. *Os alemães*: a luta pelo poder e a evolução do habitus nos séculos XIX e XX. Rio de Janeiro: Jorge Zahar, 1997.

EMBREE, Ainslie T.; WILHELM, Friedrich. *India*: historia del subcontinente desde las culturas del Indo hasta el comienzo del dominio inglês. Madrid: Siglo XXI, 1974.

ENCICLOPÉDIA DO ESTUDANTE. *História do Brasil*: das origens ao século XXI. São Paulo: Estadão/Moderna, 2008.

ENGELS, Friedrich. *A situação da classe trabalhadora na Inglaterra*. Rio de Janeiro: Global, 1985.

FAORO, Raymundo. *Os donos do poder*: formação do patronato político brasileiro. São Paulo: Globo/Publifolha, 2000. v. 2.

FARIA, Ricardo e outros. *História contemporânea através de textos*. São Paulo: Contexto, 1991.

FAURÉ, Christine. *Mai 68*: jour et nuit. Paris: Gallimard, 1998.

FAUSTO, Boris. *A Revolução de 1930*: historiografia e história. 16. ed. São Paulo: Companhia das Letras, 1997.

______. *História concisa do Brasil*. São Paulo: Edusp, 2001.

______. *História do Brasil*. 2. ed. São Paulo: Edusp/FDE, 1995 e 1999.

______ (Dir.). *História geral da civilização brasileira*: o Brasil republicano. São Paulo: Difel, 1984. v. 10 e 11.

______; DEVOTO, Fernando. *Brasil e Argentina*: um ensaio de história comparada (1850-2002). São Paulo: Editora 34, 2004.

FAUSTO, Carlos. *Os índios antes do Brasil*. Rio de Janeiro: Jorge Zahar, 2000. (Série Descobrindo o Brasil)

FELICE, G. D. A controvérsia sobre o sítio arqueológico Toca do Boqueirão da Pedra Furada, Piauí, Brasil. In: *Fumdhamentos II*, Fundação Museu do Homem Americano, Parque Nacional da Serra da Capivara, Brasil. Centro Cultural Sérgio Motta, 2002.

FERNANDES, Florestan. *Da guerrilha ao socialismo*: a Revolução Cubana. São Paulo: T. A. Queiroz, 1979.

FERREIRA, Graça Maria Lemos. *Atlas geográfico*: espaço mundial. São Paulo: Moderna, 2003.

FERREIRA, Maria Nazareth. *A imprensa operária no Brasil*. Petrópolis: Vozes, 1978.

FERRO, Marc. *A Revolução Russa de 1917*. São Paulo: Perspectiva, 1988.

______. *História da Segunda Guerra Mundial*. São Paulo: Ática, 1997.

______. *Le mur de Berlin et la chute du communisme expliqués à ma petite-fille*. Paris: Seuil, 2009.

______ (Org.). *Nazisme et communisme*: deux régimes dans le siècle. Paris: Hachette, 1999.

FIABANI, Adelmir. *Mato, palhoça e pilão*: o quilombo, da escravidão às comunidades remanescentes (1532-2004). São Paulo: Expressão Popular, 2005.

FIGUEIREDO, Lucas. *Ministério do silêncio. A história do serviço secreto brasileiro*: de Washington Luís a Lula (1927-2005). Rio de Janeiro/ São Paulo: Record, 2005.

FILIPOVIC, Zlata. *O diário de Zlata*: a vida de uma menina na guerra. São Paulo: Companhia das Letras, 2001.

FINLEY, Moses I. *Los griegos de la antiguedad*. Barcelona: Labor, s/d.

FLORENZANO, Maria Beatriz B. *O mundo antigo*: economia e sociedade. São Paulo: Brasiliense, 1986.

FORTES, Luiz Roberto Salinas. *Rousseau*: o bom selvagem. São Paulo: Humanitas/Discurso Editorial, 2007.

FOUCAULT, Michel. *História da sexualidade*. Rio de Janeiro: Graal, 2003. v. 2 e 3.

FOURIER, Charles. *Crítica de la civilización y de las ideologias*. Buenos Aires: Rodolfo Alonso Editor, 1973.

FRANCO, Maria Sylvia de C. *Homens livres na ordem escravocrata*. São Paulo: Editora Unesp, 1997.

FRIEDMAN, Norman. *Der kalte Krieg*: 1945-1991. München: C. J. Bucher Verlag GmbH, 2006.

FUNARI, Pedro Paulo de A.; NOELLI, Francisco Silva. *Pré-história do Brasil*. São Paulo: Contexto, 2002. (Repensando a História)

FUNARI, Pedro Paulo. A cidadania entre os romanos. In: PINSKY, Jaime; PINSKY, Carla B. (Orgs.). *História da cidadania*. São Paulo: Contexto, 2008.

______. *Antiguidade clássica*: a história e a cultura a partir dos documentos. Campinas: Editora da Unicamp, 2003.

______. *Cultura popular na Antiguidade clássica*. São Paulo: Contexto, 1996.

FUNDER, Anna. *Stasilândia*: como funcionava a política secreta alemã. São Paulo: Companhia das Letras, 2008.

FURET, François. *Pensando a Revolução Francesa*. São Paulo: Paz e Terra, 1989.

GALLAND, Antoine. *As mil e uma noites*. Lisboa: Estampa, 1986.

GALLANT, ROY. *Early Humans*. Nova York: Benchmark, 2000.

GARDNER, Ernest A. *The handbook of greek sculpture*. Londres: Macmillan, 1920.

GARELLI, Paul; NIKIPROWETZKY, V. *O Oriente Próximo asiático*: impérios mesopotâmicos, Israel. São Paulo: Pioneira/Edusp, 1982.

GERAB, Kátia; RESENDE, Maria Angélica. *A rebelião de Tupac Amaru*. São Paulo: Brasiliense, 1987.

GOITIA, Fernando Chueca e outros. *História geral da arte. Arquitetura I*. Madri: Ediciones del Prado, 1995.

GOMBRICH, Ernst H. *A história da arte*. Rio de Janeiro: Guanabara Koogan, 1993.

GOMES, Ângela de Castro. *Burguesia e trabalho*. Rio de Janeiro: Campus, 1979.

______. *História e historiadores*: a política cultural do Estado Novo. Rio de Janeiro: Editora FGV, 1996.

GONZÁLEZ, Horácio. *A Comuna de Paris*: os assaltantes do céu. São Paulo: Brasiliense, 1989.

GRANET, Marcel. *A civilização chinesa*. Rio de Janeiro: Éditions Ferni, s.d. v. 2.

______. *O pensamento chinês*. Rio de Janeiro: Contraponto, 1997.

GRESPAN, Jorge. *Revolução Francesa e iluminismo*. São Paulo: Contexto, 2003.

GRIBBIN, John. *Science*: a history. Londres: Penguin Books, 2002.

GRUBE, Ernst J. *Mundo islâmico. Enciclopédia das artes plásticas em todos os tempos*. Rio de Janeiro: José Olympio, 1966. (O mundo da arte)

GUIBERNAU, Montserrat. *Nacionalismos*: o estado nacional e o nacionalismo no século XX. Rio de Janeiro: Jorge Zahar, 1997.

GURVITCH, Georges. *Proudhon*. Lisboa: Edições 70, 1983.

GUZZO, Maria A. Dias. *Getúlio Vargas*: mito e realidade. São Paulo: Universidade Falada, 2007.

______. *Silva Jardim*. São Paulo: Ícone, 2003.

HALL, Stuart. *A identidade cultural na pós-modernidade*. Rio de Janeiro: DP&A, 2003.

HARDEM, Donald. *Os fenícios*. Lisboa: Verbo, 1980.

HARDMAN, Francisco Foot. *Nem pátria, nem patrão! Memória operária, cultura e literatura no Brasil*. São Paulo: Editora Unesp, 2002.

HARDT, Michael; NEGRI, Antonio. *Multidão*: guerra e democracia na era do Império. Rio de Janeiro: Record, 2005.

HAUSER, Arnold. *História social da arte e da literatura*. São Paulo: Martins Fontes, 1995.

HEERS, Jacques. *História medieval*. São Paulo/Rio de Janeiro: Difel, 1977.

HENRY, John. *A Revolução Científica e as origens da ciência moderna*. Rio de Janeiro: Jorge Zahar, 1998.

HERNANDEZ, Leila Leite. *A África na sala de aula*: visita à história contemporânea. 2. ed. São Paulo: Selo Negro, 2008.

HERÓDOTO. *História*. Rio de Janeiro: Jackson, 1952. v. 2.

______. *Histórias*. Brasília: Editora da UnB, 1985.

HETZEL, B.; NEGREIROS, S. (Orgs.). *Pré-história do Brasil*. Rio de Janeiro: Manati, 2007.

HILGEMANN, W.; KINDER, H. *Atlas historique*: de l'apparition de l'homme sur la terre à l'ère atomique. Paris: Perrin, 1992.

HILL, Christopher. *Lênin e a Revolução Russa*. Rio de Janeiro: Zahar, 1977.

______. *O eleito de Deus*: Oliver Cromwell e a Revolução Inglesa. São Paulo: Companhia das Letras, 1990.

______. *O mundo de ponta-cabeça*: ideias radicais durante a Revolução Inglesa de 1640. São Paulo: Companhia das Letras, 1987.

HOBSBAWM, Eric J. *A era das revoluções*: 1789-1848. São Paulo: Paz e Terra, 1996.

______. *A era do capital*: 1848-1875. São Paulo: Paz e Terra, 1996.

______. *A era dos impérios*: 1875-1914. Rio de Janeiro/São Paulo: Paz e Terra, 1988 e 2007.

______. *A Revolução Francesa*. São Paulo: Paz e Terra, 2008.

______. *Da Revolução Industrial inglesa ao imperialismo*. Rio de Janeiro: Forense, 2009.

______. *Era dos extremos*: o breve século XX (1914-1991). São Paulo: Companhia das Letras; Lisboa: Presença, 1996 e 2002.

______. *Globalização, democracia e terrorismo*. São Paulo: Companhia das Letras, 2008.

______ . *História do marxismo*. Rio de Janeiro: Paz e Terra, 1989. v. 2.

_____________. *História do marxismo*. São Paulo: Paz e Terra, 1980. v. 1.

_____________. *Rebeldes primitivos*. Barcelona: Ariel, 1974.

HOFBAUER, Andreas. *Uma história de branqueamento ou o negro em questão*. São Paulo: Editora Unesp, 2006.

HOLANDA, Sérgio Buarque de. *História geral da civilização brasileira*. São Paulo: Difel, 1960. t. 1, v. 2.

HOLLANDA, Heloísa Buarque de. *Impressões de viagem*: CPC, vanguarda e desbunde, 1960/70. Rio de Janeiro: Aeroplano, 2004.

_____________; GONÇALVES, Marcos A. *Cultura e participação nos anos 60*. São Paulo: Brasiliense, 1987.

HOLSTON, James. *A cidade modernista*: uma crítica de Brasília e sua utopia. São Paulo: Companhia das Letras, 1993.

HOURANI, Albert. *Uma história dos povos árabes*. São Paulo: Companhia das Letras, 2006.

HUIZINGA, Johan. *O declínio da Idade Média*. Lisboa: Ulisseia, 1996.

HUNT, E. K. *História do pensamento econômico*. Rio de Janeiro: Campus, 1989.

_____________; SHERMAN, Howard J. *História do pensamento econômico*. Petrópolis: Vozes, 1987.

IGLESIAS, Francisco. *A Revolução Industrial*. São Paulo: Brasiliense, 1984.

_____________. *Constituintes e constituições brasileiras*. São Paulo: Brasiliense, 1987.

INÁCIO, Inês da Conceição; LUCA, Tânia Regina de. *Documentos do Brasil colonial*. São Paulo: Ática, 1993.

JAEGER, Werner. *Paideia*: a formação do homem grego. São Paulo: Martins Fontes, 2001.

JAMBEIRO, Othon e outros. *Tempos de Vargas*: o rádio e o controle da informação. Salvador: EDUFBA, 2004.

JANSON, H. W. *História geral da arte*: o mundo moderno. São Paulo: Martins Fontes, 2001.

JEAN, Georges. *A escrita*: memória dos homens. São Paulo: Objetiva, 2008.

JENKINS, Keith. *A história repensada*. São Paulo: Contexto, 2001.

JOHNSON, Paul. *História do cristianismo*. Rio de Janeiro: Imago, 2001.

JUDT, Tony. *Postwar*: a history of Europe since 1945. Nova York: Penguin Books, 2005.

KAGARLITSKY, Boris. *A desintegração do monolito*. São Paulo: Editora Unesp, 1991.

KANT, Immanuel. *Ideia de uma história universal de um ponto de vista cosmopolita*. São Paulo: Brasiliense, 1986.

KARNAL, Leandro. *Estados Unidos*: a formação da nação. São Paulo: Contexto, 2001.

_____________ e outros. *História dos Estados Unidos*: das origens ao século XXI. São Paulo: Contexto, 2008.

_____________ (Org.). *História dos Estados Unidos*. São Paulo: Contexto, 2007.

KEEGAN, John. *Uma história da guerra*. São Paulo: Companhia das Letras, 2006.

KI-ZERBO, J. (Coord.). *História geral da África*. São Paulo: Ática/Unesco, 1983.

KLEIN, Herbert. *A escravidão africana na América Latina e no Caribe*. São Paulo: Brasiliense, 1987.

KLEMPERER, Victor. *LTI. A linguagem do Terceiro Reich*. Rio de Janeiro: Contraponto, 2009.

KOYRÉ, Alexandre. *Do mundo fechado ao universo infinito*. Rio de Janeiro: Forense Universitária, 2001.

LAUGHLIN, W. S.; HARPER, A. B. Peopling of the Continents: Australia and America. In: MASCIE-TAYLOR, C. G. N.; LASKER, G. W. *Biological aspects of human migration*. Cambridge: Cambridge University Press, 1988.

LE GOFF, Jacques. *A civilização do Ocidente medieval*. Bauru: Edusc, 2005. (História)

_____________. Documento/monumento. In: *Enciclopédia Einaudi*: memória-história. Porto: Imprensa Nacional/Casa da Moeda, 2004.

LEFEBVRE, Georges. *1789*: o surgimento da Revolução Francesa. Rio de Janeiro: Paz e Terra, 1989.

LENHARO, Alcir. *Sacralização da política*. Campinas: Papirus, 1986.

LÊNIN, Vladimir. *O imperialismo*: fase superior do capitalismo. São Paulo: Centauro, 2003.

LENTZ, Thierry. *Napoleão*. São Paulo: Editora Unesp, 2008.

LEÓN-PORTILLA, Miguel. *A conquista da América Latina vista pelos índios*: relatos astecas, maias e incas. Petrópolis: Vozes, 1987.

LEVTZION, Nehemia; SPAULDING, Jay. *Medieval west Africa*: view from arab scholars and merchants. Princepton: Markus Wiener, 2003.

LEWIS, Bernard. *Os árabes na história*. Lisboa: Editorial Estampa, 1990.

LEWIS, David Levering. *O islã e a formação da Europa*: de 570 a 1215. Barueri: Amarilys, 2010.

LOBO, Luiza. *Teorias poéticas do Romantismo*. Porto Alegre: Mercado Aberto, 1986.

LOPEZ, Adriana; MOTA, Carlos Guilherme. *História do Brasil*: uma interpretação. São Paulo: Senac São Paulo, 2008.

LOVEJOY, Paul. *A escravidão na África*: uma história de suas transformações. Rio de Janeiro: Civilização Brasileira, 2002.

LUCA, Tania Regina de. *Indústria e trabalho no Brasil*. São Paulo: Contexto, 2001.

LUNA, Francisco Vidal; COSTA, Iraci Del Nero da. *Minas colonial*: economia e sociedade. São Paulo: Estudos Econômicos Fipe/Pioneira, 1982.

LUSTOSA, Isabel. *Histórias de presidentes*: a república no Catete (1897-1960). Rio de Janeiro: Agir, 2008.

LYOTARD, Jean-François. *A fenomenologia*. Lisboa: Edições 70, 2008.

MAESTRI FILHO, Mário José. *O escravismo antigo*. São Paulo: Atual/Campinas: Editora da Unicamp, 1988.

MAGNOLI, Demétrio. *Uma gota de sangue*: história do pensamento racial. São Paulo: Contexto, 2009.

MANTOUX, Paul. *The Industrial Revolution in the eighteenth century*. Londres: Routledge, 2006.

MANTRAN, Robert. *A expansão muçulmana*: séculos VII-XI. São Paulo: Pioneira, 1977. (Série Nova Clio)

MARANHÃO, Ricardo. *O governo Juscelino Kubitschek*. São Paulo: Brasiliense, 1985.

MARCOVITCH, Jacques. *Para mudar o futuro*: mudanças climáticas, políticas públicas e estratégias empresariais. São Paulo: Edusp/Saraiva, 2006.

MARQUES, Adhemar e outros. *História moderna através de textos*. São Paulo: Contexto, 2008.

MARTÍ, José. *Nossa América*. São Paulo: Hucitec, 1983.

MARTINS, José de Souza. *O cativeiro da terra*. São Paulo: LECH, 1981.

MARX, Karl. *A guerra civil na França*. São Paulo: Global, 1986.

_____________. *O capital*. Rio de Janeiro: Civilização Brasileira, 1975. v. 1.

MATHEY, François. *O Impressionismo*. São Paulo: Verbo/Edusp, 1976.

MATTOS, Regiane Augusto de. *História e cultura afro-brasileira*. São Paulo: Contexto, 2007.

MAUSS, Marcel. *Sociologia e antropologia*. São Paulo: Cosac Naify, 2003.

MAWE, John. *Viagens ao interior do Brasil*. São Paulo: Edusp/Belo Horizonte: Itatiaia, 1978.

MAYR, Ernst. *O desenvolvimento do pensamento biológico*. Brasília: Editora da UnB, 1998.

MAZZARINO, Santo. *O fim do mundo antigo*. São Paulo: Martins Fontes, 1991.

MCEVEDY, Colin. *Atlas de história medieval*. São Paulo: Companhia das Letras, 2007.

MELLO, Evaldo Cabral de (Org.). *Frei Joaquim do amor divino caneca*. São Paulo: Editora 34, 2001.

MENDONÇA, S. R.; FONTES, V. M. *História do Brasil recente (1964-1992)*. 4. ed. São Paulo: Ática, 1996.

MESENHÖLLER, Mathias. Mister Watts Wundermaschine. In: *Geoepoche*: Die industrielle Revolution, n. 30.

MEZAN, Renato. Perigos da obediência. In: *Folha de S.Paulo*, 11 out. 2009, Caderno Mais.

MICELI, Paulo. *As revoluções burguesas*. São Paulo: Atual, 1994.

MICELI, Sérgio. *Intelectuais e classe dirigente no Brasil (1920-1945)*. São Paulo: Difel, 1979.

MIQUEL, André. *O islame e a sua civilização (séculos VII-XX)*. Lisboa: Edições Cosmos, 1971.

MONTEFIORE, Simon Sebag. *Stalin*: a corte do czar vermelho. São Paulo: Companhia das Letras, 2006.

MORE, Thomas. *A utopia*. São Paulo: Nova Cultural, 1997.

MOREL, Marco. *Frei Caneca*: entre Marília e a pátria. Rio de Janeiro: Editora FGV, 2000.

______. *O período das Regências (1831-1840)*. Rio de Janeiro: Zahar Editor, 2003.

______ (Org.). *Cipriano Barata. Sentinela da Liberdade e outros escritos, 1821-1835*. São Paulo: Edusp, 2008.

______; BARROS, Mariana Monteiro de. *Palavra, imagem e poder*: o surgimento da imprensa no Brasil do século XIX. Rio de Janeiro: DP&A, 2003.

MOSCATI, Sabatino. *The Phoenicians*. Londres: I. B. Tauris, 2001.

MOSSÉ, Claude. *La Grèce archaïque d´Homere à Eschyle*. Paris: Seuil, 1984.

MOTA, Carlos Guilherme. *Ideologia da cultura brasileira (1933-1974)*. 4. ed. São Paulo: Ática, 1978.

MOURA, Clóvis. *Dicionário da escravidão negra no Brasil*. São Paulo: Edusp, 2004.

MOUSNIER, R.; LABROUSSE, E. *Le XVIIIe Siècle*: l'époque des "Lumières" (1715-1815). Paris: PUF, 1985.

NARO, Nancy Priscilla S. *A formação dos Estados Unidos*. São Paulo: Atual, 1986.

NASCIMENTO, Maria das Graças de Souza. *Ilustração e história*: o pensamento sobre a história no iluminismo francês. São Paulo: Discurso/Fapesp, 2001.

NEIBURG, Federico. *Os intelectuais e a invenção do peronismo*. São Paulo: Edusp, 1997.

NEPOMUCENO, Rosa. *Música caipira*: da roça ao rodeio. São Paulo: Editora 34, 1999.

NEVES, W. A.; PILÓ, L. B. *O povo de Luzia*: em busca dos primeiros americanos. São Paulo: Globo, 2008.

NIANE, Djibril Tamsir. *Sundjata, ou a epopeia mandinga*. São Paulo: Ática, 1982. (Autores africanos)

NOVAIS, Fernando A. *Portugal e Brasil na crise do antigo sistema colonial*. São Paulo: Hucitec, 1979.

NUNCA MAIS. Informe da Comissão Nacional sobre o desaparecimento de pessoas na Argentina, presidida por Ernesto Sábato. Porto Alegre: L&PM, 1984.

OKRI, Ben. *The famished road*. Londres: Vintage, 1992.

OLIVEIRA, L. L.; VELLOSO, M. P.; GOMES, A. M. C. *Estado Novo*: ideologia e poder. Rio de Janeiro: Zahar, 1982.

OSTERMANN, Nilse W.; KUNZE, Iole C. *Às armas, cidadãos! A França revolucionária (1789-1799)*. São Paulo: Atual, 1995.

PACHECO, Eliezer. *O Partido Comunista Brasileiro (1922-1964)*. São Paulo: Alfa-Omega, 1986.

PARK, Michael A. *Biological anthropology*. Nova York: McGraw-Hill, 2005.

PARKER, Geoffrey. *Atlas verbo de história universal*. Lisboa: Verbo, 1996.

PATY, Michel. *D'Alembert. Ou a razão físico-matemática no século do iluminismo*. São Paulo: Estação Liberdade, 2005.

PAULA, Eurípedes Simões de. As universidades medievais. In: *Revista de História*, 1974. v. 66.

PEDREIRO-SANCHEZ, Maria G. *História da Idade Média*: textos e testemunhas. São Paulo: Editora Unesp, 2000.

PEREIRA, Maria Helena da Rocha. *Roman*: antologia da cultura latina. Coimbra: Universidade de Coimbra, 1994.

______. *Estudos de história da cultura clássica*: cultura romana. Lisboa: Fundação Calouste Gulbenkian, 1988. v. 2.

PERROT, Michelle (Org.). *História da vida privada*. São Paulo: Companhia das Letras, 1995. v. 4.

______. *Mulheres públicas*. São Paulo: Editora Unesp, 1998.

______. *Os excluídos da história*: operários, mulheres e prisioneiros. Rio de Janeiro: Paz e Terra, 1988.

PERRY, Marvin. *Civilização ocidental*: uma história concisa. São Paulo: Martins Fontes, 2002.

PETIT, Paul. *Histoire générale de l´Empire Romain*. Paris: Seuil, 1974. v. 3.

______. *História antiga*. São Paulo/Rio de Janeiro: Difel, 1976.

PIMENTA, João Paulo G. *Estado e nação no fim dos impérios ibéricos no Prata (1808-1828)*. 2. ed. São Paulo: Hucitec/Fapesp, 2006.

PINHEIRO, Letícia. *Política externa brasileira (1889-2002)*. Rio de Janeiro: Jorge Zahar, 2004.

PINHEIRO, Paulo Sérgio. *Estratégias da ilusão*: a revolução mundial e o Brasil (1922-1935). 2. ed. São Paulo: Companhia das Letras, 1992.

PINSKY, Jaime. *100 textos de história antiga*. São Paulo: Global, 1983.

______. *As primeiras civilizações*. São Paulo: Atual, 1994.

______. Os profetas sociais e o deus da cidadania. In: PINSKY, Jaime; PINSKY, Carla B. (Orgs.). *História da cidadania*. São Paulo: Contexto, 2008.

PINTO, Virgílio Noya. *O ouro brasileiro e o comércio anglo-português*: uma contribuição aos estudos da economia atlântica no século XVIII. São Paulo: Companhia Editora Nacional, 1979.

POMAR, Wladimir. *A Revolução Chinesa*. São Paulo: Editora Unesp, 2004.

POMER, León. A jornada de Simón Bolívar. In: Folhetim. *Folha de S.Paulo*, 24 jul. 1983.

______. *América Latina no século XIX*: tramas, telas e textos. São Paulo: Edusp, 1999.

______. *As independências na América Latina*. São Paulo: Brasiliense, 1981.

PRADO JÚNIOR, Caio. *Evolução política do Brasil*: colônia e império. 20. ed. São Paulo: Brasiliense, 1993.

PRADO, Maria Ligia Coelho. Bolívar, Bolívares. In: Folhetim. *Folha de S.Paulo*, 24 jul. 1983.

______. *O populismo na América Latina*. São Paulo: Brasiliense, 1981.

PROENÇA FILHO, Domício (Org.). *A poesia dos inconfidentes*: poesia completa de Cláudio Manuel da Costa, Tomás Antônio Gonzaga e Alvarenga Peixoto. Rio de Janeiro: Nova Aguilar, 1996.

PROST, A.; Vincent, G. (Orgs.). *História da vida privada*: da Primeira Guerra aos nossos dias. São Paulo: Companhia das Letras, 1997.

PROUS, André. *Arqueologia brasileira*. Brasília: Editora da UnB, 1992.

______. *O Brasil antes dos brasileiros*: a pré-história do nosso país. Rio de Janeiro: Jorge Zahar, 2006. (Nova Biblioteca de Ciências Sociais)

QUEIRÓS, Eça de. *Ecos de Paris*. Porto: Lello & Irmão, s.d.

RAGO, Margareth; BIAJOLI, Clara P. *Mujeres libres da Espanha*: documentos da revolução espanhola. Rio de Janeiro: Achiamé, 2008.

RAMONET, Ignacio. *Fidel Castro*: biografia a duas vozes. São Paulo: Boitempo, 2006.

REIS FILHO, Daniel Aarão. *Uma revolução perdida*: a história do socialismo soviético. São Paulo: Fundação Perseu Abramo, 1997.

______; FERREIRA, J. L.; ZENHA, C. (Orgs.). *O século XX. O tempo das dúvidas*: do declínio das utopias à globalização. Rio de Janeiro: Civilização Brasileira, 2000.

REIS, João José. *Rebelião escrava no Brasil*: a história do levante dos malês em 1835. São Paulo: Companhia das Letras, 2003.

REMOND, René. *O século XIX*: 1815-1914. São Paulo: Cultrix, 1981.

RESTALL, Matthew. *Sete mitos da conquista espanhola*. Rio de Janeiro: Civilização Brasileira, 2006.

RIBEIRO, Renato Janine. *A etiqueta no Antigo Regime*: do sangue à doce vida. São Paulo: Brasiliense, 1983.

RODRIGUES, Marly. *A década de 80 – Brasil*: quando a multidão voltou às praças. São Paulo: Ática, 1992.

RONAN, Colin A. *História ilustrada da ciência III*: da Renascença à Revolução Científica. Rio de Janeiro: Jorge Zahar, 2001.

______. *História ilustrada da ciência*. Rio de Janeiro: Jorge Zahar, 2001. v. 4.

ROSTOVTZEFF, M. *História da Grécia*. Rio de Janeiro: Guanabara Koogan, 1986.

______. *História de Roma*. Rio de Janeiro: Guanabara Koogan, 1986.

ROUDINESCO, Elisabeth. *Dicionário de psicanálise*. Rio de Janeiro: Jorge Zahar, 1998.

ROUQUIÉ, Alain. *O Estado militar na América Latina*. São Paulo: Alfa-Omega, 1984.

ROUSSEAU, Jean-Jacques. *O contrato social*: princípios do direito político. São Paulo: Martins Fontes, 2006.

______. *Discurso sobre a origem e os fundamentos da desigualdade entre os homens*. São Paulo: Martins Fontes, 2005.

RUSE, Michael. *Levando Darwin a sério*. Belo Horizonte: Itatiaia, 1995.

SALIBA, Elias Thomé. *As utopias românticas*. São Paulo: Brasiliense, 1991.

______. *Raízes do riso*. São Paulo: Companhia das Letras, 2002.

SALVADÓ, Francisco J. Romero. *A Guerra Civil Espanhola*. Rio de Janeiro: Jorge Zahar, 2008.

SANDRONI, Paulo. *Novo dicionário de economia*. São Paulo: Best Seller, 1994.

SANTOS, Milton. *A natureza do espaço*. São Paulo: Hucitec, 1996.

SARAMAGO, José. *Memorial do convento*. 14. ed. Rio de Janeiro: Bertrand Brasil, 1995.

SCATENA, Stela Maris. *San Martín*. São Paulo: Memorial da América Latina, 2008.

SCHWARCZ, Lilia Moritz (Org.). *Contrastes da intimidade contemporânea*. São Paulo: Companhia das Letras, 1998. v. 4. (História da vida privada no Brasil)

______. *A longa viagem da biblioteca dos reis*: do terremoto de Lisboa à independência do Brasil. 2. ed. São Paulo: Companhia das Letras, 1998.

______. *O império em procissão*. Rio de Janeiro: Jorge Zahar, 2001.

______. *As barbas do imperador*: D. Pedro II, um monarca nos trópicos. São Paulo: Companhia das Letras, 2000.

______; REIS, L. *Negras imagens*: ensaios sobre cultura e escravidão no Brasil. São Paulo: Edusp, 1996.

______; QUEIROZ, Renato (Org.). *Raça e Diversidade*. São Paulo: Edusp, 1996.

SCHWARTZ, Stuart B. *Segredos internos*: engenhos e escravos na sociedade colonial. São Paulo: Companhia das Letras, 1988.

SENNETT, Richard. *A cultura do novo capitalismo*. Rio de Janeiro: Record, 2008.

SERGE, Victor. *O ano I da Revolução Russa*. São Paulo: Ensaio, 1993.

SERPA PINTO, Alexandre A. da Rocha de. *Como atravessei África*: do Atlântico ao Mar Índico – viagem de Benguella à contracosta: determinações geográficas e estudos etnográficos. Londres: Sampson Low/Marston/Searle/Rivington, 1881.

SEVCENKO, Nicolau. *A corrida para o século XXI*: no *loop* da montanha-russa. São Paulo: Companhia das Letras, 2003.

______. *O Renascimento*. São Paulo: Atual/Campinas: Editora da Unicamp, 1988.

______. *Orfeu extático na metrópole*: São Paulo, sociedade e cultura nos frementes anos 20. São Paulo: Companhia das Letras, 1998.

______ (Org.). *República*: da *Belle Époque* à era do rádio. São Paulo: Companhia das Letras, 1998. v. 3. (História da vida privada no Brasil)

SILVA, Alberto da Costa e. *A enxada e a lança*: a África antes dos portugueses. 2. ed. Rio de Janeiro: Nova Fronteira, 1996.

SILVA, Marcos (Org.). *Brasil 1964-1968*: a ditadura já era ditadura. São Paulo: LCTE Editora, 2006.

SILVA, Maria Beatriz Nizza da (Coord.). *Dicionário da história da colonização portuguesa no Brasil*. Lisboa: Verbo, 1994.

SILVA, Zélia Lopes da. *A domesticação dos trabalhadores nos anos 30*. São Paulo: Marco Zero/MCT/CNPQ, 1991.

SILVEIRA, Marco Antônio. *O universo do indistinto*: Estado e sociedade nas Minas setecentistas (1735-1808). São Paulo: Hucitec, 1997.

SIMONSEN, Roberto. *História econômica do Brasil (1500-1820)*. 8. ed. São Paulo: Companhia Editora Nacional, 1978.

SINGER, Paul. *A formação da classe operária*. São Paulo: Atual; Campinas: Editora da Unicamp, 1985.

SKINNER, Quentin. *As fundações do pensamento político moderno*. São Paulo: Companhia das Letras, 2000.

SLEMIAN, Andréa e outros. *Cronologia de história do Brasil colonial (1500-1831)*. São Paulo: Humanitas, 1994.

______; PIMENTA, João Paulo G. *A corte e o mundo*: uma história do ano em que a família real portuguesa chegou ao Brasil. São Paulo: Alameda, 2008.

______. *O 'nascimento político' do Brasil*: as origens do Estado e da nação, 1808-1825. Rio de Janeiro: DP&A, 2003.

SOBOUL, Albert. *A Revolução Francesa*. Rio de Janeiro: Difel, 1979.

SODRÉ, Nelson Werneck. *História da imprensa no Brasil*. 4. ed. Rio de Janeiro: Mauad, 1998.

SOUZA, Claudia Moraes de; MACHADO, Ana Claudia. *Movimentos sociais no Brasil contemporâneo*. São Paulo: Loyola, 1997.

SOUZA, Laura de Mello e. *Desclassificados do ouro*: a pobreza mineira no século XVIII. Rio de Janeiro: Graal, 1982.

SOUZA, Marcos Alvito Pereira de. *A guerra na Grécia antiga*. São Paulo: Ática, 1988.

SOUZA, Maria das Graças de. *Natureza e ilustração*: sobre o materialismo de Diderot. São Paulo: Editora Unesp, 2002.

SOUZA, Marina de Mello e. *África e Brasil africano*. São Paulo: Ática, 2007.

SQUEFF, Ênio. *A música na Revolução Francesa*. Porto Alegre: L&PM, 1989.

STANDAGE, Tom. *História do mundo em seis copos*. Rio de Janeiro: Jorge Zahar, 2005.

SUN TZU. *A arte da guerra*. São Paulo: Conrad, 2006.

SYRETT, Harold C. (Org.). *Documentos históricos dos Estados Unidos*. São Paulo: Cultrix, 1988.

TAVARES, Maria da C.; FIORI, José L. (Orgs.). *Poder e dinheiro*: uma economia política da globalização. Petrópolis: Vozes, 1985.

TEDESCO, Juan Carlos. *Educar em la sociedad del conocimiento*. México: Fondo de Cultura Económica, 2004.

TELES, Gilberto Mendonça. *Vanguarda europeia e modernismo brasileiro*. Petrópolis: Vozes, 1983.

THOMPSON, E. P. *A formação da classe operária inglesa*. Rio de Janeiro: Paz e Terra, 1987. v. 1, 2 e 3.

TINHORÃO, José Ramos. *História social da música popular brasileira*. São Paulo: Editora 34, 1998.

______. *Os sons que vêm da rua*. São Paulo: Editora 34, 2005.

TOTA, Antonio Pedro. *A locomotiva no ar*: rádio e modernidade em São Paulo (1924-1934). São Paulo: Secretaria de Estado da Cultura/PW, 1990.

______. *O imperialismo sedutor*: a americanização do Brasil na época da Segunda Guerra. São Paulo: Companhia das Letras, 2000.

TOURAINE, Alain e outros. *Dicionário do pensamento social do século XX*. São Paulo: Jorge Zahar, 1996.

TRAGTENBERG, Maurício. *A Revolução Russa*. São Paulo: Editora Unesp, 2007.

TROTSKI, Leon. *História da Revolução Russa*. Rio de Janeiro: Paz e Terra, 1977. v. 3.

UJVARI, Stefan Cunha. *A história da humanidade contada pelos vírus*. São Paulo: Contexto, 2008.

VAIFAS, Ronaldo. *Economia e sociedade na América espanhola*. Rio de Janeiro: Graal, 1984.

______ (Org.). *Dicionário do Brasil colonial (1500-1808)*. Rio de Janeiro: Objetiva, 2000.

______ (Org.). *Dicionário do Brasil imperial (1822-1889)*. Rio de Janeiro: Objetiva, 2002.

VARGAS, Getúlio. *Diário*. São Paulo: Siciliano; Rio de Janeiro: Editora FGV, 1995.

VENTURI, Franco. *Utopia e reforma no iluminismo*. Bauru: Edusc, 2003.

VERBITSKY, Horacio. *Medio siglo de proclamas militares*. Buenos Aires: Editora 12, 1988.

VERCOUTTER, Jean. *Em busca do Egito esquecido*. Rio de Janeiro: Objetiva, 2002.

VERGEZ, André; HUISMAN, Denis. *História dos filósofos ilustrada pelos textos*. 2. ed. São Paulo/Rio de Janeiro: Freitas Bastos, s.d.

VERNANT, J.-P. *As origens do pensamento grego*. Rio de Janeiro: Bertrand Brasil, 1994.

VESENTINI, José William. *A capital da geopolítica*. São Paulo: Ática, 1986.

VEYNE, Paul. *Como se escreve a história*. Brasília: Editora da UnB, 1998.

______. *Quand notre monde est devenu chrétien (312-394)*. Paris: Albin Michel, 2007.

______. *Sexo & poder em Roma*. Rio de Janeiro: Civilização Brasileira, 2008.

______________ (Org.). *História da vida privada*: do Império Romano ao ano mil. São Paulo: Companhia das Letras, 1997. v. 1.

VIANNA, Marly de Almeida Gomes. *Revolucionários de 35*: sonho e realidade. São Paulo: Companhia das Letras, 1995.

VIDAL-NAQUET, Pierre. *O mundo de Homero*. São Paulo: Companhia das Letras, 2002.

______________; BERTIN, Jacques. *Atlas histórico*: da Pré-história aos nossos dias. Lisboa: Círculo de Leitores, 1987 e 1990.

VIEIRA, Benedicta Maria Duque. *O problema político português no tempo das primeiras cortes liberais*. Lisboa: João Sá da Costa, 1992.

VIEIRA, Evaldo. *Estado e miséria social no Brasil*: de Getúlio a Geisel. São Paulo: Cortez, 1987.

VILLA, Marco Antonio. *A Revolução Mexicana*. São Paulo: Ática, 1993.

______________. *Jango*: um perfil (1945-1964). São Paulo: Globo, 2004.

VILLAÇA, Mariana Martins. *José Martí*. São Paulo: Memorial da América Latina, 2008.

VIZENTINI, P. G. *Da Guerra Fria à crise (1945-1990)*: as relações internacionais contemporâneas. Porto Alegre: Editora da UFRGS, 1990.

VOVELLE, Michel. *A Revolução Francesa explicada à minha neta*. São Paulo: Editora Unesp, 2007.

WAACK, William. *Camaradas nos arquivos de Moscou*: a história secreta da revolução brasileira de 1935. São Paulo: Companhia das Letras, 1993.

WALDMAN, Carl. *Atlas of the North American Indian*. Nova York: Checkmark Books, 2000.

WATT, Ian. *A ascensão do romance*. São Paulo: Companhia das Letras, 1996.

WEBER, Max. *A ética protestante e o "espírito" do capitalismo*. São Paulo: Companhia das Letras, 2004.

WEFFORT, Francisco. *O populismo na política brasileira*. Rio de Janeiro: Paz e Terra, 1978.

WILDE, Oscar. *Obra completa*. Rio de Janeiro: Nova Aguilar, 1986.

WILLMOTT, H. P. e outros. *Segunda Guerra Mundial*. Rio de Janeiro: Nova Fronteira, 2008.

WIRTH, John D. *A política do desenvolvimento na era de Vargas*. Rio de Janeiro: Fundação Getúlio Vargas, 1973.

WISNIK, José Miguel. *O coro dos contrários*: a música em torno da semana de 22. São Paulo: Duas Cidades, 1983.

WOODCOCK, George. A rejeição da política. In: *Os grandes escritos anarquistas*. Porto Alegre: L&PM, 1981.

WRIGHT, John D. *História da Guerra Civil Americana*. São Paulo: M. Books, 2008.

ZIZEK, Slavoj. *Às portas da revolução*: seleção dos escritos de Lênin de fevereiro a outubro de 1917. São Paulo: Boitempo, 2005.

ZOLA, Émile. *O idílio*. São Paulo: Clube do Livro, 1966.

Sites e periódicos

Arqueologia Brasileira
www.itaucultural.org.br/arqueologia

Banco Mundial
www.worldbank.org

BBC Brasil
www.bbc.co.uk/portuguese

Biblioteca Nacional
www.bn.br

Biblioteca Virtual do Estudante - USP
www.bibvirt.futuro.usp.br

Centro de Referência da História Republicana Brasileira
www.republicaonline.org.br

Correio Braziliense
www.correiobraziliense.com.br

Exposições universais
www.cpdoc.fgv.br/nav_historia/htm/anos20/ev_centindep_expuniversais.htm

Folha de S.Paulo
www.folha.com.br

Folha Online
www.folha.uol.com.br

Formas da Humanidade – Exposição virtual do MAE-USP
www.bibvirt.futuro.usp.br/especiais/exposição_virtual_do_mae

Fundação Museu do Homem Americano
www.fundham.org.br

História Antiga e Arqueologia – Unesp/Assis
www.assis.unesp.br/ierocha

Imperial Irmandade de Nossa Senhora da Glória do Outeiro
www.outeirodagloria.org.br/historia.htm

Instituto Brasileiro de Geografia e Estatística (IBGE)
www.ibge.gov.br

Instituto do Patrimônio Histórico e Artístico Nacional (IPHAN)
www.iphan.gov.br

Instituto Itaú Cultural
www.itau.cultural.org.br

Instituto Nacional de Estudos e Pesquisas Educacionais (Inep)
www.inep.gov.br

Instituto Socioambiental
www.socioambiental.org

Luzes de Bolívar na rede
www.bolivar.ula.ve

Memorial do Imigrante
www.memorialdoimigrante.org.br/portalmi

Mitos e Histórias (Antigos e Modernos) – FFLCH/USP
www.fflch.usp.br/dh/heros/index.html

Museu Antropológico da Universidade Federal de Goiás
www.museu.ufg.br

Museu de Arqueologia e Etnologia – MAE/USP
www.mae.usp.br

Museu Etnológico de Berlim
www.smb.spk-berlin.de/mv/afrika/e/masken6.htm

Museu Imperial de Petrópolis
www.museuimperial.gov.br

Museu Nacional de História do México
www.inah.gob.mx

Nações Unidas no Brasil
www.onu-brasil.org.br

O Estado de S. Paulo
www.estadao.com.br

Patrimônio – Revista Eletrônica do Iphan
www.revista.iphan.gov.br

Rede de Direitos Humanos e Cultura
www.dhnet.org.br

Revista Brasileira de Etno-história
www.biblio.ufpe.br/libvirt/Revistas/ethnos/sumario.html

Revista Brasileira de História
www.scielo.br/sciel.php?ing=pt

Revista de História da Biblioteca Nacional
www.revistadehistoria.com.br

Revista História BBC. Rio de Janeiro: Tríada, ano 1, n. 1, 1996.

Revista História Viva
www.historiaviva.uol.com.br

Scientific American Brasil
www2.uol.com.br/sciam

Veja. Retrospectiva de um quarto de século. 25 anos, n. 1.311, 27 out. 1993.

CRÉDITOS DAS FOTOS

(da esquerda para direita, de cima para baixo)
As imagens identificadas com a sigla CID foram fornecidas pelo Centro de Informação e Documentação da Editora Moderna.

CAPAS

capa caixa 1 - Randy Faris/Corbis/Latinstock
capa caixa 2 - De Agostini/Contributor/Getty Images
capa parte 1 - Hervè Lewandowski/RMN/Other Images - Acervo Museu do Louvre, Paris
capa parte 2 - Claus Meyer/Tyba - Museu Imperial/IPHAN/MinC.
capa parte 3 - Michael Nicholson/Corbis/Latinstock - © Fondation Gala - Salvador Dalí - ARS, Madrid, 2010 - AUTVIS, São Paulo, Brasil, 2010
capa suplemento - Photo Scala, Florence/Imageplus - Acervo Museo Stibbert, Itália

PARTE I

Pág. 19 - Hervè Lewandowski/RMN/Other Images - Acervo Museu do Louvre, Paris

INTRODUÇÃO

Pág. 20 - Museu de Belas Artes, Budapeste
Pág. 21 - Ide Gomes/Futura Press
Pág. 22 - Photo Scala, Florence/Imageplus
Pág. 23 - Reprodução
Pág. 24 - Valery Hache/AFP; Gianni Giansanti/Sygma/Corbis/Latinstock
Pág. 25 - David R. Frazier/Photoresearchers/Latinstock
Pág. 26 - Bridgeman Art Library/Grupo Keystone - Museu Arqueológico Nacional, Taranto; Kharbine--Tapabor/Coleção Jean Vigne/The Art Archive/Other Images - Arquivo Nacional da França, Paris; Biblioteca da Academia de Ciências de Lisboa; Chao Soi Cheong/AP Photo/Imageplus
Pág. 27 - Joaquín Salvador Lavado (Quino) - Toda Mafalda - Martins Fontes, 1997

UNIDADE A

Pág. 28 - 1 - Kazuyoshi Nomachi/Corbis/Latinstock; Ancient Art and Architecture Collection Ltd./Bridgeman Art Library/Keystone - Coleção Particular; Bildarchiv Steffens/Bridgeman Art Library/Grupo Keystone - Museu Praehistorisches, Hallstatt
Pág. 29 - 5 - Werner Forman Archive/Imageplus - Museu Otago, Dunedim; 3 - Dagli Orti/The Art Archive/Other Images - Museu de Cartago, Túnis; 7 - Dagli Orti/The Art Archive/Other Images - Museu Kanellopoulos, Atenas; 2 - Dagli Orti/The Art Archives/Other Images - Museu Egípcio, Cairo; 6 - Dagli Orti/The Art Archive/Other Images - Museu de Israel, Jerusalém; 9 - Dagli Orti/The Art Archive/Other Images - Museu Cernuschi, Paris; 4 - Werner Forman Archive/Imageplus - Museu Arqueológico do Sudão, Cartum; 8 - Bridgeman Art Library/Grupo Keystone - Museu Nacional da Índia, Nova Délhi; Bridgeman Art Library/Grupo Keystone - Museu do Louvre, Paris; Jion Shizi/AFP

CAPÍTULO 1

Pág. 31 - Coleção Particular, Londres
Pág. 32 - Pascal Goetgheluck/Science Photo Library/Latinstock
Pág. 33 - Tobias Schwarz/Reuters/Latinstock
Pág. 35 - Ancient Art and Architecture Collection Ltd./Bridgeman Art Library/Keystone - Coleção Particular; Bridgeman Art Library/Grupo Keystone - Coleção Particular
Pág. 36 - Fotos: AKG Images/Latinstock - Hessisches Landesmuseum, Darmstadt
Pág. 37 - Corel/Stock Photos
Pág. 38 - Cortesia The Gault School of Archaeological Research, Austin
Pág. 39 - Fabio Colombini
Pág. 41 - Bruce Coleman Inc./Alamy/Other Images
Pág. 42 - Antonio Scorza/AFP
Pág. 43 - Priscila Forone/Habitat Photos; Rômulo Fialdini - Museu Paraense Emilio Goeldi, Belém;
Pág. 45 - Gérard Blot/RMN/Other Images - Museu Nacional de Arqueologia, Saint-Germain-en-Laye, França; Bildarchiv Steffens/Bridgeman Art Library/Grupo Keystone - Museu Praehistorisches, Hallstatt
Pág. 47 - Sascha Schuermann/AFP; Claudia Plamp - BPK/Museum für Vor - und Frühgeschichte, Staatliche Museen zu Berlin

CAPÍTULO 2

Pág. 48 - SuperStock/Grupo Keystone
Pág. 50 - Dagli Orti/The Art Archive/Other Images - Museu do Louvre, Paris; Nik Wheeler/Corbis/Latinstock
Pág. 52 - Michael S. Yamashita/Corbis/Latinstock
Pág. 53 - Yann Arthus-Bertrand/Corbis/Latinstock
Pág. 55 - Gianni Dagli Orti/The Art Archive/Other Images
Pág. 56 - Museu do Louvre, Paris
Pág. 57 - Franck Raux/RMN/Other Images - Museu do Louvre, Paris
Pág. 60 - Roger Wood/Corbis/Latinstock - Museu Egípcio, Cairo
Pág. 61 - Bildarchiv Hansmann/Interfoto/Imageplus - Staatliches Museum Ägyptischer Kunst, Munique; Bildarchiv Hansmann/Interfoto/Imageplus - Coleção de Arte Egípcia da Alemanha, Munique
Pág. 62 - Reuters/Latinstock

CAPÍTULO 3

Pág. 63 - The Bridgeman Art Library/Grupo Keystone - Museum of Fine Arts, Houston; Richard Lambert/RMN/Other Images - Musée Guimet, Paris
Pág. 65 - World Religions Photo Library/Bridgeman Art Library/Grupo Keystone; AKG Images/Album/Latinstock - Museu Nacional da Índia - Nova Délhi
Pág. 66 - Kazuyoshi Nomachi/Corbis/Latinstock
Pág. 68 - Museu Victoria & Albert, Londres
Pág. 69 - Photo Escala Florence/HIP/Imageplus - Museum of East Asian Art, Bath
Pág. 70 - Gideon Mendel/Corbis/Latinstock
Pág. 71 - Keren Su/Corbis/Latinstock
Pág. 72 - Asian Art & Archaelogy, Inc./Corbis/Latinstock - Coleção Particular
Pág. 73 - Daniel Munoz/Reuters/Latinstock
Pág. 74 - Jion Shizi/AFP

CAPÍTULO 4

Pág. 77 - Jean Schormans/RMN/Other Images - Museu de Arqueologia Nacional, Saint-Germain-en-Laye, França
Pág. 78 - Lauros/Giraudon/The Bridgeman Art Library/Keystone - Musee des Antiquites Nationales, St. Germain-en-Laye; Peter Willi/The Bridgeman Art Library/Grupo Keystone - Museu do Louvre, Paris, França; The Schoyen Collection, Londres & Oslo
Pág. 80 - Pinacoteca di Brera, Milão; AKG Images/Latinstock - Biblioteca Nacional da França, Paris
Pág. 82 - Kord.com/AGE Fotostock/Grupo Keystone
Pág. 83 - Dave Bartruff/Corbis/Latinstock; Steve McAlister/Photographer's Choice/Getty Images; Photodisc/Getty Images
Pág. 84 - Assaf Peretz/Autoridade para Antiguidades de Israel/Reuters/Latinstock
Pág. 86 - Gianni Dagli Orti/The Art Archive/Other Images - Museu Arqueológico, Beirute; Nimatallah/AKG Images/Latinstock - Museu Arqueológico Nacional, Madri
Pág. 87 - The Granger Collection/Other Images - Coleção Particular
Pág. 88 - Scala, Florença/Imageplus - Museu Arqueológico Nacional, Nápoles; Wojtek Buss/AGE Fotostock/Grupo Keystone
Pág. 89 - Julian Chichester/The Bridgeman Art Library/Keystone
Pág. 90 - Bildarchiv Steffens/AKG Images/Latinstock; Kazuyoshi Nomachi/Corbis/Latinstock
Pág. 91 - David Muench/Corbis/Latinstock; George Steinmetz/Corbis/Latinstock - State of Robert Smithson/Vaga, New York
Pág. 92 - Valley of the Queens, Thebes; E.Strouhal/Werner Forman/ImagePlus
Pág. 93 - Robert Harding Picture Library Ltd./Alamy/Other Images; Malherbe Marcel/Prisma/Grupo Keystone
Pág. 94 - Wolfgang Kumm/AFP
Pág. 96 - Vale dos Artesãos, Deir el-Medina

UNIDADE B

Pág. 98 - Ruth Tomlinson/Robert Harding World Imagery/Getty Images
Pág. 99 - Yvan Travert/Photononstop/AFP

CAPÍTULO 5

Pág. 100 - Álvaro de Leiva Rodrígues/CID
Pág. 102 - AKG Images/Album/Latinstock - Museu Bode, Berlim; Bridgeman Art Library/Grupo Keystone - Museu Bode, Berlim
Pág. 103 - Hervé Lewandowski/RMN/Other Images - Museu do Louvre, Paris; Erich Lessing/Album/Latinstock - Museu do Louvre, Paris
Pág. 104 - Photo Escala Florence/Imageplus - Museu Gregoriano de Arte Etrusca, Vaticano
Pág. 105 - Corel/Stock Photos
Pág. 109 - Spectrum Colour Library/Imagestate/Heritage-Images/Other Images
Pág. 110 - Bridgeman Art Library/Grupo Keystone - Museu Municipal Antoine Vivenel, Compiegne; Xinhua/Photoshot/Other Images
Pág. 111 - Erch Lessing/Album/Latinstock - Museu Arqueológico Nacional, Nápoles; Metropolitan Museum of Art, Nova Iorque
Pág. 112 - Bridgeman Art Library/Grupo Keystone - Museu Fitzwilliam, Cambridge; Bridgeman Art Library/Grupo Keystone - Museu Britânico, Londres
Pág. 113 - Mary Evans Picture Library/Diomedia
Pág. 115 - Museu do Louvre, Paris

CAPÍTULO 6

Pág. 117 - Pietro Canali/Grand Tour/Corbis/Latinstock
Pág. 118 - Scala/ImagePlus - Museus Capitolinos, Roma
Pág. 120 - Giuseppe Giorcelli/CID
Pág. 122 - AKG Images/Latinstock - Coleção Particular
Pág. 123 - The Bridgeman Art Library/Grupo Keystone - Museu do Vaticano
Pág. 124 - Walter Bibikow/AGE Fotostock/Grupo Keystone
Pág. 126 - Dagli Orti/The Art Archive/Other Images - Museu do Bardo, Túnis, Tunísia; Museu do Louvre, Paris
Pág. 127 - Nils-Johan Norenlind/AGE Fotostock/Grupo Keystone
Pág. 128 - Museu Arqueológico Nacional, Nápoles; Art Media/Heritage/Other Images
Pág. 129 - Dreamworks/Universal Pictures/Buitendijk, Jaap/Album Cinema/Latinstock
Pág. 131 - Jim Zuckerman/Corbis/Latinstock
Pág. 132 - Gianni Dagli Orti/The Art Archive/Other Images - Museu della Civiltà Romana, Roma
Pág. 133 - Kunsthalle, Bremen; Paul Almasy/Corbis/Latinstock - Basílica de São Marco, Veneza
Pág. 134 - Alte Pinakothek, Munique
Pág. 136 - Rieger Bertrand/hemis.fr/Image Forum/AFP
Pág. 137 - © www.asterix.com © 2010 Les Éditions Albert René/Goscinny-Uderzo
Pág. 138 - Erich Lessing/Album/Latinstock - Museu de Arte do Egito Antigo, Luxor, Egito; 2009. Image copyright The Metropolitan Museum of Art/Art Resource/Scala, Florença
Pág. 139 - Dagli Orti/The Art Archive/Other Images - Museu Arqueológico Nacional, Atenas; Dagli Orti/The Art Archive/Other Images - Museu da Acrópole, Atenas
Pág. 140 - Ministero per i Beni e le Attività Culturali/Scala/Imageplus - Museu Nacional da Magna Grécia, Reggio Calabria, Itália; Araldo de Luca/Corbis/Latinstock-Museu do Vaticano; The Bridgeman Art Library/Grupo Keystone - Museu Arqueológico Nacional, Nápoles
Pág. 141 - Cesare Salvadeo/AGE Fotostock/Grupo Keystone - Piazza del Municipio, Pietrasanta, Itália; Witold Skrypczak/Alamy/Other Images - Coleção do artista

UNIDADE C

Pág. 144 - AKG-Images/Album/Latinstock - Württembergisches Landesmuseum, Stuttgart; Saechsische Landesbibliothek, Dresden
Pág. 145 - Werner Forman Archive/Imageplus - Coleção Particular; Igreja de São Nicolau, Tallinn, Estônia

CAPÍTULO 7

Pág. 146 - Stefano Cellai/Age fotostock/Grupo Keystone
Pág. 148 - Jean-Gilles Berizzi/RMN/Other Images - Musée National du Moyen Age, Paris; Gilles Mermet/AKG-Images/Album/Latinstock - Musée Saint-Rémi, Reims; AKG-Images/Album/Latinstock - Württembergisches Landesmuseum, Stuttgart
Pág. 149 - R. Matina/Age fotostock/Grupo Keystone
Pág. 150 - Fulvio Roiter/Corbis/Latinstock
Pág. 151 - Biblioteca Universitária, Heidelberg
Pág. 153 - Biblioteca Municipal de Castres
Pág. 155 - Biblioteca Nacional da França, Paris
Pág. 157 - Musée Condé, Chantilly
Pág. 158 - Dallas & John Heaton/Picture Finders/Grupo Keystone
Pág. 159 - Biblioteca Britânica, Londres

Pág. 161 - Pinacoteca Nacional, Siena
Pág. 162 - Staatliche Museen, Berlim
Pág. 163 - Musée Condé, Chantilly
Pág. 164 - The Bridgeman Art Library/Grupo Keystone - Museo della Specola, Florença
Pág. 165 - © 2010 King Features/Intercontinental Press; Biblioteca Nacional da França, Paris

CAPÍTULO 8
Pág. 166 - Nic Bothma/epa/Corbis/Latinstock
Pág. 167 - Fahad Shadeed/STR New/Reuters/Latinstock
Pág. 168 - Mahmud Hams/AFP/Getty Images
Pág. 169 - Ammar Awad/Reuters/Latinstock
Pág. 170 - Joseph Barrak/AFP
Pág. 172 - Biblioteca Nacional da França, Paris
Pág. 173 - Biblioteca do Congresso, Washington
Pág. 174 - Bridgeman Art Library/Grupo Keystone - Coleção Particular; Cortesia Iraq Petroleum Company
Pág. 175 - Rainer Hackenberg/AKG Images/Latinstock; Andrea Jemolo/Scala, Florença/Imageplus
Pág. 177 - Casa das Áfricas, São Paulo
Pág. 178 - Biblioteca Nacional da França, Paris
Pág. 179 - Casa das Áfricas, São Paulo
Pág. 180 - Dagli Orti/The Art Archive/Other Images - Coleção Particular
Pág. 181 - Werner Forman Archive/Imageplus - Coleção Particular
Pág. 182/183 - Images & Stories/Alamy/Other Images
Pág. 182 - Brennan Linsley/Associated Press Photo/ Imageplus; Georg Gerster/Photoresearchers/Latinstock
Pág. 184 - Coleção Particular

CAPÍTULO 9
Pág. 185 - Galeria Regional da Sicília, Palermo
Pág. 186 - Spedale di Santa Maria della Scala, Siena
Pág. 187 - Biblioteca Universitária de Medicina, Montpellier
Pág. 189 - Museu do Louvre, Paris
Pág. 192 - Igreja de São Nicolau, Tallinn, Estônia
Pág. 193 - Biblioteca Nacional da França, Paris
Pág. 194 - Biblioteca Nacional da França, Paris
Pág. 195 - Biblioteca Britânica, Londres
Pág. 197 - Biblioteca da Universidade de Istambul; The Art Archive/Other Images - Museu Britânico, Londres
Pág. 198 - Museu des Augustins, Toulouse
Pág. 199 - Seminario Patriarcale, Veneza
Pág. 200 - AKG Images/Latinstock; The Granger Collection/Other Images
Pág. 201 - De Agostini/Getty Images; Markus Bassler/ Achim/AGE Fotostock/Keystock; Santos Cid Pérez/CID
Pág. 202 - David Forman/Image Source/AFP; Svenja-Foto/ Corbis/Latinstock
Pág. 203 - Steve Allen/The Image Bank/Getty Images; A Room with Views/Alamy/Other Images
Pág. 205 - Gentilmente cedido por Nova Fronteira Participações S.A.; Fotos: Reprodução

UNIDADE D
Pág. 206 - Corel/Stock Photo - Galleria dell'Accademia, Florença
Pág. 207 - Museu do Louvre, Paris

CAPÍTULO 10
Pág. 208 - National Gallery, Londres
Pág. 209 - Biblioteca Nacional, Turim
Pág. 210 - The Metropolitan Museum of Art, Nova York
Pág. 212 - Museu do Louvre, Paris
Pág. 213 - Galleria degli Uffizi, Florença; Erich Lessing/ Álbum/Latinstock
Pág. 214 - Biblioteca Nacional de Paris, França
Pág. 215 - Biblioteca Britânica, Londres
Pág. 217 - Salvador Dalí, Fundació Gala - Salvador Dalí, AUTVIS, 2010 - Salvador Dalí Museum, São Petersburgo, Flórida
Pág. 219 - Nationalmuseet, Copenhague
Pág. 220 - Biblioteca Britânica, Londres
Pág. 221 - Wojtek Buss/age fotostock/Grupo Keystone
Pág. 223 - Biblioteca Municipal de Moulins; Capela Sistina, Vaticano

CAPÍTULO 11
Pág. 224 - Fabio Colombini; Eye Ubiquitous/Rex Features/ Grupo Keystone
Pág. 226 - José Fuste Raga/AGE Fotostock/Grupo Keystone
Pág. 227 - John Carter Brown Library/Brown University, Providence
Pág. 228 - Jupiterimages/AFP
Pág. 229 - Biblioteca Bodleiana/Universidade de Oxford
Pág. 232 - Werner Forman Archive/Imageplus - Coleção Particular; Riccardo Sala/ACE Fotostock/Keystone
Pág. 235 - Acervo Serviço Histórico da Marinha da França, Vincennes
Pág. 236 - © 2010 Banco de México - Museus Diego Rivera & Frida Kahlo - Palácio Nacional, Cidade do México

CAPÍTULO 12
Pág. 237 - Steve Parsons/Reuters/Latinstock; Museu do Louvre, Paris
Pág. 238 - Musée Condé, Chantilly
Pág. 239 - Dagli Orti/The Art Archive/Other Images - Palacio de Pimentel, Diputacíon Provincial e Valladolid
Pág. 240 - Rijksmuseum Amsterdam; Albright-Knox Art Gallery, Buffalo
Pág. 242 - UPI/Khamenei Official Image/Newscom
Pág. 244 - Musée Carnavalet, Paris
Pág. 245 - Castelo de Versalhes e Trianon, Versalhes
Pág. 246 - Museu da Catedral, Palma de Maiorca
Pág. 247 - Coleção Particular
Pág. 250 - Cappella dei Scrovegni, Pádua; Basílica de Santa Maria Novella, Florença
Pág. 251 - Cortesia Galeria Graça Brandão, Lisboa
Pág. 252 - Andoni Canela/age fotostock/Grupo Keystone; Hemis/Diomedia - Museu Nacional de Antropologia, Cidade do México
Pág. 253 - Carlos S. Pereyra/age fotostock/Grupo Keystone
Pág. 254 - Corel/Stock Photo - Galleria dell'Accademia, Florença
Pág. 255 - Biblioteca Britânica, Londres
Pág. 256 - Fotos: Reprodução

PARTE II
Pág. 257 - Claus Meyer/Tyba - Museu Imperial/IPHAN/ MinC.

UNIDADE E
Pág. 258 - Museu Boijmans Van Beuningen, Roterdã
Pág. 259 - Alte Pinakothek, Munique

CAPÍTULO 13
Pág. 260 - José Fuste Raga/AGE Fotostock/Keystock
Pág. 261 - John Warburton-Lee Photography/Max Milligan/Diomedia
Pág. 264 - Museu Paulista/USP, São Paulo
Pág. 266 - Serviço Histórico da Marinha, Vincennes
Pág. 267 - Museu Boijmans Van Beuningen, Roterdã
Pág. 271 - Nationalmuseet, Copenhague; Alte Pinakothek, Munique
Pág. 273 - Biblioteca da Ajuda, Lisboa

CAPÍTULO 14
Pág. 275 - Bernardo Moncada/Notimex/ACE/AFP
Pág. 276 - AKG Images/Latinstock - Coleção particular
Pág. 277 - The Bridgeman Art Library/Keystone - Achives Charmet
Pág. 278 - Musée de L'Home, Paris; Thomas Gilcrase Institute of American History and Art, TULSA
Pág. 279 - The Granger Collection/Other Images - Coleção particular
Pág. 280 - Dagli Orti/The Art Archive/Other Images - Museo del Ejercito, Madri
Pág. 282 - Museu da América, Madri
Pág. 284 - The Granger Collection/Other Images - Coleção particular
Pág. 285 - Dado Galdieri/AP/Imageplus
Pág. 286 - The Bridgeman Art Library/Keystone - Coleção particular; Biblioteca Real da Dinamarca, Copenhague

CAPÍTULO 15
Pág. 287 - Akintunde Akinleye/Reuters/Latinstock; Fabio Colombini
Pág. 288 - Biblioteca Nacional de Portugal, Lisboa
Pág. 289 - The Granger Collection/Other Images - Coleção particular
Pág. 291 - Biblioteca John Carter Brown/Universidade Brown, Providente
Pág. 293 - Museu Paulista/USP, São Paulo
Pág. 294 - Fundação Biblioteca Nacional, Rio de Janeiro
Pág. 295 - Biblioteca do Congresso, Washington
Pág. 296 - Coleção particular
Pág. 297 - Biblioteca Nacional da Austrália, Canberra
Pág. 299 - Rijksmuseum, Amsterdã
Pág. 300 - Museu de Etnologia do Porto; Renata Mello/ Pulsar Imagens
Pág. 301 - Biblioteca Municipal Mário de Andrade, São Paulo

CAPÍTULO 16
Pág. 302 - Academia de Belas Artes, Viena
Pág. 303 - Maritiem Museum, Roterdã
Pág. 304 - Museu Paulista/USP, São Paulo
Pág. 305 - Fundação Biblioteca Nacional, Rio de Janeiro
Pág. 306 - Coleção particular
Pág. 307 - Paul Springett 05/Alamy/Other Images
Pág. 308 - Museus Castro Maya, Rio de Janeiro
Pág. 309 - Dorival Moreira/SambaPhoto
Pág. 310 - Rômulo Fialdini - Museu da Inconfidência, Ouro Preto
Pág. 311 - Fundação D. João VI de Nova Friburgo, Rio de Janeiro
Pág. 312 - José Elias/Alamy/Other Images
Pág. 313 - Werner Hudhart/Kino.com.br - Igreja de São Francisco de Assis, Ouro Preto
Pág. 314 - Alex Salim - Museu do Ouro, Sabará

CAPÍTULO 17
Pág. 315 - Ahmad Al-Rubaye/AFP
Pág. 316 - Album/AKG Images/Latinstock - Coleção particular
Pág. 318 - Collection Roger-Viollet/AFP - Coleção particular
Pág. 319 - Peter Newark Pictures/The Bridgeman Art Library/ Keystone - Coleção particular
Pág. 322 - Peter Newark American Pictures/The Bridgeman Art Library/ Keystone - Coleção particular
Pág. 323 - Christie's Images/The Bridgeman Art Library/ Keystone - Coleção particular
Pág. 324 - The Granger Collection/Other Images - Coleção particular
Pág. 326 - Biblioteca do Congresso, Washington
Pág. 327 - The Granger Collection/Other Images - Coleção particular
Pág. 328 - The Granger Collection/Other Images - Coleção particular
Pág. 329 - The Bridgeman Art Library/Grupo Keystone - Coleção particular
Pág. 330 - Scala, Florença/Imageplus - Museo Nazionale del Bargello, Florença; Rabatti - Domingie/AKG Images/Album/ Latinstock - Museo Nazionale del Bargello, Florença
Pág. 331 - Pirozzi/AKG Images/Album/Latinstock - Galleria Borghese, Roma; Superstock/Keystone - Igreja Santa Maria della Vittoria, Roma; Sylvain Grandadam/AGE Fotostock/ Keystock - Museum of Modern Art - MoMA, Nova York
Pág. 332 - Claus Meyer/Tyba - Santuário do Senhor Bom Jesus de Matosinhos, Congonhas do Campo; Fabio Colombini - Santuário do Senhor Bom Jesus de Matosinhos, Congonhas do Campo
Pág. 333 - Fabio Colombini - Santuário do Senhor Bom Jesus de Matosinhos, Congonhas do Campo; Rômulo Fialdini - Galeria São Paulo
Pág. 334 - Museus Castro Maia, Rio de Janeiro

UNIDADE F
Pág. 336 - China Daily Information Corp - CDIC/Reuters/ Latinstock
Pág. 337 - Mary Evans/Diomedia - Coleção particular

CAPÍTULO 18
Pág. 338 - Museu Nacional do Castelo de Malmaison, Rueil-Malmaison
Pág. 340 - Consejo Superior de Investigaciones Científicas, Biblioteca M-IH, Madri
Pág. 341 - Museu Antoine Lecuyer, Saint-Quentin
Pág. 342 - Biblioteca Nacional da Espanha, Madri; Biblioteca Nacional da França, Paris; Museu Antoine Lecuyer, Saint-Quentin

CAPÍTULO 19
Pág. 343 - Museu do Louvre, Paris
Pág. 344 - Gemaeldegalerie, Staatliche Museen, Berlim
Pág. 345 - Biblioteca Nacional de Portugal, Lisboa
Pág. 346 - Ivy Close Images/Alamy/Other Images - Coleção particular
Pág. 347 - Special Collections Department of University of Glasgow Library
Pág. 348 - Tate Gallery, Londres
Pág. 350 - The Print Collector/Heritage/Other Images - Coleção particular
Pág. 351 - The Granger Collection/Other Images - Coleção particular
Pág. 352 - The Granger Collection/Other Images - Coleção particular
Pág. 353 - Universitätsbibliothek Johann Christian Senckenberg, Frankfurt
Pág. 354 - Print Collector/Diomedia - Coleção particular
Pág. 355 - Matka_Wariatka/Shutterstock; Thaís Falcão/ Olhar Imagem; Javier Jaime Sánchez/Santillana/CID

Pág. 356 - Victoria and Albert Museum, Londres; AKG Images/Album/Latinstock - Coleção particular
Pág. 357 - AKG Images/Album/Latinstock - Coleção particular
Pág. 358 - The Art Archive/Other Images - British Museum, Londres
Pág. 359 - Print Collector/Diomedia - Coleção particular
Pág. 361 - Mary Evans/Diomedia - Coleção particular; Print Collector/Diomedia - Coleção particular
Pág. 363 - Heritage-Images/Other Images - Oxford Science Archive, Oxford
Pág. 364 - Sheffield Galleries and Museums Trust, Sheffield; Van Gogh Museum, Amsterdã; The National Archives, Surrey

CAPÍTULO 20
Pág. 365 - Benoit Tessier/Reuters/Latinstock
Pág. 366 - Museu do Louvre, Paris
Pág. 367 - Bianchetti/Leemage/Other Images - Coleção particular
Pág. 368 - Museu Carnavalet, Paris
Pág. 369 - Museu Carnavalet, Paris
Pág. 370 - AKG Images/Album/Latinstock - Coleção particular
Pág. 371 - Musées Royaux des Beaux-Arts, Bruxelas
Pág. 372 - Museu Nacional do Palácio de Versalhes e Trianon, Versalhes
Pág. 373 - Museu da Revolução, Vizille; Fotos: Museu Nacional do Palácio de Versalhes e Trianon, Versalhes
Pág. 374 - Museu Nacional do Palácio de Versalhes e Trianon, Versalhes
Pág. 375 - Museu Carnavalet, Paris
Pág. 376 - Museu Histórico de Estrasburgo
Pág. 377 - Museu do Louvre, Paris
Pág. 379 - Museu Nacional do Palácio de Versalhes e Trianon, Versalhes
Pág. 382 - Fotos: Biblioteca Nacional da França, Paris

CAPÍTULO 21
Pág. 383 - William Fernando Martinez/AP/Imageplus
Pág. 384 - Museu Nacional do Palácio de Versalhes e Trianon, Versalhes
Pág. 386 - Bibliothéque des Arts Dcoratifs, Paris
Pág. 388 - Biblioteca Britânica, Londres
Pág. 390 - Biblioteca do Congresso, Washington
Pág. 391 - Casa Museo Quinta de Bolívar, Bogotá
Pág. 392 - Museu Nacional de Arqueologia, Antropologia e História do Peru, Lima
Pág. 393 - © Joaquín Salvador Lavado (Quino) Toda Mafalda - Martins Fontes, 1997

CAPÍTULO 22
Pág. 394 - Museu Paulista/USP, São Paulo
Pág. 395 - Museu da Cidade, Lisboa
Pág. 396 - Museu Mariano Procópio, Juiz de Fora
Pág. 397 - Fundação Biblioteca Nacional, Rio de Janeiro
Pág. 398 - Ministério das Relações Exteriores, Rio de Janeiro
Pág. 399 - Fundação Biblioteca Nacional, Rio de Janeiro
Pág. 402 - Museu Paulista/USP, São Paulo
Pág. 403 - Museu Paulista/USP, São Paulo
Pág. 404 - Museu do Itamaraty, Brasília
Pág. 405 - Museu Paulista/USP, São Paulo
Pág. 406 - Arquivo Nacional, Rio de Janeiro
Pág. 407 - Museu Murillo La Greca, Recife
Pág. 408 - The Bridgeman Art Library/Keystone - Coleção particular
Pág. 409 - Palácio da Câmara Municipal do Rio de Janeiro
Pág. 410 - Metropolitan Museum of Art, Nova York; Museu Nacional dos Castelos de Malmaison e Bois-Préau
Pág. 411 - Musée Fabre, Montpellier; Lucian Freud Archive - The Royal Collection, Londres
Pág. 412 - Metropolitan Museum of Art, Nova York
Pág. 413 - Taylor Institution Library, Oxford; Staatliches Kammertheater, Moscou; National Gallery of Art, Washington

UNIDADE G
Pág. 416 - Coleção Brady-Handy/Biblioteca do Congresso, Washington
Pág. 417 - Lee/Leemage/Other Images - Coleção Particular; Acervo Iconographia/Reminiscências

CAPÍTULO 23
Pág. 418 - Photos 12/Diomedia - Coleção particular
Pág. 419 - AKG Images/Album/Latinstock - Coleção particular
Pág. 420 - Museu Nacional Alexandros Soutzos, Atenas
Pág. 421 - Deutsches Historisches Museum, Berlim; Museu Nacional do Palácio de Versalhes e Trianon, Versalhes
Pág. 422 - Museu do Louvre, Paris
Pág. 423 - White Images/Scala, Florença/Imageplus - Coleção particular
Pág. 426 - Museu d'Orsay, Paris
Pág. 427 - Bettmann/Corbis/Latinstock - Coleção particular; Mary Evans Picture Library/Diomedia - Coleção particular
Pág. 428 - Biblioteca da University College London - UCL, Londres
Pág. 429 - Museu Carnavalet, Paris
Pág. 430 - Museu Nacional de San Carlos, Cidade do México
Pág. 431 - Biblioteca Nacional da França, Paris
Pág. 432 - Biblioteca Nacional da França, Paris
Pág. 433 - Alexandre Campbell/Folha Imagem/Folhapress
Pág. 434 - AKG Images/Album/Latinstock - Coleção particular

CAPÍTULO 24
Pág. 435 - The Bridgeman Art Library/Keystone - Coleção particular
Pág. 436 - Mary Evans/Diomedia - Coleção particular
Pág. 437 - Museu d'Orsay, Paris
Pág. 438 - Castelo de Windsor, Windsor
Pág. 439 - Museu Carnavalet, Paris
Pág. 440 - Natacha Pisarenko/AP/Imageplus
Pág. 441 - The Granger Collection/Other Images - Coleção particular
Pág. 442 - Musée National de l'Education, Rouen
Pág. 443 - AKG Images/Album/Latinstock - Coleção particular; Oxford Science Archive, Oxford
Pág. 444 - The Stapleton Collection/The Bridgeman Art Library/ Keystone - Coleção particular
Pág. 445 - Roger-Viollet/Imageplus - Coleção particular
Pág. 447 - Photos 12/Alamy/Other Images
Pág. 448 - Biblioteca Nacional da França, Paris
Pág. 449 - Mary Evans/Diomedia; Bianchetti/Leemage/ Other Images - Coleção particular

CAPÍTULO 25
Pág. 450 - Museu Histórico da Cidade do Rio de Janeiro, Rio de Janeiro
Pág. 451 - Coleção particular
Pág. 453 - Museu Imperial, Rio de Janeiro
Pág. 454 - Coleção Lygia e Newton Carneiro Junior
Pág. 456 - Mapoteca do Palácio do Itamaraty, Rio de Janeiro; Instituto Moreira Salles, São Paulo
Pág. 457 - Fundação Biblioteca Nacional, Rio de Janeiro
Pág. 458 - Coleção João Emilio Gerodetti
Pág. 459 - Coleção G. Ermakoff
Pág. 460 - Staatliche Museen, Berlim
Pág. 461 - Museu Nacional de Belas Artes, Rio de Janeiro
Pág. 462 - Instituto de Estudos Brasileiros - IEB/USP, São Paulo
Pág. 463 - Fundação Biblioteca Nacional, Rio de Janeiro
Pág. 464 - Pinacoteca Municipal de São Paulo
Pág. 465 - Fotos: Fundação Biblioteca Nacional, Rio de Janeiro
Pág. 466 - Museu Nacional de Belas Artes, Rio de Janeiro
Pág. 467 - Museu Nacional de Belas Artes, Rio de Janeiro
Pág. 468 - Museu Victor Hugo, Paris; Biblioteca Nacional da França, Paris
Pág. 469 - Fotos: United Artists/ Everett Collection/ Keystone
Pág. 470 - Instituto de Estudos Brasileiros - IEB/USP, São Paulo
Pág. 471 - Civica Galleria d'Arte Moderna, Milão
Pág. 472 - Fotos: Reprodução

PARTE III
Pág. 473 - Michael Nicholson/Corbis/Latinstock - © Fondation Gala - Salvador Dalí - ARS, Madrid, 2010 - AUTVIS, São Paulo, Brasil, 2010

UNIDADE H
Pág. 474 - Peter Newark Pictures/The Bridgeman Art Library/Grupo Keystone - Coleção Particular
Pág. 475 - © Corlett, Peter/Licenciado por AUTVIS, Brasil, 2010 - Australian War Memorial, Canberra; © Licenciado por AUTVIS, Brasil, 2010 - Coleção Peggy Guggenheim/ The Solomon R. Guggenheim Foundation, Veneza

CAPÍTULO 26
Pág. 476 - www.decsy.org.uk; Punch Cartoon Library, Londres
Pág. 478 - The Bridgeman Art Library/Grupo Keystone - Coleção Particular
Pág. 479 - Biblioteca Nacional, Londres
Pág. 480 - Biblioteca da Universidade de Oxford
Pág. 482 - Biblioteca do Congresso, Washington; The Granger Collection/Other Images - Coleção Particular
Pág. 483 - Biblioteca do Congresso, Washington
Pág. 484 - Biblioteca do Congresso, Washington
Pág. 486 - Coleção Kharbine-Tapabor, Paris
Pág. 487 - © Succession H. Matisse/Licenciado por AUTVIS, Brasil, 2010 - Philadelphia Museum of Art, Filadélfia; © Succession Pablo Picasso/Licenciado por AUTVIS, Brasil, 2010 - Museu Picasso, Paris; Cortesia Entwistle Gallery/Werner Forman Archive/Imageplus - Entwistle Gallery, Londres
Pág. 488 - American Museum of Natural History, Nova Iorque
Pág. 489 - Massachusetts Institute of Technology, Cambridge

CAPÍTULO 27
Pág. 491 - STF/AFP
Pág. 492 - Biblioteca Nacional da França, Paris
Pág. 493 - The Thomas Edison Center, Nova Iorque
Pág. 494 - Biblioteca Britânica, Londres
Pág. 495 - Biblioteca Britânica, Londres
Pág. 496 - Historical Premium/Corbis/Latinstock - Coleção Particular; Museu de Etnografia, Genebra
Pág. 497 - Metropolitam Museum of Art, Nova York
Pág. 498 - © Succession Marcel Duchamp/Licenciado por AUTVIS, Brasil, 2010 - Philadelphia Museum of Art, Filadélfia; The Bridgeman Art Library International/Grupo Keystone - Coleção Mattioli, Milão

CAPÍTULO 28
Pág. 500 - Paul Popper/Popperfoto/Getty Images
Pág. 501 - Roger Perrin/The Bridgeman Art Library International/Grupo Keystone - Coleção Particular
Pág. 502 - Biblioteca do Congresso, Washington; Biblioteca do Congresso, Washington; Archives Charmet/The Bridgeman Art Library/Grupo Keystone - Coleção Particular
Pág. 504 - Biblioteca da Universidade Carleton, Ottawa
Pág. 505 - Bettmann/Corbis/Latinstock - Coleção Particular
Pág. 506 - Peter Newark Military Pictures/The Bridgeman Art Library International/Grupo Keystone - Coleção Particular
Pág. 507 - Imperial War Museum, Londres
Pág. 509 - © DACS/Licenciado por AUTVIS, Brasil, 2010 - Akademie der Kunst, Berlim
Pág. 510 - © Licenciado por AUTVIS, Brasil, 2010 - Gemäldegalerie Neue Meister, Dresden
Pág. 511 - Australian War Memorial, Campbell; Imperial War Museum, Londres; Smith College, Northampton; Library and Archives Canada, Ottawa

CAPÍTULO 29
Pág. 512 - Mary Evans Picture Library/Diomedia - Coleção Alexander Meledin
Pág. 514 - © Siqueiros, David Alfaro/Licenciado por AUTVIS, Brasil, 2010 - Museu Nacional de História/Castelo Chapultepec, Cidade do México
Pág. 515 - The Stapleton Collection/The Bridgeman Art Library/Grupo Keystone - Coleção Particular
Pág. 515 - Fundo Casasola/Fototeca Nacional/INAH, Pachuca
Pág. 516 - Biblioteca Nacional da França, Paris
Pág. 517 - Museu da Revolução, Moscou
Pág. 518 - Peter Newark Military Pictures/The Bridgeman Art Library International/Grupo Keystone - Coleção Particular; RIA Novosti/AFP
Pág. 519 - Deutsches Bundesarchiv, Berlim
Pág. 520 - Russian and Soviet Poster Collection/Hoover Institution Archives, Stanford; AKG Images/Latinstock
Pág. 522 - ACME/AFP
Pág. 523 - Fundo Casasola/Fototeca Nacional/INAH, Pachuca

CAPÍTULO 30
Pág. 524 - Rothschild & Cia - Coleção Particular
Pág. 525 - Instituto de Estudos Brasileiros - IEB/USP, São Paulo
Pág. 526 - Augusto Malta/Arquivo G. Ermakoff, Rio de Janeiro
Pág. 527 - Fundação Biblioteca Nacional, Rio de Janeiro
Pág. 529 - Dorival Moreira/Pulsar Imagens
Pág. 530 - Biblioteca Municipal Mário de Andrade, São Paulo
Pág. 531 - Guilherme Gaensly/Coleção Particular
Pág. 532 - Acervo Iconographia/Reminiscências
Pág. 534 - Flávio de Barros - Museu da República, Rio de Janeiro

Pág. 535 - Benjamin Abrahão/Acervo AbaFilm, Fortaleza
Pág. 536 - Arquivo do Estado de São Paulo, São Paulo
Pág. 537 - Fundação Joaquim Nabuco - Fundaj, Recife
Pág. 538 - Arquivo Edgard Leuenroth/Unicamp, Campinas
Pág. 539 - Guilherme Gaensly - Acervo Light/Fundação Patrimônio Histórico da Energia de São Paulo
Pág. 540 - Museu d'Orsay, Paris; National Gallery, Londres
Pág. 541 - © The Munch-Museum/The Munch-Ellingsen Group/Licenciado por AUTVIS, Brasil, 2010 - Nasjonalgalleriet, Oslo; © Christie's Images/Corbis/Latinstock/ADAGP, Paris, 2010 - Licenciado por AUTVIS, Brasil, 2010 - Coleção Particular
Pág. 542 - Association Frères Lumière, Paris; Association Frères Lumière, Paris; Star Film
Pág. 543 - Goskino/Mosfilm; Goskino/Mosfilm; Paramount Pictures/Album/Latinstock
Pág. 545 - Fotos: Reprodução

UNIDADE III

Pág. 546 - Empresa Brasileira de Notícias/Arquivo Nacional, Rio de Janeiro; The Stapleton Collection/The Bridgeman Art Library/Grupo Keystone - Coleção particular
Pág. 547 - Popperfoto/Getty Images; Bettmann/Corbis/Latinstock

CAPÍTULO 31

Pág. 548 - Photo Austrian Archives, Viena
Pág. 549 - Deutsches Historisches Museum, Berlim
Pág. 550 - AKG Images/Latinstock - Coleção particular
Pág. 551 - Peter Newark Historical Pictures/The Bridgeman Art Library/Grupo Keystone - Coleção particular
Pág. 552 - Brendan Hoffman/POOL/epa/Corbis/Latinstock; Bettmann/Corbis/Latinstock
Pág. 553 - Biblioteca do Congresso, Washington
Pág. 554 - Biblioteca do Congresso, Washington
Pág. 555 - Hugo Jaeger/Timepix/Time Life Pictures/Getty Images
Pág. 556 - RIA Novosti/AFP
Pág. 557 - Patrick Lorette/The Bridgeman Art Library International/Grupo Keystone - Musée de l'Armée, Bruxelas
Pág. 558 - AKG Images/Latinstock - Grassi Museum, Leipzig
Pág. 560 - Universidade de San Diego; DaTo Images/The Bridgeman Art Library/Grupo Keystone - Coleção particular

CAPÍTULO 32

Pág. 561 - Reprodução autorizada por João Candido Portinari - Palácio Gustavo Capanema, Rio de Janeiro
Pág. 562 - Acervo Editora Abril
Pág. 563 - CPDOC/FGV, Rio de Janeiro
Pág. 564 - CPDOC/FGV, Rio de Janeiro; Coleção Paulo Florençano, Taubaté
Pág. 565 - Coleção Carlota Queirós
Pág. 566 - Arquivo Público do Estado do Rio de Janeiro
Pág. 567 - CPDOC/FGV, Rio de Janeiro
Pág. 568 - Acervo Iconographia/Reminiscências
Pág. 569 - CPDOC/FGV, Rio de Janeiro
Pág. 570 - CPDOC/FGV, Rio de Janeiro
Pág. 571 - Everett Collection/Grupo Keystone
Pág. 572 - Seth
Pág. 573 - Fundação Biblioteca Nacional, Rio de Janeiro
Pág. 574 - Arquivo/Agência Estado
Pág. 575 - Everett Collection/Grupo Keystone

CAPÍTULO 33

Pág. 576 - Holocaust Memorial Day Trust, Londres; Rolf Richardson/Alamy/Other Images
Pág. 577 - Deutsches Historisches Museum, Berlim
Pág. 578 - AKG Images/Latinstock
Pág. 579 - Bettmann/Corbis/Latinstock
Pág. 581 - Popperfoto/Getty Images
Pág. 583 - Bettmann/Corbis/Latinstock
Pág. 584 - AKG Images/Latinstock
Pág. 586 - AKG Images/Latinstock
Pág. 587 - Bettmann/Corbis/Latinstock
Pág. 588 - Walter Hahn/Slub Dresden/Deutsche Fotothek/AFP; The Bridgeman Art Library/Grupo Keystone - Harris Museum and Art Gallery, Preston
Pág. 589 - INP/AFP
Pág. 590 - Werner Forman/Imageplus - Coleção Schindler, Nova Iorque; Corbis/Latinstock - Museu de Arte da Carolina do Norte, Raleigh; Succession Pablo Picasso/Licenciado por AUTVIS, Brasil, 2010 - The Metropolitan Museum of Art, Nova Iorque
Pág. 591 - Fotis Filargyropoulos/AFP; © Succession Pablo Picasso/Licenciado por AUTVIS, Brasil, 2010 - Museu Nacional do Prado, Madri
Pág. 592 - Sylvia R. de Sousa - Coleção Mário de Andrade/Instituto de Estudos Brasileiros - IEB/USP, São Paulo; Sylvia R. de Sousa - Acervo MAC-USP, São Paulo
Pág. 593 - Tarsila do Amaral Empreendimentos - Coleção Costantini, Buenos Aires; Arquivo/Agência Estado

UNIDADE J

CAPÍTULO 34

Pág. 598 - Petr Josek/Reuters/Latinstock
Pág. 599 - AKG Images/Latinstock
Pág. 601 - Swim Ink 2, LLC/Corbis/Latinstock
Pág. 602 - Reprodução; Kennedy Space Center/NASA
Pág. 603 - Archives Charmet/The Bridgeman Art Library/Grupo Keystone - Coleção particular
Pág. 605 - The Bridgeman Art Library/Grupo Keystone - The Chambers Gallery, Londres
Pág. 607 - The Granger Collection/Other Images; Ronald S. Haeberle/Time Life Pictures/Getty Images
Pág. 608/609 - David Silverman/Staff/Getty Images
Pág. 609 - Planetary Visions Ltda./Science Photo Library/Latinstock
Pág. 610 - Bettmann/Corbis/Latinstock
Pág. 612 - African Pictures/AKG Images/Latinstock

CAPÍTULO 35

Pág. 615 - Reg Lancaster/Hulton Archive/Getty Images
Pág. 616 - 20th Century Fox Film Cor/Everett Collection/Grupo Keystone
Pág. 617 - Evening Standard/Getty Images
Pág. 618 - Carlo Bavagnoli/Time Life Pictures/Getty Images
Pág. 619 - JP Laffont/Sygma/Corbis/Latinstock
Pág. 620 - Libor Hajsky/CTK/AP Photo/Imageplus
Pág. 621 - File/AP Photo/Imageplus
Pág. 622 - Brigitte Hellgoth/Album/AKG Images/Latinstock
Pág. 623 - Guy Le Querrec/Magnum Photos/Latinstock; Josef Koudelka/Magnum Photos/Latinstock

CAPÍTULO 36

Pág. 624 - Keystone/Getty Images
Pág. 625 - CPDOC/FGV, Rio de Janeiro
Pág. 626 - CPDOC/FGV, Rio de Janeiro
Pág. 627 - CPDOC/FGV, Rio de Janeiro
Pág. 628 - Coleção Particular
Pág. 629 - Arquivo/Agência O Globo
Pág. 630 - Google Earth Images; Palê Zuppani/Pulsar Imagens
Pág. 631 - George Torok/O Cruzeiro/EM/D.A Press
Pág. 633 - The Print Collector/Heritage-Images/Scala, Florença/Imageplus - Coleção Particular
Pág. 634 - AP Photo/Imageplus
Pág. 635 - Intercontinentale/AFP

CAPÍTULO 37

Pág. 636 - Claudius; Ziraldo Alves Pinto
Pág. 637 - Arquivo/Agência Estado
Pág. 638 - Ziraldo Alves Pinto
Pág. 639 - Fundação Biblioteca Nacional, Rio de Janeiro; Campanela Neto/AJB
Pág. 640 - Acervo Editora Abril
Pág. 641 - Lemyr Martins/Editora Abril
Pág. 642 - Ziraldo Alves Pinto
Pág. 643 - Daniel Augusto Jr./Pulsar Imagens
Pág. 644 - Germano Luders/Editora Abril
Pág. 645 - Leo Feltran/Editora Abril
Pág. 646 - AP Photo/Imageplus
Pág. 647 - AFP
Pág. 648 - Bettmann/Corbis/Latinstock
Pág. 649 - Diego Goldberg/Sygma/Corbis/Latinstock; Daniel Garcia/AFP
Pág. 651 - Ivan Consenza de Souza
Pág. 652 - Fotos: Everett Collection/Keystone
Pág. 653 - Fotos: Everett Collection/Keystone; Reprodução
Pág. 654 - Rudolph Burckhardt/Sygma/Corbis/Latinstock
Pág. 655 - Corbis/Latinstock - © Andy Warhol Foundation/Licenciado por AUTVIS, Brasil, 2010 - Coleção Particular; Noel Vasquez/Getty Images/AFP - Coleção Particular; Corbis/Latinstock - © Andy Warhol Foundation/Licenciado por AUTVIS, Brasil, 2010 - Coleção Particular
Pág. 657 - Reprodução

UNIDADE K

Pág. 658 - AP Photo/Imageplus
Pág. 659 - Spencer Platt/Staff/Getty Images

CAPÍTULO 38

Pág. 660 - Regis Bossu/Sygma/Corbis/Latinstock
Pág. 662 - RIA Novosti/AFP
Pág. 664 - Lehtikuva/AFP
Pág. 665 - AP Photo/Imageplus
Pág. 666 - AFP
Pág. 667 - Korotayev Dima/Reuters/Latinstock
Pág. 669 - Robert Maass/Corbis/Latinstock; Sergei Guneyev/Time Life Pictures/Getty Images
Pág. 670 - Corbis/Latinstock; Georges de Keerle/Grochowiak/Sygma/Corbis/Latinstock

CAPÍTULO 39

Pág. 671 - Ismar Ingber/Pulsar Imagens
Pág. 672 - Mauricio Simonetti/Pulsar Imagens
Pág. 673 - Paula Simas/Pulsar Imagens
Pág. 674 - Antonio Ribeiro/Editora Abril
Pág. 675 - Eder Chiodetto/Folha Imagem/Folhapress
Pág. 676 - Angeli
Pág. 677 - Ed Ferreira/Agência Estado
Pág. 678 - Dominique Faget/AFP
Pág. 679 - Delfim Martins/Pulsar Imagens
Pág. 680 - Coleção Gabriel de Castro Oliveira, SP
Pág. 681 - Carlos Rhienck/Hoje em Dia/Futura Press; Moacyr Lopes/Folha Imagem/Folhapress
Pág. 682 - Wilton Junior/Agência Estado
Pág. 684 - Banco Central do Brasil; Angeli

CAPÍTULO 40

Pág. 685 - CNN/Handout Collection/Getty Images
Pág. 687 - Brad Markel/Contributor/Getty Images; Zhou Junxiang/Imaginechina/AFP
Pág. 689 - Tasso Marcelo/Agência Estado
Pág. 690 - Olivier Morin/AFP/Getty Images
Pág. 691 - François Guillot/ImageForum/AFP
Pág. 692 - Uriel Sinai/Getty Images/AFP
Pág. 693 - Summit Entertainment/Paris Filmes/Album/Latinstock; Columbia TriStar Pictures/Sony Pictures Classics/Everett Collection/Keystone
Pág. 694 - Columbia TriStar/Warner Bros./Album/Latinstock
Pág. 695 - Photo12/ImageForum/AFP; Roger Ressmeyer/Corbis/Latinstock
Pág. 696 - Siemens/Epa/Corbis/Latinstock
Pág. 697 - Lester Lefkowitz/Corbis/Latinstock
Pág. 699 - Spencer Platt/Staff/Getty Images
Pág. 700 - Alexander Joe/ImageForum/AFP
Pág. 701 - Fabio Colombini
Pág. 703 - © 1995 Watterson / Dist. by Universal Uclick
Pág. 704 - AKG Images/Album/Latinstock - © Succession Marcel Duchamp/Licenciado por AUTVIS, Brasil, 2010 - Coleção Particular; Ted Thai/Time & Life Pictures/Getty Images - Acervo Tate Gallery, Londres
Pág. 705 - Bernd Mpller/dpa/Corbis/Latinstock; Juan Mabromata/AFP
Pág. 706 - Colin McPherson/Corbis/Latinstock; Reprodução
Pág. 707 - Paulo Giandalia/Agência Estado; Otavio de Souza; Reprodução
Pág. 709 - Fotos: Reprodução

Créditos de infografia

Pág. 58-59 - *Ilustração*: Pingado
Pág. 130-131 - *Ilustração*: Roger Cruz, *Foto*: Jim Zuckerman/Corbis/Latinstock
Pág. 182-183 - *Fotos*: Paul Kingsley/Alamy/Other Images, Brennan Linsley/Associated Press Photo/Image Plus, Vova Pomortzeff/Alamy/Other Images, Planetary Visions Ltda./Science Photo Library/Latinstock, Images & Stories/Alamy/Other Images, Georg Gerster/Photo Researchers/Latinstock
Pág. 190-191 - *Ilustração*: Klayton Luz
Pág. 230-231 - *Ilustração*: Renato Faccini, *Fotos*: Bettmann/Corbis/Latinstock - Biblioteca Medicea-Laurenziana, Florença, Itália, The Bridgeman Art Library/Keystone - Biblioteca Medicea-Laurenziana, Florença, Itália, Museu Britânico, Londres
Pág. 258-259 - *Ilustração*: Mário Kanno
Pág. 294-295 - *Ilustração*: Éber Evangelista, *Fotos*: Fundação Biblioteca Naciona/DRD/Div. de Iconografia, Rio de Janeiro, The Bridgeman Art Library/Keystone - Coleção Particular
Pág. 362-363 - *Ilustração*: Mário Kanno, *Foto*: Oxford Science Archive/Heritage-Images/Other Images
Pág. 400-401 - *Foto*: Geoff Hunt PPRSMA - Coleção particular, Rio de Janeiro
Pág. 532-533 - *Foto*: Mário Kanno, *Foto*: Acervo Iconographia/Reminiscências
Pág. 596-597 - *Ilustração*: Pingado
Pág. 608-609 - *Fotos*: David Silverman/Staff/Getty Images, PlanetaryVisions Ltda./Science Photo Library/Latinstock
Pág. 658-659 - *Ilustração*: Mário Kanno

Moderna PLUS

CARO ALUNO,

Acesse o portal **MODERNA PLUS** e descubra os conteúdos exclusivos que preparamos para você. Para se cadastrar, basta ter um endereço de e-mail válido e um código de acesso. É simples e rápido.

1 PRIMEIRO ACESSO

- Acesse o site http://www.modernaplus.com.br
- Clique em **Primeiro acesso** no menu superior.
- Digite seu código de acesso no local indicado e clique em **Avançar**.

Seu código de acesso é:

A 00005 MPLUHIS U 42566

2 INFORMAÇÕES PESSOAIS

Preencha os campos com seus dados pessoais e clique em **Avançar**.

Atenção: seu endereço de e-mail e seu CPF são essenciais para a validação do cadastro. Informe-os corretamente.

3 INFORMAÇÕES ESCOLARES

Preencha os campos com seus dados escolares e clique em **Avançar**.

4 INFORMAÇÕES DE ACESSO

Seu endereço de e-mail será o login de acesso ao portal Moderna Plus. Agora, crie uma senha de 6 a 10 caracteres. Em seguida, confirme sua senha. Depois, leia os termos de uso do portal e clique em **Concluir**. Você receberá por e-mail a confirmação do cadastro com seus dados de acesso.

Pronto! A partir de agora, você terá acesso a todos os conteúdos exclusivos do portal **Moderna Plus**.

www.modernaplus.com.br

Tira-dúvidas

Acesse o endereço **http://www.modernaplus.com.br/faq** a qualquer momento. Nele você encontrará respostas para as dúvidas mais frequentes.

Requisitos desejáveis para acesso ao portal

- Sistema operacional: Windows 98 ou superior
- Processador Pentium II 233 MHz ou superior
- Mínimo de 128 Mb de memória RAM
- Resolução de vídeo: 1024 x 768
- Acesso à internet por linha discada (conexão mínima de 56 Kb) ou banda larga
- Caixas de áudio ou fone de ouvido
- Aplicativos: Flash Player e Acrobat Reader 5 ou superior
- Navegadores: Internet Explorer versão 6.0 ou superior; Mozilla firefox 2.0 ou superior (sem bloqueador de pop-up)

Atenção

Após cadastrar-se no site Moderna Plus, seu acesso terá validade de 1 ano. Para renová-lo, entre em contato com 0800 17 2002 ou 0800 770 1968.

Moderna PLUS

HISTÓRIA

CONEXÕES

Conexões com a História

Alexandre Alves
Doutor em História Econômica pela Faculdade de Filosofia, Letras e Ciências Humanas da Universidade de São Paulo.
Pesquisador-colaborador no Departamento de História da Universidade Estadual de Campinas.

Letícia Fagundes de Oliveira
Mestre em História Social pela Faculdade de Filosofia, Letras e Ciências Humanas da Universidade de São Paulo.
Professora de História no Ensino Superior.

1ª edição
Moderna Plus

Moderna PLUS

Coordenação editorial: Maria Raquel Apolinário
Edição de texto: Eduardo Augusto Guimarães, Nubia Andrade e Silva, Rosane Cristina Thahira, Paulo Ferraz de C. Oliveira, João Luiz Maximo da Silva, Ricardo Van Acker, Bianca Barbagallo Zuchi, Vanessa Gregorut
Assessoria na seção Diálogos com a arte: Divanize Carbonieri
Assessoria didático-pedagógica: Thelma Cadermatori Figueiredo de Oliveira, Regina Maria de Oliveira Ribeiro, Murilo José de Resende
Assistência editorial: Vivian Kaori Ehara, Tathiane Gerbovic, Dirce Yukie Yamamoto, Izilda de O. Pereira, Gabriele Cristine Barbosa dos Santos
Preparação de texto: Izilda de O. Pereira, Daisy Pereira Daniel
Coordenação de *design* e projetos visuais: Sandra Botelho de Carvalho Homma
Projeto gráfico: Everson de Paula, Marta Cerqueira Leite, Mariza Porto
Capas: Everson de Paula
Fotos: caixa do aluno e exemplar do professor: cópia da escultura *Apolo Belvedere*, original grego esculpido em mármore por Leochares (Leocarés), século IV a.C. © Randy Faris/Corbis/Latinstock; ruínas de templo na acrópole de Atenas, Grécia © De Agostini/Contributor/Getty Images
Parte I: *Ninfa com a concha*, escultura em mármore, séc. IV a.C. © Hervé Lewandowski/RMN/Other Images;
Parte II: coroa de dom Pedro II © Claus Meyer/Tyba – Museu Imperial/IPHAN/MinC;
Parte III: *Perfil do tempo*, escultura em bronze de Salvador Dalí, 1931 © Michael Nicholson/Corbis/Latinstock – Fundação Gala-Salvador Dalí.
Coordenação de produção gráfica: André Monteiro, Maria de Lourdes Rodrigues
Coordenação de arte: Wilson Gazzoni Agostinho
Edição de arte: Enriqueta Monica Meyer
Assessoria de projetos visuais: William Hiroshi Taciro
Edição de infografia: Tathiane Gerbovic, Daniela Máximo, Ana Claudia Fernandes, Mauro César Corrêa Brosso, Marcos Antônio Zibordi
Editoração eletrônica: Grapho editoração
Coordenação de revisão: Elaine Cristina del Nero
Revisão: Ana Paula Luccisano, Nancy H. Dias, Nelson J. de Camargo
Coordenação de pesquisa iconográfica: Ana Lucia Soares
Pesquisa iconográfica: Ana Claudia Fernandes, Carol Böck, Fernanda Siwiec, Etoile Shaw, Felipe Campos, Leonardo de Sousa Klein, Odete Ernestina Pereira
Coordenação de *bureau*: Américo Jesus
Tratamento de imagens: Arleth Rodrigues, Bureau São Paulo, Fabio N. Precendo, Rubens M. Rodrigues
Pré-impressão: Helio P. de Souza Filho, Marcio Hideyuki Kamoto, Alexandre Petreca, Everton L. de Oliveira
Coordenação de produção industrial: Wilson Aparecido Troque

Dados Internacionais de Catalogação na Publicação (CIP)
(Câmara Brasileira do Livro, SP, Brasil)

Alves, Alexandre
Conexões com a História: volume único / Alexandre Alves, Letícia Fagundes de Oliveira. — São Paulo: Moderna, 2010.

1. História (Ensino médio) I. Oliveira, Letícia Fagundes de. II. Título.

10-07444 CDD-907

Índices para catálogo sistemático:
1. História : Ensino médio 907

ISBN 978-85-16-06773-1 (LA)
ISBN 978-85-16-06774-8 (LP)

EDITORA MODERNA LTDA.
Rua Padre Adelino, 758 - Belenzinho
São Paulo - SP - Brasil - CEP 03303-904
Vendas e Atendimento: Tel. (0_ _11) 2602-5510
Fax (0_ _11) 2790-1501
www.moderna.com.br
2015
Impresso em Hong Kong

1 3 5 7 9 10 8 6 4 2

Apresentação

"Aqueles que não se recordam do passado estão condenados a repeti-lo."

(George Santayana)

Caros alunos e professor

Vivemos num mundo cada vez mais complexo e interconectado, em que o tempo e o espaço encolhem cada vez mais à medida que se aperfeiçoam as tecnologias de comunicação e de transporte. O avanço tecnológico, no entanto, é só um lado deste mundo marcado também por guerras, instabilidades, atitudes de intolerância e pelo aumento sem precedentes das desigualdades e da exclusão social.

Neste mundo estranho e contraditório, não paramos de nos surpreender com a fantástica aceleração dos fluxos de informação e as inovações tecnológicas que povoam nosso cotidiano. Processos, produtos e programas tornam-se obsoletos da noite para o dia, o que pode nos levar a perder os vínculos com nosso passado e, portanto, a noção de nossa própria identidade.

Ao mostrar as relações entre as experiências das gerações passadas, o presente em que pensamos e agimos e o futuro que queremos construir, a disciplina de história nos ajuda a compreender este mundo cada dia mais complexo e multifacetado e a nos situar nele de forma crítica e autônoma. Diante do verdadeiro oceano de imagens e informações que nos rodeia, o conhecimento histórico pode funcionar como um instrumento de orientação, como eram as cartas náuticas e as bússolas que guiavam os navegadores do passado.

Sempre pensando no trabalho de alunos e professores de história na sala de aula, desenvolvemos uma coleção voltada para o entendimento das transformações do tempo presente e para a tarefa de construir um futuro mais justo, tolerante e humanizado, que garanta espaços de atuação e convivência para jovens, adultos e idosos e saiba atender às necessidades do homem sem destruir o ambiente nem comprometer a vida das futuras gerações.

Do ponto de vista dos conteúdos da disciplina, o resultado foi uma obra moderna, atualizada, que incorpora as mudanças que ocorreram no conhecimento histórico nas últimas décadas. O trabalho com conceitos, diferentes gêneros textuais e imagens revela as distintas perspectivas pelas quais o passado pode ser interpretado, trazendo para as aulas a riqueza e a complexidade dos processos históricos. Assim, nos preocupamos em escrever uma obra que alunos e professores possam ler com prazer, tornando o aprendizado da história uma experiência significativa e estimulante.

A ORGANIZAÇÃO DESTE LIVRO

A obra *Moderna Plus História-Conexões* é organizada em volume único. O conteúdo do livro, no entanto, é encadernado separadamente em três partes: Parte I, Parte II e Parte III. Assim, você leva para a sala de aula apenas a Parte com o conteúdo que está sendo estudado.

Abertura de Parte
A abertura de Parte apresenta um breve sumário das Unidades e dos respectivos Capítulos que serão estudados.

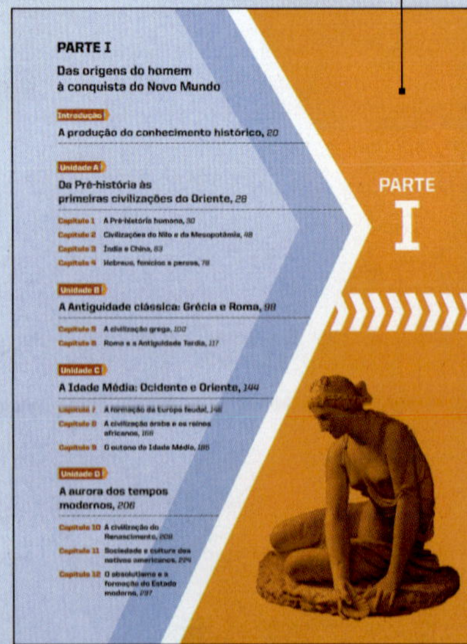

Abertura de Unidade
A abertura de Unidade traz textos, imagens e infográficos que dialogam com os conteúdos que serão estudados nos Capítulos correspondentes.

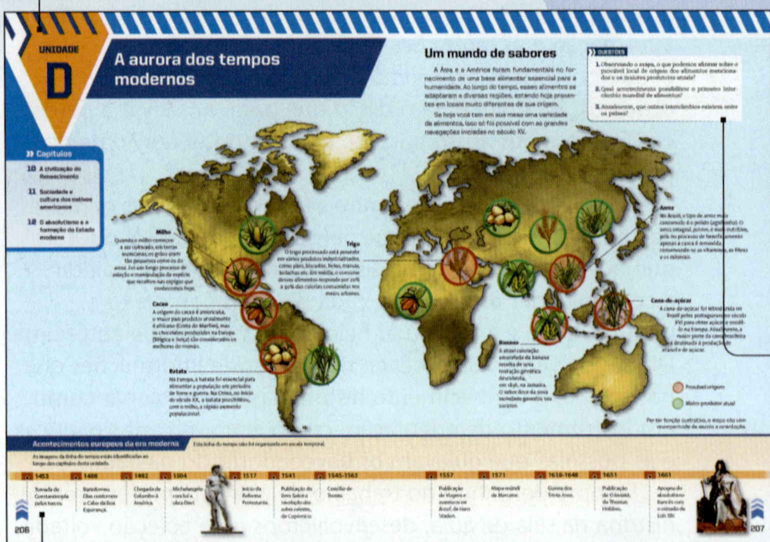

Questões motivadoras estimulam a realizar uma reflexão introdutória sobre o assunto explorado na abertura.

A **linha do tempo** apresenta os principais acontecimentos a serem estudados na Unidade.

Abertura de Capítulo
Na abertura de Capítulo, o texto o prepara para estudar os conteúdos do Capítulo, apresentando e problematizando o assunto que será tratado.

O Capítulo é organizado em Seções. Na abertura do Capítulo, há uma breve descrição do que será estudado em cada Seção.

Abertura de Seção

No início de cada Seção, há uma descrição dos Objetivos e dos Termos e conceitos específicos para cada uma delas. Dessa maneira, você tem uma visão geral sobre a Seção que irá estudar. Os Termos e conceitos serão retomados nas atividades do *Caderno do estudante*.

Glossário

Palavras menos conhecidas e consideradas importantes para o entendimento do texto são esclarecidas no glossário.

Programa de trabalho com documentos (docs.)

Ao longo das Seções, você vai encontrar caixas de textos, imagens, gráficos, tabelas e mapas que complementam ou problematizam os conteúdos desenvolvidos. Eles são identificados como **docs.** e são numerados por Seção.

Controvérsias

Na seção *Controvérsias*, você vai conhecer algumas polêmicas que dividem os pesquisadores e perceber que a história é um campo de estudo em constante renovação.

Vocabulário histórico

O significado de algumas palavras centrais para os estudos de história e que pode se transformar ao longo do tempo é objeto desta seção.

Questões

No final de cada Seção, Questões verificam o conhecimento aprendido.

Conteúdo digital Moderna Plus:

Indicação de alguns **conteúdos digitais** disponíveis no portal *Moderna Plus*: mapas animados, animações multimídia, filmes e trechos de vídeos.

Analisar um documento histórico

Nesta seção, você será orientado a examinar com atenção aspectos fundamentais na leitura de textos, pinturas, esculturas, cartazes e outros tipos de documentos históricos.

A ORGANIZAÇÃO DESTE LIVRO

Ampliando conhecimentos
Esta seção traz temas históricos relevantes para o capítulo que está sendo estudado, desenvolvidos por meio de infografias.

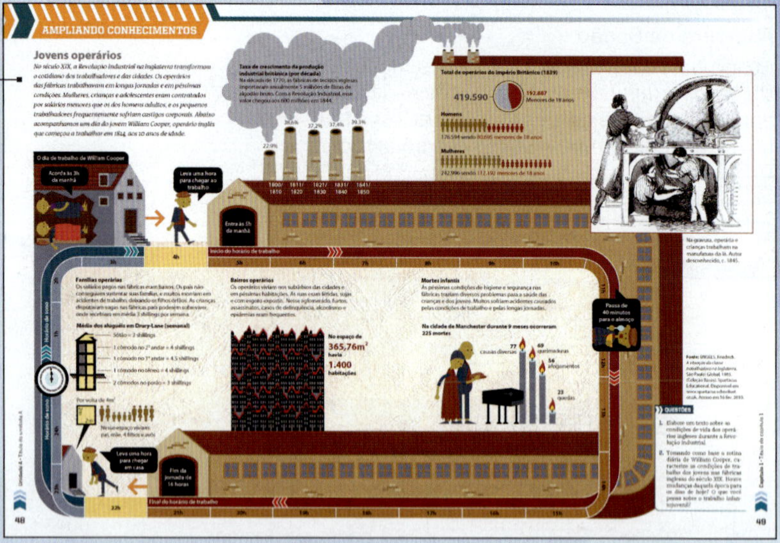
AMPLIANDO CONHECIMENTOS

Jovens operários

Atividades
No final de cada Capítulo, uma bateria de atividades avalia o estudo realizado e possibilita ampliar a compreensão dos conteúdos.

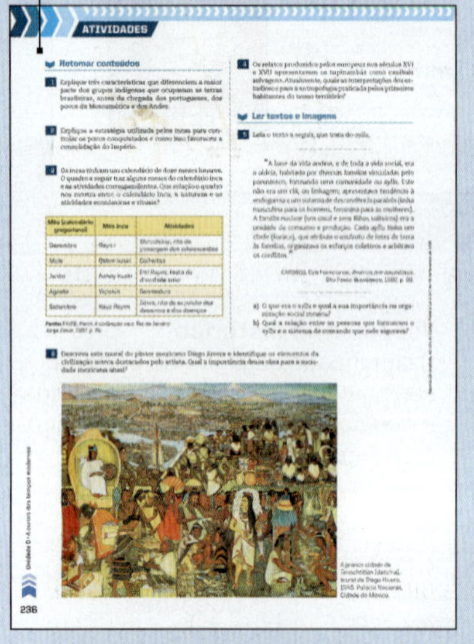
ATIVIDADES

Diálogos com a arte
A história da arte recebe um cuidado especial na seção *Diálogos com a arte*, desenvolvida no final de cada Unidade. Aqui o conteúdo histórico dialoga com diferentes expressões no campo da arte, como a pintura, a escultura, o cinema e a literatura.

Diálogos com a arte

As primeiras manifestações da arte

A arte rupestre

A arte e a magia

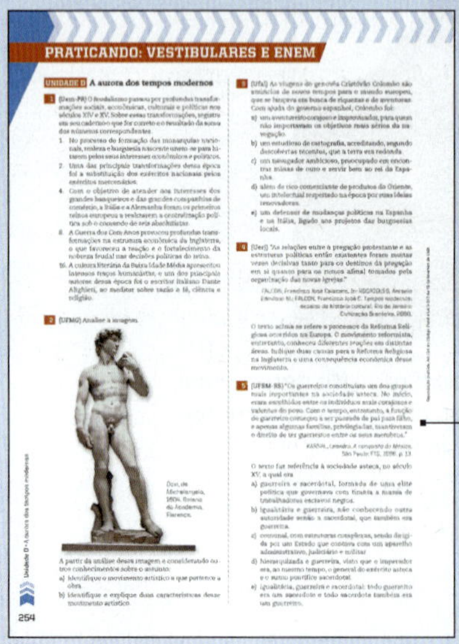
PRATICANDO: VESTIBULARES E ENEM

Sugestões
A seção traz sugestões de livros, filmes e *sites* relacionados aos assuntos tratados na Unidade.

Praticando: vestibulares e Enem
Questões de vestibulares de todo o Brasil e do Enem foram selecionadas para você testar o seu conhecimento.

SUGESTÕES

SUMÁRIO GERAL

PARTE I

PARTE II

PARTE III

PARTE I

Das origens do homem à conquista do Novo Mundo

PARTE I

A produção do conhecimento histórico

I.1 A história e o historiador

O historiador produz um conhecimento sobre o passado baseado na análise de fontes históricas, que devem ser interpretadas e questionadas.

I.2 Tempo, memória e história

O tempo é a matéria-prima da história, e a memória torna o indivíduo capaz de relacionar presente, passado e futuro.

Uma ciência em construção

Por que aprender história? Para que serve o conhecimento histórico? Para responder a essas perguntas, podemos recorrer a uma comparação. Muitas vezes, pessoas que passaram por acidentes e traumas graves perdem total ou parcialmente a memória, sofrendo de amnésia. Ao perder a memória, essas pessoas perdem ao mesmo tempo o seu passado, a sua história. Não conseguindo mais reconhecer os outros nem a si mesmos, os pacientes que sofrem de amnésia não possuem identidade ou perspectiva de futuro.

Com a história acontece algo semelhante. Assim como o doente de amnésia, se não tivéssemos história, não teríamos referências para nos orientar na vida: não saberíamos quem somos, de onde viemos, nem o que devemos fazer. Dependendo da maneira como encaramos o passado, serão feitas as escolhas para o futuro. Assim, o conhecimento histórico torna possível compreender melhor o mundo em que vivemos e o nosso próprio lugar dentro desse mundo, ou seja, a nossa identidade.

Uma das principais funções da história é relembrar aquilo que poderia ser esquecido, transmitindo o conhecimento sobre o passado às novas gerações. Para isso, deve-se evitar julgar o passado com os valores do presente. O papel do historiador é procurar compreender os desejos, os pensamentos e as motivações dos homens e das mulheres do passado com o objetivo de dar continuidade aos projetos que eles não conseguiram concluir ou de evitar os erros que cometeram.

A história é uma disciplina cujos limites estão em constante ampliação. Isso acontece porque o seu próprio objeto de estudo, as sociedades humanas no tempo, está em constante transformação. Conforme as sociedades mudam, modificam-se as interrogações que os homens fazem ao passado.

Clio, pintura de Pierre Mignard, 1689. Na mitologia grega, Clio é a musa da história. Nessa tela, ela é representada como uma jovem com um livro na mão direita (que simboliza o conhecimento do passado) e uma trombeta na mão esquerda (que simboliza o tempo inexorável). Museu de Belas Artes, Budapeste.

A história e o historiador

Objetivos

- Entender a importância da história e o processo de produção do conhecimento histórico.
- Compreender o vínculo da história com outras disciplinas.

Termos e conceitos

- História
- Fonte histórica
- Sujeito histórico

Nascimento e desenvolvimento da história

A **história** é a disciplina que estuda a vida dos homens em sociedade ao longo do tempo. Seu objetivo é compreender ações, desejos, pensamentos, sentimentos e criações culturais dos homens em diversas sociedades e variadas épocas. A própria disciplina de história tem uma longa história atrás de si, que começou na Grécia antiga.

A palavra história vem do grego antigo *historie*, que em dialeto jônio significa "investigação", e está relacionada a outras duas palavras: o substantivo *istor*, "testemunho", e o verbo *istorein*, "informar-se". Esse é o sentido usado pelo viajante grego Heródoto (século V a.C.), que escreveu uma história das guerras dos gregos contra os persas com base em testemunhos oculares dos acontecimentos. Para Heródoto, o objetivo da história é produzir um discurso ou relato verdadeiro dos fatos, separando-o dos mitos, fábulas e lendas.

Até o advento do mundo moderno, surgiram muitas outras formas de encarar a história. Somente no século XVI, contudo, foram criados métodos para orientar a análise das **fontes históricas**, distinguindo os testemunhos falsos dos testemunhos verdadeiros sobre o passado. Por meio do contato direto com as fontes e do desenvolvimento do método crítico, os historiadores procuravam compreender toda a diversidade de usos e costumes entre os povos.

DOC. 1 **História e identidade nacional**

Em 1838, poucos anos depois de o Brasil ter-se tornado um país independente de Portugal, foi criado na cidade do Rio de Janeiro o Instituto Histórico e Geográfico Brasileiro (IHGB). Sua missão era consolidar a unidade nacional, produzindo trabalhos sobre a memória e a história do Brasil. No mesmo ano, foi fundado o Colégio Pedro II, uma instituição destinada a oferecer certo padrão cultural para as elites da corte do Rio de Janeiro e que dava destaque para o ensino de história.

Fachada do Colégio Pedro II, na cidade do Rio de Janeiro, em 2008, uma instituição pública de ensino administrada pelo governo federal.

Novos rumos da história

A história, no entanto, ainda era considerada um *gênero literário*, no qual importava mais a elegância da escrita do que a objetividade do conhecimento. Isso mudaria no século XIX, quando a história passou a ser considerada uma ciência e tornou-se uma disciplina acadêmica, ensinada em escolas e universidades. Ao mesmo tempo que a história se afirmou como disciplina científica, surgiu a preocupação em preservar o patrimônio documental e material do passado, principalmente o das nações. Para conservar e divulgar a memória nacional, foram criadas instituições como museus, escolas, arquivos, institutos históricos e associações arqueológicas **[doc. 1]**.

No século XX, o conhecimento histórico avançou muito. Os historiadores não se restringiam mais a narrar a história dos acontecimentos que pontuavam a memória da nação (guerras, batalhas, tratados, revoluções etc.), como no século XIX. Novas áreas de pesquisa e novos métodos e abordagens surgiram, modificando as relações entre presente, passado e futuro e transformando o modo como o conhecimento histórico era produzido. Como parte desse movimento de mudança, novos campos de estudo se desenvolveram, como a história da infância, das atitudes diante da morte, da loucura, da relação entre o homem e o clima, das roupas, das mulheres, da leitura, da amizade, e novos vestígios foram tratados como fontes históricas.

As fontes da história

Todos os vestígios deixados pelas gerações passadas são fontes históricas que podem ser analisadas pelos historiadores para produzir conhecimento histórico. Esses vestígios podem ser registros escritos, monumentos, fotografias, pinturas, instrumentos de trabalho, joias, vestimentas, entre muitos outros objetos feitos pelo trabalho humano, que servem como base para a construção do conhecimento histórico. No século XIX, quando a história tornou-se uma disciplina acadêmica e o ofício do historiador uma profissão reconhecida, só se considerava fonte histórica os documentos escritos, especialmente os registros oficiais produzidos pelos Estados, como tratados diplomáticos, narrativas de batalhas, documentos administrativos etc.

No século XX, a concepção de fonte histórica se ampliou consideravelmente. Vestígios arqueológicos, imagens, mitos, lendas, relatos orais, literatura, cinema, publicidade, enfim, todas as produções humanas passaram a ser consideradas fontes para o conhecimento do passado **[doc. 2]**. Essa transformação é um dos fatores que possibilitaram a ampliação do território do historiador e a abertura de novos campos de pesquisa.

DOC. 2 Tumba em Tebas, Egito, 1550-656 a.C. A pintura que decora o interior dessa tumba é uma fonte para o estudo do antigo Egito. Isso não significa que seu conteúdo será interpretado da mesma maneira por todos os historiadores. Dependendo dos materiais disponíveis para a pesquisa e da perspectiva do historiador, a pintura pode ser vista como testemunho da crença dos egípcios na imortalidade, como expressão da organização social, entre outras possibilidades.

Quem faz a história

As transformações na sociedade são ocasionadas pelos **sujeitos históricos**, que podem ser tanto pessoas individuais quanto grupos coletivos. O grau de importância das transformações sociais varia conforme a repercussão que os acontecimentos tiveram para o conjunto da sociedade e o valor que a cultura dominante atribui a elas. Até meados do século XIX, somente os grandes personagens, como imperadores, reis, generais e papas, eram considerados sujeitos da história. As mudanças históricas eram atribuídas aos feitos individuais desses "heróis", responsáveis pela grandeza das nações.

Essa visão da história foi se modificando a partir do final do século XIX, quando outros sujeitos históricos começaram a surgir no discurso do historiador: as mulheres, os operários, os pobres, os povos colonizados etc. Essa mudança resultou do próprio processo histórico. Desde o momento em que começaram a se revoltar contra a dominação, os grupos humanos inferiorizados na sociedade passaram a construir uma memória e a exigir um lugar na história.

A interpretação do passado

Toda história tem uma dimensão interpretativa, em que entra a subjetividade do historiador. Aquele que escreve a história deve procurar o significado e a explicação que se podem atribuir aos fatos históricos. Assim, para o historiador, o passado pode ser comparado a um texto a ser decifrado, e vários métodos podem ser usados para decifrar esse texto. O historiador não deve apenas narrar os acontecimentos do passado, mas explicar os contextos e processos históricos em que os acontecimentos se inserem. Para isso, ele deve utilizar conceitos, teorias e métodos de pesquisa.

Outra característica importante do conhecimento histórico é que o próprio historiador é um ser humano de seu tempo. Assim, o historiador sempre fala de determinada perspectiva, que expressa o seu lugar na sociedade, sua formação acadêmica, suas convicções filosóficas ou ideológicas, enfim, sua visão de mundo. A presença da subjetividade do historiador na produção do conhecimento histórico não significa que esse conhecimento seja menos objetivo. Pelo contrário, justamente porque cada historiador narra a história de um ponto de vista particular, temos uma multiplicidade de perspectivas, que enriquecem nosso conhecimento do passado. Além disso, o historiador, diferentemente do literato, não pode inventar os fatos, mas sim construir a sua narrativa baseada em documentos, em vestígios do passado, que conferem legitimidade ao seu trabalho.

- **Subjetividade.** O universo interior ou o espaço íntimo de cada indivíduo, caracterizado por crenças, valores, emoções e sentimentos por intermédio dos quais interagimos com a sociedade e o mundo exterior.

Novos tempos e abordagens

Ao ampliar o campo de observação, os historiadores do século XX não se limitaram mais à ação dos personagens considerados grandes sujeitos históricos, mas procuraram dar sentido à experiência cotidiana das pessoas comuns, mostrando que, por exemplo, o mais humilde soldado do exército de Napoleão era um sujeito histórico tanto quanto o próprio Napoleão. O historiador também voltou seu olhar para o pensamento, os costumes e o modo de vida das pessoas comuns. Foi assim que se desenvolveram novas e importantes áreas da história, como a **história oral** e a **história das mentalidades** [doc. 3].

A própria realidade é socialmente construída e varia de acordo com as experiências vividas pelos sujeitos históricos. Em outras palavras, não existe uma realidade universal. É mais fácil perceber as diferenças interculturais quando observamos sociedades diferentes da nossa. Por exemplo: os esquimós, entre outras particularidades, costumam surpreender pela capacidade de distinguir diferentes tonalidades de branco, cor predominante naquelas paisagens geladas do extremo norte. Já a comunidade dos bororos, bastante estudada pelos antropólogos, celebra tradicionalmente rituais funerários que chegam a durar meses entre a morte e o enterro definitivo dos ossos do indivíduo morto. Podemos dizer, então, que a visão de mundo de determinada época ou lugar expressa crenças, valores e experiências dos sujeitos históricos que vivem ou viveram naquele contexto.

- **Esquimó.** Conjunto de povos que habitam as regiões próximas ao Polo Ártico da América (Alasca, Canadá), Groenlândia e Sibéria. O termo usado no Canadá para descrever esses povos é "inuit".
- **Bororo.** Nação indígena brasileira, composta atualmente de cerca de 1.500 indivíduos, que vive no estado do Mato Grosso.

DOC. 3 **História oral e história das mentalidades**

A história oral é uma abordagem histórica que busca registrar a memória de pessoas e grupos sociais que não aparecem tradicionalmente nos registros escritos, dando voz a sujeitos anônimos, esquecidos ou à margem da história escrita, como mulheres, crianças, analfabetos, idosos, operários etc. A história oral nasceu no final da década de 1940 nos Estados Unidos e aos poucos foi incorporada por outros países, como Inglaterra (1960) e Brasil (1970), sempre envolvida com as questões da memória humana individual ou coletiva.

A história das mentalidades elege como objeto de estudo os comportamentos, as crenças, os valores, os sentimentos e os medos que caracterizam determinada sociedade numa época específica. As mentalidades estão associadas às atividades inconscientes, aos elementos culturais e de pensamento que fazem parte do cotidiano sem que os indivíduos os percebam. A mentalidade é considerada uma estrutura de longa duração e, portanto, muda mais lentamente do que os acontecimentos políticos e sociais. Um bom exemplo de estrutura de longa duração são as crenças religiosas, como o catolicismo no Brasil. Ele foi implantado no processo de colonização e permanece influente até os dias de hoje. Outro exemplo são os usos e costumes de um povo, como o consumo de arroz e feijão, típico dos brasileiros, e a prática do Tai Chi Chuan, típica dos chineses.

Página da internet do Museu da Pessoa. Esse museu é um espaço virtual destinado a valorizar a vida das pessoas e está aberto à participação de todo indivíduo que queira compartilhar a história da sua vida. Acesso em março de 2010.

O valor da memória

Não existe nenhuma sociedade sem memória. Seja por meio de mitos, lendas ou relatos orais, seja por meio de documentos escritos, imagens e monumentos, cada sociedade preserva o passado de alguma maneira. Essa memória, que é constituída pelo conjunto de vestígios deixados pelas gerações passadas, pode ter diversas funções: exaltar os grandes feitos dos ancestrais, preservar a identidade de um grupo social, transmitir costumes, tradições e vivências etc. Mas a função mais importante da memória é relembrar aquilo que poderia ser esquecido, transmitindo o significado das experiências passadas às novas gerações.

Vamos dar um exemplo. O **holocausto**, ou seja, o assassinato de milhões de judeus pelo governo nazista da Alemanha durante a Segunda Guerra Mundial, foi uma das maiores catástrofes da história da humanidade. Com o fim da guerra e a derrota do nazismo, os aliados tiveram de escolher se os campos de concentração deviam ser desmantelados ou não. Decidiu-se conservá-los exatamente como eram para manter viva a memória do horror e impedir que um acontecimento tão terrível fosse esquecido ou que, algum dia, alguém afirmasse que aquilo nunca havia acontecido **[doc. 4]**.

QUESTÕES

1. Relacione os elementos da imagem da abertura deste capítulo com a concepção que se tinha da história no mesmo período.
2. A subjetividade do historiador compromete a objetividade do conhecimento histórico? Justifique sua resposta.
3. Explique como uma nova concepção de sujeito histórico provocou mudanças nos estudos de história no século XX **[doc. 4]**.

DOC. 4 **Relatos da dor**

Durante a Segunda Guerra Mundial, o químico italiano Primo Levi foi preso e enviado para campos de concentração, entre eles Auschwitz I, na Polônia. Com o fim da guerra, em 1945, ao ser libertado relatou suas experiências como prisioneiro judeu na obra *É isto um homem?*.

"Imagine-se, agora, um homem privado não apenas dos seres queridos, mas de sua casa, seus hábitos, sua roupa, tudo, enfim, rigorosamente tudo que possuía; ele será um ser vazio, reduzido a puro sofrimento e carência, esquecido de dignidade e discernimento — pois quem perde tudo, muitas vezes perde também a si mesmo; transformado em algo tão miserável, que facilmente se decidirá sobre sua vida e sua morte, sem qualquer sentimento de afinidade humana, na melhor das hipóteses considerando puros critérios de conveniência. Ficará claro, então, o duplo significado da expressão 'Campo e extermínio', bem como o que desejo expressar quando digo: 'chega ao fundo'."

LEVI, Primo. *É isto um homem?* Rio de Janeiro: Rocco, 1988. p. 25.

O escritor italiano de origem judaica Primo Levi em Roma, na Itália, em 1986.

Área externa do antigo campo de concentração de Auschwitz, que hoje funciona como museu. Oswiecim, Polônia, 2008.

Tempo, memória e história

Objetivo

- Analisar a relação entre tempo, história e memória.

Termos e conceitos

- Tempo
- Memória
- Período histórico

Os tempos da história

Podemos dizer que o **tempo** é a matéria-prima de que é feita a história. A história pressupõe a divisão do tempo em passado (o que já passou), presente (a realidade vivida neste momento) e futuro (o que ainda está por vir). Como o homem é um ser que tem linguagem e **memória**, é capaz de relacionar o presente vivido com as experiências passadas e com as expectativas para o futuro.

Segundo o pensador italiano Benedetto Croce, toda história é a história do presente. Isso significa que o passado não é uma dimensão estática, imutável e separada do presente. É a partir do presente que podemos construir um conhecimento sobre o passado, e esse conhecimento, por sua vez, nos permite entender o presente e planejar o futuro. Assim, passado, presente e futuro são dimensões dinâmicas e interdependentes, nas quais se desenrolam os desejos, as aspirações e as ações humanas.

Um bom exemplo para entendermos a ligação entre passado, presente e futuro é pensarmos na história das mulheres. De fato, foi a partir do momento em que as mulheres começaram a conquistar um espaço público na sociedade, ou seja, a partir de uma questão do presente, que se desenvolveu, na historiografia, um espaço para estudar o passado da mulher, agora entendida como sujeito histórico.

A percepção e a medida do tempo

O tempo, ao lado do espaço, é uma das dimensões fundamentais da percepção humana, permitindo-nos interagir com o mundo exterior e nos orientar nele. A percepção psicológica do tempo evolui desde a infância e seu desenvolvimento se conclui apenas no final da adolescência.

Uma criança de 5 anos não consegue dimensionar a duração de uma semana, um mês ou um ano. Por isso, quando ela nos pergunta quando vai receber o presente prometido e respondemos que ela o receberá em quinze dias, é comum ela nos perguntar todos os dias se a tão esperada data já chegou. As crianças também percebem o tempo de modo afetivo e psicológico, distinguindo momentos prazerosos, em que o tempo parece sempre passar de forma acelerada, de momentos desagradáveis, em que a relação contrária prevalece.

Conforme avança o processo de amadurecimento, a criança e o adolescente passam a reconhecer a duração de uma viagem, a diferença entre um mês e um ano, a distância entre uma semana e outra, os ciclos da natureza, como o aparecimento e o pôr do sol, elementos cotidianos que conferem um referencial concreto da passagem do tempo, sem que desapareça a noção afetiva do tempo, também presente na experiência do adulto.

DOC. 1 Pedra do sol asteca, calendário esculpido num bloco de basalto pesando 24 toneladas. Museu Nacional de Antropologia, Cidade do México.

O tempo e a sociedade

O tempo também é experimentado de modo distinto por diferentes sociedades. Nas sociedades agrárias e pré-industriais, por exemplo, o tempo social identifica-se com o tempo cósmico da natureza. A medida do tempo é feita conforme o ciclo das estações, marcado pelos trabalhos agrícolas, o ritmo do clima e a sucessão entre períodos de trabalho e períodos de festa. Por exemplo, são as estações do ano que definem a época de iniciar o plantio, de fazer a colheita e de preparar a terra para um novo cultivo. O trabalho agrícola é determinado pelo tempo da natureza porque é necessário que as plantações recebam chuva no tempo certo e que a frequência da chuva se reduza na época da colheita **[doc. 1]**.

O tempo no mundo moderno

Nas sociedades industriais modernas, ao contrário, o tempo é medido por instrumentos mecânicos, como o relógio. É o relógio que determina o horário de iniciar o trabalho, de interrompê-lo para o almoço e de encerrar as atividades. O aumento da facilidade de comunicações e da circulação de informações modifica a percepção social do tempo, transmitindo a sensação de aceleração e de novidade permanente. O tempo deixa de ser pautado pelos lentos ciclos da natureza e passa a ser orientado pelo ritmo frenético da máquina.

Os calendários

A necessidade de ordenar o tempo social levou à instituição dos calendários. O calendário é uma forma de dividir o tempo e organizá-lo em períodos que se repetem de forma cíclica, como os dias, os meses e os anos. Os calendários permitem datar e situar os acontecimentos, facilitando o planejamento do trabalho e das atividades escolares, a organização de cerimônias e rituais, o culto dos feitos dos ancestrais e até para assinalar eventos futuros por meio de previsões.

Os calendários estabelecem uma relação entre o tempo vivido pelas sociedades e o tempo da natureza. Na maioria das culturas, o calendário foi criado com base em observações astronômicas, mas também nos ciclos da natureza, como a alternância entre o período de chuva e o período de seca. O fenômeno mais utilizado como referência são os ciclos da lua. Os calendários baseados no ciclo da lua, chamados lunares, deram origem a ciclos de cerca de trinta dias para os meses e de doze meses para o ano. Entre os exemplos de calendários lunares, encontram-se o da Babilônia, um dos mais antigos da história da humanidade, e o muçulmano.

O calendário gregoriano, utilizado por nós atualmente, se fundamenta no ciclo solar. Conhecido como calendário cristão, serve de referência para todo o mundo ocidental. Esse calendário tem 365 dias, divididos em doze meses de 28 (fevereiro), 30 ou 31 dias. A cada quatro anos, é acrescido um dia no mês de fevereiro, constituindo o chamado ano bissexto.

Os períodos da história

Para facilitar a compreensão dos acontecimentos históricos, o historiador organiza e divide o tempo em **períodos históricos**, que destacam acontecimentos considerados fundamentais para a sociedade em que ele vive. Tradicionalmente, a história europeia ocidental está dividida em quatro períodos: Idade Antiga, Idade Medieval, Idade Moderna e Idade Contemporânea **(doc. 2)**.

A divisão da história em quatro grandes períodos é uma convenção, assim como a duração e a escolha dos acontecimentos que marcam o início e o fim de cada período. Por exemplo, a eleição da Revolução Francesa como marco inicial da Idade Contemporânea pode ser entendida como o reconhecimento de um patrimônio histórico comum a um determinado grupo, no caso os europeus ocidentais.

Adotamos a periodização clássica da história ocidental, pois acreditamos que essa divisão tradicional auxilia o aluno a situar os acontecimentos no tempo e a perceber neles elementos de mudança e continuidade, diferenças e semelhanças, além de reconhecer as diferentes dimensões temporais.

- **Gregoriano.** Refere-se ao calendário instituído pelo papa Gregório XIII em 1582, substituindo e corrigindo as imprecisões do calendário juliano, estabelecido em 46 a.C. pelo imperador romano Júlio César.

QUESTÃO

- Quais as semelhanças e as diferenças entre a concepção de tempo das sociedades tradicionais e a das sociedades industriais?

DOC. 2 **A periodização clássica da história**

Esta linha do tempo não foi organizada em escala temporal.

Aparecimento da escrita – 3100 a.C. | Queda do Império Romano – 476 | Tomada de Constantinopla – 1453 | Revolução Francesa – 1789

Idade Antiga

Pintura em ânfora representando o nascimento de Dioniso. Grécia, século V-IV a.C.

Idade Média

Vassalo presta homenagem a seu senhor, selo do século XII.

Idade Moderna

Esquadra de Pedro Álvares Cabral, extraído do Livro das Armadas, século XVI.

Idade Contemporânea

Torres Gêmeas do World Trade Center após serem atingidas por aviões terroristas. Nova York, EUA, 2001.

ATIVIDADES

Retomar conteúdos

1 Imagine que você é um historiador e resolveu escrever a história da sua família. Faça uma lista das fontes históricas disponíveis para a elaboração deste trabalho, organizando-as em: escritas, iconográficas, orais e materiais.

2 Todas as pessoas, em seu cotidiano, se relacionam de alguma maneira com o passado: rememorando um acontecimento pessoal, procurando soluções para um problema familiar, planejando uma ação futura, cultuando deuses e ancestrais. O que diferencia essa "volta ao passado", por meio de relatos pessoais, lendas e mitos, do trabalho realizado pelo historiador?

Ler textos e imagens

3 Os textos a seguir são do antropólogo Claude Lévi-Strauss (texto 1) e do crítico e historiador da literatura Alfredo Bosi (texto 2).

Texto 1

"A história não escapa, portanto, à obrigação, comum a todo conhecimento, de utilizar um código para analisar o seu objeto, mesmo (e sobretudo) se atribuirmos a esse objeto uma realidade contínua. [...] Esse código consiste numa cronologia. Não há história sem datas; para nos convencermos disso, basta considerar o modo como um aluno chega a aprender história: ele a reduz a um corpo descarnado cujo esqueleto é constituído pelas datas. Não sem razão, reagiu-se contra esse método enfadonho, mas caindo por vezes no excesso inverso. Se as datas não são toda a história, nem o mais interessante na história, elas, todavia, representam aquilo sem o que a própria história desapareceria, pois toda a sua originalidade e toda a sua especificidade residem na apreensão da relação do antes e do depois, a qual estaria condenada a desaparecer se, pelo menos virtualmente, os seus termos não pudessem ser datados."

LÉVI-STRAUSS, Claude. História: método sem objeto específico. In: SILVA, Maria Beatriz Nizza da (Org.). *Teoria da história*. São Paulo: Cultrix, 1976. p. 40.

Texto 2

"1492, 1792, 1822, 1922.

Datas. Mas o que são datas?

Datas são pontas de *icebergs*.

O navegador que singra a imensidão do mar bendiz a presença dessas pontas emersas, sólidos geométricos, cubos e cilindros de gelo visíveis a olho nu e a grande distância. Sem essas balizas naturais que cintilam até sob a luz noturna das estrelas, como evitar que a nau se espedace de encontro às massas submersas que não se veem? [...]."

BOSI, Alfredo. O tempo e os tempos. In: NOVAES, Adauto. *Tempo e história*. São Paulo: Companhia das Letras/ Secretaria Municipal da Cultura, 1992. p. 19.

a) Identifique pelo menos dois argumentos comuns aos dois textos quanto à importância da cronologia nos estudos de história.

b) Por que, segundo o texto 2, não se pode dispensar a cronologia nos estudos de história?

c) Que diferenças, quanto ao estilo, você ressalta entre os dois textos?

4 Leia esta tirinha da Mafalda.

Tira da Mafalda, personagem criada pelo argentino Quino.

a) Como a tirinha da Mafalda apresenta os sujeitos da história?

b) Escreva um pequeno texto expondo seu próprio papel como sujeito da história.

5 O texto a seguir é parte de um diálogo entre dois personagens do romance filosófico *O mundo de Sofia*.

"– Quer dizer que a Idade Média durou dez horas? – perguntou Sofia. [...]

– Se cada hora valer cem anos, então sua conta está certa. Podemos imaginar que Jesus nasceu à meia-noite, que Paulo saiu em peregrinação missionária pouco antes da meia-noite e meia e morreu quinze minutos depois, em Roma. Até as três da manhã a fé cristã foi mais ou menos proibida. [...] Em 380, o cristianismo se tornou a religião de todo o Império Romano. [...] Por volta de 1200, aproximadamente, começaram a ser fundadas as primeiras universidades."

GAARDER, Jostein. *O mundo de Sofia*: romance da história da filosofia. São Paulo: Companhia das Letras, 1997. p. 187-189.

a) Qual o significado das horas na periodização feita pelos personagens?

b) A qual calendário essa periodização está relacionada?

c) Qual a relação entre a meia-noite do diálogo e esse calendário?

UNIDADE A

Da Pré-história às primeiras civilizações do Oriente

O respeito à diversidade

No século XXI, a internet e as comunidades virtuais vêm ganhando espaço privilegiado na comunicação eletrônica, em que crianças, jovens e adultos acreditam poder expressar livremente suas ideias e opiniões.

A criação de uma rede mundial de comunicação, no entanto, não pôs fim ao preconceito e à intolerância entre os povos. Não é difícil perceber que filmes e novelas retratam personagens de determinadas culturas de modo estereotipado. Por que nos filmes norte-americanos de ação o inimigo geralmente é um personagem islâmico ou de um país subdesenvolvido?

Em um mundo em que a tolerância e o respeito à diversidade são palavras de ordem cada vez mais presentes, se faz necessário conhecer, sem preconceitos, o presente e o passado de culturas diferentes da nossa, como aquelas que se formaram, há milhares de anos, no norte da África, no Oriente Médio e no Sudeste Asiático. Apesar da diversidade entre os povos antigos, todos eles representam ramificações do desenvolvimento do *Homo sapiens*, a espécie da qual fazemos parte.

» Capítulos

1. Pintura rupestre no sítio arqueológico de Tassili n' Ajjer, na Argélia, 4000--2000 a.C.;
2. peitoral egípcio mostrando um escaravelho, c. 930 a.C.;
3. máscara púnica feita de pasta de vidro, século III a.C.;
4. vasilha de cerâmica vermelha, procedente de Napata, antiga Núbia, c. 600 a.C.;
5. estatueta suméria, c. 2500 a.C.;
6. baixo-relevo do século III representando o menorah, o candelabro judaico;
7. leão alado em ouro do Império Persa, século V a.C.;
8. Bodisatva (do sânscrito, ser de sabedoria) em arenito, século I;
9. par de vasos da dinastia Han, China, século II a.C.

OCEANO ATLÂNTICO

A Pré-história e as primeiras civilizações do Oriente

Esta linha do tempo não foi organizada em escala temporal.

As imagens da linha do tempo estão identificadas ao longo dos capítulos desta unidade.

c. 6,5 milhões de anos atrás

Data do fóssil do hominídeo mais antigo conhecido até o momento, o *Sahelanthropus tchadensis*.

c. 500 mil anos atrás

O *Homo erectus* domina o uso do fogo.

c. 9000 a.C.

Revolução Agrícola. Sedentarização do homem.

c. 5500 a.C.

Início da utilização de metais.

c. 4000 a.C.

Os sumérios ocupam a região da Mesopotâmia.

QUESTÕES

1. Explique a diferença entre as duas concepções sobre a origem da vida: a criacionista e a evolucionista.
2. O que foi a chamada Revolução Agrícola? Quando teria ocorrido? Que mudanças esse acontecimento trouxe para a vida humana?
3. Por que os hebreus se diferenciavam dos demais povos da Antiguidade?

Fonte: VIDAL-NAQUET, Pierre; BERTIN, Jacques. *Atlas histórico*: da pré-história aos nossos dias. Lisboa: Círculo de Leitores, 199. p. 39.

c. 2800 a.C.
A civilização harapense começa a se formar em torno no Rio Indo, na Índia.

c. 2000 a.C.
Os hebreus ocupam a Palestina.

c. 1792 a.C. a 1750 a.C.
Código de Hamurábi.

c. 1000 a.C.
Difusão do alfabeto fenício.

c. 220 a.C.
Início da construção da Muralha da China.

Capítulo

1

A Pré-história humana

› **1.1 O lugar do homem na evolução das espécies**

A origem da vida é motivo de grande polêmica entre os evolucionistas e os criacionistas.

› **1.2 Uma cultura de caçadores**

A primeira espécie do gênero Homo iniciou o período paleolítico.

› **1.3 A origem do homem americano**

As teorias que buscam explicar a origem do homem americano divergem quanto à data de sua chegada à América.

› **1.4 A Pré-história brasileira**

Os sambaquis e as culturas ceramistas são algumas das principais manifestações da Pré-história brasileira.

› **1.5 O Neolítico e a Revolução Agrícola**

A Revolução Agrícola marcou o início do Neolítico.

A origem da humanidade

Muitas têm sido as explicações para a origem do homem ao longo da história: algumas míticas, carregadas de simbologias, outras baseadas em fatos, porém fantasiosas. Contudo, graças aos estudos e pesquisas realizados nos últimos dois séculos, temos atualmente uma ideia mais clara a respeito da origem do homem.

Se pudéssemos retroceder um milhão de anos no passado da Terra, não encontraríamos seres humanos iguais a nós, mas espécies que teriam pouca semelhança conosco, seja na aparência, seja no comportamento. Estaríamos na verdade observando a infância da espécie humana no período que chamamos de Pré-história. Nessa fase, os antepassados do homem moderno começaram a andar sobre os membros inferiores, a usar suas mãos e sua inteligência para superar as difíceis condições de sobrevivência, a dominar outras espécies e a ocupar os continentes.

Assim, estudar a Pré-história é fundamental para compreendermos as origens de nossa cultura, da invenção das primeiras ferramentas, das primeiras formas de arte, das cidades, da nossa alimentação e de nosso vestuário, o que possibilita perceber que temos hoje muito mais conforto e recursos de sobrevivência que nossos antepassados, mas também um modo de vida que estimula o individualismo, agride a natureza e estabelece, entre os homens, fronteiras socioeconômicas, étnicas e territoriais.

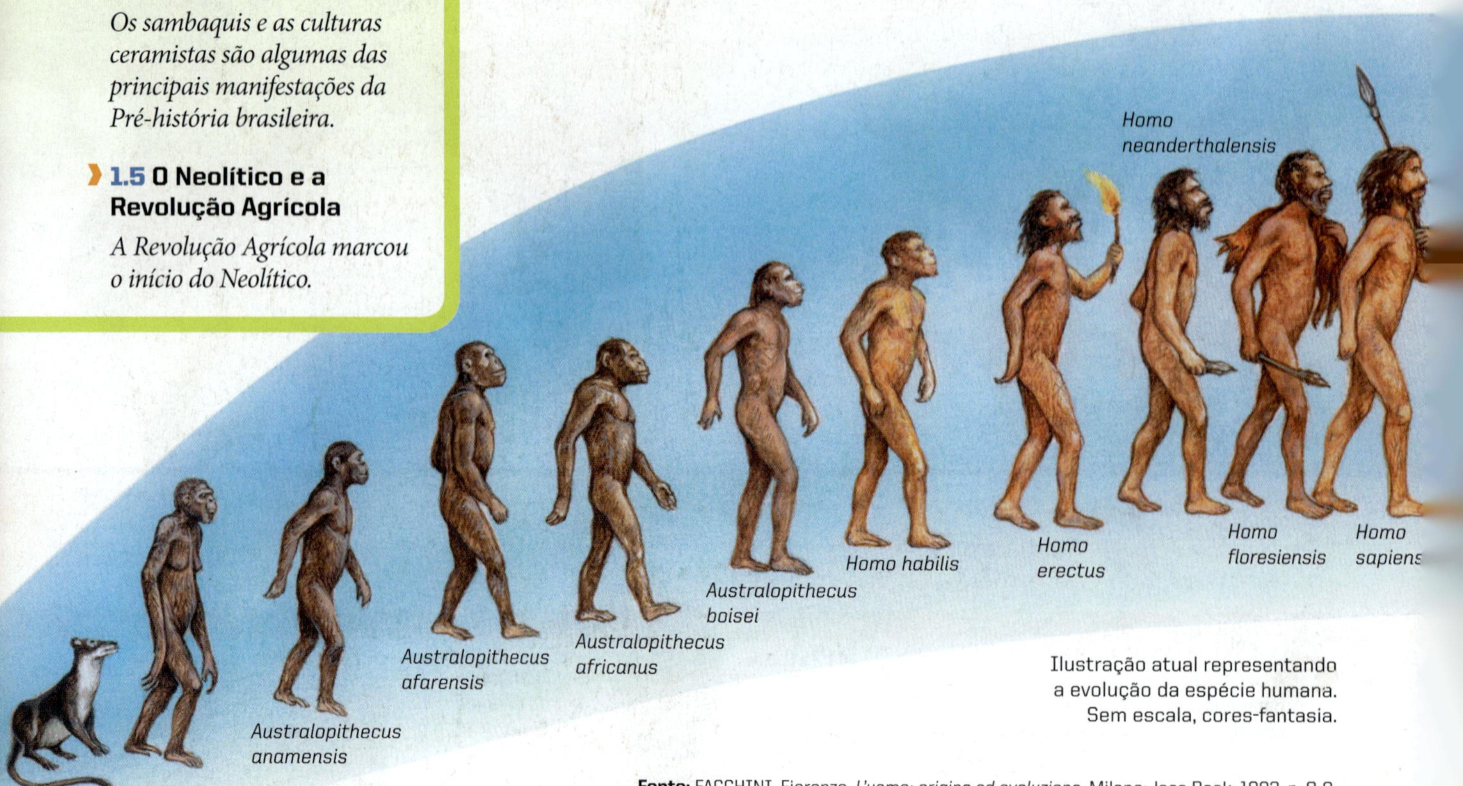

Ilustração atual representando a evolução da espécie humana. Sem escala, cores-fantasia.

Fonte: FACCHINI, Fiorenzo. *L'uomo: origine ed evoluzione*. Milano: Jaca Book, 1993. p. 8-9.

O lugar do homem na evolução das espécies

Objetivos

- Diferenciar o criacionismo do evolucionismo.
- Caracterizar a família dos hominídeos.

Termos e conceitos

- Criacionismo
- Evolucionismo
- Hominídeo

O criacionismo

As civilizações mais antigas já elaboravam explicações sobre a aparição do homem, seu lugar no mundo e suas relações com outras espécies.

Muitos povos inventaram histórias sobre a criação, ligadas a mitos ou a crenças religiosas. Para os antigos egípcios, por exemplo, os homens teriam se originado das lágrimas do deus Sol Rá. Já os maias acreditavam que os homens foram feitos de uma massa de milho.

Os mitos e as lendas sobre a origem do homem, que têm como ponto comum a crença de que a humanidade foi criada por um ser superior, fazem parte de uma corrente de pensamento chamada **criacionismo**.

O criacionismo no mundo ocidental é baseado na tradição judaico-cristã. Defende-se a ideia de que Deus é o criador de tudo aquilo que existe e que, depois de ter gerado a Terra e todos os seres vivos, teria criado Adão e Eva, dos quais toda a humanidade, até os nossos dias, descenderia. Os fundamentos dessa interpretação criacionista são encontrados no Livro do Gênesis, no Antigo Testamento da Bíblia **[doc. 1]**.

Até o século XVII, a visão criacionista era dominante no mundo ocidental. Existiam até mesmo cálculos que estabeleciam a data precisa em que Deus teria criado o homem, como a datação estabelecida pelo teólogo irlandês James Usher, em 1650. Segundo Usher, a criação do mundo ocorreu em 23 de outubro de 4004 a.C., um domingo, e Adão e Eva, os primeiros humanos, foram criados em 28 de outubro de 4004 a.C., uma sexta-feira **[doc. 2]**.

DOC. 1 **A obra do criador**

"Deus disse: 'Façamos o homem à nossa imagem, segundo a nossa semelhança, e que ele submeta os peixes do mar, os pássaros do céu, os animais grandes, toda a terra e todos os animais pequenos que rastejam sobre a terra!'

Deus criou o homem à sua imagem, à imagem de Deus ele o criou; criou-os macho e fêmea.

Deus os abençoou e lhes disse: 'Sede fecundos e prolíficos, enchei a terra e dominai-a. Submetei os peixes do mar, os pássaros do céu e todo animal que rasteja sobre a terra!' [...]

Deus viu tudo o que havia feito. Eis que era muito bom. Houve uma tarde, houve uma manhã: sexto dia.

O céu, a terra e todos os seus elementos foram terminados.

Deus terminou no sétimo dia a obra que havia feito.

Ele cessou no sétimo dia toda a obra que fazia.

Deus abençoou o sétimo dia e o consagrou, pois tinha cessado, neste dia, toda a obra que ele, Deus, havia criado pela sua ação.

Este é o nascimento do céu e da terra quando da sua criação."

Gênesis 1,26 - 2,4. *Bíblia:* tradução ecumênica. São Paulo: Loyola, 1994. p. 25-26.

DOC. 2 *A criação de Eva*, ilustração de Gustave Doré. Século XIX.

O evolucionismo

A partir do século XVII, com o desenvolvimento das ciências e a contestação das explicações religiosas sobre o funcionamento do mundo, muitos estudiosos passaram a questionar se haveria também uma explicação racional para a origem humana.

No século XIX, começaram a surgir estudos concretos sobre o assunto. Na década de 1820, o escocês Charles Lyell, trabalhando com a geologia, buscava compreender a formação de nosso planeta, com base na análise de rochas, acidentes geográficos e do subsolo.

Lyell lançou a hipótese de que a Terra teria uma origem muito antiga, remontando até mesmo a bilhões de anos. Ele também foi um dos primeiros a entender que o solo podia ser lido como um livro, no qual as camadas mais profundas seriam as mais antigas. Quando achava fósseis nessas camadas, Lyell usava-os como indicadores da idade das camadas de rocha em que se encontravam. Desse modo, os estudiosos passaram a perceber que muito do que era encontrado em camadas profundas era bem mais antigo do que se pensava **[doc. 3]**.

DOC. 3 **O que é um fóssil?**

Os fósseis são restos materiais preservados de antigos organismos vivos. Podem ser ossos, dentes, chifres e eventualmente até um corpo inteiro. Também são fósseis outros sinais desses organismos, como ovos, sementes e pegadas. Há vários modos de se formar um fóssil. Eles podem resultar de um organismo que é envolto em uma substância que o preserva da decomposição, como o gelo, o petróleo ou a seiva resinosa de árvores, que dá origem ao âmbar. Outro processo de fossilização ocorre quando as substâncias que compõem um organismo são lentamente substituídas por minerais que nele se infiltram, transportados pela água que penetra nos corpos.

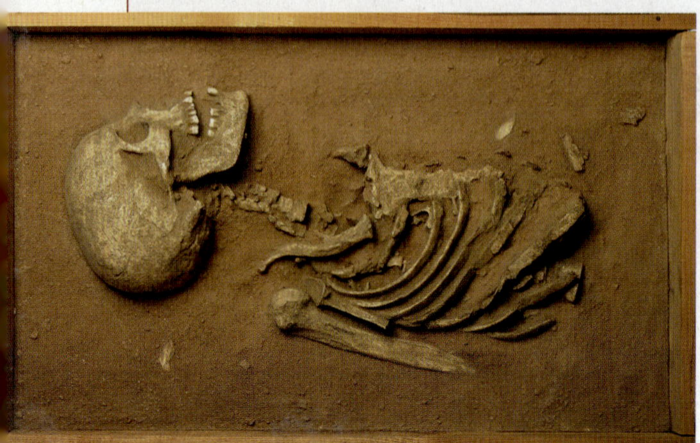

Fóssil de esqueleto humano do período neolítico. Roaix, França.

Os estudos de Darwin e Wallace

Alguns anos mais tarde, o naturalista inglês Charles Darwin usou os estudos de Lyell para elaborar parte de sua teoria da evolução das espécies. Mas ele não era o único a estudar o assunto. Desde 1845, o também inglês Alfred Russell Wallace refletia sobre a evolução e debatia suas hipóteses com Darwin. O resultado desses estudos foi apresentado por eles em 1858, numa comunicação em que expuseram a **teoria da evolução por seleção natural**, mais conhecida por **evolucionismo**. No ano seguinte, Charles Darwin publicou seu livro *A origem das espécies*, que Wallace defendia publicamente.

A tese de Darwin é a de que a sobrevivência de uma espécie ocorria por um processo de seleção natural, no qual as espécies mais adaptadas às condições existentes em seu *habitat* seriam as mais bem-sucedidas, tendo maiores chances de sobreviver e procriar, enquanto as menos adaptadas acabariam por desaparecer. Mais tarde, em 1871, Darwin deu continuidade a seus estudos com a publicação do livro *A origem do homem e a seleção sexual*, em que defendia que o homem havia evoluído como os outros seres e que o ser humano e os macacos tinham uma origem comum, tese que causou grande polêmica **[doc. 4]**.

Pensar em espécies anteriores à do homem moderno não era novidade. Darwin não criou uma teoria completamente nova. Mas sua teoria abriu caminho para a hipótese de existirem outras espécies humanas com características semelhantes às dos macacos, mas que teriam desaparecido ao longo da evolução.

DOC. 4 **Charles Darwin**

Charles Darwin nasceu em 1809, na Inglaterra. Enquanto estudava medicina na universidade, interessou-se pela história natural e, em 1831, ingressou em uma expedição científica à América do Sul a bordo do navio Beagle. A viagem lhe permitiu observar as relações entre o meio ambiente e as variadas formas de desenvolvimento dos seres vivos. O naturalista também verificou que existiam traços comuns entre as espécies extintas e as atuais.

Ao retornar à Inglaterra, em 1836, levou consigo centenas de exemplares de animais e plantas coletados durante a viagem. Com base nessa amostra, concluiu que apenas as espécies mais adaptadas sobreviviam em determinados ambientes. Isso era parte de sua teoria sobre a evolução das espécies, que acabou sendo publicada apenas em 1859, no livro *A origem das espécies*.

Em 2009, eventos realizados em vários países, inclusive no Brasil, comemoraram os 150 anos do lançamento da principal obra de Darwin e os 200 anos do nascimento desse grande cientista, cuja teoria ainda é motivo de grande polêmica.

O papel da arqueologia

A história da espécie humana é antiga e recua a milhões de anos no passado. Para estudar um passado tão distante como esse, não podemos aproveitar os mesmos tipos de documentos utilizados para lidar com acontecimentos mais recentes, tais como jornais, livros, fotografias ou entrevistas orais. Naquele período, o homem ainda não tinha desenvolvido a escrita e vivia em grupos nômades ou seminômades.

Dessa forma, as fontes para o estudo da Pré-história são compostas daquilo que fazia parte do modo de vida dos seres humanos e que sobreviveu à passagem do tempo. Vestígios materiais (como as pinturas rupestres), restos de objetos (como pontas de lança e utensílios feitos de ossos) ou de atividades dos grupos humanos passados (como marcas de uma fogueira) são os elementos que devem ser analisados para se entender esse período. O estudo específico desses elementos é realizado pela arqueologia **[doc. 5]**.

A evolução humana: traços gerais

O ser humano faz parte da ordem dos **primatas**, constituída de espécies que têm algumas características comuns: cérebro grande em relação ao tamanho do crânio, que por sua vez é pequeno em relação ao corpo; olhos e narinas na parte frontal da face; mamas no peito; membros com cinco dedos nas extremidades; um dos dedos em oposição aos outros quatro; capacidade de ficar de pé.

Dentro da ordem dos primatas pertencemos à família dos **hominídeos**. Essa família compreende os ancestrais humanos e alguns grandes macacos, como os gorilas. Até o momento, o primeiro ancestral humano conhecido dessa família é o *Sahelanthropus tchadensis*, descoberto em 2002 no Chade, na África Central, com cerca de 6,5 milhões de anos. Já possuía a capacidade de andar com os membros inferiores, que é um dos traços característicos da espécie humana.

O gênero Australopiteco

Entre 4,5 e 2 milhões de anos, um novo gênero surgiu entre os hominídeos: o **Australopiteco**, termo de origem grega que significa "macaco do sul", pois eles habitavam o sul da África. Os australopitecos também usavam os membros inferiores para andar, mas possuíam cérebro maior que os dos macacos e maxilares salientes com dentes caninos e molares semelhantes aos nossos.

Por volta de 2,7 milhões de anos, apareceram duas novas espécies entre os australopitecos: o *Australopithecus robustus* e o *Australopithecus boisei*. Essas espécies já possuíam dentes pré-molares e molares grandes para triturar folhagens, grãos e frutos e habitavam as regiões das savanas e estepes na África.

O gênero Homo

Acredita-se que as duas espécies de australopitecos entraram em contato com o primeiro representante do gênero **Homo**, o *Homo habilis*, por volta de 2,5 milhões de anos, na África Oriental. A existência simultânea desses dois gêneros indica o desenvolvimento paralelo do Australopiteco e do Homo, o que reforça a ideia de que a evolução não é uma linha contínua.

O gênero Homo, do qual fazemos parte, tem as pernas mais longas que os braços, glândulas sudoríparas, poucos pelos no corpo, dentição diversificada e multifuncional e capacidade craniana maior que a dos outros hominídeos. Existiram pelo menos dez espécies associadas a este gênero, entre elas o *Homo sapiens*, a única que conseguiu sobreviver **[doc. 6]**.

A característica mais marcante do gênero Homo é sua maior capacidade cerebral, que lhe possibilitou fabricar objetos, uma característica evolutiva bem diferente da linha seguida pelo gênero Australopiteco, baseado mais na força física. Assim, seu surgimento foi acompanhado do aparecimento dos primeiros instrumentos feitos de pedra e osso.

DOC. 5 **O ofício da arqueologia**

A arqueologia é a ciência que estuda as sociedades humanas passadas por meio de vestígios materiais que atestam a existência dessas sociedades e as ações que desenvolveram. Os vestígios deixados pelas sociedades vão se acumulando no solo em camadas, como as folhas de um livro. Por meio de escavações, os arqueólogos descobrem marcas do passado até então ocultas.

Os locais onde as escavações são feitas são denominados sítios arqueológicos, e os sinais encontrados são os vestígios arqueológicos. Escavando cuidadosamente os sítios, recuperando os vestígios materiais e analisando-os com critérios científicos, os arqueólogos podem levantar hipóteses sobre como vivia determinado grupo humano.

Pesquisadores realizam escavação em sítio arqueológico. Berlim, Alemanha, 2008.

DOC. 6 **A evolução da espécie humana**

Representação atual da evolução dos hominídeos. Sem escala, cores-fantasia.

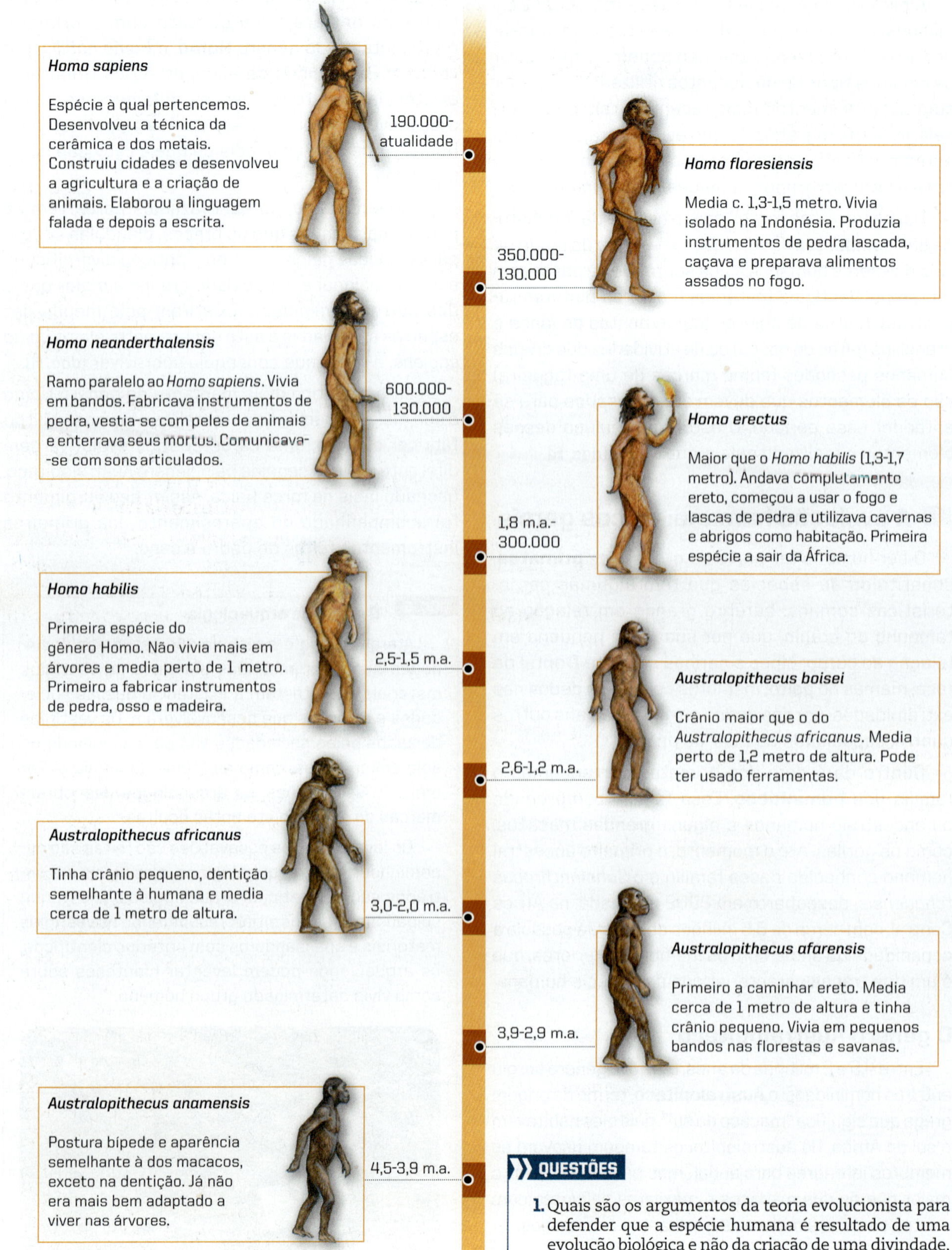

Fonte: FACCHINI, Fiorenzo. *L'Uomo:* origine ed evoluzione. Milano: Jaca Book, 1993. p. 8-9; BAILEY, Jill; SEDDON, Tony. *Prehistoric world*. Oxford: Oxford University Press, 1994. p. 150-151. (Coleção Young Oxford Books)

QUESTÕES

1. Quais são os argumentos da teoria evolucionista para defender que a espécie humana é resultado de uma evolução biológica e não da criação de uma divindade, como sustentam diferentes crenças religiosas?

2. Analise o quadro da evolução da espécie humana [doc. 6].
   - O surgimento do gênero Homo marcou o fim da evolução biológica dos hominídeos? Explique.

Seção 1.2

Uma cultura de caçadores

Objetivos

- Diferenciar a espécie *Homo sapiens* das espécies anteriores.
- Caracterizar a vida humana no período paleolítico.
- Reconhecer as principais características da arte rupestre.

Termos e conceitos

- Pré-história
- Paleolítico
- Gênero Homo
- Arte rupestre

Conteúdo digital Moderna PLUS http://www.modernaplus.com.br
Animação: Pré-história

DOC. 1 Acima, à esquerda, machado de sílex, c. 200 mil anos atrás. À direita, instrumento de pedra, c. 300 mil anos atrás.

A periodização da Pré-história

A primeira divisão da **Pré-história** em idades foi elaborada em 1820 pelo arqueólogo dinamarquês Christian Thomsen, que criou o chamado Sistema das Três Idades: **Idade da Pedra**, **Idade do Bronze** e **Idade do Ferro**. Para Thomsen, as mudanças nas técnicas de fabricação mostravam o desenvolvimento cultural dos povos.

Mais tarde, em 1865, o arqueólogo John Lubbock dividiu a Idade da Pedra da forma como utilizamos até hoje: **Paleolítico** (Pedra Antiga), **Mesolítico** (Pedra Intermediária) e **Neolítico** (Pedra Nova). Ainda segundo Lubbock, o fim da Idade da Pedra encerraria a Pré-história e iniciaria a **Idade dos Metais**, subdividida em Idade do Cobre, Idade do Bronze e Idade do Ferro **[doc. 2]**.

Embora muito aceito e utilizado, esse sistema de periodização se mostra inadequado. Como a divisão se baseia nas culturas pré-históricas do Mediterrâneo e da Eurásia, ela gera problemas quando aplicada a outras regiões. Na América, por exemplo, os maias já haviam desenvolvido a astronomia, a matemática e um sistema de escrita complexo, mas ainda dependiam de instrumentos feitos de pedra lascada ou polida, sendo por isso associados à Idade da Pedra.

Também não há um marco inicial para o que se convencionou chamar de Pré-história. Alguns autores estabelecem como ponto de partida o surgimento dos primeiros australopitecos, por volta de 4,5 milhões de anos atrás. Outros definiram como evento inaugural da Pré-história a capacidade humana de produzir artefatos, desenvolvida por indivíduos da espécie *Homo habilis*, 2,5 milhões de anos atrás. É essa periodização que adotamos nesta obra.

Os primeiros artefatos humanos

Um dos traços fundamentais e característicos da evolução humana é a capacidade de fabricar ferramentas e utensílios. Os primeiros objetos conhecidos, fabricados por grupos humanos, eram feitos de pedra (alguns estudiosos argumentam que foram fabricados de ossos de animais). Os exemplos mais antigos foram encontrados na África Oriental. São pedras lascadas de pelo menos 2,5 milhões de anos, chamadas *choppers*. Instrumentos semelhantes também foram encontrados em diversas partes da África, Europa e Ásia **[doc. 1]**.

Os utensílios em pedra encontrados fornecem pistas importantes sobre a vida desses hominídeos, por exemplo, sobre o tipo de alimentação que tinham e os recursos que podiam obter usando esses novos instrumentos. Quanto mais aumentavam seus recursos e capacidades, maiores eram as chances de se protegerem e garantirem a sobrevivência do grupo. Com o tempo os instrumentos foram se diversificando e sendo adaptados a funções mais especializadas, a exemplo de machados bifaces, raspadores e pontas de projéteis.

DOC. 2 **A periodização tradicional da Pré-história**

Paleolítico	Mesolítico	Neolítico	Idade do Cobre	Idade do Bronze	Idade do Ferro
2,5 milhões a 35000 a.C.	35000-6000 a.C.	10000-2000 a.C.	5500-2000 a.C.	3000-1000 a.C.	1500 a.C.-500 d.C.

A divisão proposta com base na classificação de John Lubbock predominou até meados do século XX. As datas indicam o intervalo em que se encontram o início e o fim de cada período ao redor do mundo, pois essas mudanças não aconteceram ao mesmo tempo em todas as culturas. Por exemplo, o Neolítico durou na Europa Central de 6000 a 3000 a.C., mas na Turquia aconteceu antes, entre 9000-6000 a.C.

As primeiras espécies do gênero Homo

Segundo a periodização tradicional, o Paleolítico se iniciou com a primeira espécie do **gênero Homo**, o *Homo habilis*, que surgiu na África Oriental por volta de 2,5 milhões de anos atrás. Esse período apresentava como principal marca evolutiva o domínio da produção de instrumentos de pedra. Organizava-se em pequenos grupos, constituídos de vinte a cem indivíduos, sem distinções sociais marcantes.

Eram grupos que viviam da caça de pequenos animais e da coleta de frutos, folhas e raízes, sendo assim denominados de **caçadores-coletores**. Por esse motivo, eram nômades, ou seja, não se fixavam em um só lugar, movimentando-se continuamente em busca de mais recursos. Os indivíduos dessa espécie geralmente habitavam o interior das cavernas e os abrigos naturais encontrados nas rochas.

O *Homo erectus* viveu entre 1,8 milhão e 300 mil anos atrás **[doc. 3]**. Ele foi o primeiro hominídeo a deixar a África e se espalhar pela Ásia e Europa. Usava instrumentos de pedra e criou o machado biface, com dois gumes. Organizava-se em pequenos grupos, como o *Homo habilis*, e deixou sinais que demonstram os cuidados do grupo com os membros fracos ou doentes.

Os membros dessa espécie viviam como caçadores-coletores e realizavam grandes caçadas, ao contrário do *Homo habilis*. Os primeiros indícios de manipulação do fogo também são atribuídos ao *Homo erectus*, conquista que teria ocorrido por volta de 500 mil anos atrás. Essa evolução tecnológica foi utilizada para preparar alimentos, iluminar, aquecer e proteger o grupo de outros animais, aumentando as chances de sobrevivência da espécie.

DOC. 3 Reconstituição facial do *Homo erectus*, de 1988.

O *Homo neanderthalensis*

No chamado Paleolítico Médio (de 300 mil a 35 mil anos atrás), a maioria das espécies até então existentes do gênero Homo desapareceu, incluindo o *Homo habilis* e o *Homo erectus*. O novo período foi dominado por duas novas espécies: o *Homo neanderthalensis* (ou Homem de Neanderthal) e o *Homo sapiens*.

O *Homo neanderthalensis* habitava a Europa e parte da Ásia Central durante a era glacial **[doc. 4]**. Tinha como principal característica um cérebro mais desenvolvido, que lhe permitia fabricar instrumentos de pedra mais especializados, como machados, facas, dardos e arpões. Também utilizava outros materiais, como madeira, chifres e ossos. Construía abrigos com ossos, peles e ramos de árvores, usava o fogo, preparava armadilhas e esfolava animais.

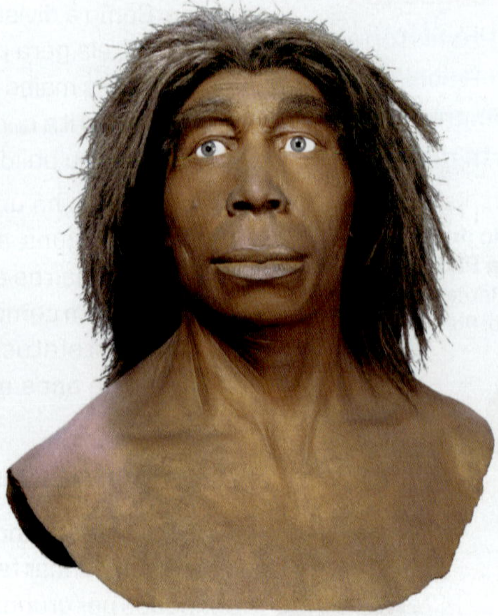

DOC. 4 Reconstituição facial do *Homo neanderthalensis*, de 1988.

O *Homo neanderthalensis* também foi a primeira espécie a enterrar seus mortos. Uma flauta de osso encontrada na Eslovênia indica ainda que produziam instrumentos musicais. Os grupos se organizavam em bandos de caçadores-coletores com poucos indivíduos, entre vinte e cinquenta membros.

Durante pelo menos 100 mil anos essa espécie coexistiu com o *Homo sapiens*, mas desapareceu por volta de 130 mil anos atrás, por causas desconhecidas. Alguns especialistas defendem que seu desaparecimento se deveu à competição por recursos com o *Homo sapiens*, na qual teria sido derrotado. Outros especulam que essa espécie pode não ter se adaptado à mudança climática resultante do fim da era glacial.

- **Era glacial.** Também conhecida como glaciação e era do gelo, é o nome dado a cada um dos períodos em que uma grande mudança climática cobriu um terço da superfície da Terra com uma camada de gelo. A última glaciação conhecida foi a de Wurm ou Wisconsin, que durou cerca de 100 mil anos e terminou por volta de 12 mil anos atrás.

O *Homo sapiens*

O *Homo sapiens* se espalhou gradativamente a partir da África Oriental em direção à Ásia e à Europa desde 190 mil anos atrás. É a espécie à qual pertencemos, tendo as mesmas características fisiológicas que nós. Ao contrário do que muitos imaginam, ele não descende do *Homo neanderthalensis*, mas forma um ramo separado, que evoluiu paralelamente.

A nova espécie, dotada de inteligência muito maior, desenvolveu novas técnicas de produção de instrumentos de pedra e de outros materiais, como osso, chifre e madeira. Uma organização social mais complexa e definida começou a surgir, marcada pela cooperação, necessária para caçar animais maiores (como mamutes e ursos), distribuir os alimentos e organizar as migrações dos grupos.

Como não temos documentos escritos das populações pré-históricas, a **arte rupestre** é um registro valioso, que pode nos fornecer pistas do modo de vida e das crenças dos nossos antepassados. As pinturas e as gravuras rupestres começaram a ser produzidas por volta de 35 mil anos atrás em diferentes lugares do mundo **[doc. 5]**.

Seus membros construíam cabanas e tendas fabricadas com galhos, peles e ossos de animais e usavam vestes feitas de peles e couro. Eles também produziram as primeiras manifestações de arte rupestre. O sepultamento dos mortos acompanhado de objetos funerários indica o desenvolvimento de crenças e práticas rituais.

O *Homo sapiens* também foi responsável pela diversificação e especialização dos instrumentos, com a fabricação de anzóis e arpões para pesca, lanças, clavas, machados e pontas de projéteis para caça, furadores, raspadores, agulhas e facas para extrair couros e peles. No período mesolítico (35 mil a 18 mil anos atrás), começaram a produzir arcos, flechas e canoas, a fabricar novos utensílios de pedra e a desenvolver a técnica da cerâmica.

DOC. 5 **Arte rupestre**

A arte rupestre está presente em grande parte dos sítios arqueológicos na forma de estatuetas, gravuras e pinturas em cavernas e paredões rochosos. Para pintar, os homens pré-históricos usavam pigmentos que extraíam da natureza, misturando cera de abelhas, sangue, barro, gordura, resinas vegetais, minerais moídos, carvão, água e até excrementos.

Acredita-se que a arte rupestre representava a primeira forma de expressão e comunicação dos homens pré-históricos, por meio da qual exibiam sua percepção e compreensão do mundo e de si mesmos. Algumas cenas pintadas sugerem rituais ou atividades organizadas, como danças e caçadas; outras mostram aspectos do cotidiano, como uma mulher grávida; há também figuras que mostram sinais desconhecidos.

Segundo o arqueólogo André Prous, essas imagens "não pretendiam ser obra de arte, mas transmitir informações, tais como hoje fazem os sinais de trânsito, as bandeiras e as letras organizadas em uma mensagem". Entretanto, como não conhecemos o código social dos povos pré-históricos, não é possível decifrar, com certeza, o significado das mensagens transmitidas. Podemos, no máximo, levantar hipóteses.

Pinturas rupestres na caverna de Lascaux, França, de aproximadamente 17 mil anos atrás. Note a representação dos animais.

QUESTÕES

1. Compare as duas ferramentas e comente as diferenças relacionadas à forma de fabricação e ao uso pelos grupos humanos **[doc. 1]**.
2. Por que o sistema de divisão da Pré-história em "idades" se apresenta inadequado?
3. Elabore um quadro comparativo das quatro principais espécies do gênero Homo no Paleolítico, de acordo com as indicações. Na primeira linha, coloque as quatro espécies, e, nas linhas seguintes, os aspectos de seu modo de vida (forma de organização, instrumentos fabricados, formas de sobrevivência, formas de comunicação).

Espécie				
Forma de organização				
Instrumentos				
Meios de sobrevivência				
Formas de comunicação				

A origem do homem americano

Objetivo

- Compreender as diferenças entre as principais explicações sobre a chegada do homem à América.

Termos e conceitos

- Teoria Clóvis
- Sítio arqueológico

A ocupação da América

Há muitas dúvidas sobre a origem dos primeiros habitantes da América. De onde vieram? Eles vieram por terra ou por mar? Quando chegaram? Qual foi o primeiro ponto de ocupação? Apenas um grupo se expandiu e se espalhou por todo o território americano ou a América recebeu populações de mais de uma procedência?

Por muito tempo pensou-se que a evolução humana na América fosse tão antiga quanto nos outros continentes. Porém, conforme os estudos arqueológicos foram avançando, percebeu-se que a única espécie humana que existiu na América foi a do *Homo sapiens*. Isso significa que o homem moderno migrou para o nosso continente depois de ter se desenvolvido na África, na Ásia e na Europa.

No início do século XX, os cientistas acreditavam que as primeiras incursões de grupos humanos na América teriam se iniciado por volta de 35 mil anos atrás, na última era glacial. Eles teriam vindo da Ásia e entrado na América através do Estreito de Bering congelado. A passagem pelo estreito não teria sido difícil, pois possuía aproximadamente 100 quilômetros de largura.

Teorias explicativas da ocupação da América

Na década de 1930, foram descobertos artefatos feitos de pedra perto da cidade de Clóvis, no estado do Novo México, nos Estados Unidos **[doc. 1]**. Essas evidências de ocupação humana do continente datavam de 12 mil anos atrás e eram as mais antigas encontradas até então. A chamada "cultura Clóvis" era constituída por povos caçadores que produziam ferramentas em pedra com uma técnica complexa e possuíam traços físicos semelhantes aos das populações asiáticas.

Essas descobertas levaram à elaboração de uma das principais teorias sobre a chegada do homem à América, chamada de **teoria Clóvis**. Segundo essa teoria, o homem teria chegado à América entre 15 mil e 12 mil anos atrás, vindo da Ásia através do Estreito de Bering (no atual estado norte-americano do Alasca), que se encontrava congelado naquela época. Posteriormente, a ocupação teria se irradiado por toda América do Norte e Central, até atingir a América do Sul há cerca de 11 mil anos.

A partir da década de 1970, contudo, novas descobertas arqueológicas em outras regiões da América, como Monte Verde (Chile), Aguazuque e Tequendama (Colômbia), Taima-taima (Venezuela) e Lagoa Santa (Minas Gerais, Brasil), indicavam ocupações anteriores à cultura de Clóvis, que chegavam até 14.500 anos atrás. Os artefatos em pedra encontrados indicavam que essas ocupações seriam mais antigas que a de Clóvis.

Além desses indícios, a análise dos restos humanos encontrados nos novos **sítios arqueológicos** revela características físicas diferentes das que caracterizam as populações asiáticas, ficando mais próximas das populações da Oceania e da África. Com base nessas conclusões, foi elaborada uma nova teoria segundo a qual o homem teria chegado à América pelo mar, vindo da Oceania e de ilhas do Oceano Pacífico.

O antropólogo e arqueólogo brasileiro Walter Neves elaborou uma terceira teoria. Defende que houve não apenas uma, mas diversas ondas migratórias para a América, ocorridas em datas diferentes e compostas de grupos oriundos tanto da Ásia (que entraram na América através do Estreito de Bering) quanto da Oceania **[doc. 2]**.

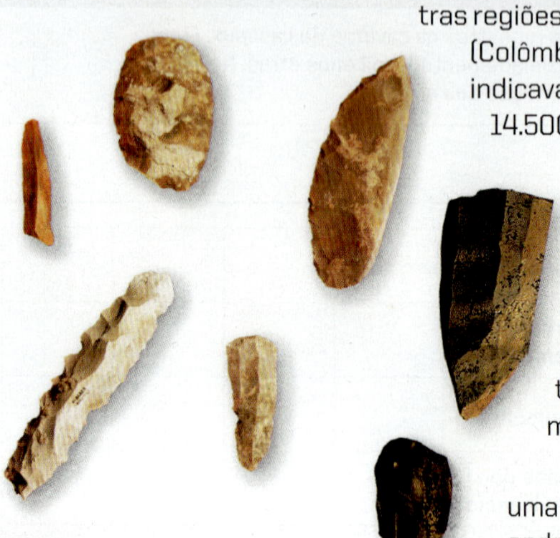

DOC. 1 Artefatos da "cultura Clóvis" encontrados no estado do Novo México, Estados Unidos.

DOC. 2 **Caminhos trilhados para chegar à América**

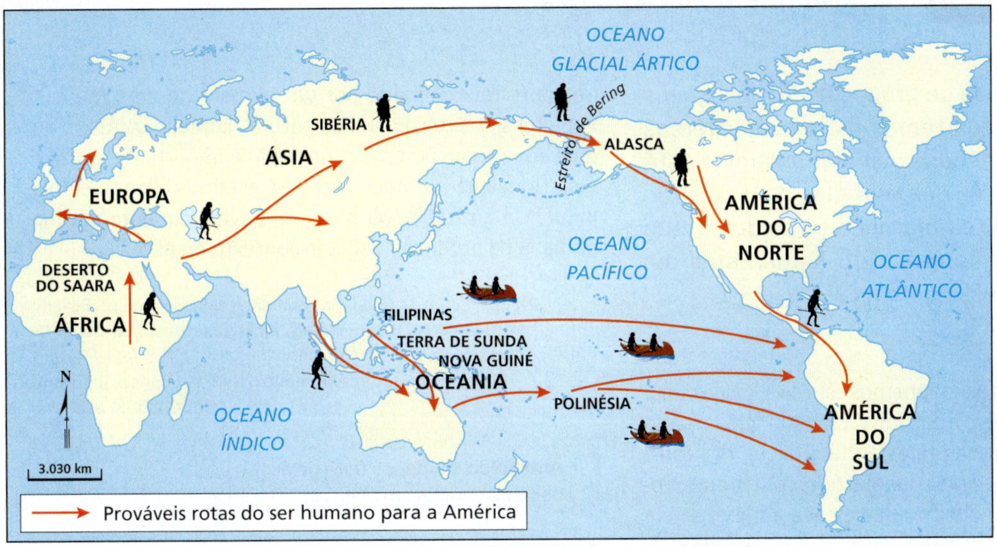

Fonte: VIDAL-NAQUET, Pierre; BERTIN, Jacques. *Atlas histórico*: da Pré-história aos nossos dias. Lisboa: Círculo de Leitores, 1987. p. 18; *Atlas histórico escolar*. Rio de Janeiro: FAE, 1991. p. 50.

Outras interpretações sobre a origem do homem na América

Atualmente, a linha de interpretação de Walter Neves é bem-aceita entre os pesquisadores. No entanto, já se reconhece que existem sítios pré-históricos mais antigos na América, com datações confirmadas entre 15 mil e 25 mil anos atrás. Um exemplo é o sítio de Santa Elina, em Mato Grosso, com datação em 25 mil anos, sítios na Pensilvânia (Estados Unidos), com datação em 17 mil anos, e em Old Crow (norte do Canadá), com datação em 25 mil anos.

A polêmica ficou mais intensa com os estudos da arqueóloga franco-brasileira Niède Guidon nos sítios do Meio e Boqueirão da Pedra Furada, no **Parque Nacional Serra da Capivara**, situado no Piauí. Segundo a pesquisadora, os vestígios encontrados nesses sítios, como acúmulo de carvões, conjunto de pedras queimadas e pinturas rupestres, datam de pelo menos 48 mil anos atrás, o que representariam os vestígios mais antigos da presença humana na América **[doc. 3]**.

Segundo as datações propostas por Niède Guidon, a ocupação do Brasil e da América do Sul ocorreu por volta de 50 mil anos atrás, sugerindo que a chegada dos primeiros homens à América poderia ter ocorrido através das ilhas do Pacífico entre 80 mil e 70 mil anos atrás, período em que, devido à glaciação, haveria mais terras emersas.

As datações dos materiais provenientes do sítio Boqueirão da Pedra Furada são consideradas corretas, porém não há consenso sobre se esse material arqueológico é resultado da atividade humana, já que poderia ter sido produzido também pela ação de forças naturais. Um congresso realizado no Brasil em 2006 trouxe maior apoio à posição de Niède Guidon, ao mostrar marcas de ação humana em lascas encontradas em Pedra Furada.

DOC. 3 **Parque Nacional Serra da Capivara**

No Parque Nacional Serra da Capivara, existem 912 sítios arqueológicos cadastrados, que abrigam cerca de 30 mil pinturas rupestres, muitas com datações estimadas em 20 mil anos atrás ou mais, o que daria ao Parque a condição de conjunto arqueológico mais antigo do Brasil.

Pinturas rupestres do Parque Nacional Serra da Capivara, Piauí, 2000.

QUESTÃO

- Quais foram as descobertas que colaboraram para o questionamento da teoria Clóvis? Quais teorias foram criadas com base nessas descobertas?

CONTROVÉRSIAS O povoamento da América

A data da chegada de grupos de *Homo sapiens* na América é um dos temas mais controversos na arqueologia americana. A maior polêmica está relacionada à datação dos vestígios do Boqueirão da Serra Furada, no sítio arqueológico do Parque Nacional Serra da Capivara, no Piauí. Saiba um pouco mais sobre essa polêmica.

"Suponha que nós abandonemos esta sala, e que daqui a mil anos um arqueólogo a encontre. Esta sala será um sítio arqueológico. Aí a pessoa tira esta mesa daqui, tira estes papéis, os copos, e leva para o laboratório. No laboratório, ela não vai se lembrar direito onde estava a mesa, se ela estava encostada no canto da parede ou no centro da sala. Este papel estava na diagonal ou não? E o microfone, estava apontado para cá? Se ela quiser entender aqueles documentos, ela terá certamente que desmontar aquele contexto. Mas a palavra mágica da arqueologia é justamente contexto. Qual é a nossa briga em relação aos sítios do Piauí? Há uma discussão, sobre se eles têm ou não têm 50 mil anos, 70 mil, 90 mil. Na verdade, você pode datar uma amostra de carvão de 45 mil anos, mas o fato de o carvão ter sido queimado há 45 mil anos não quer dizer que ele necessariamente foi queimado por um homem ou uma mulher. Pode ter sido uma queimada natural. Então, o contexto no qual aquele carvão está depositado é importante, porque a partir dali vamos poder saber se estamos lidando com a influência antrópica ou não, se houve realmente autoria humana na produção daquele contexto ou não."

NEVES, Eduardo Góes. Por que não tem pirâmide no Brasil? In: *Por ti América:* aventura arqueológica – depoimentos [CD-ROM]. Idealização, concepção e desenho expositivo Alex Peirano Chacon. Rio de Janeiro: Centro Cultural Banco do Brasil/ CPDOC, 2006. p. 39-41.

- **Antrópico.** Mudança feita pelo homem no meio em que vive.

QUESTÕES

1. Em que tipo de estudos as teorias sobre a origem do homem americano estão baseadas?
2. Quais as principais controvérsias que envolvem as teorias sobre a origem do homem americano?
3. Por que os vestígios arqueológicos da Serra da Capivara, no Piauí, causam tanta discussão entre os pesquisadores?

Ilustração atual representando uma escavação arqueológica **(1)**, o trabalho de investigação feito sobre as descobertas **(2)** e as hipóteses que podem ser levantadas pelos pesquisadores **(3 e 4)**.

Seção 1.4

A Pré-história brasileira

Objetivo

Identificar a periodização da Pré-história brasileira.

Termos e conceitos

- Cultura ceramista
- Tradição
- Sambaqui

As culturas do Pleistoceno (até 12 mil anos atrás)

Uma periodização da Pré-história brasileira muito aceita pelos arqueólogos leva em consideração principalmente os aspectos culturais dos grupos que habitaram o Brasil na Pré-história. Essa periodização, que adotaremos aqui, apresenta dois grandes períodos: culturas do Pleistoceno e culturas do Holoceno.

Na geologia, **Pleistoceno** é o nome dado ao período em que ocorreram as glaciações e que se estende de 1,8 milhão de anos até 12 mil anos atrás.

As culturas brasileiras do Pleistoceno correspondem às mais antigas do Brasil. São encontrados vestígios dessas culturas em Minas Gerais, Goiás, Piauí, Pernambuco e Rio Grande do Norte. Os grupos pleistocenos eram nômades e mais ou menos coesos, sendo formados por um número reduzido de membros. Viviam em cavernas e abrigos sob rochas no topo de colinas ou próximo a rios. Produziam ferramentas em pedra para abater os animais e retirar sua pele.

No período do Pleistoceno, o clima era mais frio e seco. A fauna era abundante, fornecendo caça de pequeno e médio porte, que podia ser apanhada com porretes e armadilhas.

Nessa época também encontramos a chamada **megafauna**, composta de grandes animais, como o cliptodonte (tatu gigante) e a preguiça-gigante **[doc. 1]**. A megafauna também era alvo da caça dos homens pré-históricos, mas em menor grau, tanto pela dificuldade na captura quanto pelo fato de esses animais competirem com os humanos pelos mesmos recursos.

O que dizem as evidências

As pesquisas arqueológicas feitas em sítios do Pleistoceno descobriram ossadas humanas, artefatos de pedra (como seixos lascados, batedores e lascas) e restos de fogueiras com detritos alimentares. Esses restos orgânicos mostram o consumo de carne de anta, capivara, veado, paca, tatu, tamanduá, lagarto, ema e peixe. Além da caça, esses grupos se alimentavam de frutos, raízes e tubérculos, que eram abundantes no período.

Os fósseis humanos mais antigos já encontrados no Brasil datam do Pleistoceno. Eles foram descobertos no século XIX em uma caverna na região de Lagoa Santa, em Minas Gerais. No mesmo local, na década de 1970, foram encontrados ossos e o crânio de uma mulher, batizada pelos arqueólogos de Luzia, em referência a Lucy, o mais antigo fóssil humano encontrado na África **[doc. 2]**.

A análise do crânio de Luzia indica que ela tem mais parentesco com grupos ligados às correntes migratórias da Austrália e do Pacífico do que com grupos das estepes asiáticas que vieram pelo Estreito de Bering, o que reforça o debate sobre a antiguidade do homem na América, abordada na seção anterior.

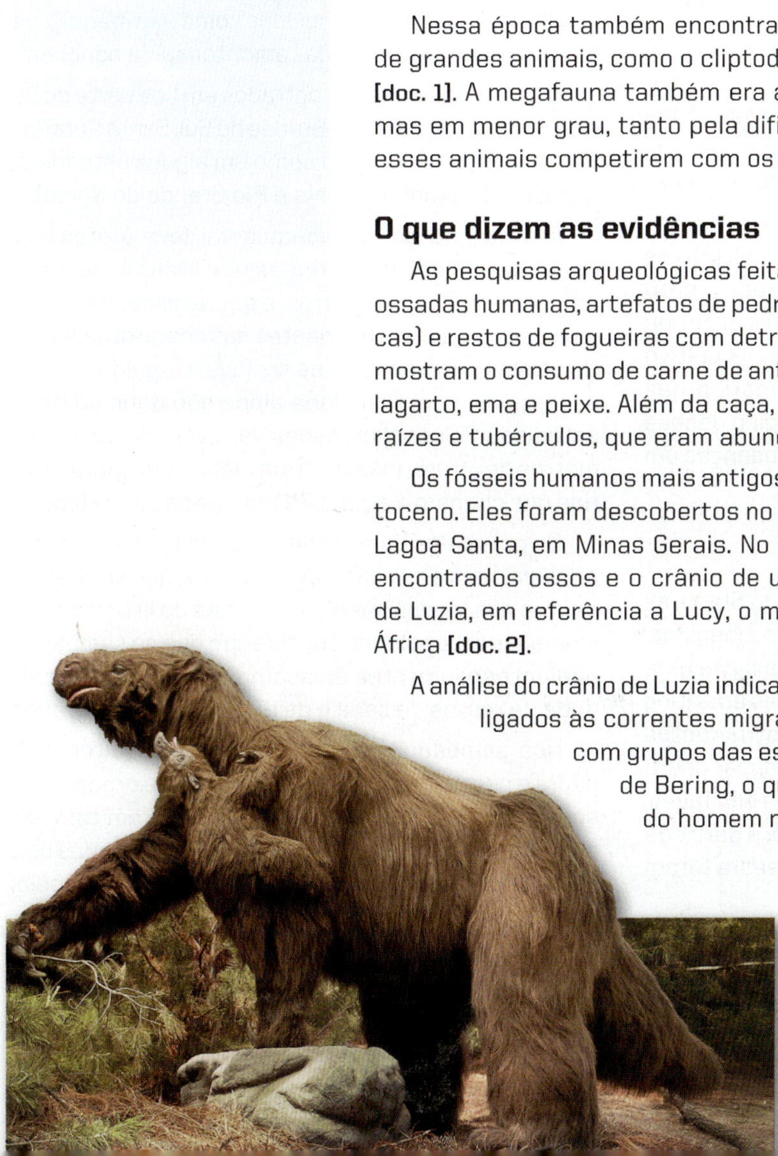

DOC. 1 Reconstituição de uma preguiça-gigante.

DOC. 2 **Luzia, a "primeira brasileira"**

"Hoje sabemos [...] que as importantes coleções de esqueletos de Lagoa Santa possuem mais de 10 mil anos. Em 1999, pesquisadores da Universidade de Manchester, na Inglaterra, reconstituíram a face do crânio humano mais antigo já encontrado nas Américas, proveniente de Lagoa Santa. Apelidado, de forma carinhosa, com o nome de Luzia, o crânio é de uma mulher e tem cerca de 11.680 anos. O crânio e outros ossos do corpo de Luzia haviam sido descobertos em 1975, em Lagoa Santa, por uma equipe franco-brasileira coordenada pela arqueóloga francesa Annete Laming-Emperaire, e hoje se encontram no acervo do Museu Nacional do Rio de Janeiro."

FUNARI, Pedro Paulo; NOELLI, Francisco. *Pré-história do Brasil*. São Paulo: Contexto, 2001. p. 34.

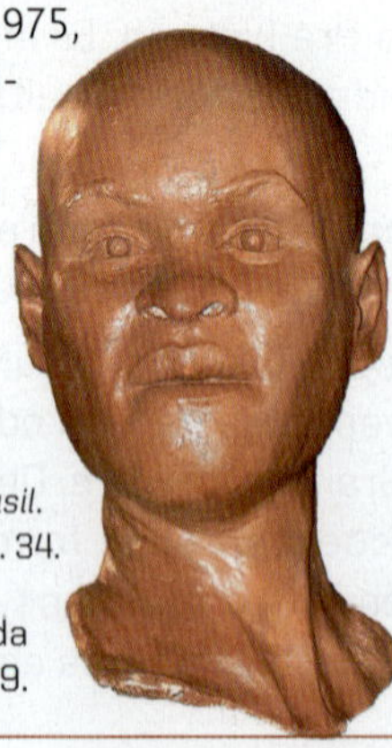

Reconstituição da cabeça de Luzia, de 1999.

As culturas do Holoceno (de 12 mil anos atrás até o presente)

O **Holoceno** divide-se em duas fases: a **cultura pré-ceramista** (entre 12 mil e 5 mil anos atrás) e a **cultura ceramista** (a partir de 5 mil anos atrás). Essa divisão tem como critério a produção de cerâmica, considerada uma evolução tecnológica muito importante em qualquer cultura.

Nesse período, com o domínio da agricultura, as populações pré-históricas tiveram um crescimento demográfico sensível e alguns grupos deixaram de ser nômades para se tornar sedentários. O cultivo da terra proporcionou uma grande mudança nas atividades econômicas e no nível tecnológico dessas populações pré-históricas, acarretando mudanças em todos os aspectos do seu modo de vida.

As culturas pré-ceramistas

Nas regiões Centro-Oeste e Nordeste do Brasil, as culturas pré-ceramistas ainda são pouco conhecidas, mas se sabe que no cerrado e na caatinga havia uma concentração forte de caçadores-coletores em sítios a céu aberto e abrigos sob rochas. Os instrumentos em pedra desses grupos, utilizados para raspar couro ou madeira, eram lascados em apenas uma das faces, dentro da **tradição itaparica**. Mais tarde, a partir de 8 mil anos atrás, esses instrumentos em pedra foram substituídos por lascas simples.

Na região Sul do país destacam-se outras duas tradições: a umbu e a humaitá. A **tradição umbu** é associada à presença de caçadores-coletores das regiões de planalto, que se espalharam mais tarde pelos vales. Seus utensílios em pedra, principalmente pontas de flechas e lascas, tinham como características serem adornados em ambos os lados, sendo produzidos a partir de vários tipos de pedras.

Existem indícios claros de que os grupos da tradição umbu sepultavam seus mortos, colocando-os sobre cinzas de fogueiras e enterrando o corpo com alguns objetos, como colares de conchas. Além de utilizarem pedras e conchas, essa tradição também produzia objetos com ossos (furadores retocados, agulhas e anzóis curvos) e adornos de dentes de tubarão.

Pouco mais tarde, percebemos que a tradição umbu desapareceu em algumas regiões, dando lugar à **tradição humaitá**, correspondente a grupos que habitavam os barrancos e terraços próximos a rios, tendo uma economia baseada ainda na coleta de vegetais e na pesca. Seus instrumentos de pedra eram mais pesados, compostos de machados bifaces e pedras com lascamento simples, mas sem pontas de flecha.

A cultura dos sambaquis

Um traço comum da ocupação do litoral marítimo e fluvial brasileiro são elevações formadas por areia, conchas e moluscos, por vezes de grandes dimensões. Essas elevações são conhecidas como **sambaquis**, palavra que em tupi significa "amontoado de conchas".

Os sambaquis são encontrados em boa parte do Sul e do Sudeste do país (Rio Grande do Sul, Santa Catarina, Paraná e São Paulo), bem como em alguns estados do Nordeste (Maranhão, Bahia e Rio Grande do Norte).

A formação dos sambaquis se deve à presença de grupos coletores marinhos que viveram no litoral entre 8 mil e 2 mil anos atrás, e que se alimentavam de moluscos e peixes, abundantes nas costas brasileiras. Os sambaquis eram morros artificiais erguidos por esses grupos, com finalidade ainda não definida pelos estudiosos. Suas dimensões variavam de dois a dez metros de altura, mas existem alguns em Santa Catarina que chegam a atingir 70 metros de altura **[doc. 3]**.

Os povos dos sambaquis baseavam seu sustento principalmente na coleta de moluscos, que eram abundantes nas lagoas, mangues e baías do litoral do Brasil. Alguns arqueólogos consideram que os sambaquis podiam servir de área de acampamento, pela quantidade de restos de caça e de alimentação escavados.

Nos sambaquis são encontrados esculturas de pedra e ossos que sugerem algum tipo de organização social rígida. Algumas sepulturas mostram também quantidades de objetos e cuidados diferenciados com os corpos, o que indicaria certa diferenciação social.

- **Tradição.** Conjunto de artefatos que possuem, em uma região e em determinado período de tempo, características técnicas e decorativas semelhantes. Por exemplo, pinturas rupestres com figuras, temas e técnicas de trabalho parecidas.

DOC. 3 Sambaqui Garopaba do Sul. Jaguaruna, Santa Catarina, 2005. Nos sambaquis, não são encontrados apenas conchas e outros materiais calcários, mas também sinais de atividade humana, como fogueiras, enterramentos, vasos de cerâmica e utensílios de pedra.

As culturas ceramistas

Por volta de 5 mil anos atrás, boa parte dos grupos que habitavam o Brasil passou a cultivar produtos agrícolas, especialmente a mandioca e o milho. A cerâmica tornou-se importante para esses grupos porque permitiu a preservação dos alimentos, a criação de novas técnicas de preparação de alimentos cozidos em panelas, sem ter de colocá-los diretamente sobre o fogo. Além disso, ela passou a ser usada por alguns povos como urna para enterrar os mortos.

Uma das maiores culturas agrícolas desse período foi a **tupi-guarani**, formada pela associação de dois ramos diferentes de povos: os tupinambás e os guaranis. Os tupi-guaranis eram povos agricultores e ceramistas que, por volta de 2 mil anos atrás, se espalharam por boa parte do território brasileiro, acompanhando principalmente o litoral, estendendo-se também por países vizinhos, como o Paraguai.

A população tupi-guarani se difundiu de tal maneira que no século XVI chegava a um milhão de indivíduos, sendo até hoje uma das populações indígenas mais significativas no país. Por ser uma cultura que ainda estava presente na época da chegada dos europeus, há diversos relatos de cronistas estrangeiros que tiveram contato com esses grupos e descreveram suas crenças e costumes.

Na Amazônia podemos encontrar vários indícios de culturas expressivas da Pré-história brasileira. Desde o período pré-ceramista, por volta de 12 mil anos atrás, há sinais de ocupação da Bacia Amazônica por populações de caçadores, pescadores e coletores. As culturas mais marcantes dessa região são a **marajoara** e a **tapajônica**, associadas a duas tradições ceramistas diferentes.

A cultura marajoara está ligada à **tradição policroma**, ou seja, que utilizava uma gama de diferentes cores em suas peças. Essa tradição surgiu na Ilha de Marajó, criada pelo povo que ali habitava por volta de 3,5 mil anos atrás. A cerâmica marajoara possuía uma decoração composta de sinais padronizados que expressavam mitos desse povo **[doc. 4]**.

A cultura tapajônica está associada à **tradição inciso-ponteada**, da qual a cerâmica tapajônica é apenas a representante mais destacada. Ela é composta de vasos com figuras humanas e de animais bem modeladas e bastante estilizadas, dos quais os vasos de cariátides (com suportes em forma de figura humana ou animal) e os de gargalo são os exemplos mais famosos **[doc. 4]**.

DOC. 4 Na imagem de cima, vaso zoomorfo da cultura Santarém. Santarém, Pará. Na imagem ao lado, vaso marajoara. Ilha de Marajó, Pará.

QUESTÕES

1. Quais são os aspectos culturais utilizados na periodização da Pré-história brasileira?
2. Observe os vasos e indique as características de forma e decoração que representam a tradição de cada uma das culturas **[doc. 4]**.

Seção 1.5

O Neolítico e a Revolução Agrícola

Objetivos

- Diferenciar a vida humana do período paleolítico da do período neolítico.
- Explicar a Revolução Agrícola e as mudanças que ela gerou nas comunidades humanas.

Termos e conceitos

- Neolítico
- Revolução Agrícola
- Especialização do trabalho
- Idade dos Metais
- Estado

Conteúdo digital Moderna PLUS http://www.modernaplus.com.br
Filme: *A guerra do fogo*

O período neolítico

O fim da era glacial, entre 14 mil e 10 mil anos atrás, gerou profundas mudanças ambientais. As mais evidentes foram o aumento da cobertura vegetal e de sua diversidade; a diminuição dos recursos hídricos disponíveis, causada pelo secamento de rios e lagos de água doce, indispensáveis à vida; a desertificação de certas regiões (por exemplo, na África, onde se formou o Deserto do Saara, e no Oriente Médio, onde se formou o Deserto da Arábia); o desaparecimento de grandes mamíferos (como os mamutes); o aumento das manadas de mamíferos de pequeno e médio porte, entre diversas outras mudanças.

O fim da era glacial coincide, na periodização tradicional da Pré-história, com o início do **Neolítico**, caracterizado pela introdução de mudanças técnicas importantes, entre elas a fabricação de utensílios de pedra polida. Além dessa inovação, o período neolítico também é associado a transformações técnicas, sociais, econômicas, produtivas e culturais que alteraram o modo de vida, a organização e a produção de alimentos dos grupos humanos. Essas transformações foram tão importantes e decisivas para os homens que alguns estudiosos falam em **Revolução Neolítica**.

O conceito de revolução tem sido hoje em dia criticado, já que as transformações foram graduais e progressivas, apesar de extremamente relevantes. Além disso, as modificações não foram simultâneas em todo o mundo (ocorreram entre 11 mil e 4,5 mil anos atrás). De qualquer forma, vários cientistas consideram que as transformações ocorridas entre 11 mil e 9 mil anos atrás, na região chamada **Crescente Fértil** [doc. 1], foram as mais importantes para a humanidade.

A Revolução Agrícola

Acredita-se que no território que corresponde hoje à Turquia e na região do Crescente Fértil houve as primeiras tentativas de domesticação de plantas e da prática do cultivo, provavelmente baseadas na observação de plantas selvagens e seus ciclos de vida. Foi o início da agricultura, descoberta que ficou conhecida como **Revolução Agrícola**.

Paralelamente ocorreu a domesticação de animais. É possível que o aquecimento global e a restrição das áreas de água potável tenham levado as manadas de animais a se concentrar à beira de lagos e rios, da mesma maneira que os grupos humanos, favorecendo o contato e o controle desses animais e, por fim, a domesticação.

Vestígios arqueológicos indicam que foi durante o Neolítico que todas as plantas e animais de importância econômica foram domesticados em vários lugares do mundo [doc. 2]. Podemos citar o trigo e a cevada no Egito, por volta de 8000 a.C., e o carneiro na Mesopotâmia, no mesmo período, embora existam evidências de que o cachorro já fosse companheiro dos humanos desde o Paleolítico.

A difusão da cerâmica, outra grande mudança do Neolítico, ocorreu por volta de 5500 a.C., impulsionada pela necessidade de obter recipientes para armazenar e transportar líquidos, grãos e sementes, além de possibilitar o cozimento dos alimentos que compunham a base da alimentação humana nesse período. Para cozinhar tubérculos, cereais e carnes, era necessário um recipiente capaz de suportar altas temperaturas, e a cerâmica era ideal para isso.

DOC. 1 O Crescente Fértil

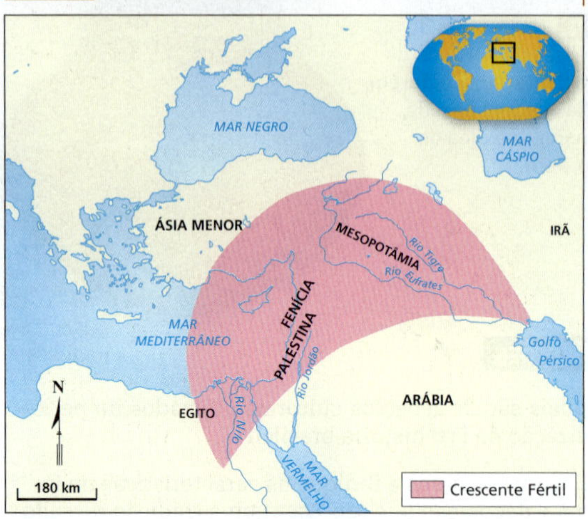

Fonte: VIDAL-NAQUET, Pierre; BERTIN, Jacques. *Atlas histórico*. Lisboa: Círculo de Leitores, 1990. p. 25.

DOC. 2 As origens da agricultura e da domesticação de animais

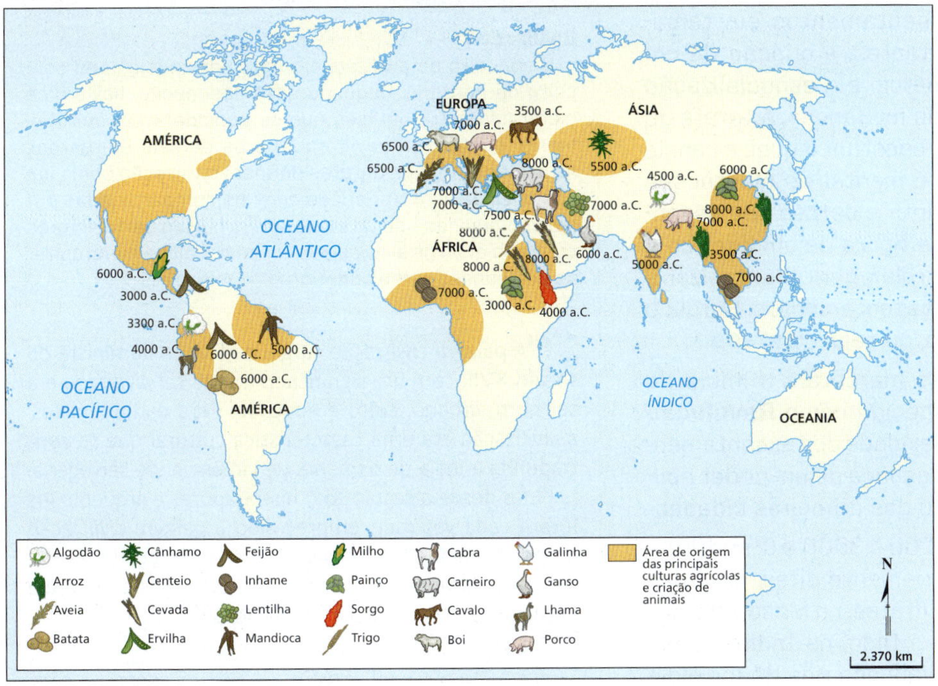

Fonte: *Atlas da história do mundo*. São Paulo: Times/Folha de S. Paulo, 1995. p. 38-39; REFREW, Colin; BAHN, Paul. *Arqueologia*. Madri: Akal, 1993. p. 152.

Os primeiros assentamentos humanos

A Revolução Agrícola, porém, não implicou apenas o desenvolvimento da agricultura. Ela marcou a transformação de grupos pequenos, móveis e possivelmente igualitários de caçadores-coletores em sociedades sedentárias, estabelecidas em aldeias e vilas.

O domínio de técnicas agrícolas, tais como a invenção do arado, da roda e a construção de canais de irrigação, possibilitou maior aproveitamento das áreas cultivadas e o surgimento de um **excedente agrícola**. O aumento da capacidade de produção exigiu que as comunidades criassem meios de armazenagem dos produtos. Com a criação desse excedente foi possível ampliar a oferta de alimentos sem a necessidade de migrações em busca de novos recursos.

Outros motivos permitiram o aumento demográfico das comunidades. Carregar mais de uma criança pequena num grupo em constante movimento é muito difícil. Já em assentamentos permanentes, cuidar mais de uma criança deixou de ser uma grande dificuldade, o que levou a um aumento da população.

A especialização do trabalho e o trabalho com metais

A criação de animais possibilitou obter uma série de subprodutos, como peles, lã, leite, chifres, ossos, que podiam ser trabalhados e também transformados em outros produtos, como alimentos (derivados do leite), utensílios (agulhas de costura e botões de ossos) e vestimentas (sapatos de couro e roupas de lã).

O trabalho com esses materiais exigiu determinadas habilidades técnicas que levaram à **especialização do trabalho**. Ou seja, alguns indivíduos de um assentamento foram liberados do trabalho no campo e passaram a executar tarefas específicas ligadas ao artesanato. O surgimento do artesanato levou à criação de um sistema de trocas, em que o artesão trocava seus produtos por alimentos que ele não produzia. Estava nascendo o **comércio**.

Associado à especialização do trabalho, o uso de metais na fabricação de armas e utensílios, c. de 5500 a.C., também aproxima o fim da Idade da Pedra e o início da **Idade dos Metais**. O primeiro metal a ser trabalhado foi o cobre, utilizado na fabricação de enfeites e estatuetas. Por volta de 3000 a.C., o bronze, uma liga obtida da mistura de cobre e estanho, começou a ser trabalhado para produzir ferramentas, armas e estátuas. O uso do ferro só se difundiu por volta de 1500 a.C. **[doc. 3]**.

DOC. 3 À esquerda, facas feitas de bronze, c. 1100-700 a.C. Acima, lâmpada a óleo feita de ferro, c. 700-400 a.C. Hallstatt, Áustria.

Conteúdo digital Moderna PLUS
http://www.modernaplus.com.br
Mapa animado: *Origem da agricultura e da pecuária*

O surgimento do Estado e da escrita

O crescimento dos assentamentos em tamanho e em número de habitantes, a criação de um excedente agrícola, o comércio e a especialização do trabalho geraram outras mudanças. A tarefa de administrar os excedentes, construir diques e canais de irrigação para ampliar e manter as plantações nas épocas de seca e garantir a defesa dos assentamentos passou a exigir a figura de um líder com poder suficiente para controlar, gerir e organizar a vida e as relações nesses assentamentos. Surgia o poder político centralizado, ou seja, o **Estado**.

Todas essas mudanças marcaram o início da urbanização, também conhecida como **Revolução Urbana**. A crescente complexidade dos assentamentos, sua estabilidade e a presença de um poder político levaram ao surgimento das primeiras cidades.

Dessa maneira, entre 5000 e 3500 a.C. surgiram as primeiras cidades propriamente ditas, situadas nos vales dos rios Tigre e Eufrates, na Mesopotâmia; do Rio Nilo, no Egito; do Rio Indo, na Índia; do Rio Jordão, na Palestina; e no vale dos rios Hoang-Ho e Yang Tse, na China. Fora dos vales fluviais, é preciso citar Çatal Hüyük, na Turquia, uma das mais antigas cidades da história **[doc. 4]**.

O aparecimento das primeiras cidades assinalou, na periodização clássica, o fim do período neolítico e da chamada Pré-história. Mas também marcou o surgimento do que chamamos de civilização, ou seja, uma relação consciente e estável entre grupos humanos e cidades que compartilham de uma mesma matriz cultural e mantêm relações entre si.

O fim da Pré-história também é associado ao surgimento da **escrita**. Verificamos que os primeiros sistemas de sinais gráficos que podem ser classificados como expressões da linguagem escrita apareceram, segundo o que se acredita, na Mesopotâmia, especificamente na Suméria, no fim do quarto milênio a.C.

Vocabulário histórico

Civilização

O conceito de civilização surgiu por oposição ao conceito de barbárie. Segundo essa concepção, havia uma hierarquia entre aqueles que se consideravam culturalmente superiores (civilizados) e os demais (bárbaros). Atualmente, alguns autores definem civilização como um conjunto de características comuns compartilhadas por uma comunidade de pessoas, e tem havido certo esforço com o objetivo de evitar que o conceito volte a hierarquizar as sociedades como superiores ou inferiores.

"A palavra civilização surgiu na França iluminista do século XVIII com um significado moral: *ser civilizado* era ser bom, urbano, culto e educado. Para os iluministas, a civilização era uma característica cultural que se contrapunha à ideia de *barbárie*, de violência, de selvageria. [...] Mas desde o século XIX, historiadores e arqueólogos foram cada vez mais empregando a palavra *civilização* no plural, falando em *civilizações*, e o termo foi, assim, aproximando-se dos conceitos de cultura, de povo, de nação, e ganhando novos significados."

SILVA, Kalina Vanderlei; SILVA, Maciel Henrique. *Dicionário de conceitos históricos*. São Paulo: Contexto, 2006. p. 59-60.

QUESTÕES

1. Observe o mapa e responda às questões **[doc. 2]**.
   a) Quais animais e plantas domesticados se destacam na região do Crescente Fértil e da atual Turquia?
   b) Quais produtos importantes para as primeiras sociedades humanas foram obtidos com essas plantas e animais?
2. O período neolítico é marcado por mudanças profundas na vida humana. Relacione essas mudanças e explique por que o conceito de "Revolução Neolítica" é contestado por muitos estudiosos.
3. Entre as transformações ocorridas no período neolítico, destaca-se a formação de cidades. Em que região ocorreu a formação das primeiras cidades e quais fatores favoreceram essa forma de organização?

DOC. 4 **As primeiras cidades**

Fonte: *A aurora da humanidade*. Rio de Janeiro: Time-Life/Abril Livros, 1993. (Coleção História em Revista)

Retomar conteúdos

1 Quais são os métodos científicos usados pelos estudiosos da Pré-história humana?

2 Diferencie evolucionismo e criacionismo, identificando seus principais argumentos ou evidências.

3 Interprete o esquema a seguir e identifique o processo histórico a que ele se refere, localizando-o no tempo e no espaço.

domesticação do trigo e cevada > excedente agrícola e uso da cerâmica > sedentarização > aumento de população > especialização do trabalho > metalurgia, urbanização e formação do Estado

4 Destaque uma diferença importante entre as espécies a seguir.

a) Australopiteco e *Homo habilis*.
b) *Homo habilis* e *Homo erectus*.
c) *Homo erectus* e *Homo neanderthalensis*.
d) *Homo erectus* e *Homo sapiens*.

Ler textos e imagens

5 Leia o texto a seguir para responder às questões.

"Por exemplo, uma coisa interessante, ainda muito mal conhecida, é que o cacau, tão importante na Mesoamérica, é uma planta amazônica, que foi domesticada na Mesoamérica – logo, houve algum tipo de contato entre as duas regiões. [...] Domesticar significa transformar uma planta selvagem em cultivada. [...] O caso do milho, também domesticado na Mesoamérica, é muito interessante. O milho é uma planta que não consegue deitar semente, porque o que o homem come são exatamente as sementes da planta. No processo de domesticação do ancestral do milho, que é outra planta, chamada teosinto, houve uma manipulação, uma seleção daquelas variedades que não jogavam fora a sua semente, e daí resultou o milho que se conhece hoje. Isso foi feito há sete mil anos a partir de um conhecimento muito íntimo, sem lupa e sem microscópio. A mandioca, tão importante hoje em dia, é uma planta venenosa, extremamente tóxica, que foi domesticada na Amazônia por um processo de engenharia genética semelhante. [...] Se você fizer a farinha e a deixar guardada, ela pode apodrecer relativamente rápido. Já um pé de mandioca fica plantado, crescendo, por mais de um ano e meio, dois anos. Você tem uma espécie de geladeira desligada armazenando a planta [...]. Pela manipulação, essa planta que era tóxica, venenosa, foi transformada na base de uma civilização."

NEVES, Eduardo Góes. Por que não tem pirâmide no Brasil?. In: *Por ti América*: aventura arqueológica: depoimentos [CD-ROM]. Idealização, concepção e desenho expositivo Alex Peirano Chacon. Rio de Janeiro: Centro Cultural Banco do Brasil/CPDOC, 2006. p. 38.

a) Identifique a hipótese levantada pelo autor do texto com relação à domesticação do cacau na Mesoamérica.
b) Como se obteve o milho que conhecemos hoje?
c) A manipulação genética de um organismo tem como objetivo introduzir nele características desejáveis. Converse com os colegas sobre as experiências de manipulação genética na atualidade, discutindo as polêmicas que envolvem o assunto.

6 Observe as imagens, leia as legendas e escreva um texto sobre a música na Pré-história, considerando:

a) o que podemos saber sobre o assunto, a partir dos achados arqueológicos apresentados nas fotos;
b) a importância da música como expressão humana no passado e no presente.

Acima, flauta de osso de abutre, c. 35 mil anos atrás, encontrada na caverna de Hohle Fels, Alemanha, e atribuída à espécie *Homo sapiens*. Ao lado, tambor cerâmico do período neolítico, c. 4000 a.C.

Produzir um texto

7 Leia as frases a seguir e, a partir delas, redija um texto discutindo o conceito de humanidade.

Texto 1

"O homem não descende do macaco como geralmente se diz. Ele é macaco. [...] há uma continuidade entre nossos antepassados primatas e nós."

LANGANEY, André. *A mais bela história do homem*: de como a Terra se tornou humana. Rio de Janeiro: Difel, 2002. p. 17-18.

Texto 2

"O homem, em suma, não tem natureza, o que ele tem é história."

ORTEGA Y GASSET, J. In: WHITROW, G. J. *O tempo na história*. Rio de Janeiro: Zahar, 1993. p. 11.

Capítulo

2

Civilizações do Nilo e da Mesopotâmia

› 2.1 Mesopotâmia: o começo da civilização

Na Mesopotâmia, foram produzidos os primeiros códigos de leis e os primeiros sistemas de escrita da história.

› 2.2 A civilização egípcia

A necessidade de garantir o melhor aproveitamento das cheias e vazantes do Rio Nilo para a produção agrícola impulsionou o processo de centralização política no Egito antigo.

› 2.3 A civilização núbia

Na região da Núbia, onde hoje se localiza o Sudão, formou-se uma grande civilização da Antiguidade.

Nilo e Mesopotâmia: berço de civilizações

No mundo contemporâneo, as atividades humanas desenvolvidas em torno de grandes rios são muito importantes para a economia e a cultura regionais. Podemos elencar alguns exemplos: o Rio São Francisco no Brasil, o Rio Mississípi nos Estados Unidos ou ainda o Rio Reno na Alemanha. Preservar a vitalidade desses rios, sem interromper a cadeia do desenvolvimento econômico, é uma das mais importantes tarefas do chamado desenvolvimento sustentável.

Os grandes rios também foram decisivos para o surgimento das primeiras civilizações da história, graças ao sistema de agricultura irrigada. A civilização egípcia floresceu no Vale do Rio Nilo, no nordeste da África, e caracterizou-se por um governo fortemente centralizado. Localizados ao sul do Egito, os reinos da civilização núbia mantiveram duradouras trocas culturais e comerciais com os vizinhos ao norte. Já a civilização mesopotâmica desenvolveu-se numa região que hoje corresponde ao Iraque (principalmente) e países vizinhos. Os mesopotâmicos organizavam-se em torno de cidades-Estado independentes.

A civilização egípcia e a mesopotâmica compartilharam uma série de características comuns, como uma crescente eficiência agrícola baseada em técnicas sofisticadas de irrigação e armazenamento de água dos rios; centralização política sobre territórios específicos; ambas tinham uma forma de poder político em que o governante era considerado um deus ou o representante divino; a economia era mantida pela acumulação centralizada de tributos; ambas praticavam o comércio a longa distância e empregavam a escrita para registrar atividades econômicas e políticas.

Pirâmides de Gizé, no Egito, em foto recente. As pirâmides foram construídas durante o período conhecido como Antigo Império (2686 a 2181 a.C.) para servir de tumbas aos faraós. A pirâmide de Quéops, a maior delas, construída por volta de 2500 a.C., levou mais de vinte anos para ser concluída.

Mesopotâmia: o começo da civilização

› Objetivo

▸ Estabelecer conexões entre as características políticas, econômicas e sociais da Mesopotâmia.

› Termos e conceitos

- Civilização
- Escrita
- Cidade-Estado
- Império

Conteúdo digital Moderna PLUS http://www.modernaplus.com.br
Mapa animado: Primeiras cidades
Mapa animado: Primeiras migrações
Mapa animado: Povos da Mesopotâmia: domínios e expansão

Civilização e preconceito

Como vivemos numa cultura ocidental, é comum encontrarmos nos jornais, na televisão e no cinema a ideia de **civilização** associada ao modo de vida da Europa e dos Estados Unidos. Expressando uma visão **eurocêntrica**, esses povos são apresentados como protagonistas da história e promotores das grandes conquistas da ciência, como se possuíssem uma aptidão natural para a civilização.

Essa noção de civilização, baseada no preconceito, não considera a identidade, os valores e a história de cada povo. Parte do pressuposto de que a cultura europeia é um modelo a ser seguido, e tudo o que foge desse modelo é atrasado e inferior. Como veremos, diferentes povos construíram grandes civilizações, que apresentavam características políticas e culturais próprias e com diferentes níveis de urbanização, e tinham sua população exercendo diferentes ofícios.

A ocupação da Mesopotâmia

Mesopotâmia é uma palavra de origem grega que significa "entre rios" e se refere à região compreendida entre os rios Tigre e Eufrates. Essa região faz parte do chamado **Crescente Fértil**, uma área excelente para a agricultura, embora esteja cercada por terras áridas. As primeiras sociedades dotadas de **escrita** e de uma estrutura social complexa surgiram nessa região, conhecida como o "berço da civilização".

A Mesopotâmia não conheceu períodos prolongados de unificação política. Ela geralmente se apresentou como uma série de **cidades-Estado** independentes que se formaram ao longo dos rios Tigre e Eufrates. Especialmente em períodos de guerras, essas cidades selavam alianças temporárias que podiam originar grandes **impérios**. Os povos que habitaram a Mesopotâmia ao longo de vários séculos foram os sumérios, os acádios, os amoritas (antigos babilônios), os assírios, os elamitas e os caldeus (novos babilônios) **[doc. 1]**.

Vocabulário histórico

Cidade-Estado
A cidade-Estado é uma forma política característica do mundo antigo. Designa uma cidade e as zonas rurais adjacentes que lhe estão subordinadas, configurando uma comunidade política autônoma que possui suas próprias leis, moedas e divindades tutelares. A cidade-Estado, portanto, não se subordina a nenhum outro poder. Exemplos de cidades-Estado na Antiguidade foram Ur, Uruk, Babilônia e Nínive, na Mesopotâmia; Biblos e Sidon, na Fenícia; Atenas e Esparta, na Grécia; e a própria cidade de Roma.

DOC. 1 Povos da Mesopotâmia

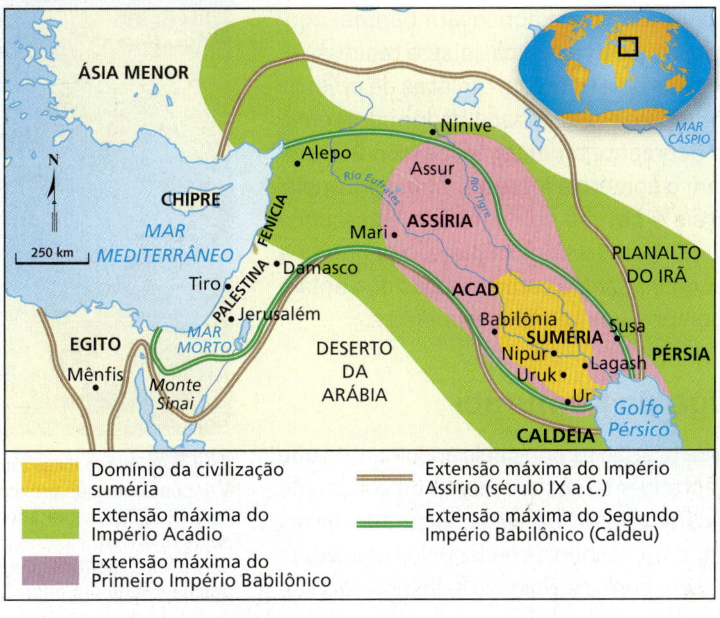

Fonte: VIDAL-NAQUET, Pierre; BERTIN, Jacques. *Atlas histórico: da Pré-história aos nossos dias*. Lisboa: Círculo de Leitores, 1990. p. 29.

Atividades econômicas

DOC. 2 Estatueta de ouro suméria representando pessoa segurando oferenda, séculos XIII-XII a.C. Museu do Louvre, Paris.

O Vale da Mesopotâmia era árido e pouco fértil, levando os povos dessa região a dependerem da agricultura irrigada. Assim, as cheias dos rios Tigre e Eufrates tinham de ser bem aproveitadas, pois eram fundamentais para o sucesso da atividade agrícola. Sistemas locais de irrigação eram desenvolvidos e controlados por comunidades camponesas locais desde aproximadamente 4000 a.C **[doc. 3]**.

Os templos desempenhavam papel central na economia mesopotâmica. Planejavam a produção agrícola, estocavam os produtos, promoviam o comércio e realizavam empréstimos. O templo era um complexo agrário-artesanal, em que conviviam diferentes camadas sociais. Ao lado dos templos, existia o palácio como estrutura política e econômica.

As terras dos templos e dos palácios eram arrendadas aos camponeses que, em troca de serviços prestados, recebiam rações e cereais para o seu sustento. Produziam-se cevada, trigo, gergelim, palmeiras, verduras e frutas. Os camponeses também criavam animais, com destaque para porcos, bois, aves, cabras, ovelhas e cavalos. Os animais forneciam carne, leite e lã, além de serem usados para puxar o arado. Alguns lotes de terra eram administrados diretamente pelos templos e palácios, utilizando trabalhadores escravos.

O artesanato mesopotâmico revelava um elevado nível técnico para a época. Fabricavam barcos, confeccionavam objetos de cerâmica, joias e tecidos. As tumbas da elite suméria estavam repletas de objetos de cobre, bronze, ouro e prata, trabalhados com técnicas variadas e ricamente ornamentadas **[doc. 2]**. Também praticavam o comércio local e a longa distância, utilizando metais e cevada como moeda. Operações comerciais, como o empréstimo a juros, o penhor e a caução, eram comuns entre comerciantes que agiam como intermediários dos templos e palácios.

O Código de Hamurábi

Os códigos de leis são os principais documentos que nos ajudam a entender o funcionamento da sociedade mesopotâmica. Como o rei não era considerado divino, mas apenas alguém investido de poder pelos deuses, as leis também valiam para ele. Por isso a necessidade de registrá-las. No Egito, ao contrário, não se tem notícia da existência de textos jurídicos. O faraó era considerado um deus encarnado e toda justiça emanava unicamente de sua vontade e de seu arbítrio.

O Código de Hamurábi é o mais conhecido dos documentos jurídicos mesopotâmicos. O código, preservado numa estela de pedra negra, foi elaborado por ordem do rei Hamurábi, que governou o **Primeiro Império Babilônico** entre 1792 e 1750 a.C. Sob seu reinado, os domínios se estendiam da Assíria, no norte da Mesopotâmia, até a Caldeia, no sul. Contudo, o próprio termo "código" é enganoso. Criado no início do século XX, o termo transmite a ideia de uma coleção completa de todo o direito então vigente. A intenção dos autores não foi essa, pois várias esferas da vida social foram deixadas de fora. Embora a estela contenha sentenças de Hamurábi, grande parte foi acrescentada por escribas tomando como base tradições legais anteriores **[doc. 4]**.

A famosa expressão "lei de talião", com seu lema "olho por olho, dente por dente", é originada do Código de Hamurábi. O princípio buscava estabelecer uma proporção justa entre o crime cometido à vítima e a punição imposta ao criminoso. A pena aplicada ao criminoso deveria corresponder ao dano causado a alguém. Assim, a lei tratava apenas do ato cometido. É provável que essa fosse a base de todos os antigos códigos de direito, anteriores aos direitos grego e romano. Diferentes são as leis modernas, que abordam as intenções e as circunstâncias em que o crime foi cometido.

DOC. 3 Aldeia localizada na região pantanosa da Mesopotâmia, nas proximidades da cidade de Nasiriyah, Iraque, 1974. Os pântanos dessa região eram formados pelos rios Tigre e Eufrates. No final da década de 1990, entretanto, o ditador Saddam Hussein ordenou a drenagem dos pântanos, transformando a região em um deserto.

DOC. 4 **Estela de Hamurábi**

"Quando o sublime Anum, rei dos Anunnaku, (e) Enlil, o senhor do céu e da terra, aquele que determina o destino do país, assinalaram a Marduk, filho primogênito de Ea, a dignidade de Enlil sobre todos os homens, (quando) eles o glorificaram entre os Igigu, (quando) eles pronunciaram o nome sublime de Babel (e) a fizeram poderosa no universo, (quando) estabeleceram para ele em seu meio uma realeza eterna, cujos fundamentos são firmes como o céu e a terra, naquele dia Anum e Enlil pronunciaram o meu nome, para alegrar os homens, Hamurábi, o príncipe piedoso, temente a deus, para fazer surgir justiça na terra, para eliminar o mau e o perverso, para que o forte não oprima o fraco, para, como o sol, levantar-se sobre os cabeças-pretas e iluminar o país."

Estela de Hamurábi [c. 1765 a.C.]. In: BOUZON, Emanuel. *O Código de Hamurábi*. Petrópolis: Vozes, 1986. p. 39-40.

Estela em que está gravado o Código de Hamurábi, c. 1765 a.C. Museu do Louvre, Paris.

Divisão social

Segundo o Código de Hamurábi, elaborado por volta de 1765 a.C., a sociedade babilônica estava dividida em três camadas sociais básicas: os *awilu*, os *mushkenu*, os *gurush* e os *wardu*, que definiam a condição jurídica e política do indivíduo **[doc. 5]**.

Os escravos – em geral, mulheres – provinham do exterior e eram obtidos por meio da guerra, da pirataria ou do comércio. Há documentos que indicam que crianças abandonadas podiam ser escravizadas. Em épocas de crise, era algo comum pessoas venderem-se a si mesmas ou membros de sua família como escravos. Os escravos, contudo, não eram a maioria da população. Havia uma massa de camponeses livres, cujo trabalho era apropriado na forma de tributos pagos ao Estado ou aos templos.

Os escravos podiam pertencer ao Estado ou aos templos e eram utilizados nas obras de irrigação, armazenamento e distribuição de excedentes agrícolas. Havia também escravos urbanos e domésticos, que pertenciam a particulares.

A escrita cuneiforme

Os mesopotâmicos desenvolveram uma das primeiras **escritas** da história, o **sistema cuneiforme**, cujos registros datam do IV milênio a.C. A invenção foi obra dos sumérios, que habitavam o sul da Mesopotâmia. Os sinais gravados na argila úmida tinham a forma de pregos de cabeça larga, ou cunhas, o que explica o nome cuneiforme. Inicialmente os sinais eram figurativos, representando objetos e ideias. Mais tarde, distanciando-se do desenho original, os sinais tenderam a se tornar mais abstratos. Dependendo dos agrupamentos que se faziam com os sinais, eles podiam representar ideias ou sons.

Apenas uma parcela muito pequena da população sabia ler e escrever. Nesse pequeno grupo, destacavam-se os **escribas**, funcionários especializados na escrita cuneiforme. Preparados desde crianças na **eduba**, a escola da Mesopotâmia, os escribas eram peças-chave para garantir o funcionamento de todo o sistema político e econômico mesopotâmico, ocupando posição privilegiada na sociedade.

Os escribas registravam transações comerciais dos templos e dos palácios, redigiam contratos, controlavam o fluxo de entradas e saídas de produtos agrícolas dos templos, faziam a crônica dos reis e das batalhas e serviam de diplomatas nas relações com outros povos. Muitos desses textos foram descobertos pelas escavações arqueológicas e se encontram hoje em museus do Oriente Médio e da Europa.

DOC. 5 **A organização social na Mesopotâmia**

Fonte: KRAMER, Samuel Noah. *Mesopotâmia*: berço da civilização. Rio de Janeiro: José Olympio. p. 43. (Coleção Life)

A Biblioteca de Assurbanipal

Nas ruínas da antiga cidade assíria de Nínive, no norte da Mesopotâmia, foi encontrado um conjunto de textos literários e eruditos que formam o que pode ser considerada a primeira biblioteca da história. A biblioteca pertencia ao rei Assurbanipal, governante do **Império Assírio**, que atingiu seu auge entre os séculos IX e VII a.C.

Na Biblioteca de Assurbanipal foram encontrados textos gravados em tabuletas de argila, como versões do célebre poema Epopeia de *Gilgamesh* (composto originalmente nos primeiros séculos do II milênio a.C.), um dicionário sumério-acádio, além de textos de matemática, astronomia, astrologia, magia e alquimia. As pesquisas levam a crer que Assurbanipal, um dos raros monarcas da época que sabiam ler e escrever, reuniu num mesmo local objetos importantes do universo cultural da Mesopotâmia.

• **Epopeia.** Poema ou prosa que relata e glorifica os feitos de um herói lendário ou histórico.

Religião e ciência

No mundo moderno, as explicações científicas para os fenômenos do universo costumam opor-se às explicações religiosas. Porém, para os povos antigos, como os babilônicos, os conhecimentos sobre a ciência e a técnica não estavam separados das crenças religiosas. Diferentemente do homem moderno, que parte da observação e das medidas racionais da natureza, os babilônios viam o mundo de uma forma mística e mágica. Os deuses mesopotâmicos eram antropomórficos, considerados imortais e dotados de poder sobre o universo.

O cosmos atuava sobre a Terra. Tudo o que nela existia, inclusive a vida humana, estava sujeito à força cósmica dos planetas. Para orientar a vida humana e garantir a sobrevivência, era necessário conhecer essas forças e suas leis. A astronomia e a astrologia, portanto, eram conhecimentos fundamentais para a sociedade mesopotâmica.

A semelhança entre o céu e a Terra

O cosmos também mantinha uma relação de semelhança com a Terra. Os rios, os templos e as cidades, por exemplo, tinham um equivalente no céu. O mapa do mundo na geografia babilônica reproduzia o mapa das regiões celestes e do paraíso, de tal forma que todos os povos e as regiões conhecidas formavam um mundo circular cercado por água de todos os lados.

Os **zigurates**, os grandes templos mesopotâmicos, também mantinham uma ligação com o céu. O zigurate era uma representação em escala reduzida do cosmos e era construído de tal modo que cada segmento do templo representava as principais divisões do universo: o mundo subterrâneo, a terra e o firmamento. O zigurate simbolizava a união entre o céu e a terra e acreditava-se que a alma dos mortos ascendia ao céu subindo um a um os degraus do templo. Dentro do zigurate havia um trono destinado ao deus que habitava o templo, em homenagem ao qual se realizavam festas e rituais conforme um calendário litúrgico anual [doc. 6].

QUESTÃO

› Como o rei Hamurábi justifica a criação de um código de leis [doc. 4]?

DOC. 6 Zigurate construído em c. 2100 a.C. Os zigurates são edificações construídas na forma de pirâmide, com a presença de rampas e degraus. Iraque, foto de 1999.

A civilização egípcia

Objetivo

▸ Compreender o processo de centralização política do Egito e a relação entre Estado e religião nessa sociedade.

Termos e conceitos

- Faraó
- Estado
- Politeísmo
- Religião

O povoamento do Egito

Atualmente, a questão das mudanças climáticas vem atraindo cada vez mais a atenção de pesquisadores. Estudos em diferentes regiões do planeta indicam a ocorrência de um processo de aquecimento global relacionado ao derretimento das geleiras polares e à elevação do nível do mar. As consequências para a vida na Terra podem ser graves.

Situação semelhante ocorreu, há alguns milênios, no norte da África. As alterações climáticas que ocorreram nessa região explicam o povoamento do Egito. O Deserto do Saara era uma região de savanas, habitada por caçadores e pescadores e posteriormente por agricultores e criadores de gado. A última glaciação, ocorrida por volta de 12 mil anos atrás, provocou o ressecamento do terreno e levou à formação dos atuais desertos na região. À medida que a desertificação avançava, diversos povos se instalaram nas margens do Rio Nilo **[docs. 1 e 2]**. A desertificação se intensificou entre 3300 e 3000 a.C., com a queda no volume de chuvas e a diminuição do nível das cheias do Nilo.

De aldeia a império

A agricultura irrigada era inicialmente de caráter local e descentralizado, controlada por comunidades camponesas, que também praticavam a caça, a pesca e a coleta de frutos. Entre 7000 e 4000 a.C., a crescente inovação agrícola e a formação dos primeiros núcleos humanos sedentários promoveram o crescimento populacional, tornando necessária a construção de obras, como diques e canais, que possibilitassem maior produção agrícola. Dessa forma, essas primeiras comunidades tiveram de se unir para possibilitar o aumento da produção agrícola, dando origem a confederações tribais, os **nomos**.

- **Glaciação.** As glaciações são períodos geológicos de intenso resfriamento da superfície terrestre, provocando o aumento das geleiras nos polos e em zonas montanhosas de neve perpétua. Os períodos glaciares podem durar de 40 mil a 100 mil anos. A última glaciação se encerrou há cerca de 12 mil anos.
- **Dique.** Obra de engenharia destinada a impedir que as águas de um rio ou mar invadam determinado terreno.

DOC. 1 O Egito antigo

Fonte: VIDAL-NAQUET, Pierre; BERTIN, Jacques. *Atlas histórico*. Lisboa: Círculo de Leitores, 1990. p. 41.

DOC. 2 Vista aérea de plantações às margens do Rio Nilo, Egito, 1999. O Nilo é um rio de águas perenes, encravado no meio do deserto. Durante as cheias anuais, uma camada de húmus é deslocada e depositada sobre as terras próximas ao rio, fertilizando-as.

A unificação do Egito

Por volta de 3500 a.C., havia dois reinos no Egito: o do Alto Egito, ao sul, e o do Baixo Egito, ao norte, na região do Delta do Nilo. Por volta de 3150 a.C., Menés, o governante do Alto Egito, conseguiu unificar os dois reinos, subordinando os vários nomos. Esse processo de centralização do poder deu origem ao período dinástico e transformou Menés no primeiro **faraó** do Egito. Foi nesse contexto que os líderes dessas comunidades, os **nomarcas**, se transformaram em funcionários e representantes do poder central, assumindo a tarefa de administrar as aldeias, fiscalizar os impostos e fazer cumprir as decisões do faraó.

Desde então, o palácio começou a controlar a vida econômica do território, construindo obras de irrigação e coordenando a produção agrícola. Os palácios passaram a arrecadar os excedentes agrícolas produzidos nas comunidades aldeãs, exigindo delas uma tributação em espécie. Em consequência disso, passou a haver uma divisão e especialização do trabalho e uma organização social hierarquizada.

A história política do Egito antigo é dividida em quatro períodos: **Período Arcaico** (3150-2686 a.C.), **Antigo Império** (2686-2181 a.C.), **Médio Império** (2040-1782 a.C.) e **Novo Império** (1570-1069 a.C.).

A sociedade

No Egito faraônico, podemos reconhecer três camadas sociais principais: a nobreza, uma camada de servidores e trabalhadores que exerciam diversas funções e os camponeses **[doc. 3]**. Os escravos, em menor número, podiam ser estrangeiros capturados nas guerras, filhos de escravos ou ainda trabalhadores recebidos pelo **Estado** egípcio como pagamento de tributos por parte das regiões dominadas.

No casamento, em geral predominava a monogamia. Os maridos, porém, podiam ter várias esposas, o que era comum nas camadas da elite. No caso das esposas do faraó, apenas uma era escolhida para ser a rainha. Era comum também a prática da endogamia. Os egípcios davam importância à família e por isso costumavam ter respeito e consideração por suas mães. A mulher egípcia podia adquirir propriedades, legar bens e fazer testamentos.

- **Dinástico.** Referente à dinastia, sucessão de soberanos que pertencem a uma mesma família. A história do Egito é tradicionalmente dividida em 31 dinastias faraônicas. Essa divisão foi elaborada por intelectuais gregos que ocupavam importantes cargos sacerdotais no Egito por volta do século III a.C.
- **Endogamia.** Casamento entre membros de uma mesma família, como irmãos.

DOC. 3 **A sociedade egípcia**

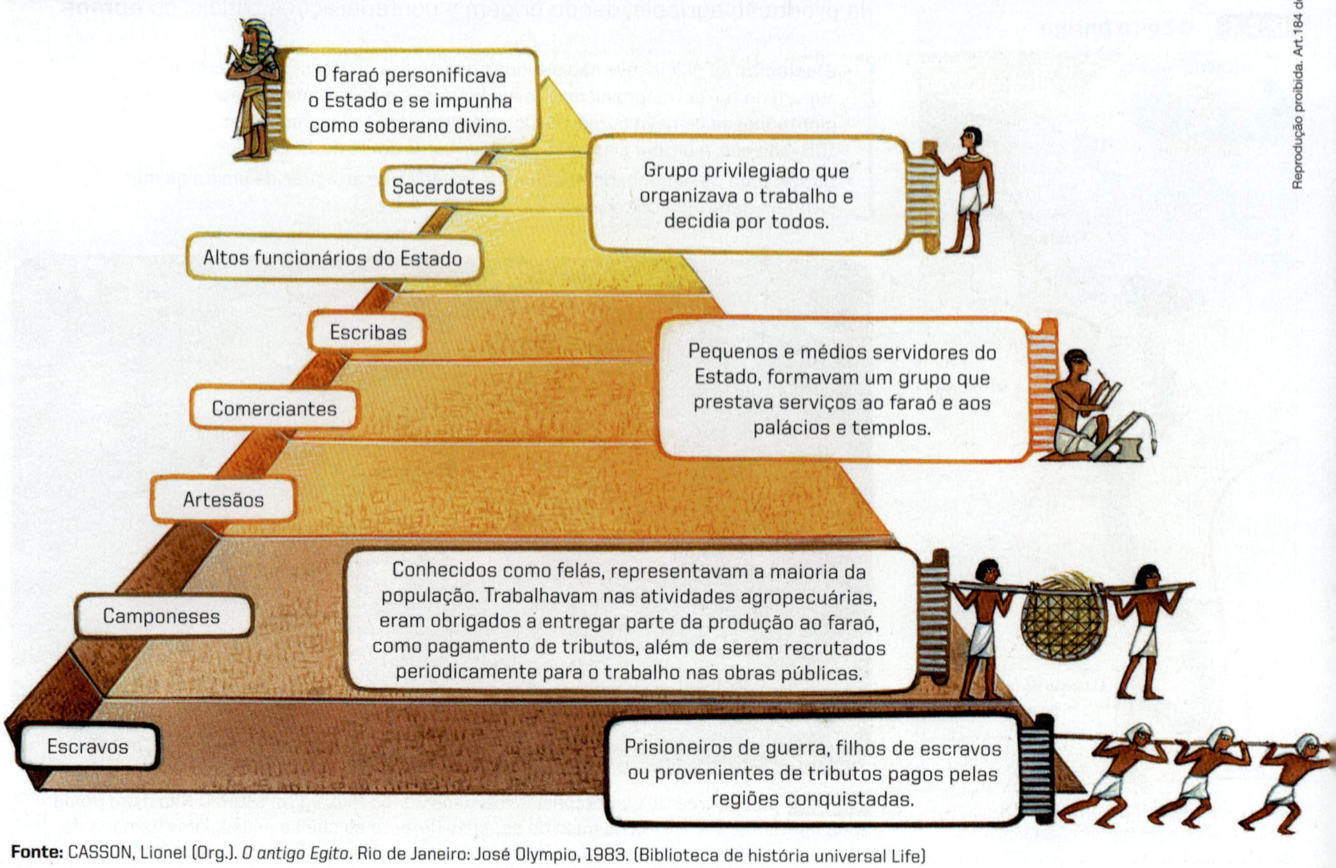

Fonte: CASSON, Lionel (Org.). *O antigo Egito*. Rio de Janeiro: José Olympio, 1983. (Biblioteca de história universal Life)

A economia

A economia egípcia baseava-se na agricultura. Os principais produtos eram cevada, trigo, linho, verduras e vinhas. A pesca, a caça e a criação de animais, como bois, cabras e aves, também eram praticadas pelos egípcios **[doc. 4]**. O trabalho agrícola ocupava cerca de oito meses do ano, correspondendo, no nosso calendário, aos meses de novembro a junho. Nos quatro meses restantes, que correspondiam à época das inundações, os camponeses eram deslocados para a construção e manutenção dos canais de irrigação e para a edificação de grandes obras, como os templos, os palácios e as pirâmides.

A coleta realizada no Vale do Nilo, a agricultura e a exploração das minas de ouro, cobre e pedras preciosas forneciam matérias-primas para a atividade artesanal. Nas aldeias produziam-se utensílios mais rústicos para uso diário. Já nas oficinas dos templos e palácios produziam-se produtos de luxo para o consumo da elite. Com o papiro, por exemplo, fabricava-se papel, cordas, cestas e esteiras **[doc. 5]**. Os egípcios eram considerados "mestres" na arte de tecer e tinham também uma importante indústria de construção naval.

O comércio interno era bem desenvolvido, mesmo não havendo moedas. A circulação de produtos entre as regiões era intermediada pela administração faraônica. O comércio exterior era feito exclusivamente em grandes expedições organizadas pelo faraó. Os egípcios exportavam vinho, cereais, óleos vegetais, papiro e móveis e importavam pedras preciosas, marfim, perfumes e madeiras.

DOC. 4 **A domesticação de plantas e animais**

"Os cereais, principalmente a cevada e o trigo, forneciam o essencial da produção agrícola. Mas, aos campos propriamente ditos, acrescentavam-se os pomares com legumes e árvores frutíferas, mormente a vinha em altas parreiras. A isto se associava a criação. Não do cavalo, que só foi conhecido tardiamente, na segunda metade do segundo milênio, por intermédio dos invasores Hicsos, e que ficou reservado aos aristocratas, mas do boi, do asno, e sobretudo do porco, do carneiro e da cabra, assim como de aves, gansos e patos, já que as galinhas eram desconhecidas."

AYMARD, André; AUBOYER, Jeannine. *História geral das civilizações*. 6. ed. Rio de Janeiro: Difel, 1977. v. 1. p. 42-43.

DOC. 5 **O papiro**

A imagem abaixo representa a colheita do papiro. O papiro é um tipo de planta que se desenvolvia de forma abundante no Vale do Nilo, sendo utilizado na fabricação de papel, cordas, sandálias, esteiras e velas de barco. O caule fibroso permitia produzir uma superfície plana e flexível própria para a escrita. Primeiro os caules eram cortados em lâminas finas e depois agrupados, formando uma espécie de tecido. O papiro era, em seguida, polido e comprimido.

Estela funerária do túmulo de Nefer e Ka-hay. Egito, séculos 2500-2400 a.C.

Egito: dádiva do Nilo

"O Egito é uma dádiva do Nilo." A frase, atribuída ao historiador grego Heródoto, mostra a estreita relação entre o Rio Nilo e a civilização que se desenvolveu às suas margens. Porém, a sociedade egípcia não foi obra da natureza. O planejamento realizado pelo Estado e o trabalho dos camponeses foram fundamentais para o bom aproveitamento dos recursos naturais da região.

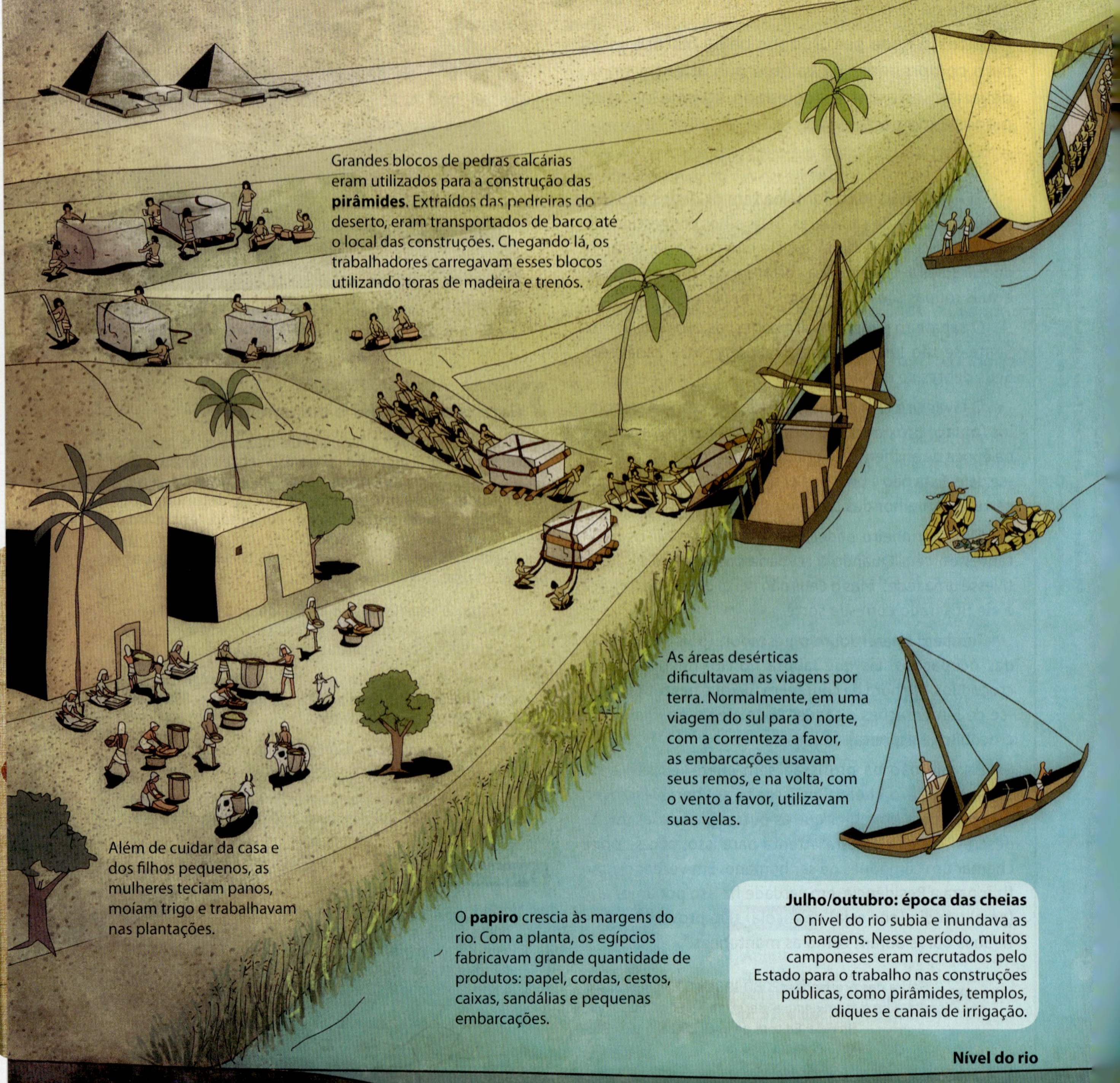

Representação atual de como o Rio Nilo e o trabalho humano tornaram possível o desenvolvimento do Egito antigo. Cores-fantasia, sem escala.

QUESTÕES

1. Com base nos dados desta ilustração, problematize a frase atribuída a Heródoto, explicando o papel do meio físico e da ação humana na formação da civilização egípcia.
2. Por que nos dias de hoje, nas grandes cidades do Brasil, o transbordamento dos rios resulta em graves problemas?

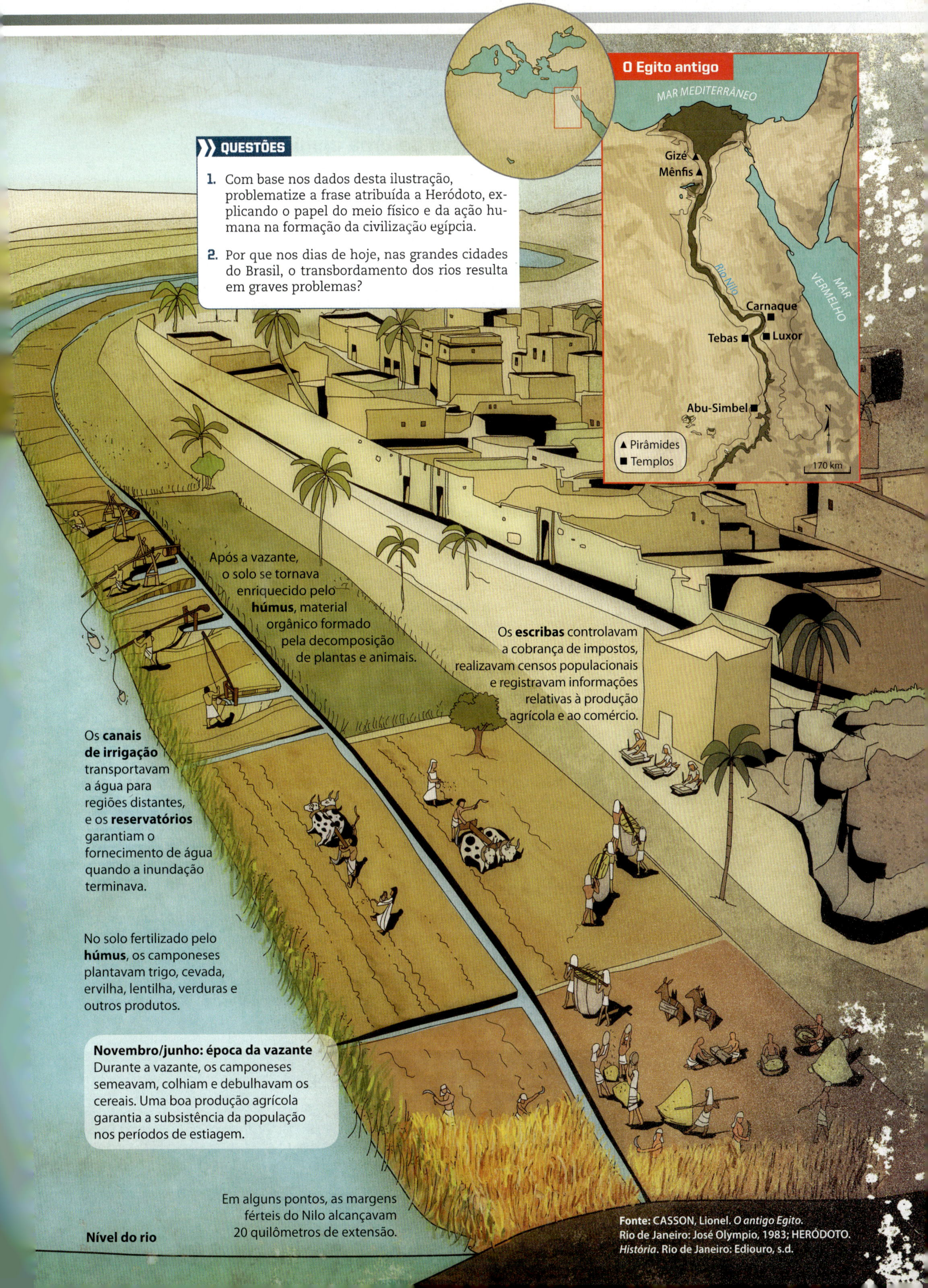

Fonte: CASSON, Lionel. *O antigo Egito*. Rio de Janeiro: José Olympio, 1983; HERÓDOTO. *História*. Rio de Janeiro: Ediouro, s.d.

Seção 2.3

A civilização núbia

Objetivo

- Reconhecer a importância do estudo da civilização núbia.

Termos e conceitos

- Civilização
- Escrita
- Candace

A redescoberta de uma civilização

Durante muito tempo, o estudo da **civilização** núbia permaneceu ignorado. Parte disso se deve ao preconceito racista que imperou desde o final do século XIX e que associava os povos africanos de pele negra à inferioridade, ao atraso civilizatório e à inexistência de história.

De acordo com estudiosos contemporâneos, as origens da civilização *etíope* (os "homens de pele queimada", como eram conhecidos pelos gregos e pelos romanos) são tão ou mais antigas que as do Egito. Os primeiros indícios da ocupação da região por povos caçadores, agricultores e pescadores datam de cerca de 8000 a.C.

O chamado "corredor núbio" constituiu um elo importante no contato entre a África subsaariana e as zonas mediterrâneas, controladas pelo Egito. Por esse motivo, a Núbia – região do atual Sudão – ocupou uma posição estratégica no mundo antigo, tanto nas trocas comerciais quanto nos contatos culturais entre povos distintos **[doc. 1]**.

DOC. 1 **A região da Núbia**

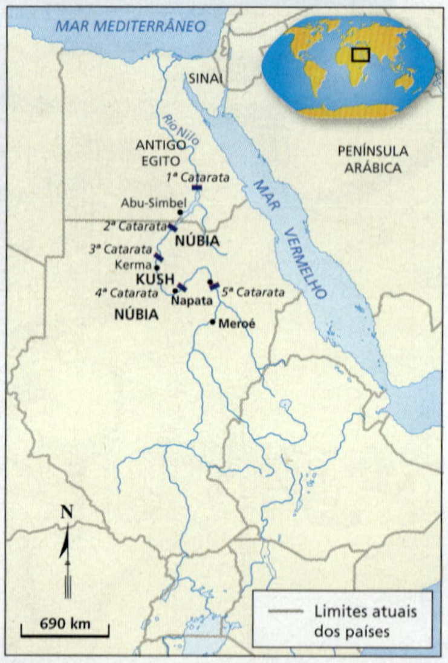

Fonte: Ki-Zerbo, J. (org.) *História geral da África*. São Paulo: Ática/Unesco, 1982. v. 2, p. 226.

O Reino de Kush

Para os estudiosos, os vestígios arqueológicos de Kerma são testemunhos de uma cultura núbia nativa e sede de uma dinastia local. É provável que Kerma fosse a capital do Reino de Kush, que se estendeu de 1730 a 1570 a.C. O advento do Reino relacionou-se à centralização do poder político nas mãos de reis, à criação de um exército real e ao processo de formação de camadas sociais distintas.

O poder e a autonomia de Kerma oscilaram ao longo dos séculos. Em determinadas épocas o reino foi submetido ao poder dos faraós, pagando tributos e fornecendo escravos **[doc. 2]**. Em outras, os núbios estenderam seu domínio em direção às áreas mais ao norte, transformando-se eles próprios em faraós.

O domínio do Egito sobre toda a Núbia iniciou-se por volta de 1570 a.C. e durou cerca de quinhentos anos. Nesse período, Kerma foi transformada numa província do Império, seus habitantes, reserva de mão de obra para os empreendimentos egípcios, e seus guerreiros, soldados do exército faraônico.

O domínio kushita

Essa situação se inverteu no século VIII a.C. O Império Egípcio se fragmentou em pequenas unidades políticas, que passaram a disputar o poder entre si. O Reino de Kush aproveitou para conduzir seus próprios representantes ao trono egípcio. Os faraós kushitas estabeleceram a capital em Napata e governaram durante 450 anos. As tradições faraônicas foram preservadas nos templos, na cerâmica e nos textos escritos.

DOC. 2 Cena de batalha entre núbios e egípcios. Túmulo do faraó Tutancâmon, século XIV a.C. Tebas, Egito. Museu Egípcio, Cairo.

O período meroíta

Com a invasão do Egito pelos assírios, no século VII a.C., o território núbio foi reduzido e limitado ao norte por Napata, velha capital do reino. No século V a.C., pressionados por expedições egípcias, os reis núbios foram forçados a se dirigir ainda mais para o sul, transferindo sua capital para a cidade de Meroé. Napata foi conservada como um centro religioso para onde os reis eram deslocados nos momentos de coroação ou de sepultamento.

A instalação da corte em Meroé inaugurou um novo período, conhecido como meroíta, e significou uma reorientação cultural e política do antigo reino. Menos preocupados com as fronteiras egípcias e mais voltados para as raízes núbias, os reis kushitas restabeleceram a língua e a escrita meroítas, que passaram a ser oficiais no reino. Em termos religiosos, o deus egípcio Amon foi substituído por um deus de corpo humano e cabeça de leão, conhecido como Apedemeque, cultuado como a principal divindade núbia.

Agricultura, artesanato e comércio

A atividade econômica que mais se destacou em Meroé foi o comércio. A cidade notabilizou-se como entreposto de rotas caravaneiras que ligavam o Mar Vermelho, o Alto Nilo e o Chade, exportando produtos de luxo como incenso, ouro, pena de avestruz, pele de leopardo e marfim.

Meroé também foi um empório de produtos artesanais. Vestígios da cultura material, como objetos de ferro e de outros metais, peles, tecidos, cerâmicas e joias, evidenciam a presença de um grupo de artesãos relativamente numeroso. A produção expressava tanto a influência egípcia quanto a tradição meroíta. Entretanto, não se sabe como os ofícios eram organizados e nem mesmo o nome dos artistas, pois a escrita meroíta ainda não foi decifrada.

A cerâmica núbia apresentava traços e técnicas próprios. Vasos com bases arredondadas são expressões dessa arte. A moldagem era feita à mão, supostamente por artesãs, e em rodas de oleiros, técnica geralmente associada a homens. Outros artefatos encontrados apresentam dimensões menores e paredes tão finas que são chamados de cerâmica casca de ovo. Motivos egípcios, triângulos, losangos, rãs, crocodilos, cobras, galinhas-d'angola e girafas aparecem pintados em vermelho e preto sobre fundo creme ou ocre amarelado, ou em branco e preto sobre fundo encarnado.

• **Matrilinear.** Organização social cuja transmissão de bens e privilégios é feita por meio de descendência materna.

A escrita meroíta

Havia dois tipos de **escrita** meroíta: a hieroglífica e a demótica. Os sinais da escrita hieroglífica foram tomados dos hieróglifos egípcios. Já a escrita cursiva derivou parcialmente do demótico egípcio. A escrita cursiva possuía um alfabeto de 23 sinais, alguns representando números e outros simbolizando palavras, e cada vocábulo era separado do outro por dois ou três pontos verticais. Apesar disso, ainda não foi totalmente decifrada.

O papel das candaces

A tradição política dos reinos da Núbia também se destaca pelo poder atribuído às mulheres, mães ou esposas reais, chamadas posteriormente de **candaces**. Revelando as tradições matrilineares núbias, já durante o período egípcio elas ocupavam um lugar de projeção nos centros religiosos dedicados ao deus Amon, exercendo a função de sacerdotisas. Na época de Meroé, adicionaram aos seus nomes o título de candaces, e algumas delas, poderosas e aguerridas, perpetuaram seus feitos por meio de afrescos e portais de tumbas [doc. 3].

DOC. 3 Ao lado, joia de ouro, representando o disco solar, que pertenceu à candace Amanixaquete, século I a.C. Museu Estadual de Arte Egípcia, Munique. Abaixo, bracelete que pertenceu à candace Amanixaquete, século I a.C. Coleção de Arte Egípcia da Alemanha, Munique.

QUESTÕES

1. Destaque, com base no texto, práticas desenvolvidas pelos núbios que demonstram o caráter complexo da civilização que eles construíram.
2. Associe os elementos presentes nessas joias com as características da sociedade núbia do período meroíta [doc. 3].

Retomar conteúdos

1 Na região do Crescente Fértil, embora cercada por terras áridas, ocorreu a sedentarização de diferentes povos. Qual a influência do meio natural na fixação populacional na região e no surgimento de várias civilizações?

2 Explique a forma de organização política das cidades-Estado mesopotâmicas.

3 O que os zigurates representavam na cosmogonia mesopotâmica?

4 Como o Estado egípcio administrava os excedentes da produção agrícola?

5 Que relação de continuidade a foto possibilita perceber entre o Egito antigo e a sociedade egípcia atual **[doc. 2, p. 53]**?

6 De que modo a religião fundamentava o poder dos faraós no antigo Egito?

7 Em sua opinião, os mitos e os rituais relacionados à morte são vestígios históricos válidos para o conhecimento de uma sociedade como a egípcia? Justifique sua resposta.

8 A organização do Estado no Egito e na Mesopotâmia tinha bases em comum? Quais eram essas bases? No que se diferenciavam?

9 Quais formas de intercâmbio favoreceram as trocas culturais entre o Egito e os reinos da Núbia?

10 Por que a figura das candaces chama a atenção dos estudiosos da cultura núbia?

Ler textos e imagens

11 Observe a imagem e responda: que características das crenças e práticas funerárias do Egito antigo podem ser observadas no sarcófago?

Sarcófago onde teria sido enterrada Ísis, neta do faraó Ramsés II, 1600-1400 a.C. Sacara, Egito, foto de 2009.

12 Sintetize a informação principal apresentada no texto a seguir.

"Apenas por volta de 3000 a.C. é que se pode perceber uma clara diferença entre a civilização do baixo vale do Nilo, egípcio, e o alto vale, núbio. Até essa época, práticas funerárias, cerâmica, instrumentos de pedra e posteriormente de metal, muito semelhantes, se não idênticos, são encontrados desde Cartum, no sul, até Matuar, perto de Assiut, no norte. Tais objetos testemunham um forte parentesco entre as várias regiões no tocante tanto à organização social, crenças religiosas e rituais funerários, quanto ao modo de vida, em que a caça, a pesca e a criação animal estavam associadas a uma forma de agricultura ainda rudimentar."

ADAM, Shehata. A importância da Núbia: um elo entre a África central e o Mediterrâneo. In: KI-ZERBO, J. (Org.). *História geral da África*. São Paulo: Ática/Unesco, 1982. v. 2. p. 232.

Pesquisar

13 Leia a notícia sobre recentes descobertas arqueológicas no Sudão.

"Três estátuas em pedra datadas do período Meroé (450 a.C. e 300 d.C.) foram descobertas nos sítios arqueológicos do Sudão, na África. As esculturas, que contêm inscrições da antiga escrita meroítica, são as mais completas já encontradas. [...] Todas as esculturas encontradas são de um carneiro que sabemos representava o deus Amun, considerado rei dos deuses egípcios e força criadora da vida. A curiosidade sobre as estátuas descobertas desta vez é que todas têm inscrições muito antigas e difíceis de interpretar. [...]
A importância das estátuas [...] é que suas inscrições estão gravadas numa língua mais antiga do que todas as inscrições que se conhece no Meroé. [...]"

DISSAUX, René-Pierre. Descoberta: estátuas do reinado Kush no Sudão, 17 dez. 2008. Disponível em http://peregrinacultural.wordpress.com. Acesso em 29 jul. 2009.

a) Que conhecimentos sobre a cultura meroítica podem ser elaborados com base nessas descobertas?
b) Forme um grupo com os colegas para pesquisar, em livros e na internet, informações obtidas com as novas descobertas relacionadas ao antigos núbios.
c) Apresentem o resultado da pesquisa para os demais grupos, destacando o papel das novas descobertas arqueológicas no conhecimento histórico elaborado sobre esses povos.
d) Registre em um texto as descobertas e os debates realizados por sua turma.

Capítulo

3 Índia e China

3.1 A civilização do Vale do Indo

A civilização que se formou no Vale do Rio Indo desenvolveu um sofisticado planejamento urbano.

3.2 A civilização clássica indiana

O bramanismo legitimava a organização social indiana, estruturada sobre o rígido sistema de castas.

3.3 Reações contra o sistema de castas

As práticas e as concepções do budismo e do jainismo opuseram-se ao sistema de castas hindu.

3.4 A origem da civilização chinesa

A civilização chinesa, como outras da Antiguidade, formou-se às margens de rios.

3.5 O Império Chinês

A Muralha da China foi construída com o objetivo de defender o Império das ameaças estrangeiras.

O mundo do Extremo Oriente

A Índia e a China se localizam na Ásia Oriental, numa região entrecortada por cadeias de montanhas e planícies fluviais. Nesses países predominam as monções, correntes de ventos que sopram do mar para a terra e da terra para o mar, responsáveis pela alternância de períodos de seca e de chuvas intensas. Nessa região, desenvolveram-se duas das civilizações mais antigas do mundo. Apesar de distintas, ambas são caracterizadas por uma espantosa continuidade histórica e cultural, com tradições que duram até hoje.

A população chinesa se utiliza de técnicas milenares, como a acupuntura, o tratamento com ervas e dietas, para cuidar de sua saúde; preparam suas refeições com receitas que aproveitam tudo o que na natureza serve de alimento; fabricam cerâmicas e porcelanas com a mesma perfeição técnica e decorativa que havia há quase 3 mil anos; mantêm o mesmo sistema de escrita composto de ideogramas, inventado há mais de 2 mil anos. Os chineses de hoje praticam artes marciais como o *kung-fu* e brincam com uma de suas melhores invenções: a pipa.

Na Índia surgiram duas das principais religiões do mundo: o hinduísmo e o budismo, que estão ligados à mesma prática espiritual e física, a ioga, agora bastante comum no mundo moderno. A religião e as práticas espirituais são apenas parte do legado dessa cultura. A culinária indiana nos legou o uso de especiarias, como pimenta-do-reino, mostarda, gengibre e a mistura de temperos chamada *curry*, muito usada em pratos regionais do Oriente.

Seja falando do espírito, da mente ou do corpo, encontramos muitas marcas das culturas da China e da Índia no mundo contemporâneo. Neste capítulo, procuraremos compreender os fatores que possibilitaram o surgimento dessas duas civilizações, assim como os traços socioculturais que identificam cada uma delas.

Shiva Nataraja. Escultura hindu em bronze, século XIII. Museu de Belas Artes, Houston.

Recipiente chinês em bronze da dinastia Chang, c. 1500 a.C. Museu Nacional de Arte Asiática – Guimet, Paris.

A civilização do Vale do Indo

Objetivo

- Compreender o processo de formação da civilização indiana.

Termos e conceitos

- Civilização
- Planejamento urbano

O início de uma civilização

A **civilização** indiana é uma das mais antigas da história humana. Pesquisas arqueológicas mostram que a região já era habitada há pelo menos 30 mil anos. Temos muito menos informação, no entanto, sobre os primórdios da civilização indiana do que sobre outras civilizações antigas, como o Egito e a Mesopotâmia. Até agora os arqueólogos não conseguiram decifrar satisfatoriamente a escrita harapense, presente em amuletos e vasos de cerâmica.

Por volta de 2800 a.C., em torno do Vale do Rio Indo, na região noroeste do subcontinente indiano, atual Paquistão, floresceu a chamada **civilização harapense** **[doc. 1]**. Tratava-se de uma civilização urbana, cuja vida se baseava num sistema de agricultura irrigada, que aproveitava as cheias do Rio Indo de modo semelhante aos egípcios e mesopotâmicos da mesma época.

As cidades e as atividades econômicas

As duas principais cidades dessa antiga civilização eram Harapa e Mohenjo-Daro. Escavações arqueológicas indicam que, fortificadas, essas cidades já possuíam um admirável sistema de **planejamento urbano**. As construções eram regulares, erguidas com tijolos queimados do mesmo tamanho. As ruas tinham ângulos retos e sistema de esgoto e de drenagem. As casas eram altas, ficavam de frente para a rua e contavam até mesmo com um sistema de proteção contra o barulho e o mau cheiro. A vida doméstica se desenvolvia dentro de um pátio fechado, sobre o qual ficavam as varandas. Cada casa possuía seu próprio poço, além de áreas para banho, latrina e esgoto. No centro de Mohenjo-Daro foi encontrada uma grande cidadela, espécie de fortificação que era usada como proteção contra eventuais ataques inimigos **[doc. 2]**.

Assim como no Egito e na Mesopotâmia, a economia harapense foi possível graças à proximidade de um grande rio, o Indo. Isso lhe permitiu desenvolver uma agricultura diversificada que utilizava técnicas de irrigação e produzia trigo, cevada, ervilha, gergelim, legumes e cultivava frutas, como tâmara e melão. Os harapenses produziam, também, um refinado artesanato em ouro, prata, bronze, marfim e pedras semipreciosas. Além disso, produtos tipicamente indianos, como tintas para os olhos, pérola, madeira e ornamentos de marfim, eram comercializados com mercados distantes no Golfo Pérsico, Ásia Central e Mesopotâmia **[doc. 1]**.

DOC. 1 **Vale do Rio Indo**

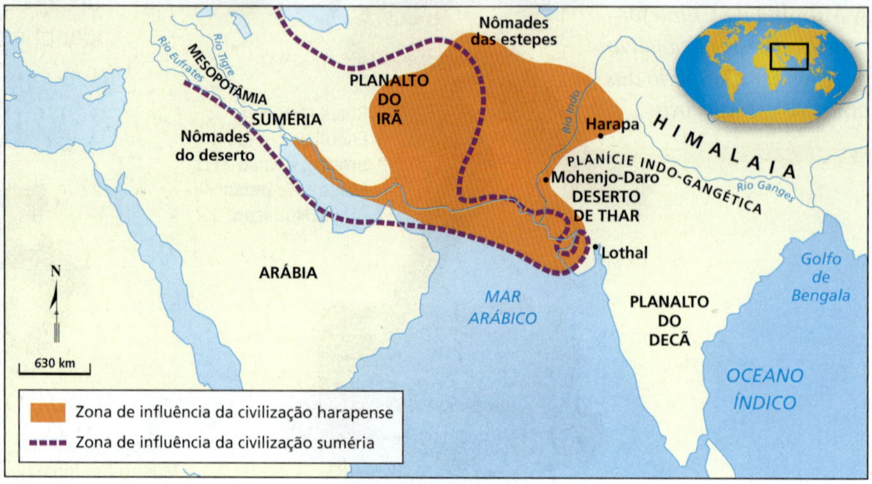

Fonte: VIDAL-NAQUET, Pierre; BERTIN, Jacques. *Atlas histórico*: da Pré-história aos nossos dias. Lisboa: Círculo de Leitores, 1987. p. 35.

DOC. 2 Ruínas de banheiro público, c. 3000 a.C. Mohenjo-Daro, atual Paquistão, em foto de 2000.

Expansão da civilização do Rio Indo

Das primeiras civilizações conhecidas na história, incluindo a egípcia e a mesopotâmica, a civilização do Indo foi a que chegou a abranger a maior área geográfica, com mais de 1.500 assentamentos num território que equivalia à extensão da Europa Ocidental. Ao longo do tempo, as pesquisas arqueológicas revelaram a presença de outras cidades no Vale do Indo, e mesmo mais distantes, tais como Lothal e Meluhha que, apesar de reunir diferentes grupos étnicos, partilhavam a mesma tradição cultural **[doc. 1]**.

Descobertas recentes localizaram regiões de influência da cultura harapense também fora do Vale do Indo, indicando a existência de trocas comerciais com outras culturas. Nas montanhas do Afeganistão, distante cerca de oitocentos quilômetros do Vale do Indo, pesquisadores encontraram uma aldeia mineira com muitos objetos típicos da cultura harapense.

A escrita harapense

Na região da Mesopotâmia, pesquisadores localizaram selos e tabletes feitos de argila contendo figuras e sinais que foram identificados como um sistema de escrita hieroglífica, ainda não decifrada. Acredita-se que esses sinais representassem fórmulas mágicas, religiosas e informações contábeis usadas por mercadores.

A análise dos selos nos chama a atenção para a presença constante do unicórnio, um animal fabuloso presente nos mitos da literatura indiana posterior **[doc. 3]**. Alguns especialistas acreditam que essas imagens simbolizavam a castidade e deviam ser atributo de uma elite dirigente de sacerdotes com posição dominante nessa sociedade: o clã do unicórnio.

A interpretação acima, contudo, é controversa. Há pesquisadores que defendem que essas imagens indicavam uma comunidade poderosa e espalhada de mercadores. Infelizmente, sem decifrar a escrita harapense não é possível conhecer a estrutura política, a religião e a visão de mundo dessa civilização.

O declínio da cultura harapense

Além do mistério que envolve a escrita harapense, há outro problema que intriga os pesquisadores: o declínio súbito da civilização do Indo entre 1900 e 1300 a.C. Nesse período, Harapa aparece já desabitada, sem conservação de suas muralhas e redes de esgoto. Há duas explicações principais para esse declínio:

- A invasão de um povo estrangeiro indoeuropeu, os **arianos** ou **árias**, que teria destruído com violência as cidades harapenses e submetido a população nativa.
- Fatores endógenos, como mudanças climáticas, secas prolongadas, crise econômica e política. Embora a chegada dos árias tenha coincidido com o declínio da cultura harapense, eles não teriam sido responsáveis por esse fato.

Mais recentemente, valendo-se de tecnologias como imagens de satélites, pesquisadores conseguiram estudar o curso de rios já extintos e também as secas, as chuvas e os ritmos cíclicos da natureza no passado, inclinando-se cada vez mais pela segunda hipótese.

- **Indoeuropeu.** Termo que designa as populações que ocuparam e conquistaram, ao longo de centenas de anos, grande parte da Europa e da Ásia Ocidental. Trata-se de uma classificação linguística, pois esses povos, ao que parece, tinham uma língua comum. Essa língua deu origem ao grego, latim, germânico, eslavo, sânscrito e persa.
- **Endógeno.** Aquilo que tem origem no interior de alguma coisa. Nesse caso, no interior da civilização harapense.

DOC. 3 Sinete de argila, c. 2000 a.C. Harapa, atual Paquistão. Museu Nacional da Índia, Nova Délhi. Entre as inúmeras imagens que figuram nos sinetes encontrados no território da cultura de Harapa, a do bovídeo unicórnio é a mais frequente.

QUESTÕES

1. Observe a imagem e identifique os elementos que indicam o desenvolvimento urbano da civilização harapense [doc. 2].
2. Observe a imagem e responda às questões [doc. 3].
   a) Descreva o sinete (selo) mostrado na imagem.
   b) Qual significado pode ser atribuído ao selo e à imagem gravada nele e qual seria seu papel na civilização harapense?

Seção 3.2

A civilização clássica indiana

› Objetivo

▸ Relacionar o bramanismo com o processo de divisão social em castas na civilização indiana.

› Termos e conceitos

• Bramanismo
• Sistema de castas

As migrações arianas e o bramanismo

Por falta de documentos escritos e vestígios arqueológicos, é difícil reconstituir o período da história indiana que se iniciou com as migrações arianas. O principal documento utilizado para o estudo da cultura dos povos arianos são os **hinos védicos**, que foram transmitidos oralmente de geração a geração até serem completamente transcritos por volta do século VI a.C. Por isso essa sociedade que se formou também é conhecida como sociedade védica.

Os árias, ou arianos, eram povos nômades e voltados para o pastoreio. Vindos provavelmente da Rússia Meridional, penetraram no subcontinente indiano pela região noroeste, considerada a porta de entrada da Índia, a partir de 1500 a.C. Os árias instalaram-se no Vale do Indo no decorrer de sucessivas ondas migratórias. A população nativa era superior à dos árias em número. A tecnologia militar dos invasores, contudo, baseada no uso do arco, de armas de bronze e de carros de combate com duas rodas, permitiu uma conquista sem grandes dificuldades. Com o tempo, os árias foram se sedentarizando e pequenos reinos começaram a surgir no Vale do Rio Ganges e aos pés da Cordilheira do Himalaia.

Os árias tinham uma religião politeísta fortemente ritualizada, o **bramanismo**, que marcou profundamente a sociedade védica. Durante o ritual, acendia-se o fogo sagrado, bebia-se o soma e se ofereciam manjares e animais como sacrifício aos deuses **[doc. 1]**. Esses atos eram acompanhados por hinos cantados. O ritual, que se acreditava ter poderes mágicos, era privilégio apenas dos brâmanes, que transmitiam os seus segredos e simbolismos somente a uns poucos iniciados. Acreditava-se que o favor dos deuses só seria conseguido se os ritos fossem executados corretamente e nos mínimos detalhes.

Os hinos védicos enfatizavam o confronto violento entre os árias e as populações indígenas do Vale do Indo. Mas, no campo religioso observou-se uma combinação de elementos de ambas as tradições religiosas, como revela a presença de cerâmica decorativa espalhada pelo sul da Índia no primeiro milênio a.C.

• **Soma.** Bebida licorosa considerada de origem celeste, de poder embriagante e usada durante os rituais védicos.

DOC. 1 **A cerimônia do Puja**

A cerimônia do Puja é um ritual muito importante na Índia, no qual se venera um deus por meio de uma imagem. Para os hindus a imagem não é só uma forma de representação, como para os católicos, mas uma encarnação física da divindade. Eles acreditam que, durante a cerimônia, deus emana seu poder e sua graça aos fiéis. O puja é, então, uma forma de comunicação entre a divindade e o mundo. Tradicionalmente, a cerimônia pode ser celebrada em um templo por um sacerdote ou em casa como um ato individual.

Ritual do Puja do Fogo. Ujjain, Índia, 2004.

O sistema de castas na Índia

Por volta do século VI a.C., a religião védica começou a sofrer uma mudança profunda, sob o rígido controle dos brâmanes, a elite sacerdotal daquela sociedade. Houve um endurecimento dos princípios morais e uma demarcação dos papéis de cada grupo social, formalizando a divisão da sociedade indiana em castas.

O **sistema de castas** tinha como características a atividade econômica, reservada aos homens; o pertencimento do indivíduo à casta de seu pai; o matrimônio permitido apenas no interior da casta; e a existência de uma hierarquia entre as castas **[doc. 2]**.

A casta era hereditária e definida pela condição de nascimento de cada pessoa. Cada uma das castas era regida por deveres estritamente codificados. Por exemplo, as atividades que uma pessoa podia exercer, os alimentos que podia comer e as pessoas com quem podia se casar eram definidos conforme as normas da casta à qual pertencia.

Além das normas relativas aos costumes, havia também o **darma** (dever moral) de cada casta. Assim, por exemplo, o **sudra** (servo) tinha o dever de servir e obedecer às castas superiores, realizando com alegria os trabalhos considerados mais degradantes. O correto cumprimento do darma purificaria o indivíduo das más ações praticadas em vidas anteriores, preparando-o para uma existência mais digna em uma próxima encarnação.

DOC. 2 **A sociedade de castas na Índia**

Purusha

Brâmanes. "Homens do sagrado", sacerdotes responsáveis pelos rituais.

Xátrias. Nobres guerreiros, que se encarregavam da administração e da política e viviam das rendas da propriedade territorial.

Vaixás. Camponeses, artesãos e comerciantes.

Sudras. Servos, camada social oriunda provavelmente da população nativa subjugada pelos árias, acrescida de condenados por dívidas e prisioneiros de guerra.

Dalits (intocáveis). Não pertencem a nenhuma casta. Eles são os párias, os "fora das castas", pessoas totalmente excluídas de direitos e consideradas impuras.

Fonte: GANERI, Anita. *Explorando a Índia*. São Paulo: Ática, 1997.

As castas e a religião hindu

O sistema de castas estava associado a alguns preceitos da religião hinduísta **[doc. 3]**. Diferentemente do cristianismo, o hinduísmo tradicional não conhecia as ideias de céu ou inferno, ou seja, de um mundo para onde a alma individual seria enviada após a morte. Em vez disso, havia a crença no ciclo de reencarnações. Após a morte, a alma renasceria em outro corpo para uma nova vida.

No hinduísmo, o **carma** determinava que os atos morais praticados por um indivíduo em vidas passadas influenciavam sua vida presente ou futura. Assim, quem praticou boas ações na existência anterior renasceria em uma casta superior, enquanto aquele que renascesse em castas inferiores estaria pagando pelas más ações cometidas na vida passada. Dessa forma, cumprindo a sua missão, cada pessoa tinha a esperança de, em uma próxima existência, subir um degrau na hierarquia de castas até nascer na condição de brâmane, o estágio mais próximo da libertação final.

DOC. 3 **O mito de Purusha**

Um mito narrado no *Rigveda* explica a origem de tudo o que existe, inclusive as castas, pela imolação de Purusha, um grande ser primordial.

"Quando dividiram Purusha, em quantos pedaços o repartiram?

De que chamam sua boca, seus braços? De que chamam suas coxas e pés?

Os *brâmanes* vieram da boca, de seus dois braços fizeram-se os *rajanias* [outro nome para os xátrias, a casta dos guerreiros].

Suas coxas transformaram-se nos vaixás, de seus pés produziram-se os *sudras*.

A lua gerou-se de sua mente, e de seu olho nasceu o sol;

Indra e Agni de sua boca nasceram, e Vayu de seu hálito.

De seu umbigo proveio o espaço entre a terra e o céu; de sua cabeça formou-se o céu; a terra de seus pés, e de sua orelha as regiões do firmamento. Assim se formaram os mundos."

Rigveda, X, 90. In: ELIADE, Mircea. *O conhecimento sagrado de todas as eras*. São Paulo: Mercuryo, 1995. p. 136.

QUESTÕES

1. Explique a relação entre o sistema de castas e a religião brâmane [doc. 2].
2. Na Índia, apesar da lei, a discriminação contra os dalits permanece. Na sua opinião, há também no Brasil casos de discriminação? Dê exemplos.

Seção 3.3

Reações contra o sistema de castas

Objetivo

- Reconhecer correntes religiosas que se opuseram ao sistema de castas indiano.

Termos e conceitos

- Ioga
- Budismo
- Jainismo

Novas crenças religiosas

A codificação do sistema de castas na Índia, ocorrida por volta do século VI a.C., foi seguida das primeiras reações contra a rigidez social imposta pelos brâmanes. Houve, a partir dessa época, uma verdadeira proliferação de escolas de pensamento e de novas religiões que desafiavam a situação social vigente na Índia. Recusar a condição de nascimento como fator determinante para o destino de cada indivíduo foi o denominador comum entre todas essas escolas e religiões.

De modo geral, podemos dizer que as tradições espirituais das grandes religiões foram todas, na origem, revoluções culturais, revoltas contra sociedades estagnadas, enrijecidas, marcadas pela hierarquização social e o formalismo religioso. O budismo, o jainismo, o taoismo chinês, o cristianismo e o islamismo são exemplos dessas revoluções culturais que abalaram culturas inteiras a partir do interior, fornecendo às pessoas novas esperanças e a possibilidade da libertação. Algumas, como o budismo e o taoismo, não chegaram a se tornar religiões institucionalizadas, podendo ser definidas muito mais como uma ética pessoal ou uma filosofia de vida. Outras, como o cristianismo e o islamismo, converteram-se em grandes religiões, divididas em várias denominações, institucionalizadas e hierarquizadas e com fortes laços com o poder estatal.

As técnicas espirituais da ioga

A palavra **ioga** deriva da raiz "yug", do sânscrito, língua do grupo indoeuropeu e significa "unir", "atrelar", "jungir". A ioga é um conjunto de técnicas mentais e corporais cuja finalidade é atingir o samádi, ou seja, um estado constituído pela ampliação da consciência e da lucidez. Em diferentes variações, essas técnicas místicas e meditativas estão presentes em quase todas as formas de pensamento e religiões orientais. Apesar dessa diversidade, as práticas se orientam pela busca da concentração plena e da imperturbabilidade da mente.

A finalidade da prática da ioga podia ser atingida por qualquer pessoa, independentemente de sua posição social. Eram necessários, apenas, o esforço disciplinado e a busca pela purificação. Por essa razão, as técnicas da ioga eram uma maneira de superar o determinismo social das castas, de romper com o ciclo de reencarnações e de abreviar o caminho da iluminação por meio da ascese espiritual **[doc. 1]**.

- **Ascese.** Prática de renúncia a todo tipo de prazer e até mesmo às necessidades básicas com o objetivo de elevar espiritualmente o indivíduo.

DOC. 1 Damas trazem oferendas a um líder espiritual. Aquarela sobre papel, século XVIII. Museu Vitória e Alberto, Londres.

O budismo

O **budismo** foi fundado pelo príncipe Sidarta Gautama (565-486 a.C.), o Buda, que pertencia a um clã importante do norte da Índia **[doc. 2]**. O budismo apresenta um caminho para se atingir a iluminação do ser, que consiste basicamente na prática da meditação e na adoção de normas éticas e de uma filosofia de vida que busque conhecer as causas do sofrimento e a conduta necessária para superá-lo.

Para o budismo, o sofrimento humano nasce do desejo, que leva o homem a buscar o prazer e a fugir da dor. Abandonar e renunciar ao desejo, portanto, é a única maneira de pôr fim ao sofrimento. Qualquer indivíduo estaria em condições de percorrer esse caminho, independentemente da sua condição social e do seu nascimento. Assim, semelhante ao cristianismo, o budismo é uma religião universal, ou seja, não é exclusividade de um ou outro grupo de pessoas.

Buda e seus adeptos não repudiaram explicitamente a divisão de castas indiana nem exigiram a sua abolição. As distinções de casta deixavam de valer, no entanto, para os monges e para aqueles que eram admitidos na comunidade budista, a *sangha*. Qualquer pessoa que aderisse ao budismo tinha de renunciar aos títulos e prerrogativas da casta à qual pertencia. Assim, o aspecto mais inovador da doutrina budista era defender a iluminação como resultado da conduta dos indivíduos e não da condição de nascimento.

O budismo ganhou multidões de seguidores principalmente no norte da Índia, região onde o Buda pregou, e no leste asiático. Posteriormente, expandiu-se para a China, a Indochina, a Coreia e o Japão, tornando-se uma das religiões mais populares do mundo.

DOC. 2 **A vida de Buda: o iluminado**

O príncipe Sidarta Gautama (565-486 a.C.) pertenceu ao importante clã dos Sakya, no norte da Índia (atual região do Nepal). Aos 29 anos, deixou a família para tornar-se asceta itinerante e alcançar a sabedoria. Após sete anos praticando mortificações e terríveis privações corporais, abandonou o caminho ascético e atingiu a iluminação (nirvana) debaixo de uma árvore Bodhi. Nesse momento passou a se chamar Buda (Buda, na língua pali, significa o "desperto", e Bodhi, a árvore do despertar). Daí por diante, começou a pregar o darma budista, reunindo muitos seguidores e adeptos em torno de si. Após sua morte, seus adeptos se dividiram em duas escolas: a Hinayana, para os quais só existe um Buda e o caminho da salvação depende de um esforço individual, e os adeptos do Mahayana, segundo os quais existem muitos Budas (chamados de Bodisatvas, avatares do Buda), os quais, por sua compaixão, zelam pela salvação de todos os seres.

Buda em posição de lótus, estatueta de bronze de 1533-1534. China. Museu da Ásia Oriental, Bath.

O jainismo

O budismo tem muitos pontos em comum com o **jainismo**, a religião fundada por Mahavira, contemporâneo de Buda. Mahavira descendia de uma família aristocrática indiana, abandonou a família aos 30 anos para buscar a sabedoria e a salvação como asceta itinerante e, após doze anos de meditação e penitência, teria tido uma revelação. Não se sabe exatamente quando Mahavira nasceu, mas se sabe que morreu por volta de 450 a.C.

Os adeptos do jainismo são chamados de jainas e, da mesma forma que os budistas, rejeitam a religião bramânica e o sistema de castas. A noção fundamental da filosofia de vida dos jainas é a não violência, ou seja, a renúncia a qualquer ato que possa prejudicar um ser vivo, por mais ínfimo que ele seja. A conduta de vida pregada pelos jainas é igualmente acessível a todos. Seu objetivo é a purificação da alma para libertá-la do ciclo das reencarnações, objetivo que seria obtido com a prática constante e cotidiana da não violência.

O jainismo não se tornou uma religião tão popular quanto o budismo, tendo se difundido somente entre um número restrito de adeptos. Ainda hoje há seguidores do jainismo na Índia e em outros países do mundo, principalmente na Europa e nos Estados Unidos. É provável que o grande líder indiano Mahatma Gandhi, em meados do século XX, tenha sido influenciado pela filosofia jaina da não violência, tornando-a um instrumento de resistência à dominação colonial britânica.

QUESTÕES

1. Quais os elementos comuns entre o budismo e o jainismo?
2. A representação de Buda sentado em posição de lótus é provavelmente um dos maiores símbolos da religiosidade oriental, significando a junção de corpo e mente. Analise essa posição e a relacione com os preceitos básicos das técnicas espirituais da ioga **[doc. 2]**.

CONTROVÉRSIAS O sistema de castas

Uma das questões da história da Índia que têm recebido constante atenção por parte dos especialistas é o sistema de castas. Apesar de ter sido banido legalmente desde 1950, ele permanece arraigado nos costumes e no comportamento cotidiano das pessoas. Oficialmente, existem cerca de 160 milhões de dalits na Índia, cerca de um quinto da população. Eles formam uma comunidade heterogênea que se dedica às tarefas mais desvalorizadas na sociedade, consideradas "impuras".

Os textos a seguir mostram duas visões distintas sobre o sistema de castas na cultura indiana. Compare os dois textos e depois responda às questões.

Texto 1

"Na Índia todos trazem consigo as insígnias características da classe de vida à qual pertencem. Podem ser reconhecidos à primeira vista por suas vestimentas, seus adornos, os sinais de sua casta e ocupação. Todo homem leva o símbolo de sua divindade tutelar pintado na testa, ficando assim sob custódia e proteção do deus. Mulheres solteiras, casadas, viúvas vestem roupas apropriadas e a cada uma corresponde um conjunto de normas e tabus definidos com meticulosidade e seguidos com absoluto rigor. [...] O propósito destas exigências é preservar livre de máculas a força espiritual específica da qual depende a eficácia de um indivíduo como membro de uma determinada categoria social."

ZIMMER, Henrich. *Filosofias da Índia*. São Paulo: Palas Athena, 1986. p. 116-117.

Texto 2

"O debate está aberto e deverá discutir até que ponto o sistema de castas é um dogma do hinduísmo ou o legado de uma estrutura poderosa imposta por invasores da Ásia Central séculos atrás. [...]

A discriminação por castas é proibida na Índia, mas continua sendo parte do dia a dia do segundo país mais populoso do mundo. [...]

Mas o ministro para Assuntos Externos da Índia, Omar Abdullah, afirmou que a discriminação por castas não pode ser igualada ao racismo. O ministro rejeitou a discussão do tema na Conferência da ONU sobre o Racismo.

Esta decisão colocou em risco 160 milhões de pessoas, membros da casta mais baixa da Índia, os dalits (párias). Representantes dos dalits afirmaram a jornalistas que a Índia falhou ao não abrir sua experiência de racismo e intolerância ao debate internacional. A decisão também atraiu críticas da organização não governamental *Human Rights Watch*. A porta-voz da organização, Smita Narula, diz que a discriminação baseada em castas é o '*apartheid* escondido' da Ásia, que afeta milhões de pessoas no sul do continente."

Castas da Índia vão a debate na Conferência da ONU sobre Racismo. Disponível em www.bbc.co.uk/portuguese. Acesso em 2 ago. 2009.

QUESTÕES

1. Como cada um dos textos apresenta o sistema de castas na Índia atual?
2. Qual a visão dos dalits diante da justificativa de que o sistema de castas é um dogma religioso e não uma prática de racismo?
3. O segundo texto mostra o movimento dos dalits para chamar a atenção internacional para a sua situação e buscar soluções políticas para o problema. O que você pensa da ação dos dalits? É válido que eles recebam ajuda externa para resolver seus problemas ou eles devem contestar o sistema de castas internamente, já que oficialmente a Constituição indiana aboliu as castas? Debata o assunto com seus colegas e escreva sua posição sobre o assunto.

Mulher da casta dos intocáveis faz pipocas à beira de estrada. Índia, 2007.

A origem da civilização chinesa

Objetivo

- Compreender o processo de formação da civilização chinesa.

Termos e conceitos

- Dinastia

As primeiras culturas agrícolas na China

Na China formou-se uma das mais antigas civilizações da história, contemporânea das civilizações egípcia e mesopotâmica. Como outros povos orientais do período, os chineses se estabeleceram em torno de rios, o Rio Hoang-Ho, também conhecido como Rio Amarelo, e o Rio Yang-Tsé, ou Rio Azul, às margens dos quais se desenvolveu a agricultura irrigada **[docs. 1 e 2]**.

Segundo as escavações arqueológicas realizadas na região, as comunidades agrícolas mais antigas da China datam de aproximadamente 7500 a.C. Conforme os indícios encontrados, essas comunidades criavam animais, como porcos e cães, praticavam uma agricultura primitiva, cultivando principalmente o painço (uma espécie de gramínea semelhante ao milho) e o arroz, e fabricavam cerâmica em fornos. Há indícios de cultivo de arroz no delta dos rios Amarelo e Azul desde 9000 a.C. Na cultura Liangzhu, às margens do Rio Azul, desenvolveram-se, por volta de 3000 a.C., técnicas de escultura em jade, característica da civilização clássica chinesa.

A civilização chinesa foi a síntese de múltiplas combinações de povos e culturas, formada no decorrer de um longo período. É difícil determinar exatamente quando se iniciou na China o poder político centralizado. Segundo a tradição, a primeira **dinastia** teria sido a dos Chi´a, instituída por um fundador lendário, Yu, a quem se costuma atribuir a construção do sistema de diques ao longo do Rio Amarelo. Essa dinastia teria durado de 2205 a 1760 a.C. No entanto, é possível que ela seja uma dinastia mítica, pois até agora não há documentos suficientes para comprovar esses fatos.

Quando a China ingressou na Era do Bronze, surgiu a primeira dinastia comprovada por meio de vestígios históricos: a dinastia Chang (1760-1122 a.C.). Foi nesse período que surgiu a civilização chinesa tal como a conhecemos, com o aparecimento da escrita e de estruturas políticas e sociais definidas.

DOC. 1 **A civilização chinesa antiga**

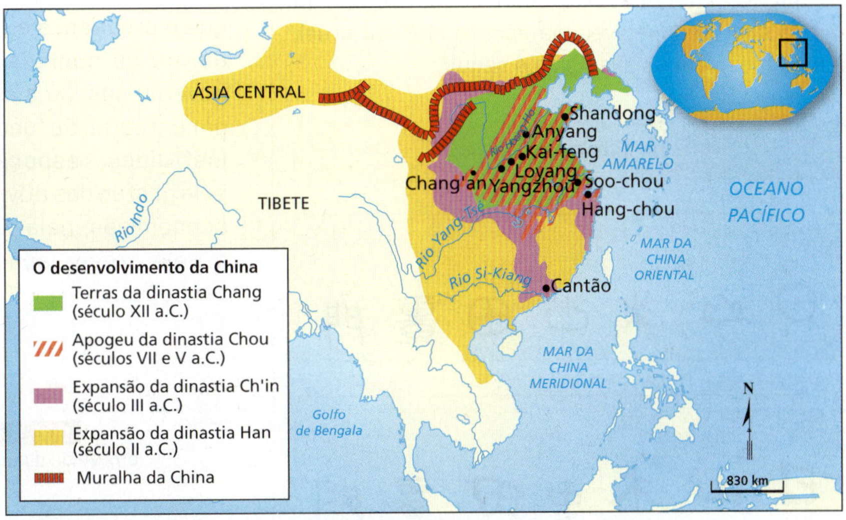

Fontes: *China antiga*. Rio de Janeiro: José Olympio, 1969. (Coleção Biblioteca de História Universal Life); DUBY, Georges. *Atlas historique mondial*. Paris: Larousse, 2003. p. 185.

DOC. 2 Plantação de arroz às margens do Rio Yang-Tsé (Azul). China, 2007.

Organização política e social

Do ponto de vista político e social, a dinastia Chang se caracterizou pela presença de uma forte aristocracia guerreira, sustentada pelas comunidades camponesas, e pela instituição de uma monarquia baseada no culto dos ancestrais, a quem os reis consultavam em casos de guerra ou assuntos agrícolas. Nos rituais de sacrifício, além de cereais, ofereciam-se o sangue e a carne das vítimas sacrificadas, humanas ou animais. Também se praticava a adivinhação por meio de ossos de animais. Os primeiros indícios da escrita chinesa e da existência de centros urbanos fortificados datam também do período Chang. A função principal da escrita era preservar a memória das dinastias reinantes **[doc. 3]**.

DOC. 3 **A escrita chinesa**

Nossa escrita, que é alfabética, é constituída unicamente de elementos fonéticos, ou seja, de sinais que representam os sons da fala. Diferentemente, a escrita chinesa é composta de elementos fonéticos e logográficos. Os logogramas são símbolos que representam palavras ou partes de palavras, podendo contribuir para a formação de novas palavras.

Inicialmente a escrita chinesa não possuía elementos fonéticos. Ela compunha-se de pictogramas, sinais que representavam o próprio objeto a que se referiam. Posteriormente, os sinais tornaram-se mais abstratos, até atingirem o formato de ideogramas, que representavam ideias. Apenas num terceiro momento os elementos fonéticos foram introduzidos.

Alguns elementos da escrita chinesa antiga ainda são reconhecíveis na escrita chinesa atual, como mostram os exemplos a seguir.

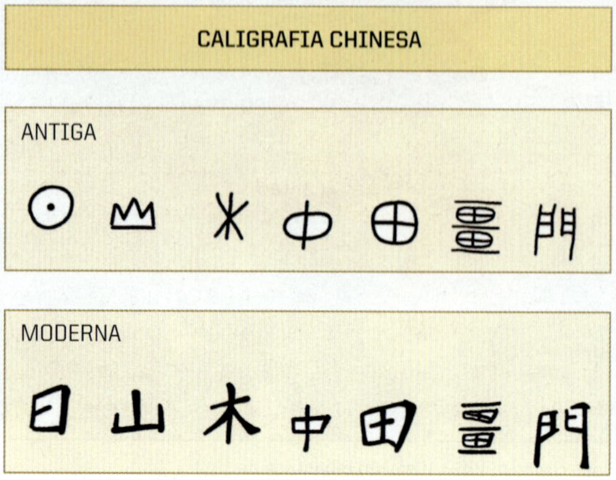

Fonte: JEAN, Georges. *A escrita:* memória dos homens. São Paulo: Objetiva, 2008. p. 47.

No quadro de cima vemos a forma antiga, e no de baixo, temos a representação, respectivamente, dos seguintes pictogramas: sol, montanha, árvore, meio, campo, fronteira, porta.

A dinastia Chou e a expansão da China

Entre os séculos XI e X a.C., a dinastia Chang foi conquistada pelos Chou, dando origem à dinastia mais duradoura da história da China. A conquista foi legitimada pela doutrina do **Mandato do Céu**. Segundo essa doutrina, o soberano era o filho do Céu, o que o autorizava a governar por direito divino. A derrota dos Chang e a vitória dos Chou, portanto, seriam justamente a prova de que o soberano Chou detinha o Mandato do Céu.

Os Chou eram originários do Vale do Rio Wei, ao sul dos domínios da dinastia Chang. Os Chou logo assimilaram a escrita e os valores difundidos pelo povo subjugado. O território chinês se expandiu continuamente até o século VIII a.C., graças a um sistema de delegação do poder. O soberano doava terras aos nobres, tornando-os seus dependentes. Houve um grande desenvolvimento das atividades mercantes e do artesanato em bronze **[doc. 4]**.

As terras desses nobres eram cultivadas por camponeses. Eles formavam a maioria da população e trabalhavam a terra dos nobres em troca de uma pequena parte da colheita. Também atuavam na construção de obras públicas (canais de irrigação, muralhas etc.) e como soldados nas guerras.

O poder real, baseado no poder da nobreza hereditária, começou a desmoronar após a morte do último rei Chou, no século VIII a.C. Iniciou-se um período de guerra, crise e instabilidade. O território ocupado durante a dinastia Chou foi dividido entre diversos reinos rivais. Foi nesse período de fragmentação do poder que floresceram formas de pensamento que marcariam a cultura clássica da China. No lugar da antiga nobreza decaída, o governo passou a ser exercido por um corpo de funcionários instruídos, responsáveis pela gestão das atividades econômicas, pela justiça e pela preservação das tradições.

DOC. 4 Sino em bronze da dinastia Chou, c. 1100 a.C.

QUESTÕES

1. Explique por que a China antiga pode ser chamada de "civilização fluvial" **[docs. 1 e 2]**.
2. Quais as especificidades da escrita chinesa e qual o seu papel naquela sociedade **[doc. 3]**?

O Império Chinês

Objetivo

▶ Entender o processo de centralização política da civilização chinesa e sua produção cultural.

Termos e conceitos

- Centralização política
- Confucionismo
- Taoismo

O nascimento do Império Chinês

Com a desagregação da dinastia dos Chou, no século VIII a.C., vários reinos disputaram a hegemonia na China. O Reino dos Ch'in conseguiu derrotar os rivais e progressivamente assumiu o controle do território até unificá-lo no século III a.C. O príncipe Zheng foi coroado primeiro imperador da China, assumindo o nome de Che Huang Ti **[doc. 1]**.

Com a **centralização política** da China, surgiram novas relações de poder. Durante a dinastia Chou, por exemplo, o governante doava terras para uma camada de nobres, em troca de serviços prestados. Já a dinastia Ch'in se apoiava numa burocracia centralizada formada por funcionários leais e educados. A burocracia era responsável por controlar os trabalhos agrícolas, a estocagem e a distribuição de cereais, por gerir a mão de obra para as grandes construções e por aplicar recompensas ou punições, garantindo a obediência ao novo poder.

Por volta do século V a.C., houve transformações econômicas e sociais que remodelaram a sociedade chinesa. Nesse período, foram introduzidos armas e utensílios de ferro no lugar dos anteriores, feitos de pedra ou bronze. As inovações técnicas e o recurso à tração animal permitiram melhorar a produção agrícola e ampliar as áreas de cultivo. Ocorreu uma padronização de moedas e de pesos e medidas. Por fim, a população cresceu e floresceram as atividades comerciais e industriais.

A Muralha da China

Uma das grandes obras dos Ch'in foi o início da construção da Muralha da China, destinada a defender o Império dos ataques de povos nômades vindos do norte, como os manchus. Em troca de ajuda na defesa do território, o governo imperial concedia terras e benefícios aos povos fronteiriços.

A Muralha da China, ao contrário do que se acredita, não é uma construção única, mas a soma de diversas muralhas construídas, destruídas e reconstruídas ao longo do tempo. Pesquisas recentes, feitas a partir de imagens de satélites, descobriram que a muralha ocupa uma extensão bem maior do que se acreditava, totalizando mais de 8 mil quilômetros de extensão, envolvendo diferentes regiões da China.

A Grande Muralha se estende desde a fronteira norte de Beijing (Pequim) até o Deserto de Gobi, sendo considerada a construção humana mais extensa do mundo. Declarada Patrimônio Mundial pela Unesco em 1987, a Grande Muralha é uma das principais atrações turísticas e um dos principais objetos de pesquisas arqueológicas da China **[doc 2]**.

O imperador Che Huang Ti, no entanto, não conseguiu fundar uma nova dinastia. Após sua morte, a China caiu novamente em guerra civil, até que os Han, por volta de 206 a.C., fundaram uma nova dinastia e consolidaram a unidade política imperial.

DOC. 1 Guerreiros de Xian, foto de 2006. O exército de guerreiros de terracota foi encontrado em 1974 no mausoléu de Che Huang Ti, o primeiro imperador da China. Pesquisadores acreditam que cerca de 700 mil trabalhadores e artesãos trabalharam por mais de trinta anos para finalizar essa obra.

A atividade intelectual

De modo geral, a atividade intelectual no mundo contemporâneo tem a função de refletir e de propor soluções para os problemas que afligem a sociedade e interferem na vida das pessoas. Tradicionalmente, parte desses profissionais é incorporada às atividades do Estado e passa a desempenhar funções públicas. Na China, o intelectual também assumia esse papel.

O desenvolvimento das cidades, a difusão da escrita e o aparecimento de uma elite de funcionários letrados durante os últimos séculos da dinastia Chou favoreceram o surgimento de um pensamento político e moral na China. Vivendo num período de guerra e insegurança, as diferentes formas de pensamento que se desenvolveram nessa época procuravam explicar o lugar da vida humana na ordem cósmica e oferecer um caminho para a harmonia social. As duas escolas de pensamento mais importantes, cuja influência se estendeu até os dias atuais, foram o **confucionismo** e o **taoismo**.

Confucionismo

Segundo Confúcio (551-479 a.C.), fundador do **confucionismo**, a harmonia social poderia ser alcançada por meio de uma reforma moral e política da sociedade, efetuada por líderes conscientes e por um corpo de servidores educados. O governo deveria ser exercido, portanto, por homens nobres e virtuosos. A atenção dedicada ao funcionamento da sociedade levou Confúcio a abandonar os questionamentos sobre o céu e sobre a vida após a morte. Considerava importante a existência concreta de cada um, tal como vivida no tempo presente.

Assim, o primeiro dever de todo ser humano seria cultivar a si mesmo e se aperfeiçoar moralmente na interação com outras pessoas. Se cada um tivesse consciência de seu lugar na sociedade, cumprisse seus deveres, praticasse os ritos e obedecesse aos costumes, a ordem e a estabilidade social estariam garantidas. O estudo era considerado um meio para o homem comum tornar-se um homem superior, e esse princípio estava na base do sistema de exames imperiais para o recrutamento de administradores da coisa pública.

Taoismo

Lao-Tsé, que viveu provavelmente no século VI a.C., costuma ser considerado o fundador do **taoismo**, um pensamento que buscou restaurar a harmonia entre o homem e a natureza por meio de práticas meditativas e místicas. O taoismo valorizava o mundo interior e defendia o retiro do indivíduo do convívio social para poder viver em contato direto com a natureza, diferentemente do confucionismo, que se preocupava com as atividades política e social. Segundo o taoismo, o universo seria constituído por uma série de formas que se alternam numa ordem cíclica. Essas formas seriam manifestações de dois princípios que eram, ao mesmo tempo, opostos e complementares: o *yin* e o *yang*. O Tao representaria a união desses dois princípios, a ordem que regeria tanto o universo quanto a vida humana e simbolizaria a totalidade primordial que teria originado tudo o que existe.

QUESTÃO

- Observe a imagem e responda às questões **[doc. 1]**.
  a) Quais relações podem ser estabelecidas entre o exército de terracota encontrado no túmulo de Che Huang Ti e o período em que esse imperador governou a China?
  b) Quais semelhanças podemos apontar entre os guerreiros de terracota e as obras encontradas nas pirâmides egípcias?

DOC. 2 Grande Muralha da China, foto de 2008. A Grande Muralha não tinha apenas função militar mas também simbólica: representar o poderio do Estado unificado chinês. No decorrer da história chinesa, foi reconstruída e reforçada diversas vezes. Ao ser concluída, no século XV, durante a dinastia Ming, a muralha atingia quase 7 mil quilômetros de extensão.

Retomar conteúdos

1 Sintetize as características principais da cultura harapense.

2 Qual o impacto das invasões arianas sobre as populações que viviam no território indiano?

3 Quais as características do Estado e da sociedade chinesa sob a dinastia Ch'in?

4 Explique o papel exercido pelos funcionários letrados nas dinastias Chou e Ch'in.

Ler textos e imagens

5 Leia este fragmento dos Diálogos de Confúcio.

"Disse o mestre:

Riqueza e posição é o que todos desejam, mas se não puder obtê-las por meios justos, o homem virtuoso não as aceitará. Pobreza e inferioridade é o que todos detestam, mas se não for por meios justos, o homem virtuoso não as rejeitará. Um homem que se pretende virtuoso, se abandona a prática do bem está traindo esse nome. O homem virtuoso não deixa de praticar o bem em nenhuma circunstância. Ele é virtuoso quando tudo lhe favorece, e o é também quando tudo lhe é obstáculo."

Confúcio. *Analectos 5*, livro IV. Disponível em www.hottopos.com.br. Acesso em 6 ago. 2009.

a) Qual é o compromisso ético de um homem que pretenda ser virtuoso?
b) Interprete a seguinte afirmativa do texto: "[O homem] é virtuoso quando tudo lhe favorece, e o é também quando tudo lhe é obstáculo."

6 *Manu* é um personagem mítico, primogênito de Brahma e o primeiro homem, considerado o pai da humanidade. A ele se atribui o texto conhecido por *Código de Manu*, um conjunto de normas reguladoras da convivência social. O texto, escrito em versos entre 1400 e 800 a.C., apresenta um quadro da sociedade indiana, das castas, mas também das regras religiosas e de conduta doméstica. A seguir, trechos do Livro IX, sobre os deveres dos homens e das mulheres.

Dos deveres do marido e da mulher

"**Art. 419º** Dia e noite, as mulheres devem ser mantidas num estado de dependência por seus protetores; e mesmo quando elas têm demasiada inclinação por prazeres inocentes e legítimos, devem ser submetidas por aqueles de quem dependem à sua autoridade.

Art. 420º Uma mulher está sob a guarda de seu pai, durante a infância, sob a guarda de seu marido durante a juventude, sob a guarda de seus filhos em sua velhice; ela não deve jamais se conduzir à sua vontade. [...]

Art. 424º Com efeito, um marido preserva sua linhagem, seus costumes, sua família, a si próprio e seu dever, preservando sua esposa. [...]

Art. 428º Que o marido designe para função à sua mulher a receita das rendas e despesa, a purificação dos objetos e do corpo, o cumprimento de seu dever, a preparação do alimento e a conservação dos utensílios do lar. [...]

Art. 433º Conhecendo assim o caráter que lhes foi dado no momento da criação pelo Senhor das Criaturas, que os maridos prestem a maior atenção em vigiá-las.

Art. 434º *Manu* deu em partilha às mulheres o amor do seu leito, de sua residência e do enfeite, [...] a cólera, as más inclinações, o desejo de fazer mal e a perversidade. [...]

Art. 439º Quaisquer que sejam as qualidades de um homem ao qual uma mulher se uniu por um casamento legítimo, ela adquire essas qualidades, do mesmo modo que o rio por sua união com o oceano."

Código de Manu. Livro IX. Rede de Direitos Humanos e Cultura. Disponível em www.dhnet.org.br. Acesso em 6 ago. 2009.

a) Como o texto descreve a condição da mulher na sociedade hindu?
b) Qual o papel do homem em relação à mulher?
c) Como o texto justifica a condição de submissão das mulheres na sociedade?

7 Analise a figura que simboliza o *yin* e *yang* e relacione-a com os princípios do taoismo.

O taoismo está presente até hoje na vida cotidiana chinesa, manifestando-se na astrologia, na medicina, nas artes marciais, na culinária e até no estilo de decoração conhecido como *fengshui*. A integração dos dois princípios é simbolizada na imagem ao lado.

Yin	*Yang*
Terra	Céu
Frio	Calor
Feminino	Masculino
Inverno	Verão
Lua	Sol
Obscuridade	Claridade
Sombra	Luz

Os elementos desse quadro expressam a dualidade e a complementaridade entre o *yin* e o *yang*.

Debater

8 Debata com os colegas: a condição da mulher descrita no texto da questão 6 é exclusiva da sociedade hindu tradicional? Quais as semelhanças e as diferenças com outros tempos e espaços? E no Brasil, quais as conquistas e dificuldades das mulheres para superar condições adversas dentro da sociedade?

Capítulo

4 Hebreus, fenícios e persas

› **4.1 Da era do bronze à era do ferro**
O desenvolvimento da metalurgia do ferro contribuiu para desestabilizar os reinos da era do bronze.

› **4.2 Os hebreus: das origens ao êxodo**
A religião hebraica se diferenciava de outras religiões principalmente por ser monoteísta.

› **4.3 Os hebreus antigos: política e sociedade**
A fixação dos hebreus em Canaã, após o retorno do Egito, assinalou o nascimento da monarquia hebraica.

› **4.4 A civilização marítima dos fenícios**
Os fenícios ficaram conhecidos como excelentes navegadores e comerciantes.

› **4.5 O Império Persa**
O extenso Império Persa era mantido, entre outras coisas, por um eficiente sistema de estradas.

O Oriente Médio antigo

Entre os séculos XII e X a.C., uma série de transformações técnicas, políticas e sociais pôs fim aos grandes impérios que disputavam o poder no Oriente Médio e permitiu o nascimento de novas formas de Estado. Uma inovação técnica importante desse período foi a introdução da metalurgia do ferro, que permitiu construir armas bem mais potentes.

No sul da Palestina, surgiu o Reino de Israel, formado por tribos de pastores nômades que se estabeleceram na região: os hebreus. Um pequeno reino, que logo se dividiria devido a lutas internas e acabaria sendo conquistado por impérios que dominaram a região. Contudo, mesmo perdendo a independência política, a cultura hebraica, marcada pelo monoteísmo ético, sobreviveu e chegou aos nossos dias.

Já ao norte da Palestina, formou-se uma civilização constituída de cidades-Estado, em grande parte dedicada ao comércio marítimo: a dos fenícios. Entre outras realizações, os fenícios foram responsáveis pela difusão do alfabeto, tanto na Europa quanto na Ásia, uma conquista cultural de inestimável valor.

A leste da Mesopotâmia, no planalto iraniano, desenvolveu-se o Império Persa, que no decorrer de poucos séculos iria dominar toda a região, numa expansão contínua sem precedentes até então. Dominando um imenso território, os persas criaram o primeiro império multicultural da história, unindo sob seu comando povos, línguas e culturas diferentes.

Hebreus, fenícios e persas

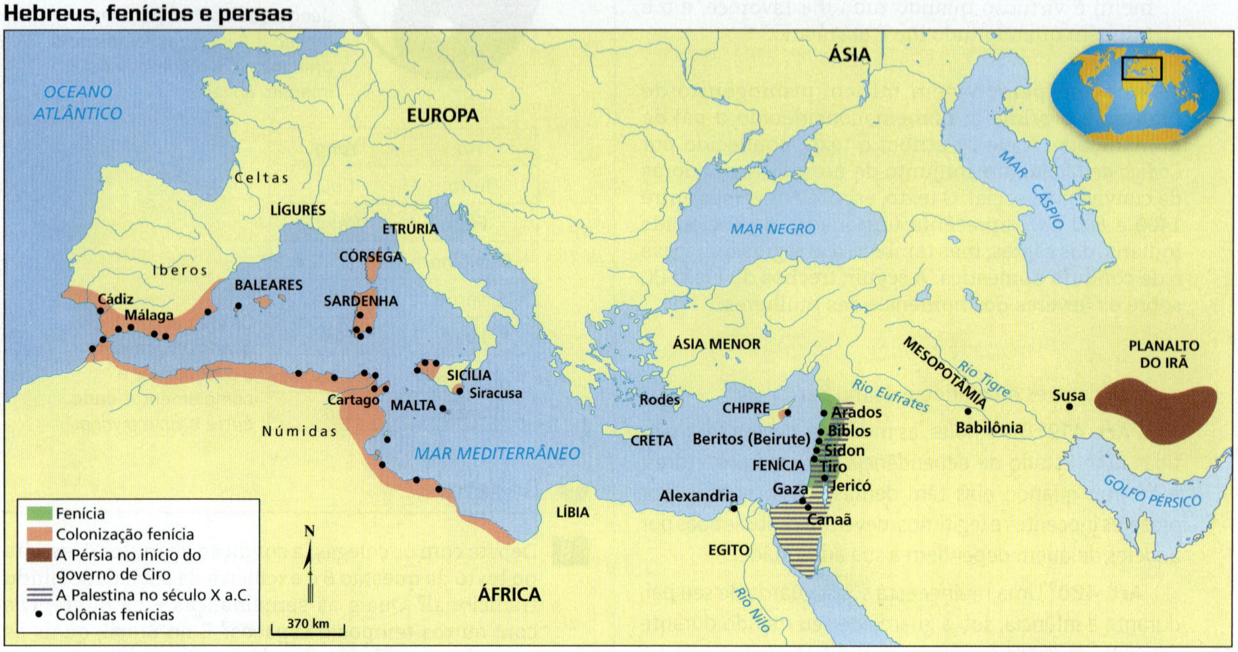

Fontes: VIDAL-NAQUET, Pierre; BERTIN, Jacques. *Atlas histórico*: da Pré-história aos nossos dias. Lisboa: Círculo de Leitores, 1987. kinder, Hermann e Hilgemann, Werner. *Atlas histórico mundial*. Madri: Istmo, 1983. p. 38.

Da era do bronze à era do ferro

Objetivo

▸ Entender as transformações ocasionadas pela introdução da metalurgia do ferro na Antiguidade.

Termos e conceitos

- Era do bronze
- Era do ferro

O colapso da era do bronze

O impacto que as inovações técnicas e tecnológicas exercem na vida humana pode ser percebido em vários momentos da história. Entre os séculos XII e X a.C., um conjunto de transformações técnicas, políticas e demográficas levou as civilizações do antigo Oriente Médio ao colapso. Esse período, que costuma ser designado como "Idade das Trevas", ainda é pouco conhecido pela ausência de documentos escritos. Foi nesse momento que ocorreu uma mudança técnica fundamental: a substituição da metalurgia do bronze pela metalurgia do ferro **[doc. 1]**.

No decorrer do segundo milênio antes da nossa era, ao lado do Egito e da Mesopotâmia, desenvolveram-se outros reinos no Oriente Médio antigo. Na costa da Anatólia, estabeleceu-se o Império Hitita, uma monarquia religiosa e militar conhecida por suas táticas de guerra e pelo uso militar do cavalo e responsável pela introdução da metalurgia do ferro na região. No nordeste da Mesopotâmia, surgiu o Império Assírio, cujos domínios chegaram ao Egito. Na região do Golfo Pérsico, situava-se o Reino de Elam e, finalmente, no norte da África, o Egito, então na fase do Médio Império **[doc. 2]**.

DOC. 1 As características do bronze

O bronze é uma liga metálica obtida pela fusão de cobre com estanho. O cobre é um metal flexível demais para fazer armas e instrumentos, por isso é necessário adicionar o estanho para conferir-lhe a dureza necessária. O problema é que o cobre é um minério relativamente raro, além disso, as jazidas de cobre e de estanho não costumavam ficar na mesma região.

Para obter esses minérios em quantidade suficiente, era necessário ter boas relações com os Estados vizinhos e manter trocas comerciais constantes. Além disso, devido à sua raridade, o bronze costumava ser usado apenas pela aristocracia guerreira, que o utilizava para suas armas e cerimônias religiosas. A massa camponesa não utilizava instrumentos de metal, mas de madeira ou pedra.

Armadura de bronze produzida por volta do século X a. C., durante a era do ferro. Apesar da disseminação da metalurgia do ferro, o trabalho com o bronze não foi totalmente abandonado.

Vocabulário histórico

Técnica e tecnologia

A técnica é o conjunto de procedimentos que o homem desenvolveu, ao longo do tempo, na produção de objetos para facilitar sua vida. O desenvolvimento da técnica é um índice do domínio do homem sobre a natureza.

A tecnologia é a ciência desenvolvida sobre essa técnica, um conjunto de conhecimentos aplicados sobre os procedimentos mecânicos. A inovação tecnológica vem ocorrendo desde a fabricação dos primeiros instrumentos de trabalho, ainda na Pré-história. Essa inovação foi intensificada com a Revolução Industrial, pela automação dos processos de produção.

DOC. 2 Reinos do Oriente Médio antigo (séculos XIII-VII a.C.)

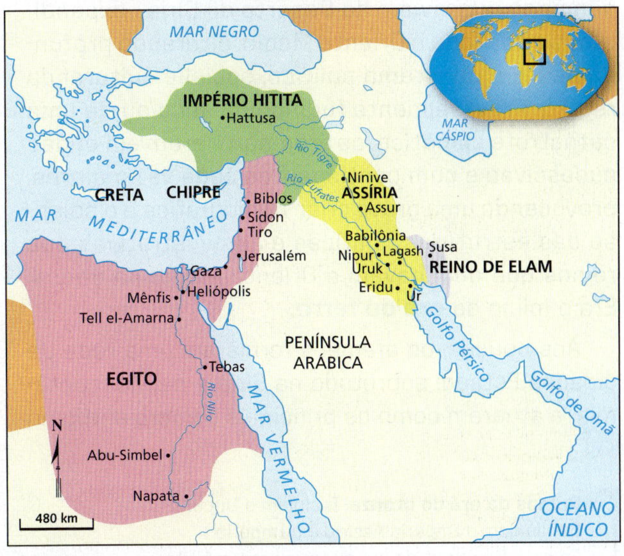

Fonte: *Atlas da história do mundo*. São Paulo: Times/Folha de S.Paulo, 1995. p. 57.

A difusão do ferro

Durante os últimos séculos da **era do bronze** (1600-1200 a.C.), os reinos desse período mantiveram-se em relativa estabilidade. A introdução da metalurgia do ferro contribuiu para subverter essa situação. A técnica do ferro difundiu-se a partir da Anatólia para a Europa e a Ásia, por volta de 1200 a.C. Para ser produzido, o ferro necessitou de aperfeiçoamentos técnicos na metalurgia, pois ele entra em fusão numa temperatura muito mais alta do que a do bronze. No entanto, ao contrário dos metais que formam a liga do bronze, o ferro pode ser encontrado em abundância em praticamente qualquer lugar da terra. Sendo um metal muito mais duro e resistente do que o bronze, a produção de armas, carros e armaduras de ferro permitiu constituir exércitos muito mais letais e bem armados **[doc. 3]**.

DOC. 3 Espada de ferro e ouro, c. 1000 a.C.

As invasões aramaicas

Outro acontecimento que, para muitos pesquisadores, explica o súbito colapso dos reinos da era do bronze foi a invasão de povos estrangeiros, alguns deles conhecidos apenas por "povos do mar". A origem desses últimos é incerta, embora a região do Mar Egeu e a Anatólia ocidental sejam identificadas como seus locais de dispersão.

Entre os séculos XII e X a.C., os arameus, povos nômades que viviam no Deserto da Síria, expandiram-se por todo o Oriente Médio, alterando profundamente o panorama político, social e cultural da região. Provavelmente fugindo da seca ou de uma catástrofe climática, os arameus vieram em ondas sucessivas e com contingentes cada vez maiores, provocando uma grave crise demográfica e o colapso das estruturas políticas e administrativas dos reinos que dominavam o Oriente Médio na época. Era o início da **era do ferro**.

Aos poucos, os arameus formaram uma rede de cidades-Estado, sobretudo na Síria e na Mesopotâmia, e atuaram como os principais comerciantes no Golfo Pérsico e no Mediterrâneo. Sua influência foi tão grande que, em alguns séculos, o aramaico, a língua falada por eles, disseminou-se na região, suplantando o acádio e tornando-se a língua administrativa do Império Persa. Embora o aramaico fosse a língua falada dominante na Palestina, o hebraico permaneceu como língua sagrada **[doc. 5]**. Com a reconstrução das cidades e o ressurgimento das estruturas estatais, puderam florescer na região novas civilizações, como as de Israel, da Fenícia e da Pérsia.

DOC. 4 Jarro persa em bronze, século VIII a.C. O desenvolvimento da metalurgia do ferro não significou o fim do uso do bronze.

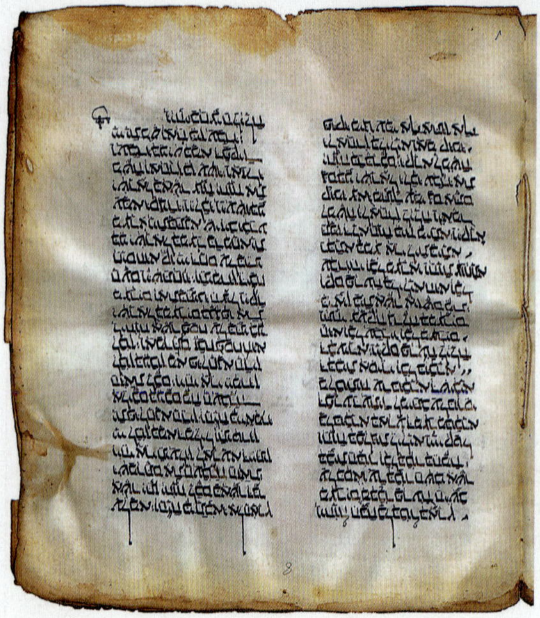

DOC. 5 Página da *Bíblia* hebraica com tradução em aramaico, século XI. O aramaico era a língua escrita mais utilizada no Oriente Médio até o século VII d.C. Era a língua oficial do Império Persa. Seu alfabeto, escrito da direita para a esquerda, é derivado do fenício e serviu de base para a escrita do Antigo Testamento. Dele se originaram o alfabeto hebraico e o árabe.

QUESTÕES

1. Quais as hipóteses expostas no texto para o colapso dos reinos da Idade do Bronze, como o egípcio e os mesopotâmicos, a partir do ano 1000 a.C.?
2. Estabeleça diferenças entre a escrita aramaica e a escrita cuneiforme dos sumérios [doc. 5].

- **Reinos da era do bronze.** Incluíam o Império Babilônico, o Império Assírio e o Império Egípcio. Os reinos da era do ferro eram o hitita, o arameu, o hebreu, o fenício e o persa.

Os hebreus: das origens ao êxodo

Objetivo

- Compreender a formação histórica dos hebreus na Antiguidade.

Termos e conceitos

- *Bíblia*
- Monoteísmo
- *Torá*
- Êxodo

Origem dos hebreus

Os hebreus são originários de tribos de pastores nômades que vagavam entre a Caldeia, a terra de Canaã e o Egito. Por volta do fim do segundo milênio a.C., essas tribos se fixaram na região de Canaã, às margens do Rio Jordão **[docs. 1 e 2]**. Os documentos egípcios e mesopotâmicos da época os chamavam de *Apiru* e os descrevem como grupos heterogêneos e dispersos, que sobreviviam negociando, pilhando, oferecendo-se como mercenários ou até contribuindo para sublevações políticas. Na *Bíblia*, esses grupos nômades são chamados de *Ivrim*, que significa "descendentes de Heber", um patriarca lendário sobre o qual não se tem muita informação.

Abraão e a Terra Prometida

De acordo com a narrativa da ***Bíblia***, o primeiro grande líder dos israelitas foi Abraão, um velho pastor nômade que deu aos hebreus sua forte identidade cultural centrada no culto ao deus Yahveh. Certo dia Yahveh teria ordenado a Abraão que partisse da cidade mesopotâmica de Ur (ou de Harran), onde vivia com sua família, para a terra de Canaã, ou Palestina, para ali se fixar.

Abraão deveria abandonar o culto aos outros deuses e reconhecer Yahveh como deus único e autoridade suprema. Em troca, Abraão seria abençoado com uma descendência inumerável, da qual nasceriam nações, reis e povos inteiros. A partida de Abraão para Canaã teria ocorrido no século XVIII a.C.

Chefiados por Abraão, os hebreus se estabeleceram na Palestina, onde continuaram vivendo da criação de animais e organizados em grupos familiares liderados pelos membros mais velhos da tribo, chamados **patriarcas**. Abraão, Isaac e Jacó (depois chamado Israel) foram os primeiros patriarcas.

DOC. 1 **A Palestina e seus vizinhos**

Fonte: LACOSTE, Yves. *Géopolitique: la longue histoire d'aujourd'hui*. Paris: Larousse, 2006. p. 293.

A Palestina é uma estreita faixa de terra espremida entre a Fenícia (atual Líbano), o Mar Mediterrâneo e o Deserto da Arábia. A região está situada num ponto estratégico da passagem de rotas comerciais que ligavam a Ásia e a África.

DOC. 2 **Israel, Palestina e países vizinhos (2010)**

Fonte: VIDAL-NAQUET, Pierre; BERTIN, Jacques. *Atlas histórico*. Lisboa: Círculo de Leitores, 1990. p. 39.

Como na Antiguidade, a disputa pelas terras da Palestina continua gerando intensos conflitos entre os povos da região.

Três religiões e um mesmo deus

Por ter introduzido a ideia de um deus único, absoluto e universal, Abraão é considerado o pai fundador das três grandes religiões monoteístas da humanidade, que juntas se tornaram a expressão do **monoteísmo**: o judaísmo, o cristianismo e o islamismo. Elas podem ser consideradas "religiões abraâmicas", por atribuírem o mesmo significado à história de Abraão e por partilharem certos elementos básicos e comuns **[docs. 4 e 5]**.

- Crença em um deus único, criador e universal, com o qual o homem estabelece uma aliança; essa aliança pode ser rompida e refeita em diferentes momentos históricos.
- Presença de um livro sagrado (*Torá*, *Bíblia* e *Corão*), que teria sido revelado pela divindade aos profetas ou apóstolos encarregados de transmitir a vontade de Deus aos homens **[doc. 3]**.
- Crença numa lei moral universal, emanada de Deus e codificada nos respectivos livros sagrados.

A partilha de tradições comuns entre as três grandes religiões monoteístas também se expressa na importância que tem a cidade de Jerusalém, em Israel, para os seus seguidores. Para as três religiões, Jerusalém é uma cidade sagrada, que abriga lugares santos: o Muro das Lamentações (judeus), o Santo Sepulcro (cristãos) e o Monte do Templo (muçulmanos).

DOC. 3 ***A Bíblia***

A *Bíblia* é a principal fonte de conhecimento para a história dos hebreus. A ***Torá***, conjunto dos cinco primeiros livros da *Bíblia* (Gênesis, Êxodo, Levítico, Números e Deuteronômio), chamada de Pentateuco pelos cristãos, é o texto central do judaísmo. Ela relata a criação do mundo, a origem do homem, a aliança entre Deus e os hebreus, entre outras histórias da tradição religiosa judaica. Para o historiador, no entanto, os relatos bíblicos, ao serem analisados como documentos, devem ser comparados a outras fontes históricas. Um exemplo são as descobertas arqueológicas, como ruínas de construções, utensílios domésticos, adornos e obras de arte. Há também relatos contemporâneos de outros povos, como textos egípcios, que podem confirmar ou não os relatos bíblicos. Devemos lembrar ainda que nenhum dos textos da *Bíblia* se fixou por escrito antes do século X ou IX a.C.; logo, as narrativas apresentadas são em grande parte muito posteriores aos fatos que relatam.

Iluminura no frontispício de uma *Bíblia* judaica, 1550.

DOC. 4 **A história de Sara, Agar e Abraão**

Segundo a *Bíblia*, Sara, esposa de Abraão, era estéril, por isso Abraão decidiu ter um filho com Agar, uma serva egípcia. Agar deu à luz Ismael. Entretanto, Deus, decidido a cumprir a promessa feita a Abraão, que multiplicaria a sua descendência na Terra, fez com que Sara desse à luz Isaac. Descontente, Sara fez Abraão expulsar Agar e Ismael para o deserto. De Isaac descenderiam os hebreus e de Ismael os "povos do deserto", ou seja, os árabes.

Abraão expulsando Agar e Ismael.
Pintura de Guercino, 1657.

Os hebreus no Egito

Segundo a *Bíblia*, no século XIII a.C., o patriarca Jacó e seus filhos migraram para o Egito para prestar serviço ao faraó em troca de lotes de terra para praticar a agricultura e criar animais. Possivelmente, saíram da Palestina fugindo da fome e da seca. É provável, também, que uma parte das famílias tenha permanecido em Canaã, enquanto outra teria partido buscando outras terras.

Os hebreus teriam chegado ao Egito quando ele estava dominado por um povo estrangeiro, os hicsos. Durante o domínio hicso, o prestígio de José (filho de Jacó) no palácio do faraó teria assegurado respeito e prosperidade aos hebreus. Após a expulsão dos hicsos, no entanto, os hebreus, acusados de colaboração com os invasores, teriam sido escravizados.

Por volta de 1250 a.C., segundo a *Bíblia*, surgiu a figura de Moisés, um hebreu criado pela filha do faraó que teria recebido de Deus a missão de libertar o povo hebreu da escravidão no Egito e reconduzi-lo à Palestina. O relato do livro do Êxodo, na *Bíblia*, mostra que havia muitos conflitos entre clãs, pois muitos teriam preferido permanecer no Egito em vez de acompanhar Moisés.

A viagem de volta a Canaã, mais conhecida como **êxodo**, teria durado quarenta anos. No início da peregrinação pelo deserto, no Monte Sinai, Moisés teria recebido de Yahveh as tábuas da lei, mais conhecidas como os **Dez Mandamentos**, contendo as leis que os hebreus deveriam cumprir.

A soberania de Yahveh

Na Antiguidade, de maneira geral, os deuses representavam acontecimentos ou fenômenos da natureza, tinham uma esfera de atuação limitada e eram cultuados por meio de cerimônias e rituais, como o sacrifício de animais. Com os hebreus nasceu uma nova visão de divindade. De acordo com essa visão, o deus Yahveh revelava seus desígnios por meio dos acontecimentos da história e não se confundia mais com os fenômenos da natureza.

Por ser visto como o criador do homem, do universo e do tempo, Yahveh podia suspender as leis naturais a qualquer momento. Como sua vontade era soberana, seu poder não era partilhado com nenhuma outra divindade, espírito ou ídolo, como nas religiões politeístas. Por isso exigia um culto exclusivo, que não admitia a adoração a nenhum outro deus. A principal diferença, no entanto, é que Yahveh exigia de seus seguidores um comportamento ético.

Essa concepção da divindade era radicalmente distinta de todos os panteões e mitos da Antiguidade. Em nossa era, essa nova visão de divindade conquistou o mundo com a expansão de duas grandes religiões monoteístas: o cristianismo e o islamismo.

Vocabulário histórico

Monoteísmo

O monoteísmo é a crença num deus único. Não é uma invenção dos hebreus. Outros povos da Antiguidade cultuavam um deus que consideravam o único verdadeiro. O principal antecedente do monoteísmo hebraico é o culto ao deus-sol Aton, instituído pelo faraó Akhenaton (Amenophis IV), no Egito, por volta de 1375 a.C. Mas foi o monoteísmo hebraico que teve longa duração e serviu de base para o surgimento do cristianismo e do islamismo.

Politeísmo

O politeísmo é a crença em vários deuses, cada um deles representando um elemento da natureza (céu, mar, trovão, tempestade etc.), um acontecimento da vida (nascimento, morte, casamento etc.) ou um atributo humano (beleza, vaidade, coragem, sabedoria etc.).

- **Panteão.** Conjunto de deuses de uma religião politeísta.

QUESTÕES

1. Destaque as semelhanças e a principal diferença entre os hebreus e outros povos da Antiguidade.
2. Exponha a versão judaica para explicar as relações de proximidade e de distanciamento entre árabes e judeus [**docs. 3 e 5**].

DOC. 5 Trecho do *Gênesis*, versão quadrinizada do primeiro livro da *Bíblia*. In: *Gênesis*, por Robert Crumb. São Paulo: Conrad, 2009. p. 84.

Seção 4.3

Os hebreus antigos: política e sociedade

Objetivo

- Entender o processo de centralização política dos hebreus e a posterior fragmentação.

Termos e conceitos

- Monarquia
- Diáspora

O período dos juízes

Ao retornar à região de Canaã, na Palestina, os hebreus travaram intensas lutas com os cananeus e, mais tarde, com os filisteus, povos aramaicos que ocupavam essa região. Na luta pela posse da região, os hebreus destruíram antigas cidades, como Jericó e Harzor. Isso ocorreu entre 1230 e 1220 a.C.

Com a ocupação de Canaã, se iniciou, segundo a *Bíblia*, o período dos **juízes**, que se estendeu de 1220 a 1030 a.C. Nessa época, os hebreus estavam divididos em doze tribos, marcadas pela ausência de um governo central. Em épocas de grandes conflitos surgiam líderes, os "juízes", que assumiam um papel militar e religioso, porém sem conseguir unificar as tribos.

A monarquia hebraica

No final do século XI, os filisteus, que dominavam o uso do ferro, invadiram a Cananeia. Para defender-se e resistir à invasão dos vizinhos, as tribos tiveram de se organizar sob a liderança de um rei. Com o primeiro rei, Saul, escolhido por sorteio, houve uma divisão entre as tribos de Israel (ao norte) e as tribos de Judá (ao sul). Israel e Judá entraram em guerra, opondo os partidários de Saul e as tribos de Judá sob a liderança de Davi. O jovem rei Davi, que governou de 1000 a 962 a.C., conseguiu unificar as tribos rivais, derrotando os filisteus e conquistando a cidade de Jerusalém, que se transformou na capital do reino.

Após a morte de Davi, seu filho, Salomão, levou a monarquia ao máximo esplendor, incentivando o comércio no lugar das guerras e adotando o luxo e o refinamento das realezas orientais. Seu longo reinado (962-924 a.C.) ficou conhecido como um período de paz e prosperidade. Sob o reinado de Salomão, a monarquia consolidou-se, com a fortificação das cidades, a reorganização do exército e a construção do Templo de Jerusalém **[doc. 1]**.

DOC. 1 **O Templo de Jerusalém**

O Templo de Jerusalém, construído por ordem de Salomão, no século XI a.C., era o local de culto religioso central da cultura judaica, considerado a morada de Yahveh, onde era cultuado e se ofereciam sacrifícios a ele. Em 586 a.C., o templo foi totalmente destruído por Nabucodonosor II da Babilônia. Décadas mais tarde (c. 516 a.C.), foi reconstruído no mesmo local e novamente destruído pelos romanos no ano 70 da nossa era. Desse segundo templo restou um muro externo conhecido como Muro das Lamentações, local considerado sagrado e muito visitado hoje por judeus e não judeus do mundo todo, que lá rezam e depositam seus desejos por escrito.

Muro das Lamentações e a Cúpula dos Rochedos. Jerusalém, Israel, 2007.

Sociedade e economia dos hebreus

Dois avanços técnicos possibilitaram a fixação dos hebreus em Canaã: a domesticação do camelo e a difusão de instrumentos de ferro. Canaã era uma terra árida, sem muitos recursos hídricos. Por ser um animal que necessita de pouca água, o camelo era o meio fundamental de transporte e de comunicação no deserto. Já o uso de ferramentas de ferro permitiu a perfuração de poços e cisternas para armazenar a água da chuva, usada para irrigar os campos.

A passagem da vida nômade à vida sedentária e o início da **monarquia** implicou várias mudanças sociais e econômicas. À medida que se sedentarizavam, os hebreus deixavam de ser povos pastores nômades e se tornavam agricultores, comerciantes e artesãos. Começavam a aparecer as divisões sociais, pois naquele momento instituiu-se a exploração familiar da terra. Porém, a terra não era considerada ainda uma propriedade privada. Vista como sagrada, a terra pertencia ao clã familiar, e o proprietário tinha apenas o usufruto dela.

Nas cidades, os artesãos e os artistas se organizavam em corporações formadas de acordo com o ofício de cada um: padeiros, fiadores, tecelões, droguistas, alfaiates, oleiros etc. Alguns ofícios emergiram a partir das descobertas arqueológicas, como uma queijaria do século VII a.C., descoberta na cidade israelense de Tel Gat.

Vocabulário histórico

Diáspora

A palavra "diáspora" é de origem grega e significa dispersão ou deslocamento de grandes massas populacionais de uma área fixa para diferentes áreas. O termo foi utilizado pela primeira vez na tradução da *Bíblia* judaica para o grego, designando exclusivamente as diásporas judaicas. A primeira dispersão aconteceu em 722 a.C., quando o Reino de Israel foi invadido e destruído pelos assírios. A segunda aconteceu com a invasão de Nabucodonosor da Babilônia, em 586 a.C., e a terceira, com o domínio romano, no século I da era cristã.

A dominação externa

Após a morte de Salomão, por volta de 924 a.C., não foi possível manter a unidade política dos hebreus. As dez tribos do norte se separaram formando o Reino de Israel, com capital em Samaria. Ao sul, as duas tribos restantes formaram o Reino de Judá, com capital em Jerusalém.

Por volta de 722 a.C., as tribos do norte foram conquistadas pelos assírios e seus moradores se dispersaram. Tinha início a primeira **diáspora** dos hebreus. Os habitantes do norte passaram a ser conhecidos como samaritanos (habitantes de Samaria), considerados inferiores pelos hebreus por terem se misturado com os estrangeiros. Os habitantes do Reino de Judá, ao sul, passaram a ser conhecidos como **judeus**.

O Reino de Judá sobreviveu até 586 a.C., quando o rei babilônico Nabucodonosor conquistou a região e ordenou a destruição do Templo de Jerusalém. Depois disso, houve uma sucessão de domínios estrangeiros: persa, a partir do século V a.C., macedônico, no século IV a.C., e por fim romano, depois de 63 a.C. As tribos judaicas assimilaram costumes e valores de outros povos, correndo o risco de perder sua identidade cultural dada pelo monoteísmo e a lei mosaica.

Na ausência de uma unidade política duradoura, era necessário escrever e documentar tudo, criando uma memória que garantisse a preservação da sua cultura e o sentimento de partilhar um passado comum. É essa memória, corporificada num conjunto de tradições escritas e numa história comum, que constitui a identidade cultural que caracteriza os judeus até a atualidade **[doc. 2]**.

QUESTÕES

1. Quais mudanças ocorreram na sociedade hebraica com a instalação da monarquia?

2. O que os símbolos do judaísmo representam para a história dos judeus **[doc. 2]**?

DOC. 2 **Símbolos do judaísmo**

1. *Menorah*. O candelabro de sete braços é aceso todo ano no Festival das Luzes (*Hanukah*), que comemora a reconstrução do Templo de Jerusalém.

2. *Torá*. O livro sagrado da lei, que contém os cinco primeiros livros da *Bíblia*: Gênesis, Êxodo, Reis, Levítico e Deuteronômio.

3. *Estrela de Davi*. Segundo a tradição, era o símbolo presente no escudo de Davi quando derrotou o gigante filisteu Golias.

CONTROVÉRSIAS A *Bíblia* e as pesquisas arqueológicas

A crença nas histórias bíblicas é, principalmente, uma questão de fé e não de ciência. A descoberta de evidências científicas que confirmam essas histórias, contudo, contribui para elevar a autoridade da *Bíblia*. Por isso, muitos arqueólogos, influenciados pela religião, buscam vestígios que atribuam valor de verdade aos relatos bíblicos. Outros, porém, colocando a arqueologia à frente da religião, fazem descobertas que refutam as histórias contadas na *Bíblia*.

"O relato da *Bíblia* sobre o rei Davi é tão conhecido que até mesmo as pessoas que raramente abrem o Livro Sagrado provavelmente têm uma ideia de sua grandeza.

Davi, segundo a Escritura, era um líder militar tão soberbo que não só capturou Jerusalém, mas também transformou a cidade na sede de um império, unificando os reinados de Judá e Israel. Assim começou a era gloriosa, mais tarde ampliada por seu filho, o rei Salomão, cuja influência se estendeu da fronteira do Egito até o Rio Eufrates. Depois, veio a decadência.

Mas e se a descrição da *Bíblia* não estiver de acordo com as evidências do solo? E se Jerusalém de Davi era, na realidade, um vilarejo rural atrasado, e a grandeza de Israel e de Judá estivesse num futuro longínquo?

Recentemente, as autoridades em arqueologia de Israel têm feito essas afirmativas, falando do ponto de vista das descobertas recentes de escavações do passado antigo. 'Da maneira que vejo as descobertas, não há evidência alguma de uma grande e unida monarquia, nem de Jerusalém governando vastos territórios', disse Israel Finkelstein, diretor do Instituto de Arqueologia da Universidade de Tel Aviv. A Jerusalém do rei Davi, acrescentou Finkelstein, 'não era nada além de uma pobre vila na época'. [...]

Em um contexto maior, o discurso de Finkelstein reflete uma mudança surpreendente que vem ocorrendo entre alguns arqueólogos de Israel. Suas interpretações contestam algumas das histórias mais conhecidas da *Bíblia*, como, por exemplo, a conquista de Canaã por Josué. Outras descobertas dão informações suplementares à Escritura, como o que aconteceu com Jerusalém depois que foi capturada pelos babilônios há 2.600 anos.

Em entrevista por *e-mail* do sítio de Megiddo, Finkelstein disse que, antes, 'a história bíblica ditava o curso da pesquisa, e a arqueologia era usada para 'provar' a narrativa bíblica'. Dessa forma, disse, a arqueologia tornou-se uma disciplina secundária. 'Acho que chegou a hora de colocarmos a arqueologia na linha de frente'. [...]

As práticas do passado às quais aludiu podem ser ilustradas por uma observação feita por Yigael Yadin, general israelense que se voltou para a arqueologia. Certa vez ele declarou que entrava em campo com uma espada em uma mão e a *Bíblia* na outra.

Muitos arqueólogos, tanto antes da fundação do Estado moderno de Israel quanto depois, tinham o mesmo tipo de estratégia: buscar evidências diretas de histórias bíblicas. Essa maneira de ver era gerada por suas convicções religiosas [...]."

Bíblia é reprovada no teste da arqueologia. *The New York Times*, 9 jul. 2000. Disponível em www.historianet.com.br. Acesso em 21 jul. 2010.

QUESTÕES

1. Como a arqueologia, em Israel, tem se relacionado com a *Bíblia* ao longo do tempo?
2. A *Bíblia* foi escrita com base na tradição oral dos hebreus. Como esses registros devem ser tratados para o conhecimento histórico desse povo?
3. É possível conciliar o conhecimento arqueológico com os relatos bíblicos?

Sítio arqueológico em Jerusalém, Israel, em 2009. As pesquisas arqueológicas são continuamente confrontadas com os textos bíblicos, tanto para confirmá-los quanto para questioná-los.

Seção 4.4

A civilização marítima dos fenícios

› Objetivos

▶ Compreender a importância do comércio marítimo para a formação histórica dos fenícios na Antiguidade.

▶ Reconhecer o alfabeto como uma representação simbólica e abstrata de ideias e objetos, diferenciando-o das representações pictográficas.

› Termos e conceitos

• Império marítimo
• Cidade-Estado
• Alfabeto

O império marítimo

A Fenícia situava-se numa faixa de terra correspondente à costa do atual Líbano, abrangendo também uma parte da Síria, ao norte, e da Palestina, ao sul. Apesar de possuir terras aráveis e montanhas repletas de cedros, madeira com a qual construíam seus navios, desde cedo os fenícios voltaram-se para o comércio marítimo. Sua posição geográfica, situada no cruzamento das rotas comerciais do Oriente e do Ocidente, era estratégica e os incentivava a explorar os mares **[doc. 1]**. Por volta do século VIII a.C., os fenícios possuíam a marinha mais poderosa do mundo mediterrâneo e dominavam a arte da navegação, tendo sido os primeiros a fazer a circum-navegação marítima do continente africano. Construíram, assim, um **império marítimo**.

Os fenícios falavam uma língua semítica, aparentada ao hebraico e ao aramaico. Tal como mais tarde os gregos, eles se organizavam politicamente em **cidades-Estado** autônomas, que emergiram por volta de 1200 a.C. As maiores cidades eram Arados, Biblos, Beritos (atual Beirute), Sidon, Sarepta e Tiro. Como não havia centralização política, a unidade cultural entre as diferentes cidades era dada pelo uso da mesma língua, do mesmo **alfabeto** e pelo culto aos mesmos deuses **[doc. 2]**.

Entre os séculos IX e VIII a.C., ameaçados pelos constantes ataques do Império Assírio, os fenícios se expandiram pelo Mar Mediterrâneo e fundaram colônias por toda a região, sendo Cartago, fundada por volta de 814 a.C., no norte da África, a mais famosa delas. A expansão fenícia, entretanto, não tinha por objetivo conquistar novas terras, mas estabelecer uma rede de entrepostos e portos para viabilizar o comércio a longa distância.

Um dos principais pontos dessa rede de comércio encontrava-se no sul da Península Ibérica, na atual região da Andaluzia, onde os fenícios fundaram diversas colônias: Gadir (Cádiz), Ebusus (Ibiza), Málaga, Abdera (Almira), entre outras. A presença fenícia na região, inclusive em Portugal, é atestada por uma diversidade de artefatos fenícios encontrados em escavações em toda a costa da península. Os fenícios forneciam, para a população nativa, cerâmica, sal e vasos de bronze, entre outros produtos, em troca de ouro, prata, estanho e outros metais.

• **Circum-navegação.** Ação de navegar em torno ou ao redor da Terra, de um continente ou de uma região, por via marítima ou aérea.

Conteúdo digital Moderna PLUS http://www.modernaplus.com.br
Mapa animado: Rotas comerciais fenícias

DOC. 1 **A Fenícia e suas colônias**

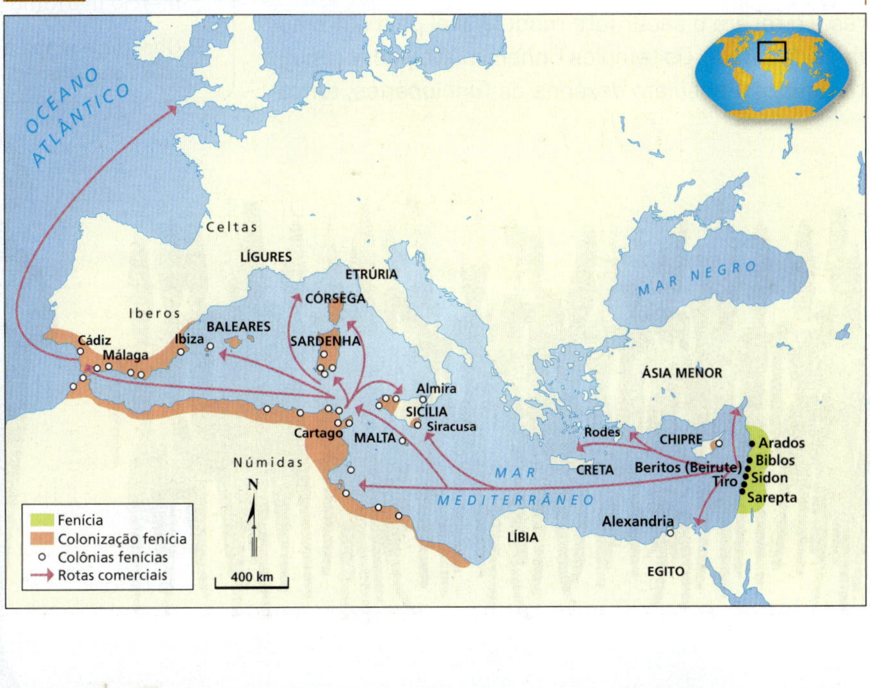

Fonte: HILGEMANN, W.; KINDER, H. *Atlas historique:* de l'apparition de l'homme sur la terre à l'ère atomique. Paris: Perrin, 1992. p. 34.

DOC. 2 **A difusão do alfabeto**

Ao contrário da ideia que se difundiu, os fenícios não foram responsáveis pela invenção do alfabeto, mas pelo seu aperfeiçoamento e difusão. Os egípcios já haviam adaptado a escrita hieroglífica para representar letras. Mas o alfabeto fenício foi o primeiro a representar fonemas e não apenas letras, motivo pelo qual ele podia ser usado para escrever em diferentes línguas. Da Fenícia, o alfabeto difundiu-se para a Europa e a Ásia, onde originou diferentes tipos de escrita alfabética.

Alfabeto fenício	Alfabeto latino	Alfabeto grego	Alfabeto árabe	Alfabeto hebraico
Aleph 𐤀	A **A**	Alfa α	Aleph ا	Aleph א
Beth 𐤁	B **B**	Beta β	Ba ب	Bet ב
Daleth 𐤃	D **D**	Delta δ	Dal د	Daleth ד
Mem 𐤌	M **M**	Mi μ	Mim م	Mem מ
Num 𐤍	N **N**	Ni ν	Num ن	Num נ

A religião politeísta dos fenícios

Por falta de fontes diretas, pouco se sabe com certeza sobre a religião dos fenícios, com exceção do que diz o Antigo Testamento, em que são tratados de forma muito negativa. Os fenícios eram politeístas e cultuavam diversos deuses. Os principais eram Baal, que representava o sol e o poder gerador da natureza, e Astarte, deusa da lua e da fecundidade.

Cada cidade também tinha os seus deuses tutelares e o rei era o sacerdote responsável pelo culto ao deus da cidade. Os templos tinham muito poder e muita riqueza. Possuíam dezenas de funcionários, entre os quais grupos de prostitutas sagradas (geralmente relacionadas ao culto da deusa da fertilidade Astarte), que se ofereciam aos estrangeiros e aos cidadãos ricos para arrecadar dinheiro para o templo **[doc. 3]**.

Os relatos da *Bíblia* falam no sacrifício anual de centenas de crianças de ambos os sexos, que eram atiradas ao fogo em sacrifício ao deus Baal, conhecido em outras cidades fenícias como Moloch. Efetivamente, arqueólogos encontraram centenas de corpos de crianças, incluindo recém-nascidos, enterrados em baixo do *Tophet*, o altar onde se realizavam os cultos nas cidades fenícias.

Porém, é difícil saber se o local era um cemitério comum ou se realmente as crianças teriam sido imoladas em algum ritual religioso. É possível que em situações limites, ameaçados por uma grande dificuldade ou catástrofe iminente, os fenícios, desesperados, tenham sacrificado seus próprios filhos na esperança de aplacar a fúria do deus Baal.

A perda da independência

Ameaçadas desde o século VIII a.C. pela expansão assíria, as cidades fenícias perderam sua independência a partir do século VI a.C., sendo dominadas sucessivamente pelos persas, macedônios e romanos.

Com a desintegração do Império Persa e o aumento da pressão sobre as províncias pelo pagamento de tributos, as cidades fenícias se dividiram e parte delas passou a apoiar a política expansionista macedônica. Com a conquista macedônica, no século IV a.C., terminava definitivamente o sonho das cidades-Estado fenícias de recuperar sua antiga independência.

QUESTÕES

1. O que possibilitou aos fenícios criar uma rede de comércio marítimo **[doc. 1]**?

2. Observe o mapa e anote em que continentes os fenícios fundaram colônias **[doc. 1]**.

DOC. 3 À esquerda, estatuetas fenícias de bronze, século VIII a.C. À direita, estatueta fenícia, também de bronze, representando um sacerdote ou uma divindade, século VIII a.C.

Seção 4.5

O Império Persa

Objetivo

- Entender a formação e o funcionamento do Império Persa.

Termos e conceitos

- Império
- Satrapia
- Zoroastrismo

A formação do Império Persa

Por volta do século VII a.C., no Planalto Iraniano, localizado entre o Mar Cáspio e o Golfo Pérsico, havia duas grandes tribos de origem ariana, que formavam dois reinos independentes: os medos e os persas. Os persas foram dominados pelos medos até meados do século VI a.C., quando o rei persa Ciro, o Grande, conquistou o Reino da Média, originando o **Império** Persa.

No decorrer de suas campanhas militares, Ciro estendeu os limites do Império, conquistando novas regiões, como a Lídia, e as cidades gregas da Ásia Menor. Em 539 a.C. conquistou a Babilônia e libertou os hebreus do cativeiro imposto por Nabucodonosor, permitindo que eles retornassem a Jerusalém e reconstruíssem o Templo de Salomão **[doc. 1]**. As regiões dominadas pelos assírios, como a Fenícia, a Síria e a Palestina, ficaram sob domínio persa.

O auge do Império Persa se deu sob o reinado de Dario I, que assumiu o trono em 522 a.C. e perseverou na política expansionista de seus antecessores. Com Dario I, os domínios persas se estendiam da Ásia Menor, a oeste, à faixa ocidental da Índia, a leste, além do Egito, na África **[doc. 2]**. O grande mérito de Dario, no entanto, foi reunir e organizar em uma única administração populações muito heterogêneas.

DOC. 1 **Os persas vistos pelos hebreus**

Ciro foi acolhido pelos hebreus exilados na Babilônia como um verdadeiro libertador, como mostra este trecho da *Bíblia*.

"Yahveh despertou o espírito de Ciro, rei da Pérsia, que mandou proclamar de viva voz e por escrito, em todo o seu reino, o seguinte: 'Assim fala Ciro, rei da Pérsia: Yahveh, o Deus do céu, entregou-me todos os reinos da terra e me encarregou de construir-lhe um Templo em Jerusalém, na terra de Judá. Todo aquele que, dentre vós, pertence a seu povo, Deus esteja com ele e suba a Jerusalém, na terra de Judá [...]'."

Esdras, 1, 1-3. *Bíblia de Jerusalém*. São Paulo: Paulus, 2002. p. 628.

Gravura representando o rei persa Ciro II (c. 600--529 a.C.), século XIX.

Conteúdo digital Moderna PLUS http://www.modernaplus.com.br
Mapa animado: Expansão do Império Persa

DOC. 2 **A expansão do Império Persa**

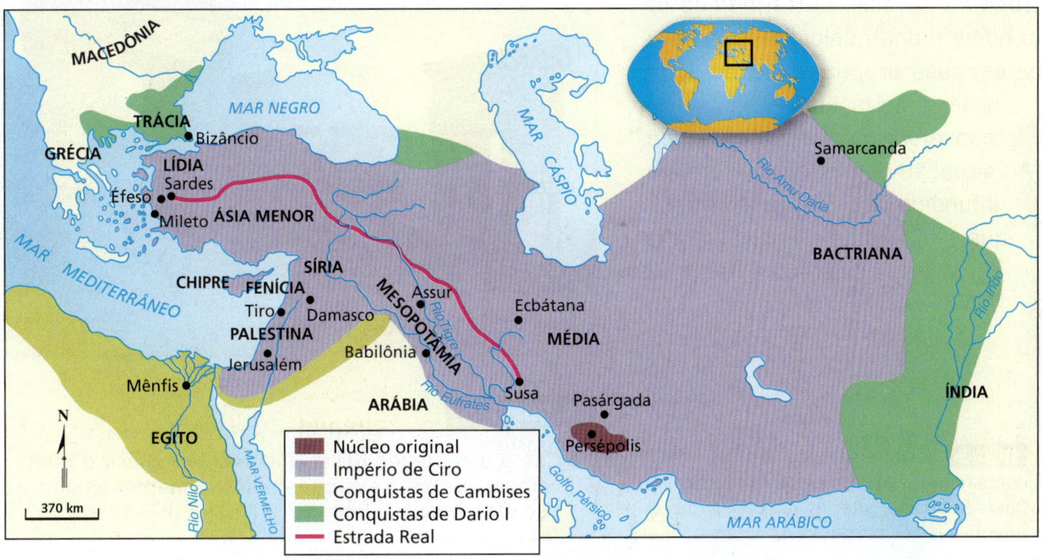

Fonte: HILGEMANN, Werner; KINDER, Hermann. *Atlas historique*: de l'apparition de l'homme sur la terre à l'ère atomique. Paris: Perrin, 1992. p. 40.

Satrapias: a administração do Império

Seguindo uma política iniciada por Ciro, a estratégia de Dario para administrar os domínios persas foi dividir o território em províncias, que eram chamadas **satrapias**, administradas pelos sátrapas (governadores). Os sátrapas tinham muito poder e governavam seus territórios com relativa autonomia, mas deviam recolher tributos para o rei, além de comandar tropas e aplicar as leis reais. Por meio de medidas normativas, éditos e leis, a administração imperial mantinha o controle sobre as esferas da atividade civil, religiosa e militar, deixando os demais assuntos aos cuidados dos sátrapas.

Os principais cargos na hierarquia administrativa eram reservados à elite persa, o que constituía uma forma estratégica para manter o poder nas mãos dos persas. A estrutura do exército imperial era um exemplo disso: o comando do exército era exercido pelos membros da família real e pelas famílias da nobreza persa, enquanto a massa dos soldados era formada por todos os povos do Império. Dessa maneira, garantia-se a centralização do poder militar nas mãos do rei.

Sob o domínio dos persas, as antigas capitais dos reinos autônomos transformaram-se em centros das satrapias, formando um império unificado. As províncias gozavam, contudo, de grande autonomia cultural, podendo manter sua língua, sua religião e suas tradições. Em compensação, eram obrigadas a pagar pesados impostos, tanto em espécie quanto em moeda. A Índia, o Egito e a Mesopotâmia, por exemplo, forneciam gado, trigo, ouro e prata, além de tecidos, vasos e animais **[doc. 3]**.

O Império Persa também se destacava por sua impressionante capacidade construtiva, como demonstram as ruínas da cidade de Persépolis **[doc. 4]**. Dario ordenou a criação de um sistema de estradas ligando as mais distantes satrapias ao centro do Império. Essas estradas incluíam postos de reabastecimento e tropa de cavalos. Outra medida foi introduzir o dárico como moeda única, proibindo os sátrapas de cunharem suas próprias moedas. Toda essa organização contribuiu para conservar o poder centralizado, situação reforçada pela crença, difundida pelo **zoroastrismo**, de que o imperador recebia o direito de governar das mãos de Ahura Mazda, o deus supremo.

DOC. 3 Vaso persa do século IV a.C. As cores fortes e a grande quantidade de figuras eram características das pinturas orientais feitas em peças de cerâmica.

O fim do Império Persa

O declínio do Império está relacionado aos conflitos com os gregos. Em 490 a.C., Dario I tentou invadir a Grécia, mas foi derrotado pelos gregos na célebre Batalha de Maratona. Após sucessivas derrotas, os persas foram obrigados a se retirar e reconhecer a hegemonia grega no Mar Egeu e na Ásia Menor (Lídia), renunciando provisoriamente a suas pretensões na região. Com o enfraquecimento do Império, várias satrapias, esgotadas pelo pagamento dos pesados tributos, se revoltaram contra o domínio persa. Além da pressão externa, internamente travavam-se violentas lutas pelo poder. Enfraquecido, o Império não resistiu ao avanço dos exércitos macedônicos, comandados por Alexandre Magno, que dominaram toda a Pérsia e as satrapias.

- **Édito.** Ordem oficial que se publica por meio de anúncios chamados editais.

DOC. 4 **Persépolis, o principal sítio arqueológico do Irã**

Persépolis, a capital do Império Persa, foi construída numa região de montanhas, próxima à atual cidade de Shiraz, na região sudoeste do Irã. Persépolis era protegida por muros e exibia palácios, tumbas e edificações imponentes. Acredita-se que tivesse essencialmente função cerimonial e religiosa, com uma importância muito mais simbólica do que propriamente administrativa ou econômica. Daí a presença de imagens gravadas em baixo-relevo nos palácios, simbolizando a diversidade cultural do Império Persa. Nas ruínas do Palácio de Apadana foram encontradas 23 figuras esculpidas, que simbolizavam os 23 povos que pagavam tributos aos persas.

Ruínas do Palácio Tachara, em Persépolis, construído no século V a.C. por ordem do rei Dario I. Irã, foto de 2006.

QUESTÃO

- Como o conteúdo desse documento explica o intercâmbio que, para alguns estudiosos, marcou a cultura persa e a hebraica **[doc. 1]**?

Retomar conteúdos

1 Situe no tempo e no espaço a chamada "era do ferro" e analise a influência da inovação técnica associada à metalurgia do ferro:

a) em relação às civilizações estudadas no capítulo.

b) em relação ao mundo atual.

2 Redija um texto caracterizando a religião hebraica e comparando-a ao politeísmo fenício.

3 Analise a importância da memória social e histórica dos hebreus, comparando-a à escassa memória de outras sociedades da época, como a dos hititas, dos quais muito pouco se sabe.

4 Os persas formaram o maior império constituído na Antiguidade até o século V a.C. Descreva a organização administrativa e a infraestrutura do Império Persa.

Ler textos e imagens

5 Leia os textos a seguir.

Texto 1

"Gritai de alegria, nossa força,
aclamai ao Deus de Jacó.

Elevai a música, soai o tamborim,
a harpa melodiosa e a cítara;
soai a trombeta pelo novo mês,
na lua cheia, no dia de nossa festa.

Porque é uma lei para Israel,
uma decisão do Deus de Jacó,
um testemunho que ele pôs em José
quando saiu contra a terra do Egito. [...]"

Salmo 81. Para a festa das tendas. *Bíblia de Jerusalém*. São Paulo: Paulinas, 1981. p. 728.

Texto 2

"Sentem-se os persas no dever de festejar seu aniversário de nascimento, mais do que qualquer outra data, pondo nesse dia as melhores iguarias à mesa. Os ricos fazem servir um cavalo, um camelo, um asno e um boi inteiros e assados no forno. Os pobres se contentam com um cardápio mais modesto. Os persas comem poucos alimentos sólidos, mas muitas gulodices na sobremesa. [...] São muito dados ao vinho, e não lhes é permitido vomitar nem urinar na presença de outrem. Observam ainda hoje tais costumes. Têm o hábito de deliberar sobre os negócios mais sérios depois de beberem muito; mas, no dia seguinte, o dono da casa onde estiveram reunidos traz novamente à baila a questão, antes de começarem a beber de novo. Se aprovam, ela passa; se não, abandonam o assunto."

HERÓDOTO. *História*. Livro I, 133. São Paulo/Rio de Janeiro/Porto Alegre: Jackson Editores, s/d. p. 70.

a) Sintetize o tema comum aos dois textos e aponte, com base neles, diferenças e semelhanças entre a cultura hebraica e a persa.

b) Aponte diferenças e semelhanças entre as duas festas descritas no texto e as festas que são feitas na comunidade em que você vive.

c) Há alguma evidência nos textos sobre o uso do calendário nas duas civilizações? Explique.

6 Observe a imagem a seguir.

Davi e Golias. Baixo-relevo da catedral armênia de Santa Cruz (na atual Turquia), construção do século X.

a) Descreva a cena mostrada nesse baixo-relevo, relacionando-a ao acontecimento que representa e ao surgimento do Reino de Israel.

b) A narrativa representada na cena pode ser considerada um fato histórico? Justifique sua resposta.

7 Leia o texto abaixo e explique o que ele informa a respeito da relação entre o Império Persa e suas províncias.

"A lista das satrapias é, ao mesmo tempo, também uma lista de tributos. Toda a província é taxada anualmente. Dezenove províncias pagam cotas fixas em talentos de prata babilônicos; a vigésima, a Índia, paga a soma fabulosa de 369 talentos de ouro. A cota máxima em prata, de mil talentos, provém da Babilônia; a segunda, de 700, provém do Egito. As outras pagam entre um mínimo de 170 e um máximo de 600 com uma média de 300/400 talentos por província. O total para todo o Império é de 14.560 talentos."

ASHERI, David. *O Estado persa*. São Paulo: Perspectiva, 2006. p. 108.

Pesquisar

8 O calendário judaico atual prevê várias festividades, em geral relacionadas à história do povo hebreu e marcadas por acontecimentos que lembram a aliança entre o povo de Israel e Yahveh. Pesquise, na internet, quais são essas festividades, relacionando-as, quando for o caso, aos acontecimentos estudados neste capítulo.

As primeiras manifestações da arte

A arte rupestre

No período paleolítico, surgiram as primeiras manifestações humanas de arte rupestre, na forma de pinturas e gravuras feitas em rochas e de pequenas esculturas em pedra, ossos e chifres (provavelmente também em madeira, mas essa não sobreviveu à passagem do tempo). A maior parte dessas pinturas e gravuras representa figuras humanas e de animais, além de desenhos geométricos e abstratos, que os artesãos executavam em paredões rochosos, abrigos a céu aberto, cavernas e grutas.

E para que serviam essas imagens? A maioria dos grupos humanos deixa marcas propositais no meio em que vive, com tantas finalidades e funções quanto as das imagens e símbolos que utilizamos em nosso dia a dia. Esses desenhos serviam para demarcar territórios, identificar as comunidades que habitavam determinados locais, registrar acontecimentos que ocorreram com o grupo, contar o tempo e até servir em práticas mágicas e rituais. Os usos da arte rupestre eram tão variados quanto as culturas que existiram e, muitas vezes, uma mesma imagem podia ter diferentes funções.

A arte e a magia

Da mesma maneira que ocorre em algumas culturas atuais, a arte podia ser usada pelos homens pré-históricos como um modo de lidar com forças sobrenaturais, já que imaginavam haver uma relação mágica entre a imagem e o que ela representava. Assim, ao pintar animais selvagens nas paredes das cavernas, talvez esperassem encontrá-los nos campos em que caçavam.

Vivendo em um meio do qual dependiam inteiramente para sobreviver, nossos ancestrais tentavam, assim como os homens de hoje, utilizar os fenômenos da natureza a seu favor. É possível que na arte rupestre houvesse figuras com uma função mágica, usadas como um meio de influenciar a realidade que circundava os seres humanos, como ainda fazem algumas sociedades contemporâneas. Contudo, essa função mágica não se expressou da mesma maneira em todos os lugares e épocas, variando as características figurativas e as técnicas utilizadas.

Vamos observar duas situações para explicar essas ideias. A imagem do **doc. 1** mostra um bisão do Paleolítico. O naturalismo da imagem se explica, segundo a hipótese acima, pela função que se esperava da arte. Quanto mais próxima a imagem estivesse do animal real mais efetiva seria a mágica. Para obter esse efeito, primeiro se fazia o contorno do desenho com uma linha fina escura com carvão. Depois se preenchia o corpo com pigmento colorido, concentrando a cor nas áreas de maior volume. Finalmente, eram traçados os detalhes dos chifres, olhos, cascos etc.

Já o **doc. 2** apresenta um exemplo de arte rupestre do período posterior, o Neolítico. O animal é representado de forma um pouco mais simplificada, com um contorno simples e um preenchimento plano e monocromático. As figuras sugerem movimento e indicam certa interação entre elas. O conjunto parece representar o controle dos animais pelos homens no pastoreio.

DOC. 1 Pintura rupestre feita aproximadamente em 12000 a.C., caverna de Altamira, na Espanha.

DOC. 2 Pintura rupestre datada de aproximadamente 6000 a.C. Jabbaren, Parque Nacional de Tassili n'Ajjer, Argélia.

DOC. 3 Escavação na rocha, aproximadamente 1000 d.C. Parque Nacional de Saguaro, Arizona, Estados Unidos. Foto de 1990.

A arte do Neolítico

As mudanças que se percebem na arte rupestre refletem a verdadeira revolução que o Neolítico significou para a humanidade. De caçadores nômades, os seres humanos passaram, progressivamente, a ser agricultores e pastores sedentários. Os ritos se organizaram, e o homem passou a conceber uma separação cada vez maior entre o seu mundo, o mundo dos vivos, e o sobrenatural. Segundo essa hipótese, o naturalismo na representação dos animais teria sido substituído pela tentativa de expressar apenas uma ideia geral de seus principais atributos, de sua essência. Mas a crença no poder mágico da imagem persistia. Provavelmente, a representação de cenas de pastoreio tinha a função de manter o controle do homem sobre a natureza e assegurar um rebanho abundante.

No continente americano, também existem exemplos importantes de arte rupestre na forma de desenhos e gravuras na rocha, realizados por diversos povos ameríndios, como os produzidos pela antiga cultura Hohokam e encontrados no Parque Nacional de Saguaro, no estado norte-americano do Arizona **[doc. 3]**. Figuras geométricas como linhas, pontos e espirais são muito usadas, indicando os princípios de uma simbologia espiritual e da grafia da escrita dessa cultura indígena norte-americana.

Esses monumentos a céu aberto do Neolítico parecem ter servido de inspiração para que, na década de 1960, nos Estados Unidos, alguns artistas fundassem o que ficou conhecido como *land art*. Robert Smithson foi um dos mais importantes criadores do movimento, e a sua obra *Spiral Jetty* **[doc. 4]**, uma verdadeira instalação ao ar livre, feita com rocha basáltica negra, cristais de sal e terra, era uma tentativa de libertar a obra de arte do espaço confinado dos museus e inseri-la na paisagem, ao mesmo tempo que ecoava aquela antiga função ritualística da arte.

DOC. 4 *Spiral Jetty*, escultura ambiental de Robert Smithson, obra de 1970. Great Salt Lake, Estados Unidos.

A arte egípcia e a crença na vida após a morte

Tudo indica que a crença no poder mágico das imagens esteve presente nos diversos períodos da civilização egípcia antiga. Porém, enquanto os homens da Pré-história pareciam querer, por meio da arte, influenciar a natureza para garantir sua sobrevivência, os egípcios desenvolveram uma arte voltada principalmente para a morte (ou para o pós-morte), sendo conformada pela crença numa continuidade da vida no outro mundo. Para assegurar essa continuidade, eram necessários inúmeros ritos, entre os quais a realização de pinturas nas paredes dos túmulos, nas quais se representavam cenas da vida cotidiana do falecido para que, depois da morte, seu duplo, ou ka, pudesse se reconhecer nelas e levar uma existência semelhante **[doc. 6]**.

Na imagem do **doc. 5**, podemos ver uma pintura mural desse tipo, presente no túmulo de Nakht, um alto funcionário real da XVIII dinastia. Nela, Nakht é retratado à direita, supervisionando o trabalho dos camponeses, que aram a terra, colhem e separam os grãos. Acredita-se que a intenção, ao retratar o seu cotidiano em vida, era possibilitar que, após a morte, continuasse executando as mesmas funções. A arte egípcia não é naturalista, e o fato de a figura de Nakht ser representada em tamanho maior do que o dos trabalhadores se justifica, provavelmente, pela sua posição hierárquica de alto dignitário real. Assim, a imagem traduz seu *status* social elevado.

DOC. 5 Cena de trabalho agrícola em pintura mural do túmulo de Nakht, c. século XIV a.C. Tebas, Egito.

DOC. 6 Pintura mural no túmulo de Nefertari, esposa do faraó Ramsés II, século XIII a.C.

A rigidez das formas artísticas egípcias e a monumentalidade

Para realizar a finalidade mágica de garantir a imortalidade ao retratado, as cenas pintadas tinham de seguir certos modelos fixos. A repetição intensa de poses e estratégias de representação acabou formando um rígido cânone na arte egípcia, que permaneceu estável durante praticamente toda a sua longa história. A principal regra do cânone egípcio ficou conhecida como "lei da frontalidade", de acordo com a qual a figura humana era sempre mostrada com o tronco inteiramente voltado para a frente, enquanto as pernas e o rosto eram colocados de perfil. Na pintura do **doc. 7**, o faraó Ramsés I e Anúbis, o deus com cabeça de chacal, são representados de acordo com essa lei. Os faraós costumavam, nas paredes de seus túmulos, ser retratados na companhia das divindades, porque eles próprios eram considerados deuses vivos que, ao morrer, voltariam a conviver com seus pares divinos.

Outro importante aspecto da arte egípcia é a monumentalidade, sobretudo no que se refere à arquitetura. O **doc. 8** mostra a fachada do Templo de Ramsés II em Abu-Simbel, no Egito. Há quatro enormes esculturas desse faraó na entrada do templo, com pelo menos vinte metros de altura cada uma. Nesse caso, as dimensões humanas eram extrapoladas para acentuar a grandeza e a origem divina do faraó. Provavelmente também, a arquitetura egípcia tinha como pressuposto sobreviver ao tempo, servindo de testemunho da magnificência de deuses e reis por toda a eternidade.

DOC. 7 Pintura mural no túmulo de Ramsés I, da XIX dinastia, c. 1290 a.C. Luxor, Egito.

Cânone. Norma, modelo, padrão.

DOC. 8 Foto atual do Templo de Ramsés II, construído por volta de 1265 a.C. Abu-Simbel, Egito.

Perceber o monumental

Nos dias contemporâneos, alguns artistas também buscam recriar e atribuir um novo sentido à monumentalidade. Ao embrulhar, com um tecido brilhante, o *Reichstag*, o prédio do Parlamento alemão em Berlim, Christo e Jeanne-Claude acabaram criando uma nova relação do público com o monumento **[doc. 9]**. Os moradores de Berlim, que já estavam habituados com o *Reichstag*, quase sem notá-lo mais, foram obrigados a olhar para ele de uma nova forma, percebendo toda a sua grandeza. Ao contrário da arquitetura egípcia, o trabalho de Christo e Jeanne-Claude é, contudo, uma intervenção temporária na paisagem urbana, com o objetivo de causar um estranhamento no observador apenas durante seu breve período de duração.

DOC. 9 *Wrapped Reichstag*, de Christo e Jeanne-Claude. Berlim, Alemanha, 1995.

QUESTÕES

1. Compare as imagens dos **docs. 3 e 4** e destaque as diferenças e as semelhanças entre as duas manifestações artísticas.

2. Observe a pintura dos murais dos **docs. 5, 6 e 7**.
   a) Destaque os principais elementos do princípio de frontalidade que podem ser observados na imagem dos **docs. 5, 6 e 7**.
   b) Em sua opinião, por que as figuras egípcias dos murais eram retratadas dessa forma?
   c) Desenhe uma figura seguindo rigorosamente esses princípios de frontalidade. Mostre seu desenho aos colegas e observe os deles.

3. Comente as diferenças e as semelhanças entre as imagens mostradas nos **docs. 8 e 9**. Qual o propósito de cada uma delas?

4. Observe se na cidade onde você vive existe alguma obra que tenha características semelhantes às mostradas nos **docs. 8 e 9**.

5. Em grupo, procurem exemplos de imagens que, embora sejam semelhantes, podem assumir funções diferentes de acordo com o contexto (por exemplo, as setas, que podem indicar direção e/ou ataque). Comparar essas imagens com os exemplos dados no texto.

PRATICANDO: VESTIBULARES E ENEM

UNIDADE A Da Pré-história às primeiras civilizações do Oriente

1 (UFC-CE) Analise o texto a seguir.

> "E repare o leitor como a língua portuguesa é engenhosa. Um contador de histórias é justamente o contrário do historiador, não sendo um historiador, afinal de contas, mais do que um contador de histórias. [...]"
>
> ASSIS, Machado de. In: CHALHOUB, S. e PEREIRA, L. A. de M. (Orgs.). *A história contada*. Rio de Janeiro: Nova Fronteira, 1998. p. 67.

Ante as novas tendências interpretativas da história, há uma diferença entre o contador de histórias e o historiador, de acordo com a qual é correto afirmar que:

a) a literatura torna-se inexpressiva ao historiador, que se fundamenta nos documentos manuscritos e impressos.
b) o contador de histórias recorre à ficção e o historiador envolve-se com o real, de acordo com a sua interpretação e as práticas sociais consideradas.
c) a interpretação do historiador, apesar de valorizar a diversidade de informações, deve limitar-se à do contador de histórias.
d) a história do cotidiano passou a ser depreciada pelos profissionais da história por menosprezar a análise social.
e) a autenticidade dos fatos históricos exclui a força da subjetividade, presente na reconstrução do passado.

2 (Ufal) As religiões foram importantes para construir a cultura humana, responder aos anseios e às indagações de cada época vivida. Na Antiguidade, as religiões:

a) tiveram seus fundamentos baseados na observação da natureza, questionando mistérios e também o seu envolvimento com a força política.
b) trouxeram unidade cultural para os povos mais primitivos, com seus deuses portadores de mensagens éticas e libertadoras.
c) firmaram princípios importantes para a vida social, além de estarem articuladas com as relações de poder da época.
d) restringiram-se a construir rituais de oferendas às divindades, sem preocupação com princípios morais e políticos.
e) foram fundamentais para a formação dos governos imperiais, devido ao estímulo que davam aos rituais de poder.

3 (UFMT) As civilizações da Antiguidade oriental, particularmente a egípcia e a mesopotâmica, desenvolveram:

a) conquistas militares para assegurar o abastecimento de escravos, fundamentais às grandes obras públicas, como templos e pirâmides.
b) a escrita, sob diferentes formas, permitindo o registro dos princípios de seu monoteísmo, que se espalhou pelo Mediterrâneo.
c) grande integração comercial com os povos vizinhos, devido à abundância de recursos hídricos, agrícolas e minerais.
d) a arquitetura e as ciências, com caráter utilitarista, que se manifestou nos anfiteatros, aquedutos e conhecimentos matemáticos.
e) forte ligação entre a política e a religião, como se observa no caso do faraó egípcio, supremo soberano que era considerado um deus vivo.

4 (UFSM-RS) "Esses nossos parentes antigos, durante boa parte do tempo, viveram da caça e da coleta, antes de começar a semear o chão e cultivar a terra. Nas caminhadas que fizeram atrás dos rebanhos, ao longo das estações do ano, cobriram planícies, cruzaram montanhas e rios. E, certamente, em momentos diferentes, levas inteiras avançaram territórios cada vez mais distantes, o que fez com que, ao longo do tempo, cobrissem enormes distâncias no espaço."
Revista Scientific American Brasil. Ano 6, n. 75, ago 2008, p. 6.

Hoje sabemos que do ______, o mais antigo fóssil de ancestral humano até hoje encontrado (7 milhões de anos), ao ______ (cerca de 200 mil anos), o processo de hominização (o conjunto de transformações desde o mais antigo ancestral bípede até a conformação do ser humano moderno) ocorreu fundamentalmente no território da ______.

Assinale a alternativa que preenche corretamente as lacunas.

a) do Homem de Pequim – *Homo erectus* – Ásia.
b) de Lucy – *Homo habilis* – Austrália.
c) do Homem do Milênio – *Homo ergaster* – Europa.
d) de Toumai – *Homo sapiens* – África.
e) do Menino de Altamira – Homem de Neandertal – Eurásia.

5 (UFRN) As civilizações da Mesopotâmia e a do Egito desenvolveram-se em regiões semiáridas, onde se construíram grandes obras hidráulicas. Em razão disso, a estrutura sociopolítica assumiu a forma de Estado, que passou a

a) organizar a produção comunitária das aldeias, controlar diques e canais de irrigação e apropriar-se dos excedentes produtivos.
b) desenvolver as atividades econômicas com base nas comunidades coletivistas e na propriedade comum da terra e dos canais de drenagem.
c) estimular a formação de grandes latifúndios, utilizar a escravidão individual e administrar as obras de drenagem e de irrigação.
d) definir, como diretriz para a vida econômica, o desenvolvimento do artesanato e do comércio, o que implicava a construção de portos bem equipados.

6 (Vunesp) Observe a figura.

Detalhe da tumba de Senedjem, Egito, século XIII a.C.

A respeito do contexto apresentado, é correto afirmar:

a) a imagem demonstra que os agricultores das margens férteis do Rio Nilo desconheciam a escrita.

b) ao contrário da economia da caça de animais, que exigia o trabalho coletivo, a agricultura não originava sociedades humanas.

c) a imagem revela uma apurada técnica de composição, além de se referir à economia e à cultura daquele período histórico.

d) os antigos egípcios cultivavam cereais e desconheciam as atividades econômicas do artesanato e da criação de animais.

e) a imagem comprova que as produções culturais dos homens estão desvinculadas de suas práticas econômicas e de subsistência.

7 (Enem-MEC) Ao visitar o Egito do seu tempo, o historiador grego Heródoto (484-430/20 a.C.) interessou-se por fenômenos que lhe pareceram incomuns, como as cheias regulares do Rio Nilo. A propósito do assunto, escreveu o seguinte:

"Eu queria saber por que o Nilo sobe no começo do verão e subindo continua durante cem dias; por que ele se retrai e a sua corrente baixa, assim que termina esse número de dias, sendo que permanece baixo o inverno inteiro, até um novo verão. Alguns gregos apresentam explicações para os fenômenos do Rio Nilo. Eles afirmam que os ventos do noroeste provocam a subida do rio, ao impedir que suas águas corram para o mar. Não obstante, com certa frequência, esses ventos deixam de soprar, sem que o rio pare de subir da forma habitual. Além disso, se os ventos do noroeste produzissem esse efeito, os outros rios que correm na direção contrária aos ventos deveriam apresentar os mesmos efeitos que o Nilo, mesmo porque eles todos são pequenos, de menor corrente."

Adaptado de *Heródoto. História*. Livro II, 19-23. 2. ed. Chicago: Encyclopaedia Britannica Inc. 1990, p. 52-53.

Nessa passagem, Heródoto critica a explicação de alguns gregos para os fenômenos do Rio Nilo. De acordo com o texto, julgue as afirmativas abaixo.

I. Para alguns gregos, as cheias do Nilo devem-se ao fato de que suas águas são impedidas de correr para o mar pela força dos ventos do noroeste.

II. O argumento embasado na influência dos ventos do noroeste nas cheias do Nilo sustenta-se no fato de que, quando os ventos param, o Rio Nilo não sobe.

III. A explicação de alguns gregos para as cheias do Nilo baseava-se no fato de que fenômeno igual ocorria com rios de menor porte que seguiam na mesma direção dos ventos.

É correto apenas o que se afirma em:

a) I.
b) II.
c) I e II.
d) I e III.
e) II e III.

UNIDADE A

Leituras

A Pré-história: uma abordagem ecológica
GUGLIELMO, Antonio Roberto.
São Paulo: Brasiliense, 1991.

A sociedade atual é discutida por meio de uma visão crítica que aborda o debate científico sobre o surgimento da espécie humana.

Meu nome é Charles Darwin
CUGOTA, Lluis; MARTI, Teresa.
São Paulo: Publifolha, 2008.

O livro reconta a vida de Charles Darwin. Apaixonado pela natureza, quando jovem realizou uma viagem científica através do mundo estudando a flora, a fauna e os fenômenos naturais.

Contos populares chineses
Instituto de Línguas Estrangeiras de Pequim.
São Paulo: Landy, 2001. v. 2.

Coletânea de contos dos diferentes povos que habitam a China, trazendo as diferentes visões sobre a sociedade e apresentando ao leitor a imaginação e as fantasias desses povos.

A epopeia de Gilgamesh
Anônimo.
São Paulo: WMF Martins Fontes, 2001.

Texto da epopeia de Gilgamesh, governador da cidade suméria de Uruk, em sua viagem em busca da imortalidade.

Contos e lendas do Egito antigo
EVANO, Brigitte.
São Paulo: Companhia das Letras, 1998.

Após a morte do senhor absoluto Rá, deus-sol, a deusa Ísis tenta conquistar seu lugar, mas ela não sabe o mais importante: o nome secreto do velho deus-sol. Mesmo com dificuldades, ela não vai desistir.

Filmes

Narradores de Javé
Direção de Eliane Caffé. Brasil, 2003. 100 min.

Ao tomar conhecimento de que a construção de uma represa vai alagar a cidade, os moradores de Javé decidem produzir um documento contando os fatos heroicos que marcaram a história da cidade e que justificariam a sua preservação.

O vento será sua herança
Direção de Daniel Petrie. Estados Unidos, 1999.
127 min.

Em 1925, um professor de escola pública no Tennessee, nos Estados Unidos, é julgado por ensinar a teoria da evolução.

A guerra do fogo
Direção de Jean-Jacques Annaud. França, 1981.
100 min.

O filme aborda as diferenças culturais e tecnológicas entre dois grupos de hominídeos pré-históricos: um que cultuava o fogo e outro que dominava a técnica de produzi-lo. Aborda ainda as primeiras formas de linguagem e as representações rituais.

Um casamento à indiana
Direção de Mira Nair. Índia, 2001. 114 min.

Um casamento arranjado de acordo com as tradições indianas é o pano de fundo para o encontro entre convidados vindos de diferentes países e com distintas culturas e formas de amar.

Água
Direção de Deepa Mehta. Canadá/Índia, 2005.
177 min.

Chuyia, de apenas 8 anos, fica viúva de um marido que nunca conheceu e passa a viver numa casa com outras viúvas, isolada da sociedade. O filme denuncia a dor das mulheres viúvas vítimas de uma antiga tradição indiana.

Uma estranha entre nós
Direção de Sidney Lumet. Estados Unidos, 1992.
109 min.

Uma policial de Nova York é encarregada de investigar o desaparecimento de um jovem comerciante de joias na comunidade judaica ortodoxa do bairro do Brooklyn. Mais que uma história policial, o filme aborda o choque de culturas.

Sites

Fundação Museu do Homem Americano
http://www.fumdham.org.br/

No Parque Nacional Serra da Capivara, no Piauí, há importantes pinturas rupestres e outros tesouros arqueológicos. O *site* destaca resultados das pesquisas realizadas na região, o conhecimento tradicional da população local sobre plantas e ervas medicinais, técnicas de artesanato e culinária.

Museu Nacional
http://www.museunacional.ufrj.br

O Museu Nacional, localizado na cidade do Rio de Janeiro, tem o maior acervo egípcio da América Latina. Parte da exposição está disponível com datação, utilização dos artefatos e comentários dos objetos.

Museu da Pessoa
http://www.museudapessoa.net

Ao recuperar a memória e valorizar a história de vida de cada pessoa, o museu contribui para reconhecermos nosso papel como sujeitos transformadores e aprendermos a respeitar o próximo.

UNIDADE

B

A Antiguidade clássica: Grécia e Roma

›› Capítulos

A gênese da cultura ocidental

Em 2008, bilhões de pessoas no mundo todo acompanharam a corrida presidencial norte-americana, que resultou na vitória de Barack Obama, o primeiro cidadão negro eleito presidente dos Estados Unidos. A eleição de Obama parecia inimaginável em um país onde, meio século antes, os negros não podiam votar, estavam impedidos de frequentar as mesmas escolas, parques, restaurantes e outros locais reservados aos brancos e não tinham direito a ocupar cargos públicos.

A eleição de um cidadão negro à presidência da república do país mais rico do mundo talvez seja o exemplo mais recente e significativo de uma experiência política inspirada no modelo de democracia surgido na Grécia antiga. Logicamente, há muitas diferenças entre a democracia direta praticada em Atenas no século V a.C. e o sistema representativo adotado nos países ocidentais modernos, como os Estados Unidos. O aspecto comum é a possibilidade da participação política, a ideia de que os cidadãos devem discutir e decidir sobre questões de interesse da coletividade.

A história da Grécia e de Roma

Esta linha do tempo não foi organizada em escala temporal.

GRÉCIA

- Estabelecimento da civilização minoica. **Século XXII a.C.**
- Os aqueus invadem o território cretense. **Século XVI a.C.**
- Crise do mundo micênico. **Século XII a.C.** — **Período homérico**
- Crise das comunidades gentílicas, constituição da pólis início da expansão colonial. **Século VIII a.C.** — **Período arcaico**

ROMA

- Etruscos e gregos instalam-se na Península Itálica (séculos XII-VI a.C.).
- **Período monárquico** — Fundação de Roma segundo a tradição (753 a.C.).

Ao estudar, nesta unidade, a Grécia e a Roma antigas, você vai conhecer melhor duas civilizações que foram o ponto de partida da noção de democracia e de cidadania e do que viria a ser o direito, a filosofia, a arte e o modo de pensar do mundo ocidental. Mas como essas experiências ocorreram? Como os gregos e os romanos antigos pensavam e viviam? Como criaram essa civilização que até hoje desperta fascínio e intensos debates?

Compreender como se formaram a sociedade grega e a romana, quais os seus valores e os seus problemas, suas conquistas e seus limites, pode nos ajudar a entender melhor o próprio mundo ocidental do qual fazemos parte e, portanto, a entender melhor a nós mesmos.

QUESTÕES

1. Observe as imagens. Você identifica na nossa sociedade elementos de permanência da arquitetura greco-romana? Quais?
2. Em sua opinião, o que significa democracia? E cidadania?

À esquerda, aqueduto romano, século I a.C. França, 2006.
Abaixo, Teatro de Epidauro, século IV a.C. Grécia, 2008.

Reformas de Clístenes e instalação da democracia ateniense. **Século VI a.C.**

Guerras Médicas (c. 490-476 a.C.) **Século V a.C.** — **Período clássico**

Conquista macedônica. **Século IV a.C.** — **Período helenístico**

Século II a.C.

Século I a.C.

Período republicano — 509 a.C. Início da República.

450 a.C. Lei das Doze Tábuas.

146 a.C. Últimas Guerras Púnicas.

Império — Ascensão de Otávio como primeiro imperador (27 a.C.).

Capítulo

5 A civilização grega

› 5.1 **Grécia: da origem ao período homérico**

O que sabemos da Grécia do período homérico baseia-se principalmente nos poemas Ilíada *e* Odisseia, *atribuídos a Homero.*

› 5.2 **A formação da pólis grega e a invenção da democracia**

Atenas tornou-se conhecida por fundar a democracia, enquanto Esparta se organizava como uma oligarquia militarista.

› 5.3 **O universo cultural da pólis**

A filosofia, o teatro e a matemática desenvolvidos pelos gregos cumpriram um papel muito importante na construção da cultura ocidental.

› 5.4 **A crise das póleis e a conquista macedônica**

As contínuas guerras internas travadas pelas cidades gregas contribuíram para o seu esgotamento e facilitaram a conquista macedônica.

A base da cultura ocidental

A Grécia se localiza na Península Balcânica, no sudeste da Europa. A região é marcada por um litoral recortado, um relevo montanhoso e pela presença de centenas de ilhas. O território grego tem ainda muitas colinas e planícies, solos pobres e relativa escassez de água. Apesar dessas desvantagens, o clima quente mediterrâneo e a facilidade de comunicação por mar possibilitaram o povoamento e os contatos culturais e econômicos entre os gregos ao longo da sua história.

Embora as condições geográficas sejam semelhantes, é importante destacar que não há uma linha de continuidade entre a Grécia antiga e a Grécia atual, seja do ponto de vista da história política, da característica étnica da população ou do conjunto do seu patrimônio material e imaterial. A língua falada na Grécia atual, por exemplo, é muito diferente do grego antigo. O cristianismo ortodoxo, religião adotada pela maior parte dos gregos nos dias de hoje, surgiu muito tempo depois dos filósofos Sócrates, Platão e Aristóteles. Até mesmo a arquitetura reúne obras construídas em diferentes períodos históricos.

Ainda que a Grécia atual não seja a continuidade do mundo grego antigo, muitos valores, conhecimentos e padrões artísticos atuais têm sua origem entre os antigos gregos. Entre eles surgiu a prática da democracia (entre outros regimes políticos), o teatro, a filosofia, o pensamento político e a história. O fato de, ao longo dos séculos, a democracia ateniense ter servido de inspiração para os movimentos que lutaram por liberdade e igualdade, contra a tirania dos governantes ou a opressão estrangeira, demonstra a importância dessa sociedade para os países do Ocidente.

Vista da acrópole de Atenas, Grécia, mostrando, à direita, o Partenon, 2000.

Grécia: da origem ao período homérico

Objetivo

▸ Compreender a formação histórica das civilizações minoica e micênica.

Termos e conceitos

• Civilização
• Cultura material
• Período homérico

A civilização minoica

Por volta de 2200 a.C., floresceu, na Ilha de Creta, na Península Balcânica, a **civilização** cretense ou minoica, palavra que deriva de Minos, lendário soberano de Creta **[doc. 1]**. A civilização minoica era formada por um conjunto de Estados teocráticos que governavam a ilha, cuja administração estava centrada nos palácios de Creta, como o de Cnossos. A escrita dessa cultura – a Linear A – ainda não foi decifrada pelos estudiosos. Escavações arqueológicas revelaram que a arte e a arquitetura minoicas eram complexas e refinadas. O comércio marítimo era a atividade econômica principal, posicionando Creta como intermediária comercial entre o Egito e todo o Mediterrâneo Oriental.

Por volta do século XVI a.C., o território cretense começou a ser ocupado pelos micênicos, um povo indo-europeu originário do nordeste da Península Balcânica. Eles se expandiram por toda a região, ocupando as ilhas do Mar Egeu, a Grécia continental e a Ásia Menor. Nos antigos poemas gregos, esses povos são identificados como aqueus. Falavam um dialeto grego arcaico e introduziram na Grécia o carro e o cavalo, elementos característicos de sociedades guerreiras orientais.

Conteúdo digital Moderna PLUS http://www.modernaplus.com.br
Mapa animado: Migrações Indo-europeias e povoamento da Hélade

A civilização micênica

A síntese entre elementos culturais locais e aqueus deu origem à civilização micênica, que recebeu esse nome por estar centralizada em palácios, como o de Micenas. Os micênios foram os primeiros a compor documentos escritos em língua próxima à grega (Linear B, hoje parcialmente decifrada), encontrados em tabuinhas de argila ou em vasos de cerâmica. No entanto, muito do conhecimento que temos dessa civilização deve-se principalmente às pesquisas arqueológicas, que revelaram uma vasta **cultura material**. Objetos de cerâmica, espadas, punhais, monumentos fúnebres e máscaras funerárias são alguns exemplos da rica cultura material micênica.

• **Cultura material.** Conjunto de objetos materiais produzidos e consumidos por uma sociedade.

A civilização micênica também se organizava em torno de um poder centralizado. Havia diversos palácios, ao redor dos quais surgiram os espaços urbanos. As decisões políticas eram tomadas pelos reis, cada qual instalado em seu palácio. As comunidades rurais, embora mais afastadas desses centros, estavam submetidas à sua administração.

Por volta de 1200 a.C., por motivos ainda controversos, o mundo micênico entrou em crise. Tradicionalmente os historiadores atribuíam o declínio dessa sociedade às migrações dos "povos do mar", que os gregos chamavam de dórios. As novas pesquisas, no entanto, indicam que o fim da civilização micênica também teria sido provocado por dificuldades econômicas e ocorrências naturais, como terremotos.

A crise da civilização micênica iniciou uma fase de transição entre o poder político centralizado, instalado nos palácios, e o surgimento da pólis, da cidade, no século VIII a.C. Estendendo-se, aproximadamente, do século XII ao século VIII a.C., a nova fase da história grega ficou conhecida como **período homérico**.

DOC. 1 **Países da Península Balcânica (2009)**

Fonte: FERREIRA, Graça M. L. *Atlas geográfico*: espaço mundial. 3. ed. São Paulo: Moderna, 2010. p. 89.

Testemunhos do período homérico

Os testemunhos escritos que servem de base para o estudo desse período são raros. Os mais conhecidos e utilizados são os chamados poemas homéricos, cuja importância explica o nome atribuído a esse período e que o tornou conhecido.

Os poemas homéricos são constituídos por duas grandes obras, ambas do gênero literário conhecido como epopeia. A primeira é a ***Ilíada***, que tem como foco central o último ano da famosa Guerra de Troia **[doc. 2]**. Conta-se que os gregos atacaram os troianos para vingar o rapto da bela Helena, esposa de Menelau (rei de Esparta), por Páris, filho de Príamo (rei de Troia). A outra obra é a ***Odisseia***, que narra as façanhas do herói Odisseu, também conhecido como Ulisses, na sua viagem de retorno a Ítaca, seu lar, após combater na Guerra de Troia.

Duas expressões bastante utilizadas nos dias de hoje têm origem nos poemas homéricos: "calcanhar de aquiles" e "presente de grego". Maior guerreiro da *Ilíada* e um dos maiores heróis míticos de toda a Grécia, Aquiles era filho de Tétis e Peleu. Conta o mito que sua mãe Tétis resolveu banhá-lo no Rio Stix segurando-o pelos calcanhares, a única parte do seu corpo que se manteve frágil. As versões sobre a sua morte são todas posteriores aos poemas homéricos. A mais conhecida conta que Aquiles foi morto por uma flecha envenenada, disparada pelo troiano Páris, que atingiu justamente o seu calcanhar. Vem daí a expressão "calcanhar de aquiles", que significa o ponto fraco de alguém.

A expressão "presente de grego" refere-se a um episódio da Guerra de Troia relatado na *Odisseia*. Após longos anos de batalhas, o herói grego Odisseu, conhecido por sua astúcia, teve a ideia de mandar construir um cavalo de madeira para vencer os troianos. Ele os convenceu de que era um presente da deusa Atena e que, se o aceitassem, Troia nunca cairia. O cavalo, que escondia no seu interior alguns soldados gregos, foi aceito e conduzido ao interior da cidade. À noite, os gregos saíram de dentro do cavalo e destruíram Troia. A expressão "presente de grego" significa, portanto, ganhar algo que só nos trará problemas.

Os poemas e a sociedade grega

Tradicionalmente, a autoria dos poemas *Ilíada* e *Odisseia* é atribuída a Homero, poeta grego de quem pouco se sabe. Desde a Antiguidade, porém, há pensadores que questionam a autoria dessas duas obras ou que Homero tenha sido o seu único autor. O mais provável é que esses poemas representem o ponto culminante de uma longa e rica tradição de poesia oral.

Os dois poemas eram recitados pelos *aedos* e pelos *rapsodos*. Os *aedos* do período homérico eram artistas que se deslocavam pela Grécia cantando os feitos heroicos, ao som de uma cítara, nas casas de homens nobres. Os *rapsodos* apareceram mais tarde, por volta do século VI a.C., e recitavam oralmente, sem música, os poemas para os cidadãos em ocasiões festivas ou celebrações oficiais.

Seja como for, as epopeias homéricas foram utilizadas na educação dos jovens aristocratas gregos. Os grandes heróis criados naquelas histórias funcionavam como guia de conduta e sabedoria. Já para a história, os poemas constituem fontes preciosas, embora não haja um consenso entre os historiadores quanto aos períodos históricos neles descritos. Para alguns historiadores, a *Ilíada* e a *Odisseia* revelam ainda um mundo micênico; para outros, trata-se dos séculos X e IX a.C.

DOC. 2 **A Guerra de Troia**

Os historiadores ainda debatem se a Guerra de Troia foi um acontecimento lendário, criado pela imaginação poética grega, ou se realmente teria ocorrido. Escavações na Colina de Hissarlik, na atual Turquia, dirigidas por Heinrich Schliemann – um rico comerciante alemão – no final do século XIX, localizaram uma cidade que Schliemann identificou imediatamente como a Troia de Homero.

Novas escavações, ao longo do século XX, revelaram posteriormente ao menos nove camadas arqueológicas dessa cidade, indicando uma longa existência temporal, de 3000 a.C. até o século I a.C. É difícil identificar a que camada corresponderia a Troia homérica. De qualquer forma, os vestígios nos mostram que a cidade sofreu constantes ataques. Um desses ataques pode ter dado origem a um ciclo épico, cantado por poetas.

A Guerra de Troia teria ocorrido em algum momento entre 1300 e 1100 a.C. Acima e ao lado, réplicas do "tesouro de Príamo", conjunto de artefatos encontrados por Schliemann em Hissarlik. Museu Bode, Berlim.

A virtude guerreira

Como mostram os poemas homéricos, a atividade bélica era altamente valorizada pelos antigos gregos. Por meio das façanhas e da bravura provadas no campo de batalha, o guerreiro homérico podia conquistar honra, prestígio, reconhecimento social e, acima de tudo, a imortalidade, ao ser lembrado pelas gerações vindouras como um herói. Conta-se que o herói grego Aquiles, antes de partir para Troia, foi advertido por sua mãe de que se fosse lutar na guerra morreria em breve, mas sua glória seria eterna; se preferisse ficar, teria uma vida longa e tranquila. Ele escolheu viver pouco, mas obter a fama eterna.

A valorização da guerra enfatizava a individualidade, projetando os líderes e os guerreiros que se destacavam por sua valentia. Para os gregos, a vitória resultava das habilidades individuais do guerreiro e não de ações coletivas ou de estratégias de batalhões. É muito diferente da guerra no período clássico grego (séculos VI e V a.C.), baseada no combate coletivo, disciplinado, sem espaço para a iniciativa individual. Por fim, no período homérico, a atividade guerreira estava restrita a uma elite, pois somente os membros da aristocracia tinham tempo disponível para o treinamento bélico, assim como recursos para providenciar os equipamentos necessários para a guerra: armadura, espada, escudo, cavalo etc. **[doc. 3]**.

As comunidades gentílicas

Durante o período homérico, os gregos organizavam-se em *gene*. Cada *genos* era uma comunidade constituída de clãs familiares, que se identificavam entre si por meio de um ancestral comum. Isso não impedia que agregados e escravos, adquiridos por meio da captura em comunidades vizinhas, convivessem com os outros membros do clã.

A unidade social de produção era o ***oikos***, que reunia as atividades do pastoreio, da agricultura e do artesanato. O *oikos* compreendia, além da família do chefe, dependentes diversos, escravos e todos os bens materiais, como terras e gado. O comércio tinha pouca importância. Desse modo, certos produtos necessários ao sustento eram adquiridos por meio da troca de artigos entre as comunidades ou por meio do saque e da pilhagem entre elas. O butim obtido nas guerras, porém, não era repartido entre os combatentes em partes iguais. Os guerreiros mais hábeis e corajosos ficavam com a maior parte.

- **Épico.** Que relata, em versos, uma ação heroica; digno de figurar em uma epopeia.
- ***Gene.*** Plural de *genos*.

DOC. 3 À esquerda, espada grega em bronze, séculos XII-X a.C. Acima, armadura grega em bronze, séculos VII-VI a.C. Museu do Louvre, Paris.

Crise da comunidade gentílica

Por volta do século VIII a.C., novas técnicas agrícolas e a ampliação das áreas de cultivo possibilitaram o aumento da produção e uma melhoria nas condições de vida da população grega, ocasionando o seu crescimento demográfico. Todavia, as propriedades já não eram mais suficientes para alimentar essa nova população. A constante divisão de terras entre os membros do *genos* levou à redução do tamanho das propriedades. A falta de terras criou um clima de hostilidade entre as próprias comunidades gentílicas.

A disputa por terras levou à concentração das propriedades nas mãos de uma minoria aristocrática que, devido à quantidade maior de terras, precisava de mão de obra para o trabalho nos campos. Em geral, eles a obtinham escravizando camponeses que não conseguiam quitar suas dívidas. Com o crescente fortalecimento da aristocracia, o basileu perdeu seu poder. Uma **oligarquia**, ou seja, o domínio político de poucos, passou a governar a comunidade.

As mudanças na comunidade gentílica geraram uma crise social que opunha, de um lado, a aristocracia e, de outro, artesãos e camponeses. A crise contribuiu para o surgimento de uma nova estrutura social política: a **pólis** grega.

QUESTÕES

1. Qual relação pode ser estabelecida entre a geografia grega e o seu desenvolvimento histórico **[doc. 1]**?
2. Qual dificuldade o texto expõe sobre o tema da Guerra de Troia **[doc. 2]**?
3. Qual característica da cultura grega homérica as imagens registram **[doc. 3]**?

ANALISAR UM DOCUMENTO HISTÓRICO

A pintura grega

A pintura é uma fonte histórica visual que, quando corretamente problematizada e analisada, pode fornecer informações preciosas sobre os costumes e os valores sociais do período em que foi produzida.

A seguir, faremos a leitura de uma pintura grega do século VI a.C. Contudo, ao contrário do que se pode imaginar, não há tela nem moldura. O suporte material da pintura é uma ânfora, e a imagem representa um dos instantes da Guerra de Troia.

Aquiles e Ájax jogam pettia. Pintura em ânfora de Exéquias, 530 a.C. Museu Gregoriano de Arte Etrusca, Vaticano.

Para compreender o documento

Na pintura, Aquiles e Ájax, dois grandes heróis míticos gregos, aguardando, em Áulis, ventos favoráveis para prosseguirem rumo a Troia, aproveitam o momento para se entreterem com uma espécie de gamão. O jogo combinava habilidade e sorte. O resultado do lançamento dos dados determinava os movimentos dos jogadores.

A cena é representada em uma ânfora, uma espécie de vaso feito de terracota (argila modelada e cozida ao forno) que geralmente armazenava vinho. No jogo mostrado na pintura, Aquiles vence Ájax. A cena pode ser interpretada como a individualização dos heróis gregos Aquiles e Ájax, que depois morreriam em combate.

1. Conhecida como pintura negra, o fundo da imagem conservava a cor natural da argila, enquanto os personagens eram pintados de preto.
2. Com uma ferramenta pontiaguda riscavam-se alguns detalhes e contornos, retirando-se a tinta preta para aparecer a cor natural da argila.
3. A curvatura dos personagens acompanha as duas alças laterais da ânfora.
4. As lanças encontram-se no centro, chamando a atenção para o evento.
5. a 8. Inscrições em grego identificam: à esquerda, a palavra "Aquiles" (5); à frente de Aquiles, a palavra "quatro" (6); à direita e acima, a palavra "Ájax" (7); à frente de Ájax, a palavra "três" (8).
9. As armas e os elmos indicam que são dois soldados.

QUESTÕES

1. Descreva as características dos personagens e da cena representados na pintura.
2. A individualidade e a competição são valores representados na pintura. Você concorda com essa afirmação? Justifique.
3. Relacione o conteúdo da pintura com o que você estudou sobre a virtude guerreira dos antigos gregos.

A formação da pólis grega e a invenção da democracia

Objetivos

- Compreender o processo de formação da democracia ateniense e da oligarquia espartana.
- Diferenciar a organização social e política das cidades de Esparta e Atenas.

Termos e conceitos

- Pólis
- Cidadão
- Escravo
- Democracia
- Oligarquia

A comunidade de cidadãos: a pólis

A palavra **pólis**, de origem grega, é frequentemente traduzida como cidade-Estado. As cidades gregas eram independentes entre si, possuíam suas próprias instituições políticas e militares, buscavam ser economicamente autossuficientes e tinham limites territoriais demarcados. Segundo a definição que se tornou predominante na historiografia moderna, pólis era a comunidade de **cidadãos** de uma cidade em particular, responsáveis pelas atividades política e militar. Assim, mais do que se referir aos limites territoriais de uma cidade, o termo pólis correspondia aos cidadãos que nela habitavam. Em comparação com as grandes cidades do mundo atual, as cidades gregas eram relativamente pequenas **[doc. 1]**. A maior delas era Atenas.

No mundo micênico, todos os assuntos importantes eram decididos diretamente pelo rei ou por seus servidores, sem a participação da sociedade. No mundo homérico, percebemos a existência de assembleias, embora restritas aos guerreiros, chefes dos vários *oikoi*. Já na pólis, as decisões políticas eram tomadas somente após todo um processo de debate e discussão, por meio do qual a comunidade dos cidadãos podia participar do governo. Com a formação da pólis, a função de comando foi separada da pessoa de um rei ou soberano e foi assumida pela comunidade de cidadãos.

A pólis firmou-se como nova forma de relação entre os homens e uma nova modalidade de exercício do poder entre os séculos VIII e VII a.C. Porém, nos primeiros tempos da pólis, eram poucos os que podiam efetivamente participar do poder. Os monarcas foram substituídos por magistrados eleitos pelos nobres, mantendo a existência de um Conselho como centro da vida política. Por essa razão, no período que vai do século VIII ao século VI a.C., é correto falar de uma **pólis aristocrática**, que se caracterizava por uma reduzida participação política.

Vocabulário histórico

Cidadão

Atualmente, entende-se por cidadão o indivíduo que goza plenamente dos direitos civis e políticos de um Estado e, em contrapartida, cumpre os deveres estabelecidos na lei. Embora a origem da palavra cidadão seja frequentemente associada ao contexto social da pólis grega, ela deriva do correspondente latino *civitas*, cujo significado é cidade ou cidadania. O correlato grego é *politikos*, isto é, "aquele que age na cidade". Na pólis grega, de modo geral, o exercício dos direitos políticos advindos da cidadania restringia-se aos homens livres nascidos na cidade. Os escravos, os estrangeiros e as mulheres não eram considerados cidadãos e, portanto, estavam excluídos da participação política.

DOC. 1 Abaixo, vemos a acrópole de Rhodes, na Grécia, região elevada que tinha um importante papel religioso, político e militar.

A colonização grega

O surgimento da pólis não resolveu os problemas sociais enfrentados pelos gregos. A divisão das propriedades rurais foi diminuindo o tamanho das terras cultiváveis necessário para manter as famílias e satisfazer as necessidades da população, que crescia progressivamente e se empobrecia. Uma das manifestações da crise social do período foi o crescimento da **escravidão por dívidas**.

Pequenos proprietários passaram a contrair empréstimos dos aristocratas. Impossibilitados de quitar suas dívidas, muitos se tornavam **escravos** dos credores. À medida que a aristocracia ampliava sua parcela de dependentes, também cresciam a extensão e o volume de propriedades rurais que ela concentrava. A **colonização**, desse modo, era uma válvula de escape para a crise social que ameaçava as póleis gregas.

A expansão colonial pelas terras do Mar Negro e do Mar Mediterrâneo ocorreu entre os séculos VIII e VI a.C. **[doc. 2]**. Apesar do nome, as colônias gregas não eram feitorias comerciais nem mantinham dependência política em relação às suas cidades-mães. Nas terras ocupadas, os gregos construíam estabelecimentos agrícolas e buscavam viver autonomamente, segundo os costumes trazidos da pólis de origem.

De modo geral, enquanto a pólis fornecia serviços e manufaturas às colônias, estas forneciam cereais e matérias-primas. Os gregos estabeleceram relações diversas com as populações nativas das colônias: em alguns casos fizeram acordos amigáveis; em outros, escravizaram as populações conquistadas.

As reformas sociais

A colonização não conseguiu resolver satisfatoriamente a questão agrária. A nobreza se enriquecia rapidamente, intensificando a exploração da terra e adotando um estilo de vida inspirado no luxo. Como resposta, os conflitos sociais se generalizaram. A participação do homem comum na guerra acentuou ainda mais essa crise social. Tornando-se elemento importante nas batalhas, passou a contestar os privilégios tradicionais da aristocracia guerreira, pondo em xeque o seu sistema de valores **[doc. 3]**.

"Naquela época o regime era oligárquico em todos os seus demais aspectos, e particularmente os pobres (eles próprios mais as mulheres e os filhos) tornavam-se escravos dos ricos. [...] eles cultivavam os campos dos ricos (uma minoria detinha todas as terras) e, caso não pagassem os arrendamentos, eles próprios mais seus filhos eram passíveis de cativeiro."

Aristóteles. *A Constituição de Atenas*. São Paulo: Hucitec, 1995. p. 17.

A instituição do direito escrito foi uma das respostas dadas pelas cidades-Estado à crise social e política que abalava a ordem aristocrática. Costumava-se atribuir sua origem a legisladores lendários, como Licurgo, em Esparta, e Drácon, em Atenas. Um dos mais importantes foi Sólon, que viveu em Atenas no século VI a.C. Aristocrata enriquecido por meio do comércio, em 594 a.C. Sólon foi convidado a formular leis para controlar a tensão social que tomava conta da pólis.

DOC. 2 **A colonização grega**

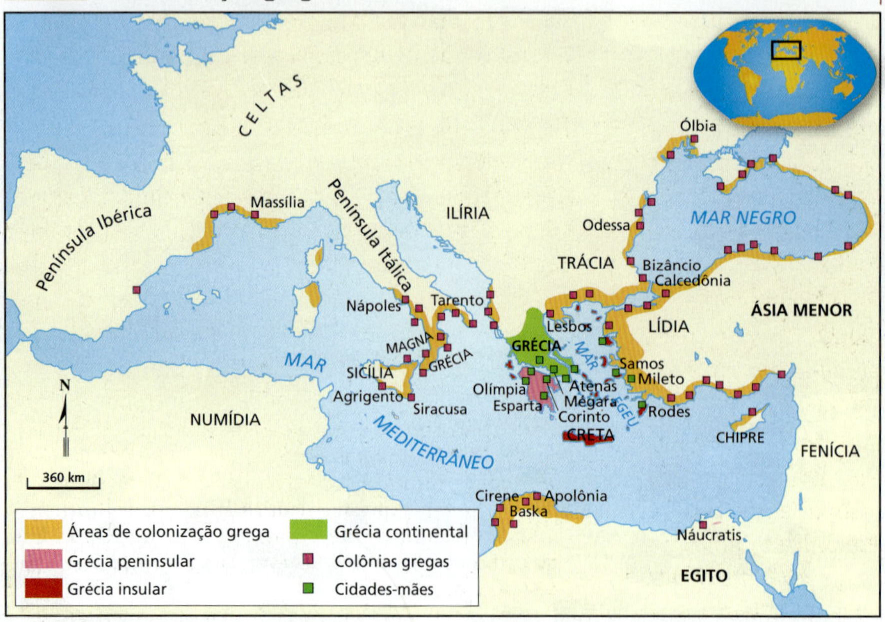

Fonte: HILGEMANN, W.; KINDER, H. *Atlas historique*: de l'apparition de l'homme sur la terre à l'ère atomique. Paris: Perrin, 1992. p. 46.

DOC. 3 **A falange hoplítica**

A falange era constituída de fileiras cerradas de soldados, dispostas de tal forma que o escudo (*hoplon*, daí a denominação hoplitas dada aos soldados) de cada soldado protegia simultaneamente uma parte do corpo do soldado ao lado. Na falange, o combate individual dos heróis homéricos foi substituído pelo combate coletivo e pelo espírito de grupo. A função guerreira deixava de ser exclusividade dos nobres e passava para as mãos do *demos* (o povo). Os pequenos proprietários de terra e os artesãos, que compunham o *demos*, eram integrados ao exército e, consequentemente, passavam a exigir maior participação nas decisões políticas da pólis.

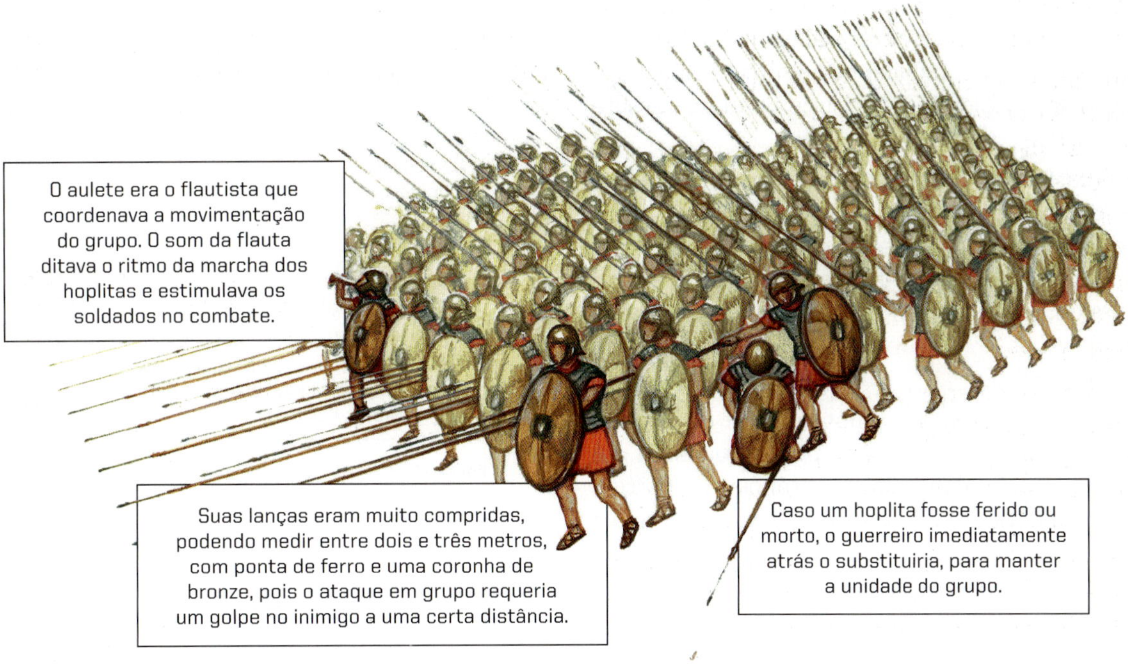

Fonte: SOUZA, Marcos Alvito Pereira de. *A guerra na Grécia antiga*. São Paulo: Ática, 1988. p. 30-33.

Sólon e a cidade ateniense

Conheça algumas medidas da reforma social e política promovida por Sólon em Atenas.

- **Abolição da escravidão por dívidas**. Proibiu a escravidão por dívidas, o que fez crescer a venda e a compra de escravos. Além disso, cancelou as hipotecas sobre as propriedades e limitou o tamanho da propriedade que cada indivíduo podia possuir.
- **Organização censitária da sociedade**. Os cidadãos foram divididos em quatro categorias, de acordo com a faixa de renda anual à qual pertenciam. A participação política de cada cidadão passou a depender de sua riqueza agrícola e não mais de sua linhagem familiar. Os estrangeiros, os escravos e as mulheres estavam excluídos da cidadania.
- **Criação de um Conselho (*Bulé*)**. Composto de quatrocentos membros que elaboravam as leis a serem votadas pela Assembleia (*Eclésia*).

As reformas de Sólon não conseguiram conter as agitações sociais. A aristocracia estava descontente com a perda de privilégios; as camadas populares queriam mais poder de decisão. Em 546 a.C., auxiliado por uma tropa de mercenários, o general Pisístrato tomou o poder em Atenas e instalou a tirania.

A tirania

Pisístrato, o primeiro tirano de Atenas, confiscou terras da aristocracia e as distribuiu entre os pequenos proprietários, concedeu empréstimos aos agricultores mais pobres e impulsionou o comércio marítimo financiando a construção naval.

Na produção artística e cultural, ele incentivou grandes obras arquitetônicas, promoveu festivais de teatro e, segundo o que se acredita, ordenou a compilação da *Ilíada* e da *Odisseia*.

A tirania, no entanto, não foi exclusiva de Atenas. Outras cidades, como Corinto, Mileto, Sícion, Samos, Mitilene e as colônias da Ásia Menor, também conheceram tiranias nesse período.

Vocabulário histórico

Tirania
Forma de governo em que uma pessoa conquista o poder de modo ilegítimo, como um golpe de Estado. A tirania atendia, geralmente, a vontade do povo. Com o tempo, o termo adquiriu sentido depreciativo. Provavelmente, essa mudança tenha ocorrido por causa das tiranias exercidas pelos filhos de Pisístrato, que se apropriaram do poder para seu próprio benefício.

A democracia ateniense

Em 509 a.C., o aristocrata Clístenes assumiu o poder em Atenas. Atuando contra os interesses do seu próprio grupo, implementou uma reforma completa das leis que regiam a vida política ateniense. Clístenes aboliu a divisão da sociedade em quatro classes conforme a renda agrícola de cada um e estabeleceu uma divisão de acordo com o local de residência. O objetivo da sua política era abolir as diferenças baseadas na origem familiar ou na fortuna pessoal e estabelecer a igualdade de todos os cidadãos perante a lei **[doc. 4]**.

É importante ressaltar que a divisão da sociedade ateniense se referia ao estatuto jurídico das pessoas, ao fato de terem ou não seus direitos políticos assegurados, e não ao seu *status* socioeconômico. Embora não fosse a regra, podia haver escravos ricos e letrados, assim como cidadãos pobres e incultos.

A reforma política de Clístenes foi de grande importância para a instituição da **democracia** em Atenas. Ele também definiu as instâncias de participação e decisão política em Atenas, em que a Eclésia ou Assembleia surgia como a autoridade suprema do Estado. Um sistema de sorteio permitia o rodízio dos cidadãos na Assembleia **[doc. 5]**. A reforma ampliou a participação política dos cidadãos, assegurando que estes pudessem, por meio do voto direto, debater e decidir sobre as questões importantes de interesse para a pólis. Embora, juridicamente, todos os cidadãos fossem iguais e pudessem participar ativamente da Assembleia, os cargos públicos mais elevados eram ocupados por uma elite intelectual e política cujo poder vinha da riqueza fundiária.

DOC. 4 **As divisões sociais em Atenas**

Cidadãos. Categoria formada pelos homens adultos e livres, filhos de mães e pais atenienses. Calcula-se que, no século V a.C., havia cerca de 30 mil cidadãos em Atenas. Do mais pobre ferreiro ao mais rico proprietário de terras, todos os cidadãos podiam participar das atividades políticas.

Metecos. Eram os estrangeiros, que não tinham o direito de participar da vida política nem de possuir terras. Dedicavam-se a atividades como o comércio e o artesanato.

Escravos. Constituídos de prisioneiros de guerra ou filhos de escravos. Não possuíam direito à participação política e trabalhavam no artesanato, nas tarefas domésticas, nas minas e na agricultura.

Fonte: MACDONALD, Fiona. *Como seria minha vida na Grécia antiga?* São Paulo: Scipione, 1996. (Coleção Como seria sua vida?)

Na democracia moderna, que se costuma chamar de democracia "representativa", os cidadãos escolhem, por meio do voto, os seus representantes. O governo efetivo não é exercido pelos cidadãos, mas está a cargo das instâncias de poder organizadas nos municípios, estados e em nível federal. Cabe aos cidadãos, teoricamente, monitorar a atuação dos seus representantes. Em Atenas, ao contrário, havia uma democracia direta, ou seja, os cidadãos participavam diretamente do governo, cada um expressando suas posições.

DOC. 5 **A democracia ateniense**

Areópago
Tribunal composto de 31 magistrados encarregados de julgar os crimes mais graves.

Eclésia (Assembleia)
Órgão central da democracia ateniense, responsável por discutir e aprovar todos os assuntos, civis e militares, da pólis ateniense.

Bulé
Conselho composto de quinhentos cidadãos (dez de cada tribo) escolhidos por sorteio numa lista de candidatos. A *Bulé* escolhe os assuntos a serem votados na Eclésia.

Estrategos
Generais escolhidos pela Assembleia para o prazo de um ano. Comandavam o exército e acumulavam funções legislativas e executivas.

Helieia (Tribunal do Povo)
Tribunal popular composto de 6 mil cidadãos com mais de 30 anos (seiscentos de cada tribo) eleitos por ano. Com as reformas de Clístenes, adquiriu poder para julgar.

Cidadãos divididos em dez tribos.

Fonte: FERREIRA, Olavo Leonel. *Visita à Grécia antiga*. São Paulo: Moderna, 2003. p. 20. (Coleção Desafios)

Esparta: a pólis oligárquica

Situada na fértil planície da Lacônia, Esparta era uma sociedade aristocrática de base agrária, mas cuja principal atividade era a guerra **[doc. 6]**. Há poucos testemunhos sobre os primeiros tempos dos espartanos, também conhecidos como lacedemônios. Os principais documentos são de períodos posteriores, escritos por autores como Platão, Xenofonte e Plutarco, que admiravam o rigor da sociedade espartana e, mais particularmente, de seu sistema educativo.

Ao contrário de Atenas, o regime político de Esparta era uma **oligarquia**. Fundada numa constituição, a Retra, a cidade era governada por dois reis pertencentes a duas famílias distintas, cuja função era mais simbólica e religiosa. Um órgão central da política espartana era a Gerúsia, conselho de anciãos formado pelos dois reis e mais 28 cidadãos maiores de 60 anos. A Gerúsia cuidava da política externa, tarefa central em um Estado militarista.

DOC. 6 Estátua do guerreiro espartano Leônidas na entrada do estádio de Esparta, Grécia.

O conjunto dos cidadãos podia votar na Ápela, assembleia formada pelos cidadãos com mais de 30 anos. A Ápela designava todos os anos cinco magistrados, os éforos, que eram os guardiões da tradição e das leis que regiam a vida na cidade. Os éforos de fato governavam a cidade de Esparta.

Em Esparta não se manifestou a tendência à livre discussão e à livre expressão do pensamento, que eram essenciais para a democracia ateniense. A sociedade era mais fechada e coesa, regida por normas de conduta rígidas e inquestionáveis **[doc. 7]**. Para muitos autores, o conservadorismo de Esparta explicaria por que seus cidadãos não desenvolveram as atividades artísticas e literárias (teatro, filosofia, arquitetura, retórica etc.), tal como ocorreu na Atenas clássica. Essa é a interpretação que tinham os atenienses, que apresentavam Esparta como o espelho invertido de Atenas.

DOC. 7 **As divisões sociais em Esparta**

Esparciatas. Também chamados de *homoioi* (iguais), eram homens de mais de 30 anos, proprietários de pelo menos um lote de terra. Somente eles podiam ter participação política, terras, escravos e ocupar cargos públicos. Dedicavam sua vida à política e ao treinamento para a guerra.

Periecos. Homens livres que habitavam os arredores de Esparta. Trabalhavam como agricultores, artesãos ou comerciantes. Sem direitos políticos, eram recrutados para o exército em épocas de conflito e deviam pagar tributos.

Hilotas. População servil, a mais numerosa da sociedade espartana. Não tinham direitos políticos, sociais e econômicos, sendo obrigados a trabalhar em propriedades do Estado e dos cidadãos espartanos.

Fonte: MACDONALD, Fiona. *Como seria minha vida na Grécia antiga*? São Paulo: Scipione, 1996. (Coleção Como seria sua vida?)

QUESTÕES

1. Quais as semelhanças e as diferenças entre a organização social ateniense e a espartana **[docs. 4 e 7]**?

2. Quais eram as características da democracia ateniense **[doc. 5]**?

3. Por que se afirma que o regime político de Atenas caminhou para a democracia e o de Esparta se manteve oligárquico?

O universo cultural da pólis

Objetivo

- Reconhecer os elementos principais que compunham a cultura grega.

Termos e conceitos

- Filosofia
- Educação
- Tragédia
- Comédia

Os Jogos Olímpicos

A glória adquirida pela vitória é o sonho da maioria dos atletas. Ser o primeiro colocado, subir ao pódio, receber a premiação e, acima de tudo, ser ovacionado e lembrado pelas gerações futuras. Os atletas João do Pulo, Ayrton Senna e Maurren Maggi foram alguns brasileiros que conseguiram essa proeza **[doc. 1]**.

Os Jogos Olímpicos eram um festival religioso grego que ocorria a cada quatro anos na cidade de Olímpia, onde se localizava o Templo de Zeus, o mais importante deus da mitologia grega **[doc. 2]**. Realizado pela primeira vez em 776 a.C., era considerado um evento religioso pan-helênico. Durante sete dias, atletas de todas as cidades gregas, em sua maioria jovens de famílias aristocráticas, reuniam-se para o festival olímpico, manifestando a identidade cultural que unia as póleis gregas.

Muitos apreciadores dos Jogos Olímpicos atuais condenam a crescente profissionalização do torneio em oposição ao amadorismo dos antigos jogos gregos. Embora esse processo seja evidente, tais críticos partem de uma visão idealizada do passado. Os atletas do mundo grego antigo conquistavam louvor e glória. Contudo, na maior parte dos casos, também adquiriam prêmios vultosos, além de regalias, como alimentação gratuita por toda a vida. Para os gregos, receber um bom prêmio pela vitória não era uma desonra.

A busca pela verdade: a filosofia

Uma das questões da história da Grécia que receberam contínua atenção por parte dos historiadores foi a associação entre a origem da pólis e de um novo tipo de conhecimento. O momento foi caracterizado pela redução da influência mítica na vida política e pela elaboração da **filosofia** como pensamento racional para explicar o homem e o cosmos. No entanto, apesar do avanço do pensamento racional, a tradição mítico-religiosa nunca foi abandonada na Grécia antiga.

Os primeiros filósofos, conhecidos como pré-socráticos, viveram nos séculos VII e VI a.C. nas colônias gregas da Jônia, da Ásia Menor e da Magna Grécia, no sul da Península Itálica. Esses filósofos voltaram sua atenção para a natureza. Discutir a natureza e apresentar sobre ela interpretações pessoais foi possível apenas numa sociedade em que o conhecimento podia ser debatido entre todos os cidadãos. A palavra não era mais privilégio de um rei e a explicação do cosmos não ficava mais restrita ao interior de um palácio e à poesia mítica. A atividade filosófica nasceu, portanto, de mãos dadas com o surgimento da pólis.

DOC. 1 À direita, a atleta brasileira Maurren Higa Maggi na final do salto a distância durante as Olimpíadas de Pequim, 2008. Acima, ânfora grega com representação de uma corrida, século V a.C. Museu Municipal Antoine Vivenel, Compiègne.

DOC. 2 Escultura representando Afrodite, a deusa do amor na mitologia grega, cópia romana do século I a.C. Museu Arqueológico Nacional, Nápoles. Para os povos antigos, os mitos não eram histórias ficcionais, mas explicações sobre alguns problemas considerados importantes, como a origem do universo, o sofrimento e a morte.

Sofistas e socráticos

Após as Guerras Médicas, no século V a.C., o centro cultural do mundo grego se deslocou da Jônia, na Ásia Menor, para Atenas e outras regiões da Grécia. A filosofia não ficou de fora e podemos destacar dois grupos importantes: os sofistas e os socráticos.

Os **filósofos sofistas** buscavam sistematizar o conhecimento e aperfeiçoar os instrumentos da razão. Provenientes da camada média urbana, eles acreditavam que a persuasão era o instrumento por excelência do cidadão na pólis democrática. Por esse motivo, se dedicavam ao ensino itinerante, cobrando pelas aulas que ministravam. Esse foi um dos principais alvos da crítica que receberam dos socráticos. Os principais sofistas foram Protágoras, de Abdera (485-411 a.C.), e Górgias, de Leôncio, da Sicília (485-380 a.C.).

Os **filósofos socráticos** foram assim chamados devido à forte influência exercida pelo pensamento de Sócrates (c. 470-399 a.C.). Tudo o que sabemos sobre ele foi registrado por seus discípulos, especialmente Platão e Xenofonte, pois o próprio Sócrates não deixou nada escrito. Partindo do princípio "só sei que nada sei", dialogava com cidadãos ou escravos em praça pública e preocupava-se com questões morais, como a coragem, o dever e a justiça **[doc. 3]**.

Platão (428-347 a.C.) foi o mais importante discípulo de Sócrates. Dedicou-se a refletir sobre a natureza do conhecimento e da política. Preocupava-se em formular o modelo de uma pólis justa e perfeita, governada por uma elite de sábios totalmente dedicados ao bem comum. Platão expôs esse modelo em dois livros, que estão entre as obras mais importantes da história do pensamento humano: *A república* e *As leis*.

Aristóteles (384-322 a.C.) foi discípulo de Platão. Contudo, buscou superar o pensamento do mestre. Criticava a preocupação quase exclusiva dos socráticos com problemas morais e políticos, voltando sua atenção também para a observação da natureza e suas leis. Aristóteles tentou sintetizar todas as conquistas da filosofia grega, propondo uma sistematização do conhecimento humano.

DOC. 3 **O julgamento de Sócrates**

Em 399 a.C., Sócrates foi levado ao tribunal, acusado de não reverenciar os deuses da cidade e de corromper a juventude ateniense. Em seu discurso de defesa, Sócrates reivindicou o direito à liberdade de opinião contra a tirania da maioria. Mesmo assim, foi condenado a morrer ingerindo veneno.

A morte de Sócrates, pintura de Jacques-Louis David, 1787. Museu Metropolitano de Arte, Nova York.

A educação grega

A Constituição brasileira estabelece que a **educação** é um direito do cidadão e um dever do Estado e da família. O compromisso do Estado com a educação deve ser cumprido mediante a garantia da educação básica (ensino fundamental e médio) gratuita e obrigatória. As instituições privadas são livres para atuar nessa área, desde que respeitem as normas gerais da educação nacional.

Na Grécia antiga, as características da educação variavam de acordo com os costumes e os valores de cada cidade. A educação em Esparta, por exemplo, dirigia-se aos filhos de cidadãos e era totalmente voltada para a formação do soldado hoplita, minimizando a instrução intelectual. Aos 7 anos de idade, os meninos se tornavam responsabilidade do Estado. Vivendo em acampamentos militares, deviam suportar a fome e o frio, o castigo e a dor.

A formação das meninas espartanas era semelhante à dos meninos. Entretanto, continuavam morando em casa. Deviam exercer atividades físicas para gerar filhos fortes e vigorosos. Após a primeira menstruação, recebiam educação sexual fornecida pelas mães, aprendendo como gerar um futuro soldado hoplita.

Em Atenas a instrução era privada. Os meninos, filhos de cidadãos atenienses, dedicavam-se às atividades físicas e esportivas desde os 7 anos de idade. Também recebiam instrução intelectual por meio de um mestre, que lhes ensinava a ler, a escrever e a recitar poemas. A partir dos 15 anos, eram encaminhados aos ginásios, onde tinham treinamentos físicos, formação intelectual e eram preparados para a vida pública.

As meninas atenienses das camadas mais altas passavam a maior parte do tempo no gineceu, parte da casa onde aprendiam a fiar e a cuidar de outros afazeres domésticos. Educadas para o matrimônio, as mulheres atenienses circulavam pela pólis menos que as mulheres espartanas **[doc. 4]**. Nas famílias mais pobres, as esposas trabalhavam lado a lado com seus maridos, fosse na agricultura ou no artesanato.

DOC. 4 As mulheres atenienses eram educadas para cuidar dos afazeres domésticos, dos filhos e do marido. Pintura em vaso grego do século V a.C. Museu Britânico, Londres.

O teatro grego

O público do teatro nos dias de hoje, comparado com o de outros espetáculos como o cinema, é pouco expressivo. Esse baixo interesse é explicado, muitas vezes, pela dificuldade que o grande público tem em compreender e, consequentemente, apreciar a encenação teatral. Outro fator que ajuda a afastar o público dos teatros é o valor dos ingressos, em geral mais alto que o cobrado nos cinemas.

DOC. 5 Máscara utilizada nas comédias. Grécia, século II a.C. Museu Fitzwilliam, Cambridge.

Na Grécia antiga, ao contrário, o teatro era um espetáculo muito popular, realizado originalmente durante festivais em honra a Dioniso, deus do vinho. Dos quatro festivais gregos realizados em homenagem a Dioniso, o mais importante eram as Grandes Dionisíacas, celebrado no mês de março em Atenas. Assim como os Jogos Olímpicos, as Grandes Dionisíacas cumpriam, além da função religiosa, um papel competitivo. Não se sabe ao certo se mulheres e crianças compareciam às apresentações, mas os lugares estavam demarcados conforme o prestígio e a posição do espectador na sociedade.

Os atores apresentavam-se utilizando máscaras **[doc. 5]**. Assim conseguiam transmitir ao público a mensagem que estava sendo encenada, pois nem sempre os espectadores conseguiam ouvir a fala dos personagens. No teatro grego, as mulheres não podiam atuar.

Os dois gêneros teatrais mais celebrados nos festivais eram a tragédia e a comédia.

A **tragédia** geralmente tinha temas míticos. Ela tratava do sofrimento dos heróis, provocado pela vontade dos deuses. Segundo Aristóteles, a tragédia atuava como instrumento de catarse. Ao despertar pavor e piedade, a história corrigia moralmente o indivíduo e o purificava. Os autores mais famosos foram Ésquilo (525-456 a.C.), Eurípedes (c. 480-406 a.C.) e Sófocles (496-406 a.C.), autor da tragédia *Édipo rei*.

A **comédia**, para Aristóteles, representava pessoas inferiores, ao contrário da tragédia, que abordava o dilema dos grandes homens. Não havia limites para o riso. Desde o homem mais pobre, passando pelos altos magistrados, até os deuses, todos eram ridicularizados. A comédia manifestava a capacidade que a pólis tinha de rir de si mesma. O autor de comédias mais conhecido foi Aristófanes (c. 445-385 a.C.), que escreveu *As nuvens*, *As rãs* e *As vespas*.

- **Catarse.** Segundo a definição de Aristóteles, é a purificação da alma por meio da descarga emocional provocada por um drama.

A matemática grega

A resolução de problemas matemáticos para fins práticos, como efetuar cálculos astronômicos e comerciais, foi desenvolvida por diversos povos da Antiguidade. Os gregos, porém, transformaram a matemática numa ciência, fundamentando seus princípios em deduções e raciocínios lógicos.

Tradicionalmente, o filósofo Tales de Mileto é considerado o primeiro matemático grego. Ele usou a geometria para resolver problemas como calcular a altura das pirâmides e prever eclipses. A invenção da própria palavra matemática costuma ser atribuída a Pitágoras (570-495 a.C.), nascido na Ilha de Samos, na Magna Grécia, e fundador da escola pitagórica. Os pitagóricos acreditavam que o universo é um todo harmônico constituído de proporções perfeitas, cujas ideias logo se difundiram pela Grécia.

Várias descobertas matemáticas e científicas são atribuídas a Pitágoras ou aos seus discípulos, entre elas, o famoso **teorema de Pitágoras**. Ele estabelece uma relação entre o comprimento dos lados de um triângulo retângulo ao demonstrar que a soma do quadrado dos lados é igual ao quadrado da hipotenusa. É atribuída também aos pitagóricos a descoberta da equivalência entre as proporções matemáticas e os intervalos musicais, descoberta que permite construir e afinar instrumentos musicais.

Arquitas de Tarento (428-347 a.C.), membro da escola pitagórica e amigo de Platão, é considerado o primeiro a aplicar princípios matemáticos na construção de instrumentos mecânicos **[doc. 6]**. Mas foi, sobretudo, com a chamada Escola de Alexandria, a partir do final do século IV a.C., que a matemática e a ciência gregas se desenvolveram.

Matemáticos da Escola de Alexandria

Nesse monumental centro de estudos da Antiguidade clássica ganhou destaque a figura de Euclides, considerado o mais importante matemático do mundo greco-romano, autor de *Os elementos*, uma obra em treze volumes que trata de diferentes conteúdos matemáticos. Por meio de demonstrações rigorosas e provas lógicas, Euclides assentou os princípios da geometria. Embora tenha recebido críticas justificadas, seu livro foi utilizado como manual básico para o ensino da matemática até o século XX.

Arquimedes de Siracusa (287-212 a.C.) foi matemático, inventor e astrônomo. São atribuídas a ele várias descobertas matemáticas e invenções tecnológicas. Ele aplicou o chamado "método de exaustão" (teste sucessivo de várias hipóteses até se chegar a uma solução aproximada para um problema) para calcular a área do círculo, a quadratura da parábola e a determinação do número π (pi = 3,1416).

DOC. 6 **Engenharia e ciência na Antiguidade**

Os gregos desenvolveram a ciência e a técnica. No entanto, ao contrário do que tradicionalmente se imagina, eles as utilizavam de modo distinto do homem moderno. Para o grego, a natureza era sagrada e não podia ser explorada por meio de instrumentos técnicos.

"No curso da Antiguidade houve um real progresso técnico desde os primeiros filósofos gregos, passando pelos pitagóricos, notadamente Arquitas de Tarento, filósofo, cientista, técnico e homem de Estado, para chegar a um ponto culminante na época helenística e romana. [...]. De qualquer modo, pensou-se desde cedo em fazer máquinas de guerra, mas também em construir obras de arte, isto é, túneis, aquedutos, fortificações, e a utilizar instrumentos para efetuar medidas astronômicas e geográficas. Os engenheiros da Antiguidade sabiam tomar partido das propriedades do vapor e do ar comprimido, por exemplo, na invenção da bomba aspiratória. Eles também sabiam fabricar autômatos que serviam especialmente para animar as estátuas dos deuses, maravilhando os fiéis."

HADOT, Pierre. *O véu de Ísis*: ensaio sobre a história da ideia de natureza. São Paulo: Loyola, 2006. p. 125-126.

Arquitas de Tarento em desenho francês, sem data. Arquitas de Tarento nasceu em Tarento, região da Magna Grécia, em 428 a.C. Foi filósofo e matemático e se destacou como um dos primeiros cientistas a trabalhar de forma integrada os conhecimentos da aritmética, da geometria, da astronomia e da música.

QUESTÕES

1. Descreva as imagens e identifique as modalidades olímpicas que elas representam **[doc. 1]**.
2. Como o autor representou a morte de Sócrates nessa pintura **[doc. 3]**?

Seção 5.4

A crise das póleis e a conquista macedônica

Objetivos

- Explicar os fatores que determinaram a crise das póleis gregas.
- Compreender a formação do Império Macedônico.
- Caracterizar a cultura helenística.

Termos e conceitos

- Império
- Cultura helenística

As Guerras Médicas

Na segunda metade do século VI a.C., o domínio persa se estendia às póleis jônicas da Ásia Menor. Em 499 a.C., elas se rebelaram contra o poderio persa com o apoio de tropas militares de Atenas e da Erétria. Os persas, comandados pelo rei Dario I, sufocaram a rebelião e enviaram um poderoso exército contra os atenienses para eliminar sua influência sobre os jônios da Ásia Menor **[doc. 1]**.

A Batalha de Maratona, ocorrida em 490 a.C., foi o primeiro de uma série de combates envolvendo as cidades gregas e o **Império** Persa, que duraram, com alguns intervalos de paz, quatorze anos. Os gregos venceram os persas, que tiveram de aceitar a independência das cidades gregas da Ásia Menor **[doc. 2]**.

O receio de uma nova investida persa, contudo, impulsionou as cidades gregas a formarem uma aliança militar sob a liderança de Atenas. Conhecida como **Confederação** ou **Liga de Delos**, tinha como objetivo organizar uma poderosa frota marítima, financiada por meio de tributos recolhidos das cidades integrantes.

Inicialmente, a Liga de Delos foi criada para fazer frente ao poderio persa. As cidades participantes deviam manter a Liga, fornecendo navios, soldados ou dinheiro. Progressivamente, os tributos facultativos exigidos para a manutenção da frota marítima tornaram-se obrigatórios. Assim, as riquezas obtidas com os impostos cobrados passaram a financiar o desenvolvimento cultural e social ateniense.

Com os recursos fornecidos pelas cidades da Liga de Delos, Atenas conheceu um período de florescimento cultural, de desenvolvimento comercial e marítimo e de consolidação do regime democrático. A própria acrópole de Atenas, destruída durante as Guerras Médicas, foi reconstruída nesse período com os fundos monetários oriundos do tesouro da Liga.

Conteúdo digital Moderna PLUS http://www.modernaplus.com.br
Mapas animados:
As Guerras Médicas;
A Guerra do Peloponeso e o período das hegemonias

A Guerra do Peloponeso

A expansão marítima e o domínio comercial atenienses começaram a ser vistos como uma ameaça pelas demais cidades gregas. Para frear o crescente poderio ateniense, Esparta e outras cidades gregas formaram a chamada **Liga do Peloponeso**.

A tensão entre as cidades era tão acirrada que os próprios contemporâneos acreditavam ser inevitável um conflito grego envolvendo, principalmente, Atenas e Esparta. E foi o que aconteceu: a Guerra do Peloponeso, como ficou conhecida, estourou em 431 a.C., e seu efeito foi devastador.

A guerra também foi um conflito ideológico. A hegemonia ateniense não se manifestava apenas na cobrança de tributos. Atenas estimulava outras póleis a adotarem a democracia, gerando uma situação de desconforto para Esparta.

DOC. 1 **As Guerras Médicas**

Fonte: HILGEMANN, Werner; KINDER, Hermann. *Atlas historique*. Paris: Perrin, 1992. p. 52.

DOC. 2 *Leônidas nas Termópilas*, Jacques-Louis David, 1814. Museu do Louvre, Paris. Ao fim da Batalha das Termópilas, com apenas 300 guerreiros, o espartano Leônidas comandou a resistência grega e retardou a ofensiva persa. Morreu em combate.

O declínio das cidades gregas

Os resultados foram desastrosos para ambos os lados. Atenas, fragilizada e sem condições de manter a cobrança de tributos da Liga de Delos, não conheceu mais seu esplendor. A derrota de Atenas significou também a ruína da democracia e a instalação de regimes oligárquicos nas cidades sob influência espartana.

A hegemonia espartana durou pouco mais de trinta anos. Em 371 a.C., os exércitos de Tebas, antiga aliada de Esparta, venceram os espartanos e inauguraram a fase de domínio tebano. Esse domínio, também, teve curta duração. As sucessivas guerras destruíram a economia grega e provocaram a redução populacional. Debilitadas, as cidades gregas não conseguiram evitar a conquista macedônica.

O Império Macedônico

O Reino da Macedônia situava-se ao norte da Grécia. No decorrer do século IV a.C., no reinado de Filipe II, despontou como potência militar, conquistando progressivamente toda a Grécia. Enfraquecidas e empobrecidas por contínuos conflitos, as cidades gregas não conseguiram se unir para enfrentar o invasor macedônico.

Após conquistar todo o norte grego e a costa da Ásia Menor, Filipe voltou-se para as cidades gregas e, sem dificuldade, venceu os gregos na **Batalha de Queroneia** (338 a.C.). Com sua morte, em 336 a.C., a política de conquistas foi assumida por seu filho **Alexandre Magno**, de apenas 20 anos de idade. Em cerca de doze anos, Alexandre Magno empreendeu uma série de conquistas, que incluía o Egito, a Pérsia, a Ásia Menor, a Mesopotâmia e o norte da Índia **[doc. 3]**.

O império criado por Alexandre disseminou a cultura grega pelas terras do Oriente, mas também promoveu a abertura do mundo grego à cultura oriental. O próprio Alexandre Magno casou-se com uma princesa persa, incentivou casamentos interculturais entre seus soldados e incorporou em suas tropas contingentes não gregos. A **cultura helenística**, que se formou com as conquistas macedônicas, caracterizvou-se pelo intercâmbio de culturas e, ao mesmo tempo, pela propagação dos valores gregos.

Alexandre morreu jovem, aos 33 anos, vítima de uma febre contraída no Oriente. Rapidamente, iniciou-se uma disputa sucessória que desembocou na divisão do Império em três grandes reinos. Enfraquecidos por constantes disputas, os reinos helenísticos foram conquistados pelos romanos, no século I a.C.

QUESTÕES

1. O que o mapa nos informa sobre as Guerras Médicas [doc. 1]?
2. Quais os limites territoriais do Império Macedônico? Por que ele é considerado um império multicultural [doc. 3]?

DOC. 3 **O Império Macedônico**

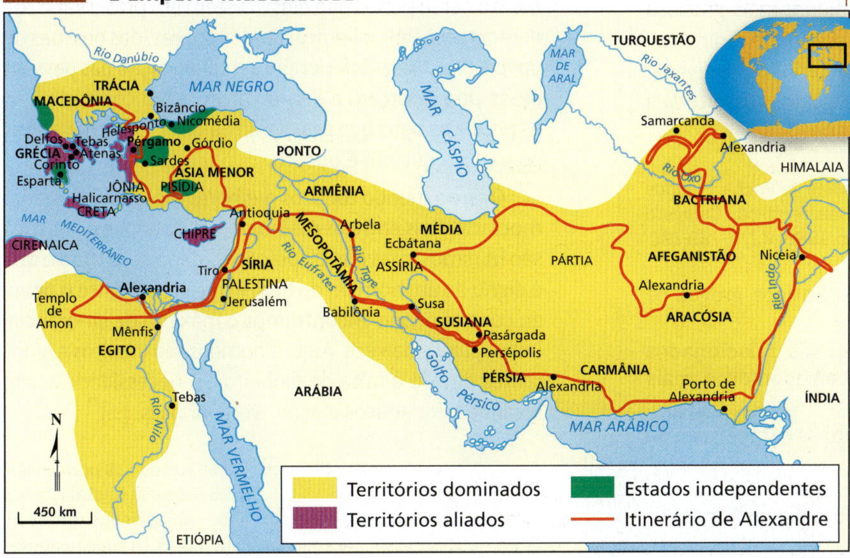

A cidade de Alexandria, no Egito, era o centro cultural do mundo helenístico. Na cidade havia um importante centro artesanal e comercial e uma famosa biblioteca. Com um acervo de aproximadamente 500 mil volumes em rolos de papiro, era a maior biblioteca da Antiguidade.

Fonte: HILGEMANN, Werner; KINDER, Hermann. *Atlas historique*. Paris: Perrin, 1992. p. 58.

Conteúdo digital Moderna PLUS http://www.modernaplus.com.br
Mapa animado: A expansão de Alexandre e o mundo helenístico
Filme: *A era de Alexandre*

Retomar conteúdos

1 Compare a organização política da sociedade micênica com a do antigo Egito, estabelecendo semelhanças e diferenças.

2 Qual a importância da guerra para a Grécia do período homérico? Explique por que a virtude guerreira tem um grande destaque nos poemas *Ilíada* e *Odisseia*.

3 Atenas e Esparta simbolizaram dois modelos de sociedade bastante distintos na Grécia antiga. Além da questão política, tinham valores diferentes e enfrentaram-se na Guerra do Peloponeso em campos opostos. Comente as principais diferenças entre as sociedades ateniense e espartana.

4 Caracterize a cultura helenística e o papel de Alexandre Magno na propagação dos valores gregos.

Ler textos e imagens

5 Os versos do primeiro texto são palavras do herói troiano Glauco. Os do segundo foram escritos por Tirteu (século VII a.C.), o poeta preferido dos espartanos.

Texto 1

"[...] mandou-me para Troia sagrada, insistindo comigo para ser sempre o primeiro e de todos os mais distinguir-me, sem desonrar a linhagem dos nossos, que sempre entre os fortes de Éfira foram contados, bem como na Lícia vastíssima. Esse é o meu sangue, essa a estirpe, que só de nomear me envaideço."

HOMERO. *Ilíada*. Canto VI, versos 207-210. 3. ed. Rio de Janeiro: Ediouro, 2003. p. 169.

Texto 2

"Eu não lembraria nem celebraria um homem pela sua excelência na corrida ou na luta, nem que tivesse dos ciclopes a estatura e a força e vencesse na corrida o trácido Bóreas, nem que tivesse figura mais graciosa que Titono, ou fosse mais rico do que Midas e Ciniras, ou mais poderoso que Pélops, filho de Tântalo, ou tivesse a eloquência dulcíssima de Adrasto ou possuísse toda a glória – se lhe faltasse acoragem valorosa."

TIRTEU. In: Pereira, Maria Helena da Rocha. *Estudos de história da cultura clássica*. Lisboa: Fundação Calouste Gulbenkian, 1988. v. 1. p. 189-190.

a) Que característica cultural dos antigos gregos os dois poemas expressam?
b) Quais atributos de um homem são relacionados nos versos de Tirteu? Qual é considerado o mais importante?
c) Relacione o poema de Tirteu com as características da sociedade espartana.

6 Leia o que escreveu Aristóteles sobre o papel das mulheres em Esparta.

"A liberdade excessiva das mulheres é prejudicial ao fim do regime e à felicidade da cidade. Tal como o homem e mulher são parte da casa, também é evidente que a cidade se divide em dois grupos aproximadamente iguais, o dos homens e o das mulheres. [...] Foi o que sucedeu em Esparta. [...] A liberdade excessiva das mulheres de Esparta parece ter tido uma boa justificação em tempos passados, já que os homens estavam ausentes de casa durante longos períodos, devido às campanhas militares, como sucedeu quando lutaram contra os arginos, e depois contra os arcádios e os messênios. [...] Consta que Licurgo tentou sujeitar as mulheres à supremacia da lei, mas que recuou quando elas resistiram."

ARISTÓTELES. *Política*. Lisboa: Vega Universidade, 1998. p. 153-155.

a) Que aspecto sobre as mulheres de Esparta chama a atenção de Aristóteles?
b) Como o autor explica a situação diferenciada das mulheres espartanas?
c) Aristóteles expressa uma opinião sobre a situação das mulheres na cidade de Esparta. Você concorda com a opinião dele?
d) Você acha que as mulheres do Brasil atual têm os mesmos direitos que os homens? Explique.

7 Leia o texto abaixo e sintetize a opinião do autor a respeito da democracia, identificando os argumentos que ele apresenta.

"Não elogio o fato de os atenienses terem escolhido o tipo de constituição política que escolheram, pois com essa escolha eles privilegiam as piores pessoas em detrimento das melhores [...].

Existem pessoas que se surpreendem pelos atenienses favorecerem, em todas as ocasiões, mais os maus, os pobres e os homens do povo do que os bons: é justamente nesse ponto que eles insistem em preservar a sua democracia. Pois o bem-estar dos pobres, das pessoas do povo e das classes inferiores e a multiplicação das pessoas desse tipo reforçam a democracia. Se, ao contrário, são os ricos e os bons que prosperam, a democracia dá armas ao partido que lhe é oposto.

Ora, no mundo todo, os melhores são contrários à democracia. Pois entre os melhores, o despudor e a injustiça são mínimos, mas o escrupuloso cuidado com tudo o que é digno de um homem de bem é máximo. É entre o povo, ao contrário, que encontramos o máximo de ignorância, indisciplina e baixeza. Alguns homens são incultos e ignorantes devido à falta de dinheiro e a necessidade acaba levando-os a abusos e ações vergonhosas. [...]"

Velho Oligarca – *Constituição dos atenienses*, 1-6. Perseus Digital Library. Disponível em www.perseus.tufts.edu. Acesso em 7 out. 2008. (tradução nossa)

Capítulo

6 Roma e a Antiguidade Tardia

A herança da civilização romana

Calcula-se que cerca de 60 milhões de pessoas vivessem em terras controladas por Roma no início da era cristã. Nessa imensa área, constituída por uma vasta rede de cidades, desenvolveu-se uma civilização urbana e integrada. Podemos ter acesso a essa cultura por meio das obras públicas que permaneceram conservadas, caracterizadas por sua harmonia e monumentalidade.

A maior herança deixada pelos romanos ao mundo moderno são a língua latina e as instituições romanas. O latim deu origem a línguas como o português, o espanhol, o francês, o italiano, o romeno e o catalão. Os códigos de direito moderno e as principais instituições políticas de nossos sistemas de governo, como o regime republicano e o Senado, se baseiam na cultura romana.

De todas as instituições romanas, contudo, a única que sobreviveu ao fim da civilização romana e que se mantém ativa até os dias de hoje é a Igreja Católica. O cristianismo, fundamento do catolicismo, triunfou como religião na Antiguidade Tardia, período que vai do século IV ao século VI. As comunidades cristãs, inicialmente perseguidas, difundiram-se por toda a Roma e tornaram-se a base de uma nova forma de poder.

- **Antiguidade Tardia.** Periodização utilizada por alguns historiadores para demarcar o período de transição ou de passagem da civilização clássica greco-romana, urbana e pagã, para a civilização medieval, ruralizada e cristã.

Vista atual do Templo de Saturno e das construções vizinhas. Roma, Itália.

Seção 6.1

A polêmica origem de Roma

Objetivo

- Compreender a formação da civilização romana.

Termos e conceitos

- Mito
- Fonte histórica
- Monarquia

O mito da origem de Roma

Sabe-se pouco sobre as origens de Roma. O surgimento da cidade está cercado de **mitos**, tornando difícil discernir o real daquilo que é fruto do imaginário. Os mitos foram recolhidos por escritores romanos que viveram bem depois dos fatos narrados. Um dos mais conhecidos foi Virgílio, com sua obra *Eneida*, escrita no século I a.C. De acordo com os mitos, os romanos seriam descendentes de Eneias, um dos personagens da *Ilíada*, de Homero, filho da deusa Afrodite com um mortal. Após a conquista e a destruição de Troia pelos gregos, Eneias fugiu da cidade e tornou-se predestinado a ser o ancestral de todo o povo romano.

Eneias e sua família buscaram refúgio na região do Lácio, na Península Itálica. Ascânio, filho de Eneias, teria fundado a cidade de Alba Longa. Após diversos reinados, Numitor foi um dos que governaram essa cidade. Durante uma crise política, porém, o rei foi afastado por seu irmão, Amúlio, e a princesa Reia Silvia foi condenada à virgindade como vestal, para que não gerasse descendentes que pudessem ameaçar o reinado de Amúlio.

O curso dos acontecimentos mudou quando o deus Marte apaixonou-se pela jovem Reia, dando-lhe dois filhos gêmeos: Rômulo e Remo **[doc. 1]**. Ameaçados de morte pelo rei Amúlio, os gêmeos foram escondidos dentro de um cesto, que foi lançado nas águas do Rio Tibre. O cesto foi parar entre dois vales, onde os gêmeos foram amamentados por uma loba e depois criados por um casal de pastores. Quando adultos, decidiram fundar uma cidade. Uma disputa entre eles, entretanto, provocou a morte de Remo. Rômulo tornou-se o primeiro rei da cidade, que em sua homenagem recebeu o nome de Roma.

Conteúdo digital Moderna PLUS http://www.modernaplus.com.br
Filme/série: *Roma*

Alguns autores reconstituíram os acontecimentos da história de Roma utilizando como **fonte histórica** apenas documentos literários antigos. Veja a opinião de um pesquisador a respeito dessa proposta:

> "[...] esses autores quase não tiveram fontes dignas de crédito para aquele período primitivo. No esforço de formular uma narrativa ininterrupta do desenvolvimento da cidade apenas com os fragmentos da verdadeira tradição histórica, tiveram de recorrer a uma série de suposições arbitrárias, fundamentadas em interpretações fantasiosas e nada científicas tanto de palavras, relacionadas com antigas instituições religiosas e civis e que eles não compreendiam, como de nomes escritos em certos monumentos levantados na infância de Roma. Deram crédito a suposições de historiadores gregos, que pretendiam uma ligação fantasiosa entre a história antiga de Roma e a mitologia grega."
>
> ROSTOVTZEFF, Michael. *História de Roma*. Rio de Janeiro: Zahar, 1977. p. 14-15.

DOC. 1 *Loba capitolina*, escultura em bronze, século V a.C. Museus Capitolinos, Roma. Os gêmeos Rômulo e Remo foram inseridos na obra posteriormente, apenas no Renascimento, no século XV.

O testemunho dos fatos

Uma tradição que remonta à Antiguidade fixou a data de fundação de Roma em 753 a.C. Não há documentos escritos dessa época para comprovar esse fato. Arqueólogos, contudo, encontraram vestígios de cabanas no Monte Palatino, indicando a presença de uma modesta vila de pastores no local no século VIII a.C. Antes do início do período republicano (509 a.C.), portanto, Roma era apenas uma pequena vila entre outras.

A pequena vila assumiria a aparência de uma verdadeira cidade apenas dois séculos mais tarde, com a chegada dos etruscos. O mais provável é que Roma tenha nascido da união de diversas vilas e povoados situados nas colinas próximas, que em algum momento teriam sido unificadas numa mesma cidade.

Um local estratégico

A cidade romana surgiu num sítio formado por uma série de colinas cercadas por um vale pantanoso. Era um local privilegiado por diversas razões: estava próximo ao mar, mas distante o suficiente para manter a cidade a salvo de ataques de piratas; as colinas que cercavam a Planície do Lácio protegiam a cidade; estava às margens do Rio Tibre; além de tudo isso, era um ponto estratégico no qual se cruzavam diversas estradas que se dirigiam ao norte e ao sul da Itália **[doc. 2]**.

A Monarquia Romana

A primeira forma de governo em Roma foi a **monarquia**. Durante a monarquia, a sociedade romana esteve dividida entre **patrícios** e **plebeus**. O patriciado era formado por grandes proprietários rurais, que se agrupavam em famílias, as *gentes*, que acreditavam descender de ancestrais comuns. A plebe era formada por camadas sociais distintas: camponeses livres, artesãos urbanos, pequenos comerciantes e imigrantes vindos de outros locais da Itália. O único traço em comum era o fato de não terem os mesmos direitos que os patrícios.

Até a chegada dos etruscos, os primeiros reis eram latinos e a organização política centrava-se em duas assembleias: os comícios curiais e o Senado. Os comícios reuniam os guerreiros até a idade de 45 anos e se pronunciavam sobre as questões relativas às famílias aristocráticas. Já o Senado era uma assembleia composta pelos mais idosos e sua função principal era escolher o rei.

De 616 a 509 a.C., Roma foi governada por reis etruscos, que estiveram frequentemente em confronto com a aristocracia latina pastoril, ou seja, os patrícios. Os etruscos eram provavelmente um povo de origem oriental. Habitavam a região da Toscana, ao norte, tinham uma civilização refinada, eram grandes comerciantes e navegadores e já se organizavam em cidades.

O primeiro rei etrusco, Tarquínio, o Antigo, para contrabalançar a influência dos patrícios no Senado, introduziu nessa assembleia representantes das emergentes camadas comerciais. Sérvio Túlio, que governou de 578 a 534 a.C., criou os comícios centuriais para integrar aquela camada da população que imigrou para Roma e estava excluída das assembleias políticas existentes.

Em 509 a.C., o último rei etrusco, Tarquínio, o Soberbo, foi expulso por um grupo de aristocratas. Iniciava-se a República Romana, período em que o Senado concentrou mais poder político **[doc. 3]**.

DOC. 2 **Roma e a Itália antiga**

Fonte: *Roma imperial*. Rio de Janeiro: Time-Life Livros/ José Olympio, 1971. p. 37.

DOC. 3 **A virtude feminina romana**

Conta uma das tradições sobre o fim da monarquia em Roma que Sexto Tarquínio, filho de Tarquínio, o Soberbo, ameaçou assassinar Lucrécia, filha de Espúrio Lucrécio, prefeito de Roma, e casada com Lúcio Tarquínio Colatino, e colocar o corpo junto a um escravo morto, insinuando o adultério. Só então Lucrécia aceitou deitar-se com o criminoso. Em seguida, cometeu suicídio na frente de seu marido e de seu pai, exigindo vingança pela desonra sofrida. Leia o texto abaixo sobre o assunto.

"A preservação da [honra] [...] da mulher justificava um sacrifício pessoal, a [honra] [...] era então um dever do ideal de mulher romana, ou seja, era dever da mulher romana agir honestamente, cuidar adequadamente dos afazeres domésticos e manter-se fiel e casta para o marido. Contudo a [honra] [...] era também um bem, que uma vez conquistado deveria ser preservado, mesmo que assim o fossem às custas de grandes sacrifícios individuais, como a perda da vida de nossa heroína.

Lucrécia espelhava, assim, alguns dos principais valores a serem cultivados pelo ideal de mulher romana."

LIMA, Alessandra Carbonero. *Exempla* romanos: homens de *gloria* e mulheres de *honor*. Disponível em www.hottopos.com. Acesso em 16 jun. 2009.

QUESTÕES

1. Identifique a crítica feita por M. Rostovtzeff, no texto da p. 118, relacionada ao conhecimento histórico produzido sobre a Roma antiga.

2. Segundo a tradição, qual a importância do sacrifício de Lucrécia para atender ao ideal de mulher romana [doc. 3]?

A República Romana

› Objetivos

- Entender os conflitos sociais e a luta pela cidadania em Roma.
- Reconhecer as condições da expansão militar romana.

› Termos e conceitos

- República
- Patrícios
- Plebeus
- Reforma agrária
- Cidadania

Uma república aristocrática

O Brasil, desde 1889, adota a forma de governo republicana. Isso significa que um representante, no caso o presidente, é eleito pelo povo para ser o chefe do país.

O regime republicano foi criado na Roma antiga. Em 509 a.C., o patriciado romano conseguiu depor o último rei etrusco, Tarquínio, o Soberbo, e implantar a **República**. A República Romana, contudo, ao contrário das cidades-Estado gregas e, particularmente, de Atenas, não desenvolveu a democracia.

A participação política dos cidadãos na Roma republicana ocorria principalmente por meio de assembleias (*comitia*), nas quais se destacavam três modalidades, segundo o modo de divisão dos cidadãos: assembleia por centúrias, assembleias por tribos e concílios da plebe.

A **assembleia por centúrias** votava declarações de guerra ou tratados de paz e também elegia as magistraturas mais elevadas (cônsules, pretores e tribunos militares). A assembleia dividia-se em cinco classes censitárias, de acordo com a renda do cidadão. Na **assembleia por tribos**, os cidadãos eram classificados e distribuídos em tribos de acordo com sua origem ou local de residência. Competia a essa assembleia eleger as magistraturas inferiores. O **concílio da plebe** (*concilium plebis*) votava as leis relativas à plebe, os plebiscitos, e elegia os tribunos e os edis.

Os conflitos entre patrícios e plebeus

Nos primeiros tempos da República, Roma foi palco de intensos conflitos entre os **patrícios** e os **plebeus**. Os plebeus reivindicavam ocupar cargos no Estado, votar no Senado e realizar suas próprias assembleias. Exigiam o fim da escravidão por dívidas, o acesso às terras conquistadas e o direito ao casamento legal com patrícios.

Um dos maiores motivos de tensão era a questão fundiária. Enquanto os grandes proprietários patrícios acumulavam cada vez mais terras, a plebe rural empobrecia. Muitos plebeus, que foram obrigados a abandonar suas terras para lutar nas guerras de conquista, ao retornar se viam obrigados a entregar suas terras para pagar dívidas contraídas **[doc. 2]**.

As tensões sociais cresciam e arriscavam degenerar em guerra civil. A plebe se revoltava e, por fim, para manter-se no poder, o patriciado teve de ceder. Várias leis foram aprovadas, garantindo os direitos dos plebeus **[doc. 1]**.

DOC. 1 As conquistas sociais e políticas dos plebeus

494 a.C.	Instituição do Tribunato da Plebe, magistrado plebeu que atuava em defesa dos direitos e interesses da plebe no Senado.
450 a.C.	Lei das Doze Tábuas, primeiro código de direito escrito em Roma.
445 a.C.	Direito ao casamento misto (entre patrícios e plebeus).
366 a.C.	Os plebeus adquirem o direito a receber as terras conquistadas.
326 a.C.	Abolição da escravidão por dívidas.
300 a.C.	Os plebeus ganham acesso a todos os cargos públicos, tanto políticos quanto religiosos.
287 a.C.	Os plebiscitos, decisões tomadas pelo Tribunato da Plebe, passam a ter força de lei.

DOC. 2 Relevo romano representando camponeses e soldados, século I. Museu do Louvre, Paris.

A expansão militar romana

A estrutura do exército romano gerou condições para o sucesso de sua expansão militar. Os soldados eram pagos regularmente, foram criados arsenais e quartéis e os equipamentos de guerra passaram a ser manufaturados, transformando o exército numa força regular. A qualidade e a experiência tática dos comandantes romanos e dos centuriões também foram decisivas para o êxito das campanhas militares.

A fundação de colônias na Península Itálica iniciou o processo de expansão militar romana. Ao norte, os romanos fundaram colônias no Vale do Pó, com o objetivo de se defender dos gauleses que ameaçavam a Itália. Ao sul, os romanos controlavam as cidades de Cápua e, em 272 a.C., tomaram a cidade grega de Tarento. A partir desse momento, a maior parte da península cairia sob o controle romano.

Restava o domínio do Mar Mediterrâneo, disputado por Roma e a cidade de Cartago, fundada pelos fenícios no norte da África. A rivalidade entre romanos e cartagineses levou às chamadas Guerras Púnicas. Ao terminar a última guerra, em 146 a.C., os romanos dominavam toda a Península Itálica, a Grécia, a Macedônia e a própria Cartago, que se transformou em província romana.

- **Fundiário.** Relativo à terra.
- **Guerras Púnicas.** Série de três guerras travadas entre Roma e a cidade de Cartago (1ª: 264-241 a.C.; 2ª: 218-202 a.C.; 3ª: 150-146 a.C). Recebeu esse nome porque os romanos chamavam os cartagineses de púnicos (*punici*).
- **Proletarização.** Ato ou efeito de tornar-se proletário, camada social cuja única utilidade era gerar filhos para o trabalho, que não possuía outro bem senão sua prole, ou seja, seus filhos.

DOC. 3 **As conquistas romanas até o século II a.C.**

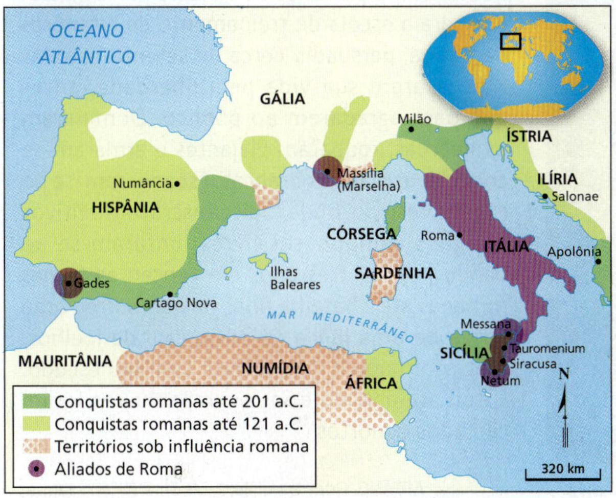

Fonte: HILGEMANN, Werner; KINDER, Hermann. *Atlas historique: de l'apparition de l'homme sur la terre à l'ère atomique*. Paris: Perrin, 1987. p. 78.

Assim, em cerca de dois séculos, Roma conseguiu garantir o controle do Mediterrâneo europeu. Seria somente uma questão de tempo para os domínios romanos se estenderem também ao Egito e à Ásia Menor. Apesar de ainda ser uma República, Roma já se configurava como um grande poder imperial **[doc. 3]**.

A crise social no fim da República

O enriquecimento de Roma beneficiava, sobretudo, os ricos proprietários dos latifúndios, baseados no uso em massa do trabalho escravo. Formada inicialmente por patrícios, aos poucos essa aristocracia assimilou os líderes plebeus mais ricos e influentes das cidades latinas. Formou-se a camada social dos **nobilitas**, que se diferenciava pela riqueza e pelo prestígio político.

Outro grupo beneficiado pelas conquistas foi o dos "cavaleiros" da **ordem equestre**, que aproveitou o domínio romano sobre o Mar Mediterrâneo para expandir suas atividades comerciais e financeiras. Ele compunha, com a ordem senatorial, a aristocracia romana. No período republicano, dedicava-se principalmente à cobrança de impostos.

Já nos meios populares a situação era inversa. Os grandes proprietários apropriavam-se ilegalmente das terras do Estado. Assim, a crescente proletarização e o aumento populacional nas áreas urbanas intensificaram a miséria das camadas populares.

A reforma agrária dos irmãos Graco

Nesse contexto de crise social, os irmãos Tibério e Caio Graco, oriundos de uma rica família plebeia, empreenderam uma série de campanhas em defesa dos direitos dos cidadãos pobres da República.

Eleito tribuno da plebe em 134 a.C., Tibério propôs uma lei para distribuir as terras públicas entre os cidadãos pobres, opondo-se aos interesses da aristocracia rural romana. Tibério foi assassinado pelos senadores em 133 a.C.

Anos mais tarde, seu irmão Caio, eleito tribuno da plebe em 124 a.C., deu prosseguimento à campanha pela **reforma agrária**. Caio propôs medidas ainda mais radicais, como a concessão da **cidadania** a todos os aliados itálicos e a distribuição gratuita de alimentos ao povo. Como o irmão, Caio foi assassinado, o mesmo ocorrendo com outras 3 mil pessoas que o apoiavam.

QUESTÕES

1. Quais eram os direitos reivindicados pelos plebeus? Como esses direitos foram conquistados?
2. Por que a vitória romana nas Guerras Púnicas significou uma grande mudança na expansão territorial de Roma [doc.3]?

Seção 6.3

O nascimento de um império universal

Objetivo

- Explicar o processo de unificação do Império Romano.

Termos e conceitos

- Guerra civil
- Império
- Paz Romana
- Povos bárbaros

A guerra civil e o fim da República

As reformas propostas pelos irmãos Graco e a brutalidade de seu assassinato levaram a sociedade romana a polarizar-se em duas facções políticas: de um lado, os *populares*, que defendiam a ampliação dos direitos da plebe, e, de outro, os *oligarcas*, interessados em manter os privilégios das famílias patrícias. As duas facções entraram em confronto aberto, provocando uma **guerra civil**. Os conflitos foram duramente reprimidos pelo exército, que deixava de representar os "cidadãos em armas" para se profissionalizar. Foi nesse contexto que eclodiu a maior rebelião escrava que o mundo antigo havia visto: a revolta de Espártaco **[doc. 1]**.

Durante o século I a.C., o fortalecimento do exército permitiu que determinados generais tomassem o poder em Roma e instalassem a ditadura. César, comandante militar que se tornou célebre após a conquista da Gália, foi o mais importante desses ditadores. No curto período de seu governo, entre 49 e 44 a.C., alternando o cargo de ditador e de cônsul, realizou uma série de reformas que reforçaram seu poder. Contudo, foi assassinado pelo filho de sua amante, Brutus, que liderava uma conspiração oligárquica contra ele. O assassinato de César levou a uma nova guerra civil.

Os conflitos políticos continuaram. Otávio, adotado por César em seu testamento, após derrotar Marco Antônio, tornou-se o primeiro imperador em 27 a.C., recebendo o título de **Augusto**. Após essas lutas sangrentas, Roma deixaria de ser uma República para se tornar um **Império**.

Vocabulário histórico

Ditadura
Situação em que o poder era confiado temporariamente a um único homem, geralmente um comandante militar (o ditador). A ditadura era juridicamente legal, mas só podia ser utilizada em crises graves, como uma guerra civil.

DOC. 1 **A revolta de Espártaco**

Nascido na Trácia, Espártaco era auxiliar do exército romano antes de tornar-se escravo-gladiador. Entre 72 e 71 a.C., reuniu 120 mil homens, liderou uma imensa sublevação de escravos e camponeses livres e dominou uma boa parte do sul da Itália, antes de ser derrotado e morto em 70 a.C. Veja como o escritor grego Apiano (c. 95-165) descreveu esse acontecimento:

Morte de Espártaco na decisiva Batalha de Lucânia, em 71 a.C. Gravura de 1850.

"O trácio Espártaco, um ex-soldado romano que fora feito prisioneiro e vendido como gladiador para a escola de treinamento de lutadores de Cápua, persuadiu cerca de setenta homens a arriscarem sua vida pela liberdade, antes que para agradarem ao público. Dominaram os guardas, roubaram viajantes e armaram-se com clavas e armas brancas. Esconderam-se no Monte Vesúvio, onde muitos escravos fugitivos e alguns camponeses livres juntaram-se ao bando [...] Por três anos ele venceu as tropas romanas até a batalha final, na qual sofreu uma ferida de uma lança na coxa, caiu de joelhos, mas continuou a defender-se com seu escudo. Lutou até que ele e seus companheiros foram cercados e mortos."

APIANO. Guerras civis, 1, 14. In: PINSKY, Jaime; PINSKY, Carla B. (Orgs.). *História da cidadania*. São Paulo: Contexto, 2008. p. 61-62.

A cultura no século de Augusto

Grande parte da base de nossa cultura letrada foi elaborada durante a época áurea do século de Augusto. Autores como Virgílio, Horácio, Ovídio, Lucrécio e Tito Lívio continuam a ser estudados e discutidos em instituições de ensino dedicadas às ciências humanas e estudos clássicos, presentes na maioria das grandes cidades do Ocidente, inclusive no Brasil.

O longo período conhecido como **Paz Romana** (27 a.C.-193 d.C.) foi marcado por relativa paz interna, estabilidade das instituições e riqueza econômica e cultural. Otávio Augusto encomendou o restauro de antigos edifícios e ordenou a edificação de novos templos em Roma, mandou construir anfiteatros e palácios e reparar vias, pontes e aquedutos. Segundo Augusto, ele havia encontrado "Roma de tijolos e a deixara de mármore" **[doc. 2]**.

As grandes criações culturais do chamado "século de Augusto" tornaram-se possíveis justamente devido ao retorno da paz e à riqueza do Império. Foi nesse período que se consolidou a **cultura greco-latina**, formada pela síntese de valores culturais gregos e latinos **[doc. 3]**. Com o Império unificado, essa cultura penetrou largamente em todas as províncias romanas. O mundo romano tornou-se bilíngue: o latim era falado no lado ocidental do Império, enquanto o grego era falado nas províncias orientais.

DOC. 2 *Augusto de Prima Porta*. Escultura representando o imperador Otávio Augusto, século I. Museu do Vaticano.

DOC. 3 **A helenização de Roma**

O exército romano conquistou a Grécia, mas em contrapartida Roma foi conquistada pela cultura grega. O patriciado romano, entretanto, mantinha uma oposição tenaz à influência cultural grega sobre Roma, em defesa das tradições e dos costumes romanos, considerados superiores aos dos gregos. Já segundo o orador e político Cícero, os romanos seriam superiores aos gregos por seus costumes duros e austeros, por suas instituições republicanas e principalmente por sua grandeza militar, mas os gregos seriam superiores aos romanos em tudo o que se referia às artes e às letras.

Religião e leituras

No campo religioso, houve a unificação do panteão dos deuses latinos e gregos e o ingresso em Roma de novos cultos de origem oriental, resultando num sincretismo religioso. Os mistérios e as práticas religiosas centradas no culto de divindades, como a deusa egípcia Ísis e o deus iraniano Mitra, eram os mais populares. Destinados exclusivamente aos iniciados, esses cultos eram secretos e se baseavam na crença de uma vida bem-aventurada após a morte.

Os principais meios de difusão da cultura eram as bibliotecas e as leituras públicas. As bibliotecas podiam ser públicas ou particulares e reuniam obras de autores gregos e latinos conservadas em rolos de papiro. Já o hábito das leituras públicas logo se disseminou pela elite romana e era um dos meios pelos quais os autores novos podiam ficar conhecidos pelo público **[doc. 4]**.

- **Sincretismo religioso.** Síntese entre cultos religiosos de origens distintas, resultado da interação entre duas ou mais religiões.

DOC. 4 **Principais autores e obras romanas**

Autor	Principais obras
Plauto (255-184 a.C.), de Sarsina, Úmbria.	*Anfitrião*, *Báquides*, *Aululária: a comédia da panela*.
Catão (234-149 a.C.), de Túsculo, Lácio.	*Origenes*, *De agri cultura*.
Cícero (106-43 a.C.), de Arpino, no Lácio.	*Da República*, *Diálogo sobre a amizade*.
Lucrécio (94-55 a.C.), de Roma.	*Da natureza das coisas*.
Horácio (65-8 a.C.), de Venúsia, na Apúlia.	*Odes*, *Epodos*, *Sátiras*, *Epístolas*.
Virgílio (70-19 a.C.), de Mântua.	*Bucólicas*, *Geórgicas*, *Eneida*.
Tito Lívio (59 a.C.-17), de Pádua.	*História de Roma*.
Ovídio (42 a.C.-17), de Sulmo.	*Arte de amar*, *Metamorfoses*.
Plutarco (46-119), de Queroneia.	*Vidas paralelas*, *Como tirar proveito de seus inimigos*, *Conselho aos políticos para bem governar*, *Como ouvir*.

A arquitetura romana

A arquitetura também se desenvolveu graças à riqueza de Roma. Inspirado no modelo grego, surgiu um estilo arquitetônico monumental tanto na capital quanto nas províncias. Grandes edifícios públicos foram construídos, como teatros, templos e fóruns **[doc. 5]**.

DOC. 5 Maison Carrée, templo romano construído no século I a.C. Nîmes, França, 2009.

O poder do imperador

O advento do Império não suprimiu as instituições republicanas, mas estabeleceu novas relações entre elas. De um lado, as assembleias perderam sua função, e outras instituições, como o Senado e as magistraturas, tiveram sua autonomia enfraquecida. Por outro, as decisões dos imperadores deviam ser legitimadas pelo Senado, e o exército transformou-se numa força política. O apoio dessa instituição tornou-se fundamental para o governo do imperador.

O imperador concentrava a função de comandante supremo e de tribuno da plebe, o que lhe permitia vetar decisões do Senado. Recebia o título religioso de "grande pontífice", o que lhe dava o controle da vida religiosa e o autorizava a proibir a prática de cultos novos. O imperador não era considerado uma divindade em vida. Após a morte, contudo, o Senado dedicava-lhe a cerimônia da apoteose, que o consagrava como deus.

O Império não ampliou significativamente as conquistas territoriais republicanas **[doc. 6]**. Entretanto, viu-se diante de um novo problema: proteger as fronteiras. A fronteira que separava o domínio romano dos **povos bárbaros** era chamada de *limes*, no interior da qual as províncias podiam se desenvolver num clima de relativa paz. O clima de segurança, no entanto, era frágil, devido à pressão continuamente exercida pelas tribos germânicas vindas do norte.

QUESTÕES

1. Sintetize os efeitos políticos da crise republicana em Roma.
2. O que significou a revolta de Espártaco para a ordem social romana [doc. 1]?
3. Compare a imagem [doc. 5] com o Partenon, na p. 100, e responda às questões.
   a) Aponte as influências gregas na arquitetura romana.
   b) Destaque os elementos arquitetônicos romanos que não são encontrados na arquitetura grega.

• **Bárbaro.** Denominação usada pelos gregos para se referir aos povos que não falavam a língua grega. O termo foi adaptado pelos romanos para designar os povos que não compartilhavam da cultura greco-latina.

DOC. 6 **O Império Romano em sua máxima extensão (século II)**

Fonte: DUBY, Georges. *Atlas historique mondial*. Paris: Larousse, 2003. p. 27.

Homens livres, escravos e o cotidiano em Roma

Objetivos

- Entender a organização social e o cotidiano durante o Império Romano.
- Caracterizar a condição do escravo na sociedade romana.

Termos e conceitos

- Cidadania
- Estoicismo
- Escravidão
- Colonato
- Sociedade patriarcal

Quem tinha direito à cidadania

Atualmente, existem milhões de homens, mulheres e famílias que não vivem em seus países de origem: brasileiros residentes nos Estados Unidos, coreanos no Brasil, turcos na Alemanha etc. Como muitos desses estrangeiros não são naturalizados, seus direitos são mais restritos que os da população nascida nesses países. Em Roma, o acesso à **cidadania** também não era garantido a todos.

Calcula-se que, na Itália do século I d.C., houvesse entre 5 e 6 milhões de cidadãos. Embora todos tivessem o mesmo *status* político, as diferenças socioeconômicas entre eles podiam ser bem acentuadas. A divisão fundamental da sociedade romana, no entanto, não se localizava nas diferenças econômicas entre os próprios cidadãos, e sim na distância que havia entre cidadãos e não cidadãos. Havia, por exemplo, em torno de 1 a 2 milhões de escravos, domésticos ou agrícolas. Os escravos, os estrangeiros e as mulheres estavam, em tese, excluídos daquele direito **[doc. 1]**.

A cidadania romana era um privilégio muito cobiçado, pois garantia os direitos políticos e sociais fundamentais, como o direito à propriedade, ao casamento, à herança, a fazer contratos e defender-se de acusações no tribunal. Quando o evangelista cristão Paulo de Tarso (9-64) foi preso por um centurião, por exemplo, ele pôde seguir o processo legal do direito romano e responder às acusações em liberdade por ser portador da cidadania romana.

Apesar da dificuldade em adquiri-la, os imperadores concediam cidadania romana aos aliados nas províncias, e os escravos podiam se tornar cidadãos se fossem alforriados por seus donos. No decorrer dos dois primeiros séculos do Império, a cidadania foi progressivamente expandida ao número sempre maior de habitantes dos domínios romanos. O passo final foi o **Édito de Caracala**, do ano 212, que estendia o direito de cidadania a todos os habitantes livres do Império.

DOC. 1 A ordem social em Roma

Senadores	Provinham das famílias mais ricas e influentes e constituíam, ao lado dos cavaleiros, a aristocracia romana.
Cavaleiros	Ricos proprietários e comerciantes. Podiam ser governadores de província e comandantes de legião.
Plebeus	Todos os cidadãos nascidos livres, exceto os senadores e os cavaleiros.
Latinos	Cidadãos nascidos livres fora de Roma, mas na Península Itálica.
Estrangeiros	Habitantes livres de regiões do Império fora da Itália.
Libertos	Ex-escravos, geralmente desprezados pelas classes superiores, mas que podiam ser cidadãos.
Escravos	Propriedades de seus donos, não possuíam quaisquer direitos.

Fonte: GANERI, Anita. *Como seria sua vida na Roma antiga?* São Paulo: Scipione, 1996. p. 22-23. (Coleção Como seria sua vida?)

A escravidão na sociedade romana

Na sociedade romana, o escravo era considerado, ao mesmo tempo, uma propriedade e uma pessoa. Enquanto propriedade, ele era uma coisa, uma mercadoria que podia ser vendida, comprada, alugada ou até mesmo deixada de herança. Mas o escravo não deixava de ser considerado também uma pessoa, um ser humano sem autonomia, que tinha o dever moral de servir ao amo ao qual estava preso.

Havia dois meios de abastecer Roma de escravos. Uma parte deles vinha das guerras, pois os vencedores escravizavam os vencidos. Outra parte vinha do tráfico de escravos nas fronteiras do Império. Havia, no entanto, várias outras formas de uma pessoa se tornar escrava.

Os menores abandonados e os filhos rejeitados por seus pais podiam ser escravizados por qualquer pessoa que os encontrasse. Além disso, a pobreza levava algumas pessoas a venderem seus recém-nascidos a traficantes, e muitos adultos chegavam a se vender como escravos para não morrerem de fome. Havia ainda os filhos das escravas, que, como as crias dos rebanhos, pertenciam ao seu dono.

A escravidão e o estoicismo

A situação social dos escravos podia variar bastante. Havia escravos muito mais ricos e poderosos que alguns cidadãos: escravos educados que se tornavam funcionários do Estado ou administradores nas casas das famílias nobres. Também era comum professores, arquitetos, músicos e comediantes a serviço dos nobres serem escravos e gozarem de uma condição melhor que a de muitos trabalhadores livres.

DOC. 2 Escravos servindo em banquete, mosaico de uma edificação romana na Tunísia, século II a.C. Museu do Bardo, Túnis.

Mesmo assim, todo escravo, qualquer que fosse sua condição, poderoso ou miserável, era tratado como um ser inferior **[doc. 2]**. Havia senhores que, ao morrerem, libertavam todos ou alguns de seus escravos, deixando uma imagem de bom amo e homem clemente. Libertar escravos significava abrir mão de uma propriedade e era visto como um mérito individual e não como um dever social.

No decorrer dos séculos I a III d.C., entretanto, a atitude com relação aos escravos se modificou. Ninguém chegou a ponto de questionar a escravidão. Mas passou-se a cobrar um tratamento mais justo para o escravo. Essa mudança estava relacionada principalmente à difusão do **estoicismo** na elite romana.

Os estoicos defendiam a ideia de que o homem é apenas parte de uma ordem racional que governa o universo. Por terem uma alma racional, todos os seres humanos são divinos. Com base nessa visão de mundo, os estoicos formularam uma ética que pregava que todo indivíduo, independentemente de sua condição de nascimento ou posição social, merecia respeito pelo fato de ter uma alma dotada de razão.

Os estoicos não questionavam diretamente a instituição da escravidão, porém defendiam um tratamento mais humano para os escravos, limitando o direito dos senhores de castigá-los **[doc. 3]**. A atitude com relação aos escravos na sociedade romana mudou muito lentamente. Com o tempo, ganharam alguns direitos, mas nunca chegaram a ser considerados cidadãos plenos.

DOC. 3 **Conselhos de Sêneca**

Considerado um dos maiores escritores latinos, Lúcio Aneu Sêneca (4 a.C.-65 d.C.) foi filósofo estoico e senador romano. Perseguido pelo imperador Nero, foi obrigado a cometer suicídio.

Veja o conselho dado por Sêneca a um amigo com relação aos escravos:

"Reflitas em que esse a quem chamas teu servo, nascido da mesma semente, vive sob o mesmo céu, respira da mesma maneira, da mesma maneira vive e da mesma morre! Tanto podes tu vê-lo livre como ele a ti escravo [...]. Não quero me meter numa questão imensa e dissertar sobre o tratamento dos escravos, com os quais somos extremamente orgulhosos, cruéis e injuriosos. Em suma, a minha doutrina é esta: vive com um inferior da mesma maneira que quererias que um superior vivesse contigo. Todas as vezes que te lembrares dos teus poderes sobre o teu servo, outras tantas te lembrem os do teu senhor sobre ti."

SÊNECA. Cartas a Lucílio, 47, 10-11. In: PEREIRA, Maria Helena da Rocha. *Romana*: antologia da cultura latina. Coimbra: Universidade de Coimbra/Instituto de Estudos Clássicos, 1994. p. 227-228.

A morte de Sêneca, pintura de Claude Vignon, 1633. Museu do Louvre, Paris.

A cidade romana

A maioria da população do Império residia em áreas rurais. A cidade, contudo, era considerada para o romano o *habitat* do homem civilizado. Mesmo os camponeses tinham que se dirigir ocasionalmente para as cidades para negociar e vender seus produtos. Devido a esse movimento para a zona urbana, os romanos construíram muitas cidades novas ou reordenaram antigas, modificando o modo de vida das populações e deixando a marca de Roma em todo o Império.

A cidade romana tinha uma estrutura planejada. Em formato regular, uma rede de estradas e avenidas, muitas delas pavimentadas, entrecortava a zona urbana. A cidade também era constituída por grandes obras de engenharia, como viadutos, pontes e aquedutos. Entre os edifícios públicos, o fórum era utilizado para grandes festas religiosas e manifestações cívicas, e a basílica era destinada aos negócios públicos. Teatros e anfiteatros serviam para espetáculos, e a palestra era destinada aos exercícios físicos **[doc. 4]**. Havia também templos religiosos e diversas termas e banhos públicos.

A zona rural

A cidade tinha grande importância no cotidiano romano, mas a base econômica era a agricultura. As terras estavam concentradas nas mãos de uma elite, que possuía terras distribuídas em diversas províncias **[doc. 5]**.

- **Palestra.** Local destinado a treinamentos físicos em Roma e na Grécia antigas.

Havia, em linhas gerais, duas relações de trabalho: a escravidão e o colonato. Na **escravidão**, vastas propriedades eram cultivadas por centenas de escravos sob as ordens de intendentes e capatazes, embora, ocasionalmente, também se utilizasse mão de obra livre. No **colonato**, as terras de um mesmo proprietário eram divididas em parcelas, sendo cultivadas por rendeiros ou colonos. Os colonos tinham a obrigação de entregar parte da sua produção aos proprietários, tirando sua subsistência da parte restante.

Os principais produtos cultivados eram o trigo, plantado principalmente no norte da África, a vinha, cultivada na Gália (França atual), e a oliveira, plantada na Espanha, além de árvores frutíferas como a figueira, a amendoeira e a nogueira. Esses produtos agrícolas, em particular o trigo, eram a base da alimentação romana.

DOC. 5 **A agricultura e a virtude do homem**

Para alguns cidadãos da elite romana, o trabalho agrícola era a única fonte de rendimento honesta e digna de um homem, como ressalta o orador Cícero (século I a.C.):

"De todas as coisas através das quais se obtém algum ganho, nenhuma existe que seja melhor do que a agricultura, nenhuma mais fecunda, mais doce, mais digna do homem, mais digna de um ser livre."

CÍCERO. Dos deveres, I, 42, 150-151. In: PEREIRA, Maria Helena da Rocha. *Romana*: antologia da cultura latina. Coimbra: Universidade de Coimbra/Instituto de Estudos Clássicos, 1994. p. 58.

DOC. 4 O Coliseu, uma das construções mais famosas do Império Romano, também era conhecido como Anfiteatro Flaviano. Roma, Itália, 2007.

A vida cotidiana

A família moderna é considerada uma **família nuclear**, pois se constitui de um núcleo formado por pai, mãe e filhos. Em alguns casos, apenas os filhos e o pai ou a mãe. A família nuclear pode ser ampliada com a inclusão de sobrinhos, primos e tios ou de netos e avós. Já em Roma, a família era considerada uma **família extensa**, pois, além dos pais e dos filhos, incluía também os escravos, os agregados, os animais e todos os bens da casa. Englobava, enfim, tudo o que estava sob o controle do pai de família **[doc. 6]**.

Outra diferença diz respeito ao casamento. Normalmente, os casamentos modernos são feitos por amor e com o consentimento dos noivos. Para os romanos das camadas mais altas, ao contrário, o casamento era uma aliança entre famílias, que lhes permitia aumentar seu patrimônio e sua influência na sociedade. Já para as camadas mais pobres de Roma, o casamento não tinha essa função. Como não tinham bens nem dinheiro para deixar de herança, os cidadãos pobres normalmente faziam casamentos informais, não reconhecidos pela lei.

Roma era uma **sociedade patriarcal**: toda a autoridade era exercida pelo pai de família. No casamento, o homem tinha muito mais liberdade do que a mulher, podendo ter amantes sem ser malvisto nem acusado de adultério. Assim, frequentemente a sociedade romana é condenada como um mundo de luxúria e de liberdade sexual. Alguns pensadores da época, contudo, sustentavam uma moralidade bastante austera. A indolência, a luxúria e a ostentação eram vistas como raízes de todos os males que podiam acometer a sociedade. Contra esses vícios, defendia-se uma vida simples, dedicada ao trabalho árduo e não aos luxos e aos prazeres, como dizia o político e grande orador Catão (234-149 a.C.):

"A vida humana é quase como o ferro: se se exercitar, gasta-se; se não se exercitar, a ferrugem aniquila-a. Assim vemos os homens desgastarem-se na sua atividade, mas, se não tiverem atividade nenhuma, a inércia e a torpeza causam mais prejuízos do que o exercício."

CATÃO. O valor do trabalho. In: PEREIRA, Maria Helena da Rocha. *Romana*: antologia da cultura latina. Coimbra: Universidade de Coimbra/Instituto de Estudos Clássico, 1994. p. 12.

QUESTÕES

1. Analise o quadro das divisões sociais em Roma. Qual era o critério para ser um cidadão romano [doc. 1]?
2. Relacione o discurso de Sêneca com o pensamento estoico [doc. 3].
3. Justifique a exaltação do trabalho agrícola realizada por Cícero [doc. 5].
4. Quais as características da família romana? Há alguma semelhança com nosso conceito de família atualmente?

DOC. 6 À esquerda, *O padeiro e sua mulher*, século I. Museu Arqueológico Nacional, Nápoles. Nessa pintura, a mulher segura uma tabuinha para escrever e uma pena, enquanto o homem segura um manuscrito. Na sociedade romana, a cultura letrada era um fator de distinção. À direita, *Criada penteando mulher romana*, c. 50 a.C. Vila dos Mistérios, Pompeia. Os dois afrescos foram encontrados em Pompeia, Itália, durante as escavações arqueológicas nas ruínas da cidade, destruída pelo Vesúvio.

CONTROVÉRSIAS A política do "pão e circo"

Tornou-se comum, nos estudos da Antiguidade romana, nos depararmos com a expressão "pão e circo" para qualificar a situação da plebe e de sua relação com o Estado. Essa caracterização remonta ao escritor Juvenal, que viveu no século II. Em suas palavras, os cidadãos de Roma "antes conferiam comandos militares, *fasces*, legiões e tudo o mais, mas agora se contêm e anseiam apenas por duas coisas: pão e circo" (*Sátiras*, 10, 78-81).

Os textos a seguir mostram duas visões distintas sobre a plebe de Roma durante o Império. Leia e compare os dois textos para responder às questões propostas.

Texto 1

"A votação das leis e as eleições dos magistrados nos comícios foram reduzidas a uma vã formalidade e, por causa disso, a vida social e política, até então ativa, das massas populares romanas não tardou a cair em letargia. E para melhor o sufocar, corrompia-se deliberadamente o povo com todas as espécies de liberalidades, criando nele a necessidade única 'de pão e circo'. O número de rações de trigo foi de novo elevado a 300 mil, à razão de cinco módios por cabeça. [...] É muito natural que, nessas condições, a multidão romana passasse a preferir as esmolas e os espetáculos, à expressão duvidosa de sua vontade soberana nos comícios."

DIACOV, V.; COVALEV, S. *História de Roma*. São Paulo: Fulgor, 1965. p. 853-854.

Texto 2

"O trigo público distribuído pelo governo não era suficiente para o sustento de uma família. Além disso, a maioria dos habitantes da cidade de Roma não tinha direito a essas distribuições e devia comprar comida no mercado. É, portanto, um erro pensar que a plebe urbana vivia sustentada pelo pão grátis que lhe era dado. [...] Na verdade, sob o Império a plebe urbana se beneficiou com as melhorias introduzidas na cidade: melhor abastecimento de água, mais proteção contra incêndios, espetáculos cada vez mais suntuosos, mais gastos em construções públicas. Para a sua própria segurança, os imperadores deviam manter contente o povo da cidade, pois este se encontrava perigosamente próximo."

CORASSIN, Maria Luiza. *Sociedade e política na Roma antiga*. São Paulo: Atual, 2001. p. 92.

- ***Fasces.*** Símbolo de origem etrusca usado pelo Império Romano como indicação de poder e autoridade.
- **Letargia.** Incapacidade de reagir, inércia, desinteresse.
- **Módio.** Medida de capacidade correspondente a aproximadamente 9 litros.

QUESTÕES

1. Qual a posição de cada um dos textos em relação à política do "pão e circo"? Que argumentos eles apresentam?
2. É possível relacionar a cena do filme *Gladiador* com uma das posições apresentadas? Qual?

As lutas realizadas nas arenas romanas atraíam uma grande quantidade de público. Cena do filme *Gladiador*, de Ridley Scott. Estados Unidos, 2000.

AMPLIANDO CONHECIMENTOS

Pompeia e o Vesúvio

Em 62 d.C., um terremoto destruiu parcialmente Pompeia. A cidade ainda se recuperava quando no dia 24 de agosto de 79 a erupção do vulcão Vesúvio cobriu-a com uma espessa camada de cinzas e materiais vulcânicos, sepultando seus moradores e suas construções.

Fonte: CARPICECI, Alberto Carlo, *Pompei com'era 2000 anni fa*. Florença: Bonechi, 1977; LAURANCE, Ray. *Roman Pompeii:* space and society. Nova York/Londres: Routledge, 1996; WALLACE-HADRILL, Andrew. *Pompeii:* portents of disaster. BBC. Disponível em www.bbc.co.uk. Acesso em 5 nov. 2009.

» QUESTÕES

1. De que maneira a erupção do Vesúvio contribuiu para a preservação de Pompeia?
2. Qual a importância de Pompeia para o estudo das cidades romanas? Discorra sobre o papel da arqueologia nesse caso.

A redescoberta

No século XVIII, equipes de arqueólogos redescobriram Pompeia. O trabalho de pesquisa prosseguiu no século seguinte e continua até hoje.

As escavações revelaram objetos e construções em bom estado de conservação.

A decomposição dos corpos deixou espaços vazios entre as rochas, que, ao serem preenchidos com gesso, criaram perfeitos moldes das vítimas da erupção.

Século XIX

Nos dias de hoje

O Vesúvio é um vulcão ativo. Vulcanologistas monitoram as mudanças nos níveis de atividades sísmicas com o objetivo de prever novas erupções.

Corpos preservados de vítimas da erupção do vulcão Vesúvio, em Pompeia, no ano 79 d.C.

Estudos arqueológicos continuam a desvendar detalhes importantes do cotidiano de uma cidade romana do século I da era cristã.

Século XXI

Representação de como pode ter sido o impacto da erupção do Vesúvio sobre a cidade de Pompeia. Cores-fantasia, sem escala.

Seção 6.5

O declínio do Império Romano

Objetivos

- Explicar os acontecimentos que levaram à crise do Império Romano.
- Entender o contexto de surgimento do cristianismo e as características dessa religião.
- Entender as transformações sociais ocorridas na sociedade romana durante a Antiguidade Tardia.

Termos e conceitos

- Crise
- Cristianismo
- Império Bizantino

Anarquia militar, invasões e guerra civil

A partir do século III, o Império Romano atravessou uma grave **crise**, que ameaçava destruir a sua unidade política e fragmentar o território. O exército deixou de representar os cidadãos em armas para tornar-se um corpo de soldados profissionais ligados a seus comandantes. As novas tropas saqueavam as cidades, enquanto seus comandantes tramavam usurpar o trono. Entre os anos 235 e 285, houve uma série de motins militares e guerras civis.

O exército deixou de proteger as fronteiras, tribos germânicas invadiram o território romano e os ataques do renascente Império Persa ameaçavam Roma **[doc. 1]**. Os imperadores aumentavam impostos e confiscavam produtos e bens dos cidadãos livres e dos pobres agricultores. Mesmo assim, as invasões e as guerras civis acabaram por provocar uma séria crise econômica: cidades destruídas, rotas comerciais interrompidas, inflação crescente, doenças, fome.

O declínio da escravidão

O agravamento da crise econômica tinha relação com o fim das conquistas territoriais. No Império, o escravo era adquirido principalmente por meio das guerras de conquista. Desde a ascensão de Augusto ao poder, as guerras empreendidas pelo exército romano diminuíram quase por completo, afetando diretamente o fornecimento de escravos para as propriedades agrícolas. Os escravos tornaram-se mais caros, levando o colono, trabalhador livre preso à terra, a ser mais utilizado.

Como não havia colonos suficientes para substituir os antigos escravos utilizados nas propriedades rurais, a sua adoção não foi capaz de impedir a queda da produtividade agrícola. Além disso, não havia interesse entre os colonos em aumentar a produção, pois essa mudança não seria revertida em benefícios para eles, nem entre os grandes proprietários, pois o prestígio social era definido pela posse da terra, e não pelo acúmulo do que era produzido.

Conteúdo digital Moderna PLUS http://www.modernaplus.com.br
Mapa animado:
A queda do Império Romano Ocidental

DOC. 1 Batalha entre romanos e germânicos. Detalhe de sarcófago romano encontrado em Portonaccio, Itália, c. 180. Museu da Civilização Romana, Roma.

A reforma de Diocleciano

Na crise do século III, a aprovação do Senado deixou de ser relevante para a legitimação da política dos imperadores, que se apoiaram cada vez mais no exército para manter-se no poder. Foi o caso de Diocleciano, aclamado imperador pelos seus soldados em 284. Assim que assumiu o poder, reestruturou o Império para restaurar a integridade territorial.

A solução encontrada por Diocleciano foi dividir o Império em quatro regiões, cada uma delas administrada por um governante diferente e com uma capital diferente. Esse sistema ficou conhecido como **tetrarquia** (governo dos quatro), e seus administradores, tetrarcas **[doc. 2]**.

As reformas de Diocleciano conseguiram restaurar a unidade territorial do Império. Os bárbaros foram temporariamente repelidos para fora das fronteiras e estabeleceu-se um tratado de paz com os persas. Com a saída de Diocleciano, contudo, os tetrarcas passaram a lutar entre si pela sucessão e o Império caiu novamente na guerra civil.

Nasce a religião cristã

Na maioria dos países atuais, as instituições religiosas não possuem qualquer competência para interferir nos assuntos políticos, assim como o Estado deve garantir o direito à liberdade religiosa. O máximo que ambos podem fazer é emitir opiniões a respeito um do outro. Na Roma antiga, ao contrário, política e religião estavam unidas. Essa associação se manteve também na relação com o **cristianismo**, a partir do século IV.

Os primeiros cristãos não admitiam a natureza divina do imperador e reverenciavam Jesus de Nazaré como enviado de Deus. Jesus de Nazaré, também conhecido como Jesus Cristo, nasceu no século I, na Judeia, província do Império Romano. É considerado o fundador da doutrina cristã, e seus seguidores o reconheciam como o messias que os profetas hebreus anunciavam no Velho Testamento. Pregava a existência de um Deus único, a igualdade entre os homens e o paraíso celeste para os seus seguidores.

Constantino e o cristianismo

Foi apenas no governo de Constantino que o cristianismo se aproximou do governo romano. Constantino era filho de um dos césares de Diocleciano e disputava a sucessão imperial. Conta-se que, na véspera de uma batalha, Constantino teria visto no céu as duas letras iniciais do nome "Cristo" em grego, entrelaçadas com uma cruz junto à inscrição "com esse signo vencerás". Em seguida, teria mandado colocar o símbolo da cruz sobre os escudos de todos os soldados. Apesar da inferioridade numérica de seu exército, Constantino venceu a batalha contra seu adversário **[doc. 3]**.

No poder, Constantino publicou o **Édito de Milão** (313), decreto que estabeleceu liberdade de culto, favorecendo especialmente os cristãos. Com a aproximação entre Constantino e a religião cristã, surgiu uma nova concepção de poder em Roma. O imperador governaria Roma auxiliado por seus funcionários e pelos padres e bispos da Igreja, do mesmo modo que Deus governava o mundo cercado por seus anjos e santos. Constantino apresentava-se como um soberano inspirado por Deus e destinado a dominar a Terra.

DOC. 2 Escultura representando a tetrarquia do Império Romano, século IV d.C. Detalhe da Basílica de São Marcos, em Veneza. Os tetrarcas se dividiam em dois *Augustos*, que eram auxiliados por dois *Césares*. Após vinte anos de governo, os dois Augustos deviam passar o poder aos dois Césares, que por sua vez escolheriam outros dois colaboradores.

DOC. 3 *Batalha entre Constantino e Mascêncio sobre a ponte Mílvia*, pintura de Pieter Lastmann, 1613. Galeria Bremen.

"Vós sois bispos, e vossa jurisdição se encontra no seio da Igreja. Eu também sou bispo, ordenado por Deus para zelar por aqueles que se encontram fora da Igreja."

CONSTANTINO. In: *Atlas de história mundial.* Rio de Janeiro: Reader's Digest Brasil, 2001. p. 92.

Outra decisão importante de Constantino foi transferir a capital do Império para a cidade de Bizâncio, no Mar Negro. Bizâncio encontrava-se no cruzamento entre a Europa e a Ásia, de onde seria possível controlar melhor as fronteiras, principalmente contra os invasores vindos do leste. A cidade de Bizâncio foi rebatizada de Constantinopla **[doc. 4]**.

DOC. 4 **A refundação de Roma**

"Esta refundação efetua-se sob o signo do cristianismo. Trata-se menos de uma conversão de Constantino do que da vontade de reunificação do Império sob um único dogma, cujo monoteísmo é bastante conveniente à concepção de poder absoluto que o imperador encarna. Constantinopla é, portanto, ao mesmo tempo a cidade epônima de Constantino, o berço da dinastia que ele fundou e a sede de sua nova religião."

YÉRASIMOS, Stéphane. *Constantinople, la nouvelle Rome.* (tradução nossa). Disponível em www.histoire.presse.fr. Acesso em 26 ago. 2009.

A difusão do cristianismo

Inicialmente, o cristianismo era a religião de uma minoria e sofria considerável preconceito da sociedade romana. Calcula-se que, na época de Constantino, entre cinco e dez por cento da população do Império fosse composta de cristãos. Foi somente com o Édito de Milão e a conversão do imperador e de parte da elite romana que o cristianismo se expandiu em Roma. Desde então, contingentes crescentes de todas as camadas da população se converteram à nova religião **[doc. 5]**.

O que mais atraía as pessoas ao cristianismo era a proteção social oferecida pela Igreja. Parte da riqueza doada pelos cristãos ricos era destinada à alimentação e ao enterro dos pobres (mesmo os não cristãos), ao amparo de órfãos e viúvas, à assistência aos condenados à prisão e aos trabalhos forçados nas minas romanas, e até mesmo ao auxílio de escravos envelhecidos e marinheiros naufragados. Muitos desses serviços sociais eram feitos pelas mulheres, que contribuíram bastante para a difusão da nova religião **[doc. 6]**.

Na sociedade romana, nunca houve nenhum desses "serviços sociais". Os únicos benefícios que os cidadãos pobres podiam esperar do Estado era a entrada gratuita nos espetáculos e a distribuição periódica de trigo e pão. Oferecendo aqueles serviços à população, a Igreja acabava funcionando como um Estado paralelo, com suas próprias leis, normas e hierarquias. Além disso, era católica (universal), aceitando a conversão de pessoas de todas as etnias e camadas sociais e de todos os cantos do Império.

DOC. 5 **A expansão do cristianismo**

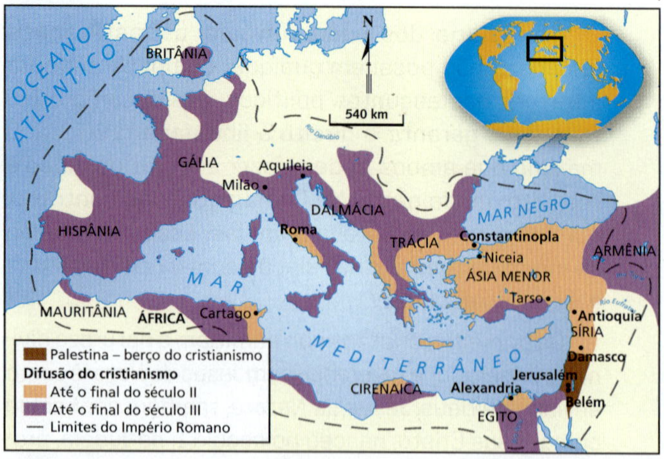

Fonte: DUBY, Georges. *Atlas historique mondial.* Paris: Larousse, 2003. p. 30.

O cristianismo torna-se a religião oficial

Teodósio assumiu o Império em 379 e no ano seguinte transformou o cristianismo na religião oficial de Roma. Ao mesmo tempo instituiu uma política de perseguição aos pagãos, da mesma forma como acontecera antes com os cristãos. Visitar templos pagãos, adorar as estátuas dos deuses e celebrar sacrifícios tornaram-se crimes sujeitos a pena de morte. Os não cristãos foram impedidos de exercer cargos públicos e também de ensinar. Os Jogos Olímpicos, assim como os espetáculos de gladiadores e o teatro, foram proibidos por serem considerados imorais. Essa política visava erradicar completamente o politeísmo e impor à força a conversão ao cristianismo.

DOC. 6 **O papel das mulheres**

"O cristianismo oferecia sólidas vantagens para as mulheres. Tratava-as como iguais aos olhos de Deus. Instruía os maridos no sentido de tratar suas esposas com a mesma consideração mostrada por Cristo para com sua 'noiva', a Igreja. E oferecia-lhes a proteção da doutrina incomumente definida de Jesus acerca da santidade do matrimônio. As mulheres convertidas deram início à penetração cristã em classes superiores e, depois, criaram seus filhos como cristãos; por vezes, lograram converter seus maridos."

JOHNSON, Paul. *História do cristianismo.* Rio de Janeiro: Imago, 2001. p. 93.

Lamentação sobre o Cristo morto com santos, pintura de Sandro Botticelli, c. 1490. Antiga Pinacoteca, Munique.

Conteúdo digital Moderna PLUS http://www.modernaplus.com.br
Mapa animado: O Império Romano e o mundo judaico-cristão

A perda da unidade territorial

Após a morte de Teodósio, em 395, o **Império** foi dividido em dois: **Império Romano do Ocidente**, com capital em Milão (Ravena, a partir de 402), e **Império Romano do Oriente**, com capital em Constantinopla **[doc. 7]**. Em seguida, iniciou-se uma nova onda de invasões bárbaras, que devastaram as províncias romanas e conduziram a parte ocidental do Império ao colapso. Em 476, o rei ostrogodo Odoacro depôs Rômulo Augústulo, o último imperador do Império do Ocidente.

A fragmentação do Império Romano foi acompanhada de várias transformações políticas, econômicas e sociais.

- **Exploração do Estado sobre os cidadãos.** No século V, na tentativa de repelir os bárbaros e conservar as fronteiras romanas, os gastos com o exército romano aumentaram muito. Para garantir a defesa, o Estado determinava a cobrança de impostos cada vez mais pesados e impunha obrigações aos cidadãos, como conservar estradas e pontes **[doc. 8]**.
- **Epidemia de peste.** Uma epidemia de peste devastou o Império Romano do Oriente entre 541 e 542. De acordo com os historiadores da época, a peste teria vindo da Etiópia, penetrado no Egito e se instalado em Constantinopla, favorecida pelas trocas comerciais nessa região. A peste atingiu cerca de 40% da população da cidade.
- **Imigração em massa.** O alastramento da peste provocou uma expressiva redução populacional. Muitas pessoas abandonaram suas terras para migrar para outras regiões, tentando fugir da peste e das invasões.
- **O declínio comercial e o abandono das cidades.** A insegurança geral, a escassez de moeda e a deterioração da rede de estradas provocaram a retração do comércio à longa distância. O abastecimento das cidades entrou em colapso, a população abandonou os centros urbanos e se refugiou no interior rural, sob a proteção dos grandes proprietários de terra.

As mudanças ocorridas no mundo romano anunciavam a formação de uma nova sociedade na Europa Ocidental. Ela expressava a síntese de elementos da cultura germânica com a romana. A conversão de alguns chefes bárbaros ao cristianismo e os casamentos entre membros da aristocracia germânica e da romana foram alguns dos fatores que contribuíram para essa síntese cultural.

DOC. 8 **Crise e imigração**

Leia o testemunho do escritor Salviano, em 440, da crise que assolava o Império na sua fase final.

"Os pobres são despojados, as viúvas gemem, os órfãos são esmagados, a tal ponto que muitos dentre eles, incluídas gentes de bom nascimento que tinham recebido uma educação superior, refugiam-se entre inimigos. [...] Emigram, pois, até os godos ou até os burgúndios ou até outros bárbaros que dominam por toda parte. E não têm motivo para se arrepender deste desterro. Porque preferem viver livres sob a aparência de escravidão a serem escravos sob a aparência de liberdade."

SALVIANO. De Gubernatione Dei. V, 5. In: PEDRERO-SÁNCHEZ, Maria Guadalupe. *História da Idade Média*. Textos e testemunhas. São Paulo: Editora Unesp, 2000. p. 44.

DOC. 7 **A divisão do Império Romano (395)**

Fonte: DUBY, Georges. *Atlas historique*. Paris: Larousse, 1987. p. 34.

O governo de Justiniano

Ao mesmo tempo que o Império Romano do Ocidente se estilhaçava, o Império Romano do Oriente, também conhecido como **Império Bizantino**, vivia um período de esplendor no governo de Justiniano I (527-565), considerado o último grande imperador romano. Ao assumir o trono, toda a Bacia Mediterrânea oriental continuou sob seu controle, incluindo a Grécia, a Anatólia, a Síria, a Palestina e o Egito.

O imperador empreendeu uma série de campanhas militares para reconquistar a Europa Ocidental, aproveitando-se da desorganização e das disputas territoriais entre as tribos bárbaras. Atacou o Reino dos Vândalos no norte da África e conseguiu retomar Cartago em 533 **[doc. 9]**. Após algumas vitórias, Justiniano foi obrigado a retornar para Constantinopla. A epidemia de peste bubônica de 541-542 e a ameaça de ataques de inimigos vindos do leste impediram a continuidade do movimento das tropas.

Justiniano promoveu uma grande reforma jurídica. Reuniu os principais juristas do Império e aproveitou toda a tradição jurídica romana para instituir o código que ficou conhecido como **Código de Justiniano** (em latim, *Corpus Juris Civilis Romani*, "Corpo de Direito Civil Romano"). Outra realização de Justiniano foi a construção de uma enorme catedral para servir de sede de toda a cristandade: a Catedral de Santa Sofia, em Constantinopla **[doc. 10]**.

DOC. 9 **O Império Bizantino sob o governo de Justiniano**

Fonte: DUBY, Georges. *Atlas historique*. Paris: Larousse, 1987. p. 38-39.

As circunstâncias eram desfavoráveis e Justiniano não conseguiu manter por muito tempo suas conquistas. Em 568, os lombardos invadiram a Itália, e o Império Romano do Oriente só conseguiu manter o controle sobre o sul da península e as cidades de Veneza e Ravena. Algumas décadas depois, perderiam o controle do Egito, da Síria e da Palestina para as tribos árabes convertidas à religião islâmica.

QUESTÕES

1. Que fatores políticos e econômicos desencadearam a crise romana do século III?
2. Que fatores favoreceram a difusão do cristianismo na sociedade romana **[docs. 5 e 6]**?
3. Comente a seguinte frase do texto relacionando-a com a crise romana dos séculos V e VI: "Porque preferem viver livres sob a aparência de escravidão a serem escravos sob a aparência de liberdade" **[doc. 8]**.

DOC. 10 Vista da Catedral de Santa Sofia, em Istambul, Turquia, 2006. Com a tomada de Constantinopla pelos turcos, em 1453, a Catedral de Santa Sofia foi transformada numa mesquita islâmica. Os turcos acrescentaram quatro minaretes e mandaram cobrir com cal todos os mosaicos internos. No século XX, a mesquita foi transformada em museu.

Conteúdo digital Moderna PLUS http://www.modernaplus.com.br
Mapa animado: Império Bizantino – conquistas de Justiniano

Retomar conteúdos

1 Caracterize os grupos sociais em Roma, na República e no Império, quanto ao direito de cidadania e poder político.

2 Inicialmente, a história do cristianismo foi marcada por períodos de perseguição por parte do governo de Roma. Mesmo assim, o número de seguidores cresceu no decorrer de todo o Império. Explique qual foi a principal motivação para a adesão à nova religião.

3 Após a queda de Roma, os debates sobre as razões desse fato dividiram pagãos e cristãos. Para os pagãos, o motivo teria sido o abandono da religião tradicional romana e a conversão em massa ao cristianismo. Para os cristãos, a queda de Roma teria sido causada pela decadência moral romana, pelos pecados dos homens.

a) Aponte as duas explicações dadas para a queda de Roma.

b) Com base no que você estudou neste capítulo, apresente uma razão para a crise e a queda de Roma em cada um destes aspectos: militar, político, social e econômico.

Ler textos e imagens

4 Leia os textos abaixo e faça o que se pede.

Texto 1

"A vida romana, apesar de todas as suas pretensões de paz, tinha por centro, cada vez mais, os rituais de extermínio. Na procura de sensações suficientemente agudas para encobrir momentaneamente a vacuidade e insignificância de sua existência parasitária, os romanos aderiram à prática de promover corridas de carros, espetaculares batalhas navais travadas num lago artificial, pantomimas teatrais nas quais o *strip-tease* e os atos sexuais mais mesquinhos eram desempenhados em público. [...]"

MUMFORD, Lewis. *A cidade na história*: suas origens, transformações e perspectivas. São Paulo: Martins Fontes, 1982. p. 253.

Texto 2

"Quando se fala em Roma, a imagem que vem à mente de muitas pessoas é a de Nero tocando lira, contemplando a cidade em chamas: filmes, livros e romances mostram imperadores tirânicos e sanguinários, homens e mulheres devassos. À imagem da imoralidade pagã acrescentam as dos mártires atirados às feras no Coliseu, para divertir uma plebe ociosa. [...] Mas o Império Romano caracterizou-se principalmente como um mundo de fronteiras amplas, um Estado supranacional, com uma notável variedade geográfica, cultural, linguística e religiosa. [...] Quando se fala do Império Romano, a maioria das pessoas pensa logo no seu declínio, esquecendo-se de que Roma foi a grande potência mundial durante pelo menos sete séculos. Que outro império pode se comparar a ele? [...] Na verdade, o Império Romano durou séculos, marcados por longos períodos de prosperidade e paz."

CORASSIN, Maria Luiza. *Sociedade e política na Roma antiga*. São Paulo: Atual, 2001. p. 5-6.

a) Sintetize as duas visões sobre a sociedade romana expostas nos textos.

b) Produza um texto sobre o Império Romano, argumentando a favor de uma das duas interpretações.

5 Os quadrinhos abaixo foram tirados de *Asterix*, uma coleção de histórias ficcionais que têm como centro a luta de uma aldeia gaulesa contra as ambições de conquista do governante Júlio César.

GOSCINNY, René; UDERZO, Albert. *Asterix e a volta às aulas*. Rio de Janeiro/ São Paulo: Record, 2007. p. 15.

a) Em qual contexto histórico se insere a narrativa desses quadrinhos?

b) Que efeito gerado pelas conquistas é mostrado no último quadrinho?

c) É possível identificar a origem dos prisioneiros representados nos quadrinhos? Qual seria?

d) Quais fatos desses quadrinhos têm sustentação histórica? Quais são frutos da imaginação dos artistas?

Debater/pesquisar

6 A luta pela reforma agrária na República Romana é um dos mais antigos movimentos sociais registrados na história.

a) Debata com seus colegas por que a reforma agrária foi duramente combatida em Roma.

b) Em grupo, pesquisem em jornais, revistas e na internet dados sobre o movimento pela reforma agrária no Brasil.

c) Apresentem para a classe o resultado do trabalho.

A escultura grega

Imitação e inovação

As primeiras estátuas gregas de grandes proporções começaram a ser esculpidas no século VIII a.C. Elas representam jovens (*kouroi*, em grego; singular, *kouros*) nus, em pé, numa posição intermediária entre o repouso e a caminhada, com uma perna ligeiramente à frente da outra, os braços estendidos ao longo do corpo e os punhos cerrados ao lado dos quadris. Sob a influência da arte egípcia, os jovens eram representados numa posição ereta **[doc. 1]**.

Os gregos, entretanto, introduziram algumas inovações ao modelo oriental. No **doc. 2**, vemos um dos exemplos mais antigos de estátuas de *kouroi*. Ao contrário do que acontecia com as obras egípcias, a figura do *kouros* grego é totalmente (ou quase totalmente) destacada do bloco de mármore, abrindo-se espaços entre as duas pernas e entre o tronco e os braços.

A mudança introduzida pelos gregos cria a sensação de que estamos diante de uma estrutura capaz de se apoiar apenas sobre os próprios pés. Além disso, os gregos acentuaram a simetria natural do corpo humano, transformando-a num motivo decorativo da escultura. Por exemplo, no centro do corpo, o "V" voltado para baixo, formado pelo contorno da virilha, é compensado pelo "V" voltado para cima, formado pelo desenho das costelas. Ao dividirmos a escultura de cima a baixo em duas partes, as características de uma corresponderão exatamente às da outra.

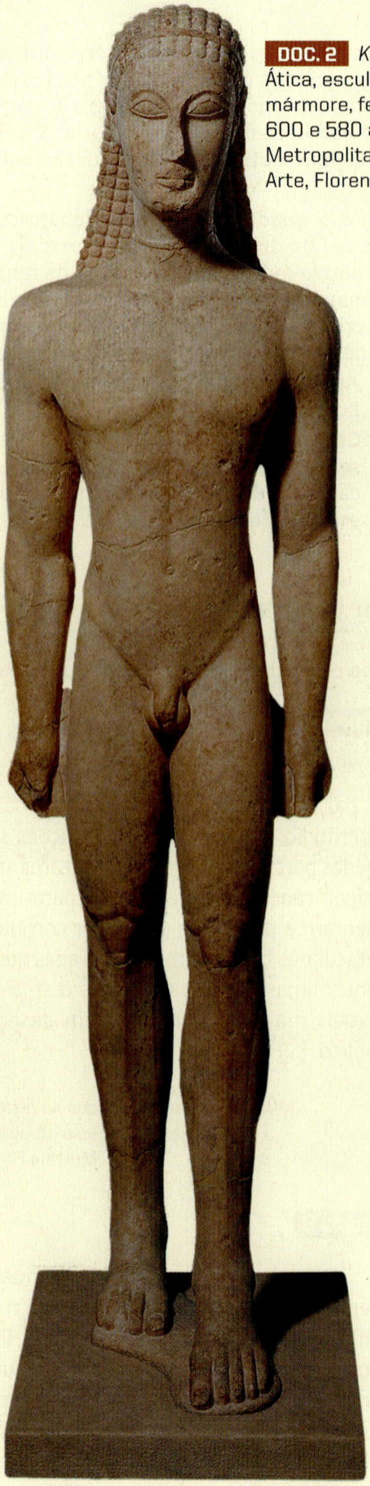

DOC. 2 *Kouros* da Ática, escultura em mármore, feita entre 600 e 580 a.C. Museu Metropolitano de Arte, Florença.

DOC. 1 Faraó Tutmés III, escultura de 1490-1436 a.C. (XVIII dinastia). Museu de Arte do Egito Antigo, Luxor. O faraó Tutmés III notabilizou-se por sua atividade militar e construtora de importantes templos.

Aproximação do real

O *kouros* de Anavyssos, mostrado no **doc. 3**, mantém a mesma pose, porém apresenta algumas mudanças em relação à escultura do **doc. 2**. O desejo de tornar as esculturas mais próximas dos homens reais fez com que os gregos buscassem um maior naturalismo. As formas do corpo aparecem mais arredondadas e as linhas retas são amenizadas, o que cria um efeito muito semelhante ao da suavidade da carne humana. O rosto ganha volume nas bochechas e ao redor da boca. O detalhamento dos globos oculares, que eram originalmente pintados e de cuja tinta ainda há resquícios, e do sorriso, conhecido como *sorriso arcaico*, comum em inúmeras esculturas do período, tornaram a expressão mais vivaz.

A representação da figura feminina

Na cultura grega, enquanto a figura do homem é exaltada, as mulheres tinham uma posição de subordinação e ficavam sob a guarda legal do pai, do marido ou de algum parente do sexo masculino. O papel da mulher era bastante restrito, centrado nas atividades domésticas e na administração do lar. As esculturas, ao representarem a mulher, também traduziam os valores culturais gregos. No século VI a.C., o decoro nas normas de representação não permitia que as figuras femininas fossem retratadas despidas. A nudez era um recurso utilizado apenas para explorar a forma do corpo masculino, sinônimo de beleza, força, habilidade e perfeição. Assim, quando queriam retratar mulheres ou deusas, os gregos desse período as esculpiam vestidas.

A figura do **doc. 4** mostra a estátua de uma *kore* (jovem do sexo feminino; plural, *korai*), vestindo um *chiton*, traje semelhante a uma túnica amarrada na cintura, e um *peplos*, espécie de capa curta vestida sobre o *chiton* na parte superior do corpo. Pouca atenção é dada ao corpo escondido sob a roupa, cuja forma se assemelha à de uma sólida coluna, a não ser pelos pequenos volumes dos seios sugeridos acima da cintura. A figura mantém uma pose rígida, similar à dos *kouroi*, e o rosto, apesar de gracioso, também é marcado pelo sorriso convencional.

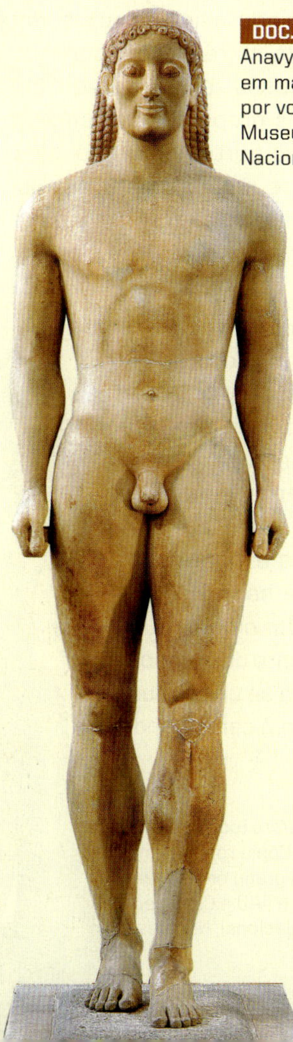

DOC. 3 *Kouros* de Anavyssos, escultura em mármore, feita por volta de 540 a.C. Museu Arqueológico Nacional, Atenas.

DOC. 4 *Kore de peplo*, escultura em mármore, c. 530 a.C. Museu da Acrópole, Atenas. O *peplo* era uma capa que cobria as túnicas usadas pelas mulheres do período arcaico.

DOC. 5 *Guerreiro de Riace*, escultura em bronze, feita entre 460 e 450 a.C. Museu Nacional da Magna Grécia, Reggio Calabria.

O naturalismo da escultura clássica

A pose convencional dos *kouroi* era uma posição mista entre o repouso e o caminhar, ideal para representar a possibilidade de movimento do corpo humano. Entretanto, a partir do século V a.C., os escultores perceberam que a simetria forçada entre as partes da figura a tornava extremamente não natural.

O domínio cada vez mais consistente das técnicas de fundição do bronze em peças de grande escala permitiu aos gregos romper aos poucos a rigidez da pose e garantir mais movimento e naturalismo às esculturas. O bronze é de grande resistência e maleabilidade, principalmente se comparado ao mármore, mais frágil e passível de rompimentos e rachaduras.

Na imagem do **doc. 5**, o uso da nova técnica permitiu que os braços fossem separados do corpo. O braço esquerdo, inclusive, aparece levantado para segurar um escudo (agora perdido), e o braço direito permanece ao lado do corpo, mas de uma maneira bem mais natural. A perna esquerda colocada à frente foi ligeiramente flexionada, de forma a dar a impressão de que o peso recai sobre a perna direita, estendida mais atrás. A cabeça, também voltada para a direita, ajuda a romper de vez com a simetria forçada e imóvel da antiga pose.

A beleza clássica

Os gregos do período clássico representavam o corpo humano não como era na realidade, mas como deveria ser, de acordo com rigorosas regras de equilíbrio e perfeição. A beleza residia numa proporção matemática e equilibrada entre as partes do corpo. Eles buscavam aliar, desse modo, o naturalismo do corpo com o idealismo das formas. É essa concepção que chamamos de beleza clássica **[docs. 6 e 7]**.

Na imagem do **doc. 7**, vemos uma cópia romana em mármore do *Doríforo*, de Policleto, obra grega feita originalmente em bronze. Em relação ao **doc. 5**, há mudanças sutis, mas significativas. A perna esquerda foi agora relaxada e colocada para trás, como se a figura estivesse no meio de um passo, e há uma suave inclinação na linha dos ombros que acompanha o movimento dos braços. Isso é o bastante para se criar a ilusão completa de um homem caminhando.

DOC. 6 *Discóbulo*, cópia romana em mármore do original grego em bronze de Míron, feito por volta de 450 a.C. Museu do Vaticano. Note a ilusão de movimento criada para representar o momento em que o atleta se prepara para lançar o disco.

DOC. 7 *Doríforo* (portador de lança), de Policleto. Cópia romana em mármore do original grego em bronze feito entre 450 e 440 a.C. Museu Arqueológico Nacional, Nápoles.

O diálogo entre a arte contemporânea e o passado grego

No século XX, o colombiano Fernando Botero fez uma releitura da arte grega para estabelecer um diálogo entre a tradição clássica e a estética moderna. Para realizar esse trabalho, segundo ele, foi importante ausentar-se da Colômbia para estudar no exterior, experiência que lhe permitiu entender melhor a cultura do seu próprio país.

Dialogando com as vanguardas novaiorquinas, os modernistas mexicanos, o Renascimento europeu e o Barroco do Novo Mundo, Botero criou um estilo artístico que se destaca pelas formas arredondadas e corpulentas, pelo exagero e o excesso dos personagens retratados.

Segundo Botero, ao utilizar essa perspectiva, ele transforma a realidade em arte. Sobre seus trabalhos apresentados em exposições dos museus, diz: "Estes temas são importantes para mim à medida que se tornam populares e mais ou menos pertencentes a todos. Só então posso fazer algo diferente com elas. Por vezes desejo apenas compreender uma pintura de forma mais profunda e completa, a sua técnica e o espírito que a conduz".

DOC. 8 *Homem caminhante*, de Fernando Botero, escultura em bronze de 1998. Praça do Município, Pietrasanta, Itália.

DOC. 9 *Soldado romano*, de Fernando Botero, escultura em bronze de 1985.

O monumental *Homem caminhante* **[doc. 8]**, exposto permanentemente a céu aberto em Medelín, Colômbia, pode não despertar surpresa ao observador comum. Entretanto, Fernando Botero deu um importante passo na história da arte ao dialogar com uma antiga tradição. O *Homem caminhante* revisita os primórdios da escultura grega antiga ao se apropriar da mesma pose dos *kouroi*.

As duas obras de Fernando Botero expostas aqui **[docs. 8 e 9]** rompem com o ideal de beleza clássica. O artista emprega poses que lembram as antigas esculturas gregas. Porém, deforma os corpos de suas figuras, a ponto de transformá-las numa massa plástica de formas abundantes. Botero está interessado em explorar as possibilidades de volume e monumentalidade oferecidas pela escultura, e não em representar a beleza de um corpo humano idealizado e perfeito.

QUESTÕES

1. Descreva as esculturas dos **docs.** 1 e 2, destacando as semelhanças e as diferenças.
2. Responda às questões sobre as antigas esculturas gregas.
   a) Qual foi a influência inicial da arte egípcia nas antigas esculturas gregas?
   b) Por que o uso do bronze trouxe avanços na produção das esculturas? Que avanços foram esses?
3. Descreva as esculturas dos **docs.** 5 e 7 e aponte as diferenças dessas esculturas com as esculturas dos **docs.** 3 e 4.
4. Compare as esculturas dos **docs.** 8 e 9 com a escultura grega clássica.

UNIDADE B A Antiguidade clássica: Grécia e Roma

1 **(UFPR)** "Xerxes não enviou arautos a Atenas e a Esparta para exigir a submissão dessas cidades. Dario os tinha enviado anteriormente com esse fim, mas os atenienses os haviam lançado no Báratro, enquanto os lacedemônios atiraram-nos num poço, dizendo-lhes que dali tirassem terra e água para levarem ao rei. Espértias e Bulis, ambos espartanos de alta linhagem, ofereceram-se para sofrer o castigo que Xerxes, filho de Dario, quisesse impor-lhes pela morte dos arautos enviados a Esparta. [...] Partindo para Susa, foram ter à casa de Hidames, persa de nascimento e governador da costa marítima da Ásia. [...] Depois de convidá-los a participar da sua mesa, assim lhes falou: 'Lacedemônios, por que recusais de tal forma a amizade que o nosso soberano vos oferece? Podeis ver, pela situação privilegiada que desfruto, que ele sabe premiar o mérito; e como tem em alta conta vossa coragem, estou certo que daria também, a cada um de vós, um governo na Grécia, se quisésseis reconhecê-lo como soberano'. 'Senhor – responderam os jovens – sabeis ser escravo, mas nunca experimentastes da liberdade, ignorando, por conseguinte, as suas doçuras. Se já a tivésseis algum dia conhecido, estimular-nos-íeis a lutar por ela, não somente com lanças, mas até com machados'."

HERÓDOTO. *História*. São Paulo: Tecnoprint, s/d. p. 340-341.

Com base no texto de Heródoto e nos conhecimentos sobre o conflito entre gregos e persas na Antiguidade, considere as afirmativas a seguir:

1. A narrativa de Heródoto concebe o tempo como cíclico, uma vez que, para ele, o conhecimento da história permite a correção dos erros do passado.
2. Em seu texto, Heródoto atribui às Guerras Greco-Pérsicas o significado de um conflito entre homens livres e escravos.
3. Heródoto demonstra, por meio da sua narrativa, que a inviolabilidade dos arautos, fundada no direito das gentes, era um costume político compartilhado por gregos e persas.
4. As atitudes dos atenienses e espartanos, narradas no texto de Heródoto, revelam por que os persas chamavam os gregos de "os bárbaros da Antiguidade clássica".

Registre, em seu caderno, a alternativa correta.

a) Somente as afirmativas 1 e 2 são verdadeiras.
b) Somente as afirmativas 1 e 4 são verdadeiras.
c) Somente as afirmativas 2 e 3 são verdadeiras.
d) Somente as afirmativas 1, 3 e 4 são verdadeiras.
e) Somente as afirmativas 2, 3 e 4 são verdadeiras.

2 **(Unicamp-SP)** Nada é mais presente na vida cotidiana da coletividade do que a oratória, que partilha com o teatro a característica de ser a manifestação cultural mais popular e mais praticada na Atenas clássica. A civilização da Atenas clássica é uma civilização do debate. As reações atenienses na Assembleia eram influenciadas por sua experiência como público do teatro e vice-versa. Trata-se de uma civilização substancialmente oral. O grego era educado para escutar. O caminho de Sócrates e Aristóteles ilustra perfeitamente o percurso da cultura grega da oralidade à civilização da escrita, que corresponde, no plano político e social, à passagem da cidade-Estado ao ecumenismo helenístico.

Adaptado de: Agostino Masaracchia. La prosa greca del V e del IV secolo a.C. In: Giovanni D'Anna (Org.). *Storia della letteratura greca*. Roma: Tascabile Economici Newton, 1995. p. 52-54.

a) Estabeleça relações entre o modelo político vigente na Atenas clássica e a importância assumida pelo teatro e pela oratória nesse período.
b) Aponte características do período helenístico que o diferenciam da Atenas clássica.

3 **(Fuvest-SP)** "Alexandre desembarca lá onde foi fundada a atual cidade de Alexandria. Pareceu-lhe que o lugar era muito bonito para fundar uma cidade e que ela iria prosperar. A vontade de colocar mãos à obra fez com que ele próprio traçasse o plano da cidade, o local da Ágora, dos santuários da deusa egípcia Ísis, dos deuses gregos e do muro externo."

Flávio Arriano. Anabasis Alexandri (séc. I d.C.).

Desse trecho de Arriano, sobre a fundação de Alexandria, é possível depreender

a) o significado do helenismo, caracterizado pela fusão da cultura grega com a egípcia e as do Oriente Médio.
b) a incorporação do processo de urbanização egípcio, para efetivar o domínio de Alexandre na região.
c) a implantação dos princípios fundamentais da democracia ateniense e do helenismo no Egito.
d) a permanência da racionalidade urbana egípcia na organização de cidades no Império Helênico.
e) o impacto da arquitetura e da religião dos egípcios, na Grécia, após as conquistas de Alexandre.

4 **(Ufam)** Nos últimos anos, a indústria hollywoodiana investiu em filmes sobre a Antiguidade clássica que se tornaram grandes sucessos. Heróis como Máximo em "Gladiador" ou Aquiles em "Troia" não deixam de representar um estímulo para um conhecimento mais aprofundado desse momento histórico. A respeito do referido período você pode afirmar que:

I. No século V a.C., os gregos consideravam a pólis como o único contexto em que o homem podia realizar as suas capacidades espirituais, morais e intelectuais, ou seja, a sua cidadania.
II. O princípio de liberdade política, fundamental à política grega e estranho à experiência política do Oriente Próximo, era vital para a conformação do ideal democrático no Ocidente.
III. A grande realização de Roma foi transcender a estreita orientação política da cidade-Estado e criar um Estado universal que unificou as diferentes sociedades do mundo mediterrâneo.
IV. Entre os resultados do imperialismo romano sobressaem o afluxo de capitais, o desenvolvimento de uma economia monetária, a concentração da propriedade fundiária e o crescimento da mão de obra servil.

Com relação a essas afirmativas, você pode concluir que:

a) Todas as proposições estão corretas;
b) Apenas as proposições II, III e IV estão corretas;
c) Apenas as proposições I, II e IV estão corretas;
d) Apenas as proposições I, II e III estão corretas;
e) Todas as proposições estão erradas.

UNIDADE B

Leituras

Contos e lendas da mitologia grega
POUZADOUX, Claude.
São Paulo: Companhia das Letras, 2001.

Nessa obra, as grandes histórias da mitologia grega são contadas e contextualizadas no ambiente cultural em que foram produzidas.

Heróis e vilões da Roma antiga
ANDREVON, Jean-Pierre.
São Paulo: Companhia das Letras, 2004.

Nessa obra, carpinteiros, soldados, gladiadores e outras figuras anônimas do passado romano são estudados como agentes transformadores da vida romana.

Jornal de Roma: o maior jornal do mundo civilizado
LANGLEY, Andrew; SOUZA, Philip de.
Minas Gerais: Dimensão, 2009.

O cotidiano em Roma é o assunto das notícias de um jornal. O assassinato de César, a venda de liteiras e outras ofertas, a moda romana, depoimento de gladiadores e algumas receitas culinárias são o conteúdo do jornal.

Os últimos dias de Pompeia
BULWER-LYTTON, E.
Rio de Janeiro: Ediouro, 2002.

O romance entre o jovem ateniense Glauco e a napolitana Ione é o pretexto para reconstruir o cotidiano da cidade romana de Pompeia antes da erupção do Vesúvio.

Asterix
GOSCINNY, René; UDERZO, Alberto.
Rio de Janeiro: Record.

Série de histórias em quadrinhos ambientadas no século I a.C, quando a Gália foi conquistada pelo romano Júlio César. Uma aldeia gaulesa, no entanto, comandada por Asterix e Obelix, resiste à conquista. Os dois gauleses contam com uma fantástica poção mágica criada pelo druida Panoramix.

Filmes

Troia
Direção de Wolfgang Petersen. Estados Unidos, 2004. 163 min.

Após o rapto da bela Helena por Páris, príncipe de Troia, seu marido, Menelau, Aquiles e outros guerreiros gregos partem para resgatá-la e entram em guerra com os troianos.

Grécia: sua história e seus mitos
The History Channel. Estados Unidos, 2008. 180 min.

O documentário aborda as discussões em torno da origem dos mitos gregos e as razões da ascensão e do declínio da pólis ateniense.

Gladiador
Direção de Ridley Scott. Estados Unidos, 2000. 155 min.

Povos germânicos tentam invadir os domínios romanos. O general Maximus vai para o campo de batalha e recebe o convite do imperador Marco Aurélio para ocupar o seu cargo. Commodus, filho do imperador, contrariado com a decisão, mata o pai e prende o general, que se torna gladiador.

Cleópatra
Direção de Franc Roddam. Estados Unidos, 1999. 177 min.

Cleópatra, rainha egípcia inteligente e ambiciosa, uniu-se aos generais romanos Júlio César e Marco Antônio para manter-se no poder e impedir a dominação romana. Ao mesmo tempo que fazia acordos em troca de apoio político, teve um relacionamento amoroso com os dois generais.

Asterix & Obelix: missão Cleópatra
Direção de Alain Chabat. França, 2003. 107 min.

Júlio César desafia Cleópatra a construir um palácio no deserto. O arquiteto da rainha Numerobis parte para a Gália em busca da ajuda do poderoso druida Panoramix e encontra Asterix e Obelix, que têm uma poção mágica capaz de ajudá-lo.

Música

Mulheres de Atenas
Chico Buarque e Augusto Boal, 1976. Canção feita para a peça *Mulheres de Atenas*, de Augusto Boal.

A composição musical é uma interpretação do cotidiano da mulher ateniense, seu papel na sociedade guerreira e patriarcal, sua posição de progenitora e perpetuadora da tradição.

Site

Grécia antiga
http://greciantiga.org

No portal, a história grega é abordada sob diferentes olhares. Há textos sobre artes, filosofia, literatura e outras áreas. O banco de dados conta com indicações sobre filmes, novos estudos, fontes gregas, miniatlas e listagem de autores da Antiguidade.

UNIDADE C

A Idade Média: Ocidente e Oriente

» Capítulos

Confronto com o estranho

Recentemente, latino-americanos, incluindo alguns brasileiros, encontraram problemas nos aeroportos da Europa e foram proibidos de entrar no continente. Órgãos europeus justificaram a intolerância pelo fato de esses turistas e imigrantes não conseguirem comprovar a finalidade da viagem ou por portarem quantia de dinheiro considerada insuficiente para a estadia.

Vale lembrar, contudo, que, por muito tempo, especialmente entre o século XV e o início do século XX, os europeus é que foram os imigrantes em quase todas as regiões do globo. A imigração de outros povos para a Europa é, portanto, um fenômeno relativamente recente na história da humanidade.

Mesmo sendo contextos muito diferentes, podemos identificar uma permanência entre o que ocorre hoje e o que ocorreu no período das Cruzadas, quando foram travadas lutas entre cristãos e muçulmanos. As duas épocas se caracterizam pela intolerância por parte de alguns grupos, tanto no Ocidente quanto no Oriente.

Duração da viagem

A viagem da Europa Central até a Terra Santa levava, em média, três anos para ser concluída.

Fontes: *Literature of the crusades*: online sources in English translation. Kennesaw State University. Disponível em http://ksuweb.kennesaw.edu/~bstevens/crusadeslit.htm. Acesso em 2 mar. 2010.

HOLMES, George (Ed.). *The Oxford illustrated history of Medieval Europe*. Oxford: Oxford University Press, 1988. p. 123.

DUBY, Georges. *Atlas historique*. L'histoire du monde en 317 cartes. Paris: Larousse, 1987. p. 56-57.

Por ter função ilustrativa, o mapa não vem acompanhado de escala e orientação.

Acontecimentos da Idade Média

Esta linha do tempo não foi organizada em escala temporal.

As imagens da linha do tempo estão identificadas ao longo dos capítulos desta unidade.

476 Queda do Império Romano do Ocidente.

498 Conversão de Clóvis ao cristianismo.

622 Hégira.

653 Compilação do *Alcorão*.

800 Coroação de Carlos Magno.

Viagem sem volta

Muitos cruzados não retornavam para casa, permanecendo no Oriente ou se fixando em cidades e vilas ao longo do caminho.

QUESTÕES

1. Você sabe quais foram os principais motivos dos conflitos entre cristãos e muçulmanos na época das Cruzadas?
2. A intolerância religiosa é apenas uma das formas de intransigência. Mas há muitas outras presentes em nosso cotidiano. Em sua opinião, quais seriam as mais comuns?
3. Como você lida com costumes que são diferentes dos seus?
4. Que informações ou ideias você tem a respeito da chamada Idade Média?

A reconquista da Terra Santa

Entre os séculos XI e XIII, as Cruzadas, expedições militares e religiosas, pretendiam retomar Jerusalém, ou Terra Santa, dos muçulmanos.

A violência do encontro

Ao conquistarem Jerusalém, na Primeira Cruzada, os cristãos não pouparam crianças, mulheres nem idosos.

843 Tratado de Verdun.

1096 Primeira Cruzada.

Século XII Islamização do Reino de Gana.

1270 Oitava e última Cruzada.

1300-1400 Peregrinação de Mansa Musa. Epidemia de peste negra na Europa.

1453 Tomada de Constantinopla pelos turcos.

Capítulo

7

A formação da Europa feudal

7.1 A Europa da Alta Idade Média: transformações sociais e econômicas

As mudanças ocorridas no Império Romano, somadas às tradições germânicas, conduziram à formação da civilização medieval.

7.2 A Igreja e a evangelização dos povos bárbaros

Os mosteiros cumpriram papel fundamental na cristianização dos povos bárbaros.

7.3 O reino cristão dos francos

O Reino Franco, um dos primeiros a se converter ao cristianismo, foi o reino mais poderoso da Europa Ocidental durante a Alta Idade Média.

7.4 Sociedade e economia na ordem feudal

Com o fim do Império Carolíngio, a autoridade central se enfraqueceu e se fragmentou, originando o que chamamos de feudalismo.

7.5 Transformações do feudalismo

As Cruzadas, a revitalização do comércio, novas técnicas agrícolas e a expansão das cidades foram mudanças que marcaram a Europa a partir do século XI.

7.6 A cultura na Baixa Idade Média

O renascimento cultural do século XII foi propiciado pelo surgimento das universidades e pelos contatos culturais da Europa com o Oriente.

O nascimento de uma civilização cristã

Muitos produtos eletrônicos comercializados no Brasil são chineses, e diversas redes de *fast food* são norte-americanas. Ainda hoje, entretanto, a cultura europeia exerce certo fascínio no Brasil. Os sistemas de governo e o ensino universitário europeus, por exemplo, são tidos como modelos a serem imitados.

Mas desde quando existe uma cultura europeia? Em que momento os habitantes do continente europeu puderam se olhar e perceber que faziam parte da mesma civilização?

Se, no século I a.C., um senador romano e um guerreiro germânico se encontrassem, dificilmente se sentiriam fazendo parte de uma coletividade comum. Não apenas a língua e as vestimentas seriam diferentes, mas também os sistemas de governo e os modos de pensar.

Com o fim do Império Romano do Ocidente, essa situação foi se alterando lentamente. O continente europeu passou por diversas transformações sociais. Não apenas o mundo antigo se desmantelava, mas também uma nova civilização estava se formando: a civilização medieval.

Durante esse período, a Igreja reinou soberana e controlou praticamente toda a vida social. Era responsável pela instituição de normas de conduta e de modos de pensamento, impedindo qualquer manifestação que contrariasse sua doutrina.

Neste capítulo, entenderemos o processo de formação e consolidação da civilização medieval, uma das grandes raízes do que hoje se convencionou chamar de cultura europeia.

Castelo de Tures, construído no século XIII. Bolzano, no norte da Itália, 2006.

A Europa da Alta Idade Média: transformações sociais e econômicas

› Objetivos

- Explicar o processo de ruralização que ocorreu na Europa na Alta Idade Média.
- Reconhecer as diferenças entre a civilização da Antiguidade clássica e a civilização medieval.

› Termos e conceitos

- Idade Média
- Alta Idade Média
- Invasões bárbaras
- Ruralização

A crise da escravidão e a ruralização da sociedade

A base da economia do mundo clássico greco-romano era a utilização em massa de mão de obra escrava para o cultivo das propriedades rurais. Porém, as mudanças econômicas, políticas e sociais ocorridas com o declínio do Império Romano do Ocidente e ao longo da **Alta Idade Média** levaram a uma lenta retração da escravidão **[doc. 1]**.

À medida que as **invasões bárbaras** avançavam e se tornava cada vez mais difícil abastecer as cidades, a vitalidade do grande comércio diminuiu e a população urbana decresceu sensivelmente, levando as propriedades rurais a produzir basicamente para sua subsistência. Para os grandes donos de terra, tornou-se improdutivo manter um contingente numeroso de escravos. A manutenção dos escravos implicava vários gastos. Para serem produtivos, eles precisavam ser alimentados, vestidos e alojados o ano todo, inclusive durante as estações do ano em que a terra ficava improdutiva.

Assim, os antigos escravos passaram a trabalhar em pequenos terrenos conhecidos como **mansos**, situados às margens das grandes propriedades, os **domínios senhoriais**. Em troca do uso da terra, eles tinham a obrigação de trabalhar ao menos três dias por semana nas terras do senhor e também deviam a ele uma parte da colheita.

A escravidão não desapareceu subitamente com o fim do Império Romano do Ocidente. Foi um processo lento e progressivo, que demorou séculos para acontecer. A escravidão doméstica continuou existindo por muito tempo ainda e a categoria de "escravo" continuou a fazer parte dos códigos jurídicos da época. No campo, porém, tornava-se cada vez mais difícil distinguir os antigos escravos dos camponeses livres. Assim, esses dois estratos populacionais acabaram se misturando e fundindo-se numa única camada social, a dos **servos**, que se caracterizavam por estarem presos à terra e pelo dever de prestar serviços ao senhor.

- **Alta Idade Média.** Período da história europeia que se estende, na divisão clássica, do século V ao século X. A Baixa Idade Média, segundo essa mesma periodização, se inicia no século XI e termina no século XV.

DOC. 1 **A Europa por volta do ano 600**

Fonte: MCEVEDY, Colin. *Atlas de história medieval*. Lisboa: Verbo, 2007. p. 37.

As mudanças ocorridas com o declínio do Império Romano levaram a uma crescente **ruralização** da sociedade e à privatização de muitos aspectos da vida. A cidadania e o direito, que antes eram garantidos por uma série de instituições que não existiam mais, foram substituídos pelos laços de fidelidade entre as pessoas, por exemplo, os laços que prendiam os servos aos senhores dos grandes domínios rurais.

A família, o casamento e a mulher

Entre os germânicos, como os francos, os godos e os burgúndios, o modelo de família predominante era o patriarcal, que abrangia o conjunto da parentela, incluindo parentes distantes, viúvas, órfãos, sobrinhos e escravos. Todos os membros da parentela estavam sob a autoridade do chefe da linhagem, que era considerado o guardião da pureza do sangue e da autenticidade do tronco familiar.

A proteção era a função básica da família; se um membro da família não pudesse pagar uma dívida, os parentes se reuniam para auxiliá-lo; se fosse injuriado, lesado ou morto, cabia aos parentes tirar satisfações e vingá-lo. Os homens adultos da família tinham a obrigação essencial de proteger os mais fracos: velhos, crianças, mulheres e escravos.

Já o papel das mulheres era casar-se para gerar filhos. Normalmente, as meninas casavam-se entre 12 e 14 anos e eram educadas desde cedo para serem submissas às ordens do marido. As mulheres nobres ficavam, em geral, confinadas ao ambiente doméstico, enquanto as camponesas dedicavam-se ao trabalho nos campos com seus maridos e filhos.

As mulheres deviam manter-se castas até o casamento, pois a virgindade garantia a autenticidade da descendência e a pureza do sangue. A pena para a mulher adúltera era a morte por estrangulamento. Já os homens, além da esposa, podiam ter muitas concubinas e manter relações sexuais também com escravas.

A violência no cotidiano

O rígido treinamento militar e as habilidades guerreiras das tribos germânicas foram fundamentais no processo de conquista das terras romanas.

DOC. 2 À esquerda, fragmento de espada cerimonial franca feita de cobre e ouro, séculos VI e VII. Museu Nacional da Idade Média, Paris. Ao centro, machadinha franca do século VII. Museu Saint Rémi, Reims. À direita, capacete germânico de cobre, século V. Museu Regional de Württemberg, Stuttgart.

Desde criança, o guerreiro germânico devia aprender a montar a cavalo, correr, marchar e manejar armas, como a espada, o arco e o machado **[doc. 2]**. As caçadas na floresta tinham a função de estimular a agressividade e desenvolver as habilidades do guerreiro. Mais do que um meio de obter comida, a caça era um verdadeiro treinamento para a guerra.

Nas sociedades germânicas, a violência era um fato cotidiano e banal. Matar era um dever masculino, além de ser uma prova de coragem e virilidade. Pequenos roubos, desentendimentos, injúrias e rixas entre pessoas facilmente resultavam em torturas, mutilações, castrações e assassinatos. Na ausência de um Estado ou autoridade organizada para impor normas jurídicas e punir os atos de violência, reinava a pura e simples lei do mais forte **[doc. 3]**.

Entre os povos francos, por exemplo, vingar um parente assassinado era um dever sagrado com relação à linhagem. Os membros masculinos da parentela tinham a obrigação de lavar com sangue a perda dos parentes assassinados. Daí se originavam ciclos intermináveis de vinganças que chegavam a durar várias gerações. Era possível interromper o massacre pagando à família da vítima uma quantia em ouro.

DOC. 3 **Uma sociedade violenta**

Segundo o historiador Jacques Le Goff, os suplícios infligidos pelos francos católicos superavam as perseguições dos romanos pagãos contra os cristãos do Império Romano. Os testemunhos da época denunciam a linguagem fria dos códigos de leis ao se referirem a mutilações do corpo humano e mostram como a violência podia atingir graus extremos de crueldade.

"[...] 'neste tempo cometiam-se muitos crimes... cada um via a justiça de acordo com sua própria vontade' [...] 'Com frequência cortam-se mãos e pés, a ponta do nariz, arrancam-se olhos, mutila-se o rosto com ferro quente, espetam-se bastões pontudos sob os dedos das mãos e dos pés... Quando as chagas, já sem pus, começam a se fechar, são de novo abertas. Se necessário um médico é chamado para que, curado, o miserável possa ser torturado por um suplício mais longo'."

Gregório de Tours. História dos francos [século VI]. In: LE GOFF, Jacques. *A civilização do Ocidente medieval*. Bauru: Edusc, 2005. p. 38-39.

QUESTÕES

1. Como se explica o processo de ruralização da sociedade europeia na fase final do Império Romano?
2. Quais eram as principais características da família germânica? Compare com o modelo romano e com a família atual.
3. Qual diferença se pode destacar entre a violência da sociedade germânica e a violência na sociedade atual?

A Igreja e a evangelização dos povos bárbaros

› Objetivo

▸ Compreender o processo de cristianização da Europa medieval.

› Termos e conceitos

- Cristianismo
- Movimento monástico
- Reinos bárbaros

A ação da Igreja Católica

Em um mundo sem unidade política, administrativa, econômica ou cultural, como a Europa Ocidental do início da Idade Média, o **cristianismo** era a única força de união. Padres e bispos da Igreja, únicos personagens que dominavam a escrita numa sociedade de analfabetos, formavam os quadros administrativos a serviço dos reis germânicos. A Igreja também era a única instituição em condições de limitar a violência endêmica que marcava a sociedade, impondo normas e punições.

O clero católico lutava para eliminar os costumes pagãos que se chocavam com a moralidade cristã. Entre os pecados condenados e sujeitos a severas penitências, a violência e o assassinato vinham em primeiro lugar. Em seguida, vinham os pecados sexuais, como a poligamia, o concubinato e o incesto. Por último, vinham as práticas mágicas, a feitiçaria e a adivinhação, típicas das religiões pagãs.

A evangelização promovida pela Igreja foi um processo lento e progressivo, que nem sempre obteve os resultados almejados. Sem poder político e força militar, a Igreja não era capaz, por si mesma, de impor os valores cristãos por toda parte. As populações convertidas retornavam ao paganismo com muita facilidade. Assim, a cristianização dos **povos bárbaros** e da população camponesa permanecia superficial e insuficiente.

- **Paganismo.** Palavra proveniente do latim *pagus*, que significa "campo", "área rural". O habitante do *pagus* recebia o nome de *paganus*, ou seja, camponês. Como o cristianismo penetrou primeiro nas cidades romanas, com os esforços de pregação de bispos e monges, o campo, região mais isolada e, por isso, menos permeável à conversão, passou a ser associado ao lugar do não cristão.

O movimento monástico

A partir do século III, as comunidades cristãs disseminaram-se pelos domínios do Império Romano, e os cristãos já se estruturavam numa Igreja, com uma hierarquia formada por bispos, padres e diáconos. No século V, principalmente no norte e no centro da Europa, começaram a surgir novas estruturas destinadas a evangelizar os camponeses e as populações bárbaras.

Nas regiões rurais, um dos principais pontos de apoio para a cristianização da sociedade foram os **mosteiros**. As comunidades do **movimento monástico**, formadas por homens ou mulheres, acolhiam diversos tipos de pessoas, principalmente aquelas marginalizadas socialmente. Pobres, perseguidos, escravos fugidos, peregrinos, viajantes ou mulheres abandonadas encontravam refúgio em suas terras. A hospitalidade era considerada um dever sagrado **[doc. 1]**.

DOC. 1 Abadia de Cluny, construída no século X. França, 2007.

O mosteiro

Cada mosteiro era dirigido por um abade, encarregado de vigiar a conduta de seus membros e de guiá-los no caminho da salvação. A função do abade assemelhava-se muito à de um pai. Já os monges deviam aprender a cultivar o silêncio e a humildade, virtudes adquiridas com uma disciplina diária de trabalho, penitência e oração, constituindo um estilo de vida estritamente regrado.

A disciplina da vida monástica foi estabelecida em **Regras**, conjunto de preceitos que regulavam a vida dos monges, como as de são Basílio, de são Columbano e de são Patrício. Uma das mais importantes foi a **Regra de são Bento**, de Bento de Núrsia (c. 480-547), fundador da Ordem Beneditina e da Abadia do Monte Cassino **[doc. 2]**. Sua obra destacava a necessidade de o mosteiro ser completamente independente do mundo exterior, dispondo de tudo o que era necessário para a vida em comum. A Regra de são Bento difundiu-se e acabou sendo adotada por outras comunidades monásticas **[doc. 3]**.

Havia também os **anacoretas**, monges eremitas que viviam isolados nas florestas, distantes do convívio social, não estando submetidos à autoridade de alguma ordem ou instituição. Devido à sua excessiva independência, os anacoretas eram objeto de desconfiança, sendo equiparados a criminosos. No entanto, eram venerados por muitas pessoas, que vinham procurá-los para curar doenças e lhes ofereciam água e comida.

DOC. 2 **Ora, trabalha e lê**

Os princípios da Regra de são Bento podem ser resumidos no lema "*ora, labora et legere*" - ora, trabalha e lê. Para são Bento, a leitura tinha um espaço privilegiado na vida do monge, em especial a leitura das Sagradas Escrituras. O ritmo da vida no mosteiro buscava o justo equilíbrio entre o trabalho (corpo), a leitura (alma) e a oração (espírito).

"A ociosidade é inimiga da alma. Por isso, os irmãos devem estar ocupados a determinadas horas no trabalho manual e de novo a horas fixas na leitura das coisas de Deus."

S.P. Benedicti Regula commentata. In: MIGNE, J. P. *Patrologiae cursus completus*. Series Latina. Paris: s/e, 1866. T. LXVI. (tradução nossa)

DOC. 3 **A organização do mosteiro**

"[...] os cristãos aceitavam muito melhor as comunidades monásticas como espaços de paz e trampolins para a eternidade. [...] esse lugar fechado, guardado por um porteiro, tornou-se em toda a Gália um oásis característico da paisagem mental e física do país. Como diz são Bento, 'o mosteiro deve ser construído, se possível, de tal forma que todo o necessário – quer dizer, a água, o moinho, o jardim e os vários ofícios – exerce-se no interior do mosteiro, de modo que os monges não sejam obrigados a correr para todos os lados lá fora, pois isso não é nada bom para suas almas'. No entanto, [...] os cenobitas não cortam relações com o exterior e não se enquistam no tecido social. Hóspedes, peregrinos e noviços são ali acolhidos. [...]"

ROUCHE, Michel. Alta Idade Média ocidental. In: VEYNE, Paul (Org.). *História da vida privada*. São Paulo: Companhia das Letras, 1989. v. 1. p. 418-419.

Abadia de Monte Cassino, construída no século VI. Itália, década de 1990.

DOC. 4 **A cristianização da Germânia**

O monge inglês Bonifácio foi encarregado de cristianizar e organizar a Igreja na Germânia, território da Alemanha atual. Nesta carta, escrita em 732, o papa Gregório III lhe dá instruções de como agir com os convertidos.

"Tu não podes, conforme dizes, satisfazer às necessidades de conversão das massas que, nesses países, foram ganhas por ti para a verdadeira fé, tanto se desenvolve em todos os sentidos a propagação da fé graças ao Cristo. Ordenamos-te, portanto, conforme aos estatutos dos santos cânones, à medida que cresce a multidão dos fiéis, que nomeies bispos em nome da sede apostólica, mas com uma piedosa consideração, a fim de que a dignidade episcopal não seja aviltada [...].

No caso daqueles que mataram um pai, uma mãe, um irmão ou uma irmã, determinamos que eles não podem receber o corpo do Senhor durante toda a sua vida, com exceção da extrema-unção. Eles devem abster-se de carne e de vinho; enquanto viverem, deverão jejuar na 2ª, na 4ª e na 6ª feira, e assim, por suas lágrimas, pagar pelos crimes cometidos.

Tu enumeras ainda entre outros pontos duvidosos o fato de que alguns dos fiéis vendem aos pagãos seus escravos para ser imolados. Nós te ordenamos, irmão, que corrijas este abuso com o maior cuidado. Tu não deves mais permiti-lo daqui para frente. Aos que o perpetrarem, deves impor a mesma penitência imposta que para o homicídio. [...]"

Carta do papa Gregório III a são Bonifácio [732].
CARPENTIER, J.; LEBRUN, F. *Histoire de l'Europe*. Paris: Seuil, 1990. p. 149-150. (tradução nossa)

Iluminura de sacramentário representando germanos sendo batizados e o martírio de São Bonifácio, 975. Biblioteca Universitária, Heidelberg.

A conversão dos reinos bárbaros

Com o objetivo de obter conversões, missões cristãs de monges pregadores percorriam os **reinos bárbaros**, alargando as fronteiras da **cristandade**. O primeiro rei bárbaro a converter-se à fé cristã foi Clóvis, rei dos francos, em 498. Esse acontecimento teve implicações profundas, pois, durante a Idade Média, a conversão a alguma fé religiosa não dependia exclusivamente de convicções íntimas e pessoais do convertido.

A conversão era uma questão política. Buscava-se, antes de tudo, converter o rei ou chefe de uma comunidade, que então era imitado por todo o seu povo. Desse modo, era possível cristianizar comunidades inteiras, que passavam a ser reconhecidas nominalmente como cristãs e, a partir daí, deviam fidelidade à Igreja. As conversões eram feitas pela persuasão pacífica, por tratados diplomáticos ou pela força das armas.

O processo foi lento, porém contínuo. Na Europa Ocidental, entre os séculos VI e VII, missões de monges irlandeses percorreram as ilhas britânicas, a Inglaterra e a Escócia, cristianizando totalmente a região. No século VIII, o monge inglês Bonifácio empreendeu uma série de missões e conseguiu converter grande parte das tribos germânicas que viviam ao leste do Rio Reno **[doc. 4]**.

Por fim, entre os séculos IX e X, foram convertidos os povos eslavos e escandinavos que viviam nos limites da cristandade. Essa conversão foi obra tanto dos monges ocidentais quanto dos monges de Constantinopla, que chegaram a inventar um dialeto e um novo alfabeto, o cirílico, para evangelizar os povos eslavos das estepes russas.

A estratégia foi bem-sucedida, pois entre os séculos VI e X as missões cristãs conseguiram converter praticamente todos os reinos bárbaros na Europa. O reino dos francos, um dos primeiros a ser convertido, acabou se tornando o defensor oficial da cristandade ocidental. Por volta do ano 1000, após séculos de luta da Igreja pela conversão, a Europa podia ser considerada um continente cristão, cercada por territórios islâmicos.

- **Abade.** Derivado do aramaico *abba*, que significa "pai". Geralmente, o abade era um monge mais velho e experiente, eleito pelos irmãos para decidir sobre todos os assuntos importantes da comunidade.
- **Cirílico.** Adjetivo formado a partir do nome do provável fundador desse alfabeto: Cirilo. O alfabeto cirílico derivou-se dos alfabetos glagolítico e grego.

QUESTÕES

1. Quais seriam os objetivos centrais das recomendações da Regra de são Bento: "ora, trabalha e lê" **[doc. 2]**?
2. Qual foi a importância do movimento monástico na expansão do cristianismo durante a Idade Média?
3. Quais os dois tipos de recomendação feitos pelo papa ao monge Bonifácio? Quais os objetivos dessas recomendações **[doc. 4]**?

Seção 7.3

O reino cristão dos francos

Objetivos

- Explicar o processo de formação do Império Carolíngio.
- Entender a aliança entre o poder monárquico e o poder religioso durante o Império de Carlos Magno.

Termos e conceitos

- Igreja Católica
- Império
- Renascimento Carolíngio

A dinastia merovíngia

O Reino Franco configurou-se como o mais poderoso da Europa Ocidental da Alta Idade Média. Ele formou-se e expandiu-se sob o governo de duas dinastias: a dinastia merovíngia (séculos V-VIII) e a dinastia carolíngia (séculos VIII-IX). Vejamos como se deu esse processo.

Desde a ocupação da Gália romana, no século V, até a metade do século VIII, os francos foram governados pela dinastia dos merovíngios (descendentes de Meroveu, um suposto ancestral mítico). O primeiro soberano merovíngio importante foi Clóvis, que se converteu ao cristianismo em 498 e foi o primeiro rei bárbaro a governar com o apoio da **Igreja Católica**.

Carlos Magno e a dinastia carolíngia

A dinastia carolíngia iniciou-se no século VIII com Pepino, o Breve. A ascensão dos carolíngios foi apoiada pela Igreja, que desejava estabelecer uma aliança com o reino dos francos para expulsar os lombardos de Roma. A aproximação da Igreja com os francos já havia se iniciado com Carlos Martel, pai de Pepino, que comandou a luta para expulsar os árabes muçulmanos da Gália.

A aliança estratégica entre os francos e a Igreja se consolidou no reinado de Carlos Magno, neto de Carlos Martel. Carlos Magno assumiu o reino em 768 e, em pouco tempo, construiu um enorme **império**, expandindo os domínios francos, que passaram a ser governados por um único soberano. No decorrer de várias campanhas militares consecutivas, Carlos Magno conseguiu realizar uma série notável de conquistas **[doc. 1]**.

Conteúdo digital Moderna PLUS http://www.modernaplus.com.br
Mapa animado: A Europa merovíngea e carolíngia

DOC. 1 **O império de Carlos Magno**

Fonte: DUBY, Georges. *Atlas historique mondial*. Paris: Larousse, 2003. p. 36.

O cristianismo e a guerra

Todas essas campanhas militares foram feitas em nome do cristianismo, com o objetivo de converter os povos pagãos e ampliar as fronteiras da cristandade. Muitas dessas conversões foram feitas por meio de alianças e casamentos mistos, mas outras foram acompanhadas da violência e da força das armas.

Foi assim a campanha contra os saxões, que se recusavam a aceitar o cristianismo. Milhares de saxões foram deportados, escravizados ou mortos. Uma testemunha da época relata que, em 782, num único dia, foram decapitados 45 mil prisioneiros saxões que se recusavam a receber o batismo cristão.

O ideal do imperador cristão

Com suas conquistas, Carlos Magno conseguiu reunificar uma grande parte do que havia sido o Império Romano do Ocidente. É difícil saber se sua intenção era tornar-se imperador, mas suas ações pareciam seguir os passos de Constantino, primeiro imperador cristão do Império Romano. Assim como ele, Carlos Magno também mandou construir, em 796, uma nova capital: Aquisgrano.

No Natal de 800, Carlos Magno foi coroado imperador dos romanos pelo papa **[doc. 2]**. O título continuou existindo, apesar de o Império Romano do Ocidente não existir mais como unidade cultural e administrativa. O título legitimava o poder de Carlos Magno e mostrava suas conquistas como um renascimento do antigo Império Romano. Proteger a Igreja contra os infiéis e propagar a fé por toda parte era seu dever como imperador cristão.

A independência da Igreja de Roma

Com a aliança entre o imperador e o papa, o papel da Igreja Católica foi reforçado. Contando com a proteção do Império, o bispo de Roma (o papa) tornou-se independente de Constantinopla e deixou de estar subordinado ao imperador bizantino. Com o retorno de um imperador legítimo a Roma, o imperador bizantino deixava de encarnar a universalidade do ideal cristão. Daí em diante, haveria um distanciamento progressivo entre a Igreja Católica e a Ortodoxa, cada uma delas reivindicando o papel de representante da cristandade.

Considerado protetor da cristandade e consagrado por Deus, o imperador dos romanos tinha a tarefa de combater o paganismo e de propagar a fé cristã por toda parte. Assim, com as riquezas e os tesouros obtidos nas conquistas, Carlos Magno mandou edificar igrejas e monastérios destinados a evangelizar os territórios conquistados. Foi o próprio imperador que nomeou os bispos e abades de uma vasta rede que incluía 180 catedrais e cerca de setecentos monastérios espalhados pelo Império.

DOC. 2 **A coroação de Carlos Magno**

A coroação de Carlos Magno como imperador dos romanos, em 800, foi um acontecimento fundamental para a Europa do período. Esse acontecimento, porém, não era visto da mesma maneira pela Igreja e pela corte de Carlos Magno. A interpretação desse evento pelo monge Einhard, biógrafo de Carlos Magno, mostra essa divergência. O documento escrito, no entanto, não é a única fonte disponível para o historiador. A iluminura que acompanha o texto também apresenta uma interpretação particular desse acontecimento.

"A última viagem que Carlos fez a Roma teve ainda outras razões. Os romanos, tendo cumulado de violências o pontífice Leão – vazando-lhe os olhos e cortando-lhe a língua –, o haviam obrigado a implorar o socorro do rei. Vindo, portanto, a Roma para restabelecer a situação da Igreja bastante comprometida por esses incidentes, ele passou nessa cidade todo o inverno. Foi então que ele recebeu o título de imperador e de 'Augusto'. E mostrou-se, inicialmente, tão descontente que teria renunciado, afirmou ele, a entrar na igreja nesse dia, ainda que fosse dia de grande festa, se tivesse sabido antecipadamente do desígnio do pontífice. Ele suportou com a mesma paciência a inveja dos imperadores romanos, que se indignaram com o título que ele havia recebido, e graças à sua magnanimidade que o elevava tão acima deles, ele conseguiu, enviando-lhes numerosas embaixadas e chamando-lhes de 'irmãos' em suas cartas, vencer finalmente sua resistência."

In: CARPENTIER, J.; LEBRUN, F. Histoire de l'Europe. Paris: Seuil, 1990. p. 136-37. (tradução nossa)

Carlos Magno sendo coroado em Roma pelo papa Leão III, iluminura de manuscrito do século XIV. Biblioteca Municipal de Castres.

O Renascimento Carolíngio

A unificação promovida pelas campanhas militares conduzidas por Carlos Magno permitiu o desenvolvimento das zonas rurais e, consequentemente, um aumento relativo da população. Já o comércio marítimo foi revitalizado. Ao sul, mercadores muçulmanos traziam produtos de luxo do Oriente, vindos da rota da seda; ao norte, navegadores escandinavos trocavam madeiras, peles e armas com o continente.

A unidade política e a recuperação econômica propiciaram o incentivo à cultura e à educação, movimento que se tornou conhecido como **Renascimento Carolíngio**. Para promovê-las, Carlos Magno procurou atrair para a corte franca os maiores sábios e eruditos da época. O estudo do latim foi encorajado, realizou-se uma reforma da escrita e foram instaladas escolas nos monastérios, centros culturais do período carolíngio.

A cópia de manuscritos, fossem eles de textos religiosos, como a *Bíblia*, ou de escritores clássicos da cultura greco-romana, como Cícero e Sêneca, era um dos serviços prestados pelos monastérios. Todo monastério devia possuir um *scriptorium* (lugar destinado à cópia de manuscritos), no qual uma equipe de monges copistas dedicava-se à reprodução, ilustração e encadernação de livros.

A administração imperial

Um dos objetivos centrais de Carlos Magno era manter uma administração bem organizada e centralizada, a fim de garantir a unidade territorial do Império. Para isso, o Império foi dividido em condados, ducados e marcas.

Cada condado era administrado por um conde, encarregado de presidir o tribunal local, organizar e liderar o exército, tarefas para as quais contava com o auxílio dos chamados "homens bons" (nobres locais). Acima dos condados, havia os ducados, unidades provinciais que eram administradas cada uma por um duque. Nas fronteiras havia as marcas, circunscrições militares encarregadas de defender os limites territoriais do Império e administradas por duques e marqueses.

Condes, duques e marqueses eram nobres locais. Seguindo um antigo costume germânico, eles faziam um juramento de fidelidade ao imperador e costumavam receber "benefícios" do rei como recompensa por seus serviços. Na prática, porém, tinham um alto grau de autonomia, pois não havia como vigiá-los continuamente para certificar-se de sua fidelidade ao imperador. Carlos Magno chegou a instituir os chamados *missi dominici* ("enviados do senhor"), na tentativa de coibir os abusos dos nobres locais. A dificuldade de se locomover até os condados, contudo, principalmente devido à deterioração das antigas estradas romanas, tornava quase inviável essa tarefa.

DOC. 3 **A divisão do Império Carolíngio**

Fonte: DUBY, Georges. *Atlas historique mondial*. Paris: Larousse, 2003. p. 36.

A desagregação do Império

Após a morte de Carlos Magno, em 814, a Coroa foi transferida para seu filho, Luís, o Piedoso, que deu prosseguimento às reformas do pai. Os descendentes do novo imperador, entretanto, com o fim de seu reinado, entraram em disputa pelos domínios do Império, enfraquecendo sua unidade e provocando sua fragmentação.

Um dos principais problemas era a dificuldade de assegurar a fidelidade dos condes e outros nobres locais, que tendiam a agir por conta própria, ignorando as ordens oriundas da corte imperial. Os vassalos, diante da fragilidade do poder central, passaram a obedecer ao suserano imediato.

Com a morte de Luís, iniciou-se uma disputa entre seus filhos – Lotário, Luís e Carlos – pela sucessão. A disputa só terminou com a assinatura do **Tratado de Verdun**, em 843, que dividiu as terras do Império Carolíngio em três domínios separados. A fragmentação administrativa do Império Carolíngio era um fato consumado e não seria revertida **[doc. 3]**.

Apesar do fracasso em manter a unidade política, a experiência carolíngia deixou raízes. Sob o reinado dos carolíngios, a Igreja Católica estabeleceu uma estrutura material e doutrinária sólida e consolidou o seu poder, com a conversão da maior parte da Europa Ocidental ao cristianismo romano.

- **Benefício.** Durante a Idade Média, recompensa concedida pelos antigos chefes militares germânicos aos seus guerreiros pelos serviços prestados durante a guerra. A doação de terras era o modo mais frequente de o benefício ser concedido.

QUESTÕES

1. Quais foram as principais mudanças na passagem da dinastia merovíngia para a dinastia carolíngia?
2. Como o monge Einhard relatou o episódio da coroação de Carlos Magno pelo papa em Roma [doc. 2]?
3. Compare o texto e a imagem e aponte diferenças e semelhanças entre eles [doc. 2].

Sociedade e economia na ordem feudal

Objetivos

- Explicar o processo de formação do feudalismo europeu.
- Caracterizar a economia, a sociedade, e o poder político da Europa feudal.

Termos e conceitos

- Relações de vassalagem
- Senhor feudal
- Feudalismo
- Senhorio
- Servo
- Obrigações feudais
- Estamento/Ordem

As relações de vassalagem

Com o fim do Império Carolíngio, a figura de uma autoridade centralizada foi enfraquecida. O rei tornou-se incapaz de controlar os nobres, como ocorria com Carlos Magno. Com a fragilidade do poder real, e visando estabelecer laços de fidelidade mútua, nobres aproximaram-se uns dos outros, fortalecendo as relações de poder locais e regionais.

Os laços de fidelidade que uniam a aristocracia são conhecidos como **relações de vassalagem** e tinham origem em um antigo costume germânico. A relação de vassalagem era instituída num ritual conhecido como **homenagem** [doc. 1], que estabelecia um compromisso e uma hierarquia entre dois nobres. O suserano, normalmente o mais velho, ocupava uma posição superior em relação ao vassalo, o mais jovem, a quem doava um bem ou feudo, que podia ser uma quantia em dinheiro, um serviço prestado ou, mais comumente, uma extensão de terra.

A relação de vassalagem foi utilizada por Carlos Magno como forma de garantir a fidelidade da nobreza ao rei. Após a desagregação do Império Carolíngio, no entanto, a vassalagem deixou de expressar a fidelidade a um poder central, ao mesmo tempo que se difundiu como forma predominante de relações sociais aristocráticas por toda a Europa Ocidental.

Ao doar um feudo, o suserano também concedia poder senhorial ao vassalo, que assumia todos os direitos políticos e econômicos sobre esse bem, como se fosse o verdadeiro **senhor feudal**. Podia, por exemplo, exercer a justiça e cobrar taxas nos limites do senhorio. O suserano conservava, contudo, o direito de confiscar o feudo [doc. 2].

O feudalismo

A relação de vassalagem implicava obrigações recíprocas entre ambas as partes. De um lado, o vassalo devia se unir ao suserano nas operações militares e auxiliá-lo financeiramente em ocasiões específicas. Devia ainda prestar ajuda política e jurídica, participando do tribunal senhorial. De outro lado, o suserano devia proteção e respeito ao seu vassalo, assumindo a criação de seus filhos e demonstrando sua gratidão.

DOC. 1 O rei Arthur recebe os reis Ban e Bohort, iluminura do século XIV. Biblioteca Nacional da França, Paris.

Cada senhor feudal era vassalo de outro senhor mais poderoso, formando uma espécie de pirâmide onde, no topo, se encontrava a figura do monarca. Entre o rei e a base da pirâmide de vassalos havia uma hierarquia de barões, duques e condes que ocupavam diferentes graus de prestígio e de poder. Assim, os membros da nobreza medieval, de um modo ou de outro, conservavam laços de dependência entre si. Esse conjunto de laços pessoais entre nobres, criados a partir da doação do feudo, é o que chamamos **feudalismo**.

O resultado dessa ampla rede de relações aristocráticas foi a fragmentação da sociedade medieval em inúmeros senhorios, que abrangiam grande parte do continente europeu. O vínculo entre as diversas regiões dependia principalmente da ação da Igreja e da fé católica. Se a figura do rei não era mais capaz de preservar a unidade política, o catolicismo conseguiu reunir todos os senhores sob o teto da mesma igreja.

O senhorio: a unidade de produção feudal

No feudalismo, a propriedade ou domínio rural recebia o nome de **senhorio**. Entre os séculos XI e XIII, o domínio senhorial estava dividido em três partes: a reserva senhorial, o manso servil e o manso comum.

- **Reserva senhorial**. Constituída por áreas cultiváveis, castelo, celeiros, estábulos, moinhos e oficinas artesanais. Toda a produção da reserva senhorial pertencia ao senhor.
- **Manso servil**. Constituído pelo conjunto das terras exploradas pelos **servos** e que garantiam a sua sobrevivência.
- **Manso comum**. Terras de uso tanto dos servos quanto dos senhores. Faziam parte do manso comum os pastos, os bosques e os terrenos baldios. Das terras comunais se retiravam madeira, frutos e mel e se praticava a caça.

No senhorio, os servos estavam sujeitos ao pagamento de taxas e a **obrigações feudais**. Pela **corveia**, o servo tinha de trabalhar na reserva senhorial por determinado período do ano, podendo ser na agricultura, na criação de animais ou em benfeitorias. Outro tributo, a **talha**, obrigava o servo a entregar ao senhorio uma parte do que produzia no manso servil. O servo também estava sujeito às **banalidades**, que o obrigavam a entregar ao senhor parte do que produzia utilizando celeiros, moinhos e fornos do senhor.

O tamanho do domínio senhorial variava entre 200 e 250 hectares de terra. Era comum um grande domínio ter centenas ou até milhares de mansos. A Igreja, a realeza e os grandes nobres possuíam os maiores domínios. As terras dos grandes nobres e da realeza, contudo, acabavam se fracionando com o tempo, graças ao costume de dividir a terra entre os herdeiros. Já os domínios da Igreja mantinham-se íntegros graças à instituição do celibato eclesiástico.

Cada senhorio tendia a ser autossuficiente, produzindo cereais, carnes, leite, roupas e utensílios domésticos e outros artigos necessários à subsistência. Poucos produtos, como sal e metais para a confecção de ferramentas, vinham de fora. Porém, a partir do século XI, com o fim das invasões estrangeiras e a melhoria das técnicas de produção, o aumento da produtividade agrícola possibilitou a formação de excedentes, que eram negociados nos mercados locais ou nas grandes feiras comerciais.

DOC. 2 **Restrições matrimoniais**

Para impedir casamentos que pudessem comprometer a estabilidade política de seus domínios, os suseranos tinham o direito de intervir no casamento das filhas e viúvas de seus vassalos. Caso quisesse escapar de uniões indesejáveis, a viúva deveria pagar um tributo ao soberano.

"Roheisa de Doura pagou 450 libras para ter licença de casar onde quiser, desde que não se case com qualquer inimigo do rei.

Alice, condessa de Warwick, pagou 1.000 libras para lhe ser permitido permanecer viúva enquanto lhe agradar e não ser obrigada pelo rei a casar. E se, por ação viesse a desejar casar, não casaria sem o assentimento e a concessão do rei; e para ter a guarda dos filhos que houve do conde de Warwick, seu falecido marido.

Hawisa, que foi mulher de William Fitz Robert, pagou 130 marcos para que Peter de Borough, a quem o rei tinha dado licença para casar com ela, a deixasse em paz e para não ser compelida a casar-se."

The English Exchequer Rolls [1140-1282]. In: *Coletânea de documentos históricos para o 1º grau*: 5ª a 8ª séries. São Paulo: SE/Cenp, 1980. p. 72-73.

Uma sociedade dividida em ordens

A maioria das sociedades contemporâneas está dividida conforme o poder aquisitivo de seus membros. A classe alta tem mais condições de consumir, seguida pela classe média, depois pela classe baixa etc. A sociedade feudal, por sua vez, estava dividida em **estamentos** ou **ordens**, camadas sociais definidas conforme o papel desempenhado por seus membros na sociedade. No século XI, o bispo Adalberón de Laon traduziu num poema a visão da Igreja da sociedade medieval, dividida entre os que oravam, o **clero**, os que guerreavam, a **nobreza**, e os que trabalhavam, os **camponeses** [doc. 3].

DOC. 3 **As três ordens medievais**

"O domínio da fé é uno, mas há um triplo estatuto na ordem. A lei humana impõe duas condições: o nobre e o servo não estão submetidos ao mesmo regime. Os guerreiros são protetores das igrejas. Eles defendem os poderosos e os fracos, protegem todo mundo, inclusive a si próprios. Os servos, por sua vez, têm outra condição. Essa raça de infelizes não tem nada sem sofrimento. Fornecer a todos alimentos e vestimenta: eis a função do servo. A casa de Deus, que parece uma, é, portanto, tripla: uns rezam, outros combatem e outros trabalham. Todos os três formam um conjunto e não se separam: a obra de uns permite o trabalho dos outros dois e cada qual por sua vez presta seu apoio aos outros."

Bispo Adalberón de Laon [c. 1025]. In: FRANCO Jr., Hilário. *Idade Média*: nascimento do Ocidente. São Paulo: Brasiliense, 1986. p. 72.

DOC. 4 Servos cultivando a terra. Iluminura representando o mês de julho do livro *As ricas horas*, do duque de Berry, século XV. Museu Condé, Chantilly.

As relações entre as ordens

Do ponto de vista econômico, contudo, nobreza e clero compartilhavam origem e interesse comuns. Os dois estamentos eram proprietários de terra e dela retiravam o seu sustento. Opunham-se, nesse sentido, aos trabalhadores, em especial aos servos, sujeitos a sustentar toda a sociedade por meio de obrigações e taxas feudais, como a corveia, a talha e as banalidades **[doc. 4]**. No que se refere aos próprios trabalhadores, no entanto, havia diferenças entre o servo, o camponês livre e o trabalhador urbano.

De acordo com a tradição e os costumes, o nobre e o servo pertenciam a duas camadas sociais desiguais. Enquanto os servos eram marcados por obrigações, os nobres eram identificados por seus privilégios **[doc. 5]**. Já o clero atribuía a si o papel de intermediário das forças sobrenaturais ou divinas na terra, ou seja, estava mais próximo de Deus e, portanto, acima das convenções humanas.

Ao articular as diversas camadas da sociedade, a importância da Igreja era extraordinária. Além do poder econômico, era detentora do poder espiritual. Ao clero cabia a tarefa inquestionável de cuidar da salvação da alma na vida após a morte. Administrava, também, os sacramentos (batismo, matrimônio, unção dos enfermos) e controlava o comportamento moral da coletividade. Por fim, buscava justificar o modo como a sociedade feudal estava organizada **[doc. 6]**.

DOC. 5 **O nobre medieval: a condição de nobre**

A condição de nobre pressupunha a abstenção dos trabalhos manuais e do comércio, com total devoção à carreira das armas. Os nobres não pagavam impostos nem tinham obrigação de prestar outro serviço além do militar.

"Os nobres são pessoas naturalmente isentas, às quais, de direito, não cabe qualquer tipo de servidão e de impostos. Os nobres foram escolhidos e a eles ordenado guardar e conservar o país em paz. Devem eles também sobressair-se em sua vida particular e em seus costumes dando a todos o exemplo da honestidade."

Grande Coutumier de France (século XIII). In: *Coletânea de documentos históricos para o 1º grau*: 5ª a 8ª séries. São Paulo: SE/Cenp, 1980. p. 73.

DOC. 6 **A divisão da sociedade feudal**

Nobreza	Grandes proprietários de terra. Dedicavam-se à atividade militar e administrativa.
Clero	Membros da Igreja Católica. Dedicavam-se ao ofício religioso. Apresentava uma subdivisão: o alto clero (papa, bispo, abade) e baixo clero (padre, vigário).
Camponeses	Formavam a maioria da população. Os servos, camponeses presos à terra e sujeitos a várias obrigações, formavam o grupo mais numeroso. Havia também camponeses livres, mas em número reduzido.

QUESTÕES

1. O que a imagem revela sobre a cerimônia de vassalagem e as relações entre vassalo e suserano [doc. 1]?
2. Explique por que, na sociedade feudal, os suseranos podiam intervir nos casamentos dos filhos de seus vassalos [doc. 2].
3. Como o bispo Adalberón justifica a divisão tripartida da sociedade medieval? Que efeito essa visão da sociedade medieval poderia provocar na época [doc. 3]?
4. A frase "o trabalho enobrece o homem", comum na sociedade contemporânea, está de acordo com a definição de nobreza presente no texto [doc. 5]? Justifique sua resposta.

Transformações do feudalismo

Objetivos

- Entender a importância das Cruzadas para a unidade da Europa cristã.
- Compreender as mudanças que caracterizaram a Baixa Idade Média.

Termos e conceitos

- Cruzadas
- Inquisição
- Corporações de ofício
- Burguês

Os cristãos e as peregrinações armadas

As **Cruzadas** foram expedições de caráter militar e religioso organizadas pela Igreja. O termo "cruzada" é uma referência aos trajes usados pelos combatentes, que traziam na vestimenta uma cruz vermelha bordada na altura do peito, simbolizando o contrato estabelecido entre o homem e Deus. O movimento iniciou-se após o papa Urbano II, em 1095, conclamar os cristãos a lutarem contra os turcos em Jerusalém.

Os objetivos das Cruzadas eram variados e combinavam motivações religiosas com interesses econômicos.

- Expulsar os turcos muçulmanos de Jerusalém, conhecida pelos cristãos como "Terra Santa", cidade onde Jesus Cristo foi morto e sepultado **[doc. 1]**.
- Restituir a unidade cristã nas terras do Império Bizantino e ampliar o poder da Igreja. Ali, em 1094, o clero oriental deixou de reconhecer a autoridade do papa e fundou a **Igreja Ortodoxa**.
- Outro objetivo importante era sofrer e morrer em combate, ou seja, o martírio em nome da fé cristã, evento que conduziria a alma do mártir à salvação. A preocupação em imitar o sofrimento de Cristo na Terra e, por fim, alcançar a bem-aventurança eterna era um traço marcante da mentalidade medieval.
- Obter terras para os nobres europeus, muitos deles prejudicados pelas regras de sucessão da propriedade feudal. Segundo o direito de primogenitura, a herança de um domínio era garantida apenas ao filho homem mais velho. A falta de terras se agravou ainda mais a partir do século XI, com o crescente aumento populacional. As Cruzadas tornaram-se, assim, uma alternativa para parte da nobreza, cujo intuito era conquistar novas terras.

Para estimular os cristãos a se engajarem nas Cruzadas, a Igreja prometia uma série de benefícios materiais e espirituais, como a remissão dos pecados, a proteção eclesiástica sobre seus familiares e seus bens e a suspensão do pagamento de juros sobre as dívidas.

Os conflitos entre cristãos e muçulmanos se estenderam por mais de trezentos anos, do século XI ao XIII, trazendo mortes e destruição. Nesse período, oito expedições partiram da Europa rumo ao Mediterrâneo Oriental **[doc. 2]**.

Conteúdo digital Moderna PLUS http://www.modernaplus.com.br
Mapas animados:
As Cruzadas
A reconquista cristã
Filme: *Cruzada*

DOC. 1 Igreja do Santo Sepulcro em Jerusalém, Israel, em foto atual. O Santo Calvário e a Basílica do Santo Sepulcro, onde Cristo foi crucificado e sepultado, são locais considerados sagrados para os cristãos.

DOC. 2 **As cruzadas**

- **Primeira Cruzada** (1096-1099). Conhecida como Cruzada dos nobres, conquistou Jerusalém e organizou, na região, um reino latino, que não sobreviveu por muito tempo.
- **Segunda Cruzada** (1147-1149). Fracassou na tentativa de reconquistar Jerusalém.
- **Terceira Cruzada** (1189-1192). Conhecida como Cruzada dos reis, devido ao envolvimento de monarcas na expedição, estabeleceu acordos diplomáticos com os turcos, facilitando as peregrinações de cristãos a Jerusalém.
- **Quarta Cruzada** (1202-1204). Organizada pelo papa Inocêncio III e liderada pelos comerciantes de Veneza, desviou-se de seu destino (Jerusalém) e rumou para Constantinopla, que foi violentamente saqueada.
- **Quinta Cruzada** (1217-1221). Também de iniciativa do papa Inocêncio III, tentou conquistar o Egito, mas não foi bem-sucedida.
- **Sexta Cruzada** (1228-1229). Liderada pelo imperador do Sacro Império Frederico II, reconquistou Jerusalém, mas a cidade foi logo retomada pelos muçulmanos.
- **Sétima e Oitava Cruzadas** (1248-1270). Lideradas pelo rei da França Luís IX, mais tarde canonizado como são Luís. Foram derrotadas pelos muçulmanos.

A Cruzada Albigense e a Inquisição

O movimento cruzadista também voltou-se contra os considerados heréticos pela Igreja Católica, como os cátaros ou albigenses **[doc. 3]**. Os cátaros viviam no território francês, mas mantinham autonomia política e religiosa. Por esse motivo, a Igreja convocou a Cruzada de 1208, dedicada exclusivamente a perseguir o grupo. Durante mais de vinte anos de conflitos, parte dos cátaros foi dizimada ou entregue à **Inquisição**.

A Inquisição ou Tribunal do Santo Ofício foi um órgão criado pela Igreja Católica em 1233. Tinha por objetivo julgar e punir os acusados de heresia, feitiçaria e outros crimes condenados pela Igreja. O Tribunal teve longa atuação, não apenas na Europa Ocidental, mas também em territórios americanos colonizados pelas metrópoles ibéricas. Na Espanha e em Portugal, vigorou até o século XIX. Apenas em Portugal, estima-se que entre 1540 e 1794 cerca de setecentas obras foram queimadas pela Inquisição e mais de 1.100 pessoas foram mortas na fogueira acusadas de heresia ou feitiçaria.

- **Herético.** Relativo à heresia, pensamento ou prática que contraria uma doutrina estabelecida. Para a Igreja, heresia se referia a tudo o que contrariava os dogmas católicos.

Resultados das Cruzadas

As Cruzadas não foram bem-sucedidas em seus objetivos religiosos, pois os cristãos não conseguiram manter seus reinos latinos no Oriente. A cobiçada cidade de Jerusalém, por exemplo, foi retomada definitivamente pelos muçulmanos em 1244. O movimento cruzadista, no entanto, acabou por impulsionar uma série de outras mudanças, que contribuíram para a crise da sociedade feudal. Conheça algumas dessas mudanças.

- Desorganização da produção agrícola em vários territórios da Europa, uma vez que muitos servos e senhores deixaram os campos para combater nas Cruzadas.
- Expansão da cristandade pela Europa Oriental e início do processo de reconquista cristã da Península Ibérica, tomada pelos muçulmanos desde o século VIII.
- Fim do domínio árabe no Mar Mediterrâneo e restabelecimento das rotas comerciais entre a Europa e a Ásia.
- Revitalização das cidades em razão do impulso promovido pelas atividades comerciais.

Para alguns autores, o aumento das trocas comerciais e culturais entre o Ocidente e o Oriente foi o aspecto mais significativo das Cruzadas. A introdução do açúcar de cana e das especiarias, como a pimenta e a canela, transformou o cotidiano das modestas vilas e cidades europeias. Produtos raros provenientes do Oriente, como seda e púrpura, forneceram condições para a constituição de um mercado de luxo até então desconhecido na Europa.

DOC. 3 Expulsão dos albigenses de Carcassone, em 1209, manuscrito dos séculos XIV-XV. Biblioteca Britânica, Londres.

Conhecimento e enriquecimento

Na Síria, peregrinos e comerciantes europeus aprenderam a técnica de fabricação do vidro e tomaram contato com os algarismos indo-arábicos, alterando o conhecimento da matemática. O contato dos europeus com novos instrumentos de navegação, como a bússola, possibilitou aperfeiçoar a tecnologia náutica e ampliar o domínio sobre os mares.

A camada social dos mercadores, principalmente das cidades de Veneza, Gênova e Pisa, foi a mais beneficiada pelas mudanças econômicas. Segundo o historiador francês Jacques Le Goff, contudo, o enriquecimento das cidades italianas resultou não do incremento do comércio, mas do aluguel de barcos e dos empréstimos concedidos aos cruzados.

O aumento da produção agrícola

A partir do século XI, a inovação dos instrumentos de produção agrícola, associada a novos métodos de exploração da terra, resultou no crescimento da produtividade rural e, por consequência, no aumento da população europeia.

A principal inovação técnica foi o uso de uma nova forma de atrelar os animais de tração. A atrelagem passou a ser feita pelo dorso do animal, e não mais pelo pescoço, permitindo deslocar mais peso. O novo sistema possibilitou a utilização da charrua, tipo de arado que revolvia mais profundamente o solo. Por fim, a difusão do moinho d'água e a introdução dos moinhos de vento facilitaram a moagem dos grãos.

Outra importante inovação agrícola foi a adoção do **sistema trienal de cultivo**, em vez do tradicional sistema bienal. A terra passou a ser cultivada em três lotes. O primeiro era semeado com cereais de inverno, o segundo com cereais de primavera e o último permanecia em repouso. Nos anos seguintes, alternavam-se os cultivos. Com esse sistema, obtinham-se duas colheitas ao ano, ampliando a reserva de alimentos.

O cultivo de novas espécies de leguminosas alterou a qualidade nutricional da dieta alimentar, gerando um impacto positivo na população. A transformação foi mais significativa para as mulheres. As gestantes e as mulheres em fase de aleitamento necessitavam de uma dieta mais rica em ferro, abundante nas leguminosas. A mortalidade feminina diminuiu e, em consequência, cresceu o número de crianças que se desenvolveram até a idade adulta.

A revitalização do comércio

Com o crescimento populacional, o mercado interno e o comércio a longa distância se intensificaram. Mercadores de diversas regiões utilizavam duas grandes rotas comerciais europeias. A primeira, no sul, dominada pelos italianos de Veneza e Gênova, era uma rota marítima que fazia uso do Mar Mediterrâneo. A segunda era uma rota terrestre, localizada no norte da Europa em torno da região de Flandres, comandada pelos alemães **[doc. 4]**.

As **feiras** surgiram no cruzamento dessas grandes rotas comerciais. Durante os séculos XII e XIII, uma das mais importantes feiras medievais se localizava na região de Champagne, no centro da França. Produtos adquiridos nas regiões norte e sul do continente europeu eram negociados nessa feira. No sul, predominavam as mercadorias vindas do Oriente, como perfumes, sedas e especiarias. No norte da Europa, circulavam produtos como grãos, peles e madeira.

Com a revitalização do comércio, o uso da moeda disseminou-se. Como cada país tinha a sua própria moeda, era necessário trocá-la, ou seja, fazer o câmbio. A profissão de cambista deu origem aos bancos. Os primeiros banqueiros se estabeleceram nas prósperas cidades italianas, mas logo o ofício apareceu em outras cidades. Os principais serviços prestados pelos banqueiros eram o câmbio, o empréstimo a juros e o depósito.

DOC. 4 **Principais rotas comerciais do século XIII**

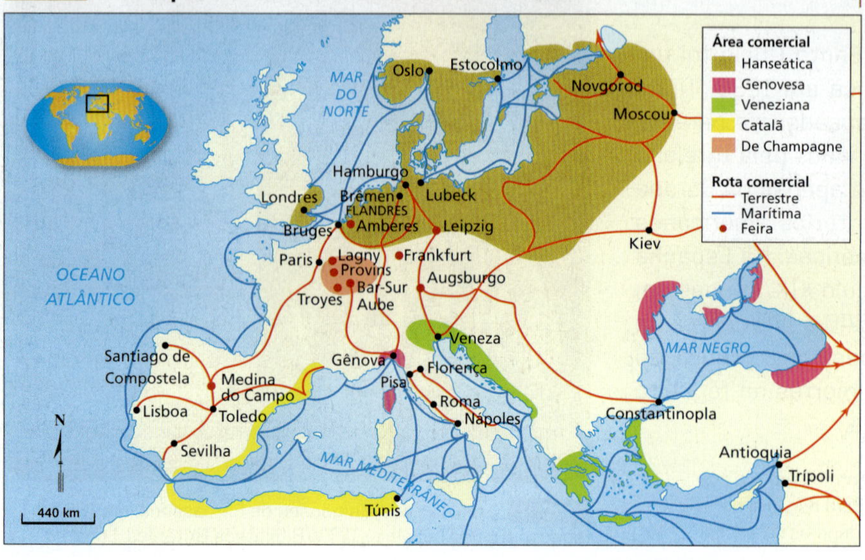

Fonte: DUBY, Georges. *Atlas historique*. Paris: Larousse, 1987. p. 60-63.

Conteúdo digital Moderna PLUS http://www.modernaplus.com.br
Mapa animado: Rotas comerciais medievais
Filme: *Marco Polo*

O crescimento de outras atividades

Outra mudança importante foi o desenvolvimento do artesanato, no qual se destacava a produção dos tecidos de lã. Os grandes centros produtores se encontravam na Itália, em Flandres e na Inglaterra. A importância econômica das oficinas de fundição de metais também cresceu. As oficinas produziam desde ferramentas agrícolas até armas e armaduras, usadas pelos cavaleiros nos torneios ou pelos senhores medievais nas guerras.

A expansão das cidades medievais

Entre os séculos X e XIII, os limites dos territórios habitados na Europa Ocidental se expandiram geograficamente, gerando transformações significativas na dinâmica social e econômica. Levas populacionais partiam em direção aos centros urbanos ou ainda para aquelas regiões que se formavam ao redor das feiras comerciais.

Podemos medir essa movimentação demográfica observando o crescimento da população urbana. Por volta do ano mil, nenhuma cidade da Europa Ocidental tinha mais de 10 mil habitantes. No século XIII, mais de cinquenta cidades já tinham ultrapassado esse limite. As cidades italianas eram as mais urbanizadas da Europa: Milão, Florença e Veneza chegavam a atingir 100 mil habitantes **[doc. 5]**.

As corporações de ofício

Na cidade se encontravam diferentes ofícios, como de artesãos, comerciantes, intelectuais, joalheiros, pedreiros e açougueiros. Para se proteger da concorrência, os artesãos se organizavam nas chamadas **guildas** ou **corporações de ofício**. A corporação fiscalizava o funcionamento de cada ofício nas cidades: regulamentava a quantidade de horas trabalhadas, o valor do salário, a qualidade da mercadoria e sua circulação, além de controlar a contratação de mão de obra. Para exercer o seu ofício, o trabalhador precisava ser aceito como membro da corporação.

As cidades como espaço da liberdade

Inicialmente, as novas comunidades urbanas integravam os domínios do senhor feudal ou da Igreja Católica, ficando submetidas à sua autoridade e obrigadas ao pagamento de tributos. Por esse motivo, estimulou-se o crescimento econômico de muitas cidades, o que significava um maior rendimento tributário. Com o tempo, no entanto, os **burgueses**, habitantes das cidades, passaram a comprar ou a exigir coletivamente o documento que lhes concedia direitos e privilégios e os emancipava do poder feudal ou clerical.

DOC. 5 A *cidade* [detalhe], obra de Ambrogio Lorenzetti, 1346. Pinacoteca Nacional, Siena.

Por meio da **carta de foral**, o rei ou um senhorio concedia direito de foro jurídico, ou seja, o direito de uma comunidade exercer o poder de justiça por meio da eleição de um conselho com autonomia municipal. O foral concedia também terras públicas para uso coletivo da comunidade, regulava impostos, taxas, multas e estabelecia direitos de proteção e obrigações militares. Em suma, o documento estabelecia as normas de relacionamento da comunidade entre si e entre ela e aquele que lhe outorgava o documento.

A transformação de uma aldeia em uma comunidade significava a conquista do direito de administrar-se e de autogovernar-se. Uma das bases dessa conquista foi o direito à liberdade individual. A nova condição política tornava os habitantes da cidade livres em relação a qualquer tipo de servidão.

Vocabulário histórico

Burguesia

Os termos *burguês* e *burguesia* surgiram por volta do ano mil e derivam de *burg*, palavra alemã que indicava uma praça fortificada. Na Baixa Idade Média, o termo burguesia se referia aos habitantes das cidades, caracterizados por certos privilégios e direitos. No noroeste europeu, em cidades como Paris e Marselha, burguês era o indivíduo que residia há muito tempo na cidade e possuía um mínimo de bens imóveis no território urbano, como uma casa. Na Idade Moderna, entre os séculos XV e XVIII, o termo burguesia estava associado à função econômica e à profissão, designando principalmente os grandes comerciantes, os artesãos ricos, os banqueiros, os profissionais liberais e os funcionários do governo que não pertenciam à aristocracia. Foi só a partir do século XIX que o termo burguesia passou a designar a classe dos capitalistas, donos dos meios de produção e responsáveis pela exploração da mão de obra dos trabalhadores.

QUESTÕES

1. Relacione as motivações iniciais das Cruzadas com os resultados dessas expedições.
2. Que transformações importantes ocorridas na sociedade feudal europeia é possível observar no mapa [doc. 4]?

Seção 7.6

A cultura na Baixa Idade Média

Objetivo

- Conhecer aspectos da cultura e da mentalidade medievais.

Termos e conceitos

- Baixa Idade Média
- Renascimento cultural
- Escolástica

O renascimento do século XII

Na **Baixa Idade Média**, pessoas de diferentes tipos e lugares transitam no espaço urbano, propiciando a circulação de mercadorias e ideias e a mudança de comportamentos. Por esse motivo, a cidade foi, frequentemente, considerada o ambiente privilegiado das trocas e manifestações culturais. Na Idade Média não foi diferente. A partir do século XII, a revitalização do comércio contribuiu para incrementar diversos setores do espaço urbano, como a cultura, a filosofia, as escolas urbanas e, mais tarde, as universidades.

As trocas comerciais realizadas com o Oriente permitiram aos pensadores europeus o contato com inovações técnicas e científicas, sobretudo por meio de filósofos e cientistas árabes. Os conhecimentos puderam ampliar-se em diferentes áreas, como matemática, medicina, astronomia e alquimia. Dessa experiência com novas ideias e saberes surgiu a figura do intelectual europeu do meio urbano, que compunha a categoria dos homens novos que habitavam as cidades.

Ao mesmo tempo que retomavam o pensamento de antigos sábios, esses homens tinham consciência de que construíam algo novo. Obras clássicas da cultura greco-latina, como as de Aristóteles, Euclides, Hipócrates e Ptolomeu, foram preservadas pelos árabes e começaram a ser traduzidas para o latim. É nesse sentido que podemos falar num **renascimento cultural** do século XII.

- **Baixa Idade Média.** Na divisão clássica, é o período da história medieval que se estende do século XI ao XV.
- **Homens novos.** O termo "homens novos" designava as novas camadas sociais do meio urbano, constituídas de clérigos, burgueses, nobres que passaram a habitar as cidades e até mesmo de trabalhadores de origem servil ou escrava, que foram enriquecendo com as atividades urbanas.

O surgimento das universidades

O desenvolvimento das cidades intensificou a demanda por uma população instruída e reforçou a necessidade de formar os funcionários da administração pública e de preparar melhor os clérigos para combater as heresias. Surgiram, assim, as universidades, algumas ainda no século XI.

Um bom exemplo foi a Universidade de Bolonha (1088), instituição italiana que resultou da reunião de outras escolas. Bolonha era reconhecida como o principal centro de estudos do direito romano. Surgiram também as Universidades de Oxford (1096) e de Paris (1170). As principais áreas do conhecimento eram direito, medicina e teologia **[doc. 1]**.

A universidade medieval foi o ponto de partida do modelo de universidade que conhecemos ainda hoje.

DOC. 1 **Sobre a natureza dos estudos**

"O que é um estudo, quantas formas dele existem e por mandado de quem deve ser feito.

Um estudo é uma associação de mestres e escolares feita num determinado lugar com a vontade e a intenção de aprender os saberes. E dele existem duas modalidades: uma é a que chamam 'estudo geral', onde há mestres das artes, assim como de gramática, de lógica, de retórica, de aritmética, de geometria e de astrologia, e outrossim em que há mestres de decretos e senhores de leis (mestres de direito civil); este estudo deve ser estabelecido por mandado de papa, de imperador ou de rei.

A segunda modalidade é a que chamam 'estudo particular' quer dizer quando um mestre ensina nalguma cidade, apartadamente, a poucos escolares.

E este, pode mandá-lo fazer o prelado ou conselho de qualquer lugar."

Afonso X, o Sábio. Las Siete Partidas [século XIII]. In: *História da Idade Média: textos e testemunhas*. São Paulo: Editora Unesp, 2000. p. 182.

Aula em universidade medieval, obra de Laurentius de Voltolina, c. 1350. Museu do Estado, Berlim.

A escolástica

A **escolástica** foi uma corrente de pensamento que resultou da síntese da cultura greco-latina com os dogmas da Igreja Católica. Surgida no século XII, procurava aliar fé e razão e confirmar a veracidade dos dogmas religiosos por meio da argumentação racional. A nova corrente cristã ficou conhecida como escolástica porque seus fundamentos eram ensinados nas universidades, também conhecidas como escolas.

Provar a existência de Deus por meio do estudo da *Bíblia* e dos textos sagrados do cristianismo, utilizando um método racional, era um dos exercícios sobre os quais se debruçavam os mestres da escolástica. Um bom exemplo foi a obra do intelectual francês Pedro Abelardo, professor e mestre da escolástica. Abelardo atraía diversos alunos e curiosos que vinham conhecer e compartilhar suas disputas intelectuais **[doc. 2]**.

A literatura medieval

A maior parte da população medieval era analfabeta, situação comum até mesmo entre os nobres. Por esse motivo, o contato com a literatura era feito predominantemente por meio da oralidade. As pessoas costumavam reunir-se nas cortes ou nas praças públicas para ouvir e se divertir com os poemas, as canções, as novelas e os jograis.

A partir do século XI, surgiram as primeiras obras escritas em idiomas vernáculos. Alguns dos novos idiomas surgiram da fusão entre o latim e as línguas faladas pelos povos dominados pelo extinto Império Romano, como o português, o espanhol e o italiano. Outros dos novos idiomas apenas sofreram pequenas influências da língua latina, como o inglês e o alemão.

Novas formas literárias, escritas em línguas vernáculas, surgiram no século XII. Os romances de cavalaria narravam os amores e as aventuras dos cavaleiros. As cantigas de amor, mais requintadas, eram declamadas nos ambientes das cortes, sempre reverenciando a figura da mulher.

A história dos romances de cavalaria e das cantigas de amor era marcada pelo culto do amor profundo e verdadeiro entre dois nobres. De um lado, o jovem pretendente; de outro, a sua dama. Os jovens cavaleiros buscavam seduzir suas damas, normalmente casadas, mais velhas e de posição social superior, por intermédio de uma espécie de jogo de sedução. Essa experiência amorosa foi chamada, mais tarde, de **amor cortês**.

Expressando-se num alto nível de complexidade e sofisticação, um dos maiores trabalhos da literatura medieval foi o poema épico *A divina comédia*, de 1321, escrito pelo italiano Dante Alighieri. A obra foi estruturada em três livros: Inferno, Purgatório e Paraíso. O personagem principal do livro é o próprio autor, que realiza uma viagem espiritual pelos três reinos do além-túmulo.

DOC. 2 **Um romance filosófico**

O filósofo francês Pedro Abelardo (1079-1142) teve uma história pessoal trágica e conturbada. Na filosofia, destacou-se pelo domínio da lógica, conhecimento fundamental para as disputas metafísicas e teológicas. Em suas aulas, Abelardo utilizava um método inovador que consistia em analisar pontos de vista contraditórios em relação a uma mesma questão, lançando, assim, as bases da escolástica. Em função disso, atraiu muitas inimizades e foi condenado duas vezes pela Igreja. Seu relacionamento amoroso com Heloísa, uma de suas alunas, levou-o a ser punido com a castração pela família dela. Retirou-se para viver num mosteiro, enquanto Heloísa foi viver num convento. Ao longo de suas vidas, os dois trocaram extensa correspondência, que foi preservada e acabou imortalizando essa trágica história de amor entre dois intelectuais.

Heloísa e Abelardo, iluminura extraída de um manuscrito de Guillaume de Lorris e Jean de Meung, c. 1370. Museu Condé, Chantilly.

- **Jogral.** Gênero literário que associa, em um conjunto de vozes alternadas, a declamação de poemas e canções, de um lado, e gestos e instrumentos musicais, de outro.
- **Vernáculo.** Língua nativa de um país ou localidade.

QUESTÕES

1. Quais as diferenças entre o Renascimento Carolíngio e o renascimento cultural do século XII?
2. Relacione o amor cortês praticado entre os nobres com as relações de vassalagem.

CONTROVÉRSIAS Visões da Idade Média

O texto a seguir trata da controvérsia em torno do imaginário da Idade Média que, ao longo do tempo, foi interpretado de diferentes maneiras pela historiografia.

Texto 1

"A imagem tradicional da Idade Média, elaborada pelos humanistas e relançada pelos iluministas [...], girava em torno do princípio dos 'séculos obscuros', caracterizados por uma profunda regressão da civilização e pelo retorno a condições de vida de tipo arcaico: uma economia de subsistência, uma sociedade regulada pela dependência e pela fidelidade a formas de quase escravidão, uma técnica bloqueada, uma elaboração cultural repetitiva e reduzida, um tipo de relações internacionais rarefeitas e inseguras, porém marcadas também por migrações de povos, por conflitos de etnias, por explosões de pauperismo. Certamente existe nessa imagem algo de verdadeiro, mas existe também um lugar-comum que não resistiu à revisão historiográfica, ativada já a partir do romantismo.

A Idade Média não é absolutamente a época do meio entre dois momentos altos de desenvolvimento da civilização: o mundo antigo e o mundo moderno. Foi sobretudo a época da formação da Europa cristã e da gestação dos pré-requisitos do homem moderno (formação da consciência individual; do empenho produtivo; da identidade supranacional etc.), como também um modelo de sociedade orgânica [...], assim como uma fase histórica que se coagulou em torno dos princípios da religião, caracterizando de modo particular toda esta longa época: conferindo-lhe conotações de dramaticidade e de tensão, mas também aberturas proféticas e fragmentos utópicos que nos apresentam uma imagem mais complexa e mais rica da Idade Média; e também uma identidade mais próxima de nós e de nossa sensibilidade."

CAMBI, Franco. *História da pedagogia*. São Paulo: Editora Unesp, 1999. p. 141-142.

Texto 2

"Faz agora dois séculos, ao menos, que a Idade Média é balançada de um extremo a outro, sombrio contraponto dos partidários da modernidade, ingênuo refúgio daqueles a quem o presente moderno horroriza. Existe, de resto, um ponto comum entre a idealização romântica e os sarcasmos modernistas: sendo a Idade Média o inverso do mundo moderno (o que é inegável), a visão que se oferece dela é inteiramente determinada pelo julgamento feito sobre o presente. É assim que uns a exaltam para melhor criticar sua própria realidade, enquanto outros a denigrem para melhor valorizar os progressos de seu tempo. [...]

Mas o essencial é escapar da caricatura sinistra tanto quanto da idealização: 'nem legenda negra, nem legenda rosa', escreveu Jacques Le Goff. A Idade Média não é nem o buraco negro da história ocidental nem o paraíso perdido."

BASCHET, Jérôme. *A civilização feudal*: do ano mil à colonização da América. São Paulo: Globo, 2006. p. 23-24.

QUESTÕES

1. Segundo os autores, qual é a visão tradicional que predomina sobre a Idade Média?

2. Qual é a posição dos autores sobre essa interpretação que se faz da Idade Média?

3. Avaliar um determinado período histórico como um avanço ou um retrocesso em relação ao período anterior pode ser considerado um problema? Justifique sua resposta.

O teatro da morte: a peste na Idade Média, pintura de Giulio G. Zumbo, final do século XVII. Museu do Observatório, Florença. Note a visão sinistra do período medieval que a obra transmite.

Retomar conteúdos

1 Responda às questões sobre a passagem da sociedade romana para a sociedade medieval.

a) Diferencie a relação do trabalhador com o senhor na servidão e na escravidão.

b) A crise do mundo romano e o nascimento da sociedade medieval foram marcados por um crescente empobrecimento e esvaziamento da vida urbana. Explique como se deu esse processo.

2 O cristianismo foi a primeira religião monoteísta universal. Explique a relação entre essa característica e a aliança da Igreja com os reinos da Idade Média.

3 Relacione o desenvolvimento de novas técnicas agrícolas, ocorrido na Baixa Idade Média, com o crescimento populacional e a revitalização do comércio.

Debater/pesquisar

4 Os personagens centrais da tirinha do Hagar são vikings, povo que vivia na região da Escandinávia, no norte da Europa. Nos séculos VIII e IX, provavelmente pressionados pelo aumento populacional, os vikings invadiram, pilharam e ocuparam a costa norte da Europa. Leia a tirinha a seguir e responda às questões.

Tira "Não é justo! Um menino sensível como eu ...", de Dik Browne. O personagem Hamlet é filho de Hagar, o Horrível. Diferente de seu pai, de comportamento bruto e que vive de saquear e guerrear, Hamlet é um garoto sensível, que encontra dificuldades em viver numa época de guerras e insegurança. Eles vivem por volta do ano mil. As tirinhas de Hagar são marcadas pelo anacronismo, um erro que consiste em atribuir a uma época características e conhecimentos de outra época.

a) Que passagem da tirinha nos remete à época medieval?

b) Qual visão a tirinha nos passa da Idade Média?

c) Identifique e comente os erros de anacronismo que aparecem na tirinha.

Ler textos e imagens

5 Analise a iluminura ao lado.

a) Que camada social da Europa feudal o personagem desta iluminura representa? A forma como ela foi representada coincide com a descrição feita pelo bispo Adalberón de Laon, no **doc. 3**, p. 156?

b) Descreva as ações representadas na imagem e interprete o significado da forma circular em que elas foram enquadradas.

O tempo e suas divisões: o trabalho dos meses, no livro de Bartholomeus Anglicus, século XIII. Biblioteca Nacional da França, Paris.

Capítulo

8 A civilização árabe e os reinos africanos

› 8.1 A Península Arábica e o nascimento do islã

O islamismo nasceu no século VII na Península Arábica e logo se difundiu entre as tribos nômades do deserto.

› 8.2 A expansão muçulmana

O islamismo garantia a unidade política e religiosa nos territórios conquistados pelos árabes.

› 8.3 As ciências e as artes no mundo islâmico

A difusão da língua árabe no Império Islâmico fomentou a literatura, a arte, a filosofia e as ciências.

› 8.4 Reinos da África Saheliana

O comércio transaariano foi um fator fundamental para a islamização dos povos do Sahel.

A expansão do islamismo

Existe hoje aproximadamente 1,5 bilhão de muçulmanos espalhados pelo mundo. Embora a maior parte deles seja árabe, existem muitos islâmicos não árabes na África, no Paquistão, no Irã, na Índia, em Bangladesh, na Indonésia e em vários países da Europa e da América. Em número de seguidores, o islamismo é a segunda maior religião, vindo logo depois do cristianismo.

A África e a Península Arábica

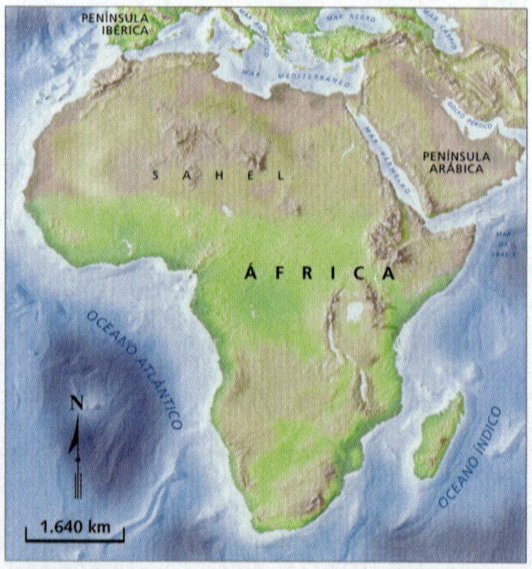

Fonte: *Atlas geográfico escolar*. 3. ed. Rio de Janeiro: IBGE, 2006. p. 44.

O islamismo nasceu na Península Arábica e, em menos de um século, conquistou o Oriente Médio, o norte da África e o sul da Europa. Na África, após a conquista do norte, os árabes avançaram para a região do Sahel, imediatamente ao sul do Saara, onde já havia reinos estabelecidos muito antes do processo de islamização. Os povos da região, desde os primeiros séculos da era cristã, realizavam intensas trocas mercantis com as culturas do norte, negociando ouro, sal e outros produtos.

Com a expansão árabe, a cultura islâmica espalhou-se pelo Sahel, onde se ergueram mesquitas, se divulgou a língua árabe e se adotou o estudo do Corão. Hoje, os países da região do Sahel se destacam pelo predomínio do islamismo, por dificuldades econômicas relacionadas às longas estiagens e por conflitos armados envolvendo muçulmanos e grupos não muçulmanos.

Mesquita em Djenné. Mali, 2007.

A Península Arábica e o nascimento do islã

Objetivo

- Compreender o processo de formação do islã.

Termos e conceitos

- Árabe
- Islamismo
- Islã
- *Corão/Alcorão*

A paisagem e os povos da Arábia

Os **árabes** são originários da Península Arábica, uma região da Ásia limitada pelo Mar Vermelho, a oeste, pelo Golfo Pérsico, a leste, pelo Mar Arábico, ao sul, e pela Palestina e a Mesopotâmia, ao norte **[doc. 1]**. A paisagem da península é dominada pelos desertos, pelas estepes (formação vegetal composta basicamente de gramíneas) e pelos oásis, situados no entorno dos desertos e na costa.

No sul da península, o clima mais favorável, graças às chuvas de monções, e a facilidade de comunicação com os povos vizinhos, por via marítima, possibilitaram a formação de cidades e o desenvolvimento da agricultura e do comércio. A "Arábia Feliz", como era conhecida, destacou-se pela presença de poderosos comerciantes, que, em caravanas de camelos, cruzavam a Arábia e chegavam ao Oriente para comprar e vender produtos. Nessa parte da Arábia, formaram-se sucessivos Estados centralizados.

Na parte central e setentrional viviam os **beduínos**, nômades ou semissedentários. Eles criavam camelos, carneiros e cabras, animais que se adaptam bem ao clima do deserto. Também se dedicavam ao comércio de caravanas **[doc. 2]**. Diferentemente das monarquias fundadas pelos árabes do sul, os beduínos tinham uma organização tribal, vivendo em grupos liderados por chefes. A unidade grupal era dada pela crença num ancestral comum e pelo uso de um mesmo idioma, o árabe.

O modo de vida dos beduínos

O núcleo básico da sociedade dos beduínos era a família, geralmente formada por três gerações: avós, pais e filhos. Viviam em casas feitas de pedra ou adobe. O homem costumava cuidar do rebanho e do comércio. As mulheres eram responsáveis pela limpeza, pela cozinha e pelos cuidados com as crianças.

No campo religioso, os árabes do norte acreditavam em espíritos que eram representados por árvores, pedras e outros elementos da natureza. Acreditavam, também, em divindades, como as deusas Manat e Ozza, que se subordinavam a uma divindade superior, Alá, o deus. Os locais sagrados eram terras de asilo e peregrinação dos devotos.

DOC. 1 A Península Arábica

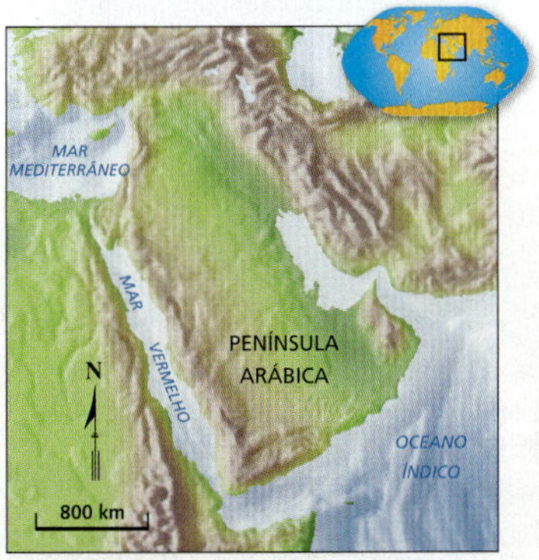

Fonte: HOURANI, Albert. *Uma história dos povos árabes*. São Paulo: Companhia das Letras, 2006. p. 30.

- **Árabe.** Durante a Idade Média, o termo referia-se aos povos originários da Península Arábica e aos que adotaram a língua árabe. Hoje, o critério fundamental para definir o árabe é se ele vive ou é originário de um país falante da língua árabe.

DOC. 2 Caravana de beduínos em um deserto próximo a Riad, Arábia Saudita, em 2008.

Maomé funda uma nova religião

A cidade de Meca se destacava na Península Arábica por servir como posto de abastecimento de água para as caravanas de mercadores e por situar-se no entroncamento de rotas comerciais que atingiam a Mesopotâmia, a Síria e o Egito.

No século V, sob o domínio dos coraixitas, uma tribo constituída de ricos mercadores da cidade, Meca se converteu num grande centro de peregrinação. Nela se situava a **Caaba**, um grande santuário que reunia as principais divindades árabes, além da Pedra Negra, um objeto especialmente venerado pelos árabes **[doc. 3]**. As peregrinações de fiéis fizeram crescer a importância comercial da cidade.

Maomé teria nascido na cidade de Meca, por volta do ano 570. Segundo a tradição, quando tinha cerca de 40 anos de idade, passou por uma experiência mística, que ficou conhecida mais tarde como Noite do Poder ou Noite do Destino. Maomé teria visto um anjo que o convenceu a se tornar um mensageiro de Deus. Desse momento em diante, recebeu várias mensagens em forma de revelações feitas por Alá (Deus). Foi o início de uma nova religião – o **islamismo** –, e os seus seguidores passaram a ser conhecidos como muçulmanos.

Apesar do aumento do número de seus seguidores, Maomé enfrentava cada vez mais a oposição das principais famílias da região, sobretudo do grupo coraixita, ao qual ele pertencia. Seus membros não aceitavam as críticas de Maomé às crenças árabes tradicionais e sentiam que elas podiam prejudicar as peregrinações a Meca e os seus negócios. O aumento das perseguições e a morte da sua esposa, Cadija, e de seu tio Abu Talib, no mesmo ano, levaram Maomé, em 622, a partir de Meca em direção a um oásis trezentos quilômetros ao norte, chamado Yathrib, mais tarde conhecido como Medina. Essa mudança ficou conhecida como hégira.

Maomé, a partir de Medina, expandiu seu poder para os oásis e o deserto. Ele atraiu um grande número de seguidores e unificou as tribos árabes em torno da nova fé. Em 629, após uma mudança nas relações com os coraixitas, Meca foi ocupada sem resistência, tornando-se um lugar de peregrinação religiosa. Maomé governou os grupos submetidos com o apoio de delegados, forças militares e um tesouro público, constituído de doações e impostos. Ele morreu em 632, controlando vários oásis e as grandes feiras comerciais.

DOC. 3 Atualmente, a Caaba é um centro de peregrinação islâmica, localizado na Mesquita de Al--Masjid Al-Haram, em Meca, na Arábia Saudita. No século VII, Maomé transformou a Caaba, que era um lugar de adoração de vários deuses, no local mais sagrado para os muçulmanos. O seu interior abriga uma das relíquias da religião islâmica, a Pedra Negra. Arábia Saudita, 2009.

As características da nova religião

As revelações que Alá teria feito a Maomé foram contadas pelo profeta aos seus seguidores, que as teriam memorizado e anotado. A compilação dessas revelações data de 653, aproximadamente, e foi estabelecida no **Corão** ou **Alcorão**, o livro sagrado dos muçulmanos. Outro livro que contém leis islâmicas e feitos de Maomé é a *Suna*, composto com base nas tradições das *hadiths*, narrativas recolhidas dos seguidores do profeta.

O *Alcorão* e a *Suna* fornecem a base das cinco regras fundamentais da crença muçulmana, conhecidas como os pilares do islã. O primeiro deles é realizar o testemunho oral de que "só há um Deus, e Maomé é o seu profeta". O segundo pilar é o cumprimento das cinco orações diárias. O terceiro determina que todo muçulmano deve doar uma parte dos seus ganhos para obras de caridade. O quarto pilar é realizar o jejum do amanhecer até o anoitecer durante todo o **Ramadã** **[doc. 4]**. Por fim, o quinto pilar do islã é fazer a peregrinação a Meca pelo menos uma vez na vida, se possível.

Em muitos países islâmicos, como o Irã, não há separação entre a religião e o Estado. Isso significa que os preceitos religiosos, estabelecidos no *Alcorão* e na *Suna*, servem de base para as leis que regem o funcionamento da vida pública e da vida privada. O código de leis do islã, a **charia**, regula os aspectos políticos, econômicos e sociais, muitas vezes influenciando questões familiares, sexuais e até mesmo os negócios. Algumas leis da charia foram estabelecidas diretamente por Deus, como a proibição de consumir bebidas alcoólicas. Por isso, são consideradas universais e atemporais.

A Constituição que orienta a vida política e social da maior parte dos países ocidentais foi elaborada sem a interferência de dogmas religiosos. Os diversos grupos religiosos, no entanto, não deixam de atuar no cenário político e exigir que a lei vigente mude ou permaneça como está conforme suas convicções. No caso do Brasil, por exemplo, representantes de diferentes igrejas e religiões posicionam-se abertamente contra ou a favor de propostas que contrariam as suas doutrinas, como a legalização do aborto e a união homossexual.

- **Islã.** Conjunto de países que têm o islamismo como religião predominante; religião islâmica.

Vocabulário histórico

Hégira

Deslocamento de Maomé e seus seguidores da cidade de Meca para Medina. As gerações posteriores a Maomé deram a esse episódio o significado não apenas de fuga, mas de migração para um local seguro, para se proteger. Nos séculos seguintes, passaria a significar o abandono de uma comunidade pagã e a escolha de outra fundada nos preceitos da religião islâmica. A hégira marca o início do calendário muçulmano, instituído no ano 622 do calendário cristão.

DOC. 4 O Ramadã

No calendário islâmico, que é lunar, o mês do Ramadã pode ter 29 ou 30 dias. Ele equivale ao período em que Deus teria revelado a Maomé as escrituras sagradas. A tradição determina, durante o Ramadã, um período de jejum e meditação para purificar o fiel e redimi-lo de seus pecados.

"'No Ramadã, o muçulmano deve se abster de água, comida, sexo, desavenças, intrigas e tudo que possa desagradar os ensinamentos de Alá. Esse período vai do alvorecer ao crepúsculo, quando se quebra o jejum. O período tem por objetivo ensinar aos muçulmanos a disciplina, boas ações e a caridade, bem mais do que em qualquer outro mês do ano. A abstenção da comida e bebida nada adianta sem lapidar sua conduta e sua paciência e sem deixar de lado as mentiras e imoralidades', diz [...] o xeique Armando Hussein Saleh, da Mesquita Brasil, em São Paulo, e coordenador do Grupo de Estudo Islâmico Brasileiro."

Começa neste sábado o Ramadã, mês de jejum para os muçulmanos, 22 ago. 2009. Disponível em http://g1.globo.com. Acesso em 5 jul. 2010.

Mulheres muçulmanas oram diante do Domo da Rocha, na cidade velha de Jerusalém, na última sexta-feira do Ramadã, em 2009.

QUESTÕES

1. Quais eram os primeiros habitantes da Península Arábica e quais eram suas principais características sociais?
2. Cite duas semelhanças e duas diferenças entre as três grandes religiões estudadas até o momento (judaísmo, cristianismo e islamismo).
3. Há, nas tradições religiosas judaicas e cristãs, alguma celebração com características semelhantes à do Ramadã islâmico? Explique.

ANALISAR UM DOCUMENTO HISTÓRICO

O *Alcorão*: o livro sagrado dos muçulmanos

O *Alcorão* ou *Corão* teria sido revelado por Deus ao profeta Maomé ao longo de 22 anos. Ele narra a origem do universo e dos homens e sistematiza as leis morais e sociais islâmicas, bem como os deveres e os direitos dos fiéis.

A seguir, faremos a leitura de alguns trechos do *Alcorão*, que se referem especificamente à posição das mulheres na sociedade islâmica.

"1. Ó humanos, temei a vosso Senhor, que vos criou de um só ser, do qual criou a sua companheira e, de ambos, fez descender inúmeros homens e mulheres. [...]

3. Se temerdes ser injustos no trato com os órfãos, podereis desposar duas, três ou quatro das que vos aprouver, entre as mulheres. Mas, se temerdes não poder ser equitativos para com elas, casai, então, com uma só, ou conformai-vos com as que as vossas mãos direitas possuem. Isso é o mais adequado, para evitar que cometais injustiças. [...]

7. Aos filhos varões corresponde uma parte do que tenham deixado os seus pais e parentes. Às mulheres também corresponde uma parte do que tenham deixado os pais e parentes, quer seja pouca ou muita – uma quantia obrigatória. [...]

15. Quanto àquelas, dentre vossas mulheres, que tenham incorrido em adultério, apelai para quatro testemunhas, dentre os vossos e, se estas o confirmarem, confinai-as em suas casas, até que lhes chegue a morte ou que Alá lhes trace um novo destino.

16. E àqueles, dentre vós, que o cometerem (homens e mulheres), puni-os; porém, caso se arrependam e se corrijam, deixai-os tranquilos, porque Alá é Remissório, Misericordiosíssimo. [...]

34. Os homens são os protetores das mulheres, porque Alá dotou uns com mais (força) do que as outras, e pelo sustento do seu pecúlio. As boas esposas são as devotas, que guardam, na ausência (do marido), o que Alá ordenou que fosse guardado. Quanto àquelas de quem constatais rebeldia, admoestai-as (na primeira vez), abandonai os seus leitos (na segunda vez) e castigai-as (na terceira vez); porém, se vos obedecerem, não procureis meios (escusos) contra elas. Sabei que Alá é Excelso, Magnânimo. [...]

21. Entre os seus sinais está o de haver-vos criado companheiras da vossa mesma espécie, para encontrardes repouso nelas; e colocou amor e piedade entre vós. [...]"

4ª Surata, 1, 3, 7, 15-16, 34; 30ª Surata, 21. *O significado dos versículos do Alcorão sagrado*: versão portuguesa diretamente do árabe. São Paulo: MarsaM, 2004. p. 86-91, 95, 472.

QUESTÕES

1. Quais passagens do *Alcorão* reproduzidas neste texto expõem a visão de que as mulheres estão subordinadas aos homens? Quais revelam a visão de que elas merecem respeito e proteção?

2. Notamos também que o *Alcorão* se preocupa muito com a manutenção da concórdia, da paz e do equilíbrio, mesmo que dentro de leis restritivas de conduta. Por que, ao contrário disso, as sociedades ocidentais veem o islã como uma crença que incita a violência e o conflito com outras culturas?

Para compreender o documento

O que o *Alcorão* estabelece sobre o papel das mulheres na sociedade? Lendo esses trechos, percebemos que, em alguns aspectos, o islamismo coincide com a tradição bíblica ao subordinar as mulheres ao comando dos homens. Em outros, porém, notamos o reconhecimento de alguns direitos das mulheres, como o direito à herança e o de serem tratadas com amor e companheirismo por seus maridos.

1. Os versículos reproduzidos indicam que o *Alcorão* é um código de conduta para o fiel, revelado por Alá ao profeta Maomé.
2. Como no livro do Gênesis, da *Bíblia*, a mulher foi criada para ser companheira do homem.
3. Note que o islamismo admite a poligamia masculina, mas estabelece condições para isso.
4. À semelhança das leis mosaicas, o adultério, cometido tanto pelos maridos como pelas esposas, é condenado e passível de punição.

Mulher vestindo véu e roupas tradicionais islâmicas e outra usando roupas ocidentais caminhando lado a lado em Beirute, Líbano, 2009.

A expansão muçulmana

Objetivo

- Explicar e diferenciar os diversos períodos históricos da organização política dos árabes.

Termos e conceitos

- Califa
- Califado

Os sucessores de Maomé

Após a morte de Maomé, em 632, os sucessores eram chamados de **califas**, palavra derivada de *khalifa*, que significa "o seguidor do profeta" **[doc. 1]**. O califa era o representante político do grupo. Em alguns casos, como os primeiros califas, possuía um caráter divino. A essa nova ordem política deu-se o nome de **califado**.

Os califas árabes organizaram fortes exércitos, utilizando camelos nas batalhas, e aproveitaram-se do enfraquecimento causado por guerras e epidemias que assolaram os dois grandes impérios (Bizantino e Sassânida) para expandir seus territórios. O islã atuou como um dos principais fatores da expansão árabe, visto que promovia a unidade política e religiosa dos territórios dominados.

Em cada área conquistada criavam-se acampamentos militares para alojar os soldados árabes. Muitos desses acampamentos deram origem a grandes cidades, como Basra e Kufa, no Iraque, e Fustat (Cairo), no Egito.

DOC. 1 **Xiitas e sunitas**

O grupo dos xiitas e o grupo dos sunitas são as duas principais correntes do islã. Com a morte de Maomé, parte dos fiéis, encabeçada por Ali, genro e primo do profeta, defendia que o sucessor deveria ser escolhido entre os parentes de Maomé. Eles passaram a ser conhecidos como xiitas, que significa "partido de Ali".

Outra parte dos fiéis defendia que o sucessor deveria ser escolhido por eleições entre os membros do islã. Como aceitavam a autoridade dos preceitos estabelecidos no século VIII com base na conduta de Maomé (*Suna*), ficaram conhecidos como sunitas.

O califado omíada

Na segunda metade do século VII, o cargo de califa passou a ser hereditário e concentrado nas mãos dos membros da família dos omíadas. Com o estabelecimento do **califado omíada**, a capital do Império Árabe foi transferida para Damasco, na Síria. Nessa época, a língua árabe foi introduzida no cotidiano administrativo e construíram-se as mesquitas de Medina e Jerusalém.

O poder do califado expandiu-se ainda mais, sobretudo no norte da África, chegando à área onde hoje está a Tunísia. No fim do século VII, os árabes avançaram para a costa atlântica do Marrocos, alcançando, logo em seguida, a Península Ibérica. Além disso, estabeleceram-se na área dos atuais Paquistão e Afeganistão e em outros territórios da Ásia Central **[doc. 2]**.

DOC. 2 **A expansão do Império Islâmico**

Extensão máxima

- Domínio omíada (séculos VII-VIII)
- Califado de Córdoba (omíada) (séculos VIII-XIV)
- Domínio abássida (séculos VIII-XIII)
- Domínio fatímida (séculos X-XII)
- Domínio otomano (séculos XIII-XIX)

Fonte: *Atlas of the world history*. Skokie: Rand McNally, 1995. p. 54-55; DUBY, Georges. *Atlas historique*. Paris: Larousse, 1987. p. 196-197; 209.

Conteúdo digital Moderna PLUS http://www.modernaplus.com.br
Mapa animado: Omíadas e abássidas

O califado abássida

Em meados do século VIII, um novo ramo familiar chegou ao poder, inaugurando o chamado **califado abássida**, cuja capital passou a ser Bagdá [doc. 3].

No século XIII, entretanto, o Império Árabe já estava dividido em três regiões: a primeira, no Irã e no Iraque, cujo centro de poder era Bagdá; a segunda, no Egito, Síria e Arábia Ocidental, centralizada no Cairo; e a terceira, no Magrebe e na Península Ibérica. No século seguinte, as fronteiras do mundo muçulmano contraíram-se, devido, principalmente, à expansão dos cristãos da Europa Ocidental e à invasão dos turco otomanos, vindos da Ásia Menor.

As atividades econômicas

As principais atividades econômicas no mundo muçulmano eram a agricultura, a criação de animais e o comércio. Os pastores criavam cabras e carneiros, que forneciam carne, lã e couro, e camelos, que garantiam o meio de transporte. Os camponeses produziam trigo, frutas, legumes, vinhas, oliveiras, linho e algodão. O azeite era utilizado tanto na alimentação quanto como combustível para a iluminação.

No mundo urbano, o comércio era a atividade mais importante. O período abássida foi o auge da atividade mercantil e da vida urbana. O domínio do Mar Mediterrâneo e do Índico Ocidental garantiu o abastecimento das cidades com produtos vindos de longa distância, como vidros, especiarias, tecidos, ouro e porcelana, além de escravos. A expansão mercantil muçulmana foi facilitada pela criação de uma moeda própria e pela construção de uma frota para o transporte de produtos a longa distância.

As cidades também eram centros artesanais, constituídos por pequenas oficinas de metalurgia, de produção de tecidos, vidro e objetos de couro, comandadas por artesãos que, às vezes, empregavam um número reduzido de trabalhadores. O aprendizado desse ofício costumava ser transmitido de geração para geração.

A vida nas cidades

No centro das cidades árabes, chamado medina, localizava-se a mesquita principal, o tribunal do cádi (espécie de juiz), as escolas e as lojas. Na praça central ficava o mercado (suq), considerado o mais importante ponto de comércio. Longe do centro da cidade viviam os mais pobres, a maioria imigrantes vindos do campo. Aí também ficavam as casas que realizavam trabalhos especializados, como os curtumes, os matadouros e os cemitérios.

As cidades do mundo muçulmano constituíam centros de intercâmbio cultural, sendo, muitas vezes, visitadas por pessoas de diferentes origens, que se deslocavam em busca do saber e para divulgar e ampliar o conhecimento da religião islâmica. Foi o caso de Ibn Battuta (1304-1377). Nascido em Tanger, no Marrocos, viajou para Meca, Bagdá, Iêmen, Omã, Índia, China, Espanha e África Subsaariana. Por onde passava, visitava as casas dos sábios e os palácios, chegando a ocupar o cargo de cádi em alguns lugares.

DOC. 3 Captura de Bagdá pelos mongóis, em 1258. Miniatura persa de 1350. Biblioteca Nacional da França, Paris.

QUESTÃO

- O islamismo, assim como o cristianismo, divide-se em várias correntes que se destacam por suas diferenças na interpretação da palavra sagrada. Com base nisso, responda às questões.
  a) Quais são as duas maiores correntes islâmicas?
  b) Explique as origens históricas do conflito entre esses dois grupos.

As ciências e as artes no mundo islâmico

Objetivo

- Destacar a importância e as características do islã para a expansão da cultura árabe.

Termos e conceitos

- Cultura
- Arte
- Mesquita

A literatura árabe

A linguagem poética era uma antiga tradição dos árabes que habitavam os oásis. A principal forma poética era a ode ou *qasida*, caracterizada por um poema composto de até cem versos e com apenas uma rima. Apesar de a escrita árabe ser utilizada na Península Arábica desde o século IV, data das mais antigas inscrições, os poemas eram feitos para serem recitados em público, em geral pelo próprio poeta, mas também poderiam ser pronunciados por um declamador (*rawi*).

O centro da produção literária no período abássida passou das aldeias e dos oásis para as grandes cidades, como Basra, Kufa e Bagdá, incorporando a participação dos califas, dos altos funcionários e da elite urbana. A declamação oral foi preservada, mas a literatura escrita ganhou força e espaço, principalmente a partir do século IX, com a substituição do papiro pelo papel, invento trazido da China.

O romance foi o gênero mais difundido da literatura muçulmana **[doc. 1]**. Histórias de heróis, aventuras e viagens resistiram ao tempo, embora muitas possam ser encontradas hoje em diferentes versões. Dentre elas estão a história de Antar Ibn Shaddad, herói árabe, filho de uma escrava, e a de Banu Hilal, sobre um grupo árabe que migrou para o norte da África, ambas datadas do século VIII.

Muitas dessas histórias eram contadas oralmente, numa mistura de poesia e prosa rimada, que facilitava a memorização e as distinguia das narrativas comuns e dos discursos. Depois de algum tempo, as histórias passaram a ser escritas. Um exemplo é a famosa obra *As mil e uma noites*, uma coletânea de contos populares árabes preservados pela tradição oral. Há indícios de que a maior parte dessas histórias tenha sido escrita em Bagdá entre os séculos X e XII. Algumas histórias que aparecem nas traduções europeias do século XVIII e em versões árabes do século XIX, contudo, não se encontram nos originais mais antigos **[doc. 2]**.

O ensino das letras foi muito incentivado pelos muçulmanos durante a Idade Média. Os califas patrocinavam a criação de escolas e bibliotecas, como a do Cairo, que no final do século X era uma das maiores do mundo. Pode-se dizer que o ensino público também foi inaugurado nessa época, quando o califa egípcio Aziz aceitou custear a educação para estudantes na Mesquita de Al-Azhar, no Cairo, atraindo estudantes de todo o mundo muçulmano.

DOC. 1 Iluminura do século XVI representando uma passagem da história de amor entre Laylah e Majnun, na versão de Nezami Ganjavi (1141-1209), escritor e poeta persa. A história remonta ao século VII. Biblioteca do Congresso, Washington.

As ciências no mundo árabe

A dinastia abássida foi o período de maior esplendor da **cultura** e da ciência árabes. A produção e a difusão do conhecimento no mundo muçulmano foram facilitadas pela expansão da língua árabe por todo o Império. A unidade linguística possibilitou o intercâmbio intelectual nas terras muçulmanas, estimulando a criação de bibliotecas, a tradução de obras gregas, judaicas e cristãs para o árabe e o desenvolvimento de várias áreas do saber.

Na matemática, os árabes aperfeiçoaram e difundiram os algarismos hindus, desenvolveram a álgebra e a trigonometria. Na química, descreveram o processo de destilação do álcool, descobriram o nitrato de prata, o carbonato de sódio, o salitre e novas fórmulas para o preparo do vidro e do esmalte. Na medicina, identificaram a natureza contagiosa da tuberculose, desenvolveram antídotos contra envenenamentos, diagnosticaram o câncer de estômago e perceberam a importância da higiene na prevenção de inúmeras doenças.

DOC. 2 **As mil e uma noites**

Essa coletânea de contos árabes traz a história de Xariar, rei da Pérsia, e Xerazade. Xariar mandou matar a esposa após ter descoberto sua traição. Desde então passava cada noite com uma mulher diferente, que mandava matar no dia seguinte. Xerazade se ofereceu para ser uma das mulheres do rei, pois tinha um plano para impedir que Xariar a matasse. Toda noite, Xerazade contava-lhe uma história, mas não a terminava, deixando o rei curioso para saber o final. Assim, encadeando uma história na outra, Xerazade conseguiu encantar o rei por mil e uma noites, sendo poupada da morte.

"1ª noite: O mercador e o gênio

Senhor, havia outrora um mercador que possuía muitos bens [...]. Tinha muitos empregados e escravos. Como era obrigado, de tempos a tempos, a efetuar viagens [...], montou a cavalo e partiu [...]. Ao quarto dia de marcha sentiu-se de tal modo incomodado com o ardor do Sol [...] se desviou da sua rota para se ir refrescar sob as árvores que vislumbrou no caminho. [...] sentou-se junto da fonte, após ter tirado da sua mala alguns biscoitos e tâmaras. Ao comer as tâmaras, jogava os caroços para a esquerda e para a direita. Quando terminou esta frugal refeição, e como era bom muçulmano, lavou as mãos, a cara e os pés, e fez a sua oração.

Ainda não tinha acabado, estando ainda de joelhos, quando viu surgir um gênio todo branco de velhice e de uma enorme estatura que, avançando até junto dele com o sabre na mão, lhe disse em tom terrível:

– Levanta-te, que eu te matarei com este sabre tal como tu mataste o meu filho. [...]

– Oh meu Deus! – retorquiu o mercador – como poderia eu ter matado o teu filho? Não o conheço e jamais o vi. [...]

– Assim sendo – continuou o gênio – digo-te que mataste o meu filho, e eis como o fizeste: na altura em que lançavas os teus caroços, o meu filho passava; apanhou com um olho e morreu. É por isso que eu te devo matar. [...]

– Quê? – replicou o mercador – nada lhe faz compadecer? Quereis tirar a vida a um inocente?

– Sim – respondeu o gênio – estou resolvido a isso.

Ao terminar estas palavras...

Nesta altura, ao reparar que era dia e sabendo que o sultão se levantava muito cedo, para fazer a sua oração e reunir o Conselho, Xerazade deixou de falar. [...].

Xariar, que tinha ouvido Xerazade com prazer, disse para si mesmo:

'Esperarei até amanhã; fa-la-ei morrer quando ouvir o fim do seu conto.'"

GALLAND, Antoine. *As mil e uma noites*. Lisboa: Estampa, 1986. p. 35-37.

Xerazade e o rei Xariar. Gravura francesa do livro *As mil e uma noites*, datada do século XIX.

Pensadores árabes

No século VIII, a capital Bagdá transformou-se no centro literário e científico do Império. Lá foi criada a Escola de Bagdá, referência no ensino da medicina e da astronomia **[doc. 3]**. Um dos principais cientistas desta escola foi Al Battani, que escreveu um tratado de astronomia, conseguindo chegar a valores mais precisos das posições do Sol e da Lua. O matemático Abu'l Wafa foi responsável pela difusão da trigonometria, sobretudo do seu uso na astronomia.

O matemático muçulmano Al-Hazen tornou-se conhecido no mundo todo depois da divulgação do seu importante tratado de óptica. Nascido em Basra, Al-Hazen foi responsável pela primeira menção à câmara-escura, base da fotografia, quando fazia observações a respeito da imagem refletida do Sol durante os eclipses.

Na filosofia revelaram-se nomes como Ibn Sina Avicena e Ibn Ruchd Averróis, estudiosos da obras de Aristóteles e das relações entre o pensamento filosófico e a religião islâmica. Há ainda o historiador Abd al-Rahman Ibn Khaldun, que traduzia em seus livros as características da sociedade muçulmana.

DOC. 3 Estudiosos reunidos em centro de estudos em Bagdá, imagem do século XIV.

A arquitetura e as artes plásticas islâmicas

Os preceitos do islã proíbem a idolatria e o culto às imagens. Em 630, ao conquistar Meca, Maomé teria destruído todas as pinturas religiosas e os ídolos que estavam na Caaba. Acreditava-se que o artista, ao representar um ser humano ou um animal, assumiria o papel de criador, reservado apenas a Deus.

São significativos, no entanto, os exemplos de ilustrações figurativas nas obras literárias e científicas árabes, como os tratados de astronomia e botânica, e em objetos de cerâmica e tapeçarias. Aliás, o livro era uma das maiores expressões da **arte** islâmica, abarcando diferentes técnicas: a pintura, a encadernação, a iluminura e a caligrafia.

Com relação à arquitetura islâmica, a **mesquita** é o monumento que melhor a representa **[doc. 4]**. No califado omíada, a edificação religiosa ganhou grande importância. Foi a época da construção de mesquitas com pátio e sala de orações, que se tornaram modelos da arquitetura islâmica.

QUESTÕES

1. Quais teriam sido os fatores que contribuíram para o desenvolvimento das artes e das ciências muçulmanas?
2. Quais características socioeconômicas da Pérsia muçulmana aparecem nesse conto das *Mil e uma noites* [doc. 2]?
3. Identifique os elementos da arquitetura religiosa islâmica presentes nas imagens **[doc. 4]**.

DOC. 4 **O modelo das mesquitas**

As mesquitas costumam ter uma arquitetura comum, isto é, um pátio aberto que dá acesso a um salão fechado. Nesse espaço, os muçulmanos colocam-se em filas voltados para a cidade sagrada de Meca.

1. Mihrab
Santuário que assinala a direção de Meca.

2. Minbar
Púlpito de onde se faz o sermão nas preces do meio-dia das sextas-feiras.

3. Minarete
Do lado de fora das mesquitas há também um minarete para chamar os fiéis para rezar.

4. Cúpula
A cúpula (domo), estrutura em forma circular, é um traço característico das mesquitas.

Acima, mihrab e minbar da Mesquita de Larnaca, Chipre, em 2006; abaixo, Mesquita de Omar Yadi, em Alepo, na Síria, em 2009.

Reinos da África Saheliana

› Objetivos

- Perceber a importância do comércio transaariano para os povos africanos do Sahel.
- Reconhecer a influência do islã na vida dos povos sahelianos.

› Termos e conceitos

- Sahel
- Comércio transaariano
- Mansa

O islã na África Subsaariana

O processo de islamização dos reinos africanos da região do **Sahel** deu-se de forma diferente do que ocorreu no norte do continente **[doc. 1]**. Enquanto as províncias do Egito e do Magrebe foram atingidas pela expansão religiosa de cunho militar já nos séculos VI e VII, as regiões da chamada Terra dos Negros, ao sul do Deserto do Saara, foram incorporadas ao mundo do islã de forma lenta, progressiva, no esteio das atividades mercantis que ligavam o norte e o sul do continente africano: o **comércio transaariano**.

É preciso sublinhar, porém, que tanto os fluxos mercantis sistemáticos como a existência de sociedades complexas e urbanizadas precederam a chegada do islã e de seus emissários, conhecidos como **marabutos**. Assim, existem duas formas de se olhar o processo de islamização do Sahel: uma que destaca a passividade dos africanos diante da penetração de influências externas e outra que busca entender o fenômeno da islamização pela interação de mundos que convergiam e dialogavam em torno de idiomas comuns. Nesse último sentido, pode-se afirmar que a expansão do islã na região originou-se do interesse das sociedades sahelianas em conhecer o mundo exterior e de se apropriar de uma nova linguagem para expressar, de outra maneira, o que diziam na sua própria língua, como pontuou Paulo de Moraes Farias, especialista na história do islã africano.

Para entender a islamização do Sahel, portanto, é necessário recuperar um pouco da história dos seus reinos e de seus contatos com o norte da África por meio do comércio transaariano, além das razões pelas quais as sociedades africanas da região aderiram aos elementos do mundo, da cultura e da religião de Maomé. Compreendendo essas questões, é possível dimensionar as influências das culturas sahelianas em outras partes do mundo muçulmano, como na Península Ibérica, onde se formariam Espanha e Portugal.

DOC. 1 **A região do Sahel**

Palavra de origem árabe que significa *borda* ou *margem*, o Sahel é uma extensa área imediatamente ao sul do Saara, caracterizada geograficamente pela presença de savanas e estepes, indo da faixa litorânea atlântica e das zonas das florestas até o Mar Vermelho. Também denominada Sudão, a região é habitada por diversas populações, como sereres, jalofos, tucolores, falupes, banhuns, mandingas, soninques e bambaras, e também por povos pastores e caravaneiros que, ao longo de sua história, acabaram por ali se fixar, a exemplo dos berberes, tuaregues, peuls ou fulas, mouros e azenegues.

Fonte: FERREIRA, Graça Maria Lemos. *Atlas geográfico*: espaço mundial. São Paulo: Moderna, 2003. p. 60.

Reinos e impérios do Sahel

Entre os séculos VIII e XVI, vários reinos e impérios se desenvolveram na região do Sahel, com destaque para os reinos de Gana, Mali e o de Gao ou de Songhai, no Sudão Ocidental; os estados hauçás de Kano, Katsina, Zaria e Gobir, ao norte da atual Nigéria; e, na área do Lago Chade, os reinos de Kanem e Borno. Ligadas a esses reinos e impérios, formaram-se importantes cidades-capitais e praças mercantis sahelianas, como Djenné, Niani, Timbuctu ou Tumbuctu e Gao, além de centros culturais da vida savaneira, como Ualata, Audagoste, Tagaza e Tadmekka, nos limites do deserto **[doc. 2]**.

DOC. 2 **Reinos e impérios do Sahel (séculos X-XVI)**

Fonte: SILVA, Alberto da Costa e. *A enxada e a lança*: a África antes dos portugueses. 2. ed. Rio de Janeiro: Nova Fronteira, 1996. p. 297.

O Reino de Gana

O primeiro reino saheliano de destaque e o mais antigo foi o de Gana, a Terra do Ouro, onde predominava a etnia soninque. Seu desenvolvimento precede no tempo a islamização, que ocorreu com mais vigor a partir do século XI. O poder de Gana vinha do controle das minas e dos entroncamentos do comércio caravaneiro. O ouro, o mais importante dos produtos vindos da região subsaariana, era explorado nas ricas zonas auríferas de Bambuk e Buré, nos territórios dos atuais Gana, Costa do Marfim, Mali e Senegal. Em troca obtinha-se o sal, produto trazido das salinas do Saara e indispensável para a sobrevivência dos habitantes da África tropical, tanto por suas propriedades conservantes quanto por seu valor como moeda de troca.

O comércio do ouro e do sal, bem como o de outros produtos, como a goma arábica, o sorgo, o milhete, o âmbar, o almíscar, as peles e o marfim, era bastante antigo, sendo conhecido desde o século II, com a introdução do camelo e das caravanas, que possibilitaram as viagens pelo deserto. Por meio dessas rotas, as culturas do Sahel começaram a se interessar pelo mundo de fora, fornecendo ao Mediterrâneo e ao mundo árabe seu mais valioso e cobiçado produto: o ouro. Assim, séculos antes da exploração dos metais preciosos na América pelos europeus, os povos do Sahel já mantinham contato com ideias, mercadores e religiosos vindos do norte.

A cultura islâmica

A expansão do Império Árabe no Magrebe, a parte noroeste da África, dinamizou o comércio transaariano. O sentido da conversão islâmica, contudo, tornou-se menos intenso no Sahel do que havia sido no norte. Divulgado por meio de mercadores, mas também por funcionários, letrados e intelectuais, em Gana o islã se tornou presente pela conversão de ministros e assessores do *gana* (o dirigente maior) e pelo uso da escrita árabe por parte da burocracia e da administração do Reino. Nesses termos, o islã e sua cultura significaram mais um elemento capaz de adicionar poder, fortalecer e centralizar a autoridade do *gana*. O sentido político da islamização do Reino também transparecia na formação de uma unidade envolvendo tuaregues, malinques, fulas, songais, mandes e outros povos. Com o islã, instituiu-se um código de leis comum a todos, a *charia*, uma mesma cultura e língua, a árabe, e a ideia de serem todos irmãos em Maomé **[doc. 3]**.

- **Goma arábica.** Produto silvestre coletado, sobretudo, em áreas da Senegâmbia e da Mauritânia, tal como o mel, a cera e a borracha.
- **Sorgo.** Planta da família das gramíneas, semelhante ao milho, muito cultivada na África, na Índia e na China.
- **Milhete.** Variedade de milho de grãos pequenos.
- **Âmbar.** Resina fóssil muito utilizada na fabricação de ornamentos.
- **Almíscar.** Perfume obtido a partir de uma substância secretada de plantas e animais.

DOC. 3 *Crianças aprendem a ler o* Alcorão, século XX, África Ocidental Francesa, próximo ao território do antigo Reino de Gana. Postal feito a partir de foto de Edmond Fortier (1862-1928). Casa das Áfricas, São Paulo.

O Império do Mali

O poder do Império do Mali, território do grupo linguístico malinque ou mandinga, sucedeu o de Gana. O Império do Mali floresceu entre os séculos XIII e XVI, governado por dirigentes chamados de **mansas**, alguns deles famosos por suas peregrinações a Meca e a Medina. No Mali, a islamização parece ter sido mais completa.

As viagens dos *mansas* reuniam numerosas caravanas, que levavam grande quantidade de mercadorias e presentes e serviam para fortalecer a diplomacia dos *mansas* e do Reino. Elas também visavam equiparar a autoridade dos governantes do Mali à dos demais dirigentes do mundo árabe, especialmente quando recebiam sua mais alta honraria: o título de Al Hajj.

A representação iconográfica dessas peregrinações aparece nos primeiros atlas e portulanos europeus, elaborados no século XIV, que trazem informações sobre a África Ocidental e nos quais a imagem do dirigente maliano é associada à sua esplendorosa riqueza em ouro.

Um dirigente de destaque foi Mansa Musa, que governou o Mali entre 1312 e 1337, e a quem se atribui, além de uma maior islamização da sociedade, a expansão do Império, a reorganização das províncias governadas por emires e, por fim, a conquista das importantes cidades de Ualata, Timbuctu, Takedda e Gao **[doc. 4]**.

Alguns dos *mansas* tiveram seus feitos registrados tanto nos relatos dos eruditos árabes quanto na tradição oral difundida na região e recentemente compilada pelo historiador senegalês Tamsir Djibril Niane em sua obra *Sundjata*, ou, a *epopeia mandinga* **[doc. 5]**. Nela, o autor apresenta Sundjata, o herói fundador, colocando-se acima das diversas chefaturas mandingas e expandindo os limites do Reino em direção a Gana.

- **Emir.** Título de nobreza historicamente utilizado nos países islâmicos do Oriente Médio e da África.

DOC. 4

Mansa Musa e sua peregrinação feita entre 1324 e 1325

O *Atlas catalão*, de 1375, foi feito por Abraão e Jahuda Cresques, judeus da Espanha. Os escritos que nele aparecem são do escritor árabe Al-Umari (1300-1384). Ele relata a peregrinação de Mansa Musa pelas cidades de Tagaza, Tuat, Cairo, Meca e Medina, uma viagem descrita como fantástica e repleta de ouro e de presentes.

"Este senhor negro é aquele muito melhor senhor dos negros de Guiné. Este rei é o mais rico e o mais nobre senhor de toda esta parte, com abundância de ouro na sua terra. Embaixo do globo de ouro que o imperador Mansa Musa segura na mão direita está a representação da cidade de Tumbuctu."

In: DAVIDSON, Basil. Os impérios africanos. In: *História em Revista* (1300-1400). A era da calamidade. Rio de Janeiro: Abril Livros/Time-Life, 1992. p. 149.

Atlas catalão [detalhe], de Abraão e Jahuda Cresques, 1375. Biblioteca Nacional da França, Paris.

DOC. 5 **A epopeia mandinga**

"Sou *griot*. Meu nome é Djeli Mamadu Kuyatê, filho de Bintu Kuyatê e de Djeli Kedian Kuyatê, mestre na arte de falar. Desde tempos imemoriais estão os Kuyatês a serviço dos príncipes Keita do Mandinga: somos os sacos de palavras, somos o repositório que conserva segredos multisseculares. A arte da palavra não apresenta qualquer segredo para nós; sem nós, os nomes dos reis cairiam no esquecimento; nós somos a memória dos homens; através da palavra, damos vida aos fatos e façanhas dos reis perante as novas gerações.

Recebi minha ciência de meu pai Djeli Kedian, que a recebeu igualmente de seu pai; a história não tem mistério algum para nós; ensinamos ao vulgo tudo que aceitamos transmitir-lhe; somos nós que detemos as chaves das doze portas do Mandinga. [...]

Ensinei a reis a história de seus ancestrais, a fim de que a vida dos antigos lhes servisse de exemplo, pois o mundo é velho, mas o futuro deriva do passado."

NIANE, Tamsir Djibril. *Sundjata, ou, a epopeia mandinga*. São Paulo: Ática, 1982. p. 11.

As cidades-irmãs: Djenné e Timbuctu

Entre as cidades sahelianas, destacaram-se as de Djenné e Timbuctu, que se desenvolveram na região do médio Níger, próximas ao delta interior formado pelo curso do rio e numa região de solo fértil em razão do regime de cheias e vazantes. As duas cidades tiveram suas histórias interligadas pelos constantes e muito antigos contatos mercantis.

Djenné, a mais antiga das cidades, originou-se por volta do século III a.C. Seus moradores praticavam a agricultura, a criação de bois e, desde cedo, o comércio. A importância comercial de Djenné cresceu principalmente com a islamização, no século XIII. A cidade converteu-se em poderosa praça mercantil do comércio de ouro em direção aos mercados do norte. Entre os mercadores que passavam por ela, predominavam soninques, malinquês, wangaras e diulas, grupos especializados na atividade comercial.

Timbuctu, a cidade-irmã de Djenné, teve um papel relevante nas trocas mercantis, congregando populações de mercadores berberes, árabes e judeus vindos da África do Norte, do Oriente Médio e do Saara. A fundação de Timbuctu é atribuída a grupos de tuaregues que ali se estabeleceram no início do século XII. Seus moradores aprenderam com seus parceiros e vizinhos de Djenné a arte de construir casas, mesquitas e edifícios públicos **[doc. 6]**.

Além de serem pontos de encontro para os que viajavam de canoa pelos rios ou de camelo pelo deserto, a importância das cidades sahelianas se devia ao fato de constituírem metrópoles políticas e centros culturais. Timbuctu era especialmente notável por suas numerosas oficinas de produção artesanal, como também por ser um dos mais importantes centros intelectuais do Sahel. Na cidade, destacavam-se as escolas corânicas e a universidade de Sankore, que reunia comunidades de letrados e sábios e as mais significativas obras do conhecimento desenvolvido pelo mundo árabe da época. A cidade chegou a ter uma população permanente de cerca de 70 a 80 mil habitantes, além dos mercadores em trânsito.

• ***Griot.*** Nas sociedades africanas, fortemente marcadas pela tradição oral, o *griot* era a pessoa responsável por transmitir a tradição histórica, atuando como cronista, poeta e músico.

DOC. 6 *Mesquita às margens do Rio Níger*, postal feito a partir de foto de Edmond Fortier (1862-1928). Casa das Áfricas, São Paulo.

O comércio transaariano e transaheliano

Inovações tecnológicas nos meios de transporte e nas comunicações facilitaram o cotidiano de milhões de pessoas. A invenção das ferrovias, do automóvel, do avião e, mais recentemente, dos computadores e da internet, encurtou distâncias e aproximou pessoas. O comércio, por exemplo, conheceu modificações nunca antes imaginadas. No período de alguns dias, o consumidor pode receber em sua própria casa artigos produzidos em outros países ou continentes. Ele não fica mais dependente da chegada de grandes carregamentos de mercadorias, efetuados por navios ou caravanas.

Em grandes cidades, como São Paulo e Nova York, que convivem com congestionamentos diários, o trabalho de motociclistas tornou-se fundamental na entrega e no recebimento de diversas encomendas. A cada dia mudanças ocorridas na sociedade impulsionam inovações nos transportes e nas comunicações. No entanto, mesmo sem o uso dessas tecnologias modernas, o comércio era uma atividade muito próspera no centro-norte da África durante a Idade Média.

DOC. 7 Chegada de uma caravana transportando sal em Timbuctu. Postal feito a partir de foto de Edmond Fortier (1862-1928). Casa das Áfricas, São Paulo.

O comércio que ligava as estepes e as savanas do Sahel aos portos do norte, atravessando o Deserto do Saara, só foi possível com o uso de camelos **[doc. 7]**. Os primeiros registros de comércio na região do Saara datam do século II, crescendo continuamente até atingir seu auge entre os séculos XI e XV.

Partindo do norte, os camelos atravessavam o Saara em direção ao Sahel, onde, por não se adaptarem ao clima das savanas, tinham de ser substituídos por bois e jumentos. No sentido norte-sul, as caravanas eram conduzidas por berberes, tuaregues, azanegues, entre outros; saindo do sul em direção ao norte, destacavam-se os diulas, os hauçás e os mandingas.

Os portos caravaneiros do Sahel, como Djenné e Timbuctu, se transformaram em centros de riqueza e poder. Ali se cobravam taxas de passagem, os mercadores realizavam paradas para carregar e descarregar os animais, reabastecer as caravanas com água e alimentos e fazer reparos nos cabrestos e nas selas. Também eram centros de produção de artigos de couro e metal e de troca de mercadorias **[doc. 8]**. No deserto, os berberes controlavam os caminhos, os pontos de parada para repouso e reabastecimento, o fornecimento de camelos e a cobrança de direitos de passagem.

QUESTÕES

1. Quem eram os *griots* e qual sua importância para a história e a cultura do povo mandinga [doc. 5]?
2. Observe as fotos dos **docs. 3 e 6**. Quais elementos representam a influência da cultura árabe islâmica e quais elementos mostram adaptações locais dessa cultura?
3. Como o imperador Mansa Musa foi representado pelos europeus no texto e na imagem [doc. 4]?

DOC. 8 **Produtos do comércio transaariano**

Sentido norte-sul		Sentido sul-norte	
Sal	Produto essencial para as populações das áreas tropicais, vinha das salinas do Deserto do Saara.	Ouro	Usado como moeda no mundo islâmico e na Europa medieval.
Tâmaras, passas e raízes	Alimentos apreciados pelas comunidades islâmicas.	Noz-de-cola	Estimulante que se tornou um dos principais ingredientes dos atuais refrigerantes à base de cola.
Cabeças de gado, principalmente cavalos	Quase inexistentes nas florestas tropicais, infestadas pelas moscas do sono, conhecidas como tsé-tsé.	Escravos	Abasteciam, sobretudo, o mundo muçulmano e a Europa.
Tecidos e adornos feitos de metais	Vinham do Egito, da Síria e da Europa.	Sorgo, milho africano e milhete	______

ANALISAR UM DOCUMENTO HISTÓRICO

Relatos sobre o Reino de Gana

O geógrafo muçulmano Abu Ubayd Abd Allah ibn Abd al-Aziz al-Bakri viveu no sul da Espanha, no século XI. Entre as obras que escreveu, há uma descrição do Reino de Gana, de 1068, na qual fornece evidências do processo de islamização e da presença de comunidades muçulmanas no local. Embora Al-Bakri nunca tenha estado na África Ocidental, obteve informações por meio de entrevistas realizadas com comerciantes que lá tinham estado, bem como de outros trabalhos feitos por geógrafos muçulmanos.

Peça em argila feita em homenagem a membro da realeza da cultura Akan, Gana, s/d.

Texto 1

"A capital de Gana consiste de duas cidades situadas em uma planície. Uma delas, que é habitada por muçulmanos, é grande e possui doze mesquitas, numa das quais eles se juntam para as rezas de sexta-feira. [...] A cidade real está há seis milhas distante da cidade muçulmana e é chamada 'A Floresta'. A região entre as duas cidades está repleta de casas feitas de pedra e de madeira de acácia. [...]

Na cidade real [...] há uma mesquita onde os muçulmanos que chegam em missão ao rei dirigem-se para rezar. [...] Em volta da cidade real há construções muradas e bosques e matas onde vivem os feiticeiros deste povo encarregados dos cultos religiosos. Há também neste lugar ídolos e as tumbas reais. [...] Os intérpretes do rei, os oficiais encarregados de seus tesouros e a maioria de seus ministros são muçulmanos. [...]"

Texto 2

"O rei adorna a si mesmo como uma mulher, usando colares no pescoço e pulseiras nos braços, colocando-se num lugar alto decorado com ouro e usando um turbante de algodão fino. Ele se senta em audiência para ouvir reclamações contra os oficiais em um pavilhão ornado por dez cavalos cobertos por materiais bordados a ouro. Atrás do rei colocam-se dez pajens segurando escudos e espadas decorados a ouro e, à sua direita, situam-se os filhos dos reis vassalos de seu país, portando esplêndidos vestuários, com os cabelos trançados com o metal. O governador da cidade senta-se no chão diante do rei e da mesma forma, ao seu redor, os ministros. Na porta do pavilhão ficam cachorros de excelente *pedigree* que dificilmente deixam o lugar onde o rei está, guardando-o. Ao redor de seus pescoços, os animais usam colares de ouro e prata enfeitados com bolas do mesmo metal."

LEVTZION, Nehemia; SPAULDING, Jay. *Medieval West Africa*: view from Arab scholars and merchants. Princeton: Markus Wiener, 2003. p. 15-16. (tradução nossa)

Para compreender o documento

Ainda que tenha escrito sua obra com base em informações de mercadores e não em seu próprio testemunho, Al-Bakri foi capaz de filtrar os relatos que recolheu, eliminando os exageros e as descrições fantasiosas.

1. Observe, no primeiro texto, que o autor destaca a presença muçulmana na capital de Gana, onde havia doze mesquitas.
2. Ainda no primeiro texto, fica evidente que, em Gana, o islã convivia com crenças tradicionais.
3. No segundo texto, ao descrever os ornamentos usados pelo rei, Al-Bakri, de origem europeia, tem como modelo os padrões ocidentais.
4. Note o nível de detalhamento na descrição que o autor fez das audiências do rei com outros membros da administração de Gana.

QUESTÕES

1. Que aspecto, no primeiro texto, o autor escolheu para enfatizar a presença islâmica em Gana? Por que, em sua opinião, ele destacou essa islamização?
2. Na descrição feita das audiências do rei de Gana, que aspecto parece ter chamado mais a atenção do autor?
3. Na sua descrição, Al-Bakri demonstra estranhar aspectos das vestes reais. Em que momento é possível perceber esse estranhamento? Como podemos explicá-lo?

AMPLIANDO CONHECIMENTOS

O comércio caravaneiro de sal

Durante séculos, o sal retirado das minas de Taudeni foi conduzido para os mercados de Timbuctu por meio das caravanas de camelos. Essa importante atividade de transporte moldou o cotidiano das populações envolvidas. Atualmente, pouco a pouco as caravanas de sal estão perdendo espaço para os automóveis, por diminuírem o tempo de viagem e baratearem o produto final.

Na bagagem das caravanas

Até o final do século XIX, caravanas com centenas de camelos carregados com diferentes produtos percorriam o Deserto do Saara. As mercadorias comercializadas eram:

▼ Do norte ao sul
Sal, tâmaras, passas, raízes, cabeças de gado e cavalos, artefatos de cobre, bronze e estanho, artigos manufaturados (tecidos e adornos feitos de metais).

▲ Do sul ao norte
Ouro, noz-de-cola, resinas, gomas, couros, escravos, produtos alimentícios (sorgo, milho africano e milhete).

Atravessando o Saara

Fonte: COSTA, Ricardo da. A expansão árabe na África e os impérios negros de Gana, Mali e Songai. Disponível em www.casadasafricas.org.br. Acesso em 1º mar. 2010.

Ouro branco

Entre os séculos XIII e XVI, em algumas regiões subsaarianas, o sal chegava a valer seu peso em ouro.

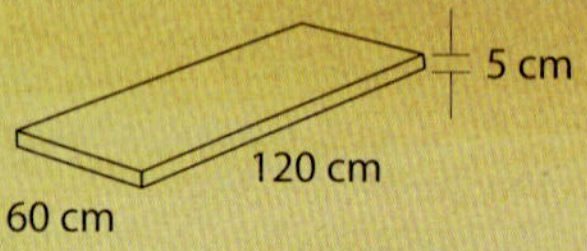

Essas medidas são próprias para se amarrar as placas de sal nos camelos.

Mina de sal em Taudeni

Na foto, mineiro em Taudeni, 2000. As minas eram lagos que secaram ao longo do tempo. Durante séculos, o trabalho de extração foi realizado principalmente por escravos. Hoje é uma das poucas fontes de renda para os pobres da região.

Mercado em Mopti

Na foto, mercado de sal em Mopti, Mali, 2005. Os mercados atraíam comerciantes de diferentes regiões da África. Um mineiro consegue cerca de 4 dólares por uma placa de sal. Se ela chegar ao mercado inteira e sem trincas, pode render até 30 dólares.

A viagem

Cerca de 800 quilômetros separam Timbuctu de Taudeni, algo como a distância entre Curitiba (PR) e Belo Horizonte (MG). Uma caravana leva em média 40 dias para ir e voltar.

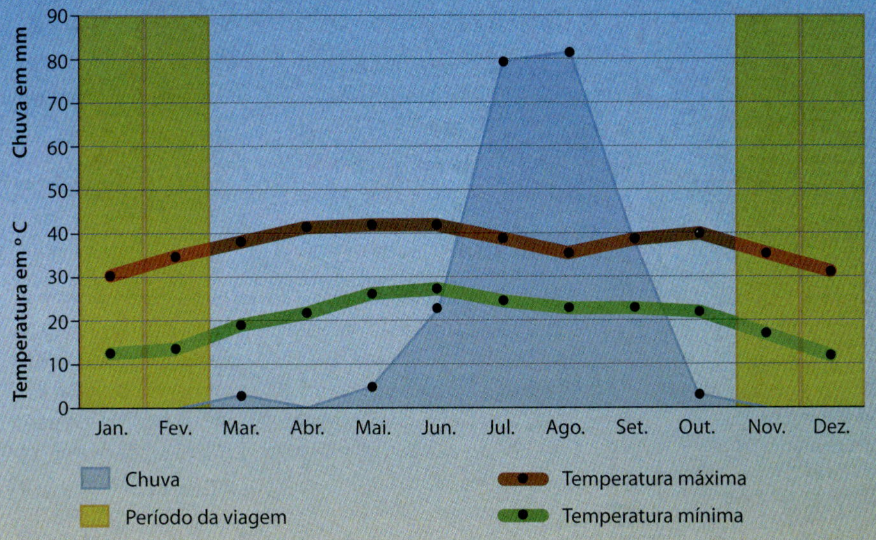

Mudanças climáticas ameaçam as caravanas

As caravanas e os camelos são essenciais para a cultura dos tuaregues, povo nômade do Deserto do Saara. Essa tradição, no entanto, está ameaçada. As mudanças climáticas estão deixando o Saara mais quente e seco. Oásis estão desaparecendo, animais morrendo e caminhões, muitas vezes, assumem o lugar das antigas caravanas.

A temporada das caravanas de sal ocorre no período de temperaturas mais baixas e tempo mais seco.

Fontes: BBC. Disponível em www.bbc.co.uk. Acesso em 1º mar. 2010; World Climate. Disponível em www.climate-charts.com. Acesso em 1º mar. 2010.

Caravana

As viagens regulares pelo Saara iniciaram-se nos primeiros séculos da era cristã com a utilização do camelo, por sua capacidade de ficar de dez a quinze dias sem beber água, sua resistência às grandes viagens e por suportar cargas de até duzentos quilogramas. A unidade religiosa e cultural em torno do islã criou no Saara e no norte da África uma estabilidade para a passagem segura das caravanas.

4 km/h

Velocidade média carregado

O formato esparramado dos cascos do camelo diminui a dificuldade dos animais de andarem pela areia e pedras do deserto.

Os condutores das caravanas se orientam pela leitura das constelações, pela direção do vento, pela formação das dunas e pela coloração da areia. Na foto, caravana de camelos transportando sal. Deserto do Saara, Mali, 2006.

Fontes: SILVA, Alberto da Costa e. *A enxada e a lança:* a África antes dos portugueses. Rio de Janeiro: Nova Fronteira; São Paulo: Edusp, 1992; HARDING, Andrew. Timbuktu's ancient salt caravans under threat. BBC. Disponível em www.news.bbc.co.uk. Acesso em 15 fev. 2010; Sahara salt trade camel caravans. National Geographic News. Disponível em http://news.nationalgeographic.com. Acesso em 15 fev. 2010.

QUESTÕES

1. Elabore um texto expondo como as caravanas eram organizadas e qual era a importância do comércio do sal em Timbuctu e Taudeni.
2. Quais os perigos que o aquecimento global pode trazer para o comércio transaariano de sal? Que outros efeitos esse fenômeno climático pode trazer para o planeta?

Retomar conteúdos

1 Explique o significado da *hégira*. Em seguida, compare esse evento com um da cultura cristã que tenha importância semelhante.

2 Além de Meca, importante centro de peregrinação, também Jerusalém foi considerada sagrada pelos seguidores do islamismo. Analise as razões e implicações desse fato:

a) no contexto do mundo medieval.

b) no contexto do mundo atual.

3 Compare a Europa da Alta Idade Média com o mundo árabe do mesmo período nos seguintes aspectos:

a) as características das cidades.

b) o poder político.

Ler textos e imagens

4 O esquema a seguir representa as características centrais do judaísmo e do cristianismo e as relações que podem ser estabelecidas entre as duas crenças. Com base nesse exemplo, crie um esquema que represente os princípios do cristianismo, do judaísmo e do islã e as relações de diferença e semelhança que podem ser estabelecidas entre eles.

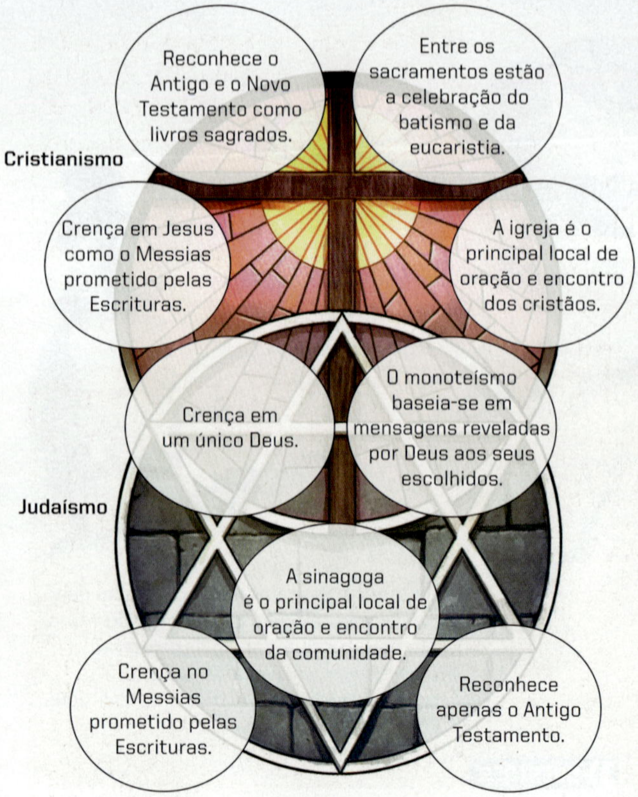

5 Explique como se deu o processo de islamização dos reinos do Sahel, destacando a diferença em relação ao processo ocorrido no norte da África e na Península Ibérica.

6 Leia a seguir relatos de viajantes europeus produzidos no século XIII (texto 1) e no XIX (texto 2).

Texto 1

"Bagdá é uma grande cidade onde está o califa de todos os sarracenos [árabes] do mundo, da mesma forma que em Roma está o papa de todos os cristãos. No meio da cidade passa um rio muito extenso, pelo qual se pode navegar até o Mar da Índia [Golfo Pérsico] e por aí vão e vêm os mercadores com suas ofertas. De Bagdá até o mar, rio abaixo, são bem uns 18 dias de viagem. [...]

Em Bagdá, trabalha-se em seda e ouro sobre tecidos, com motivos de pássaros e animais. É a cidade mais nobre e maior daquela província. [...]."

POLO, Marco. *As viagens de Marco Polo*: adaptação de Carlos Heitor Cony e Lenira Alcure. Rio de Janeiro: Ediouro, 2005. p. 51-52.

Texto 2

"Como eu desfrutava aí de um horizonte muito amplo, eu me esforçava em descobrir as principais particularidades da cidade. Em direção ao sul e ao sudeste, é verdade, a visão era embaralhada pelas belas moradias dos ricos comerciantes Guadamsi do quarteirão de Sanegoungou, e na parte sudoeste, eu não via nem a Grande Mesquita nem a de Sidi Yahia. Mas, ao contrário, eu tinha uma visão de cima mais interessante, sobretudo do quarteirão meridional, sobre o qual se impunha a Mesquista de Sankoré e toda a parte do deserto que se estendia a leste da vila."

Heinrich Barth, viajante alemão em sua viagem ao Sudão, atuais Níger e Mali, realizada entre 1849 e 1855. In: DIAWARA, M.; FARIAS, P. M.; SPITTLER, G. *Heinrich Barth et l´Afrique*. Koln: Rudiger Koppe Verlag, 2006. 234-235. (tradução nossa)

a) Identifique as cidades descritas e o país atual onde elas se localizam.

b) A quem se dirigiam os relatos? Interprete as observações dos viajantes europeus, identificando os principais aspectos enfocados em suas descrições.

Debater/pesquisar

7 Observe a imagem a seguir.

Caravaneiros de uma aldeia africana, gravura de Amédée Rousseau, século XIX.

a) Explique a relação entre o deserto, o uso de camelos e as caravanas de mercadores que ligavam o norte da África à região do Sahel.

b) Descreva a imagem e destaque os elementos de diferenciação social que podem ser apontados.

Capítulo

9

O outono da Idade Média

9.1 A crise econômica e demográfica

A devastação causada pela peste negra, as revoltas no campo e nas cidades e a fome marcaram o final da Idade Média na Europa Ocidental.

9.2 A crise do feudalismo: revoltas urbanas e camponesas

Revoltas populares no campo e na cidade contribuíram para a desagregação do sistema feudal.

9.3 As conquistas otomanas e a queda de Constantinopla

A tomada de Constantinopla pelos turcos assinalou o fim do Império Bizantino e inaugurou a Idade Moderna.

Uma época de crise

No decorrer de sua história, a humanidade atravessou diversos períodos de crise. Na Europa, o período que vai de 1300 a 1450 pode ser caracterizado como uma época de crise generalizada. O alastramento de uma epidemia de peste levou a um acentuado declínio demográfico. A peste e as guerras entre facções da aristocracia criaram um clima de insegurança geral e levaram os camponeses a abandonar o campo. Diversas regiões foram assoladas por surtos de fome e, como consequência, houve mais mortes.

Para uma parte da população, essas calamidades foram interpretadas como um castigo divino que se abatia sobre suas cabeças. O clima reinante era de pessimismo e melancolia: a arte e a cultura do período testemunharam a obsessão das pessoas pela morte, a sensação de viver num mundo envelhecido e prestes a desaparecer.

A crise generalizada levou ao rompimento do tênue equilíbrio que sustentava a sociedade feudal. As revoltas no campo e nas cidades contestavam os privilégios tradicionais da aristocracia rural.

Na Europa Oriental, o surgimento de uma nova potência militar, o Império Otomano, lançou um novo desafio à Europa Ocidental. Os otomanos conquistaram o que restou do Império Bizantino e passaram a dominar a parte oriental do Mediterrâneo, bloqueando o acesso às rotas comerciais do Oriente.

A crise que marcou esse período, no entanto, permitiu uma renovação da sociedade. Ela abriu caminho para a expansão comercial e o desenvolvimento das cidades, impulsionando um processo que já havia se iniciado no século XII.

O *triunfo da morte*, afresco de cerca de 1440, autoria desconhecida. A morte é representada por um esqueleto cavalgando uma montaria descarnada. Galeria Regional da Sicília, Palermo.

A crise econômica e demográfica

› Objetivo

▸ Reconhecer as crises econômica e demográfica durante a Baixa Idade Média.

› Termos e conceitos

- **Epidemia/pandemia**
- **Peste negra**
- **Declínio demográfico**

As mudanças climáticas

Hoje em dia é muito comum ver na televisão e ler nos jornais, nas revistas e na internet reportagens sobre fenômenos climáticos que causam muitos distúrbios na vida das pessoas: secas prolongadas, chuvas intensas, calor ou frio rigorosos fora de época etc. Para muitos estudiosos, esses fenômenos estão relacionados à intensa atividade e interferência humanas no ambiente.

A relação entre atividades humanas e alterações na natureza é mais perceptível hoje, mas isso não significa que seja um fato restrito à atualidade. O período entre o século XIV e a primeira metade do século XV foi marcado por mudanças climáticas que ajudaram a precipitar uma grave crise econômica e social que atingiu profundamente a população da Europa Ocidental. Fome, guerra, revoltas e surtos de **epidemias** foram alguns dos sintomas dessa crise **[doc. 2]**.

A partir do ano mil, o fim das grandes migrações e as melhorias nas técnicas agrícolas conduziram a uma expansão constante dos terrenos cultivados na Europa Ocidental e, consequentemente, ao aumento da população. A tendência ao crescimento, contudo, não conseguiu manter-se por muito tempo e atingiu o seu limite no século XIV devido, principalmente, a dois fatores. Em primeiro lugar, à incapacidade de manter o equilíbrio entre a expansão da produção agrícola e o crescimento populacional: a população tinha crescido mais do que a capacidade de produzir alimentos. Em segundo lugar, a transformação das florestas em áreas cultiváveis, necessárias para o aumento da produção, contribuiu para a ocorrência de mudanças climáticas que levaram à extinção de plantas e animais.

A escassez de alimentos fez os preços se elevarem abruptamente **[doc. 1]**. Para dar um exemplo, em Antuérpia (cidade situada na Bélgica atual), importante região de distribuição agrícola, o preço do trigo aumentou cerca de 320% no período de sete meses. Entre 1301 e 1314 houve falta generalizada de alimentos, e entre 1315 e 1317 uma grande fome atingiu o norte da Europa. Em 1316, a França e a região de Flandres (equivalente ao norte da Bélgica atual) perderam entre 5% e 10% de seus habitantes, vitimados pela fome, que foi devastadora naquele ano **[doc. 3]**.

DOC. 1 **Elevação do preço do trigo na Europa Ocidental (séculos XII a XIV)**

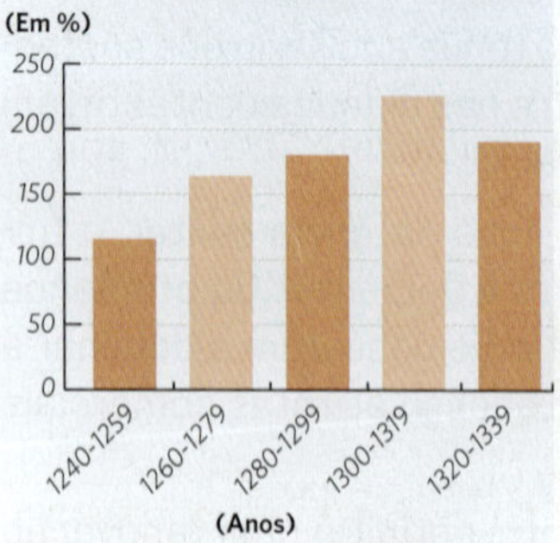

Fonte: LE GOFF, Jacques. *A civilização do Ocidente medieval*. São Paulo: Edusc, 2005. p. 245-246.

DOC. 2 Religiosos entregam pão aos pobres, afresco de Domenico Di Bartolo, 1443. Hospital Santa Maria della Scalla, Siena. A solidariedade popular assumia a função de assistência social atualmente atribuída ao Estado.

DOC. 3 **A fome em Flandres (1316)**

"No ano 1316, no mês de maio, a penúria e a carestia tinham aumentado e houve em nossas regiões intempéries e desordens atmosféricas. [...] E o povo começou em muitos lugares a comer pouco pão, porque não o havia e muitos misturavam, como podiam, as favas, cevadas, arvelas e todos os outros grãos que conseguiam, e faziam com tudo um pão que logo comiam. Por causa das intempéries e da fome tão atroz, os corpos começavam a debilitar-se e as doenças a se desenvolverem e resultou disso uma mortandade tão grande como nenhum ser vivo tinha visto jamais ou tinha ouvido falar de coisa semelhante."

Chronique et annales de Gilles le Muisit, abbé de Saint Martin de Tournai (1272-1352). In: PEDRERO-SANCHEZ, Maria. *História da Idade Média*: textos e testemunhas. São Paulo: Editora Unesp, 2000. p. 193.

As doenças e a história

Em 2009, no México, foi registrado um novo tipo de gripe, a influenza A (H1N1), resultado da combinação do vírus da gripe humana, suína e aviária. Sua transmissão ocorre por via aérea e pelo contato com pessoas infectadas. A facilidade de contrair a doença e o intenso fluxo de pessoas por todo o mundo contribuíram para que a influenza A (H1N1) se espalhasse rapidamente por vários países, como Estados Unidos, Espanha, Japão, Argentina, Chile e Brasil. Essa situação fez a Organização Mundial da Saúde (OMS) declarar a gripe A como a primeira **pandemia** do século XXI.

As reações ao risco de uma doença global foram diversas. No México, por exemplo, o medo da contaminação deixou ruas e avenidas desertas, e cidades turísticas, como Cancún, vazias. Eventos com grande aglomeração de pessoas, como *shows* e jogos de futebol, foram cancelados.

Os roedores e a peste negra

Não foi a primeira vez, contudo, que uma nova doença altamente contagiosa e mortal surgiu. No século XIV, uma epidemia de peste atingiu várias áreas da Europa Ocidental. Com a fome, a peste contribuiu para aumentar a mortandade europeia, o que abalou as estruturas sociais, políticas e econômicas do continente.

A peste bubônica ou a **peste negra**, como era chamada pelos camponeses, tinha alto poder de transmissão e de letalidade, levando à morte em poucos dias **(doc. 4)**. Os primeiros sintomas eram o aparecimento de vários bubos (bolhas) de pus e sangue nas axilas, virilhas e pescoço. Depois, febre e vômitos.

A doença era causada pela bactéria *Yersinia pestis*. A pulga que transmite a bactéria responsável pela doença é encontrada em roedores, principalmente os ratos. A falta de higiene contribuiu para a proliferação desses roedores e, consequentemente, para a contaminação das pessoas.

- **Pandemia.** Epidemia infecciosa de grandes proporções que se espalha para vários países e continentes.

DOC. 4 **Guy de Chauliac: testemunha ocular da peste**

Guy de Chauliac foi o mais famoso cirurgião da Idade Média. Em Avignon (França) foi médico do papa Clemente VI e escreveu o livro *A cirurgia magna*, considerado o texto de referência para a medicina nesse período. Chauliac sobreviveu à peste e deixou o seguinte relato:

"A grande mortandade teve início em Avignon em janeiro de 1348. A epidemia se apresentou de duas maneiras. Nos primeiros dois meses manifestava-se com febre e expectoração sanguinolenta e os doentes morriam em 3 dias; decorrido esse tempo manifestou-se com febre contínua e inchação nas axilas e nas virilhas e os doentes morriam em 5 dias. Era tão contagiosa que se propagava rapidamente de uma pessoa a outra; o pai não ia ver seu filho nem o filho a seu pai; a caridade desaparecera por completo."

CHAULIAC, Guy de (século XIV). In: ALVES, Elaine. *A medicina na Idade Média*. Disponível em www.unb.br. Acesso em 15 maio 2009.

Aula de dissecação na Faculdade de Medicina em Montpellier, iluminura reproduzida de *A cirurgia magna*, de Guy de Chauliac, 1363. Os médicos da época começaram a abrir os cadáveres na tentativa de descobrir a causa da doença. Os estudos de anatomia ajudaram a impulsionar a medicina moderna em lugares onde ela não era proibida pela Igreja. Biblioteca Universitária de Medicina, Montpellier.

Os tipos de peste

Havia três variantes da doença, conforme o modo de contraí-la.

- **Bubônica** (do inglês *buboes*, que significa "inchaços"). Transmitida pela picada de pulga contaminada presente em roedores. Ínguas ou inchaços se desenvolviam no pescoço, na virilha ou nas axilas.
- **Pneumônica**. A bactéria era inalada, atingindo os pulmões. Era altamente contagiosa e mais letal que a bubônica, possuindo um efeito também mais devastador.
- **Septicêmica**. A variante mais letal. A bactéria atacava o sistema circulatório, causando hemorragia em vários órgãos internos do corpo e infecção generalizada.

A peste negra é uma doença enzoótica, isto é, que afeta principalmente animais. A doença se espalha entre eles pelo contato direto ou conduzida pelas pulgas. Quando uma população muito grande de ratos morria por causa da peste, as pulgas que se alojavam neles procuravam outros hospedeiros, que podiam ser humanos. Assim a doença passava a ser epizoótica, isto é, passava de animais para humanos.

DOC. 5 **A peste bubônica em Santos (SP)**

No final do século XIX, o Brasil enfrentou um surto de peste bubônica, que entrou pelo porto de Santos, no estado de São Paulo, e logo se espalhou por diversas localidades do país. A campanha de combate à doença foi dirigida pelo médico sanitarista Oswaldo Cruz.

"Em 17 de outubro de 1899, foi o Governo Federal notificado da existência da peste em Santos, para os devidos fins, e a Comissão Sanitária local aparelhada convenientemente e reforçada com pessoal em número suficiente. Vieram para Santos mais seis inspetores sanitários, ficando a cidade dividida em 12 distritos, de modo a cada prédio ser visitado de cinco em cinco dias, sendo inspecionados diariamente os moradores das zonas que haviam fornecido doentes suspeitos. [...]

Ultimou-se a defesa da cidade perseguindo-se por todos os modos os ratos, distribuindo-se veneno, aconselhando-se o uso de ratoeiras, instruindo-se o povo dos perigos que ofereciam tais animais, do perigo das pulgas, para cuja perseguição, além de conselhos relativos à perfeita limpeza domiciliar, era também feita gratuitamente ao povo distribuição de creolina."

ÁLVARO, Guilherme. *A campanha sanitária de Santos*: suas causas e seus efeitos (1919). Disponível em www.novomilenio.inf.br. Acesso em 27 maio 2009.

A peste se espalha pela Europa

A peste negra já havia atingido a Europa entre os séculos V e VI, sendo esse um dos motivos que impulsionaram a queda do Império Romano do Ocidente. Por volta dos anos 1330, a epidemia reapareceu na região da Mongólia e chegou aos portos italianos pelas rotas comerciais do Oriente, alastrando-se, em pouco tempo, por toda a Europa.

A metade do século XIV marcou o início da série de surtos epidêmicos que, a partir de então, foram recorrentes na Europa durante mais de um século, transformando a peste numa pandemia. Calcula-se que cerca de 20 milhões de pessoas ou aproximadamente um terço da população europeia tenha sido vitimada pela peste, naquela que foi uma das piores pandemias da história do Ocidente **[doc. 5]**.

O primeiro desses surtos ocorreu entre 1348 e 1351 e provocou pânico e desespero na população. Aldeias inteiras desapareceram, e cidades tiveram parte de sua população dizimada. A peste atingia indiscriminadamente campo e cidade, pobres e ricos, homens e mulheres, adultos e crianças. Eram tantos os mortos que não havia espaço suficiente para sepultar todos, como nos descreve o italiano Giovanni Boccaccio, que se inspirou na epidemia da peste negra para escrever o livro *Decamerão*. Na introdução, Boccaccio narra os acontecimentos que se passaram na cidade de Florença (Itália), em 1348.

"Nos condados [...] os trabalhadores, míseros e pobres morriam. Caíam sem vida, pelas vilas esparsas e pelos campos, juntamente com suas famílias, sem qualquer auxílio de médico, nem ajuda de servidor; morriam, não como homens, e sim como animais, pelas ruas, plantações, pelas casas, de dia e de noite, indiferentemente."

BOCCACCIO, Giovanni. Decamerão. In: MARQUES, Adhemar e outros. *História Moderna através de textos*. São Paulo: Contexto, 2008. p. 34.

É preciso deixar claro que nessa época as pessoas ignoravam a existência dos micro-organismos, portanto desconheciam a origem e as formas de transmissão da doença. A descoberta de que os micro-organismos causam infecções e doenças aconteceu apenas no final do século XIX pelo alemão Robert Koch e o francês Louis Pasteur.

O desconhecimento das formas de contágio contribuía para aumentar ainda mais o clima de insegurança e a crença em superstições. O mais comum era acreditar que a doença era uma forma de castigo divino, que se abatera sobre os homens para expiar seus pecados e vícios.

DOC. 6 **Joana d'Arc**

Joana d'Arc é considerada uma heroína nacional francesa e uma santa da Igreja Católica. Filha de camponeses e analfabeta, Joana teve um papel crucial na Guerra dos Cem Anos. Motivada por mensagens que dizia receber dos santos, ela acreditava estar predestinada a salvar a França do domínio inglês. Cumprindo sua profecia, Joana venceu a Batalha de Orléans, em 1429, e conduziu o príncipe herdeiro, Carlos VII, ao trono francês. Os franceses venceram a guerra e libertaram-se definitivamente do domínio inglês.

O destino da jovem guerreira, no entanto, foi trágico. Durante a guerra, Joana foi capturada e vendida aos ingleses. Em seguida, foi presa e condenada pela Igreja pelo crime de heresia. Acabou queimada viva com apenas 19 anos. O processo que levou à sua execução foi revisto séculos mais tarde pela Igreja, que a absolveu e a santificou.

Joana d'Arc na coroação do rei Carlos VII, óleo sobre tela de Jean-Auguste Dominique Ingres, 1854. Museu do Louvre, Paris.

Os judeus e a caridade

Outra superstição atribuía a causa da doença às minorias não cristãs que viviam nas cidades e que, diante de uma situação de desespero, eram facilmente convertidas em "bodes expiatórios". Difundiu-se a ideia de que os judeus estariam envenenando as águas dos poços e, dessa forma, disseminando a peste. Essa ideia acabou alimentando o antissemitismo, difundido por certos elementos da Igreja, e provocando perseguições à população judaica.

Se, de um lado, parte da população recorria à violência, de outro havia pessoas que arriscavam suas vidas para cuidar dos doentes. Médicos e religiosos ofereciam-se para cuidar dos enfermos e para tal usavam roupas e máscaras especiais ou simplesmente recorriam à fé, orando para que Deus perdoasse os pecadores. Nas cidades, confrarias foram fundadas para invocar a proteção de são Sebastião para combater o medo da morte.

A Guerra dos Cem Anos

No contexto desse período turbulento, houve também uma série de conflitos entre França e Inglaterra, conhecidos como **Guerra dos Cem Anos** (1337-1453), que agravou ainda mais a crise econômica pela qual passava a Europa Ocidental.

A Guerra dos Cem Anos foi deflagrada em virtude das rivalidades políticas e econômicas entre os dois reinos, em especial as pretensões inglesas ao trono francês. No início da guerra, os ingleses venceram importantes batalhas, situação que depois se inverteu. A França, auxiliada por Joana d'Arc, uma jovem camponesa, conseguiu reverter a guerra a seu favor, expulsando os ingleses definitivamente de seu território **[doc. 6]**.

Os efeitos da guerra

As turbulências causadas pela guerra, além de agravarem o quadro de crise econômica e de **declínio demográfico**, ajudaram a desencadear conflitos no campo e nas cidades, contribuindo para desestabilizar o sistema feudal. A Guerra dos Cem Anos significou uma ruptura importante: contribuiu para fomentar o sentimento nacional nascente nessa época; levou à formação de exércitos profissionais no lugar dos cavaleiros medievais e impulsionou novas técnicas de guerra (introdução dos arqueiros, da infantaria e das armas de fogo, que originaram a artilharia).

- **Creolina.** Desinfetante com propriedade de combater micro-organismos.
- **Micro-organismo.** Organismo microscópico, como fungos, bactérias, vírus etc.
- **Antissemitismo.** Toda forma de preconceito ou hostilidade contra os judeus. É uma forma de discriminação que teve origem no catolicismo medieval, quando a Igreja difundiu a ideia de que os judeus seriam culpados pela morte de Cristo. Os judeus foram então proibidos de adquirir terras, exercer cargos administrativos e ingressar em corporações religiosas, entre outras restrições.

QUESTÕES

1. Segundo Gilles le Muisit, quais foram as causas da fome no período entre 1315 e 1318? Que solução as pessoas encontraram para resistir à fome **[doc. 3]**?
2. Pelo relato do cirurgião Guy de Chauliac, quais tipos de peste podem ter atingido a maior parte da população de Avignon no século XIV **[doc. 4]**?
3. A pintura reforça dois aspectos da história e da simbologia de Joana d'Arc. Que aspectos são esses e de que forma estão caracterizados na pintura **[doc. 6]**?

A peste negra na Europa

Em meados do século XIV, a peste negra, doença de origem asiática, provocou a maior catástrofe populacional da história do Ocidente. A aglomeração nas cidades medievais e os hábitos dos moradores colaboraram para que a peste se espalhasse rapidamente. Estima-se que, entre 1348 e 1351, cerca de 30% da população europeia morreu vítima das formas bubônica e pulmonar da doença.

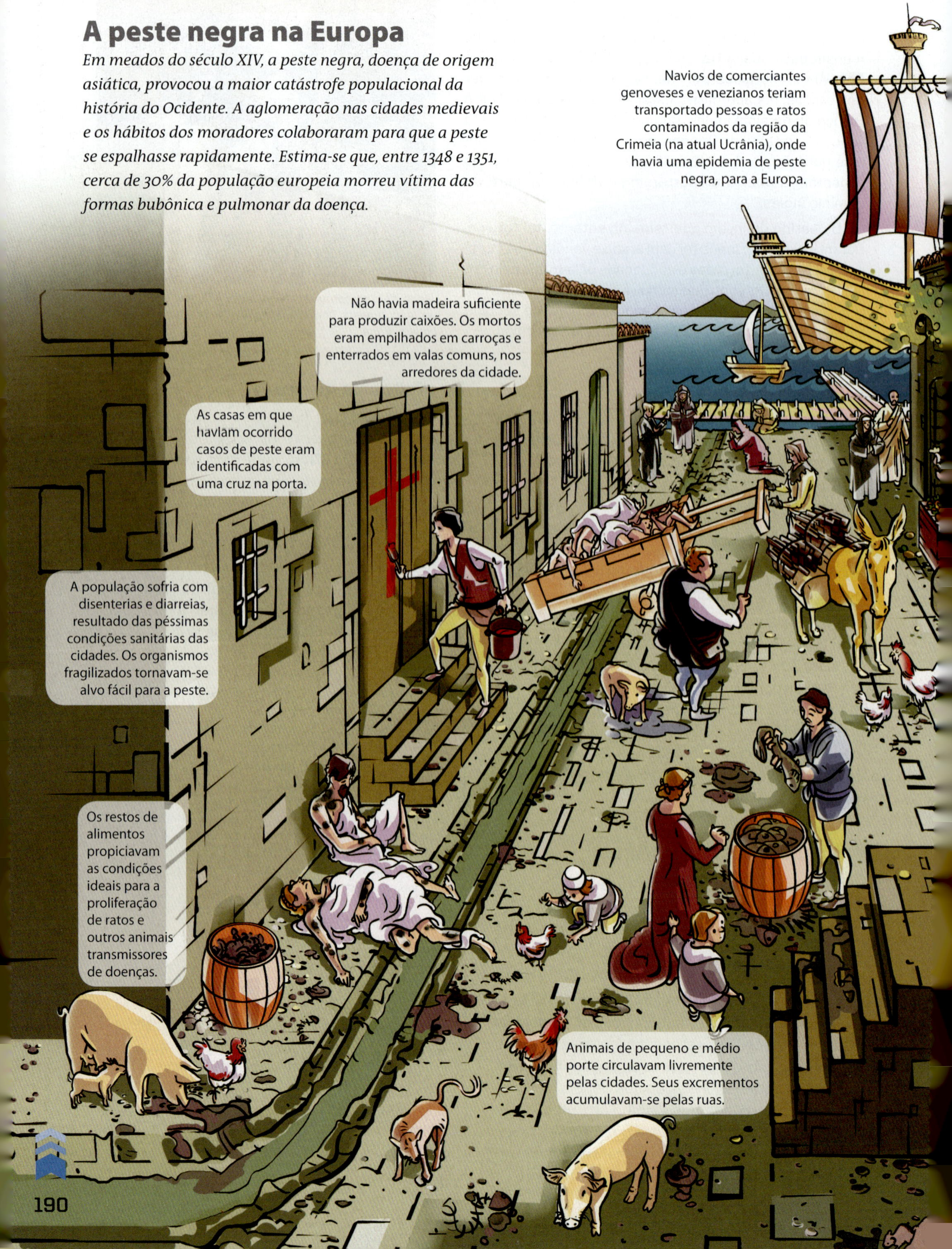

Distribuição mundial da peste humana (2002-2005)

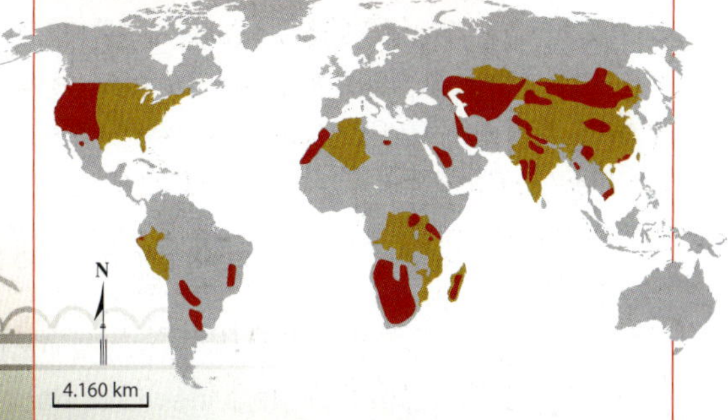

Países que notificaram casos de peste humana à Organização Mundial da Saúde

Regiões onde a peste ocorre em animais

Fonte: Organização Mundial da Saúde (OMS). Disponível em www.who.int/en. Acesso em 26 nov. 2009.

Atirar pela janela resíduos de alimentos, água suja e outros dejetos era um hábito frequente da população.

O ciclo da peste negra

A **peste bubônica** é causada pela bactéria *Yersinia pestis*, comum em coelhos, ratos e outros roedores. Pulgas que parasitam esses animais podem contrair o bacilo da doença.

Quando a **pulga infectada** ataca o ser humano, transmite as bactérias da peste para o novo hospedeiro.

As **bactérias** acometem o sistema linfático e o sistema imunitário do indivíduo.

Os sintomas mais comuns da peste bubônica são febre alta, calafrios, dor de cabeça e inchaço dos linfonodos da virilha, das axilas e do pescoço.

Fonte: Ministério da Saúde. Disponível em http://bvsms.saude.gov.br. Acesso em 1º fev. 2010.

Para se prevenir do contágio da peste, os médicos usavam uma máscara que continha ervas aromáticas. Acreditava-se que tais ervas combateriam os **miasmas**, ares contaminados que propagavam a doença.

Representação atual de como poderia ter sido uma cidade medieval durante a epidemia de peste negra. Cores-fantasia, sem escala.

Fonte: DUBY, Georges. *Ano 1000, ano 2000: na pista de nossos medos*. São Paulo: Editora Unesp/Imprensa Oficial do Estado de São Paulo, 1999; ZIEGLER, Philip. *The black death*. Grã-Bretanha: Alan Sutton, 1995.

QUESTÕES

1. Comente as implicações econômicas, sociais e psicológicas decorrentes da epidemia de peste negra na Europa.
2. Que outras doenças possuem um mecanismo de transmissão semelhante ao da peste negra?
3. Na atualidade, há doenças que são alvo de preconceito e segregação, como ocorreu com a peste negra na Idade Média? Quais? Por quê?

ANALISAR UM DOCUMENTO HISTÓRICO

A vida e a morte

Na Idade Média, a morte tornou-se objeto de uma verdadeira obsessão. No contexto da peste negra e da Guerra dos Cem Anos, a morte passou a ser associada a uma visão macabra, na qual o esqueleto dançarino simbolizava o próprio homem vivo na sua forma futura.

A morte era representada pelos cadáveres em putrefação, indicando a inevitabilidade da degradação do corpo e a inutilidade das ambições humanas. Essa representação rompeu com a visão anterior da morte como um acontecimento consolador, que marcava o fim dos sofrimentos terrenos e o descanso final da alma.

Essas imagens tinham também o poder de evocar a brevidade da vida e a igualdade de todos diante da morte, uma vez que pobres e ricos eram sepultados sem distinção. Nesse sentido, pensar na morte significava também aprender lições sobre a vida.

Para compreender o documento

O documento a seguir é um fragmento do afresco *Dança macabra*, em que transparece uma superstição medieval, segundo a qual durante certas noites a morte saía de sua tumba para dançar nos cemitérios antes de partir para procurar suas vítimas.

A linguagem do afresco caracteriza-se pela pintura mural, ou seja, feita em parede, utilizando pigmentos à base de água sobre argamassa ainda fresca (daí o seu nome) de cal queimada e areia. A técnica é conhecida por sua durabilidade e longevidade e já vem sendo utilizada desde a Antiguidade clássica.

1. A figura do sacerdote dentro do púlpito explicita a função pedagógica da pintura. O pregador não interage com a cena e se mantém a certa distância dela, mas não deixa de observá-la e "tecer seus comentários".
2. O papa é representado com a férula papal, o símbolo de seu poder universal.
3. O imperador é representado com a espada, a coroa e o cetro.
4. Os corpos descarnados (as caveiras) contrastam com a riqueza das vestimentas dos vivos e apresentam-se todos da mesma maneira, sem que possamos atribuir a eles nenhuma identidade.
5. Os mortos movimentam-se (parecem dançar) e um deles toca um instrumento, enquanto os vivos mantêm-se imóveis em seus lugares.
6. Uma caveira carrega um caixão numa referência explícita à morte; esta e outra caveira seguram as vestes do papa, revelando a relação entre a vida e a morte.

QUESTÕES

1. Relacione as características do afresco *Dança macabra* com o contexto em que foi produzido.

2. Que autoridades terrenas foram representadas no afresco? Por que elas aparecem ao lado dos esqueletos? Há outros elementos da pintura que representam a vida terrena? Quais?

3. Compare as expressões e as posturas dos esqueletos com as dos homens vivos. Que elementos chamaram sua atenção? Por quê?

Fragmento da *Dança macabra*, pintura do final do século XV, atribuída a Bernt Notke. Igreja de São Nicolau, Tallinn, Estônia.

A crise do feudalismo: revoltas urbanas e camponesas

Objetivo

- Entender o contexto de crise das revoltas camponesas que assolaram o século XIV na Europa.

Termos e conceitos

- Crise
- Revoltas camponesas
- Burguesia

A desagregação do sistema feudal

Em meio à **crise** generalizada que se abateu sobre a Europa Ocidental no século XIV, estouraram também revoltas populares, no campo e na cidade, contribuindo para aprofundar ainda mais o processo de desagregação do sistema feudal. Essas revoltas foram respostas à tentativa dos senhores feudais de manterem suas rendas, acentuando a exploração da mão de obra servil.

A fome, a peste e a guerra despovoaram os campos e provocaram escassez de mão de obra, uma vez que grande parte das pessoas que não tinham sido vitimadas pela peste ou pela guerra haviam se deslocado para as cidades. A mão de obra, que era abundante no início da Baixa Idade Média, tornou-se rara e, consequentemente, mais bem remunerada. Nesse contexto, os senhores feudais ficaram enfraquecidos, pois deixaram de receber os tributos que garantiam as suas rendas. Houve, então, um recrudescimento da exploração do trabalho servil, precipitando uma série de **revoltas camponesas**.

Nas cidades, a burguesia enriquecida pela vitalidade do comércio e dos negócios urbanos pôde afirmar-se tanto adquirindo parte das terras perdidas pela nobreza como firmando casamentos convenientes com membros dessa camada social. Outro aspecto importante foi a ascensão de parte dos camponeses, que passou a formar uma pequena elite rural. Eles haviam enriquecido aproveitando o despovoamento das terras e das vilas para adquirir propriedades.

A crise e a cidade

Podemos dizer que houve uma inversão da tendência que prevalecia desde então: a produção rural passou a organizar-se em função do mercado urbano. Com o declínio da aristocracia feudal e a ascensão da burguesia urbana, o eixo dinâmico da sociedade europeia passou dos campos para as cidades.

Dessa forma, tinha início uma dinâmica social até então rara no rígido sistema social das ordens medievais, ou seja, as chances de mobilidade social tornaram-se viáveis. Os grupos sociais que constituíam o setor excluído dos privilégios feudais (burguesia, artesãos, comerciantes e camponeses) passaram a questionar a ordem social e a pôr em xeque a função social da nobreza **[doc. 1]**.

DOC. 1 Comerciantes de tecidos e vestimentas em mercado de uma cidade francesa. Iluminura de manuscrito do século XV. Biblioteca Nacional da França, Paris.

Vocabulário histórico

Crise

O conceito de crise indica um período de mudança, de turbulência ou de perturbação de um sistema social que pode pôr em risco a existência dele ou de seus mecanismos essenciais de reprodução. A crise pode abranger fatores políticos, institucionais, culturais, demográficos, climáticos, entre outros. As crises podem ser breves, médias ou de longa duração, estendendo-se por décadas ou séculos. Também podem ser deflagradas por fatores internos (crises endógenas) ou por fatores externos (crises exógenas). No caso do feudalismo, podemos dizer que a crise foi, sobretudo, endógena, pois entre os séculos XIV e XV o sistema feudal atingira o seu limite de desenvolvimento e gerara dentro de si os elementos que acabariam por destruí-lo: a revitalização das cidades e uma nova camada social, a burguesia.

DOC. 2 **A reação dos nobres contra os jacques (camponeses)**

"Na fortaleza, chamada 'Mercado de *Meaux*', estavam a mulher, a infanta e a irmã do delfim, com cerca de trezentas damas e seus filhos. A cidade abriu suas portas, instalando mesas nas ruas com pão, carne e vinho — os *jacques* faziam saber que esperavam esse tipo de recepção sempre que entravam numa cidade. As donzelas, quando 'viram tal quantidade de gentes, sentiram medo e terror'. [...]

Com cerca de quarenta lanças [...], os cavaleiros, tendo à frente 25 cavaleiros de armaduras e galhardetes de prata [...], entraram na ponte. Provavelmente na ânsia da luta, os *jacques* imprudentemente decidiram avançar naquele estreito espaço, onde sua superioridade numérica não podia prevalecer [...].

Os cavaleiros os 'mataram como bestas' — no sentido medieval, besta pode ser qualquer animal irracional [...], e morreram naquele dia cerca de sete mil. *Meaux* foi saqueada e incendiada, com todos os vilãos do burgo dentro, e ainda ardeu durante duas semanas, '... foi posteriormente condenada por crime de lesa-majestade e eliminada como comuna independente.' [...] Com essa vitória, os nobres ganharam confiança e a Jacquerie foi reprimida."

COSTA, Ricardo da. *Revoltas camponesas na Idade Média. 1358: a violência da Jacquerie na visão de Jean Froissart.* Disponível em www.ricardocosta.com. Acesso em 1º jul. 2009

Os jacques são massacrados em Meaux, iluminura das Crônicas de Froissart, 1358. Jean Froissart foi um dos mais importantes cronistas da França medieval. Biblioteca Nacional da França, Paris.

As revoltas camponesas

No ano de 1358, no reino da França, estouraram violentas sublevações camponesas. Essas revoltas, genericamente conhecidas como *Jacqueries*, nasceram como um movimento espontâneo que rapidamente evoluiu para uma contestação generalizada dos privilégios da nobreza rural. Na Inglaterra e na Itália, também aconteceram rebeliões do mesmo tipo, opondo nobres e camponeses numa terrível onda de violência.

A revolta espalhou-se pela área próxima à cidade de Paris e atingiu regiões no norte da França. Ao final, os nobres controlaram a situação com certa facilidade, favorecidos por sua superioridade militar e pela ajuda que receberam de nobres de outras regiões da França. A repressão foi violenta. Cerca de 20 mil camponeses morreram na revolta **[doc. 2]**.

As revoltas urbanas

Aos conflitos no campo seguiram-se outros também nas cidades, formando uma espécie de aliança entre a **burguesia** e os camponeses contra a nobreza e o clero. Na região de Flandres, houve violentos embates, como o que aconteceu entre 1323 e 1328 envolvendo artesãos, camponeses e também proprietários rurais ricos, que se sublevaram contra o aumento de impostos e o pagamento do dízimo para o clero. Outras revoltas urbanas, como a dos assalariados de Florença (1378), a dos tecelões de Gand (1381) e a dos pobres de Paris (1382), ocorreram também contra as famílias ricas que governavam as cidades.

As revoltas estavam relacionadas ao controle da administração das cidades. A burguesia citadina, que havia conquistado capital econômico, passou a reivindicar também poder político, desejando que seu prestígio social correspondesse ao seu poder econômico. Em toda parte, o descontentamento espontâneo dos despossuídos foi explorado em proveito da burguesia, que aspirava a unir o poder econômico ao poder político. As revoltas urbanas, assim como as camponesas, foram esmagadas.

As revoltas populares não provocaram uma ruptura social significativa. A aristocracia permaneceu sendo a camada social dominante, desfrutando de privilégios e exercendo poder sobre os governos locais.

- ***Jacqueries.*** "Jacques", nome comum entre as camadas populares (e que pode ser traduzido como "Tiago"), passou, com o tempo, a ser o termo empregado pela nobreza para designar o camponês.

QUESTÃO

› Observe a iluminura e leia o texto **[doc. 2]**.

a) Descreva a cena representada.

b) Baseando-se no texto e na imagem, comente a visão do autor sobre os camponeses e os nobres.

CONTROVÉRSIAS A burguesia e a crise do feudalismo

Na crise do sistema feudal, ocorrida entre os séculos XIV e XV, uma nova camada social em plena ascensão desempenhou um importante papel: a burguesia, formada por mercadores, donos de oficinas artesanais e banqueiros. Os textos a seguir mostram duas posições com relação à valorização do lucro e da riqueza na sociedade medieval.

Iluminura do século XIV representando banqueiros italianos praticando empréstimos no interior de um banco. Observe o cofre e os livros contábeis utilizados na prática bancária. Biblioteca Britânica, Londres.

Texto 1

"Assim justificado e mesmo exaltado, o mercador medieval pode dar livre curso ao seu gênio. Os seus objetivos são a riqueza, os negócios, a glória. [...] O amor pelo dinheiro permanece sua paixão fundamental. [...] 'O mercador', diz Cotrugli, 'deve governar-se e governar os seus negócios duma maneira racional, para atingir o seu fim que é a fortuna.'

Todos os mercadores sobre os quais se debruçaram os historiadores da Idade Média nutrem este amor arrebatado pelo dinheiro, desde os banqueiros de Arras, de quem Adam de La Halle disse no século XIII: 'aí se ama demasiado o dinheiro', desde os florentinos, descritos por Dante como 'uma gente cúpida, invejosa, orgulhosa', amante do florim – essa 'flor maldita que extraviou as ovelhas e os cordeiros' –, até os mercadores de Toulouse e Rouen do século XV. Todos eles pensam como um certo mercador florentino do século XIV: 'A tua ajuda, a tua defesa, a tua honra, o teu proveito é o dinheiro'. E. M. Mollat, ao estudar os grandes mercadores normandos do fim da Idade Média, pôde falar do 'dinheiro, fundamento duma sociedade'.

Para acumular esse dinheiro é preciso ter a paixão dos negócios, o gosto de fazer frutificar o capital, espírito e iniciativa. No seu *Livro dos bons costumes*, o florentino Paolo di Messer Pace da Certaldo aconselha: 'Se tendes dinheiro, não estejais inativos; não o guardeis estéril convosco, porque mais vale agir, mesmo que dele se não tire proveito, que ficar passivo, igualmente sem proveito.' [...].

Assim se esboça uma ética mercantil, perfeitamente mundana e laica. Define-se por uma moral dos negócios que os manuais para uso dos mercadores [...] explicitaram com toda a clareza.

Ao mercador pede-se prudência, percepção dos seus interesses, desconfiança relativamente ao outro, temor de perder dinheiro, experiência."

LE GOFF, J. Mercadores e banqueiros da Idade Média. Lisboa: Gradiva, s.d. p. 64-67. In: MARQUES, Adhemar e outros. *História Moderna através de textos*. São Paulo: Contexto, 2008. p. 35-36.

QUESTÕES

1. Por que condenar uma mentalidade voltada para as atividades comerciais, para o lucro e a acumulação de riquezas contribuía para a manutenção da estrutura social medieval?
2. Quais as diferenças entre a mentalidade medieval e a dos mercadores? Como isso é evidenciado no texto 1?

Texto 2

"Uma avaliação do pensamento econômico e social da Idade Média deve [...] levar em conta o desprezo com que as populações encaravam a atividade e o espírito comercial. O modo de vida medieval baseava-se nos costumes e nas tradições. Sua viabilidade dependia da aceitação desses costumes por parte dos membros da sociedade e, consequentemente, do lugar que cabia cada um no seio dessa sociedade. Onde prevalece a ética comercial capitalista, a avareza, o egoísmo, a cobiça e a ambição material ou social são consideradas pela maioria dos homens como qualidades inatas. Contudo, na Idade Média, tais motivações eram rechaçadas e denunciadas como indignas [...].

A ética paternalista cristã condenava com severidade a cobiça e a acumulação de riquezas. A doutrina do justo preço servia como freio a essa atitude gananciosa e socialmente perigosa. Como nos dias de hoje, naqueles tempos, a acumulação de riquezas materiais implicava a acumulação de poder e facilitava a mobilidade social ascendente que teria, por fim, efeitos profundamente destrutivos para o sistema medieval, na medida em que acabaria dissolvendo as relações de *status* que formavam a espinha dorsal da sociedade feudal."

HUNT, E. K.; SHERMAN, H. J. *História do pensamento econômico*. Petrópolis: Vozes, 1987. p. 19-20.

As conquistas otomanas e a queda de Constantinopla

Objetivo

▸ Reconhecer os desdobramentos históricos da expansão do Império Otomano na Europa Oriental.

Termos e conceitos

• Império Otomano
• Queda de Constantinopla

O poder do Império Otomano

Os turcos ou turcomanos são povos de religião muçulmana que não são árabes. Inicialmente, eles viviam como nômades nas planícies da Eurásia e, por volta do século X, muitos grupos turcos se converteram ao islã. O processo de ocupação da Anatólia pelas tribos turcomanas pode ser mais bem compreendido se pensarmos que o islã proibia o ataque e a pilhagem contra muçulmanos. Dessa forma, regiões como a Síria e a Mesopotâmia não interessavam aos turcos, enquanto a Anatólia bizantina (cristã) lhes parecia o lugar ideal.

A expansão dos turcos foi favorecida pela emergência, no final do século XIII, de um Estado militar, forte e bem estruturado, no leste da Anatólia. Liderados pelo guerreiro Otoman I (de quem o nome **Império Otomano** teria se originado), o exército turco conquistou toda a Ásia Menor e atingiu o Estreito de Dardanelos, que garantia o controle da passagem da Ásia para a Europa **[docs. 1 e 2]**.

As novas regiões conquistadas transformaram-se em províncias do Império Otomano, e a população passou a pagar tributos ao **sultão**, monarca absoluto que governava com a ajuda de um vizir e um conselho que se reunia cerca de quatro vezes por semana. A administração do Império se orientava de acordo com o *Corão*. No entanto, havia certa liberdade religiosa. Os judeus e os cristãos tinham direito à hospitalidade e à proteção, desde que concordassem em pagar as taxas que os distinguiam dos muçulmanos. Para se livrar do pagamento dessas taxas, parte da comunidade cristã acabou se convertendo ao islã.

• **Vizir.** Conselheiro ou ministro do sultão.

DOC. 1 **Expansão do Império Otomano (1301-1520)**

Fonte: DUBY, Georges. *Atlas historique mondial*. Paris: Larousse, 2003. p. 178.

A tomada de Constantinopla

Sede do Império Romano do Oriente desde o século IV, Constantinopla era uma cidade moderna e cosmopolita situada no Estreito de Bósforo, numa posição estratégica entre a Ásia e a Europa, ligando o Mar Negro ao Mediterrâneo **[doc. 3]**. O comércio, a principal atividade econômica, atraía mercadores do Oriente e do Ocidente, os quais iam e vinham para negociar suas mercadorias. Em virtude desse intenso comércio, as moedas bizantinas foram umas das primeiras a serem consideradas universais, uma vez que eram reconhecidas e aceitas na maior parte dos mercados europeus e asiáticos **[doc. 4]**.

A cidade de Constantinopla era estruturada como uma verdadeira fortaleza, contando com uma linha de 22 quilômetros de muralhas e 96 torres fortificadas. A estratégia dos turcos para derrubar essa fortaleza, aparentemente indestrutível, foi cercar e sufocar a cidade por terra e por mar, não permitindo que ela fosse abastecida. É importante lembrar que o Império Bizantino já estava enfraquecido na época da invasão dos otomanos. Estes já haviam ocupado outras cidades ao redor de Constantinopla com o objetivo de isolá-la dos reinos cristãos do Ocidente. Mesmo assim, acossados diante da invasão iminente dos turcos, os bizantinos pediram ajuda aos cristãos católicos, que atenderam enviando frotas venezianas como reforço.

DOC. 2 **O avanço otomano**

Entre 1516 e 1517, os otomanos ocuparam o Egito e a Arábia. Em 1521, tomaram Belgrado e a Hungria. Em 1522, a conquista de Rhodes garantiu o controle marítimo sobre o Mediterrâneo oriental. O poderoso exército turco continuou avançando e conquistando novas regiões para o Império. Ocuparam a Hungria em 1526 e tentaram conquistar Viena (1529), sendo repelidos pelo Império dos Habsburgos sob o governo de Carlos V. Finalmente, em 1574, após a conquista de Túnis (norte da África), os otomanos conseguiram garantir o controle sobre a parte sul do Mediterrâneo, dificultando ou até impedindo o comércio dos europeus nessa região.

DOC. 3 Vista da parte elevada de Constantinopla (atual Istambul), onde se localizavam a então Mesquita de Hagia Sophia e o Palácio de Topkapi, ambos atrás da Muralha de Mármara. Miniatura otomana do século XVII. Biblioteca da Universidade de Istambul.

DOC. 4 **As moedas no Império Bizantino**

O estudo das moedas (numismática) é uma forma importante de conhecer as trocas comerciais e a circulação de mercadorias na dinâmica econômica e cultural de uma civilização. As moedas contribuem para o entendimento dos períodos de crise ou de florescimento da economia e podem fornecer indicações sobre a arquitetura e também sobre a cronologia de dinastias e reinados.

No Império Bizantino, as moedas cunhadas em ouro eram chamadas de *solidus*, e as moedas cunhadas em cobre, de *follis*. A adoção de uma medida monetária era necessária para manter o ativo comércio da região.

Tradicionalmente, no anverso de todas as moedas aparecia uma imagem do imperador, de frente, enquanto no reverso era comum a representação da imagem de Cristo, da Virgem Maria ou de são Miguel Arcanjo. No Império Bizantino a imagem de Jesus Cristo foi cunhada em moedas pela primeira vez.

Moeda bizantina de 692-695, com as efígies de Cristo com o Evangelho no anteverso e do imperador Justiniano II com um altar e a cruz no reverso. Museu Britânico, Londres.

DOC. 5 **Os otomanos invadem Constantinopla**

Uma das principais fontes gregas sobre a queda de Constantinopla em 1453 foi elaborada pelo político e historiador bizantino Critóbulo de Imbros. O historiador não foi testemunha ocular do evento, mas visitou a cidade logo após a conquista. Proveniente de uma família aristocrática bizantina, Critóbulo nutria profunda admiração por Maomé.

"Então, houve uma grande carnificina entre aqueles que haviam permanecido lá: uns estavam nas ruas, eles já haviam abandonado suas casas e corriam em direção à multidão, onde caíam, vítimas dos janízaros e de outros soldados sem fé nem lei. Outros resistiam, contando com sua própria coragem; outros ainda buscavam refúgio nas igrejas de onde faziam ouvir suas súplicas. Homens, mulheres e crianças, ninguém foi poupado [...].

Outras mulheres, que dormiam em seus leitos, tiveram que suportar verdadeiros pesadelos. Homens segurando espadas, com as mãos ensanguentadas pelo assassínio, exalando ódio, urrando e matando indiscriminadamente, se espalharam com as piores intenções. Esta multidão de homens, de todas as raças e nações reunidos ao acaso, como bestas selvagens e ferozes se precipitavam no interior das casas, expulsando sem piedade os seus ocupantes, arrastando, ferindo, forçando, atirando-os sobre as grandes vias públicas insultando-os e fazendo-os sofrer todo tipo de coisas diabólicas."

Critóbulo de Imbros [1453]. In: CARPENTIER, Jean; LEBRUN, François. *Histoire de l'Europe*. Paris: Seuil, 1990. p. 209. (tradução nossa)

Entrada dos turcos de Maomé II em Constantinopla, óleo sobre tela de Benjamin Constant, 1876. Museu des Augustins, Toulouse.

Resistência inútil

Os contingentes militares, no entanto, eram muito desiguais. Do lado de fora das muralhas estavam cerca de 100 mil soldados turcos, além de uma poderosa frota que vigiava o ponto estratégico no chamado chifre de ouro. Dentro da cidade, pouco mais de 7 mil homens armados, dos cerca de 50 mil habitantes que viviam na cidade. A queda era inevitável.

Constantino XI, o último basileu (rei) do Império Bizantino, foi morto durante as batalhas nas ruas, com grande parte da população, enquanto o sultão turco Maomé II desfilava num belo cavalo branco pelas ruas da cidade, enfim, conquistada **[doc. 5]**.

A **queda de Constantinopla** significou a perda por parte da cristandade de um local estratégico, que fazia a ligação entre o Oriente e o Ocidente e assegurava o acesso dos comerciantes europeus aos cobiçados mercados da Índia e da China. A partir da dominação turca, as rotas comerciais entre o Mar Mediterrâneo e o Mar Negro foram dificultadas ou mesmo bloqueadas. Para os mercadores europeus, tornou-se necessário buscar rotas alternativas para alcançar o Oriente. Navegaram pelo Oceano Atlântico, impulsionando novas descobertas, desenvolvimentos tecnológicos e econômicos, que marcariam o nascimento da Idade Moderna.

- **Chifre de ouro.** Estuário que divide o lado europeu do lado asiático no Estreito de Bósforo em Istambul (antiga Constantinopla), na Turquia.

QUESTÕES

1. Descreva a pintura, destacando os aspectos da conquista otomana ressaltados na imagem **[doc. 5]**.
2. Como Critóbulo de Imbros descreveu a invasão do exército otomano em Constantinopla? Era uma visão positiva ou negativa? Transcreva em seu caderno alguns termos do texto que justifiquem sua resposta **[doc. 5]**.

Retomar conteúdos

1 Considere as seguintes definições.

- Endemia: quando uma doença atinge apenas uma determinada região, manifestando-se de forma constante e regular ao longo do tempo.
- Epidemia: quando uma doença afeta um grande número de pessoas em uma determinada região, manifestando-se de forma temporária.
- Pandemia: quando uma epidemia se alastra pelos continentes, afetando diferentes regiões do mundo.

a) Como pode ser classificada a peste negra ocorrida na Europa durante o século XIV? Justifique.

b) O que favoreceu a propagação da peste negra pela Europa Ocidental?

c) De que modo a peste negra afetou a economia e a religiosidade da sociedade medieval?

2 Qual a relação entre a tomada de Constantinopla pelos turcos otomanos e a redefinição das rotas comerciais entre os mercadores europeus com o Oriente?

3 Explique a relação entre a crise do século XIV e o fortalecimento da mentalidade burguesa e suas consequências para a economia medieval.

Ler textos e imagens

4 Observe a imagem a seguir para responder às questões.

Banqueiros contando moedas. Manuscrito italiano do século XV. Seminário Patriarcale, Veneza.

a) Descreva o que as pessoas representadas nessa imagem estão fazendo e aponte o ramo de atividade em que elas atuam.

b) Destaque e explique as mudanças que permitiram o desenvolvimento dessa atividade na Baixa Idade Média.

5 Leia o documento a seguir para responder às questões.

"[...] Com a continuação, para satisfazer as faltas e necessidades dos da fortaleza, começaram a afluir diante da porta, junto da saída do castelo, negociantes, ou seja, mercadores de artigos custosos, em seguida taberneiros, depois hospedeiros para a alimentação e albergue dos que mantinham negócios com o senhor, muitas vezes presente, e dos que construíam casas e preparavam albergarias para as pessoas que não eram admitidas no interior da praça. O seu dito era: 'vamos à ponte'. Os habitantes de tal maneira se agarraram ao local que em breve aí nasceu uma cidade importante que ainda hoje conserva o seu nome vulgar de ponte, porque *brugghe* significa ponte em linguagem vulgar."

Jean Lelong, cronista de Saint-Bertin (século XIII). In: ESPINOSA, Fernanda. *Antologia de textos históricos medievais*. Lisboa: Sá da Costa, 1972. p. 199.

a) Identifique o processo descrito nesse documento.

b) Indique os elementos que caracterizaram o processo descrito no texto.

c) Relacione esse processo ao contexto histórico da Europa Ocidental do final da Idade Média.

6 Sobre as revoltas camponesas na Idade Média, o historiador Henry Loyn afirma o seguinte.

"Antes do século XIV, os movimentos eram localizados e de âmbito limitado [...]. Mas do século XIV até o início do século XVI, a agitação popular tornou-se mais concentrada e violenta, talvez como subproduto das dificuldades e mudanças econômicas com que a Europa se defrontava. Os ambiciosos movimentos de massa fracassaram totalmente na realização de seus objetivos, mas como fator de mudança gradual ajudaram a que tais metas fossem finalmente alcançadas."

LOYN, Henry R. (Org). *Dicionário da Idade Média*. Rio de Janeiro: Jorge Zahar, 1997. p. 175.

a) Quais as diferenças entre as revoltas camponesas de antes do século XIV e as que ocorreram depois, como as *jacqueries*?

b) Quais as consequências geradas pelas revoltas camponesas ocorridas a partir do século XIV?

Debater

7 O período entre os séculos XIV e XV na Europa foi marcado por fome, epidemias, conflitos e guerras. Esse contexto de crise generalizada provocou uma mudança na forma de o homem se relacionar com a morte. Com a orientação do professor, exponha suas ideias, promovendo um debate.

a) Compare a forma como a sociedade atual encara a morte com a visão que o homem medieval tinha a respeito dela.

b) De que modo as questões econômicas, sociais, culturais e religiosas interferem na forma como as pessoas lidam com esse fenômeno?

c) A forma como a morte é mostrada nos meios de comunicação hoje revela uma banalização desse acontecimento?

d) O avanço da medicina levou à descoberta de causadores, de formas preventivas e de cura de muitas doenças. O desenvolvimento da medicina possibilitou uma mentalidade menos religiosa?

DOC. 1 Fachada da fábrica de turbinas A. E. G., em Berlim, na Alemanha. Projeto original de Peter Behrens, 1908-1909.

Estilos arquitetônicos

Edifícios funcionais

Os edifícios mais imponentes de uma sociedade podem dizer muito sobre ela. No final do século XIX e início do século XX, os arquitetos modernistas começaram a perceber a necessidade de projetar novos prédios que atendessem às demandas criadas pela crescente industrialização das maiores cidades do mundo. Foi o advento do urbanismo, um ramo do conhecimento voltado para o estudo das cidades e o seu planejamento.

O principal objetivo da arquitetura, nessa época, era fazer um uso funcional do espaço urbano, concentrando nos grandes centros os locais de produção, serviços e moradia dos trabalhadores de modo que se aproveitassem ao máximo as áreas já reduzidas em decorrência do crescimento demográfico. Assim, a fábrica **[doc. 1]** e o arranha-céu **[doc. 2]** tornaram-se as principais construções do período.

Durante a Alta Idade Média, aproximadamente entre os séculos V e XI, no entanto, as coisas eram diferentes. No Oriente, a dinastia omíada, que havia vencido a disputa pelo califado do islã depois da morte do profeta Maomé, introduziu, por exemplo, aquela que ficou conhecida como a forma arquitetônica mais característica da cultura islâmica: a **mesquita** de pátio aberto.

Edifícios religiosos

A Grande Mesquita de Damasco **[doc. 3]** foi construída entre 705 e 715, sobre as ruínas de um templo cristão. Esse grande espaço aberto, cercado por arcadas em três de seus lados e por uma sala de orações coberta no outro, reunia os fiéis que faziam suas preces ali quando o recinto fechado já estava lotado, além de funcionar como local de socialização. A mesquita era o principal centro social e religioso da civilização do islã. Em torno dela, organizava-se toda a vida das cidades islâmicas, bastante agitadas pelas atividades comerciais.

No mesmo período, no Ocidente, as cidades europeias haviam se esvaziado, e a maioria da população se refugiara nas regiões rurais. A Igreja Católica tornou-se hegemônica, e a extrema religiosidade da população refletia-se nas expressões artísticas. A edificação de igrejas, monastérios e abadias, geralmente em meio a grandes propriedades rurais, configurava-se como o maior empreendimento artístico e arquitetônico da época, tudo para exaltar a glória de Deus e de seus representantes na Terra.

DOC. 2 Fachada das Lojas Marshall, Field & Co., em Chicago, Estados Unidos. Projeto original de Henry Richardson, 1885-1887.

A simplicidade da arte românica

Denominamos **românico** o estilo que caracterizou as construções europeias a partir do século XI. As igrejas eram normalmente erigidas como se fossem verdadeiras fortalezas, com paredes grossas e janelas pequenas em alturas relativamente elevadas, para proteger as pessoas de eventuais invasores. Os **docs. 4** e **5** mostram a Igreja de São Martinho Fromista, em Palência, na Espanha, construída entre 1066 e 1110, um exemplo típico da arquitetura românica. A fachada principal é composta por um corpo cúbico central ladeado por duas torres arredondadas, enquanto há uma estrutura transversal que atravessa a nave central, formando com ela uma cruz e terminando nas fachadas laterais. As portas e as janelas são estreitas e em formato de arco. As linhas são simples e geométricas, praticamente sem ornamentos; o interior despojado convida à contemplação serena **[doc. 4]**.

É importante perceber que essa mesma simplicidade geométrica pode ser encontrada nos edifícios modernistas, mas por razões diferentes. Enquanto as igrejas românicas foram planejadas com base na ideia de que as formas arquitetônicas deveriam ser austeras para proporcionar uma elevada experiência espiritual, os arquitetos modernistas acreditavam que elas deveriam se submeter à função a que se destinavam. Nesse sentido, a fábrica projetada por Peter Behrens **[doc. 1]** apresenta uma estrutura retangular que segue o desenho horizontal da linha de montagens que abrigava em seu interior. Já o arranha-céu de Henry Richardson **[doc. 2]** foi construído como um grande bloco de vários andares que, com seu despojamento geométrico e janelas em arco, foi provavelmente inspirado no estilo românico.

DOC. 3 Grande Mesquita de Damasco, em Damasco, na Síria, construída no século VIII. Foto de 2006.

DOC. 4 Interior da Igreja de São Martinho Fromista, em Palência, Espanha, construída no século XI. Foto de 2001.

DOC. 5 Exterior da Igreja de São Martinho Fromista, em Palência, Espanha. Foto de 2001.

Em direção ao céu: o estilo gótico

Na Baixa Idade Média, entre os séculos XII e XV, a Igreja continuava a exercer sua autoridade na Europa Ocidental de forma praticamente inquestionável, mas uma mudança importante ocorreu na visão que se tinha da vida. A realidade mundana, que antes devia ser relegada a um segundo plano para se obter uma experiência religiosa mais pura e ideal, passou a ser considerada como a expressão da natureza divina de Deus. O homem passava a vislumbrar todas as criaturas como manifestações únicas do criador.

As catedrais tornaram-se, então, as principais construções do período, erguidas não mais em meio a lugares afastados, mas no coração de centros urbanos em crescimento, sendo utilizadas pelos seus habitantes em várias atividades comunitárias que iam além dos serviços religiosos, como o ensino, por exemplo. A arquitetura desses edifícios sagrados, marcada por um estilo conhecido como **gótico**, é muito mais imponente e grandiosa do que a românica. Em concordância com a nova mentalidade religiosa, são apresentadas formas arquitetônicas mais orgânicas, mais semelhantes às existentes na natureza. Além disso, uma atenção muito maior é dada aos detalhes, com uma profusão de ornamentos sobre os quais a visão é convidada a se demorar.

O **doc. 6** mostra a vista frontal da Catedral de Colônia, na Alemanha. Ao contrário do que acontecia com as igrejas românicas, em que as linhas horizontais se destacavam, nas catedrais góticas, como podemos perceber nessa imagem, são as linhas verticais que imperam. As torres são altas e frequentemente pontiagudas, dando a impressão de um conjunto que se ergue até o céu, com o intuito de se aproximar da esfera divina. Os arcos plenos do estilo românico são substituídos por arcos em ponta, conferindo mais dinamismo à fachada. A estrutura do teto em arcos cruzados não sobrecarrega a construção e permite que as paredes exteriores da catedral sejam mais finas e altas, pois o peso é dividido em vários pontos. Além de serem mais amplas, há um número muito maior de janelas, que proporcionavam uma boa iluminação do interior e permitiam que as catedrais góticas se abrissem para o mundo exterior, urbano e terreno **[doc. 7]**.

DOC. 6 Exterior da Catedral de Colônia, construída no século XIII, em Colônia, Alemanha. Foto de 2009.

DOC. 7 Interior da Catedral de Colônia, em Colônia, Alemanha.

A arquitetura em conjunto com o mundo sensível

Na contemporaneidade, a arquitetura pós-moderna também tem se esforçado para incluir formas mais orgânicas. Em vez do rigor geométrico e funcional do modernismo, os arquitetos atuais buscam linhas mais livres, muitas vezes inspiradas em objetos do mundo sensível. A Casa da Ópera de Sidney **[doc. 8]**, por exemplo, apresenta algumas conchas em seu telhado que podem ser comparadas às velas das pequenas embarcações que cruzam as águas à sua frente ou mesmo às asas das aves que vivem ali. A estrutura do Museu Guggenheim de Bilbao **[doc. 9]** foi construída de tal forma a forjar a ilusão de que é composta de massas maleáveis e dinâmicas, semelhantes a ondas e espirais. Em nossa época, prédios voltados para as mais diferentes funções podem ser aqueles projetados de acordo com os desenhos arquitetônicos mais arrojados, dependendo dos interesses sociais e econômicos dos grupos envolvidos em sua construção.

DOC. 8 Casa da Ópera de Sidney, em Sidney, Austrália, foto de 2006. Projeto de Jorn Utzon, inaugurado em 1973.

DOC. 9 Museu Guggenheim de Bilbao, Espanha. Projeto de Frank Gehry, 1997.

QUESTÕES

1. O texto trata das semelhanças em relação à forma arquitetônica e das diferenças quanto à função das construções citadas. Assim, responda às questões.

a) Compare a igreja românica **[doc. 5]** e a fábrica **[doc. 1]**.

b) Compare a igreja gótica **[doc. 6]** e as construções pós-modernas **[docs. 8 e 9]**.

2. Qual era a importância das construções religiosas para a Europa cristã e para o mundo árabe do período medieval?

3. Forme um grupo com mais três ou quatro colegas. Observem a construção na qual a escola de vocês está instalada e respondam aos itens a seguir. Escrevam um relatório seguindo o roteiro.

a) Ano em que foi construída, se já passou por alguma reforma, se a construção já foi utilizada para outras funções.

b) Observem as características arquitetônicas da construção: há uma preocupação com a estética ou é voltada para o funcional? Ou ela mistura os dois elementos?

PRATICANDO: VESTIBULARES E ENEM

UNIDADE C A Idade Média: Ocidente e Oriente

1 **(Unicamp-SP)** No contexto das invasões bárbaras do século X, os bispos da província de Reims registraram: "Só há cidades despovoadas, mosteiros em ruínas ou incendiados, campos reduzidos ao abandono. Por toda parte, os homens são semelhantes aos peixes do mar que se devoram uns aos outros." Naquele tempo, as pessoas tinham a sensação de viver numa odiosa atmosfera de desordens e de violência. O feudalismo medieval nasceu no seio de uma época conturbada. Em certa medida, nasceu dessas mesmas perturbações.

Adaptado de Marc Bloch. *A sociedade feudal*. Lisboa: Edições 70, 1982. p. 19.

a) Estabeleça as relações entre as invasões bárbaras e o surgimento do feudalismo.

b) Identifique duas instituições romanas que contribuíram para a formação do feudalismo na Europa medieval. Explique o significado de uma delas.

2 **(Enem-MEC)** A peste negra dizimou boa parte da população europeia, com efeitos sobre o crescimento das cidades. O conhecimento médico da época não foi suficiente para conter a epidemia. Na cidade de Siena, Agnolo di Tura escreveu: "As pessoas morriam às centenas, de dia e de noite, e todas eram jogadas em fossas cobertas com terra, e, assim que essas fossas ficavam cheias, cavavam-se mais. E eu enterrei meus cinco filhos com minhas próprias mãos (...) E morreram tantos que todos achavam que era o fim do mundo."

Tura, Agnolo de. The plague in Siena: an Italian chronicle. In: BOWSKY, William M. *The black death*: a turning point in history? Nova York: HRW, 1971 (com adaptações).

O testemunho de Agnolo di Tura, um sobrevivente da peste negra, que assolou a Europa durante parte do século XIV, sugere que

a) o flagelo da peste negra foi associado ao fim dos tempos.

b) a Igreja buscou conter o medo da morte, disseminando o saber médico.

c) a impressão causada pelo número de mortos não foi tão forte porque as vítimas eram poucas e identificáveis.

d) houve substancial queda demográfica na Europa no período anterior à peste.

e) o drama vivido pelos sobreviventes era causado pelo fato de os cadáveres não serem enterrados.

3 **(Fuvest-SP)** "A Idade Média europeia é inseparável da civilização islâmica já que consiste precisamente na convivência, ao mesmo tempo positiva e negativa, do cristianismo e do islamismo, sobre uma área comum impregnada pela cultura greco-romana."

José Ortega y Gasset (1883-1955).

O texto acima permite afirmar que, na Europa Ocidental medieval,

a) formou-se uma civilização complementar à islâmica, pois ambas tiveram um mesmo ponto de partida.

b) originou-se uma civilização menos complexa que a islâmica devido à predominância da cultura germânica.

c) desenvolveu-se uma civilização que se beneficiou tanto da herança greco-romana quanto da islâmica.

d) cristalizou-se uma civilização marcada pela flexibilidade religiosa e tolerância cultural.

e) criou-se uma civilização sem dinamismo, em virtude de sua dependência de Bizâncio e do islão.

4 **(UEM)** O islamismo, nascido no século VII da era cristã, em decorrência das pregações do profeta Maomé, marcou profundamente a história do Ocidente medieval.

Escreva em seu caderno a soma da(s) afirmativa(s) que corresponde(m) corretamente ao islamismo medieval.

1. O islamismo, desde o seu surgimento, opõe-se radicalmente às tradições religiosas judaico-cristãs ao pregar a crença em um só Deus, Maomé.
2. A expansão e a ocupação islâmica da Península Ibérica teve início no século VIII e só findou em 1492, quando os mouros foram expulsos do Reino de Granada pelos reis católicos Fernando e Isabel.
4. Embora a religião seja um dos fundamentos da civilização islâmica, os muçulmanos exerceram forte influência no Ocidente medieval ao preservarem conhecimentos sobre a filosofia antiga, principalmente o aristotelismo e o platonismo.
8. Apesar do legado cultural na arquitetura, na ciência, na literatura e na agricultura, os árabes não conseguiram controlar o comércio no Mediterrâneo, que continuou sendo exercido exclusivamente por europeus.
16. Diferentemente do cristianismo, que se dividiu em duas Igrejas (Ocidental e Oriental), os muçulmanos, durante toda a Idade Média, preservaram uma religião unida, e a divisão entre xiitas e sunitas que conhecemos hoje resulta dos desdobramentos políticos da criação do Estado de Israel.

5 **(PUC-SP)** "Que Deus te dê coragem e ousadia,
Força, vigor e grande bravura
E grande vitória sobre os infiéis."

Citado por Georges Duby. *A Europa na Idade Média*. São Paulo: Martins Fontes, 1988. p. 13.

Os três versos são do século XII e reproduzem a fala de um rei na sagração de um cavaleiro. Eles sugerem:

a) o caráter religioso predominante nas relações de servidão, que uniam os nobres medievais e asseguravam a mão de obra nos feudos.

b) a ausência de centralização política na Alta Idade Média, quando todos podiam, por decisão real, ser sagrados nobres e cavaleiros.

c) o reconhecimento do poder de Deus como supremo e a crença de que a coragem dependia apenas da ação e da capacidade humanas.

d) a hierarquia nas relações de vassalagem e o significado político e religioso, para os nobres, das ações militares contra os muçulmanos.

e) o juramento que todos os nobres deviam diante do rei e do papa e a exigência de valentia e força para participação nos torneios.

UNIDADE C

Leituras

A Idade Média explicada aos meus filhos
LE GOFF, Jacques.
São Paulo: Agir, 2007.

Para compreender a Idade Média, o autor apresenta temas como a questão da honra e as donzelas, e analisa duas questões fundamentais: quanto tempo ela durou? Qual o seu significado?

Árabes: das origens à expansão
MANSUR, Alberto Jorge Simões.
Curitiba: Positivo, 2002.

O livro trata da organização da civilização árabe, sua expansão e o contato com outras culturas, que foram assimiladas e passaram a fazer parte da sua tradição.

África: terra, sociedades e conflitos
OLIC, Nelson Bacic;
CANEPA, Beatriz.
São Paulo: Moderna, 2004.

O continente africano constitui um mosaico de etnias, línguas, religiões e tradições, onde estão presentes conflitos étnicos e religiosos, lutas de emancipação, disputas pelos recursos naturais, processos de colonização e lutas de emancipação.

Rei Artur
RIORDAN, James.
São Paulo: Ática, 2003.
(Coleção Tesouro dos clássicos)

A saga do rei Artur representa o ideal de cavalaria do mundo medieval. Artur foi o único que conseguiu arrancar a espada da pedra e assim tornar-se rei. Esta obra reconta a história do guerreiro e de seu reino em Camelot.

Filmes

Cruzada
Direção de Ridley Scott.
Estados Unidos, 2005.
144 min.

Depois de perder o filho e a esposa, Baliam, um ferreiro francês, perde a esperança e a fé. Após conhecer seu pai, parte para Jerusalém em busca de perdão e ingressa como guerreiro na luta contra os muçulmanos.

O nome da rosa
Direção de Jean-Jacques Annaud. França/Itália/Alemanha, 1986. 130 min.

No ano de 1327, o monge franciscano William de Baskerville, auxiliado pelo noviço Adso de Melk, investiga uma série de assassinatos em um mosteiro beneditino e descobre uma biblioteca secreta. A chegada do inquisidor Bernardo Gui ameaça as investigações.

Sites

Casa das Áfricas
http://www.casadasafricas.org.br

No *site* estão disponíveis alguns artigos e dados sobre a história do continente, com fotografias, cartões-postais e representações nacionais. Traz também material de apoio para aprofundamento: filmes, palestras, *sites* e mapas.

Instituto de Cultura Árabe
http://www.icarabe.org

A cultura árabe está presente no Brasil na culinária, no vocabulário e em outras expressões. Esse *site* traz dados sobre as tradições árabes, além de uma agenda de exposições, museus e peças teatrais. Também traz notícias sobre o mundo árabe transmitidas em diferentes veículos de informação do Brasil e do mundo.

UNIDADE D

A aurora dos tempos modernos

» Capítulos

Milho

Quando o milho começou a ser cultivado, em terras mexicanas, os grãos eram tão pequenos como os do arroz. Foi um longo processo de seleção e manipulação da espécie que resultou nas espigas que conhecemos hoje.

Trigo

O trigo processado está presente em vários produtos industrializados, como pães, biscoitos, bolos, massas, bolachas etc. Em média, o consumo desses alimentos responde por 20% a 30% das calorias consumidas nos meios urbanos.

Cacau

A origem do cacau é americana, o maior país produtor atualmente é africano (Costa do Marfim), mas os chocolates produzidos na Europa (Bélgica e Suíça) são considerados os melhores do mundo.

Batata

Na Europa, a batata foi essencial para alimentar a população em períodos de fome e guerra. Na China, no início do século XX, a batata possibilitou, com o milho, o rápido aumento populacional.

Acontecimentos europeus da era moderna

Esta linha do tempo não foi organizada em escala temporal.

As imagens da linha do tempo estão identificadas ao longo dos capítulos desta unidade.

- **1453** Tomada de Constantinopla pelos turcos.
- **1488** Bartolomeu Dias contornou o Cabo da Boa Esperança.
- **1492** Chegada de Colombo à América.
- **1504** Michelangelo conclui a obra *Davi*.

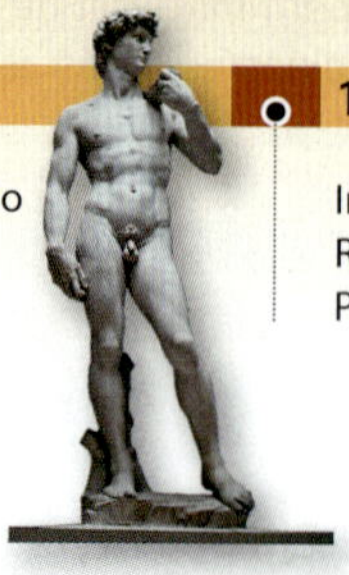

- **1517** Início da Reforma Protestante.
- **1541** Publicação do livro *Sobre a revolução dos orbes celestes*, de Copérnico.
- **1545-1563** Concílio de Trento.

Um mundo de sabores

A Ásia e a América foram fundamentais no fornecimento de uma base alimentar essencial para a humanidade. Ao longo do tempo, esses alimentos se adaptaram a diversas regiões, estando hoje presentes em locais muito diferentes de sua origem.

Se hoje você tem em sua mesa uma variedade de alimentos, isso só foi possível com as grandes navegações iniciadas no século XV.

QUESTÕES

1. Observando o mapa, o que podemos afirmar sobre o provável local de origem dos alimentos mencionados e os maiores produtores atuais?
2. Qual acontecimento possibilitou o primeiro intercâmbio mundial de alimentos?
3. Atualmente, que outros intercâmbios existem entre os países?

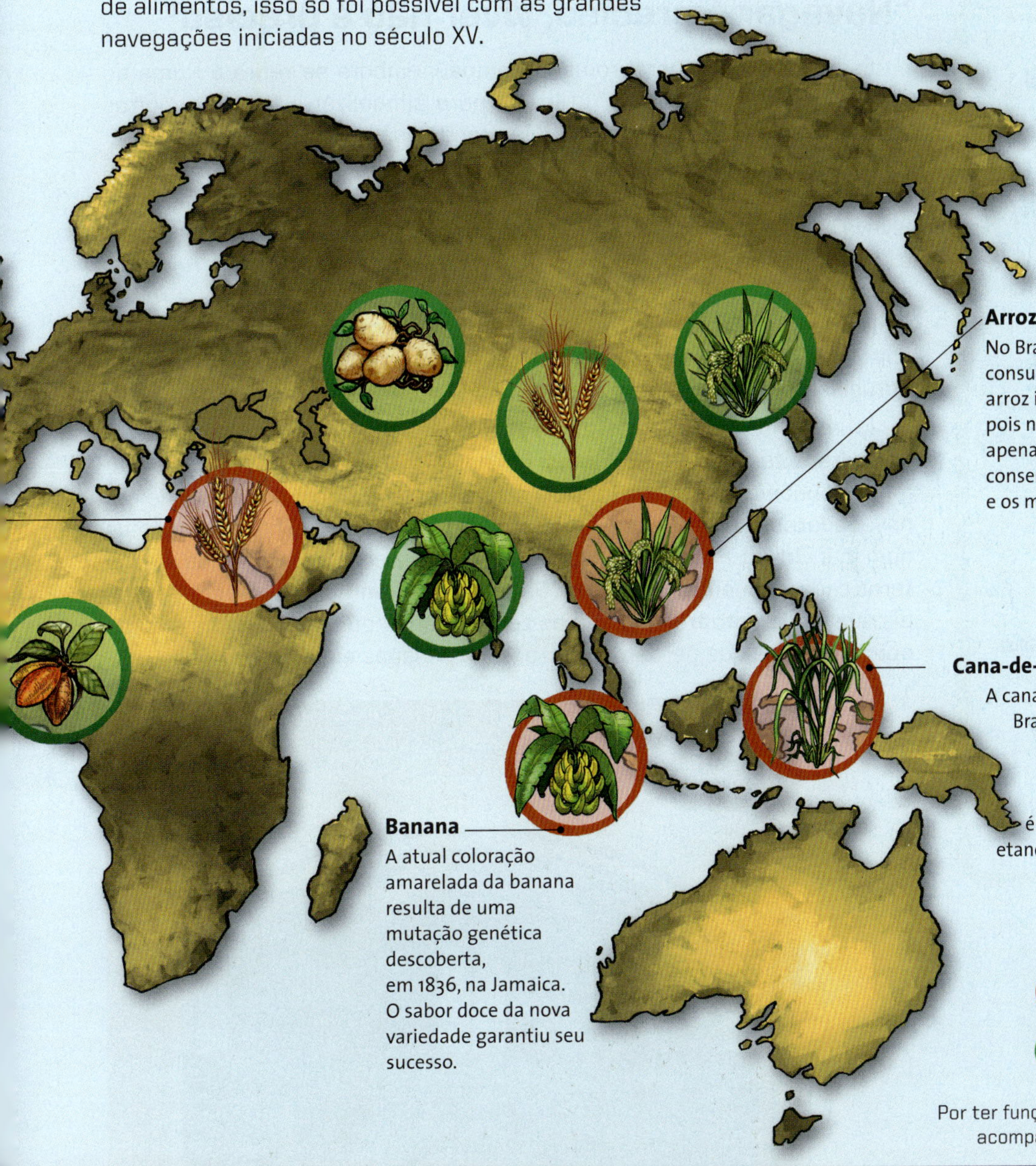

Arroz
No Brasil, o tipo de arroz mais consumido é o polido (agulhinha). O arroz integral, porém, é mais nutritivo, pois no processo de beneficiamento apenas a casca é removida, conservando-se as vitaminas, as fibras e os minerais.

Cana-de-açúcar
A cana-de-açúcar foi introduzida no Brasil pelos portugueses no século XVI para obter açúcar e vendê-lo na Europa. Atualmente, a maior parte da cana brasileira é destinada à produção de etanol e de açúcar.

Banana
A atual coloração amarelada da banana resulta de uma mutação genética descoberta, em 1836, na Jamaica. O sabor doce da nova variedade garantiu seu sucesso.

Por ter função ilustrativa, o mapa não vem acompanhado de escala e orientação.

1557 Publicação de *Viagens e aventuras no Brasil*, de Hans Staden.

1571 Mapa-múndi de Mercator.

1618-1648 Guerra dos Trinta Anos.

1651 Publicação de *O leviatã*, de Thomas Hobbes.

1661 Apogeu do absolutismo francês com o reinado de Luís XIV.

Capítulo

10 A civilização do Renascimento

› 10.1 O humanismo e o Renascimento Cultural

O Renascimento e o humanismo expressavam as mudanças políticas, econômicas e sociais da Europa do final da Idade Média.

› 10.2 A expansão marítima europeia

A centralização política nos países ibéricos, as inovações na tecnologia náutica, o enriquecimento da burguesia mercantil e o fervor missionário católico propiciaram as grandes viagens oceânicas.

› 10.3 Reformas religiosas

A Reforma Protestante promoveu a ruptura da cristandade na Europa Ocidental e alterou profundamente a configuração religiosa do continente.

"Navegar é preciso, viver não é preciso"

Essa frase do general romano Pompeu, embora se refira à Roma do século I, também pode ser utilizada para simbolizar o lema de muitos europeus que viveram na época das grandes navegações, iniciada no século XV. Para eles, assim como para Pompeu, era necessário enfrentar os próprios medos e navegar, mesmo se o preço fosse a própria vida. O que levava os marinheiros a deixar suas terras e famílias para enfrentar mares e lugares desconhecidos e cheios de perigo? Busca de aventuras, riquezas, ambição, glória... No início da era moderna, atravessar o mar era a forma mais usual de entrar em contato com outros continentes e pessoas de culturas diversas. Navegar poderia trazer a morte, mas também era o que entusiasmava e dava significado à vida de muitos navegantes.

Atualmente, navegar tem ainda um novo sentido: o de usar a internet e consultar *sites*. Sem embarcar em um navio, apenas com um clique, podemos conhecer milhares de lugares sem estar lá. Assim como os primeiros navegadores, muitas pessoas hoje em dia passam horas navegando, mas num mar virtual. Para elas, navegar também é preciso e viver a vida real se torna cada vez menos necessário. Os perigos enfrentados pelos internautas extremos, no entanto, não são as tempestades ou o mar revolto: são as oportunidades que perdem de estar com pessoas em lugares reais.

São Jerônimo em seu estúdio, de Antonello da Messina, c. 1475. Galeria Nacional, Londres. O pintor renascentista italiano recebeu o codinome "da Messina" em alusão à região siciliana de onde ele procedia e que não tinha tradição de escolas de pintura importantes, como Veneza, Florença e Roma. O artista sofreu influência da pintura flamenga, como revela a riqueza de detalhes e a precisão na disposição dos objetos. Na pintura, aparece o uso da perspectiva dispondo uma imagem dentro da outra e conferindo profundidade à obra.

Seção 10.1

O humanismo e o Renascimento Cultural

Objetivos

- Compreender as características do movimento humanista e suas implicações na vida moderna.
- Compreender as características da Revolução Científica da época moderna.

Termos e conceitos

- Renascimento
- Humanismo
- Cortesão
- Mecenato
- Revolução Científica

Uma época de grandes transformações

O termo **Renascimento** refere-se ao movimento artístico, científico e cultural que se desenvolveu entre os séculos XIV e XVI na Europa Ocidental. Nele, a tradição e os estudos clássicos (da Grécia e de Roma) foram revalorizados e se tornaram predominantes. É preciso deixar claro, porém, que o Renascimento não significou o retorno de uma arte ou um pensamento que havia desaparecido com o surgimento da sociedade medieval. Durante a Idade Média, livros de pensadores clássicos foram preservados e continuaram a ser lidos, principalmente nos mosteiros. A escolástica, uma das doutrinas religiosas mais influentes da Idade Média, tinha como um dos seus pilares a tradição grega.

O Renascimento começou a ser gestado ainda durante a Baixa Idade Média, nos séculos XII e XIII, quando houve um processo de fortalecimento das atividades comerciais e de crescimento das cidades, sobretudo na região de Flandres (na atual Bélgica) e na Itália. As cidades italianas eram as mais urbanizadas da Europa e, em função da vitalidade do comércio, estavam abertas às influências e às trocas culturais com outras regiões. Não por acaso, foi em cidades como Milão, Veneza, Florença, Nápoles e Roma que se deu o início e o ápice do Renascimento **[doc. 1]**.

DOC. 1 *Mercadores*, em pergaminho bolonhês, c. 1300. Biblioteca Nacional, Turim.

O crescimento das cidades e do comércio gerou uma mudança nos valores e nas práticas do mundo medieval. Se até então prevalecia o modo de vida orientado pelos valores, costumes e tradições religiosos, a partir do século XII a lógica do comércio e a ética burguesa, respaldadas na acumulação de riquezas, no lucro e na busca pela inovação, tornaram-se gradualmente hegemônicas. Com o declínio da aristocracia feudal e a ascensão da burguesia urbana, o eixo dinâmico da sociedade europeia passou dos campos para as cidades. No século XIV, apesar das guerras, da peste e dos conflitos sociais, alguns setores foram beneficiados, como o dos mercadores, que viviam o florescimento das rotas marítimas. A crise do século XIV ajudou a desenvolver ainda mais a atividade comercial e a difundir essa nova mentalidade pragmática, laica e mundana.

Vocabulário histórico

Renascimento

No sentido literal, "renascimento" significa renovação, regeneração, revitalização. A palavra, porém, ainda não era empregada nesse sentido pelos homens dos séculos XV e XVI para designar sua própria época. Foram os historiadores do século XIX que passaram a chamar de "civilização do Renascimento" o conjunto de transformações daquela época, que incluía: a revitalização das línguas e da cultura da Antiguidade clássica, as grandes explorações marítimas, a reforma religiosa e as descobertas científicas. Visto dessa forma, o Renascimento significaria a ruptura com o mundo fechado e "primitivo" da Idade Média e o "progresso" decisivo em direção ao mundo moderno. Pesquisas históricas feitas no século XX, no entanto, mostraram que o Renascimento não implicou uma ruptura com a Idade Média, mas deve ser visto como uma radicalização de tendências e avanços que remontam ao século XII: o crescimento demográfico, a revitalização das cidades, o desenvolvimento do comércio de longa distância, a criação das universidades, as invenções técnicas e progressos artísticos etc. Assim, não é correto considerar o Renascimento como um período histórico "melhor" ou "superior" à Idade Média. Como toda época da história, o Renascimento também é constituído por continuidades e rupturas, permanências e mudanças em relação ao passado.

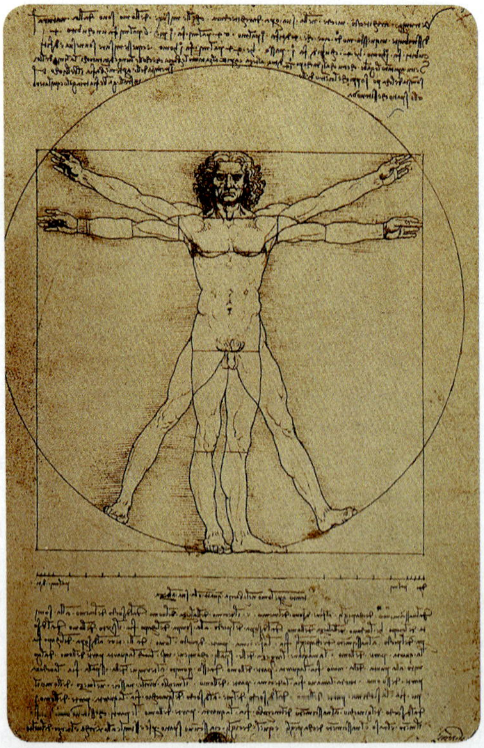

DOC. 2 A obra *O homem vitruviano*, 1492, do italiano Leonardo da Vinci, é a que melhor traduz a visão antropocêntrica do humanismo renascentista. Galeria da Academia, Veneza.

Expansão comercial e ruptura religiosa

O contato dos europeus com outros povos e civilizações, como os mouros na Península Ibérica, também resultou em mudanças de mentalidade e de costumes e favoreceu a incorporação de inovações técnicas e a ampliação de seus conhecimentos sobre a matemática, a astronomia e a filosofia. A abertura de novas rotas marítimas para a Ásia e a África e a descoberta de um novo continente, a América, também provocaram uma revolução comercial, injetando novos produtos no mercado europeu.

Por fim, esse período foi marcado também pelo movimento de contestação do poder da Igreja Católica, que acarretou o surgimento de novas doutrinas dentro do cristianismo: as igrejas protestantes. Dessa mistura entre continuidade, ruptura e inovação com relação à Idade Média se configurou o período que vamos estudar, marcando o início do que conhecemos como época moderna.

O humanismo e a revalorização da Antiguidade

O patrimônio clássico greco-romano é até hoje muito importante e valorizado pelas pessoas do mundo todo como uma fonte de conhecimento e sabedoria. Esse interesse pela Antiguidade clássica ao longo dos séculos, mesmo depois do fim do Império Romano, continuou a ser uma referência para o mundo ocidental. O **humanismo**, um movimento artístico e intelectual que nasceu na Itália e se espalhou por toda a Europa entre os séculos XIV e XVI, deu grande valor à Antiguidade clássica.

Com a tomada de Constantinopla pelos otomanos, em 1453, muitos intelectuais e professores gregos foram para a Europa Ocidental, principalmente para cidades italianas como Veneza, Florença e Pádua. Além de revigorarem o estudo da língua grega na Europa Ocidental, eles levaram em sua bagagem diversas obras de autores clássicos, como Platão, Aristóteles, Galeno, Plotino, entre vários outros. Muitos textos desses autores eram até então desconhecidos ou conhecidos apenas por meio de traduções árabes. O contato direto com as fontes antigas provocou um interesse renovado pela Antiguidade.

De acordo com os humanistas, o homem é a medida de todas as coisas e está no centro do universo (antropocentrismo). Dotado de razão e liberdade, ele é considerado um ser privilegiado, capaz de escolher o seu próprio destino e de efetuar grandes realizações **[doc. 2]**. Os humanistas, portanto, tinham uma visão positiva e otimista com relação à natureza e ao futuro da humanidade, visão que se opunha à da Igreja medieval, que considerava o homem um ser marcado pelo pecado e dependente da fé e das boas obras para obter a salvação **[doc. 3]**. Os humanistas, contudo, não eram contra o cristianismo ou contra a religião. Eles procuravam conciliar a sabedoria dos autores clássicos da Antiguidade pagã com a mensagem da *Bíblia*.

DOC. 3 **O Arquiteto Supremo e a criatura humana**

"O Arquiteto Supremo escolheu o homem, criatura de uma natureza imprecisa e, colocando-o no centro do mundo, dirigiu-se a ele nesses termos:

'Não te demos nem lugar preciso, nem forma que te seja própria, nem função particular, Adão, a fim de que, conforme tuas inclinações e teu discernimento, possas tomar e possuir o lugar, a forma e as funções que desejares. A natureza de todas as outras coisas é limitada e contida no interior das leis que lhe prescrevemos. Tu, que nenhum limite constrange, de acordo com a livre vontade que colocamos em tuas mãos, decidirás dos próprios limites de tua natureza. Te colocamos no centro do mundo para que, de lá, possas mais facilmente observar as coisas. Não criamos para ti nem céu, nem terra; nem imortal, nem mortal, para que, por teu livre arbítrio, como se fosses o criador de teu próprio molde, possas escolher modelar-te na forma que preferires. Por teu poder, poderás degenerar, assumir as formas mais baixas da vida, que são animais. Por teu poder, poderás, graças ao discernimento de tua alma, renascer nas formas mais altas, que são divinas.'"

MIRANDOLA, Pico Della. *Sobre a dignidade do homem.* In: CARPENTIER, Jean; LEBRUN, François. *Histoire de l'Europe.* Paris: Seuil, 1990. p. 224-225. (tradução nossa)

O ensino no Renascimento

A utilização de uma língua em comum, o latim, a impressão de livros e a circulação dos humanistas por várias cidades de diferentes países são fatores que possibilitaram a difusão do Renascimento por grande parte da Europa **[doc. 4]**.

Os renascentistas atuavam como professores, como preceptores dos filhos das famílias ricas ou como conselheiros de príncipes e governantes. Sua maior influência foi na área educacional, promovendo uma renovação pedagógica que tem reflexos até a atualidade. Eles defendiam uma educação baseada na tolerância, no respeito às diferenças e no desenvolvimento harmônico de todas as habilidades humanas. Essa educação deveria começar na infância e seu objetivo era formar pessoas honradas e cidadãos virtuosos, capazes de engrandecer com seus feitos a sua pátria ou cidade.

DOC. 4 **A invenção da imprensa**

Os primeiros livros impressos surgiram na China, no século IX. Mas foi somente no século XV que o alemão Johannes Gutenberg difundiu os tipos móveis metálicos, uma técnica que possibilitava a impressão rápida e relativamente barata de livros. Na mesma época, foi inventada a xilogravura, que permitia imprimir ilustrações a partir de blocos de madeira esculpidos. Essas duas invenções propiciaram a difusão da arte e do saber, tornando o conhecimento acessível a uma quantidade crescente de pessoas.

Imagem de uma gráfica do século XV em que se destacam os profissionais e os equipamentos no trabalho cotidiano. Note a presença do prelo, dos tipógrafos, do papel secando e do mestre-impressor que orienta o trabalho.

O homem renascentista

Quando falamos de indivíduo no mundo contemporâneo, é comum pensarmos num homem fragmentado, sem consciência plena de si e que não pode desenvolver totalmente suas potencialidades. O indivíduo do presente é aquele que se dedica a um determinado trabalho, que é especialista em alguma área e que tem certos direitos como consumidor e cidadão.

No Renascimento, surgiu o ideal do homem universal, completo, multifacetado, cujo objetivo era desenvolver harmonicamente todas as facetas da sua personalidade. O homem universal deveria ter cultura e erudição, conhecer a língua e a literatura da Antiguidade, as artes e as ciências, mas também deveria ser hábil no mundo prático, contribuindo com a vida de sua cidade. Do humanista, por exemplo, não se exigia apenas o conhecimento objetivo dos textos antigos, como se exige dos especialistas modernos, mas que esse saber também fosse aplicável ao cotidiano e à vida real.

O trabalho e o mérito

A preocupação do homem renascentista com as obras práticas, no entanto, não se inspirou na vida dos homens públicos do mundo clássico. Por acreditar que os ofícios manuais competiam aos escravos, os cidadãos do mundo greco-romano não os praticavam. Foi na Idade Média que se reabilitou a noção positiva do trabalho manual (*labor manuum*), mudança que tinha relação com a atividade dos monges, que deveriam rezar e trabalhar (*ora et labora*) e também com os impulsos à vida citadina e comercial verificados depois do século XII, que produziu uma camada mercantil rica e poderosa.

Na Itália renascentista, a diferença de origem entre as camadas sociais havia perdido o significado que tivera na sociedade feudal. As pessoas não se distinguiam pela ancestralidade ou pelo sangue, mas pelas qualidades intrínsecas à própria pessoa. Cada indivíduo valia pela sua cultura, pelos seus méritos pessoais e pela forma como conseguia ser e apresentar-se exteriormente. O ambiente mais propício para ressaltar essas qualidades era a vida nas cortes italianas. Lá, por meio das festas, da sociabilidade cotidiana (onde se exigia o cavalheirismo, o refinamento dos hábitos, a elegância e a destreza em diversas artes), o cortesão podia exercitar-se para se aperfeiçoar.

- **Preceptor.** Pessoa encarregada de ensinar jovens e crianças.
- **Cortesão.** Pessoa que frequenta a corte de um rei; aquele que vive ou trabalha na corte.

O cortesão e a cortesã

Segundo Baldassare Castiglione, que escreveu *O cortesão*, uma espécie de manual para quem queria se destacar na corte, publicado em 1528, o cortesão se educava para si mesmo e não para a corte: esta era apenas o seu palco e o seu meio. A força motriz da sua conduta não era o serviço prestado ao príncipe, este era apenas pretexto para o aperfeiçoamento de sua pessoa e a exposição de sua virtude.

O objetivo do cortesão era a busca da beleza em todos os aspectos da vida pessoal, ou seja, ele aspirava transformar sua própria existência numa obra de arte. Entre os conhecimentos e habilidades físicas e intelectuais exigidas do cortesão, podiam ser destacados os seguintes:

- Devia conhecer os esportes nobres (salto, corrida, natação, luta), ser um ótimo cavaleiro e também um grande dançarino.
- Devia dominar as línguas antigas e modernas (no mínimo, o latim e o italiano).
- Devia conhecer literatura e ter um juízo crítico em matéria de arte.
- Devia tocar perfeitamente um instrumento musical.
- Devia manejar armas com destreza (esgrima, lança etc.).

Cada uma dessas qualidades compensava as outras e originava um "indivíduo absoluto", no qual nenhuma qualidade predominava sobre as outras. Esse indivíduo transformou-se em modelo para as cortes europeias.

No Renascimento, a individualidade da mulher se desenvolveu em paralelo à do homem por meio da sociabilidade. Nas camadas cultas da sociedade, a mulher tinha uma educação semelhante à do homem, tanto as esposas quanto as cortesãs. Entre os conhecimentos e as habilidades exigidas da cortesã, podemos destacar as seguintes:

- Conhecer música, pintura, letras, dança e saber comportar-se em público.
- Ser determinada, bela, modesta, discreta, delicada, prudente, graciosa e informada.
- Arrumar-se sempre, conservando, no entanto, a naturalidade.
- Não ser soberba, afetada, invejosa, fútil e maledicente.

Assim, podemos dizer que um dos maiores êxitos do Renascimento foi a constituição desse modelo de individualidade completa e desenvolvida. Apesar de a concepção de indivíduo do mundo contemporâneo ser, em certa medida, o oposto do que foi no Renascimento, permanece no presente o ideal da formação de um indivíduo completo, que seja capaz de usufruir de suas conquistas na vida privada e atuar na vida pública como cidadão.

Leonardo da Vinci: o modelo de indivíduo completo

Ninguém melhor do que **Leonardo da Vinci** encarnou o modelo de individualidade do homem renascentista. Da Vinci notabilizou-se como pintor, escultor, músico, anatomista, engenheiro, matemático e filósofo, mas foi, sobretudo, como artista plástico que ele se destacou. Entre suas obras mais reverenciadas e conhecidas estão o afresco *A última ceia* e a pintura *Mona Lisa* ou *A Gioconda* **[doc. 5]**. Como cientista, inventor e sagaz observador da natureza, Da Vinci foi notável na área da mecânica, no estudo de anatomia, da natureza, da luz e da percepção do olho humano.

A genialidade da sua arte pode ser entendida como resultado da sua habilidade e perspicácia na interpretação da natureza. Para ele "pintar força a mente do pintor a se transformar na própria mente da natureza, a se tornar um intérprete entre a natureza e a arte". Da Vinci atingiu o auge da representação humana com a técnica que os italianos chamam de *sfumato* (esfumaçado). Com essa técnica, áreas de transição entre luz e sombra são suavizadas e matizadas, criando passagens tão sutis que se tornam quase imperceptíveis.

DOC. 5 *Mona Lisa* ou *A Gioconda*, óleo sobre madeira de Leonardo da Vinci, cerca de 1503-1506. Museu do Louvre, Paris. Observe a técnica do *sfumato* utilizada por Da Vinci para suavizar os contornos.

DOC. 6 *Anunciação*, de Lorenzo di Credi, 1480-1485. Galeria dos Ofícios, Florença. Note que, com a técnica da perspectiva, vemos dois planos: o primeiro, à frente, onde se desenrola a cena com a Virgem e o anjo Gabriel; o segundo, ao fundo, em que se vê uma paisagem.

A arte renascentista

As artes plásticas representaram o campo privilegiado de expressão dos valores do Renascimento: o antropocentrismo, a investigação e a compreensão das leis da natureza. Podemos dizer que a arte renascentista, ao longo de seu desenvolvimento, foi uma arte de inovações, de invenções e de aperfeiçoamentos técnicos, na qual os artistas atuavam como os artífices dessa transformação.

O estudo da perspectiva matemática, no século XV, influenciou decisivamente a arte do Renascimento que, a partir de então, expressou uma nova relação espacial, mais racional e próxima da percepção real da visão humana. Isso significou que, a partir do Renascimento, passou a predominar a pintura de forma **tridimensional**, e não bidimensional, como ocorria até então **[doc. 6]**. Esses avanços técnicos só foram possíveis com as descobertas nas áreas da geometria e da ótica. Outro aspecto importante que permitiu a representação realista das figuras foi o avanço dos estudos de anatomia.

- **Cortesã.** Mulher que fazia parte da corte. Com o tempo, o termo adquiriu um sentido pejorativo e passou a ser aplicado a mulheres de costumes libertinos ou a prostitutas que serviam às camadas mais altas. Por esse motivo, cortesã tornou-se sinônimo de dama palaciana ou dama da sociedade.

Os artistas e o mecenato

A figura do mecenas ou do protetor das artes foi de fundamental importância para desenvolver a arte renascentista. Os mecenas eram tradicionalmente burgueses ricos que tinham conquistado poder político e econômico e que buscavam projeção social por meio da arte, difundindo o modo de vida e os valores burgueses. Príncipes, comerciantes, banqueiros, entre outros, financiavam a construção de palácios, de monumentos em locais públicos e encomendavam a mais fina arte para suas residências, como a pintura *A primavera*, de Sandro Botticelli, encomendada pela família Médici para adornar o seu palácio. Os Médici controlaram a cidade de Florença entre 1432 e 1492.

O **mecenato** também foi utilizado pela Igreja Católica, cujo principal exemplo foi a relação entre o papa Júlio II e Michelangelo, escultor, pintor, poeta e arquiteto florentino. A pintura do teto da Capela Sistina, em Roma, foi encomendada pelo papa ao artista. Esse trabalho, executado em cerca de quatro anos, exigiu sacrifícios imensos de Michelangelo, que pintava suspenso em andaimes, deitado de costas e olhando para cima **[doc. 7]**.

DOC. 7 *Profeta Daniel*, detalhe do afresco do teto da Capela Sistina pintado por Michelangelo Buonarroti, 1508-1512. Considerado um dos maiores tesouros artísticos da humanidade, o conjunto de afrescos pintados por Michelangelo foi inspirado em cenas do Antigo e do Novo Testamento.

A Revolução Científica

Entre os séculos XVI e XVII, uma série de descobertas, experiências científicas e reflexões filosóficas mudaram radicalmente a maneira como as pessoas viam a natureza e o conhecimento. Esse processo, que ficou conhecido como **Revolução Científica**, demoliu a visão medieval que se tinha do universo e inaugurou uma nova fase na história humana, na qual a ciência e a razão tornaram-se progressivamente valores dominantes, colocando-se no lugar da religião e da fé.

Para o homem medieval, o cosmos era visto como um todo finito, fechado e ordenado segundo a vontade de um Deus criador. De acordo com essa concepção, o universo seria formado por uma série de esferas concêntricas, feitas de cristal, sobre as quais todos os astros giravam, formando círculos perfeitos, em torno da Terra. Essa concepção de que a Terra ocupava o centro do universo é chamada **geocêntrica**.

Essa visão permaneceu inquestionável por quase dois mil anos, até que, em 1543, o astrônomo e matemático polonês Nicolau Copérnico publicou o livro *Sobre a revolução dos orbes celestes*. Baseado em cálculos matemáticos e observações astronômicas, o modelo **heliocêntrico** de Copérnico sustentava que o Sol era o centro do universo. A Terra era apenas mais um astro, dentre outros, que girava em torno do Sol **[doc. 8]**.

Galileu e Kepler

No início do século XVII, o italiano Galileu Galilei aperfeiçoou o telescópio, instrumento que tornou possível comprovar empiricamente o modelo de Copérnico. Com o uso do telescópio, o alemão Johannes Kepler, na mesma época, descobriu que os planetas moviam-se em torno do Sol em órbitas elípticas e não circulares, e sua velocidade era proporcional a sua distância em relação ao Sol.

DOC. 8 *Harmonia macrocosmica*, de Andreas Cellarius, 1660. Biblioteca Nacional da França, Paris. Representação do universo segundo a concepção heliocêntrica de Copérnico.

Na teoria de Copérnico, porém, o cosmo ainda era visto como um todo fechado. Caberia ao italiano Giordano Bruno introduzir a ideia de que o universo era infinito e sem centro. Bruno foi perseguido pela Inquisição e queimado na fogueira em 1600.

De acordo com a nova cosmologia desenvolvida por Galileu e Kepler, o universo não era regido pela vontade de um Deus criador, mas por leis da natureza, fixas e imutáveis. A matemática era a linguagem básica da natureza, que permitia decifrar suas leis.

A ciência, vista como investigação racional das leis da natureza, ganhou autonomia e deixou de se subordinar à religião. Por suas ideias contradizerem os dogmas da religião, muitos cientistas e intelectuais foram perseguidos pela Igreja **[doc. 9]**.

DOC. 9 **Células-tronco: discórdia entre religião e ciência**

Os conflitos entre ciência e religião continuam gerando polêmica no mundo contemporâneo. A mais recente controvérsia gira em torno do uso de células-tronco embrionárias. Leia abaixo um artigo sobre o tema publicado na imprensa.

"[...] Cada vez mais pesquisas mostram que as células-tronco podem recompor tecidos danificados e, assim, teoricamente, tratar um infindável número de problemas, como alguns tipos de câncer, o mal de Parkinson e de Alzheimer, doenças degenerativas e cardíacas ou até mesmo fazer com que pessoas que sofreram lesão na coluna voltem a andar. [...]

Basicamente, há dois tipos de células-tronco: as extraídas de tecidos maduros de adultos e crianças ou as de embriões. [...]

As células-tronco embrionárias cada vez se mostram mais eficazes para formar qualquer tecido do corpo. [...] O problema é que, para extrair a célula-tronco, o embrião é destruído.

Segundo os cientistas, seriam usados apenas embriões descartados pelas clínicas de fertilização e que, mesmo se implantados no útero de uma mulher, dificilmente resultariam em uma gravidez. Ou seja, embriões que provavelmente nunca se desenvolverão.

Porém, essa ideia esbarra na oposição de setores religiosos e grupos antiaborto que consideram que a vida começa no momento da concepção."

MEDEIROS, Leonardo. Entenda a polêmica sobre as células-tronco. In: *Folha de S.Paulo*, 13 mar. 2004.

QUESTÕES

1. Na sua opinião, que sentimentos o rosto da Gioconda expressa na pintura? Como a técnica do *sfumato* possibilita a percepção desse sentimento **[doc. 5]**?
2. Quais características da pintura renascentista podemos perceber nessa obra **[doc. 6]**?

A expansão marítima europeia

Objetivo

- Entender o contexto das explorações marítimas europeias e suas consequências.

Termos e conceitos

- Expansão marítima
- Índias

Conteúdo digital Moderna PLUS http://www.modernaplus.com.br
Mapa animado: Expansionismo luso-espanhol

As grandes navegações

Até o século XV, a informação que os europeus tinham sobre o mundo era bastante limitada. Os mapas usados pelos navegadores eram imprecisos e deles só constava a Europa, a parte conhecida da Ásia e o norte da África. O restante do globo permanecia desconhecido. Viagens transoceânicas eram consideradas impossíveis. Devido à tecnologia naval rudimentar e aos precários instrumentos de navegação, as embarcações só navegavam perto do litoral.

Essa situação modificou-se com o desenvolvimento das caravelas pelos portugueses e o aperfeiçoamento dos instrumentos de navegação. Os navegadores podiam determinar sua posição no mar utilizando a bússola magnética, o astrolábio (que media a altura do Sol ao meio-dia) e o quadrante (que determinava a altura das estrelas). Outra inovação foi a projeção de mapas mais precisos com a utilização de um sistema de coordenadas verticais e horizontais **[doc. 1]**.

Somente os avanços técnicos, contudo, não são suficientes para explicar a **expansão marítima**. Para financiar viagens transoceânicas, eram necessárias grandes somas de capital. Os mercadores privados não tinham condições de financiar empreendimentos tão caros e arriscados. Para isso, era indispensável o apoio de um Estado forte e centralizado. A unificação precoce de Portugal, com a Revolução de Avis, de 1385, deu aos portugueses a possibilidade de sair na dianteira nos empreendimentos marítimos.

A expansão marítima portuguesa pode ser entendida como parte do contexto maior de expansão comercial da Europa que estava em curso desde o final da Idade Média. No entanto, o que diferenciava Portugal, e mais tarde a Espanha, das demais nações europeias era o fato de os empreendimentos marítimos terem sido obra do Estado e não da ação de particulares. Nesse sentido, a Coroa assumiu um papel ativo nessa empreitada que, durante muito tempo, foi a principal atividade econômica de Portugal.

DOC. 1 **Os mapas medievais e os mapas modernos**

O matemático e geógrafo flamenco Gerardo Mercator foi fundamental para o desenvolvimento da cartografia no século XVI. Para projetar o globo terrestre, Mercator utilizava uma técnica que resultava em algumas distorções nas dimensões dos territórios, sobretudo nos polos. Mesmo assim, seus mapas revolucionaram a cartografia da época e foram muito usados pelos viajantes e aventureiros europeus durante o auge das grandes expedições marítimas.

Orbis Terral Compendiosa, o mapa-múndi de Mercator, 1587. Biblioteca Britânica, Londres.

A expansão portuguesa

Com a tecnologia naval desenvolvida no período, os portugueses começaram a explorar a África, estabelecendo uma série de **entrepostos** no litoral do continente. Em 1486, Diogo Cão contornou o Golfo da Guiné e chegou até o Rio Congo (na atual Namíbia). Pouco depois, em 1488, o navegador Bartolomeu Dias contornou o Cabo da Boa Esperança, atingindo o extremo sul do continente africano. Uma década depois, Vasco da Gama chegou a Calicute, fundando o primeiro entreposto português na Índia. Foi também procurando outra rota atlântica para a Índia que, em 1500, Pedro Álvares Cabral chegou às terras que mais tarde fariam parte do Brasil **[doc. 2]**.

Não há consenso entre os historiadores sobre as razões que teriam motivado e, sobretudo, conferido sucesso aos portugueses na empreitada da conquista oceânica. Entre as principais razões, podemos destacar as seguintes:

- **A Igreja Católica legitimou a conquista**. A partir de meados do século XV, bulas papais autorizaram o Reino Português a submeter e converter os povos conquistados, conferindo aos portugueses o monopólio da navegação, do comércio e da pesca nas áreas subjugadas.
- **O desejo de se apoderar do ouro da Guiné**. Portugal era um dos poucos reinos da Europa que não tinham moeda nacional de ouro desde 1383. Uma das funções da moeda, além de servir como objeto de troca e como medida comum de valor, era garantir a credibilidade do dinheiro circulante, por isso simbolizava a riqueza (as reservas) de cada nação. Com o ouro vindo da África, em 1457 a Casa da Moeda de Lisboa retomou a cunhagem de moedas de ouro.
- **A procura do reino do Preste João**. Preste João era uma figura mítica, imaginado pelos europeus como o soberano de um poderoso reino cristão nas **Índias**. Segundo a lenda, Preste João seria um forte aliado na luta contra os muçulmanos.
- **A busca de especiarias orientais**. A partir da década de 1480, os portugueses passaram a se interessar mais seriamente em quebrar o monopólio veneziano-**mameluco** do comércio de especiarias, feito até então por terra e através do Mar Mediterrâneo.

Outros fatores que contribuíram para a construção do império marítimo português foram a superioridade dos navios portugueses (bem armados) em relação às embarcações mercantes muçulmanas (desarmadas), a habilidade em explorar as rivalidades internas nas áreas ocupadas e a capacidade de negociação dos portugueses, que conseguiram cooptar uma parte da elite das regiões conquistadas. Com a expansão marítimo-comercial, os portugueses não apenas ampliaram os seus domínios, como também inauguraram as grandes viagens atlânticas e a exploração do Novo Mundo.

- **Índias.** Termo bastante vago que se referia às terras do Oriente, entre as quais a China, o Japão e a própria Índia.
- **Mameluco.** Nesse caso, casta militar que servia ao Império Otomano e que, mais tarde, tornou-se poderosa e dominou o Egito (séculos XIII a XVI) e a Índia durante o século XIII.

DOC. 2 **Grandes viagens marítimas portuguesas (séculos XV e XVI)**

Fonte: PARKER, Geoffrey. *Atlas Verbo de história universal*. Lisboa: Verbo, 1996. p. 73; HALE, John R. *Idade das explorações*. Rio de Janeiro: José Olympio, 1970. p. 37.

A viagem de Colombo a serviço da Espanha

As viagens ultramarinas espanholas tiveram início após o casamento da rainha Isabel de Castela com Fernando, o príncipe de Aragão, em 1469. Os dois soberanos ficaram conhecidos como os "monarcas católicos" pelo fervor missionário que caracterizou seu reinado. O casamento de Fernando com Isabel assinalou a união das duas coroas e um passo decisivo para a formação do Estado centralizado espanhol, concluído em 1492 com a expulsão dos mouros de Granada, o último reduto do domínio árabe na Península Ibérica.

Isabel e Fernando concordaram em financiar a primeira viagem transatlântica do navegador genovês Cristóvão Colombo. O objetivo de Colombo era cruzar o Atlântico e encontrar, navegando pelo Oeste, uma rota para a Ásia. Como outros navegadores de sua época, Colombo já sabia que a Terra era redonda e acreditava que, se navegasse pelo Ocidente, inevitavelmente chegaria à Ásia. Quando atracou nas ilhas do Caribe, em outubro de 1492, Colombo acreditou que havia chegado a ilhas remotas da Ásia.

Um homem medieval numa época moderna

Analisando as cartas e as anotações deixadas por Colombo, podemos perceber sua mentalidade profundamente religiosa. Um de seus principais objetivos nas viagens de exploração era encontrar ouro suficiente para investir num novo projeto cruzadista de libertação da Terra Santa (Jerusalém), na tentativa de devolvê-la novamente aos cristãos.

A mentalidade cristã de Colombo também interferia na forma como ele interpretava o que via nas terras encontradas. Colombo tinha uma visão mítica da natureza, pois acreditava em seres e fenômenos fantásticos, como sereias, amazonas e ciclopes. Os nativos também eram comumente descritos como parte da natureza: seres pacíficos, generosos e belos. A admiração de Colombo diante dos homens e da natureza se traduzia no desejo natural de vê-los convertidos ao cristianismo. Os ideais de expansão da cristandade e da fé católica impulsionavam o projeto de conquista do Novo Mundo **[doc. 3]**.

- **Ciclope.** Figura mitológica de um gigante com um só olho na testa.

DOC. 3 **Terras para colonizar, povos para converter**

O texto a seguir é um trecho do relato escrito por Colombo aos reis espanhóis, em 27 de novembro de 1492. Nessa data, Colombo e sua tripulação entraram na ilha de Cuba numa área que ele batizou de Puerto Santo.

"Realmente, fiquei tão aturdido com tanta beleza que não sei como me expressar. [...] E vossas altezas ordenarão que uma cidade e fortaleza sejam construídas nestas partes e que estas terras sejam convertidas; e asseguro a vossas altezas que me parece que jamais poderá haver sob o Sol [terras] superiores em fertilidade, em brandura de frio e calor, em abundância de água doce e sadia. [...] Terra adentro, deve haver grandes povoados e inumeráveis pessoas e coisas de grande lucro; porque aqui, e em tudo mais que descobri e tenho esperança de descobrir antes de voltar a Castela, digo que toda a cristandade fará negócios com eles, mas, acima de todos, a Espanha, à qual tudo isso deve ficar sujeito. E digo a vossas altezas não devem consentir que qualquer estrangeiro comercie ou ponha os pés aqui, exceto a cristandade católica, desde que este foi o fim e o começo da empresa (propósito) que foi para o engrandecimento e glória da religião cristã, nem deve ninguém que não seja um bom cristão vir a estas partes."

COLOMBO, Cristóvão. Diário de Cristóvão Colombo [27 nov. 1492]. In: SALE, Kirkpatrick. *A conquista do Paraíso*: Cristóvão Colombo e seu legado. São Paulo: Zahar, 1992. p. 110-111.

A descoberta da América por Cristóvão Colombo, pintura do espanhol Salvador Dalí, 1958-1959. Museu Salvador Dalí, São Petersburgo, Estados Unidos.

Os espanhóis em busca do Oriente

O interesse em encontrar novas rotas de comércio para o Oriente continuou sendo uma preocupação da Coroa espanhola. Em 1519, Fernão de Magalhães (1480-1521), um experiente navegador português a serviço dos espanhóis, iniciou uma viagem para encontrar as fabulosas ilhas das especiarias (as atuais Molucas e Indonésia). Fernão de Magalhães morreu em 1521, nas Filipinas, antes de finalizar a viagem. Os sobreviventes da tripulação concluíram a viagem em 1522 e tornaram-se os primeiros europeus a realizar uma viagem de circum-navegação da Terra **[doc. 4]**.

As grandes navegações assinalaram o início de um intenso intercâmbio cultural entre os povos e inauguraram o processo de constituição de um mercado mundial. Podemos dizer que, até o século XV, a Europa era a periferia dos ricos impérios, como o bizantino, os reinos árabes e o otomano. Esses povos dominavam o comércio no Mediterrâneo e as rotas do Oriente e exportavam produtos de luxo para o consumo das cortes europeias. Com os empreendimentos marítimos e a colonização da América, essa situação mudou: a Europa deixou de ser periferia para tornar-se construtora de novas periferias.

• **Bestiário.** Do latim *bestia*, que significa animal, o bestiário era um gênero literário medieval de fábulas de caráter moralizante que utilizava a descrição física e os comportamentos de animais, reais ou fantásticos, para transmitir ensinamentos ao homem. Nesses livros, a natureza era representada com uma visão cristã do mundo.

O imaginário europeu sobre o Novo Mundo

A descoberta de novas terras e povos, considerados estranhos e exóticos pelos europeus, excitou a imaginação dos conquistadores. Procurava-se por animais fabulosos e monstros marinhos, descritos nos bestiários da época, e se discutia se os índios eram ou não humanos e se tinham ou não uma alma racional.

Diante de uma natureza exuberante, da nudez dos nativos e dos seus hábitos sexuais livres, os europeus viam o Novo Mundo ora como um paraíso terrestre, ora como um inferno pagão.

A função missionária de levar o evangelho para povos considerados selvagens e pagãos e a intenção de civilizá-los acobertaram a monstruosidade da exploração colonial, a escravização dos índios e a pilhagem de suas riquezas. Mas, ao mesmo tempo, os relatos dos missionários e viajantes produziram um volume de informações sobre as outras culturas que alimentou a imaginação dos europeus.

QUESTÃO

Sobre o texto, responda **[doc. 3]**.

a) A opinião de Colombo sobre a América é positiva ou negativa? Justifique.

b) A exploração econômica da terra é uma atividade que se choca com a expansão da religião cristã? Justifique.

DOC. 4 **Grandes viagens marítimas espanholas (séculos XV e XVI)**

Fonte: PARKER, Geoffrey. *Atlas Verbo de história universal*. Lisboa: Verbo, 1996. p. 73.
Atlas histórico escolar. Rio de Janeiro: FAE, 1991. p. 112-113.

CONTROVÉRSIAS

O olhar europeu sobre os indígenas: da selvageria à idealização

A chegada dos europeus na América permitiu o encontro entre povos que se desconheciam. O choque com culturas e mentalidades diferentes das praticadas na Europa causou muito impacto no velho continente, repercutindo em análises e considerações sobre os povos americanos. Os textos a seguir apresentam duas reflexões antagônicas sobre os indígenas.

Índio Tarairiu (Tapuia), pintura de Albert Eckhout, 1643. Museu Nacional, Copenhague.

Texto 1

"Todas estas nações de gentes [...] seguem sua gentilidade, são feras, selvagens, montanhesas e desumanas: vivem ao som da natureza, nem seguem fé, nem lei, nem rei (freio comum de todo homem racional). E em sinal dessa singularidade lhes negou também o Autor da natureza as letras F, L, R. Seu Deus é seu ventre [...], sua lei, e seu rei, são seu apetite e gosto. [...] Vivem neles tão apagada a luz da razão, quase como nas mesmas feras. Parecem mais brutos em pé que racionais humanados [...]. Nem têm arte, nem polícia alguma, nem sabem contar mais que até quatro, os de mais números notam pelos dedos das mãos e pés [...].

Nos mais costumes são como feras, sem política, sem prudência, sem quase rastro de humanidade, preguiçosos, mentirosos, comilões, dados a vinhos; e só nesta parte esmerados [...]."

VASCONCELOS, Simão de. *Crônica da Companhia de Jesus* [1663]. Petrópolis: Vozes; Brasília: INL, 1977. p. 97-98.

Texto 2

"Esses povos não me parecem merecer o qualificativo de selvagens somente por não terem sido senão muito pouco modificados pela ingerência do espírito humano e não haverem quase nada perdido de sua simplicidade primitiva. [...] Ninguém concebeu jamais uma simplicidade natural elevada a tal grau, ninguém jamais acreditou que pudesse a sociedade subsistir com tão poucos artifícios. É um país, diria eu a Platão, onde não há comércio de qualquer natureza, nem literatura, nem matemática; onde não existe hierarquia política, nem domesticidade, nem ricos e pobres. Contratos, sucessão e partilhas aí são desconhecidas; em matéria de trabalho só sabem da ociosidade; o respeito aos parentes é o mesmo que dedicam a todos; o vestuário, a agricultura e o trabalho dos metais aí se ignoram; não usam vinho nem trigo, as próprias palavras que exprimem a mentira, a traição, a dissimulação, a avareza, a inveja, a calúnia e o perdão só excepcionalmente se ouvem. [...] São homens que saem das mãos dos deuses."

MONTAIGNE, Michel de. *Ensaios* [1580]. São Paulo: Nova Cultural/Círculo do Livro, 1996. v. 1. p. 196.

QUESTÕES

1. Para desenvolver seu raciocínio, Simão de Vasconcelos e Montaigne partem de um mesmo princípio (o modo de vida dos nativos americanos), mas chegam a conclusões opostas.

a) Quais são as características comuns sobre os indígenas presentes em ambos os textos?

b) A que conclusão chega cada autor?

2. A visão dos europeus sobre o Novo Mundo oscilava entre a identificação com o inferno ou com o paraíso.

a) Qual a posição de cada texto segundo essa dualidade?

b) Transcreva em seu caderno passagens dos textos que justifiquem sua resposta.

Reformas religiosas

› Objetivo

▸ Compreender as causas da radicalização religiosa que levaram aos movimentos da Reforma Protestante e da Contrarreforma.

› Termos e conceitos

- **Reforma Protestante**
- **Predestinação absoluta**
- **Contrarreforma**

Conteúdo digital Moderna PLUS http://www.modernaplus.com.br
Mapa animado: A Europa durante as reformas religiosas
Filme: *Lutero*
Filme/série: *The Tudors*

O diálogo da Igreja com seus fiéis

Uma tradição de quase meio século da Igreja Católica foi quebrada em 2009: a mensagem anual do papa, até então transmitida de forma impressa para paróquias do mundo todo, foi divulgada por meio do site *Pope2You*. A intenção era mantê-lo disponível por apenas algumas semanas, mas a quantidade de acessos foi tão grande (cerca de 5 milhões) que ele continuou no ar. O *site* contém a mensagem papal em italiano, inglês, espanhol, francês e alemão.

Além do *Pope2You*, o Vaticano tem um *site* oficial desde 1995, um canal em um *site* de compartilhamento de vídeos, uma estação de rádio e um jornal. A utilização de tecnologias da comunicação pela Igreja tem como objetivo aproveitar o potencial desses meios para difundir o catolicismo e estar mais presente na vida dos fiéis.

A disposição para se aproximar dos fiéis e de se mostrar um pouco mais flexível diante das novas demandas sociais, contudo, nem sempre foi a política que norteou a Igreja Católica. Durante a Idade Média, a *Bíblia* era escrita em latim ou em grego, impossibilitando que a maioria da população, geralmente não versada nessas línguas, tivesse acesso às escrituras. Além disso, a condenação dos novos valores surgidos na Baixa Idade Média, como o individualismo e a busca pelo lucro e pelo sucesso pessoal, indispôs a Igreja com a burguesia, a quem interessava valorizar e abençoar a riqueza.

Contestações à Igreja Católica

Desde a Baixa Idade Média, surgiram movimentos que criticavam os privilégios do clero, contestavam a autoridade do papa e desejavam retornar àquilo que consideravam a fé autêntica, isto é, a vida simples que atribuíam aos primeiros cristãos. No século XIV, John Wycliffe, professor de teologia da universidade inglesa de Oxford, criticou os abusos da Igreja e trabalhou na tradução da *Bíblia* para o inglês. Com base nas ideias de Wycliffe, surgiu na Boêmia (região equivalente à atual República Tcheca) a comunidade dos hussitas, liderada por Jan Hus, um pregador que foi queimado vivo após ser condenado como herético pela Igreja.

A crítica à Igreja também vinha de dentro da própria Igreja. Os humanistas católicos, como Erasmo de Rotterdam e Thomas Morus, criticavam o luxo do papado, os pesados impostos que recaíam sobre os camponeses, os abusos de poder dos bispos e a falta de preparo intelectual dos padres **[doc. 1]**. No século XV, realizou-se uma série de concílios cujo objetivo era promover reformas dentro da Igreja. Porém, os concílios não produziram nenhuma mudança, reafirmando a unidade da Igreja sob a autoridade do papa.

As divergências teológicas e de valores culminaram na **Reforma Protestante**, que deu origem à segunda ruptura dentro da cristandade.

• **Concílio.** Assembleia de bispos cujo objetivo é discutir questões de fé, doutrina, costumes e disciplina religiosa.

DOC. 1 Comunhão de padres recém-ordenados, obra do século XIV. Biblioteca Britânica, Londres.

Lutero e a Reforma Protestante

A Reforma Protestante foi um movimento de contestação ao poder da Igreja Católica que se espalhou por vários países no decorrer do século XVI. O movimento foi desencadeado quando, em 1517, **Martinho Lutero**, monge e professor de teologia da Saxônia, na atual Alemanha, afixou, na porta da Catedral de Wittenberg, 95 teses de crítica à Igreja.

A reforma defendida por Lutero enfatizava três princípios fundamentais, que se opunham aos dogmas básicos da Igreja Católica.

- **Justificação pela fé**. Lutero criticava como abusiva a venda de indulgências, uma prática destinada a financiar as grandes obras da Igreja, como a Basílica de São Pedro, em Roma. Ele defendia que apenas a fé levava à salvação, por isso não era possível obter o perdão de Deus com obras ou com a venda de indulgências.
- **Sacerdócio universal**. Segundo Lutero, todos os cristãos eram iguais e, portanto, todos eram sacerdotes. Ele negava a santidade do clero (papa, bispos, monges e padres), que era a base de seus privilégios e de sua posição especial na sociedade.
- **Autoridade da palavra revelada**. Para Lutero, não era necessária nenhuma autoridade intermediária (padres, doutores ou teólogos) para interpretar a palavra divina contida na *Bíblia*. Cada fiel tinha razão e bom senso suficientes para compreender o texto sagrado e aplicá-lo na sua vida.

A adoção desses princípios levou ao rompimento definitivo com a Igreja Católica e inspirou outros movimentos religiosos. Além disso, provocou mudanças culturais, sociais e políticas na Europa e nas terras ultramarinas recém-conquistadas pelos europeus.

A expansão da Reforma

A Reforma foi apoiada por diferentes setores sociais que tinham em comum o descontentamento com os caminhos adotados pela Igreja Católica. A adesão ao protestantismo, no entanto, variou conforme as condições locais. Esse processo combinou a condição social e os vínculos históricos que ligavam a Igreja a cada região da Europa. Nos reinos mais distantes do papado, onde o controle de Roma era menor, como no norte da Europa, o protestantismo se tornou predominante.

Muitos soberanos queriam reforçar seu poder e se livrar do controle da Igreja sobre os assuntos internos de seus países. Desde a Idade Média, havia um conflito de autoridade entre a Igreja e a monarquia. Os papas pretendiam controlar e limitar o poder dos soberanos com base na ideia de que a Igreja era a representante de Deus na Terra e, portanto, todo poder derivava dela. Com a Reforma Protestante, a balança do conflito pendeu para o lado da monarquia **[doc. 2]**.

- **Indulgência.** Perdão total ou parcial concedido pela Igreja das penas temporais obtidas em razão de pecados cometidos pelo fiel.

DOC. 2 **A Igreja Anglicana**

A divisão do cristianismo na Inglaterra teve origem em questões pessoais. O rei Henrique VIII entrou em conflito com a Igreja Católica em razão da recusa do papa Clemente VII em desfazer seu casamento com a princesa espanhola Catarina de Aragão. Impaciente com a negativa papal, em 1531 o rei inglês desligou a Inglaterra da Igreja de Roma e confiscou todas as propriedades da Igreja no Reino. Após se divorciar e se casar com sua nova esposa, Ana Bolena, Henrique VIII fundou a Igreja Anglicana, da qual o rei é o chefe supremo. Com essa medida, a Igreja inglesa libertou-se do controle de Roma para subordinar-se à vontade do soberano. Essa separação marcou o nascimento de uma nova igreja e a ruptura definitiva com a Igreja Católica.

Catedral anglicana de St. Albans, em Hertfordshire, Inglaterra, 2008.

A Reforma de Calvino

Inspirados nas ideias de Lutero, outros reformadores difundiram o protestantismo pela Europa. Em 1536, **João Calvino**, um teólogo francês, criou uma versão mais radical e austera das propostas de Lutero. Calvino instituiu novos princípios ao movimento protestante defendendo, por exemplo, a **predestinação absoluta**. Segundo essa ideia, as pessoas que seriam salvas e aquelas que estariam condenadas à perdição já teriam sido escolhidas por Deus desde o nascimento. Dessa forma, o destino das pessoas não estava relacionado à realização de boas obras ou à compra de indulgências, mas já estaria predestinado por Deus.

Para os calvinistas, a devoção ao trabalho e a riqueza material eram formas de reconhecer os abençoados por Deus. A prosperidade resultante do trabalho era sinal da graça de Deus, e o trabalho duro não era visto como punição, mas como meio de louvar a Deus. A visão calvinista da salvação ajuda a explicar por que, em regiões da Europa economicamente mais dinâmicas, ricos comerciantes e artesãos apoiaram a Reforma. A Igreja Católica, ao contrário, condenava o desejo de lucro, o empréstimo a juros e estigmatizava o trabalho manual como uma forma de punição, indigna de um homem de bem.

A Contrarreforma

Incapaz de conter o movimento de propagação do protestantismo, a Igreja Católica foi obrigada a reagir, promovendo uma reforma interna. O objetivo da **Contrarreforma**, ou **Reforma Católica**, era reafirmar os princípios fundamentais do catolicismo, coibir os abusos do clero católico (como a venda de indulgências) e reforçar a disciplina dos padres, exigindo-lhes que cumprissem os votos, como o celibato e o voto de pobreza.

A criação de novas ordens religiosas foi uma das medidas tomadas para fortalecer a Igreja Católica. Em 1534, o religioso espanhol Inácio de Loyola fundou a **Companhia de Jesus**, uma ordem religiosa baseada numa disciplina austera. Os objetivos da ordem missionária eram combater o avanço do protestantismo, converter os povos pagãos e estabelecer uma elite católica culta por meio de uma rede de instituições de ensino disseminadas pela Europa e pela América Ibérica **[doc. 3]**.

A Contrarreforma foi concluída no **Concílio de Trento**, que se reuniu entre 1545 e 1563. O Concílio reafirmou os dogmas fundamentais da Igreja Católica, a autoridade do papa e o caráter sagrado do clero católico.

Uma das medidas da Reforma Católica foi o restabelecimento dos tribunais do Santo Ofício, ou **Inquisição**, instituídos pelo papa Gregório IX, no ano de 1229, com a finalidade de investigar os suspeitos de heresia.

Para impedir a difusão de livros considerados heréticos, a Igreja Católica criou o *Index Librorum Prohibitorum* ("Índice de Livros Proibidos"), um catálogo que indicava os livros que os católicos eram proibidos de ler.

As igrejas reformadas também recorreram à censura de livros, proibindo obras de autores católicos ou de reformistas radicais e até mesmo promovendo queimas de livros em praça pública.

DOC. 3 **A Europa após a Reforma**

O protestantismo tornou-se predominante na Inglaterra, na Suécia, na Dinamarca, na Escócia e no norte da Alemanha. Aos poucos ganhou terreno também na França e na Hungria. A conversão foi mais fraca nas regiões onde os soberanos não adotaram a nova doutrina.

Fonte: *Atlas da história do mundo*. São Paulo: Times/Folha de S.Paulo, 1995. p. 178-179.

QUESTÕES

1. Por que há uma grande concentração de calvinistas na região onde hoje estão localizados os Países Baixos [doc. 3]?
2. Relacione o contexto de lutas religiosas na Europa e a chegada dos jesuítas na América portuguesa.

ATIVIDADES

Retomar conteúdos

1 Destaque as condições que possibilitaram aos portugueses serem pioneiros nas grandes viagens oceânicas iniciadas no século XV.

2 Sobre a Reforma Protestante, responda.

a) Quais foram as principais divergências religiosas de Lutero em relação à doutrina católica que levaram ao movimento reformista?

b) Que setores sociais estavam descontentes com as práticas da Igreja Católica? Qual a importância deles para o sucesso da Reforma?

c) Qual a diferença principal entre a Igreja Anglicana e as demais igrejas protestantes?

3 Quais mudanças na concepção do universo foram introduzidas com as pesquisas de Johann Kepler, Galileu Galilei e Giordano Bruno?

Ler textos e imagens

4 O trecho a seguir faz parte de um folhetim que continha a tradução de uma carta atribuída a Américo Vespúcio endereçada a Lorenzo di Pierfrancesco dei Médice, narrando suas viagens ao Novo Mundo.

"Nos dias passados, muito amplamente te escrevi sobre meu retorno daquelas novas regiões que — por mando desse sereníssimo rei de Portugal, as suas custas e com a sua frota — procuramos e encontramos, as quais é lícito chamar de Novo Mundo, porque nenhuma delas era conhecida dos nossos maiores [...] e porque isso excede a opinião de nossos antepassados, pois a maior parte deles diz que, além da linha equinocial e para o meridiano, não há continente, mas apenas mar, que chamam de Atlântico. [...] Todavia, essa última minha navegação constatou que essa opinião é falsa e totalmente contrária à verdade, já que encontrei naquelas partes meridionais um continente habitado [...]."

VESPÚCIO, Américo. Mundus Novus [1504]. In: VESPÚCIO, Américo. *Novo Mundo*: as cartas que batizaram a América. São Paulo: Planeta, 2003. p. 33-34.

a) Transcreva um trecho em que fica clara a participação estatal no empreendimento marítimo.

b) Qual a importância do financiamento estatal para as grandes navegações?

c) Qual a postura de Vespúcio diante dos saberes dos "maiores"?

d) Identifique na carta de Vespúcio o espírito renascentista que se disseminava na época.

• **Maior.** Nesse caso, antepassados; os sábios da Antiguidade clássica.

5 Leia o texto e observe as pinturas. A imagem 1 é medieval e a 2 é renascentista.

"O Senhor Deus fez cair num torpor o homem, que adormeceu; tomou uma das suas costelas e voltou a fechar a carne no lugar dela. O Senhor Deus transformou a costela que tirara do homem em uma mulher e levou-a a ele."

Gênesis 2,21-22. In: *Bíblia*: tradução ecumênica. São Paulo: Loyola, 1994. p. 27.

1

Criação de Eva, detalhe de *A criação do mundo*, final do século XII. Biblioteca Municipal de Moulins, França.

2

A criação da mulher, detalhe do afresco do teto da Capela Sistina. Michelangelo, 1508-1512. Capela Sistina, Vaticano.

a) De acordo com a *Bíblia*, como ocorreu a criação da mulher? Sua representação nas imagens está de acordo com a versão bíblica? Justifique.

b) Como Deus foi representado nas duas imagens? Observe os traços físicos (rosto e corpo), roupas, gestos e postura.

c) Compare a forma como os corpos de Adão e Eva foram representados. Em qual das imagens o corpo mais se aproxima do real? Explique.

Capítulo

11 Sociedade e cultura dos nativos americanos

O princípio da América

A América já era habitada muito antes da chegada dos europeus. Sabemos que, muitos séculos antes da conquista europeia, havia cidades, grandes obras arquitetônicas, redes de irrigação, sistema de correio e estradas. Conhecemos formas de escrita e calendários que indicam profundo conhecimento astronômico.

Alguns dos povos pré-colombianos construíram grandes cidades onde se destacavam obras de engenharia tão imponentes quanto as do antigo Egito. Outros povos viviam isolados nas florestas, dispunham de autonomia e desconheciam a experiência do poder centralizado. Outros, mesmo tendo se organizado em grandes sociedades, foram submetidos ao poder militar de extensos impérios.

A retomada desse passado americano permite perceber os vínculos com os povos indígenas que hoje vivem no continente. Os índios atuais desfrutam de uma situação bastante diferente da de seus antepassados. Muitas de suas tradições, porém, persistem. Eles foram adaptados às novas condições de vida das comunidades que sobreviveram e dos descendentes das etnias pré-colombianas que se incorporaram às sociedades instauradas desde a colonização.

Índios barasano participando da dança capiwaya, na aldeia Rouxinol, localizada no igarapé Tarumã-Açu. Amazonas, 2009.

Mulheres oferecendo comida no Festival Inti Raymi, cerimônia religiosa incaica realizada na fortaleza Sacsayhuaman, próxima de Cuzco, Peru, 2004.

Os povos da Mesoamérica

Objetivo

▶ Entender a formação histórica da civilização maia.

Termos e conceitos

• Mesoamérica

• Ruínas arqueológicas

Conteúdo digital Moderna PLUS http://www.modernaplus.com.br
Animação: Maias

No princípio, os olmecas

As primeiras sociedades pré-colombianas a apresentar uma organização socioeconômica e política complexa foram a dos olmecas e a dos maias. Os dois povos viveram próximos, na **Mesoamérica**, durante séculos **[doc. 1]**. Os olmecas se situavam na parte sul do atual México, próximo ao litoral do Golfo do México. Alguns indícios permitem supor que eles ocuparam essa zona por volta de 1500 a.C. Os maias se fixaram um pouco mais ao sul, onde parecem ter se estabelecido cerca de quinhentos anos depois. Ocupavam a Península de Yucatã e áreas pertencentes aos atuais Guatemala e Honduras, além do oeste da Nicarágua e do noroeste da Costa Rica.

Uma das marcas mais antigas da presença olmeca são pirâmides edificadas cerca de 1200 a.C. em San Lorenzo, no atual México. Outro registro da fixação dos olmecas na área são as famosas cabeças gigantes, construídas entre 800 e 500 a.C., e localizadas em La Venta, outro núcleo olmeca importante. A primeira notícia desse povo, inclusive, foi a descoberta casual de uma dessas cabeças, na década de 1860. Até então, eles eram desconhecidos e se supunha que os maias tivessem sido os habitantes mais remotos da Mesoamérica.

A religião olmeca era possivelmente antropozoomórfica. Algumas esculturas e esqueletos encontrados próximos a oferendas sugerem, para alguns, a realização de sacrifícios humanos, mas não podemos afirmar se esses ritos de fato ocorriam e quais seus significados. A Serpente Emplumada, divindade recorrente em várias religiões pré-colombianas, aparece em representações olmecas.

Os motivos do fim da sociedade olmeca são desconhecidos. Alguns monumentos de San Lorenzo foram atacados, parcialmente destruídos ou queimados por volta de 700 a.C. No século IV a.C., a população olmeca decresceu bastante. Para alguns estudiosos, o declínio foi provocado por fatores ambientais. Para outros, os olmecas teriam entrado em conflito com outros grupos (talvez, os maias) e sofrido perdas humanas e territoriais significativas.

• **Olmeca.** Termo que significa "habitante do país da borracha" e vem do *nahuatl*, língua utilizada pelos astecas, que ocuparam as terras mais ao norte da região dos olmecas. Os astecas usavam essa expressão para referir-se aos povos da região, repleta de seringueiras. Os olmecas não se nomeavam dessa forma. O nome que utilizavam para se referir a si mesmos nunca foi identificado e, provavelmente, nunca será.

DOC. 1 **Mesoamérica**

A chamada Mesoamérica corresponde, geograficamente, às terras que vão do planalto central do México até o território da atual Honduras. O termo, de caráter antropológico, designa o local em que se situavam as sociedades mais complexas do período pré-colombiano, excetuando os incas, que viviam na América do Sul.

Povos da Mesoamérica

Fonte: DUBY, Georges. *Atlas historique mondial*. Paris: Larousse, 2003. p. 236.

A civilização maia

Os maias, na Mesoamérica, ocupavam terras mais ao sul. Há registros de pequenas vilas maias na região desde cerca de 1800 a.C., mas só após o ano 1000 a.C. o conjunto das terras maias passou por um processo de urbanização e expansão do comércio. A população cresceu bastante e foram adotadas novas técnicas agrícolas e formas mais complexas de organização política e hierárquica.

Os maias nunca formaram propriamente um império. As diversas cidades-Estado maias mantiveram autonomia administrativa e tinham o direito de definir o modelo de organização política e de formular suas leis. A maior parte da população vivia nas áreas rurais e se dedicava à agricultura, mas as cidades tinham importância política e religiosa: nelas moravam os nobres, os funcionários de Estado e, provavelmente, os sacerdotes. Além disso, abrigavam os locais de culto.

O setor mais importante da economia maia era a agricultura. A produção agrícola destinava-se à subsistência, à comercialização e ao pagamento de tributos. O milho era o principal produto e a base de toda a alimentação da sociedade maia. Também desenvolveram a cerâmica para produzir principalmente utensílios domésticos e objetos funerários.

Conhecimentos e edificações maias

Os maias tinham um sistema de escrita que combinava ideogramas e símbolos fonéticos. Tinham, também, bons conhecimentos de astronomia e criaram um sistema numérico que incluía a representação do zero. Seus complexos calendários auxiliavam a agricultura e continham significados religiosos.

Vários registros da engenharia e da arquitetura maia sobreviveram nas **ruínas arqueológicas** de antigas cidades maias **[doc. 2]**.

DOC. 2 Palácio nas ruínas de Palenque, Chiapas, México. Foto de 2008.

- **Chichén Itzá**. Localizada na Península de Yucatán, no México, a cidade combina características maias e toltecas. A pirâmide geométrica de Kukulkán homenageia a Serpente Emplumada, entidade maia.
- **Copán**. Situada na atual Honduras, o sítio arqueológico de Copán abriga uma coleção de 38 estelas. Conta, também, com uma rede de túneis e a Escada dos Hieróglifos, que narra a história dos 16 reis da cidade-Estado.
- **Palenque**. Situado no estado de Chiapas, no México, o sítio de Palenque abriga um conjunto de quinhentos edifícios, incluindo o Templo da Rainha Vermelha, obra que reforça a suposição de que a cidade foi originalmente governada por mulheres.
- **Tikal**. Declarado patrimônio da humanidade pela Unesco, o Parque Nacional de Tikal, na Guatemala, reúne reservas naturais e tesouros arqueológicos.

Parte do imenso patrimônio cultural mesoamericano foi reconhecida por órgãos internacionais e transformada em local de visitação. As políticas de preservação, no entanto, nem sempre são suficientes para garantir o bom estado dos sítios arqueológicos. A visitação turística desses locais também tem duas faces: de um lado, gera recursos para a conservação; de outro, pode acelerar o processo de degeneração das instalações.

Declínio da civilização maia

Por volta de 900, a sociedade maia entrou em declínio. Estudos de história do clima indicam que a região pode ter enfrentado longos e duros períodos de seca. O gradativo esgotamento do solo pelo sistema de coivara também pode ter causado a queda da produtividade agrícola e forçado a população a fugir da escassez e buscar outras terras.

Os fatores ambientais, no entanto, não devem ter sido os únicos responsáveis pela derrocada. Em vários templos maias foram encontrados sinais de conflitos e de violência. Algumas cidades provavelmente tentaram se proteger de inimigos externos, construindo muros ao redor. Ou seja, os maias envolveram-se ou foram envolvidos em guerras e essas contribuíram para o desaparecimento de sua civilização.

Aspectos da sociedade maia, no entanto, sobreviveram ao tempo. Um dos exemplos mais destacados é o *Popol Vuh*, livro sagrado de autoria desconhecida e provavelmente escrito no século XVI, que relata a criação do mundo e a história de reis e povos maias.

- **Estela.** Monumento vertical feito de pedra em que os povos antigos faziam inscrições.

QUESTÃO

› Explique o conceito de Mesoamérica [doc. 1].

Seção 11.2

Mexicas e astecas

Objetivo

- Compreender a formação do Império Asteca.

Termos e conceitos

- Império
- Códice

A valorização do passado indígena

Poucos países do Ocidente valorizam tanto a herança histórica indígena quanto o México. Há diversas iniciativas oficiais de recuperação e conservação do patrimônio histórico pré-colombiano, mas há, sobretudo, um conjunto de laços muito fortes que une a atual população mexicana aos povos pré-colombianos.

A memória desse tempo é até hoje celebrada em museus e sítios arqueológicos, frequentados regularmente por grande quantidade de pessoas. O Museu de Antropologia da Cidade do México recebe milhões de visitantes anualmente, a maior parte mexicanos, que vão várias vezes ao museu para rever, didaticamente, o passado indígena do país.

No México, continuam a ser comemoradas festividades pré-colombianas (como a celebração do solstício de outono, em setembro, pelos antigos maias) e subsistem, com força, crenças e mitos de origem indígena, que continuam a se manifestar em festas populares.

Conteúdo digital Moderna PLUS http://www.modernaplus.com.br
Animação: Astecas

Os mexicas

Os mexicas chegaram à região onde hoje é o México por volta do século XII, provavelmente vindos do noroeste. Estátuas e pinturas encontradas na Califórnia, nos Estados Unidos (entre elas, uma representação de Huitzilopochtli, o principal deus asteca), sugerem que os mexicas podem ter partido da região ou a atravessaram para chegar ao sul **[doc. 1]**.

Entre os séculos XIII e XIV, os mexicas submeteram os povos que viviam na região do Lago Texcoco e lá se estabeleceram. Eles construíram, em torno de 1325, o Templo Maior, em homenagem a Huitzilopochtli, e, ao redor do templo, cresceu Tenochtitlán, a primeira e maior cidade asteca.

Vocabulário histórico

Mexica
A mais antiga denominação dos astecas. Alguns estudiosos destacam que o nome "asteca" só apareceu muito tempo depois, já no século XIX, e foi criado para associar os mexicas à sua suposta origem, Aztlán. Outros dizem que o nome "asteca" foi atribuído aos mexicas pelos grupos indígenas por eles submetidos. Aos poucos, os próprios mexicas teriam passado a se designar "aztecas". Originalmente grafada com z, "asteca" pode também ser escrito com s. A região, no entanto, tornou-se conhecida como México.

DOC. 1 O deus asteca Huitzilopochtli, ilustração da obra de Juan de Tovar, que trata da peregrinação dos mexicas até o local onde fundaram a cidade de Tenochtitlán, c. 1585. Universidade Brown, Providence.

DOC. 2 Área central da Cidade do México, vendo-se, em primeiro plano, as ruínas de Tenochtitlán, 2008. O Templo Maior foi erguido originalmente em 1325. O edifício foi destruído pelos espanhóis após a conquista e só redescoberto em 1978, quando trabalhadores que mexiam na rede elétrica encontraram a escultura de uma deusa asteca no local.

O Império Asteca

Uma série de guerras entre os séculos XIV e XV expandiu o controle asteca sobre boa parte do atual México e levou ao surgimento de um grande **império**. O Império Asteca delimitava-se, ao norte, pelo deserto e, ao sul, pelos remanescentes dos maias. Chegou a reunir mais de 6 milhões de habitantes, quase 1 milhão apenas em Tenochtitlán, que se tornou a capital do Império [doc. 2].

Grande parte do conhecimento produzido sobre os astecas baseia-se nos **códices**, desenhos e escritos feitos por escribas nativos que narravam eventos da sua história e descreviam aspectos da vida cotidiana. O mais conhecido deles, o **Códice *Mendoza***, foi escrito entre 1541 e 1542, depois da conquista espanhola. Escrito por escribas astecas, a pedido de autoridades espanholas, contém informações sobre a economia, a sociedade, a educação e outros costumes astecas [doc. 3].

DOC. 3 **A sociedade asteca**

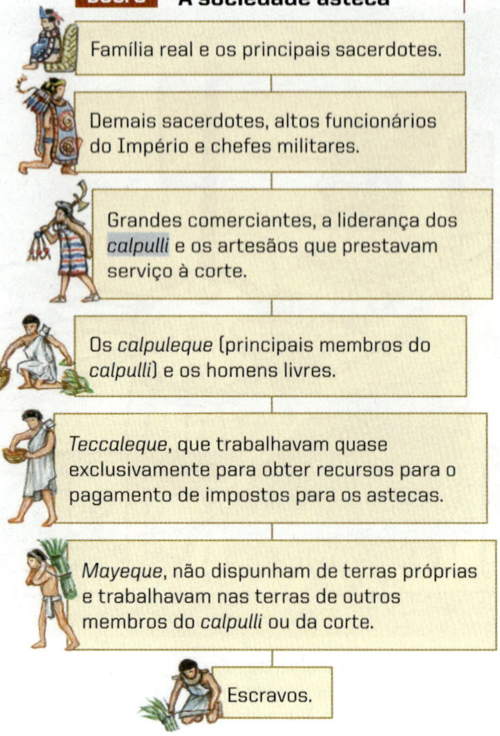

A agricultura

A agricultura asteca produzia tomate, algodão, batata-doce, cenoura, abóboras e morangas, girassol e vários tipos de pimenta e pimentões. Além de ingerido como fruta, o cacau era utilizado no preparo de bebidas, e sua semente, utilizada como moeda. O milho e o algodão eram cultivados até nas encostas das montanhas, aproveitando o solo mais seco.

A construção de obras de engenharia hidráulica, essenciais para a agricultura do Egito antigo e da Mesopotâmia, também caracterizou a produção agrícola asteca. Canais de irrigação transportavam água da chuva e dos rios para as áreas de vales, facilitando o plantio. Os mexicas também criaram os **chinampas**, espécie de canteiros construídos nas margens rasas de lagos utilizados pelas famílias para o cultivo de flores, legumes e tubérculos comestíveis.

Calendário e artefatos

Os astecas criaram um calendário solar que lhes permitia planejar as épocas de cultivo e colheita. O calendário deles dividia o ano em dezoito meses e o mês em vinte dias. Incluía, ainda, outros cinco dias, destinados a práticas religiosas, totalizando 365 dias. A cada quatro anos, eles acresciam um dia ao calendário, de forma semelhante ao que ocorre com o ano bissexto de nosso calendário.

Os astecas utilizavam os metais na fabricação de joias, ornamentos, máscaras, plumagens e na decoração de construções. A cerâmica permitia a produção de potes, estátuas e esculturas. Para produzir tecidos, eles utilizavam fibras de cacto, algodão e pelagem de animais, principalmente coelhos.

- ***Calpulli.*** Unidade territorial e social básica das comunidades astecas. Parte da terra de um *calpulli* era de uso coletivo. Outras áreas eram exclusivas de alguns membros do grupo.

QUESTÃO

- Observe o organograma e explique a estrutura que caracterizava a organização social dos astecas [doc. 3].

ANALISAR UM DOCUMENTO HISTÓRICO — O Códice *Mendoza*

O volume de fontes disponíveis para o estudo da vida dos povos americanos anteriores à chegada dos europeus é muito pequeno. A principal fonte escrita utilizada para estudar os povos pré-colombianos são os códices. Apesar de as informações trazidas pelos códices e pelos achados arqueológicos serem, quase sempre, imprecisas e restritas, elas são importantíssimas.

Os códices eram feitos em madeira, papéis ou peles de animais e registravam, com imagens e símbolos, a história e algumas características do cotidiano asteca, relacionadas à educação, à alimentação, às técnicas agrícolas etc. Muitos desses códices não sobreviveram à conquista e ao esforço dos espanhóis de apagar a história dos povos pré-colombianos, privando os historiadores de uma importante fonte de estudo.

Imagem do Códice *Mendoza*, feito entre 1541 e 1542. Biblioteca Bodleiana, Universidade de Oxford.

Para compreender o documento

A seguir, faremos a análise de parte do Códice *Mendoza*, que mostra o disciplinamento e a educação de crianças dos 11 aos 14 anos. O documento foi feito por escribas astecas, entre 1541 e 1542, por encomenda das autoridades espanholas.

1. Cada faixa do códice corresponde a uma idade da criança. Observe as marcas circulares no alto de cada uma delas, com o aumento progressivo da idade. Nessa faixa, aparecem apenas dez marcas. Mas a 11ª marca foi suprimida no processo de recuperação da imagem.
2. Na faixa superior (11 anos), crianças são forçadas a inalar fumaça de pimentas queimando na fogueira.
3. Na segunda faixa (12 anos), o menino aparece sendo punido e a menina realiza tarefa agrícola.
4. Na terceira faixa (13 anos), o menino transporta objetos com a canoa e a menina rala milho para o preparo de *tortillas*, um tipo de pão feito com farinha de milho.
5. Na quarta faixa (14 anos), o menino pesca e a menina tece.
6. Observe a postura quase sempre curvada das crianças, suas vestimentas e como eram disciplinadas por seus pais.
7. Note os escritos que acompanham os desenhos.

QUESTÕES

1. É possível reconhecer nos desenhos o método utilizado pelos pais para educar os filhos na sociedade asteca? Explique.
2. Identifique, com base nos desenhos, algumas diferenças entre a educação das meninas e a dos meninos astecas.
3. Você consegue identificar a língua das inscrições feitas no códice? Como se explica o uso dessa língua?

AMPLIANDO CONHECIMENTOS

Tenochtitlán: expressão da riqueza asteca

Fundada em 1325, na margem ocidental do Lago de Texcoco, a cidade de Tenochtitlán era um importante centro comercial e cultural asteca. No início do século XVI, estima-se que a população da cidade era de aproximadamente 1 milhão de habitantes, total que superava importantes centros europeus, como Sevilha e Veneza, no mesmo período.

Cultivo e sobrevivência

O milho era um importante item da dieta asteca, composta também de frutas, verduras, peixes e frutos do mar. No preparo das refeições utilizava-se grande variedade de temperos e ingredientes.

Cena de cultivo do milho, Códice *Florentino*, c. 1570. Biblioteca Medicea-Laurenziana, Florença.

A cidade de Tenochtitlán

A cidade de Tenochtitlán situava-se no meio do Lago de Texcoco.

Aquedutos abasteciam a cidade com água potável, pois o lago era salobro.

O transporte de pessoas e produtos era feito por meio de estradas que ligavam Tenochtitlán às margens do lago.

Fonte: *Arqueología mexicana*, edición especial Tiempo Mesoamericano (2500 a.C – 1521 d.C.), n. 11, 2002. p. 80.

Agricultura emersa

A utilização das chinampas ou "jardins flutuantes" permitiu o aumento da produção agrícola. Embora seja ainda utilizada nos dias atuais, essa forma de cultivo está desaparecendo rapidamente no México.

QUESTÕES

1. Qual a importância da água para a sociedade asteca? Relacione esse recurso natural com algumas atividades desenvolvidas em Tenochtitlán.
2. Com base na imagem e no trecho a seguir escrito por Hernán Cortés, explique qual a impressão do espanhol ao conhecer Tenochtitlán.

"E para não ser mais minucioso com relação às coisas desta grande cidade não quero dizer mais, senão que em seu serviço e trato de sua gente há quase a maneira de se viver na Espanha e com tanto concerto e ordem como lá."

CORTÉS, Hernán. *Cartas de relación*. Madri: Editorial Castalia, 1993. p. 242. (tradução nossa)

Fontes: CORTÉS, Hernán. *Cartas de relación*. Espanha: Editorial Castalia, 1993. SOUSTELLE, Jacques. *A civilização asteca*. Rio de Janeiro: Jorge Zahar, 1987. MNA – Museu Nacional de Antropologia do México. Disponível em www.mna.inah.gob.mx. Acesso em 3 jan. 2010.

Representação atual de como poderia ter sido Tenochtitlán no início do século XVI. Cores-fantasia, sem escala.

Montezuma, o *tlatoani*

O *tlatoani* era governador, chefe religioso e comandante militar. Quando Hernán Cortés invadiu Tenochtitlán, o *tlatoani* era Montezuma II, representado ao lado recebendo tributos, como mostra o Códice Florentino, c. 1570. Biblioteca Medicea-Laurenziana, Florença.

Cobrança de impostos

Os astecas cobravam tributos dos povos subjugados. Os itens a ser entregues em Tenochtitlán eram matérias-primas, alimentos e produtos artesanais. Os funcionários do *tlatoani* listavam os impostos em manuscritos, como o reproduzido no Códice *Mendoza* (abaixo), c. 1541. Museu Britânico, Londres.

Fé e sacrifícios

Localizado no centro de Tenochtitlán, o *Templo Mayor* era composto de dois santuários para a realização de sacrifícios.

Em azul, o santuário dedicado ao Tlaloc, deus da chuva.

Em vermelho, o santuário dedicado ao Huitzilopochtli, deus do Sol.

Mercado

Diariamente os mercados atraíam milhares de pessoas. Os produtos disponíveis eram muito variados: roupas, joias, pedras preciosas, plumas, madeiras, milho, vários tipos de feijão, pássaros, carnes de caça, peixes, ervas, plantas, frutas etc.

Hidrovias

A água teve importância fundamental na vida dos astecas. Segundo Hernán Cortés, as principais ruas da cidade de Tenochtitlán eram muito largas e compostas metade por terra e metade por água, criando canais para a passagem de canoas e o transporte de mercadorias.

Fiscalização

Por todo o território asteca, os fiscais controlavam o dia a dia da população e garantiam a obediência às ordens do governo.

Povos dos Andes

› Objetivo

▸ Compreender a formação do Império Inca.

› Termos e conceitos

- Sapa Inca
- *Ayllu*
- *Mita*

Antes dos incas

Entre os séculos VII e I a.C, a cultura chavín, no norte dos Andes peruanos, expandiu-se em direção ao oeste e ao norte e reuniu, sob o comando de um Estado teocrático, diversas comunidades andinas. Além da agricultura mais produtiva, baseada, sobretudo, no cultivo do milho e em técnicas de irrigação, a cultura chavín deixou ourivesaria, tecelagem e cerâmica refinadas **[doc. 1]**.

Ao sul da área de expansão chavín, e alguns séculos depois, outra sociedade se desenvolveu de maneira expressiva: a de Tiahuanaco, nas margens do Lago Titicaca. Os indícios legados pelo Império de Tiahuanaco indicam a forte expansão da agricultura e da criação de animais e os primeiros cultivos em terraços, nos planaltos.

DOC. 1 Jarro de cerâmica da cultura chavín, do Peru, c. 900 a.C.

O domínio dos quéchuas, os incas

No século XV, o povo quéchua, que já controlava a região de Cuzco, acelerou seu esforço expansionista. Os quéchuas tornaram-se mais conhecidos pelo nome de seus governantes: incas. É possível que eles tenham vindo das montanhas dos Andes Centrais e tenham chegado ao Vale de Cuzco (no sul do atual Peru) entre os séculos XII e XIII.

Após uma convivência pacífica com os povos que lá viviam, os quéchuas impuseram militarmente seu controle sobre a área e iniciaram a expansão de seus domínios, perto da metade do século XV, avançando sobre as terras de outras etnias **[doc. 2]**. Ao dominar outros reinos, os quéchuas impuseram sua língua e religião e submeteram os habitantes ao pagamento de tributos.

O Império Inca era dividido em quatro reinos e, no topo da rígida estratificação quéchua, ficava o chefe supremo: o **Sapa Inca**. O Inca vivia em Cuzco, capital do Império, cercado pela família real, pelos nobres e pelos principais sacerdotes, altos funcionários e líderes militares.

O imperador inca era considerado descendente do Sol, principal entidade da religião dos quéchuas, e tinha poder vitalício e hereditário. Ele também tinha poderes que lhe permitiam interferir nos assuntos do cotidiano do Império. Cabia ao Inca, por exemplo, autorizar casamentos e viagens.

DOC. 2 **Povos dos Andes**

Fonte: DUBY, Georges. *Atlas historique mondial*. Paris: Larousse, 2003. p. 238.

Terra e trabalho

A agricultura era a base da economia inca. O cultivo mais importante era o do milho, seguido da batata, do feijão, do algodão e das pimentas. A fertilização da terra era feita com guano, principalmente nas áreas próximas do litoral. O pastoreio e a criação de animais adaptados ao relevo acidentado da região andina, como lhamas e alpacas, forneciam lã, carne, leite e uma boa alternativa de transporte.

A grande maioria da população do Império Inca era composta de camponeses. Eles trabalhavam nas terras do **ayllu**, controlado pelos *kurakas* e local principal da produção agrícola. O *kuraka* organizava a produção e definia quem tinha acesso à terra. Além das terras coletivas, existiam lotes familiares, também definidos e atribuídos a algumas famílias pelo *kuraka*.

A *mita*

Os camponeses produziam para a própria subsistência, para o conjunto do *ayllu* e para os governantes, do *kuraka* ao inca. Fora o trabalho no cultivo das terras, eles tinham a obrigação de cumprir a **mita**. Dentro dos *ayllus* devia haver reciprocidade, ou seja, as famílias tinham obrigação de auxiliar umas às outras e recompensar os favores e as ajudas recebidas.

As construções

O transporte e a circulação de mercadorias e informações eram decisivos para a economia, o abastecimento e o controle interno do Império. As estradas facilitavam o controle de áreas afastadas de Cuzco e permitiam a circulação de um sistema de correio que facilitou a integração do Império e a manutenção da hegemonia inca.

As monumentais edificações incas revelavam extraordinário domínio de engenharia e, em alguns casos, evidente preocupação com a segurança. Fortalezas e muros as protegiam. Cuzco, a capital do Império, foi planificada de forma rigorosa. A cidade de Machu Picchu, importante centro religioso, foi toda construída com pedras encaixadas, no topo de uma montanha, a cerca de 2.400 metros de altitude [doc. 3].

Conteúdo digital Moderna PLUS http://www.modernaplus.com.br
Animação: Incas

Vocabulário histórico

Ayllu

Criado pelos aymaras e mantido pelos incas, o *ayllu* era a unidade social e econômica básica de produção agrícola. Ele reunia famílias que trabalhavam nas mesmas terras e delas tiravam seu sustento e os recursos para o pagamento de tributos exigidos pelo Inca. Cada *ayllu* era liderado por um chefe, o *kuraka*, que distribuía os lotes de terras para as famílias e organizava o trabalho da coletividade.

Mita

A *mita* era um imposto pago com trabalho. Os camponeses eram recrutados para trabalhar, durante alguns meses por ano, em obras coletivas, como a construção e manutenção de estradas, canais de irrigação e templos. Esse tipo de recrutamento também existia no México, onde era chamado de *cuatequil*.

QUESTÕES

1. Observe a foto da cidade de Machu Picchu. O que é possível saber sobre os incas por meio de suas ruínas [doc. 3]?
2. Consulte os mapas do **doc. 1**, p. 225, e do **doc. 2**, p. 232, e compare as sociedades maia e inca quanto à localização territorial e à organização política.

DOC. 3 Ruínas de Machu Picchu, no Peru, em 2009. A cidade, esquecida por séculos, foi redescoberta por arqueólogos no início do século XX, e suas partes arruinadas foram reconstruídas (cerca de 30% da atual Machu Picchu é original).

Seção 11.4

Terras do Brasil

Objetivo

- Comparar o modo de vida dos tupinambás do período pré-cabralino com o das sociedades mesoamericanas e andinas estudadas.

Termos e conceitos

- Tupinambás
- Antropofagia

O Brasil antes de Cabral

Diferentemente dos impérios da América pré-colombiana, os índios do Brasil não construíram cidades, não viviam em sociedades rigidamente estratificadas e hierarquizadas nem dispunham de estruturas complexas e centralizadas de poder. Os grupos indígenas que aqui viviam antes da chegada dos portugueses eram, em sua maioria, politeístas, e seus rituais celebravam as entidades associadas à natureza e espíritos protetores (da guerra ou do plantio, por exemplo). Muitos povos, principalmente os do norte, dominavam a cerâmica e técnicas de tecelagem.

A principal marca da população pré-cabralina era a diversidade de seus prováveis 3 milhões de habitantes, que viviam em comunidades isoladas, falavam línguas distintas e tinham níveis bastante diversos de domínio tecnológico, inclusive no que se refere às técnicas de cultivo **[doc. 1]**. **Tupinambás**, jês, aruaques e caraíbas eram algumas das maiores comunidades, mas não há indícios de que tenham tentado unificar política o militarmente vastos territórios. A unidade ou os contatos amigáveis entre os nativos eram raros.

É provável que o nomadismo também imperasse entre os povos nativos, uma vez que muitos dependiam da caça, da pesca e da coleta. Os povos sedentários, como os waujas, os mehinakos ou os asharinkas, e aqueles que se sedentarizavam, como diversos agrupamentos tupis, conheciam a agricultura e dedicavam-se principalmente ao cultivo de batata-doce, raízes e algumas frutas, como o caju. Se nas sociedades da Mesoamérica e dos Andes o milho era a base da alimentação, nas sociedades indígenas do Brasil prevalecia a mandioca. Madeira e fibras vegetais eram utilizadas no fabrico de utensílios domésticos, moradias e objetos de adorno, e ossos eram empregados na confecção de armas e ferramentas de trabalho.

DOC. 1 **Povos indígenas do Brasil**

Fonte: *Atlas histórico escolar*. Rio de Janeiro: FAE, 1991. p. 12.

Os tupinambás

"Tupinambá" provavelmente significa "o primeiro" ou "o mais antigo". Os tupinambás eram chamados genericamente de tupis. Seu provável núcleo inicial situava-se, na época da chegada dos portugueses, nas terras entre o Recôncavo Baiano e a margem direita do Rio São Francisco. Há dúvidas, porém, quanto à extensão desse domínio.

Em terras mais ao sul, também é possível identificar a presença de povos que podem ter descendido dos tupinambás, porém designados com outros nomes. Os tamoios (ou tamuias, que significa "o mais velho") eram um desses grupos e sua população, de cerca de 10 mil pessoas, ocupava a faixa litorânea entre os atuais municípios de São Sebastião (litoral norte do estado de São Paulo) e Cabo Frio (no Rio de Janeiro).

DOC. 2 **Os ritos indígenas**

"O 'ciclo de guerra' na sociedade tupinambá era dotado de ritmo regular: os ritos estabeleciam com precisão o que os indivíduos deviam fazer no curso dos acontecimentos e situações sociais, que se desenrolassem entre a determinação do ataque e a consumação do sacrifício dos inimigos aprisionados. A rigor, todas as atividades guerreiras faziam parte de um conjunto de ritos, organicamente integrados e interdependentes. Nele também se integravam os ritos de sacrifício do inimigo, de antropofagia [...]."

FERNANDES, Florestan. *A função social da guerra na sociedade tupinambá*. São Paulo: Pioneira, 1970. p. 67.

Canibalismo praticado por índios brasileiros, gravura de Theodore de Bry, 1557, feita a partir do relato de Hans Staden. Acervo Serviço Histórico da Marinha da França, Vincennes.

A guerra e o sustento

Após a chegada dos portugueses à região da atual Bahia, diversos povos indígenas fugiram para o interior ou para o norte. Essa migração contribuiu para dispersar ainda mais a população tupinambá. Provavelmente tenha sido dessa forma que eles atingiram as proximidades do Rio Amazonas e as áreas hoje pertencentes aos estados do Maranhão e do Pará. Apesar de terem origem e língua comuns, as relações entre os tupis eram conflituosas, e a guerra entre tribos, uma de suas principais marcas.

A guerra era uma das preocupações centrais dos tupinambás. Ela equivalia a um ritual e representava o meio de vingar a morte dos parentes, de controlar o inimigo e absorver suas melhores características. Os homens demonstravam, pela guerra, sua força e capacidade de liderança e asseguravam que a comunidade toda se identificasse com o triunfo da vingança. A sequência natural do ritual da guerra era a **antropofagia**, outro traço importante da identidade cultural tupinambá **[doc. 2]**.

Os tupinambás cultivavam, entre outros alimentos, batata-doce, abacaxi, amendoim, caju, abóboras, milho e principalmente a mandioca, que constituía a base da sua alimentação. Em geral, as mulheres preparavam as terras para o plantio, e os homens realizavam a semeadura. A pesca, a caça e a coleta de frutos e raízes complementavam a dieta. Os tupinambás também faziam objetos de cerâmica e eram grandes navegadores **[doc. 3]**.

DOC. 3 **As habilidades dos tupinambás**

"São os tupinambás grandes flecheiros, assim para as aves como para a caça dos porcos, veados e outras alimárias, e há muitos que matam no mar e nos rios de água doce o peixe a flecha, e desta maneira matam mais peixes que outros a linha [...].

Têm esses índios mais que são homens enxutos, muito ligeiros para saltar e trepar, grandes corredores e extremados marinheiros, como os metem nos barcos e navios, onde com todo o tempo ninguém toma as velas como eles; e são grandes remadores, assim nas suas canoas, que fazem de um só pau, que remam em pé vinte e trinta índios, com o que as fazem voar; são também muito engenhosos para tomarem quanto lhes ensinam os brancos, como não for coisa de conta, nem de sentido, porque são para isso muito bárbaros. [...]"

SOUZA, Gabriel Soares de. *Tratado descritivo do Brasil em 1587*. São Paulo: Nacional, 1987. p. 313.

Os índios brasileiros hoje

Desde a chegada dos portugueses, a população indígena diminuiu rápida e drasticamente. Dos prováveis 3 milhões que habitavam o território em 1500, restam, segundo dados da Fundação Nacional do Índio (Funai), órgão do governo federal destinado à proteção dos povos indígenas, aproximadamente 460 mil, distribuídos em 225 sociedades indígenas.

Os conflitos pela terra constituem a principal questão relacionada à proteção aos índios brasileiros remanescentes. A demarcação das terras indígenas e a preservação do ambiente são formas de assegurar a sua sobrevivência. Interesses na exploração das terras para o agronegócio, a extração de madeira ou o garimpo, no entanto, limitam a ação preservacionista, contribuem para a diminuição do número de índios e, em alguns casos, para o completo desaparecimento de alguns desses povos.

QUESTÕES

1. Descreva a gravura de Theodore de Bry e a compare depois com o texto de Florestan Fernandes **[doc. 2]**.
2. Identifique na descrição de Gabriel Soares de Souza as habilidades que ele reconhece nos índios e a visão europeia sobre o modo de vida dos nativos **[doc. 3]**.

Retomar conteúdos

1 Explique três características que diferenciem a maior parte dos grupos indígenas que ocupavam as terras brasileiras, antes da chegada dos portugueses, dos povos da Mesoamérica e dos Andes.

2 Explique a estratégia utilizada pelos incas para controlar os povos conquistados e como isso favoreceu a consolidação do Império.

3 Os incas tinham um calendário de doze meses lunares. O quadro a seguir traz alguns meses do calendário inca e as atividades correspondentes. Que relação o quadro nos mostra entre o calendário inca, a natureza e as atividades econômicas e rituais?

Mês (calendário gregoriano)	Mês inca	Atividades
Dezembro	Raymi	*Warachikuy*, rito de passagem dos adolescentes
Maio	Qatun kuski	Colheitas
Junho	Awkay kuski	*Inti Raymi*, festa da divindade solar
Agosto	Yapakis	Semeadura
Setembro	Koya Raymi	*Sitwa*, rito de expulsão das desonras e das doenças

Fonte: FAVRE, Henri. *A civilização inca*. Rio de Janeiro: Jorge Zahar, 1987. p. 76.

4 Os relatos produzidos pelos europeus nos séculos XVI e XVII apresentavam os tupinambás como canibais selvagens. Atualmente, quais as interpretações dos estudiosos para a antropofagia praticada pelos primeiros habitantes do nosso território?

Ler textos e imagens

5 Leia o texto a seguir, que trata do *ayllu*.

"A base da vida andina, e de toda a vida social, era a aldeia, habitada por diversas famílias vinculadas pelo parentesco, formando uma comunidade ou *ayllu*. Este não era um clã, ou linhagem; apresentava tendência à endogamia e um sistema de descendência paralela (linha masculina para os homens, feminina para as mulheres). A família nuclear (um casal e seus filhos solteiros) era a unidade de consumo e produção. Cada *ayllu* tinha um chefe (*kuraca*), que atribuía o usufruto de lotes de terra às famílias, organizava os esforços coletivos e arbitrava os conflitos."

CARDOSO, Ciro Flammarion. *América pré-colombiana*. São Paulo: Brasiliense, 1982. p. 99.

a) O que era o *ayllu* e qual a sua importância na organização social incaica?

b) Qual a relação entre as pessoas que formavam o *ayllu* e o sistema de comando que nele vigorava?

6 Descreva este mural do pintor mexicano Diego Rivera e identifique os elementos da civilização asteca destacados pelo artista. Qual a importância dessa obra para a sociedade mexicana atual?

A grande cidade de Tenochtitlán [detalhe], mural de Diego Rivera, 1945. Palácio Nacional, Cidade do México.

Capítulo

12 O absolutismo e a formação do Estado moderno

› 12.1 O nascimento do Estado moderno

A monarquia foi a primeira forma de governo assumida pelo Estado nacional moderno.

› 12.2 O absolutismo e a sociedade de corte

O poder absoluto dos reis e a sociedade de corte foram características centrais da Europa do Antigo Regime.

› 12.3 O mercantilismo

As medidas mercantilistas adotadas pelos Estados nacionais europeus do Antigo Regime visavam basicamente aumentar a riqueza do país.

A origem do Estado moderno

A grande maioria da humanidade vive hoje sob a autoridade de Estados nacionais. Eles se caracterizam pela delimitação de suas fronteiras territoriais, pela unificação de leis e medidas e o monopólio da justiça, das forças armadas e da emissão de moedas. Os Estados nacionais ou modernos resultaram de um longo processo de unificação política, que se iniciou na Europa no século XIV.

Diferentemente do que ocorre atualmente, naquela época o poder estava centralizado nas mãos de monarcas. Alguns desses soberanos chegaram a governar com poderes praticamente absolutos. Podiam impor leis e até mesmo exerciam o direito de vida e morte sobre seus súditos. Em alguns países da Europa atual, como Reino Unido, Espanha e Holanda, ainda existem famílias reais. Mas elas têm apenas papel simbólico e não poder efetivo, que é desempenhado por parlamentos democraticamente eleitos.

A monarquia foi a primeira forma de governo do Estado moderno, responsável não só pela centralização política dos territórios, mas também pela unificação de moedas e impostos, leis e normas, preços e medidas etc. Enfim, entender o processo de concentração de poder e de formação do Estado no começo do mundo moderno é compreender as origens do Estado nacional e de seu funcionamento, uma instituição sempre tão presente na vida de todos nós.

À esquerda, a rainha Elizabeth II, monarca e chefe de Estado do Reino Unido da Grã-Bretanha e Irlanda do Norte, em 2009; à direita, *Retrato de Luís XIV*, pintura de Hyacinthe Rigaud, 1701. Museu do Louvre, Paris.

Seção 12.1

O nascimento do Estado moderno

Objetivo

- Caracterizar o Estado moderno.

Termos e conceitos

- Estado nacional
- Burocracia estatal
- Estado moderno

A formação das monarquias nacionais

Na Baixa Idade Média, o poder dos monarcas estava restrito aos seus domínios pessoais. Assim, sua autoridade não era muito diferente daquela exercida por seus vassalos em seus respectivos domínios.

Cada senhor feudal, fosse ele rei, conde ou marquês, exercia pleno governo em suas terras, que funcionavam como entidades independentes, com suas próprias leis, costumes, normas, exércitos etc. O próprio rei tinha que lutar para manter o seu domínio protegido. O título de monarca era, portanto, essencialmente simbólico e honorífico, não implicando poder efetivo.

As famílias mais importantes de cavaleiros feudais lutavam para conquistar territórios e acumular cada vez mais terras. As vitórias granjeavam prestígio social e poder econômico, permitindo que as famílias vencedoras se sobressaíssem e mantivessem a hegemonia num certo território. Foi assim que os Estados começaram a ser unificados na Europa Ocidental.

O apoio da Igreja e a união de patrimônios familiares por meio de casamentos também eram recursos utilizados pelos senhores feudais para ampliar seus domínios **[doc. 1]**. Assim, formavam-se ducados, condados ou pequenos reinos, que por sua vez lutavam entre si para ampliar ainda mais seus territórios. Os beneficiados nessas contendas monopolizavam o poder nos domínios feudais unificados.

DOC. 1 **Casamentos políticos**

O matrimônio de Fernando II, rei de Aragão, e de Isabel I, rainha de Castela, associou os dois reinos da Península Ibérica. Independentemente do afeto que um sentia pelo outro, o casamento lançou as bases para a formação do que viria a ser o Reino da Espanha.

Rei Fernando II de Aragão e rainha Isabel de Castela, iluminura de c. 1482. Museu Condé, Chantilly.

A particularidade de cada reino

Entre os séculos XII e XVII, o Estado monárquico centralizado se impôs em quase toda a Europa Ocidental. Portugal havia se unificado já no século XIII, enquanto a Espanha realizou o processo no século XV. O pioneirismo desses dois reinos ibéricos lhes permitiu realizar os grandes empreendimentos marítimos e formar verdadeiros impérios comerciais.

Na França, a Guerra dos Cem Anos (1337-1453), travada contra a Inglaterra, justificou a cobrança de tributos para vencer os inimigos e a manutenção de um exército permanente, colaborando para fortalecer o poder do rei e enfraquecer os senhores feudais. Na Inglaterra, o **Estado nacional** surgiu com a dinastia Tudor, que subiu ao poder ao final da Guerra das Duas Rosas, em 1485.

Já a Alemanha e a Itália estavam entre as únicas exceções: não conseguiram unificar o território sob a autoridade de um único governo e permaneceram como um amontoado de principados, ducados e cidades independentes até o século XIX.

- **Guerra das Duas Rosas.** Série de conflitos que opuseram duas facções aristocráticas inglesas, os *York* e os *Lancaster*, na disputa pela sucessão do trono (1455-1485). O nome do conflito faz referência aos símbolos de ambas as casas: rosa branca para a casa dos *York*, rosa vermelha para a casa dos Lancaster.

A burocracia estatal

Nas monarquias medievais, as decisões tomadas pelo rei dependiam do apoio de seus vassalos. Já nas monarquias modernas, o rei exercia seu poder com maior autonomia, mas por intermédio de uma **burocracia estatal**. Os funcionários que compunham essa burocracia eram responsáveis, entre outras funções, pela administração da justiça, pela coleta de impostos e pela construção de obras públicas **[doc. 2]**.

Uma das maneiras de aumentar a renda do Estado era vender à burguesia mercantil o acesso aos cargos públicos na burocracia do Estado. O dinheiro investido na compra dos cargos se traduzia num negócio vantajoso para ambas as partes. Se o Estado garantia um esteio financeiro importante, já a burguesia mercantil lucrava com as regalias e os privilégios que esses cargos lhe conferiam.

O Estado centralizado

O monarca passou a desempenhar uma autoridade quase ilimitada sobre seu território. O poder real e nacional estava acima dos poderes locais, exercidos pelas províncias, cidades, condados etc., assim como de forças religiosas, como a Igreja. O rei, sendo o único soberano, isto é, o detentor de toda autoridade ou poder político, tinha todos os habitantes do seu reino como súditos, os quais lhe deviam fidelidade.

A monarquia nacional pressupunha três princípios básicos: a soberania, a secularização e a racionalização administrativa.

- **Soberania**. O poder real tornou-se soberano em seu território e se concentrou em sua pessoa, admitindo apenas limitações mínimas. Para alguns pensadores da época moderna, o poder real era legitimado por Deus, permitindo ao rei criar e impor leis sem o consentimento dos súditos e sem que ele próprio estivesse sujeito a essas leis.
- **Secularização**. Apesar de ainda não haver total separação entre Estado e Igreja, o que só ocorreria mais tarde com o **Estado moderno**, o exercício do governo tornou-se progressivamente independente da religião, seguindo seus próprios princípios.
- **Centralização administrativa**. Várias mudanças foram realizadas para garantir a eficiência da ação governamental e a centralização das decisões nas mãos do soberano. Entre elas, podemos destacar a criação de uma burocracia estatal, de um exército permanente e de um sistema unificado de leis válido em todo o território nacional e subordinado à monarquia.

Mas como os monarcas conseguiram adquirir e conservar todo esse poder em suas mãos? A centralização do poder foi o resultado de vários fatores. Entre os mecanismos que levaram à centralização estatal na passagem da Idade Média para a Idade Moderna, podemos destacar os seguintes:

- Com a transição de uma economia de troca para uma economia monetária, a renda do rei pôde ser acumulada uma vez que passava a receber impostos em moeda e não mais em espécie.
- À medida que cresciam a circulação da moeda e a atividade comercial, a nobreza feudal perdia renda e poder e via-se obrigada a vender parte de suas terras e entrar para o serviço dos reis ou príncipes em troca de rendas, honras ou outros benefícios.

• **Estado moderno.** Palavra de diversos sentidos. No texto, corresponde ao novo formato adquirido pelo Estado no final da Idade Média.

DOC. 2 **Burocracia**

A burocracia é o conjunto de órgãos estatais responsáveis pelas atividades administrativas do Estado. A origem de seu termo, entretanto, não está totalmente associada à sua definição atual.

"[A] origem [do termo burocracia] é o vocábulo francês *bureau*, tecido grosso de lã com que antigamente se forravam mesas. Por translação passou-se a chamar de *bureau* sucessivamente a mesa, o lugar em que se juntavam mesas para trabalhos geralmente de administração [...], as repartições públicas e os tipos de funções e trabalhos que nelas se realizavam. Empregava-se também o termo para qualificar os empregados que serviam nesses lugares [...]."

Dicionário de ciências sociais. Rio de Janeiro: Fundação Getúlio Vargas, 1987. p. 131.

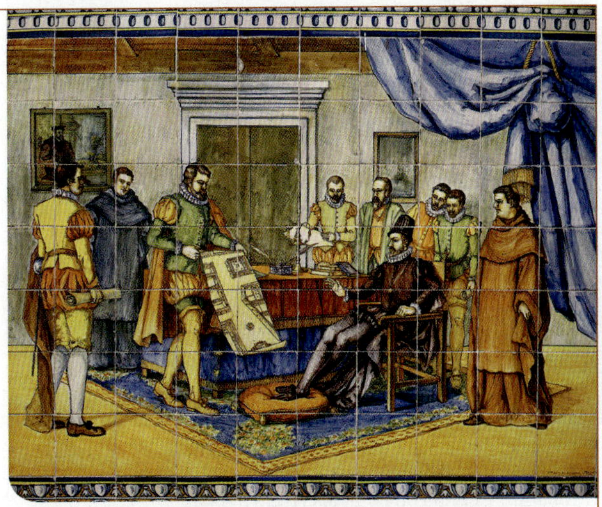

Funcionários da administração real mostram ao rei Filipe II a nova planta da cidade de Valladolid, na Espanha. Azulejos do Palácio de Pimentel, 1562.

- A renda dos impostos permitiu ao rei contratar mais soldados para formar seu exército, sem precisar depender do serviço militar dos vassalos feudais. Posteriormente, esses novos soldados profissionais, que muitas vezes incluíam mercenários, tornaram-se exércitos permanentes a serviço do Estado **[doc. 4]**.

A guerra era a forma privilegiada de conquistar novos territórios. Assim, a maior parte dos impostos arrecadados era utilizada pelos Estados para financiá-la. Segundo essa concepção política, a guerra era tida como função natural do governante, que devia adquirir disciplina e perícia na arte da guerra. Os momentos de paz eram exceções na Europa desse período **[doc. 3]**.

DOC. 3 **A guerra e o Estado absolutista**

"[Os Estados absolutistas eram] máquinas construídas predominantemente para o campo de batalha. É significativo que o primeiro imposto nacional e regular a ser instituído na França, a *taille royale*, tenha sido criado para financiar as primeiras unidades militares regulares da Europa [...]. Em meados do século XVII, as despesas anuais dos principados do continente, da Suécia ao Piemonte, eram por toda parte predominante e cansativamente dedicadas à preparação ou à condução da guerra [...]. A paz era uma exceção meteorológica nos séculos de predomínio [do absolutismo] no Ocidente. Tem-se calculado que, em todo o século XVI, houve apenas 25 anos sem operações militares de larga escala, na Europa; no século XVII, passaram-se apenas sete anos sem guerras importantes entre Estados."

ANDERSON, Perry. *Linhagens do Estado absolutista*. 3. ed. São Paulo: Brasiliense, 1995. p. 32-33.

O incêndio da frota inglesa de Chatham, pintura de Peter van de Velde, c. de 1670. Rijksmuseum, Amsterdã. Cenas de batalhas foram marcas constantes durante a Idade Moderna, expressando a força dos Estados nacionais e de seus exércitos.

DOC. 4 **A mudança na concepção da guerra**

Várias transformações na arte da guerra acompanharam o processo de centralização do Estado moderno e contribuíram para torná-lo mais poderoso e eficiente. A invenção das armas de fogo teve um papel decisivo nesse processo. Na Idade Média, a força fundamental da guerra era a cavalaria, privilégio da aristocracia. Com as armas de fogo e a possibilidade de matar a distância, a infantaria tornou-se mais importante que a cavalaria. A guerra deixou de ser exclusividade dos nobres, que se tornaram líderes dos regimentos da monarquia. Com a existência de exércitos permanentes, impuseram-se igualmente a disciplina e a hierarquia de comando nos corpos militares.

Cerco de Breda, gravura de Jacques Callot, 1626. A imagem representa um importante episódio das guerras entre a Espanha e a Holanda, em 1625, quando os espanhóis cercaram a cidade holandesa de Breda e obrigaram os holandeses a se renderem.

QUESTÕES

1. Quais características da formação das monarquias nacionais podemos perceber nessa imagem **[doc. 1]**?
2. Que aspecto(s) da burocracia do Estado moderno é (são) apresentado(s) no texto **[doc. 2]**?
3. Indique os elementos que caracterizam a formação do exército no Estado moderno **[doc. 4]**.

O absolutismo e a sociedade de corte

Objetivo

▸ Compreender a formação das monarquias absolutas e da sociedade de corte europeias.

Termos e conceitos

- Absolutismo
- Teoria do direito divino dos reis
- Sociedade de corte
- Antigo Regime

O sonho de poder do Império Habsburgo

Nos séculos XVI e XVII, as monarquias absolutistas atingiram o auge na Europa Ocidental. Porém, foi nesse período que surgiram conflitos religiosos que geraram uma onda de violência e intolerância em vários países. O Império Habsburgo, a maior potência da Europa na época, reacendeu o espírito das Cruzadas para tentar recuperar para a Igreja fiéis e territórios perdidos. A divisão entre católicos e protestantes foi responsável por tornar a Europa palco de uma série de guerras de motivação religiosa **[doc. 1]**.

A dinastia dos Habsburgos era de origem austríaca. Por meio de alianças, casamentos e tratados diplomáticos conseguiram controlar vastos territórios. Sob o reinado de Carlos V, entre 1519 e 1556, os Habsburgos dominavam a Espanha, os Países Baixos, diversas partes da Itália, grande parte dos territórios alemães, a Áustria, a Boêmia e a região de Borgonha. Carlos V era o soberano mais poderoso da Europa e acalentava construir um império unificado sob uma mesma lei, uma mesma Igreja (o catolicismo) e um mesmo soberano.

O sonho de expansão territorial, contudo, se chocava com três obstáculos: a difusão da Reforma Protestante, que dividia a Europa entre Igrejas rivais; a oposição da França, que sentia seus interesses ameaçados pela expansão dos Habsburgos; e o avanço do Império Otomano na parte oriental da Europa. Incapaz de controlar sozinho um império tão vasto, Carlos V renunciou em 1556 e dividiu o Império Habsburgo entre seu irmão, Ferdinando I, que recebeu a parte austríaca, e seu filho, Filipe II, que assumiu a parte espanhola de seu vasto império.

O Império Espanhol possuía a maior frota marítima da época e controlava o comércio no Mediterrâneo. Como mais novo soberano desse Império, Filipe II anexou o Reino de Portugal em 1580, incluindo todo o império marítimo português, ou seja, o Brasil e as possessões portuguesas na África e na Ásia.

- **Boêmia.** Região que atualmente faz parte da República Tcheca.
- **Borgonha.** Região da França atual.

DOC. 1 **A Europa no século XVI**

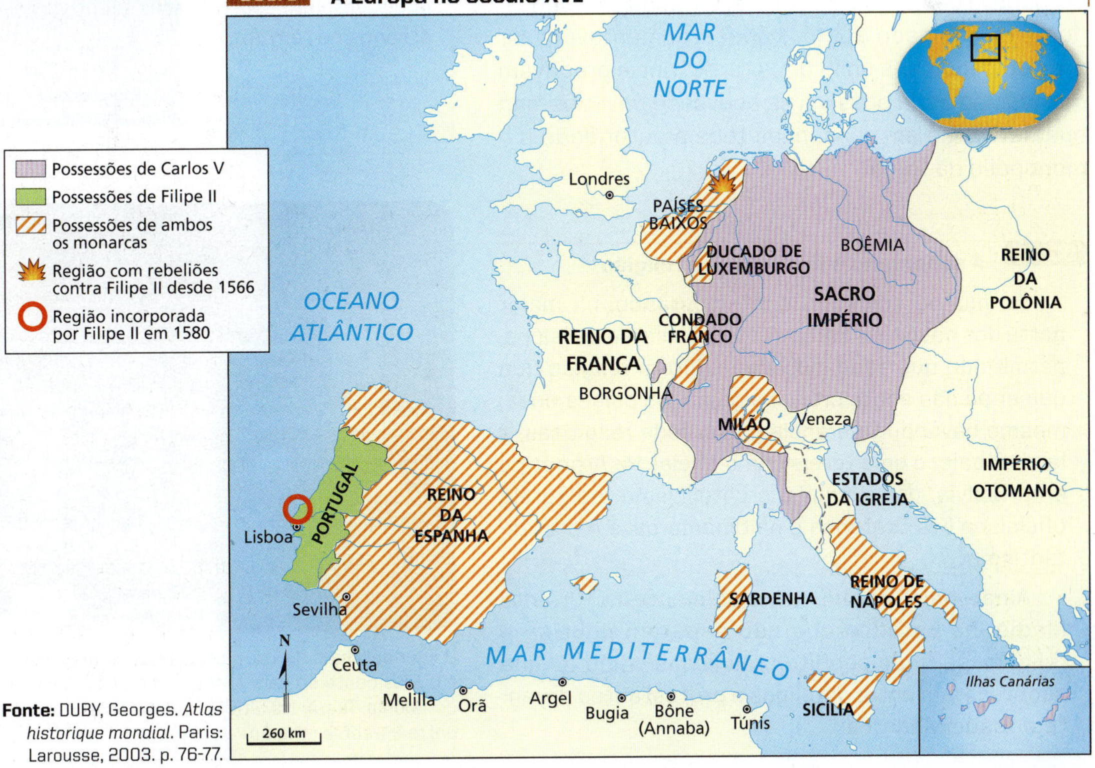

Fonte: DUBY, Georges. *Atlas historique mondial*. Paris: Larousse, 2003. p. 76-77.

A Guerra dos Trinta Anos

Amparado na Contrarreforma, Filipe II apresentou-se como defensor do catolicismo e soberano responsável por reconquistar os territórios e fiéis perdidos para os protestantes. Com essa postura, deu origem a um dos mais desastrosos conflitos militares da história europeia: a **Guerra dos Trinta Anos** (1618-1648). Tendo começado como um conflito religioso na Alemanha e na Boêmia, a guerra consumiu imensos recursos, arrasou regiões inteiras e produziu um saldo estimado de 7 milhões de mortos.

O Tratado da Westfália, assinado em 1648, marcou o fim da guerra e o esgotamento do sonho imperial dos Habsburgos. O tratado foi importante porque reconhecia alguns princípios básicos: a independência entre poder político e poder religioso; o direito de os súditos terem sua própria crença religiosa sem serem obrigados a adotar a Igreja do soberano; e a soberania de cada Estado nacional sobre seu próprio território **[doc. 2]**. Apesar de nem todos os governos terem respeitado o tratado, principalmente no que se refere à tolerância religiosa, o documento reconhecia pela primeira vez alguns dos princípios fundamentais sobre os quais se assentaria o Estado moderno.

Teóricos do poder absoluto

A guerra civil e a violência religiosa tornaram-se um problema para os reinos europeus. Na tentativa de formular uma solução para o problema, diversas obras apresentaram teses que defendiam a necessidade de fortalecer a monarquia e ampliar o alcance do poder real, o que de fato aconteceu. Os pensadores do chamado **absolutismo** argumentavam ser preciso pacificar e unificar os territórios e pregavam que isso só seria possível se houvesse um soberano que detivesse em suas mãos toda a autoridade e o monopólio da força.

- **Nicolau Maquiavel** (1469-1527). O pensador republicano italiano elaborou a primeira teoria do poder soberano em sua obra *O príncipe*, escrita em 1513. Segundo Maquiavel, o príncipe ou soberano era a fonte de todo poder e de toda autoridade em seu território. Desse modo, as normas morais e religiosas que regiam o comportamento do homem comum, mas que criassem obstáculos ao bom governo do Estado, não valiam para o príncipe. Conservar o poder era um dever político que não podia ser limitado por nenhuma outra consideração de ordem moral ou religiosa.
- **Jean Bodin** (1529-1596). Em seu tratado *Da república*, escrito em 1576, Bodin defendia a subordinação da Igreja ao poder soberano do monarca. Bodin afirmava que toda soberania e toda autoridade sobre a Terra pertenciam ao Estado e que o soberano, e não a Igreja, era o representante legítimo de Deus para governar os homens.

Vocabulário histórico

Absolutismo

Com uma finalidade crítica, o termo passou a ser aplicado por intelectuais liberais do século XVIII às monarquias do Antigo Regime, período compreendido entre os séculos XV e XVIII, marcado por um conjunto de características sociais determinadas.

Absolutismo, contudo, não é sinônimo de tirania ou despotismo. De fato, o monarca estava sujeito a tradições e valores morais previamente existentes. Segundo o historiador inglês Perry Anderson:

> "Nenhuma monarquia ocidental jamais gozou de um poder absoluto sobre os seus súditos no sentido de um despotismo sem entraves."

ANDERSON, Perry. *Linhagens do Estado absolutista*. São Paulo: Brasiliense, 1987. p. 48-49.

DOC. 2 **A separação entre Estado e religião**

No mundo ocidental contemporâneo, na maior parte dos casos, os Estados são seculares ou laicos, permitindo que cada indivíduo adote a religião que quiser ou não adote crença alguma. Há países onde, mesmo havendo tolerância e liberdade religiosas, a lei estabelece uma Igreja como oficial. Na Argentina e na Bolívia, por exemplo, o catolicismo é a Igreja oficial; na Grã-Bretanha e na Dinamarca, é o protestantismo.

Ainda hoje, porém, principalmente no Oriente Médio, há Estados que não separam política e religião, gerando conflitos religiosos como os que aconteceram entre católicos e protestantes durante a Idade Moderna.

O líder supremo do Irã, aiatolá Khamenei (à esquerda), e o presidente do país, Mahmoud Ahmadinejad, durante cerimônia. Teerã, Irã, 2009. No Irã não existe separação entre Estado e religião.

- **Jacques Bossuet** (1627-1704). O bispo francês elaborou a **teoria do direito divino dos reis**. Segundo esse pensamento, o poder real emanava de Deus, exigindo obediência incondicional:

"O trono real não é o trono de um homem, mas o trono do próprio Deus... Os reis... são deuses e participam de alguma maneira da independência divina. O rei vê de mais longe e de mais alto; deve acreditar-se que ele vê melhor, e deve obedecer-se-lhe sem murmurar, pois o murmúrio é uma disposição para a sedição."

BOSSUET, Jacques-Bénigne. Política tirada da Sagrada Escritura. In: MARQUES, Adhemar e outros. *História moderna através de textos*. São Paulo: Contexto, 2008. p. 62.

- **Thomas Hobbes** (1588-1679). Escreveu a obra *Leviatã*, em 1651. Pode ser considerado o teórico mais importante do poder absoluto. Hobbes não acreditava que o poder do monarca fosse divino nem que o soberano fosse o representante de Deus na Terra. Para ele, restringir a violência e manter a sociedade unida eram princípios que justificavam o governo absoluto. O papel do Estado seria garantir a paz, o cumprimento das leis e a coesão do território, evitando que os homens se destruíssem uns aos outros.

O estado de natureza e o contrato social

Para sustentar a ideia de que o Estado garantia a coesão social, Hobbes formulou a seguinte pergunta: como as pessoas se comportariam se todas as leis e normas que regem a sociedade não existissem ou fossem abolidas? Segundo ele, como os seres humanos eram naturalmente egoístas e tinham inúmeros desejos, as pessoas se matariam umas às outras procurando satisfazê-los. O resultado seria a luta de todos contra todos, ou seja, o regresso ao "estado de natureza", no qual, hipoteticamente, teria vivido toda a humanidade na sua origem.

Segundo Hobbes, para sair do estado de natureza, se estabelecia um "contrato" entre o soberano e o restante da sociedade. Em troca da paz e da segurança, os indivíduos deviam ceder sua liberdade a uma força superior, fosse o príncipe ou uma assembleia. As leis, contudo, impunham limites apenas aos súditos. Aquele que infringisse o contrato, desobedecendo às leis, excluiria a si mesmo da sociedade e estaria sujeito à punição, ao exílio ou até mesmo à morte. Já o soberano estava acima de qualquer regra ou norma. Não podia ser questionado, pois havia o perigo de novamente se cair no estado de natureza **[doc. 3]**.

DOC. 3 **O Estado e o contrato social**

"O único caminho para erigir semelhante poder comum, capaz de defendê-los contra a invasão dos estrangeiros e as injúrias alheias, assegurando-lhes de tal modo que por sua própria atividade e pelos frutos da terra poderão nutrir-se a si mesmos e viver satisfeitos, é conferir todo o seu poder e fortaleza a um homem ou a uma assembleia de homens, todos os quais, por pluralidade de votos, possam reduzir suas vontades a uma vontade. [...] Isto é algo mais que consentimento ou concórdia; é uma unidade real de tudo isso em uma e mesma pessoa, instruída por pacto de cada homem com os demais, de tal forma como se cada um dissesse a todos: *autorizo e transfiro a este homem ou assembleia de homens meu direito de governar-me a mim mesmo, com a condição de que todos vós transfirais a ele vosso direito, e autorizeis todos os seus atos da mesma maneira*. Feito isso, a multidão assim unida em uma pessoa se denomina Estado. [...]"

HOBBES, Thomas. Leviatã. In: MARQUES, Adhemar e outros. *História moderna através de textos*. São Paulo: Contexto, 2008. p. 60-61.

A formação da sociedade de corte

A centralização do poder nas mãos dos soberanos absolutos provocou diversas mudanças sociais. Uma das principais foi o surgimento **da sociedade de corte**. A corte era constituída pela residência oficial do rei e de sua família e por aqueles nobres que se incorporavam a ela. Escrever, discursar, dançar, cavalgar e praticar esgrima eram as atividades recomendadas para um homem ou mulher da corte. Constituída de nobres mais ou menos próximos ao rei, a corte manteve-se como a instituição central das monarquias durante todo o **Antigo Regime**.

Com a centralização do poder, a grande maioria dos nobres feudais converteu-se de guerreiros livres em funcionários a serviço do monarca. Os cargos na corte do monarca eram reservados exclusivamente à nobreza, que dessa forma ganhava uma nova função na sociedade e, ao mesmo tempo, mantinha-se dependente da monarquia. Essa mudança aconteceu numa época em que o poder econômico e o prestígio social da burguesia declinavam.

- **Antigo Regime.** Sistema político, econômico e social que vigorou na Europa entre o século XV e o XVIII. Marcado pelo absolutismo monárquico, o mercantilismo e a sociedade de corte, entre outras instituições, o Antigo Regime apresentou características comuns em praticamente toda a Europa. A Revolução Francesa de 1789 marcou o fim do Antigo Regime.

Entre a nobreza e a burguesia

Para manter a concentração do poder, os monarcas tinham que jogar habilmente com as duas classes mais poderosas da sociedade no Antigo Regime: a nobreza e a burguesia. Privilegiando ora uma, ora outra, o rei evitava o risco de as classes se unirem para derrubá-lo ou para limitar seu poder.

Apesar disso, é importante ressaltar que a nobreza permaneceu sendo a camada dominante nas sociedades do Antigo Regime, prestando serviços à monarquia em troca de rendas e privilégios. Na verdade, podemos dizer que a sociedade de corte foi uma forma de manter os privilégios e as prerrogativas tradicionais da nobreza e, ao mesmo tempo, conservá-la estritamente subordinada à monarquia.

A civilidade e a etiqueta na corte

Durante a Idade Média, na Europa, a violência e as hostilidades entre famílias eram frequentes. Portar algum tipo de arma era comum e não se hesitava em utilizá-la quando se considerasse necessário. Com a centralização do poder estatal, contudo, o indivíduo ficou proibido de empregar livremente armas para proteção pessoal, ficando reservado esse privilégio somente à nobreza, e mesmo assim segundo certas regras e rituais que limitavam os momentos em que era legítimo o recurso às armas.

DOC. 4 *A marquesa de Montesson, a marquesa de Crest e a condessa de Damas tomando chá.* Aquarela de Louis Carrogis Carmontelle, século XVIII. Museu Carnavalet, Paris. As boas maneiras tornaram-se um dos meios de distinção social.

A partir do momento em que os cavaleiros passaram a viver na corte, foram obrigados a controlar a conduta guerreira que os caracterizava anteriormente. Ou seja, deviam adotar um comportamento que podemos descrever como "civilizado". As boas maneiras à mesa, a polidez no contato com os outros, a contenção da agressividade, o uso correto e sofisticado da linguagem, o refinamento dos costumes e tantos outros hábitos faziam parte do chamado comportamento civilizado **[doc. 4]**.

Por esse motivo, as cortes não eram apenas estruturas políticas que visavam à administração do reino. As cortes também se manifestavam como centros difusores de certo modelo de comportamento, de hábito e de estilo de vida. O comportamento civilizado surgiu e se desenvolveu, portanto, com a consolidação das sociedades de corte.

A França de Luís XIV

No século XVII, sob o reinado de Luís XIV, a França tornou-se uma das nações mais ricas, poderosas e centralizadas da Europa Ocidental. Luís XIV, que ficou conhecido como "Rei Sol", governava sem primeiro-ministro, decidindo diretamente sobre todos os assuntos relativos ao Estado. Nenhum outro soberano da época encarnou como ele a figura do monarca absoluto.

Internamente, Luís XIV transformou-se num hábil mediador político. De um lado, aproximou da corte a **nobreza de espada**, de caráter tradicional e cujos ancestrais remontavam aos antigos senhores feudais. De outro lado, manteve a **nobreza togada**, formada por burgueses enobrecidos, nos cargos administrativos que passou a ocupar na enorme burocracia estatal.

Externamente, sob o reinado de Luís XIV, a principal influência francesa na Europa não foi política nem militar. Foi o prestígio intelectual e artístico, assim como o refinamento de sua corte, que atraiu os olhares de outros reinos. Os códigos de conduta, o padrão aristocrático de gosto e de comportamento e a sofisticação da vida cotidiana na corte francesa tornaram-se um modelo para as demais aristocracias europeias.

QUESTÕES

1. Qual a principal semelhança e diferença entre as teorias do poder absoluto de Jean Bodin, Jacques Bossuet e Tomas Hobbes?
2. Qual relação pode ser estabelecida entre o ambiente da corte de Luís XIV e a maior concentração de poder nas mãos do rei?

ANALISAR UM DOCUMENTO HISTÓRICO

O discurso monárquico

Na França, até o século XVI, o Parlamento tinha funções puramente judiciárias. Desse período em diante, ele tendeu progressivamente a conquistar espaço político, obstruindo a autoridade real. Luís XIV teve êxito em dominá-lo; mas após sua morte, em 1715, o Parlamento teve seus direitos restabelecidos, e sua oposição ao poder real acirrou-se no decorrer do século XVIII.

O documento a seguir situa-se num momento agitado da querela opondo o Parlamento ao poder real. Trata-se do processo verbal de um discurso do rei Luís XV, pronunciado então na *lit de justice* da sessão do Parlamento de Paris em 3 de março de 1766, sessão conhecida como "da flagelação".

"É somente na minha pessoa que reside o poder soberano... é somente de mim que os meus tribunais recebem a sua existência e a sua autoridade; a plenitude desta autoridade, que eles não exercem senão em meu nome, permanece sempre em mim voltado; é unicamente a mim que pertence o poder legislativo, sem dependência e sem partilha; é somente por minha autoridade que os funcionários dos meus tribunais procedem, não à formação, mas ao registro, à publicação, à execução da lei, que lhes é permitido advertir-me o que é do dever de todos os úteis conselheiros: toda a ordem pública emana de mim, e os direitos e interesses da nação, de que se pretende ousar fazer um corpo separado do monarca, estão necessariamente unidos com os meus e repousam nas minhas mãos."

Resposta do rei ao Parlamento de Paris, 1766. In: MARQUES, Adhemar e outros. *História moderna através de textos*. São Paulo: Contexto, 2008. p. 58.

Luís XV no grande traje real, pintura de Jean Martial Frédou, 1763. Castelo de Versalhes e Trianon, Versalhes.

Para compreender o documento

Abaixo, seguem algumas orientações para a leitura e a interpretação do documento.

1. O texto é o discurso de uma autoridade.
2. A linguagem utilizada não abre espaço para a dúvida sobre aquilo que é tratado.
3. Repetidas vezes o rei faz referência a ele mesmo.
4. Pronomes possessivos são recorrentes durante o discurso.
5. Em alguns momentos, são utilizados termos que não admitem alternativas para uma situação, como *unicamente* e *somente*.
6. O documento cita diversas práticas e assuntos relativos ao Estado, como a execução da lei e a ordem social.

QUESTÕES

1. Quais elementos do absolutismo estão presentes no discurso do rei? Exemplifique.
2. O que levou o rei a reafirmar os fundamentos de seu poder real?
3. Que relação o discurso estabelece entre a figura do rei e a nação?
4. A pintura do rei Luís XV reafirma ou contraria a visão expressa no texto? Explique.

Seção 12.3

O mercantilismo

Objetivo

▸ Relacionar o desenvolvimento do mercantilismo com a centralização do poder no Estado moderno.

Termos e conceitos

• Capitalismo
• Mercantilismo

Uma nova política econômica

O **capitalismo** é o sistema econômico dominante no mundo contemporâneo. Acumular capitais e buscar constantemente a geração de lucros são os fundamentos desse sistema e a condição necessária para a continuidade de seu funcionamento. A produção capitalista, portanto, está voltada para abastecer o mercado e gerar lucros e não para a subsistência das pessoas.

O momento do surgimento do capitalismo, contudo, ainda é motivo de controvérsia. Alguns pesquisadores recuam até o século XV, definindo como primeira fase do capitalismo esse período que vai até o século XVIII. Outros defendem que o capitalismo existiu apenas a partir do século XVIII, com a Revolução Industrial.

Seja como for, algumas das práticas econômicas capitalistas já existiam no século XV, como a contabilidade, o sistema de crédito, o empréstimo a juros e o trabalho assalariado. Essas operações não eram uma novidade, pois já eram conhecidas desde o final da Idade Média. Mas sua irradiação tornou-se possível apenas com as grandes navegações iniciadas no século XV **[doc. 1]**.

As condições europeias

Sabemos que houve, ao longo da história, outras civilizações mercantis, marítimas e conquistadoras, como a dos persas, dos romanos, dos otomanos e dos chineses. Em nenhuma delas, no entanto, houve uma economia semelhante àquela que surgiu na Europa a partir do século XV. Um conjunto de condições sociais e históricas explica o que ocorreu naquele momento no continente europeu.

- **Aliança entre a burguesia e as monarquias absolutistas.** A viabilização da expansão marítima e da exploração colonial dependia do investimento levado a cabo pela camada burguesa e mercantil, única que possuía os capitais necessários para esse tipo de empreendimento. Ao proteger essa iniciativa, o Estado absolutista enriquecia e ampliava o seu domínio.
- **A acumulação de capital.** A riqueza gerada com o comércio colonial, com a extração dos metais preciosos na América e com a exploração do trabalho assalariado nas manufaturas europeias permitiu a lenta acumulação de capitais, que foram reinvestidos em novos empreendimentos.

• **Capital.** Conjunto de recursos necessários para a produção e a comercialização de mercadorias, como máquinas, matérias-primas, instalações de fábricas etc.

DOC. 1 Porta de Palma de Maiorca, detalhe dos *Retábulos de Saint Georges*, século XVI. Museu da Catedral, Palma de Maiorca. Note a movimentação de pessoas e navios no porto.

- **A nova mentalidade surgida com a Reforma Protestante.** De acordo com a moral protestante, principalmente a calvinista, o enriquecimento por meio do trabalho era um modo de reconhecer os eleitos de Deus. O trabalho disciplinado não era um castigo, e o hábito de economizar não era um pecado. Essas duas atitudes, associadas a uma existência voltada para o ascetismo e a temperança, estimulavam a lenta acumulação de capital e a difusão das práticas capitalistas. A nova moral se opunha tanto à moral da Igreja Católica, que condenava o lucro e o sucesso material, quanto ao modo de se comportar típico da nobreza, que desprezava o trabalho e valorizava o esbanjamento.

Durante a era moderna, a base de sustentação da economia ainda era a agricultura. As práticas comerciais da burguesia, contudo, em franca ascensão nesse período, eram muito importantes, pois garantiam sustentação financeira ao Estado absolutista. A burguesia detinha o poder econômico, enquanto a aristocracia concentrava o prestígio social e o poder político e militar.

Efeitos econômicos da conquista da América

Em fins da Idade Média, a revitalização do comércio gerou uma demanda crescente por metais preciosos para cunhar moedas. O estoque existente na Europa, porém, não era suficiente. A descoberta e a exploração de grandes jazidas minerais na América não só atenderam a essa demanda como tornaram a Espanha um imenso e rico império. Calcula-se que, entre 1521 e 1660, tenham sido transferidas para a Espanha cerca de 34 mil toneladas de prata e quatrocentas toneladas de ouro, que financiaram as guerras dos Habsburgos em nome da fé católica na Europa.

A circulação de uma enorme quantidade de moedas provocou o aumento generalizado dos preços, estimulando a economia e beneficiando manufatureiros, negociantes, armadores e banqueiros das grandes cidades. Para a camada popular urbana, contudo, a inflação dos preços teve efeitos terríveis. Calcula-se que, no decorrer do século XVI, os preços tenham subido entre 150% e 400%, conforme o país e a região. O preço do trigo se multiplicava, enquanto os salários reais baixavam continuamente. Esse processo inflacionário ficou conhecido como **Revolução dos Preços**.

Revoltas urbanas estouraram em países como França e Inglaterra. Para reprimir o descontentamento popular e restabelecer a ordem social, os governos decretaram leis contra a vagabundagem e a mendicância. Na Inglaterra, por exemplo, o rei Henrique VIII mandou construir *workhouses* (casas de trabalho forçado) e tornou as penalidades mais rígidas **[doc. 2]**. Aqueles que eram tidos como "vagabundos" eram açoitados publicamente e presos. Caso reincidissem, tinham a metade da orelha cortada.

- **Ascetismo.** Doutrina que prega uma vida austera, disciplinada, liberta dos prazeres mundanos, em busca da virtude e da purificação espiritual.
- **Temperança.** Estilo de vida moderado, equilibrado, comedido.

DOC. 2 ***As workhouses***

As *workhouses* eram casas de trabalho forçado destinadas a abrigar pessoas que viviam em tal estado de pobreza e não tinham condições de se sustentar por si mesmas. Velhos, desempregados ou "puros de espírito" (deficientes mentais) viviam e trabalhavam nesses estabelecimentos. Apesar de seus objetivos filantrópicos, as condições dentro das *workhouses* eram tão duras que, na prática, elas não se distinguiam de prisões comuns. Mendigos e "vagabundos", por exemplo, eram encarcerados nessas casas e obrigados a realizar trabalhos desumanos e degradantes sem qualquer remuneração. Homens e mulheres eram segregados e as crianças eram separadas de seus pais. A rígida disciplina e o tratamento cruel destinado aos internos tinham como objetivo mostrar que a vida ali era pior do que qualquer trabalho assalariado.

Workhouse de Kingston upon Hull, Inglaterra, gravura de 1789.

A intervenção do Estado na economia

Os Estados absolutistas procuravam aumentar seu poder adotando medidas políticas e econômicas cuja finalidade básica era aumentar ao máximo a riqueza do país. O conjunto das medidas adotadas pelos Estados nacionais europeus entre os séculos XVI e XVIII ficou conhecido como política mercantilista ou **mercantilismo**.

As políticas intervencionistas do mercantilismo pretendiam assegurar a riqueza e o poder estatais, garantindo uma fonte de financiamento para guerras, expedições marítimas e explorações comerciais. Para administrar essa intervenção e fiscalizar as atividades econômicas, o Estado contava com uma contabilidade precisa das riquezas do país e com um conjunto de funcionários a seu serviço **[doc. 3]**.

As medidas mercantilistas

As práticas mercantilistas adotadas no continente europeu durante o Antigo Regime variavam conforme o Estado. É possível, no entanto, reconhecer as medidas mais comuns que orientaram as atividades políticas e econômicas daquele período.

- **Metalismo**. Os governos procuravam adquirir a maior quantidade possível de metais preciosos e proibir que eles saíssem do país. Essa medida baseava-se no princípio de que o ouro e a prata eram a principal fonte de riqueza. Portanto, quanto mais um país acumulasse metais, mais rico e poderoso ele seria.
- **Balança comercial favorável**. Exportar mais do que importar. As importações deviam se limitar apenas às matérias-primas, enquanto as exportações se voltariam para os bens manufaturados. Todas as oportunidades para trocar as manufaturas produzidas no país por ouro e prata também deviam ser aproveitadas, a fim de incrementar os estoques desses metais.
- **Protecionismo alfandegário**. Cobrança de pesados impostos sobre produtos estrangeiros, o que os tornava mais caros. Assim, mesmo que a qualidade desses produtos fosse superior à qualidade das mercadorias produzidas no interior do próprio país, os consumidores eram desestimulados a adquiri-los **[doc. 4]**.

DOC. 3 **O nascimento da estatística**

A estatística é uma área da matemática que coleta, analisa e interpreta dados numéricos. Criada no século XVII, o soberano utilizava a estatística para conhecer as forças e os recursos disponíveis ao seu Estado. Incluía a população (mortalidade, natalidade), os recursos naturais (reservas minerais, florestas), as atividades econômicas (exportações, importações, produções agrícola e manufatureira) etc. Nesse sentido, a estatística era indispensável para a intervenção do rei nos assuntos do reino.

- **Exclusivo comercial metropolitano**. Criar monopólios comerciais era outro modo de aumentar as exportações e diminuir as importações. O maior exemplo disso foram domínios coloniais europeus. Utilizando-se de mão de obra indígena ou africana, as colônias produziam e forneciam matérias-primas baratas às metrópoles europeias, ficando obrigadas a consumir seus produtos manufaturados.

O Estado absolutista controlava e regulamentava toda a atividade econômica, reservando-se o direito de conceder monopólios comerciais, punir o tráfico ilegal de metais preciosos e mercadorias etc. Os governos mercantilistas também procuravam fazer com que todos os terrenos disponíveis no país fossem utilizados para a agricultura, a mineração ou a manufatura, apesar de isso ser muito difícil de realizar na prática.

DOC. 4 **O protecionismo dos governos atuais**

Medidas para proteger a produção nacional e desestimular as importações também fazem parte da política econômica dos governos atuais.

"[...] Desde o acirramento da crise global em setembro do ano passado, quase três barreiras ou medidas que distorcem o mercado internacional foram adotadas no mundo a cada semana. [...]

A Coreia do Sul anunciou que deve dobrar as tarifas de importação para produtos como trigo e até gás natural. [...]

A Índia promoveu uma alta nas taxas de importação de brinquedos chineses, além de adaptar uma série de novas exigências técnicas para outros produtos. [...]

Enquanto isso, a Indonésia reduziu o número de portos pelos quais as importações podem entrar. Além disso, o governo sugeriu que todos os 4 milhões de funcionários públicos do país usassem apenas roupas e sapatos fabricados no país.

Mas o maior impacto, segundo os países emergentes, vem dos subsídios dados pela Europa e EUA em seus planos de relançamento da economia. Montadoras receberam bilhões de dólares, além de medidas para ajudar o setor siderúrgico."

CHADE, Jamil. Países criam três barreiras comerciais por semana. *O Estado de S. Paulo*, 25 jun. 2009.

QUESTÕES

1. Analise a imagem e a relacione ao contexto europeu da época moderna **[doc. 1]**.
2. Responda às questões abaixo **[doc. 2]**.
   a) Descreva a imagem e destaque os elementos arquitetônicos que caracterizam as *workhouses*.
   b) Que relação podemos estabelecer entre a construção das *workhouses* e o impacto da colonização da América na economia europeia do período?
3. Relacione o surgimento da estatística com a importância da burocracia no Estado moderno **[doc. 3]**.

ATIVIDADES

Retomar conteúdos

1 Analise o esquema a seguir para responder às questões.

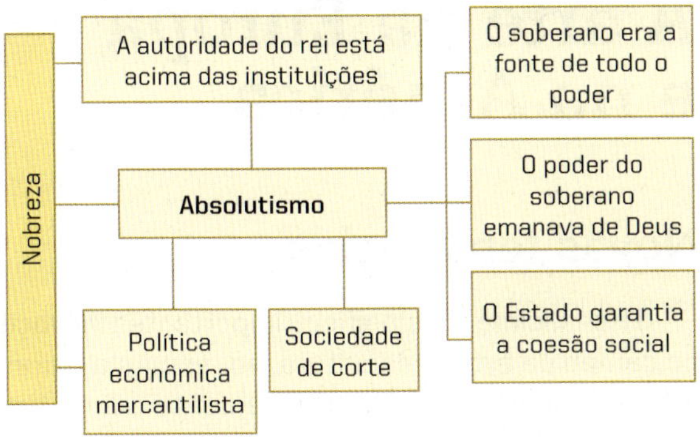

a) Qual relação pode ser estabelecida entre o Estado absolutista e a nobreza?
b) Como os teóricos do absolutismo justificavam o poder absoluto dos reis?
c) Explique a importância que tinham as medidas mercantilistas para os reis absolutistas.

2 Com o fortalecimento do poder real, os duelos entre os membros da nobreza foram condenados pelos monarcas dos reinos europeus.
a) Identifique as razões dessa mudança de atitude.
b) Explique as mudanças que ocorreram nos hábitos da nobreza com o surgimento da sociedade de corte.

3 Explique como a exploração de ouro e prata nas colônias americanas repercutiu na situação social da Europa.

4 Os esquemas a seguir representam três características da política econômica mercantilista. Identifique essas características e as explique.

1

____

2

____

3

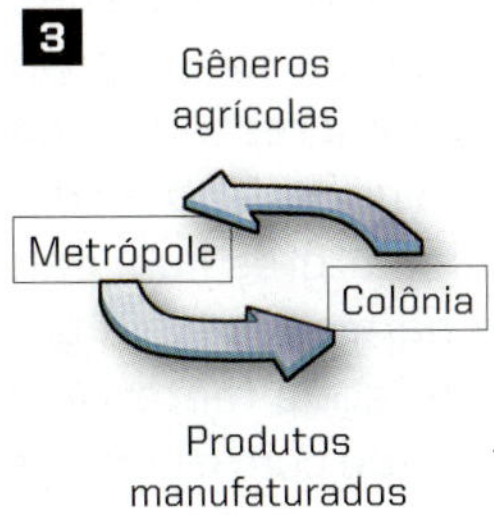

____

Ler textos e imagens

5 Identifique e anote o autor de cada um dos textos a seguir. Em seguida, interprete o pensamento político que está expresso.

Texto 1

"Deve-se entender que um príncipe, especialmente se for novo, não pode observar tudo o que é considerado bom nos outros homens, sendo muitas vezes obrigado, para preservar o Estado, a agir contra a fé, a caridade, a humanidade e a religião." ______________________ (autor)

Texto 2

"Porque em virtude dessa autoridade que se lhe confere por cada homem particular no Estado, [o soberano] possui e utiliza tanto poder e fortaleza que, pelo terror que inspira, é capaz de conformar as vontades de todos eles para a paz [...]." ______________________ (autor)

6 Leia o texto a seguir e responda às questões.

"O rei dos animais, dom Leão, quis um dia conhecer as nações nas quais consistiria seu domínio. Muitos enviados foram levar um edital dizendo estarem convocados todos ao palácio real. As audiências se dariam nesse palácio, e durariam um mês, do início ao final. A recepção seria aberta por uma equipe muito esperta de macaquinhos amestrados. Haveria um banquete, e então os convidados, em comissão oficial, iriam visitar o palácio real.

E assim aconteceu. Mas que palácio horrível!

Carniças espalhadas, um mau cheiro incrível! O urso tapa o nariz. Ofendido, o leão dele dá cabo e manda visitar Plutão. O macaco, servil, aplaude aquela ação: que desaforo, o do urso, chamar de fedor aquele aroma suave, aquele perfume de flor! [...]

No mesmo instante, o destino seguiu seu curso, e ele fez companhia para o urso. À raposa, calada, dirigiu-se o rei:

— E tu? Diz a verdade: este cheiro te agrada?

— Estou, Senhor, tão constipada, que até perdi meu faro. Por isto não sei... Quando sarar, responderei!

Quem busca na corte mercês deve agir sempre assim, usando de esperteza: nem servilismo vil, nem a brutal franqueza; prefira, ao 'sim' ou 'não', a astúcia de um 'talvez'."

LA FONTAINE, Jean de. *Fábulas de La Fontaine*. Belo Horizonte: Itatiaia, 2003. Livro sétimo. p. 41.

a) Quais aspectos do contexto político da sociedade europeia são criticados pelo texto?
b) Assim como recomendado pela própria fábula, La Fontaine foi cauteloso em sua crítica ao contexto político de sua época? Justifique sua resposta.

A arte na Europa e na América

DOC. 1 *Lamento sobre o Cristo morto*, afresco de Giotto di Bondone, c. 1305. Capela de Scrovegni, Pádua.

Novas tendências

O Renascimento significou importantes inovações no campo da arte. A escultura, por exemplo, durante a Idade Média, esteve continuamente submetida à arquitetura, servindo de ornamento para os pilares e pórticos das grandes construções. Artistas renascentistas, contudo, inspirados na arte da Antiguidade clássica, se voltaram para a representação do corpo humano no espaço, libertando a escultura de sua dependência em relação à estrutura arquitetônica. Foi na pintura, porém, que as mudanças ocorridas no Renascimento foram sentidas com mais intensidade, indicando uma verdadeira revolução na composição pictórica.

A pintura dos antigos egípcios e bizantinos havia se caracterizado por apresentar figuras humanas idealizadas. Geralmente, elas eram representadas sobre um fundo homogêneo e plano e dispostas de acordo com a importância dos personagens na hierarquia social. Os artistas medievais continuaram idealizando as formas humanas em suas iluminuras, mas de um ponto de vista espiritual. Já os pintores renascentistas estavam interessados em representar cenas mais próximas do real, dispondo suas figuras no espaço de forma a criar uma ilusão de profundidade e volume na superfície plana da pintura.

DOC. 2 *A santíssima trindade com a Virgem, São João e doadores*, afresco de Masaccio, c. 1428. Basílica de Santa Maria Novella, Florença.

Novos pintores

Giotto di Bondone, da cidade italiana de Florença, foi um dos precursores dessas novas tendências. No **doc. 1**, vemos um dos famosos afrescos que ele pintou na Capela Scrovegni, na Itália, representando cenas da vida de Jesus Cristo. As figuras humanas foram pintadas como se fossem esculturas. Os volumes dos corpos e das roupas drapejadas aparecem bem marcados por sombras fortes e profundas. O observador tem a nítida impressão de que cada um dos personagens ocupa um lugar bem delimitado no espaço, como se fossem atores num palco. O fundo da composição ainda permanece, em grande parte, homogêneo, porém já existe a tentativa de se forjar uma ilusão de profundidade com o contorno diagonal do monte.

A perspectiva

A ilusão de profundidade na pintura avançou mais ainda com o emprego da **perspectiva**, um recurso que permitia representar objetos tridimensionais na superfície bidimensional do quadro. A técnica implicava a divisão matemática e geométrica do espaço pictórico. Os pintores renascentistas tentavam imitar a perspectiva da visão humana, estabelecendo linhas de fuga horizontais e verticais que convergiam para um determinado ponto da composição, à semelhança do que acontece com a nossa percepção do horizonte. Assim, o tamanho dos objetos e dos personagens representados variava de acordo com sua distância em relação a esse ponto, e não mais segundo a posição que ocupavam na sociedade.

O afresco do **doc. 2**, do também italiano Masaccio, é um dos primeiros exemplos de pintura realizada de acordo com as leis da perspectiva geométrica. O tema é o da santíssima trindade, com a virgem Maria e são João ladeando o crucifixo e os doadores da obra num nível mais abaixo. Tem-se a impressão de estar olhando para uma janela na parede, através da qual se divisa uma capela funerária encimada por uma abóbada, cujas linhas das traves vão se estreitando em direção ao ponto de fuga para criar a ilusão de um espaço profundo.

Novas leituras

No século XX, muitos consideraram que a profundidade e o volume haviam sido experimentados plenamente na pintura. Os artistas modernistas, por exemplo, tenderam a abandonar a perspectiva e voltaram a tratar a pintura sobretudo como superfície. A partir da década de 1980, no entanto, os elementos tradicionais da pintura foram revalorizados. O brasileiro Daniel Senise, por exemplo, recolocou a questão da perspectiva em suas pinturas sob um novo prisma, reduzindo o espaço pictórico às linhas verticais e horizontais que parecem romper a superficialidade do plano **[doc. 3]**.

DOC. 3 *Itahye*, acrílico sobre tecido montado em painel de alumínio, obra de Daniel Senise, 2006. Cortesia Galeria Graça Brandão, Lisboa.

A arquitetura pré-colombiana

O Renascimento também foi a época em que as potências europeias se lançaram à expansão ultramarina e chegaram ao continente americano. Na América, os europeus não encontraram um vazio demográfico e cultural, mas inúmeros povos indígenas com uma organização social, política e cultural própria.

As grandes civilizações pré-colombianas habitavam duas extensas áreas geográficas no Novo Mundo: a Mesoamérica (formada pelos territórios das atuais Guatemala, centro e sul do México, Belize e El Salvador, além de parte da Nicarágua, Honduras e Costa Rica), onde viviam os astecas e os maias; e os Andes (do Equador ao Chile), onde se encontravam os incas.

As três sociedades produziram uma arquitetura e uma organização urbana extremamente complexas para o período e que despertaram grande admiração por parte dos conquistadores.

Pirâmides americanas

Os maias, que habitavam terras da Mesoamérica, atingiram seu apogeu entre 300 e 900, quando abandonaram suas cidades mais importantes por razões ainda não totalmente esclarecidas. As ruínas dos centros populacionais maias, encobertas pela mata fechada durante centenas de anos, só foram encontradas no século XIX, revelando um patrimônio arquitetônico raro na América.

Os grandes monumentos em forma piramidal são um dos elementos mais impressionantes de sua cultura arquitetônica ainda preservada. O **doc. 4** mostra o Templo I de Tikal, na Guatemala, construído como uma pirâmide dividida em nove plataformas superpostas, com um enorme lance de degraus ao centro que conduz à câmara no topo, na qual provavelmente se realizavam rituais de sacrifício. O templo é encimado pelo tradicional teto em crista, característico dessa civilização. Cada elemento da construção tem um significado, e é possível que os seus diferentes níveis se relacionassem com a mitologia maia.

Os astecas ocupavam parte da Mesoamérica. Em 1518, os espanhóis chegaram à capital Tenochtitlán, no Vale do México, e se surpreenderam ao encontrar uma cidade tão grande e bela, cortada por extensos canais de água e organizada num traçado quadricular. No **doc. 5**, temos uma reconstituição que mostra como Tenochtitlán devia ser nessa época. Assim como os maias, os astecas também construíram palácios e templos em forma de pirâmides de plataformas e degraus, em geral utilizando topos planos em vez da crista. Atualmente, as ruínas dessa majestosa capital situam-se sob a Cidade do México.

DOC. 4 Templo I, arquitetura maia, c. 695. Tikal, Guatemala, 2007.

DOC. 5 Maquete atual da antiga cidade asteca de Tenochtitlán. Museu Nacional de Antropologia, Cidade do México.

Entre a América e a Europa

No México, arquitetos contemporâneos estabeleceram férteis diálogos com a tradição arquitetônica pré-colombiana. Um dos exemplos mais famosos é o do prédio da Biblioteca Central da Universidade Nacional do México **[doc. 6]**, desenhado pelo pintor e arquiteto Juan O'Gorman entre 1949 e 1953.

Construído como um grande bloco maciço, o edifício relembra as linhas austeras e sólidas dos antigos monumentos maias e astecas, ao mesmo tempo que insere a estética modernista europeia no contexto latino-americano.

A fachada do prédio é coberta com grandes murais de ladrilhos coloridos que representam a história do México, desde seu passado pré-hispânico até a contemporaneidade. O lado norte faz uma alusão direta à iconografia asteca, estampando no céu da atual Cidade do México os ícones de seu passado ancestral. Dessa forma, a obra seria uma releitura, feita pelo autor, sintetizando as tradições mexicanas pré-coloniais e o contexto em que ele vivia.

QUESTÕES

1. Responda às questões sobre o **doc. 2**.
   a) Identifique o tema do quadro, relacionando o título com o lugar que cada personagem ocupa no cenário.
   b) Que recursos são utilizados para representar os personagens em perspectiva? Como esses recursos se relacionam com o tema da pintura?

2. Que diferenças no uso da perspectiva podemos perceber na pintura do **doc. 2** em relação à pintura do **doc. 3**?

3. Identifique uma semelhança e uma diferença entre as imagens dos **docs.** 1, 2 e 3.

4. Observe as imagens dos **docs.** 4, 5 e 6. Que aspectos das construções pré-colombianas estão presentes no prédio da Biblioteca Central da Universidade Nacional do México?

5. Interprete o significado da releitura dos elementos estéticos pré-colombianos feita por Juan O'Gorman.

DOC. 6 Prédio da Biblioteca Central da Universidade Nacional do México. Projeto de Juan O'Gorman, 1953. Cidade do México, México, em foto de 2007.

PRATICANDO: VESTIBULARES E ENEM

UNIDADE D A aurora dos tempos modernos

1 **(Uem-PR)** O feudalismo passou por profundas transformações sociais, econômicas, culturais e políticas nos séculos XIV e XV. Sobre essas transformações, registre em seu caderno o que for correto e o resultado da soma dos números correspondentes.

1. No processo de formação das monarquias nacionais, realeza e burguesia nascente unem-se para lutarem pelos seus interesses econômicos e políticos.
2. Uma das principais transformações dessa época foi a substituição dos exércitos nacionais pelos exércitos mercenários.
4. Com o objetivo de atender aos interesses dos grandes banqueiros e das grandes companhias de comércio, a Itália e a Alemanha foram os primeiros reinos europeus a realizarem a centralização política sob o comando de reis absolutistas.
8. A Guerra dos Cem Anos provocou profundas transformações na estrutura econômica da Inglaterra, o que favoreceu a reação e o fortalecimento da nobreza feudal nas decisões políticas do reino.
16. A cultura literária da Baixa Idade Média apresentou intensos traços humanistas, e um dos principais autores dessa época foi o escritor italiano Dante Alighieri, ao meditar sobre razão e fé, ciência e religião.

2 **(UFMG)** Analise a imagem.

Davi, de Michelangelo, 1504. Galeria da Academia, Florença.

A partir da análise dessa imagem e considerando outros conhecimentos sobre o assunto:

a) identifique o movimento artístico a que pertence a obra.

b) identifique e explique duas características desse movimento artístico.

3 **(Ufal)** As viagens do genovês Cristóvão Colombo são anúncios de novos tempos para o mundo europeu, que se lançava em busca de riquezas e de aventuras. Com ajuda do governo espanhol, Colombo foi:

a) um aventureiro corajoso e improvisador, para quem não importavam os objetivos mais sérios da navegação.

b) um estudioso de cartografia, acreditando, segundo descobertas recentes, que a terra era redonda.

c) um navegador ambicioso, preocupado em encontrar minas de ouro e servir bem ao rei da Espanha.

d) além de rico comerciante de produtos do Oriente, um intelectual respeitado na época por suas ideias renovadoras.

e) um defensor de mudanças políticas na Espanha e na Itália, ligado aos projetos das burguesias locais.

4 **(Uerj)** "As relações entre a pregação protestante e as estruturas políticas então existentes foram muitas vezes decisivas tanto para os destinos da pregação em si quanto para os rumos afinal tomados pela organização das novas Igrejas."

FALCON, Francisco José Calazans. In: RODRIGUES, Antonio Edmilson M.; FALCON, Francisco José C. *Tempos modernos*: ensaios de história cultural. Rio de Janeiro: Civilização Brasileira, 2000.

O texto acima se refere a processos da Reforma Religiosa ocorridos na Europa. O movimento reformista, entretanto, conheceu diferentes reações em distintas áreas. Indique duas causas para a Reforma Religiosa na Inglaterra e uma consequência econômica desse movimento.

5 **(UFSM-RS)** "Os guerreiros constituíam um dos grupos mais importantes na sociedade asteca. No início, eram escolhidos entre os indivíduos mais corajosos e valentes do povo. Com o tempo, entretanto, a função de guerreiro começou a ser passada de pai para filho, e apenas algumas famílias, privilegiadas, mantiveram o direito de ter guerreiros entre os seus membros."

KARNAL, Leandro. *A conquista do México*. São Paulo: FTD, 1996. p. 13.

O texto faz referência à sociedade asteca, no século XV, a qual era

a) guerreira e sacerdotal, formada de uma elite política que governava com tirania a massa de trabalhadores escravos negros.

b) igualitária e guerreira, não conhecendo outra autoridade senão a sacerdotal, que também era guerreira.

c) comunal, com estruturas complexas, sendo dirigida por um Estado que contava com um aparelho administrativo, judiciário e militar.

d) hierarquizada e guerreira, visto que o imperador era, ao mesmo tempo, o general do exército asteca e o sumo pontífice sacerdotal.

e) igualitária, guerreira e sacerdotal: todo guerreiro era um sacerdote e todo sacerdote também era um guerreiro.

6 **(Unicamp-SP)** "Herói ou vilão, Colombo simboliza a conquista."

Folha de S. Paulo, 13 out. 1991.

a) Por que Colombo é tratado como herói ou vilão?
b) Por que ele é o símbolo da conquista?

7 **(Uem-PR)** Sobre o período pré-colonial da história das Américas, registre em seu caderno a(s) afirmativas(s) correta(s) e a soma dos números correspondentes.

1. Muito antes da chegada de Cristóvão Colombo, a América já era ocupada por povos que viviam de formas extremamente variadas. Tais formas iam da organização tribal, como a dos povos que habitavam a região onde hoje está localizado o litoral brasileiro, até vastos impérios, como os dos astecas e incas.
2. Os maias habitavam a região que hoje compreende o sul do México, a Guatemala e a Península de Yucatán; sua base econômica era a agricultura, sobretudo do milho.
4. Os maias, os incas e os astecas se organizavam em sociedades revestidas de um caráter sagrado; a religião participava intimamente da vida cotidiana desses povos e todas as funções dirigentes ganhavam legitimidade graças aos rituais religiosos que os cercavam.
8. Assim como os demais povos nativos das Américas, os astecas e os incas se organizavam em sociedades igualitárias, ou seja, não ocorriam distinções sociais entre os membros daqueles povos.
16. Os primeiros habitantes da região litorânea do Brasil, que os portugueses da frota de Cabral encontraram, eram praticantes de uma agricultura primitiva, itinerante, realizada através de métodos rudimentares, como a coivara.
32. As tribos indígenas que viviam na região oeste da América do Norte eram as únicas que haviam domesticado os cavalos previamente à chegada dos europeus. Esse fato foi imortalizado no cinema nos filmes de "faroeste".

8 **(Enem-MEC)** "O que se entende por corte do Antigo Regime é, em primeiro lugar, a casa de habitação dos reis de França, de suas famílias, de todas as pessoas que, de perto ou de longe, dela fazem parte. As despesas da corte, da imensa casa dos reis, são consignadas no registro das despesas do reino da França sob a rubrica significativa de Casas Reais."

ELIAS, Norbert. *A sociedade de corte*. Lisboa: Estampa, 1987.

Algumas casas de habitação dos reis tiveram grande efetividade política e terminaram por se transformar em patrimônio artístico e cultural, cujo exemplo é:

a) o Palácio de Versalhes.
b) o Museu Britânico.
c) a Catedral de Colônia.
d) a Casa Branca.
e) a pirâmide do faraó Quéops.

9 **(Enem-MEC)**

I. Para o filósofo inglês Thomas Hobbes (1588-1679), o *estado de natureza* é um *estado de guerra* universal e perpétuo. Contraposto ao estado de natureza, entendido como estado de guerra, o *estado de paz* é a sociedade civilizada.

Dentre outras tendências que dialogam com as ideias de Hobbes, destaca-se a definida pelo texto a seguir.

II. "Nem todas as guerras são injustas e, correlativamente, nem toda paz é justa, razão pela qual a guerra nem sempre é um desvalor, e a paz nem sempre um valor."

BOBBIO, N.; MATTEUCCI, N. e PASQUINHO, G. *Dicionário de política*. 5. ed. Brasília/São Paulo: Universidade de Brasília; Imprensa Oficial do Estado, 2000.

Comparando as ideias de Hobbes (texto I) com a tendência citada no texto II, pode-se afirmar que:

a) em ambos, a guerra é entendida como inevitável e injusta.
b) para Hobbes, a paz é inerente à civilização e, segundo o texto II, ela não é um valor absoluto.
c) de acordo com Hobbes, a guerra é um valor absoluto e, segundo o texto II, a paz é sempre melhor que a guerra.
d) em ambos, a guerra ou a paz são boas quando o fim é justo.
e) para Hobbes, a paz liga-se à natureza e, de acordo com o texto II, à civilização.

10 **(Fuvest-SP)** Observe o mapa e explique.

Mapa-múndi de Henricus Martellus, 1489.
Biblioteca Britânica, Londres.

a) Por que não estão representados todos os continentes?
b) Quais os conhecimentos necessários, na época, final do século XV, para se confeccionar um mapa com essas características?

Leituras

Renascimento e humanismo: o homem e o mundo europeu do século XIV ao XVI
ACKER, Maria Teresa van.
São Paulo: Atual, 1992.

Coletânea de documentos que traz importantes fontes para o estudo das origens e do desenvolvimento do Renascimento Cultural e Científico, seus valores, obras e inventos.

Lendas e mitos dos índios brasileiros
SILVA, Waldomar de Andrade.
São Paulo: FTD, 1998.

O livro traz as experiências do autor, que viveu com algumas tribos indígenas do Xingu durante oito anos. Nesse período, coletou lendas e mitos capazes de apresentar a cultura oral desses povos.

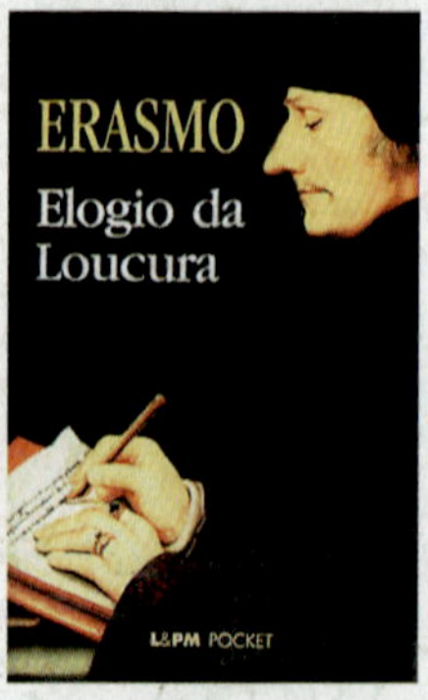

Elogio da loucura
ROTTERDÃ, Erasmo de.
Porto Alegre: L&PM, 2003.

A obra é o resultado das considerações feitas pela loucura. Como sujeito da narrativa, ela apresenta tudo o que faz pela humanidade e explica sua participação nas atitudes humanas consideradas irracionais.

Nos passos de Cristóvão Colombo
DUVIOLS, Jean-Paul.
Rio de Janeiro: Rocco, 2003.

A obra conduz o leitor a uma viagem a bordo das caravelas de Colombo, na qual ele vai conhecer as experiências dos navegadores e a tecnologia náutica do século XV.

Filmes

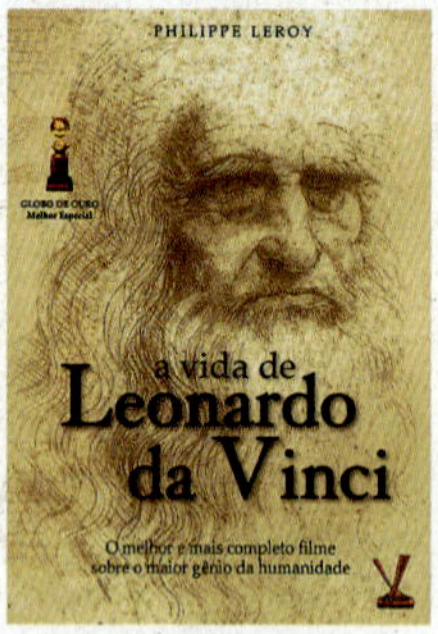

A vida de Leonardo da Vinci
Direção de Renato Castellani.
Itália, 1971. 300 min.

Documentário sobre a vida de Leonardo da Vinci desde sua infância em Florença até a sua morte na França. Apresenta os locais onde o artista viveu, as etapas da sua criação e suas relações com Michelangelo e Botticelli.

1492: a conquista do paraíso
Direção de Ridley Scott. EUA, Inglaterra, Espanha, França, 1992. 150 min.

O filme reconta a empreitada de Cristóvão Colombo rumo à América, os preparativos para a viagem, a vida na corte europeia, as dificuldades no mar e o contato com os habitantes do Novo Mundo.

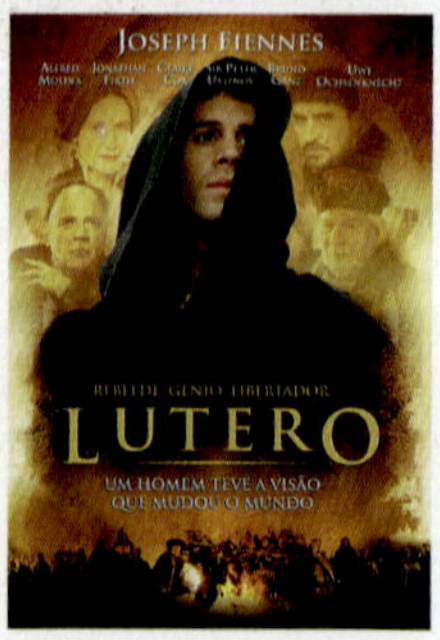

Lutero
Direção de Eric Till.
Alemanha, 2003. 121 min.

O filme é a história do monge agostiniano Martinho Lutero, que rompeu com a Igreja Católica e fundou uma nova Igreja cristã.

Site

Brasil: 500 anos de povoamento
www.ibge.gov.br/brasil500

Site destinado às comemorações dos 500 anos da chegada dos portugueses ao Brasil, com dados sobre as populações indígenas, escrava e negra, a chegada dos imigrantes e a construção do território brasileiro. Conta também com uma linha do tempo com os principais fatos políticos ocorridos em cada período.